Dictionnaire
Hachette
Encyclopédique
de Poche

HACHETTE

Dictionnaire Hachette Encyclopédique de Poche

50 000 MOTS

Le **Dictionnaire Hachette Encyclopédique Poche**

est édité sous la direction de Ghislaine Stora

Chef de projet : Jean-Pierre Mével ; Jean-Benoit Ormal-Grenon pour la
présente édition

Rédaction : Jean Dubois, Françoise Dubois-Charlier, Alain Guillet,
René Lagane

Correction : Yolande Le Douarin, Bénédicte Gaillard, Patricia Abbou

Saisie SGML : Patricia Gautier

Informatique éditoriale : Alain Pierrot
Jean-Marc Destabeaux
Luc Audrain

Couverture : Laurent Carré

Fabrication : Nathalie Chappant
Michel Aran

© HACHETTE LIVRE 2006, 43 quai de Grenelle, 75905 PARIS CEDEX 15

I.S.B.N. 2.01.280583.3

www.hachette-education.com

NOTE DE L'ÉDITEUR

Le **Dictionnaire Hachette Encyclopédique de Poche** rassemble, eu égard à son format, une nomenclature exceptionnellement abondante : 40 000 mots de la langue et 10 000 noms propres, répartis en deux sections distinctes.

Dans la première section, nous avons fait figurer tous les noms communs dont peut avoir besoin un lecteur dans toutes les circonstances de la vie quotidienne : c'est pourquoi nous avons fait une place aussi bien à des mots très contemporains ou à des termes techniques et scientifiques qu'à des mots d'une langue un peu recherchée nécessaires à la compréhension des grands auteurs du XIXe et du XXe siècle. Soucieux de rendre service aux lecteurs étrangers qui apprennent notre langue, nous n'avons pas exclu les mots de la langue familière, voire très familière, pourvu qu'ils aient reçu une large diffusion dans la société contemporaine ; dans la même intention, nous avons mentionné les mises en garde des grammairiens attentifs à la préservation de la pureté de notre langue.

Le lecteur trouvera également des indications concernant la *prononciation* (quand celle-ci pose un problème particulier par rapport aux règles générales du phonétisme français) et la *conjugaison* des verbes (le numéro placé après l'entrée renvoie aux tableaux p. 776). Les *pluriels* irréguliers et ceux des noms composés sont systématiquement mentionnés en fin d'article. Les *niveaux de langue* (familier, littéraire, vieux, etc.) ont été indiqués avec soin, de même que les rubriques des *vocabulaires scientifiques et techniques* (biologie, informatique, linguistique, médecine, etc.). Nous avons fait une place aux rectifications de l'orthographe de 1990 en présentant, à titre de variantes, les graphies admises.

Les noms propres, regroupés dans la deuxième section, ont été également choisis dans ce double souci de classicisme et de modernité, de culture générale et d'intérêt pour les réalités contemporaines : c'est ainsi qu'on trouvera aussi bien Omar Khayyam, le plus grand poète classique persan, que les principaux chefs d'État du monde contemporain.

Enfin, les dernières pages du dictionnaire sont consacrées à un certain nombre de renseignements pratiques présentés de façon synoptique : accord du participe passé, préfixes et suffixes, symboles mathématiques, unités de mesure, etc.

Ainsi conçu et réalisé, ce **Dictionnaire** rendra, nous l'espérons, de nombreux services aux lecteurs pressés, mais aussi curieux et exigeants.

LES SONS DU FRANÇAIS

Nous n'avons indiqué la prononciation (entre crochets après l'entrée) que lorsqu'une difficulté se présentait par rapport aux règles générales du français. Dans ce cas, seul le point délicat a été mis en évidence : **abasourdir** (-zur-], **abdomen** [-mɛn]. Les signes utilisés sont ceux de l'alphabet phonétique international.

	CONSONNES			VOYELLES	
b	de bal	[bal]	a	de patte	[pat]
d	de dent	[dɑ̃]	ɑ	de pâte	[pɑt]
f	de foire	[fwar)	ɑ̃	de clan	[klɑ̃]
g	de gomme	[gɔm]	e	de dé	[de]
h	holà !	[ɔla]	ɛ	de belle	[bɛl]
	hourra !	[hura]	ɛ̃	de lin	[lɛ̃]
	(valeur)		ə	de demain	[dəmɛ̃]
	expressive)		i	de gris	[gri]
k	de clé	[kle]	o	de gros	[gro]
l	de lien	[ljɛ̃]	ɔ	de corps	[kɔr]
m	de mer	[mɛr]	ɔ̃	de long	[lɔ̃]
n	de nage	[naʒ]	œ	de leur	[lœr]
ɲ	de gnon	[ɲɔ̃]	œ̃	de brun	[brœ̃]
ŋ	de dancing	[dɑ̃siŋ]	ø	de deux	[dø]
p	de porte	[pɔrt]	u	de fou	[fu]
R	de rire	[rir]	y	de pur	[pyr]
s	de sang	[sɑ̃]			
ʃ	de chien	[ʃjɛ̃]		SEMI-VOYELLES	
t	de train	[trɛ̃]			
v	de voile	[vwal]			
x	de buch	[bux]	j	de fille	[fij]
z	de zèbre	[zɛbr]	ɥ	de huit	[ɥit]
ʒ	de jeune	[ʒœn]	w	de oui	[wi]

Le *h* dit « aspiré », noté ['] devant la voyelle, ne se prononce pas mais empêche la liaison et l'élision.

ABREVIATIONS

Les catégories grammaticales, placées après l'entrée, sont en *italiques*, les marques de domaine scientifique ou technique sont en CAPITALES, les indications de niveau de langue sont en caractères étroits ; les autres abréviations apparaissent dans le courant du texte, dans la partie Noms Propres ou dans les annexes.

a	adjectif
a, n	adjectif et nom
abrév	abréviation
abusiv	abusivement
	(le mot, bien que d'emploi courant, est critiqué par certains grammairiens)
ADMIN	administration
admin.	administratif
AERON	aéronautique
affl.	affluent
aggl.	agglomération
AGRIC	agriculture
ANAT	anatomie
anc	ancien
	(la notion désignée par le mot est sortie de l'usage actuel)
anc.	ancien, anciennement
ANTHROP	anthropologie
ANTIQ	antiquité
Ant	antonyme
apr.	après
ARCHEOL	archéologie
ARCHI	architecture
arg	argot
ARITH	arithmétique
arr.	arrondissement
ASTRO	astronomie
AUDIOV	audiovisuel
auj.	aujourd'hui
AUTO	automobile
auton.	autonome
av	adverbe
av.	avant
BIOL	biologie
BOT	botanique
BX-A	beaux-arts
cant.	canton
cap.	capitale
ch.-l.	chef-lieu
CHIM	chimie
CHIR	chirurgie

CINE	cinéma
COMM	commerce
commun.	communauté
conj	conjonction
CONSTR	construction
COUT	couture
CUIS	cuisine
dém	démonstratif
dép.	département
didac	didactique
	(terme savant commun à plusieurs disciplines)
DR	droit
E.	est
ECOL	écologie
ECON	économie
ELECTR	électricité
ELECTRON	électronique
ELEV	élevage
EMBRYOL	embryologie
env.	environ
EQUIT	équitation
ETHNOL	ethnologie
fam	familier
	(le terme est courant dans la langue parlée mais on l'évite dans la langue écrite formelle)
FEOD	féodalité
FIN	finances
FISC	fiscalité
fl.	fleuve
FORTIF	fortification
GEOGR	géographie
GEOL	géologie
GEOM	géométrie
gr.	grec
GRAM	grammaire
HERALD	héraldique
HIST	histoire
HYDROL	hydrologie
h	habitants
impers	impersonnel

IMPRIM	imprimerie
ind	indicatif
indéf	indéfini
INFORM	informatique
inf	infinitif
interj	interjection
inv	invariable
J.-C.	Jésus-Christ
km	kilomètres
lat.	latin
LING	linguistique
LITTER	littérature
litt	littéraire
LITURG	liturgie
Loc	locution
LOG	logique
m	mètres
majusc	majuscule
MAR	marine
MATH	mathématiques
MED	médecine
MILIT	militaire
MINER	minéralogie
MUS	musique
MYTH, myth	mythologie
N., N.-E., N.-O.	nord, nord-est, nord-ouest
n	nom
n, a	nom et adjectif
nf	nom féminin
nfpl	nom féminin pluriel
nm	nom masculin
nmpl	nom masculin pluriel
num	numéral
O.	ouest
oppos.	opposition
PALEONT	paléontologie
part.	participe
partic.	particulièrement
PEINT	peinture
péjor	Péjoratif
pers	personnel
PHARM	pharmacie
PHILO	philosophie
PHON	phonétique
PHOTO	photographie
PHYS	physique
PHYSIOL	physiologie
pl	pluriel
POLIT	politique
pop.	populaire
	(le terme est jugé contraire à la politesse ou fait l'objet d'un tabou)
poss	possessif
préc.	précédent
PREHIST	préhistoire

pr	pronom
prép	préposition
princ.	principal, principalement
prov.	province
PSYCHAN	psychanalyse
PSYCHIAT	psychiatrie
PSYCHO	psychologie
qqch	quelque chose
qqn	quelqu'un
qq part	quelque part
reg	régionalisme
	(l'usage du mot est limité à une région de la France ou de la francophonie)
rég.	région
RELIG	religion
rel	relatif
rép.	république
RHET	rhétorique
riv.	rivière
rom.	romain
S., S.-E., S.-O.	sud, sud-est, sud-ouest
s.	siècle
SC NAT	sciences naturelles
SEXOL	sexologie
SOCIOL	sociologie
spécial.	spécialement
SPORT	sports
stat.	station
STATIS	statistique
subj	subjonctif
SYLVIC	sylviculture
Syn	synonyme
TECH	technique, technologie
TEXT	textile
THEOL	théologie
V.	voir (renvoi)
v.	ville ou (avant une date) vers
v	verbe
Var	variante orthographique
VEN	vènerie
VERSIF	versification
VETER	médecine vétérinaire
vieilli	vieilli
	(le terme tend à sortir de l'usage actuel)
VITIC	viticulture
vi	verbe intransitif
vpr	verbe pronominal
vt	verbe transitif
vti	verbe transitif indirect
vx	vieux
	(le terme n'est plus utilisé dans la langue actuelle)
ZOOL	zoologie

a nm Première lettre (voyelle) de l'alphabet. **Loc** *De A à Z :* du début à la fin.

à *prép* (*à le* se contracte en *au* et *à les* en *aux*). **1** Introduit des compléments exprimant la direction, la position, le moment, la simultanéité, l'origine, l'attribution, la manière, l'instrument, le moyen, le prix, l'évaluation. **2** S'emploie devant l'objet indirect d'un verbe, devant certains compléments de nom et devant le complément de certains adjectifs.

abaca nm Bananier des Philippines fournissant une fibre textile.

abaisse-langue nm Palette servant à abaisser la langue. *Des abaisse-langues.*

abaissement nm Action d'abaisser, de s'abaisser.

abaisser vt **1** Placer à un niveau inférieur. **2** Mener une perpendiculaire à une droite, à un plan. **3** Avilir, humilier. ■ vpr S'humilier. *S'abaisser à des compromissions.*

abajoue nf Extension de la joue chez certains mammifères.

abandon nm **1** Fait d'abandonner. **2** État de la chose, de l'être abandonné. **Loc** *À l'abandon :* dans un état d'abandon, de délaissement.

abandonner vt **1** Renoncer à. *Abandonner un projet.* **2** Laisser qqch à qqn. **3** Ne pas conserver, délaisser. *Abandonner sa voiture sur la voie publique.* **4** Manquer, faire défaut. *Ses forces l'abandonnent.* **5** Se séparer volontairement de. *Abandonner sa famille.* ■ vi Quitter une compétition. ■ vpr Se livrer à une émotion, un sentiment. *S'abandonner à la tristesse.*

abandonnique *a* PSYCHIAT Qui souffre d'une profonde angoisse de se voir abandonné.

abaque nm **1** Graphique qui donne la valeur d'une fonction. **2** Boulier compteur.

abasourdir [-zur-] vt **1** Rendre sourd ; étourdir par un grand bruit. **2** Frapper de stupeur. *Nouvelle qui abasourdit.*

abasourdissant, ante *a* Qui abasourdit.

abâtardir vt Faire dégénérer. ■ vpr Dégénérer.

abâtardissement nm Dégénérescence.

abat-jour nm Réflecteur qui rabat la lumière. *Des abat-jours* ou *abat-jour.*

abats nmpl Viscères comestibles des volailles ou des animaux de boucherie.

abattage nm **1** Action de faire tomber ce qui est dressé. **2** Mise à mort d'un animal de boucherie. **Loc** fam *Avoir de l'abattage :* du brio, de la vivacité.

abattant nm Partie d'un meuble qui se lève ou s'abaisse.

abattement nm **1** Affaiblissement physique ou moral. **2** FISC Partie des revenus imposables exonérée d'impôt.

abattis nmpl Abats de volaille. **Loc** fam *Numérote tes abattis !* : prépare toi à te battre.

abattoir nm Établissement où se fait l'abattage des animaux de boucherie.

abattre vt [77] **1** Mettre à bas, faire tomber ce qui est dressé. *Abattre un mur.* **2** Tuer un animal. **3** Tuer qqn avec une arme à feu. **4** Déprimer, affaiblir qqn. *Cette maladie l'a abattu.* **Loc** *Abattre de la besogne :* faire beaucoup de travail en peu de temps. *Abattre son jeu :* montrer clairement ses intentions. ■ vpr Tomber brutalement.

abattu, ue *a* Découragé, déprimé.

abbatial, ale, aux [-sjal] *a* De l'abbaye. ■ nf Église d'une abbaye.

abbaye [abei] nf **1** Communauté placée sous l'autorité d'un abbé ou d'une abbesse. **2** Bâtiments de cette communauté.

abbé nm **1** Supérieur d'une abbaye. **2** Membre du clergé séculier.

abbesse nf Supérieure d'une abbaye.

abc [abese] nm Connaissances de base. *L'abc du métier.*

abcès nm Accumulation de pus.

abdication nf Action d'abdiquer.

abdiquer vt, vi **1** Abandonner le pouvoir souverain. **2** Renoncer à. *Abdiquer tous ses droits.*

abdomen [-mɛn] nm Partie inférieure du tronc qui contient l'appareil digestif, le foie, la rate et une partie de l'appareil génito-urinaire.

abdominal, ale, aux *a* De l'abdomen. ■ nmpl Les muscles de l'abdomen. **Loc** *Faire des abdominaux :* des exercices de musculation de ces muscles.

abducteur *a, nm* ANAT Muscle qui effectue le mouvement d'abduction. Ant. adducteur.

abduction nf ANAT Mouvement par lequel un membre s'écarte de l'axe du corps.

abécédaire nm Livre d'apprentissage de la lecture.

abeille nf Insecte hyménoptère social vivant dans des ruches et produisant le miel.

aber [abɛʀ] nm Petite ria, en Bretagne.

aberrant, ante *a* Contraire à la raison, au bon sens. *Raisonnement aberrant.*

aberration *nf* 1 ASTRO, PHYS Déformation provoquée par des paramètres secondaires. 2 BIOL Anomalie de la constitution ou du nombre des chromosomes. 3 Écart de l'imagination, erreur de jugement ; absurdité.

abêtir *vt* Rendre bête, stupide.

abêtissant, ante *a* Qui abêtit.

abêtissement *nm* Action d'abêtir.

abhorrer *vt* litt Détester.

abîme *nm* 1 Gouffre très profond. 2 Différence très importante. *Un abîme sépare ces deux propositions.* Var **abime**

abîmer *vt* Endommager. *Abîmer ses affaires.* ■ *vpr* litt S'engloutir. Var **abimer**

ab intestat *av* En l'absence de testament.

abiotique *a* Impropre à la vie.

abject, ecte *a* Ignoble, infect.

abjection *nf* État d'abaissement méprisable.

abjuration *nf* Acte par lequel on abjure.

abjurer *vt* 1 Renier publiquement une religion. 2 litt Renoncer à une opinion, une pratique.

ablatif *nm* GRAM Cas de la déclinaison exprimant l'origine, la séparation.

ablation *nf* CHIR Enlèvement d'un membre, d'un organe, d'un tissu, d'une tumeur.

ablette *nf* Petit poisson d'eau douce aux écailles argentées.

ablution *nf* Toilette purificatrice rituelle. Loc *Faire ses ablutions :* se laver.

abnégation *nf* Renoncement, sacrifice de soi.

aboiement *nm* Cri du chien.

abois *nmpl* Loc *Bête aux abois :* cernée par les chiens qui aboient. *Être aux abois :* dans une situation désespérée.

abolir *vt* Faire cesser la validité de.

abolition *nf* Action d'abolir.

abolitionnisme *nm* Doctrine prônant l'abolition de l'esclavage ou de la peine de mort.

abolitionniste *n, a* Qui se réclame de l'abolitionnisme.

abominable *a* 1 Qui inspire l'horreur. 2 Très désagréable. *Un temps abominable.*

abominablement *av* De façon abominable.

abomination *nf* litt Ce qui inspire l'horreur, le dégoût.

abominer *vt* litt Avoir en horreur.

abondamment *av* En grande quantité.

abondance *nf* 1 Grande quantité. 2 Richesse, ressources considérables. *Vivre dans l'abondance.*

abondant, ante *a* Qui abonde, qui est en très grande quantité. *Récolte abondante.*

abonder *vi* Être, exister en très grande quantité. Loc *Abonder dans le sens de qqn :* soutenir la même opinion que lui.

abonné, ée *a, n* Qui a un abonnement.

abonnement *nm* Convention qu'un client passe avec un fournisseur pour bénéficier d'un service régulier.

abonner *vt* Prendre un abonnement pour qqn. ■ *vpr* Prendre un abonnement pour soi.

abord *nm* Loc *D'un abord facile :* qui fait bon accueil, avenant. *Dès l'abord :* dès la première rencontre. *D'abord, tout d'abord :* avant toute chose, en premier lieu. *Au premier abord, de prime abord :* à première vue. ■ *pl* Environs, alentours. *Les abords de la ville.*

abordable *a* Accessible.

abordage *nm* 1 Action de prendre d'assaut un navire. 2 Collision de deux navires.

aborder *vt* 1 Accoster un navire pour lui donner l'assaut. 2 Heurter un navire accidentellement. 3 Arriver à un endroit. *Aborder un virage.* 4 S'approcher de qqn pour lui parler. 5 Commencer à parler de qqch.

aborigène *a, n* Né dans le pays qu'il habite.

abortif, ive *a, nm* Qui fait avorter.

abouchement *nm* Action d'aboucher.

aboucher *vt* Appliquer un tube à un autre par l'extrémité. ■ *vpr* Entrer en relation avec qqn. *Il s'est abouché avec un grossiste.*

abouler *vt* pop Donner, remettre.

aboulie *nf* PSYCHO Absence totale de volonté.

aboulique *a, n* Atteint d'aboulie.

abouter *vt* Joindre par le bout.

abouti, ie *a* Mené à bien, réussi. *Une œuvre aboutie.*

aboutir *vti* Arriver en bout de parcours à un lieu. *Cette route aboutit à la mer.* ■ *vi* Arriver à un résultat, réussir. *Ses démarches ont abouti.*

aboutissants *nmpl* Loc *Les tenants et les aboutissants d'une affaire :* ses implications.

aboutissement *nm* Résultat.

aboyer *vi* [22] Crier (chien).

abracadabrant, ante *a* Invraisemblable.

abraser *vt* User par abrasion.

abrasif, ive *a, nm* Qui use par frottement.

abrasion *nf* Usure par frottement.

abrégé *nm* 1 Discours, écrit réduit à l'essentiel. 2 Petit ouvrage exposant une science, une technique. Loc *En abrégé :* en peu de mots.

abrègement *nm* Action d'abréger.

abréger *vt* [13] Rendre plus court.

abreuver *vt* Faire boire un animal ou, fam, une personne. Loc *Abreuver qqn d'injures :* l'accabler d'injures. ■ *vpr* Boire (animaux).

abreuvoir *nm* Lieu conçu pour faire boire les animaux ; auge destinée à cet usage.

abréviatif, ive *a* Utilisé pour abréger.

abréviation *nf* 1 Retranchement de lettres dans un mot, de mots dans une phrase. 2 Mot, groupe de mots abrégés.

abri *nm* Lieu de protection, de refuge contre les intempéries ou le danger. Loc *À l'abri de :* protégé contre.

abribus *nm* (n. déposé) Édicule servant d'abri à un arrêt de bus et comportant des panneaux publicitaires.

abricot *nm* Fruit de l'abricotier, comestible, jaune, à noyau.

abricotier *nm* Arbre fruitier à fleurs roses.

abri-sous-roche *nm* PRÉHIST Cavité naturelle à la base d'une falaise. *Des abris-sous-roche.*

abrité, ée *a* À l'abri du vent.

abriter *vt* 1 Mettre à l'abri. 2 Servir d'habitation à. ■ *vpr* Se mettre à l'abri des intempéries, du danger.

abrogation *nf* Action d'abroger.

abrogatoire *a* Qui abroge.

abroger *vt* [11] Rendre légalement nul. *Abroger une loi.*

abrupt, upte *a* 1 À pic. *Falaises abruptes.* 2 Rude, direct. *Manières abruptes.*

abruptement *av* De façon abrupte.

abruti, ie *a, n* Stupide.

abrutir vt Rendre stupide, hébété. *Le bruit nous abrutit.*

abrutissant, ante a Qui abrutit.

abrutissement nm Action d'abrutir.

abscisse nf MATH Nombre qui permet de définir la position d'un point sur une droite orientée.

abscons, onse a litt Peu compréhensible.

absence nf 1 Défaut de présence, fait de ne pas être en un lieu donné. 2 Inexistence, manque. *Absence de goût.* 3 Défaillance de l'attention. *Avoir des absences.*

absent, ente a, n Qui n'est pas présent qq part. ■ a 1 Qui manque. 2 Distrait.

absentéisme nm Fait d'être souvent absent du travail.

absentéiste a, n Fréquemment absent.

absenter (s') vpr S'éloigner momentanément.

abside nf Extrémité d'une église, derrière le chœur.

absidiole nf Chapelle attenante à l'abside.

absinthe nf 1 Plante à la saveur amère et aromatique. 2 Liqueur extraite de cette plante.

absolu, ue a 1 Sans limite. *Pouvoir absolu.* 2 Total, entier. *Impossibilité absolue.* 3 Intransigeant. *Un caractère absolu.* ■ a, nm Considéré en soi, sans référence à autre chose. Ant. relatif.

absolument av 1 Totalement, entièrement. *Je suis absolument décidé.* 2 Nécessairement, de toute nécessité. 3 abusiv Oui. Loc GRAM *Verbe transitif employé absolument :* sans complément d'objet.

absolution nf Pardon accordé au nom de Dieu par le confesseur.

absolutisme nm Exercice sans contrôle du pouvoir politique.

absolutiste a, n Qui relève de l'absolutisme.

absorbant, ante a 1 Qui absorbe. *Les poils absorbants des racines.* 2 Qui occupe entièrement l'attention.

absorber vt 1 Laisser pénétrer et retenir un fluide, un rayonnement. 2 Ingérer. *Absorber de la nourriture.* 3 Consommer entièrement. *Ces travaux ont absorbé les crédits.* 4 Captiver, occuper totalement. *Ses activités l'absorbent.*

absorbeur nm Dispositif servant à absorber qqch (gaz, rayonnement, etc.).

absorption nf Action d'absorber.

absoudre vt 1 Accorder son pardon à qqn.

absoute nf RELIG Dernière prière du prêtre lors de la liturgie des funérailles à l'église.

abstenir (s') vpr [35] 1 Se garder de faire qqch. *S'abstenir de répondre.* 2 Ne pas prendre part à un scrutin. 3 Se priver volontairement de. *S'abstenir de fumer.*

abstention nf Action de s'abstenir, de ne pas participer à un scrutin.

abstentionnisme nm Refus de voter.

abstentionniste a, n Qui s'abstient à un vote.

abstinence nf Fait de se priver de qqch, pour des motifs religieux ou médicaux.

abstinent, ente a Qui pratique l'abstinence.

abstract nm Résumé d'un article de revue.

abstraction nf 1 Opération par laquelle l'esprit isole dans un objet une qualité particulière pour la considérer à part. 2 Idée difficile à comprendre. Loc *Faire abstraction de :* ne pas tenir compte de.

abstraire vt [74] Faire abstraction de qqch. ■ vpr S'isoler du réel.

abstrait, aite a, nm 1 Considéré par abstraction. Ant. concret. 2 Difficile à comprendre. Loc *Art abstrait :* qui ne cherche pas à représenter le réel (par oppos. à *figuratif*).

abstraitement av De façon abstraite.

abstrus, use a litt Difficile à comprendre.

absurde a Contre le sens commun, la logique. *Une conduite absurde.* ■ nm Ce qui est absurde. Loc *Démonstration par l'absurde :* qui établit la vérité de qqch en montrant que son contraire ne peut être vrai.

absurdité nf 1 Caractère de ce qui est absurde. 2 Conduite, propos absurde.

abus nm 1 Mauvais usage ou usage excessif. 2 Injustice. *Combattre les abus.* Loc fam *Il y a de l'abus :* la mesure est comble. *Abus de confiance :* commis par quiconque profite de la confiance d'un tiers. *Abus de biens sociaux :* délit commis par un dirigeant de société qui détourne à son profit les biens de celle-ci.

abuser vti 1 Faire un usage excessif. *Abuser du tabac, de la patience de qqn.* 2 Violer. *Abuser d'une femme.* 3 litt Tromper quelqu'un. ■ vpr litt Se tromper.

abuseur nm Celui qui fait subir à autrui des violences sexuelles.

abusif, ive a Qui constitue un abus, excessif.

abusivement av De façon abusive.

abyssal, ale, aux a 1 Des abysses. 2 fam Considérable. *Une bêtise abyssale.*

abysse nm Fosse océanique.

abyssinien, enne a, n De l'Abyssinie. **Var abyssin, ine**

acabit [-bi] nm Loc péjor *De cet acabit, du même acabit :* de ce genre, du même genre.

acacia nm Arbre épineux à fleurs blanches.

académicien, enne n Membre d'une académie, spécialement de l'Académie française.

académie nf 1 Société réunissant des savants, des artistes, des hommes de lettres. 2 École où l'on s'exerce à la pratique d'un art. 3 Circonscription universitaire. 4 Dessin, peinture exécutés d'après un modèle nu.

académique a 1 D'une académie, spécialement de l'Académie française. 2 péjor Conventionnel.

académisme nm Attachement rigoureux aux traditions, aux conventions.

acadien, enne a, n De l'Acadie.

acajou nm Bois dur, de teinte brun rougeâtre, d'un arbre d'Afrique et d'Amérique.

acalculie nf MED Perte de la capacité de calculer.

acalorique a Qui ne contient pas de calories.

acanthe nf Plante aux feuilles longues et découpées. Loc ARCHI *Feuille d'acanthe :* ornement imité de cette plante.

acanthoptérygien nm ZOOL Poisson à nageoire dorsale épineuse, tel le maquereau.

a cappella av MUS Sans accompagnement instrumental. **Var a capella** ou **a capela**

acariâtre a De caractère querelleur.

acarien nm ZOOL Petit arachnide, à huit pattes (tiques, aoûtats, etc.).

accablant, ante a Qui accable.

accablement nm Abattement.

accabler vt 1 Faire supporter une chose fatigante, pénible. 2 Surcharger de. *Accabler d'impôts.*

accalmie nf Calme momentané dans une tempête, dans une activité.

accaparement nm Action d'accaparer.

accaparer vt 1 Acquérir en grande quantité une marchandise pour faire monter son prix. 2 Prendre, conserver pour son usage exclusif.

accapareur, euse n Personne qui accapare.

accastillage nm MAR Partie du gréement d'un voilier nécessaire à la manœuvre.

accastiller vt MAR Munir un navire de son accastillage.

accédant, ante n Loc Accédant à la propriété : qui est en train de l'acquérir.

accéder vti [12] 1 Parvenir à. On accède à la cuisine par un couloir. 2 Consentir à. Accéder aux désirs de qqn.

accélérateur, trice a Qui accélère, qui communique une vitesse élevée. ■ nm 1 Pédale qui commande l'admission du mélange combustible dans un moteur. 2 PHYS Dispositif qui permet d'étudier la structure de la matière en accélérant les particules élémentaires.

accélération nf Augmentation de vitesse.

accéléré nm Procédé cinématographique donnant l'illusion de mouvements plus rapides.

accélérer vt [12] 1 Augmenter la rapidité de. Accélérer la marche. 2 Faire évoluer plus rapidement. Accélérer la décision. ■ vi Agir sur l'accélérateur d'une automobile.

accent nm 1 Accroissement de l'intensité d'un son de la parole. 2 Signe graphique qui précise la valeur d'une lettre. 3 Modification expressive de la voix. 4 Prononciation particulière d'une langue. L'accent du Midi. Loc Mettre l'accent sur qqch : en souligner l'importance.

accentuation nf Fait d'accentuer.

accentué, ée a 1 Qui porte un accent. 2 Marqué, fort. Pente accentuée.

accentuer vt 1 Accroître l'intensité de la voix en prononçant. 2 Mettre un accent sur une lettre. 3 Renforcer. Sa haute taille accentuait sa maigreur.

acceptabilité nf Caractère acceptable.

acceptable a Qui peut être accepté.

acceptation nf Consentement.

accepter vt 1 Prendre, recevoir volontairement ce qui est proposé. 2 Supporter, admettre.

acception nf Sens particulier d'un mot.

accès nm 1 Voie pour se rendre dans, passage vers un lieu. 2 Possibilité de parvenir à. Village d'un accès difficile. 3 Brusque manifestation d'un phénomène pathologique ou émotionnel. Accès de fièvre.

accessible a 1 Que l'on peut atteindre. 2 Que tout le monde peut acheter, bon marché. 3 Qui se laisse toucher par un sentiment.

accession nf Action d'accéder à.

accessit [-sit] nm Distinction attribuée aux élèves les plus proches des premiers prix.

accessoire a Subordonné à ce qui est essentiel ; secondaire. ■ nm 1 Pièce qui ne fait pas partie intégrante d'un ensemble. 2 Petit objet conçu pour un usage précis. 3 Objet, élément mobile du décor, dans un spectacle.

accessoirement av De façon accessoire.

accessoiriser vt Assortir, agrémenter un vêtement grâce à des accessoires.

accessoiriste n Personne qui, au théâtre, au cinéma, s'occupe des accessoires.

accident nm 1 Simple péripétie, épisode sans réelle importance. 2 Événement imprévu, qui entraîne des dommages. Loc Accident de terrain : dénivellation.

accidenté, ée a 1 Inégal, varié. Terrain accidenté. ■ a, n Qui a subi un accident. Voiture accidentée.

accidentel, elle a Fortuit, dû au hasard.

accidentellement av Fortuitement.

accidentologie nf Étude scientifique des accidents.

accises nfpl Impôt indirect sur les alcools.

acclamation nf Cri collectif en faveur de qqn.

acclamer vt Saluer par des acclamations.

acclimatation nf Action d'acclimater ou de s'acclimater à un nouveau milieu.

acclimatement nm Résultat de l'acclimatation.

acclimater vt Adapter à un climat, à un milieu différent, à de nouvelles conditions d'existence.

accointances nfpl péjor Fréquentation peu recommandable, liaison familière.

accointer (s') vpr litt Se lier avec qqn.

accolade nf 1 Action de mettre les bras autour du cou pour accueillir ou honorer. 2 Signe typographique ({) utilisé pour réunir plusieurs lignes.

accoler vt Joindre étroitement.

accommodant, ante a D'humeur facile.

accommodation nf PHYSIOL Variation de la courbure du cristallin qui permet la vision à des distances différentes.

accommodement nm Arrangement, accord à l'amiable.

accommoder vt 1 Préparer des aliments. 2 Adapter à. Accommoder sa vie aux circonstances. ■ vpr Se faire à, s'habituer à.

accompagnateur, trice n 1 Musicien qui assure l'accompagnement instrumental. 2 Personne qui accompagne, guide ou dirige un groupe.

accompagnement nm 1 Ce qui accompagne. 2 MUS Soutien de la mélodie d'une voix ou d'un instrument par un instrument secondaire.

accompagner vt 1 Aller avec qqn. 2 Joindre, ajouter. Accompagner ses paroles d'un sourire. 3 Soutenir le chant, un instrument par un accompagnement. ■ vpr Advenir en même temps.

accompli, ie a 1 Parfait en son genre. 2 Révolu. Il a dix-huit ans accomplis. Loc Fait accompli : sur lequel il n'y a plus à revenir.

accomplir vt Exécuter, réaliser entièrement.

accomplissement nm Fait d'accomplir, de s'accomplir.

accord nm 1 Entente entre des personnes. 2 Convention. Signer un accord. 3 Concordance de choses, d'idées entre elles. 4 Assentiment, approbation. Donner son accord. 5 MUS Combinaison d'au moins trois notes jouées simultanément. 6 Réglage d'un instrument de musique à un ton donné. 7 Concordance entre certains mots dans une phrase. Loc D'accord : manifeste l'approbation. Être, tomber d'accord : être du même avis. D'un commun accord : selon une décision prise en commun.

accordéon nm Instrument de musique portatif à soufflet et à anches métalliques, muni de touches. Loc En accordéon : qui forme de nombreux plis.

accordéoniste n Personne qui joue de l'accordéon.

accorder vt 1 Faire concorder. 2 Octroyer, concéder. Accorder une autorisation. 3 Régler un instrument de musique. 4 Appliquer les règles d'accord entre les mots. ■ vpr S'entendre pour. Tout le monde s'accorde à le féliciter.

accordeur *nm* Personne qui accorde certains instruments de musique.

accordoir *nm* Clef pour régler certains instruments de musique.

accort, orte *a* litt Gracieux.

accostage *nm* Action d'accoster.

accoster *vt* 1 Aborder qqn pour lui parler. 2 Se ranger le long d'un quai, d'un autre bateau.

accotement *nm* Espace sur le côté d'une route, entre la chaussée et le fossé.

accoter *vt* Faire prendre appui contre. ■ *vpr* S'appuyer contre.

accotoir *nm* Partie d'un siège qui sert à accoter la nuque, la tête.

accouchement *nm* Action de mettre au monde un enfant.

accoucher *vi* Mettre au monde un enfant. ■ *vt* Aider une femme à mettre un enfant au monde.

accoucheur, euse *n* Spécialiste des accouchements.

accouder (s') *vpr* S'appuyer sur le coude.

accoudoir *nm* Appui pour s'accouder.

accouplement *nm* 1 Acte sexuel entre le mâle et la femelle. 2 Dispositif destiné à rendre solidaires deux pièces.

accoupler *vt* 1 Unir, réunir par deux. 2 Rendre solidaire une pièce, une machine d'une autre. ■ *vpr* S'unir sexuellement (animaux).

accourir *vi* [25] [aux. *être* ou *avoir*] Venir en courant, en hâte.

accoutrement *nm* Habillement étrange ou grotesque.

accoutrer *vt* Habiller bizarrement.

accoutumance *nf* 1 Fait de s'accoutumer. 2 MED Phénomène se traduisant par la nécessité d'augmenter les doses d'une substance.

accoutumé, ée *a* Ordinaire, habituel. Loc litt *À l'accoutumée* : d'habitude.

accoutumer *vt* Faire prendre une habitude à qqn, à un animal. Loc *Être accoutumé à* : avoir l'habitude de. ■ *vpr* S'habituer à.

accouvage *nm* Incubation des œufs par couveuse artificielle.

accréditation *nf* Action d'accréditer qqn.

accréditer *vt* Faire reconnaître officiellement la qualité de qqn. Loc *Être accrédité auprès d'une banque* : y avoir un crédit. *Accréditer une rumeur* : la rendre plausible, la tenir pour vraie.

accro *a, n* fam 1 Qui est sous la dépendance d'une drogue. 2 Qui est passionné par qqch.

accroc [akʀo] *nm* 1 Déchirure faite en s'accrochant. 2 Difficulté imprévue.

accrochage *nm* 1 Action d'accrocher. 2 Accident matériel sans gravité entre deux véhicules. 3 fam Querelle. 4 Exposition de peintures.

accroche *nf* Partie d'une annonce publicitaire qui est destinée à attirer l'attention.

accroche-cœur *nm* Boucle de cheveux plaquée sur la tempe. *Des accroche-cœurs.*

accrocher *vt* 1 Suspendre à un crochet. 2 Retenir au moyen d'un objet crochu. *Il a accroché ma veste avec un hameçon.* 3 Heurter un véhicule avec un autre. 4 Obliger des ennemis au combat. 5 Aborder et retenir qqn. ■ *vpr* 1 Se cramponner. 2 fam Faire preuve de ténacité. 3 fam Se disputer.

accrocheur, euse *a* Qui retient l'attention. ■ *a, n* fam Tenace, obstiné.

accroire *vt* Loc litt *En faire accroire à qqn* : le tromper.

accroissement *nm* Fait d'augmenter.

accroître *vt* [59] Augmenter, rendre plus grand. ■ *vpr* Aller en augmentant. Var **accroitre**

accroupir (s') *vpr* Fléchir les genoux comme pour s'asseoir sur ses talons.

accu *nm* fam Accumulateur.

accueil *nm* 1 Façon de recevoir qqn. 2 Lieu où l'on reçoit un client, un groupe.

accueillant, ante *a* Qui fait bon accueil.

accueillir *vt* [26] Recevoir d'une certaine manière.

acculer *vt* Pousser dans un endroit où il est impossible de reculer.

acculturation *nf* SOCIOL Changements résultant du contact entre des groupes de cultures différentes.

acculturer *vt* Adapter à une nouvelle culture.

accumulateur *nm* Appareil qui accumule l'énergie électrique et la restitue sous forme de courant.

accumulation *nf* Action d'accumuler.

accumuler *vt* Mettre ensemble en grande quantité, en grand nombre. ■ *vpr* S'amasser, s'entasser.

accusateur, trice *a, n* Qui accuse.

accusatif *nm* GRAM Cas de la déclinaison qui sert à exprimer l'objet direct.

accusation *nf* 1 Imputation d'un défaut, d'une faute. 2 Action en justice par laquelle on accuse qqn d'une infraction.

accusatoire *a* DR Relatif à l'accusation.

accusé, ée *n* Celui à qui l'on impute une infraction aux lois. ■ *nm* Loc *Accusé de réception* : avis que l'envoi a été reçu par le destinataire.

accuser *vt* 1 Présenter qqn comme coupable. 2 Faire ressortir, accentuer. Loc *Accuser le coup* : manifester sa douleur.

ace [ɛs] *nm* Au tennis, service imparable.

acéphale *a* Sans tête.

acerbe *a* Caustique, blessant.

acéré, ée *a* 1 Tranchant ou pointu. 2 Blessant, caustique.

acétate *nm* Sel ou ester de l'acide acétique.

acétique *a* Loc *Acide acétique* : qui donne sa saveur au vinaigre.

acétone *nf* Liquide incolore, très volatil.

acétonémie *nf* Présence d'acétone dans le sang.

acétonurie *nf* Présence d'acétone dans l'urine.

acétylcholine [-kɔ-] *nf* Médiateur chimique transmettant l'influx nerveux.

acétylène *nm* Hydrocarbure gazeux utilisé pour la chaleur qu'il dégage.

acétylénique *a* De l'acétylène.

acétylsalicylique *a* Loc *Acide acétylsalicylique* : aspirine.

achalandé, ée *a* 1 abusiv Qui offre un grand choix de marchandises. 2 vx Qui attire de nombreux clients.

achards *nmpl* Condiment fait de légumes et de fruits macérés dans du vinaigre.

acharné, ée *a* Qui manifeste de l'acharnement.

acharnement *nm* Ardeur tenace, vive et soutenue. Loc *Acharnement thérapeutique* : maintien en vie d'un malade dont l'état est désespéré.

acharner (s') *vpr* 1 Continuer à exercer des violences sur. 2 S'attacher avec opiniâtreté, avec excès à. *S'acharner à réussir.*

achat *nm* **1** Action d'acheter. **2** Ce qui est acheté. **Loc** *Pouvoir d'achat* : quantité de biens qu'on peut obtenir avec ses revenus.

acheminement *nm* Action d'acheminer.

acheminer *vt* Faire avancer, diriger vers un lieu, un but. *Acheminer du courrier.* ■ *vpr* Se diriger vers un lieu.

acheter *vt* [17] **1** Acquérir avec de l'argent. **2** Corrompre qqn avec de l'argent.

acheteur, euse *n* Personne qui achète.

achevé, ée *a* Accompli, parfait dans son genre. *Un hypocrite achevé.*

achèvement *nm* Réalisation complète.

achever *vt* [15] **1** Mener à bonne fin, terminer ce qui est commencé. **2** Donner le coup de grâce. **3** Ôter tout courage à qqn. *Ce coup du sort l'a achevé.* ■ *vpr* Finir. *La nuit s'achève.*

achoppement *nm* **Loc** *Pierre d'achoppement* : cause d'échec.

achopper *vi* Être arrêté par une difficulté. *Il achoppe toujours sur ce mot.*

Achoura *nf* Fête musulmane de l'expiation.

achromatique *a* PHYS Qui laisse passer la lumière sans la décomposer.

achromatisme *nm* PHYS Propriété d'un système optique achromatique.

achromatopsie *nf* MED Non-perception des couleurs.

acide *a* **1** De saveur aigre, piquante. **2** Désagréable. *Ton acide.* ■ *nm* Composé hydrogéné qui fait virer au rouge la teinture de tournesol, réagit sur les bases et attaque les métaux.

acidifier *vt* CHIM Transformer en acide.

acidimétrie *nf* CHIM Mesure du titre d'une solution acide.

acidité *nf* Saveur acide. *L'acidité d'un citron.*

acidose *nf* MED Diminution de l'alcalinité du plasma sanguin.

acidulé, ée *a* Acide au goût, aigrelet.

acier *nm* Alliage de fer et de carbone contenant moins de 2 % de ce dernier.

aciérer *vt* [12] Recouvrir d'une couche d'acier.

aciérie *nf* Usine qui produit de l'acier.

acmé *nm* MED Période d'une maladie où les symptômes sont les plus aigus.

acné *nf* Maladie de la peau se traduisant par des boutons sur le visage.

acolyte *n* péjor Compère, complice.

acompte *nm* Paiement partiel à valoir sur une somme due.

aconit *nm* Plante vénéneuse à fleurs bleues en grappes.

a contrario *av* **Loc** *Raisonnement a contrario* : qui, d'une opposition dans les hypothèses, conclut à une opposition dans les conséquences. **Var à contrario**

acoquiner (s') *vpr* péjor Se lier avec qqn.

à-côté *nm* **1** Ce qui est secondaire, par rapport à l'essentiel. **2** Gain d'appoint. *Des à-côtés.*

à-coup *nm* Secousse, discontinuité dans un mouvement. **Loc** *Par à-coups* : sans régularité. *Des à-coups.*

acouphène *nm* MED Sensation auditive (bourdonnement, sifflement, etc.) qui n'est pas provoquée par une excitation extérieure.

acoustique *a* Relatif au son, à sa propagation. ■ *nf* **1** Branche de la physique qui étudie les vibrations sonores. **2** Qualité d'un lieu à laisser entendre les vibrations sonores qu'on y émet.

acquéreur *nm* Personne qui acquiert un bien.

acquérir *vt* [34] **1** Devenir possesseur de. *Acquérir une maison.* **2** Arriver à avoir. *J'ai acquis la certitude qu'il ment.*

acquêt *nm* DR Bien acquis après le mariage.

acquiescement *nm* Consentement.

acquiescer *vti* [10] Manifester son consentement à une proposition, à une requête.

acquis, ise *a* **1** Dont on est devenu possesseur. **2** BIOL Qui n'est ni congénital ni héréditaire. *Les caractères acquis.* ■ *nm* **1** Connaissances acquises. **2** Avantages obtenus.

acquisition *nf* Achat.

acquit *nm* DR Quittance, décharge. **Loc** *Par acquit de conscience* : pour ne pas avoir de doute ou de regret. *Pour acquit* : pour attester que le chèque a été payé.

acquit-à-caution *nm* Bulletin permettant de faire circuler des marchandises avant d'en avoir payé les taxes. *Des acquits-à-caution.*

acquittement *nm* **1** Action de payer son dû. **2** Fait pour un accusé d'être déclaré non coupable par un tribunal.

acquitter *vt* **1** Payer ce qui est dû. **2** Déclarer juridiquement un accusé non coupable. ■ *vpr* Se libérer d'une obligation, d'une dette.

acra *nm* Boulette de morue frite.

acre *nf* Mesure agraire qui valait 50 ares.

âcre *a* Piquant et irritant au goût, à l'odorat.

âcreté *nf* Caractère âcre.

acridien *nm* Criquet, sauterelle.

acrimonie *nf* Amertume qui s'exprime par des paroles blessantes.

acrimonieux, euse *a* Amer, blessant.

acrobate *n* Artiste qui exécute des tours de force et d'adresse.

acrobatie *nf* **1** Exercice qu'exécute un acrobate. **2** Procédé ingénieux et risqué.

acrobatique *a* De l'acrobatie.

acronyme *nm* Sigle que l'on prononce comme un mot, sans l'épeler, par ex. *Unesco* [ynɛsko].

acropole *nf* Partie fortifiée des cités grecques de l'Antiquité.

acrostiche *nm* Petit poème où les lettres initiales de chaque vers composent un mot.

acrotère *nm* ARCHI Piédestal au sommet d'un fronton pour recevoir une statue.

acrylique *a, nm* Composé chimique servant à la préparation de fibres textiles, de peinture.

acte *nm* **1** Ce qui est fait par une personne. *Acte volontaire.* **2** DR Document qui constate légalement un fait. *Acte d'état civil.* **3** Chacune des divisions principales d'une pièce de théâtre. **Loc** *Acte médical* : consultation, visite, intervention d'un médecin. *Prendre acte* : il est pris bonne note de. *Faire acte de présence* : n'être présent que pour la forme. *Prendre acte* : il est pris bonne note de ce qui précède. ■ *pl* Comptes rendus des séances d'une assemblée.

acteur, trice *n* **1** Comédien qui joue un rôle dans une pièce, un film. **2** Personne qui prend une part active à un évènement, à un processus social ou économique.

actif, ive *a* **1** Qui agit, qui a la propriété d'agir. *Produit actif.* **2** Vif, diligent, efficace. *Vie active.* **3** DR Population active* : qui a une profession. *Verbe à la voix active* : dont le sujet est l'agent de l'action.

■ *nm* Ensemble des biens constituant un patrimoine. Loc *Avoir à son actif :* avoir réalisé.

actinidia *nm* Arbuste grimpant fournissant le kiwi.

actinie *nf* Anémone de mer, vivant fixée sur les roches.

action *nf* 1 Ce que fait une personne qui réalise une volonté, une pulsion. 2 Le fait d'agir (par oppos. à la *pensée*, à la *parole*). 3 Affrontement, lutte. *L'action a été chaude.* 4 Opération, fait dû à un agent quelconque et qui produit un effet. *L'action chimique d'un acide.* 5 Poursuite en justice. *Intenter une action.* 6 Déroulement des évènements qui forment la trame d'une fiction. *L'action d'un roman.* 7 Titre négociable émis par une société. Loc *Action d'éclat :* acte de courage. *Mettre en action :* mettre en œuvre.

actionnaire *n* Personne qui possède des actions émises par une société.

actionnariat *nm* Ensemble des actionnaires.

actionner *vt* Faire fonctionner une machine, un mécanisme.

activation *nf* 1 Accélération. *Activation des travaux.* 2 PHYS Action de communiquer à une substance des propriétés radioactives.

activement *av* De manière active.

activer *vt* 1 Rendre plus rapide. *Activer des travaux.* 2 Rendre plus vif, plus intense. *Activer un feu.* ■ *vpr* S'affairer.

activisme *nm* 1 Attitude politique qui prône le recours à l'action violente. 2 Attitude qui privilégie l'action par rapport à la réflexion.

activiste *n, a* Partisan de l'activisme.

activité *nf* 1 Vivacité, diligence dans l'action. 2 Ensemble d'opérations humaines visant un but déterminé. *L'activité industrielle d'une région.* 3 Exercice d'une fonction, d'un emploi. Loc *En activité :* en service ; en fonctionnement. ■ *pl* Occupations. *Avoir de multiples activités.*

actuaire *n* Spécialiste chargé des calculs de statistique dans les finances, les assurances.

actualisation *nf* Action d'actualiser.

actualiser *vt* Donner un caractère actuel à. *Actualiser un dictionnaire, les prix.*

actualité *nf* 1 Nature de ce qui est actuel. *L'actualité d'un problème.* 2 Ensemble des évènements récents. ■ *pl* Informations sur les évènements récents au cinéma.

actuel, elle *a* 1 Qui existe dans le présent. 2 Qui concerne les contemporains.

actuellement *av* À l'heure actuelle.

acuité *nf* 1 Qualité de ce qui est aigu. *L'acuité d'un son.* 2 Pouvoir de discrimination. *Acuité visuelle.*

acupuncteur trice *n* Médecin qui pratique l'acupuncture. Var **acuponcteur, trice**

acupuncture *nf* Procédé médical qui consiste à piquer avec des aiguilles certains points de la surface du corps. Var **acuponcture**

acutangle *a* Loc *Triangle acutangle :* dont les trois angles sont aigus.

adage *nm* Maxime populaire, sentence.

adagio *av, nm* MUS D'un mouvement lent. *Des adagios.*

adamantin, ine *a* litt Qui évoque le diamant.

adaptabilité *nf* Caractère adaptable.

adaptable *a* Qui peut s'adapter, être adapté.

adaptateur, trice *n* Qui adapte une œuvre littéraire. ■ *nm* Dispositif qui permet à un appareil de fonctionner dans des conditions particulières.

adaptatif, ive *a* BIOL Qui réalise une adaptation.

adaptation *nf* Action d'adapter ou de s'adapter.

adapter *vt* 1 Appliquer, ajuster. *Adapter un manche à un outil.* 2 Harmoniser, rendre conforme à. *Adapter sa conduite aux circonstances.* 3 Modifier une œuvre littéraire pour un usage différent. ■ *vpr* S'habituer.

addax *nm* Antilope aux cornes en spirale.

addenda *nm* Addition à la fin d'un ouvrage, d'un texte. *Des addendas* ou *addenda.*

addiction *nf* Dépendance physique et psychique (à une drogue, à une activité).

additif *nm* Substance ajoutée à une autre pour en modifier les propriétés.

addition *nf* 1 Opération qui ajoute des quantités arithmétiques. 2 Total des sommes dues, au restaurant, au café. 3 Fait d'ajouter qqch ; ce qui est ajouté. *Addition d'une clause à un contrat.*

additionnel, elle *a* Qui est ajouté.

additionner *vt* 1 Effectuer une addition. 2 Ajouter en mêlant.

adducteur *nm* ANAT Muscle qui effectue un mouvement d'adduction. Ant. abducteur.

adduction *nf* 1 ANAT Mouvement qui rapproche un membre de l'axe du corps. 2 Action de conduire des eaux d'un point à un autre.

adénite *nf* Inflammation des ganglions lymphatiques.

adénocarcinome *nm* Tumeur maligne d'une glande.

adénogramme *nm* Examen au microscope des cellules d'une glande.

adénoïde *a* ANAT Du tissu ganglionnaire.

adénome *nm* Tumeur développée aux dépens d'une glande.

adénovirus *nm* Virus à ADN et à symétrie cubique ayant des affinités pour les tissus lymphoïdes.

adepte *n* 1 Personne qui adhère à une doctrine. 2 Personne qui pratique une activité, un sport.

adéquat, ate [-kwa] *a* Bien adapté à son usage.

adéquatement [-kwa-] *av* De façon adéquate.

adéquation [-kwa-] *nf* Fait d'être adéquat.

adhérence *nf* 1 Fait, pour une chose, d'adhérer à une autre. 2 MED Réunion de deux organes normalement séparés. 3 Force de frottement qui s'oppose au glissement.

adhérent, ente *a, n* Qui adhère à une organisation.

adhérer *vti* [12] 1 Coller, être collé fortement à qqch. 2 Approuver une idée. 3 Devenir membre d'une organisation.

adhésif, ive *a* Qui adhère. *Bande adhésive.* ■ *nm* Tissu, papier collant.

adhésion *nf* Action d'adhérer à une organisation, à une opinion.

ad hoc *a inv* Qui convient à une situation.

adieu *interj* Formule de congé. ■ *nm* Séparation d'avec qqn, qqch.

adipeux, euse *a* 1 De nature graisseuse. 2 Gras, obèse.

adiposité *nf* Accumulation de graisses.

adjacent, ente *a* Situé auprès de, contigu. Loc *Angles adjacents :* qui ont un côté commun.

adjectif *nm* Mot variable adjoint à un nom, qu'il qualifie ou détermine.

adjectival, ale, aux *a* GRAM De l'adjectif. **Var** **adjectif, ive**

adjectivement *av* Avec la valeur d'adjectif.

adjoindre *vt* [62] Associer une personne, une chose à une autre comme auxiliaire.

adjoint, ointe *a, n* Associé comme auxiliaire. *Adjoint au maire.*

adjonction *nf* Action d'adjoindre.

adjudant *nm* Sous-officier de grade intermédiaire entre celui de sergent-chef et celui d'adjudant-chef.

adjudant-chef *nm* Militaire du grade le plus élevé des sous-officiers. *Des adjudants-chefs.*

adjudicataire *n* DR Bénéficiaire d'une adjudication.

adjudication *nf* DR Attribution d'un bien vendu aux enchères.

adjuger *vt* [11] 1 Attribuer par adjudication. 2 Attribuer qqch à qqn. ■ *vpr* S'attribuer. *Il s'est adjugé les meilleurs morceaux.*

adjuration *nf* Prière pressante, supplication.

adjurer *vt* Prier instamment de faire qqch.

adjuvant *nm* Ce qui renforce l'action de qqch.

ad libitum [-tɔm] *av* À volonté.

ADM *nf* Armes de destruction massive (nucléaires, chimiques et biologiques).

admettre *vt* [64] 1 Recevoir, laisser entrer qqn. *Admettre un adhérent dans une société.* 2 Accepter qqch comme valable, pour vrai ; tolérer. *Admettre une hypothèse.*

administrateur, trice *n* Personne chargée de d'administrer des biens.

administratif, ive *a* Relatif à l'administration. ■ *n* Membre du personnel d'administration d'une entreprise.

administration *nf* 1 Gestion. *L'administration des biens d'un mineur.* 2 (avec majusc.) Direction des affaires publiques. *Entrer dans l'Administration.* 3 Service public. *L'administration des Finances.* 4 Action de donner. *Administration des sacrements, de preuves.*

administrativement *av* Suivant les formes administratives.

administré, ée *n* Personne qui dépend d'une administration.

administrer *vt* 1 Gérer. *Administrer des biens.* 2 Diriger au moyen d'une administration. 3 Donner. *Administrer des preuves, une correction, des sacrements.*

admirable *a* Qui suscite l'admiration.

admirablement *av* De façon admirable.

admirateur, trice *a* Qui admire.

admiratif, ive *a* Qui exprime l'admiration.

admiration *nf* Sentiment que fait éprouver ce qui est beau, ce qui est grand.

admirativement *av* De façon admirative.

admirer *vt* Considérer avec approbation, enthousiasme.

admis, ise *a, n* Reçu dans un groupe.

admissibilité *nf* Situation d'un candidat admissible.

admissible *a* Qu'on peut admettre. *Conduite peu admissible.* ■ *a, n* Reçu à la première partie d'un examen ou d'un concours.

admission *nf* 1 Fait d'admettre, d'être admis. 2 Fait d'être reçu définitivement à un examen ou à un concours. 3 TECH Entrée des gaz dans le cylindre d'un moteur à explosion.

admonestation *nf* litt Réprimande.

admonester *vt* litt Faire une remontrance à.

ADN *nm* Acide désoxyribonucléique, constituant fondamental de la cellule vivante.

ado *n* fam Adolescent.

adobe *nm* Brique séchée au soleil.

adolescence *nf* Âge compris entre la puberté et l'âge adulte.

adolescent, ente *n* Jeune garçon, jeune fille dans l'adolescence.

adonis [-nis] *nm* 1 litt Jeune homme particulièrement beau. 2 Papillon diurne bleu vif.

adonner (s') *vpr* Se livrer à une activité, une pratique.

adoptable *a, n* Qui peut être adopté.

adoptant, ante *a, n* Qui adopte un enfant.

adopté, ée *a, n* Qui a été l'objet d'une adoption.

adopter *vt* 1 Prendre qqn pour fils ou pour fille dans les formes légales. 2 Choisir, admettre une idée. 3 En parlant d'une assemblée, approuver une proposition.

adoptif, ive *a* 1 Qui a été adopté. *Fils adoptif.* 2 Qui a légalement adopté. *Père adoptif.*

adoption *nf* Action d'adopter.

adorable *a* Qui plaît pour sa beauté, sa gentillesse, etc.

adorablement *av* De façon adorable.

adorateur, trice *n* 1 Personne qui adore une divinité. 2 Personne qui est éprise avec passion.

adoration *nf* 1 Culte rendu à une divinité. 2 Passion, attachement extrême.

adorer *vt* 1 Rendre un culte à un dieu. 2 Aimer avec passion.

ados [ado] *nm* AGRIC Terre qu'on élève en talus le long d'un mur.

adossement *nm* État de ce qui est adossé.

adosser *vt* Faire prendre appui à. ■ *vpr* S'appuyer avec le dos contre.

adoubement *nm* HIST Cérémonie d'investiture du chevalier au Moyen Âge.

adouber *vt* HIST Au Moyen Âge, armer chevalier un bachelier.

adoucir *vt* 1 Rendre doux. *Le sucre adoucit le café.* 2 Atténuer l'âcreté, le piquant, la rudesse de. 3 Atténuer, tempérer. 4 Réduire la teneur d'une eau en calcaire. ■ *vpr* Devenir plus doux. *Le temps s'adoucit.*

adoucissant, ante *a, nm* 1 Qui calme l'irritation. 2 Qui assouplit le linge.

adoucissement *nm* 1 Action d'adoucir ; état d'une chose adoucie. *L'adoucissement de la température.* 2 Atténuation, soulagement. *Adoucissement d'une peine.*

adoucisseur *nm* Appareil pour adoucir l'eau.

ad patres [-tres] *av* Loc fam *Envoyer ad patres :* tuer.

adrénaline *nf* Hormone sécrétée par les surrénales, qui accélère le rythme cardiaque. Loc fam *Poussée d'adrénaline :* brusque accès d'excitation.

1. adresse *nf* 1 Habileté dans les gestes. 2 Habileté à obtenir un résultat.

2. adresse *nf* 1 Indication du domicile d'une personne. *Je n'habite plus à cette adresse.* 2 INFORM Numéro d'ordre d'une information dans une mémoire, permettant d'y accéder. Loc *À l'adresse de* : à destination de.

adresser vt 1 Dire, exprimer qqch à l'intention de qqn. 2 Envoyer vers qqn, faire parvenir à. 3 Envoyer une personne à une autre. ■ *vpr* 1 Parler à qqn. 2 Être destiné à. 3 Aller trouver, avoir recours à. *Adressez-vous au concierge.*

adret [-dʀε] nm GEOGR Versant d'une montagne exposé au soleil. Ant. ubac.

adroit, oite a 1 Qui a de l'adresse, habile. 2 Qui est fait avec habileté.

adroitement av Avec adresse.

ADSL nm TELECOM Sigle de *asymmetrical digital subscriber line*, norme à très haut débit d'informations numérisées, utilisée par les modems.

adulation nf Louange excessive.

aduler vt Multiplier les éloges, les louanges, à l'adresse de qqn.

adulte a, n Arrivé au terme de sa croissance. Loc *L'âge adulte* : qui succède à l'adolescence.

adultère a, n Qui a des rapports sexuels avec qqn d'autre que son conjoint. ■ *nm* Fait d'être adultère.

adultérer vt [12] Falsifier, altérer.

adultérin, ine a Né d'un adultère.

advenir ar [35] [aux. *être*] Arriver, se produire. *Il advint que...*

adventice a Loc BOT *Plantes adventices :* mauvaises herbes.

adventif, ive a BOT Qui se forme en un point anormal de la plante. *Racine adventive.*

adventiste n Membre d'une secte chrétienne qui attend une seconde venue du Christ.

adverbe nm Mot invariable qu'on joint à un verbe, à un adjectif, à un autre adverbe pour en compléter ou en modifier le sens.

adverbial, iale, iaux a Qui remplit le rôle d'un adverbe. *Locution adverbiale.*

adverbialement av Avec une valeur d'adverbe.

adversaire n Personne contre qui on lutte.

adverse a Contraire, opposé. Loc *Partie adverse :* l'adversaire, dans un procès.

adversité nf Sort contraire ; malheur.

aède nm Poète de la Grèce antique.

aérateur nm Appareil qui sert à renouveler l'air d'un local.

aération nf Action d'aérer.

aéré, ée a Où l'air circule librement.

aérer vt [12] Renouveler l'air de. ■ *vpr* Respirer, prendre l'air.

aérien, enne a 1 Qui appartient à l'air, à l'atmosphère. 2 Relatif au transport par air. *Lignes aériennes.* 3 Léger comme l'air. *Grâce aérienne.*

aérobic nm Gymnastique intensive.

aérobie a didac Qui a besoin d'oxygène pour vivre, pour fonctionner. Ant. anaérobie.

aéroclub nm Club dont les membres pratiquent en amateurs les activités aéronautiques.

aérodrome nm Terrain aménagé pour le décollage et l'atterrissage des avions.

aérodynamique nf Science des phénomènes physiques liés au déplacement des corps solides dans l'atmosphère. ■ a Construit de façon à opposer à l'air une résistance minimale.

aérodynamisme nm Forme aérodynamique.

aérofrein nm Dispositif de freinage d'un avion utilisant la résistance de l'air.

aérogare nf Ensemble des installations d'un aéroport destinées aux voyageurs et au fret.

aéroglisseur nm Véhicule qui se déplace sur un coussin d'air.

aérogramme nm Lettre expédiée par avion.

aérolithe nf Météorite pierreuse.

aéromobile a MILIT Qui utilise l'espace aérien.

aéromodélisme nm Construction et utilisation des modèles réduits d'avions.

aéronautique nf Science de la navigation aérienne ; technique de la construction des aéronefs. ■ a De l'aéronautique.

aéronaval, ale, als a De l'aviation et de la marine.

aéronef nm Appareil capable de voler (avions, hélicoptères, aérostats, etc.).

aérophagie nf MED Déglutition d'air qui pénètre dans l'estomac et provoque des douleurs.

aéroplane nm vx Avion.

aéroport nm Ensemble d'installations aménagées pour le trafic aérien.

aéroporté, ée a MILIT Transporté par voie aérienne et parachuté sur l'objectif.

aéroportuaire a D'un aéroport.

aéropostal, ale, aux a De la poste aérienne.

aérosol nm 1 Dispersion de particules microscopiques dans un gaz. 2 Système permettant la vaporisation de ces particules.

aérospatial, ale, aux a Qui relève à la fois de l'aéronautique et de l'astronautique. ■ nf Construction d'engins aérospatiaux.

aérostat nm Appareil qui se maintient en l'air au moyen d'un gaz.

aérostatique nf Science de l'équilibre des gaz. ■ a De l'aérostatique.

aérotransporté, ée a MILIT Transporté par avion ou hélicoptère.

aéroville nf Ville qui se développe autour d'un aéroport, en relation avec les fonctions de ce dernier.

affabilité nf Qualité de qqn d'affable.

affable a Qui accueille les autres avec amabilité, douceur.

affabulation nf Mensonge, invention.

affabuler vt Se livrer à des affabulations.

affacturage nm Gestion des créances d'une entreprise par une société spécialisée.

affadir vt Rendre fade, insipide.

affadissement nm Fait de s'affadir.

affaiblir vt Rendre faible. *La maladie l'a affaibli.* ■ vpr Devenir faible.

affaiblissant, ante a Qui affaiblit.

affaiblissement nm Diminution de la force.

affaire nf 1 Ce qui concerne l'intérêt personnel de qqn. 2 Ensemble de circonstances où des intérêts sont en jeu. 3 Ensemble de difficultés avec lesquelles qqn est aux prises. 4 Ensemble de faits dont la justice a à s'occuper. 5 Conflit. *L'affaire de Suez.* 6 Entreprise industrielle ou commerciale. Loc *Avoir affaire à qqn* : lui parler, négocier avec lui ; l'avoir comme adversaire. *C'est une affaire de* : c'est une question de. *Sortir qqn d'affaire :* le sauver. ■ pl 1 Objets personnels. *Ranger ses affaires.* 2 Opérations financières, commerciales. *Chiffre d'affaires.* 3 Ce qui concerne l'Administration et le gouvernement. *Les affaires de l'État.* Loc *Affaires étrangères :* relations extérieures d'un État.

affairé, ée *a* Qui a beaucoup à faire.
affairement *nm* Fait d'être affairé.
affairer (s') *vpr* S'empresser, se montrer actif dans l'exécution d'une tâche.
affairisme *nm* Préoccupation exclusive de gagner de l'argent, de faire des affaires.
affairiste *n* Homme d'affaires sans scrupule.
affaissement *nm* Fait de s'affaisser ; état de ce qui est affaissé.
affaisser (s') *vpr* 1 Plier, baisser de niveau sous l'effet d'un poids, d'une pression. *Le mur s'est affaissé.* 2 Tomber lourdement, sans forces (êtres vivants).
affaler *vt* MAR Faire descendre rapidement. ■ *vpr* fam Se laisser tomber.
affamé, ée *a, n* Qui a faim.
affamer *vt* Priver de nourriture.
affameur, euse *n* Personne qui affame.
affect *nm* PSYCHO Charge affective, base de la névrose ou de l'angoisse.
affectation *nf* 1 Manque de naturel. *Parler avec affectation.* 2 Destination d'une chose à un usage. 3 Désignation à un poste, une fonction.
affecté, ée *a* 1 Qui manque de naturel, de simplicité. 2 Ému, affligé.
affecter *vt* 1 Feindre. *Affecter la modestie.* 2 Destiner qqch à un usage. 3 Donner un poste, une fonction à qqn. 4 Causer une impression pénible, de la peine.
affectif, ive *a* PSYCHO Relatif aux émotions.
affection *nf* 1 Attachement, tendresse. 2 MED Maladie.
affectionné, ée *a* Dévoué, attaché.
affectionner *vt* Avoir de l'affection, du goût pour qqch.
affectivité *nf* Ensemble des phénomènes affectifs (émotions, sentiments).
affectueusement *av* De façon affectueuse.
affectueux, euse *a* Qui manifeste de l'affection.
afférent, ente *a* 1 DR Qui revient à chacun dans un partage. 2 ANAT Qui arrive à un organe (vaisseau, nerf). Ant. efférent.
affermage *nm* DR Action d'affermer.
affermer *vt* DR Donner ou prendre à bail.
affermir *vt* 1 Rendre ferme, stable, solide. 2 Rendre plus fort, plus assuré. *Affermir sa voix.* ■ *vpr* Devenir plus ferme.
affermissement *nm* Action d'affermir.
affèterie *nf* litt Affectation dans le comportement. Var **afféterie**
affichage *nm* Action d'afficher.
affiche *nf* Feuille fixée sur un mur et destinée à informer le public.
afficher *vt* 1 Publier, annoncer au moyen d'affiches. 2 Montrer ostensiblement, faire étalage de. 3 INFORM Présenter des données sur un écran. ■ *vpr* Se montrer avec ostentation.
affichette *nf* Petite affiche.
afficheur *nm* Personne qui pose des affiches.
affichiste *n* Personne qui conçoit des affiches.
affilée (d') *av* À la suite, sans discontinuer. *Dix heures d'affilée.*
affiler *vt* Aiguiser. *Affiler un rasoir.*
affiliation *nf* Action d'affilier ou de s'affilier.
affilié, ée *a, n* Membre d'une organisation.
affilier *vt* Faire entrer dans une association. ■ *vpr* Adhérer. *S'affilier à un parti.*

affinage *nm* 1 Action de rendre plus fin, de débarrasser des impuretés. 2 Dernière phase de la fabrication du fromage.
affiner *vt* 1 Purifier. 2 Améliorer, rendre plus fin. *Affiner l'esprit.* 3 Faire subir l'affinage à un fromage.
affineur, euse *n* Personne qui affine les fromages, les métaux, etc.
affinité *nf* 1 Attirance, sympathie. 2 Analogie ; rapport d'harmonie. 3 CHIM Tendance qu'ont des corps à réagir les uns sur les autres.
affirmatif, ive *a* Qui exprime l'affirmation. ■ *nf* Loc *Répondre par l'affirmative :* donner une réponse positive.
affirmation *nf* 1 Action d'affirmer. 2 Chose affirmée. *Des affirmations inexactes.*
affirmativement *av* De façon affirmative.
affirmer *vt* Soutenir qu'une chose est vraie. ■ *vpr* Se manifester nettement, avec autorité.
affixal, ale, aux *a* LING D'un affixe.
affixe *nm* LING Élément qui s'ajoute au commencement (préfixe) ou à la fin (suffixe) d'un mot pour en modifier le sens.
affleurement *nm* État de ce qui affleure.
affleurer *vt* Arriver au niveau de. *L'eau affleure le quai.* ■ *vi* Être au niveau de la surface de l'eau, du sol. *Les rochers affleurent.*
affliction *nf* Peine morale, douleur profonde.
affligé, ée *a* Qui ressent de l'affliction.
affligeant, ante *a* Qui cause de l'affliction.
affliger *vt* [11] Causer de l'affliction à. ■ *vpr* Ressentir de l'affliction.
affluence *nf* Rassemblement d'un grand nombre de personnes dans un lieu.
affluent *nm* Cours d'eau qui se jette dans un autre.
affluer *vi* 1 Couler en abondance vers (sang). 2 Arriver en abondance, en nombre (personnes).
afflux [-fly] *nm* Fait d'affluer.
affolant, ante *a* Qui affole, provoque une émotion violente.
affolement *nm* Fait de s'affoler ; état d'une personne affolée.
affoler *vt* Troubler profondément, faire perdre la tête. ■ *vpr* Perdre la tête.
affranchir *vt* 1 Libéré de la servitude, de l'esclavage. 2 Libéré des traditions, des préjugés. ■ *n* ANTIQ Esclave affranchi.
affranchir *vt* 1 Rendre libre, indépendant. 2 pop Renseigner, mettre au courant. 3 Payer le port d'un envoi postal.
affranchissement *nm* 1 Action d'affranchir, de rendre libre. 2 Paiement du port d'un objet confié à la poste.
affres *nfpl* litt Angoisse, tourment.
affrètement *nm* Action d'affréter.
affréter *vt* [12] Louer un véhicule.
affréteur *nm* Personne qui affrète un véhicule.
affreusement *av* De façon affreuse.
affreux, euse *a* 1 Qui suscite la répulsion, l'effroi. 2 Désagréable. *Un temps affreux.*
affriolant, ante *a* Qui excite le désir sexuel.
affrioler *vt* Attirer, séduire.
affront *nm* Insulte publique.
affrontement *nm* Action d'affronter ou de s'affronter.

affronter *vt* Aller avec courage au-devant d'un ennemi, d'un danger. ■ *vpr* Combattre l'un contre l'autre.

affubler *vt* Habiller avec un vêtement ridicule. ■ *vpr* S'habiller de façon ridicule.

affût *nm* 1 Support d'une pièce d'artillerie. 2 Endroit où l'on se poste pour tirer le gibier. Loc *À l'affût :* en attente de. **Var affut**

affûtage *nm* Action d'affûter. **Var affutage**

affûter *vt* Aiguiser un outil. **Var affuter**

afghan, ane *a, n* De l'Afghanistan.

afghani *nm* Unité monétaire de l'Afghanistan.

aficionado *nm* Amateur de courses de taureaux.

afin de, afin que *prép, conj* Marquent l'intention, le but.

a fortiori [-sjɔri] *av* À plus forte raison. **Var à fortiori**

africain, aine *a, n* De l'Afrique.

africaniser *vt* Rendre africain.

africanisme *nm* Tournure propre au français parlé en Afrique.

africaniste *n* Spécialiste des langues africaines.

afrikaans [-kans] *nm* Langue néerlandaise parlée en Afrique du Sud.

afrikaner *n* Habitant de l'Afrique du Sud parlant l'afrikaans. **Var afrikander**

afro-américain, aine *a, n* Noir américain.

afro-asiatique *a, n* De l'Afrique et de l'Asie.

after-shave [aftœʀʃɛv] *nm* Après-rasage. *Des after-shaves.* **Var aftershave**

agaçant, ante *a* Qui agace, irrite.

agacement *nm* Énervement, irritation.

agacer *vt* [10] Énerver et impatienter, taquiner. Loc *Agacer les dents :* irriter les gencives.

agaceries *nfpl* Manières coquettes et provocantes.

agami *nm* Oiseau d'Amérique du Sud, à plumage noir et à cri éclatant.

agapes *nfpl* Banquet entre amis.

agar-agar *nm* Substance extraite de certaines algues, utilisée comme produit d'encollage. *Des agars-agars.*

agaric *nm* Champignon sans volve ni anneau, à lamelles colorées.

agate *nf* 1 Minéral formé de silice en couches concentriques colorées. 2 Bille d'agate, ou de verre imitant l'agate.

agave *nm* Plante grasse qui produit le sisal et dont la sève donne une boisson alcoolisée.

âge *nm* 1 Période écoulée depuis la naissance ou le début de l'existence. *Quel âge avez-vous ?* 2 Période de l'histoire de l'humanité. *L'âge de pierre.* Loc *Âge mental :* niveau d'aptitude intellectuelle mesuré par des tests. *Classe d'âge :* ensemble des individus nés dans la même année. *Retour d'âge :* ménopause.

âgé, ée *a* 1 Vieux. *Un homme âgé.* 2 Qui a l'âge de. *Âgé de vingt ans.*

agence *nf* 1 Établissement commercial qui propose un ensemble de services. 2 Succursale d'une société commerciale ou bancaire. 3 Organisme administratif. *Agence pour l'emploi.*

agencement *nm* Action d'agencer ; disposition, arrangement.

agencer *vt* [10] Disposer, arranger (les éléments d'un ensemble).

agencier *nm* Journaliste travaillant dans une agence de presse.

agenda [-ʒɛ̃-] *nm* Carnet sur lequel on note, jour par jour, les choses que l'on veut faire.

agenouillement *nm* Action, fait de s'agenouiller.

agenouiller (s') *vpr* Se mettre à genoux.

agent *nm* 1 Phénomène qui a une action déterminée. 2 Personne chargée d'agir pour le compte d'une autre ou pour le compte d'une administration, d'une société. Loc *Agent secret :* espion. *Agent de change :* chargé de certaines transactions financières. *Agent de police* (ou simplem. *agent*) : fonctionnaire chargé du maintien de l'ordre. *Complément d'agent :* complément d'un verbe à la voix passive, désignant la personne effectuant l'action.

aggiornamento *nm* Adaptation au progrès, au monde actuel.

agglomérat *nm* 1 Agrégat naturel de minéraux. 2 Assemblage hétéroclite.

agglomération *nf* 1 Action d'agglomérer. 2 Ensemble d'une ville et de sa banlieue.

aggloméré *nm* 1 Combustible formé de poussières de charbon réunies par un liant. 2 Bois reconstitué, fait de copeaux agrégés. 3 Matériau de construction moulé, prêt à l'emploi.

agglomérer *vt* [12] Former une masse compacte, de divers éléments. ■ *vpr* Se rassembler en une masse compacte.

agglutination *nf* Action d'agglutiner ; fait de s'agglutiner.

agglutiner *vt* Assembler de manière à former une masse compacte. ■ *vpr* Se rassembler en une masse compacte.

aggravant, ante *a* Qui rend plus grave. Loc *Circonstances aggravantes :* qui aggravent l'infraction.

aggravation *nf* Action d'aggraver ; fait de s'aggraver.

aggraver *vt* Rendre plus grave, plus pénible. ■ *vpr* Devenir plus grave, empirer.

agile *a* Dont les mouvements sont rapides, aisés.

agilité *nf* Légèreté, facilité à se mouvoir.

agio *nm* FIN Ensemble des taux de retenue (intérêt, commission, change) sur un escompte.

a giorno *a inv* Se dit d'un éclairage proche de la lumière du jour. **Var à giorno**

agiotage *nm* Spéculation sur les valeurs boursières.

agir *vi* 1 Faire qqch, accomplir une action. 2 Produire un effet. Loc *Agir en gentleman.* ■ *vpr* Loc *Il s'agit de qqn, qqch :* il est question de. *Il s'agit de* (+ inf.) : il faut, il importe de. *S'agissant de :* au sujet de.

âgisme *nm* Discrimination à l'encontre des personnes âgées.

agissant, ante *a* Qui agit avec efficacité, actif.

agissements *nmpl* Façons d'agir, procédés condamnables.

agitateur, trice *n* Personne qui suscite des troubles politiques ou sociaux.

agitation *nf* 1 État de ce qui est parcouru de mouvements irréguliers. 2 Nervosité, émotion. 3 Mécontentement politique ou social.

agité, ée *a, n* En proie à l'agitation.

agiter *vt* 1 Remuer, secouer par des mouvements irréguliers. 2 Causer du trouble, inquiéter. ■ *vpr* 1 Remuer, aller et venir. *Un malade ne doit pas s'agiter.* 2 Manifester du mécontentement.

agneau *nm* 1 Petit de la brebis. 2 Viande d'agneau. Loc *Agneau pascal :* immolé par les Juifs à la Pâque.

agnelage *nm* Mise bas, chez la brebis.

agnelet *nm* Petit agneau.

agnelle *nf* Agneau femelle.

agnosie [-gnɔ-] *nf* MED Trouble de la reconnaissance des objets, dû à une perturbation des fonctions cérébrales.

agnosticisme [-gnɔs-] *nm* Doctrine professée par les agnostiques.

agnostique [-gnɔs-] *a, n* Qui pense que la religion est inutile.

agonie *nf* 1 Moment qui précède immédiatement la mort. 2 Lente disparition.

agonir *vt* Loc *Agonir qqn d'injures :* l'accabler d'injures.

agonisant, ante *a, n* Qui est à l'agonie.

agoniser *vi* 1 Être à l'agonie. 2 Décliner, toucher à sa fin.

agoniste *a, nm* MED Qui concourt à l'effet désiré (substance).

agora *nf* Place publique et marché des anciennes villes grecques.

agoraphobie *nf* MED Crainte des espaces ouverts, des foules.

agouti *nm* Rongeur de l'Amérique du Sud.

agrafage *nm* Action d'agrafer.

agrafe *nf* 1 Crochet qu'on passe dans un anneau pour fermer un vêtement. 2 Pièce en plastique ou en métal servant à réunir des papiers. 3 Petite lame de métal servant à joindre les bords d'une plaie.

agrafer *vt* Fixer à l'aide d'agrafes.

agrafeuse *nf* Machine à agrafer.

agraire *a* Des champs, de l'agriculture.

agrandir *vt* Rendre plus grand. *Agrandir une maison, une photographie.* ■ *vpr* Devenir plus grand, se développer, s'étendre.

agrandissement *nm* 1 Action d'agrandir. 2 PHOTO Épreuve plus grande que le négatif original.

agrandisseur *nm* Appareil qui permet d'agrandir des photographies.

agraphie *nf* Incapacité pathologique d'écrire.

agrarien, enne *a, n* Se dit des partis politiques qui défendent les propriétaires fonciers.

agréable *a* 1 Qui plaît. 2 Sympathique, avenant.

agréablement *av* De façon agréable.

agréer *vt* Accepter qqch. ■ *vti* litt Être au gré, à la convenance de.

agrégat *nm* Assemblage de diverses parties qui forment masse. *Un agrégat de molécules.*

agrégatif, ive *n* Qui prépare l'agrégation.

agrégation *nf* 1 Réunion de parties homogènes qui forment un tout. 2 Concours assurant le recrutement de professeurs du secondaire.

agrégé, ée *a, n* Reçu(e) à l'agrégation.

agréger *vt* [13] Réunir des solides en un bloc.

agrément *nm* 1 Approbation qui vient d'une autorité. 2 Qualité qui rend agréable. 3 Plaisir. *Voyage d'agrément.*

agrémenter *vt* Enjoliver par des ornements.

agrès *nmpl* Appareil de gymnastique.

agresser *vt* Attaquer de façon brutale.

agresseur *nm* Personne qui attaque brusquement qqn.

agressif, ive *a* 1 Qui a le caractère d'une agression. 2 Provocant. *Maquillage agressif.* 3 Qui recherche le conflit, l'affrontement.

agression *nf* 1 Attaque brusque et violente. 2 Atteinte à l'intégrité physique ou psychique des personnes par des agents nuisibles.

agressivement *av* De façon agressive.

agressivité *nf* Caractère agressif.

agreste *a* litt Champêtre, rustique.

agricole *a* De l'agriculture. *Matériel agricole.*

agriculteur, trice *n* Personne dont le métier est de cultiver la terre, de pratiquer l'élevage.

agriculture *nf* Travail de la terre pour la production de denrées alimentaires.

agripper *vt* Saisir avec force en s'accrochant. ■ *vpr* S'accrocher avec force.

agroalimentaire *a, nm* Se dit de l'industrie de transformation des produits agricoles.

agrochimie *nf* Chimie appliquée à l'agriculture.

agro-industrie *nf* Ensemble des industries dont l'agriculture est le fournisseur ou le client.

agronome *n* Spécialiste de l'agronomie.

agronomie *nf* Science de l'agriculture.

agronomique *a* De l'agronomie.

agropastoral, ale, aux *a* Qui pratique à la fois l'agriculture et l'élevage.

agrume *nm* Nom donné aux citrons, oranges, mandarines, clémentines, pamplemousses.

aguerrir *vt* Accoutumer à des choses pénibles, endurcir.

aguets *nmpl* Loc *Être aux aguets :* guetter, être attentif et sur ses gardes.

aguichant, ante *a* Qui aguiche. Var **aguicheur, euse**

aguicher *vt* Chercher à séduire par des agaceries, des manières provocantes.

ah ! *interj* 1 Exprime une vive émotion. 2 Renforce une négation, une affirmation.

ahuri, ie *a* Frappé de stupeur, hébété.

ahurir *vt* Rendre stupéfait.

ahurissant, ante *a* Qui ahurit.

ahurissement *nm* Stupéfaction, stupeur.

aï *nm* Mammifère arboricole, végétarien de la forêt brésilienne. Syn. paresseux.

aide *nf* 1 Action d'aider, d'unir ses efforts à ceux d'une autre personne. 2 Secours ou subside accordé aux personnes démunies. Loc *À l'aide ! :* au secours ! *À l'aide de :* au moyen de. *Aide personnalisée au logement ou APL :* allocation qui permet de réduire le coût d'un loyer ou des remboursements de prêt. ■ *pl* Impôts perçus sous l'Ancien Régime. ■ *n* Personne qui en aide une autre. Loc *Aide de camp :* officier attaché à un chef militaire. Syn. officier d'ordonnance.

aide-éducateur, trice *n* Personne recrutée pour aider une équipe d'enseignants. *Des aide-éducateurs.*

Aïd-el-Kébir *nf inv* Fête religieuse musulmane commémorant le sacrifice d'Abraham.

Aïd-el-Séghir *nf inv* Fête religieuse musulmane marquant la fin du ramadan.

aide-mémoire *nm* Résumé des renseignements sur un sujet déterminé. *Des aide-mémoires.*

aider *vt* Faciliter les actions, les entreprises d'une personne ; assister qqn. ■ *vti* Faciliter. *Aider à la manœuvre.* ■ *vpr* Se servir de, utiliser. *S'aider de ses mains.*

aide-soignant, ante *n* Personne qui seconde les infirmières dans un hôpital. *Des aides-soignants.*

aïe ! [aj] *interj* Exclamation de douleur, de désagrément.

aïeul, eule *n* 1 (pl. aïeuls) Grand-père, grand-mère. 2 litt (pl. aïeux) Ancêtre.

aigle nm Oiseau rapace de grande envergure. Loc *Ce n'est pas un aigle* : il n'est pas très intelligent. ■ nf 1 Femelle de l'aigle. 2 Emblème héraldique figurant un aigle.

aiglefin. V. **églefin.**

aiglon, onne n Petit de l'aigle.

aigre a 1 Qui a une acidité désagréable au goût. 2 Perçant, criard (sons). 3 Froid et vif. 4 Revêche, acrimonieux. *Un ton aigre.* ■ nm Loc *Tourner à l'aigre* : aigrir, s'envenimer.

aigre-doux, -douce a 1 Dont la saveur est à la fois douce et aigre. 2 Dont l'aigreur perce sous une apparente douceur. *Paroles aigres-douces.*

aigrefin nm Individu sans scrupule, escroc.

aigrelet, ette a Légèrement aigre.

aigrette nf 1 Héron blanc dont la tête est pourvue de longues plumes. 2 Faisceau de plumes sur la tête de certains oiseaux. 3 Ornement qui rappelle l'aigrette des oiseaux.

aigreur nf Caractère aigre. Loc *Aigreurs d'estomac* : régurgitations acides après les repas.

aigri, ie a, n Que les épreuves de la vie ont rendu amer.

aigrir vt 1 Rendre aigre. 2 Rendre qqn aigre, amer. ■ vpr, vi Devenir aigre.

aigu, uë a 1 Terminé en pointe ou en tranchant. 2 D'une fréquence élevée. 3 Vif, intense. *Une douleur aiguë.* Loc *Accent aigu* : placé sur certains e (ex. : *été, fée*). *Angle aigu* : inférieur à 90°. Var **aigu, üe.**

aigue-marine nf Pierre fine apparentée au béryl. *Des aigues-marines.*

aiguière nf Vase à anse et à bec.

aiguillage [-gui-] nm 1 Appareil reliant deux ou plusieurs voies de chemin de fer et permettant à un convoi de passer de l'une à l'autre. 2 Orientation dans une direction précise. Loc *Erreur d'aiguillage* : fausse manœuvre.

aiguille [egɥij] nf 1 Tige de métal fine et pointue servant à coudre, à tricoter. 2 MED Fine tige métallique creuse, utilisée pour les piqûres et les ponctions. 3 Tige qui se déplace devant le cadran d'un appareil de mesure et qui sert d'index. 4 Sommet très aigu d'un massif montagneux. 5 Feuille étroite et pointue d'un conifère. *Aiguilles de sapin.*

aiguillée [-gɥi-] nf Longueur de fil sur laquelle une aiguille est enfilée.

aiguiller [-gɥi-] vt 1 Diriger un train sur une voie par la manœuvre de l'aiguillage. 2 Orienter qqn dans une direction, vers un but.

aiguillette [-gɥi-] nf 1 Ornement militaire. 2 Tranche mince et longue de viande, de volaille.

aiguilleur [-gɥi-] nm Employé qui manœuvre les aiguillages d'une voie ferrée. Loc *Aiguilleur du ciel* : contrôleur de la navigation aérienne.

aiguillon [-gɥi-] nm 1 Dard d'insecte. 2 Bâton pointu pour piquer les bœufs. 3 Stimulant.

aiguillonner [-gɥi-] vt Stimuler.

aiguisage nm Action d'aiguiser.

aiguiser vt 1 Rendre tranchant, pointu. 2 Rendre plus vif, plus fin.

aïkido [aj-] nm Sport de combat japonais.

ail [aj] nm Plante dont le bulbe est utilisé comme condiment. *Des ails* ou *des aulx.*

aile nf 1 Partie du corps de certains animaux, qui leur permet de voler. 2 Morceau d'un moulin. 3 Partie plane d'un avion qui sert à voler. 4 Partie latérale d'un édifice, d'une armée, d'une équipe de football. 5 Élément de carrosserie recouvrant une roue. Loc *Avoir des ailes* : aller vite. *Voler de ses propres ailes* : être autonome. *Ailes du nez* : parties latérales inférieures des narines.

ailé, ée a Pourvu d'ailes. *Insecte ailé.*

aileron nm 1 Extrémité de l'aile d'un oiseau. 2 Nageoire d'un requin. 3 Volet mobile situé sur le bord de l'aile d'un avion. 4 Quille latérale sur certains bateaux.

ailette nf Petite branche proéminente de certains mécanismes.

ailier nm Au football, au rugby, joueur dont la place est à l'aile.

ailler vt Garnir, assaisonner, frotter d'ail.

ailleurs av En un autre lieu. Loc *D'ailleurs* : d'un autre endroit ; de plus, en outre. *Par ailleurs* : d'un autre côté, d'autre part.

aïlloli nm 1 Mayonnaise à l'ail. 2 Plat de morue et de légumes servi avec cette sauce. Var **aïoli**

aimable a Affable, courtois.

aimablement av De façon aimable.

1. aimant nm Corps attirant le fer ou l'acier.

2. aimant, ante a Affectueux.

aimantation nf Action d'aimanter.

aimanter vt Communiquer des propriétés magnétiques à un corps.

aimer vt 1 Éprouver de l'affection, de l'attachement, de l'amitié, de l'amour, de la passion pour qqn. 2 Avoir un penchant, du goût pour qqch. 3 (+ inf.) Prendre plaisir à. *Il aime rire.* 4 (+ subj.) Trouver bon. *J'aime que vous veniez me voir.* Loc *Aimer mieux* : préférer.

aine nf Partie du corps comprise entre le bas-ventre et le haut de la cuisse.

aîné, ée a, n 1 Né le premier (parmi les enfants d'une famille). *Fille aînée.* 2 Plus âgé qu'un autre. Var **ainé, ée**

aînesse nf Loc *Droit d'aînesse* : succession privilégiant l'aîné des enfants mâles. Var **ainesse**

ainsi av 1 De cette façon. 2 De même, de la même façon. Loc *Ainsi soit-il* : expression d'un souhait, à la fin d'une prière. *Pour ainsi dire* : en quelque sorte. *Ainsi donc* : par conséquent. *Ainsi que* : comme.

aïoli. V. **ailloli.**

1. air nm 1 Mélange gazeux qui constitue l'atmosphère. Loc *En l'air* : vers le haut ; sans fondement ; sens dessus dessous. *Tête en l'air* : personne étourdie.

2. air nm Apparence, allure générale. *Avoir un drôle d'air.* Loc *Un air de famille* : ressemblance due à des liens de parenté. *Avoir l'air* : sembler, paraître. *N'avoir l'air de rien* : paraître à tort sans importance, sans valeur, sans difficulté. *Avoir des grands airs* : avoir des manières hautaines.

3. air nm Suite de notes formant une mélodie.

airain nm litt Bronze. Loc *D'airain* : dur, impitoyable.

airbag nm (n. déposé) Coussin de sécurité dans un véhicule, qui se gonfle en cas de choc violent.

aire nf 1 Surface de terrain. 2 Domaine d'activité, d'influence. 3 Superficie. *Aire d'un triangle.* 4 Nid des grands oiseaux de proie. Loc *Aire de repos* : lieu où se reposent les automobilistes. *Aire de jeux* : lieu où les enfants peuvent jouer. *Aire de lancement* : d'où sont lancées les fusées spatiales.

airedale [ɛʀdal] nm Terrier anglais à poil dur.

airelle nf Arbrisseau portant des baies comestibles rouges ou d'un noir bleuté ; ces baies.

aisance nf 1 État de fortune qui permet une vie agréable. 2 Liberté de corps ou d'esprit dans la manière d'être. Loc *Lieux d'aisances* : W-C.

aise nf Loc *Être à l'aise* : ne pas être gêné ; avoir suffisamment d'argent. *Mettre qqn à l'aise* : lui donner une impression de bien-être, de confiance. *Être mal à l'aise* : être gêné. ■ *pl* Loc *Prendre ses aises* : s'installer sans se soucier d'autrui. ■ *a* Loc litt *Être bien aise de* : être content de.

aisé, ée *a* 1 Facile, qui se fait sans peine. *Un travail aisé.* 2 Qui vit dans l'aisance.

aisément *av* Facilement.

aisselle nf Cavité située au-dessous de la jonction du bras avec le tronc.

ajonc [aʒɔ̃] nm Arbrisseau épineux à fleurs jaunes.

ajour nm Petite ouverture par où passe le jour.

ajourer vt Percer de trous, orner de jours.

ajournement nm Action d'ajourner.

ajourner vt Renvoyer à une date ultérieure.

ajout nm Élément ajouté à un ensemble.

ajouter vt 1 Mettre en plus. 2 Dire en plus. ■ vti Augmenter qqch. *En parler ne ferait qu'ajouter au malaise.* ■ vpr Se joindre, s'additionner.

ajustage nm Action d'ajuster avec précision les pièces d'une machine.

ajustement nm Fait d'être ajusté ; adaptation.

ajuster vt 1 Réaliser l'adaptation d'une chose à une autre. 2 Mettre à une dimension donnée. 3 Viser. *Ajuster la cible.* 4 Arranger un vêtement.

ajusteur nm Ouvrier spécialisé dans les travaux d'ajustage.

akène nm BOT Fruit sec à une seule graine (gland, noisette).

akkadien, enne *n* Du pays d'Akkad. ■ nm Langue sémitique ancienne.

akvavit. V. *aquavit.*

alacrité nf litt Enjouement, gaieté.

alaise nf Pièce de toile, souvent imperméable, qui protège le matelas. Var **alèse**.

alambic nm Appareil de distillation de l'alcool.

alambiqué, ée *a* Compliqué, confus, maniéré.

alanguir vt Affaiblir, rendre languissant.

alarmant, ante *a* Inquiétant. *Des rumeurs alarmantes.*

alarme nf 1 Signal pour annoncer un danger. *Donner l'alarme.* 2 Dispositif qui produit ce signal. 3 Frayeur subite à l'approche d'un danger.

alarmer vt Inquiéter par l'annonce d'un danger. ■ vpr S'effrayer.

alarmisme nm Tendance à être alarmiste.

alarmiste *a, n* Qui répand délibérément des bruits alarmants.

albanais, aise *a, n* De l'Albanie. ■ nm Langue indo-européenne parlée en Albanie.

albâtre nm Pierre blanche, utilisée pour sculpter de petits objets.

albatros [-tros] nm Grand oiseau marin muni d'un bec robuste et de longues ailes.

albigeois, oise *n, a* D'une secte hérétique du midi de la France (XIIᵉ s). Syn cathare.

albinisme nm Absence héréditaire de pigmentation de la peau, des cheveux.

albinos [-nos] *a, n* Atteint d'albinisme.

album [-bɔm] nm 1 Cahier destiné à recevoir des cartes postales, des photos, des timbres. 2 Livre de grand format illustré. 3 Disque.

albumen [-mɛn] nm 1 BOT Tissu nourricier entourant la graine. 2 ZOOL Blanc de l'œuf.

albumine nf Substance organique contenue dans le lait, le blanc d'œuf, le sang.

albuminoïde *a, nm* De la nature de l'albumine.

albuminurie nf MED Présence d'albumine dans l'urine.

alcade nm Maire, en Espagne.

alcali nm Oxyde des métaux alcalins. Loc *Alcali volatil* : ammoniaque.

alcalin, ine *a* CHIM Syn. de *basique*. Loc *Métaux alcalins* : famille de métaux, dont le sodium et le potassium.

alcalinité nf CHIM Caractère alcalin.

alcaloïde nm CHIM Substance organique d'origine végétale (caféine, morphine, nicotine).

alcarazas [-zas] nm Vase de terre poreuse où l'eau reste fraîche.

alcazar nm HIST Palais fortifié de l'époque des rois maures, en Espagne.

alchimie nf Science occulte du Moyen Âge, qui cherchait la transmutation des métaux.

alchimique *a* De l'alchimie.

alchimiste *n* Personne qui s'occupe d'alchimie.

alcool [-kɔl] nm 1 Liquide obtenu par la distillation de jus sucrés fermentés (raisin, betterave, céréales). 2 Boisson alcoolisée, eau-de-vie.

alcoolat nm PHARM Préparation obtenue par distillation de l'alcool sur des substances aromatiques.

alcoolémie nf Taux d'alcool dans le sang.

alcoolier nm Industriel fabriquant de l'alcool.

alcoolique *a* Qui est à base d'alcool. ■ *a, n* Qui abuse de l'alcool, est atteint d'alcoolisme.

alcoolisation nf 1 Transformation en alcool. 2 Intoxication progressive par l'alcool.

alcoolisé, ée *a* Additionné d'alcool. *Boisson alcoolisée.*

alcooliser vt Mêler de l'alcool à. ■ vpr Consommer trop d'alcool ; être alcoolique.

alcoolisme nm Toxicomanie à l'alcool.

alcoologie nf Étude scientifique de l'alcoolisme.

alcoolopathie nf Maladie liée à l'alcoolisme.

alcoomètre nm Instrument mesurant la teneur des liquides en alcool.

alcoométrie nf Mesure de la teneur en alcool.

alcootest nm (n. déposé) Appareil servant au dépistage de l'alcool chez les conducteurs.

alcôve nf Renfoncement pratiqué dans une chambre pour y placer un lit.

alcyon nm MYTH Oiseau de mer dont la rencontre passait pour un heureux présage.

aldéhyde nm CHIM Liquide dérivé d'un alcool.

al dente [aldɛnte] *a, av* Se dit d'un aliment cuit légèrement croquant (pâtes, légumes).

ale [ɛl] nf Bière anglaise légère.

aléa nm Risque, tournure hasardeuse que peuvent prendre les évènements.

aléatoire *a* 1 Conditionné par le hasard, la chance ; incertain. 2 MATH Soumis aux lois des probabilités.

aléatoirement *av* De façon aléatoire.

alémanique *a* De la Suisse germanophone.

alène nf Poinçon d'acier pour percer le cuir.

alentour *av* Tout autour, dans les environs.

alentours *nmpl* Lieux environnants.

1. alerte *a* Vif, agile. *Vieillard alerte.*

2. alerte *nf* Signal qui avertit d'un danger imminent. ■ *interj* Attention !

alerter *vt* 1 Avertir d'un danger. 2 Attirer l'attention. *Alerter l'opinion publique.*

alésage *nm* TECH Diamètre d'un cylindre de moteur à explosion.

alèse. V. *alaise.*

aléser *vt* [12] Opérer l'alésage de.

aleurite *nf* Plante oléagineuse d'Asie.

alevin *nm* Jeune poisson destiné à peupler les étangs et les rivières.

aleviner *vt* Peupler avec des alevins.

alexandrin *nm* Vers de 12 syllabes.

alexie *nf* Incapacité pathologique à lire.

alezan, ane *a* De couleur fauve (cheval).

alfa *nm* Herbe d'Afrique du Nord dont on fait de la pâte à papier.

algarade *nf* Querelle, altercation.

algèbre *nf* Partie des mathématiques qui a pour objet la généralisation du calcul des nombres représentés par des lettres affectées des signes + ou –.

algébrique *a* Qui appartient à l'algèbre.

algérien, enne *a, n* De l'Algérie.

algérois, oise *a, n* D'Alger.

algicide *a, nm* Se dit d'un produit qui détruit les algues.

algie *nf* MED Douleur.

algique *a* MED Qui concerne la douleur.

algologie *nf* BOT Étude des algues.

algonkin, ine *a, n* Des Algonkins.

algorithme *nm* MATH Méthode de résolution d'un problème utilisant un nombre fini d'applications d'une règle.

algue *nf* Végétal aquatique généralement pourvu de chlorophylle.

alias [aljas] *av* Autrement appelé. ■ *nm* 1 Fausse identité. 2 INFORM Icône qui permet d'accéder directement à une application sans passer par un menu.

alibi *nm* 1 DR Défense qui consiste à invoquer le fait qu'on se trouvait ailleurs qu'à l'endroit où un délit a été commis. 2 Ce qui permet de se disculper.

aliénable *a* DR Qui peut être cédé ou vendu.

aliénant, ante *a* Qui prive de liberté, soumet à des contraintes.

aliénation *nf* 1 DR Transmission à autrui d'un bien ou d'un droit. 2 Asservissement de l'homme à des contraintes extérieures. Loc *Aliénation mentale :* démence.

aliéné, ée *a, n* Malade mental, fou.

aliéner *vt* [12] DR Céder ou vendre qqch. *Aliéner une terre.* ■ *vpr* Perdre la sympathie, l'affection de qqn.

alignement *nm* 1 Action d'aligner ; disposition sur une ligne droite. *Un alignement de chaises.* 2 Fait de s'aligner, de se conformer à une politique.

aligner *vt* Disposer, ranger sur une même ligne droite. ■ *vpr* 1 Se mettre sur la même ligne. 2 Se conformer à la politique d'un parti, d'un État.

aligot *nm* CUIS Purée de pommes de terre au fromage.

aligoté *nm* Cépage blanc de Bourgogne.

aliment *nm* Substance qui sert à la nutrition des êtres vivants.

alimentaire *a* 1 Propre à servir d'aliment. *Denrées alimentaires.* 2 Relatif à l'alimentation. *Régime alimentaire.* Loc DR *Pension alimentaire :* versée à une personne pour assurer sa subsistance.

alimentation *nf* 1 Manière de prendre ou de fournir de la nourriture. *Surveiller son alimentation.* 2 Commerce et industrie des denrées alimentaires. 3 Approvisionnement. *L'alimentation en gaz.*

alimenter *vt* 1 Fournir les aliments nécessaires à. 2 Approvisionner. ■ *vpr* Se nourrir.

alinéa *nm* Commencement en retrait de la première ligne d'un paragraphe.

alise *nf* Fruit rouge, comestible de l'alisier.

alisier *nm* Arbre qui fournit un bois très dur.

alitement *nm* Fait de rester au lit.

aliter *vt* Faire garder le lit à. ■ *vpr* Garder le lit par suite d'une maladie.

alizé *nm* Vent régulier soufflant toute l'année dans la zone intertropicale.

allaitement *nm* Action d'allaiter.

allaiter *vt* Nourrir de lait, de son lait, un nouveau-né, un petit.

allant *nm* Vivacité dans l'action, entrain.

alléchant, ante *a* Qui attire. *Offre alléchante.*

allécher *vt* [12] Attirer par le goût, l'odeur, les promesses.

allée *nf* 1 Chemin de parc, de forêt, de jardin. 2 Avenue plantée d'arbres dans une ville. Loc *Allées et venues :* fait de marcher alternativement dans un sens et dans l'autre, déplacements.

allégation *nf* 1 Citation d'une autorité. 2 Ce que l'on affirme. *Réfuter des allégations.*

allégé, ée *a, nm* Qui contient peu de graisse ou de sucre (aliment).

allégeance *nf* HIST Fidélité de l'homme lige envers son suzerain. Loc *Faire allégeance :* manifester son soutien à qqn.

allègement *nm* Action d'alléger ; diminution d'une charge, d'un poids. Var **allégement**

alléger *vt* [13] 1 Rendre plus léger, diminuer le poids de. *Alléger un fardeau.* 2 Rendre moins pénible. *Alléger une douleur.*

allégorie *nf* Expression d'une idée par une histoire imagée.

allégorique *a* De l'allégorie. *Récit allégorique.*

allègre *a* Vif, plein d'entrain.

allègrement *av* De façon allègre, vivement. Var **allégrement**

allégresse *nf* Joie très vive. *Cris d'allégresse.*

allégretto *av, nm* MUS D'un mouvement un peu moins vif qu'allégro. Var **allegretto**

allégro *av, nm* MUS D'un mouvement vif et rapide. Var **allegro**

alléguer *vt* [12] 1 Citer une autorité pour se défendre, se justifier. 2 Mettre en avant comme excuse. *Alléguer de bonnes raisons.*

alléluia [-luja] *interj* Marque l'allégresse dans la liturgie juive et chrétienne. ■ *nm* Pièce liturgique de la messe.

allemand, ande *a, n* De l'Allemagne. ■ *nm* Langue germanique parlée en Allemagne, en Autriche, en Suisse et en Belgique. ■ *nf* Air à quatre temps ; danse sur cet air.

aller *vi* [8] [aux. *être*] 1 Se mouvoir. *Aller à pied.* 2 Se rendre qq part. *Aller à la campagne.*

3 Mener. *La route va à Orléans.* **4** Se porter (du point de vue de la santé) ; fonctionner. *Comment allez-vous ? Les affaires vont mal.* **5** S'adapter, convenir à. *Ce manteau lui va bien.* **6** (suivi d'un inf.) Marque le futur proche. *Je vais crier.* Loc *Aller de soi :* être évident. *Il y a va de :* ce qui est en jeu, c'est... *Ne pas aller sans :* être inséparable de. *Vas-y, allez-y :* marquent un encouragement. ■ *vpr* Loc *S'en aller :* partir, disparaître. ■ *nm* Parcours effectué pour se rendre dans un lieu précis ; billet de transport valable pour une seule direction. Loc *Au pis aller :* dans le cas le plus défavorable.

allergène *nm* MED Substance provoquant une allergie.

allergie *nf* **1** MED Réaction anormale d'un organisme au contact d'une substance. **2** fam Antipathie.

allergique *a* De l'allergie.

allergisant, ante *a* MED Susceptible de provoquer une allergie.

allergologie *nf* MED Étude de l'allergie.

allergologue *n* Spécialiste de l'allergologie.

alleu *nm* HIST Au Moyen Âge, terre franche de toute redevance.

alliacé, ée *a* Qui tient de l'ail.

alliage *nm* Corps obtenu par incorporation de plusieurs éléments à un métal.

alliance *nf* **1** Pacte entre plusieurs partis ou puissances. **2** Union par mariage. **3** Anneau de mariage porté à l'annulaire. **4** Rapport de parenté établi par le mariage. *Neveu par alliance.*

allié, ée *a, n* Uni par un traité d'alliance, par des liens familiaux, par un mariage.

allier *vt* **1** Unir par une alliance. **2** Combiner des métaux. **3** Réunir des qualités. ■ *vpr* Contracter une alliance.

alligator *nm* Reptile proche du crocodile.

allitération *nf* Répétition d'une consonne ou d'un groupe de consonnes dans une phrase.

allô ! *interj* Appel ou réponse initiale dans une communication téléphonique. **Var allo**

allocataire *n* Personne qui bénéficie d'une allocation.

allocation *nf* **1** Action d'allouer. **2** Somme allouée. Loc *Allocations familiales :* sommes versées au chef de famille.

allocution *nf* Bref discours.

allogène *a* Se dit de populations étrangères mêlées récemment à la population du pays.

allonge *nf* **1** Pièce servant à allonger qqch. **2** Longueur des bras chez un boxeur.

allongé, ée *a* Dont la longueur l'emporte sur les autres dimensions.

allongement *nm* Action d'allonger.

allonger *vt* [11] **1** Augmenter la longueur ou la durée de qqch. **2** fam Donner de l'argent. *Allonger cent euros.* **3** Diluer avec un liquide. *Allonger une sauce.* ■ *vi* Devenir plus long. *Les jours allongent.* ■ *vpr* **1** Devenir plus long. **2** S'étendre. *S'allonger sur le sol.*

allopathie *nf* Médecine qui emploie des médicaments tendant à contrarier les symptômes (par oppos. à *homéopathie*).

allopathique *a* De l'allopathie.

allotropie *nf* CHIM Propriété d'un corps qui peut exister sous plusieurs formes.

allotropique *a* De l'allotropie.

allouer *vt* Attribuer, accorder de l'argent.

allumage *nm* **1** Inflammation du combustible dans les moteurs à explosion. **2** Action d'allumer.

allume-cigare *nm* Dispositif pour allumer les cigares, les cigarettes dans une voiture. *Des allume-cigares.*

allume-gaz *nm inv* Appareil pour allumer le gaz d'une cuisinière.

allumer *vt* **1** Mettre le feu. **2** Faire fonctionner des lumières, le chauffage, un appareil. *Allumer ses phares.* **3** litt Faire naître, provoquer. *Allumer la colère de qqn.*

allumette *nf* Petite tige de bois, dont une extrémité est enduite d'un produit inflammable par frottement, qui sert à mettre le feu.

allumeur *nm* **1** Dispositif destiné à mettre le feu à une charge explosive. **2** Système d'allumage d'un moteur à explosion.

allumeuse *nf* fam Femme qui aguiche.

allure *nf* **1** Vitesse. **2** Aspect, apparence. **3** MAR Orientation d'un navire par rapport au vent. Loc *Avoir de l'allure :* être élégant, distingué.

alluré, ée *a* Qui a de l'élégance, de l'allure.

allusif, ive *a* Qui contient une allusion.

allusion *nf* Évocation non explicite d'une personne ou d'une chose.

allusivement *av* De façon allusive.

alluvial, ale, aux *a* Produit par des alluvions.

alluvionnaire *a* Des alluvions.

alluvions *nfpl* Dépôts de matériaux détritiques charriés par les eaux.

alma mater [-tɛʀ] *nf* L'université.

almanach [-na] *nm* Calendrier illustré.

aloès *nm* Plante des pays chauds qui fournit un purgatif.

aloi *nm* Loc litt *De bon aloi, de mauvais aloi :* de bonne, de mauvaise qualité.

alopécie *nf* Chute des cheveux ou des poils.

alors *av* **1** Dans ce temps-là, à ce moment-là. **2** Dans ce cas-là. **3** fam Ponctue une exclamation. *Ça alors !* Loc *Alors que :* marque le temps ou l'opposition.

alose *nf* Poisson marin à chair fine qui remonte les fleuves pour frayer.

alouate *nm* Singe hurleur.

alouette *nf* Oiseau passereau, au plumage terne, habitant les champs.

alourdir *vt* Rendre plus lourd. ■ *vpr* Devenir plus lourd.

alourdissement *nm* État de ce qui devient plus lourd.

aloyau [alwajo] *nm* Quartier de bœuf situé le long des reins et comprenant le filet.

alpaga *nm* **1** Lama dont on exploite la laine. **2** Tissu fait avec cette laine.

alpage *nm* Pâturage de haute montagne.

alpestre *a* Des Alpes.

alpha *nm* Première lettre de l'alphabet grec. Loc *Particule alpha :* noyau de l'atome d'hélium.

alphabet *nm* Ensemble ordonné des lettres servant à transcrire les sons d'une langue.

alphabétique *a* Selon l'ordre de l'alphabet.

alphabétiquement *av* Dans l'ordre alphabétique.

alphabétisation *nf* Enseignement de l'écriture et de la lecture à des analphabètes.

alphabétiser *vt* Procéder à l'alphabétisation.

alphanumérique *a* INFORM Qui utilise à la fois des chiffres et des lettres.

alpin, ine *a* Des Alpes. Loc *Plissement alpin :* plissement de l'écorce terrestre pendant l'ère tertiaire. *Chasseurs alpins :* soldats des formations opérant en montagne.

alpinisme *nm* Sport des ascensions en montagne.

alpiniste *n* Personne qui pratique l'alpinisme.

alsace *nm* Vin d'Alsace, le plus souvent blanc.

alsacien, enne *a, n* De l'Alsace. ▪ *nm* Dialecte germanique d'Alsace.

altérable *a* Qu'on peut altérer.

altération *nf* 1 Modification qui dénature qqch. 2 MUS Signe qui modifie la hauteur d'une note (dièse, bémol, bécarre).

altercation *nf* Dispute, discussion vive.

altéré, ée *a* Assoiffé.

alter ego [-tɛʀego] *nm* Ami inséparable.

altérer *vt* [12] 1 Provoquer la modification, le changement. 2 Modifier en mal. 3 Exciter la soif. ▪ *vpr* Se modifier en mal.

altérité *nf* Caractère de ce qui est autre.

altermondialisme *nm* Courant d'opinion qui s'oppose à la mondialisation libérale, prône une mondialisation alternative, plus soucieuse de l'environnement.

altermondialiste *a, n* Qui relève de l'altermondialisme ; partisan de l'altermondialisme.

alternance *nf* Action d'alterner ; état de ce qui est alterné.

alternant, ante *a* Qui alterne.

alternateur *nm* Machine qui produit des courants alternatifs.

alternatif, ive *a* 1 Qui propose un choix ou qui résulte d'un choix. 2 Qui change périodiquement de sens. *Courant alternatif.* 3 Qui propose une issue à ceux qui refusent la société moderne. ▪ *nf* 1 Situation dans laquelle on ne peut choisir qu'entre deux solutions. 2 abusiv Solution de remplacement. 3 Cérémonie solennelle d'investiture d'un torero.

alternativement *av* Tour à tour.

alterne *a* Loc BOT *Feuilles alternes :* insérées sur une tige, à raison d'une seule par nœud.

alterné, ée *a* Qui alterne.

alterner *vi* Se succéder à tour de rôle. ▪ *vt* Faire se succéder.

altesse *nf* Titre donné aux princes et princesses.

altier, ère *a* Qui marque de l'orgueil.

altimètre *nm* Appareil mesurant les altitudes.

altiport *nm* Aérodrome aménagé en montagne.

altiste *n* Personne qui joue de l'alto.

altitude *nf* Élévation d'un lieu par rapport au niveau de la mer.

alto *nm* 1 Instrument de musique proche du violon. 2 La plus grave des voix de femme et la plus aiguë des voix d'homme.

altocumulus *nm* Nuage à gros flocons.

altostratus *nm* Nuage en forme de voile.

altruisme *nm* Propension à aimer et à aider son prochain.

altruiste *a, n* Inspiré par l'altruisme.

alumine *nf* Oxyde d'aluminium.

aluminium [-njɔm] *nm* Métal qui entre dans la composition d'alliages légers.

alun [alœ̃] *nm* Sel de certains métaux utilisé en teinture, en tannerie, etc.

alunir *vi* abusiv Se poser sur la Lune.

alunissage *nm* abusiv Action d'alunir.

alvéolaire *a* Des alvéoles.

alvéole *nf* ou *nm* 1 Petite cellule de cire construite par les abeilles. 2 Cavité des maxillaires où se logent les racines des dents. 3 Cavité pulmonaire au niveau de laquelle s'effectuent les échanges gazeux avec le sang. 4 Petite cavité en général.

alvéolé, ée *a* Creusé d'alvéoles.

alvéolite *nf* MED Inflammation des alvéoles pulmonaires ou dentaires.

Alzheimer (maladie d') *nf* Atrophie cérébrale accompagnée de démence.

a.m. Abrév. de *ante meridiem :* avant midi.

amabilité *nf* Caractère d'une personne aimable ; manifestation de ce caractère.

amadou *nm* Combustible spongieux qu'on tire d'un champignon.

amadouer *vt* Flatter qqn pour obtenir qqch.

amaigrir *vt* Rendre maigre.

amaigrissant, ante *a* Qui fait maigrir.

amaigrissement *nm* Fait de maigrir, d'être plus maigre.

amalgame *nm* 1 Mélange hétéroclite. 2 Mélange du mercure avec un autre métal. 3 Assimilation abusive.

amalgamer *vt* Faire un amalgame.

amande *nf* 1 Fruit de l'amandier, riche en huile. 2 Graine contenue dans un noyau.

amandier *nm* Arbre fruitier dont le fruit est l'amande.

amandine *nf* Tartelette aux amandes.

amanite *nf* Champignon dont certaines espèces sont comestibles, d'autres vénéneuses (amanite tue-mouche), d'autres mortelles (amanite phalloïde).

amant *nm* Homme qui a des relations sexuelles avec une femme qui n'est pas son épouse.

amarante *nf* Plante ornementale à fleurs pourpres. ▪ *a inv* De couleur pourpre.

amareyeur *nm* Ouvrier chargé de l'entretien des parcs à huîtres.

amaril, ile *a* Relatif à la fièvre jaune.

amarrage *nm* Action d'amarrer.

amarre *nf* Cordage pour amarrer. Loc *Larguer les amarres :* partir.

amarrer *vt* Fixer avec une amarre.

amaryllidacée *nf* BOT Plante telle que l'amaryllis, la perce-neige, la jonquille.

amaryllis *nf* Plante à grandes fleurs rouges.

amas *nm* 1 Accumulation de choses. 2 ASTRO Groupement d'étoiles.

amasser *vt* Faire un amas, accumuler, entasser. *Amasser du sable, de l'argent.*

amateur *nm* 1 Qui aime, qui a du goût pour qqch. 2 Qui pratique un sport, un art sans en faire sa profession. 3 Qui manque de compétence, de sérieux. 4 Disposé à acheter qqch.

amateurisme *nm* 1 Statut du sportif amateur. 2 Caractère d'une personne qui effectue une tâche avec négligence.

amazigh, ighe *a* Berbère.

amazone *nf* Cavalière. Loc *Monter en amazone :* les deux jambes du même côté de la selle.

amazonien, enne *a* De l'Amazonie.

ambages *nfpl* Loc *Parler sans ambages :* sans détour ni faux-fuyants, franchement.

ambassade *nf* 1 Fonction d'un ambassadeur. 2 Mission diplomatique d'un gouvernement étranger. 3 Résidence, bureaux d'un ambassadeur.

ambassadeur, drice n 1 Personne qui représente un État auprès d'un autre. 2 Personne chargée d'une mission quelconque.

ambiance nf 1 Milieu physique ou moral. 2 Gaieté, entrain.

ambiant, ante a Qui entoure de toutes parts. *Air ambiant.*

ambidextre a Qui se sert des deux mains avec une égale facilité.

ambigu, uë a Dont le sens est incertain, qui peut avoir plusieurs sens. *Réponse ambiguë.* Var **ambigu, üe**.

ambiguïté nf Caractère ambigu. Var **ambigüité**.

ambitieux, euse a, n Qui a de l'ambition.

ambition nf 1 Désir de réussite sociale. 2 Aspiration, volonté marquée.

ambitionner vt Rechercher ardemment.

ambivalence nf Caractère de ce qui a deux valeurs opposées. *Ambivalence des sentiments.*

ambivalent, ente a Doué d'ambivalence.

amble nm Allure de certains quadrupèdes qui se déplacent en levant simultanément les deux membres d'un même côté.

amblyope a, n Qui a une mauvaise vue.

ambon nm Tribune élevée dans le chœur de certaines églises.

ambre nm Loc *Ambre gris :* substance parfumée fournie par le cachalot. *Ambre jaune :* résine fossile utilisée en bijouterie. ■ a inv Jaune.

ambré, ée a Qui a le parfum ou la couleur de l'ambre.

ambroisie nf MYTH Nourriture des dieux de l'Olympe, qui rendait immortel.

ambulance nf Véhicule pour le transport des malades, des blessés.

ambulancier, ère n, a Qui conduit une ambulance.

ambulant, ante a Qui se déplace. *Marchand ambulant.*

ambulatoire a MED Pratiqué sans hospitalisation. *Traitement ambulatoire.*

âme nf 1 En religion et en philosophie, principe de pensée qui s'oppose au corps. 2 Habitant. *Village de cent âmes.* 3 Élément essentiel. *L'âme d'une entreprise.* 4 Principe des qualités morales. Loc *Rendre l'âme :* mourir. *État d'âme :* disposition d'esprit. *Bonne âme :* personne compatissante.

améliorable a Qui peut être amélioré.

améliorant, ante a Qui améliore.

amélioration nf Action d'améliorer ; fait de s'améliorer.

améliorer vt Rendre meilleur, perfectionner. ■ vpr Devenir meilleur.

amen [amɛn] interj Mot qui termine une prière. Loc *Dire amen :* consentir.

aménageable a Qui peut être aménagé.

aménagement nm Action d'aménager. Loc *Aménagement du territoire :* mise en valeur harmonieuse du territoire national.

aménager vt [11] Préparer, organiser, rendre plus confortable.

aménageur nm Personne qui s'occupe de l'aménagement du territoire.

amende nf Sanction pécuniaire. *Payer une amende.* Loc *Faire amende honorable :* présenter des excuses.

amendement nm 1 Modification à un projet de loi. 2 AGRIC Substance mise dans le sol pour améliorer sa fertilité.

amender vt 1 Modifier un texte. 2 AGRIC Modifier par amendement. ■ vpr Se corriger.

amène a litt Agréable, courtois.

amener vt [15] 1 Mener, conduire qqn qq part. 2 Occasionner. *Un malheur en amène un autre.* 3 Pousser à, entraîner à. *Cet incident l'a amené à partir.* 4 Tirer à soi. *Amener les voiles.* ■ vpr pop Venir, arriver.

aménité nf litt Amabilité, charme.

aménorrhée nf MED Absence de menstruations.

amentifère a BOT Qui porte des inflorescences en chatons.

amenuisement nm Fait de s'amenuiser.

amenuiser vt Rendre plus menu, moindre. ■ vpr Devenir moins fort, diminuer.

1. amer, ère a 1 Qui a une saveur âpre, désagréable. 2 Pénible, douloureux.

2. amer nm MAR Point (clocher, balise) servant de repère.

amèrement av Avec amertume.

américain, aine a, n 1 De l'Amérique. 2 Des États-Unis. ■ nm Anglais parlé aux États-Unis.

américanisation nf Action d'américaniser.

américaniser vt Donner un caractère américain.

américanisme nm 1 Civilisation propre aux États-Unis. 2 Tournure anglaise spéciale aux Américains.

amérindien, enne a, n Des Indiens d'Amérique. *Langues amérindiennes.*

amerloque a, n pop Américain des États-Unis.

amerrir vi Se poser sur un plan d'eau.

amerrissage nm Action d'amerrir.

amertume nf 1 Goût amer. 2 Aigreur, mélancolie, déception.

améthyste nf Variété violette de quartz, utilisée en joaillerie.

ameublement nm Ensemble du mobilier et des objets d'une pièce, d'une maison.

ameublir vt Rendre une terre plus meuble, plus légère.

ameuter vt Attrouper des personnes dans l'intention de susciter des réactions hostiles.

amharique nm Langue sémitique officielle de l'Éthiopie.

ami, ie n 1 Personne à laquelle on est lié par une affection réciproque. 2 Personne animée de bonnes intentions. *Venir en ami.* 3 Personne qui a du goût pour. *Ami de la vérité.* Loc *Petit(e) ami(e) :* flirt. ■ a 1 D'un ami. *Une maison amie.* 2 Allié. *Des pays amis.*

amiable a Qui se fait de gré à gré. *Vente amiable.* ■ nf Loc *À l'amiable :* par voie de conciliation.

amiante nf Silicate de calcium et de magnésium, résistant au feu.

amianté, ée a, n MED Se dit de qqn qui a été contaminé par l'amiante.

amiante-ciment nm Syn. de *fibrociment.*

amibe nf Protozoaire aquatique dont une espèce est parasite de l'homme.

amibiase nf Maladie intestinale due aux amibes.

amibien, enne a Dû aux amibes.

amical, ale, aux a Inspiré par l'amitié. ■ nf Association regroupant des personnes ayant une même activité.

amicalement av De façon amicale.

amide nm CHIM Composé organique dérivant de l'ammoniac ou des amines.

amidon nm Substance végétale glucidique, dont les granules fournissent un empois.

amidonnage nm Action d'amidonner.

amidonner vt Enduire d'amidon.

amincir vt 1 Rendre plus mince. 2 Faire paraître plus mince. *Cette robe l'amincit.* ■ vpr Devenir plus mince.

amincissant, ante a Qui amincit.

amincissement nm Action d'amincir ; fait de s'amincir.

amine nf CHIM Composé organique dérivant de l'ammoniac.

aminé, ée a Loc *Acide aminé* : acide organique indispensable à la vie. Syn. aminoacide.

a minima av Loc DR *Appel a minima* : interjeté par le ministère public quand il estime trop faible la peine appliquée. **Var à minima**

aminoacide nm Acide aminé.

amiral, aux nm Officier général de la marine militaire.

amirauté nf 1 État et office d'amiral ; résidence, services et bureaux de l'amiral. 2 Corps des amiraux.

amitié nf 1 Affection mutuelle liant deux personnes. 2 Témoignage d'affection bienveillante. Loc *Amitié particulière* : relation homosexuelle.

ammoniacal, ale, aux a Qui contient de l'ammoniac ou a ses propriétés.

ammoniaque nf Solution d'ammoniac. Syn. alcali volatil.

ammonite nf GEOL Mollusque fossile, à coquille spiralée.

ammonium [-njɔm] nm CHIM Radical classé parmi les métaux alcalins.

amnésie nf Perte de la mémoire.

amnésique a, n Frappé d'amnésie.

amniocentèse [-sɛ̃-] nf MED Prélèvement de liquide amniotique.

amnios [-njɔs] nm BIOL Poche emplie de liquide dans lequel baigne le fœtus. Syn. poche des eaux.

amnioscopie nf MED Examen du liquide amniotique.

amniotique a BIOL De l'amnios.

amnistiable a Qu'on peut amnistier.

amnistie nf Acte législatif qui annule des condamnations et fait cesser leurs conséquences pénales.

amnistié, ée a, n Bénéficiaire d'une amnistie.

amnistier vt Accorder une amnistie à.

amocher vt fam Abîmer, blesser.

amoindrir vt Diminuer, rendre moindre. ■ vpr Devenir moindre.

amoindrissement nm Diminution, affaiblissement.

amollir vt 1 Rendre mou. 2 Rendre plus faible, enlever de la force. ■ vpr Devenir mou.

amollissant, ante a Qui amollit.

amollissement nm Action d'amollir.

amonceler vt [16] ou [18] 1 Entasser. *Amonceler des cailloux.* 2 Réunir, accumuler. *Amonceler des preuves.* ■ vpr S'accumuler.

amoncellement nm Choses amoncelées. **Var amoncèlement**

amont nm 1 Partie d'un cours d'eau comprise entre sa source et un point donné. 2 Partie d'un processus, d'une activité, qui se situe vers l'origine. *La sidérurgie est à l'amont de la métallurgie.* ■ av, a inv Vers l'amont. *Virer amont à skis. Industries amont.* Ant. aval.

amoral, ale, aux a Qui ignore les principes de la morale.

amoralité nf Caractère amoral.

amorçage nm Action d'amorcer.

amorce nf 1 Appât jeté dans l'eau ou disposé autour d'un piège pour attirer le poisson, le gibier. 2 Capsule servant à mettre à feu une charge d'explosif. 3 Pastille de fulminate servant de jeu. 4 Ébauche, début de qqch.

amorcer vt [10] 1 Garnir d'une amorce un hameçon, une charge de poudre. 2 Déclencher le fonctionnement d'une pompe. 3 Ébaucher, commencer. *Amorcer une affaire.*

amorphe a 1 Sans caractère, sans énergie. 2 PHYS Non cristallisé (corps).

amorti nm Fait d'arrêter le ballon ou la balle en accompagnant son mouvement.

amortie nf Balle résultant d'un amorti.

amortir vt 1 Diminuer la force, l'intensité du bruit. 2 Échelonner une dépense sur une certaine durée. 3 Utiliser jusqu'à récupérer l'achat d'un bien.

amortissable a Qu'on peut rembourser de façon échelonnée.

amortissement nm Action d'amortir. *Amortissement d'un emprunt.*

amortisseur nm Dispositif réduisant l'amplitude des oscillations d'une machine.

amour nm 1 Affection passionnée, attirance affective et sexuelle d'un être humain pour un autre. 2 Personne aimée. 3 Divinité antique qui avait le pouvoir de faire aimer. 4 Affection que ressentent les membres d'une même famille. 5 Attachement à un idéal moral, philosophique, religieux. 6 Goût, enthousiasme pour une chose, une activité. *Travailler avec amour.* Loc *Faire l'amour* : avoir des rapports sexuels. ■ nfpl litt Passion, tendresse. *Les premières amours.*

amouracher (s') vpr S'éprendre soudainement de qqn.

amourette nf 1 Aventure sentimentale sans conséquence. 2 Graminée à groupes d'épis mobiles. ■ pl Moelle épinière des animaux de boucherie.

amoureusement av Avec amour.

amoureux, euse a, n Qui éprouve de l'amour. *Décevoir son amoureux.* ■ a Qui dénote l'amour. *Regards amoureux.*

amour-propre nm Sentiment que qqn a de sa propre valeur. *Des amours-propres.*

amovibilité nf Caractère amovible.

amovible a 1 Qui peut être déplacé, muté (fonctionnaire, magistrat). 2 Qui peut être démonté, enlevé (objet).

ampélographie nf Étude de la vigne, des cépages.

ampélopsis nm Vigne vierge.

ampère nm Unité d'intensité électrique.

ampère-heure nm Quantité d'électricité transportée en 1 heure par un courant de 1 ampère. *Des ampères-heures.* **Var ampèreheure**

ampèremètre nm Appareil de mesure de l'intensité d'un courant.

amphétamine nf Excitant du système nerveux central.

amphi nm fam Amphithéâtre.

amphibie *a* **1** Qui vit dans l'air et dans l'eau. **2** Qui peut se déplacer sur terre et dans l'eau (véhicule).

amphibien *nm* ZOOL Vertébré à peau nue, ovipare, faisant partie d'une classe comprenant les grenouilles et les tritons. Syn. batracien.

amphibole *nf* Minéral composé de silicates, des roches éruptives et métamorphiques.

amphibolite *nf* Roche métamorphique constituée surtout d'amphibole.

amphibologie *nf* GRAM Construction qui donne un double sens à une phrase.

amphibologique *a* GRAM Ambigu.

amphigouri *nm* litt Discours, écrit confus et obscur.

amphigourique *a* litt Confus, embrouillé.

amphithéâtre *nm* **1** ANTIQ Vaste enceinte à gradins où se tenaient les jeux du cirque. **2** Salle de cours, garnie de gradins.

amphitryon *nm* litt Hôte chez qui on dîne.

amphore *nf* Vase antique en terre cuite, à deux anses.

ample *a* Vaste, large. *Un vêtement ample.*

amplement *av* Abondamment.

ampleur *nf* **1** Caractère ample. **2** Importance, étendue.

ampli *nm* fam Amplificateur.

ampliatif, ive *a* DR Qui complète un acte précédent.

ampliation *nf* DR Copie authentique de l'original d'un acte.

amplificateur *nm* Appareil qui amplifie un signal électrique, en particulier dans une chaîne haute-fidélité.

amplification *nf* Action d'amplifier.

amplifier *vt* Augmenter la quantité, le volume, l'étendue, l'importance de. *Amplifier le courant, le son, les échanges commerciaux.* ■ *vpr* Devenir plus important.

amplitude *nf* Écart entre deux valeurs extrêmes d'un signal, de la température, d'un mouvement.

ampli-tuner *nm* Élément d'une chaîne haute-fidélité regroupant un amplificateur et un tuner. *Des amplis-tuners.*

ampoule *nf* **1** Tube de verre, terminé en pointe et soudé, contenant un médicament liquide ; son contenu. **2** Enveloppe de verre enfermant le filament des lampes à incandescence et remplie d'un gaz inerte. **3** Petit gonflement de l'épiderme, rempli de sérosité.

ampoulé, ée *a* Emphatique, pompeux.

amputation *nf* Ablation d'un membre.

amputé, ée *a, n* Qui a subi l'ablation d'un membre.

amputer *vt* **1** Pratiquer une amputation. **2** Retrancher un passage d'un texte.

amulette *nf* Petit objet que l'on porte sur soi et auquel on attribue un pouvoir magique de protection.

amure *nf* Cordage maintenant au vent le coin inférieur d'une voile.

amusant, ante *a* Qui divertit.

amuse-gueule *nm* fam Petit hors-d'œuvre servi avec l'apéritif. *Des amuse-gueules.* **Var amuse-bouche**

amusement *nm* Ce qui amuse ; distraction.

amuser *vt* Distraire, divertir. ■ *vpr* **1** Se distraire, se divertir. **2** Se moquer de qqn. Loc *Ne vous amusez pas à... :* ne vous avisez pas de...

amusette *nf* Bagatelle.

amuseur, euse *n* Personne qui amuse.

amygdale [amidal] *nf* ANAT Organe situé au fond de la gorge.

amygdalite *nf* Inflammation des amygdales.

amylacé, ée *a* Qui contient de l'amidon.

amyotrophie *nf* MED Atrophie des muscles.

an *nm* Période correspondant à la durée d'une révolution de la Terre autour du Soleil ; année. Loc *Le jour de l'an :* le 1er janvier.

anabaptiste *n* Protestant qui dénie toute valeur au baptême des enfants et réserve ce sacrement aux adultes.

anableps *nm* Poisson de la mangrove respirant hors de l'eau.

anabolisant, ante *a, nm* MED Qui favorise l'assimilation.

anacarde *nm* Syn. de *noix de cajou.*

anacardier *nm* Arbrisseau d'Amérique tropicale, qui donne la noix de cajou.

anachorète [-kɔ-] *nm* RELIG Ascète qui vit seul, retiré du monde.

anachronique *a* Entaché d'anachronisme.

anachronisme *nm* **1** Faute contre la chronologie. **2** Usage retardataire, dépassé.

anacoluthe *nf* Changement de construction au milieu d'une phrase.

anaconda *nm* Serpent des marais d'Amérique tropicale.

anaérobie *a* didac Qui ne peut vivre, fonctionner au contact de l'air. Ant. aérobie.

anagramme *nf* Mot obtenu en transposant les lettres d'un autre mot (ex. : *chien, niche, chine*).

anal, ale, aux *a* De l'anus.

analgésie *nf* Abolition de la douleur.

analgésique *a, nm* Qui supprime la douleur.

anallergique *a* MED Qui ne provoque pas d'allergie.

analogie *nf* Rapport de ressemblance entre deux ou plusieurs objets.

analogique *a* Fondé sur l'analogie.

analogue *a* Qui présente une analogie.

analphabète *a, n* Qui ne sait ni lire ni écrire.

analphabétisme *nm* État de l'analphabète.

analysable *a* Qu'on peut analyser.

analyse *nf* **1** Opération par laquelle l'esprit, pour parvenir à la connaissance d'un objet, le décompose en ses éléments. Ant. synthèse. **2** Partie des mathématiques comprenant le calcul infinitésimal et ses applications. **3** Détermination de la composition d'une substance. **4** GRAM Décomposition d'une phrase en propositions (*analyse logique*), d'une proposition en mots (*analyse grammaticale*), dont on établit la nature et la fonction. **5** Psychanalyse.

analyser *vt* Procéder à l'analyse de.

analyseur *nm* Appareil servant à analyser un phénomène.

analyste *n* **1** Spécialiste de l'analyse. **2** Psychanalyste.

analyste-programmeur *nm* INFORM Spécialiste de l'analyse et de la programmation. *Des analystes-programmeurs.*

analytique *a* Qui procède par analyse. *Table analytique des matières.*

anamorphose nf PHYS Image d'un objet déformée par un dispositif optique.

ananas [-na] nm 1 Plante des pays chauds. 2 Gros fruit sucré de cette plante.

anapeste nm VERSIF Pied d'un vers composé de deux brèves et d'une longue.

anaphore nf 1 RHET Reprise d'un mot dans une série de phrases successives. 2 LING Fonction assurée dans l'énoncé par les anaphoriques.

anaphorique a, nm LING Qui renvoie à un mot apparu dans une phrase antérieure.

anaphylactique a MED Dû à l'anaphylaxie.

anaphylaxie nf MED Réaction violente d'un organisme sensibilisé à une substance.

anar n, a fam Anarchiste.

anarchie nf 1 État de désorganisation qu'entraîne la faiblesse de l'autorité politique. 2 Désordre, confusion. 3 Anarchisme.

anarchique a Désorganisé, chaotique.

anarchiquement av De façon anarchique.

anarchisant, ante a Qui a des tendances anarchistes.

anarchisme nm Doctrine politique qui prône la suppression de l'État.

anarchiste a, n Partisan de l'anarchisme.

anarchosyndicalisme [-ko-] nm Mouvement syndical à tendance antiétatique.

anarchosyndicaliste [-ko-] a, n De l'anarchosyndicalisme.

anastomose nf ANAT Communication entre deux conduits anatomiques.

anastomoser vt CHIR Créer une anastomose.

anastrophe nf LING Inversion de l'ordre habituel des mots.

anatexie nf GEOL Fusion des roches, donnant naissance à un magma.

anathème nm 1 Sentence d'excommunication. 2 litt Réprobation, blâme solennel.

anatife nm Crustacé marin fixé par un pédoncule. Syn. pouce-pied.

anatomie nf 1 Science qui étudie la structure des organes et des tissus chez les êtres organisés. 2 fam Aspect extérieur du corps.

anatomique a De l'anatomie.

anatomiste n Spécialiste de l'anatomie.

anatomopathologie nf Étude des lésions provoquées par les maladies.

anatoxine nf Toxine atténuée, à propriétés immunisantes.

ancestral, ale, aux a Des ancêtres, transmis par les ancêtres.

ancêtre n 1 Personne de qui l'on descend, antérieure au grand-père. 2 Initiateur lointain. ■ pl Les hommes qui vécurent avant nous.

anche nf Languette placée dans le bec de certains instruments à vent (clarinette, saxophone).

anchois nm Poisson de mer de petite taille. Loc Beurre d'anchois : filets d'anchois pilés avec du beurre.

ancien, enne a 1 Qui existe depuis longtemps. Coutume ancienne. 2 Qui a de l'ancienneté dans un emploi, une fonction, un grade. Être ancien dans une profession. 3 (av. le n.) Qui a cessé d'être ce qu'il était. Un ancien juge. ■ nm 1 Prédécesseur dans un métier, un service, une école, un régiment, etc. 2 Personne âgée (le plus souvent au pl.). 3 (avec majusc.) Les peuples, les auteurs de l'Antiquité.

anciennement av Autrefois.

ancienneté nf 1 Caractère de ce qui est ancien. 2 Temps passé dans une fonction, un grade.

ancillaire a litt De la servante.

ancolie nf Plante aux fleurs diversement colorées, à pétales en éperon.

ancrage nm Fixation, attache à un point fixe.

ancre nf 1 Instrument de métal qui, au bout d'un câble ou d'une chaîne, accroche le navire au fond de l'eau. 2 Pièce réglant un mouvement d'horlogerie. 3 Pièce métallique bloquant deux éléments de construction.

ancrer vt 1 Retenir, fixer avec une ancre. 2 Fixer. On a ancré cette idée en lui.

andalou, ouse a, n De l'Andalousie.

andante av, nm MUS D'un mouvement modéré.

andantino av, nm MUS D'un mouvement moins modéré que celui de l'andante.

andésite nf Roche volcanique noire.

andin, ine a Des Andes.

andorran, ane a, n D'Andorre.

andouille nf 1 Boyau de porc farci de tripes et de chair. 2 fam Individu stupide.

andouiller nm Ramification des bois des cervidés (cerf, daim, etc.).

andouillette nf Petite andouille qui se mange cuite.

androgène a, nm Se dit d'une hormone qui provoque l'apparition de caractères sexuels mâles.

androgyne a, n Qui tient des deux sexes ; hermaphrodite.

androïde nm Automate à forme humaine.

andrologie nf Étude de l'appareil génital masculin.

andrologue n Spécialiste d'andrologie.

andropause nf Chez l'homme, diminution des activités génitales après un certain âge.

androstérone nf Hormone sexuelle mâle.

âne nm 1 Mammifère domestique à longues oreilles, plus petit que le cheval. 2 Homme sot, borné et ignorant. Loc Dos d'âne : élévation arrondie, bosse.

anéantir vt 1 Réduire qqch à néant. 2 Plonger qqn dans un état d'abattement.

anéantissement nm 1 Destruction totale. 2 Abattement profond.

anecdote nf Bref récit d'un fait curieux.

anecdotique a Qui tient de l'anecdote.

anémiant, ante a Qui cause une anémie.

anémie nf Affaiblissement dû à la diminution du nombre des globules rouges.

anémier vt Rendre anémique.

anémique a, n Atteint d'anémie.

anémomètre nm Appareil servant à mesurer la vitesse du vent.

anémone nf Plante aux fleurs de couleurs vives. Loc Anémone de mer : actinie.

ânerie nf Acte ou propos stupide.

ânesse nf Femelle de l'âne.

anesthésie nf MED Suppression plus ou moins complète de la sensibilité.

anesthésier vt Rendre momentanément insensible à la douleur.

anesthésiologie nf Science de l'anesthésie.

anesthésique a, nm MED Qui provoque l'anesthésie.

anesthésiste n Médecin spécialiste qui dirige l'anesthésie.

aneth [anɛt] *nm* Plante aromatique, communément appelée fenouil.

anévrisme *nm* MED Dilatation localisée d'une artère. Loc *Rupture d'anévrisme* : éclatement de cette dilatation, généralement mortel.

anfractuosité *nf* Cavité sinueuse et profonde.

ange *nm* 1 Créature spirituelle, intermédiaire entre l'homme et Dieu. 2 Personne dotée de toutes les qualités. Loc *Être aux anges* : ravi. *Patience d'ange* : très grande patience. fam *Faiseuse d'anges* : avorteuse. *Vous êtes un ange* : vous êtes très gentil.

1. angélique *a* Digne d'un ange.

2. angélique *nf* 1 Plante aromatique. 2 Tige confite de cette plante.

angélisme *nm* Attitude idéaliste, candide.

angelot *nm* Petit ange.

angélus *nm* 1 Prière qui commence par ce mot. 2 Son de cloche annonçant cette prière.

angevin, ine *a, n* De l'Anjou ou d'Angers.

angine *nf* Inflammation aiguë du pharynx et des amygdales. Loc *Angine de poitrine* : trouble cardiaque, insuffisance coronarienne.

angiogenèse *nf* ANAT Processus de formation des vaisseaux sanguins.

angiographie *nf* MED Radiographie des vaisseaux sanguins.

angiologie *nf* Étude des vaisseaux sanguins et lymphatiques.

angiologue *n* Spécialiste d'angiologie.

angiome *nm* MED Malformation vasculaire. Syn. tache de vin.

angiosperme *nf* BOT Plante phanérogame dont les ovules sont protégés par un ovaire clos.

anglais, aise *a, n* De l'Angleterre. ■ *nm* Langue germanique, la plus répandue dans le monde. ■ *nf* Écriture cursive penchée. ■ *nfpl* Longues boucles de cheveux en spirale.

angle *nm* 1 Coin. *L'angle d'un mur.* 2 GEOM Figure formée par deux demi-droites de même origine, mesurée en degrés. Loc *Sous l'angle de* : du point de vue de.

anglican, ane *a, n* De l'anglicanisme.

anglicanisme *nm* Église officielle de l'Angleterre.

angliciser *vt* Donner un aspect anglais.

anglicisme *nm* 1 Locution propre à l'anglais. 2 Mot emprunté à l'anglais.

angliciste *n* Spécialiste de la civilisation et de la langue anglaises.

anglo-américain *nm* Anglais parlé aux États-Unis.

anglomanie *nf* Manie d'imiter les Anglais.

anglo-normand *a* Loc *Cheval anglo-normand* : issu du croisement des races anglaise et normande. ■ *nm* Dialecte de langue d'oïl parlé anciennement des deux côtés de la Manche.

anglophile *a, n* Favorable aux Anglais.

anglophobe *a, n* Hostile aux Anglais.

anglophone *a, n* De langue anglaise.

anglo-saxon, onne *a, n* De la communauté culturelle de langue anglaise. *Des Anglo-Saxon(s).*

angoissant, ante *a* Qui angoisse.

angoisse *nf* Appréhension, inquiétude profonde.

angoissé, ée *a, n* Qui éprouve de l'angoisse.

angoisser *vt* Causer de l'angoisse à.

angolais, aise *a, n* De l'Angola.

angor *nm* MED Angine de poitrine.

angora *a inv* 1 À poils longs (chats, lapins, chèvres). 2 Se dit de la laine faite de ces poils.

angström [-strœm] *nm* Unité de mesure de longueur d'onde. Var **angstrœm**

anguille *nf* Poisson d'eau douce, effilé, à peau visqueuse. Loc *Il y a anguille sous roche* : il se prépare qqch qu'on nous cache.

angulaire *a* Qui forme un ou plusieurs angles. Loc *Pierre angulaire* : qui est à l'angle d'un édifice ; fondement, base de qqch.

anguleux, euse *a* Qui a des angles vifs.

anhydre *a* CHIM Dépourvu d'eau.

anhydride *nm* CHIM Corps qui donne un acide par combinaison avec l'eau.

anicroche *nf* Petite difficulté, contretemps.

ânier, ère *n* Conducteur d'ânes.

aniline *nf* CHIM Corps extrait du charbon par distillation.

animal, ale, aux *a* 1 Propre à l'animal. 2 Bestial. *Une fureur animale.* ■ *nm* 1 Être vivant, doué de sensibilité et de mouvement (opposé aux végétaux). 2 Être vivant privé du langage (opposé à l'homme). 3 Personne stupide ou grossière.

animalcule *nm* Animal microscopique.

animalerie *nf* 1 Annexe d'un laboratoire où l'on garde les animaux réservés aux expériences. 2 Magasin qui vend des animaux de compagnie.

animalier, ère *a* Relatif aux animaux. ■ *nm* Peintre ou sculpteur d'animaux.

animalité *nf* Caractère propre à l'animal.

animateur, trice *n* 1 Responsable des activités d'un organisme culturel. 2 Présentateur de radio ou de télévision.

animation *nf* 1 Caractère de ce qui vit, bouge ; activité. 2 Fait de créer dans un groupe une atmosphère vive, dynamique. 3 Procédé de cinéma simulant le mouvement à partir de dessins.

animé, ée *a* Où il y a de la vie. *Un quartier animé.* Loc *Être animé* : être vivant.

animelles *nfpl* CUIS Testicules d'animaux de boucherie.

animer *vt* 1 Donner de l'animation. 2 Être l'élément moteur d'une organisation, une entreprise. 3 Pousser à agir. *La passion l'anime.* ■ *vpr* Devenir vif, mouvementé.

animisme *nm* Croyance attribuant une âme aux choses.

animiste *a, n* Qui relève de l'animisme.

animosité *nf* Volonté de nuire à qqn, malveillance.

anion *nm* PHYS Ion possédant une ou plusieurs charges électriques négatives.

anis [ani] *nm* Plante aromatique utilisée pour parfumer certaines boissons (pastis).

aniser *vt* Parfumer à l'anis.

anisette *nf* Liqueur à l'anis.

anjou *nm* Vin d'Anjou.

ankylose *nf* Diminution plus ou moins complète de la mobilité d'une articulation.

ankyloser *vt* Causer l'ankylose. *Le froid ankylose les doigts.*

annal, ale, aux *a* DR Qui ne dure qu'un an. ■ *nfpl* 1 Ouvrage, récit qui rapporte les évènements année par année. 2 litt Histoire. *Il restera dans les annales.*

annamite *a, n* De l'Annam.

anneau *nm* **1** Cercle de matière dure qui sert à attacher. **2** Cercle de métal qu'on porte au doigt ; bague. **3** Ce qui a une forme circulaire. *Les anneaux des serpents.* ■ *pl* Agrès de gymnastique.

année *nf* **1** Durée d'une révolution de la Terre autour du Soleil. **2** Période de douze mois commençant le 1er janvier et finissant le 31 décembre. **3** Chacune de ces périodes datées. *L'année 1950.* **4** Période d'activité de moins de douze mois. *L'année scolaire, universitaire.*

année-lumière *nf* **1** Distance parcourue par la lumière en un an (env. 9 461 milliards de km). **2** fam Distance considérable. *Des années-lumière.*

annelé, ée *a* Composé d'anneaux distincts.

annélide *nm* ZOOL Ver annelé (ver marin, lombric, sangsue).

annexe *a* Uni à la chose principale. *Les pièces annexes du dossier.* ■ *nf* Ce qui est adjoint à la chose principale. *L'annexe d'un groupe scolaire.*

annexer *vt* **1** Joindre, rattacher. *Annexer une procuration à un acte.* **2** Réunir à son territoire. *Annexer une province.*

annexion *nf* Action d'annexer ; chose annexée.

annexionnisme *nm* Politique visant à l'annexion de territoires voisins.

annexionniste *a, n* Partisan de l'annexionnisme.

annihilation *nf* Action d'annihiler.

annihiler *vt* **1** Réduire qqch à néant. *Annihiler un droit.* **2** Anéantir, briser qqn. *Le chagrin l'annihile.*

anniversaire *a* Qui rappelle le souvenir d'un évènement antérieur arrivé à pareille date. ■ *nm* Jour anniversaire, en partic. celui de la naissance de qqn.

annonce *nf* **1** Avis par lequel on informe. *Annonce publicitaire, radiophonique.* **2** Signe, présage. *Le retour des hirondelles est l'annonce du printemps.* Loc *Petite annonce :* offre ou demande d'emploi, de location, etc. *Effet d'annonce :* retentissement dans l'opinion de l'annonce d'une décision politique.

annoncer *vt* [10] **1** Faire savoir, donner connaissance de qqch. **2** Publier. *Le journal a annoncé la nouvelle.* **3** Dire le nom d'un visiteur qui désire être reçu. **4** Faire connaître par avance, prédire. *Les astronomes ont annoncé le retour de cette comète.* **5** Être l'indice de, présager. *Nuages qui annoncent un orage.* **6** Signaler. *La cloche annonce la fin des cours.* ■ *vpr* Se présenter. *L'affaire s'annonce mal.*

annonceur *nm* Personne qui fait passer des annonces publicitaires.

annonciateur, trice *a* Qui annonce, présage.

Annonciation *nf* **1** Annonce faite à la Vierge Marie par l'ange Gabriel pour lui apprendre qu'elle serait mère de Jésus-Christ. **2** Fête commémorant cette annonce (25 mars).

annotateur, trice *n* Personne qui annote.

annotation *nf* Remarque explicative ou critique accompagnant un texte.

annoter *vt* Ajouter des annotations.

annuaire *nm* Recueil annuel de listes de noms. *Annuaires du téléphone, des avocats.*

annualiser *vt* Rendre annuel.

annualité *nf* Caractère annuel. *Annualité de l'impôt.*

annuel, elle *a* **1** Qui dure un an seulement. **2** Qui revient tous les ans. *Fête annuelle.*

annuellement *av* Chaque année.

annuité *nf* Paiement annuel.

annulable *a* Que l'on peut annuler.

annulaire *a* En forme d'anneau. ■ *nm* Quatrième doigt de la main.

annulation *nf* Suppression.

annuler *vt* **1** Rendre nul qqch. *Annuler un verdict.* **2** Supprimer. *Annuler une réception.* ■ *vpr* Se neutraliser. *Des forces contraires s'annulent.*

anoblir *vt* Conférer à qqn un titre de noblesse.

anoblissement *nm* Action d'anoblir.

anode *nf* PHYS Électrode positive d'un générateur électrique.

anodin, ine *a* Sans gravité, insignifiant. *Une grippe anodine.*

anomal, ale, aux *a* didac Qui présente une anomalie ; exceptionnel.

anomalie *nf* Bizarrerie, particularité.

ânon *nm* Petit de l'ânesse.

anone *nf* Arbre tropical à fruits comestibles (corossol).

ânonnement *nm* Action d'ânonner.

ânonner *vi, vt* Parler, réciter avec peine, en balbutiant, en hésitant.

anonymat *nm* Caractère de ce qui est anonyme. *L'anonymat d'un don.*

anonyme *a, n* Dont on ignore le nom. ■ *a* **1** Sans nom d'auteur. *Lettre anonyme.* **2** Sans personnalité. *Décor anonyme.*

anonymement *av* De façon anonyme.

anophèle *nm* Moustique dont la femelle transmet le paludisme.

anorak *nm* Veste de sport à capuchon.

anorexie *nf* MED Absence, perte d'appétit.

anorexigène *a, nm* MED Qui coupe l'appétit.

anorexique *a, n* MED Atteint d'anorexie.

anorganique *a* MED Non lié à une lésion organique.

anormal, ale, aux *a* Contraire aux règles. *Un froid anormal.* ■ *a, n* Qui présente des troubles psychiques ou physiques.

anormalement *av* De façon anormale.

anormalité *nf* Caractère anormal.

anoure *n* ZOOL Amphibien dépourvu de queue au stade adulte (crapauds, grenouilles).

anoxie *nf* MED Privation d'oxygène.

anse *nf* **1** Partie saillante courbe par laquelle on saisit un objet (vase, panier). **2** GEOGR Petite baie.

antagonique *a* Contraire, opposé.

antagonisme *nm* Opposition, rivalité.

antagoniste *a, n* Adversaire, ennemi. ■ *a* Dont les effets, les actions s'opposent. *Muscles antagonistes. Substances antagonistes.*

antalgique *a, nm* Qui atténue la douleur.

antan (d') *a* vx D'autrefois.

antarctique *a* Des régions polaires australes.

antécambrien *nm* Syn. de *précambrien.*

antécédent *nm* Mot qui précède et auquel se rapporte le pronom relatif. ■ *pl* Actes du passé de qqn. *Avoir de fâcheux antécédents.*

Antéchrist *nm* Faux messie qui, d'après l'Apocalypse, paraîtra à la fin du monde pour prêcher une religion hostile au Christ.

antédiluvien, enne *a* **1** Antérieur au Déluge. **2** fam Très ancien, démodé.

antenne *nf* **1** Organe situé sur la tête des insectes et des crustacés. **2** Conducteur capable d'émettre et de recevoir un signal radioélectrique. **3** Service dépendant d'un organisme principal. *Antenne chirurgicale.* **Loc** *Avoir des antennes* : de l'intuition, du flair. *Passer à l'antenne* : à la radio.

antenniste *n* Personne qui pose des antennes de télévision.

antépénultième *a, nf* Qui précède la pénultième, l'avant-dernière syllabe.

antéposer *vt* LING Placer devant.

antérieur, eure *a* Qui précède dans le temps ou dans l'espace.

antérieurement *av* Précédemment.

antériorité *nf* Caractère de ce qui est antérieur.

anthémis *nf* Camomille.

anthère *nf* BOT Terminaison renflée de l'étamine, qui contient le pollen.

anthologie *nf* Recueil de pièces choisies d'œuvres littéraires ou musicales.

anthozoaire *nm* ZOOL Polype tel le corail, l'actinie, etc.

anthracite *nm* Charbon à combustion lente, qui brûle sans flamme. ■ *a inv* Gris foncé.

anthrax [ɑ̃traks] *nm* MED **1** Grave inflammation cutanée due à plusieurs furoncles. **2** Autre nom de la maladie du charbon.

anthrène *nm* Insecte dont la larve s'attaque aux fourrures.

anthropique *a* Causé par l'homme.

anthropocentrique *a* De l'anthropocentrisme.

anthropocentrisme *nm* Doctrine qui fait de l'homme le centre de l'univers.

anthropoïde *a, nm* ZOOL Qui ressemble à l'homme. *Singe anthropoïde.*

anthropologie *nf* **1** Étude de l'espèce humaine. **2** Étude des cultures humaines (institutions, structures familiales, croyances, technologies, etc.).

anthropologique *a* De l'anthropologie.

anthropologue *n* Spécialiste d'anthropologie.

anthropométrie *nf* Procédé de mensuration des diverses parties du corps appliqué à l'identification des délinquants.

anthropométrique *a* De l'anthropométrie. *Fiche anthropométrique.*

anthropomorphe *a* De forme humaine.

anthropomorphique *a* Relatif à l'anthropomorphisme.

anthropomorphisme *nm* **1** Représentation de Dieu sous l'apparence humaine. **2** Tendance à attribuer aux animaux des sentiments humains.

anthroponymie *nf* Étude des noms de personnes.

anthropophage *a, n* Qui mange de la chair humaine, cannibale.

anthropophagie *nf* Cannibalisme.

anthropozoïque *a* GEOL De l'ère quaternaire.

anthurium [-rjɔm] *nm* Plante ornementale à grandes feuilles.

antiadhésif, ive *a* Qui empêche les produits alimentaires de coller lors de la cuisson.

antiaérien, enne *a* Qui combat les attaques aériennes.

antialcoolique [-kɔ-] *a* Qui lutte contre l'alcoolisme.

antiallergique *a, nm* Contre les allergies.

antiamaril, ile *a* Contre la fièvre jaune.

antiasthénique *a, nm* Qui combat l'asthénie.

antiatomique *a* Qui protège des rayonnements nucléaires.

antibactérien, enne *a, nm* Qui détruit les bactéries.

antibiogramme *nm* Test de sensibilité d'un germe microbien à divers antibiotiques.

antibiotique *nm* Substance qui détruit les bactéries ou empêche leur multiplication.

antibrouillard *a inv* Qui améliore la visibilité dans le brouillard.

antibruit *a* Qui protège du bruit.

anticalcaire *a* Contre les dépôts de calcaire.

anticalcique *a, nm* MED Qui combat la tension artérielle.

anticancéreux, euse *a, nm* Qui lutte contre le cancer.

anticapitaliste *a* Hostile au capitalisme.

antichambre *nf* **1** Pièce qui est à l'entrée d'un appartement. **2** Salle d'attente dans un bureau.

antichar *a inv* Qui combat les chars.

antichoc *a* Qui amortit les chocs.

anticipation *nf* Action d'anticiper, de faire par avance. *Payer par anticipation.* **Loc** *D'anticipation* : qui décrit un futur imaginaire.

anticiper *vt* Faire par avance. *Anticiper un paiement.* ■ *vti* Faire qqch à l'avance. *Anticiper sur l'avenir.*

anticlérical, ale, aux *a, n* Opposé au clergé.

anticléricalisme *nm* Politique anticléricale.

anticlinal, aux *nm* GEOL Partie en relief d'un pli. Ant. synclinal.

anticoagulant, ante *a, nm* Qui empêche la coagulation du sang.

anticolonialisme *nm* Attitude anticolonialiste.

anticolonialiste *a, n* Hostile au colonialisme.

anticommunisme *nm* Attitude anticommuniste.

anticommuniste *a, n* Hostile au communisme.

anticonceptionnel, elle *a* Qui évite la grossesse.

anticoncurrentiel, elle *a* Opposé au libre jeu de la concurrence.

anticonformisme *nm* Opposition au conformisme, aux normes établies.

anticonformiste *a, n* Opposé au conformisme.

anticonjoncturel, elle *a* Qui vise à modifier une conjoncture économique défavorable.

anticonstitutionnel, elle *a* Contraire à la Constitution.

anticonstitutionnellement *av* Contrairement à la Constitution d'un pays.

anticorps *nm* BIOL Substance de défense, synthétisée par l'organisme en présence d'une substance étrangère (antigène).

anticyclique *a* Qui combat les effets des cycles économiques.

anticyclonal, ale, aux *a* D'un anticyclone. **Var** anticyclonique

anticyclone *nm* Centre de hautes pressions atmosphériques.

antidater *vt* Mettre une date antérieure à la date réelle.

antidémocratique *a* Opposé à la démocratie.

antidépresseur *nm* Médicament contre la dépression.

antidérapant, ante *a* Qui empêche le dérapage.

antidiabétique *a* Contre le diabète.

antidiphtérique *a* Contre la diphtérie.

antidopage *a inv* Opposé au dopage.

antidote nm **1** Substance qui s'oppose aux effets d'un poison. **2** Ce qui atténue une souffrance morale.

antiéconomique a Contraire aux lois de l'économie.

antienne nf **1** RELIG Verset chanté avant et après un psaume. **2** litt Phrase répétée continuellement, de façon lassante.

antifascisme nm Opposition au fascisme.

antifasciste a, n Opposé au fascisme.

antifongique a Antimycosique.

antifriction a Qui résiste aux frottements.

antigang a Qui lutte contre les gangs.

antigel nm Additif qui empêche l'eau de geler.

antigène nm BIOL Substance étrangère (microbes, toxines) pouvant déclencher la formation d'anticorps spécifiques.

antigénémie nf Présence d'un antigène dans le sang.

antigénique a D'un antigène.

antigivrant, ante a, nm Contre le givre.

antigouvernemental, ale, aux a Opposé au gouvernement.

antigrippal, ale, aux a, nm Qui protège de la grippe.

antihéros nm Héros de roman, hors des normes habituelles.

antiinflammatoire a, nm Qui combat l'inflammation.

antijeu nm Fait de ne pas se conformer à la règle ou à l'esprit du jeu.

antillais, aise a, n Des Antilles.

antillanisme nm Terme propre au français parlé aux Antilles.

antilope nf Mammifère ruminant des steppes d'Afrique.

antimatière nf PHYS Ensemble d'antiparticules.

antimilitarisme nm Opinion, doctrine antimilitariste.

antimilitariste a, n Hostile à l'esprit ou aux institutions militaires.

antimissile a Qui neutralise le missile ennemi.

antimite a, nm Qui détruit les mites.

antimitotique a, nm MED Qui entrave la prolifération des cellules (mitose).

antimoine nm Métal blanc, cassant, proche de l'arsenic.

antimondialisation nf Hostilité à la mondialisation.

antimycosique a, nm Qui agit contre les mycoses. Syn. antifongique.

antinauséeux, euse a, nm Qui combat les nausées.

antineutron nm PHYS Antiparticule du neutron.

antinévralgique a, nm Qui combat les névralgies.

antinomie nf Contradiction entre deux systèmes, deux concepts.

antinomique a Qui présente une antinomie.

antinucléaire a, n Hostile à l'utilisation de l'énergie nucléaire.

antioxydant, ante a, nm Qui combat l'oxydation des cellules, des matériaux.

antipaludéen, enne a, nm Qui s'oppose au paludisme.

antipape nm HIST Pape concurrent, non reconnu par l'Église.

antiparasite a, nm Qui réduit les parasites radioélectriques.

antiparasiter vt Pourvoir d'un dispositif antiparasite.

antiparlementaire a, n Hostile au Parlement, aux députés.

antiparlementarisme nm Opposition au régime parlementaire.

antiparticule nf PHYS Particule de même masse que la particule homologue de charge électrique contraire.

antipathie nf Aversion à l'égard de qqn.

antipathique a Qui suscite l'antipathie.

antipelliculaire a Qui agit contre les pellicules des cheveux.

antipersonnel a inv Se dit d'une arme visant les personnes. *Mines antipersonnel.*

antiphrase nf Figure de style qui consiste à dire le contraire de ce qu'on pense par euphémisme ou ironie.

antipode nm Lieu de la Terre diamétralement opposé à un autre. Loc *À l'antipode de :* à l'opposé de.

antipoison a inv Qui agit contre les empoisonnements.

antipollution a inv Actif contre la pollution.

antiproton nm PHYS Antiparticule du proton.

antipsychiatrie [-kja-] nf Mouvement de libéralisation psychiatrique.

antipyrétique a, nm Actif contre la fièvre.

antiquaille nf fam Objet ancien de peu de valeur.

antiquaire n Marchand d'objets anciens.

antique a **1** Très ancien. *Une antique demeure.* **2** Qui date de l'Antiquité. *Une statuette antique.* **3** Vieux, démodé.

antiquité nf **1** Grande ancienneté d'une chose. **2** Vieille chose démodée. **3** (avec majusc.) Époque des plus anciennes civilisations, spécialement grecque et romaine. ■ pl **1** Monuments de l'Antiquité. **2** Objets d'art anciens.

antirabique a Contre la rage.

antiraciste a, n Hostile au racisme.

antiradar a Qui sert à brouiller la détection par radar.

antireflet a inv Qui évite les reflets.

antirétroviral, ale, aux a, nm Qui s'oppose à l'action des rétrovirus.

antiride a, nm Qui aide à combattre les rides. Var **antirides**

antirouille a inv, nm Qui préserve de la rouille.

antisèche nf fam Notes destinées à frauder à un examen.

antisémite a, n Hostile aux Juifs.

antisémitisme nm Racisme à l'égard des Juifs.

antisepsie nf Ensemble des méthodes de destruction des bactéries.

antiseptique a, nm Qui détruit les bactéries.

antisismique a Qui résiste aux séismes.

antisocial, ale, aux a **1** Contraire à l'ordre social. **2** Contraire aux intérêts des travailleurs.

antispasmodique a, nm Contre les spasmes.

antisportif, ive a Contraire à l'esprit du sport.

antistatique a, nm Qui s'oppose à l'électricité statique.

antisyndical, ale, aux a Hostile aux syndicats.

antitabac a inv Opposé à l'usage du tabac.

antiterroriste a Qui lutte contre le terrorisme.

antitétanique a Contre le tétanos.

antithèse nf 1 Rapprochement de deux termes opposés. 2 Opposé de. *Il est l'antithèse de son frère.* 3 PHILO Deuxième temps du raisonnement dialectique (thèse, antithèse, synthèse).

antithétique a Qui forme antithèse.

antitoxine nf Anticorps qui neutralise les toxines.

antitrust [-trœst] a Opposé aux trusts.

antituberculeux, euse a, nm Actif contre la tuberculose.

antitussif, ive a, nm Qui calme la toux.

antiulcéreux, euse a, nm Qui combat les ulcères gastriques.

antivariolique a Actif contre la variole.

antivénérien, enne a Qui combat les maladies vénériennes.

antivenimeux, euse a, nm Qui combat les effets d'un venin.

antiviral, ale, aux a, nm Qui détruit les virus.

antivirus nm INFORM Logiciel qui repère et détruit les virus informatiques.

antivol nm Dispositif contre le vol.

antonomase nf Emploi d'un nom commun ou d'une périphrase à la place d'un nom propre ou inversement (ex. : *un Néron* pour *un tyran cruel*).

antonyme nm Mot de sens opposé à un autre. *Grand* et *petit* sont des antonymes. Syn. contraire.

antre nm litt Cavité naturelle, servant de repaire à un fauve.

anurie nf MED Arrêt de la sécrétion urinaire.

anus nm Orifice du tube digestif par où sortent les excréments.

anxiété nf Grande inquiétude.

anxieux, euse a Qui exprime l'anxiété. *Regard anxieux.* ■ a, n Qui éprouve de l'anxiété.

anxiogène a Qui provoque l'angoisse.

anxiolytique a, nm MED Qui apaise l'anxiété.

AOC nf Appellation d'origine contrôlée, label garantissant l'origine de vins et de produits alimentaires.

AOP nf Appellation d'origine protégée, label garantissant la qualité et l'origine d'un produit de l'UE.

aoriste nm Temps de la conjugaison grecque indiquant un passé indéfini.

aorte nf Artère principale de l'organisme, à la base du cœur.

août [u] ou [ut] nm Huitième mois de l'année. **Var** aout

aoûtat [auta] nm Acarien, dont la piqûre provoque de vives démangeaisons. **Var** aoutat

aoûtien, enne [ausjɛ̃] n Personne qui prend ses vacances au mois d'août. **Var** aoutien, enne

APA nf Allocation personnalisée d'autonomie, destinée à une personne âgée qui ne peut pas organiser seule sa vie quotidienne.

apaisant, ante a Qui calme.

apaisement nm Retour à la quiétude, à la paix. *Politique d'apaisement.*

apaiser vt 1 Ramener qqn au calme. 2 Rendre qqch moins violent, moins vif. *Apaiser une douleur, la soif.*

apanage nm 1 HIST Portion du domaine royal attribuée par le roi à ses fils puînés. 2 Ce qui est propre à qqn ou à qqch.

aparté nm 1 Ce qu'un acteur dit à part soi et qui est censé n'être entendu que des spectateurs. 2 Bref entretien particulier dans une réunion.

apartheid [-tɛd] nm Ségrégation raciale qui fut institutionnalisée en Afrique du Sud.

apathie nf Manque d'énergie, indolence, indifférence.

apathique a, n Sans énergie, indolent.

apatride a, n Personne sans nationalité.

APD nf Appel de préparation à la défense, journée destinée à sensibiliser les jeunes aux questions de la défense nationale.

apercevoir vt [43] Distinguer, entrevoir. *On aperçoit la côte.* ■ vpr Remarquer. *Je me suis aperçu qu'il était absent, de son absence.*

aperçu nm 1 Coup d'œil rapide. 2 Exposé sommaire.

apériodique a PHYS Dont les oscillations ne sont pas périodiques.

apéritif, ive a Qui ouvre l'appétit. ■ nm Boisson prise avant les repas.

apesanteur nf PHYS Absence de pesanteur.

apétale a BOT Qui n'a pas de pétales.

à-peu-près nm inv Approximation.

apeurer vt Effaroucher, effrayer.

apex nm 1 ANAT Extrémité d'un organe. 2 ASTRO Point de l'espace vers lequel le système solaire se dirige.

aphasie nf MED Perte de la parole ou trouble du langage consécutif à une lésion cérébrale.

aphasique a, n Atteint d'aphasie.

aphélie nm ASTRO Point de l'orbite d'une planète le plus éloigné du Soleil.

aphérèse nf LING Chute d'un ou de plusieurs sons au début d'un mot (ex. : *bus* pour *autobus*). Ant. apocope.

aphone a Qui n'a plus de voix.

aphorisme nm Phrase sentencieuse d'une concision frappante.

aphrodisiaque a, nm Qui stimule les désirs sexuels.

aphte nm MED Petite ulcération de la muqueuse buccale.

aphteux, euse a MED Accompagné d'aphtes. **Loc** *Fièvre aphteuse :* maladie éruptive du bétail, très contagieuse.

api nm **Loc** *Pomme d'api :* petite pomme dont une face est rouge vif.

à-pic nm Pente abrupte. *Des à-pics.*

apical, ale, aux a, nf PHON Prononcé avec la pointe de la langue contre le palais.

apicole a De l'apiculture.

apiculteur, trice n Éleveur d'abeilles.

apiculture nf Art d'élever les abeilles pour le miel.

apitoiement nm Fait de s'apitoyer.

apitoyer vt [22] Toucher de pitié. ■ vpr Éprouver de la pitié.

APL nf Sigle de *aide personnalisée au logement.*

aplanir vt 1 Rendre plan, uni. 2 Atténuer. *Aplanir les difficultés.*

aplanissement nm Action d'aplanir.

aplat nm Surface d'une seule teinte dans un tableau, une gravure.

aplatir vt Rendre plat. ■ vpr 1 Plaquer son corps contre qqch. *S'aplatir au sol.* 2 Faire des bassesses. *S'aplatir devant son chef.*

aplatissement nm Action d'aplatir.

aplomb nm 1 Direction verticale indiquée par le fil à plomb. 2 Position d'équilibre du corps. *Perdre l'aplomb.* 3 Grande assurance proche de l'effronterie. *Ne pas manquer d'aplomb.* **Loc** *D'aplomb :* exactement vertical ; en bonne santé.

apnée *nf* Arrêt des mouvements respiratoires. **Loc** *Plongée en apnée :* sans scaphandre.

apocalypse *nf* Catastrophe épouvantable.

apocalyptique *a* Épouvantable et fantastique.

apocope *nf* LING Chute de sons à la fin d'un mot (ex. : *auto* pour *automobile*). Ant. aphérèse.

apocryphe *a, nm* Se dit d'un texte faussement attribué à un auteur. Ant. authentique.

apogée *nm* 1 ASTRO Point le plus éloigné de la Terre sur l'orbite d'un astre, d'un satellite. 2 Degré le plus élevé. *L'apogée d'une civilisation.*

apolitique *a, n* Qui se situe en dehors de la lutte politique.

apolitisme *nm* Attitude, caractère apolitique.

apologétique *a* Qui constitue une apologie.

apologie *nf* Justification ou éloge de qqn ou de qqch.

apologiste *n* Personne qui fait une apologie.

apologue *nm* Petit récit moralisateur.

aponévrose *nf* ANAT Membrane fibreuse qui enveloppe les muscles.

apophtegme *nm* litt Maxime, sentence mémorable.

apophyse *nf* ANAT Partie saillante d'un os.

apoplectique *a, n* Relatif ou prédisposé à l'apoplexie.

apoplexie *nf* Brusque perte de connaissance, due le plus souvent à une hémorragie cérébrale.

aporie *nf* PHILO Contradiction sans issue.

apostasie *nf* Abandon public d'une religion, d'une doctrine, d'un parti.

apostasier *vi* Faire acte d'apostasie.

apostat *nm* Personne qui a apostasié.

a posteriori *av, a inv* À partir de l'expérience, des faits. Ant. a priori. **Var** *à postériori.*

apostille *nf* DR Annotation en marge d'un acte.

apostolat *nm* 1 Mission d'un apôtre. 2 Tâche exigeant une générosité exceptionnelle.

apostolique *a* 1 Qui est propre à un apôtre. 2 Qui émane du Saint-Siège.

apostrophe *nf* 1 Interpellation brusque et désobligeante. 2 Signe qui marque l'élision d'une voyelle. (ex : *S'il le faut, j'irai.*) **Loc** GRAM *Mot mis en apostrophe :* mot désignant la personne ou la chose à laquelle on s'adresse.

apostropher *vt* Interpeller qqn brutalement et sans égards.

apothème *nf* GEOM Perpendiculaire abaissée du centre d'un polygone régulier sur un des côtés ou hauteur d'un des triangles formant les faces d'une pyramide régulière.

apothéose *nf* 1 HIST Déification des empereurs romains après leur mort. 2 Honneurs extraordinaires rendus à qqn. 3 Partie finale la plus brillante de qqch.

apothicaire *nm* vx Pharmacien. **Loc** *Comptes d'apothicaire :* très compliqués ou fortement majorés.

apôtre *nm* 1 Chacun des douze disciples que Jésus-Christ choisit pour prêcher l'Évangile. 2 Ardent propagateur d'une idée, d'une doctrine. **Loc** *Faire le bon apôtre :* contrefaire l'homme de bien.

apparaître *vi* [55] [aux. *être* ou *avoir*] 1 Devenir visible, se manifester. 2 Se faire jour, se découvrir. *Son hypocrisie apparaît enfin.* 3 (avec attri-

but) Sembler. *Le problème apparaît insoluble.* **Loc** *Il apparaît que :* il est clair que. **Var** **apparaître**.

apparat *nm* Faste solennel. **Loc** *Apparat critique :* ensemble des notes et des variantes d'un texte.

apparatchik *nm* Membre de l'appareil d'un parti, d'un syndicat.

appareil *nm* 1 Ensemble de pièces organisées pour fonctionner ensemble. *Appareil photographique.* 2 Téléphone. 3 Avion. *L'appareil s'est écrasé.* 4 Ensemble des cadres administratifs d'un parti, d'une organisation. 5 Ensemble d'organes qui remplissent une fonction dans le corps. *Appareil respiratoire, digestif.* 6 Disposition des pierres dans un ouvrage de maçonnerie. **Loc** *Dans le plus simple appareil :* nu.

appareillage *nm* 1 Ensemble d'appareils, de dispositifs. *Appareillage électrique.* 2 Ensemble des manœuvres d'un navire qui appareille.

appareiller *vt* 1 Mettre ensemble des choses pareilles. 2 Pourvoir qqn d'une prothèse. ■ *vi* MAR Faire les manœuvres nécessaires pour quitter le mouillage.

apparemment [-ramã] *av* Selon les apparences.

apparence *nf* 1 Aspect extérieur de qqch ou de qqn. 2 Ce que qqch ou qqn semble être, par oppos. à la *réalité.* **Loc** *En apparence :* d'après ce que l'on voit.

apparent, ente *a* 1 Qui apparaît clairement. *Un détail apparent.* 2 Qui n'est pas tel qu'il paraît être. *Un calme apparent.*

apparenté, ée *a* 1 Lié par le mariage, par un accord politique.

apparentement *nm* Alliance électorale permettant des reports de voix d'une liste sur une autre.

apparenter (s') *vpr* 1 S'allier par un mariage. 2 Conclure un apparentement. 3 Avoir des points communs, une ressemblance avec.

appariement *nm* Action d'apparier.

apparier *vt* Assortir par paires, par couples.

appariteur *nm* Huissier d'une université.

apparition *nf* 1 Action d'apparaître. 2 Vision d'un être surnaturel.

appartement *nm* Logement de plusieurs pièces dans un immeuble collectif.

appartenance *nf* Fait d'appartenir.

appartenir *vti* [35] 1 Être la propriété de qqn en vertu d'un droit, d'une autorité. 2 Faire partie d'un ensemble, d'un groupe. **Loc** *Il vous appartient de* (+ inf.) : il est de votre rôle de. ■ *vpr* **Loc** *Ne plus s'appartenir :* ne plus pouvoir disposer de son temps, être débordé.

appas *nmpl* litt Charmes d'une femme. **Var** **appâts**.

appât *nm* 1 Pâture employée pour attirer les animaux qu'on veut prendre. 2 Ce qui attire. *L'appât du gain.*

appâter *vt* 1 Attirer avec un appât. 2 Séduire par des offres alléchantes.

appauvrir *vt* Rendre pauvre. ■ *vpr* Devenir pauvre.

appauvrissement *nm* Action d'appauvrir ; fait de s'appauvrir.

appeau *nm* Instrument pour attirer les oiseaux en imitant leur cri.

appel *nm* 1 Action d'appeler par la voix, par un geste. 2 Action de convoquer des militaires. 3 Incitation à, invitation. *Appel à la révolte.*

Faire appel au bon sens. 4 DR Recours à un tribunal supérieur. Loc *Appel d'air :* courant d'air facilitant la combustion. *Prix, produit d'appel :* destinés à attirer la clientèle.

appelé nm Jeune homme convoqué pour faire son service militaire.

appeler vt [18] 1 Inviter à venir par la voix ou le geste. 2 Désigner qqn pour qu'il occupe un poste. 3 Téléphoner à. *Je vous appellerai demain.* 4 Rendre nécessaire, entraîner. *Cette question appelle une réponse.* 5 Nommer, donner un nom à. *J'appellerai mon fils Jean.* Loc *Appeler qqn sous les drapeaux :* l'incorporer dans l'armée. ■ vti Loc *En appeler à :* recourir à, se réclamer de. ■ vpr Avoir pour nom. *Il s'appelle Jean.*

appellatif nm LING Mot pouvant servir à interpeller qqn (ex. : *monsieur, maman*).

appellation nf 1 Façon de nommer qqn ou qqch. *Une appellation injurieuse.* 2 Dénomination garantissant l'origine d'un produit. *Un vin d'appellation contrôlée.*

appendice [-pĕ-] nm 1 Prolongement d'une partie principale. 2 ANAT Petite poche allongée, au bout du gros intestin. 3 Supplément placé à la fin d'un livre.

appendicectomie [-pĕ-] nf CHIR Ablation de l'appendice.

appendicite [-pĕ-] nf Inflammation aiguë ou chronique de l'appendice.

appentis [apɑ̃ti] nm 1 Toit d'un seul versant reposant sur des piliers. 2 Petite construction s'appuyant contre un bâtiment.

appenzell nm Variété de gruyère suisse.

appertisation nf Stérilisation par la chaleur des aliments dans un récipient clos.

appesantir vt Rendre plus pesant. ■ vpr 1 Devenir plus pesant. 2 Insister sur 1 sujet. *S'appesantir sur un sujet.*

appesantissement nm État d'une personne ou d'une chose appesantie.

appétence nf litt Inclination qui pousse qqn à satisfaire un désir, un besoin.

appétissant, ante a Qui excite l'appétit, le désir.

appétit nm 1 Désir de manger. 2 Désir impérieux de qqch. *Appétit de savoir.*

applaudimètre nm fam Appareil, souvent fictif, qui mesure le succès d'un spectacle à l'intensité des applaudissements.

applaudir vt Approuver en battant des mains. ■ vti Approuver qqch avec enthousiasme. *Applaudir à une initiative.*

applaudissement nm (surtout au pl.) Battement répété des mains l'une contre l'autre en signe d'enthousiasme.

applicable a Qui doit ou qui peut être appliqué. *Loi difficilement applicable.*

applicateur nm Instrument qui permet d'appliquer un produit.

application nf 1 Action d'appliquer une chose sur une autre. 2 Emploi de qqch à une destination particulière. 3 Mise en pratique. 4 Attention soutenue à l'étude.

applique nf Appareil d'éclairage qui se fixe au mur.

appliqué, ée a Studieux, attentif. Loc *Sciences appliquées :* qui recherchent les applications des découvertes.

appliquer vt 1 Mettre une chose au contact d'une autre, de façon qu'elle la recouvre. 2 Réaliser, mettre en pratique. *Appliquer une théorie, un conseil.* ■ vpr 1 S'adapter à, être applicable. *La règle s'applique à tous.* 2 Mettre tout son soin à faire qqch. *S'appliquer au travail.*

appoint nm Complément exact en menue monnaie d'une somme que l'on doit. Loc *D'appoint :* qui s'ajoute à qqch, qui complète.

appointements nmpl Salaire attaché à un emploi.

appointer vt Rétribuer.

appontage nf Prise de contact d'un avion avec le pont d'un porte-avion.

appontement nm Construction qui permet l'accostage des bateaux.

apport nm 1 Action d'apporter. 2 Ce qui est apporté. *L'apport de la science à la technique.*

apporter vt 1 Porter à qqn. *Apportez-moi ce livre.* 2 Porter soi-même en venant. *Apporter ses outils.* 3 Fournir pour sa part. *Apporter des capitaux.* 4 Employer, mettre. *Apporter tous ses soins à une affaire.* 5 Causer, produire. *L'électricité a apporté de grands changements.*

apporteur nm DR Personne qui fait un apport de capitaux.

apposer vt Appliquer, mettre qqch sur.

apposition nf 1 Action d'apposer. 2 GRAM Mot ou groupe de mots qui, placé à côté d'un nom ou d'un pronom, lui donne une qualification sans l'intermédiaire d'un verbe (ex. : *Paris, capitale de la France*).

appréciable a Dont on peut donner une estimation. 2 Important, digne d'estime.

appréciation nf 1 Estimation, évaluation. 2 Cas que l'on fait d'une chose.

apprécier vt 1 Estimer, évaluer le prix d'une chose. 2 Évaluer approximativement une grandeur. 3 Avoir de l'estime pour. *Apprécier qqn.* ■ vpr Prendre de la valeur. *La livre sterling s'est appréciée.*

appréhender vt 1 Prendre, arrêter qqn. *Appréhender un voleur.* 2 Craindre par avance, redouter. 3 Saisir par l'esprit. *Appréhender la réalité.*

appréhension nf Crainte, anxiété vague.

apprenant, ante n Personne qui apprend.

apprendre vt [70] 1 Acquérir des connaissances sur, étudier. *Apprendre l'histoire.* 2 Mettre dans la mémoire. *Apprendre une leçon.* 3 Acquérir les connaissances nécessaires pour. *Apprendre à lire.* 4 Être informé de. *J'apprends ton arrivée.* 5 Faire connaître, enseigner qqch à qqn.

apprenti, ie n 1 Personne qui apprend un métier. 2 Personne peu malhabile. Loc *Apprenti sorcier :* celui qui provoque des évènements graves qu'il ne peut plus maîtriser.

apprentissage nm 1 Acquisition d'une formation professionnelle. 2 litt Première expérience. *L'apprentissage de la vie.*

apprêt nm 1 Préparation des étoffes, des peaux pour leur donner un bel aspect. 2 Matériau dont on enduit un support avant de le peindre. 3 litt Recherche, affectation du style, des manières.

apprêté, ée a Peu naturel, maniéré.

apprêter vt 1 Préparer, mettre en état. 2 Donner l'apprêt à un cuir, une étoffe. ■ vpr 1 Se préparer à, être sur le point de. *S'apprêter à partir.* 2 S'habiller, revêtir une toilette.

apprivoisement nm Action d'apprivoiser.

apprivoiser *vt* 1 Rendre un animal moins farouche, plus familier. 2 Rendre qqn plus sociable, plus doux. ■ *vpr* Devenir moins farouche, plus sociable.

approbateur, trice *a, n* Qui approuve.

approbatif, ive *a* Qui exprime l'approbation.

approbation *nf* 1 Agrément, consentement que l'on donne. 2 Jugement favorable, marque d'estime.

approchable *a* Dont on peut s'approcher.

approchant, ante *a* Qui se rapproche de qqch, qui lui est comparable.

approche *nf* 1 Action de s'approcher ; mouvement par lequel on se dirige vers qqn, qqch. 2 Manière d'aborder une question, une problème aperçu. 3 Arrivée, venue de qqch. *À l'approche de la vieillesse.* ■ *pl* Ce qui est à proximité ; les parages.

approché, ée *a* Approximatif. *Total approché.*

approcher *vt* 1 Mettre près de qqn ou de qqch. *Approcher une table du mur.* 2 Venir près de qqn. *Ne m'approchez pas.* 3 Avoir libre accès auprès de qqn. ■ *vti, vi* Venir près de qqn, de qqch. *Nous approchons de Dijon.* 2 Être près de. *Approcher du but.* ■ *vpr* 1 Se mettre auprès de. 2 Avoir de la ressemblance avec.

approfondi, ie *a* Minutieux.

approfondir *vt* 1 Rendre plus profond. 2 Étudier plus à fond. *Approfondir une question.* ■ *vpr* Devenir plus profond.

approfondissement *nm* Action d'approfondir.

appropriation *nf* 1 Action de rendre propre à une utilisation. 2 Action de s'attribuer qqch.

approprié, ée *a* Qui convient.

approprier *vt* Rendre propre ou conforme à. ■ *vpr* S'emparer de, s'attribuer.

approuver *vt* 1 Donner son consentement à qqch. 2 Juger louable, digne d'estime.

approvisionnement *nm* 1 Action d'approvisionner. 2 Ensemble des provisions réunies.

approvisionner *vt* Fournir en provisions, en choses nécessaires.

approximatif, ive *a* Qui résulte d'une approximation ; peu précis.

approximation *nf* Estimation, évaluation peu rigoureuse.

approximativement *av* De façon approximative.

appui *nm* 1 Ce qui sert de soutien, de support. 2 Assistance matérielle, aide. *Loc À l'appui de :* pour appuyer une déclaration, une affirmation.

appui-bras *nm* Support permettant de reposer l'avant-bras. *Des appuis-bras.* **Var appuie-bras**

appui-tête *nm* Dispositif réglable sur le dossier d'un siège pour maintenir la tête. *Des appuis-têtes.* **Var appuie-tête**

appuyé, ée *a* Qui insiste beaucoup.

appuyer *vt* [21] Soutenir par un appui. ■ *vti* 1 Exercer une pression sur. *Appuyer sur l'accélérateur.* 2 Insister avec force sur. *Appuyer sur un argument. Loc Appuyer sur la droite, sur la gauche :* se porter sur la droite, sur la gauche. ■ *vpr* 1 Se servir de qqch comme d'un appui. *S'appuyer sur son coude.* 2 Se fonder sur. *S'appuyer sur une théorie.* 3 *fam* Accomplir une tâche désagréable.

apraxie *nf* MED Incapacité de coordonner des mouvements volontaires.

âpre *a* 1 Désagréable par sa rudesse. *Un froid âpre. Un goût âpre.* 2 Rude, violent. *Une discussion âpre.*

âprement *av* Avec âpreté.

après *prép* À la suite de, dans le temps, l'espace ou le rang. *Loc fam Être après qqn :* le harceler. *Attendre après qqch :* en avoir besoin. *D'après :* selon, suivant. *Après que (+ ind.) :* une fois que. ■ *av* Ensuite. *Il est arrivé après.*

après-demain *av* Le second jour après aujourd'hui.

après-guerre *nm* ou *nf* Période qui suit une guerre. *Des après-guerres.*

après-midi *nf* ou *nm* Période de temps comprise entre midi et le soir. *Des après-midis* ou *après-midi.*

après-rasage *nm* Produit de toilette (lotion, crème) destiné à adoucir la peau après le rasage. *Des après-rasages.*

après-shampoing *nm* Cosmétique appliqué sur les cheveux après lavage pour les traiter ou les embellir. *Des après-shampoings.* **Var après-shampooing**

après-ski *nm* Chaussure de repos à tige montante, que l'on met aux sports d'hiver quand on ne skie pas. *Des après-skis* ou *après-ski.*

après-soleil *nm* Produit cosmétique que l'on applique après l'exposition au soleil. *Des après-soleils* ou *après-soleil.*

après-vente *a Loc Service après-vente :* assuré à un client après l'achat d'une machine ou d'un appareil.

âpreté *nf* Caractère de ce qui est âpre.

a priori *av* 1 D'après des principes antérieurs à l'expérience. 2 À première vue. *Ant.* a posteriori. ■ *nm* Position de principe, préjugé. **Var à priori** *av,* **apriori** *nm*

à-propos *nm inv* Ce qui convient bien aux circonstances.

apte *a* Propre à, qui réunit les conditions requises pour. *Apte à un emploi.*

aptère *a* ZOOL Dépourvu d'ailes.

aptéryx *nm* Nom scientifique du kiwi (oiseau).

aptitude *nf* 1 Don naturel. *Des aptitudes pour le dessin.* 2 Capacité, compétence acquise. *Certificat d'aptitude professionnelle.*

apurement *nm* Vérification d'un compte.

apurer *vt* Vérifier un compte, s'assurer qu'il est en règle.

aquacole [-kwa-] *a* De l'aquaculture. **Var aquicole** [-kµi-]

aquaculture [-kwa-] *nf* Élevage et culture des êtres vivants aquatiques (animaux et végétaux). **Var aquiculture** [-kµi-]

aquafortiste [-kwa-] *n* Graveur à l'eau-forte.

aquaplanage *nm* Perte d'adhérence des roues d'une automobile sur sol mouillé. **Var aquaplaning** [akwaplaniŋ]

aquaplane [-kwa-] *nm* Sport consistant à se tenir sur une planche tirée par un canot.

aquarelle [-kwa-] *nf* Peinture sur papier avec des couleurs délayées dans l'eau.

aquarellé, ée [-kwa-] *a* Colorié à l'aquarelle.

aquarelliste [-kwa-] *n* Peintre d'aquarelles.

aquariophilie [-kwa-] *nf* Élevage de poissons d'ornement en aquarium.

aquarium [akwarjɔm] *nm* Bassin ou bocal à parois transparentes où l'on élève des animaux et des plantes aquatiques.

aquatinte [-kwa-] *nf* Gravure à l'eau-forte imitant le lavis, l'aquarelle.

aquatique [-kwa-] *a* Qui vit dans l'eau ou au bord de l'eau. *Plantes aquatiques.*

aquavit [akwavit] *nf* Eau-de-vie des pays scandinaves. Var **akvavit**

aqueduc *nm* Canal destiné à conduire l'eau d'un lieu à un autre.

aqueux, euse *a* Qui contient de l'eau. *Des fruits aqueux.*

aquifère [-ku̯i-] *a* Qui contient de l'eau. ■ *nm* Nappe aquifère souterraine.

aquilin *am* Loc *Nez aquilin :* courbé en bec d'aigle.

aquilon *nm* litt Vent du nord.

ara *nm* Perroquet d'Amérique du Sud.

arabe *a, n* D'Arabie et des pays qui parlent l'arabe. Loc *Chiffres arabes :* les chiffres de la numération usuelle (1, 2, 3, etc.) par oppos. aux *chiffres romains.* ■ *nm* Langue sémitique parlée de l'Afrique du Nord et au Proche-Orient.

arabesque *nf* 1 Ornement formé de combinaisons capricieuses de fleurs, de fruits, de lignes, etc. 2 Ligne sinueuse, irrégulière.

arabica *nm* Variété de café très appréciée.

arabique *a* D'Arabie.

arabisant, ante *a, n* Spécialiste de la langue, de la civilisation arabe.

arabisation *nf* Action d'arabiser.

arabiser *vt* Donner le caractère arabe, les mœurs arabes à.

arabisme *nm* 1 Tournure propre à la langue arabe. 2 Nationalisme arabe.

arable *a* Labourable, cultivable.

arabophone *a, n* De langue arabe.

arachide *nf* Plante des pays chauds cultivée pour ses graines (cacahuètes) dont on extrait une huile.

arachnéen, enne [arak-] *a* Fin et léger comme une toile d'araignée.

arachnide [arak-] *nm* ZOOL Arthropode faisant partie d'une classe comprenant les araignées, les scorpions, etc.

arachnoïde [arak-] *nf* ANAT Une des membranes du cerveau.

araignée *nf* 1 Arthropode qui tisse des toiles, pièges à insectes. 2 Grand filet de pêche rectangulaire. 3 Morceau du bœuf utilisé en biftecks. Loc *Araignée de mer :* grand crabe à la carapace épineuse et aux pattes longues.

araire *nm* Charrue simple, dépourvue d'avant-train.

araméen, enne *a* Relatif aux Araméens. ■ *nm* Langue sémitique ancienne.

aramon *nm* Cépage rouge du Midi.

arasement *nm* Action d'araser.

araser *vt* 1 Mettre de niveau un mur, un terrain. 2 Réduire à ses dimensions exactes une pièce d'assemblage.

aratoire *a* Qui sert au labourage.

araucaria *nm* Conifère tropical, à usage ornemental en France.

arbalète *nf* Arc puissant monté sur un fût et bandé à l'aide d'un mécanisme.

arbalétrier *nm* 1 Personne qui était armée d'une arbalète. 2 Poutre inclinée supportant un toit.

arbitrage *nm* 1 Action d'arbitrer. 2 Règlement d'un différend par un arbitre. 3 Opération boursière de vente et d'achat simultanés, qui permet de réaliser un profit fondé sur la différence des cotes.

arbitragiste *n* Spécialiste des arbitrages en Bourse.

arbitraire *a* 1 Qui est laissé à la volonté de chacun. *Choix arbitraire.* 2 Qui dépend uniquement du caprice d'un homme ; despotique. ■ *nm* Autorité que ne borne aucune règle.

arbitrairement *av* De façon arbitraire.

arbitral, ale, aux *a* De l'arbitre.

arbitre *nm* 1 Personne choisie d'un commun accord par les parties intéressées pour régler leur différend qui les oppose. 2 Personne qui veille à la régularité d'une compétition sportive. Loc *Libre arbitre :* pouvoir qu'a la raison humaine de se déterminer librement.

arbitrer *vt* Régler en qualité d'arbitre. *Arbitrer un conflit.*

arbois *nm* Vin du Jura.

arboré, ée *a* Planté d'arbres dispersés.

arborer *vt* 1 Hisser un drapeau, le faire voir. 2 Porter sur soi avec fierté. *Arborer un insigne.*

arborescence *nf* État arborescent.

arborescent, ente *a* Dont la forme rappelle un arbre, qui présente des ramifications.

arborétum [-Retɔm] *nm* Parc botanique planté de nombreuses espèces d'arbres. Var **arboretum**

arboricole *a* Qui vit dans les arbres.

arboriculteur, trice *n* Spécialiste de la culture des arbres.

arboriculture *nf* Culture des arbres.

arborisation *nf* Dessin de forme arborescente.

arbouse *nf* Fruit de l'arbousier.

arbousier *nm* Arbrisseau du Midi.

arbovirose *nf* Maladie due à un arbovirus.

arbovirus *nm* Virus transmis par une piqûre d'insecte.

arbre *nm* 1 Végétal ligneux de grande taille, dont la tige (tronc), simple à la base, ne se ramifie qu'à partir d'une certaine hauteur. 2 Axe entraîné par un mouvement et transmettant le mouvement de rotation à un organe, à machine. Loc *Arbre généalogique :* figure arborescente dont les rameaux, partant d'une souche commune, représentent la filiation des membres d'une famille.

arbrisseau *nm* Petit arbre au tronc ramifié dès la base.

arbuste *nm* Petit arbrisseau.

arbustif, ive *a* Relatif aux arbustes.

arc *nm* 1 Arme formée d'une tige de bois ou de métal, courbée par une corde tendue entre ses extrémités et servant à lancer des flèches. 2 Courbure d'une voûte, du sommet d'une baie. 3 GEOM Portion de courbe. Loc *Arc de triomphe :* portique monumental consacrant le souvenir d'un personnage ou d'un évènement glorieux. *Avoir plusieurs cordes à son arc :* avoir des talents variés, plusieurs moyens d'arriver à son but.

arcade *nf* ARCHI Ouverture en forme d'arc dans sa partie supérieure. Loc *Arcade sourcilière :* courbe de l'os frontal, à l'endroit des sourcils. *Jeu d'arcade :* jeu vidéo installé dans un lieu public. ■ *pl* Galerie couverte.

arcanes *nmpl* litt Secrets, mystères.

arc-boutant *nm* ARCHI Maçonnerie en arc, qui sert de soutien extérieur à un mur ou à une voûte. *Des arcs-boutants.* Var **arcboutant**

arc-bouter *vt* Soutenir par un arc-boutant. ■ *vpr* Se caler solidement pour exercer un effort. Var **arcbouter**

arceau *nm* **1** Partie cintrée d'une voûte. **2** Tige courbe formant un petit arc.

arc-en-ciel *nm* Phénomène lumineux en forme d'arc apparaissant dans le ciel et présentant les sept couleurs du spectre. *Des arcs-en-ciel.*

archaïque [-ka-] *a* **1** Qui n'est plus en usage ; démodé. **2** Qui a un caractère primitif.

archaïsant, ante [-ka-], *a, n* Qui affecte l'archaïsme. *Style archaïsant.*

archaïsme [-ka-] *nm* **1** Caractère de ce qui est désuet. **2** Mot, expression sortis de l'usage contemporain.

archange [-kɑ̃ʒ] *nm* Ange d'un rang supérieur.

arche *nf* **1** Voûte en arc soutenant le tablier d'un pont. **2** Vaisseau construit par Noé, selon la Bible, pour échapper au Déluge.

archéologie [-ke-] *nf* Étude des civilisations anciennes par leurs vestiges matériels.

archéologique [-ke-] *a* De l'archéologie.

archéologue [-ke-] *n* Spécialiste d'archéologie.

archéoptéryx [-ke-] *nm* GEOL Le plus ancien oiseau fossile connu, de l'ère secondaire.

archer *nm* Tireur à l'arc.

archet *nm* Baguette flexible tendue de crins, et qui sert à faire vibrer les cordes de certains instruments (violon, etc.).

archèterie *nf* Fabrication des archets.

archétype [-ke-] *nm* Type primitif ou idéal ; modèle originel.

archevêché *nm* **1** Étendue de la juridiction d'un archevêque. **2** Résidence d'un archevêque.

archevêque *nm* Prélat placé à la tête d'une circonscription ecclésiastique comprenant plusieurs diocèses.

archidiacre *nm* Dignitaire ecclésiastique qui visite les curés d'un diocèse.

archiduc, archiduchesse *n* HIST Prince, princesse de la maison d'Autriche.

archiépiscopal, ale, aux *a* De l'archevêque.

archipel *nm* Groupe d'îles.

archiprêtre *nm* Titre donnant une prééminence honorifique à certains curés.

architecte *n* Professionnel qui conçoit des plans d'édifices et en dirige la construction.

architectonique *nf* Structure, organisation générale de qqch.

architectural, ale, aux *a* De l'architecture.

architecture *nf* **1** Art de construire des édifices. *Diplôme d'architecture.* **2** Disposition, ordonnance, style d'un bâtiment. *Architecture baroque.* **3** Structure, organisation de qqch. *Architecture d'un ordinateur.*

architrave *nf* ARCHI Partie inférieure de l'entablement reposant directement sur les chapiteaux des colonnes.

archivage *nm* Action d'archiver.

archiver *vt* Classer dans les archives une pièce, un écrit, un document.

archives *nfpl* **1** Documents anciens concernant une famille, une société, une entreprise, un lieu, un État. **2** Lieu où l'on conserve ces documents.

archiviste *n* Chargé de la conservation des archives.

archonte [-kɔ̃-] *nm* HIST Magistrat principal de certaines cités grecques antiques.

arçon *nm* **1** Armature d'une selle. **2** Rameau de vigne courbé en arc. Loc *Vider les arçons :* tomber de cheval.

arctique *a* Situé vers le pôle Nord.

ardéchois, oise *a, n* De l'Ardèche.

ardemment [-damɑ̃] *av* Avec ardeur.

ardennais, aise *a, n* Des Ardennes.

ardent, ente *a* **1** Qui brûle, qui chauffe vivement. **2** Plein d'ardeur, enthousiaste, fougueux. **3** Vif, violent.

ardeur *nf* **1** Chaleur vive. **2** Vivacité, entrain. *Travailler avec ardeur.*

ardillon *nm* Pointe de métal d'une boucle pour arrêter la courroie.

ardoise *nf* **1** Schiste à grain fin, habituellement gris foncé, qui se clive en plaques minces utilisées pour les toitures. **2** Tablette sur laquelle on écrit ou dessine. **3** fam Total des sommes dues pour des marchandises achetées à crédit.

ardoisière *nf* Carrière d'ardoise.

ardu, ue *a* Difficile à résoudre.

are *nm* Unité de surface pour les mesures de terrains, valant 100 m².

arec *nm* Palmier qui fournit le chou-palmiste, le bétel, le cachou. Var **aréquier**

aréique *a* GEOGR Qui n'a pas d'écoulement régulier des eaux.

arène *nf* **1** Partie sablée au centre d'un amphithéâtre romain. **2** GEOL Sable grossier. Loc *Descendre dans l'arène :* s'engager dans des luttes politiques. ■ *pl* **1** Amphithéâtre romain. **2** Amphithéâtre où se déroulent des courses de taureaux.

arénicole *a* SC NAT Qui vit dans le sable.

aréole *nf* ANAT Cercle coloré qui entoure le mamelon du sein.

aréomètre *nm* Instrument indiquant la densité d'un liquide.

aréopage *nm* **1** HIST (avec majusc.) Tribunal athénien qui siégeait sur la colline consacrée au dieu Arès. **2** litt Assemblée de savants, de personnes compétentes.

aréquier. V. arec.

arête *nf* **1** Os long et mince propre aux poissons. **2** Ligne formée par la rencontre de deux versants, de deux plans.

arêtier *nm* Pièce de charpente inclinée formant l'arête d'un comble.

argent *nm* **1** Métal précieux blanc et peu oxydable. **2** Toute espèce de monnaie : billets de banque, pièces, etc. **3** Richesse.

argentan *nm* Alliage de cuivre, de nickel et de zinc.

argenté, ée *a* **1** Recouvert d'argent. **2** Qui évoque la couleur de l'argent. Loc fam *Être argenté :* avoir de l'argent.

argenter *vt* Couvrir d'une couche d'argent.

argenterie *nf* Vaisselle, ustensiles d'argent.

argentier *nm* HIST Surintendant des Finances royales. Loc fam *Le grand argentier :* le ministre des Finances.

argentifère *a* Qui contient de l'argent.

1. argentin, ine *a* Qui a le même son clair que l'argent.

2. argentin, ine *a, n* De l'Argentine.

argenture *nf* **1** Couche d'argent appliquée sur un objet. **2** Action d'argenter.

argile *nf* Roche terreuse (glaise), donnant une pâte plastique imperméable lorsqu'elle est imprégnée d'eau et qui, après cuisson, donne des poteries, des tuiles, etc.

argileux, euse *a* Qui contient de l'argile.

argon *nm* Gaz rare de l'air, incolore et inodore.

argonaute *nm* Mollusque céphalopode.

argot *nm* Langage particulier à une catégorie sociale ou professionnelle, en partic. langage des malfaiteurs, du milieu.

argotique *a* De l'argot.

argotisme *nm* Expression argotique.

argousin *nm* vx Policier.

arguer [-gue] *vt, vti* Tirer un argument, un prétexte, une conclusion de qqch. *Que voulez-vous arguer de ce fait. Arguer de sa bonne foi.* Var **argüer**

argument *nm* **1** Raisonnement tendant à établir une preuve, à fonder une opinion. **2** Résumé succinct du sujet d'un ouvrage littéraire, dramatique.

argumentaire *nm* Liste d'arguments.

argumentation *nf* **1** Le fait, l'art d'argumenter. **2** Ensemble des arguments tendant à une conclusion.

argumenter *vi* Exposer des arguments. ■ *vt* Justifier qqch par des arguments.

argus [-gys] *nm* Publication qui fournit des renseignements spécialisés.

argutie [-si] *nf* Raisonnement exagérément subtil et minutieux.

1. aria *nf* Air, mélodie, accompagné par un ou plusieurs instruments.

2. aria *nm* litt Souci, tracas, embarras.

arianisme *nm* Hérésie d'Arius qui niait le dogme de la Sainte-Trinité.

aride *a* **1** Sec, stérile, sans végétation. *Sol aride.* **2** Dépourvu de tendresse, de sensibilité. **3** Dépourvu d'attrait, peu engageant.

aridité *nf* **1** Sècheresse. **2** Manque d'attrait.

ariégeois, oise *a, n* De l'Ariège.

arien, enne *n, a* Partisan de l'arianisme.

ariette *nf* Petite mélodie, air de style léger, aimable ou tendre.

aristocrate *n, a* Membre de l'aristocratie.

aristocratie *nf* **1** Classe des nobles. **2** Ensemble de ceux qui constituent l'élite dans un domaine quelconque.

aristocratique *a* De l'aristocratie.

aristoloche *nf* Plante grimpante aux fleurs en forme de cornet.

aristotélicien, enne *a, n* Qui concerne ou professe l'aristotélisme.

aristotélisme *nm* Doctrine d'Aristote.

arithmétique *nf* Partie des mathématiques consacrée à l'étude des nombres. ■ *a* Qui repose sur les nombres.

arithmétiquement *av* Selon l'arithmétique.

arlequin *nm* Personnage comique au costume bigarré.

arlésien, enne *a, n* D'Arles. Loc fam *L'Arlésienne* : personne qu'on ne voit jamais.

armada *nf* Grande quantité de personnes, de véhicules.

armagnac *nm* Eau-de-vie de vin.

armateur *nm* Personne qui équipe et exploite un navire de commerce ou de pêche.

armature *nf* **1** Ensemble d'éléments destinés à accroître la rigidité d'une pièce, d'un ouvrage

ou d'un matériau. **2** Ce qui constitue l'élément essentiel, le soutien, le cadre d'une organisation. **3** MUS Ensemble des altérations (dièses et bémols) placées à la clef et indiquant la tonalité d'un morceau de musique.

arme *nf* **1** Instrument qui sert à attaquer ou à se défendre. **2** Moyen employé pour combattre un adversaire. **3** Chacune des grandes divisions de l'armée correspondant à une activité spécialisée. Loc fam *Passer l'arme à gauche* : mourir. ■ *pl* Armoiries. Loc *La carrière des armes* : le métier militaire. *Un fait d'armes* : un exploit guerrier. *Déposer les armes* : cesser le combat. *Prise d'armes* : parade militaire. *Passer qqn par les armes* : le fusiller. *Maître d'armes* : professeur d'escrime.

armé, ée *a* **1** Muni d'une arme. **2** Pourvu d'une armature. *Béton armé.*

armée *nf* **1** Ensemble des forces militaires d'un État. **2** Grande unité réunissant plusieurs corps. **3** Grand nombre, foule. *Une armée d'admirateurs.* Loc *Corps d'armée* : partie d'une armée comprenant plusieurs divisions avec des troupes de toutes armes.

armement *nm* **1** Action d'armer. **2** Ensemble des armes équipant qqn, qqch. **3** Action d'armer un navire.

arménien, enne *a, n* De l'Arménie. ■ *nm* Langue indo-européenne du Caucase.

armer *vt* **1** Pourvoir d'armes. **2** Garnir d'une armature. **3** Mettre en état de fonctionnement certains mécanismes. **4** Équiper un navire de tout ce qui lui est nécessaire pour naviguer. **5** Munir de qqch. ■ *vpr* **1** Se munir d'une arme. **2** Se munir de qqch. *Armez-vous de patience !*

armistice *nm* Suspension des hostilités après accord entre les belligérants.

armoire *nf* Meuble haut destiné au rangement, fermé par une ou plusieurs portes. Loc fam *Armoire à glace* : personne de forte carrure.

armoiries *nfpl* Emblèmes propres à une famille noble, à une collectivité.

armoise *nf* Plante aromatique.

armorial, aux *nm* Recueil d'armoiries.

armoricain, aine *a, n* De l'Armorique.

armorier *vt* Orner d'armoiries.

armure *nf* **1** Ensemble des pièces métalliques qui protégeaient autrefois les guerriers. **2** Mode d'entrecroisement des fils d'un tissu.

armurerie *nf* **1** Technique de la fabrication des armes. **2** Boutique, atelier d'un armurier.

armurier *nm* Personne qui fabrique ou vend des armes.

ARN *nm* Sigle désignant l'*acide ribonucléique* qui joue un rôle dans le message génétique.

arnaque *nf* fam Escroquerie, tromperie.

arnaquer *vt* fam Escroquer, duper.

arnaqueur, euse *n* fam Personne qui arnaque.

arnica *nf* Plante à usage médicinal.

arobase *nf* Signe @ du clavier du microordinateur, utilisé dans les adresses électroniques. Var **arobas**

aromate *nm* Substance végétale odoriférante.

aromatique *a* Qui dégage un parfum.

aromatisant, ante *a, nm* Qui sert à aromatiser.

aromatiser *vt* Parfumer avec une substance aromatique.

arôme *nm* Odeur agréable qui se dégage de certaines substances.

arpège *nm* MUS Exécution successive de toutes les notes d'un accord.

arpéger *vt* [13] MUS Exécuter un arpège.

arpent *nm* Ancienne mesure agraire qui valait de 20 à 50 ares.

arpentage *nm* Action d'arpenter.

arpenter *vt* 1 Mesurer la superficie d'un terrain. 2 Parcourir à grands pas.

arpenteur *nm* Spécialiste de la mesure des terrains et du calcul des surfaces.

arpète *nf* fam Jeune apprentie.

arqué, ée *a* Courbé en arc.

arquebuse *nf* Ancienne arme à feu portative.

arquebusier *nm* Soldat armé d'une arquebuse.

arquer *vt* Courber en arc. ■ *vi* 1 Devenir courbe. 2 pop Marcher.

arrachage *nm* Action d'arracher.

arraché *nm* Mouvement de l'haltérophile qui soulève l'haltère d'un seul mouvement. Loc *À l'arraché* : au prix d'un violent effort.

arrachement *nm* Douleur morale intense due à une séparation, à un sacrifice.

arrache-pied (d') *av* Avec acharnement. Var **arrachepied (d')**

arracher *vt* 1 Déraciner, extraire avec effort. *Arracher une dent.* 2 Ôter de force à une personne, à une bête, ce qu'elle retient. 3 Obtenir difficilement qqch de qqn. *Arracher une promesse.* ■ *vpr* 1 Se séparer à regret, se détacher avec effort de. *S'arracher du lit.* 2 Se disputer la compagnie de qqn.

arracheur, euse *a* Qui arrache. Loc *Mentir comme un arracheur de dents* : mentir effrontément. ■ *nf* Machine qui arrache les plantes, les tubercules.

arraisonnement *nm* Action d'arraisonner.

arraisonner *vt* Arrêter un navire en mer et contrôler son équipage, sa cargaison, etc.

arrangeant, ante *a* Disposé à la conciliation.

arrangement *nm* 1 Action d'arranger ; état de ce qui est arrangé. 2 Adaptation d'une œuvre musicale à d'autres instruments que ceux pour lesquels elle a été écrite. 3 Conciliation, convention amiable.

arranger *vt* [11] 1 Placer dans l'ordre qui convient. 2 Régler à l'amiable. *Arranger un conflit.* 3 Convenir à. *Cela m'arrange.* 4 Remettre en état. ■ *vpr* 1 Revenir en meilleur état, aller mieux. 2 S'accorder à l'amiable. Loc *S'arranger pour* : faire en sorte de. *S'arranger de qqch* : s'en accommoder.

arrangeur *nm* Adaptateur d'une œuvre musicale.

arrérages *nmpl* Termes échus d'une rente, d'une pension.

arrestation *nf* 1 Action de se saisir d'une personne pour l'emprisonner ou la garder à vue. 2 État de qqn qui est arrêté.

arrêt *nm* 1 Action d'arrêter ; fait de s'arrêter. 2 Endroit où s'arrête un véhicule de transports en commun. 3 Décision d'une juridiction supérieure. Loc *Mandat d'arrêt* : ordre d'arrestation. *Maison d'arrêt* : prison. *Sans arrêt* : continuellement. ■ *pl* Sanction prise contre un officier ou un sous-officier.

arrêté, ée *a* Décidé, définitif, irrévocable. *Une volonté bien arrêtée.* ■ *nm* Décision écrite d'une autorité administrative.

arrêter *vt* 1 Empêcher d'avancer. 2 Empêcher d'agir. 3 Interrompre, faire cesser. *Arrêter une hémorragie.* 4 Appréhender qqn. 5 Déterminer par choix, fixer. *Arrêter une date.* ■ *vi* 1 Cesser d'avancer. *Chauffeur, arrêtez !* 2 Cesser d'agir ou de parler. *Il n'arrête jamais.* ■ *vpr* 1 Cesser d'aller, d'agir, de fonctionner. *Ma montre s'est arrêtée.* 2 Fixer son attention sur. *S'arrêter à l'essentiel.*

arrhes *nfpl* Somme donnée comme gage ou dédit de l'exécution d'un contrat.

arriération *nf* Loc *Arriération mentale* : faiblesse intellectuelle par rapport à la norme.

arrière *nm* 1 Partie postérieure d'un véhicule. 2 Territoire, population d'un pays en guerre, qui se trouve hors de la zone des combats. 3 Au football, joueur placé derrière les autres joueurs de son équipe. Loc *En arrière de* : en reculant ; derrière. ■ *pl* Zone située derrière le front, où se trouvent les réserves et où l'on peut se replier. ■ *a inv* 1 Qui est à l'arrière. *Les roues arrière.* 2 Qui va vers l'arrière. *La marche arrière.* Loc *Vent arrière* : qui souffle de l'arrière.

arriéré, ée *a* Qui appartient à un passé révolu. *Idées arriérées.* ■ *a, n* Retardé dans son développement mental. ■ *nm* Ce qui reste dû.

arrière-ban. V. ban. *Des arrière-bans.*

arrière-boutique *nf* Pièce située derrière une boutique. *Des arrière-boutiques.*

arrière-cour *nf* Cour située à l'arrière d'un bâtiment. *Des arrière-cours.*

arrière-garde *nf* Partie d'une armée en mouvement chargée de protéger les arrières. *Des arrière-gardes.*

arrière-gorge *nf* Partie supérieure du pharynx. *Des arrière-gorges.*

arrière-goût *nm* 1 Goût laissé dans la bouche par l'absorption de certains aliments, de certaines boissons. 2 Impression laissée par un évènement. *Des arrière-goûts.* Var **arrière-gout**

arrière-grand-père *nm*, **arrière-grand-mère** *nf* Père, mère du grand-père ou de la grand-mère. *Des arrière-grands-pères, des arrière-grands-mères.*

arrière-grands-parents *nmpl* L'arrière-grand-père et l'arrière-grand-mère.

arrière-pays *nm inv* Partie d'un pays située en retrait de la zone côtière.

arrière-pensée *nf* Pensée, intention dissimulée, et différente de celle qu'on exprime. *Des arrière-pensées.*

arrière-petit-neveu *nm*, **arrière-petite-nièce** *nf* Fils, fille d'un petit-neveu ou d'une petite-nièce. *Des arrière-petits-neveux, des arrière-petites-nièces.*

arrière-petits-enfants *nmpl*, **arrière-petit-fils** *nm*, **arrière-petite-fille** *nf* Enfants, fils ou fille, d'un petit-fils ou d'une petite-fille. *Des arrière-petits-fils, des arrière-petites-filles.*

arrière-plan *nm* Plan d'une perspective le plus éloigné du spectateur. Loc *À l'arrière-plan* : à l'écart, dans une position peu en vue. *Des arrière-plans.*

arrière-saison *nf* Fin de l'automne. *Des arrière-saisons.*

arrière-salle *nf* Salle derrière une autre. *Des arrière-salles.*

arrière-train *nm* 1 L'arrière du tronc et les membres postérieurs d'un animal. 2 fam Fesses de qqn. 3 Partie postérieure d'un véhicule à quatre roues. *Des arrière-trains.*

arrimage nm Action d'arrimer.

arrimer vt 1 Répartir et fixer un chargement dans la cale d'un navire, d'un avion, etc. 2 abusiv Assujettir une charge, amarrer.

arrivage nm 1 Arrivée de marchandises sur le lieu où elles seront vendues. 2 Ces marchandises elles-mêmes.

arrivant, ante n Personne qui vient d'arriver.

arrivé, ée a Qui a réussi socialement. *Un artiste arrivé.*

arrivée nf 1 Action d'arriver. 2 Lieu ou moment où l'on arrive.

arriver vi (aux. *être*) 1 Parvenir en un lieu. 2 S'élever socialement, réussir dans sa carrière, son métier. 3 Survenir, se produire. *Ce genre de choses arrive rarement.* Loc *Il arrive que :* se produit que. ■ vti Parvenir à qqch, à faire qqch. Loc *En arriver à :* en venir à, finir par.

arrivisme nm Attitude de l'arriviste.

arriviste n, a Qui vise à la réussite sociale par tous les moyens.

arrogance nf Orgueil, morgue, manières hautaines et méprisantes.

arrogant, ante a Qui a de l'arrogance.

arroger (s') vpr [11] S'attribuer illégitimement un droit, un pouvoir. *Les fonctions qu'il s'est arrogées.*

arrondi, ie a De forme ronde. ■ nm Partie arrondie de qqch.

arrondir vt 1 Doter d'une forme ronde. 2 Augmenter sa fortune. 3 Supprimer les fractions pour faire une somme ronde, un poids rond. ■ vpr 1 Prendre une forme ronde. 2 Devenir plus important.

arrondissement nm 1 Action d'arrondir. 2 Division territoriale administrative d'un département, d'une ville.

arrosage nm Action d'arroser.

arrosé, ée a 1 Qui reçoit beaucoup de pluie. 2 Accompagné de vins, d'alcool (repas).

arroser vt 1 Humecter en répandant de l'eau ou un autre liquide. 2 Couler à travers. *La Loire arrose la Touraine.* 3 fam Célébrer en buvant. *Arroser sa promotion.* 4 fam Donner de l'argent à qqn pour obtenir de lui un avantage.

arroseur, euse n Personne qui arrose. ■ nf Véhicule qui sert au nettoyage des voies publiques.

arrosoir nm Récipient muni d'une anse et d'un bec, qui sert à arroser.

arsenal, aux nm 1 Lieu où se fabriquent, se conservent et se réparent les navires de guerre. 2 Grande quantité d'armes. 3 Vaste ensemble de moyens d'action. *L'arsenal des lois.*

arsenic nm Élément chimique à la base d'un poison violent.

arsenical, ale, aux a De l'arsenic.

arsouille n, a fam Voyou, débauché.

art nm 1 Activité aboutissant à la création d'œuvres de caractère esthétique (musique, peinture, sculpture, architecture, etc.). 2 Ensemble des œuvres artistiques d'une époque, d'un pays. 3 Ensemble des règles d'une activité professionnelle. 4 Manière de faire qqch, talent. *L'art de plaire.* Loc *Le septième art :* le cinéma. ■ nmpl Syn. de *beaux-arts.* Loc *Arts décoratifs* ou *arts appliqués :* qui ont pour fin la décoration, l'em-

bellissement des objets utilitaires. *Arts ménagers :* techniques concernant l'entretien de la maison.

artéfact nm Phénomènes artificiels apparaissant lors d'une expérience scientifique.

artère nf 1 Vaisseau sanguin conduisant le sang du cœur vers les organes et les tissus. 2 Grande voie de circulation.

artériel, elle a ANAT Des artères.

artériographie nf Radiographie des artères.

artériole nf ANAT Petite artère.

artériosclérose nf MED Sclérose des artères.

artérite nf MED Épaississement de la paroi artérielle.

artésien, enne a, n De l'Artois. Loc *Puits artésien :* duquel l'eau jaillit sous l'effet de la pression de la nappe souterraine.

arthrite nf Inflammation aiguë ou chronique des articulations.

arthritique a, n Qui souffre d'arthrite.

arthropode nm ZOOL Animal invertébré faisant partie de l'embranchement comprenant les insectes, les arachnides, les crustacés, etc.

arthrose nf Affection chronique dégénérative non inflammatoire des articulations.

arthrosique a, n Atteint d'arthrose.

artichaut nm Plante dont on mange le cœur (ou fond), une fois qu'on a ôté les feuilles. Loc fam *Cœur d'artichaut :* personne volage.

article nm 1 Chaque partie d'une loi, d'une convention. 2 Texte formant un tout dans un journal, un dictionnaire, etc. 3 Marchandise vendue dans un magasin. 4 GRAM Mot précédant un nom qu'il détermine et dont il indique le genre et le nombre. « *Le* » est un article défini. Loc *À l'article de la mort :* au dernier moment de la vie. *Faire l'article :* vanter un produit.

articulaire a ANAT Des articulations.

articulation nf 1 Mode de jonction de pièces osseuses. 2 Assemblage de deux pièces permettant leur mouvement relatif. 3 LING Manière de prononcer.

articulatoire a Relatif à l'articulation des sons du langage.

articulé, ée a Qui a des articulations.

articuler vt 1 Joindre une pièce mécanique à une autre par un dispositif qui permet le mouvement. 2 Prononcer distinctement. ■ vpr 1 Être joint par une articulation. 2 Se rattacher à un ensemble complexe.

articulet nm Petit article de journal.

artifice nm Moyen peu naturel, visant à faire illusion. Loc *Feu d'artifice :* spectacle obtenu par la mise à feu de pièces pyrotechniques (fusées, feux de Bengale, etc.).

artificiel, elle a 1 Qui est le produit de l'activité humaine. *Fleurs artificielles.* Ant. naturel. 2 Qui manque de simplicité.

artificiellement av Par un moyen artificiel.

artificier nm Personne qui confectionne des pièces pour feux d'artifice ou tire des feux d'artifice.

artificieusement av litt De façon artificieuse.

artificieux, euse a litt Empreint d'artifice, de ruse.

artillerie nf 1 Matériel de guerre comprenant les canons et leurs munitions. 2 Ensemble du personnel servant ces armes.

artilleur nm Militaire de l'artillerie.

artimon *nm* MAR Mât arrière d'un navire ; voile portée par ce mât.

artiodactyle *nm* ZOOL Mammifère tel que les porcins et les ruminants.

artisan, ane *n* 1 Personne qui exerce pour son propre compte. 2 Auteur, cause de qqch.

artisanal, ale, aux *a* Relatif à l'artisan.

artisanalement *av* De façon artisanale.

artisanat *nm* 1 Profession d'artisan. 2 Ensemble des artisans.

artiste *n* Créateur ou interprète d'œuvres d'art. ■ *n, a* Qui a du goût pour les arts, pour la beauté.

artistique *a* 1 Relatif aux arts. 2 Fait, présenté avec art.

artistiquement *av* De façon artistique.

artothèque *nf* Organisme qui prête des œuvres d'art.

arum [aʀɔm] *nm* Plante dont la fleur est entourée d'un cornet.

ARV *nm* Traitement du sida faisant appel aux antirétroviraux. *Un malade sous ARV.*

aryen, enne *a, n* Des Aryens.

arythmie *nf* MED Irrégularité du rythme cardiaque ou respiratoire.

as *nm* 1 Carte à jouer, face de dé, domino portant un seul symbole, un seul point. 2 Personne qui excelle dans un domaine, une activité. *Un as de l'aviation.* 3 Le numéro 1 au tiercé, au loto, etc. Loc *fam Être fichu comme l'as de pique :* être très négligé dans sa tenue. *fam Être plein aux as :* avoir beaucoup d'argent.

ascaris *nm* Ver parasite de l'intestin grêle.

ascendance *nf* Ensemble des ancêtres directs d'un individu, d'une lignée.

ascendant, ante *a* Qui va en montant. *Mouvement ascendant.* ■ *nm* Influence dominante, autorité exercée sur la volonté de qqn. ■ *nmpl* Les parents dont on descend.

ascenseur *nm* 1 Appareil à déplacement vertical, servant au transport des personnes dans un immeuble. 2 INFORM Dispositif permettant de se déplacer rapidement dans un fichier.

ascension *nf* 1 Action de s'élever, de monter. *Ascension de l'air chaud.* 2 Élévation vers la réussite sociale. 3 (avec majusc.) Montée au ciel miraculeuse du Christ ressuscité ; le jour où l'on fête ce miracle (40 jours après Pâques).

ascensionnel, elle *a* Qui tend à monter, à faire monter.

ascèse *nf* Ensemble d'exercices de mortification visant à une libération spirituelle.

ascète *n* Personne qui s'impose des exercices d'ascèse.

ascétique *a* Propre à un ascète.

ascétisme *nm* Vie des ascètes.

ascidie *nf* Petit animal marin en forme d'outre, qui filtre l'eau.

ASCII [aski] *nm inv* INFORM Code standardisé de représentation des caractères alphanumériques.

ascite *nf* MED Épanchement de liquide sous le péritoine.

ascomycète *nm* BOT Champignon tel que les morilles, les truffes, les levures, etc.

ascorbique *a* Loc *Acide ascorbique :* constituant de la vitamine C.

asepsie *nf* Ensemble des procédés utilisés pour éviter toute infection microbienne.

aseptique *a* Exempt de tout microbe.

aseptisé, ée *a* Impersonnel, sans originalité.

aseptiser *vt* Rendre aseptique.

asexué, ée *a* Privé de sexe.

ashkénaze *n, a* Juif originaire d'Europe centrale, par oppos. à *séfarade.*

ashram *nm* En Inde, lieu où vit une communauté groupée autour d'un maître spirituel.

asiago *nm* Fromage italien au lait de vache.

asiatique *a, n* De l'Asie.

asilaire *a* De l'hôpital psychiatrique.

asile *nm* 1 Lieu inviolable où l'on est à l'abri des poursuites de la justice, des persécutions, des dangers. 2 Demeure, habitation. 3 Ancien nom de l'hôpital psychiatrique. Loc *Droit d'asile :* protection accordée aux ressortissants étrangers persécutés dans leur pays.

asocial, ale, aux *a, n* Qui n'est pas adapté à la vie en société.

asparagus [-gys] *nm* Feuillage ornemental utilisé dans la confection des bouquets.

aspartam *nm* Succédané acalorique du sucre.

aspect [aspɛ] *nm* 1 Manière dont qqn ou qqch s'offre à la vue. 2 Point de vue sous lequel on peut considérer qqch. 3 LING Façon d'envisager l'action exprimée par le verbe, dans son déroulement temporel.

asperge *nf* 1 Plante potagère aux pousses comestibles. 2 *fam* Personne grande et mince.

asperger *vt* [11] Arroser légèrement.

aspérité *nf* Petite saillie qui rend une surface inégale, rude.

aspersion *nf* Action d'asperger.

asphaltage *nm* Action d'asphalter.

asphalte *nm* Bitume utilisé pour le revêtement des chaussées.

asphalter *vt* Recouvrir d'asphalte.

asphodèle *nm* Plante herbacée à fleurs blanches.

asphyxiant, ante *a* Qui asphyxie.

asphyxie *nf* 1 Arrêt ou ralentissement de la respiration. 2 Diminution, arrêt de l'activité économique.

asphyxier *vt* Causer l'asphyxie.

aspic *nm* 1 Vipère brun-rouge. 2 Viande moulée dans une gelée.

aspidistra *nm* Plante d'appartement à grandes feuilles vert foncé.

aspirant, ante *a* Qui aspire. ■ *nm* Grade des élèves officiers.

aspirateur *nm* Appareil qui sert à absorber des poussières ou des vapeurs.

aspiration *nf* 1 Action d'aspirer. 2 Mouvement de l'âme vers un idéal.

aspiré, ée *a* Loc *H aspiré :* la lettre h empêchant la liaison.

aspirer *vt* 1 Attirer un liquide par un vide partiel. 2 Faire pénétrer de l'air dans les poumons. 3 Émettre un son en expirant. ■ *vti* Désirer fortement, ambitionner. *Aspirer au repos.*

aspirine *nf* Médicament utilisé contre la douleur, la fièvre, etc.

aspirobatteur *nm* Aspirateur pour nettoyer les moquettes.

ASS *nf* Allocation spécifique de solidarité, versée aux chômeurs ayant épuisé leurs droits à l'assurance-chômage.

assagir *vt* Rendre sage. ■ *vpr* Devenir sage.

assagissement nm Action de rendre ou de devenir sage.

assaillant, ante a, n Qui assaille.

assaillir vt [27] 1 Attaquer vivement à l'improviste. 2 Harceler qqn par des questions, des réclamations.

assainir vt Rendre sain ou plus sain.

assainissement nm Action d'assainir.

assainisseur nm Appareil ou produit qui combat les odeurs désagréables.

assaisonnement nm 1 Action et manière d'assaisonner. 2 Ce qui sert à relever le goût.

assaisonner vt 1 Accommoder des aliments de façon à en relever le goût. 2 litt Rendre-plus vif, plus agréable. 3 fam Maltraiter qqn.

assassin, ine a Qui blesse perfidement ; qui provoque. ■ nm Personne qui assassine, commet un assassinat.

assassinat nm Homicide volontaire.

assassiner vt Tuer avec préméditation.

assaut nm Attaque pour emporter de force une position. Loc **Faire assaut de** : rivaliser de.

assèchement nm Action d'assécher.

assécher vt [12] Mettre à sec.

assemblage nm 1 Action d'assembler, de monter. 2 Réunion de choses diverses qui forment un tout. 3 Mélange de vins dans la cuve.

assemblée nf 1 Réunion de plusieurs personnes en un même lieu. 2 Corps délibérant.

assembler vt 1 Mettre ensemble, réunir. 2 Réunir par convocation. 3 Joindre des pièces pour en former un tout. ■ vpr Se réunir.

assembleur, euse n Personne qui assemble. ■ nf Machine qui assemble les feuilles imprimées.

assener vt [15] Porter, donner un coup violent. Var **assener** [12]

assentiment nm Accord, consentement.

asseoir vt [40] 1 Placer sur son séant. 2 Établir solidement. **Asseoir sa réputation.** ■ vpr Se mettre sur son séant, sur un siège. Var **assoir**

assermenté, ée a Qui a prêté serment.

assertion nf Proposition avancée comme vraie.

asservir vt Rendre esclave, assujettir.

asservissant, ante a Qui asservit.

asservissement nm 1 Action d'asservir. 2 État de ce qui est asservi ; servitude.

assesseur nm 1 DR Magistrat adjoint à un juge principal. 2 Personne qui en seconde une autre dans ses fonctions.

assez av 1 Autant qu'il faut, suffisamment. 2 Passablement, moyennement. Loc **Assez peu** : pas beaucoup. **En avoir assez** : être excédé.

assidu, ue a 1 Qui se trouve constamment auprès de qqn ou dans un lieu. 2 Qui s'applique avec persévérance. **Élève assidu.** 3 Constant, fréquent. **Soins assidus.**

assiduité nf Qualité de qqn qui est assidu. ■ pl Empressement auprès d'une femme.

assidûment av De façon assidue. Var **assidument**

assiégé, ée a, n Qui subit un siège.

assiégeant, ante a, n Qui assiège.

assiéger vt [13] 1 Mettre le siège devant une place, une forteresse. 2 Se rassembler devant. 3 litt Poursuivre, obséder.

assiette nf 1 Pièce de vaisselle dans laquelle on mange. 2 Syn. de **assiettée**. 3 Manière d'être assis, de reposer sur sa base. 4 Répartition, base

de calcul de l'impôt. Loc fam **Ne pas être dans son assiette** : se sentir mal à l'aise.

assiettée nf Contenu d'une assiette.

assignat nm HIST Papier-monnaie émis pendant la Révolution française.

assignation nf DR Citation à comparaître en justice à un jour déterminé.

assigner vt 1 Attribuer qqch à qqn. 2 Fixer, déterminer. **Assigner une date de livraison.** 3 Affecter des fonds à un paiement. 4 Sommer à comparaître devant un tribunal. Loc **Assigner à résidence** : imposer de résider en un lieu.

assimilable a Qui peut être assimilé.

assimilateur, trice a Qui assimile.

assimilation nf Action d'assimiler, de s'assimiler. Loc BOT **Assimilation chlorophyllienne** : absorption du gaz carbonique par les végétaux.

assimilé, ée a, n Rendu semblable ; considéré comme semblable.

assimiler vt 1 Présenter, considérer comme semblable. 2 Faire adopter à un immigré les mœurs d'une population d'accueil. 3 Incorporer un aliment à son organisme. 4 Comprendre et retenir des faits, des connaissances. ■ vpr Se rendre semblable ; s'intégrer.

assis, ise a 1 Posé sur son séant. 2 Solidement établi. **Réputation bien assise.** ■ nf 1 Rang de pierres qu'on pose horizontalement pour construire un mur. 2 Base, fondement. ■ nfpl Congrès. **Assises de cardiologie.** Loc **(Cour d')assises** : tribunal qui juge les crimes.

assistanat nm 1 Fonction d'assistant. 2 Fait d'être assisté.

assistance nf 1 Le fait d'assister, d'être présent. 2 Assemblée, auditoire. 3 Aide apportée à qqn. Loc **Assistance publique** : administration qui gère les établissements hospitaliers et l'aide sociale. **Société d'assistance** : qui assure dépannage et secours aux personnes qui voyagent.

assistant, ante n 1 Personne présente en un lieu. 2 Celui ou celle qui seconde qqn. Loc **Assistant(e) social(e)** : personne dont le rôle est d'apporter une aide aux individus et aux familles dans le cadre des lois sociales. **Assistante maternelle** : nourrice.

assisté, ée a, n 1 Qui bénéficie de l'assistance (publique, médicale, judiciaire).

assister vti Être présent. **Assister à un mariage.** ■ vt Aider, seconder qqn.

associatif, ive a Relatif aux associations.

association nf 1 Action d'associer des choses. **Association d'idées.** 2 Union de personnes dans un intérêt commun.

associationnisme nm PHILO Doctrine selon laquelle tous les phénomènes psychologiques résultent d'associations d'idées.

associé, ée a, n Lié par association avec une ou plusieurs personnes.

associer vt 1 Unir, joindre des choses. 2 Réunir des personnes dans une entreprise commune. 3 Faire participer qqn à. **On l'a associé à notre entreprise.** ■ vpr 1 S'unir à qqn dans une entreprise commune. 2 Former une association.

assoiffé, ée a 1 Qui a soif. 2 Avide de. **Assoiffé de vengeance.**

assoiffer vt Donner soif à.

assolement nm AGRIC Alternance des cultures sur un terrain.

assoler vt AGRIC Soumettre à l'assolement.

assombrir vt 1 Rendre sombre. 2 Attrister. ■ vpr 1 Devenir sombre. 2 Devenir triste, prendre une expression triste.

assombrissement nm Le fait de s'assombrir ; état de ce qui est assombri.

assommant, ante a fam Accablant, ennuyeux.

assommer vt 1 Étourdir, faire perdre connaissance par des coups sur la tête. 2 Accabler. La chaleur m'assomme. 3 fam Ennuyer, importuner.

assommoir nm vx Débit de boissons alcoolisées. Loc Coup d'assommoir : nouvelle, évènement qui stupéfie.

Assomption nf Montée au ciel de la Vierge ; célébration de cet évènement (15 août).

assonance nf VERSIF Retour du même son dans la dernière syllabe accentuée de deux vers.

assorti, ie a 1 En harmonie. Couple bien assorti. 2 Pourvu en marchandises.

assortiment nm Ensemble de choses, de marchandises diverses unies en un tout.

assortir vt Mettre ensemble des choses, des personnes qui se conviennent.

assoupir vt Provoquer l'engourdissement. ■ vpr Commencer à s'endormir.

assoupissement nm État de demi-sommeil.

assouplir vt Rendre souple, flexible. ■ vpr Devenir souple.

assouplissement nm Action d'assouplir ; fait de s'assouplir.

assouplisseur nm Produit de rinçage qui donne de la souplesse au linge.

assourdir vt 1 Causer une surdité passagère à qqn. 2 Rendre moins sonore, moins éclatant.

assourdissant, ante a Qui assourdit.

assourdissement nm Action d'assourdir.

assouvir vt litt Satisfaire. Assouvir ses désirs.

assouvissement nm Action d'assouvir.

assuétude nf MED Dépendance d'un toxicomane à une drogue.

assujetti, ie n DR Astreint à un impôt, à une obligation administrative.

assujettir vt 1 litt Asservir, ranger sous sa domination. 2 Soumettre à. Assujettir à l'impôt. 3 Fixer solidement, immobiliser qqch. Assujettir un chargement. ■ vpr litt S'astreindre, se soumettre.

assujettissement nm litt Action d'assujettir ; asservissement.

assumer vt Prendre la charge, la responsabilité de qqch. ■ vpr S'accepter comme on est.

assurage nm Dispositif visant à préserver l'alpiniste ou le spéléologue en cas de chute.

assurance nf 1 Comportement confiant et ferme. Agir avec assurance. 2 Garantie certaine. Donner des assurances. 3 Contrat passé entre une personne et une société (compagnie d'assurances) qui la garantit contre des risques éventuels. Loc Assurances sociales : ensemble des organismes publics qui garantissent les travailleurs contre les divers risques qui les menacent.

assuré, ée a 1 Hardi, sans crainte. 2 Certain, inévitable, infaillible. 3 Garanti par un contrat d'assurance. ■ n Qui a contracté une assurance.

assurément av Certainement, sûrement.

assurer vt 1 Donner pour certain, garantir. 2 Garantir le maintien, le fonctionnement, la réalisation de qqch. 3 Garantir ou faire garantir d'un risque par contrat. 4 Préserver un alpiniste par une corde des risques de chute. ■ vi fam Être à la hauteur de la situation. ■ vpr 1 Vérifier, contrôler. S'assurer que tout va bien. 2 Contracter une assurance couvrant tel ou tel risque.

assureur nm Personne qui garantit contre un risque par un contrat d'assurance.

assyrien, enne a, n De l'Assyrie.

assyriologie nf Étude de l'Orient ancien.

aster [-tɛʀ] nm Plante ornementale, à petites fleurs en forme d'étoiles.

astérie nf Étoile de mer.

astérisque nm Signe typographique (*) indiquant le plus souvent un renvoi.

astéroïde nm Petite planète.

asthénie nf MED Fatigue générale.

asthénique a, n MED Atteint d'asthénie.

asthmatique [asma-] a, n Sujet à l'asthme.

asthme [asm] nm Maladie caractérisée par des crises de suffocation.

asti nm Vin blanc mousseux d'Italie.

asticot nm Larve de la mouche à viande.

asticoter vt fam Tracasser ; agacer.

astigmate a, n Atteint d'astigmatisme.

astigmatisme nm Défaut de vision dû à une mauvaise courbure du cristallin.

astiquage nm Action d'astiquer.

astiquer vt Frotter pour faire reluire.

astragale nm 1 ANAT Os du tarse. 2 ARCHI Moulure qui sépare le fût d'une colonne de son chapiteau.

astrakan nm Fourrure à laine frisée d'agneau nouveau-né.

astral, ale, aux a Relatif aux astres.

astre nm Corps céleste (Soleil, Lune, étoiles). ■ pl Corps célestes, considérés comme influant sur la destinée des hommes.

astreignant, ante a Qui astreint.

astreindre vt [69] Obliger, soumettre, assujettir. ■ vpr S'imposer qqch comme discipline.

astreinte nf 1 Obligation rigoureuse. 2 DR Obligation de payer une certaine somme par jour de retard. 3 Obligation d'être disponible à certaines heures pour les urgences (médecins, gendarmes, etc.).

astringent, ente a, nm MED Qui resserre les tissus vivants.

astrolabe nm Instrument qui permet de déterminer la latitude d'un lieu en observant la hauteur des étoiles.

astrologie nf Étude de l'influence attribuée aux astres sur les hommes et leur destinée.

astrologique a De l'astrologie.

astrologue n Spécialiste d'astrologie.

astrométrie nf Étude de la position des astres déterminée par des mesures d'angles.

astronaute n Pilote ou passager d'un véhicule spatial américain.

astronautique nf Ensemble des sciences et des techniques qui permettent à des engins propulsés de sortir de l'atmosphère terrestre. ■ a De l'astronautique.

astronef nm Véhicule spatial.

astronome n Spécialiste d'astronomie.

astronomie nf Étude scientifique des astres, de la structure de l'Univers.

astronomique a 1 De l'astronomie. 2 fam Exagéré, démesuré. Des sommes astronomiques.

astrophysicien, enne n Spécialiste d'astrophysique.

astrophysique nf Partie de l'astronomie qui étudie la nature physique des astres. ■ a De l'astrophysique.

astuce nf 1 Esprit d'ingéniosité. 2 Procédé ingénieux. 3 fam Trait d'esprit, jeu de mots.

astucieusement av Avec astuce.

astucieux, euse a Plein d'ingéniosité.

asymétrie nf Absence de symétrie.

asymétrique a Qui manque de symétrie.

asymptomatique a MED Qui ne présente pas de symptômes.

asymptote nf MATH Droite dont la distance à une courbe tend vers zéro quand cette droite s'éloigne vers l'infini.

asynchrone a Qui n'est pas synchrone.

asyndète nf Procédé stylistique consistant à supprimer des mots de liaison d'une phrase.

ataraxie nf PHILO Quiétude de l'esprit que rien ne peut troubler.

atavique a Qui a trait à l'atavisme.

atavisme nm Ensemble des caractères héréditaires.

ataxie nf MED Manque de coordination des mouvements due à une lésion organique.

atèle nm Singe d'Amérique du Sud.

atelier nm 1 Local où qqn exerce une activité technique ou artistique. 2 Subdivision d'une usine où s'exécute un type déterminé de travail.

atemporel, elle a Hors du temps.

atermoiement nm Action d'atermoyer.

atermoyer vi [22] Chercher des délais, remettre à plus tard une décision.

athanée nm Syn. de *funérarium.*

athée a, n Qui nie l'existence de Dieu.

athéisme nm Opinion des athées.

athénée nm Établissement d'enseignement secondaire en Belgique.

athénien, enne a, n D'Athènes.

athérome nm MED Lésion de la tunique interne des artères.

athérosclérose nf MED Sclérose artérielle secondaire à l'athérome.

athlète n 1 Personne qui s'adonne à l'athlétisme. 2 Homme fort, bien bâti.

athlétique a 1 Relatif à l'athlétisme. 2 Propre à l'athlète.

athlétisme nm Ensemble des sports individuels de compétition (lancers, courses, sauts).

atlante nm ARCHI Statue qui soutient un entablement, figurant un homme robuste chargé d'un fardeau. Syn. télamon.

atlantique a 1 De l'océan Atlantique. 2 Du Pacte atlantique, de l'OTAN.

atlantisme nm HIST Politique des partisans du Pacte atlantique.

atlas [-las] nm 1 Recueil de cartes géographiques ou astronomiques. 2 Recueil de planches, de tableaux. 3 ANAT La première vertèbre cervicale, qui supporte la tête.

atmosphère nf 1 Enveloppe gazeuse qui entoure le globe terrestre ou une autre planète. 2 Air que l'on respire. 3 Milieu, ambiance morale et intellectuelle.

atmosphérique a De l'atmosphère. Loc *Moteur atmosphérique :* qui fonctionne à la pression atmosphérique normale.

atoll nm Île corallienne en forme d'anneau, entourant une lagune.

atome nm 1 La plus petite quantité d'un corps simple. 2 Quantité infime. 3 Énergie atomique.

atomicité nf PHYS Nombre d'atomes contenus dans une molécule.

atomique a Qui a trait à l'atome, au noyau de l'atome, aux réactions nucléaires.

atomisation nf Action d'atomiser.

atomisé, ée a, n Qui a subi les effets d'une explosion atomique.

atomiser vt 1 Réduire en particules extrêmement fines. 2 Détruire, ravager au moyen d'armes atomiques. 3 Morceler à l'extrême.

atomiseur nm Appareil servant à pulvériser très finement un liquide.

atomiste n Spécialiste de physique atomique.

atonal, ale, aux a MUS Qui n'obéit pas aux règles du système tonal de l'harmonie classique.

atonalité nf MUS Caractère de l'écriture musicale atonale.

atone a 1 Qui manque d'énergie, d'expressivité. 2 LING Dépourvu d'accent tonique.

atonie nf Manque de vigueur, d'énergie.

atours nmpl Éléments de la parure féminine.

atout nm 1 Dans les jeux de cartes, couleur qui l'emporte sur les autres au cours d'une partie ; carte de cette couleur. 2 Moyen de succès.

atoxique a Dépourvu de toxicité.

atrabilaire a, n litt Coléreux.

âtre nm litt Foyer d'une cheminée.

atrium [atrijom] nm ANTIQ Pièce centrale de la maison romaine, dont le toit ouvert permettait de recueillir l'eau de pluie.

atroce a 1 D'une cruauté horrible. 2 Extrêmement douloureux, désagréable.

atrocement av De façon atroce.

atrocité nf 1 Caractère de ce qui est atroce. 2 Action atroce.

atrophie nf 1 Diminution du volume ou du poids d'un tissu, d'un organe. 2 Affaiblissement d'une faculté, d'un sentiment.

atrophier vt 1 Diminuer ou faire disparaître par atrophie. 2 Empêcher de se développer, intellectuellement ou moralement. ■ vpr Cesser de se développer, se dégrader.

atropine nf Alcaloïde de la belladone, utilisé surtout comme dilatateur de la pupille.

attabler (s') vpr S'asseoir à table.

attachant, ante a Qui inspire un intérêt mêlé de bienveillance. *Un enfant attachant.*

attache nf Ce qui sert à attacher. Loc *Port d'attache d'un navire :* celui où il a été inscrit sur les documents de douane. ■ pl 1 Les poignets et les chevilles. *Avoir des attaches fines.* 2 Relations, liens.

attaché, ée n Personne qui appartient à une ambassade, à un ministère, etc.

attaché-case [atafekɛz] nm Mallette plate qui sert de porte-documents. *Des attachés-cases.*

attachement nm 1 Sentiment d'affection durable. 2 Goût persistant pour qqch.

attacher vt 1 Joindre, fixer à une chose à l'aide d'un lien. 2 Réunir les bouts d'un lien, les pans d'un vêtement, etc. 3 Lier qqn par devoir, sentiment, intérêt. 4 Attribuer, accorder. *Attribuer de l'importance à qqch.* ■ vi Rester collé au fond d'un récipient (aliment). ■ vpr 1 S'appliquer, s'intéresser fortement, se consacrer à qqch. 2

Éprouver une affection durable pour qqn, un intérêt soutenu pour qqch.

attaquant, ante n Personne qui attaque.

attaque nf 1 Action d'attaquer. 2 Accès soudain d'un mal. *Une attaque d'épilepsie.* Loc fam *Être d'attaque* : être en forme.

attaquer vt 1 Agir avec violence contre qqn, contre une armée, une position, etc. ; engager le combat contre. 2 Critiquer âprement. 3 Ronger, détériorer, exercer une action néfaste ou corrosive sur qqch. 4 Commencer d'exécuter. 5 Intenter une action judiciaire contre qqn. ■ vpr 1 Engager une attaque contre. *S'attaquer aux abus.* 2 Détériorer, frapper. *Maladie qui s'attaque au bétail.*

attardé, ée a, n 1 Qui est en retard. 2 En retard par rapport à la norme, dans son évolution physiologique ou intellectuelle. 3 Qui a du retard sur son époque.

attarder (s') vpr 1 Se mettre en retard. 2 Prolonger sa présence qq part. 3 Insister sur une question.

atteindre vt [69] 1 Toucher de loin avec un projectile, toucher un but. 2 Parvenir qq part. 3 Porter atteinte à, léser. ■ vti litt Parvenir avec effort à qqch.

atteinte nf Effet nuisible, dommage, préjudice. Loc *Porter atteinte à qqn* : lui nuire. *Hors d'atteinte* : impossible à atteindre.

attelage nm 1 Action ou manière d'atteler. 2 Ensemble d'animaux attelés.

atteler vt [16] ou [18] Attacher des animaux de trait à une charrue, à une voiture ; attacher un wagon, une remorque à ce qui les tire. ■ vpr S'appliquer avec ardeur et persévérance à un travail.

attelle nf Lame rigide qui sert à maintenir immobile un membre fracturé.

attenant, ante a Contigu. *Son jardin est attenant au mien.*

attendre vt [71] 1 Rester en place pour la venue de qqn ou de qqch. 2 Différer d'agir jusqu'à un terme fixé. 3 Compter que qqn fera qqch. 4 Être prévu ou prévisible ; menacer. *Des ennuis vous attendent.* ■ vti Loc *Attendre après qqch* : en avoir besoin. ■ vpr Compter sur, se tenir assuré de. *Je m'attends à le voir.*

attendrir vt 1 Rendre tendre. *Attendrir un bifteck.* 2 Émouvoir, exciter la sensibilité de. ■ vpr Être ému, ressentir de la pitié.

attendrissant, ante a Qui attendrit.

attendrissement nm 1 Action d'attendrir. 2 État d'une personne attendrie.

attendrisseur nm Appareil utilisé en boucherie pour attendrir la viande.

attendu, ue a Espéré, escompté. ■ prép Étant donné. *Attendu les circonstances.* ■ nmpl Loc *Les attendus d'un jugement* : les alinéas exposant ses motifs.

attentat nm Entreprise criminelle contre une personne, une institution. Loc *Attentat à la pudeur* : acte immoral constituant un délit.

attentatoire a Qui porte atteinte à qqch.

attente nf 1 Le fait d'attendre. 2 Temps pendant lequel on attend. 3 Espérance, prévision. Loc *Salle d'attente* : pièce où l'on attend (dans une gare, chez un médecin, etc.).

attenter vti Commettre un attentat sur. *Attenter à la vie de qqn.*

attentif, ive a Qui montre de l'attention.

attention nf 1 Tension de l'esprit qui s'applique à quelque objet. 2 Marque de prévenance. *Une attention délicate.* Loc *Faire attention à* (ou *que*, ou *à ce que*) : prendre garde.

attentionné, ée a Qui est plein d'attentions, de prévenances.

attentisme nm Politique d'attente, de temporisation.

attentiste n, a Partisan de l'attentisme.

attentivement av Avec attention.

atténuant, ante a Propre à atténuer. Loc DR *Circonstances atténuantes* : qui diminuent la gravité de l'infraction.

atténuation nf Diminution de la force, de la gravité. *Atténuation de la douleur.*

atténuer vt Rendre moins fort, moins grave. *Atténuer la gravité d'une faute.*

atterrant, ante a Consternant.

atterrer vt Accabler, consterner.

atterrir vi Se poser sur le sol.

atterrissage nm Action d'atterrir.

attestation nf Certificat, témoignage écrit confirmant la vérité, l'authenticité de qqch.

attester vt 1 Affirmer, certifier la vérité d'une chose. 2 Servir de preuve à. 3 litt Prendre à témoin. *J'en atteste le ciel.*

attiédir vt Rendre tiède.

attifer vt fam Habiller d'une façon bizarre.

attique a D'Athènes ou de l'Attique.

attirail, ails nm Équipement compliqué, bagage encombrant ou inutile.

attirance nf Force qui attire moralement, affectivement.

attirant, ante a Qui exerce un attrait.

attirer vt 1 Faire venir à soi. *Attirer les mouches.* 2 Provoquer l'intérêt, le désir ; séduire. ■ vpr Être l'objet de. *S'attirer des reproches.*

attiser vt 1 Aviver, activer le feu. 2 Exciter, aviver. *Attiser la haine.*

attitré, ée a 1 Chargé nommément, par un titre, d'une fonction ou d'un office. 2 Que l'on préfère, habituel. *Marchand attitré.*

attitude nf 1 Manière de tenir son corps. 2 Conduite que l'on adopte en des circonstances déterminées.

attorney nm En Angleterre et aux États-Unis, homme de loi.

attouchement nm Action de toucher avec la main.

attractif, ive a Qui attire.

attraction nf 1 Action d'attirer ; effet produit par ce qui attire. *Attraction terrestre.* 2 Élément d'un spectacle, d'une exposition, spécialement destiné à attirer le public. *Parc d'attractions.*

attrait nm Ce qui attire, séduit.

attrape nf 1 Tromperie, mystification. 2 Objet destiné à mystifier.

attrape-nigaud nm Ruse grossière. *Des attrape-nigauds.*

attraper vt 1 Prendre à un piège. *Attraper un lapin.* 2 Atteindre et saisir. 3 Tromper, mystifier. 4 Être atteint par, subir. *Attraper la grippe.* 5 fam Réprimander vivement.

attrape-tout a inv Dont le programme politique est assez vague pour attirer le maximum d'électeurs.

attrayant, ante a Qui exerce de l'attrait.

attribuer vt 1 Conférer, accorder, concéder. 2 Admettre, supposer chez qqn. *On lui attribue du courage.* 3 Rapporter à qqn ou à qqch considéré comme auteur, comme cause. *Attribuer un incendie à la malveillance.* ■ vpr S'adjuger plus ou moins abusivement.

attribut nm 1 Caractère particulier d'un être, d'une chose. 2 Emblème, signe distinctif d'une fonction, d'un personnage allégorique. 3 GRAM Mot exprimant une qualité, une manière d'être, attribuée à un nom (sujet ou complément d'objet direct) par l'intermédiaire d'un verbe comme *être, sembler.*

attribution nf Action d'attribuer. Loc GRAM *Complément d'attribution :* complément d'objet introduit par à (ex. : *Donner un livre à l'enfant*). ■ pl Droits et devoirs attachés à certaines charges ; compétence.

attristant, ante a Qui attriste.

attrister vt Rendre triste, affliger.

attroupement nm 1 Action de s'attrouper. 2 Groupe de personnes attroupées.

attrouper (s') vpr S'assembler en foule.

atypique a Différent du type normal.

au art Forme contractée de l'article défini, pour *à le*, qui ne s'emploie que devant des noms commençant par une consonne ou un h aspiré.

aubade nf Concert donné à l'aube sous les fenêtres de qqn pour l'honorer.

aubaine nf Avantage inespéré.

aube nf 1 Premières lueurs de l'aurore. 2 litt Débuts, naissance. *À l'aube du siècle.* 3 Ample tunique liturgique de toile blanche. 4 Palette fixée sur une roue qui tourne dans un fluide.

aubépine nf Arbrisseau épineux à fleurs blanches ou roses, donnant des fruits rouges.

aubère a, n Cheval dont la robe est faite de poils blancs et alezans.

auberge nf Petit hôtel et restaurant de caractère rustique. Loc *Auberge espagnole :* endroit où l'on ne trouve que ce qu'on y apporte.

aubergine nf Légume violet de forme allongée. ■ a inv Couleur violet cramoisi.

aubergiste n Personne qui tient une auberge.

aubier nm BOT Partie tendre du tronc et des branches d'un arbre qui se trouve entre le cœur du bois et l'écorce.

auburn [oboœRn] a inv Brun-roux (cheveux).

aucun, une pr indéf, a indéf 1 Nul, pas un seul. *Aucune erreur n'est permise.* 2 N'importe quel. *Il fait cela mieux qu'aucun autre.*

aucunement av Nullement.

audace nf 1 Tendance à oser des actions hardies en dépit des dangers ou des obstacles. 2 Innovation qui brave les habitudes.

audacieusement av Avec audace.

audacieux, euse a Qui a, qui dénote de l'audace.

au-dedans. V. dedans.

au-dehors. V. dehors.

au-delà av Plus loin. ■ nm inv L'autre monde, après la mort.

au-dessous. V. dessous.

au-dessus. V. dessus.

au-devant. V. devant.

audible a Susceptible d'être entendu.

audience nf 1 Intérêt que suscite auprès d'un public une œuvre, une pensée, etc. 2 Entretien accordé par un personnage de haut rang à des visiteurs. 3 Séance d'un tribunal.

audimat [-mat] nm (n. déposé) Mesure de l'audience des émissions de télévision.

audimètre nm Dispositif servant à des mesures d'audimétrie.

audimétrie nf Mesure de l'audience des émissions de radio ou de télévision.

audio a Qui concerne l'enregistrement et la reproduction du son.

audiogramme nm 1 MED Courbe évaluant la finesse de l'audition. 2 Disque ou cassette audio.

audioguide nm Dispositif mis à la disposition des visiteurs d'un musée, d'une exposition, diffusant un commentaire enregistré sur les objets présentés.

audioguider vt Expliquer au moyen d'un audioguide.

audiologie nf MED Science de l'audition.

audiomètre nm Appareil qui sert à mesurer l'acuité auditive.

audiométrie nf Mesure de l'acuité auditive.

audionumérique a Se dit du disque sur lequel le son est enregistré par des méthodes informatiques.

audiophile n Passionné d'électroacoustique.

audiophone nm Amplificateur acoustique utilisé par les malentendants.

audioprothèse nf Prothèse auditive.

audioprothésiste n Spécialiste des prothèses auditives.

audiovisuel, elle a, nm Se dit des techniques de communication qui associent les images, les films, les enregistrements sonores.

audit [odit] nm 1 Opération consistant à contrôler la bonne gestion d'une entreprise. 2 Personne chargée de ce contrôle.

auditer vt Procéder à un audit.

auditeur, trice n 1 Personne qui écoute. 2 Fonctionnaire de la Cour des comptes, du Conseil d'État. Loc *Auditeur libre :* étudiant qui assiste à des cours sans l'obligation d'être soumis à l'examen.

auditif, ive a Propre à l'ouïe, à l'audition.

audition nf 1 Perception des sons par l'oreille. 2 Présentation par un artiste, à titre de démonstration, d'un morceau de musique, d'un tour de chant, etc.

auditionner vi Présenter un échantillon de son répertoire. ■ vt Assister au numéro d'un artiste pour le juger.

auditoire nm Ensemble des auditeurs.

auditorium [-Rjɔm] nm Salle équipée pour l'écoute, l'enregistrement, la reproduction d'œuvres sonores.

auge nf 1 Bassin de pierre, de bois ou de métal servant à donner à boire ou à manger aux animaux. 2 Récipient utilisé par les maçons pour délayer le plâtre ou le ciment.

augment nm GRAM En grec, élément préfixé à certains temps verbaux du passé.

augmentatif, ive a GRAM Se dit d'un préfixe ou d'un suffixe renforçant le sens d'un mot (ex. : *archi-, super-*).

augmentation nf 1 Action, fait d'augmenter. 2 Majoration d'appointements.

augmenter vt 1 Rendre plus grand, plus considérable. 2 Rémunérer davantage qqn. ■ vi Devenir plus important, croître en quantité, en prix, etc.

augure nm 1 ANTIQ À Rome, devin qui tirait présage du chant et du vol des oiseaux. 2 Personne qui prétend prédire l'avenir. 3 Ce qui semble présager l'avenir.

augurer vt Tirer des conjectures sur l'avenir.

auguste a Vénérable et solennel. ■ nm Type de clown au maquillage bariolé.

aujourd'hui av 1 Au jour où l'on est. 2 Au temps où nous sommes, à notre époque.

aulne nm Arbre des terrains humides. **Var aune**

aulx [o] nmpl V. ail.

aumône nf 1 Ce qu'on donne aux pauvres par charité. 2 Faveur parcimonieuse.

aumônerie nf 1 Charge d'aumônier. 2 Local où se tient un aumônier.

aumônier nm Prêtre, pasteur, rabbin qui exerce son ministère auprès d'une collectivité.

aumônière nf vx Bourse attachée à la ceinture.

aune. V. aulne.

auparavant av Avant, antérieurement.

auprès de prép 1 Près de, à côté de. 2 Par comparaison, avec. 3 Aux yeux de, de l'avis de. ■ av Dans le voisinage, non loin.

auquel. V. lequel.

aura nf Influence mystérieuse qui semble émaner d'une personne.

auréole nf 1 Couronne lumineuse dont les peintres entourent la tête du Christ. 2 Prestige, gloire. 3 Trace circulaire laissée par une tache qu'on a nettoyée.

auréoler vt Parer d'une auréole.

auriculaire a De l'oreille ou de l'oreillette du cœur. Loc Témoin auriculaire : qui rapporte ce qu'il a entendu. ■ nm Le plus petit doigt de la main.

aurifère a Qui contient de l'or.

aurige nm ANTIQ Conducteur de char.

aurochs [-ɔk] nm Bovidé de grande taille qui vécut en Europe, à l'état sauvage.

aurore nf 1 Lumière rosée qui précède le lever du Soleil. 2 litt Origine, début. Loc Aurore polaire ou boréale : phénomène lumineux observable dans le ciel des régions polaires.

auscultation nf Action d'ausculter.

ausculter vt Écouter, directement ou à l'aide d'un stéthoscope, les bruits de l'intérieur du corps, en vue d'un diagnostic.

auspice nm ANTIQ Présage tiré de l'observation des oiseaux. Loc Sous d'heureux auspices : dans des conditions qui présagent le succès. Sous les auspices de qqn : sous sa protection.

aussi av 1 Également, de même. 2 Devant un adjectif ou un adverbe dans une comparaison, exprime l'égalité. 3 C'est pourquoi, en conséquence. Loc Aussi bien : après tout, d'ailleurs.

aussitôt av Immédiatement, sans attendre. Loc Aussitôt que : dès que.

austère a 1 Qui présente un penchant pour la gravité, la sévérité morale. 2 Dénué d'agréments ou de fantaisie.

austérité nf Caractère austère.

austral, ale, als ou **aux** a Qui se trouve dans l'hémisphère Sud. Ant. boréal.

australien, enne a, n De l'Australie.

australopithèque nm PALÉONT Hominidé fossile d'Afrique australe.

autan nm Vent du sud-est, dans le Midi.

autant av (suivi de que) Marque l'égalité entre deux quantités. Loc Autant que possible : dans la mesure du possible. Autant en emporte le vent : ce sont des choses sans lendemain. D'autant plus : à plus forte raison. Pour autant : malgré cela, néanmoins. D'autant (plus, moins) que : avec cette raison (en plus ou en moins) que. (Pour) autant que : dans la mesure où (avec indic. ou subj.).

autarcie nf Système économique d'une région qui peut suffire à tous ses besoins.

autarcique a De l'autarcie.

autel nm 1 ANTIQ Table destinée aux sacrifices. 2 RELIG Table consacrée sur laquelle se célèbre la messe. Loc Le Trône et l'Autel : le pouvoir temporel et le pouvoir spirituel.

auteur nm 1 Personne qui est la cause première de qqch. 2 Personne qui a fait un ouvrage de littérature, de science ou d'art.

authenticité nf Qualité de ce qui est authentique.

authentification nf Action d'authentifier.

authentifier vt Certifier authentique, conforme, certain.

authentique a 1 Se dit d'une œuvre qui émane effectivement de l'auteur auquel on l'attribue. 2 D'une vérité, d'une sincérité incontestables. Loc DR Acte authentique : dressé dans les formes exigées par la loi.

authentiquement av De façon authentique.

autisme nm PSYCHIAT Repliement sur soi-même et perte du contact avec la réalité extérieure.

autiste a, n Atteint d'autisme.

auto nf Automobile.

autoadhésif, ive a Autocollant.

autoallumage nm Allumage spontané du mélange détonant d'un moteur.

autobiographe n Auteur d'une autobiographie.

autobiographie nf Biographie d'une personne écrite par elle-même.

autobiographique a De l'autobiographie.

autobronzant, ante a, nm Qui permet de bronzer sans soleil.

autobus nm Véhicule automobile pour transports en commun urbains.

autocar nm Véhicule automobile destiné au transport collectif interurbain ou de tourisme.

autocaravane nf Syn. de camping-car.

autocariste n Entrepreneur de transports en autocar.

autocassable a Se dit d'une ampoule médicamenteuse qui peut se casser sans lime.

autocensure nf Censure préventive exercée par un auteur sur ses propres œuvres.

autocensurer (s') vpr Pratiquer l'autocensure.

autochenille nf Automobile montée sur chenilles.

autochtone [-kton] a, n Se dit des populations originaires des pays qu'elles habitent.

autoclave nm Récipient fermé hermétiquement, pour cuire, stériliser sous pression des substances diverses.

autocollant, ante a, nm Qui peut être collé par simple pression.

autoconsommation nf Consommation des produits par leur producteur.

autocontrôle nm 1 Contrôle sur soi-même. 2 FIN Contrôle exercé par une société sur son propre capital grâce à des filiales.

autocorrection nf Dispositif de contrôle des erreurs par le sujet lui-même.

autocouchette a inv Qui assure le transport des voyageurs en couchettes et celui de leur voiture. Var auto-couchettes

autocrate nm 1 Souverain dont le pouvoir n'est limité par aucun contrôle. 2 Personne autoritaire, tyrannique.

autocratie nf Système politique dans lequel le monarque possède une autorité absolue.

autocratique a De l'autocratie.

autocritique nf Aveu de ses torts.

autocuiseur nm Autoclave de ménage pour la cuisson rapide des aliments.

autodafé nm 1 HIST Exécution solennelle d'une sentence prononcée par l'Inquisition. 2 Destruction par le feu.

autodéfense nf Défense assurée par ses propres moyens.

autodérision nf Faculté de rire de soi-même.

autodestructeur, trice a Qui se détruit lui-même.

autodestruction nf Destruction de soi-même.

autodétermination nf Action, pour un peuple, de déterminer librement son statut politique et administratif.

autodidacte a, n Qui s'est instruit seul, sans maître.

autodiscipline nf Maintien de la discipline au sein d'une collectivité par ses propres membres.

autodissolution nf Le fait pour une organisation de se dissoudre spontanément.

auto-école nf Entreprise qui dispense des cours de conduite automobile. Des auto-écoles. Var autoécole

autoérotisme nm Recherche solitaire d'une satisfaction sexuelle.

autofinancement nm Financement d'une entreprise par ses propres ressources.

autofinancer (s') vpr [10] Pratiquer l'autofinancement.

autofocus [-kys] a, nm PHOTO Se dit d'un système de mise au point automatique.

autogène a Se dit de la soudure de pièces d'un même métal sans apport d'un métal étranger.

autogéré, ée a Géré par autogestion.

autogestion nf Gestion d'une entreprise par les travailleurs eux-mêmes.

autogestionnaire a De l'autogestion.

autographe a, nm Écrit de la propre main de l'auteur.

autogreffe nf CHIR Greffe faite à partir d'un greffon prélevé sur le sujet.

autoguidage nm Système qui permet à un engin de se diriger automatiquement.

autoguidé, ée a Dirigé par autoguidage.

autolimitation nf Limitation volontaire de sa consommation.

autolyse nf BIOL Destruction d'un tissu par ses propres enzymes.

automate nm 1 Appareil présentant l'aspect d'un être animé et capable d'en imiter les gestes. 2 Personne dépourvue d'initiative, de réflexion. 3 Appareil exécutant certaines tâches sans intervention humaine.

automaticité nf Caractère automatique.

automatique a 1 Se dit des mouvements du corps humain exécutés sans l'intervention de la volonté, de la conscience. 2 Se dit d'un dispositif qui exécute de lui-même certaines opérations définies à l'avance. Distributeur automatique. 3 Qui a lieu d'office. Promotion automatique. ■ nm Pistolet automatique. ■ nf Science et technique de l'automatisation.

automatiquement av De façon automatique.

automatisation nf Ensemble des procédés automatiques visant à supprimer l'intervention humaine dans la production industrielle et le traitement de l'information.

automatiser vt Doter d'un fonctionnement automatique.

automatisme nm 1 Comportement qui échappe à la volonté ou à la conscience réfléchie. 2 Dispositif dont le fonctionnement ne nécessite pas l'intervention de l'homme.

automédication nf Prise de médicaments sans avis médical.

automitrailleuse nf Véhicule blindé puissamment armé (canon, mitrailleuse).

automnal, ale, aux [otonal] a De l'automne.

automne [oton] nm Saison qui succède à l'été et qui précède l'hiver.

automobile nf Véhicule terrestre à moteur pour transporter des personnes. ■ a De l'automobile. Industrie automobile.

automobilisme nm Activités sportives utilisant l'automobile.

automobiliste n Conducteur d'automobile.

automoteur, trice a Se dit d'un véhicule équipé d'un moteur qui lui permet de se déplacer. ■ nf Voiture de chemin de fer à moteur.

autonettoyant, ante a Qui se nettoie automatiquement. Four autonettoyant.

autonome a 1 Se dit d'une collectivité qui s'administre librement. 2 Qui fait preuve d'indépendance.

autonomie nf 1 Indépendance dont jouit un groupe, un pays autonome. 2 Liberté, indépendance de comportement. 3 Distance maximale parcourue par un véhicule sans nouveau ravitaillement.

autonomisme nm Mouvement politique des autonomistes.

autonomiste n, a Partisan de l'autonomie d'un pays, d'une région.

autopompe nf Véhicule automobile portant une pompe.

autoportrait nm Portrait d'un artiste exécuté par lui-même.

autoproclamer (s') vpr Déclarer de sa propre autorité que l'on accède à un poste.

autopropulsé, ée a Qui possède son propre système de propulsion.

autopsie nf Dissection d'un cadavre en vue de déterminer les causes de la mort.

autopsier vt Faire l'autopsie de.

autoradio nm Poste de radio conçu pour être monté dans une voiture.

autorail nm Automotrice pour le transport des voyageurs.

autorégulation nf Régulation d'un système par lui-même.

autoreverse nm Dispositif qui permet d'écouter sans interruption les deux pistes d'une cassette.

autorisation nf 1 Action d'autoriser. 2 Permis délivré par une autorité.

autorisé, ée a 1 Pourvu d'une autorisation. 2 Permis. *Arrêt autorisé.* 3 Qui fait autorité.

autoriser vt 1 Doter du droit de. 2 Permettre, légitimer. ■ vpr Prendre qqch comme justification, qqn comme référence.

autoritaire a 1 Qui veut toujours imposer son autorité. 2 Fondé sur l'autorité. *Un régime autoritaire.*

autoritairement av De façon autoritaire.

autoritarisme nm Caractère autoritaire d'un pouvoir, d'une personne.

autorité nf 1 Pouvoir de commander, d'obliger à qqch. 2 Crédit, influence. 3 Personne, ouvrage dont on reconnaît la compétence, la valeur. **Loc** *D'autorité :* en vertu du seul pouvoir qu'on s'attribue. *Faire autorité :* servir de règle en la matière. ■ pl Les dirigeants.

autoroute nf Route à deux chaussées séparées, sans carrefour à niveau, pour la circulation rapide.

autoroutier, ère a De l'autoroute.

autosatisfaction nf Contentement de soi.

autostop nm Pratique consistant à demander par signes à un véhicule de s'arrêter et de vous transporter gratuitement. **Var auto-stop**

autostoppeur, euse n Personne qui pratique l'autostop. **Var auto-stoppeur, euse**

autosuffisance nf Autonomie de ressources ou de moyens qui dispense d'une aide extérieure.

autosuffisant, ante a Dont les ressources suffisent à ses besoins.

autosuggestion nf Suggestion exercée sur soi-même.

autotest nm Produit de parapharmacie destiné à se tester soi-même (alcoolémie, grossesse, etc.).

autotracté, ée a À traction autonome.

autotransfusion nf Transfusion pratiquée avec le propre sang du sujet.

1. autour (de) av, prép 1 Dans l'espace qui environne, qui entoure. 2 (Suivi d'une quantité, d'une date.) Environ.

2. autour nm Oiseau de proie diurne.

autovaccin nm Vaccin issu du germe prélevé sur le sujet atteint.

autre a, pr indéf 1 Différent, dissemblable. 2 Second par la ressemblance. *Un autre moi-même.* 3 Opposé, dans un groupe de deux. **Loc** *Autre part :* ailleurs. *D'autre part :* d'un autre côté, en outre. *Nous autres, vous autres :* quant à nous, à vous. fam *À d'autres ! :* je ne crois pas ces sornettes. *Entre autres :* notamment. *L'un dans l'autre :* en compensant une chose par une autre.

autrefois av Dans un temps plus ou moins lointain ; jadis.

autrement av 1 D'une autre façon. 2 Sans quoi, sinon.

autrichien, enne a, n D'Autriche.

autruche nf Grand oiseau coureur des savanes africaines.

autrui pr indéf litt Les autres, le prochain. *Le bien d'autrui.*

auvent nm Petit toit incliné sur une porte.

auvergnat, ate a, n D'Auvergne.

aux art Forme contractée pour *à les.*

auxiliaire a, n Qui aide accessoirement ou provisoirement. **Loc** *Maître auxiliaire :* professeur non titulaire. ■ a, nm GRAM Se dit des verbes *avoir* et *être* qui servent à former les temps composés.

auxiliariat nm Fonction de maître auxiliaire.

auxquels, auxquelles. V. *lequel.*

avachir vt Amollir ou déformer. ■ vpr Se déformer, se laisser aller.

avachissement nm État d'une chose ou d'une personne avachie.

1. aval nm 1 Engagement pris par un tiers de payer une somme au cas où le débiteur principal serait défaillant. 2 Caution, assentiment. *Donner son aval. Des avals.*

2. aval nm 1 Partie d'un cours d'eau comprise entre un point donné et son embouchure. 2 Partie d'une activité, d'un processus qui est la plus proche du point d'aboutissement. ■ av, a inv Vers l'aval. *Ski aval.* Ant. amont.

avalanche nf 1 Glissement d'une grande masse de neige sur la pente d'une montagne. 2 Grande quantité de choses.

avaler vt 1 Faire descendre par le gosier. 2 Lire avidement. 3 Croire naïvement.

avaliser vt Donner son aval à qqch.

à-valoir nm inv Règlement partiel d'une somme due.

avance nf 1 Progression. 2 Espace parcouru avant qqn. 3 Temps gagné sur qqn. 4 Somme d'argent donnée ou reçue à titre d'acompte. **Loc** *À l'avance, d'avance, par avance :* de façon anticipée, avant le moment fixé. *En avance :* avant le moment prévu. ■ pl Premières démarches pour nouer ou renouer des relations.

avancé, ée a 1 Qui est en avant, en avance. 2 Arrivé à un certain degré de perfection. 3 Dont une grande partie est écoulée ou qui touche à son terme. 4 Se dit d'un aliment proche de la décomposition.

avancée nf 1 Ce qui est en avant, qui fait saillie. 2 Progrès. *L'avancée des négociations.* 3 Partie terminale de la ligne de pêche.

avancement nm 1 Progrès, développement. 2 Promotion. *Obtenir de l'avancement.*

avancer vi [10] 1 Aller en avant, progresser. 2 Indiquer une heure plus avancée que l'heure réelle (montres). 3 Faire saillie, dépasser de l'alignement. ■ vt 1 Porter en avant. *Avancer un fauteuil.* 2 Faire progresser. *Avancer son travail.* 3 Payer par anticipation. 4 Mettre en avant, faire valoir. *Avancer des arguments.* 5 Faire advenir plus tôt que prévu. *Avancer son départ.* ■ vpr 1 Se porter en avant. 2 Faire saillie. 3 S'engager trop avant dans ses propos ou ses démarches.

avanie nf Vexation, affront public.

avant av, prép Marque l'antériorité, la priorité dans le temps, l'espace, le rang. **Loc** *Avant que* (+ subj.) : avant le moment où. *En avant :* devant soi. *Mettre en avant qqch :* l'alléguer. *Se mettre en avant :* se faire valoir. ■ nm 1 Partie antérieure d'un véhicule, d'un navire, etc. Ant. arrière. 2 Front des combats. 3 Joueur placé devant tous les autres. **Loc** *Aller de l'avant :* progresser vivement. ■ a inv Placé à l'avant. *Les roues avant.*

avantage nm 1 Ce dont on tire un profit, un succès ; supériorité. 2 Au tennis, point marqué par un joueur lorsque la marque est à quarante partout.

avantager vt [11] Favoriser.

avantageusement av De façon avantageuse.

avantageux, euse a 1 Qui procure des avantages. *Produit avantageux.* 2 Vain, présomptueux. *Air avantageux.*

avant-bras nm inv Segment du membre supérieur compris entre le coude et le poignet.

avant-centre nm Au football, au hand-ball, etc., joueur qui occupe la partie centrale de la ligne des avants. *Des avants-centres.*

avant-coureur nm Précurseur. *Les signes avant-coureurs de la maladie.*

avant-dernier, ère a, n Qui précède immédiatement le dernier. *Les avant-derniers.*

avant-garde nf 1 Ensemble des éléments de reconnaissance qu'une troupe détache en avant d'elle. 2 Ensemble de ceux qui sont à la tête des innovations en matière littéraire, artistique. *Des avant-gardes.*

avant-gardiste a, n Qui est à l'avant-garde politique, culturelle. *Des avant-gardistes.*

avant-goût nm Impression, sensation qu'on a par avance. *Des avant-goûts.* **Var avant-gout.**

avant-guerre nm ou f Période qui a précédé la guerre. *Des avant-guerres.*

avant-hier av Le jour qui a précédé la veille. *Je l'ai vu avant-hier.*

avant-port nm Partie d'un port ouverte sur la mer. *Des avant-ports.*

avant-poste nm Poste militaire avancé. *Des avant-postes.*

avant-première nf Spectacle donné à l'intention des critiques avant la première représentation publique. *Des avant-premières.*

avant-projet nm Étude préliminaire d'un projet. *Des avant-projets.*

avant-propos nm inv Courte préface.

avant-saison nf Période qui précède la saison sportive. *Des avant-saisons.*

avant-scène nf 1 Partie de la scène comprise entre le rideau et la rampe. 2 Loge proche de la scène. *Des avant-scènes.*

avant-veille nf Jour qui précède la veille. *Des avant-veilles.*

avare a, n Qui a la passion de l'argent et l'accumule sans vouloir l'utiliser. ■ a Qui n'accorde pas facilement qqch.

avarice nf Amour excessif de l'argent pour lui-même.

avarie nf 1 MAR Dommage arrivé à un navire ou à sa cargaison. 2 Dommage, détérioration subie par un objet.

avarié, ée a 1 Qui a subi une avarie. 2 Détérioré, gâté. *Fruits avariés.*

avarier vt Endommager, abîmer.

avatar nm 1 RELIG Incarnation d'un dieu, dans le brahmanisme. 2 Métamorphose. 3 abusiv Tracas, malheur, accident. 4 INFORM Représentation d'un être humain en deux ou trois dimensions.

à vau-l'eau av À l'abandon, à la ruine.

Ave ou **Ave Maria** nm inv Prière à la Vierge. **Var Ave Maria.**

avec prép, av Indique l'accompagnement, la relation, le moyen, la manière, l'opposition, la simultanéité.

aveline nf Fruit de l'avelinier.

avelinier nm Variété de noisetier.

aven [avɛn] nm Gouffre naturel creusé par les eaux d'infiltration.

1. avenant, ante a Affable.

2. avenant nm Addition, modification à un contrat en cours. **Loc À l'avenant :** à proportion, en conformité.

avènement nm 1 Venue du Messie. 2 Accession à la souveraineté.

avenir nm 1 Le temps à venir, les évènements futurs. 2 Situation de qqn dans le futur. **Loc À l'avenir :** désormais. **D'avenir :** dont on peut espérer la réussite.

Avent nm Temps de quatre semaines consacré par les chrétiens à se préparer à la fête de Noël.

aventure nf 1 Évènement imprévu, extraordinaire. 2 Intrigue amoureuse. 3 Entreprise risquée. **Loc D'aventure, par aventure :** par hasard. **Aller à l'aventure :** sans but. **Dire la bonne aventure :** prédire l'avenir.

aventurer vt litt Risquer, hasarder. ■ vpr Se risquer à.

aventureusement av De façon aventureuse.

aventureux, euse a 1 Qui aime le risque. *Esprit aventureux.* 2 Qui comporte des aventures, des risques. *Vie aventureuse.*

aventurier, ère n 1 Personne qui cherche les aventures. 2 Individu sans scrupules.

aventurisme nm Tendance à prendre des mesures aventureuses.

avenu, ue a **Loc Nul et non avenu :** considéré comme n'ayant jamais existé.

avenue nf Voie, rue large.

avéré, ée a Reconnu pour certain.

avérer (s') vpr [12] Se révéler, apparaître. *Il s'avère que cela est faux.*

avers nm Face d'une monnaie. **Ant revers.**

averse nf Pluie soudaine et abondante.

aversion nf Violente antipathie.

averti, ie a 1 Informé, sur ses gardes. 2 Expérimenté, compétent.

avertir vt Attirer l'attention de qqn, le prévenir. *Avertir qqn d'un danger.*

avertissement nm 1 Appel à l'attention. 2 Courte préface. 3 Remontrance, rappel à l'ordre avant la sanction.

avertisseur nm Dispositif sonore qui avertit.

aveu nm Action d'avouer. *L'aveu d'un crime.* **Loc De l'aveu de :** selon le témoignage de.

aveuglant, ante a 1 Éblouissant. 2 Qu'on ne peut nier. *Vérité aveuglante.*

aveugle a, n Privé du sens de la vue. **Loc Jouer en aveugle :** sans regarder l'échiquier. **MED Test en aveugle :** avec des produits ne portant aucune mention. ■ a 1 Manquant de clairvoyance et de discernement. 2 Qui ne souffre pas l'examen ou la discussion. *Obéissance aveugle.*

aveuglement nm Manque de discernement.

aveuglément av Sans réflexion.

aveugler vt 1 Rendre aveugle, éblouir. 2 Priver de discernement. 3 Obstruer, boucher. *Aveugler une voie d'eau.* ■ vpr Se faire illusion, se cacher volontairement la vérité.

aveuglette (à l') av 1 Sans voir. 2 Au hasard.

aviaire a Des oiseaux. *Peste aviaire.*

aviateur, trice n Pilote d'un avion.

aviation nf 1 Navigation aérienne par avion. 2 Ensemble des avions.

avicole a De l'aviculture.

aviculteur, trice n Personne qui pratique l'aviculture.

aviculture nf Élevage d'oiseaux et de volaille.

avide *a* Qui désire ardemment se procurer qqch, cupide.

avidement *av* De manière avide.

avidité *nf* Désir immodéré, cupidité.

avilir *vt* 1 Déprécier. *Avilir une monnaie.* 2 Rendre méprisable. *Avilir son nom.* ■ *vpr* Se déprécier, se dégrader.

avilissant, ante *a* Qui avilit.

avilissement *nm* Action d'avilir ; état de ce qui est avili.

aviné, ée *a* 1 Ivre. 2 Qui dénote l'ivresse. *Démarche avinée.*

avion *nm* Aéronef plus lourd que l'air, pourvu d'ailes et d'un ou de plusieurs moteurs qui lui permettent de voler.

avion-citerne *nm* Avion transporteur de carburant. *Des avions-citernes.*

avionique *nf* Électronique appliquée à l'aéronautique.

avionnerie *nf* Usine de construction aéronautique.

avionneur *nm* Constructeur d'avions.

avion-radar *nm* Avion équipé d'un système de radars. *Des avions-radars.*

aviron *nm* 1 Rame d'une embarcation. 2 Sport du canotage.

avis *nm* 1 Opinion. *Donner son avis.* 2 Conseil. *C'est un avis amical.* 3 Annonce d'un fait qu'on porte à la connaissance du public. **Loc** *Avis au lecteur :* courte préface.

avisé, ée *a* Prudent, judicieux.

aviser *vt* 1 Informer par un avis. *Aviser la population.* 2 litt Apercevoir. *Aviser un ami dans la foule.* ■ *vi* Prendre une décision. *Il va falloir aviser.* ■ *vpr* 1 Se rendre compte de qqch. *S'aviser de l'arrivée de qqn.* 2 Être assez audacieux pour. *Ne t'avise pas de me tromper.*

aviso *nm* Navire de guerre, d'escorte ou de lutte contre les sous-marins.

avitaminose *nf* MED Carence en vitamines.

aviver *vt* 1 Rendre plus vif, plus éclatant. 2 Exciter, irriter. *Aviver une douleur.*

1.avocat, ate *n* 1 Personne qui fait profession de défendre des causes en justice. 2 Personne qui prend fait et cause pour qqn, qqch. **Loc** *Avocat général :* magistrat du parquet, représentant du ministère public. *Avocat du diable :* personne qui prend la défense d'une mauvaise cause pour susciter des réfutations à ses objections.

2.avocat *nm* Fruit comestible de l'avocatier.

avocatier *nm* Arbre originaire d'Amérique du Sud dont le fruit est l'avocat.

avoine *nf* Céréale utilisée notamment pour la nourriture des chevaux.

avoir *vt* [7] 1 Posséder. 2 Bénéficier, jouir de. 3 Être doté de. 4 fam Duper, dominer. 5 Éprouver, ressentir. *Avoir faim, chaud.* 6 Auxiliaire des formes composées actives de tous les verbes transitifs et de la plupart des verbes intransitifs. *J'ai écrit, j'ai eu, j'ai été.* **Loc** *En avoir à, après, contre qqn :* lui manifester de l'hostilité. *Il y a :* il existe. *Il y a cinq minutes :* cela fait cinq minutes. *Il n'y a qu'à :* il suffit de. *Avoir à* (+ inf.) : exprime l'obligation. ■ *nm* 1 Biens, possession. 2 Somme due à une personne, crédit.

avoisinant, ante *a* Proche, voisin.

avoisiner *vt* Être voisin, proche de.

avorté, ée *a* Qui a échoué. *Plan avorté.*

avortement *nm* Action d'avorter.

avorter *vi* 1 Expulser le fœtus avant qu'il soit viable. 2 Ne pas aboutir, ne pas avoir le succès prévu.

avorton *nm* Individu difforme et chétif.

avouable *a* Qu'on peut avouer sans honte.

avoué *nm* Officier ministériel qui représentait les plaideurs devant certains tribunaux.

avouer *vt* Confesser, reconnaître. *Avouer ses erreurs.*

avril *nm* Le quatrième mois de l'année. **Loc** *Poisson d'avril :* plaisanterie, farce faite traditionnellement le 1er avril.

avunculaire [-võ-] *a* D'un oncle, d'une tante.

axe *nm* 1 Droite autour de laquelle un objet tourne. 2 Pièce cylindrique autour de laquelle tourne un corps. *Axe d'une roue.* 3 MATH Droite qui sert de référence. *Axe des abscisses.* 4 Ligne centrale. *L'axe d'une rue.* 5 Grande voie de communication. 6 Ligne directrice d'un projet, d'un plan. *Les axes d'une politique.*

axer *vt* 1 Diriger selon un axe. 2 Orienter un projet, une action selon telle direction.

axial, ale, aux *a* D'un axe.

axiologie *nf* PHILO Théorie des valeurs, plus partic. des valeurs morales.

axiomatique *a* PHILO 1 De l'axiome. 2 Qui raisonne sur des symboles, indépendamment de leur contenu. ■ *nf* Branche de la logique qui étudie les systèmes d'axiomes.

axiome *nm* PHILO Proposition générale reçue et acceptée comme vraie sans démonstration.

axis *nm* Deuxième vertèbre cervicale.

axolotl *nm* Amphibien du Mexique.

axone *nm* ANAT Prolongement du neurone qui conduit l'influx nerveux.

ayant droit *nm* Personne qui a droit ou qui est intéressée à qqch. *Des ayants droit.*

ayatollah *nm* Dignitaire musulman chiite.

aye-aye [ajaj] *nm* Mammifère arboricole de Madagascar. *Des ayes-ayes.*

azalée *nf* Arbuste ornemental cultivé pour ses fleurs colorées.

azéri, ie *a, n* De l'Azerbaïdjan. ■ *nm* Langue turque de ce pays.

azimut *nm* ASTRO Angle compris entre le plan vertical passant par l'axe de visée et le plan du méridien de l'observateur. **Loc** fam *Dans tous les azimuts :* dans tous les sens.

azimuté, ée *a* fam Un peu fou.

azoïque *nm* Composé utilisé comme colorant alimentaire.

azote *nm* Gaz incolore et inodore, peu réactif et peu soluble dans l'eau.

azoté, ée *a* Qui contient de l'azote.

AZT *nm* (n. déposé) Médicament antiviral utilisé pour le traitement du sida.

aztèque *a* Relatif aux Aztèques.

azulejo [azuleRo] *nm* Revêtement décoratif bleu au Portugal. **Var** **azuléjo**.

azur *nm* litt Couleur bleu clair limpide.

azuré, ée *a* De la couleur de l'azur ; bleu.

azuréen, enne *a* De la Côte d'Azur.

azyme *a* **Loc** *Pain azyme :* pain sans levain.

b *nm* Deuxième lettre (consonne) de l'alphabet.

B.A. [bea] *nf fam* Bonne action.

b.a.-ba [beaba] *nm inv fam* Notions élémentaires. *Le b.a.-ba du ski.*

1. baba *a inv fam* Stupéfait.

2. baba *nm* Gâteau imbibé de rhum.

baba cool [babakul] *n, a* Qui reste attaché à la mode hippie. *Des babas cool.* Var **baba**

babeurre *nm* Liquide qui reste quand on fait le beurre.

babil *nm* Bavardage enfantin.

babillage *nm* Action de babiller.

babiller *vi* Bavarder futilement.

babines *nfpl* Lèvres pendantes de certains animaux. Loc *fam S'en lécher les babines :* s'en délecter à l'avance.

babiole *nf fam* Chose de peu de valeur, de peu d'importance.

babiroussa *nm* Sanglier d'Indonésie.

bâbord *nm* Côté gauche du navire lorsqu'on regarde vers l'avant. Ant. tribord.

babouche *nf* Pantoufle en cuir, sans talon.

babouin *nm* Singe cynocéphale d'Afrique, au museau allongé.

babouvisme *nm* HIST Doctrine de Babeuf, préconisant un communisme égalitaire.

baby-blues *nm inv* État dépressif qui peut apparaître en fin de grossesse et après l'accouchement. Var **babyblues**

baby-boom [bebibum] *nm* Brusque accroissement de la natalité. Var **babyboom**

baby-foot [bebifut] *nm inv* Jeu constitué d'une table qui représente un terrain de football et de figurines fixées sur des tringles. Var **babyfoot**

babylonien, enne *a, n* De Babylone.

baby-sitter [bebisitœr] *n* Personne qui garde un jeune enfant en l'absence des parents. *Des baby-sitters.* Var **babysitter**

baby-sitting *nm* Activité de baby-sitter. Var **babysitting**

1. bac *nm* 1 Bateau fluvial à fond plat transportant sur l'autre rive personnes et véhicules. 2 Cuve destinée à des usages variés.

2. bac *nm fam* Baccalauréat.

baccalauréat *nm* Examen et diplôme sanctionnant la fin des études secondaires.

baccara *nm* Jeu de hasard qui se joue avec des cartes, entre un banquier et des joueurs (pontes).

bacchanale [-ka-] *nf* litt Débauche bruyante. ■ *pl* Fêtes religieuses dédiées à Bacchus.

bacchante [-kãt] *nf* Femme participant au culte de Bacchus. ■ *pl* fam Moustache.

bâche *nf* Forte toile qui protège des intempéries.

bachelier, ère *n* Titulaire du baccalauréat. ■ *nm* HIST Au Moyen Âge, aspirant au rang de chevalier.

bâcher *vt* Couvrir d'une bâche.

bachique *a* De Bacchus.

bachot *nm* fam Baccalauréat.

bachotage *nm* fam Action de bachoter.

bachoter *vi* fam Préparer un examen, un concours par un travail intensif.

bacillaire [-siler] *a* Relatif aux bacilles. ■ *a, n* Atteint de tuberculose.

bacille [-sil] *nm* Bactérie en forme de bâtonnet.

backgammon [-mon] *nm* Jeu de dés proche du jacquet.

background [-graund] *nm* Arrière-plan, contexte d'un évènement, d'une situation.

bâclage *nm* Action de bâcler.

bâcler *vt* fam Faire un travail trop rapidement et sans application.

bacon [bekœn] *nm* Tranche mince de viande de porc, salée et fumée.

bactéricide *a, nm* Qui tue les bactéries.

bactérie *nf* Être vivant unicellulaire se reproduisant par scissiparité.

bactérien, enne *a* Des bactéries.

bactériologie *nf* Étude des bactéries.

bactériologique *a* De la bactériologie.

bactériologiste *n* Spécialiste de bactériologie.

bactériostatique *a, nm* MED Qui bloque la multiplication bactérienne.

badaud *nm* Personne qui regarde en flânant le moindre spectacle de la rue.

baderne *nf* Loc fam *Vieille baderne :* homme aux idées rétrogrades.

badge *nm* 1 Insigne publicitaire ou d'appartenance à un groupe, fixé sur un vêtement. 2 Document d'identité magnétique.

badiane *nf* Arbuste dont le fruit, l'anis étoilé, est aromatique.

badigeon *nm* Enduit liquide dont on revêt les murs ou les plafonds.

badigeonnage *nm* Action de badigeonner.

badigeonner *vt* 1 Recouvrir d'un badigeon. 2 Enduire d'un liquide médicamenteux.

badin, ine a Enjoué, plaisant. *Ton badin.*
badinage nm Action de badiner, de plaisanter.
badine nf Baguette mince et souple.
badiner vi Parler de manière enjouée et légère.
Loc *Ne pas badiner avec* (ou *sur*) *qqch* : être très strict là-dessus.
badinerie nf Ce qu'on dit, ce qu'on fait en badinant.
badminton [-minton] nm Jeu qui se joue avec des raquettes et un volant.
baffe nf fam Gifle. *Recevoir une paire de baffes.*
baffle nm Syn. de *enceinte acoustique.*
bafouer vt Traiter avec mépris ; ridiculiser.
bafouillage nm fam Action de bafouiller ; propos confus, incohérents.
bafouiller vi, vt fam S'exprimer de façon embarrassée et incohérente.
bâfrer vi fam Manger goulûment.
bâfreur, euse n fam Glouton.
bagage nm 1 Objet qu'on transporte avec soi en déplacement. 2 Ensemble des connaissances acquises. **Loc** *Partir avec armes et bagages* : en emportant tout ce qui peut être emporté. *Plier bagage* : partir.
bagagiste nm 1 Préposé aux bagages dans un hôtel, une gare. 2 Industriel du bagage.
bagarre nf fam Rixe, querelle, lutte.
bagarrer (se) vpr fam Se battre, lutter.
bagarreur, euse a, n fam Qui aime se bagarrer.
bagatelle nf 1 Objet de peu de valeur. 2 Somme insignifiante. 3 Chose futile. 4 fam L'amour, le plaisir physique.
bagnard nm Forçat.
bagne nm 1 Lieu où étaient détenus les condamnés aux travaux forcés. 2 Endroit où on est maltraité.
bagnole nf fam Automobile.
bagou nm fam Grande facilité de parole pour amuser, duper. **Var bagout**.
bague nf 1 Anneau qu'on porte au doigt. 2 Objet en forme d'anneau.
baguenauder vi, vpr fam Flâner.
baguer vt Garnir d'une bague.
baguette nf 1 Bâton mince. 2 Pain de 250 g, de forme allongée. 3 Moulure de menuiserie. **Loc** *Mener à la baguette* : avec fermeté.
bah ! interj Marque l'indifférence, le doute.
baht nm Unité monétaire de la Thaïlande.
bahut nm 1 Grand coffre. 2 Buffet bas. 3 fam Camion, taxi. 4 fam Lycée, collège.
bai, baie a Rouge-brun, en parlant de la robe d'un cheval.
1. baie nf Fruit charnu à pépins.
2. baie nf 1 Partie rentrante d'une côte occupée par la mer. 2 Large ouverture pratiquée dans un mur, servant de porte ou de fenêtre.
baignade nf 1 Action de prendre un bain. 2 Lieu où l'on se baigne.
baigner vt 1 Mettre dans un bain. 2 Toucher (mer, fleuves). *La Manche baigne le Cotentin.* ■ vi Être entièrement plongé dans un liquide. **Loc** fam *Ça baigne* : tout va pour le mieux. ■ vpr Prendre un bain.
baigneur, euse n Personne qui se baigne. ■ nm Poupée ne représentant un bébé.
baignoire nf 1 Cuve servant à prendre des bains. 2 Loge de théâtre.

bail nm 1 Contrat de location pour une durée déterminée. 2 fam Long espace de temps. *Ça fait un bail. Des baux.*
bâillement nm Action de bâiller.
bailler vt **Loc** litt *La bailler belle à qqn* : vouloir le tromper.
bâiller vi 1 Faire une inspiration profonde en ouvrant largement la bouche. 2 Être entrouvert, mal joint.
bailleur, bailleresse n Personne qui cède un bien à bail. **Loc** *Bailleur de fonds* : qui fournit des capitaux.
bailli nm HIST Officier qui remplissait des fonctions judiciaires, militaires et financières.
bailliage nm HIST 1 Partie du territoire qui dépendait d'un bailli. 2 Tribunal du bailli.
bâillon nm 1 Étoffe qu'on met dans ou devant la bouche de qqn pour l'empêcher de crier. 2 Entrave à l'expression de la pensée.
bâillonnement nm Action de bâillonner.
bâillonner vt 1 Mettre un bâillon à qqn. 2 Forcer au silence. *Bâillonner la presse.*
bain nm 1 Immersion du corps ou d'une partie du corps dans l'eau, dans un liquide. 2 L'eau, le liquide dans lequel on se baigne. 3 Solution, liquide dans lequel on plonge un objet. **Loc** *Bain de soleil* : exposition du corps à l'action des rayons du soleil. *Bain de foule* : action de qqn qui recherche un contact direct avec une foule qui l'acclame. fam *Se mettre dans le bain* : aborder une tâche nouvelle. ■ pl Établissement public où l'on peut prendre des bains.
bain-marie nm Eau bouillante dans laquelle on met un récipient contenant ce qu'on veut faire chauffer lentement. *Des bains-marie.*
baïonnette nf Arme blanche qui s'adapte au canon d'un fusil. **Loc** *Culot à baïonnette* : culot d'ampoule électrique muni d'ergots.
baisemain nm Geste de politesse consistant à saluer une dame en lui baisant la main.
baiser vt 1 Poser les lèvres sur. 2 fam Avoir des relations sexuelles avec. 3 fam Tromper, posséder. ■ nm Action de poser les lèvres sur.
baisse nf 1 Abaissement du niveau. 2 Diminution du prix, de la valeur.
baisser vt 1 Mettre plus bas. *Baisser un store.* 2 Diminuer la hauteur, l'intensité. *Baisser le son.* **Loc** *Baisser les yeux* : regarder vers le bas. ■ vi 1 Aller en diminuant de hauteur. 2 Aller en diminuant d'intensité. 3 Perdre ses forces. 4 Diminuer de prix, de valeur. ■ vpr Se courber vers l'avant.
bajoue nf 1 Joue, chez les animaux. 2 fam Joue pendante, chez l'homme.
bakchich nm fam Pourboire ou pot-de-vin.
bakélite nf (n. déposé) Matière plastique.
baklava nm Gâteau oriental aux amandes et au miel.
bal nm 1 Réunion consacrée à la danse. 2 Local où se donnent des bals publics.
balade nf fam Promenade.
balader vt Promener. ■ vpr fam Se promener.
baladeur, euse n, a fam Qui se balade, qui aime à se balader. ■ nm Lecteur de cassettes portatif relié à un casque d'écoute. ■ nf Lampe électrique munie d'un long fil souple qui permet de la déplacer.
baladin nm Comédien de place publique.
baladisque nm Baladeur à compacts-disques.
balafon nm Xylophone d'Afrique.

balafre *nf* Longue entaille faite au visage.

balafré, ée *a, n* Qui présente une balafre.

balafrer *vt* Blesser en faisant une balafre.

balai *nm* **1** Ustensile de ménage destiné au nettoyage du sol, composé d'une brosse ou d'un faisceau de brins et d'un manche. **2** Pièce qui, par frottement, transmet ou recueille le courant électrique sur un rotor. **3** *fam* Année d'âge. *Loc Train, voiture balai :* le dernier train, la dernière voiture de la journée ou du convoi.

balai-brosse *nm* Brosse dure montée sur un manche. *Des balais-brosses.*

balaise. *V.* balèze.

balalaïka *nf* Petit luth à caisse triangulaire et à trois cordes (musique russe).

balance *nf* **1** Instrument qui sert à peser. **2** Filet rond et creux pour pêcher les petits crustacés. **3** ÉCON Bilan du crédit et du débit, des achats et des ventes. **4** *arg* Délateur, mouchard. *Loc Mettre en balance :* comparer.

balancé, ée *a Loc Phrase balancée :* harmonieuse. *fam Bien balancé :* bien bâti (personne).

balancement *nm* Mouvement d'oscillation d'un corps de part et d'autre de son centre d'équilibre.

balancer *vt* [10] **1** Mouvoir, agiter par balancement. **2** Faire un examen comparatif de. **3** Réaliser l'équilibre entre débits et crédits d'un compte. **4** Compenser. **5** *fam* Lancer ou jeter qqch. **6** *fam* Renvoyer qqn. **7** *arg* Dénoncer qqn. ■ *vi* Être en suspens, hésiter. ■ *vpr* **1** Être agité d'un balancement. **2** Faire de la balançoire. *Loc fam S'en balancer :* s'en moquer.

balancier *nm* **1** Pièce oscillante réglant le mouvement d'une horloge ou d'une montre. **2** Longue perche utilisée par les funambules pour garder l'équilibre. **3** Flotteur placé sur le côté d'une embarcation pour la stabiliser.

balançoire *nf* **1** Siège suspendu au bout de deux cordes et sur lequel on se balance. **2** Planche posée en équilibre, aux deux bouts de laquelle deux personnes se balancent.

balayage *nm* Action de balayer.

balayer *vt* [20] **1** Nettoyer avec un balai. **2** Chasser, écarter. *Balayer une objection.* **3** Parcourir méthodiquement les points d'une surface par un faisceau lumineux ou électronique.

balayette *nf* Petit balai à manche court.

balayeur, euse *n* Personne qui balaie. ■ *nf* Véhicule destiné au nettoyage de la voie publique.

balayures *nfpl* Ce qu'on enlève avec un balai.

balboa *nm* Unité monétaire du Panama.

balbutiant, ante [-sjã] *a* Qui balbutie.

balbutiement [-simã] *nm* Action de balbutier ; paroles balbutiées.

balbutier [-sje] *vi, vt* Articuler les mots avec difficulté ou hésitation, bredouiller.

balbuzard *nm* Grand oiseau de proie.

balcon *nm* **1** Terrasse entourée d'une balustrade, suspendue en encorbellement sur la façade d'un édifice. **2** Galerie d'une salle de spectacle.

baldaquin *nm* Tenture suspendue au-dessus d'un trône, d'un lit, etc.

baleine *nf* **1** Grand mammifère marin de l'ordre des cétacés. **2** Lame ou tige flexible servant d'armature (gaines, parapluies, etc.).

baleineau *nm* Petit de la baleine.

baleinier, ère *a* Relatif aux baleines. ■ *nm* Navire équipé pour la chasse à la baleine. ■ *nf* Petit canot à bord de tous les bâtiments de commerce et de guerre.

balénoptère *nm* Mammifère cétacé voisin des baleines.

balèze *a, n fam* Très fort, puissant. **Var balaise**

balisage *nm* Action de baliser ; ensemble de balises.

1. balise *nf* **1** Marque apparente destinée à faciliter la navigation maritime ou aérienne. **2** Appareil émettant des signaux pour guider les navires ou les avions. **3** Signal qui matérialise le tracé d'une route.

2. balise *nf* Fruit du balisier.

baliser *vt* Munir de balises.

balisier *nm* Arbuste ornemental à belles fleurs jaunes ou rouges.

balistique *a* **1** Relatif au mouvement des projectiles. **2** Se dit d'un missile fonctionnant sous l'effet de la gravitation seule. ■ *nf* Science du mouvement des corps lancés dans l'espace, en partic. des projectiles d'armes à feu.

baliveau *nm* Jeune arbre réservé lors de la coupe d'un taillis.

baliverne *nf* Propos frivole ; sornette.

balkanique *a* Des Balkans.

balkanisation *nf* Fractionnement, éclatement d'un pays en états autonomes.

balkaniser *vt* Morceler, fractionner par balkanisation.

ballade *nf* **1** Poème de trois strophes terminées par un refrain, clos par une strophe plus courte (envoi). **2** MUS Pièce vocale ou instrumentale.

ballant, ante *a* Qui pend et se balance. ■ *nm* Mouvement de balancement.

ballast *nm* **1** Réservoir de plongée d'un sous-marin. **2** Lit de pierres sur lequel reposent les traverses d'une voie ferrée.

ballastière *nf* Carrière d'où on extrait les pierres de ballast.

balle *nf* **1** Petite sphère de matière élastique qui sert dans certains jeux. **2** Projectile des armes à feu portatives. **3** Gros paquet de marchandises, souvent enveloppé et lié de cordes. **4** *fam* Figure, physionomie. **5** Enveloppe du grain des céréales. *Loc Renvoyer la balle :* répliquer avec vivacité. *Se renvoyer la balle :* s'accuser réciproquement de qqch. *Prendre la balle au bond :* saisir l'occasion. *Enfant de la balle :* personne élevée dans un milieu de comédiens, d'artistes, etc. ■ *pl* Francs. *T'as pas cent balles ?*

ballerine *nf* **1** Danseuse qui fait partie d'un ballet. **2** Chaussure légère de femme, sans talon.

ballet *nm* **1** Spectacle donné par un ensemble chorégraphique. **2** Troupe de danseurs et de danseuses. *Loc Ballet diplomatique :* période de grande activité diplomatique.

ballon *nm* **1** Grosse balle gonflée d'air servant à jouer, à pratiquer certains sports. **2** Vessie gonflée d'un gaz plus léger que l'air, qui sert de jouet aux enfants. **3** Aéronef constitué par une enveloppe contenant un gaz plus léger que l'air. **4** Verre à boire de forme hémisphérique. **5** Montagne au sommet arrondi, dans les Vosges. *Loc Ballon d'oxygène :* bouteille d'oxygène qu'on donne à respirer à un malade, un blessé ; aide précaire à une personne ou à une entreprise en difficulté.

ballonnement *nm* État du ventre ballonné.

ballonner *vt* Gonfler le ventre, l'estomac.

ballonnet *nm* Petit ballon.

ballon-sonde nm Ballon équipé d'appareils de mesure pour explorer la haute atmosphère. *Des ballons-sondes.*

ballot nm 1 Petite balle, petit paquet de marchandises. 2 fam Niais, lourdaud.

ballottage nm Résultat d'un scrutin où aucun candidat n'a obtenu le nombre de voix nécessaire pour être élu au premier tour. **Var ballotage**

ballottement nm Mouvement d'un corps qui ballotte. **Var ballotement**

ballotter vi Aller d'un côté et de l'autre, être secoué en tous sens. ■ vt Agiter en secouant de côté et d'autre. **Var balloter**

ballottine nf Rouleau de viande, de gibier.

ball-trap nm Appareil à ressort lançant des disques d'argile sur lesquels on s'exerce au tir. *Des ball-traps.* **Var balltrap**

balluchon nm fam Petit paquet. **Var baluchon**

balnéaire a Des bains de mer.

balnéothérapie nf Cure médicale par les bains.

1. balourd nm Défaut d'équilibrage d'une pièce tournant autour d'un axe.

2. balourd, ourde n, a Qui est sans finesse ; lourdaud.

balourdise nf Caractère ou action d'un balourd.

balsa nm Bois exotique très léger, utilisé notamment en modélisme.

balsamine nf Plante dont les fruits, à maturité, éclatent dès qu'on les touche.

balsamique a Qui a la propriété d'un baume.

balte a, n De la Baltique, des pays riverains.

baluchon. V. *balluchon.*

balustrade nf Rampe supportée par de petits piliers ou des colonnettes.

balustre nm Petit pilier d'une balustrade.

balzacien, enne a Relatif à Balzac.

balzane nf Tache blanche circulaire au-dessus du sabot et au-dessous du genou d'un cheval.

bambara nm Langue africaine du Sénégal.

bambin, ine n fam Petit enfant.

bambochade nf fam Ripaille, joyeuse vie.

bambocher vi fam Faire bamboche.

bambocheur, euse n fam Qui bamboche.

bambou nm 1 Plante arborescente aux longues tiges flexibles. 2 Canne, bâton fait avec une de ces tiges. Loc fam *Coup de bambou* : brusque accès de fatigue, ou de folie.

ban nm HIST Au Moyen Âge, convocation de tous ses vassaux par le seigneur ; ensemble de ces vassaux. Loc *Le ban et l'arrière-ban* : tous ceux qu'on peut réunir. *Être au ban de la société* : être déclaré indigne d'y vivre. *Être en rupture de ban* : avoir enfreint un ordre d'assignation à résidence ; avoir rompu avec son milieu social. *Ouvrir, fermer le ban* : faire entendre une sonnerie ou un roulement de tambour avant et après une cérémonie militaire. fam *Un ban pour qqn* : invitation faite à l'assemblée de l'applaudir en cadence. ■ pl Publication à la mairie, à l'église d'une promesse de mariage.

1. banal, ale, aux a HIST Dont l'usage était imposé aux vassaux d'un seigneur moyennant une redevance. *Four banal.*

2. banal, ale, als a Sans originalité, ordinaire.

banalement av Avec banalité.

banalisation nf Action de banaliser.

banalisé, ée a Loc *Véhicule banalisé* : voiture de police sans marque distinctive.

banaliser vt Rendre banal, dépouiller de son originalité.

banalité nf 1 Caractère banal. 2 Propos banal. *Débiter des banalités.*

banane nf 1 Fruit comestible du bananier, de forme allongée et courbe. 2 Sacoche oblongue portée à la ceinture. 3 fam Grosse mèche enroulée au-dessus du front. Loc fam *Peau de banane* : procédé déloyal.

bananeraie nf Plantation de bananiers.

bananier, ère a De la banane. *Cultures bananières.* Loc *République bananière* : État d'Amérique centrale dont les exploitations sont aux mains de compagnies étrangères. ■ nm 1 Plante à très grandes feuilles des pays chauds, qui produit les bananes. 2 Navire équipé pour le transport des bananes.

banc nm 1 Long siège sur lequel plusieurs personnes peuvent prendre place. 2 Couche naturelle, plus ou moins régulière et horizontale, de matières minérales. 3 Plateau sous-marin. 4 Masse de poissons qui se déplacent ensemble. Loc *Banc d'essai* : appareillage qui permet de procéder aux essais d'un matériel ; ce par quoi on évalue les capacités de qqn.

bancaire a De la banque. *Crédit bancaire.*

bancal, ale, als a Dont les jambes sont d'inégale longueur, boiteux. Loc fam *Phrase bancale* : mal construite.

bancarisation nf Action de bancariser.

bancariser vt Équiper une région, une population d'un réseau bancaire.

bancassurance nf Opération d'assurance pratiquée par une banque.

banco nm Loc *Faire banco* : tenir seul l'enjeu contre la banque, au baccara ; décider de prendre un risque important.

bandage nm 1 Application d'une bande sur une partie du corps lésée. 2 Bande ou appareil maintenant un pansement, contenant une hernie, etc. 3 Bande de métal, de caoutchouc entourant la jante d'une roue.

bandana nm Petit foulard de couleurs vives.

1. bande nf 1 Morceau d'étoffe, de papier, de cuir, etc., beaucoup plus long que large. 2 Partie allongée et bien délimitée d'une chose. 3 Chacun des quatre côtés intérieurs d'un billard garni d'une substance élastique. 4 Ruban en matière plastique qui sert de support à des informations ou à l'enregistrement des sons ou des images. Loc *Bande dessinée* : suite d'images dessinées racontant une histoire.

2. bande nf Groupe de personnes, compagnie. Loc *Faire bande à part* : rester à l'écart.

3. bande nf Inclinaison permanente d'un navire sur un côté. *Donner de la bande sur tribord.*

bande-annonce nf Sélection d'extraits d'un film pour la publicité. *Des bandes-annonces.*

bandeau nm 1 Bande qui couvre les yeux ou le front. 2 Coiffure qui applique les cheveux de chaque côté du front.

bandelette nf Bande longue et très mince.

bander vt 1 Entourer d'une bande ou d'un bandeau. 2 Tendre avec effort. *Bander un arc, un ressort.* ■ vi fam Être en érection.

banderille nf Petite lance ornée de rubans, que plante le torero dans la chair du taureau.

banderole nf 1 Étendard long et mince. 2 Longue étoffe qui sert à décorer, qui porte une inscription.

bandit nm 1 Malfaiteur dangereux. 2 Homme sans scrupules.

banditisme nm Activités des bandits.

bandonéon nm Petit accordéon.

bandothèque nf INFORM Collection de bandes magnétiques.

bandoulière nf Loc En bandoulière : se dit d'une arme, d'un sac tenus par une bretelle qui barre le corps en diagonale.

bang nm Bruit violent provoqué par un avion franchissant le mur du son.

bangladais, aise a, n Du Bangladesh.

banian nm Figuier de l'Inde aux nombreuses racines aériennes.

banjo nm Sorte de guitare ronde.

banlieue nf Ensemble des agglomérations qui entourent une grande ville.

banlieusard, arde n fam Habitant d'une banlieue, spécialement de la banlieue de Paris.

banne nf 1 Grande malle d'osier. 2 Auvent en toile, qui protège des intempéries la devanture d'une boutique.

banneton nm Petit panier d'osier.

banni, ie a, n Exilé ou expulsé de sa patrie ; exilé, proscrit.

bannière nf Étendard, drapeau. Loc fam C'est la croix et la bannière : c'est une entreprise compliquée, difficile.

bannir vt 1 Condamner qqn à quitter son pays ou son lieu de résidence. 2 litt Repousser, exclure. Bannir toute inquiétude.

bannissement nm Peine de l'exil.

banque nf 1 Entreprise qui se consacre au commerce de l'argent en recevant et en gérant des fonds, en fournissant des prêts, etc. 2 Secteur économique constitué par ces entreprises. 3 Somme que l'un des joueurs tient devant lui pour payer les gagnants, à certains jeux de hasard. Loc Banque du sang, d'organes : établissements qui recueillent et conservent du sang, certains organes, pour les transfusions ou les greffes. INFORM Banque de données : ensemble d'informations réunies dans des fichiers.

banqueroute nf 1 Faillite frauduleuse ou due à l'imprudence. 2 Échec total d'une action.

banquet nm Festin, repas solennel.

banqueter vi [17] ou [19] 1 Participer à un banquet. 2 Faire bonne chère.

banquette nf 1 Banc rembourré. 2 Siège à plusieurs places dans une automobile, un train.

banquier, ère n 1 Personne qui dirige une banque. 2 JEU Personne qui tient la banque.

banquise nf Amas de glaces permanentes, formé par la congélation des eaux marines.

bantou, oue a Relatif aux Bantous. ■ nm Ensemble de langues apparentées parlées dans le sud de l'Afrique.

bantoustan nm En Afrique du Sud, territoire attribué à l'un des peuples noirs de l'État.

banyuls [banjyls] nm Vin doux du Roussillon.

baobab nm Arbre au tronc énorme des régions tropicales.

baptême [batɛm] nm Sacrement chrétien, le premier des sept sacrements de l'Église catholique. Loc Nom de baptême : prénom conféré lors du baptême. Baptême d'une cloche, d'un navire : cérémonie qui consiste à les bénir en leur donnant un nom. Baptême du feu : débuts d'un soldat au combat. Baptême de l'air : premier voyage en avion.

baptisé, ée a, n Qui a reçu le baptême.

baptiser [batize] vt 1 Conférer le baptême à. 2 Donner un nom, un sobriquet, à. 3 Couper d'eau. Baptiser du vin, du lait.

baptismal, ale, aux [batis-] a Du baptême. L'eau baptismale.

baptisme [batism] nm Doctrine religieuse selon laquelle le baptême doit être administré aux adultes par immersion complète.

baptiste [batist] n a Adepte du baptisme.

baptistère [batis-] nm Petit édifice construit autrefois pour conférer le baptême.

baquet nm 1 Petit cuvier, généralement en bois. 2 Siège de voiture emboîtant bien les reins.

1. bar nm 1 Débit de boissons où le client consomme au comptoir. 2 Le comptoir luimême. 3 Petit meuble contenant des bouteilles de boisson.

2. bar nm PHYS Unité de pression.

3. bar nm Poisson de l'Atlantique et de la Méditerranée, à chair estimée. Syn. loup.

baragouin nm fam Langage incompréhensible.

baragouiner vt, vi fam Parler une langue incorrectement, de façon inintelligible.

baragouineur, euse n fam Qui baragouine.

baraka nf fam Chance qui semble due à une protection surnaturelle.

baraque nf 1 Construction légère et temporaire. 2 fam Maison mal bâtie, mal agencée ou mal tenue.

baraqué, ée a pop De forte carrure.

baraquement nm Ensemble de baraques servant de logement provisoire à des soldats, des ouvriers, etc.

baratin nm fam Discours abondant pour enjôler ou abuser.

baratiner vi fam Faire du baratin. ■ vt fam Essayer de séduire par un baratin. Baratiner une fille.

baratineur, euse a, n fam Qui baratine.

baratte nf Machine à baratter.

baratter vt Agiter de la crème dans une baratte pour en faire du beurre.

barbant, ante a fam Ennuyeux, fastidieux.

barbare a, n 1 Étranger, chez les Grecs et les Romains. 2 Cruel, féroce. 3 Grossier, qui choque le goût. Quelle musique barbare ! 4 Incorrect. Un mot barbare.

barbaresque a Se disait des régions d'Afrique du Nord placées sous la suzeraineté ottomane.

barbarie nf 1 État d'un peuple qui n'est pas civilisé. 2 Cruauté, inhumanité.

barbarisme nm Forme fautive d'un mot, d'une locution.

1. barbe nf 1 Poils du menton et des joues. 2 Tige très fine terminant l'enveloppe de chaque grain dans certains épis. Loc fam À la barbe de qqn : en sa présence et malgré lui. Rire dans sa barbe : rire, se moquer sans le laisser paraître. fam La barbe ! Quelle barbe ! : exclamations marquant l'ennui, l'impatience. ■ pl Filaments que portent les tuyaux des plumes d'oiseaux.

2. barbe nf Cheval d'Afrique du Nord.

barbeau nm 1 Poisson d'eau douce qui ressemble à une carpe. 2 pop Souteneur.

barbecue [baʀbəkju] nm Appareil à charbon de bois avec une grille pour la cuisson en plein air.

barbe-de-capucin nf 1 Chicorée sauvage comestible, blanchie en cave. 2 Syn. de *usnée*. *Des barbes-de-capucin.*

barbelé, ée a, n Loc *Fil de fer barbelé* ou *barbelés* : fil de fer garni de pointes, employé pour les clôtures.

barber vt fam Ennuyer.

barbet nm Chien d'arrêt, griffon à poils longs.

barbiche nf Barbe qu'on laisse pousser à la pointe du menton.

barbichette nf fam Petite barbiche.

barbichu, ue a, n Qui porte une petite barbe.

barbier nm anc Celui qui par profession rasait, taillait la barbe.

barbillon nm ZOOL Filament tactile de la bouche de certains poissons.

barbiturique nm Médicament utilisé comme hypnotique, sédatif, anesthésiant, anticonvulsif.

barbon nm litt Homme d'âge mûr, peu séduisant.

barboter vi S'ébattre dans l'eau ; patauger. ■ vt fam Voler, subtiliser. *On m'a barboté ma montre.*

barboteuse nf Vêtement pour enfants, d'une seule pièce, fermé entre les jambes et laissant celles-ci nues.

barbouillage nm 1 Enduit de couleur fait rapidement à la brosse. 2 Mauvaise peinture. 3 Écriture peu lisible. Var **barbouillis**

barbouiller vt, vi 1 Salir, tacher grossièrement. 2 fam Peindre grossièrement. Loc fam *Barbouiller du papier* : écrire beaucoup. *Barbouiller le cœur, l'estomac* : donner des nausées.

barbouilleur, euse n fam Peintre sans talent.

barbouze nf pop Agent plus ou moins officiel d'un service de renseignements.

barbu, ue a, nm Qui a de la barbe.

barbue nf Poisson de mer plat voisin du turbot.

barda nm fam Équipement, bagage encombrant.

bardane nf Plante à fleurs roses des lieux incultes, qui s'accroche aux vêtements.

1. barde nm 1 Poète celte. 2 Poète national épique et lyrique.

2. barde nf Tranche mince de lard dont on enveloppe certaines viandes à rôtir.

bardeau nm Planchette servant au revêtement des toits, des façades.

1. barder vt 1 Entourer de bardes. *Barder une volaille.* 2 Recouvrir d'une plaque métallique.

2. barder v imp fam Tourner mal, se gâter, devenir violent. *Ça va barder.*

bardot nm Hybride d'un cheval et d'une ânesse.

barème nm Répertoire de données chiffrées ; liste de tarifs.

barge nf Embarcation à fond plat et à faible tirant d'eau.

barguigner vi Loc vx *Sans barguigner* : sans hésiter.

barigoule nf Loc *Artichauts à la barigoule* : farcis de lard et de jambon hachés, puis braisés.

baril nm 1 Petit tonneau. 2 Unité de mesure du pétrole (0,159 m³).

barillet nm Dispositif mécanique de forme cylindrique. *Barillet d'un revolver.*

bariolage nm Assemblage disparate de différentes couleurs.

bariolé, ée a Dont les couleurs sont variées, vives et mal assorties.

barjo a, n fam Cinglé, toqué, fou. Var **barjot**

barkhane nf Dune en forme de croissant.

barmaid [-mɛd] nf Serveuse d'un bar.

barman [-man] nm Serveur d'un bar.

bar-mitsva nf inv Dans le judaïsme, célébration de la majorité religieuse des garçons (treize ans).

barnum [-nɔm] nm Petit kiosque à journaux.

barographe nm Baromètre enregistreur.

barolo nm Vin rouge italien, très réputé.

baromètre nm 1 Appareil servant à mesurer la pression atmosphérique. 2 Ce qui sert à mesurer, à estimer un phénomène variable. *Les sondages, baromètre de l'opinion publique.*

barométrie nf Mesure de la pression atmosphérique.

barométrique a Relatif aux variations de la pression atmosphérique.

baron, onne n Titre nobiliaire immédiatement inférieur à celui de vicomte. ■ nm Personnage important dans le monde de la politique, de la finance, etc.

baronnet nm Titre de noblesse honorifique en Grande-Bretagne.

baronnie nf 1 HIST Seigneurie d'un baron. 2 Domaine réservé d'un personnage important.

baroque a D'une originalité qui étonne, qui choque. Loc *Perle baroque* : perle irrégulière. ■ a, nm Se dit d'un style très chargé d'ornements qui s'est développé surtout aux XVIIe et XVIIIe s.

baroquisant, ante a, n Marqué par le baroque, qui tend vers le baroque.

baroquisme nm Caractère baroque.

baroud nm fam Bataille, bagarre. Loc *Baroud d'honneur* : combat qu'on sait perdu d'avance, livré pour l'honneur.

baroudeur nm, a fam Qui aime le baroud.

barouf nm pop Grand bruit, tapage.

barque nf Petit bateau non ponté.

barquette nf 1 Tartelette en forme de barque. 2 Petit récipient. *Une barquette de fraises.*

barracuda nm Grand poisson très vorace.

barrage nm 1 Ce qui barre une voie. 2 Action de barrer une voie. 3 Ouvrage disposé en travers d'un cours d'eau pour créer une retenue. Loc *Tir de barrage* : tir d'artillerie destiné à interdire un accès.

barre nf 1 Pièce allongée et rigide de bois, de métal, etc. 2 Trait droit de plume ou de crayon pour biffer, souligner, séparer. 3 Niveau considéré comme une limite. 4 Levier ou mécanisme commandant le gouvernail d'un bateau. 5 Zone de hautes vagues qui viennent se briser en avant de certaines côtes. 6 Emplacement réservé dans les salles d'audience judiciaire aux dépositions des témoins, parfois aux plaidoiries. Loc *Avoir barre sur qqn* : exercer sur lui une domination. fam *Coup de barre* : fatigue brutale. *Tenir la barre* : diriger, gouverner. ■ pl anc Jeu de plein air entre deux équipes.

barreau nm 1 Barre de bois, de fer qui sert à assembler, de clôture, etc. 2 Emplacement réservé aux avocats dans les salles d'audience judiciaire. 3 La profession d'avocat, le corps, l'ordre des avocats.

barrement nm Action de barrer un chèque.

barrer vt 1 Fermer au moyen d'une barrière ; interdire à la circulation. 2 Tirer un trait sur ; biffer, rayer. 3 Tenir la barre d'un bateau, le diriger. ■ vpr fam S'en aller, se sauver.

barrette *nf* **1** Petite barre formant un bijou, une broche. **2** Ruban de décoration monté sur une petite barre. **3** Pince pour tenir les cheveux.

barreur, euse *n* **1** Personne qui tient la barre d'une embarcation. **2** En aviron, personne qui rythme la cadence des rameurs.

barricade *nf* Retranchement élevé hâtivement avec des moyens de fortune pour barrer un passage, une rue.

barricader *vt* **1** Obstruer une voie de communication par des barricades. **2** Fermer solidement. ■ *vpr* S'enfermer.

barrière *nf* **1** Assemblage de pièces de bois ou de métal interdisant un passage. **2** Obstacle naturel important.

barrique *nf* Tonneau contenant 200 à 250 litres.

barrir *vi* Crier (éléphant, rhinocéros).

barrissement *nm* Cri de l'éléphant, du rhinocéros. Var **barrit**

bartavelle *nf* Perdrix du Jura et des Alpes.

baryte *nf* Oxyde de baryum.

baryton *nm* **1** Voix intermédiaire entre le ténor et la basse. **2** Chanteur qui a cette voix.

baryum *nm* Métal blanc et mou analogue au calcium.

barzoï *nm* Lévrier russe à poil long.

bas, basse *a* **1** Qui a peu de hauteur, de valeur, d'élévation sociale. *Table basse. Les bas salaires. Le bas peuple.* **2** Proche de la côte. *La basse Normandie. La basse Seine.* **3** D'une époque relativement récente. *Le Bas-Empire.* **4** Grave. *Une note basse.* **5** Vil, méprisable. *De basses calomnies.* Loc *Ciel bas* : ciel couvert de nuages. *Ce bas monde* : le monde terrestre. *Messe basse* : messe non chantée. *Faire main basse sur qqch* : le dérober. *Vue basse* : mauvaise vue. ■ *av* Sans élever la voix. *Parler bas.* Loc *Plus bas* : plus près du sol ; ci-dessous, ci-après. *Mettre bas les armes* : les déposer, cesser le combat. *Mettre bas* : faire des petits (animaux). *Mettre à bas* : renverser. *Être bien bas* : être très mal en point. *À bas !* : cri d'hostilité. ■ *nm* **1** La partie inférieure. **2** Vêtement qui couvre le pied et la jambe.

basalte *nm* Roche éruptive noire, compacte, très dure.

basaltique *a* Formé de basalte.

basane *nf* Cuir très souple obtenu à partir d'une peau de mouton tannée.

basané, ée *a* Brun, hâlé (teint, peau).

bas-bleu *nm* Femme pédante. *Des bas-bleus.*

bas-côté *nm* **1** Galerie ou nef latérale d'une église. **2** Accotement d'une route entre la chaussée et le fossé. *Des bas-côtés.*

basculant, ante *a* Qui peut basculer.

bascule *nf* **1** Pièce de bois ou de métal, qui oscille librement autour de son axe. **2** Balançoire faite d'une seule pièce en équilibre. **3** Machine à peser les lourdes charges.

basculer *vi* **1** Avoir un mouvement de bascule. **2** Perdre l'équilibre et tomber. ■ *vt* Renverser, faire tomber.

base *nf* **1** Partie inférieure d'un corps, sur laquelle ce corps repose. **2** Ensemble des militants d'un parti politique, d'un syndicat (par opposition aux dirigeants). **3** Principal ingrédient d'un mélange. **4** Principe, donnée fondamentale. **5** CHIM Corps qui, combiné avec un acide, le neutralise. **6** Dans un triangle, côté opposé au sommet ; dans un trapèze, chacun des côtés parallèles. **7** MATH

Nombre de chiffres utilisés dans un système de numération. **8** MILIT Zone où sont rassemblés les équipements et les services nécessaires à une action offensive ou défensive.

base-ball [bɛzbol] *nm* Jeu de balle opposant deux équipes, pratiqué surtout aux États-Unis. Var **baseball**

Basedow (maladie de) *nf* Maladie de la thyroïde caractérisée par un goitre.

baser *vt* **1** Prendre ou donner pour base. **2** Établir une unité dans une base militaire. Loc *Être basé qq part* : y avoir son point d'attache, son siège social. ■ *vpr* S'appuyer, se fonder.

bas-fond *nm* **1** Terrain bas que ceux qui l'entourent. **2** Endroit peu profond dans un cours d'eau, un lac, une mer. ■ *pl* Couches les plus misérables, les plus dépravées d'une société. *Des bas-fonds.*

basic *nm* Langage de programmation informatique.

basidiomycète *nm* Champignon membre d'une classe très importante comprenant les champignons les plus courants.

basilic *nm* Plante aromatique, employée comme condiment.

basilique *nf* **1** Dans l'Antiquité romaine, vaste édifice servant de tribunal et de lieu de commerce. **2** Église chrétienne des premiers siècles. **3** Titre concédé par le pape à certaines grandes églises.

basique *a* **1** Fondamental, de base. *Français basique.* **2** Restreint à l'essentiel, rudimentaire. **3** CHIM Qui a les caractères d'une base. ■ *nm* Vêtement présent dans toute garde-robe.

basket ou **basket-ball** [baskɛtbol] *nm* Sport d'équipe consistant à lancer un ballon dans un panier suspendu. ■ *nf* Chaussure de sport à lacet et montante. Var **basketball**

basketteur, euse *n* Joueur de basket.

basmati *nm* Riz d'origine indienne, à grain long.

basoche *nf* HIST Au Moyen Âge, association des clercs du Parlement.

basquais, aise *a* Loc *Poulet basquaise* : poulet cuit au vin blanc, avec tomates, poivrons et champignons.

basque *a, n* Du Pays basque. ■ *nm* Langue parlée au Pays basque.

basques *nfpl* Pans de vêtement qui partent de la taille. Loc litt *Se pendre aux basques de qqn* : le suivre partout.

bas-relief *nm* Sculpture faisant peu saillie sur le bloc qui lui sert de support. *Des bas-reliefs.*

basse *nf* **1** Partie la plus grave d'un morceau de musique polyphonique. **2** Chanteur capable de chanter ces parties. **3** Instrument de musique servant à exécuter la basse.

basse-cour *nf* **1** Partie d'une exploitation rurale où l'on pratique l'élevage des volailles et des lapins. **2** Ensemble de ces animaux. *Des basses-cours.* Var **bassecour**

basse-fosse *nf* Cachot souterrain d'un château fort. *Des basses-fosses.*

bassement *av* De façon vile.

bassesse *nf* **1** Dégradation morale. **2** Action vile. *Faire des bassesses.*

basset *nm* Chien aux pattes très courtes, le plus souvent torses.

bassin nm 1 Grand plat creux, généralement rond ou ovale. 2 Pièce d'eau dans un jardin, un parc. 3 Partie plus ou moins profonde d'une piscine. 4 Plan d'eau d'un port, bordé de quais. 5 Territoire dont les eaux de ruissellement vont se concentrer dans une mer, un fleuve ou un lac. *Le bassin de la Loire.* 6 Vaste région en forme de cuvette. *Le Bassin parisien.* 7 Gisement de minerai de grande étendue. 8 Structure osseuse en forme de ceinture, qui constitue la base du tronc. Loc *Bassin d'emploi, d'audience :* zone géographique où l'on cherche un emploi, qui peut être touchée par un média.

bassine nf Grande cuvette servant à divers usages domestiques.

bassiner vt 1 Chauffer avec une bassinoire. 2 Humecter légèrement. 3 fam Fatiguer, ennuyer.

bassinet nm Loc fam *Cracher au bassinet :* contribuer à quelque dépense, en général à contrecœur.

bassinoire nf Récipient métallique destiné à recevoir des braises pour chauffer un lit.

bassiste n Syn. de *contrebassiste*.

basson nm 1 Instrument à vent en bois, la basse de la famille des bois. 2 Joueur de basson.

basta ! interj fam Marque l'impatience.

bastide nf 1 Ville médiévale fortifiée. 2 En Provence, maison de campagne.

bastille nf 1 Au Moyen Âge, ouvrage de fortification détaché en avant d'une enceinte. 2 litt Symbole du pouvoir arbitraire.

bastingage nm Garde-corps sur le pont d'un navire.

bastion nm 1 Ouvrage fortifié formant saillie. 2 Solide point de résistance.

baston nm ou nf fam Bagarre, rixe.

bastonnade nf Coups de bâton.

bastos nf pop Balle d'arme à feu.

bastringue nm 1 fam Tapage, vacarme. 2 fam Attirail.

bas-ventre nm Partie inférieure du ventre. *Des bas-ventres.*

bât nm Harnachement des bêtes de somme pour le transport des fardeaux.

bataclan nm fam Attirail embarrassant. Loc *Et tout le bataclan :* et cætera ; et tout le reste.

bataille nf 1 Combat général entre deux forces militaires. 2 Combat violent. 3 Jeu de cartes très simple qui se joue à deux. Loc *En bataille :* en désordre. *Cheval de bataille :* idée favorite, sur laquelle on revient souvent.

batailler vi 1 Discuter avec âpreté ; contester. 2 Mener une lutte acharnée.

batailleur, euse a Qui aime à se battre, à lutter.

bataillon nm 1 Subdivision d'un régiment d'infanterie, groupant plusieurs compagnies. 2 Troupe nombreuse et peu disciplinée.

bâtard, arde a, n 1 Se dit d'un enfant illégitime. 2 Qui n'est pas de race pure. *Lévrier bâtard.* ■ a Qui tient de genres, de types différents. ■ nm Pain court. ■ nf Écriture intermédiaire entre l'anglaise et la ronde.

bâtardise nf État de bâtard.

batavia nf Variété de laitue.

bâté a Loc *Âne bâté :* ignorant, imbécile.

bateau nm 1 Engin conçu pour naviguer. 2 fam Lieu commun, banalité souvent ressassée. 3 Abaissement de la bordure d'un trottoir devant une porte cochère. Loc fam *Mener qqn en bateau :* tenter de le tromper. ■ a inv fam Banal, rebattu. *Idée bateau.*

bateau-citerne nm Bateau aménagé pour le transport des liquides. *Des bateaux-citernes.*

bateau-mouche nm Bateau de promenade sur la Seine, à Paris. *Des bateaux-mouches.*

bateleur, euse n anc Comédien de place publique qui fait des tours, des pitreries, etc.

batelier, ère n Dont le métier est de conduire les bateaux sur les cours d'eau.

batellerie nf 1 Ensemble des bateaux assurant les transports sur les cours d'eau. 2 Industrie relative à ces transports.

bat-flanc nm 1 Planche de séparation entre deux chevaux dans une écurie. 2 Lit de planches. *Des bat-flancs.*

batholite nm GEOL Massif granitique.

bathyal, ale, aux a GEOL Se dit des fonds océaniques compris entre 300 et 3 000 m de profondeur.

bathymétrie nf Mesure de la profondeur des mers, des lacs.

bathyscaphe nm Appareil autonome pour l'exploration des grandes profondeurs marines.

bâti, ie a Se dit d'un terrain sur lequel on a édifié un bâtiment. Loc *Être bien (mal) bâti :* robuste (contrefait). ■ nm 1 Cadre d'une porte ou d'une croisée. 2 Ensemble de montants et de traverses servant de support à une machine. 3 Assemblage provisoire des pièces d'un vêtement avant couture.

batifoler vi fam Folâtrer, s'ébattre.

batik nm Procédé de teinture utilisant de la cire pour masquer certaines parties du tissu ; tissu teint par ce procédé.

bâtiment nm 1 Toute construction à usage d'habitation ou d'abri. 2 L'ensemble des corps de métiers de la construction. 3 Bateau de dimensions assez importantes.

bâtir vt 1 Construire, édifier. 2 Établir, fonder. 3 Assembler à grands points les parties d'un vêtement.

bâtisse nf Grand bâtiment sans caractère.

bâtisseur, euse n Personne qui fait construire de nombreux bâtiments.

batiste nf Toile de lin très fine.

bâton nm 1 Morceau de bois long et mince, souvent fait d'une branche d'arbre. 2 Objet en forme de bâton. *Bâton de dynamite.* 3 Trait, barre que fait un enfant qui apprend à écrire, à compter. Loc *Bâton de maréchal :* insigne de la dignité de maréchal ; degré le plus élevé auquel qqn peut prétendre. *Parler à bâtons rompus :* bavarder de choses et d'autres. *Mettre des bâtons dans les roues :* susciter des difficultés.

bâtonnet nm Petit bâton.

bâtonnier nm Chef et représentant de l'ordre des avocats, dans le ressort de chaque barreau.

batracien nm vx Syn. de *amphibien*.

battage nm 1 Action de battre (les céréales, les tapis, l'or, etc.). 2 fam Publicité tapageuse.

battant, ante a *Pluie battante :* abondante et violente. *Porte battante :* qui se referme d'elle-même. *Tambour battant :* vivement, avec détermination. ■ n Personne énergique, combattive. ■ nm 1 Marteau intérieur d'une cloche. 2 Vantail d'une porte, d'une fenêtre.

batte *nf* **1** Outil servant à frapper, à aplatir. **2** Bâton à bout renflé qui sert à renvoyer la balle au base-ball ou au cricket.

battement *nm* **1** Choc, bruit de ce qui bat. **2** Mouvement de ce qui bat. **3** Intervalle de temps, délai.

batterie *nf* **1** Réunion de pièces d'artillerie. **2** Ensemble de piles, d'accumulateurs électriques associés. **3** Ensemble des instruments de percussion dans l'orchestre. Loc *Batterie de cuisine* : ensemble des ustensiles de cuisine. *Élevage en batterie* : élevage industriel. ■ *pl* Plans, projets habiles. *Ne pas dévoiler ses batteries.*

batteur, euse *n* **1** Personne qui joue de la batterie dans un orchestre de jazz. **2** Instrument pour battre les œufs, la crème, etc.

batteuse *nf* Machine servant à séparer les grains de la balle et de la paille.

battle-dress [batəl-] *nm inv* Blouson de toile d'un uniforme militaire.

battoir *nm* **1** Instrument qui sert à battre le linge. **2** *fam* Main grosse et large.

battre *vt* [77] **1** Donner des coups à, frapper. **2** Vaincre, surpasser. **3** Agiter vivement. *Battre des œufs en neige, de la crème.* **4** Parcourir en tous sens. *Battre les chemins.* Loc *Battre la campagne* : aller et venir de tous côtés ; divaguer. *Battre les cartes* : les mélanger. *Battre la mesure* : indiquer la cadence, le rythme. *Battre monnaie* : émettre des pièces de monnaie. *Battre la semelle* : frapper le sol avec chaque pied alternativement. *Battre pavillon français, etc* : arborer au mât ce pavillon de nationalité. *Battre froid à qqn* : lui témoigner de la froideur. *Battre son plein* : être en pleine activité. ■ *vi* Être animé de mouvements répétés (cœur, balancier, etc). Loc *Battre de l'aile* : aller mal, péricliter. *Battre en retraite* : se retirer, céder. ■ *vpr* Combattre, lutter.

battu, ue *a* Loc *Yeux battus* : cernés, marquant la fatigue. *Terre battue* : sol durci, foulé aux pieds. *Suivre les sentiers battus* : agir comme tout le monde, sans originalité.

battue *nf* Action de battre le terrain pour en faire sortir le gibier et le rabattre vers les chasseurs.

baud *nm* INFORM Unité de mesure valant une impulsion par seconde.

baudet *nm* Âne.

baudrier *nm* **1** Bande de cuir ou d'étoffe portée en écharpe et soutenant une arme, un tambour. **2** Harnais servant à un alpiniste, un spéléologue pour s'encorder.

baudroie *nf* Poisson marin à gueule énorme. Syn. lotte.

baudruche *nf* **1** Mince pellicule de caoutchouc dont on fait des ballons légers. **2** *fam* Personne vaine et sotte.

bauge *nf* **1** Lieu fangeux où gîte le sanglier. **2** Habitation sale, mal tenue.

bauhinia *nm* Arbuste tropical à grandes fleurs.

baume *nm* **1** Substance résineuse et odorante qui coule de certains végétaux. **2** Médicament à odeur balsamique pour l'usage externe. **3** *litt* Apaisement, consolation.

bauxite *nf* Minerai d'aluminium.

bavard, arde *a, n* **1** Qui parle beaucoup, qui aime parler. **2** Qui commet des indiscrétions.

bavardage *nm* **1** Action de bavarder. **2** Propos vains ou indiscrets.

bavarder *vi* **1** Parler familièrement avec qqn, causer abondamment. **2** Divulguer ce qu'on devrait taire.

bavarois, oise *a, n* De Bavière. ■ *nm* ou *nf* Entremets froid à base de crème anglaise et de gélatine.

bavasser *vi fam* Bavarder.

bave *nf* Salive visqueuse qui s'échappe de la bouche ou de la gueule d'un animal.

baver *vi* **1** Laisser couler de la bave. **2** Présenter des bavures. Loc *En baver* : passer par de rudes épreuves. *fam Baver sur qqn* : le dénigrer.

bavette *nf* **1** Syn. vieilli de *bavoir*. **2** Partie supérieure d'un tablier de femme. **3** En boucherie, morceau situé au-dessous de l'aloyau. Loc *fam Tailler une bavette* : bavarder.

baveux, euse *a* **1** Qui bave. **2** Se dit d'une omelette peu cuite.

bavoir *nm* Pièce de lingerie qui protège la poitrine des jeunes enfants.

bavure *nf* **1** Trace d'encre ou de couleur débordant d'un trait peu net. **2** Action policière, militaire comportant des incidents regrettables. Loc *Sans bavure* : irréprochable.

bayadère *nf* Danseuse sacrée de l'Inde.

bayer *vi* [20] Loc *fam Bayer aux corneilles* : regarder en l'air niaisement.

bayou *nm* Partie de méandre occupée par un lac, ou bras mort d'un delta, en Louisiane.

bazar *nm* **1** Marché public, en Orient. **2** Magasin où l'on vend toutes sortes d'objets. **3** *fam* Objets en désordre.

bazarder *vt fam* **1** Vendre à bas prix. **2** Se débarrasser de, jeter.

bazooka [-zu-] *nm* Lance-roquettes antichar portatif.

BCBG [bebeʒe] *a, n fam* Sigle de *bon chic bon genre*, qui est d'une élégance classique, de bon ton.

BCG *nm* (n. déposé) Vaccin antituberculeux.

BD *nf fam* Sigle de *bande dessinée*.

beagle [bigl] *nm* Basset à jambes droites.

béant, ante *a* Largement ouvert.

béarnais, aise *a, n* Du Béarn. ■ *nf* Sauce à base de beurre et d'œufs.

béat, ate *a* Qui exprime un contentement exagéré, un peu niais.

béatement *av* De façon béate.

béatification *nf* Acte du pape béatifiant une personne décédée.

béatifier *vt* Mettre au rang des bienheureux dignes d'un culte public.

béatitude *nf* **1** État de très grand bonheur. **2** Bonheur parfait de l'élu au ciel.

beatnik [bit-] *a* Jeune qui, vers 1960, manifestait par la singularité de sa tenue un certain refus de l'organisation sociale.

beau ou **bel, belle** *a* **1** Qui plaît à la vue, à l'oreille. *Un beau visage. Un bel homme.* **2** Qui plaît à l'esprit. *Beau roman.* **3** Qui mérite l'estime, l'approbation. *Belle action. Beau travail.* **4** Qui est important. *Belle fortune.* **5** Agréablement ensoleillé. *Belle journée.* Loc *Le beau monde* : la haute société. *Un beau parleur* : qqn qui séduit par la parole. *Un beau joueur* : qqn qui sait perdre avec bonne grâce. *Au beau milieu* : juste au milieu. *Il y a beau temps* : il y a longtemps. *Avoir la partie belle* : avoir tout ce qu'il faut pour gagner. *De plus belle* : encore bien plus. ■ *av*

Loc *Bel et bien :* réellement. *Il ferait beau voir :* il serait étrange de voir. *Avoir beau faire, dire :* faire, dire inutilement. ■ *nm* Ce qui est beau. Loc *Vieux beau :* homme âgé qui cherche à séduire. *Faire le beau :* en parlant d'un chien, se dresser sur les pattes de derrière. ■ *nf* Partie décisive entre des joueurs à égalité. Loc *fam Se faire la belle :* s'évader. *fam En faire de belles :* faire de grosses sottises.

beauceron, onne *a, n* De Beauce.

beaucoup *av* **1** Une grande quantité, grand nombre. *Beaucoup de personnes.* **2** Un grand nombre de personnes. *Beaucoup l'ont cru.* **3** En grande quantité. *Il a beaucoup plu.* Loc *De beaucoup :* nettement.

beau-fils *nm* **1** Fils que la personne qu'on a épousée a eu d'un précédent lit. **2** Gendre. *Des beaux-fils.*

beaufort *nm* Fromage de Savoie, voisin du gruyère.

Beaufort (échelle de) *nf* Échelle de 0 à 12 mesurant la vitesse du vent.

beau-frère *nm* **1** Frère du conjoint. **2** Mari d'une sœur ou d'une belle-sœur. *Des beaux-frères.*

beaujolais *nm* Vin du Beaujolais.

beau-père *nm* **1** Père du conjoint. **2** Second mari de la mère pour les enfants d'un premier lit. *Des beaux-pères.*

beaupré *nm* Mât oblique ou horizontal, à l'avant d'un navire.

beauté *nf* **1** Qualité de qqn ou de qqch qui est beau. **2** Femme très belle. Loc *En beauté :* avec noblesse, avec grande allure. ■ *pl* Les éléments de la beauté, les parties belles d'une chose.

beaux-arts *nmpl* **1** Les arts plastiques : peinture, sculpture, architecture, gravure, etc. **2** Les arts en général.

beaux-parents *nmpl* Les parents du conjoint.

bébé *nm* **1** Tout petit enfant. **2** *fam* Problème embarrassant. *Se repasser le bébé.*

bébête *a* fam Niais.

be-bop [bibɔp] *nm inv* Style de jazz marqué par des irrégularités rythmiques, des dissonances.

bec *nm* **1** Partie cornée et saillante qui tient lieu de bouche aux oiseaux. **2** *fam* Bouche. **3** Partie pointue ou saillante de certains objets. **4** Pointe de terre au confluent de deux rivières. Loc *Bec de gaz :* autrefois lampadaire d'éclairage public. *Lutter bec et ongles :* de toute son énergie. *Avoir une prise de bec avec qqn :* se quereller. *Rester le bec dans l'eau :* rester déçu, dans l'incertitude. *Clouer le bec à qqn :* le réduire au silence par des arguments péremptoires.

bécane *nf* fam **1** Bicyclette, vélomoteur. **2** Appareil, machine, en général.

bécarre *nm* Signe de notation musicale qui annule l'effet d'un dièse ou d'un bémol.

bécasse *nf* **1** Oiseau migrateur échassier à long bec. **2** *fam* Femme sotte.

bécasseau *nm* Petit de la bécasse.

bécassine *nf* **1** Oiseau migrateur plus petit que la bécasse. **2** *fam* Jeune fille sotte et naïve.

bec-de-cane *nm* Poignée de porte en forme de levier horizontal. *Des becs-de-cane.*

bec-de-lièvre *nm* Malformation congénitale caractérisée par une fente de la lèvre supérieure. *Des becs-de-lièvre.*

bêchage *nm* Action de bêcher.

béchamel *nf* Sauce blanche faite de beurre, de farine et de lait.

bêche *nf* Outil de jardinage constitué d'un fer plat, large et tranchant et d'un manche.

bêcher *vt* Couper et retourner la terre avec une bêche. ■ *vi* fam Se montrer hautain.

bêcheur, euse *n, a* fam Hautain et prétentieux.

bécot *nm* fam Petit baiser.

bécoter *vt* fam Donner des bécots.

becquée *nf* Quantité de nourriture qu'un oiseau peut prendre avec son bec pour nourrir ses petits.

becquerel *nm* PHYS Unité d'activité radioactive.

becqueter *vt* [17] ou [19] Piquer à coups de bec. ■ *vi, vt* pop Manger.

bedaine *nf* fam Panse, gros ventre.

bédé *nf* fam Bande dessinée.

bedeau *nm* Laïc employé par une église.

bédéphile *n* fam Amateur de bandes dessinées.

bedon *nm* fam Ventre rebondi.

bedonnant, ante *a* fam Qui bedonne.

bedonner *vi* fam Prendre du ventre.

bédouin, ine *a* Relatif aux Bédouins.

bée *af* Loc *Rester bouche bée :* être frappé de surprise, d'admiration, etc.

béer *vi* litt **1** Être grand ouvert. **2** Rester la bouche ouverte. *Béer de surprise.*

beffroi *nm* Tour, clocher d'où l'on sonnait autrefois l'alarme.

bégaiement *nm* Façon de parler de qqn qui bégaie.

bégayer *vi* [20] Parler avec un débit irrégulier, en répétant certaines syllabes. ■ *vt* Balbutier, bredouiller.

bégonia *nm* Plante ornementale dicotylédone aux fleurs blanches ou vivement colorées.

bègue *a, n* Qui bégaie.

bégueule *nf, a* Femme d'une pruderie exagérée, ridicule.

béguin *nm* **1** Bonnet pour les enfants. **2** *fam* Passion passagère ; personne qui en est l'objet.

béguinage *nm* Communauté de béguines.

béguine *nf* Religieuse vivant en communauté sans prononcer de vœux.

bégum [-gɔm] *nf* Princesse indienne.

béhaviorisme *nm* Doctrine fondant la psychologie sur l'étude du comportement.

beige *a, nm* Brun très clair tirant sur le jaune.

beigne *nf* pop Coup, gifle.

beignet *nm* Pâte frite, seule ou enveloppant un petit morceau de fruit, de viande, etc.

béké *n* Créole martiniquais ou guadeloupéen.

1. bel. *V.* beau.

2. bel *nm* PHYS Unité utilisée pour exprimer la comparaison de deux grandeurs.

bel canto *nm* Technique du chant dans la tradition lyrique italienne. *Var* belcanto.

bêlement *nm* Cri des moutons et des chèvres.

bélemnite *nf* GEOL Mollusque fossile du secondaire.

bêler *vi* **1** Faire entendre un bêlement. **2** fam Chanter ou s'exprimer sur un ton mal assuré ou plaintif.

belette *nf* Petit carnivore brun sur le dessus, avec le ventre blanc.

belge *a, n* De Belgique.

belgicisme *nm* Tournure propre au français parlé en Belgique.

bergamote

bélier *nm* 1 Mouton non castré. 2 Machine de guerre d'autrefois constituée d'une grosse poutre, pour abattre les murailles. **Loc** *Coup de bélier* : choc produit dans une conduite par un liquide dont l'écoulement est brusquement interrompu. *Bélier hydraulique* : appareil élévateur d'eau.

belladone *nf* Plante à fleurs pourpres, à baies noires, très toxiques.

bellâtre *nm* Homme d'une beauté fade et prétentieuse.

belle. V. *beau.*

belle-de-jour *nf* Liseron dont la fleur se ferme au coucher du soleil. *Des belles-de-jour.*

belle-de-nuit *nf* 1 Plante ornementale dont les fleurs ne s'ouvrent que le soir. Syn. mirabilis. 2 Prostituée. *Des belles-de-nuit.*

belle-famille *nf* Famille du conjoint. *Des belles-familles.*

belle-fille *nf* 1 Fille née d'un précédent mariage de la personne que l'on a épousée. 2 Bru, femme d'un fils. *Des belles-filles.*

belle-mère *nf* 1 Mère du conjoint. 2 Seconde épouse du père, pour les enfants du premier lit. *Des belles-mères.*

belles-lettres *nfpl* La littérature.

belle-sœur *nf* 1 Sœur du conjoint. 2 Épouse d'un frère ou d'un beau-frère. *Des belles-sœurs.*

bellicisme *nm* Attitude belliciste.

belliciste *n, a* Partisan de la guerre.

belligérance *nf* Situation d'un pays, d'un peuple en état de guerre.

belligérant, ante *a, n* Qui est en guerre.

belliqueux, euse *a* 1 Qui aime la guerre, pousse à la guerre. 2 Qui aime engager des polémiques, agressif.

belon *nf* Huître à coquille plate et ronde.

belote *nf* Jeu de cartes qui se joue avec 32 cartes.

béluga *nm* Cétacé des mers arctiques, appelé aussi *baleine blanche.* **Var bélouga**

belvédère *nm* 1 Petit pavillon construit au sommet ou à l'angle d'un édifice. 2 Lieu élevé offrant une vue dégagée.

bémol *nm* 1 Signe musical baissant une note d'un demi-ton. 2 *fam* Atténuation de la violence, de l'ampleur de qqch.

bénédicité *nm* Prière dite avant le repas.

bénédictin, ine *n* Religieux, religieuse de l'ordre de saint Benoît de Nursie. **Loc** *Travail de bénédictin* : travail long, exigeant une application minutieuse. ■ *a* Relatif à l'ordre bénédictin.

bénédiction *nf* Action de bénir. **Loc** *C'est une bénédiction* : c'est très heureux.

bénéfice *nm* 1 Gain constitué par l'excédent des recettes sur les dépenses. 2 Avantage tiré d'une action, d'une situation. *Être élu au bénéfice de l'âge.* **Loc** *Sous bénéfice d'inventaire* : sous réserve de vérifications favorables.

bénéficiaire *n, a* Qui tire un avantage de qqch. ■ *a* Qui produit un bénéfice.

bénéficier *vti* Tirer un avantage, un profit d'une chose.

bénéfique *a* Dont l'action, l'influence est favorable.

benêt *n, am* Niais, sot.

bénévolat *nm* Service assuré à titre bénévole.

bénévole *a, n* Qui fait qqch sans y être obligé et gratuitement. *Faire appel à des bénévoles.*

■ *a* Fait sans obligation, à titre gratuit. *Service bénévole.*

bénévolement *av* De façon bénévole.

bengali, ie *a, n* Du Bengale. ■ *nm* 1 Langue du Bengale, du Bangladesh. 2 Petit oiseau exotique au plumage coloré.

bénignité *nf litt* Caractère bénin.

bénin, igne *a* 1 Qui est sans gravité. *Maladie bénigne.* 2 *litt* Doucereux.

béninois, oise *a, n* Du Bénin.

béni-oui-oui *nm inv fam* Approbateur empressé et inconditionnel.

bénir *vt* 1 Appeler la protection, la bénédiction divine sur. 2 Louer, rendre grâce avec reconnaissance à. *Bénir la mémoire de qqn.* 3 Se féliciter, se réjouir de. *Je bénis cette rencontre.*

bénit, ite *a* Qui a reçu une bénédiction liturgique. *Pain bénit, eau bénite.*

bénitier *nm* 1 Récipient à eau bénite. 2 Syn. de tridacne. **Loc** *fam Se démener comme un diable dans un bénitier* : faire tous ses efforts pour sortir d'une situation difficile. *fam Grenouille de bénitier* : bigote.

benjamin, ine *n* Le plus jeune enfant d'une famille ; le plus jeune membre d'un groupe.

benjoin *nm* Résine utilisée en parfumerie et en pharmacie.

benne *nf* 1 Caisson pour la manutention des matériaux en vrac. 2 Cabine de téléphérique.

benoît, oîte *a litt* Qui affecte une mine douce-reuse. **Var benoit, oite**

benoîtement *av litt* De façon benoîte. **Var benoi-tement**

benthique *a* GÉOL Du fond des mers.

benthos *nm* BIOL Organisme vivant au fond des mers.

benzène *nm* Liquide incolore extrait des goudrons de houille.

benzine *nf* Mélange d'hydrocarbures utilisé comme solvant.

benzodiazépine *nf* Substance utilisée comme tranquillisant.

benzol *nm* Liquide obtenu par distillation du goudron de houille.

béotien, enne *a, n* 1 De la Béotie. 2 Lourdaud, ignorant.

BEP *nm* Brevet d'études professionnelles.

béquille *nf* 1 Support passant sous l'aisselle et muni d'une poignée pour aider un infirme à marcher. 2 Pièce destinée à soutenir, à étayer.

berbère *a, n* Relatif aux Berbères. ■ *nm* Langue sémitique des Berbères.

berbérisme *nm* Mouvement d'affirmation de l'identité berbère.

bercail *nm* **Loc** *Rentrer au bercail, ramener qqn au bercail* : parmi les siens.

berceau *nm* 1 Petit lit d'enfant en bas âge. 2 Lieu d'origine de qqch. 3 Voûte à simple courbure.

bercement *nm* Action de bercer.

bercer *vt* [10] 1 Balancer doucement un enfant. 2 Apaiser, calmer, endormir. *Bercer qqn de promesses.* ■ *vpr* **Loc** *Se bercer d'illusions* : se leurrer.

berceuse *nf* Chanson destinée à endormir les enfants.

béret *nm* Coiffure en étoffe, ronde et plate.

bergamote *nf* 1 Agrume dont on tire une essence parfumée. 2 Bonbon à la bergamote.

berge nf 1 Bord d'un cours d'eau. *Les berges de la Seine.* 2 fam An, année.

berger, ère n 1 Personne qui garde les moutons. 2 litt Chef, guide. **Loc** *L'étoile du berger :* la planète Vénus. ■ nm Nom de diverses races de chiens.

bergerac nm Vin rouge du Sud-Ouest.

bergère nf Fauteuil large et profond, garni d'un épais coussin.

bergerie nf Lieu où l'on parque les moutons.

bergeronnette nf Petit oiseau, dont la longue queue s'agite sans arrêt.

béribéri nm Maladie due à une carence en vitamines B1.

berk ! *interj* fam Exprime le dégoût.

berline nf 1 Automobile à quatre portes. 2 Wagonnet assurant le transport des minerais.

berlingot nm 1 Bonbon de sucre en forme de tétraèdre. 2 Conditionnement (plastique ou carton) de certains liquides.

berlinois, oise a, n De Berlin.

berlue nf **Loc** fam *Avoir la berlue :* être victime d'une illusion.

bermuda nm Short à jambes étroites descendant jusqu'aux genoux.

bernardin, ine n RELIG Cistercien.

bernard-l'ermite nm inv Syn. de *pagure*.

berne nf **Loc** *Drapeau en berne :* hissé à mi-mât ou non déployé, en signe de deuil.

berner vt Tromper et ridiculiser.

bernique nf Syn. de *patelle*. **Var** bernicle

bernois, oise a, n De Berne.

berrichon, onne a, n Du Berry.

bersaglier nm Soldat italien d'infanterie.

béryl nm Pierre précieuse de couleur variable.

béryllium [-ljɔm] nm Métal utilisé dans les alliages et dans l'industrie nucléaire.

besace nf Sac à deux poches, avec une ouverture au milieu.

bésef av pop Beaucoup. **Var** bézef

bésicles nfpl fam Lunettes.

besogne nf Travail, ouvrage.

besogneux, euse a, n 1 Qui est dans la gêne. 2 Qui fait un travail rebutant et peu rétribué.

besoin nm 1 Manque de ce qui est ressenti comme désirable ou nécessaire. 2 État de pauvreté. **Loc** *Avoir besoin de qqch, de qqn :* ressentir comme nécessaire qqch, la présence ou l'aide de qqn ; nécessiter qqch. *Au besoin, si besoin est :* si c'est nécessaire. ■ *pl* Ce qui est indispensable à l'existence quotidienne. **Loc** fam *Faire ses besoins :* uriner, déféquer.

bestiaire nm 1 Recueil, traité sur les animaux, généralement illustré. 2 ANTIQ Gladiateur qui combattait des bêtes féroces dans l'arène.

bestial, ale, aux a Qui ravale l'être humain au niveau de la bête.

bestialement av De façon bestiale.

bestialité nf État de qqn qui a les instincts grossiers de la bête.

bestiaux nmpl Troupeaux d'une exploitation agricole.

bestiole nf Petite bête ; insecte.

best-seller [-sɛlɛʀ] nm Livre à succès, qui a une grosse vente. *Les best-sellers de l'année.* **Var** bestseller

1. bêta nm Deuxième lettre de l'alphabet grec correspondant au *b.* ■ a inv **Loc** *Rayons bêta :* rayonnement constitué d'électrons émis par les corps radioactifs.

2. bêta, asse n, a fam Sot, niais.

bêtabloquant nm Médicament qui bloque certains récepteurs du système sympathique.

bétail nm Animaux de pâture, dans une exploitation agricole.

bétaillère nf Camion utilisé pour transporter le bétail.

bête nf 1 Tout être animé, à l'exception de l'être humain. 2 Personne qui se livre à ses instincts. **Loc** *Bête à bon Dieu :* coccinelle. *Bête noire :* personne ou chose détestée. fam *Chercher la petite bête :* faire preuve d'une minutie tatillonne. ■ *nfpl* Le bétail. ■ a Stupide, sot. *Il est bête et méchant.*

bétel nm 1 Plante grimpante de l'Inde. 2 Masticatoire préparé avec des feuilles de bétel.

bêtement av De façon stupide. **Loc** *Tout bêtement :* simplement.

bêtifiant, ante a Qui bêtifie.

bêtifier vi Dire des niaiseries.

bêtise nf 1 Défaut d'intelligence, de jugement. 2 Propos bête. 3 Chose sans importance, futile. 4 Action imprudente, dangereuse, maladroite. **Loc** *Bêtise de Cambrai :* berlingot à la menthe.

bêtisier nm Recueil de bêtises amusantes.

bétoine nf Plante à fleurs mauves.

béton nm Matériau de construction constitué de ciment, de sable, de gravier et d'eau. **Loc** *Béton armé :* coulé autour d'armatures métalliques. *Jouer le béton* (football).

bétonnage nm Action de bétonner.

bétonner vt 1 Construire, recouvrir ou renforcer avec du béton. 2 fam Bloquer qqch, l'immobiliser. ■ vi 1 Au football, grouper les joueurs d'une équipe en défense. 2 fam Faire de l'obstruction.

bétonneuse nf abusiv Bétonnière.

bétonnière nf Machine servant à préparer le béton.

bette nf Plante comestible voisine de la betterave, aux feuilles amples, aux côtes épaisses et tendres. **Var** blette

betterave nf Plante cultivée pour sa racine charnue, de forte taille.

betteravier, ère a Relatif à la betterave. ■ nm Producteur de betteraves.

beuglante nf pop Chanson chantée d'une voix assourdissante.

beuglement nm 1 Cri des animaux qui beuglent. 2 Son intense et prolongé qui assourdit.

beugler vi Mugir, en parlant du taureau, du bœuf et de la vache. ■ vi, vt fam Crier, chanter très fort.

beur, a n, a Jeune né en France de parents maghrébins immigrés.

beurre nm 1 Substance alimentaire onctueuse obtenue à partir de la crème du lait. 2 Substance grasse extraite de divers végétaux. *Beurre de cacao.* **Loc** fam *Faire son beurre :* s'enrichir. fam *Compter pour du beurre :* ne pas être pris en compte. fam *Mettre du beurre dans les épinards :* améliorer sa situation matérielle.

beurré nm Variété de poire à chair fondante.

beurrer vt Recouvrir de beurre. **Loc** fam *Être beurré :* être ivre.

beurrier nm Récipient servant à conserver ou à servir le beurre.

beuverie nf Réunion où l'on boit avec excès.

bévue *nf* Erreur grossière, commise par ignorance ou faute de jugement.

bey *nm* HIST Haut dignitaire de l'empire Ottoman ou vassal du sultan.

bézef. *V. bésef.*

bhoutanais, aise *a, n* Du Bhoutan.

biais *nm* 1 Ligne oblique. 2 Moyen détourné et ingénieux. Loc *De biais, en biais* : de côté.

biaisé, ée *a* fam Décalé, trompeur. *Une réponse biaisée.*

biaiser *vi* 1 Être, aller de biais. 2 User de détours.

biathlon *nm* Épreuve olympique combinant le ski de fond et le tir.

bibelot *nm* Petit objet de décoration.

biberon *nm* Petite bouteille munie d'une tétine, avec laquelle on fait boire un nourrisson.

biberonner *vi* fam Boire avec excès.

bibi *pr* fam Moi. *Ça, c'est à bibi.*

bibine *nf* fam Mauvaise boisson.

bible *nf* 1 *La Bible* : v. partie noms propres. 2 Manifeste, ouvrage fondamental d'une doctrine. 3 Ouvrage qu'on consulte souvent. Loc *Papier bible* : très mince et opaque.

bibliobus [-bys] *nm inv* Véhicule servant de bibliothèque itinérante.

bibliographe *n* Auteur de bibliographies.

bibliographie *nf* Liste des écrits d'un auteur ou se rapportant à un sujet.

bibliographique *a* De la bibliographie.

bibliologie *nf* Science du livre, de l'écrit.

bibliophile *n* Personne qui aime les livres précieux et rares.

bibliophilie *nf* Amour des livres.

bibliothécaire *n* Personne préposée à l'entretien d'une bibliothèque.

bibliothéconomie *nf* Discipline qui s'occupe de la gestion et de l'organisation des bibliothèques.

bibliothèque *nf* 1 Meuble permettant de ranger des livres. 2 Pièce ou édifice où sont conservés des livres mis à la disposition du public. 3 Collection de livres.

biblique *a* De la Bible. Loc fam *D'une simplicité biblique* : très simple.

bic *nm* (n. déposé) Stylo à bille.

bicamérisme *nm* Système politique fondé sur un Parlement composé de deux chambres. Var **bicaméralisme**

bicarbonate *nm* Carbonate acide.

bicarburation *nf* Possibilité pour un moteur d'utiliser deux types de carburants.

bicentenaire *a* Deuxième centenaire.

bicéphale *a* Qui a deux têtes.

biceps *nm* Muscle long fléchisseur du bras.

biche *nf* Femelle du cerf.

bicher *v impers* Loc fam *Ça biche* : ça va bien.

bichon, onne *n* Petit chien à poil long.

bichonner *vt* Parer avec soin ; entourer de soins. ■ *vpr* Se parer avec coquetterie.

bichromate *nm* Sel de l'acide chromique.

bichromie *nf* Impression en deux couleurs.

bicolore *a* Qui est de deux couleurs.

biconcave *a* Qui présente deux faces concaves opposées.

biconvexe *a* Qui présente deux faces convexes opposées.

bicoque *nf* fam Petite maison ou maison peu solide, inconfortable.

bicorne *nm* Chapeau à deux pointes.

bicross *nm* Vélo tout-terrain.

biculturalisme *nm* Coexistence de deux cultures nationales dans un même pays.

bicyclette *nf* Cycle à deux roues d'égal diamètre, dont la roue arrière est mise en mouvement par un pédalier.

bidasse *nm* fam Soldat.

bide *nm* fam 1 Ventre. 2 Échec.

bidet *nm* 1 Petit cheval de selle. 2 Cuvette utilisée pour la toilette intime.

bidoche *nf* pop Viande.

bidon *nm* 1 Récipient métallique portatif destiné à contenir un liquide. 2 fam Ventre. Loc fam *Du bidon* : qqch de faux. ■ *a* Mensonger.

bidonner (se) *vpr* fam Rire, bien s'amuser.

bidonville *nm* Agglomération d'habitations précaires, construites en matériaux de récupération, à la périphérie de certaines villes.

bidouillage *nm* fam Action de bidouiller.

bidouiller *vt* fam Bricoler.

bidule *nm* fam Chose, objet quelconque.

bief *nm* 1 Canal conduisant l'eau sur la roue d'un moulin. 2 Espace entre deux écluses.

bielle *nf* Pièce de certains mécanismes qui transmet un mouvement.

biélorusse *a, n* De Biélorussie. ■ *nm* Langue slave parlée en Biélorussie.

bien *av* 1 De manière satisfaisante, agréable, habile. *Je dors bien. Une lettre bien tournée.* 2 De manière juste, honnête. *Il a bien agi.* 3 Beaucoup de. *Il manque bien des choses.* 4 Très, tout à fait ; beaucoup. *C'est bien long.* 5 Au moins. *Il y a bien dix ans.* 6 Certes, sans doute. *Cela se peut bien.* Loc *Aussi bien* : d'ailleurs, de toute façon. ■ *interj* Marque la satisfaction. *Et bien ! eh bien ?* : marquent la surprise, l'interrogation. ■ *a inv* 1 Satisfaisant, convenable. *C'est un garçon bien.* 2 En bonne santé. ■ *conj* Loc *Bien que* : exprime la concession (quoique). *Si bien que* : introduit une conséquence (de sorte que). ■ *nm* 1 Ce qui est louable moralement. *Discerner le bien et le mal.* 2 Ce qui est profitable, avantageux. *Il a agi pour votre bien.* 3 Ce qu'on possède. *Léguer tous ses biens à qqn.* 4 Ce qui est produit par le travail. *Les biens de consommation.* Loc *Faire du bien* : être agréable, profitable. *Mener qqch à bien* : le conclure heureusement, réussir. *En tout bien tout honneur* : sans mauvaise intention.

bien-aimé, ée *a, n* Qui est tendrement aimé, particulièrement chéri. *Des bien-aimés.*

biénergie *nf* Système de chauffage utilisant alternativement deux types d'énergie.

bien-être *nm inv* 1 État agréable du corps et de l'esprit. 2 Situation aisée financièrement.

bienfaisance [-fə-] *nf* Action de faire du bien aux autres ; le bien que l'on fait dans un intérêt social. *Société de bienfaisance.*

bienfaisant, ante [-fə-] *a* Qui fait du bien, qui a une influence salutaire.

bienfait [-fε-] *nm* 1 Service rendu à qqn. 2 Avantage, utilité. *Les bienfaits de la science.*

bienfaiteur, trice *n* Personne qui fait du bien.

bien-fondé *nm* 1 DR Conformité d'une demande, d'un acte, à la justice et au droit. 2 Conformité à la raison. *Des bien-fondés.*

bien-fonds *nm* Bien immobilier. *Des biens-fonds.*

bienheureux, euse *a* Très heureux. ■ *n* Dans l'Église catholique, personne qui a été béatifiée.

biennal, ale, aux *a* **1** Qui dure deux ans. **2** Qui a lieu tous les deux ans. ■ *nf* Manifestation artistique, culturelle, etc. qui a lieu tous les deux ans.

bien-pensant, ante *a, n* Attaché à des valeurs traditionnelles. *Des bien-pensants.*

bienséance *nf* litt Conduite publique en conformité avec les usages.

bienséant, ante *a* litt Décent, convenable.

bientôt *av* **1** Dans peu de temps. **2** Rapidement. *Ce fut bientôt fait.*

bienveillance *nf* Disposition favorable à l'égard de qqn.

bienveillant, ante *a* Plein de bienveillance.

bienvenu, ue *a, n* Qui arrive à propos, qui est accueilli avec plaisir.

bienvenue *nf* Loc *Souhaiter la bienvenue à qqn* : le saluer à son arrivée avec des mots accueillants.

1. bière *nf* Boisson alcoolique à base d'orge et de houblon.

2. bière *nf* Cercueil.

biface *nm* Outil préhistorique fait d'une pierre taillée sur deux faces.

biffer *vt* Rayer, barrer ce qui est écrit.

bifide *a* SC NAT Fendu longitudinalement.

bifidus *nm* Bactérie utilisée comme additif dans les produits laitiers.

bifocal, ale, aux *a* Qui a deux distances focales différentes.

bifteck *nm* Tranche de bœuf. Loc fam *Gagner son bifteck* : gagner de quoi vivre.

bifurcation *nf* Endroit où une ligne, une voie se divise en deux parties.

bifurquer *vi* **1** Se diviser en deux branches. **2** Changer de direction à un croisement. **3** Prendre une orientation différente.

bigame *a, n* Qui est marié à deux personnes à la fois.

bigamie *nf* État d'une personne bigame.

bigarade *nf* Orange amère.

bigarré, ée *a* Qui a des couleurs, des dessins variés et disparates.

bigarreau *nm* Cerise rouge et blanche à chair ferme et sucrée.

bigarrer *vt* Revêtir de couleurs en opposition violente.

bigarrure *nf* Assemblage de couleurs, de dessins variés, disparates.

big bang *nm inv* ASTRO Gigantesque explosion qui serait à l'origine de l'Univers. **Var bigbang**.

bigler *vi* fam Loucher. ■ *vt* Regarder.

bigleux, euse *a, n* fam **1** Qui louche. **2** Qui ne voit pas bien.

bignonia *nm* Arbrisseau à fleurs orangées.

bigophone *nm* fam Téléphone.

bigorneau *nm* Petit mollusque comestible à coquille en spirale.

bigot, ote *n, a* D'une dévotion étroite et pointilleuse.

bigoterie *nf* Dévotion de bigot.

bigouden, ène [-dɛ̃, -dɛn] *a, n* De la région de Pont-l'Abbé (Finistère).

bigoudi *nm* Rouleau, cylindre utilisé pour boucler les cheveux.

bigre ! *interj* fam Marque la surprise.

bigrement *av* fam Très, beaucoup. *Il était bigrement content.* Syn. bougrement.

bigue *nf* Appareil de levage pour charges importantes.

biguine *nf* Danse d'origine antillaise.

bihebdomadaire *a* Qui a lieu, qui paraît deux fois par semaine. ■ *nm* Publication bihebdomadaire.

bihoreau *nm* Petit héron de mœurs nocturnes.

bijou *nm* **1** Petit objet de parure plus ou moins précieux (bague, collier, bracelet, broche, etc.). *Des bijoux en or.* **2** Chose très jolie, fabriquée avec grand soin.

bijouterie *nf* **1** Fabrication, commerce des bijoux. **2** Les bijoux, en tant qu'objets d'industrie, de commerce. **3** Magasin où l'on vend des bijoux.

bijoutier, ère *n* Fabricant ou marchand de bijoux.

bikini *nm* (n. déposé) Costume de bain pour femme, composé d'un slip et d'un soutien-gorge de dimensions très réduites.

bilan *nm* **1** État comparatif de l'actif et du passif d'une entreprise. **2** Résultats d'ensemble, positifs ou négatifs, d'une action, d'une situation. Loc *Dépôt de bilan* : déclaration au tribunal de commerce de cessation de paiements.

bilatéral, ale, aux *a* **1** Des deux côtés. *Stationnement bilatéral.* **2** Établi directement entre deux partenaires. *Accord bilatéral.*

bilatéralement *av* De façon bilatérale.

bilboquet *nm* Jouet formé d'une boule percée d'un trou et reliée par une ficelle à un manche à bout pointu qu'il faut faire pénétrer dans le trou de la boule lancée en l'air.

bile *nf* Liquide amer sécrété par le foie. Loc *S'échauffer la bile* : se mettre en colère. *Décharger sa bile sur qqn* : lui faire supporter sa mauvaise humeur. fam *Se faire de la bile* : s'inquiéter.

biler (se) *vpr* fam S'inquiéter.

bilharzie *nf* Ver vivant en parasite dans divers organes.

bilharziose *nf* Maladie parasitaire provoquée par des bilharzies.

biliaire *a* Relatif à la bile.

bilieux, euse *a, n* **1** Coléreux. **2** D'un tempérament inquiet, anxieux.

bilingue *a* Écrit en deux langues différentes. *Un dictionnaire bilingue.* ■ *a, n* Qui parle deux langues.

bilinguisme [-gɥism] *nm* État de qqn, d'un pays bilingue.

bilirubine *nf* Pigment biliaire.

billard *nm* **1** Jeu qui se joue avec des billes d'ivoire ou de plastique, qu'on frappe avec un bâton appelé queue, sur une table spéciale. **2** Table rectangulaire, recouverte d'un tapis de drap, sur laquelle on joue au billard. **3** fam Table d'opération. **4** Salle où on joue au billard. Loc *Billard électrique* : Syn. de flipper. fam *C'est du billard* : c'est très facile.

bille *nf* **1** Boule pour jouer au billard. **2** Petite boule de pierre, de verre, d'acier, d'argile, avec laquelle jouent les enfants. **3** pop Tête, figure. **4** Pièce de bois de toute la grosseur du tronc, destinée à être équarrie et débitée. Loc *Roulement à billes* : muni de sphères métalliques qui réduisent le frottement d'un axe tournant. *Crayon, stylo à bille* : muni d'une petite bille de métal en contact avec de l'encre épaisse.

billet *nm* **1** Lettre très courte. **2** Engagement écrit de payer une somme d'argent. **3** Papier-monnaie.

Un billet de dix euros. **4** Petit papier imprimé établissant un droit (entrée, parcours, etc). *Un billet de théâtre. Billet de train.*

billetterie *nf* **1** Lieu où on vend des billets. **2** Distributeur automatique de billets de banque.

billevesée [bil-] *nf* litt Chose, propos frivole.

billion *nm* Mille milliards (10^{12}).

billot *nm* **1** Bloc de bois posé verticalement et qui présente une surface plane à sa partie supérieure. **2** Pièce de bois sur laquelle le condamné à la décapitation posait la tête.

bimbeloterie *nf* **1** Fabrication, commerce de bibelots. **2** Ensemble de bibelots.

bimensuel, elle *a* Qui a lieu, paraît deux fois par mois. ■ *nm* Publication bimensuelle.

bimestre *nm* Durée de deux mois.

bimestriel, elle *a* Qui a lieu, paraît tous les deux mois.

bimétallique *a* Constitué de deux métaux.

bimétallisme *nm* Système monétaire à double étalon, or et argent.

bimillénaire *a* Qui a vingt siècles. ■ *nm* Deux millième anniversaire.

bimoteur *a, nm* Qui a deux moteurs.

binage *nm* Action de biner.

binaire *a* **1** Composé de deux éléments. **2** MATH Se dit de la numération à base deux. **3** MUS Se dit d'un rythme à deux temps.

binational, ale, aux *a, n* Qui a une double nationalité.

binationalité *nf* Double nationalité.

binaural, ale, aux *a* Des deux oreilles (audition).

biner *vt* Ameublir le sol avec une binette.

binette *nf* **1** Petite pioche à manche court et fer large et plat. **2** fam Visage, tête.

bingo [bingo] *nm* Sorte de loto.

biniou *nm* Cornemuse bretonne.

binocles *nfpl* fam Lunettes.

binoculaire *a* **1** Des deux yeux. *Vision binoculaire.* **2** Muni de deux oculaires.

binôme *nm* **1** MATH Somme algébrique de deux monômes. **2** Ensemble de deux éléments.

binominal, ale, aux *a* Loc SC NAT *Nomenclature binominale* : qui utilise deux noms latins pour désigner chaque être vivant.

bintje [bintʃ] *nf* Variété de pomme de terre.

bioactif, ive *a* BIOL Qui est doué d'une activité biologique.

biocarburant *nm* Carburant d'origine végétale.

biochimie *nf* Science qui étudie les propriétés chimiques de la matière vivante.

biochimiste *n* Spécialiste de biochimie.

biocide *a, nm* Qui détruit les microbes.

bioclimat *nm* Conditions climatiques d'une région dans ses rapports avec la santé.

biodéchet *nm* Déchet fermentescible, donc biodégradable.

biodégradable *a* Qui peut être décomposé par l'action de microorganismes.

biodégradation *nf* Décomposition d'un produit biodégradable.

biodiversité *nf* Diversité génétique des espèces d'êtres vivants ; nombre de ces espèces.

bioénergie *nf* Énergie renouvelable par transformation de la biomasse.

bioéthique *nf* Étude des principes moraux qui doivent présider aux pratiques médicales et biologiques concernant l'être humain.

biogenèse *nf* BIOL Apparition de la vie sur la Terre.

biogénétique *nf* Génétique appliquée à la biologie.

biogéographie *nf* Science qui étudie la répartition géographique des espèces vivantes.

biographe *n* Auteur d'une biographie.

biographie *nf* Histoire de la vie d'une personne.

biographique *a* De la biographie.

bio-industrie *nf* Application industrielle des biotechnologies (agroalimentaire, pharmacie, etc.). *Des bio-industries.*

bio-invasion *nf* ECOL Domination d'un écosystème par une plante, entraînant l'appauvrissement de celui-ci. *Des bio-invasions.*

biologie *nf* Science de la vie, des êtres vivants.

biologique *a* **1** De la biologie. **2** Propre aux êtres vivants. **3** Obtenu sans engrais ni pesticides. Loc *Arme biologique* : utilisant des toxines, des microbes.

biologiste *nm* Spécialiste de biologie.

biomasse *nf* Masse totale des organismes vivant dans un biotope délimité.

biomatériau *nm* Substance susceptible de remplacer un organe, un tissu vivant.

biomédical, ale, aux *a* Qui concerne à la fois la biologie et la médecine.

bionique *nf* Étude des phénomènes et des mécanismes biologiques en vue de leurs applications industrielles.

biophysicien, enne *n* Spécialiste de biophysique.

biophysique *nf* Science qui applique les méthodes de la physique à la biologie.

biopsie *nf* BIOL Prélèvement d'un fragment de tissu vivant, aux fins d'examen histologique.

biorythme *nm* MED Variation périodique régulière du niveau d'énergie d'un individu.

biosciences *nfpl* Sciences de la vie.

biosphère *nf* Zone de la terre et de l'atmosphère où existe la vie.

biotechnologie *nf* Ensemble des techniques appliquant la biochimie à des fins agricoles ou industrielles. Var biotechnique

biotechnologique *a* De la biotechnologie. Var biotechnique

biotique *a* BIOL **1** Qui a pour origine un être vivant. **2** Qui permet la vie.

biotope *nm* BIOL Milieu physique propre au développement de telle ou telle espèce.

bip *nm* Signal acoustique bref et répété.

biparti, ie *a* **1** Divisé en deux parties. **2** Composé par l'union de deux partis politiques. Var bipartite

bipartisme *nm* Régime politique où deux partis seulement peuvent alterner au pouvoir.

bipartition *nf* Division en deux parties.

bipède *a, nm* Qui a deux pieds.

biphasé, ée *a* ELECTR Qui comporte deux phases.

biplace *nm* À deux places.

biplan *nm* Avion dont les ailes sont formées de deux plans superposés.

bipolaire *a* Qui a deux pôles.

bipolarisation *nf* Tendance des courants politiques à se rassembler en deux blocs opposés.

bipolarité nf Caractère bipolaire.

bique nf fam Chèvre.

biquet, ette n fam Petit de la chèvre.

biquotidien, enne a Qui a lieu deux fois par jour.

birbe nm Loc fam *Vieux birbe :* vieil homme ennuyeux.

biréacteur a, nm Avion qui a deux réacteurs.

biréfringence nf PHYS Propriété des substances biréfringentes.

biréfringent, ente a PHYS Se dit d'un cristal qui produit une double réfraction.

birman, ane a De Birmanie. ■ nm Langue parlée en Birmanie.

birr nm Unité monétaire de l'Éthiopie.

1. bis, bise a Gris tirant sur le brun.

2. bis [bis] av Indique qu'un numéro d'une série est répété. *Il habite au 15 bis.* ■ a inv Qui double qqch. *Itinéraire bis.* ■ interj Cri qui demande à un artiste, un orchestre de redonner un morceau.

bisaïeul, eule n litt Arrière-grand-père, arrière-grand-mère. *Des bisaïeuls.*

bisannuel, elle a 1 Qui a lieu tous les deux ans. 2 BOT Dont le cycle évolutif dure deux ans.

bisbille nf fam Petite querelle pour des motifs futiles.

biscornu, ue a 1 De forme irrégulière. 2 fam Surprenant, extravagant. *Quelle idée biscornue.*

biscotte nf Tranche de pain de mie recuite au four.

biscuit nm 1 Pâtisserie à base de farine, d'œufs, de sucre, de matières grasses. 2 Porcelaine ayant subi deux cuissons et laissée sans peinture.

biscuiterie nf Industrie et commerce des biscuits, des gâteaux ; usine de biscuits.

bise nf 1 Vent froid du nord. 2 fam Baiser.

biseau nm Face oblique au bord d'une plaque dont une arête a été abattue.

biseautage nm Action de biseauter.

biseauter vt 1 Tailler en biseau. 2 Faire une marque en biais sur une carte, pour pouvoir la reconnaître et tricher.

biset nm Pigeon sauvage gris.

bisexualité nf 1 BIOL État des organismes bisexués. 2 Comportement des personnes bisexuelles.

bisexué, ée a BIOL Qui possède des organes sexuels mâles et femelles.

bisexuel, elle a, n Qui est à la fois hétérosexuel et homosexuel.

bismuth nm Métal voisin de l'antimoine, utilisé dans l'industrie et en médecine.

bison nm Grand bovin sauvage, bossu, à collier laineux.

bisou nm fam Baiser.

bisque nf Potage fait d'un coulis de crustacés ou de volaille.

bisquer vi fam Éprouver du dépit.

bissecteur, trice a GEOM Qui partage en deux parties égales. ■ nf Demi-droite qui partage un angle en deux parties égales.

bisser vt 1 Crier « bis » à un artiste, un orchestre, etc. 2 Jouer un air une deuxième fois.

bissextile af Se dit de l'année de 366 jours, qui revient tous les quatre ans (29 jours en février).

bistouri nm Petit couteau ou appareil électrique pour incisions chirurgicales.

bistre n, a Couleur intermédiaire entre le brun et le jaune rouille.

bistro nm fam Café, petit bar. Var **bistrot**

bistrotier, ère n fam Tenancier de bistro.

bit nm INFORM Unité de la numérotation binaire.

bitension a inv ELECTR Qui peut fonctionner sous deux tensions différentes.

bitte nf 1 Pièce fixée sur le pont d'un navire qui sert à tourner les aussières. 2 Borne d'amarrage placée sur un quai. 3 pop Pénis.

bitter [-tɛʀ] nm Boisson apéritive au goût amer.

bitume nm Mélange visqueux utilisé pour le revêtement des chaussées et des trottoirs.

bitumer vt Revêtir de bitume.

bitumineux, euse a Qui contient du bitume.

biture nf Loc pop *Prendre une biture :* s'enivrer. Var **bitture**

bivalence nf Caractère bivalent.

bivalent, ente a 1 Qui a deux fonctions, deux rôles. 2 CHIM Qui possède la valence 2.

bivalve a, nm ZOOL Se dit d'un mollusque dont la coquille a deux valves.

bivouac nm Campement temporaire en plein air (militaires, alpinistes, etc.).

bivouaquer vi Camper en plein air.

bizarre a Étrange, surprenant.

bizarrement av De façon bizarre.

bizarrerie nf 1 Caractère bizarre. 2 Action, chose bizarre.

bizarroïde a fam Assez bizarre.

bizness. V. **business.**

bizut [bizy] nm arg Élève de première année dans une grande école. Var **bizuth**

bizutage nm arg Action de bizuter.

bizuter vt arg Soumettre les nouveaux à des brimades traditionnelles.

blablabla nm fam Verbiage, bavardage oiseux. Var **blabla**

black a, n fam Qui est de race noire.

blackbouler vt fam 1 Faire échouer lors d'une élection. 2 Refuser à un examen.

black-jack [-dʒak] nm Jeu de cartes américain. Var **blackjack**

black-out [blakaut] nm Suppression de toute lumière extérieure, pour éviter qu'un objectif soit repéré par l'ennemi. Loc *Faire le black-out sur :* garder le secret à propos de. Var **blackout**

blafard, arde a D'une couleur pâle, terne.

blague nf 1 Histoire plaisante, à ne pas prendre au sérieux. 2 Bêtise, erreur. *Il a fait une blague.* 3 Petit sac pour le tabac. Loc fam *Sans blague ! :* interjection exprimant la surprise.

blaguer vi fam Dire des blagues, des plaisanteries. ■ vt Se moquer de qqn sans méchanceté.

blagueur, euse a, n fam Qui dit des blagues.

blaireau nm 1 Mammifère carnivore à la fourrure épaisse. 2 Gros pinceau pour savonner la barbe avant de se raser.

blairer vt Loc pop *Ne pas pouvoir blairer qqn :* avoir de l'antipathie pour lui.

blâmable a À blâmer, répréhensible.

blâme nm 1 Jugement défavorable. 2 Réprimande officielle administrative.

blâmer vt 1 Désapprouver. 2 Sanctionner d'un blâme officiel.

blanc, blanche a 1 De la couleur commune à la neige, à la craie, au lait, etc. Loc *Arme blanche :* avoir la peau blanche. 2 D'une couleur pâle, proche du blanc. *Avoir la peau blanche.* 3 De couleur claire. *Du vin blanc et du vin rouge.* 4 Innocent. *Il n'est pas blanc dans cette affaire.* Loc

Arme blanche : poignard, sabre, etc. (par oppos. à *arme à feu*). *Examen blanc* : passé pour préparer l'examen officiel. *Nuit blanche* : passée sans dormir. *Voix blanche* : sans timbre. *Vers blancs* : en poésie, vers non rimés. *Mariage blanc* : non consommé. ■ *nm* **1** La couleur blanche. **2** Substance colorante blanche. **3** Espace sans inscriptions dans une page manuscrite ou imprimée. *Laisser une ligne en blanc.* **4** Partie blanche de certaines choses. **5** Moment de silence. *Un blanc dans la conversation.* **6** Linge de maison. **7** Maladie cryptogamique de certaines plantes. Loc *Blanc d'œuf* : l'albumine de l'œuf. *Le blanc de l'œil* : la cornée. *Blanc de baleine* : graisse extraite de la tête des cachalots. *De but en blanc* : directement. *Tirer à blanc* : avec une cartouche sans balle. *Chauffer à blanc* : jusqu'à l'incandescence. ■ *n* Personne de race blanche. ■ *nf* Note de musique dont la durée est égale à la moitié de celle de la ronde.

blanc-bec *nm* péjor Jeune homme sans expérience. *Des blancs-becs.*

blanchâtre *a* D'un blanc indécis, sale.

blancheur *nf* Qualité de ce qui est blanc.

blanchiment *nm* Action de blanchir.

blanchir *vt* **1** Rendre blanc. **2** Donner aux légumes une première cuisson dans l'eau avant de les apprêter. **3** Rendre propre. *Blanchir le linge.* **4** Disculper. *Blanchir un accusé.* **5** Dissimuler la provenance d'argent gagné de façon illicite. ■ *vi* Devenir blanc. Loc litt *Blanchir sous le harnais* : passer sa vie dans un emploi jusqu'à un âge avancé.

blanchissage *nm* Action de blanchir le linge, de le rendre propre.

blanchissant, ante *a* **1** Qui rend blanc. **2** Qui devient blanc.

blanchissement *nm* Fait de blanchir.

blanchisserie *nf* Entreprise spécialisée dans le blanchissage.

blanchisseur, euse *n* Qui blanchit le linge.

blanc-seing [blãsɛ̃] *nm* Papier signé en blanc, que peut remplir à sa convenance la personne à qui il est remis. *Des blancs-seings.*

blanquette *nf* **1** Vin blanc mousseux. **2** Ragoût de viande blanche à la sauce blanche.

blasé, ée *a, n* Dégoûté de tout.

blaser *vt* Rendre incapable d'émotions, de sentiments par l'abus de jouissance.

blason *nm* **1** Ensemble des pièces qui constituent un écu héraldique. **2** Science des armoiries, héraldique.

blasphémateur, trice *n* Qui blasphème.

blasphématoire *a* Qui contient un blasphème.

blasphème *nm* **1** Parole qui outrage la divinité, qui insulte la religion. **2** Paroles injurieuses.

blasphémer *vi, vt* [12] Proférer des blasphèmes, des imprécations.

blastoderme *nm* BIOL Cellules embryonnaires de la blastula.

blastomère *nm* BIOL Première cellule de la division de l'œuf fécondé.

blastomycète *nm* BOT Champignon se reproduisant par bourgeonnement.

blastula *nf* BIOL Un des stades du développement de l'embryon.

blatte *nf* Insecte nocturne vivant dans les cuisines et les lieux où se trouvent des détritus. Syn. cafard, cancrelat.

blazer [-zɛʀ] *nm* Veste légère, bleue ou noire.

blé *nm* **1** Plante graminée dont le grain fournit la farine dont on fait le pain. **2** Les grains de cette plante. **3** fam Argent. Loc *Blé noir* : sarrasin.

bled *nm* **1** Pays, région de l'intérieur, en Afrique du Nord. **2** Pour un beur, pays d'origine de sa famille. **3** fam Endroit isolé à la campagne.

blême *a* Pâle, livide.

blêmir *vi* Devenir blême.

blêmissement *nm* Fait de blêmir.

blende [blɛ̃d] *nf* Minerai de zinc.

blennie *nf* Poisson à grosse tête et à corps allongé.

blennorragie *nf* Maladie vénérienne due au gonocoque.

blépharite *nf* Inflammation des paupières.

blessant, ante *a* Qui blesse, offense.

blessé, ée *a, n* Qui a reçu une blessure.

blesser *vt* **1** Donner un coup qui fait une plaie, une fracture. **2** Causer une gêne douloureuse, une irritation de la peau. *Ses chaussures neuves la blessent.* **3** Causer une impression désagréable (à la vue, à l'ouïe). **4** Choquer, froisser, outrager.

blessure *nf* **1** Lésion comportant une plaie. **2** Atteinte morale. *Blessure d'amour-propre.*

blet, blette *a* Se dit des fruits trop mûrs.

blette. V. bette.

blettir *vi* Devenir blet.

bleu, eue *a* D'une couleur analogue à celle d'un ciel sans nuages, de la mer, etc. Loc *Zone bleue* : à stationnement règlementé. *Peur bleue* : grande frayeur. *Maladie bleue* : malformation cardiaque. ■ *nm* **1** La couleur bleue. **2** Matière colorante bleue. **3** fam Recrue nouvellement incorporée. **4** Meurtrissure ayant déterminé un épanchement sanguin sous-cutané. **5** Fromage à moisissure bleue. **6** Vêtement de travail, en grosse toile. Loc *Bleu de méthylène* : antiseptique de couleur bleue.

bleuâtre *a* Qui tire sur le bleu.

bleuet *nm* Plante à fleurs bleues.

bleuir *vt* Rendre bleu. ■ *vi* Devenir bleu.

bleuissement *nm* Passage à la couleur bleue.

bleusaille *nf* fam Ensemble des jeunes recrues.

bleuté, ée *a* Teinté de bleu.

blindage *nm* **1** Action de blinder. **2** Épais revêtement métallique qui protège un navire, un véhicule, une porte.

blindé *nm* Véhicule militaire muni d'un blindage.

blinder *vt* **1** Protéger par un blindage. **2** Endurcir moralement, fortifier.

blini *nm* Mets russe, crêpe salée épaisse, de petit diamètre.

blister [-tɛʀ] *nm* Coque de plastique collée sur un carton, servant d'emballage.

blizzard *nm* Vent très froid du grand Nord.

bloc *nm* **1** Masse, gros morceau pesant et dur. **2** Carnet de feuilles de papier détachables. **3** Assemblage d'éléments homogènes. **4** Ensemble de bâtiments, d'équipements. **5** Union politique, coalition. **6** fam Prison. Loc *Faire bloc* : s'unir étroitement. *En bloc* : en gros, en totalité. *À bloc* : au maximum, à fond.

blocage *nm* **1** Action de bloquer. *Le blocage des freins, des prix.* **2** Inhibition psychologique, incapacité de surmonter une difficulté.

bloc-cuisine *nm* Éléments fabriqués constituant un ensemble dans une cuisine. *Des blocs-cuisines.*

bloc-diagramme *nm* Représentation d'une région en perspective et en coupe. *Des blocs-diagrammes.*

bloc-évier *nm* Élément de cuisine préfabriqué. *Des blocs-éviers.*

blockhaus [blɔkos] *nm* Réduit fortifié.

bloc-moteur *nm* Ensemble formé par le moteur, la boîte de vitesses et l'embrayage d'une automobile. *Des blocs-moteurs.*

bloc-notes *nm* Carnet de feuilles de papier détachables. *Des blocs-notes.*

blocus *nm* 1 Dispositif militaire en vue d'isoler par un siège une place forte, un port, un pays. 2 Mesures visant à l'isolement d'un pays sur le plan économique.

blog *nm* Site web interactif qui a la forme d'un journal personnel, mis à jour régulièrement.

blogosphère *nf* Ensemble des blogs, de ceux qui les créent et de ceux qui s'y connectent.

bloguer *vi* Écrire un blog.

blogueur, euse *n* Personne qui tient un blog.

blond, blonde *a* Qui est d'une couleur proche du jaune, entre le doré et le châtain clair. *Des cheveux blonds. Bière blonde. Tabac blond.* ■ *n* Personne dont les cheveux sont blonds.

blondasse *a, n* D'un blond fade.

blondeur *nf* Couleur blonde.

blondinet, ette *n* Enfant blond.

blondir *vi* Devenir blond.

bloquer *vt* 1 Mettre en bloc. 2 Fermer par un blocus. 3 Obstruer. *La route est bloquée.* 4 Empêcher de bouger. *Bloquer un écrou.* 5 Arrêter net le ballon. 6 Empêcher, interdire toute variation, toute disponibilité. *Bloquer les salaires. Bloquer les crédits.* ■ *vpr* Se figer dans un refus systématique.

blottir (se) *vpr* Se ramasser sur soi-même.

blouse *nf* 1 Vêtement de travail en toile. 2 Corsage de femme en tissu léger.

blouser *vi* Avoir une ampleur donnée par des fronces retenues par une ceinture. ■ *vt fam* Tromper, duper.

blouson *nm* Veste courte qui blouse.

blue-jean [bludʒin] *nm* Syn. de *jean. Des blue-jeans.* **Var bluejean**

blues [bluz] *nm* 1 Chant populaire des Noirs américains, d'inspiration souvent mélancolique. 2 *fam* Mélancolie, cafard.

bluff [blœf] *nm* Parole, action visant à faire illusion en impressionnant.

bluffer [blœ-] *vt fam* Tromper. ■ *vi* Se vanter, faire du bluff.

bluffeur, euse [blœ-] *n, a* Qui bluffe.

blutage *nm* Action de bluter.

bluter *vt* Séparer la farine du son par tamisage.

boa *nm* Grand serpent non venimeux d'Amérique.

boat people [botpipœl] *nm inv* Réfugié qui quitte son pays sur un bateau de fortune.

bob *nm* Petit chapeau rond en toile.

bobard *nm fam* Histoire invraisemblable, mensonge.

bobèche *nf* Disque de verre ou de métal adapté sur un chandelier pour recevoir les gouttes de bougie fondue.

bobinage *nm* 1 Action de bobiner. 2 ELECTR Ensemble des fils enroulés.

bobine *nf* 1 Cylindre à rebords qui sert à enrouler du fil, un film, etc. 2 ELECTR Enroulement de fil conducteur. 3 *fam* Tête, figure.

bobineau *nm* Rouleau supportant un film ou une bande vidéo. **Var bobinot**

bobiner *vt* Mettre sur une bobine.

bobineuse *nf* TECH Machine à bobiner. **Var bobinoir** *nm*

1. bobo *nm fam* Douleur, blessure bénigne.

2. bobo *n, a* Se dit d'un type social jeune, aisé et attaché à la qualité de la vie tout en étant anticonformiste.

bobsleigh [-slɛ] *nm* Sorte de luge à plusieurs places pour glisser sur la glace.

bocage *nm* GÉOGR Paysage de prairies et de cultures coupées de haies vives.

bocager, ère *a* Du bocage.

bocal, aux *nm* Récipient en verre ou en grès à large goulot.

boche *n, a pop, péjor* Allemand.

bock *nm* Verre à bière, d'un quart de litre environ.

bodhisattva *nm* Dans le bouddhisme, individu sur la voie de la perfection.

body *nm* Sous-vêtement d'une seule pièce, fermé entre les jambes.

body-building *nm inv* Syn. de *culturisme.*

bœuf [bœf, au pl. bø] *nm* 1 Bovin castré. 2 Viande de bœuf ou de vache. *Un filet de bœuf.* ■ *a inv fam* Énorme. *Un effet bœuf.*

bof ! *interj* Exprime l'indifférence.

bogie *nm* Chariot à plusieurs essieux supportant un wagon, une locomotive.

1. bogue *nf* Enveloppe épineuse de la châtaigne.

2. bogue *nm* INFORM Syn. de *bug.*

bohème *nm, a* Qui mène une vie vagabonde, au jour le jour. ■ *nf* Artistes, écrivains qui mènent une vie désordonnée.

bohémien, enne *n, a* 1 De Bohême. 2 Nomade vivant dans une roulotte.

boire *vt* [52] 1 Avaler un liquide. 2 Absorber, s'imprégner de. *La terre boit l'eau.* Loc *Il y a là à boire et à manger :* du bon et du mauvais. *fam Ce n'est pas la mer à boire :* ce n'est pas difficile. *Boire les paroles de qqn :* l'écouter avec avidité. *Boire du petit lait :* écouter avec plaisir des flatteries. *Avoir toute honte bue :* n'avoir plus honte de rien. ■ *vi* Absorber avec excès du vin, de l'alcool. ■ *nm* Loc *En perdre le boire et le manger :* être entièrement absorbé par une occupation. *Après boire :* après avoir trop bu d'alcool.

bois *nm* 1 Espace couvert d'arbres. 2 Substance solide et fibreuse qui compose les racines, la tige et les branches des arbres. Loc *Touchons du bois :* formule pour conjurer le sort. *fam Ne pas être de bois :* insensible aux charmes de l'autre sexe. ■ *pl* 1 MUS Instruments à vent en bois. 2 Os pairs ramifiés du front des cervidés mâles.

boisage *nm* Action de munir un chantier, une galerie de mine d'un soutènement ; ce soutènement.

boisé, ée *a* Planté d'arbres.

boisement *nm* Plantation d'arbres.

boiser *vt* 1 Garnir d'une boiserie ou d'un boisage. 2 Planter d'arbres.

boiserie *nf* Revêtement d'un mur intérieur en menuiserie.

boisseau *nm* 1 Ancienne mesure de capacité. 2 Élément à emboîtement, pour les conduits de fumée ou de ventilation. Loc *Mettre qqch sous le boisseau :* empêcher sa diffusion.

boisson *nf* 1 Tout liquide que l'on peut boire. 2 Boisson alcoolique. *Débit de boissons.* 3 Alcoolisme. Loc litt *Être pris de boisson :* ivre.

boîte *nf* 1 Récipient de bois, de métal, de plastique, de carton, souvent à couvercle ; son contenu. 2 fam École, lieu de travail. Loc fam *Mettre qqn en boîte :* se moquer de lui. *Boîte crânienne :* cavité osseuse qui renferme l'encéphale. *Boîte noire :* appareil qui enregistre les circonstances du pilotage d'un avion, de la conduite d'un camion. *Boîte de vitesses :* organe qui sert à modifier le rapport entre la vitesse du moteur et celle des roues motrices. *Boîte de nuit :* cabaret ouvert la nuit, qui présente des spectacles et où l'on danse. Var **boite**

boitement *nm* Fait de boiter. Var **boiterie** *nf*

boiter *vi* 1 Incliner le corps plus d'un côté que de l'autre en marchant. 2 Être défectueux, en parlant d'un raisonnement, d'un plan.

boiteux, euse *a, n* 1 Qui boite. 2 Qui manque d'équilibre, de régularité.

boîtier *nm* Partie extérieure du corps d'une montre, d'un appareil, renfermant le mécanisme, les piles, etc. Var **boitier**

boitillement *nm* Fait de boitiller.

boitiller *vi* Boiter légèrement.

bol *nm* Récipient hémisphérique, destiné à contenir des liquides ; son contenu. Loc fam *Avoir du bol :* de la chance. fam *En avoir ras le bol :* être excédé. *Bol alimentaire :* quantité d'aliments avalés en une fois.

bolchévique *a, n* Partisan des positions radicales de Lénine. Var **bolchévik** ou **bolchevick**

bolchévisme *nm* Ensemble des idées et des pratiques des bolchéviques. Var **bolchevisme**

bolée *nf* Contenu d'un bol.

boléro *nm* 1 Danse espagnole de rythme ternaire ; air sur lequel elle se danse. 2 Veste sans manches, courte et ouverte.

bolet *nm* Champignon dont le dessous du chapeau est garni de tubes accolés.

bolide *nm* Véhicule allant à grande vitesse.

bolivar *nm* Unité monétaire du Venezuela.

boliviano *nm* Unité monétaire de la Bolivie.

bolivien, enne *a* De Bolivie.

bombage *nm* Action de bomber.

bombance *nf* Bonne chère, ripaille.

bombarde *nf* 1 Ancienne pièce d'artillerie à boulets de pierre. 2 Instrument à vent à anche double, ancêtre du hautbois.

bombardement *nm* Action de bombarder.

bombarder *vt* 1 Attaquer à coups de bombes. 2 Lancer des projectiles en grand nombre sur qqn, qqch. 3 fam Assaillir, accabler. *Bombarder qqn de réclamations.* 4 fam Nommer soudainement à un poste d'autorité. *On l'a bombardé président.*

bombardier *nm* Avion de bombardement.

bombe *nf* 1 Projectile explosif largué par avion. 2 Engin explosif. 3 Récipient contenant un liquide à pulvériser maintenu sous pression par un gaz. 4 Projection volcanique solidifiée. 5 Casquette rigide de cavalier. Loc *Bombe glacée :* glace moulée. fam *Faire la bombe :* festoyer.

bombé, ée *a* Convexe, renflé.

bombement *nm* Renflement.

1. bomber *vt* 1 Rendre convexe. 2 Écrire, dessiner sur les murs avec une peinture en bombe. ■ *vi* 1 Devenir convexe. 2 fam Aller à toute allure.

2. bomber [-bœr] *nm* Blouson d'aviateur, porté par les jeunes. Var **bombeur**

bombyx *nm* Papillon nocturne. *La chenille du bombyx du mûrier est le ver à soie.*

bôme *nf* Longue pièce de bois horizontale à la base d'une voile, pivotant autour du mât.

bon, bonne *a* 1 Qui aime faire le bien, qui est bien disposé, bienveillant. *Un homme bon. Un bon accueil.* 2 Qui réussit bien dans son travail. *Un bon élève. Un bon ouvrier.* 3 Qui est d'une qualité satisfaisante. *Une bonne voiture. De bons yeux.* 4 Conforme aux règles morales ou sociales. *La bonne société.* 5 Agréable, savoureux. *La bonne cuisine.* 6 Favorable. *Une bonne journée.* 7 Juste, correct, approprié. *La bonne réponse. Au bon moment.* 8 Qui est important. *Attendre un bon moment.* Loc *Un bon mot :* un mot spirituel. *Être bon pour :* ne pas pouvoir échapper à. *Être bon premier :* être nettement le premier. ■ *av* Loc *Sentir bon :* avoir une odeur agréable. *Tenir bon :* résister fermement. *Il fait bon :* le temps, la température est agréable ; il est agréable de... *À quoi bon ?* à quoi cela servirait-il ? *Pour de bon :* réellement. ■ *interj* Marque la satisfaction, le consentement, la surprise. ■ *nm* 1 Ce qui est bon. 2 Personne qui fait le bien. *Les bons et les méchants.* 3 Autorisation écrite permettant de toucher de l'argent, de recevoir un objet.

bonapartisme *nm* Attachement au régime impérial fondé par Napoléon Bonaparte.

bonapartiste *a, n* Du bonapartisme.

bonasse *a* Bon jusqu'à la niaiserie.

bonbon *nm* Petite friandise à base de sucre.

bonbonne *nf* Grosse bouteille servant à garder et à transporter des liquides.

bonbonnière *nf* 1 Boîte à bonbons. 2 Petit appartement charmant.

bond *nm* 1 Saut brusque. 2 Rebondissement d'un corps. Loc *Faire faux bond :* manquer à une promesse.

bonde *nf* 1 Ouverture par laquelle s'écoule l'eau d'un étang, d'un réservoir ; pièce qui obture cet orifice. 2 Trou fait à un tonneau pour le remplir et le vider ; le bouchon en bois qui sert à le boucher.

bondé, ée *a* Rempli de gens.

bondieuserie *nf* fam 1 Dévotion outrée. 2 Objet pieux de mauvais goût.

bondir *vi* 1 Faire des bonds. 2 S'élancer. 3 Tressaillir. *Bondir de joie.*

bondissement *nm* Action de bondir.

bongo *nm* Instrument de percussion composé de deux petits tambours.

bonheur *nm* 1 État de bien-être, de félicité. 2 Événement heureux, hasard favorable, chance. Loc *Porter bonheur :* favoriser, faire réussir. *Au petit bonheur :* au hasard.

bonhomie *nf* Bonté et simplicité ; bienveillance. Var **bonhommie**

bonhomme *nm* 1 fam Homme. 2 Terme d'affection (en parlant à un petit garçon). *Mon petit bonhomme.* 3 fam Figure humaine grossièrement dessinée. Loc *Aller son petit bonhomme de chemin :* vaquer tranquillement à ses affaires. *Des bonshommes.* ■ *a inv* Simple, doux, naïf. *Un air bonhomme.*

boni *nm* Bénéfice, économie par rapport à la dépense prévue.

boniche *nf* pop Bonne, employée de maison.

bonification *nf* 1 Avantage accordé sur le taux d'intérêt d'un emprunt. 2 SPORT Avantage accordé à un concurrent. 3 Amélioration. *Bonification d'une terre.*

bonifier *vt* 1 Accorder une bonification sur un taux d'intérêt. 2 Améliorer. ■ *vpr* Devenir meilleur.

boniment *nm* 1 Discours tenu en public par les camelots, les bateleurs. 2 fam Propos mensonger.

bonimenteur, euse *n* Personne qui fait des boniments.

bonite *nf* Thon de petite taille.

bonjour *nm* Mot de salutation adressé à qqn qu'on rencontre. Loc *Facile, simple comme bonjour* : très facile.

bon marché *a inv* Peu cher.

bonne *nf* Employée de maison nourrie, logée.

bonne-maman *nf* Terme affectueux pour grandmère. *Des bonnes-mamans.*

bonnement *av* Simplement.

bonnet *nm* 1 Coiffure souple et sans rebord. *Bonnet en laine.* 2 ZOOL Deuxième estomac d'un ruminant. 3 Chacune des poches d'un soutien-gorge. Loc *Un bonnet de nuit* : une personne triste, ennuyeuse. fam *Un gros bonnet* : un personnage important. fam *Avoir la tête près du bonnet* : être prompt à se fâcher. *Prendre sous son bonnet* : sous sa responsabilité. fam *C'est bonnet blanc et blanc bonnet* : il n'y a pas de différence.

bonneteau *nm* Jeu prohibé consistant à faire deviner une carte à un adversaire.

bonneterie *nf* 1 Industrie ou commerce des articles en tissu à mailles (lingerie, sous-vêtements, chaussettes, etc.). 2 Marchandise vendue par le bonnetier. 3 Boutique d'un bonnetier. Var **bonnèterie**

bonnetier, ère *n* Personne qui fabrique ou qui vend de la bonneterie. ■ *nf* Petite armoire.

bon-papa *nm* fam Grand-père. *Des bons-papas.*

bonsaï *nm* Arbre ornemental miniaturisé. Var **bonzaï**

bonsoir *nm* Salutation employée le soir.

bonté *nf* Qualité qui pousse à faire le bien ; bienveillance. ■ *pl* Actes de bienveillance.

bonus *nm* 1 Réduction de la prime d'une assurance automobile accordée à de bons conducteurs. 2 fam Chose accordée en plus ; amélioration.

bonze *nm* 1 Moine bouddhiste. 2 fam Homme d'une solennité ridicule.

boogie-woogie [bugiwugi] *nm* Style de jazz proche du be-bop.

bookmaker [bukmɛkœʀ] *nm* Celui qui prend les paris sur les courses de chevaux. Var **bookmakeur**

booléen, enne [bu-] *a* De l'algèbre de Boole.

boom [bum] *nm* Forte hausse soudaine. Var **boum**

boomer [bumœʀ] *nm* Haut-parleur de graves. Var **boomeur**

boomerang [bumʀɑ̃g] *nm* Lame de bois recourbée qui revient vers celui qui l'a lancée si elle ne rencontre pas d'obstacle.

booster [bustœʀ] *nm* Propulseur auxiliaire d'une fusée spatiale. Var **booster**

bootlegger [butlegœʀ] *nm* HIST Contrebandier d'alcool, aux États-Unis lors de la prohibition.

boots [buts] *nfpl* Bottes courtes.

boqueteau *nm* Petit bois.

borate *nm* Sel de l'acide borique.

borax *nm* Borate de soude.

borborygme *nm* Gargouillement intestinal. ■ *pl* Paroles incompréhensibles.

bord *nm* 1 Extrémité, limite d'une surface. 2 Ce qui borde. *Une capeline à larges bords.* 3 Le côté d'un navire. 4 Parti, opinion. *Être du même bord.* Loc *Au bord de* : très près de. *Virer de bord* : changer de direction. *Passer par-dessus bord* : tomber à la mer. *À bord* : sur le bateau, dans l'avion.

bordage *nm* MAR Revêtement appliqué sur les membrures d'un navire.

bordeaux *nm* Vin de la région de Bordeaux. ■ *a inv* Rouge foncé.

bordée *nf* MAR Chemin que parcourt un navire qui louvoie entre deux virements de bord. Loc fam *Tirer une bordée* : courir les lieux de plaisir. *Bordée d'injures* : flot d'injures violentes.

bordel *nm* pop 1 Lieu de prostitution. 2 Grand désordre.

bordelais, aise *a, n* De Bordeaux ou de sa région. ■ *nf* Bouteille mince utilisée pour le bordeaux.

bordélique *a* fam Très désordonné.

border *vt* 1 Servir de bord, longer. *Le quai borde la rivière.* 2 Garnir le bord. 3 Rentrer le bord des draps et des couvertures sous le matelas.

bordereau *nm* État détaillé d'articles, de pièces d'un dossier.

borderline [bɔʀdœʀlajn] *nm* PSYCHO Cas limite entre névrose et psychose.

bordier, ère *a* GEOGR Qui borde. *Mer bordière.*

bordure *nf* Ce qui orne, marque, renforce le bord. Loc *En bordure de* : au bord de.

bore *nm* Corps simple ayant certaines analogies avec le carbone.

boréal, ale, aux *a* Du Nord. Ant. austral.

borgne *n, a* Qui n'a qu'un œil valide. ■ *a* Sans aucune ouverture. *Mur borgne.* Loc *Hôtel borgne* : hôtel mal famé.

borie *nm* En Provence, construction de pierres sèches.

borique *a* CHIM Dérivé du bore.

bornage *nm* 1 Délimitation des propriétés au moyen de bornes. 2 Navigation côtière.

borne *nf* 1 Marque qui matérialise les limites d'un terrain. 2 Pierre indiquant les distances en kilomètres sur les routes. 3 fam Kilomètre. 4 Pierre à l'angle d'un bâtiment pour le protéger des roues des voitures. 5 ELECTR Pièce de connexion. *Bornes d'une batterie.* ■ *pl* Limites, frontières. Loc *Dépasser les bornes* : exagérer.

borné, ée *a* 1 Limité, restreint. 2 Peu intelligent. *Un esprit borné.*

borner *vt* 1 Délimiter par des bornes. 2 Limiter. 3 Modérer, restreindre. ■ *vpr* Se contenter de ; se limiter à. *Se borner au nécessaire.*

borsalino *nm* (n. déposé) Chapeau d'homme, en feutre mou, à larges bords.

bortch *nm* Potage russe.

bosco *nm* MAR Maître de manœuvre.

boskoop [-kɔp] *nf* Variété de pomme.

bosniaque *a, n* De Bosnie.

bosquet *nm* Petit groupe d'arbres.

boss *nm* fam Patron.

bossage nm ARCHI Pierre en saillie sur un mur, servant d'ornement.

bosse nf 1 Tuméfaction due à une contusion. 2 Grosseur dorsale anormale. 3 Protubérance sur le dos de certains animaux. 4 Relief sur une surface. Loc fam *Avoir la bosse des mathématiques, etc. :* être doué pour cette discipline.

bosseler vt [16] ou [18] Marquer de bosses.

bosselure nf Déformation d'une surface par des bosses.

bosser vi fam Travailler.

bosseur, euse n fam Personne qui travaille dur.

bossoir nm MAR Appareil de levage des embarcations à bord d'un navire.

bossu, ue a, n Qui a une ou plusieurs bosses. Loc fam *Rire comme un bossu :* très fort.

bostryche nm Coléoptère à élytres brun rouge.

bot, bote a MED Contrefait. *Un pied bot.*

botanique nf Science des végétaux. ■ a Qui concerne cette science.

botaniste n Personne qui étudie les végétaux.

bothriocéphale nm Ver voisin du ténia.

botrytis nm Pourriture noble de la vigne.

1. botte nf Réunion de végétaux de même nature liés ensemble.

2. botte nf 1 Chaussure qui enferme le pied et la jambe. 2 En escrime, coup porté avec un fleuret ou une épée. Loc fam *Lécher les bottes de qqn :* le flatter avec bassesse. fam *Être à la botte de qqn :* lui être entièrement soumis. *Bruits de bottes :* rumeurs de guerre.

botteler vt [16] ou [18] Lier en bottes.

botter vt 1 Chausser de bottes. 2 fam Convenir. *Ça me botte !* 3 fam Donner un coup de pied.

botteur nm Au rugby, joueur tirant les pénalités, transformant les essais.

bottier nm Personne qui fait des bottes, des chaussures sur mesure.

bottillon nm Chaussure à tige montante, souvent fourrée.

bottine nf Chaussure montante serrée à la cheville.

botulisme nm Intoxication due à certaines conserves et charcuteries avariées.

boubou nm Tunique africaine ample et longue.

bouc nm 1 Mâle de la chèvre. 2 Barbe portée seulement au menton. Loc *Bouc émissaire :* personne que l'on charge des fautes commises par d'autres.

boucan nm fam Tapage, vacarme.

boucaner vt Fumer de la viande, du poisson.

boucanier nm HIST Chasseur de bœufs sauvages dans les Antilles au XVIIᵉ s.

bouchage nm Action de boucher.

bouche nf 1 Ouverture mobile du visage permettant de manger, de parler. 2 Organe analogue de certains animaux. 3 Personne à nourrir. 4 Ouverture d'une cavité, d'une canalisation. *Bouche d'égout.* Loc *Bouche d'incendie :* prise d'eau pour les pompiers. *Bouche à feu :* pièce d'artillerie. *Faire la fine bouche :* le difficile. *Garder qqch pour la bonne bouche :* réserver le meilleur pour la fin. *Faire venir l'eau à la bouche :* exciter l'appétit, les désirs. *S'ôter le pain de la bouche :* se priver du nécessaire pour secourir qqn. *Bouche cousue ! :* gardez le secret ! *De bouche à oreille :* oralement. ■ pl Embouchure d'un fleuve.

bouché, ée a 1 Fermé, obstrué, encombré. 2 fam Peu intelligent. Loc *Cidre bouché :* en bouteille et pétillant.

bouche-à-bouche nm inv Méthode de respiration artificielle consistant à insuffler de l'air par la bouche à un asphyxié.

bouchée nf 1 Morceau que l'on met dans la bouche en une seule fois. 2 Petit vol-au-vent garni. Loc *Pour une bouchée de pain :* pour une somme dérisoire. *Mettre les bouchées doubles :* redoubler d'activité. *Bouchée au chocolat :* gros chocolat fourré.

1. boucher vt Fermer une ouverture, un passage. *Boucher un trou, un tonneau, Boucher un chemin.* Loc *Boucher la vue :* empêcher de voir.

2. boucher, ère n Personne qui vend de la viande crue au détail. ■ nm litt Homme sanguinaire.

boucherie nf 1 Commerce de la viande des bestiaux. 2 Boutique où se vend de la viande. 3 Massacre, carnage.

bouche-trou nm Personne, objet servant seulement à combler un vide. *Des bouche-trous.*

bouchon nm 1 Ce qui sert à fermer une bouteille, une carafe, un flacon. *Bouchon de liège, de cristal.* 2 Poignée de paille, d'herbe, de chiffon tortillé. 3 Jeu d'adresse où l'on emploie un bouchon et des palets. 4 Flotteur d'une ligne de pêche. 5 Ce qui obstrue ; embouteillage de voitures. Loc fam *C'est plus fort que de jouer au bouchon :* c'est très surprenant. fam *Pousser le bouchon trop loin :* exagérer.

bouchonné, ée a Séché au bouchon (vin).

bouchonner vt 1 Mettre en bouchon, chiffonner. 2 Frotter un cheval avec un bouchon de paille. ■ vi Former un embouteillage.

bouchot nm Ensemble de pieux servant à l'élevage des moules.

bouclage nm 1 Action de boucler. 2 Encerclement d'une région, d'une ville, d'un quartier par des troupes ou la police.

boucle nf 1 Agrafe, anneau, muni d'une ou plusieurs pointes mobiles (ardillons), servant à tendre une ceinture, une courroie. 2 Bijou porté à l'oreille. 3 Spirale formée par les cheveux frisés. 4 Courbe accentuée d'un cours d'eau. 5 Acrobatie aérienne, cercle vertical effectué par un avion. 6 INFORM Séquence d'instruction qui se répète cycliquement.

boucler vt 1 Attacher par une boucle. *Boucler sa ceinture.* 2 fam Fermer. *Boucler une chambre.* 3 fam Enfermer. 4 Mettre en boucles les cheveux. 5 Achever, terminer. *Boucler un dossier.* Loc *Boucler la boucle :* faire le tour complet d'une question ; revenir au point de départ. fam *La boucler :* se taire. ■ vi 1 Prendre la forme de boucles (cheveux). 2 INFORM Entrer dans un processus qui recommence indéfiniment.

bouclette nf Petite boucle.

bouclier nm 1 Grande plaque de protection portée au bras pour parer les coups. 2 Protection, défense. Loc *Levée de boucliers :* manifestation collective de protestation.

bouddha nm 1 Dans le bouddhisme, sage parvenu à la perfection. 2 Représentation du Bouddha.

bouddhique a Du bouddhisme.

bouddhisme nm Religion prêchée par le Bouddha.

bouddhiste n Adepte du bouddhisme.

bouder vi Témoigner de la mauvaise humeur par une mine renfrognée. ■ vt Laisser de côté par indifférence ou par dépit.

bouderie nf Action de bouder.

boudeur, euse a, n Qui boude.

boudin nm Boyau rempli de sang et de graisse de porc, qu'on mange cuit. Loc *Boudin blanc :* boyau farci avec du lait et du blanc de volaille. fam *Clair comme du jus de boudin :* obscur. fam *S'en aller en eau de boudin :* échouer lamentablement. *Ressort à boudin :* formé d'une hélice d'acier.

boudiné, ée a 1 En forme de boudin. *Doigts boudinés.* 2 Serré dans ses vêtements.

boudoir nm 1 Salon intime d'une habitation. 2 Petit biscuit allongé, saupoudré de sucre.

boue nf 1 Mélange de terre ou de poussière et d'eau. *Dépôt épais.* Loc *Traîner qqn dans la boue :* le couvrir de propos infamants.

bouée nf 1 Engin flottant qui sert à signaler une position, à baliser un chenal ou à repérer un corps immergé. 2 Engin flottant qui maintient une personne à la surface de l'eau.

boueux, euse a Plein de boue. ■ nm abusiv Éboueur.

bouffant, ante a Qui bouffe, qui gonfle.

bouffarde nf fam Pipe.

1. bouffe a Loc *Opéra bouffe :* opéra sur un thème de comédie.

2. bouffe nf fam Nourriture, repas.

bouffée nf 1 Souffle, exhalaison. 2 Accès passager. *Bouffées d'orgueil.*

bouffer vi Se gonfler. *Cheveux qui bouffent.* ■ vt fam Manger.

bouffi, ie a Boursouflé, gonflé.

bouffir vt, vi Rendre, devenir enflé.

bouffissure nf Enflure des chairs. Loc *Bouffissure du style :* affectation, emphase.

bouffon, onne a Ridicule, grotesque. *Histoire bouffonne.* ■ nm 1 anc Personnage grotesque chargé de divertir un seigneur. 2 Personne qui pratique un comique outré.

bouffonnerie nf Plaisanterie de bouffon.

bougainvillée [-ile] nf Plante grimpante, ornementale, aux bractées rouges ou violettes. Var **bougainvillier**

bouge nm Petit logement obscur et sale ; café mal famé.

bougé nm Mouvement intempestif de l'appareil photo, produisant une image floue.

bougeoir nm Petit chandelier.

bougeotte nf fam Manie de bouger, de voyager.

bouger vi [11] 1 Faire un geste ; remuer. 2 Changer de place. 3 S'agiter de manière hostile. ■ vt Déplacer. *Bouger un meuble.* ■ vpr fam Se remuer, s'activer.

bougie nf 1 Cylindre de cire, de stéarine, de paraffine, qui brûle en éclairant grâce à une mèche noyée dans la masse. 2 Dispositif d'allumage électrique dans un moteur à explosion.

bougnat nm fam Marchand de charbon.

bougnoule n Mot raciste désignant un travailleur immigré maghrébin ou noir.

bougon, onne a, n Grognon.

bougonnement nm Fait de bougonner ; paroles dites en bougonnant.

bougonner vi, vt Murmurer entre ses dents, en grondant des choses désagréables.

bougre, esse n fam Individu, gaillard. Loc *Un bon bougre :* un brave homme. fam *Bougre de :* espèce de. ■ interj fam Exprime la surprise, l'admiration.

bougrement av fam Bigrement.

boui-boui nm fam Café, restaurant de qualité médiocre. *Des bouis-bouis.* Var **bouiboui**

bouillabaisse nf Mets provençal, à base de poissons.

bouillant, ante a 1 Qui bout. 2 Très chaud. 3 Plein d'une ardeur impatiente.

bouille nf fam Figure, tête.

bouilleur nm Loc *Bouilleur de cru :* propriétaire qui distille sa propre récolte.

bouilli, ie a 1 Porté à ébullition. 2 Cuit dans un liquide qui bout. ■ nm Viande bouillie. ■ nf 1 Aliment constitué de farine cuite dans du lait. 2 Substance ayant perdu toute consistance. Loc fam *Mettre en bouillie :* écraser. *Bouillie bordelaise :* solution de sulfate de cuivre et de chaux servant à traiter la vigne.

bouillir vi [30] 1 Être en ébullition. 2 Cuire dans un liquide qui bout. 3 Être dans un état d'emportement violent. *Bouillir d'impatience.* Loc *Faire bouillir la marmite :* procurer des moyens de subsistance.

bouilloire nf Récipient à bec et à anse servant à faire bouillir de l'eau.

bouillon nm 1 Aliment liquide obtenu en faisant bouillir dans de l'eau viande, poisson ou légumes. 2 Bulles d'un liquide en ébullition. 3 Remous à la surface d'un liquide. 4 Fronces d'étoffe bouffante. 5 Exemplaires invendus d'une publication. Loc fam *Bouillon d'onze heures :* breuvage empoisonné. *Bouillon de culture :* milieu favorable au développement de microorganismes ; terrain où peut se développer un phénomène néfaste. fam *Boire un bouillon :* avaler involontairement de l'eau en nageant ; perdre de l'argent dans une entreprise.

bouillon-blanc nm Plante à fleurs jaunes, à feuilles velues. Syn. molène. *Des bouillons-blancs.*

bouillonnant, ante a Qui bouillonne.

bouillonné nm COUT Ornement d'étoffe froncé en bouillons.

bouillonnement nm État de qqch ou de qqn qui bouillonne.

bouillonner vi 1 Former des bouillons. 2 S'agiter sous le coup d'une émotion forte. 3 Avoir une partie du tirage d'un journal invendue. ■ vt COUT Froncer un tissu en bouillons.

bouillotte nf Récipient rempli d'eau chaude pour chauffer un lit.

1. boulanger, ère n Personne qui fait, vend du pain.

2. boulanger vi [11] Pétrir et faire cuire le pain.

boulangerie nf 1 Fabrication du pain. 2 Boutique du boulanger.

boulangisme nm HIST Mouvement nationaliste et populiste du général Boulanger.

boule nf 1 Objet sphérique. 2 fam Tête. *Coup de boule.* Loc *Jeu de boules :* jeu d'adresse où on lance des boules. fam *Mettre qqn en boule :* le mettre en colère. *Faire boule de neige :* aller en grossissant.

bouleau nm Arbre à l'écorce blanche.

boule-de-neige nf Nom courant de la viorne obier. *Des boules-de-neige.*

bouledogue *nm* Chien aux pattes courtes et torses, au museau plat.

bouler *vi* Loc *fam Envoyer bouler qqn :* le renvoyer brutalement.

boulet *nm* 1 Projectile sphérique dont on chargeait les canons. 2 Personne ou chose ressentie comme une charge. 3 Charbon aggloméré en boules ovoïdes. 4 Articulation de la jambe du cheval. Loc *Tirer à boulets rouges :* attaquer par des propos violents.

boulette *nf* Petite boule. 2 *fam* Sottise, bévue.

boulevard *nm* 1 Large voie urbaine. 2 Genre théâtral, illustré par des comédies légères.

boulevardier, ère *a* Dans l'esprit du théâtre de boulevard.

bouleversant, ante *a* Qui trouble, qui émeut profondément. *Un récit bouleversant.*

bouleversement *nm* Changement profond, perturbation radicale.

bouleverser *vt* 1 Mettre dans une confusion extrême. 2 Modifier totalement.

boulier *nm* Cadre contenant des boules glissant sur des tringles, et servant à compter.

boulimie *nf* Faim pathologique.

boulimique *a, n* Atteint de boulimie.

bouline *nf* MAR Cordage servant à manœuvrer une voile.

boulingrin *nm* Parterre de gazon.

bouliste *n* Joueur de boules.

boulocher *vi* Former de petites boules (lainage).

boulodrome *nm* Terrain aménagé pour le jeu de boules.

boulon *nm* Vis munie d'un écrou.

boulonnais, aise *a, nm* Race de chevaux puissants.

boulonner *vt* Fixer avec des boulons. ■ *vi fam* Travailler beaucoup.

1. boulot *nm fam* Travail. Loc *Petit boulot :* travail non qualifié, précaire, peu payé.

2. boulot, otte *a* Petit et grassouillet.

boulotter *vt fam* Manger. Var **bouloter**

boum *interj* Indique le bruit d'un choc, d'une détonation. ■ *nm* Bruit d'une explosion. Loc *En plein boum :* en état d'activité intense.

bouquet *nm* 1 Assemblage de fleurs, d'herbes liées ensemble. 2 Parfum, arôme d'un vin, d'une liqueur. 3 Gerbe de fusées à la fin d'un feu d'artifice. 4 Ensemble de chaînes de télévision diffusées depuis un même satellite. 5 Crevette rose. Loc *Bouquet d'arbres :* petit groupe d'arbres. *fam C'est le bouquet :* c'est le comble.

bouqueté, ée *a* Qui a du bouquet (vin).

bouquetière *nf* Marchande de fleurs.

bouquetin *nm* Chèvre sauvage des montagnes.

bouquin *nm* 1 *fam* Livre. 2 Lièvre mâle.

bouquiner *vi, vt fam* Lire.

bouquiniste *n* Marchand de livres d'occasion.

bourbe *nf* Boue des eaux croupies.

bourbeux, euse *a* Plein de bourbe.

bourbier *nm* 1 Lieu boueux. 2 Situation embarrassante et fâcheuse.

bourbillon *nm* MED Masse blanchâtre au centre d'un furoncle.

bourbon *nm* Whisky américain.

bourbonien, enne *a* Des Bourbons. Loc *Nez bourbonien :* long et busqué.

bourdaine *nf* Arbrisseau dont l'écorce a des propriétés laxatives.

bourde *nf fam* Grosse erreur, bévue.

bourdon *nm* 1 Insecte hyménoptère velu. 2 Grosse cloche à son grave. 3 MUS Jeu de l'orgue rendant les sons graves. 4 IMPRIM Omission d'un passage lors de la composition. Loc *Faux bourdon :* mâle de l'abeille. *fam Avoir le bourdon :* avoir le cafard.

bourdonnant, ante *a* Qui bourdonne.

bourdonnement *nm* 1 Bruit du vol de certains insectes. 2 Bruit qui rappelle le son de ce vol. Loc *Bourdonnement d'oreilles :* impression de bruit due à des troubles de l'oreille.

bourdonner *vi* Faire un bruit sourd.

bourg *nm* Gros village.

bourgade *nf* Village isolé.

bourgeois, oise *n* 1 De la bourgeoisie. 2 Personne qui est de mœurs rangées, d'opinions conservatrices. ■ *a* 1 Simple, familial. *Cuisine, maison bourgeoise.* 2 Traditionaliste, conservateur, conformiste. *Préjugés bourgeois.*

bourgeoisement *av* De façon bourgeoise.

bourgeoisie *nf* Classe sociale vivant dans une plus ou moins grande aisance, distincte de la paysannerie et de la classe ouvrière.

bourgeon *nm* Petite excroissance d'une plante, qui contient les organes embryonnaires (feuilles, fleurs, tige) de la prochaine végétation.

bourgeonnement *nm* Formation et développement des bourgeons.

bourgeonner *vi* 1 Produire des bourgeons. 2 Se couvrir de boutons (visage).

bourgeron *nm* Blouse de toile portée autrefois par les ouvriers.

bourgmestre *nm* Principal magistrat de certaines villes de Belgique, de Suisse.

bourgogne *nm* Vin de Bourgogne.

bourgueil *nm* Vin rouge de Touraine.

bourguignon, onne *a, n* De Bourgogne. ■ *nm* Ragoût de bœuf au vin rouge. ■ *nf* Bouteille utilisée pour le bourgogne.

bourlinguer *vi* 1 MAR En parlant d'un navire, rouler et tanguer violemment. 2 *fam* Naviguer beaucoup. 3 *fam* Mener une vie aventureuse.

bourlingueur, euse *a, n fam* Qui bourlingue.

bourrache *nf* Plante à fleurs bleues utilisées en infusion.

bourrade *nf* Coup à poing, de coude, d'épaule. *Une bourrade amicale.*

bourrage *nm* Action de bourrer.

bourrasque *nf* Brusque coup de vent tourbillonnant.

bourratif, ive *a fam* Qui bourre l'estomac (aliments).

bourre *nf* 1 Amas de poils, de fils, de chiffons, etc. qu'on tasse pour assujettir, combler un vide, protéger, etc. 2 Duvet couvrant de jeunes bourgeons. Loc *fam À la bourre :* en retard.

bourré, ée *a* 1 Plein à l'excès. 2 *fam* Ivre.

bourreau *nm* 1 Personne qui met à mort des condamnés. 2 Homme cruel, inhumain. Loc *Bourreau des cœurs :* séducteur. *Bourreau de travail :* travailleur forcené.

bourrée *nf* Danse régionale du centre de la France.

bourrelé, ée *a* Loc *Bourrelé de remords :* torturé par le remords.

bourrelet *nm* 1 Bande de feutre, de plastique, servant à calfeutrer, à préserver d'un choc. 2 Excès de chair, de graisse qui renfle la peau.

bourrelier *nm* Personne qui fabrique, vend ou répare des harnachements et autres articles en cuir.

bourrellerie *nf* Activité du bourrelier.

bourrer *vt* 1 Garnir de bourre. 2 Remplir complètement. *Bourrer une pipe.* Loc *fam Bourrer le crâne à qqn* : chercher à le tromper par des propos mensongers réitérés. *Bourrer de coups* : frapper.

bourriche *nf* Panier servant à transporter des huîtres, du poisson, du gibier.

bourricot *nm* Petit âne.

bourrin *nm* fam Cheval.

bourrique *nf* 1 Âne, ânesse. 2 fam Personne têtue et stupide. Loc *fam Faire tourner qqn en bourrique* : l'abrutir à force d'exigences contradictoires.

bourru, ue *a* D'humeur peu accommodante. Loc *Vin bourru* : qui est encore en train de fermenter.

1. bourse *nf* 1 Petit sac destiné à contenir de l'argent, de la monnaie. 2 Pension versée à un élève, à un étudiant, pendant ses études. Loc *Sans bourse délier* : sans avoir à payer. ■ *pl* ANAT Scrotum.

2. Bourse *nf* 1 Lieu public où s'assemblent les négociants, les agents de change, les courtiers, pour des opérations financières. 2 Marché des valeurs. Loc *Bourse du travail* : lieu où les syndicats ouvriers peuvent se réunir.

boursicotage *nm* Action de boursicoter.

boursicoter *vi* Jouer à la Bourse par petites opérations.

boursicoteur, euse *n* Personne qui boursicote.

boursier, ère *n* 1 Élève, étudiant qui bénéficie d'une bourse. 2 Professionnel de la Bourse. ■ *a* De la Bourse. *Marché boursier.*

boursouflage *nm* Action de boursoufler. Var **boursouflage, boursoufflement** ou **boursoufflement**

boursouflé, ée *a* 1 Enflé, bouffi. 2 Ampoulé, emphatique. *Style boursouflé.* Var **boursoufflé, ée**

boursoufler *vt* Rendre boursouflé. Var **boursouffler**

boursouflure *nf* Enflure. Var **boursoufflure**

bousculade *nf* 1 Action de bousculer. 2 Mouvement produit par le remous d'une foule.

bousculer *vt* 1 Renverser, faire basculer. 2 Pousser, heurter qqn. *On se bouscule à l'entrée.* 3 Activer, presser. *Ne me bousculez pas.*

bouse *nf* Fiente des ruminants.

bouseux, euse *n* fam, péjor Paysan.

bousier *nm* Coléoptère qui fait des boulettes d'excréments et y pond ses œufs.

bousiller *vt* fam 1 Faire précipitamment et sans soin. 2 Abîmer, démolir qqch, tuer qqn.

bousilleur, euse *n* fam Qui bousille le travail.

boussole *nf* Instrument contenant une aiguille aimantée qui pivote librement en indiquant le nord.

boustifaille *nf* pop Nourriture.

bout *nm* 1 Extrémité d'un corps ; limite d'un espace. *Le bout des doigts. Au bout de la ville.* 2 Ce qui garnit l'extrémité de certaines choses. 3 Petite partie, morceau. *Un bout de ruban, un bout de pain.* 4 Terme, fin. *Le bout de l'année.* Loc *Au bout du compte* : tout bien considéré. *À bout* : sans ressource, épuisé. *Pousser à bout* : faire perdre patience. *À bout de* : à la fin de. *Venir à bout de* : réussir, vaincre. *Mettre bout à bout* : joindre successivement. *De bout en bout* : d'une extrémité à l'autre. fam *Mettre les bouts* : s'en aller, se sauver. fam *Joindre les deux bouts* : boucler son budget.

boutade *nf* Plaisanterie originale.

bout-dehors *nm* MAR Espar servant à établir des voiles en saillie. *Des bouts-dehors.*

boute-en-train *nm* Personne qui sait amuser une assemblée. Var **boutentrain**

boutefeu *nm* litt Celui qui excite la discorde.

bouteille *nf* 1 Récipient à col étroit et à goulot destiné à contenir des liquides ; son contenu. 2 Récipient métallique pour gaz liquéfiés. Loc fam *Aimer la bouteille* : aimer le vin, la boisson. *Avoir de la bouteille* : s'être amélioré, perfectionné en vieillissant. *C'est la bouteille à l'encre* : c'est une situation inextricable.

bouteur *nm* Bulldozer.

boutique *nf* Magasin de détail ou local d'un artisan. Loc fam *Parler boutique* : parler de son métier.

boutiquier, ère *n, a* Qui tient une boutique.

boutoir *nm* Groin du sanglier. Loc *Coup de boutoir* : coup violent ; trait d'humeur, mots blessants.

bouton *nm* 1 Bourgeon. 2 Petite pièce, le plus souvent ronde, qui sert à attacher ensemble les parties d'un vêtement. 3 Pièce saillante et arrondie. *Bouton de porte.* 4 Petite pièce ou touche servant à la commande d'un appareil, d'un mécanisme. 5 Petit gonflement rouge de la peau.

bouton-d'or *nm* Renoncule des prés à fleurs jaune d'or. *Des boutons-d'or.*

boutonnage *nm* Action ou manière de boutonner.

boutonner *vt* Attacher un vêtement avec des boutons.

boutonneux, euse *a, n* Qui a des boutons sur la peau, sur le visage.

boutonnière *nf* Fente dans laquelle on passe le bouton.

bouton-pression *nm* Bouton qui se fixe par pression dans une petite pièce métallique. *Des boutons-pression.*

boutre *nm* Petit navire à voile utilisé sur la côte orientale d'Afrique.

bout-rimé *nm* Pièce de vers composée sur des rimes imposées. *Des bouts-rimés.*

bouturage *nm* Action de bouturer.

bouture *nf* Fragment d'un végétal mis en terre pour y développer des racines.

bouturer *vt* Reproduire par bouture.

bouvier, ère *n* Personne qui garde les bœufs. ■ *nm* Chien de berger.

bouvillon *nm* Jeune bœuf.

bouvreuil *nm* Oiseau au plumage gris et noir, avec la poitrine rose vif.

bouzouki *nm* Luth grec à long manche.

bovarysme *nm* Insatisfaction romanesque amenant à se vouloir autre que l'on est.

bovidé *nm* ZOOL Mammifère ruminant tel que les bovins, les ovins et les caprins.

bovin, ine *a* Relatif aux bœufs. ■ *nmpl* Les bœufs, les vaches, les veaux.

bowling [buliŋ] *nm* 1 Jeu de quilles d'origine américaine. 2 Établissement où l'on y joue.

bow-window [bowindo] *nm* Balcon vitré en saillie sur une façade. *Des bow-windows.* **Var bowwindow**

box *nm* **1** Stalle d'écurie pour un seul cheval. **2** Compartiment de garage pour une automobile.

boxe *nf* Sport du combat à coups de poing. **Loc** *Boxe française :* savate. *Boxe américaine :* full-contact.

1. boxer *vi* Pratiquer la boxe. ■ *vt* fam Frapper qqn à coups de poing.

2. boxer [bokser] *nm* Chien de garde.

boxeur *n* Personne qui boxe.

box-office *nm* Cote de succès d'un artiste, d'un spectacle. *Des box-offices.*

boy *nm* Domestique indigène dans les pays autrefois colonisés.

boyard *nm* Seigneur, dans l'ancienne Russie.

boyau *nm* **1** Intestin. **2** Corde faite avec des intestins de chat ou de mouton pour garnir les violons, guitares, etc., et les raquettes de tennis. **3** Conduit souple en cuir, en toile caoutchoutée. **4** Corridor long et étroit. **5** Chambre à air de bicyclette enfermée dans une mince enveloppe de caoutchouc.

boycottage *nm* **1** Refus d'acheter des marchandises provenant d'une firme, d'un pays. **2** Refus collectif de participer à une manifestation, un évènement publics. **Var boycott**

boycotter *vt* Appliquer le boycott à.

boy-scout *nm* Syn anc. de scout. *Des boy-scouts.* **Var boyscout**

brabançon, onne *a, n* Du Brabant.

bracelet *nm* Ornement qui se porte autour du poignet, du bras. **Loc** *Bracelet électronique :* émetteur porté par une personne en placement sous surveillance électronique.

bracelet-montre *nm* Montre que l'on porte attachée au poignet. *Des bracelets-montres.*

brachial, ale, aux [-kjal] *a* ANAT Du bras.

brachycéphale [-ki-] *a, n* ANTHROP Qui a le crâne arrondi, et non allongé.

braconnage *nm* Action de braconner.

braconner *vi* Chasser ou pêcher en contrevenant aux lois ou règlements.

braconnier *nm* Personne qui braconne.

bractée *nf* BOT Petite feuille simple fixée au pédoncule floral.

bradage *nm* Action de brader.

brader *vt* Vendre à vil prix.

braderie *nf* Vente au rabais.

bradeur, euse *n* Personne qui brade.

bradycardie *nf* Lenteur du rythme cardiaque.

braguette *nf* Ouverture sur le devant d'un pantalon d'homme.

brahmane *nm* Membre de la caste sacerdotale hindoue.

brahmanique *a* Du brahmanisme.

brahmanisme *nm* Système religieux et social de l'Inde, caractérisé par une division de la société en castes.

brahmine *nf* Femme d'un brahmane.

brai *nm* Résidu de la distillation du pétrole.

braies *nfpl* Pantalon des Gaulois.

braillard, arde *n, a* Qui braille. **Var brailleur, euse**

braille *nm* Écriture en points saillants à l'usage des aveugles.

braillement *nm* Cri de qqn qui braille.

brailler *vi, vt* Parler, crier, chanter trop fort.

braiment *nm* Cri de l'âne.

brainstorming [brenstormin] *nm* Recherche d'idées originales dans un groupe.

brain-trust [brentrœst] *nm* Groupe de spécialistes chargés d'élaborer un projet. *Des brain-trusts.* **Var braintrust**

braire *vi* [74] Pousser son cri (âne).

braise *nf* Charbons ardents.

braiser *vt* Faire cuire à feux doux et à l'étouffée. *Une viande braisée.*

brame *nm* Cri du cerf, du daim. **Var brame-ment**

bramer *vi* Pousser son cri (cerf, daim).

brancard *nm* **1** Chacune des deux barres entre lesquelles on attelle une bête de trait. **2** Civière à bras.

brancardier *nm* Porteur de brancard.

branchage *nm* Ensemble des branches d'un arbre. ■ *pl* Amas de branches coupées.

branche *nf* **1** Ramification du tronc d'un arbre, d'une plante. **2** Division, ramification. *Les branches d'une science.* **3** Domaine d'activité. **4** L'une des familles issues d'un ascendant commun. **Loc** *Être comme l'oiseau sur la branche :* dans une situation précaire.

branché, ée *a, n* fam À la mode.

branchement *nm* **1** Action de brancher. **2** Organe de raccordement, canalisation. *Branchement de gaz.*

brancher *vt* **1** Relier à un circuit principal ; connecter. **2** fam Mettre qqn en rapport avec qqn, l'orienter vers qqch, l'intéresser.

branchial, ale, aux *a* Relatif aux branchies.

branchie *nf* Organe de la respiration des animaux aquatiques.

brandade *nf* Morue pochée pilée avec de l'ail, de l'huile.

brandebourg *nm* Ornement de broderie ou de galon de certains vêtements.

brandir *vt* **1** Agiter en l'air. **2** Présenter comme une menace.

brandon *nm* Corps enflammé. **Loc** litt *Brandon de discorde :* provocateur, cause de querelles.

brandy *nm* Eau-de-vie, en Angleterre.

branlant, ante *a* Qui branle, instable.

branle *nm* Mouvement oscillant d'un corps. **Loc** *Mettre en branle :* donner une impulsion, faire démarrer.

branle-bas *nm* **Loc** *Branle-bas de combat :* dispositions prises en vue d'un combat naval ; bouleversement, agitation. **Var branlebas**

branler *vi* Bouger, être mal assuré, fixé. *Dent qui branle.* **Loc** fam *Branler dans le manche :* être peu stable, peu sûr (situation, fortune).

braquage *nm* **1** Action de braquer. **2** fam Attaque à main armée.

braque *nm* Chien de chasse d'arrêt à poil court. ■ *a* fam Un peu fou.

braquer *vt* **1** Diriger une arme, un appareil vers un point. **2** fam Menacer d'une arme à feu ; attaquer à main armée. **3** Orienter de côté les roues avant d'un véhicule. **4** Provoquer l'opposition têtue de qqn. ■ *vi* Tourner à droite ou à gauche (véhicule). ■ *vpr* S'obstiner dans son opposition.

braquet *nm* Développement d'une bicyclette.

braqueur, euse *n* Personne qui fait une attaque à main armée.

bras nm 1 Membre supérieur de l'homme. 2 Partie du membre supérieur comprise entre l'épaule et le coude. 3 Ce qui évoque plus ou moins un bras humain. *Les bras d'une croix. Bras de levier.* Loc *Baisser les bras :* abandonner. *Rester les bras croisés :* à ne rien faire. *Recevoir à bras ouverts :* chaleureusement. *Avoir sur les bras :* être responsable de, ou accablé par. *Manquer de bras :* de travailleurs. *Être le bras droit de qqn :* son principal collaborateur. fam *Avoir le bras long :* avoir du pouvoir. *À bras :* en utilisant la force des muscles de l'homme. *À tour de bras, à bras raccourcis :* de toute sa force. *Bras dessus, bras dessous :* en se donnant le bras. *Bras de fer :* épreuve de force. *Bras de fauteuil :* accotoir. *Bras de mer :* étendue de mer resserrée entre les terres. *Bras d'un cours d'eau :* division de ce cours d'eau.

braséro [-zeRo] nm Récipient qu'on remplit de braises pour se chauffer. **Var brasero**

brasier nm Feu très vif, violent incendie.

bras-le-corps (à) av En serrant fortement entre ses bras.

brassage nm Action de brasser, de remuer ; fait d'être brassé.

brassard nm Ornement ou signe de reconnaissance fixé au bras.

brasse nf 1 Nage sur le ventre dans laquelle les mouvements des bras et des jambes sont symétriques. 2 Distance parcourue par le nageur à chaque cycle de mouvement.

brassée nf Ce que peuvent contenir les deux bras. *Une brassée de bois.*

brasser vt 1 Opérer les mélanges pour la fabrication de la bière. 2 Remuer pour mélanger. Loc *Brasser des affaires :* traiter beaucoup d'affaires.

brasserie nf 1 Industrie de la bière. 2 Fabrique de bière. 3 Café-restaurant.

brasseur, euse n Fabricant ou marchand de bière. Loc *Brasseur d'affaires :* qui traite beaucoup d'affaires.

brassicole a Relatif à la bière, à la brasserie.

brassière nf Petite chemise de bébé en toile fine ou en tricot. Loc *Brassière de sauvetage :* gilet de sauvetage.

brasure nf Soudure faite avec un métal ou un alliage plus fusible.

bravache a, nm Faux brave.

bravade nf Défi, provocation.

brave a, n Vaillant, courageux. ■ a Honnête, bon, serviable.

bravement av Avec bravoure.

braver vt Résister à, affronter.

bravo ! interj Exprime l'approbation. ■ nm Cri d'approbation.

bravoure nf Courage, vaillance. Loc *Morceau de bravoure :* de virtuosité.

break [bRεk] nm 1 Automobile qui possède un hayon et dont la banquette arrière se rabat à plat. 2 Interruption momentanée.

breakfast [bRεkfœst] nm Petit déjeuner à l'anglaise.

brebis nf Mouton femelle. Loc *Brebis galeuse :* personne indésirable dans un groupe. ■ nm Fromage au lait de brebis.

brèche nf 1 Ouverture faite à un mur, une haie, etc. 2 Partie brisée d'un tranchant, du bord de qqch. Loc *Faire une brèche à qqch :* l'entamer. *Être sur la brèche :* lutter avec ardeur. *Battre en brèche :* attaquer vivement.

bréchet nm ZOOL Crête osseuse du sternum d'un oiseau.

bredouille a Qui n'a rien pris (à la chasse, à la pêche) ; qui a échoué.

bredouillement nm 1 Action de bredouiller. 2 Paroles indistinctes. **Var bredouillage** ou **bredouillis**

bredouiller vi, vt Parler de manière précipitée et confuse.

bref, brève a 1 Qui dure peu. 2 Qui s'exprime en peu de mots, concis. ■ av En peu de mots, pour résumer. ■ nm Lettre du pape. ■ nf 1 Syllabe brève. 2 Information courte ou peu importante.

breitschwanz [bRεtʃvɑ̃ts] nm Fourrure d'agneau mort-né.

brelan nm Réunion de trois cartes ou coups de dés de même valeur.

breloque nf Menu bijou attaché à une chaîne, à un bracelet.

brème nf Poisson d'eau douce.

brésilien, enne a Du Brésil.

bretelle nf 1 Sangle passée sur les épaules, servant à porter certains fardeaux. 2 (surtout pl.) Bande passée sur chaque épaule et retenant un pantalon, une jupe, etc. 3 Tronçon de route reliant une voie à une autoroute.

breton, onne a, n De Bretagne. ■ nm Langue celtique parlée en Bretagne.

bretonnant, ante a, n Qui conserve la langue et les traditions bretonnes.

bretzel nm ou f Pâtisserie alsacienne salée.

breuvage nm Boisson quelconque.

brève. V. **bref.**

brevet nm Titre, diplôme officiel reconnaissant une qualification. Loc *Brevet d'invention :* titre protégeant une invention contre la concurrence.

brevetable a Que l'on peut breveter.

breveté, ée a 1 Qui a obtenu un brevet. 2 Qui a fait l'objet d'un brevet.

breveter vt [17] ou [19] Protéger par un brevet.

bréviaire nm Livre contenant les prières que les prêtres catholiques doivent lire chaque jour.

briard, arde a De la Brie. ■ nm Grand chien de berger à poils longs.

bribe nf Petit morceau, fragment.

bric-à-brac nm inv Amas d'objets de peu de valeur et de toutes provenances.

bric et de broc (de) av De pièces et de morceaux, au hasard.

brick nm Voilier à deux mâts carrés.

bricolage nm 1 Action de bricoler. 2 Installation, réparation de fortune.

bricole nf fam Petite chose sans valeur ; occupation futile.

bricoler vi Exécuter de menus travaux de réparation, d'agencement, etc. ■ vt Fabriquer, réparer avec des moyens de fortune.

bricoleur, euse n, a Qui aime bricoler.

bride nf 1 Harnais de tête du cheval servant à la conduire. 2 Rêne. 3 Pièce servant à attacher, à retenir. 4 Anneau de fil, de cordonnet, servant à boutonner, à agrafer. Loc *À bride abattue :* très vite.

bridé, ée a Loc *Yeux bridés :* dont les paupières semblent former une fente horizontale plus grande que la moyenne.

brider vt 1 Mettre la bride à un cheval, un mulet. 2 Serrer trop. *Ce veston le bride.* 3 Contenir, réfréner.

bridge nm 1 Jeu de cartes. 2 Appareil de prothèse dentaire fixé par chacune de ses extrémités sur une dent saine.

bridger vi [11] Jouer au bridge.

bridgeur, euse n Personne qui joue au bridge.

brie nm Fromage de vache, fermenté, à pâte molle.

briefer [bʀife] vt fam Informer brièvement.

briefing [bʀifiŋ] nm Courte réunion d'information.

brièvement av En peu de mots.

brièveté nf Courte durée.

brigade nf 1 Unité militaire composée de plusieurs régiments. 2 Unité spécialisée de la police. 3 Groupe d'ouvriers.

brigadier nm Chef d'une brigade.

brigand nm 1 Malfaiteur qui vole, pille, commet des crimes. 2 Homme malhonnête.

brigandage nm Action de brigands.

brigue nf litt Manœuvres pour s'assurer un avantage.

briguer vt litt Convoiter, solliciter.

brillamment av De façon brillante.

brillance nf Luminosité.

brillant, ante a Qui brille ; éclatant, remarquable. ■ nm 1 Éclat, lustre. *Le brillant d'une réception.* 2 Diamant taillé à facettes.

brillantine nf Huile parfumée utilisée pour lustrer les cheveux.

briller vi 1 Jeter une lumière éclatante, avoir de l'éclat. *Le soleil brille.* 2 Attirer l'attention, provoquer l'admiration ; exceller.

brimade nf 1 Épreuve plus ou moins vexatoire imposée aux nouveaux par des élèves, des soldats plus anciens. 2 Mesure désobligeante, mesquine.

brimbaler vi, vt litt Brinquebaler.

brimborion nm Colifichet, babiole.

brimer vt Soumettre à des brimades.

brin nm 1 Mince pousse, tige d'une plante. *Brin d'herbe.* 2 Chacun des fils d'un cordage, d'un câble électrique, etc. 3 Très petite quantité. *Ajoutez un brin de sel.*

brindille nf Branche mince et courte. *Feu de brindilles.*

1. bringue nf Loc fam *Grande bringue :* femme dégingandée.

2. bringue nf fam Beuverie, fête, bombance.

bringuebaler vt fam Ballotter. ■ vi fam Cahoter, osciller. Var **brinquebaler**

brio nm Virtuosité.

brioche nf 1 Pâtisserie levée plus ou moins sphérique. 2 fam Ventre rebondi.

brioché, ée a Confectionné comme la brioche.

brique nf 1 Parallélépipède rectangle de terre argileuse cuite. 2 Emballage en forme de parallélépipède. 3 fam Dix mille francs. Loc fam *Bouffer des briques :* n'avoir rien à manger. ■ a inv De la couleur rougeâtre de la brique.

briquer vt Faire briller en frottant.

briquet nm 1 Appareil servant à produire du feu. 2 anc Sabre court d'infanterie.

briqueterie nf Fabrique de briques. Var **briquèterie**

briquette nf Aggloméré en forme de brique, fait de débris de combustibles.

bris nm Fracture de vitre, de clôture, etc.

brisant nm Écueil sur lequel la mer brise et écume.

brise nf Vent modéré et régulier.

brisé, ée a Loc *Être brisé de fatigue :* être épuisé. *Ligne brisée :* composée de segments de droites consécutifs qui forment des angles.

brisées nfpl Loc *Aller sur les brisées de qqn :* lui faire concurrence.

brise-glace nm Navire à étrave renforcée, construit pour briser la glace. *Des brise-glace* ou *brise-glaces.*

brise-jet nm Dispositif adapté à un robinet, afin d'atténuer le jet. *Des brise-jet* ou *brise-jets.*

brise-lame nm Ouvrage qui amortit les vagues devant un port. *Des brise-lame* ou *brise-lames.*

briser vt 1 Rompre, casser. 2 Détruire, anéantir. 3 Fatiguer, abattre qqn. *La maladie l'a brisé.* ■ vi Loc *Brisons là :* ne poursuivons pas la discussion. *Mer qui brise :* qui déferle.

brise-tout n inv fam Maladroit. Var **brisetout**

briseur, euse n Loc *Briseur de grève :* qui ne s'associe pas à une grève.

bristol nm Carton mince utilisé notam. pour les cartes de visite.

brisure nf 1 Cassure. 2 Fragment.

britannique a, n De Grande-Bretagne.

broc [bʀo] nm Récipient à anse et à bec évasé ; son contenu.

brocante nf Activité du brocanteur.

brocanteur, euse n Personne qui achète et revend des objets d'occasion.

brocard nm 1 Jeune chevreuil. 2 litt Raillerie blessante.

brocarder vt litt Railler, dénigrer.

brocart nm Étoffe de soie brodée d'or, d'argent.

broccio [-tʃjo] nm Fromage corse, au lait de chèvre ou de brebis.

brochage nm Action de brocher un livre ou une étoffe.

broche nf 1 Tige pointue sur laquelle on fait rôtir de la viande. 2 Bijou de femme muni d'un fermoir à épingle. 3 Tige servant à maintenir des os fracturés. 4 Tige conductrice d'un contact électrique.

broché, ée a Se dit d'un livre ayant une couverture souple au dos de laquelle les feuilles sont collées. ■ nm Étoffe présentant des dessins réalisés par un tissage spécial.

brocher vt 1 Assembler, coudre et coller les feuilles d'un livre. 2 Tisser des dessins sur une étoffe pendant sa fabrication.

brochet nm Poisson d'eau douce très vorace.

brochette nf 1 Petite broche à rôtir. 2 Les morceaux enfilés sur la brochette. 3 Petite broche qui réunit plusieurs décorations. 4 fam Groupe de personnes alignées.

brocheur, euse n Personne qui broche.

brochure nf 1 Dessin broché sur une étoffe. 2 Publication mince brochée.

brocoli nm Variété de chou-fleur vert.

brodequin nm Grosse chaussure à tige.

broder vt Orner une étoffe de dessins à l'aiguille. ■ vi Amplifier, embellir un récit.

broderie nf Ornement exécuté en brodant.

brodeur, euse n Personne qui brode.

broiement nm Syn. de *broyage.*

broker [-kœʀ] *nm* Dans les pays anglo-saxons, courtier en valeurs mobilières.

brome *nm* Corps simple liquide proche du chlore.

broméliacée *nf* BOT Plante tropicale telle que l'ananas, la tillandsie.

bromure *nm* Combinaison du brome avec un métal ou une base.

bronche *nf* Chacun des conduits qui amènent l'air aux poumons.

broncher *vi* 1 Trébucher (cheval). 2 Manifester sa désapprobation ou son impatience.

bronchiole [-kjɔl] *nf* Ramification fine des bronches.

bronchiolite [-kjɔl-] *nf* Inflammation des bronchioles.

bronchique *a* Des bronches.

bronchite *nf* Inflammation de la muqueuse des bronches.

bronchiteux, euse *a, n* Sujet à la bronchite.

bronchitique *a* De la bronchite. ■ *a, n* Atteint de bronchite.

bronchopneumonie [bʀɔ̃ko-] *nf* Inflammation des bronches et des poumons.

bronchoscopie [bʀɔ̃ko-] *nf* MED Examen visuel des bronches au moyen d'un tube muni d'une source lumineuse.

brontosaure *nm* GEOL Le plus grand des dinosaures.

bronzage *nm* 1 Action de bronzer. 2 Hâle.

bronzant, ante *a* Qui fait bronzer.

bronze *nm* 1 Alliage de cuivre et d'étain. 2 Objet sculpté, moulé en bronze. Loc *Âge du bronze :* époque où les hommes savaient fabriquer des outils en bronze mais non en fer.

bronzer *vt* 1 Donner l'aspect du bronze à un objet. 2 Hâler, brunir la peau. ■ *vi* Brunir de la peau.

bronzette *nf* fam Action de se faire brunir.

bronzier *nm* Fondeur de bronze.

brossage *nm* Action de brosser.

brosse *nf* 1 Ustensile fait d'une plaque garnie de poils durs, de fils, etc., pour nettoyer ou lisser. 2 Pinceau pour étendre les couleurs. Loc *Cheveux en brosse :* courts et dressés sur la tête.

brosser *vt* 1 Frotter, nettoyer avec une brosse. 2 Décrire à grands traits.

brosserie *nf* Fabrique, commerce de brosses.

brou *nm* Écale verte et charnue des noix fraîches. Loc *Brou de noix :* teinture brun foncé faite avec l'écale des noix.

brouette *nf* Petit tombereau à une roue et deux brancards.

brouettée *nf* Charge d'une brouette.

brouetter *vt* Transporter dans une brouette.

brouhaha *nm* Bruit confus qui s'élève dans une assemblée nombreuse.

brouillage *nm* Perturbation d'une émission radiophonique.

brouillamini *nm* fam Désordre, confusion.

brouillard *nm* Nuage de vapeur d'eau près du sol gênant la visibilité.

brouillasse *nf* Pluie très fine, comme du brouillard.

brouillasser *v impers* Tomber en brouillasse.

brouille *nf* Fâcherie. **Var brouillerie**

brouillé, ée *a* Loc *Œufs brouillés :* dont on a mélangé les blancs et les jaunes pendant la cuisson.

brouiller *vt* 1 Mettre pêle-mêle ; mélanger, mêler. *Brouiller des papiers.* 2 Troubler. *Brouiller la vue.* 3 Empêcher par le brouillage d'entendre clairement une émission de radio. 4 Désunir, mettre en désaccord des personnes. ■ *vpr* 1 Se troubler. 2 Se fâcher avec qqn. Loc *Le temps se brouille :* le ciel se couvre.

brouillon, onne *a, n* Qui n'a pas d'ordre, qui embrouille tout. ■ *nm* Ce qu'on écrit d'abord, avant de mettre au net.

brouilly *nm* Cru du Beaujolais.

broussaille *nf* Végétation inculte d'arbustes, de ronces, etc. entremêlés. Loc *Sourcils en broussaille :* durs et embroussaillés.

broussailleux, euse *a* Plein de broussailles.

broussard *nm* Personne qui vit dans la brousse.

brousse *nf* 1 Végétation clairsemée, caractéristique de l'Afrique tropicale. 2 fam Rase campagne. 3 Fromage frais de chèvre ou de brebis.

broutage *nm* Fonctionnement saccadé d'une machine. **Var broutement**

broutard *nm* Veau encore.

brouter *vt* Paître de l'herbe, des feuilles vertes. ■ *vi* Fonctionner de façon saccadée (embrayage, frein, etc.).

broutille *nf* Chose insignifiante.

brownien, enne *a* Loc *Mouvement brownien :* mouvement désordonné des particules microscopiques en suspension dans un liquide.

browning [bʀoniŋ] *nm* Pistolet automatique à chargeur.

broyage *nm* Action de broyer.

broyer *vt* [22] Réduire en poudre ou en pâte, écraser.

broyeur, euse *n, a* Qui broie. ■ *nm* Appareil à broyer.

brrr ! *interj* Exprime une sensation de froid, un sentiment de peur.

bru *nf* Femme du fils, belle-fille.

bruant *nm* Passereau, tel que l'ortolan.

brucellose *nf* Maladie infectieuse du bétail, transmissible à l'homme. Syn. fièvre de Malte.

bruche *nf* Coléoptère dont les larves dévorent les pois.

brugnon *nm* Hybride de pêche à peau lisse.

bruine *nf* Petite pluie fine.

bruiner *v impers* Pleuvoir en bruine.

bruire *vi* litt Rendre un son confus et prolongé. *Le feuillage bruissait.*

bruissement *nm* Bruit confus et continu.

bruit *nm* 1 Sensation perçue par l'oreille. 2 Nouvelle qui circule, rumeur. Loc *Faire du bruit :* provoquer l'intérêt, l'émotion du public.

bruitage *nm* Reconstitution artificielle des bruits d'une scène (cinéma, radio, télévision).

bruiteur *nm* Personne qui fait les bruitages.

brûlage *nm* 1 Action de brûler. 2 Traitement des cheveux dont on brûle les pointes. **Var brulage**

brûlant, ante *a* 1 Qui brûle, qui dégage une chaleur intense. 2 Ardent, fervent. *Désir brûlant.* 3 Qui risque de déchaîner les passions. **Var brulant, ante**

brûlé, ée *a* 1 Qui a brûlé. 2 Démasqué, découvert. Loc *Une tête, une cervelle brûlée :* un esprit exalté, téméraire. ■ *nm* Loc *Sentir le brûlé :* avoir l'odeur de ce qui a brûlé ; être dangereux. **Var brûlé, ée**

brûle-gueule nm Pipe à tuyau court. **Var brûle-gueule**

brûle-parfum nm inv Vase, réchaud dans lequel on brûle des parfums. **Var brûle-parfum**

brûle-pourpoint (à) av Sans préambule, brusquement. **Var brûle-pourpoint (à)**

brûler vt 1 Consumer, détruire par le feu. 2 Utiliser comme combustible ou comme luminaire. 3 Causer une altération, une douleur, sous l'effet du feu, de la chaleur, d'un corrosif. 4 Torréfier du café. 5 Ne pas s'arrêter à un signal. Loc *Brûler les étapes* : progresser rapidement. *Brûler la politesse à qqn* : partir sans prendre congé de lui. ■ vi 1 Être consumé par le feu. 2 Subir une cuisson trop prolongée. 3 Être ardent, possédé d'un grand désir. *Brûler d'impatience.* 4 fam Dans un jeu, être tout près du but. **Var brûler**

brûlerie nf Lieu où on torréfie le café. **Var brûlerie**

brûleur nm Appareil destiné à assurer une combustion. **Var brûleur**

brûlis nm Terrain dont on brûle la végétation pour le défricher ou le fertiliser. **Var brûlis**

brûlot nm 1 Navire que l'on chargeait de matières inflammables pour incendier les vaisseaux ennemis. 2 Écrit violemment polémique. 3 Punch flambé. **Var brûlot**

brûlure nf 1 Lésion tissulaire produite par le feu, par un corps très chaud ou par une substance corrosive. 2 Sensation douloureuse. *Brûlure d'estomac.* **Var brûlure**

brumaire nm Deuxième mois du calendrier républicain (octobre-novembre).

brumasser v impers Être un peu brumeux (temps).

brume nf Brouillard léger.

brumeux, euse a Marqué par la brume.

brumisateur nm (n. déposé) Atomiseur qui pulvérise très finement l'eau minérale d'Évian.

brun, brune a De couleur jaune sombre tirant sur le noir. ■ n Dont les cheveux sont bruns. ■ nm Couleur brune. ■ nf Bière brune ; cigarette de tabac brun.

brunâtre a Tirant sur le brun.

brunch [brœnʃ] nm Petit déjeuner copieux, pris en fin de matinée.

brunet, ette a, n Qui a les cheveux bruns.

brunir vt 1 Rendre brun. *Le soleil l'a bruni.* 2 Polir un métal. ■ vi Devenir brun.

brunissage nm Action de brunir un métal.

brushing [brœʃiŋ] nm (n. déposé) Mise en plis des cheveux avec une brosse ronde et en les séchant au séchoir.

brusque a 1 Qui a une vivacité rude, sans ménagement ; brutal. *Geste brusque.* 2 Subit, inopiné. *Changement brusque.*

brusquement av De façon brusque.

brusquer vt 1 Traiter sans ménagement. 2 Hâter, précipiter.

brusquerie nf Manières brusques.

brut, brute a 1 Qui est encore dans son état naturel, n'a pas été façonné. 2 Grossier, sauvage. Loc *Pétrole brut* : non raffiné. *Champagne brut* : très sec. *Salaire brut* : qui n'a subi aucune retenue. *Poids brut* : qui comprend le poids de l'emballage. ■ nm Pétrole non raffiné. ■ av Sans aucune défalcation. *Colis qui pèse brut vingt kilos.*

brutal, e, aux a 1 Violent, dénué de ménagements. *Geste brutal. Franchise brutale.* 2 Rude et inopiné. *Chute brutale de la Bourse.*

brutalement av De façon brutale.

brutaliser vt Traiter avec brutalité.

brutalité nf Caractère brutal. *Agir avec brutalité.* ■ pl Actes brutaux.

brute nf Personne grossière, violente.

bruxellois, oise [-sɛlwa] a, n De Bruxelles.

bruyamment av Avec grand bruit.

bruyant, ante a 1 Qui fait du bruit. 2 Où il se fait beaucoup de bruit.

bruyère nf Plante à fleurs violacées poussant sur des landes ou dans des sous-bois siliceux. Loc *Terre de bruyère* : terre formée de sable siliceux mélangé aux produits de décomposition des bruyères. *Coq de bruyère* : tétras.

bryologie nf BOT Étude des mousses.

bryophyte nf Plante sans racines ni vaisseaux, comme les mousses.

BSR nm Brevet de sécurité routière, exigé pour conduire un cyclomoteur ou scooter de 50 cm³.

BTP nm Secteur économique constitué par le bâtiment et les travaux publics.

BTS nm Brevet de technicien supérieur.

buanderie nf Lieu où on fait la lessive.

bubale nm Antilope africaine.

bubon nm Tuméfaction ganglionnaire.

bubonique a Caractérisé par des bubons.

buccal, ale, aux a De la bouche.

buccin [byksɛ̃] nm 1 ANTIQ Trompette romaine. 2 Mollusque à coquille hélicoïdale.

bûche nf 1 Morceau de bois de chauffage. Loc *Bûche de Noël* : pâtisserie en forme de bûche que l'on fait pour Noël. fam *Ramasser une bûche* : tomber. **Var buche**

1. bûcher nm 1 Lieu où on range le bois à brûler. 2 Amas de bois sur lequel on brûle un corps. **Var bucher**

2. bûcher vt, vi fam Travailler avec ardeur. **Var bucher**

bûcheron, onne n Personne qui abat des arbres dans une forêt. **Var bucheron**

bûcheronnage nm Travail du bûcheron. **Var bucheronnage**

bûchette nf Menu morceau de bois. **Var buchette**

bûcheur, euse a, n fam Qui bûche. **Var bucheur, euse**

bucolique a De la poésie pastorale.

budget nm 1 État prévisionnel des dépenses et recettes, généralement pour une année. 2 Somme disponible pour qqn, un groupe.

budgétaire a Du budget.

budgétisation nf Inscription au budget.

budgétiser vt Inscrire au budget.

buée nf Vapeur qui se condense sur un corps froid.

buffet nm 1 Meuble où on range la vaisselle, l'argenterie. 2 Table couverte de mets, de rafraîchissements. 3 Restaurant de gare. 4 Ouvrage de menuiserie qui renferme un orgue.

buffle nm Grand bœuf d'Europe du Sud, d'Asie et d'Afrique.

bufflonne nf Femelle du buffle. **Var bufflesse**

bug [bœg] nm INFORM Erreur de programmation entraînant des anomalies de fonctionnement. Syn. bogue.

buggé, ée *a* INFORM Endommagé par un bug.

bugle *nm* Instrument à vent, en cuivre, à pistons.

building [bildiŋ] *nm* Vaste immeuble comptant de nombreux étages.

buis *nm* Arbrisseau toujours vert, à bois jaunâtre, dur et à grain fin.

buisson *nm* Touffe d'arbustes ou d'arbrisseaux épineux. **Loc** *Buisson d'écrevisses :* écrevisses disposées en pyramide sur un plat.

buissonneux, euse *a* Couvert de buissons.

buissonnier, ère *a* **Loc** *Faire l'école buissonnière :* aller jouer, se promener au lieu d'aller à l'école, au travail.

bulbaire *a* ANAT D'un bulbe.

bulbe *nm* 1 Oignon d'une plante. 2 ANAT Organe renflé ou globuleux. 3 ARCHI Coupole en forme de bulbe. **Loc** *Bulbe rachidien :* partie supérieure de la moelle épinière.

bulbeux, euse *a* 1 Pourvu d'un bulbe. 2 En forme de bulbe.

bulgare *a, n* De la Bulgarie. ■ *nm* Langue slave parlée en Bulgarie.

bulldog [buldɔg] *nm* Chien anglais proche du bouledogue, aux oreilles tombantes.

bulldozer [byldozɛR] *nm* Engin de terrassement. Syn. bouteur.

bulle *nf* 1 Globule de gaz dans un liquide ou dans une matière fondue ou coulée. 2 Dans une bande dessinée, ligne courbe enfermant le texte des paroles des personnages. 3 Lettre publique du pape. **Loc** *Bulle de savon :* sphère remplie d'air dont la paroi est une pellicule d'eau savonneuse. *Bulle financière :* maintien des cours boursiers à la hausse, dû essentiellement à la spéculation. ■ *a inv* **Loc** *Papier bulle :* papier grossier, beige ou jaune pâle.

bulletin *nm* 1 Avis communiqué par une autorité et destiné au public. 2 Rapport périodique sur la scolarité d'un élève. 3 Attestation, récipissé. *Bulletin de bagages.* 4 Revue périodique d'une administration, d'une société. 5 Papier spécialement destiné à exprimer un vote.

bulletin-réponse *nm* Imprimé à remplir et à renvoyer. *Des bulletins-réponses.*

bull-finch *nm* Obstacle de steeple-chase (talus surmonté d'une haie). *Des bull-finchs* ou *bull-finches.* Var **bullfinch**

bulot *nm* Buccin comestible. Syn. escargot de mer.

bungalow [bœ̃galo] *nm* 1 Habitation basse entourée d'une véranda. 2 Petite maison sans étage en matériaux légers.

bunker [bunkœR] *nm* 1 Casemate. 2 Fosse remplie de sable aménagée sur un parcours de golf.

bunraku [-ku] *nm* Marionnettes japonaises.

Bunsen (bec) *nm* Brûleur à gaz.

bupreste *nm* Coléoptère dont les larves rongent le bois.

buraliste *n* 1 Préposé à un bureau de recette, de poste, etc. 2 Personne qui tient un bureau de tabac.

bure *nf* Étoffe de laine, généralement brune.

bureau *nm* 1 Table de travail, ou meuble à tiroirs, à casiers, comportant une table pour écrire. 2 Pièce où se trouve la table de travail. 3 Lieu de travail des employés, des gens d'affaires, etc. 4 Établissement d'administration publique. *Bureau d'aide sociale.* 5 Subdivision dans un ministère, un état-major. 6 L'ensemble des membres directeurs élus d'une assemblée, d'une association.

bureaucrate *n* péjor Employé(e) de bureau, d'une administration.

bureaucratie *nf* 1 Pouvoir excessif des bureaucrates. 2 L'Administration publique.

bureaucratique *a* De la bureaucratie.

bureaucratisation *nf* Action de bureaucratiser, de se bureaucratiser.

bureaucratiser *vt* Augmenter le poids de la bureaucratie.

bureauticien, enne *n* Spécialiste de bureautique.

bureautique *nf* (n. déposé) INFORM Ensemble des techniques qui visent à automatiser les activités de bureau.

burette *nf* 1 Petit flacon à bec verseur. 2 Récipient à tubulure effilée, servant au graissage de pièces mécaniques.

burin *nm* Outil d'acier qui sert à entailler les matériaux durs.

buriné, ée *a* **Loc** *Visage buriné :* très ridé.

buriner *vt* Travailler au burin.

burkinabé *a, n* Du Burkina.

burlat *nf* Variété de bigarreau.

burlesque *a* D'une bouffonnerie outrée ; extravagant. ■ *nm* Genre, style burlesque.

burnous *nm* 1 Grand manteau de laine à capuchon porté par les Arabes. 2 Manteau à capuchon pour bébés.

burqua *nf* Voile avec une fenêtre grillagée pour les yeux, porté par les femmes afghanes. Var **burqa**

bus *nm inv* fam Autobus.

busard *nm* Oiseau rapace, diurne.

buse *nf* 1 Canalisation, tuyau. 2 Rapace courant en Europe, voisin du faucon. 3 fam Personne ignorante et stupide.

bush [buʃ] *nm* Formation végétale broussailleuse des régions tropicales sèches.

business [biznɛs] *nm inv* fam 1 Les affaires. 2 Chose compliquée, situation embrouillée. 3 Chose quelconque, truc. Var **bizness**

businessman [biznɛsman] *nm* fam Homme d'affaires.

businessplan [biznɛsplan] *nm* Plan finalisé de création d'une entreprise.

busqué, ée *a* Arqué (nez).

buste *nm* 1 La tête et la partie supérieure du corps humain. 2 La poitrine d'une femme. 3 Sculpture représentant un buste.

bustier *nm* Soutien-gorge ou corsage couvrant partiellement le buste.

but [by] ou [byt] *nm* 1 Point que l'on vise. *Toucher le but.* 2 Terme où l'on s'efforce de parvenir. *Le but du voyage.* 3 Fin que l'on se propose. *Avoir un but dans la vie.* 4 Endroit où il faut envoyer le ballon. 5 Point marqué en envoyant le ballon au but. *Gagner par trois buts à deux.* **Loc** *De but en blanc :* brusquement.

butane *nm* Gaz combustible.

butanier *nm* Navire transporteur de butane.

buté, ée *a* Obstiné, entêté.

butée *nf* 1 Massif de pierre aux extrémités d'un pont. 2 Pièce empêchant ou limitant le mouvement d'un organe mécanique.

buter *vi* Heurter du pied, trébucher contre un obstacle. ■ *vt* Provoquer l'opposition têtue de. 2 pop Assassiner. ■ *vpr* S'obstiner, s'entêter.

buteur *nm* SPORT Joueur qui marque des buts.

butin *nm* **1** Ce que l'on a pris à l'ennemi après une victoire. **2** Ce que rapporte un vol. **3** Ce qu'on amasse à la suite de recherches.

butiner *vi* En parlant des abeilles, recueillir sur les fleurs le nectar et le pollen.

butineur, euse *a, n* Qui butine.

butoir *nm* **1** Pièce contre laquelle vient buter une partie mobile. **2** Obstacle à l'extrémité d'une voie pour arrêter les locomotives.

butor *nm* **1** Échassier des marais. **2** Homme grossier, malappris.

butte *nf* **1** Petite élévation de terre. **2** Colline. Loc *Être en butte à :* être exposé à.

butter *vt* AGRIC Entourer de terre le pied d'un arbre, d'une plante.

butyrique *a* Loc *Acide butyrique :* présent dans de nombreux corps gras.

buvable *a* **1** Qui peut être bu. **2** fam Acceptable.

buvard *nm* Papier qui absorbe l'encre.

buvette *nf* Endroit où on vend à boire, dans certains lieux publics.

buveur, euse *n* **1** Personne qui boit. **2** Personne qui s'adonne avec excès à la boisson.

byssus [-sys] *nm* Touffe de filaments constituant l'appareil de fixation des moules.

byte [bajt] *nm* Syn. de *octet*.

byzantin, ine *a, n* De Byzance. ■ *a* Qui fait preuve de byzantinisme.

byzantinisme *nm* Goût des discussions oiseuses, subtiles à l'excès.

c nm **1** Troisième lettre (consonne) de l'alphabet. **2** C : chiffre romain qui vaut 100.

ça pr dém **1** Cela. Donne moi ça ! **2** Renforce une interrogation. Où ça ? **Loc** Sans ça : sinon. Comme ça : de cette manière. Comme ci, comme ça : médiocrement. ■ nm inv PSYCHAN Ensemble des tendances refoulées dans l'inconscient.

çà av **Loc** Çà et là : de côté et d'autre. ■ interj Marque l'impatience, l'étonnement, etc.

cabale nf Menées concertées, intrigues occultes.

cabalistique a Mystérieux, obscur.

caban nm Veste de marin en drap.

cabane nf **1** Petite construction servant d'abri. **2** pop Prison. **Loc** Cabane à lapins : où l'on élève des lapins ; (fam) grand immeuble.

cabanon nm **1** Petite cabane. **2** Cellule où on enfermait les déments.

cabaret nm Établissement qui présente un spectacle et où le public peut consommer.

cabaretier nm vx Tenancier d'un cabaret.

cabas nm Panier à provisions.

cabernet nm Cépage rouge très répandu.

cabestan nm Treuil à tambour vertical.

cabiai nm Rongeur d'Amérique du Sud.

cabillaud nm Morue fraîche.

cabine nf **1** Chambre, à bord d'un navire. **2** Local exigu servant à divers usages. Cabine téléphonique. **3** Espace aménagé pour le transport des personnes, pour un équipage, etc.

cabinet nm **1** Bureau destiné au travail. **2** Local où les membres des professions libérales reçoivent leurs clients. **3** Ensemble des ministres. **4** Meuble servant à ranger des bijoux. ■ pl Lieux d'aisance, W.-C.

câblage nm **1** Action de câbler. **2** Ensemble de conducteurs électriques.

câble nm **1** Gros cordage résistant. **2** Conducteur servant à l'alimentation électrique. **3** Système de transmission de signaux analogiques ou numériques.

câbler vt **1** Réunir par torsion des cordes. **2** Connecter électriquement. **3** Équiper un lieu avec la télévision par câbles. **4** Télégraphier.

câblodistributeur nm Entreprise qui met en œuvre la télévision par câbles. **Var** câblo-opérateur

câblodistribution nf Diffusion de programmes de télévision par câbles.

cabochard, arde a, n fam Entêté.

caboche nf fam Tête.

cabochon nm Pierre précieuse non taillée.

cabosse nf Fruit du cacaoyer.

cabosser vt Déformer par des bosses.

cabot nm fam **1** Chien. **2** Cabotin.

cabotage nm Navigation à faible distance des côtes.

caboter vi Naviguer au cabotage.

caboteur nm Navire qui fait du cabotage.

cabotin, ine n, a **1** Mauvais comédien prétentieux. **2** Vaniteux qui aime attirer l'attention.

cabotinage nm Manière d'agir d'un cabotin.

cabotiner vi Faire le cabotin.

caboulot nm vx Petit café populaire.

cabrer vt **1** Faire se dresser un cheval sur ses pattes. **2** Provoquer l'opposition, la révolte.

cabri nm Chevreau.

cabriole nf Gambade, pirouette.

cabrioler vi Faire des cabrioles.

cabriolet nm **1** Automobile décapotable. **2** Fauteuil à dossier incurvé.

caca nm fam Excrément. ■ a inv **Loc** Caca d'oie : verdâtre.

cacahouète nf **1** Fruit de l'arachide, très riche en corps gras. **2** Graine de ce fruit, consommée torréfiée. **Var** cacahuète

cacao nm Graine de cacaoyer, qui sert à fabriquer le chocolat.

cacaoté, ée a Contenant du cacao.

cacaoyer nm Arbre cultivé pour ses fruits, les fèves de cacao. **Var** cacaotier

cacatoès nm Perroquet à plumage blanc rosé et à huppe érectile. **Var** kakatoès

cachalot nm Grand mammifère marin carnassier.

cache nf Lieu où on peut cacher qqch, se cacher. ■ nm Feuille opaque pour soustraire partiellement une surface à la lumière.

cache-cache nm inv Jeu d'enfants où un des joueurs doit trouver les autres qui se sont cachés. **Var** cachecache

cache-col nm Écharpe portée autour du cou. Des cache-cols ou cache-col.

cachectique a, n Atteint de cachexie.

cachemire nm Laine mêlée de poil de chèvre.

cache-misère nm fam Vêtement ample cachant des habits usagés. Des cache-misère ou cache-misère.

cache-nez nm inv Longue écharpe pour se préserver du froid.

cache-pot nm Vase cachant un pot de fleurs. *Des cache-pots.*

cache-prise nm Dispositif pour éviter le contact avec une prise de courant électrique. *Des cache-prises.*

cacher vt 1 Soustraire à la vue. 2 Taire. *Cacher son âge.* ■ vpr 1 Se soustraire à la vue. 2 Cacher à qqn ce qu'on fait. *Se cacher de ses parents.*

cache-radiateur nm Panneau dissimulant un radiateur d'appartement. *Des cache-radiateurs.*

cachère V. *casher.*

cache-sexe nm Vêtement couvrant le bas-ventre. *Des cache-sexes.*

cachet nm 1 Pièce gravée appliquée sur la cire pour y faire une empreinte. 2 Marque imprimée apposée avec un tampon. 3 Caractère distinctif, original. *Village plein de cachet.* 4 Comprimé. *Cachet d'aspirine.* 5 Rétribution d'un artiste pour une séance de travail.

cachetage nm Action de cacheter.

cache-tampon nm Jeu où un des joueurs cache un objet que les autres doivent découvrir.

cacheter vt [17] ou [19] 1 Fermer à la cire. 2 Fermer un pli par collage.

cachetier nm Artiste payé au cachet.

cachette nf Endroit où on peut se cacher, cacher qqch. Loc *En cachette :* en se cachant.

cachexie nf MED Altération profonde des fonctions de l'organisme.

cachot nm Cellule de prison, étroite et sombre.

cachotterie nf Mystère pour cacher des choses sans importance. **Var cachoterie**

cachottier, ère a, n Qui fait des cachotteries. **Var cachotier, ère**

cachou nm Substance brune extraite de la noix d'arec ; petite pastille de cette substance.

cacique nm 1 Chef de tribu, chez les Indiens d'Amérique. 2 fam Élève reçu premier à un concours.

cacochyme a litt Faible.

cacophonie nf Rencontre de sons désagréables à l'oreille.

cacophonique a Qui fait cacophonie.

cactée nf BOT Plante grasse à tige charnue servant de réserve d'eau. **Var cactacée**

cactus nm Plante grasse épineuse.

c.-à-d. Abrév. de *c'est-à-dire.*

cadastral, ale, aux a Du cadastre.

cadastre nm Répertoire des propriétés foncières d'une commune.

cadavérique a D'un cadavre.

cadavre nm Corps d'un mort.

caddie nm 1 Qui, au golf, porte les clubs des joueurs. 2 (n. déposé) Petit chariot pour transporter les bagages, les achats dans les magasins.

cadeau nm Objet offert. Loc fam *Ne pas faire de cadeau à qqn :* le traiter durement.

cadenas nm Serrure mobile.

cadenasser vt Fermer avec un cadenas.

cadence nf 1 Succession rythmique de mouvements, de sons. 2 Rythme de production dans le travail. Loc *En cadence :* en mesure ; avec un rythme régulier.

cadencé, ée a Rythmé. *Musique cadencée.*

cadet, ette a 1 Enfant né après l'aîné ou après un autre enfant de la famille. 2 Moins âgé qu'un autre. 3 Sportif entre 13 et 16 ans. Loc fam *C'est le cadet de mes soucis :* le moindre.

cadi nm Juge musulman.

cadmium nm Métal blanc aux propriétés proches de celles du zinc.

cadrage nm Action de cadrer, de placer dans le champ d'un appareil.

cadran nm 1 Surface graduée sur laquelle se déplace l'aiguille d'un appareil de mesure. 2 Partie du téléphone qui porte les numéros. Loc *Cadran solaire :* où l'ombre portée donne l'heure. fam *Faire le tour du cadran :* dormir 12 heures.

cadrat nm IMPRIM Bloc de plomb servant à former les blancs ; le blanc lui-même.

cadratin nm IMPRIM Cadrat ayant le même corps que le caractère du texte.

cadre nm 1 Bordure entourant un tableau, un miroir, etc. 2 Assemblage rigide de pièces formant un châssis, une armature. *Cadre de bicyclette.* 3 Ce qui délimite. *Cela sort du cadre de mes fonctions.* 4 Environnement ; décor. 5 Qui assure une fonction de direction, d'encadrement dans une entreprise, à l'armée.

cadrer vt Placer dans le champ d'un appareil photo, d'une caméra, etc. ■ vti Concorder avec. *Ceci cadre avec mon projet.*

cadreur, euse n Chargé des prises de vues d'un film.

caduc, uque a Désuet, périmé. Loc *Feuilles caduques :* qui se renouvellent chaque année.

caducée nm Baguette entourée de deux serpents, emblème des pharmaciens et des médecins.

caducité nf Caractère caduc.

cæcal, ale, aux a Du cæcum.

cæcum [sekɔm] nm ANAT Partie initiale du gros intestin.

cafard, arde n fam Dénonciateur. ■ nm 1 fam Idées noires, dépression. 2 Blatte.

cafardage nm fam Action de cafarder.

cafarder vi fam 1 Dénoncer. 2 Avoir des idées noires.

cafardeux, euse a fam Qui a ou donne le cafard ; mélancolique.

café nm 1 Graine du caféier. 2 Infusion de cette graine torréfiée et broyée. 3 Lieu public où on consomme des boissons. ■ a inv Loc *Café au lait :* brun clair, beige.

café-concert nm Music-hall où on peut consommer. *Des cafés-concerts.*

caféier nm Arbuste qui produit le café.

caféine nf Alcaloïde du café, stimulant.

cafetan nm Long manteau oriental, parfois richement brodé. **Var caftan**

cafétéria nf Local dans un établissement, où on peut consommer des boissons, des repas légers.

café-théâtre nm Petit théâtre où on peut consommer. *Des cafés-théâtres.*

cafetier, ère n Qui tient un café. ■ nf Récipient dans lequel on prépare le café.

cafouillage nm fam Confusion, désordre. **Var cafouillis**

cafouiller vi fam Agir de façon brouillonne ; mal fonctionner.

cafouilleux, euse a fam Brouillon.

caftan. V. *cafetan.*

cafter vi fam Moucharder.

cafteur, euse n, n fam Mouchard.

cage nf 1 Loge garnie de grillage ou de barreaux pour enfermer des oiseaux, des animaux. 2 Les buts, au football. 3 Espace à l'intérieur duquel se trouve un escalier, un ascenseur. Loc *Cage thoracique :* thorax.

cageot nm Petite caisse à claire-voie.

cagibi nm fam Débarras.

cagneux, euse a Qui a les genoux tournés vers l'intérieur.

cagnotte nf 1 Boîte où on conserve les mises des joueurs. 2 Argent économisé par les membres d'un groupe.

cagoule nf 1 Vêtement de moine à capuchon et sans manches. 2 Capuchon percé à la hauteur des yeux. 3 Passe-montagne.

cahier nm Feuilles de papier réunies et liées ensemble. Loc *Cahier des charges :* conditions d'un marché.

cahin-caha av fam Avec peine, tant bien que mal. Var **cahincaha**

cahors nm Vin rouge du Sud-Ouest.

cahot nm Saut d'un véhicule sur un terrain inégal.

cahotant, ante a Qui cahote.

cahotement nm Secousse.

cahoter vt, vi Secouer.

cahoteux, euse a Qui cahote.

cahute nf Bicoque, cabane. Var **cahutte**

caïd nm pop Chef de bande.

caïdat nm pop Domination exercée par un caïd.

caillasse nf Accumulation de gros cailloux.

caille nf Oiseau proche d'une petite perdrix.

caillé nm Lait caillé.

caillebotis nm Treillis posé sur le sol, laissant passer l'eau.

cailler vi 1 Coaguler, se figer (lait, sang). 2 pop Avoir froid. 3 pop Faire froid.

caillette nf ZOOL Quatrième poche de l'estomac des ruminants.

caillot nm Petite masse de sang coagulé.

caillou nm Petite pierre. *Des cailloux.*

caillouter vt Couvrir de cailloux.

caillouteux, euse a Plein de cailloux.

cailloutis nm Amas de petits cailloux.

caïman nm Crocodile d'Amérique, dont les mâchoires sont très larges.

caïque nm Embarcation du Moyen-Orient.

cairn nm Monticule de pierres élevé pour jalonner un itinéraire (alpinistes).

cairote a, n Du Caire.

caisse nf 1 Grande boîte en bois ; coffre. 2 Appareil où est déposé l'argent perçu pour chaque vente ; la recette elle-même. 3 Guichet où se font les paiements. 4 Établissement où des fonds sont déposés. 5 TECH Dispositif qui protège certaines pièces ; carrosserie d'une automobile. 6 MUS Corps d'un instrument à cordes. Loc *Grosse caisse :* gros tambour.

caissette nf Petite caisse.

caissier, ère n Qui tient la caisse dans un magasin, une banque.

caisson nm Grande caisse étanche immergée pour travailler sous l'eau.

cajoler vt Avoir des paroles, des gestes tendres pour qqn.

cajolerie nf Parole tendre, caresse.

cajoleur, euse a, n Qui cajole.

cajou nm Loc *Noix de cajou :* fruit de l'acajou à pommes ou anacardier.

cajun [-ʒœ̃] n, a Francophone de Louisiane.

cake [kɛk] nm Gâteau contenant des raisins secs et des fruits confits.

cal, als nm 1 Induration, durillon. 2 Cicatrice d'un os fracturé.

calage nm Action de caler.

calamar. V. *calmar.*

calamine nf Résidu charbonneux encrassant les cylindres d'un moteur à explosion.

calaminé, ée a Recouvert de calamine.

calamistrer vt Friser les cheveux.

calamité nf Malheur irréparable, désastre.

calamiteux, euse a litt Piteux.

calandre nf 1 Machine composée de cylindres servant à lisser des étoffes ou à glacer du papier. 2 Garniture de tôle ou de plastique placée devant le radiateur d'une automobile.

calanque nf Crique rocheuse.

calao nm Oiseau d'Asie à gros bec.

calcaire a Qui renferme du carbonate de calcium. *Eau calcaire.* ■ nm Roche essentiellement faite de carbonate de calcium.

calcanéum [-neom] nm ANAT Os du talon.

calcédoine nf Quartz cristallisé (agate, cornaline, jaspe, etc.) utilisé en joaillerie.

calcémie nf Teneur du sang en calcium.

calcification nf Dépôt des sels calcaires intervenant dans la formation de l'os.

calcifié, ée a Recouvert de calcaire.

calciner vt Brûler, carboniser.

calcique a CHIM Du calcium.

calcite nf Carbonate de calcium.

calcium nm Métal blanc très abondant dans la nature.

calcul nm 1 Opération portant sur des combinaisons de nombres, sur des grandeurs. 2 Technique de la résolution des problèmes d'arithmétique. 3 Moyens prémédités pour le succès d'une affaire. 4 Concrétion pierreuse, qui se forme dans la vessie, la vésicule biliaire, etc.

calculable a Qu'on peut calculer.

calculateur, trice a, n 1 Qui sait calculer. 2 Habile à combiner. ■ nm Machine à calculer utilisée en informatique. ■ nf Machine à calculer électronique de petite dimension.

calculer vt 1 Déterminer par le calcul. 2 Prévoir, combiner. 3 Apprécier, supputer.

calculette nf Calculatrice de poche.

caldeira nf GÉOL Grande cuvette occupant le cratère effondré d'un volcan.

caldoche n, a Européen de Nouvelle-Calédonie.

cale nf 1 Partie du navire sous le pont le plus bas. 2 Ce qui sert à maintenir d'aplomb. Loc *Cale sèche :* fosse pour mettre les navires à sec.

calé, ée a fam 1 Qui a beaucoup de connaissances. 2 Difficile.

calebasse nf Fruit d'une courge qui, vidé, sert de récipient.

calèche nf Voiture à cheval, à quatre roues, munie, à l'arrière, d'une capote repliable.

caleçon nm 1 Sous-vêtement masculin à jambes courtes ou longues. 2 Pantalon féminin léger, très ajusté.

calembour nm Jeu de mots fondé sur une différence de sens entre des termes de même prononciation.

calembredaine nf Propos dénué de bon sens.

calendaire a Du calendrier. *Fêtes calendaires.*

calendes *nfpl* ANTIQ Premier jour de chaque mois chez les Romains. Loc *Renvoyer aux calendes grecques* : remettre à une date qui n'arrivera pas.

calendrier *nm* 1 Système de division du temps. 2 Tableau des jours de l'année. 3 Emploi du temps fixé à l'avance.

cale-pied *nm* Butoir maintenant le pied sur la pédale d'une bicyclette. *Des cale-pieds.*

calepin *nm* Petit carnet.

caler *vt* 1 Mettre qqch de niveau ou d'aplomb à l'aide d'une cale ; immobiliser. 2 Bloquer un moteur. ■ *vi* 1 S'arrêter brusquement. *Moteur qui cale.* 2 fam Reculer, céder. *Il a calé devant la menace.*

calfatage *nm* Action de calfater.

calfater *vt* Boucher hermétiquement.

calfeutrage *nm* Action de calfeutrer. **Var calfeutrement**

calfeutrer *vt* Boucher les fentes pour empêcher l'air de pénétrer. ■ *vpr* S'enfermer qq part.

calibrage *nm* Action de calibrer.

calibre *nm* 1 Diamètre d'un tube, d'un projectile, d'un objet cylindrique. 2 pop Revolver. 3 fam Importance, qualité, état. *Deux individus du même calibre.*

calibrer *vt* 1 Donner, mesurer le calibre. 2 Classer selon le calibre. *Calibrer des œufs.* 3 Évaluer la longueur d'un texte.

calice *nm* 1 Coupe contenant le vin du sacrifice de la messe. 2 Partie d'une fleur, constituée par les sépales. Loc *Boire le calice jusqu'à la lie* : endurer une douleur jusqu'au bout.

calicot *nm* 1 Toile de coton, moins fine que la percale. 2 Banderole.

califat *nm* Territoire gouverné par un calife.

calife *nm* HIST Dirigeant de la communauté musulmane, successeur de Mahomet. **Var khalife**

californien, enne *a, n* De Californie.

califourchon (à) *av* Assis avec une jambe de chaque côté de ce qu'on chevauche.

câlin, ine *a* Doux, caressant. ■ *nm* Caresse affectueuse.

câliner *vt* Caresser, cajoler.

câlinerie *nf* Tendre caresse.

calisson *nm* Friandise à la pâte d'amandes.

calleux, euse *a* Qui a des callosités. Loc ANAT *Corps calleux* : bande de substance blanche unissant les deux hémisphères cérébraux.

call-girl [kolgœRl] *nf* Prostituée qu'on appelle par téléphone. *Des call-girls.* **Var callgirl**

calligramme *nm* Poème dont la typographie forme un dessin.

calligraphie *nf* Art de bien tracer l'écriture.

calligraphier *vt* Bien tracer l'écriture.

callosité *nf* Épaississement et durcissement d'une partie de l'épiderme.

calmant, ante *a, nm* Qui calme la douleur, la nervosité.

calmar *nm* Mollusque céphalopode comestible. Syn. encornet. **Var calamar**

calme *nm* 1 Absence de bruit, d'agitation, de mouvement. 2 Sérénité, absence d'énervement chez qqn. ■ *a* 1 Sans agitation, sans perturbation, de faible activité. *Avoir une vie calme.* 2 Tranquille, maître de soi.

calmement *av* Avec calme.

calmer *vt* 1 Apaiser qqn. *Calmer un bébé.* 2 Atténuer qqch. *Calmer une douleur.* Loc fam *Calmer le jeu* : tenter d'atténuer les tensions.

calomniateur, trice *n* Qui calomnie.

calomnie *nf* Accusation mensongère.

calomnier *vt* Accuser à tort.

calomnieux, euse *a* Qui calomnie.

calorie *nf* Unité de valeur énergétique des aliments.

calorifère *nm* Appareil de chauffage.

calorifique *a* Qui fait de la chaleur.

calorifuger *vt* [11] Protéger contre la déperdition de chaleur.

calorimétrie *nf* Mesure de la chaleur.

calorique *a* De la calorie ; de la chaleur.

calot *nm* 1 Coiffure militaire. 2 Grosse bille.

calotin, ine *n* fam Partisan du clergé ; dévot.

calotte *nf* 1 Petit bonnet rond. 2 fam Petite tape donnée sur la tête. Loc *Calotte glaciaire* : région recouverte de glace. fam *La calotte* : le clergé.

calque *nm* 1 Copie d'un dessin avec un papier transparent ; ce papier. 2 Imitation exacte d'un modèle.

calquer *vt* Faire le calque de.

calter (se) *vpr* S'enfuir.

calumet *nm* Pipe à long tuyau des Indiens d'Amérique.

calvados *nm* Eau-de-vie de cidre. **Var calva**

calvaire *nm* 1 Monument commémorant la Passion. 2 Suite d'épreuves douloureuses.

calville *nf* Pomme blanche ou rouge.

calvinisme *nm* Doctrine religieuse de Calvin.

calviniste *a, n* Qui se réclame du calvinisme.

calvitie [-si] *nf* Absence de cheveux.

camaïeu *nm* Pierre fine taillée, de même couleur avec des nuances diverses.

camarade *n* Compagnon, ami.

camaraderie *nf* Familiarité, solidarité.

camarilla *nf* Coterie influente.

cambiste *n* Personne qui s'occupe du change de devises.

cambodgien, enne *a, n* Du Cambodge.

cambouis *nm* Huile, graisse des moteurs, noircies par les poussières.

cambré, ée *a* Courbé, arqué.

cambrer *vt* Courber, arquer. *Cambrer la taille.* ■ *vpr* Redresser la taille.

cambrien, enne *a* GÉOL Première période de l'ère primaire.

cambriolage *nm* Action de cambrioler.

cambrioler *vt* Voler en s'introduisant dans une maison.

cambrioleur, euse *n* Personne qui cambriole.

cambrousse *nf* fam Campagne.

cambrure *nf* Courbure. *Cambrure du pied.*

cambuse *nm* Magasin à vivres d'un navire.

came *nf* 1 Pièce arrondie avec une encoche pour imprimer un mouvement. 2 fam Drogue.

camé, ée *n* fam Drogué.

camée *nm* Pierre fine sculptée.

caméléon *nm* 1 Reptile changeant de couleur. 2 Qui change souvent d'opinion.

caméléonisme *nm* litt Caractère changeant.

camélia *nm* Plante à fleurs blanches ou rouges.

camélidé *nm* ZOOL Mammifère ruminant tel que le chameau, le lama.

camelot *nm* Vendeur de menus objets.

camelote *nf* fam Mauvaise marchandise.

camembert nm Fromage au lait de vache.

camer (se) vpr fam Se droguer.

caméra nf Appareil de prises de vues.

caméraman [-man] nm Syn. de cadreur. **Var** cameraman

camériste nf litt Femme de chambre.

camerlingue nm Cardinal gérant les affaires de l'Église durant la vacance du Saint-Siège.

camerounais, aise a, n Du Cameroun.

caméscope nm (n. déposé) Caméra munie d'un magnétoscope intégré.

camion nm Véhicule automobile pour le transport de grosses charges.

camion-citerne nm Camion transportant des liquides. Des camions-citernes.

camionnage nm Transport par camion.

camionnette nf Petit camion.

camionneur nm Personne qui conduit un camion.

camisard nm HIST Protestant révolté des Cévennes sous Louis XIV.

camisole nf Loc Camisole de force : combinaison servant autref. à immobiliser les malades mentaux agités.

camomille nf Plante utilisée en infusion.

camorra nf Mafia napolitaine.

camouflage nm Action de camoufler.

camoufler vt Rendre méconnaissable ou moins visible.

camouflet nm litt Mortification, affront.

camp nm 1 Lieu de stationnement des troupes. 2 Lieu d'internement. 3 Lieu de camping. 4 Parti. Changer de camp. 5 Équipe opposée à une autre. Loc Camp retranché : place forte. Lever, ficher (fam), foutre (pop) le camp : s'en aller.

campagnard, arde a, n De la campagne.

campagne nf 1 Étendue de pays plat. 2 Régions rurales, par opposition à la ville. 3 Expédition, opérations militaires. 4 Opérations faites selon un programme. Campagne électorale. Loc Partie de campagne : excursion, promenade. Faire campagne pour : s'activer pour. Se mettre en campagne : se mettre à la recherche de.

campagnol nm Rat des champs.

campanile nm Clocher d'église isolé de celle-ci.

campanule nf Plante à fleurs en forme de clochettes.

campé, ée a Loc Bien campé : vigoureux.

campêche nm Bois d'un arbre d'Amérique latine, fournissant un colorant.

campement nm Action de camper ; lieu où on campe.

camper vi [aux. avoir ou être] 1 Établir un camp. 2 Faire du camping. 3 S'installer provisoirement. ■ vt 1 Poser hardiment. Camper sa casquette sur l'oreille. 2 Représenter avec relief. Camper un personnage. ■ vpr Se placer fièrement devant.

campeur, euse n Qui pratique le camping.

camphre nm Substance antiseptique et stimulante extraite du camphrier.

camphré, ée a Contenant du camphre.

camphrier nm Laurier d'Asie.

camping [-piŋ] nm 1 Activité touristique qui consiste à vivre en plein air, sous la tente. 2 Terrain aménagé spécialement pour cela.

camping-car nm Véhicule automobile habitable. Des camping-cars.

camping-gaz nm inv (n. déposé) Réchaud portatif à gaz butane.

campus [-pys] nm Université comprenant des bâtiments d'enseignement et des logements.

camus, use a Court et plat (nez).

canada nf Pomme reinette.

canadair nm (n. déposé) Avion de lutte contre les incendies de forêts.

canadianisme nm Terme propre au français parlé au Canada.

canadien, enne a, n Du Canada. ■ nf Veste doublée de fourrure.

canaille nf 1 litt Ramassis de gens méprisables. 2 Individu malhonnête. ■ a Débraillé, polisson. Un air canaille.

canaillerie nf Acte méprisable.

canal, aux nm 1 Voie navigable artificielle. 2 Espace de mer assez étroit. Canal de Mozambique. 3 Tranchée pour la circulation des eaux. 4 Conduit, tuyauterie. 5 Voie par laquelle transitent des informations. 6 ANAT Conduit naturel. Canal cholédoque. Loc Par le canal de : par l'intermédiaire de.

canalisable a Que l'on peut canaliser.

canalisation nf Conduit destiné à la circulation d'un fluide.

canaliser vt 1 Aménager un cours d'eau pour le rendre navigable. 2 Diriger dans le sens choisi. Canaliser la circulation.

canapé nm 1 Long siège à dossier. 2 Tranche de pain de mie avec garniture.

canapé-lit nm Canapé transformable en lit. Des canapés-lits.

canaque a Relatif aux autochtones de Nouvelle-Calédonie. **Var kanak, e**

canard nm 1 Oiseau aquatique palmipède. 2 Morceau de sucre trempé dans le café ou l'eau-de-vie. 3 Fausse note. 4 Fausse nouvelle. 5 fam Journal. Loc Froid de canard : froid intense.

canarder vt fam Faire feu sur.

canari nm Serin au plumage jaune.

canasson nm fam Cheval.

canasta nf Jeu de cartes.

cancan nm fam Bavardage malveillant. Loc French cancan : quadrille acrobatique de girls.

cancaner vi fam Médire.

cancanier, ère a, n fam Qui aime à cancaner.

cancer nm Tumeur maligne caractérisée par la prolifération anarchique des cellules.

cancéreux, euse a, n Atteint d'un cancer.

cancérigène a Qui provoque le cancer. Syn. carcinogène, oncogène. **Var cancérogène**

cancérisation nf MED Transformation en cellules cancéreuses.

cancérologie nf Étude du cancer. Syn. carcinologie, oncologie.

cancérologue n Spécialiste du cancer.

cancéropole nf MED Centre régional de cancérologie pour le dépistage et le traitement du cancer.

cancoillotte nf Fromage à pâte molle.

cancre nm fam Mauvais élève.

cancrelat nm Blatte, cafard.

candéla nf PHYS Unité d'intensité lumineuse. **Var** candela

candélabre nm Grand chandelier.

candeur nf Naïveté, innocence.

candi am Loc Sucre candi : en gros cristaux.

candidat, ate n Personne qui postule un emploi, une fonction ou se présente à un examen.

candidature nf Fait d'être candidat.

candide *a* Naïf, pur.
candidement *av* Naïvement.
cane *nf* Femelle du canard.
caner *vi* pop **1** Reculer, céder. **2** Mourir.
caneton *nm* Petit du canard.
canette *nf* **1** Petite cane. **2** Bobine de fil introduite dans la navette d'une machine à coudre. **3** Petite bouteille de bière.
canevas *nm* **1** Grosse toile pour les ouvrages de tapisserie. **2** Plan, schéma.
caniche *nm* Chien à poil bouclé.
caniculaire *a* Très chaud. *Été caniculaire.*
canicule *nf* Période de fortes chaleurs.
canidé *nm* ZOOL Mammifère carnivore tel que le chien, le loup, le renard, etc.
canif *nm* Petit couteau de poche.
canin, ine *a* Du chien. *Races canines.* ■ *nf* Dent pointue entre les incisives et les prémolaires.
canisse. V. *cannisse.*
caniveau *nm* Rigole au bord de la chaussée pour l'écoulement des eaux.
cannabis *nm* Chanvre indien.
cannage *nm* Fond canné d'un siège.
canne *nf* **1** Bâton léger sur lequel on s'appuie en marchant. **2** Roseau, bambou. Loc *Canne anglaise :* munie d'un support pour l'avant-bras. *Canne blanche :* canne d'aveugle. *Canne à pêche :* gaule. *Canne à sucre :* graminée dont la sève donne le sucre.
canné, ée *a* Garni d'un cannage.
canne-béquille *nf* Canne anglaise. *Des cannes-béquilles.*
canne-épée *nf* Canne creuse contenant une épée. *Des cannes-épées.*
cannelé, ée *a* Qui a des cannelures.
cannelle *nf* **1** Écorce aromatique d'un laurier (cannelier). **2** Robinet adapté à un tonneau.
cannelloni *nm* Pâte alimentaire farcie.
cannelure *nf* Rainure, sillon longitudinal. *Meuble décoré de cannelures.*
canner *vt* Garnir de jonc tressé un siège.
cannibale *nm, a* Qui mange ses semblables.
cannibaliser *vt* Démonter un appareil hors d'usage pour en récupérer les pièces.
cannibalisme *nm* Habitude de manger ses semblables.
cannisse *nf* Claie de roseau. **Var** *canisse.*
canoë *nm* Canot léger conduit à la pagaie.
canoéiste *n* Qui conduit un canoë.
canoë-kayak *nm* Discipline sportive sur canoë et sur kayak.
1. canon *nm* **1** Pièce d'artillerie servant à lancer des obus. **2** Tube d'une arme à feu.
2. canon *nm* **1** Règle religieuse ; liturgie de la messe. **2** Modèle idéal sur le plan esthétique. **3** Mélodie reprise successivement par une ou plusieurs voix.
cañon. V. *canyon.*
canonique *a* Conforme aux règles. Loc *Âge canonique :* âge assez avancé.
canonisation *nf* Action de canoniser.
canoniser *vt* Faire figurer au catalogue des saints.
canonnade *nf* Feu de canons.
canonner *vt* Attaquer au canon.
canonnier *nm* Servant d'un canon.
canonnière *nf* Petit navire armé de canons.
canope *nm* ANTIQ Urne funéraire égyptienne.

canopée *nf* BIOL Partie supérieure de la forêt tropicale humide.
canot *nm* Embarcation légère et non pontée.
canotage *nm* Navigation sur un canot.
canoter *vi* Manœuvrer un canot.
canotier *nm* **1** Personne qui manœuvre un canot. **2** Chapeau de paille à bords et à fond plats.
cantal *nm* Fromage à pâte ferme.
cantaloup *nm* Melon à côtes rugueuses et à chair rouge-orangé.
cantate *nf* Pièce musicale à une ou plusieurs voix avec orchestre.
cantatrice *nf* Chanteuse de chant classique et d'opéra.
cantilène *nf* Poème épique et lyrique du Moyen Âge.
cantine *nf* **1** Réfectoire pour des collectivités. **2** Malle militaire.
cantinier, ère *n* Personne qui tient une cantine.
cantique *nm* Chant religieux.
canton *nm* **1** Subdivision administrative d'un arrondissement. **2** Chacun des 23 États de la Confédération helvétique.
cantonade *nf* Loc *Parler à la cantonade :* sans s'adresser à un interlocuteur précis.
cantonais, aise *a, n* De Canton. Loc *Riz cantonais :* riz sauté à la chinoise. ■ *nm* Dialecte de la Chine du Sud.
cantonal, ale, aux *a* Du canton.
cantonnement *nm* Installation de troupes.
cantonner *vt* Établir des troupes dans une localité. ■ *vpr* Se borner, se limiter à.
cantonnier *nm* Chargé de l'entretien des routes.
canular *nm* fam Mystification, farce.
canule *nf* MED Petit tube pour introduire ou drainer un liquide dans le corps.
canut, use *n* HIST Ouvrier de la soie à Lyon.
canyon [kanjɔn] *nm* Gorge profonde en terrain calcaire. **Var** *cañon.*
canyoning [kanjoniŋ] *nm* Descente sportive de canyons.
caoutchouc *nm* **1** Substance élastique provenant du latex de certains végétaux ou du traitement d'hydrocarbures. **2** Bracelet élastique. **3** Syn. de *ficus.*
caoutchouté, ée *a* Enduit de caoutchouc.
caoutchouteux, euse *a* De la consistance du caoutchouc. *Viande caoutchouteuse.*
cap *nm* **1** Partie d'une côte qui s'avance dans la mer. **2** Direction de l'axe d'un navire ou d'un aéronef. Loc *Passer le cap :* franchir une étape décisive. *De pied en cap :* des pieds à la tête.
CAP *nm* Sigle de *Certificat d'aptitude professionnelle,* diplôme de l'enseignement technique.
capable *a* **1** Susceptible d'avoir, apte à faire. *Il est capable de gentillesse.* **2** Habile, compétent. *Un professeur capable.*
capacité *nf* **1** Contenance d'un récipient ; quantité, volume. **2** Habileté, compétence.
caparaçon *nm* Housse d'ornement pour les chevaux.
caparaçonner *vt* Recouvrir entièrement.
cape *nf* Manteau ample et sans manche. Loc *Roman, film de cape et d'épée :* roman, film d'aventures. *Rire sous cape :* en cachette.
capeline *nf* Chapeau de femme à bords larges.
CAPES *nm* Sigle de *Certificat d'aptitude professionnelle à l'enseignement secondaire.*

capésien, enne *n* Titulaire du CAPES.

capharnaüm [naɔm] *nm* Endroit en désordre.

capillaire *a* Relatif aux cheveux. *Lotion capillaire.* ■ *nm* 1 ANAT Très fin vaisseau des artères et des veines. 2 Fougère.

capillarité *nf* PHYS Phénomène d'ascension des liquides dans des tubes fins.

capilotade *nf* Loc *fam Mettre en capilotade :* mettre en pièces, écraser.

capitaine *nm* 1 Officier des armées de terre et de l'air, au-dessus du lieutenant et au-dessous du commandant. 2 Commandant d'un navire, d'un port. 3 Chef d'une équipe sportive. Loc *Capitaine de vaisseau, de frégate, de corvette :* grades successifs des officiers de marine.

capitainerie *nf* Bureau du capitaine d'un port.

1. capital, ale, aux *a* Principal, essentiel. *Découverte capitale.* Loc *Peine capitale :* peine de mort. ■ *nf* 1 Ville où siègent les pouvoirs publics d'un État. 2 Centre principal d'activité industrielle, commerciale. 3 Majuscule.

2. capital, aux *nm* 1 Biens, fortune. 2 Moyens financiers et techniques dont dispose une entreprise industrielle ou commerciale. ■ *pl* Fonds disponibles ou en circulation, liquidités.

capitalisable *a* Qu'on peut capitaliser.

capitalisation *nf* Action de capitaliser.

capitaliser *vt* 1 Accroître un capital par les intérêts. 2 Accumuler des avantages en vue d'une utilisation ultérieure. ■ *vi* Accumuler de l'argent.

capitalisme *nm* Régime économique et social fondé sur les capitaux privés.

capitaliste *a* Du capitalisme. ■ *a, n* 1 Qui détient les capitaux. 2 *fam* Qui est riche.

capitalistique *a* ECON Du capital.

capital-risque *nm* ECON Investissement dans un secteur de pointe, à risques et à profits élevés.

capitation *nf* HIST Impôt par tête sous l'Ancien Régime.

capiteux, euse *a* Qui enivre. *Un parfum capiteux.*

capiton *nm* 1 Rembourrage piqué à intervalles réguliers. 2 Amas graisseux sous-cutané.

capitonnage *nm* Garniture capitonnée.

capitonner *vt* Rembourrer.

capitulation *nf* 1 Reddition d'une troupe. 2 Cessation de toute résistance.

capitule *nm* BOT Inflorescence formée de nombreuses fleurs.

capituler *vi* Se rendre, se reconnaître vaincu.

caporal, aux *nm* Militaire qui a le grade le moins élevé.

caporal-chef *nm* Militaire du grade entre caporal et sergent. *Des caporaux-chefs.*

caporalisme *nm* Régime autoritaire.

1. capot *nm* Tôle protectrice recouvrant un moteur.

2. capot *a inv* Qui n'a fait aucune levée, aux cartes.

capote *nf* 1 Grand manteau militaire. 2 Couverture mobile d'une voiture. Loc *fam Capote anglaise :* préservatif masculin.

capoter *vi* 1 Se retourner par accident. 2 Échouer. *L'entreprise a capoté.*

cappuccino [-putʃino] *nm* Café au lait mousseux.

câpre *nf* Bouton du câprier qui, confit dans le vinaigre, sert de condiment.

caprice *nm* Fantaisie, volonté soudaine et irréfléchie. ■ *pl* Changements imprévisibles. *Les caprices de la météo.*

capricieusement *av* Par caprice.

capricieux, euse *a, n* Qui a des caprices, fantasque.

capricorne *nm* Coléoptère aux antennes très longues.

câprier *nm* Arbuste épineux à grandes fleurs odorantes.

caprin, ine *a* De la chèvre.

capsule *nf* 1 BOT Fruit sec déhiscent contenant des graines. 2 Couvercle en métal ou en plastique d'une bouteille. 3 ANAT Enveloppe membraneuse de certains organes. Loc *Capsule spatiale :* habitacle hermétique d'un engin spatial.

capsule-congé *nf* Capsule fermant une bouteille de vin et attestant le paiement de la taxe. *Des capsules-congés.*

capsuler *vt* Boucher avec une capsule.

captage *nm* Action de capter des eaux.

captation *nf* DR Fait de s'emparer illégalement d'un héritage.

capter *vt* 1 Obtenir par ruse. *Capter la confiance.* 2 Recueillir une énergie, un fluide, canaliser des eaux. 3 Recevoir une émission sur un poste récepteur.

capteur *nm* Dispositif capable d'analyser une grandeur physique.

captieux, euse *a litt* Qui tend à tromper.

captif, ive *a, n litt* Prisonnier. ■ *a* Exclusif. *Marché captif.* Loc *Ballon captif :* aérostat retenu au sol par un câble.

captivant, ante *a* Qui charme.

captiver *vt* Séduire, charmer.

captivité *nf* État d'un prisonnier de guerre.

capture *nf* Fait de capturer ; ce qu'on a capturé.

capturer *vt* Prendre vivant qqn, un animal.

capuche *nf* Capuchon amovible d'un vêtement.

capuchon *nm* 1 Bonnet fixé à un vêtement, pouvant se rabattre sur la tête. 2 Bouchon d'un tube, d'un stylo.

capucin, ine *n* Religieux franciscain réformé. ■ *nm* Singe d'Amérique du Sud.

capucine *nf* Plante aux fleurs très colorées.

capverdien, enne *a, n* Du Cap-Vert.

caque *nf* Baril pour les harengs salés.

caquet *nm* Gloussement de la poule. Loc *fam Rabattre le caquet :* faire taire.

caqueter *vi* [17] ou [19] 1 Glousser (poules). 2 *fam* Bavarder à tort et à travers.

1. car *conj* Indique la raison de qqch.

2. car *nm* Autocar.

carabe *nm* Coléoptère noir carnassier.

carabin *nm fam* Étudiant en médecine.

carabine *nf* Fusil à canon court.

carabiné, ée *a fam* Violent. *Rhume carabiné.*

carabinier *nm* Gendarme, en Italie.

caraco *nm* Corsage féminin.

caracoler *vi* Cabrioler. Loc *fam Caracoler en tête :* se placer nettement devant ses concurrents.

caractère *nm* 1 Signe d'une écriture. 2 Signe d'imprimerie. 3 Marque distinctive, particulière, de qqn, de qqch. 4 Personnalité, originalité. *Avoir du caractère.* 5 Manière d'être, d'agir de qqn. *Avoir bon caractère.*

caractériel, elle *a, n* Qui présente des troubles du caractère.

caractérisation *nf* Manière dont qqch se caractérise.

caractérisé, ée *a* Nettement marqué.

caractériser *vt* 1 Décrire avec précision. 2 Constituer la caractéristique de. ■ *vpr* Avoir pour trait distinctif.

caractéristique *a* Qui distingue d'autre chose. ■ *nf* Caractère distinctif, trait particulier.

caractérologie *nf* Étude des caractères.

carafe *nf* Bouteille de verre à base élargie et à col étroit. Loc *fam Rester en carafe* : rester en panne.

carafon *nm* Petite carafe.

carambolage *nm* Série de chocs répétés.

caramboler *vt* Heurter, bousculer, renverser.

carambouille *nf* Escroquerie qui consiste à revendre des marchandises non payées.

caramel *nm* 1 Sucre fondu au feu. 2 Bonbon au caramel.

caraméliser *vt* Transformer en caramel.

carapace *nf* 1 Tégument très dur qui protège le corps de certains animaux. 2 Ce qui protège de l'extérieur. *Carapace d'indifférence.*

carapater (se) *vpr fam* S'enfuir.

carat *nm* 1 Vingt-quatrième partie d'or fin dans un alliage d'or. 2 Unité de masse pour les diamants (0,2 g). Loc *fam Dernier carat :* jusqu'à la dernière limite.

caravane *nf* 1 Groupe de voyageurs pour franchir une contrée. 2 Roulotte de tourisme.

caravanier *nm* 1 Conducteur d'une caravane. 2 Utilisateur d'une caravane.

caravaning [-niŋ] *nm* Camping itinérant.

caravansérail *nm* Abri réservé aux caravanes, en Orient.

caravelle *nf* Navire de faible tonnage, utilisé au XVᵉ et XVIᵉ s.

carbochimie *nf* Chimie industrielle de la houille.

carbonaro *nm* Membre d'une société secrète, en Italie au XIXᵉ s. *Des carbonari* ou *carbonaros.*

carbonate *nm* CHIM Sel de l'acide carbonique.

carbonatite *nf* Roche magmatique à base de carbonates.

carbone *nm* 1 Corps simple non métallique, constituant fondamental de la matière vivante. 2 Papier pour exécuter des doubles.

carbonifère *nm* GEOL Période de l'ère primaire, pendant laquelle se constitua la houille.

carbonique *a* Loc *Anhydride* ou *gaz carbonique :* combinaison de carbone et d'oxygène. *Neige carbonique :* gaz carbonique solidifié.

carbonisation *nf* Réduction à l'état de charbon par la chaleur.

carboniser *vt* Réduire en charbon par la chaleur ; brûler complètement.

carbonnade *nf* Ragoût de viande de bœuf.

carburant *nm* Combustible utilisé dans les moteurs à explosion.

carburateur *nm* Appareil servant à la carburation.

carburation *nf* Mélange de l'air et du carburant d'un moteur à explosion.

carbure *nm* CHIM Combinaison du carbone avec un métal.

carburer *vi* 1 Effectuer la carburation. 2 *fam* Aller bien, fonctionner.

carburol *nm* Carburant de synthèse, à base végétale.

carcajou *nm* Blaireau d'Amérique du Nord.

carcan *nm* 1 Collier attachant un criminel a poteau. 2 Ce qui entrave la liberté.

carcasse *nf* 1 Ossements d'un animal. 2 far Corps humain. 3 Assemblage, armature rigide.

carcéral, ale, aux *a* De la prison.

carcinogène *a* Syn. de *cancérigène.*

carcinologie *nf* Syn. de *cancérologie.*

carcinome *nm* Variété de cancer.

cardamome *nf* Plante d'Asie utilisée comm condiment.

cardan *nm* Dispositif à deux axes de rotation constituant une liaison mécanique.

carde *nf* 1 Côte comestible de la bette. 2 Instru ment pour carder.

carder *vt* Peigner le coton, la laine.

cardia *nm* Orifice œsophagien de l'estomac.

cardiaque *a* Du cœur. ■ *a, n* Qui souffre d'un maladie de cœur.

cardigan *nm* Veste tricotée, à manches longues boutonnée sur le devant.

1. cardinal, ale, aux *a* Très important, principal *Idée cardinale.* Loc *Points cardinaux :* nord, es sud et ouest. *Nombres cardinaux :* désignant un quantité. Ant. ordinal.

2. cardinal, aux *nm* Membre du Sacré Collège électeur du pape.

cardiogramme *nm* MED Tracé obtenu par cardio graphie.

cardiographie *nf* Enregistrement des battement du cœur.

cardiologie *nf* Étude du cœur.

cardiologue *n* Spécialiste du cœur.

cardiopathie *nf* Affection du cœur.

cardiotonique *a, nm* Qui stimule le cœur.

cardiovasculaire *a* Qui concerne le cœur et le vaisseaux sanguins. *Maladie cardiovasculaire*

cardon *nm* Plante à cardes comestibles.

carême *nm* Période de pénitence de quarant jours, du mercredi des Cendres à Pâques, pour le catholiques et les orthodoxes.

carénage *nm* MAR Nettoyage, réparation de la carène.

carence *nf* 1 DR Fait de manquer à ses obligations 2 Manque d'éléments indispensables ; insuffi sance. *Carence en vitamines.*

carène *nf* Coque d'un navire en dessous de la ligne de flottaison.

caréner *vt* [12] 1 Procéder au carénage d'un navire. 2 Donner une forme aérodynamique.

carentiel, elle [-sjɛl] *a* Dû à une carence.

caressant, ante *a* Qui aime à caresser, à être caressé.

caresse *nf* Attouchement tendre ou sensuel.

caresser *vt* 1 Faire des caresses. 2 Frôler, effleu rer avec douceur. 3 Cultiver complaisammen *Caresser une idée.*

caret *nm* Grande tortue des mers chaudes.

car-ferry *nm* Navire aménagé pour le transpor des véhicules et des passagers. *Des car-ferrys.*

cargaison *nf* Marchandises dont est chargé un navire, un avion ou un camion.

cargo *nm* Navire destiné au transport des mar chandises.

cari. *V. curry.*

cariatide *nf* Statue de femme soutenant une cor niche sur la tête. **Var caryatide**

caribéen, enne *a, n* De la région de la mer des Caraïbes.

caribou *nm* Renne du Canada.

caricatural, ale, aux *a* Qui relève de la caricature.

caricature *nf* 1 Dessin satirique et outré de qqn. 2 Représentation déformée de la réalité.

caricaturer *vt* Faire en caricature.

caricaturiste *n* Artiste qui fait des caricatures.

carie *nf* Altération de la dent.

carié, ée *a* Atteint par la carie.

carieux, euse *a* De la carie dentaire.

carignan *nm* Cépage rouge du Languedoc.

carillon *nm* 1 Cloches accordées à différents sons ; sonnerie de ces cloches. 2 Sonnerie d'une horloge ; l'horloge elle-même.

carillonner *vi* 1 Sonner en carillon. 2 Faire résonner bruyamment la sonnette d'une porte. ■ *vt* Annoncer, répandre à grand bruit.

carillonneur *nm* Chargé du carillon d'une église.

carioca *a, n* De Rio de Janeiro.

cariste *n* Conducteur de chariots de manutention.

caritatif, ive *a* Qui se consacre à l'aide des plus démunis. *Association caritative.*

carlin *nm* Chien à poil ras.

carlingue *nf* Cabine d'un avion et poste de pilotage.

carliste *n, a* HIST Partisan de Don Carlos, prétendant au trône d'Espagne.

carme *nm* Religieux du Carmel.

carmélite *nf* Religieuse du Carmel.

carmin *nm, a inv* Rouge éclatant.

carminé, ée *a* Proche du carmin.

carnage *nm* Tuerie, massacre.

carnassier, ère *a* nm Animal qui se nourrit de chair ; carnivore. ■ *nf* Sac pour porter le gibier.

carnation *nf* Teint, couleur de la peau.

carnaval, als *nm* 1 Période précédant le carême et commençant à l'Épiphanie. 2 Réjouissances pendant cette période.

carnavalesque *a* Du carnaval ; grotesque.

carne *nf* fam Viande dure.

carné, ée *a* Qui est à base de viande.

carnet *nm* 1 Cahier de petit format pour des notes, des adresses. 2 Feuillets, tickets assemblés et détachables.

carnier *nm* Carnassière.

carnivore *a* Qui se nourrit de viande. ■ *nm* Mammifère carnassier.

carolingien, enne *a, n* De la dynastie de Charlemagne.

caroncule *nf* Petite excroissance charnue.

carotène *nm* Pigment jaune ou rouge des végétaux (carotte) et des animaux.

carotide *nf* Artère irriguant la face et le cerveau.

carotidien, enne *a* De la carotide.

carotte *nf* 1 Plante à racine pivotante rouge, comestible. 2 Enseigne rouge des bureaux de tabac. 3 Échantillon prélevé d'un sol par sondage. Loc *La carotte et le bâton :* la récompense et la sanction. fam *Les carottes sont cuites :* le sort en est jeté.

carotter *vt* fam Escroquer par ruse.

caroube *nf* Fruit sucré du caroubier.

caroubier *nm* Arbre méditerranéen à bois dur.

carpaccio [-patʃjo] *nm* Fine tranche de bœuf arrosé d'huile et de citron.

carpatique *a* Des Carpates.

1. carpe *nf* Poisson d'eau douce. Loc *Être muet comme une carpe :* ne pas dire un mot.

2. carpe *nm* ANAT Os du poignet.

carpelle *nm* BOT Pièce florale du pistil.

carpette *nf* 1 Petit tapis. 2 fam Personne lâche.

carquois *nm* Étui à flèches.

carrare *nm* Marbre blanc veiné.

carre *nf* 1 Coin, angle saillant d'un objet. 2 Baguette de métal le long des bords d'un ski.

carré, ée *a* 1 De la forme d'un carré. 2 Dont les angles sont bien marqués. 3 Tranché, catégorique. ■ *nm* 1 Quadrilatère plan à quatre angles droits et à côtés égaux. 2 Partie de jardin où on cultive la même plante. 3 Salle à manger des officiers sur un navire. 4 Réunion de quatre cartes de même niveau. 5 Produit de deux facteurs égaux. 6 Côtelettes d'agneau.

carreau *nm* 1 Pavé plat pour le revêtement des sols, des murs. 2 Vitre. 3 Une des couleurs rouges des jeux de cartes. Loc fam *Sur le carreau :* au sol, à terre, en parlant d'une personne vaincue ou tuée. fam *Se tenir à carreau :* sur ses gardes.

carrée *nf* fam Chambre.

carrefour *nm* 1 Endroit où se croisent plusieurs chemins, rues. 2 Réunion en vue d'un échange d'idées.

carrelage *nm* Surface carrelée.

carreler *vt* [16] ou [18] Paver avec des carreaux.

carrelet *nm* 1 Poisson de mer plat. 2 Filet de pêche carré.

carreleur *nm* Qui pose le carrelage.

carrément *av* Sans détours, franchement.

carrer (se) *vpr* S'installer confortablement.

carrier *nm* Qui extrait la pierre.

carrière *nf* 1 Lieu d'où on extrait des matériaux pour la construction. *Carrière de marbre.* 2 Activité professionnelle impliquant des étapes. *Faire une brillante carrière.* Loc *Donner carrière à :* donner libre cours à.

carriérisme *nm* Activité professionnelle dictée par la seule ambition personnelle.

carriériste *n* Personne qui fait preuve de carriérisme.

carriole *nf* Petite charrette.

carrossable *a* Praticable pour les voitures.

carrosse *nm* Voiture de luxe à quatre chevaux. Loc *La cinquième roue du carrosse :* personne inutile.

carrosser *vt* Munir d'une carrosserie.

carrosserie *nf* Caisse recouvrant le châssis d'un véhicule.

carrossier *nm* Personne qui fabrique, répare les carrosseries.

carrousel [-zɛl] *nm* 1 Parade où des cavaliers exécutent des exercices. 2 Appareil transportant des objets en circuit fermé.

carroyage *nm* Quadrillage d'un dessin, d'une carte.

carrure *nf* 1 Largeur du dos aux épaules. 2 Envergure de qqn. *Une carrure d'homme d'État.*

cartable *nm* Sacoche d'écolier.

carte *nf* 1 Carton mince. 2 Carton portant une figure sur une face. 3 Document officiel à caractère de preuve. 4 Représentation conventionnelle d'un espace géographique, de données économiques, démographiques, etc. 5 Matériel adaptable à un microordinateur. Loc *À la carte :* selon un choix libre. *Brouiller les cartes :*

embrouiller qqch. *Carte de crédit* : délivrée par une banque pour régler des achats et retirer des espèces. *Carte grise* : récépissé d'un véhicule. *Carte postale* : dont un côté est illustré. *Carte de visite* : qui porte le nom et l'adresse. *Jouer la carte de* : s'engager à fond sur. *Jouer sa dernière carte* : tenter une dernière fois. *Tirer les cartes* : prédire l'avenir.

cartel *nm* Union entre des organisations industrielles ou politiques.

carte-lettre *nf* Carte pliée et collée sans enveloppe. *Des cartes-lettres.*

cartellisation *nf* Regroupement en cartel.

carter [-tɛʀ] *nm* Enveloppe métallique protégeant un mécanisme.

carte-réponse *nf* Carte jointe à un questionnaire pour la réponse. *Des cartes-réponses.*

cartésianisme *nm* Rationalisme cartésien.

cartésien, enne *a, n* De Descartes ou du cartésianisme.

carthaginois, oise *a, n* De Carthage.

cartilage *nm* Tissu conjonctif dur, élastique.

cartilagineux, euse *a* Du cartilage.

cartographe *n* Spécialiste de la cartographie.

cartographie *nf* Établissement de cartes, de plans, de schémas représentant une réalité géographique ou autre.

cartographier *vt* Établir la carte de.

cartographique *a* De la cartographie.

cartomancie *nf* Divination par les cartes à jouer.

cartomancien, enne *n* Personne qui pratique la cartomancie.

carton *nm* **1** Feuille rigide, épaisse de pâte à papier. **2** Boîte, emballage de carton fort. **3** Modèle dessiné pour être reproduit (tapisserie, vitrail). Loc *fam Faire un carton* : tirer sur une cible ; gagner facilement.

cartonnage *nm* **1** Emballage en carton. **2** Reliure en carton d'un livre.

cartonner *vt* **1** Garnir, relier avec du carton. **2** *fam* Critiquer violemment. ■ *vi fam* Obtenir un résultat remarquable.

carton-pâte *nm* Carton à base de fibres hachées. *Des cartons-pâtes.*

cartoon [-tun] *nm* Bande dessinée, film d'animation.

cartooniste [-tunist] *n* Dessinateur de cartoons.

cartothèque *nf* Lieu où on conserve les cartes géographiques.

1. cartouche *nm* Ornement sculpté portant une inscription, des armoiries.

2. cartouche *nf* **1** Étui de carton ou de métal contenant la charge d'une arme à feu. **2** Petit étui cylindrique, contenant un produit qui nécessite une certaine protection. **3** Emballage contenant plusieurs paquets de cigarettes.

cartoucherie *nf* Fabrique de cartouches.

cartouchière *nf* Sac ou ceinture pour porter les cartouches.

carvi *nm* Plante aromatique proche du cumin.

cary. *V. curry.*

caryatide *V. cariatide.*

caryocinèse *nf* BIOL Mitose.

caryopse *nm* BOT Fruit sec des graminées, à graine unique.

caryotype *nm* BIOL Nombre de chromosomes contenus dans les cellules humaines.

cas *nm* **1** Ce qui arrive ou est arrivé ; problème situation. *Juger cas par cas.* **2** Manifestatio d'une maladie. **3** LING Chacune des formes prise par un mot dans une langue à déclinaisons selo sa fonction. Loc *Faire cas de* : accorder de l'im portance à. *Cas de conscience* : difficulté sur c que la conscience ou la foi permet ou défend. *E cas de* : dans l'hypothèse de. *En tout cas, dan tous les cas* : quoi qu'il en soit, quoi qu'il arrive *En ce cas* : dans cette hypothèse. *Dans le cas où pour le cas où* : s'il arrivait que.

casanier, ère *a, n* Qui aime rester chez soi.

casaque *nf* Veste que portent les jockeys. Lo *Tourner casaque* : changer d'opinion.

casbah *nf* Quartier ancien des villes d'Afriqu du Nord.

cascade *nf* **1** Chute d'eau. **2** Numéro périlleu d'acrobatie. Loc *En cascade* : en série.

cascadeur, euse *n* Comédien spécialiste de scènes dangereuses.

case *nf* **1** Habitation des pays chauds. **2** Com partiment d'un tiroir, d'un meuble. **3** Division su une surface. *Les 64 cases de l'échiquier.*

caséine *nf* Protéine du lait.

casemate *nf* Abri contre les tirs d'artillerie et le attaques aériennes.

caser *vt* Mettre à une place qui convient. ■ *vp fam* Trouver une place, un emploi, un conjoint.

caserne *nf* Bâtiment pour loger des troupes.

casernement *nm* Locaux d'une caserne.

cash [kaʃ] *nm* Argent liquide. ■ *av* Loc *fam Paye cash* : comptant.

casher [-ʃɛʀ] *a* Conforme aux prescriptions d judaïsme concernant les aliments. *Boucheri casher.* Var **cachère**

cash-flow [kaʃflo] *nm* Capacité d'autofinance ment. *Des cash-flows.* Var **cashflow**

casier *nm* **1** Meuble de rangement ; comparti ment d'un tel meuble. **2** Nasse de pêche aux crus tacés. Loc *Casier judiciaire* : relevé des condam nations de qqn.

casino *nm* Établissement de jeux, de spectacles.

casinotier *nm* Tenancier de casino.

casoar *nm* **1** Grand oiseau coureur d'Australie. **2** Plumet du shako des saint-cyriens.

casque *nm* **1** Coiffure rigide de protection. **2** Appareil constitué de deux écouteurs. **3** Appareil pour sécher les cheveux.

casqué, ée *a* Coiffé d'un casque.

casque-micro *nm* AUDIOV Dans les jeux vidéos e réseau, dispositif qui permet un échange verba entre joueurs. *Des casques-micros.*

casquette *nf* **1** Coiffure à visière. **2** *fam* Fonctio sociale incarnée par un individu.

cassable *a* Qui peut se casser.

cassage *nm* Action de casser.

cassant, ante *a* **1** Qui se casse facilement. **2** Autoritaire. Loc *pop Pas cassant* : pas fatigant.

cassate *nf* Crème glacée aux fruits confits.

cassation *nf* **1** MIL Sanction privant du grade. **2** Annulation d'une décision juridique. Loc *Cour d cassation* : juridiction suprême.

casse *nf* Action de casser ; dommages en résul tant. Loc *Haut de casse, bas de casse* : en impr merie, les majuscules, les minuscules. ■ *nm* Loc fam Le Cambriolage.

cassé, ée *a* Usé, informe. Loc *Blanc cassé* teinté de jaune, de gris. *Voix cassée* : éraillée.

asse-cou *nm, a* Qui prend des risques. *Des asse-cou* ou *casse-cou.*

asse-croûte *nm* fam Repas sommaire. *Des casse-croûtes* ou *casse-croûte.* **Var casse-croute**

asse-gueule *nm, a* Endroit, entreprise qui présente des risques. *Casse-gueules* ou *casse-gueule.*

asse-noisette *nm* Instrument pour casser les noisettes. *Des casse-noisettes.*

asse-noix *nm inv* Instrument pour casser les noix.

asse-pied *a, n* fam Qui ennuie, dérange. *Des casse-pieds.*

asse-pipe *nm* pop La guerre, le front. *Des casse-pipes* ou *casse-pipe.*

asser *vt* 1 Briser, réduire en morceaux, mettre hors d'usage. 2 Annuler un décret, un arrêté. 3 Priver qqn de son grade. Loc fam *À tout casser :* extraordinaire. fam *Cela ne casse rien :* cela ne sort pas de l'ordinaire. fam *Casser le morceau.* fam *Casser les prix, les cours :* provoquer une baisse. *Casser la tête :* importuner. ■ *vi, vpr* Se rompre, se briser. *Le bois casse, se casse facilement.* ■ *vpr* fam S'enfuir.

asserole *nf* 1 Ustensile de cuisine. 2 fam Instrument désaccordé. Loc fam *Passer à la casserole :* subir un traitement désagréable.

asse-tête *nm* 1 Massue. 2 Bruit fatigant. 3 Travail, problème difficile. *Des casse-têtes* ou *casse-tête.*

assette *nf* 1 Coffret pour objets précieux. 2 Bande magnétique pour magnétophone ou magnétoscope.

asseur, euse *n* 1 Qui casse les objets pour les revendre au poids. 2 fam Cambrioleur. 3 Qui se livre à des déprédations (au cours d'une manifestation).

1. cassis [-sis] *nm* Arbuste à baies noires comestibles ; ces baies ; liqueur tirée de ces fruits.

2. cassis [-si] *nm* Rigole, enfoncement, dans le sol d'une route.

assolette *nf* 1 Brûle-parfum. 2 Petit récipient utilisé pour servir certains mets ; ces mets.

assonade *nf* Sucre brut de canne.

assoulet *nm* Ragoût aux haricots blancs.

assure *nf* 1 Endroit cassé. 2 Rupture. *Une cassure dans la vie de qqn.*

astagne *nf* fam Bagarre.

astagnettes *nfpl* Instrument fait de deux pièces attachées aux doigts, et qu'on fait résonner en les frappant l'une contre l'autre.

aste *nf* 1 Classe sociale dans la société hindoue. 2 Groupe social fermé qui cherche à maintenir ses privilèges.

astillan, ane *a, n* De Castille. ■ *nm* Langue officielle de l'Espagne. Syn. espagnol.

asting [-tin] *nm* Ensemble des acteurs d'un film. Syn. distribution.

astor *nm* 1 Rongeur aquatique. 2 Fourrure de cet animal.

astrat *nm* Chanteur castré pour garder une voix aiguë.

astrateur, trice *a, n* Très autoritaire.

astration *nf* Ablation des glandes génitales mâles.

astrer *vt* Pratiquer la castration ; châtrer.

asuarina *nm* Arbre tropical, cultivé pour son bois, le filao.

asuel, elle *a* Accidentel, fortuit.

casuiste *n* Moraliste subtil.

casuistique *nf* RELIG Morale subtile portant sur les cas de conscience.

casus belli [kazysbeli] *nm inv* Fait pouvant provoquer une guerre.

cataclysmal, ale, aux *a* Du cataclysme. **Var cataclysmique**

cataclysme *nm* Grand bouleversement de la surface terrestre.

catacombes *nfpl* Cavités souterraines ayant servi de sépulture.

catadioptre *nm* Surface réfléchissante à l'arrière d'un véhicule.

catafalque *nm* Estrade destinée à recevoir un cercueil.

catalan, ane *a, n* De Catalogne. ■ *nm* Langue romane parlée en Catalogne.

catalepsie *nf* Perte du mouvement volontaire, avec conservation des attitudes.

cataleptique *a, n* Atteint de catalepsie.

catalogue *nm* 1 Liste énumérative. 2 Brochure d'objets à vendre.

cataloguer *vt* 1 Enregistrer et classer. 2 Classer qqn dans une catégorie.

catalpa *nm* Arbre ornemental à fleurs blanches.

catalyse *nf* Accélération d'une réaction chimique due à la présence de certains corps qui restent inchangés.

catalyser *vt* 1 Accélérer par catalyse une réaction chimique. 2 Entraîner une réaction par sa présence.

catalyseur *nm* Corps, élément qui catalyse.

catalytique *a* De la catalyse.

catamaran *nm* Embarcation faite de deux coques accouplées.

cataplasme *nm* Bouillie médicinale appliquée sur une partie du corps enflammée.

catapulte *nf* 1 Machine de guerre pour lancer des pierres ou des traits. 2 Appareil pour le lancement d'un avion sur le pont d'un navire.

catapulter *vt* 1 Lancer avec une catapulte. 2 fam Envoyer qqn ou qqch avec force.

cataracte *nf* 1 Chute à grand débit sur le cours d'un fleuve. 2 Opacité du cristallin.

catarhinien *nm* ZOOL Singe à queue non prenante, tel le macaque, le babouin.

catarrhe *nm* Rhume de cerveau.

catastrophe *nf* Événement désastreux. Loc *En catastrophe :* à la hâte, sans préparation.

catastrophé, ée *a* Consterné, atterré.

catastrophique *a* Qui constitue une catastrophe. *Inondation catastrophique.*

catastrophisme *nm* Pessimisme excessif.

catatonie *nf* PSYCHIAT Schizophrénie caractérisée par des gestes stéréotypés.

catch *nm* Spectacle de lutte où tous les coups sont permis.

catcheur, euse *n* Personne qui pratique le catch.

catéchèse *nf* Enseignement religieux.

catéchiser *vt* 1 Enseigner la doctrine chrétienne à. 2 Faire la leçon.

catéchisme *nm* 1 Enseignement de la doctrine chrétienne. 2 Livre qui contient cet enseignement. 3 Principes d'une doctrine.

catéchiste *n* Personne qui enseigne le catéchisme.

catéchumène [-ky-] *n* Néophyte qui se prépare au baptême.

catégorie nf Classe d'objets, de personnes ayant des caractères communs.

catégoriel, elle a Qui concerne une catégorie. *Revendications catégorielles.*

catégorique a Clair, net, sans équivoque.

catégoriquement av De façon catégorique.

catégorisation nf Action de catégoriser.

catégoriser vt Ranger par catégories.

caténaire nf Câble distribuant le courant aux locomotives électriques.

catgut nm MED Lien pour suturer les plaies.

cathare n, a HIST Membre d'une secte du Moyen Âge.

cathédrale nf Église du siège de l'évêque.

catherinette nf Ouvrière de la mode, encore célibataire à 25 ans.

cathéter [-tɛʀ] nm MED Tube introduit dans un organe naturel, un vaisseau sanguin.

cathode nf Électrode reliée au pôle négatif d'un générateur électrique.

cathodique a 1 De la cathode. 2 fam De la télévision. Loc *Tube cathodique :* tube à vide avec écran fluorescent.

catholicisme nm Religion des chrétiens reconnaissant l'autorité du pape.

catholicité nf Ensemble des catholiques.

catholique a Du catholicisme. *Culte catholique.* Loc fam *Pas catholique :* louche. ■ n Adepte du catholicisme.

catimini (en) av fam En cachette.

cation [katjɔ̃] nm PHYS Ion de charge électrique positive.

catogan nm Nœud retenant les cheveux sur la nuque.

cattleya nm Orchidée tropicale à grandes fleurs.

caucasien, enne a, n Du Caucase.

cauchemar nm 1 Rêve angoissant. 2 Chose obsédante, insupportable.

cauchemarder vi fam Faire des cauchemars.

cauchemardesque a Du cauchemar.

caucus nm Aux États-Unis, comité électoral.

caudal, ale, aux a ANAT De la queue.

caulerpe nf Algue tropicale verte, vivace et toxique.

causal, ale, aux a Qui implique une cause.

causalité nf Rapport de cause à effet.

causant, ante a fam Qui cause volontiers.

cause nf 1 Ce qui fait que qqch est ou se fait ; raison, motif. *Les causes d'une guerre.* 2 Parti à soutenir ; procès, intérêts. *Défendre sa cause.* Loc *À cause de :* par l'action de, en tenant compte de. fam *Et pour cause ! :* pour de bonnes raisons. *Être cause de :* être responsable de. *Être en (hors de) cause :* être (ne pas être) concerné. *La bonne cause :* la cause juste. *Faire cause commune :* s'allier. *Prendre fait et cause :* défendre.

causer vt Être cause de, occasionner. ■ vi 1 Parler familièrement. *Causer avec ses voisins.* 2 fam Parler inconsidérément.

causerie nf Exposé familier.

causette nf fam Bavardage familier.

causeur, euse n Qui cause. *Un brillant causeur.* ■ nf fam Canapé à deux places.

causse nm GEOGR Plateau calcaire, dans le sud de la France.

causticité nf Caractère caustique.

caustique a, nm Corrosif, qui attaque les substances. ■ a Satirique et mordant.

cauteleux, euse a Rusé et hypocrite.

cautère nm MED Instrument porté à haute température ou produit pour brûler les tissus organiques. Loc *Cautère sur une jambe de bois :* remède inutile.

cautérisation nf Action de cautériser.

cautériser vt Appliquer un cautère sur.

caution nf Garantie d'un engagement ; personne qui en répond. Loc *Sujet à caution :* douteux, suspect.

cautionnement nm Garantie.

cautionner vt 1 Se porter caution pour qqch ou qqn. 2 Donner son appui.

cavalcade nf Course bruyante et tumultueuse.

cavale nf fam Évasion. Loc pop *Être en cavale :* être en fuite et recherché.

cavaler (se) vpr fam Se sauver.

cavalerie nf 1 Troupes à cheval, aujourd'hui motorisées. 2 Fraude financière.

cavalier, ère n 1 Qui monte à cheval. 2 Avec qui on forme un couple dans un bal. ■ nm 1 Militaire qui sert dans la cavalerie. 2 Pièce du jeu d'échecs. 3 Pièce de métal en U. Loc *Faire cavalier seul :* agir seul. ■ a 1 Réservé aux cavaliers. *Allée cavalière.* 2 D'une liberté excessive ; inconvenant. *Attitude cavalière.*

cavalièrement av De façon cavalière, inconvenante.

1. cave nf 1 Local souterrain servant de débarras 2 Vins que l'on a en cave. 3 Coffret à liqueurs, à cigares. 4 Argent au jeu. ■ a Loc *Veines caves :* qui aboutissent au cœur.

2. cave nm arg Personne qui n'appartient pas au milieu.

caveau nm Construction souterraine servant de sépulture.

caverne nf 1 Cavité naturelle dans le roc. 2 Cavité pathologique dans le poumon.

caverneux, euse a Grave et sonore. *Voix caverneuse.*

cavernicole a, nm ZOOL Animal qui habite dans les cavernes.

caviar nm Œufs d'esturgeon.

caviardage nm Action de caviarder.

caviarder vt Censurer un texte.

caviste nm Chargé d'une cave à vins.

cavitation nf PHYS Formation de bulles au sein d'un liquide en mouvement.

cavité nf Partie creuse à l'intérieur d'un corps, d'un organe.

CCP nm Sigle de *compte courant postal.*

CD [sede] nm Sigle de *compact-disque.*

cd-rom nm Disque compact à grande capacité de mémoire. Syn. cédérom.

1. ce, cet, cette, ces a dém 1 Désignent qqn ou qqch. 2 Peuvent être renforcés par *-ci* ou *-là. Ce livre-ci. Ce cahier-là.*

2. ce pr dém 1 Réfère à ce dont on parle. 2 Joue un rôle présentatif. *C'est mon frère. Ce sont eux qui me l'ont dit.* Loc *Est-ce que... ? :* interroge *Ce que :* combien. *Sur ce :* sur ces entrefaites. *Ce faisant :* de la sorte.

céans av Loc litt *Maître de céans :* maître de maison.

ceci pr dém La chose la plus proche.

cécité nf État d'une personne aveugle.

céder vt [12] Laisser, vendre. Loc *Le céder à :* être inférieur à. ■ vti Ne pas résister, ne pas s'op poser, se soumettre à. ■ *vi* Rompre, s'affaisser. *La branche a cédé.*

cédérom *nm* Syn. de *cd-rom.*

cédétiste *a, n* De la CFDT.

cedex [se-] *nm* Mention des distributions postales spéciales (administrations, entreprises).

cedi *nm* Unité monétaire du Ghana.

cédille *nf* Signe placé sous la lettre *c* devant *a*, *o, u*, quand elle doit être prononcée [s] (par ex. : *garçon*).

cédrat *nm* Gros citron du cédratier, que l'on consomme confit.

cédratier *nm* Citronnier méditerranéen.

cèdre *nm* Conifère de grande taille.

CEF *nm* ADMIN Centre éducatif fermé, structure alternative à la prison, destinée à recevoir des délinquants mineurs.

cégétiste *a, n* De la CGT.

ceindre *vt* [69] litt Entourer une partie du corps.

ceinture *nf* **1** Bande dont on s'entoure la taille. **2** La taille elle-même. **3** Niveau atteint par qqn pratiquant les arts martiaux. **4** Ce qui entoure. *Ceinture de murailles.* Loc *Ceinture de sauvetage :* qui soutient sur l'eau. *Ceinture de sécurité :* sangle destinée à retenir sur son siège le passager.

ceinturer *vt* **1** Saisir avec ses bras pour maîtriser. **2** Entourer qqch.

ceinturon *nm* Large ceinture solide.

cela *pr dém* Cette chose-là. *Cela dit.* Loc *Comment cela ? :* marque l'étonnement. *C'est cela :* marque l'acquiescement.

céladon *a inv* Vert pâle.

célébrant *nm* Personne qui célèbre la messe.

célébration *nf* Action de célébrer.

célèbre *a* De grand renom.

célébrer *vt* [12] **1** Fêter avec éclat. **2** Accomplir un office liturgique. **3** litt Louer, exalter.

célébrité *nf* **1** Grande renommée. **2** Personne célèbre.

celer *vt* [16] vx Cacher.

céleri *nm* Plante potagère. **Var céleri**

célérité *nf* Promptitude, diligence.

célesta *nm* Instrument de musique à percussion à clavier.

céleste *a* **1** Du ciel. **2** De Dieu, divin.

célibat *nm* État de qqn non marié.

célibataire *a, n* Non marié.

celle, celle-ci, celle-là. V. *celui, celui-ci, celui-là.*

cellier *nm* Pièce où on conserve le vin et les provisions.

cellophane *nf* (n. déposé) Pellicule cellulosique transparente.

cellulaire *a* De la cellule. Loc *Régime cellulaire :* isolement des détenus. *Fourgon cellulaire :* servant au transport des prisonniers. *Téléphone cellulaire :* téléphone alimenté par une pile rechargeable, qui peut être utilisé sans branchement.

cellulase *nf* BIOL Enzyme permettant de digérer la cellulose.

cellule *nf* **1** Local étroit pour les prisonniers. **2** Petite chambre de religieux, de religieuse. **3** Alvéole d'une ruche. **4** BIOL Le plus petit élément organisé de tout être vivant. **5** Unité constitutive sociale, politique. **6** Groupement de base de certains partis politiques. **7** TECH Les ailes et le fuselage d'un avion. **8** Dispositif transformant un flux lumineux.

cellule-souche *nf* BIOL Cellule qui a la faculté de se différencier en même temps qu'elle se renouvelle, pouvant engendrer ainsi tous les types de cellules de l'organisme. *Des cellules-souches.*

cellulite *nf* Inflammation du tissu cellulaire sous-cutané.

celluloïd *nm* (n. déposé) Matière plastique.

cellulose *nf* Substance des parois cellulaires végétales.

cellulosique *a* De la cellulose.

celte *a* Des Celtes. ■ *nm* Langue indo-européenne parlée par les Celtes. **Var celtique**

celui, celle, ceux, celles *pr dém* Désignent personnes et choses.

celui-ci, celle-ci, ceux-ci, celles-ci *pr dém* Désignent personnes et choses proches.

celui-là, celle-là, ceux-là, celles-là *pr dém* Désignent personnes et choses éloignées.

cément *nm* Couche osseuse recouvrant la racine des dents.

cémentation *nf* Modification d'un métal par incorporation d'un autre corps.

cénacle *nm* Cercle d'écrivains, d'artistes.

cendre *nf* Résidu de matières brûlées. ■ *nfpl* Restes des morts. Loc *Réduire en cendres :* détruire. *Renaître de ses cendres :* reprendre vie.

cendré, ée *a* Grisâtre. ■ *nm* Fromage affiné dans la cendre.

cendrier *nm* **1** Récipient pour la cendre de tabac. **2** Partie inférieure d'un foyer.

cène *nf* Dernier repas de Jésus-Christ avec ses apôtres, la veille de la Passion.

cénobite *nm* Moine en communauté.

cénotaphe *nm* Tombeau à la mémoire d'un mort, ne contenant pas ses restes.

cénozoïque *a, nm* GEOL Du tertiaire et du quaternaire.

cens [sɑ̃s] *nm* HIST Au Moyen Âge, redevance en argent payée au seigneur.

censé, ée *a* Supposé (suivi d'un inf.). *Nul n'est censé ignorer la loi.*

censément *av* Apparemment.

censeur *nm* **1** Qui est d'une commission de censure. **2** Qui s'érige en critique implacable. **3** Chargé de la discipline dans les lycées.

censitaire *a* Loc *Suffrage censitaire :* vote réservé à ceux qui payaient un montant donné d'impôts.

censure *nf* **1** Contrôle exercé par un gouvernement sur les publications, les films pour les autoriser ou les interdire. **2** Désapprobation, votée par le Parlement, de la politique du gouvernement. **3** Contrôle des désirs inconscients.

censurer *vt* Exercer la censure sur ou contre qqch.

1. cent *a num* (Prend un *s* au pl. sauf s'il est suivi d'un autre a. num. cardinal.) **1** Dix fois dix (100). *Cent euros. Deux cents ans. Deux cent cinquante moutons.* **2** Nombre indéterminé, assez élevé. *Je l'ai dit cent fois.* **3** Centième. *Page cent.* Loc fam *(À) cent pour cent :* totalement, entièrement. ■ *nm* Loc fam *Gagner des mille et des cents :* beaucoup d'argent.

2. cent [sɛnt] *nm* Centième du dollar.

centaine *nf* Nombre de cent ou environ.

centaure *nm* Monstre moitié homme (tête et torse) et moitié cheval.

centaurée *nf* Plante à fleurs bleues (bleuet).

centenaire *a, n* Qui a cent ans. ■ *nm* Centième anniversaire.

centésimal, ale, aux *a* Divisé en cent parties égales.

centième *a num* Au rang, au degré cent. ■ *a, nm* Contenu cent fois dans le tout.

centigrade *nm* Centième partie du grade (symbole : cgr).

centigramme *nm* Centième partie du gramme (symbole : cg).

centilitre *nm* Centième partie du litre (symbole : cl).

centime *nm* Centième partie du franc, de l'euro.

centimètre *nm* 1 Centième partie du mètre (symbole : cm). 2 Ruban divisé en centimètres.

centrafricain, aine *a, n* De la République centrafricaine.

centrage *nm* Action de centrer.

central, ale, aux *a* Au centre. *Place centrale. Pouvoir central.* ■ *nm* Poste assurant la centralisation des communications. ■ *nf* 1 Usine productrice d'énergie. 2 Établissement pénitentiaire.

centralisateur, trice *a* Qui centralise.

centralisation *nf* Action de centraliser.

centraliser *vt* Réunir en un même centre, sous une même autorité.

centralisme *nm* Tendance à centraliser l'autorité, les décisions.

centre *nm* 1 Point situé à égale distance de tous les points d'une circonférence, d'une sphère. 2 Milieu d'un espace quelconque. 3 Partie d'une assemblée qui siège entre la droite et la gauche. 4 Point principal. *Centre d'intérêt.* 5 Point caractérisé par une activité déterminée ou importante ; organisme, service, ville, etc. *Centre commercial, culturel.*

centrer *vt* 1 Déterminer le centre d'un objet. 2 Ramener au centre. 3 Orienter sur qqch.

centre-ville *nm* Quartier central d'une ville, le plus ancien et le plus animé. *Des centres-villes.*

centrifugation *nf* Séparation des constituants d'un corps par la force centrifuge.

centrifuge *a* Qui tend à éloigner du centre.

centrifuger *vt* [11] Soumettre à la centrifugation.

centrifugeuse *nf* Appareil utilisé pour faire du jus de fruits. Var **centrifugeur** *nm*

centripète *a* Qui tend à rapprocher du centre.

centrisme *nm* Position politique intermédiaire entre conservatisme et progressisme.

centriste *a, n* Qui se réclame du centrisme.

centrosome *nm* BIOL Granulation près du noyau des cellules.

centuple *a* Qui vaut cent fois. ■ *nm* Quantité cent fois plus importante. Loc *Au centuple :* beaucoup plus.

centupler *vt* Multiplier par cent. ■ *vt, vi* Rendre ou devenir beaucoup plus important.

centurie *nf* HIST À Rome, groupe de cent citoyens ou unité militaire de cent soldats.

centurion *nm* HIST Officier d'une centurie.

cénure *nm* Ténia qui provoque le tournis des moutons.

cep *nm* Pied de vigne.

cépage *nm* Variété de vigne cultivée.

cèpe *nm* Bolet comestible.

cépée *nf* BOT Touffe de plusieurs tiges ayant poussé à partir d'une souche.

cependant *av* Néanmoins, toutefois.

céphalée *nf* Mal de tête. Var **céphalalgie**

céphalique *a* ANAT Relatif à la tête.

céphalopode *nm* ZOOL Mollusque tel que la seiche, le poulpe, dont le pied est découpé en tentacule garnis de ventouses.

céphalorachidien, enne *a* ANAT Relatif à la tête et au rachis. Loc *Liquide céphalorachidien :* contenu dans les espaces méningés.

céphalothorax *nm* ZOOL Tête et thorax soudés de arachnides et de certains crustacés.

cérame *a* Loc *Grès cérame :* qui sert à faire de vases, des carrelages, etc.

céramique *nf* 1 Art de façonner des objets e terre cuite (faïence, grès, porcelaine). 2 Matièr dont sont faits ces objets. 3 TECH Matériau qui n'es ni organique ni métallique. ■ *a* De la céramique

céramiste *n* Fabricant de céramique.

céraste *nf* Vipère saharienne et asiatique, appe lée *vipère cornue.*

cerbère *nm* litt Gardien intraitable.

cerceau *nm* Cercle de bois, de plastique, d métal servant de jouet ou d'armature.

cerclage *nm* Action de cercler.

cercle *nm* 1 Courbe plane fermée, dont tous le points sont à égale distance d'un point appel centre ; surface délimitée par cette courbe. Objet de forme circulaire. 3 Personnes ou chose disposées en rond. 4 Réunion de personnes, asso ciation. *Cercle littéraire.* 5 Étendue. *Le cercle a nos connaissances.* Loc *Cercle vicieux :* raisonne ment défectueux ; situation sans issue.

cercler *vt* Garnir, entourer de cercles.

cercopithèque *nm* Singe d'Afrique à longu queue grêle.

cercueil *nm* Caisse dans laquelle on enferme u cadavre pour l'ensevelir.

céréale *nf* Graminée cultivée pour la productio de grains (blé, maïs, etc.).

céréaliculture *nf* Culture des céréales.

céréalier, ère *a* De céréales. ■ *nm* Producteu de céréales.

cérébelleux, euse *a* Du cervelet.

cérébral, ale, aux *a* Du cerveau. *Hémorragi cérébrale.* ■ *a, n* Chez qui l'intellect prime l sensibilité.

cérébrospinal, ale, aux *a* Du cerveau et de l moelle épinière.

cérémonial, als *nm* Usage que l'on observe lor de certaines cérémonies.

cérémonie *nf* 1 Formes extérieures réglées pou donner de l'éclat à une solennité religieuse ou un évènement de la vie sociale.2 Politesse exa gérée, importune. Loc *Sans cérémonie :* en tout simplicité.

cérémoniel, elle *a* Relatif aux cérémonies.

cérémonieusement *av* De façon cérémonieuse

cérémonieux, euse *a* Qui fait trop de cérémo nies, affecté.

cerf [SER] *nm* Cervidé mâle.

cerfeuil *nm* Plante à feuilles aromatiques.

cerf-volant *nm* 1 Jouet de toile ou de papie qu'on fait planer en le tirant contre le vent ave une ficelle. 2 Lucane. *Des cerfs-volants.*

cerisaie *nf* Plantation de cerisiers.

cerise *nf* Fruit du cerisier. ■ *a inv* Rouge vif.

cerisier *nm* Arbre cultivé pour ses fruits et so bois rosé.

cerne *nm* **1** Cercle bleu ou bistre, qui entoure les yeux fatigués. **2** Cercle concentrique visible sur la section du tronc, des branches d'un arbre.

cerné, ée *a* Entouré d'un cerne.

cerneau *nm* Amande de la noix.

cerner *vt* **1** Entourer, encercler. **2** Préciser les limites d'une question, l'appréhender.

certain, aine *a* **1** Sûr, assuré, indubitable. *Une nouvelle certaine.* **2** Qui a la certitude de qqch. *Je suis certain de réussir.* **3** Indique une quantité ou une connaissance vagues. *Un certain temps. Un certain M. Dupont.* ■ *pr indéf pl* Quelques personnes. *Certains ont refusé.*

certainement *av* De façon certaine ; assurément, sûrement.

certes *av* Oui, assurément.

certificat *nm* **1** Écrit qui fait foi d'un fait, d'un droit. **2** Attestation, diplôme prouvant la réussite à un examen ; cet examen lui-même.

certification *nf* Action de certifier.

certifié, ée *n, a* Titulaire du *Certificat d'aptitude à l'enseignement secondaire.*

certifier *vt* Assurer, garantir la vérité, la validité de qqch.

certitude *nf* **1** Qualité de ce qui est certain. **2** Conviction qu'a l'esprit d'être dans la vérité.

céruléen, enne *a* litt Bleuâtre.

cérumen [-mɛn] *nm* Matière jaune sécrétée par le conduit auditif externe.

céruse *nf* Carbonate de plomb utilisé autrefois en peinture.

cerveau *nm* **1** Substance nerveuse contenue dans la boîte crânienne. **2** Facultés mentales, esprit. **3** fam Personne très intelligente. **4** Centre intellectuel ; centre de direction.

cervelas *nm* Saucisson cuit, gros et court, assaisonné d'ail.

cervelet *nm* Partie de l'encéphale située audessous des hémisphères cérébraux et en arrière du bulbe.

cervelle *nf* **1** Substance nerveuse qui constitue le cerveau. **2** Facultés mentales, esprit.

cervical, ale, aux *a* ANAT Du cou.

cervidé *nm* ZOOL Ruminant tel que le cerf, caractérisé par les bois pleins, caducs, portés sur le front.

cervoise *nf* Bière que les Anciens fabriquaient avec de l'orge ou du blé.

ces. *V. ce.*

CES *nm* anc Collège d'enseignement secondaire.

césar *nm* **1** Empereur romain. **2** Récompense cinématographique.

césarienne *nf* Extraction du fœtus vivant par incision de l'abdomen et de l'utérus.

césarisme *nm* Forme autoritaire de pouvoir politique très personnalisé.

césium [-zjɔm] *nm* Métal proche du potassium.

cessant, ante *a* Loc *Toutes affaires cessantes :* immédiatement.

cessation *nf* Le fait de mettre fin à qqch ; arrêt, suspension.

cesse *nf* Loc *N'avoir (point, pas) de cesse que... :* ne pas s'arrêter avant que... *Sans cesse :* continuellement.

cesser *vt* Arrêter, interrompre. *Cesser le combat.* ■ *vi* Prendre fin, s'arrêter. *Le combat a cessé.*

cessez-le-feu *nm inv* Armistice, suspension des hostilités.

cessible *a* Qui peut être cédé.

cession *nf* Action de céder un droit, un bien, une créance.

c'est-à-dire *conj* Annonce une explication (abrév. : c.-à-d.). *Un mille marin, c'est-à-dire 1 852 mètres.*

cestode *nm* ZOOL Ver plat, tel le ténia.

césure *nf* Coupe, repos qui divise le vers après une syllabe accentuée.

cet, cette. *V. ce.*

cétacé *nm* Grand mammifère marin appartenant à un ordre qui comprend les baleines, les dauphins, les cachalots, etc.

céteau *nm* Petite sole (poisson).

cétoine *nf* Coléoptère vert doré.

cétone *nf* CHIM Composé organique ayant des propriétés voisines de celles des aldéhydes.

cétonique *a* CHIM De la cétone.

ceux. *V. celui.*

cévenol, ole *a, n* Des Cévennes.

cf. Abrév. de *confer.*

CFA *nm Franc CFA :* unité monétaire de nombreux pays africains francophones.

CFC *nm* Abrév. de *chlorofluorocarbone.*

CGS Système d'unités fondé sur le centimètre, le gramme et la seconde.

chabichou *nm* Fromage de chèvre.

chablis *nm* Bourgogne blanc réputé.

chabot *nm* Poisson à grosse tête.

chacal *nm* Canidé d'Asie et d'Afrique se nourrissant surtout des restes laissés par les grands fauves. *Des chacals.*

cha-cha-cha [tʃatʃatʃa] *nm inv* Danse dérivée de la rumba.

chacun, une *pr indéf* Toute personne, toute chose faisant partie d'un ensemble. Loc *Tout un chacun :* n'importe qui.

chafouin, ine *a* Rusé, sournois.

1. chagrin, ine *a* Porté à la tristesse ; maussade. *Esprit chagrin.* ■ *nm* Peine morale, affliction, tristesse. *Un chagrin d'amour.*

2. chagrin *nm* Cuir grenu de chèvre ou de mouton, utilisé en reliure. Loc *Peau de chagrin :* chose qui se réduit de plus en plus.

chagriner *vt* Causer du chagrin, contrarier.

chah. *V. schah.*

chahut *nm* Tapage, agitation, notamment en milieu scolaire.

chahuter *vi* Faire du chahut. ■ *vt* **1** Importuner qqn par des manifestations tapageuses. **2** Agiter qqch, le traiter sans ménagement.

chahuteur, euse *a, n* Qui aime chahuter, tapageur.

chai *nm* Entrepôt de fûts de vin, d'eau-de-vie.

chaîne *nf* **1** Suite d'anneaux, de maillons, généralement métalliques, servant de lien ou d'ornement, ou transmettant un mouvement. **2** Enchaînement, continuité, succession. *La chaîne des évènements.* **3** Groupe d'établissements commerciaux. *Chaîne de supermarchés.* **4** Réseau d'émetteurs de radio, de télévision, diffusant simultanément les mêmes émissions. **5** Ensemble d'appareils de reproduction des sons. *Chaîne haute-fidélité.* **6** Suite de montagnes se succédant dans une direction donnée. *La chaîne des Pyrénées.* **7** Ensemble des fils longitudinaux d'un tissu. Ant. trame. Loc *Réaction en chaîne :* succession de phénomènes dont chacun déclenche le suivant.

Chaîne de montage : organisation de production industrielle programmant une série d'opérations successives. *Travail à la chaîne* : travail d'un ouvrier exécutant une seule opération sur chaque pièce de la chaîne de montage qui défile devant lui ; travail sans relâche, astreignant et monotone. *Faire la chaîne* : se disposer en ligne pour se passer des objets de main en main. ■ *pl* Dispositif articulé qu'on fixe aux pneus des voitures pour rouler dans la neige. **Var chaine**

chaînette *nf* Petite chaîne. **Var chainette**

chaînon *nm* 1 Anneau d'une chaîne. 2 Élément d'un ensemble. **Var chainon**

chair *nf* 1 Substance fibreuse, irriguée de sang, située entre la peau et les os. 2 Viande hachée. *Chair à saucisses.* 3 Pulpe des fruits. 4 Le corps humain, par oppos. à l'*âme*. 5 Instinct sexuel. **Loc** *Être bien en chair* : être un peu gros, potelé. *En chair et en os* : en personne. *Chair de poule* : aspect grenu que prend la peau sous l'effet du froid, de la peur.

chaire *nf* 1 Dans une église, tribune élevée réservée au prédicateur. 2 Bureau surélevé d'un professeur. 3 Poste d'un professeur d'université.

chaise *nf* Siège sans bras, à dossier. **Loc** *Chaise longue* : siège à dossier inclinable où on peut s'allonger. *Chaise à porteurs* : véhicule à une place porté par des hommes. *Chaise électrique* : mode d'exécution de condamnés à mort. *Entre deux chaises* : dans une situation inconfortable. *Mener une vie de bâton de chaise* : mener une vie agitée.

chaisière *nf* vx Loueuse de chaises.

1. chaland *nm* Bateau à fond plat pour le transport des marchandises.

2. chaland, ande *n* vx Acheteur, client.

chalandise *nf* **Loc** *Zone de chalandise* : zone d'attraction commerciale d'un magasin.

chalazion *nm* Petit kyste au bord de la paupière.

châle *nm* Grande pièce d'étoffe dont les femmes se couvrent les épaules.

chalet *nm* Maison de bois des régions montagneuses.

chaleur *nf* 1 Qualité, nature de ce qui est chaud ; sensation produite par ce qui est chaud. 2 État des femelles de certains animaux quand elles recherchent l'approche du mâle. 3 Ardeur, impétuosité, véhémence. *Défendre qqn avec chaleur.* 4 Grande cordialité. *La chaleur de son accueil.* ■ *pl* Saison où le temps est chaud.

chaleureusement *av* De façon chaleureuse.

chaleureux, euse *a* Plein d'ardeur, d'animation, de cordialité.

châlit *nm* Bois de lit ou cadre métallique d'un lit.

challenge *nm* 1 Épreuve sportive où un titre est mis en jeu. 2 fam Défi, gageure.

challenger [ʃalɑndʒœʀ] *nm* Concurrent disputant son titre à un champion. **Var challengeur**

chaloir *vi* **Loc** litt *Peu me chaut, peu m'en chaut* : peu m'importe.

chaloupe *nf* Grosse embarcation non pontée. *Chaloupe de sauvetage.*

chalouper *vi* Marcher en se balançant.

chalumeau *nm* 1 Appareil destiné à produire une flamme à haute température à partir de gaz sous pression. 2 Flûte champêtre.

chalut *nm* Filet de pêche traîné sur le fond de la mer ou entre deux eaux par un ou deux bateaux.

chalutage *nm* Pêche au chalut.

chalutier *nm* Bateau équipé pour la pêche au chalut.

chamade *nf* **Loc** *Cœur qui bat la chamade* : qui bat précipitamment.

chamailler (se) *vpr* fam Se disputer.

chamaillerie *nf* fam Querelle bruyante.

chamailleur, euse *a, n* fam Qui aime se chamailler.

chaman [-man] *nm* Prêtre, sorcier, guérisseur, principalement en Asie.

chamanisme *nm* Pratiques magiques du chaman.

chamarré, ée *a* Surchargé d'ornements.

chamarrure *nf* Ornement criard.

chambard *nm* fam Vacarme accompagné de désordre.

chambardement *nm* fam Bouleversement, désordre général.

chambarder *vt* fam Apporter des modifications profondes à, bouleverser.

chambellan *nm* HIST Officier chargé du service de la chambre d'un prince.

chambertin *nm* Bourgogne rouge, très estimé.

chamboulement *nm* fam Bouleversement.

chambouler *vt* fam Bouleverser.

chambranle *nm* Encadrement de porte, de cheminée, de fenêtre.

chambray *nm* Tissu de coton.

chambre *nf* 1 Pièce où l'on peut coucher. 2 (avec majusc.) Assemblée politique, professionnelle, syndicale. 3 Section d'un tribunal. *Chambre d'accusation.* 4 Enceinte close dans divers appareils. **Loc** *Musique de chambre* : musique classique écrite pour de petites formations musicales. *Garder la chambre* : ne pas sortir de sa maison. *Chambre froide* : pièce dotée d'installations frigorifiques. *Chambre à air* : tube de caoutchouc qu'on gonfle d'air dans un pneu.

chambrée *nf* 1 Ensemble des occupants d'une même chambre dans une caserne. 2 Cette pièce elle-même.

chambrer *vt* 1 Donner au vin la bonne température de dégustation. 2 fam Se moquer de qqn.

chambrière *nf* litt Femme de chambre.

chambriste *n* Musicien qui fait partie d'un orchestre de chambre.

chameau *nm* 1 Mammifère ruminant d'Asie à bosses dorsales graisseuses. 2 fam Personne méchante, d'humeur désagréable.

chamelier *nm* Chargé de conduire et de soigner les chameaux.

chamelle *nf* Femelle du chameau.

chamois *nm* 1 Mammifère ruminant des montagnes d'Europe, à cornes recourbées vers l'arrière, à robe gris-beige en été ou noire en hiver. 2 Épreuve de ski servant de test de niveau. **Loc** *Peau de chamois* : cuir de chamois ou peau de mouton traités pour le nettoyage. ■ *a inv* D'un jaune clair, légèrement ocre.

chamoisage *nm* Tannage de peaux à l'huile de poisson.

chamoisine *nf* Tissu rappelant la peau de chamois.

champ *nm* 1 Pièce de terre cultivable. 2 Terrain. *Champ de bataille. Champ de foire, de courses.* 3 Domaine d'action. *Le champ d'une science, d'une recherche.* 4 Portion d'espace vue par l'œil immobile, ou visible à travers un instrument optique. 5 PHYS Portion de l'espace où s'exerce une action. *Champ électrique.* **Loc** *Laisser le champ libre* :

laisser toute liberté d'action à qqn. *À tout bout de champ* : à chaque instant, à tout propos. *Champ opératoire* : zone concernée par une intervention chirurgicale ; linge stérile délimitant cette zone. ■ *pl* La campagne. *Les fleurs des champs.* Loc *Prendre la clé des champs* : s'enfuir. *À travers champs* : sans prendre les chemins.

champagne *nm* Vin blanc effervescent produit en Champagne.

champagnisation *nf* Action de champagniser.

champagniser *vt* Pour les vins à appellation d'origine contrôlée Champagne, rendre mousseux par une seconde fermentation en bouteille.

champenois, oise *a, n* De la Champagne.

champêtre *a* Propre à la campagne. *Plaisirs champêtres.*

champignon *nm* 1 Végétal sans chlorophylle, au pied généralement surmonté d'un chapeau, qui pousse dans les lieux humides. 2 fam Pédale de l'accélérateur d'une automobile. Loc *Champignon atomique* : nuage lumineux qui accompagne une explosion nucléaire.

champignonnière *nf* Lieu souterrain (cave, carrière), où l'on cultive les champignons.

champignonniste *n* Personne qui cultive les champignons.

champion, onne *n* 1 Défenseur d'une cause. 2 Vainqueur d'un championnat. 3 Sportif ou personne d'une qualité exceptionnelle. ■ *a* fam Hors pair, imbattable.

championnat *nm* Épreuve sportive organisée pour décerner un titre au vainqueur.

chance *nf* 1 Éventualité heureuse ou malheureuse. *Souhaiter bonne chance.* 2 Probabilité, possibilité. *Il a une chance sur deux de réussir.* 3 Hasard heureux. *Quelle chance !*

chancelant, ante *a* Qui chancelle, vacille.

chanceler *vi* [16] ou [18] Être peu ferme sur ses pieds, sur sa base ; osciller.

chancelier *nm* 1 Titre de plusieurs grands dignitaires et de certains fonctionnaires dépositaires de sceaux. 2 Premier ministre, en Allemagne et en Autriche. Loc *Chancelier de l'Échiquier* : ministre des Finances, en Grande-Bretagne.

chancellerie *nf* 1 Bureaux, services d'un chancelier. 2 Administration centrale du ministère de la Justice. Loc *Grande chancellerie* : organisme chargé de l'administration de l'ordre de la Légion d'honneur.

chanceux, euse *a, n* Qui a de la chance.

chancre *nm* 1 MED Ulcération qui marque le début de certaines infections. 2 BOT Maladie des arbres qui provoque la pourriture. 3 litt Ce qui dévore, détruit. *Le chancre du chômage.*

chandail *nm* Gros tricot de laine.

chandeleur *nf* Fête catholique de la purification de la Vierge (2 février).

chandelier *nm* Support servant à porter une ou plusieurs bougies.

chandelle *nf* 1 Bougie. *Dîner aux chandelles.* 2 Figure d'acrobatie aérienne. 3 Ballon envoyé presque à la verticale. Loc *Devoir une fière chandelle à qqn* : lui être redevable d'un grand service. *Des économies de bouts de chandelles* : mesquines et inefficaces. *Brûler la chandelle par les deux bouts* : faire des dépenses exagérées ; abuser de sa santé. *Le jeu n'en vaut pas la chandelle* : le but ne justifie pas la peine. *Voir trente-six chandelles* : éprouver un éblouissement, par

l'effet d'un coup. *Monter en chandelle* : presque verticalement.

chanfrein *nm* 1 Partie de la tête du cheval comprise entre les sourcils et le naseau. 2 Surface obtenue en abattant l'arête d'une pièce.

change *nm* 1 Action d'échanger, troc. 2 Conversion d'une monnaie en une autre ; taux de cette conversion. 3 Couche jetable pour bébé. Loc *Lettre de change* : écrit par lequel un souscripteur enjoint à une autre personne, dont il est créancier, de payer une somme à telle personne. *Donner le change* : mettre sur une fausse piste, tromper.

changeant, ante *a* Variable, inconstant, qui change facilement.

changement *nm* 1 Fait de changer, de passer d'un état à un autre ; modification, variation. 2 Transformation de quelque chose qui est changé.

changer *vt* [11] 1 Convertir. *Changer des euros en dollars.* 2 Remplacer qqch, qqn par qqch, qqn d'autre. 3 Changer les couches d'un bébé. 4 Rendre différent. *Changer ses plans.* ■ *vti* 1 Quitter un lieu pour un autre. *Changer de place.* 2 Quitter une chose pour une autre. *Changer de chaussures.* ■ *vi* Évoluer, se modifier. *La situation a changé.* ■ *vpr* Changer de vêtements.

changeur *nm* 1 Personne qui change de l'argent. 2 Appareil qui, contre des pièces, des billets, fournit la même somme en pièces de valeur inférieure.

chanoine *nm* Dignitaire ecclésiastique faisant partie d'un chapitre.

chanson *nf* 1 Petite composition chantée ; texte mis en musique, divisé en couplets. 2 Propos futiles, sornettes. 3 LITTER Au Moyen Âge, poème épique.

chansonnette *nf* Petite chanson légère, frivole.

chansonnier, ère *n* Auteur ou interprète de sketches satiriques.

1.chant *nm* 1 Succession de sons musicaux produits par l'appareil vocal ; musique vocale. 2 Composition musicale destinée à être chantée. 3 Ramage des oiseaux. *Le chant du rossignol.* 4 Chacune des divisions d'un poème épique.

2.chant *nm* Partie la plus étroite d'une pièce.

chantage *nm* 1 Manière d'extorquer de l'argent par la menace de révélations scandaleuses. 2 Pression morale exercée sur qqn.

chantant, ante *a* 1 Qui chante. 2 Qui se chante aisément. 3 Mélodieux.

chantefable *nf* Récit médiéval comportant des parties récitées (fable), d'autres chantées.

chanter *vi* 1 Former avec la voix une suite de sons musicaux. 2 Produire des sons harmonieux (oiseaux). Loc *Faire chanter qqn* : exercer sur lui un chantage. fam *Si cela vous chante* : si vous en avez envie. ■ *vt* Exécuter une partie ou un morceau de musique vocale. *Chanter des chansons.* Loc *Chanter les louanges de qqn* : faire son éloge.

chanterelle *nf* 1 MUS La corde d'un instrument qui a le son le plus aigu. 2 Syn. de *girolle*.

chanteur, euse *n* Personne qui chante. Loc *Maître chanteur* : celui qui pratique le chantage.

chantier *nm* 1 Lieu où l'on entrepose des matériaux de construction, du bois de chauffage, etc. 2 Lieu où s'effectue la construction ou la démolition d'un ouvrage, d'un bâtiment. 3 fam Lieu où règne le désordre.

chantilly *nf* Crème fouettée sucrée.

chantonner vi, vt Chanter à mi-voix.

chantoung. V. shantung.

chantourner vt TECH Découper une pièce selon un profil déterminé.

chantre nm 1 Personne qui chante aux offices, dans une église. 2 litt Laudateur.

chanvre nm Plante cultivée pour ses fibres textiles. Loc Chanvre indien : plante dont on tire le haschisch. Syn. cannabis.

chaos [kao] nm 1 Désordre, confusion extrême. 2 GÉOL Amoncellement désordonné de blocs rocheux.

chaotique [ka-] a Confus, désordonné.

chaource nm Fromage au lait de vache.

chapardage nm fam Action de chaparder.

chaparder vt fam Dérober de menus objets.

chapardeur, euse a, n fam Qui chaparde.

chape nf 1 Long manteau sans manches, porté à l'occasion de certaines cérémonies religieuses. 2 Couche de ciment ou de mortier appliquée sur un sol pour le rendre uni. 3 Bande de roulement d'un pneu. Loc Chape de plomb : contrainte qui paralyse.

chapeau nm 1 Coiffure de matière variable, de consistance plus ou moins ferme, portée surtout au-dehors. 2 Partie de certains champignons, supportée par le pied. 3 Petit texte qui présente un article de journal, de revue. Loc fam Porter le chapeau : endosser les responsabilités pour les autres. fam Tirer son chapeau à qqn : reconnaître sa supériorité. Chapeau de roue : enjoliveur de roue. fam Partir sur les chapeaux de roues : à toute allure.

chapeauter vt 1 Coiffer d'un chapeau (surtout p.p.). 2 fam Contrôler, avoir sous sa responsabilité.

chapelain nm Prêtre qui dessert une chapelle privée.

chapelet nm 1 Objet de dévotion composé de grains enfilés que l'on fait passer entre les doigts, en récitant une prière. 2 Prières récitées en égrenant un chapelet. 3 Série, suite.

chapelier, ère n, a Qui fabrique ou vend des chapeaux.

chapelle nf 1 Partie d'une église comprenant un autel secondaire. 2 Petite église qui n'a pas rang d'église paroissiale. 3 Groupement fermé de personnes ayant les mêmes idées ; coterie, clan. Loc Chapelle ardente : salle où l'on veille un mort.

chapelure nf Miettes de pain séché, dont on saupoudre des plats.

chaperon nm 1 Capuchon. 2 Personne qui accompagnait une jeune fille quand elle sortait.

chaperonner vt Servir de chaperon à une jeune fille.

chapiteau nm 1 Partie supérieure d'une colonne, posée sur le fût. 2 Tente d'un cirque ambulant.

chapitre nm 1 Division d'un livre, d'un traité, d'un registre. 2 Matière, sujet dont il est question. 3 Corps des chanoines d'une église cathédrale ou collégiale.

chapitrer vt Adresser une remontrance à, sermonner.

chapka nf Coiffure en fourrure à rabats.

chapon nm Jeune coq châtré et engraissé.

chapska nf Coiffure militaire polonaise portée par les lanciers sous le Second Empire.

chaptalisation nf Opération consistant à sucrer le moût pour élever le degré d'alcool du vin.

chaptaliser vt Traiter par chaptalisation.

chaque a indéf 1 Indique que tout élément d'un ensemble est envisagé en soi, isolément. Une place pour chaque chose. 2 abusiv Chacun, chacune. Ces roses coûtent deux euros chaque.

char nm 1 ANTIQ Voiture à deux roues tirée par des chevaux. 2 Voiture à traction animale servant dans les campagnes. 3 Voiture décorée pour les cortèges de carnaval. 4 Véhicule blindé, armé et monté sur chenilles. Loc fam Arrête ton char : cesser de bluffer, de charrier.

charabia nm fam Parler confus, inintelligible, incorrect.

charade nf Énigme constituée par une suite de mots à deviner formant phonétiquement un autre mot ou une phrase.

charançon nm Petit coléoptère qui ronge les graines, les fruits, etc.

charançonné, ée a Attaqué par les charançons.

charbon nm 1 Combustible solide, de couleur noire, contenant une forte proportion de carbone. 2 Morceau de charbon constituant un balai de dynamo, de moteur. 3 Maladie des céréales. 4 Maladie infectieuse, contagieuse, commune à certains animaux et à l'homme. Loc Être sur des charbons ardents : dans un état de grande tension.

charbonnage nm Exploitation d'une houillère.

charbonneux, euse a Qui a l'aspect du charbon.

charbonnier, ère n Personne qui vit du commerce du charbon. ■ a Relatif au charbon.

charcutage nm Action de charcuter.

charcuter vt fam Opérer maladroitement un patient (chirurgien).

charcuterie nf 1 Commerce, boutique du charcutier. 2 Spécialité à base de porc faite par le charcutier.

charcutier, ère n Personne qui prépare et vend de la viande de porc, des boudins, des saucisses, du pâté, etc.

chardon nm Plante à tige et à feuilles épineuses.

chardonnay nm Cépage blanc très répandu.

chardonneret nm Petit oiseau au plumage très coloré (rouge et jaune).

charentais, aise a Des Charentes. ■ nf Chausson en étoffe.

charge nf 1 Ce qui est porté ; ce que peut porter une personne, un animal, un véhicule, un navire, etc. 2 Quantité de poudre, d'explosif qui propulse un projectile ou qui le fait exploser. 3 Quantité d'électricité portée par un corps, par une particule. 4 Attaque impétueuse d'une troupe. 5 Ce qui embarrasse, incommode. Imposer une charge à qqn. 6 Tout ce qui impose des dépenses. 7 Fonction d'officier ministériel. 8 Responsabilité, fonction, mission, travail donné à accomplir. 9 Indice, preuve qui s'élève contre un accusé. 10 Représentation caricaturale. Loc À charge de : avec obligation de. Revenir à la charge : réitérer ses démarches, ses reproches. Témoin à charge : dont le témoignage tend à prouver la culpabilité de l'accusé.

chargé, ée n Loc Chargé de cours : professeur non titularisé de l'enseignement supérieur. Chargé d'affaires : diplomate qui assure l'intérim d'une ambassade.

chargement nm 1 Action de charger. 2 Ensemble de ce qui est chargé, embarqué.

charger vt [11] **1** Mettre une certaine quantité d'objets sur un homme, un animal, un véhicule. **2** Placer comme charge. *Charger des bagages.* **3** Couvrir avec abondance, avec excès. *Charger les murs de tableaux.* **4** Approvisionner une arme en munitions, un appareil photographique en pellicules, etc. **5** Fournir à un accumulateur une charge électrique. **6** Peser sur, alourdir. *Plat qui charge l'estomac.* **7** Attaquer avec impétuosité. *Sanglier qui charge le chasseur.* **8** Faire des déclarations contre qqn. *Charger un accusé.* **9** Confier à qqn le soin, la responsabilité de qqch. ■ *vpr* Prendre le soin, la responsabilité de. *Je me charge de le prévenir, du ravitaillement.*

chargeur nm **1** Celui qui charge. **2** Dispositif approvisionnant en cartouches une arme à répétition. **3** Appareil servant à la recharge d'une batterie d'accumulateurs.

charia nf Loi canonique de l'Islam, touchant tous les domaines de la vie humaine.

chariot nm **1** Voiture à quatre roues pour le transport des fardeaux. **2** Pièce d'une machine qui se déplace sur des rails, des galets, etc. Var **charriot**

charismatique [ka-] a Du charisme. Loc *Mouvement charismatique :* mouvement de renouveau de la foi catholique.

charisme [ka-] nm **1** RELIG Grâce imprévisible et passagère accordée par Dieu à un chrétien. **2** Prestige, ascendant extraordinaire d'un chef.

charitable a **1** Qui a de la charité pour son prochain. **2** Qui part d'un principe de charité.

charitablement av De façon charitable.

charité nf **1** Amour de Dieu et du prochain, l'une des trois vertus théologales. **2** Bonté, indulgence. **3** Acte de bonté, de générosité envers autrui. *Faire la charité.*

charivari nm Bruit discordant, tapage.

charlatan nm **1** Guérisseur qui se vante de guérir toutes sortes de maladies. **2** Exploiteur de la crédulité d'autrui.

charlatanesque a De charlatan.

charlatanisme nm Comportement de charlatan.

charleston [-tɔn] nm Danse d'origine américaine.

charlot nm fam Homme qui manque de sérieux.

1. charlotte nf Entremets fait de fruits ou de crème, et de biscuits ramollis dans un sirop.

2. charlotte nf Coiffure protectrice portée dans les hôpitaux, les usines pour éviter les contaminations.

charmant, ante a Plein de charme.

1. charme nm **1** vx Enchantement magique. **2** Effet d'attirance, de séduction, produit sur qqn par une personne ou une chose. Loc fam *Se porter comme un charme :* jouir d'une santé parfaite.

2. charme nm Arbre à bois blanc et dense.

charmer vt Plaire beaucoup, ravir par son charme.

charmeur, euse n, a Qui plaît, qui séduit.

charmille nf Allée bordée de charmes.

charnel, elle a Qui a trait à l'instinct sexuel.

charnier nm Amoncellement de cadavres.

charnière nf **1** Assemblage mobile de deux pièces enclavées l'une dans l'autre, jointes par une tige qui les traverse et forme pivot. **2** Point d'articulation, de jonction.

charnu, ue a **1** Formé de chair. *Les parties charnues du corps.* **2** Bien fourni de chair. Loc *Fruit charnu :* fruit à la pulpe épaisse.

charognard nm **1** Vautour. **2** Personne toujours prête à tirer parti du malheur d'autrui.

charogne nf **1** Cadavre en décomposition. **2** pop Individu ignoble.

charolais, aise a, n Du Charolais.

charpente nf **1** Assemblage de pièces de bois ou de métal servant de soutien à une construction. **2** Ensemble des parties osseuses du corps humain. **3** Structure, plan d'un ouvrage. *La charpente d'un roman.*

charpenté, ée a Loc *Bien charpenté :* bien bâti, robuste.

charpenter vt Structurer, agencer.

charpentier nm Personne qui fait des travaux de charpente.

charpie nf Substance absorbante obtenue par effilement ou râpage de toile usée. Loc *Mettre en charpie :* mettre en pièces, déchiqueter.

charretée nf Charge d'une charrette.

charretier nm Conducteur de charrette. Loc *Jurer comme un charretier :* très grossièrement.

charrette nf Voiture à deux roues servant à porter des fardeaux.

charriage nm **1** Action de charrier. **2** geol Déplacement horizontal d'une partie d'un pli de terrain.

charrier vt **1** Transporter. *Charrier du fumier.* **2** Entraîner dans son courant, en parlant d'un cours d'eau. **3** fam Tourner qqn en dérision. ■ *vi* pop Exagérer.

charriot. V. *chariot.*

charroi nm Transport par chariot, charrette.

charron nm Artisan qui fait des charrettes.

charrue nf Instrument servant à labourer la terre.

charte nf Écrit solennel établissant des droits ou servant de constitution.

charter [-tɛʀ] nm Avion spécialement affrété pour transporter un groupe à un tarif inférieur à celui d'un vol régulier.

chartreux, euse n Religieux, religieuse de l'ordre de saint Bruno. ■ nm Chat à poil gris cendré. ■ nf **1** Couvent de chartreux. **2** (n. déposé) Liqueur fabriquée par les chartreux.

chas [ʃa] nm Trou d'une aiguille.

chassable a Qu'il est permis de chasser.

chassagne-montrachet nm inv Bourgogne blanc, très réputé.

chasse nf **1** Action de chasser. **2** Domaine réservé pour la chasse. **3** Le gibier qu'on tué. **4** Action de poursuivre. *Chasse à l'homme. Faire la chasse aux abus.* Loc *Aviation de chasse,* ou la *chasse :* aviation militaire chargée d'intercepter les avions ennemis, d'attaquer des objectifs terrestres, etc. *Chasse d'eau :* dispositif libérant une masse d'eau pour nettoyer un appareil sanitaire.

châsse nf **1** Coffre d'orfèvrerie où sont gardées les reliques d'un saint. **2** Cadre servant à enchâsser ou à protéger divers objets.

chasse-clou nm Poinçon pour enfoncer un clou. *Des chasse-clous.*

chassé-croisé nm Mouvement de personnes qui se cherchent et se croisent sans se rencontrer. *Des chassés-croisés.*

chasselas nm Raisin de table blanc.

chasse-neige *nm* 1 Engin qui sert à déblayer les routes ou les voies ferrées couvertes de neige. 2 Position des skis en V avec l'avant pour freiner en descente. *Des chasse-neiges* ou *chasse-neige.*

chasser *vt* 1 Poursuivre des animaux pour les tuer ou les prendre vivants. 2 Mettre dehors avec force ; congédier. 3 Repousser, écarter qqch. *Chasser les soucis.* ■ *vi* Déraper.

chasseresse *nf, a* litt Chasseuse.

chasseur, euse *n* Qui pratique la chasse. Loc *Chasseur d'images :* photographe, reporter. *Chasseur de têtes :* professionnel qui se charge, pour le compte d'une entreprise, du recrutement des cadres. ■ *nm* 1 Groom qui fait les commissions dans un hôtel, un restaurant. 2 Soldat de certains corps d'infanterie ou de cavalerie. 3 Avion de chasse. ■ *a inv* CUIS Garni de champignons. *Du lapin chasseur.*

chasseur-cueilleur *nm* ETHNOL Qui tire sa subsistance de la chasse, de la pêche ou de la cueillette. *Des chasseurs-cueilleurs.*

chassie *nf* Matière visqueuse qui s'amasse sur le bord des paupières.

chassieux, euse *a* Qui a de la chassie.

châssis *nm* 1 Assemblage en métal ou en bois qui sert à encadrer ou à soutenir un objet, un vitrage. 2 Assemblage métallique rigide servant à supporter la carrosserie, le moteur.

chaste *a* Qui pratique la chasteté, plein de pudeur.

chasteté *nf* Vertu qui consiste à s'abstenir des plaisirs charnels jugés illicites.

chasuble *nf* Ornement liturgique que le prêtre met par-dessus l'aube et l'étole pour dire la messe. Loc *Robe chasuble :* sans manches et de forme évasée.

1. chat, chatte *n* 1 Petit mammifère domestique ou sauvage au pelage soyeux, aux pattes garnies de griffes rétractiles. 2 Jeu de poursuite enfantin. Loc *Appeler un chat un chat :* parler franchement, crûment. *Avoir un chat dans la gorge :* être enroué. *Acheter un chat en poche :* sans voir l'objet que l'on achète. *Avoir d'autres chats à fouetter :* des choses plus importantes à faire. fam *Il n'y a pas un chat :* il n'y a personne. *Il n'y a pas de quoi fouetter un chat :* c'est une affaire sans importance. *Donner sa langue au chat :* déclarer que l'on renonce à trouver la solution d'une énigme. *S'entendre comme chien et chat :* ne pas pouvoir se supporter.

2. chat [tʃat] *nm* Sur Internet, communication entre plusieurs personnes par échange de messages.

châtaigne *nf* 1 Fruit du châtaignier. 2 fam Coup de poing.

châtaigneraie *nf* Lieu planté de châtaigniers.

châtaignier *nm* Arbre des régions tempérées produisant les châtaignes.

châtain, aine *a* Brun clair. *Cheveux châtains.*

château *nm* 1 Forteresse entourée de fossés et défendue par de gros murs flanqués de tours ou de bastions. 2 Habitation royale ou seigneuriale. 3 Demeure belle et vaste, à la campagne. 4 Superstructure dominant le pont d'un navire. Loc *Châteaux en Espagne :* projets irréalisables. *Vie de château :* vie oisive dans l'abondance. *Château d'eau :* réservoir surélevé d'un réseau de distribution d'eau.

chateaubriand *nm* Morceau de filet de bœuf grillé très épais. Var **châteaubriant**

châteauneuf-du-pape *nm inv* Cru réputé des Côtes du Rhône méridionales.

châtelain, aine *n* Propriétaire d'un château.

chat-huant *nm* Hulotte. *Des chats-huants.*

châtier *vt* 1 litt Punir. *Châtier les coupables.* 2 Rendre plus pur. *Langage châtié.*

chatière *nf* Ouverture au bas d'une porte pour le passage des chats.

châtiment *nm* Correction, punition.

chatoiement *nm* Reflet brillant et changeant.

chaton *nm* 1 Jeune chat. 2 Bourgeon duveteux allongé de certains arbres. *Des chatons de noisetier.* 3 Partie saillante d'une bague, marquée d'un chiffre ou portant une pierre précieuse.

chatouille *nf* fam Chatouillement.

chatouillement *nm* 1 Action de chatouiller. 2 Picotement désagréable.

chatouiller *vt* 1 Causer, par attouchement léger, un tressaillement spasmodique qui provoque un rire nerveux. 2 Produire une impression agréable. 3 Exciter. *Chatouiller la curiosité.*

chatouilleux, euse *a* 1 Sensible au chatouillement. 2 Susceptible.

chatouillis *nm* fam Chatouille légère.

chatoyant, ante *a* Qui chatoie.

chatoyer *vi* [22] Avoir des reflets changeants.

châtrer *vt* Syn. de *castrer.*

chatter [tʃate] *vt* Participer à un chat sur Internet.

chatterie *nf* 1 Caresse féline. 2 Friandise.

chatterton [-tɔn] *nm* Ruban adhésif employé comme isolant en électricité.

chaud, aude *a* 1 Qui a une température plus élevée que celle du corps humain. *De l'eau trop chaude.* 2 Récent. *Une nouvelle toute chaude.* 3 Ardent, sensuel, passionné. 4 Se dit d'une voix animée, bien timbrée. 5 Se dit de coloris évoquant le feu (rouge, orangé, etc.). ■ *nm* Chaleur. *Il ne craint ni le chaud ni le froid.* Loc *Un chaud et froid :* un refroidissement brusque alors que l'on est en sueur. *Avoir chaud :* éprouver une sensation de chaleur. *Avoir eu chaud :* avoir échappé de bien peu à un désagrément. *Il fait chaud :* on sent la chaleur. fam *Cela ne me fait ni chaud ni froid :* cela m'est indifférent. ■ *av* Loc *À chaud :* en pleine crise. fam *Coûter chaud :* coûter cher.

chaudement *av* 1 De façon à avoir chaud. 2 Avec ardeur, vivacité. *Il m'a chaudement défendu.*

chaud-froid *nm* Volaille ou gibier cuit, servi froid, en gelée. *Des chauds-froids.*

chaudière *nf* Appareil destiné à porter un fluide (généralement de l'eau ou de la vapeur) à une température élevée.

chaudron *nm* Petit récipient, muni d'une anse, destiné aux usages culinaires.

chaudronnerie *nf* 1 Industrie concernant la fabrication d'objets en métal. 2 Produit de cette industrie.

chaudronnier, ère *n* Qui fabrique ou vend des articles de chaudronnerie.

chauffage *nm* 1 Action de chauffer ; production de chaleur. 2 Mode de production de chaleur ; appareil destiné à chauffer.

chauffagiste *nm* Installateur de chauffage central.

chauffant, ante *a* Qui chauffe.

chauffard *nm* Automobiliste maladroit ou imprudent.

chauffe nf Action, fait de chauffer. Loc *Bleu de chauffe* : vêtement de travail en toile bleue. *Chambre de chauffe* : lieu où l'on brûle le combustible dans les fonderies, les navires.

chauffe-biberon nm Appareil électrique servant à faire chauffer les biberons au bain-marie. *Des chauffe-biberons.*

chauffe-eau nm Appareil de production d'eau chaude domestique. *Des chauffe-eaux* ou *chauffe-eau.*

chauffe-plat nm Plaque chauffante, réchaud de table. *Des chauffe-plats.*

chauffer vt 1 Rendre chaud, plus chaud ; donner une sensation de chaleur. 2 Mener vivement, activer qqch ; exciter, stimuler qqn. *Chauffer une affaire. Un chanteur qui chauffe son public.* ■ vi 1 Devenir chaud. 2 Dégager de la chaleur. Loc fam *Ça chauffe, ça va chauffer* : cela va prendre une tournure violente. ■ vpr 1 S'exposer à la chaleur. 2 Chauffer son habitation.

chaufferette nf Appareil, dispositif pour chauffer les pieds.

chaufferie nf Local où sont installés des appareils de production de chaleur.

chauffeur nm 1 Ouvrier chargé de l'alimentation d'un foyer. 2 Conducteur d'un véhicule automobile.

chauffeuse nf Siège bas à dossier pour s'asseoir auprès du feu.

chauler vt 1 Amender un sol en y incorporant de la chaux. 2 Enduire de chaux.

chaume nm 1 Tige herbacée des graminées (blé, avoine, etc.). 2 Partie des céréales qui reste dans un champ après la moisson. 3 Paille qui sert de toiture.

chaumière nf Maison couverte de chaume.

chaussée nf Partie d'une route aménagée pour la circulation.

chausse-pied nm Lame incurvée, dont on se sert pour chausser plus facilement une chaussure. *Des chausse-pieds.* Var **chaussepied**

chausser vt 1 Mettre à ses pieds des chaussures. *Chausser des bottes.* 2 Porter des chaussures de telle pointure. *Chausser du 41.* 3 Munir de pneumatiques un véhicule. 4 S'adapter au pied de telle ou telle façon. *Ce modèle vous chausse bien.*

chausses nfpl Culotte en tissu, portée jusqu'au XVIIe s.

chausse-trappe nf 1 Trou recouvert où est dissimulé un piège pour attraper les animaux sauvages. 2 Piège que l'on tend à qqn. *Des chausse-trappes.* Var **chausse-trape** ou **chaussetrappe**

chaussette nf Bas court porté par les deux sexes. Loc pop *Jus de chaussette* : mauvais café.

chausseur nm Commerçant en chaussures, généralement sur mesure.

chausson nm 1 Chaussure d'intérieur souple et légère. 2 Chaussure souple de danse. 3 Chaussette tricotée pour nouveau-né. 4 Pâtisserie de pâte feuilletée fourrée de compote.

chaussure nf Partie de l'habillement qui sert à couvrir et à protéger le pied (sandales, souliers, bottes, etc.).

chaut. V. *chaloir.*

chauve, n Qui n'a plus de cheveux.

chauve-souris nf Mammifère muni d'ailes membraneuses, dont le corps rappelle celui d'une souris. Syn. chiroptère. *Des chauves-souris.* Var **chauvesouris**

chauvin, ine a 1 Qui professe un patriotisme exagéré. 2 Qui manifeste une admiration exclusive pour sa ville, sa région, etc.

chauvinisme nm Sentiments chauvins.

chaux nf Oxyde de calcium anhydre (*chaux vive*) ou hydraté (*chaux éteinte*) qui a de nombreuses applications dans l'industrie. Loc *Lait de chaux* : chaux éteinte étendue d'eau jusqu'à consistance de badigeon.

chavirement nm Fait de chavirer. Var **chavirage**

chavirer vi Se renverser. *Le voilier a chaviré.* ■ vt 1 Renverser, culbuter. 2 Émouvoir profondément, bouleverser. *Ce spectacle l'a chaviré.*

chéchia nf Calotte de laine portée dans certains pays d'islam.

check-list [tʃɛk-] nf Liste de contrôle des manœuvres à effectuer au décollage et à l'atterrissage d'un avion. *Des check-lists.*

check-point [tʃɛkpɔint] nm MILIT Poste de contrôle. *Des check-points.*

check-up [tʃɛkœp] nm inv Bilan de santé.

cheddar nm Fromage anglais, à pâte dure jaune.

cheddite nf Explosif à base de chlorate de potassium et de trinitrotoluène.

chef nm 1 Qui exerce le commandement suprême ou qui a une autorité subalterne. 2 Responsable de la cuisine d'un restaurant. Loc *En chef* : en qualité de chef suprême. *De son propre chef* : de sa propre initiative, de sa seule autorité. *Au premier chef* : au plus haut point. *Chef d'accusation* : point sur lequel repose une accusation.

chef-d'œuvre [ʃɛdœvʀ] nm Œuvre capitale, parfaite en son genre. *Des chefs-d'œuvre.*

chefferie nf Territoire dirigé par un chef coutumier.

chef-lieu nm Localité qui est le siège d'une division administrative. *Des chefs-lieux.*

cheftaine nf Dans le scoutisme, jeune fille chargée de la direction d'un groupe.

cheik nm Chef de tribu dans certains pays arabes. Var **cheikh** ou **scheikh**

chélateur [ke-] nm MED Substance utilisée dans certains cas d'intoxication.

chelem [ʃlɛm] nm 1 Réalisation de toutes les levées (*grand chelem*) ou de toutes les levées moins une (*petit chelem*), par un seul joueur ou une seule équipe, à certains jeux de cartes (tarot, bridge). 2 Suite ininterrompue de victoires, dans une série de compétitions. Var **schelem**

chélidoine [ke-] nf Plante à latex et à fleurs jaunes.

chélonien [ke-] nm ZOOL Tortue.

chemin nm 1 Voie par laquelle on peut aller d'un point à un autre, notamment à la campagne. 2 Itinéraire à emprunter. *Ne pas retrouver son chemin.* 3 Distance, trajet. *Choisir le plus court chemin.* 4 Ce qui mène à une fin. *Les chemins de la réussite.* Loc *Ne pas y aller par quatre chemins* : aller droit au but, sans ménagements. *Barrer le chemin à qqn* : lui faire obstacle. *S'arrêter en chemin* : abandonner une entreprise commencée. *Faire son chemin, faire du chemin* : progresser, parvenir, s'enrichir. *Chemin de table* : napperon long et étroit.

chemin de fer nm 1 Moyen de transport qui utilise les voies ferrées. 2 Administration qui exploite ce moyen de transport. 3 Jeu de casino, variante du baccara. *Des chemins de fer.*

cheminée nf 1 Construction à l'intérieur d'une habitation, aménagée en foyer et dans laquelle on fait du feu. 2 L'extrémité du conduit d'évacuation de la fumée qui dépasse du toit ; ce conduit lui-même. 3 Tuyau servant à l'évacuation des fumées dans les machines et dans certains foyers industriels. 4 Étroite fente rocheuse verticale.

cheminement nm 1 Action de cheminer. 2 Évolution, progression d'une idée, d'un sentiment.

cheminer vi 1 Faire du chemin ; aller à pied. 2 Évoluer, progresser, en parlant d'une idée, d'un sentiment.

cheminot nm Employé de chemin de fer.

chemisage nm Opération par laquelle on chemise.

chemise nf 1 Vêtement surtout masculin de tissu léger qui couvre le torse. 2 Couverture en papier ou en carton, renfermant des documents divers. 3 TECH Enveloppe métallique d'une pièce, destinée à la protéger. Loc *Chemise de nuit :* long vêtement de nuit. fam *Changer de qqch comme de chemise :* en changer très souvent. fam *Se soucier de qqch comme de sa première chemise :* ne pas s'en soucier du tout.

chemiser vt Garnir d'un revêtement. *Chemiser les cylindres d'un moteur.*

chemiserie nf Fabrique, magasin de chemises.

chemisette nf Chemise d'homme à manches courtes.

chemisier, ère n Personne qui confectionne ou vend des chemises. ■ nm Vêtement féminin analogue à la chemise d'homme.

chênaie nf Forêt plantée de chênes.

chenal, aux nm Passage étroit permettant la navigation entre des terres, des écueils.

chenapan nm Vaurien, garnement.

chêne nm Grand arbre forestier à feuilles lobées et à bois dur.

chéneau nm Conduit placé à la base d'un toit pour recueillir les eaux de pluie.

chêne-liège nm Variété de chêne qui fournit le liège. *Des chênes-lièges.*

chenet nm Support métallique sur lequel on place le bois, dans une cheminée.

chènevis nm Graine de chanvre que l'on donne à manger aux oiseaux.

chenil nm Lieu où on garde, où on élève des chiens.

chenille nf 1 Larve des papillons. 2 Bande métallique articulée, permettant aux véhicules automobiles de circuler sur tous terrains. 3 Cordon ras, de soie velouté, utilisé en passementerie.

chenin nm Cépage blanc.

chénopode [ke-] nm Plante dont on tire un vermifuge.

chénopodiacée [ke-] nf BOT Plante sans pétales, tel l'épinard et la betterave.

chenu, ue a litt Que l'âge a rendu blanc.

cheptel nm Ensemble des troupeaux d'une propriété rurale, d'un pays. *Cheptel bovin.*

chèque nm Mandat de paiement servant au titulaire d'un compte à effectuer des retraits de fonds. Loc *Chèque en bois :* sans provision. *Chèque en blanc :* signé sans indication de somme.

chéquier nm Carnet de chèques.

cher, chère a 1 Tendrement aimé, auquel on tient beaucoup. 2 S'emploie dans des formules par lesquelles on commence une lettre. *Cher Monsieur. Cher ami.* 3 Qui coûte un prix élevé. *La viande est*

chère. 4 Qui vend à haut prix. *Un couturier cher.* ■ av À haut prix. *Acheter, payer cher.* Loc *Il me le paiera cher :* je me vengerai de lui durement. *Il ne vaut pas cher :* il est bien peu estimable.

chercher vt 1 S'efforcer de trouver, de découvrir ou de retrouver. 2 Tâcher de se procurer. *Chercher un emploi.* 3 S'efforcer de trouver par la réflexion, par l'analyse. *Chercher la solution d'un problème.* 4 S'efforcer de, essayer de parvenir à. *Chercher à nuire.* 5 Quérir, aller prendre. *Va chercher le médecin.* 6 fam Provoquer qqn. Loc fam *Aller chercher dans, aux alentours de :* atteindre tel prix.

chercheur, euse n 1 Qui cherche. 2 Qui s'adonne à des recherches scientifiques. ■ a Loc *Tête chercheuse :* dispositif dirigeant automatiquement un missile vers l'objectif.

chère nf litt Nourriture de qualité.

chèrement av Au prix de lourds sacrifices. *Un succès chèrement acquis.*

chéri, ie a, n Que l'on chérit.

chérifien, enne a Loc *Le royaume chérifien :* le Maroc.

chérir vt 1 Aimer tendrement. *Chérir ses enfants.* 2 Être très attaché à. *Chérir la liberté.*

cherry nm Liqueur de cerise.

cherté nf Prix élevé.

chérubin nm 1 Ange tutélaire des lieux sacrés. 2 Enfant beau et sage.

chester [-tɛR] nm Fromage de vache anglais à pâte dure.

chétif, ive a Faible, maigre et maladif.

chevaine. V. chevesne.

cheval, aux nm 1 Animal domestique que l'on utilise comme monture ou comme bête de trait. 2 Équitation. *Faire du cheval.* 3 Syn. de *cheval-vapeur.* Loc *À cheval :* monté sur un cheval ; à califourchon ; à la fois sur deux domaines, deux périodes ; très strict. fam *Fièvre de cheval :* violente. fam *Remède de cheval :* très énergique. fam *Cela ne se trouve pas sous les pas d'un cheval :* cela ne se trouve pas facilement. *Cheval de retour :* délinquant récidiviste. fam *Monter sur ses grands chevaux :* s'emporter, le prendre de haut avec qqn. *Chevaux de bois :* manège de fête foraine. *Chevaux de frise :* obstacles mobiles garnis de pieux ou de barbelés. *Cheval d'arçons :* appareil qui sert pour les exercices de gymnastique.

chevaleresque a Digne d'un chevalier ; noble, généreux.

chevalerie nf HIST Institution militaire féodale propre à la noblesse ; ensemble des chevaliers. Loc *Ordre de chevalerie :* distinction honorifique instituée par un État (ex. : Légion d'honneur).

chevalet nm 1 Support en bois, sur pieds, que les peintres utilisent pour poser leur toile. 2 Pièce de bois qui soutient les cordes tendues de certains instruments de musique.

chevalier nm 1 Qui appartenait à l'ordre de la chevalerie. 2 Titulaire du grade le plus bas d'une décoration, d'un ordre de chevalerie. 3 Oiseau échassier à long bec. Loc litt *Chevalier d'industrie :* qui vit d'affaires louches, d'expédients ; escroc.

chevalière nf Bague large et épaisse ornée d'un chaton gravé.

chevalin, ine a Du cheval. *Races chevalines.*

cheval-vapeur nm 1 Unité de puissance valant 736 watts. 2 Unité prise en compte pour taxer les automobiles en fonction de leur puissance fiscale (abrév. : CV). *Des chevaux-vapeurs.*

chevauchant, ante *a* Qui chevauche autre chose.

chevauchée *nf* Course, promenade à cheval.

chevauchement *nm* Disposition de pièces, d'objets qui se chevauchent.

chevaucher *vi* litt Aller à cheval. ■ *vt* 1 Être à cheval sur. *Chevaucher une mule.* 2 Empiéter sur, recouvrir partiellement. *Poutre qui chevauche un mur.*

chevêche *nf* Chouette de petite taille.

chevelu, ue *a, n* Dont les cheveux sont longs et fournis.

chevelure *nf* 1 Ensemble des cheveux d'une personne. 2 Queue d'une comète.

chevesne *nm* Poisson d'eau douce, très vorace. Var **chevaine** ou **chevenne**

chevet *nm* 1 Tête du lit. 2 Partie semi-circulaire qui constitue l'extrémité du chœur d'une église. Loc *Livre de chevet* : livre de prédilection. *Être au chevet de qqn* : près de son lit pour le veiller ou le soigner.

cheveu *nm* Poil du crâne, dans l'espèce humaine. Loc *Se faire des cheveux* : se tourmenter. *Faire dresser les cheveux sur la tête* : épouvanter, faire horreur. *Argument tiré par les cheveux* : présenté de façon peu naturelle. fam *Se prendre aux cheveux* : se battre. *Saisir l'occasion aux cheveux* : sans hésiter. fam *Venir comme un cheveu sur la soupe* : hors de propos. *Ne tenir qu'à un cheveu, s'en falloir d'un cheveu* : dépendre de très peu de chose. fam *Couper les cheveux en quatre* : user de subtilités excessives.

cheville *nf* 1 Petite pièce de bois, de métal ou de matière plastique, servant à réaliser un assemblage, à boucher un trou, etc. 2 Mot ou groupe de mots inutile quant au sens, servant de remplissage dans un vers. 3 Articulation de la jambe et du pied. Loc *Cheville ouvrière* : agent principal, indispensable, dans une affaire. *Se mettre en cheville* : s'associer dans une entreprise. fam *Ne pas arriver à la cheville de qqn* : lui être très inférieur.

cheviller *vt* Assembler avec des chevilles.

cheviotte *nf* Laine d'Écosse.

chèvre *nf* 1 Mammifère ruminant à cornes recourbées en arrière, élevé pour son lait et son poil ; la seule femelle, par oppos. au bouc. 2 Appareil de levage à poulie. Loc fam *Devenir chèvre* : s'énerver à en perdre la tête. *Ménager la chèvre et le chou* : ne pas prendre parti. ■ *nm* Fromage au lait de chèvre.

chevreau *nm* 1 Petit de la chèvre, cabri. 2 Le cuir de cet animal.

chèvrefeuille *nm* Liane aux fleurs odorantes, très répandue en France.

chevrette *nf* 1 Petite chèvre. 2 Femelle du chevreuil.

chevreuil *nm* Cervidé européen au pelage brun-roux l'hiver, plus gris en été.

chevrier, ère *n* Personne qui mène, qui garde les chèvres. ■ *nm* Haricot à grains verts.

chevron *nm* 1 Pièce de bois équarrie qui supporte les lattes d'une toiture. 2 Galon en forme de V renversé, insigne de grade militaire subalterne, ou d'ancienneté. 3 Motif décoratif en forme de V. *Une veste à chevrons.*

chevronné, ée *a* Ancien et compétent dans une activité. *Pilote chevronné.*

chevrotant, ante *a* Qui chevrote.

chevrotement *nm* Tremblement de la voix.

chevroter *vi* Parler ou chanter d'une voix tremblotante.

chevrotine *nf* Plomb de chasse de fort calibre pour le gros gibier.

chewing-gum [ʃwinɡɔm] *nm* Gomme à mâcher. *Des chewing-gums.*

chez *prép* 1 Dans la maison de. 2 Dans tel groupe de gens, d'animaux. *Chez les Anglais, chez les mammifères.* 3 En, dans la personne de, dans l'œuvre de. *C'est une manie chez lui.*

chez-soi *nm inv* Domicile, lieu où l'on habite.

chiader *vi* pop Étudier à fond.

chialer *vi* fam Pleurer.

chiant, ante *a* fam Très ennuyeux.

chianti [kjãti] *nm* Vin rouge d'Italie (Toscane).

chiasme [kjasm] *nm* RHET Figure disposant en sens inverse les mots de deux propositions (ex. : *riche en qualités, de défauts exempt*).

chiasse *nf* pop Diarrhée.

chic *nm* 1 Habileté, savoir-faire. *Il a le chic pour esquiver les réponses difficiles.* 2 Ce qui est élégant, de bon goût. Loc *De chic* : sans l'aide d'un modèle, d'inspiration. ■ *a inv* 1 Élégant, distingué. *Un dîner très chic.* 2 Amical et serviable. Loc *Bon chic bon genre* (souvent abrégé *BCBG*) : de bon ton. ■ *interj* Exprime la joie.

chicagoan, ane *a, n* De Chicago.

chicane *nf* 1 Querelle sans fondement, tracasserie déplacée. 2 Passage en zigzag installé sur une route.

chicaner *vi* Contester sans fondement et avec malveillance. ■ *vt* Critiquer, contredire qqn sur des vétilles.

chicanerie *nf* Le fait de chicaner.

chicaneur, euse *a, n* Qui chicane. *Il est très chicaneur.* Var **chicanier, ère**

1. chiche *a* Parcimonieux, avare.

2. chiche *am* Loc *Pois chiche* : plante fournissant des graines ressemblant à de gros pois.

3. chiche *interj* fam Marque le défi. ■ *a* Loc fam *Tu n'es pas chiche de le faire !* : tu n'en es pas capable !

chiche-kebab *nm* Brochette de mouton préparée à l'orientale. Var **chiche-kebab**

chichement *av* Avec parcimonie.

chichi *nm* fam Comportement maniéré.

chichiteux, euse *a, n* fam Qui fait, qui aime faire des chichis.

chicorée *nf* 1 Nom de diverses variétés de salade. 2 Poudre de racines torréfiées de chicorée que l'on mélange au café.

chicot *nm* 1 Reste dressé du tronc d'un arbre brisé ou coupé. 2 Reste d'une dent cariée ou cassée.

chien, chienne *n* Quadrupède domestique de la famille des canidés. Loc fam *Mener une vie de chien* : une vie misérable. fam *Garder à qqn un chien de sa chienne* : lui garder rancune. *Se regarder en chiens de faïence* : sans rien dire et avec une certaine hostilité. *Entre chien et loup* : au crépuscule. *Un temps de chien* : un très mauvais temps. *Un mal de chien* : beaucoup de difficulté. *Avoir du chien* : avoir de l'allure, en parlant d'une femme. ■ *nm* Pièce d'une arme à feu portative, qui assure la percussion.

chiendent *nm* Herbe envahissante et difficile à détruire.

chienlit *nf fam* Agitation, désordre, pagaille.

chien-loup *nm* Chien de berger qui ressemble au loup. *Des chiens-loups.*

chier *vi* pop Déféquer. Loc *Faire chier qqn :* l'ennuyer.

chiffe *nf* Personne sans énergie.

chiffon *nm* Morceau de vieux tissu. Loc *Chiffon de papier :* contrat, traité sans valeur.

chiffonner *vt* 1 Froisser. *Chiffonner sa robe.* 2 fam Contrarier, chagriner.

chiffonnier, ère *n* Qui ramasse les chiffons, les vieux papiers, la ferraille. ■ *nm* Petit meuble à tiroirs, haut et étroit.

chiffrable *a* Qu'on peut évaluer.

chiffrage *nm* Action de chiffrer.

chiffre *nm* 1 Caractère dont on se sert pour représenter les nombres. *Chiffres romains. Chiffres arabes.* 2 Somme totale. *Le chiffre des dépenses.* 3 Code utilisé pour la transmission de messages secrets. 4 Initiales du nom de qqn artistiquement disposées. Loc *Chiffre d'affaires :* montant total des ventes effectuées au cours d'une seule année.

chiffrer *vt* 1 Évaluer, fixer le montant de. 2 Numéroter. 3 Traduire en signes cryptographiques. ■ *vi* fam Atteindre un coût élevé.

chignole *nf* 1 Perceuse mécanique. 2 fam Mauvaise voiture.

chignon *nm* Masse de cheveux roulés au-dessus de la nuque.

chihuahua *nm* Petit chien d'origine mexicaine.

chiisme *nm* Courant musulman né du schisme provoqué par l'assassinat d'Ali, gendre de Mahomet.

chiite *a, n* Qui se réclame du chiisme.

chikungunya [ʃikunguɲa] *nm* Maladie virale des pays tropicaux, transmise par les moustiques.

chilien, enne *a, n* Du Chili.

chimère *nf* 1 Monstre fabuleux à tête de lion, corps de chèvre et queue de dragon. 2 Imagination vaine, illusion, projet sans consistance. 3 BIOL Organisme constitué de cellules ayant des origines génétiques différentes.

chimérique *a* 1 Qui se complaît dans des chimères. *Esprit chimérique.* 2 Qui a un caractère illusoire. *Projets chimériques.*

chimie *nf* Science des caractéristiques et des propriétés des corps, de leurs actions mutuelles et des transformations qu'ils peuvent subir.

chimiorésistance *nf* MED Résistance à la chimiothérapie d'un microorganisme ou d'une tumeur.

chimiosynthèse *nf* BIOL Synthèse organique réalisée par certaines bactéries.

chimiothérapie *nf* Traitement des maladies par des substances chimiques.

chimique *a* De la chimie.

chimiquement *av* D'après les lois de la chimie. *Corps chimiquement pur.*

chimiste *n* Spécialiste de chimie.

chimpanzé *nm* Singe anthropoïde d'Afrique.

chinchard *nm* Poisson marin, proche du maquereau.

chinchilla [-la] *nm* 1 Petit rongeur des Andes. 2 Fourrure de cet animal.

chiné, ée *a* Dont le fil est de plusieurs couleurs. *Laine chinée.* ■ *nm* Tissu moucheté.

chiner *vi* Rechercher des objets d'occasion, des curiosités, soit en amateur, soit pour en faire commerce. ■ *vt* fam Se moquer de qqn sans malveillance.

chineur, euse *n* Qui aime chiner.

chinois, oise *a, n* 1 De la Chine. 2 fam Formaliste, minutieux à l'excès. ■ *nm* 1 Langue parlée en Chine. 2 Passoire à grille très fine, utilisée en cuisine.

chinoiserie *nf* 1 Meuble, bibelot venant de Chine, ou de style chinois. 2 fam Complication, chicane mesquine.

chinon *nm* Vin de Touraine, rouge ou rosé.

chiot *nm* Très jeune chien.

chiottes *nfpl* pop Cabinets d'aisances.

chiourme *nf* HIST Ensemble des forçats.

chiper *vt* fam Dérober un objet sans valeur.

chipie *nf* fam Jeune fille ou femme capricieuse, acariâtre ou malveillante.

chipolata *nf* Saucisse de porc mince et longue.

chipotage *nm* fam Action de chipoter.

chipoter *vi* fam 1 Manger peu et sans appétit. 2 Contester pour des vétilles.

chipoteur, euse *n* fam Qui chipote.

chips *nfpl* Rondelle de pomme de terre frite très mince.

chique *nf* Tabac que l'on mâche.

chiqué *nm* fam Feinte, simulation. Loc *Faire du chiqué :* faire des manières.

chiquenaude *nf* Petit coup donné par la détente brusque d'un doigt. Syn. pichenette.

chiquer *vt, vi* Mâcher du tabac.

chiromancie [ki-] *nf* Divination d'après les lignes de la main.

chiromancien, enne [ki-] *n* Personne qui pratique la chiromancie.

chiropracteur [ki-] *nm* Personne qui pratique la chiropraxie.

chiropraxie [ki-] *nf* Traitement des douleurs par manipulation de la colonne vertébrale. **Var** chiropractie.

chiroptère [ki-] *nm* ZOOL Syn. de chauve-souris.

chiroubles *nm* Cru du Beaujolais.

chirurgical, ale, aux *a* De la chirurgie. *Intervention chirurgicale.*

chirurgie *nf* Pratique médicale nécessitant des incisions dans la chair.

chirurgien, enne *n* Spécialiste de la chirurgie.

chirurgien-dentiste *n* Praticien diplômé qui soigne les dents. *Des chirurgiens-dentistes.*

chistéra *nm* ou *nf* Gouttière d'osier recourbée, que l'on fixe solidement au poignet pour jouer à la pelote basque.

chitine [ki-] *nf* ZOOL Substance qui constitue les téguments des arthropodes.

chiure *nf* Excrément de mouche.

chlamydia [kla-] *nf* Bactérie responsable de diverses infections transmissibles.

chlorate *nm* Sel des acides dérivés du chlore.

chlore [klɔʀ] *nm* Gaz à l'odeur suffocante.

chloré, ée *a* Qui renferme du chlore.

chlorhydrique *a* Loc *Acide chlorhydrique :* gaz constitué de chlore et d'hydrogène, qui attaque les métaux.

chlorofibre *nf* Fibre synthétique résistant bien au feu.

chlorofluorocarbone nm Composé dont la présence dans certains aérosols est jugée nocive pour l'atmosphère. Syn. CFC.

chloroforme [klɔ-] nm Composé utilisé autrefois comme anesthésique général.

chloroformer vt Anesthésier, endormir au chloroforme.

chlorophycée nf BOT Algue verte.

chlorophylle nf Pigment végétal vert qui confère aux végétaux la fonction d'assimilation du carbone.

chlorophyllien, enne a De la chlorophylle.

chloroplaste nm BOT Élément cellulaire contenant la chlorophylle.

chloroquine nf Médicament antipaludéen.

chlorose [klɔroz] nf Maladie des plantes, caractérisée par la décoloration des feuilles.

chlorure nm Sel ou ester de l'acide chlorhydrique et de certains dérivés du chlore.

choc nm 1 Heurt d'un corps contre un autre. 2 Rencontre et combat de deux troupes armées. 3 Conflit, opposition. 4 Émotion violente causée par un évènement brutal. ■ a Qui surprend, étonne. Des prix chocs.

chochotte nf Femme maniérée.

chocolat nm 1 Substance comestible à base de cacao et de sucre. 2 Bonbon de chocolat. 3 Boisson au chocolat. ■ a inv De couleur brun foncé. Loc fam Être chocolat : déçu, trompé.

chocolaté, ée a Contenant du chocolat.

chocolaterie nf Fabrique de chocolat.

chocolatier, ère n Personne qui fait, qui vend du chocolat. ■ nm Récipient, à couvercle et bec verseur, pour servir le chocolat.

chocottes nfpl Loc fam Avoir les chocottes : avoir peur.

chœur [kœʀ] nm 1 Groupe de chanteurs qui exécutent une œuvre musicale. 2 Morceau de musique interprété par ce groupe. 3 Réunion de personnes qui expriment la même chose. Le chœur des créanciers. 4 Partie de l'église où se trouve le maître-autel. Loc En chœur : tous ensemble, d'un commun accord. Enfant de chœur : enfant qui assiste le prêtre pendant la messe ; personne très naïve.

choir vi [50] (surtout à l'inf. et au p.p.) litt Tomber. Loc fam Laisser choir : abandonner.

choisi, ie a Recherché, raffiné, de première qualité. S'exprimer en termes choisis.

choisir vt Adopter selon une préférence.

choix nm 1 Action de choisir. 2 Pouvoir, faculté, liberté de choisir. 3 Ensemble de choses choisies ou données à choisir.

cholécystite [kɔ-] nf Inflammation de la vésicule biliaire.

cholédoque [kɔ-] a Loc Canal cholédoque : canal par lequel s'écoule la bile.

choléra [kɔ-] nm Infection intestinale aiguë, très contagieuse.

cholérique [kɔ-] a, n Du choléra ; atteint du choléra.

cholestérol [kɔ-] nm Substance présente dans le corps humain et dont l'excès est nocif.

cholestérolémie [kɔ-] nf MED Présence de cholestérol dans le sang.

cholinergique [kɔ-] a BIOL Relatif à la libération de l'acétylcholine.

chômage nm État d'une personne privée d'emploi, d'une entreprise interrompant son activité.

chômé, ée a Se dit d'un jour où l'on ne travaille pas et qui est payé.

chômer vi 1 Cesser de travailler les jours fériés. 2 Être privé d'emploi. Loc fam Ne pas chômer : se donner beaucoup de mal.

chômeur, euse n Personne privée d'emploi.

chope nf Verre à bière muni d'une anse.

choper vt fam Prendre, attraper, voler.

chopine nf fam Bouteille de vin.

chopsuey nm Plat chinois de légumes et de viande émincés et sautés.

choquant, ante a Qui choque, désagréable.

choquer vt 1 Donner un choc à, heurter. 2 Heurter moralement, offenser, offusquer.

choral, ale, als [kɔ-] a Relatif à un chœur. Chant choral. ■ nm 1 Chant liturgique protestant. 2 Composition musicale pour clavecin ou orgue. ■ nf Groupe de chanteurs.

chorège [kɔ-] nm ANTIQ Citoyen qui, à Athènes, assumait les frais d'une représentation théâtrale.

chorégraphe [kɔ-] n Qui compose et règle les ballets.

chorégraphie [kɔ-] nf 1 Art de composer, de régler des ballets. 2 Ensemble des figures de danse qui composent un ballet.

chorégraphique [kɔ-] a Relatif à la danse.

choriste [kɔ-] n Qui chante dans un chœur, dans une chorale.

chorizo nm Saucisson plus ou moins pimenté.

choroïde [kɔ-] nf ANAT Membrane mince située entre la sclérotique et la rétine.

chorus [kɔ-] nm Loc Faire chorus : répéter en chœur ; joindre son approbation aux autres.

chose nf Tout objet concret, toute représentation abstraite. Loc La chose publique : l'État. La chose jugée : ce qui a été réglé par la juridiction compétente. ■ pl Ce qui existe, se fait, a lieu. Laissez les choses suivre leurs cours. ■ a inv fam Souffrant, fatigué. Je me sens toute chose.

chosifier vt PHILO Transformer en chose.

chott nm Lac temporaire salé, en Afrique du Nord.

1. chou nm 1 Légume qui comprend de nombreuses variétés. 2 Pâtisserie soufflée. Loc fam C'est bête comme chou : c'est très simple. Faire chou blanc : échouer. Faire ses choux gras de qqch : en faire son profit. fam Feuille de chou : journal de peu de valeur. Des choux.

2. chou, choute n fam Mot de tendresse. Mon chou. ■ a inv fam Gentil, mignon. Que c'est chou !

chouan nm Insurgé royaliste de l'ouest de la France, sous la Révolution.

chouannerie nf Insurrections des chouans.

choucas nm Oiseau voisin du corbeau.

chouchou, oute n fam Préféré, favori.

chouchoutage nm fam Action de chouchouter.

chouchouter vt fam Traiter en favori, dorloter.

choucroute nf 1 Chou haché et fermenté dans la saumure. 2 Ce chou, cuit et accompagné de charcuterie et de pommes de terre.

1. chouette nf Oiseau rapace nocturne sans aigrette.

2. chouette a fam Beau, agréable. ■ interj Marque la satisfaction.

chou-fleur nm Chou dont on consomme les inflorescences blanches. Des choux-fleurs.

chouia nm Loc fam Un chouia : un petit peu.

chou-rave nm Crucifère dont les racines sont comestibles. *Des choux-raves.*

chow-chow [ʃoʃo] nm Chien chinois à long poil. *Des chows-chows.* **Var chowchow**

choyer vt (22) Soigner avec tendresse, entourer de prévenances.

chrême nm Huile consacrée, servant à certaines onctions sacramentelles.

chrétien, enne a, n Qui est baptisé et, à ce titre, disciple du Christ. ■ a Relatif au christianisme. *Église chrétienne.*

chrétiennement av De façon chrétienne.

chrétienté nf Ensemble des chrétiens ou des pays chrétiens.

christ nm Représentation de Jésus crucifié.

christiania nm Technique d'arrêt et de virage à skis.

christianisation nf Action de christianiser.

christianiser vt Rendre chrétien, convertir à la foi chrétienne.

christianisme nm Religion fondée sur l'enseignement de Jésus-Christ.

christique a Du Christ.

chromatique a 1 Qui se rapporte aux couleurs. 2 MUS Qui procède par demi-tons consécutifs ascendants ou descendants.

chromatisme nm Ensemble de couleurs.

chromatogramme nm Diagramme obtenu par chromatographie.

chromatographie nf CHIM Méthode d'analyse des substances en solution ou en suspension dans un liquide.

chrome nm Métal blanc, composant des aciers inoxydables.

chromer vt Recouvrir de chrome.

chromo nm fam Mauvaise reproduction en couleurs ; mauvais tableau.

chromolithographie nf Impression lithographique en couleurs ; image ainsi obtenue.

chromosome nm BIOL Chacun des bâtonnets apparaissant dans le noyau de la cellule.

chromosomique a Des chromosomes.

chroniciser (se) vpr MED Devenir chronique.

chronicité nf Caractère chronique.

1. chronique nf 1 Recueil de faits historiques qui suivent l'ordre chronologique. 2 Ensemble de rumeurs qui circulent. 3 Article périodique dans un journal.

2. chronique a Se dit d'une maladie, d'un mal qui dure longtemps.

chroniqueur nm Auteur de chroniques.

chrono nm fam Abrév. de *chronomètre*.

chronographe nm Syn. de *chronomètre*.

chronologie nf 1 Science de l'ordre des périodes et des dates. 2 Liste d'évènements par ordre de dates.

chronologique a De la chronologie.

chronologiquement av Par ordre chronologique.

chronométrage nm Action de chronométrer.

chronomètre nm Instrument de précision destiné à mesurer le temps en minutes, secondes, fractions de seconde.

chronométrer vt (12) Mesurer à l'aide d'un chronomètre. *Chronométrer une course.*

chronométreur, euse n Chargé du chronométrage d'une épreuve sportive.

chronophage a Qui consomme du temps. *Des tâches chronophages.*

chrysalide nf ZOOL État transitoire entre la chenille et le papillon.

chrysanthème nm Plante dont on cultive diverses variétés ornementales.

chrysomèle nm Coléoptère aux couleurs brillantes.

CHS nm Sigle de *centre hospitalier spécialisé*, nom officiel de l'hôpital psychiatrique.

CHU nm Sigle de *centre hospitalo-universitaire*.

chuchotement nm Action de chuchoter ; le bruit qui en résulte.

chuchoter vi Parler bas en remuant à peine les lèvres. ■ vt Dire à voix basse.

chuintant, ante a Qui chuinte.

chuintement nm Action de chuinter ; bruit de ce qui chuinte.

chuinter vi 1 Pousser son cri, en parlant de la chouette. 2 Prononcer les sons [s] et [z] comme [ʃ] et [ʒ]. 3 Produire un son qui ressemble au son [ʃ]. *Un gaz qui chuinte en s'échappant.*

chut ! interj Silence ! Taisez-vous !

chute nf 1 Action de tomber ; mouvement de ce qui tombe. 2 Masse d'eau qui se précipite d'une certaine hauteur. 3 Action de s'écrouler, de s'effondrer. *La chute d'un empire.* 4 litt Pensée, formule brillante qui termine un texte. 5 Déchet, reste inutilisé d'un matériau que l'on a découpé. Loc *La chute des reins* : le bas du dos. *La chute d'un toit* : sa pente. *Point de chute* : lieu d'arrivée.

chuter vi Tomber ; baisser brusquement.

chutney [ʃœtne] nm Condiment fait de légumes cuits avec du vinaigre et des épices.

chyle [ʃil] nm PHYSIOL Contenu liquide de l'intestin, formé par les aliments digérés.

chyme [ʃim] nm PHYSIOL Bouillie formée par les aliments au sortir de l'estomac.

chypriote a, n De Chypre. **Var cypriote**

ci av 1 (avec un participe) Dans cette lettre. *Ci-joint la facture. La facture ci-jointe. Les observations ci-incluses.* 2 Avec un démonstratif, exprime la proximité. *Ce livre-ci. Celui-ci.* Loc *Ci-après* : plus loin. *Ci-contre* : tout à côté. *Ci-dessus* : plus haut, supra. *Ci-dessous* : plus bas, infra. *De-ci, de-là, par-ci, par-là* : de côté et d'autre, en divers endroits. *Comme ci, comme ça* : moyennement, tant bien que mal.

cible nf 1 Disque, panneau qui sert de but pour le tir. 2 Personne visée ; but qu'on cherche à atteindre.

cibler vt Définir la cible, le but.

ciboire nm RELIG Vase où l'on conserve les hosties consacrées.

ciboule nf Plante voisine de l'oignon, utilisée comme condiment.

ciboulette nf Plante proche de la ciboule, utilisée comme condiment.

ciboulot nm pop Tête.

cicatrice nf 1 Trace laissée par une plaie après guérison. 2 Trace laissée par une blessure morale.

cicatriciel, elle a D'une cicatrice.

cicatrisable a Qui peut se cicatriser.

cicatrisation nf Guérison d'une plaie.

cicatriser vt 1 Guérir une plaie. 2 Adoucir, calmer. ■ vi, vpr Se refermer, guérir. *La plaie a cicatrisé, s'est cicatrisée.*

cicérone nm Guide qui fait visiter une ville.

cicindèle nf Coléoptère à élytres verts.

ci-contre, ci-dessous, ci-dessus. V. ci.

ci-devant n inv Nom donné aux nobles pendant la Révolution française.

cidre nm Boisson alcoolique obtenue par fermentation du jus de pomme.

cidrerie nf Établissement où l'on fait du cidre.

ciel nm **1** (pl. cieux) Partie de l'espace que nous voyons au-dessus de nos têtes. **2** (pl. ciels) Aspect de l'air, de l'atmosphère selon le temps qu'il fait. Ciel clair, nuageux. **3** (pl. cieux) Le séjour de Dieu et des bienheureux, le paradis. **4** (pl. cieux) La divinité, la providence. Grâce au ciel, j'ai réussi. Loc Ciel de lit : partie supérieure d'un baldaquin. À ciel ouvert : à l'air libre. Être au septième ciel : dans un état de ravissement. ■ interj Marque la stupéfaction, la douleur. Ciel ! mes bijoux.

cierge nm Longue bougie de cire à l'usage des églises.

cigale nf Insecte du Midi qui produit un bruit strident.

cigare nm Rouleau de tabac à fumer formé de feuilles non hachées.

cigarette nf Petit rouleau de tabac haché, enveloppé dans du papier.

cigarillo [-Rijo] nm Petit cigare.

ci-gît av Ici est enterré (formule d'épitaphe). **Var ci-git**

cigogne nf Grand oiseau échassier migrateur.

ciguë nf Plante vénéneuse. **Var cigüe**

ci-joint, ci-jointe V. ci.

cil nm **1** Poil du bord des paupières. **2** BIOL Filament d'une cellule ou d'un végétal.

cilice nm RELIG Chemise de crin portée sur la peau, par mortification.

cilié, ée a BIOL Bordé de cils.

ciller vt Fermer et ouvrir rapidement les yeux.

cimaise nf Dans une galerie de peinture, partie d'un mur destinée à recevoir des tableaux.

cime nf Sommet, faîte.

ciment nm **1** Poudre formant avec l'eau et le sable une pâte qui se solidifie et sert dans le bâtiment. **2** Ce qui lie ou rapproche.

cimenter vt **1** Lier, enduire avec du ciment. **2** Confirmer, affermir. Cimenter une amitié.

cimenterie nf Fabrique de ciment.

cimentier, ère a Relatif au ciment. ■ nm Industriel du ciment.

cimeterre nm Sabre oriental à lame large recourbée.

cimetière nm Terrain où l'on enterre les morts.

cinabre nm **1** Sulfure rouge de mercure. **2** Couleur rouge vermillon.

ciné nm fam Cinéma.

cinéaste n Metteur en scène de cinéma.

ciné-club [-klœb] nm Association d'amateurs de cinéma. Des ciné-clubs. **Var cinéclub**

cinéma nm **1** Procédé d'enregistrement et de projection de vues photographiques animées. **2** L'art de réaliser des films. **3** Salle de spectacle où l'on projette des films. **4** fam Façon d'agir pleine d'affectation, comédie.

cinémascope nm (n. déposé) Procédé cinématographique qui donne une vue panoramique avec effet de profondeur.

cinémathèque nf Endroit où l'on conserve les films de cinéma.

cinématique nf PHYS Partie de la mécanique qui étudie le mouvement.

cinématographe nm anc Appareil d'enregistrement et de projection des vues animées.

cinématographique a Du cinéma.

cinéphile n Amateur de cinéma.

cinéraire a Loc Urne cinéraire : qui renferme les cendres d'un mort incinéré. ■ nf Plante ornementale à feuilles gris cendré.

cinéroman nm Roman-photo tiré d'un film.

cinétique a PHYS Relatif au mouvement. ■ nf Partie de la physique qui étudie le mouvement.

cinghalais nm Langue officielle du Sri Lanka.

cinglant, ante a Qui fouette, mordant.

cinglé, ée a, n fam Un peu fou.

cingler vi litt Naviguer rapidement vers. ■ vt **1** Frapper avec un objet flexible. **2** Fouetter, en parlant du vent, de la pluie. **3** Critiquer qqn d'une façon mordante.

cinoche nm fam Cinéma.

cinq a num **1** Quatre plus un (5). **2** Cinquième. Loc Recevoir qqn cinq sur cinq : parfaitement. ■ nm inv Chiffre, nombre cinq.

cinquantaine nf **1** Nombre de cinquante ou environ. **2** Âge de cinquante ans.

cinquante a num **1** Cinq fois dix (50). **2** Cinquantième. Chapitre cinquante. ■ nm inv Le nombre cinquante.

cinquantenaire n Cinquantième anniversaire.

cinquantième n Au rang, au degré cinquante. ■ a, nm Contenu cinquante fois dans le tout.

cinquième a num Au rang, au degré cinq. ■ a, nm Contenu cinq fois dans le tout. ■ nf Deuxième année de l'enseignement secondaire.

cinquièmement av En cinquième lieu.

cintrage nm Action de cintrer.

cintre nm **1** Support pour les vêtements, qui a une forme incurvée. **2** Courbure concave et continue d'une voûte ou d'un arc. Loc Arc plein cintre : qui a la forme d'un demi-cercle régulier. ■ pl Espace situé au-dessus de la scène d'un théâtre.

cintré, ée a pop Fou.

cintrer vt **1** Courber en arc. **2** Resserrer un vêtement à la taille.

cirage nm **1** Action de cirer. **2** Produit que l'on applique sur les cuirs pour les rendre brillants. Loc fam Être dans le cirage : à moitié inconscient.

circadien, enne a Se dit du rythme biologique de 24 heures.

circaète nm Oiseau proche de l'aigle.

circoncire vt [79] Pratiquer la circoncision.

circoncis am, nm Qui a subi la circoncision.

circoncision nf Excision du prépuce.

circonférence nf **1** Ligne courbe enfermant une surface plane. **2** Pourtour d'un cercle.

circonflexe a Loc Accent circonflexe : placé sur certaines voyelles (ex. : âme, être, île).

circonlocution nf litt Façon détournée d'exprimer sa pensée.

circonscription nf Division d'un territoire (administrative, militaire, etc.).

circonscrire vt [61] **1** Tracer une ligne autour de qqch. **2** Retenir dans des limites.

circonspect, ecte [-pɛ, -pɛkt] a Qui se tient dans une prudente réserve.

circonspection nf Prudence, retenue, discrétion. Agir avec circonspection.

circonstance nf 1 Ce qui accompagne un fait, un évènement. 2 Ce qui caractérise la situation présente. Loc *De circonstance* : adapté à la situation.

circonstancié, ée a Détaillé.

circonstanciel, elle a Qui dépend des circonstances. Loc GRAM *Complément circonstanciel* : qui marque les circonstances.

circonvenir vt [35] Tenter de manœuvrer qqn pour obtenir qqch.

circonvolution nf Tour décrit autour d'un point central. Loc ANAT *Circonvolutions cérébrales* : replis sinueux du cerveau.

circuit nm 1 Itinéraire qui oblige à des détours. 2 Itinéraire touristique ou sportif ramenant au point de départ. 3 Cheminement effectué par des produits, des services ; réseau. *Circuit économique*. 4 Ensemble de conducteurs électriques ou électroniques reliés entre eux. 5 Ensemble de compétitions de tennis, de golf, etc., réservées aux joueurs professionnels.

circulaire a 1 Qui a la forme d'un cercle, qui décrit un cercle. 2 Qui ramène au point de départ. *Voyage circulaire*. ■ nf Lettre en plusieurs exemplaires destinée à plusieurs personnes.

circularité nf Caractère circulaire.

circulation nf 1 Mouvement de ce qui circule. 2 Mouvement de personnes, de véhicules.

circulatoire a De la circulation du sang.

circuler vi 1 Se mouvoir dans un circuit. *Le sang circule dans l'organisme*. 2 Aller et venir. *Les automobiles circulent*. 3 Passer de main en main. *La monnaie circule*. 4 Se propager, se répandre. *Un bruit circule*.

circumpolaire [sirkõ-] a Autour du pôle.

cire nf 1 Matière avec laquelle les abeilles construisent les alvéoles de leurs ruches. 2 Substance analogue produite par certains végétaux. 3 Produit à base de cire pour divers usages. *Cire à cacheter. Cire à parquet*.

ciré, ée a Enduit de cire, de stéarine, etc. Loc *Toile cirée* : enduite d'une préparation qui la rend imperméable. ■ nm Vêtement de mer imperméable.

cirer vt Enduire ou frotter de cire ou de cirage.

cireur, euse n Personne qui cire. ■ nf Appareil pour cirer les parquets.

cireux, euse a Qui a la couleur jaune pâle de la cire.

cirque nm 1 Lieu destiné chez les Romains à la célébration de certains jeux. 2 Enceinte circulaire, où l'on donne le spectacle des exercices d'adresse, d'acrobatie, des numéros de clowns, etc. 3 Dépression en cuvette circonscrite par des montagnes. 4 fam Agitation, désordre.

cirrhose nf Grave maladie du foie.

cirrhotique a, n Atteint d'une cirrhose.

cirrus [-Rys] nm Nuage en filaments.

cisaille nf Gros ciseaux pour couper des tôles, tailler des arbustes, etc.

cisaillement nm Action de cisailler.

cisailler vt Couper avec des cisailles.

cisalpin, ine a En deçà des Alpes (vu d'Italie).

ciseau nm Outil plat, taillé en biseau servant à travailler le bois, le métal, la pierre, etc. ■ pl Instrument formé de deux branches mobiles articulées, tranchantes en dedans.

cisèlement nm Action de ciseler.

ciseler vt [16] Travailler, tailler, orner avec un ciseau.

ciselure nf Ornement ciselé.

ciste nm Plante méditerranéenne à fleurs roses, blanches ou pourpres.

cistercien, enne a, n De l'ordre de Cîteaux.

cistude nf Tortue d'eau douce.

citadelle nf 1 Forteresse protégeant une ville. 2 Centre important de qqch.

citadin, ine n Habitant d'une ville. ■ a De la ville. *Vie citadine*.

citation nf DR Sommation de comparaître devant une juridiction. 2 Passage cité d'un propos, d'un écrit. 3 Récompense spéciale pour une action d'éclat.

cité nf 1 Centre urbain, ville. 2 Partie la plus ancienne d'une ville. 3 Groupe de logements. Loc *Avoir droit de cité* : être admis.

cité-dortoir nf Agglomération surtout résidentielle. *Des cités-dortoirs*.

citer vt 1 DR Appeler à comparaître en justice. 2 Rapporter, alléguer, à l'appui de ce qu'on dit. 3 Nommer, désigner, mentionner. 4 Décerner une citation à.

citerne nf 1 Réservoir d'eau pluviale. 2 Réservoir destiné au stockage d'un liquide. *Citerne à mazout*.

cithare nf Instrument de musique à cordes pincées.

citoyen, enne n Ressortissant d'un État. Loc fam *Un drôle de citoyen* : un drôle d'individu.

citoyenneté nf 1 Qualité de citoyen. 2 Qualités citoyennes, esprit civique.

citrique am Loc *Acide citrique* : acide existant dans des fruits tels que le citron.

citron nm Fruit du citronnier, jaune pâle de saveur acide. ■ a inv De couleur jaune pâle.

citronnade nf Boisson préparée avec du jus ou du sirop de citron.

citronnelle nf Plante exhalant une odeur de citron.

citronnier nm Arbre qui produit les citrons.

citrouille nf 1 Grosse courge. 2 Syn. de *potiron*.

cive nf Ciboule.

civelle nf Jeune anguille.

civet nm Ragoût de gibier au vin rouge.

civette nf 1 Ciboulette. 2 Petit mammifère carnivore au corps allongé.

civière nf Toile tendue entre deux barres pour transporter les blessés.

civil, ile a 1 Relatif à l'État, aux citoyens, aux rapports entre les citoyens. 2 litt Qui observe les convenances, poli. ■ a, nm Qui n'est ni militaire, ni religieux. ■ nm 1 La vie civile (par oppos. à *vie militaire*). 2 DR Juridiction civile (par oppos. aux juridictions *criminelle, pénale*). Loc *En civil* : sans uniforme.

civilement av 1 Sans cérémonie religieuse. 2 litt Avec politesse. *Répondre civilement*. 3 DR Au civil. *Être civilement responsable*.

civilisateur, trice a, n Qui civilise.

civilisation nf 1 Action de civiliser ; état de ce qui est civilisé. 2 Ensemble des phénomènes sociaux, religieux, intellectuels, artistiques, scientifiques et techniques propres à un peuple.

civilisé, ée a, n Doté d'une civilisation avancée.

civiliser vt Améliorer l'état intellectuel, moral, matériel d'un pays, d'un peuple.

civilité nf Politesse, courtoisie. ■ pl Témoignages de politesse.

civique a Du citoyen. *Devoir civique.*

civisme nm Dévouement de l'individu pour la collectivité.

clac ! interj Marque un bruit sec.

cladistique nf SC NAT Étude des parentés entre espèces vivantes.

clafoutis nm Pâtisserie faite d'une pâte à flan contenant des cerises.

claie nf 1 Ouvrage d'osier, de bois léger, à claire-voie. 2 Treillage servant de clôture.

clair, claire a 1 Lumineux. *Une flamme claire. Une pièce claire.* 2 Transparent. *Eau claire.* 3 Peu foncé ; peu consistant. 4 Net et distinct (sons). *Une voix claire.* 5 Facile à comprendre. *Une démonstration claire.* ■ nm Loc *Clair de lune :* clarté de la lune. *Le plus clair de :* la plus grande partie de. *En clair :* sans recours à un code. *Tirer qqch au clair :* l'élucider. ■ av Loc *Voir clair :* distinctement ; être clairvoyant. *Parler clair :* franchement, sans détour.

claire nf 1 Bassin à huîtres peu profond. 2 Huître de claire.

clairement av De façon claire.

clairet, ette a Peu coloré, peu épais. *Soupe clairette.* ■ nf Cépage blanc du Midi.

claire-voie (à) av Qui présente des espaces entre ses éléments. *Persiennes à claire-voie.* Var **clairevoie (à)**

clairière nf Partie dégarnie d'arbres dans un bois, une forêt.

clair-obscur nm 1 Combinaison de lumière et d'ombre dans un tableau. 2 Lumière faible, douce. *Des clairs-obscurs.*

clairon nm 1 Instrument à vent en cuivre à son clair. 2 Qui joue du clairon.

claironnant, ante a Qui claironne. *Voix claironnante.*

claironner vt Annoncer bruyamment.

clairsemé, ée a Peu dense.

clairvoyance nf Pénétration d'esprit, lucidité, perspicacité.

clairvoyant, ante a Qui est lucide, qui a un jugement perspicace.

clam nm Mollusque marin comestible.

clamer vt Manifester par des cris.

clameur nf Ensemble de cris tumultueux et confus.

clamp nm Instrument de chirurgie servant à pincer un vaisseau ou un canal.

clamser vi [aux. *avoir* ou *être*] fam Mourir.

clan nm 1 Groupe d'individus issus d'un ancêtre commun. 2 Groupe fermé de personnes se soutenant mutuellement.

clandestin, ine a Qui se fait en cachette. ■ a, n Qui vit en marge, en situation illégale.

clandestinement av De façon clandestine.

clandestinité nf 1 Caractère clandestin. 2 État de clandestin.

clanique a Du clan.

clanisme nm SOCIOL Vie en clan.

clapet nm 1 Soupape qui ne laisse passer un fluide que dans un sens. 2 pop Bouche, langue.

clapier nm Cage à lapins.

clapoter vi Produire un clapotement.

clapotis nm Bruit des vagues qui s'entrechoquent. Var **clapotement**

clappement nm Bruit sec fait avec sa langue contre le palais.

claquage nm Rupture de fibres musculaires lors d'un violent effort.

claquant, ante a fam Fatigant.

claque nf Coup du plat de la main, gifle. Loc fam *En avoir sa claque :* en avoir assez.

claquement nm Bruit de choses qui claquent.

claquemurer vt Renfermer dans un endroit étroit.

claquer vi 1 Produire un bruit sec et net. 2 Éclater. 3 pop Mourir. ■ vt 1 Gifler. 2 Faire claquer. *Claquer les portes.* 3 pop Dépenser, dissiper. 4 fam Fatiguer, épuiser. ■ vpr Loc *Se claquer un muscle :* se faire un claquage.

claquette nf Instrument produisant un claquement. ■ pl Danse rythmée par des coups secs donnés avec les pieds.

clarification nf Action de clarifier.

clarifier vt Rendre clair. ■ vpr Devenir clair.

clarinette nf Instrument à vent, à clés et à anche.

clarinettiste n Joueur de clarinette.

clarté nf 1 Lumière largement répandue. 2 Transparence. 3 Qualité de ce qui est clair. ■ pl Connaissances, aperçus.

clash [klaʃ] nm fam Heurt brutal, rupture.

classe nf 1 Ensemble des personnes appartenant à un même groupe social. 2 SC NAT Unité systématique contenue dans l'embranchement et subdivisée en ordres. 3 Catégorie hiérarchique de personnes, de choses. 4 Qualité, valeur. *Un spectacle de classe.* 5 Groupe d'élèves ayant un même maître. 6 Enseignement du professeur. 7 Salle où se donne l'enseignement ; école. 8 Ensemble des jeunes gens nés la même année, appelés au service militaire.

classement nm 1 Action de classer. 2 Rang où qqn est classé.

classer vt 1 Ranger par classes, par catégories. 2 Mettre dans un certain ordre. Loc *Classer une affaire :* ne pas lui donner suite.

classe-relais nf Classe destinée à accueillir des collégiens déscolarisés ou qui risquent de l'être. *Des classes-relais.*

classeur nm Chemise, carton, meuble où l'on classe des papiers.

classicisme nm 1 Caractère de ce qui est classique. 2 Production littéraire et artistique conforme à la doctrine classique.

classificateur, trice a, n Qui classifie.

classification nf Distribution méthodique par classes, par catégories.

classificatoire a Qui contribue à une classification.

classifier vt Établir une classification.

classique a 1 Qui fait autorité. 2 Conforme à l'usage courant. *Vêtements classiques.* 3 Se dit des écrivains français du XVIIe s., de leur doctrine et de leurs œuvres. Loc *Langues classiques :* le latin et le grec. *Musique classique :* celle des grands compositeurs occidentaux traditionnels. *Danse classique :* qui fait l'objet de l'enseignement chorégraphique. *Armes classiques :* Syn. de *armes conventionnelles.* ■ nm 1 Écrivain classique. 2 Œuvre classique. 3 Œuvre d'une grande notoriété, qui sert de modèle. 4 Musique classique, danse classique.

classiquement av De façon classique.

claudication nf litt Fait de boiter.

claudiquer vi litt Boiter.

clause *nf* Disposition particulière d'un traité, d'un contract, etc. Loc *Clause de style :* qu'il est d'usage d'insérer dans les contrats de même genre ; disposition formelle sans importance.

claustra *nm* Clôture ajourée d'une baie, d'une pièce.

claustration *nf* État de qqn qui est enfermé.

claustrer *vt* Enfermer qqn.

claustrophobe *a, n* Atteint de claustrophobie.

claustrophobie *nf* Angoisse éprouvée dans un lieu clos.

clavaire *nf* Champignon en forme de touffe.

claveau *nm* ARCHI Pierre d'un arc, d'une voûte taillée en forme de coin.

clavecin *nm* Instrument à cordes pincées et à clavier.

claveciniste *n* Joueur de clavecin.

clavette *nf* Cheville, goupille destinée à assembler deux pièces.

clavicule *nf* Os pair allongé, qui s'articule avec le sternum et l'omoplate.

clavier *nm* Ensemble des touches d'un orgue, d'un piano, d'une machine à écrire, etc.

claviste *n* Personne qui compose des textes d'imprimerie sur un clavier.

clayère *nf* Parc à huîtres.

clayette *nf* 1 Dans un réfrigérateur, étagère amovible à claire-voie. 2 Cageot.

clayon *nm* Petite claie.

clé *nf* 1 Instrument métallique destiné à faire fonctionner une serrure, à établir un contact, etc. 2 Ce dont dépend le fonctionnement de qqch. *Des industries clés.* 3 Ce qui permet de comprendre, d'interpréter. *La clé du problème.* 4 MUS Signe placé au commencement de la portée pour indiquer la hauteur des notes dans l'échelle musicale. 5 Outil qui sert à serrer les écrous. 6 Ce qui commande les trous du tuyau d'un instrument à vent. 7 Prise immobilisante de judo ou de lutte. Loc *Clé de voûte :* pierre en forme de coin placée au sommet de l'arc ou de la voûte ; élément essentiel dont tout dépend. INFORM *Clé USB :* petit accessoire permettant de stocker des données. *Sous clé :* dans un endroit fermé à clé. Var **clef**

clebs *nm* pop Chien.

clématite *nf* Liane grimpante à fleurs.

clémence *nf* 1 litt Indulgence. 2 Douceur du temps, du climat.

clément, ente *a* 1 Porté à la clémence. 2 Doux, peu rigoureux.

clémentine *nf* Fruit d'un hybride de l'oranger doux et du mandarinier.

clémenvilla *nf* Hybride de la clémentine et du tangélo. Var **clemenvilla**

clenche *nf* Pièce principale d'un loquet de porte. Var **clenchette**

clepsydre *nf* Horloge antique à eau.

cleptomane, cleptomanie. V. kleptomane, kleptomanie.

clerc *nm* 1 Qui est entré dans l'état ecclésiastique. 2 Employé d'une étude de notaire, d'huissier. Loc *Pas de clerc :* faute commise par inexpérience.

clergé *nm* Ensemble des ecclésiastiques.

clergyman [-man] *nm* Pasteur anglican.

clérical, ale, aux *a* Du cléricalisme.

cléricalisme *nm* Attitude favorable à la participation active du clergé à la politique.

cléricature *nf* Condition d'ecclésiastique.

1. clic ! *interj* Onomatopée imitant un petit claquement bref et sec.

2. clic *nm* INFORM Action de cliquer.

cliché *nm* 1 Plaque qui permet le tirage d'une épreuve typographique. 2 Plaque ou pellicule photographique impressionnée par la lumière. 3 Idée, phrase toute faite et banale.

client, ente *n* 1 Qui achète qqch à un commerçant. 2 Qui recourt à des services contre paiement. *Clients d'un médecin.*

clientèle *nf* 1 Ensemble des clients d'un commerçant, d'un avocat, d'un médecin, etc. 2 Ensemble de personnes qui soutiennent un homme ou un parti politique.

clientélisme *nm* Recherche démagogique d'une clientèle politique.

clignement *nm* Action de cligner les yeux.

cligner *vt* 1 Fermer les yeux à demi. 2 Fermer et ouvrir rapidement les yeux. ■ *vti* Loc *Cligner de l'œil :* faire un clin d'œil.

clignotant, ante *a* Qui clignote. ■ *nm* 1 Feu clignotant d'un véhicule, indicateur de changement de direction. 2 Indicateur d'une évolution économique.

clignotement *nm* Fait de clignoter.

clignoter *vi* 1 Cligner fréquemment. 2 S'allumer et s'éteindre alternativement (lumières).

climat *nm* 1 Ensemble des éléments qui caractérisent l'état moyen de l'atmosphère en un lieu. 2 Atmosphère, ambiance.

climatique *a* Du climat.

climatisation *nf* Création ou maintien, dans un local, de conditions déterminées de température, d'humidité et de pureté de l'air.

climatiser *vt* Réaliser la climatisation.

climatiseur *nm* Appareil de climatisation.

climatologie *nf* Étude du climat.

climax *nm* BOT Équilibre idéal entre la végétation naturelle d'un milieu et le climat.

clin d'œil *nm* Signe que l'on fait discrètement à qqn par un mouvement rapide des paupières. Loc *En un clin d'œil :* en très peu de temps. *Des clins d'œil.*

clinicien, enne *n* Personne qui pratique la médecine clinique.

clinique *a* Effectué auprès du malade, sans appareils ni examens de laboratoire. Loc *Signe clinique :* décelé au simple examen. ■ *nf* Établissement de soins médicaux, public ou privé. Loc *Chef de clinique :* médecin ayant un rôle d'enseignant dans son service.

clinquant *nm* 1 Mauvaise imitation de matières précieuses. 2 Faux brillant, éclat artificiel. ■ *a* Qui brille d'un faux éclat.

clip *nm* 1 Bijou monté sur une pince à ressort. 2 Court-métrage de vidéo ou de cinéma à but promotionnel.

clipper [-pœr] *nm* Voilier de transport de marchandises (XIXe s.).

clique *nf* 1 péjor Groupe, coterie. 2 Ensemble des tambours et des clairons d'un régiment.

cliquer *vi* INFORM Appuyer sur la touche de souris d'un microordinateur.

cliques *nfpl* Loc fam *Prendre ses cliques et ses claques :* déguerpir, filer.

cliquet *nm* Ergot mobile bloquant dans un sens une roue dentée.

cliqueter *vi* [17] ou [19] Faire entendre un cliquetis.

cliquetis nm Bruit sec et léger de corps sonores qui s'entrechoquent.

clitocybe nm Champignon à chapeau déprimé.

clitoridien, enne a Du clitoris.

clitoris nm Petit organe érectile situé à la partie antérieure de la vulve.

clivage nm 1 Action et art de cliver. 2 Division, séparation. *Clivages politiques.*

cliver vt Fendre un minéral selon la structure de ses couches. ■ vpr Se fendre, se diviser.

cloaque nm 1 Amas d'eau croupie. 2 Endroit malpropre. 3 ZOOL Chez les oiseaux, débouché des voies intestinales, urinaires et génitales.

1. clochard, arde n fam Personne sans domicile et sans travail.

2. clochard nf Variété de pomme reinette.

clochardisation nf Réduction à l'état de clochard.

clochardiser (se) vpr Devenir clochard.

cloche nf 1 Instrument sonore de bronze, en forme de vase renversé, muni d'un battant (à l'intérieur) ou d'un marteau (à l'extérieur) qui le met en vibration. 2 Ustensile, appareil en forme de cloche, servant à couvrir, à protéger. 3 fam Personne stupide, incapable. 4 fam Le monde des clochards. Loc *Entendre un autre son de cloche :* une version différente du même récit.

cloche-pied (à) av Sur un seul pied. *Sauter à cloche-pied.* Var **clochepied (à)**

1. clocher nm Construction dominant une église et où sont suspendues des cloches.

2. clocher vi fam Être défectueux.

clocheton nm Petit clocher.

clochette nf 1 Petite cloche. 2 Fleur en forme de petite cloche.

clodo n pop Clochard.

cloison nf 1 Mur peu épais séparant deux pièces d'une habitation. 2 ANAT Ce qui divise une cavité. 3 Ce qui empêche la communication.

cloisonné nm Émail coulé entre des cloisons de métal formant un motif décoratif.

cloisonnement nm 1 Ensemble de cloisons ; leur disposition. 2 État de ce qui est cloisonné ; séparation, division. Var **cloisonnage**

cloisonner vt Séparer par des cloisons ; compartimenter.

cloître nm 1 Couvent d'où les religieux ne sortent pas. 2 Galerie couverte, entourant une cour ou un jardin, dans un monastère. Var **clôitre**

cloîtré, ée a Qui vit dans un couvent. Loc *Monastère cloîtré :* dont les religieux ne sortent pas. Var **clôitré, ée**

cloîtrer vt Enfermer étroitement. ■ vpr Mener une vie très retirée. *Se cloîtrer dans sa chambre.* Var **clôitrer**

clonage nm 1 BIOL Obtention de clones. 2 fig, fam Copiage, reproduction à l'identique.

clone nm 1 BIOL Ensemble des cellules dérivant d'une seule cellule initiale dont elles sont la copie exacte. 2 fam Copie conforme, imitation.

cloner vt 1 BIOL Effectuer un clonage. 2 fig, fam Copier à l'identique.

clope nm ou f fam Mégot ; cigarette.

clopin-clopant av fam En clopinant.

clopiner vi Marcher en boitant.

clopinettes nfpl Loc pop *Des clopinettes :* rien.

cloporte nm Crustacé terrestre vivant dans les lieux humides.

cloque nf 1 Ampoule de la peau. 2 Boursouflure. 3 Maladie du pêcher.

cloquer vi Se boursoufler.

clore vt [53] litt Arrêter, terminer ou déclarer terminé. *Clore un débat.*

clos, close a 1 Entouré d'une clôture. 2 Terminé, achevé. Loc *Maison close :* maison de prostitution. *En vase clos :* sans contact avec le monde extérieur. ■ nm 1 Terrain cultivé entouré d'une clôture. 2 Vignoble délimité.

clôture nf 1 Ce qui enclôt un espace. 2 Enceinte d'un couvent cloîtré. 3 Action d'arrêter, de terminer une chose.

clôturer vt 1 Entourer de clôtures. 2 abusiv Arrêter, déclarer terminé.

clou nm 1 Petite tige de métal, pointue, et ordinairement dotée d'une tête, servant à fixer ou à pendre qqch. 2 Attraction principale. *Le clou du programme.* 3 Furoncle. Loc fam *Ça ne vaut pas un clou :* cela n'a aucune valeur. fam *Un vieux clou :* un véhicule en mauvais état. ■ pl Passage clouté. *Traverser entre les clous.*

clouer vt 1 Fixer, assembler avec des clous. 2 Obliger qqn à rester qq part. Loc fam *Clouer le bec à qqn :* le réduire au silence.

clouté, ée a Garni de clous. Loc *Passage clouté :* passage protégé au travers des rues, délimité et réservé aux piétons.

clovisse nf Syn. de palourde.

clown [klun] nm Acteur bouffon de cirque. Loc *Faire le clown :* le pitre.

clownerie [klunri] nf Farce de clown.

clownesque [klu-] a Digne d'un clown.

club [klœb] nm 1 Groupe de personnes qui se rassemblent en un local déterminé, dans une certaine intention (politique, sportif, amical, mondain). 2 Crosse servant à jouer au golf.

cluse nf GEOGR Brèche en montagne entre deux vallées.

clystère nm vx Lavement.

CMU nf Abrév. de *couverture maladie universelle.*

cnidaire nm ZOOL Animal muni de cellules urticantes (méduse, anémone).

coaccusé, ée n Qui est accusé avec d'autres.

coach [kotʃ] nm 1 Entraîneur d'une équipe sportive, d'un joueur professionnel. 2 Psychologue qui donne des conseils personnalisés concernant la vie quotidienne.

coacquéreur nm Personne qui acquiert avec qqn un bien.

coagulant, ante a, nm Qui fait coaguler.

coagulation nf Fait de se coaguler ; état d'une substance coagulée.

coaguler vt Transformer un liquide organique en une masse semi-solide. ■ vi, vpr Prendre une consistance semi-solide.

coagulum [-lɔm] nm didac Masse coagulée.

coalescence nf didac Réunion, fusion d'éléments en contact.

coalescent, ente a Qui entre en coalescence.

coalisé, ée a, n Ligué dans une coalition.

coaliser (se) vpr S'unir en une coalition.

coalition nf Réunion momentanée de puissances, de partis, de personnes pour lutter contre un adversaire commun.

coassement nm Cri de la grenouille.

coasser vi Pousser des coassements.

coassurance nf Assurance d'un même risque par plusieurs assureurs.

coati nm Mammifère carnivore d'Amérique tropicale.

coauteur nm Auteur avec un ou plusieurs autres d'un ouvrage, d'une infraction.

coaxial, ale, aux a ÉLECTR Se dit d'un câble fait de deux conducteurs concentriques.

cobalt nm Métal blanc voisin du fer et du nickel.

cobaye nm 1 Petit rongeur, très utilisé comme animal de laboratoire. Syn. cochon d'Inde. 2 Sujet d'expérience.

cobelligérant, ante a, nm Allié à un ou plusieurs autres belligérants.

cobra nm Grand serpent venimeux qui peut gonfler son cou.

coca nf Arbuste du Pérou dont les feuilles renferment la cocaïne. ■ nf Substance extraite des feuilles de coca.

coca-cola nm inv (n. déposé) Boisson gazeuse aromatisée.

cocagne nf Loc Pays de cocagne : où l'on trouve tout en abondance. Mât de cocagne : mât enduit de savon au haut duquel on s'essaie à grimper pour décrocher des lots.

cocaïne nf Stupéfiant et anesthésique extrait des feuilles de coca.

cocaïnomane n Toxicomane à la cocaïne.

cocarcinogène nm, a MÉD Facteur favorisant l'apparition d'un cancer quand il est associé à un autre.

cocarde nf Insigne circulaire aux couleurs nationales.

cocardier, ère a, n Qui aime l'armée, l'uniforme ; chauvin.

cocasse a fam Qui fait rire.

cocasserie nf fam Caractère cocasse.

coccidiose [kɔksi-] nf Parasitose des volailles et du bétail.

coccinelle [kɔksi-] nf Petit coléoptère à élytres orangés ou rouges tachetés de noir. Syn. bête à bon Dieu.

coccyx [kɔksis] nm Os situé à l'extrémité du sacrum.

1. coche nm Grande voiture qui servait au transport des voyageurs, avant les diligences.

2. coche nf Entaille, marque.

cochenille nf Insecte parasite des végétaux.

1. cocher nm Conducteur d'une voiture à cheval. Le cocher d'une diligence.

2. cocher vt Marquer d'une coche.

cochère af Loc Porte cochère : par laquelle une voiture peut passer.

cochlée [-kle] nf Limaçon de l'oreille interne.

1. cochon nm Animal domestique omnivore, élevé pour sa chair. Syn. porc. Loc Cochon de lait : cochon encore à la mamelle. Cochon d'Inde : cobaye. fam Tête de cochon : caractère têtu, mauvais caractère. fam Tour de cochon : méchanceté.

2. cochon, onne n fam 1 Personne malpropre. 2 Personne indélicate, malfaisante. ■ a fam Licencieux, pornographique. Un film cochon.

cochonnaille nf fam Charcuterie.

cochonner vt fam Faire qqch salement.

cochonnerie nf fam 1 Action, parole obscène. 2 Chose qui ne vaut rien ; saleté.

cochonnet nm 1 Jeune cochon. 2 Petite boule servant de but au jeu de boules.

cocker [-kɛr] nm Chien d'arrêt à poil long et à grandes oreilles tombantes.

cockpit [-pit] nm 1 Creux à l'arrière d'un bateau de plaisance. 2 Poste de pilotage d'un avion.

cocktail [-tɛl] nm 1 Boisson alcoolisée résultant d'un mélange. 2 Mélange quelconque. Un cocktail d'humour et de tendresse. 3 Réunion mondaine avec buffet. Loc Cocktail Molotov : bouteille remplie d'un liquide explosif. MÉD Cocktail lytique : mélange médicamenteux supprimant les réactions de l'organisme.

coco nm 1 Fruit comestible du cocotier appelé aussi noix de coco. 2 Œuf (langage enfantin). 3 Terme d'affection. 4 fam, péjor Individu.

cocon nm Enveloppe soyeuse que filent un grand nombre de chenilles, dont le ver à soie.

cocorico nm Cri du coq.

cocoter vi pop Sentir mauvais.

cocotier nm Palmier des régions tropicales.

cocotte nf 1 Poule (langage enfantin). 2 vx Femme de mœurs légères. 3 Terme affectueux à l'adresse d'une femme. 4 Marmite en fonte de hauteur réduite, avec un couvercle.

cocotte-minute nf (n. déposé) Autocuiseur. Des cocottes-minute.

cocu, ue a, n fam Qui est trompé par son conjoint.

cocufier vt fam Faire cocu, tromper.

codage nm Fait de coder.

code nm 1 Recueil de lois, de règlements. Code pénal. Code de la route. 2 Système conventionnel de signes ou de signaux. 3 Ce qui est prescrit. Code de l'honneur. 4 Feux de croisement d'une automobile. Loc Code postal : code permettant le tri automatique du courrier. Code barres : code inscrit sur l'emballage d'un produit, permettant son identification informatique.

codéine nf Dérivé de la morphine.

coder vt Transcrire à l'aide d'un code secret.

codétenu, ue n Détenu avec d'autres personnes.

codex nm Syn. anc. de pharmacopée.

codicille [-sil] nm DR Addition à un testament pour le modifier ou l'annuler.

codificateur, trice a, n Qui codifie.

codification nf Action de codifier.

codifier vt 1 Réunir en un code. 2 Soumettre à des règles.

codirecteur, trice n Chargé d'une codirection.

codirection nf Direction exercée simultanément avec d'autres.

coéditer vt Effectuer une coédition.

coéditeur, trice n Qui édite un ouvrage avec un autre.

coédition nf Édition d'un ouvrage par des éditeurs associés.

coefficient nm 1 Nombre qui multiplie une quantité. 2 Dans les examens, nombre par lequel on multiplie la note attribuée dans une matière. 3 Pourcentage non déterminé.

cœlacanthe [se-] nm Poisson resté à un stade très ancien d'évolution.

cœlentéré [se-] nm ZOOL Animal à poche digestive en cul-de-sac (actinie, méduse, etc.).

cœlioscopie [se-] nf Endoscopie pratiquée dans l'abdomen.

coenzyme nf BIOL Partie non protéique d'une enzyme.

coépouse nf Chacune des femmes d'un polygame.

coéquipier, ère n Qui fait partie de la même équipe que d'autres.

coercitif, ive a Qui contraint.

coercition nf Action de contraindre.

cœur nm 1 Organe musculaire creux contenu dans la poitrine, agent principal de la circulation du sang. 2 Poitrine. *Presser qqn sur son cœur.* 3 Siège des émotions, des sentiments : ardeur, courage, amour, amitié, bonté, pitié. 4 Partie centrale. *Cœur de laitue. Au cœur de l'été.* 5 Une des couleurs rouges des jeux de cartes. Loc *Avoir mal au cœur :* avoir la nausée. fam *Faire mal au cœur :* chagriner, peiner. *Avoir le cœur gros :* avoir du chagrin. *S'en donner à cœur joie :* prendre beaucoup de plaisir. *Parler à cœur ouvert :* parler très sincèrement. fam *En avoir le cœur net :* se délivrer de ses doutes. *Par cœur :* de mémoire, très fidèlement. *De bon cœur :* très volontiers.

cœur-de-pigeon nm Cerise à chair ferme. *Des cœurs-de-pigeon.*

coexistence nf Fait de coexister.

coexister vi Exister ensemble, simultanément.

cofacteur nm Facteur agissant avec d'autres.

coffrage nm 1 Moule en bois ou en métal, dans lequel est mis en place le béton frais. 2 Charpente maintenant la terre d'une tranchée, etc. 3 Habillage d'un appareil, d'un conduit, etc.

coffre nm 1 Meuble de rangement en forme de caisse, muni d'un couvercle. 2 Partie d'une voiture réservée aux bagages. 3 Syn. de *coffre-fort.* 4 fam Cage thoracique ; puissance vocale.

coffre-fort nm Armoire blindée à serrure spéciale, destinée à enfermer des objets précieux. *Des coffres-forts.*

coffrer vt 1 fam Emprisonner. 2 Mouler au moyen d'un coffrage.

coffret nm 1 Petit coffre orné. 2 Emballage cartonné de livres, de disques, etc.

cofondateur, trice n Personne qui fonde qqch avec d'autres.

cogérance nf Gérance exercée à plusieurs.

cogérant, ante n Qui exerce une cogérance.

cogestion nf 1 Gestion, administration en commun. 2 Système de participation des travailleurs à la gestion de leur entreprise.

cogitation nf fam Méditation, réflexion.

cogiter vi fam Penser, réfléchir.

cognac nm Eau-de-vie de vin réputée, fabriquée dans la région de Cognac.

cognassier nm Arbre fruitier qui produit le coing.

cognée nf Forte hache. Loc *Jeter le manche après la cognée :* tout abandonner par découragement.

cogner vi, vt Frapper fort à coups répétés. ■ vpr Se heurter.

cogniticien, enne n Spécialiste d'intelligence artificielle.

cognitif, ive a didac De la connaissance. Loc *Sciences cognitives :* qui étudient l'intelligence (humaine, animale, artificielle).

cohabitation nf 1 État de personnes qui habitent ensemble. 2 Coexistence d'un chef de l'État et d'un Premier ministre de tendances politiques différentes.

cohabiter vi Habiter, vivre ensemble.

cohérence nf Rapport logique entre des idées, des propos.

cohérent, ente a Dont les parties sont liées entre elles.

cohéritier, ère n Associé à d'autres dans un héritage.

cohésion nf Union intime des parties d'un ensemble.

cohorte nf 1 ANTIQ Corps d'infanterie romaine. 2 Troupe nombreuse.

cohue nf Foule tumultueuse.

coi, coite a litt Silencieux, tranquille.

coiffe nf Coiffure féminine régionale.

coiffer vt 1 Couvrir la tête d'une coiffure. 2 Arranger les cheveux. 3 Réunir sous son autorité, contrôler. *Coiffer un service.*

coiffeur, euse n Qui fait le métier de couper, d'arranger les cheveux. ■ nf Table de toilette munie d'un miroir.

coiffure nf 1 Ce qui couvre ou orne la tête. 2 Action, manière de disposer les cheveux.

coin nm 1 Angle saillant ou rentrant. 2 Parcelle. *Un coin de terre.* 3 Endroit retiré, non exposé à la vue. 4 Pièce qui présente une extrémité en biseau et qui sert à fendre, à caler, etc. 5 Pièce d'acier gravée en creux servant à frapper les monnaies. Loc *Coin du feu :* endroit proche de la cheminée, près du feu. *Coins de la bouche, de l'œil :* les commissures. *Coin d'un bois :* endroit isolé. *Regarder du coin de l'œil :* à la dérobée. fam *En boucher un coin à qqn :* le laisser stupéfait. fam *Le petit coin :* les W.-C.

coincement nm État d'une pièce coincée.

coincer vt [10] 1 Fixer, serrer, empêcher de bouger. 2 Acculer, immobiliser. 3 Mettre dans l'embarras en questionnant.

coinceur nm Dispositif d'assurage utilisé par les alpinistes.

coïncidence nf 1 État de ce qui coïncide. 2 Concours de circonstances.

coïncident, ente a Qui coïncide.

coïncider vi 1 MATH Se superposer point à point. 2 Se produire en même temps, correspondre exactement. *Leurs goûts coïncident.*

coïnculpé, ée n Inculpé avec un ou plusieurs autres.

coing [kwɛ̃] nm Fruit jaune du cognassier, en forme de poire, au goût âpre.

coït [kɔit] nm Union sexuelle, accouplement.

1. coke nm Combustible résultant de la distillation de la houille.

2. coke nf fam Cocaïne.

cokéfaction nf Transformation de la houille en coke.

cokerie nf Usine de coke.

col nm 1 Partie rétrécie. *Le col d'une bouteille.* 2 Partie d'un vêtement qui entoure le cou. 3 Dépression dans un relief faisant communiquer deux versants. Loc *Col blanc :* employé de bureau. *Faux col :* col amovible.

cola. V. kola.

colchique nm Plante vénéneuse des prés aux fleurs en cornet.

coléoptère nm ZOOL Insecte ayant une paire d'ailes rigides (élytres) recouvrant des ailes membraneuses (hanneton, scarabée, etc.).

colère *nf* Réaction violente due à un profond mécontentement.

coléreux, euse *a, n* Prompt à la colère. **Var colérique**

colibacille *nm* Bacille qui peut provoquer des infections urinaires et intestinales.

colibacillose *nf* Infection due au colibacille.

colibri *nm* Très petit oiseau aux couleurs vives et au long bec. Syn. oiseau-mouche.

colifichet *nm* Petit objet, petit ornement sans grande valeur.

coliforme *nm* Bacille d'origine fécale responsable de la pollution des eaux.

colimaçon, *nm* Escargot. **Loc** *En colimaçon :* en spirale, en hélice.

colin *nm* Poisson marin estimé.

colin-maillard *nm* Jeu où l'un des joueurs, les yeux bandés, cherche à attraper les autres.

colinot *nm* Petit colin. **Var colineau**

colique *nf* 1 MED Violente douleur abdominale. 2 fam Diarrhée. ■ *a* Du côlon.

colis *nm* Objet emballé expédié par un moyen de transport public ou privé.

colistier, ère *n* Candidat inscrit sur la même liste que d'autres.

colite *nf* Inflammation du côlon.

collaborateur, trice *n* Personne qui partage la tâche de qqn d'autre.

collaboration *nf* Action de collaborer, participation à une tâche.

collaborer *vi* Travailler en commun à un ouvrage.

collage *nm* 1 Action de coller. 2 Œuvre d'art réalisée en collant sur la surface peinte divers matériaux.

collagène *nm* BIOL Protéine fibreuse, constituant essentiel du tissu conjonctif.

collagénose *nf* MED Affection du collagène.

collant, ante *a* 1 Qui colle, qui adhère. 2 Qui moule, dessine les formes (vêtements). 3 fam Qui importune, dont on ne peut pas se débarrasser. ■ *nm* Maillot moulant ; sous-vêtement très ajusté, couvrant le bas du corps des pieds à la taille. ■ *nf* fam Convocation à un examen.

collapsus [-psys] *nm* Violent malaise dû généralement à une brusque défaillance cardiaque.

collatéral, ale, aux *a, n* Se dit de la parenté hors de la ligne directe.

collation *nf* Repas léger.

collationner *vt* Vérifier, comparer entre eux des textes. ■ *vi* Prendre un repas léger.

colle *nf* 1 Matière utilisée pour faire adhérer deux surfaces. 2 fam Question difficile, délicate. 3 fam Punition, retenue.

collecte *nf* Action de recueillir des dons.

collecter *vt* Faire une collecte.

collecteur, trice *n* Qui recueille de l'argent, des dons. ■ *a* Qui recueille. *Égout collecteur.*

collectif, ive *a* Qui réunit, qui concerne simultanément plusieurs personnes, plusieurs choses. ■ *nm* 1 Groupe de personnes qui agissent en commun. 2 Ensemble des crédits supplémentaires demandés par le gouvernement. 3 Esprit d'équipe, capacité à vivre en collectivité.

collection *nf* 1 Réunion d'objets de même nature. 2 Série d'ouvrages de même genre. 3 Série de modèles de couture. 4 MED Amas de pus, de sang dans une cavité.

collectionner *vt* 1 Réunir en collection. 2 Accumuler. *Collectionner les erreurs.*

collectionneur, euse *n* Personne qui fait une collection.

collectionnite *nf* fam Manie du collectionneur.

collectivement *av* De façon collective.

collectivisation *nf* Attribution des moyens de production à la collectivité.

collectiviser *vt* Opérer la collectivisation de.

collectivisme *nm* Doctrine qui réserve la propriété des moyens de production à la collectivité.

collectiviste *a, n* Qui relève du collectivisme.

collectivité *nf* Ensemble d'individus ayant entre eux des rapports organisés.

collège *nm* 1 Établissement d'enseignement secondaire du premier cycle. 2 Groupe déterminé de personnes. *Collège électoral.*

collégial, ale, aux *a* Fait, assuré par un collège, en commun. *Direction collégiale.* ■ *nf* Église ayant eu ou ayant eu un chapitre de chanoines.

collégialité *nf* Organisation collégiale du pouvoir.

collégien, enne *n* Élève d'un collège.

collègue *n* Qui remplit la même fonction qu'un autre ou une fonction analogue.

coller *vt* 1 Assembler, fixer avec de la colle. *Coller une affiche.* 2 Appliquer, mettre contre. *Coller son visage à la vitre.* 3 fam Poser à qqn une question à laquelle il ne peut répondre. 4 fam Refuser à un examen. 5 fam Punir d'une retenue. ■ *vi* 1 Adhérer. 2 S'ajuster exactement, convenir.

collerette *nf* 1 Garniture plissée d'une encolure. 2 Bord rabattu d'une tuyauterie.

collet *nm* 1 Pèlerine qui s'arrête au milieu du dos. 2 Lacet pour piéger le gibier. 3 Partie de la dent entre la couronne et la racine. **Loc** *Collet monté :* prude, guindé. *Saisir qqn au collet :* le saisir à la gorge ; l'arrêter.

colleter (se) *vpr* [17] ou [19] 1 Se prendre au collet pour se battre. 2 Se débattre avec des difficultés.

colleur, euse *n* Qui colle.

colley *nm* Chien de berger écossais.

collier *nm* 1 Bijou, ornement de cou. 2 Barbe courte qui, partant des tempes, garnit le menton. 3 Lanière ou armature dont on entoure le cou des animaux pour les retenir, les atteler, etc. 4 Pièce métallique de fixation. **Loc** *Être franc du collier :* agir franchement. *Coup de collier :* effort particulier.

collimateur *nm* Appareil d'optique de visée. **Loc** fam *Avoir qqn dans le collimateur :* le surveiller en étant prêt à l'attaquer.

colline *nf* Relief de faible hauteur, à sommet arrondi.

collision *nf* Choc de deux corps.

colloïdal, ale, aux *a* Qui a les caractères d'un colloïde.

colloïde *nm* Substance qui, dissoute dans un solvant, forme des particules très fines.

colloque *nm* Entretien, conférence, débat entre plusieurs spécialistes.

collusion *nf* Entente secrète pour tromper un tiers, lui causer préjudice.

collutoire *nm* Médicament liquide destiné à la cavité buccale.

collyre *nm* Médicament que l'on applique sur la conjonctive.

colmatage nm Action de colmater.

colmater vt Combler, boucher.

colobe nm Grand singe arboricole africain, à belle fourrure.

colocataire n Locataire avec d'autres dans une même maison.

cologarithme nm Logarithme de l'inverse du nombre considéré.

colombage nm Charpente verticale garnie de plâtre, de torchis, etc., utilisée autrefois pour les murs.

colombe nf Pigeon blanc.

colombien, enne a, n De Colombie.

colombier nm Pigeonnier.

colombophile n, a Qui élève des pigeons voyageurs.

colombophilie nf Élevage des pigeons voyageurs.

colon nm 1 Qui habite, exploite une colonie. 2 Enfant d'une colonie de vacances.

colón [-lɔn] nm Unité monétaire du Costa Rica et du Salvador.

côlon nm ANAT Gros intestin.

colonel nm Officier supérieur dont le grade vient au-dessous de celui de général de brigade.

colonial, ale, aux a Relatif aux colonies. ■ n Habitant ou originaire des colonies.

colonialisme nm Politique d'exploitation des colonies.

colonialiste a, n Qui relève du colonialisme.

colonie nf 1 Territoire étranger à la nation qui l'administre et l'entretient dans un rapport de dépendance. 2 Ensemble de personnes appartenant à une même nation et résidant à l'étranger. 3 Rassemblement d'animaux, généralement d'une même espèce. Loc *Colonie de vacances :* groupe d'enfants conduit à la campagne ou à la mer, sous la surveillance de moniteurs.

colonisateur, trice a, n Qui colonise.

colonisation nf Action de coloniser.

colonisé, ée a, n Qui subit la domination d'une puissance colonisatrice.

coloniser vt 1 Transformer en colonie par invasion. 2 Peupler de colons.

colonnade nf Alignement de colonnes.

colonne nf 1 Support vertical de forme cylindrique. 2 Monument commémoratif en forme de colonne. 3 Chacune des divisions verticales des pages d'un livre, d'un journal. 4 Suite d'individus, de véhicules les uns derrière les autres. Loc *Colonne vertébrale :* ensemble des vertèbres, articulées en un axe osseux ; rachis. *Colonne montante :* canalisation alimentant les différents niveaux d'un bâtiment.

colonnette nf Petite colonne.

colopathie nf Affection du côlon.

colophane nf Résine solide.

coloquinte nf Cucurbitacée grimpante qui donne un fruit jaune et dur.

colorant a, nm Substance utilisée pour colorer.

coloration nf Action de colorer ; état de ce qui est coloré.

coloré, ée a Qui a une couleur et, partic., des couleurs vives ; brillant.

colorer vt Donner une couleur, de la couleur à.

coloriage nm 1 Action de colorier. 2 Image à colorier.

colorier vt Appliquer des couleurs sur une estampe, un dessin, etc.

colorimétrie nf CHIM Analyse fondée sur l'absorption de la lumière par une substance.

coloris nm 1 Nuance résultant du mélange des couleurs. 2 Coloration, éclat naturel.

coloriste n Peintre qui excelle dans l'emploi des couleurs.

colossal, ale, aux a De grandeur exceptionnelle, gigantesque.

colosse nm Homme de haute stature, très robuste.

colostomie nf CHIR Anus artificiel par aboutement du côlon à la peau.

colportage nm Action de colporter.

colporter vt 1 Présenter des marchandises comme colporteur. 2 Répandre une nouvelle, une rumeur, etc.

colporteur, euse n 1 Marchand ambulant qui transporte ses marchandises avec lui et va les présenter à domicile pour les vendre. 2 Qui propage des nouvelles, etc.

colposcopie nf MED Examen du col de l'utérus.

colt nm Pistolet à chargement automatique.

coltiner vt Porter sur le cou, les épaules un fardeau pesant. ■ vpr fam Faire une chose pénible.

columbarium [-lɔbarjɔm] nm Édifice qui reçoit les urnes cinéraires.

colvert nm Canard sauvage à la tête verte.

colza nm Plante oléagineuse à fleurs jaunes.

coma nm État morbide caractérisé par la perte de la conscience, de la sensibilité, de la motricité. Loc *Coma dépassé :* irréversible.

comateux, euse a, n Qui relève du coma ; qui est dans le coma.

combat nm 1 Action de personnes, d'animaux qui combattent. 2 Lutte, opposition à qqch.

combattant, ante n, a Se dit d'une personne qui prend part à un combat.

combatif, ive a Porté à la lutte ; agressif. Var **combatif, ive**

combattivité nf Ardeur au combat. Var **combativité**

combattre vt, vi [77] 1 Attaquer qqn ou se défendre contre lui. 2 Lutter contre qqch de mauvais, de dangereux. *Combattre un incendie.*

combe nf GEOGR Dépression allongée dans une région plissée.

combien av À quel point, à quel degré. *Il m'a dit combien il vous estime.* Loc *Combien de :* quelle quantité, quel nombre de. *Ô combien ! :* beaucoup (en incise). ■ nm Loc abusiv *Le combien ? :* interroge sur le quantième du mois.

combientième a, n fam De quel rang ?

combinaison nf 1 Assemblage de plusieurs choses dans un certain ordre. 2 CHIM Formation d'un composé à partir de plusieurs corps. 3 Mesures, calculs faits pour réussir. 4 Sous-vêtement féminin, en tissu léger. 5 Vêtement de travail, de sport, etc., réunissant pantalon et veste en une seule pièce. 6 Ensemble de chiffres ou de lettres à composer pour faire jouer un système de fermeture (cadenas, serrure, etc.).

combinard, arde a, n fam Qui utilise des combines.

combinatoire a Relatif aux combinaisons. Loc MATH *Analyse combinatoire :* analyse des différentes manières dont les éléments d'un ensemble sont combinés. ■ nf 1 Combinaison d'éléments qui interagissent entre eux. **2** MATH Analyse combinatoire.

combine nf fam Moyen détourné, tricherie adroite pour arriver à ses fins.

combiné nm **1** Partie d'un appareil téléphonique comprenant l'écouteur et le microphone. **2** Compétition regroupant plusieurs disciplines.

combiner vt **1** Arranger plusieurs choses d'une manière déterminée. **2** Calculer, préparer, organiser.

comblanchien nm Calcaire très dur utilisé pour les revêtements.

1. comble nm Le maximum, le degré le plus élevé. Loc *De fond en comble* : entièrement, du haut en bas. ■ *pl* Partie d'un édifice se trouvant directement sous la toiture.

2. comble a Rempli au maximum. *Salle comble.* Loc *La mesure est comble* : en voilà assez.

comblement nm Action de combler.

combler vt **1** Remplir un vide, un trou, un creux. *Combler un puits.* **2** Satisfaire pleinement. **3** Gratifier en abondance de. *Combler qqn de bienfaits.*

comburant, ante nm, a CHIM Substance capable d'entretenir la combustion d'un corps.

combustible a Qui peut brûler. ■ nm Substance qui peut entrer en combustion et produire de la chaleur. Loc *Combustible nucléaire* : matière susceptible de fournir de l'énergie par fission ou fusion.

combustion nf Le fait de brûler.

come-back nm inv Réapparition d'une vedette ou d'une personnalité après une période de retrait.

comédie nf **1** Pièce de théâtre ou film qui fait rire, qui distrait agréablement. **2** Caprice, feinte, mensonge. **3** Complication, embarras. *Quelle comédie !*

comédien, enne n Acteur de théâtre ou de cinéma. ■ n, a Enclin à feindre, hypocrite.

comédon nm Point noir de sébum à la surface de la peau.

comestible a Qui convient à la nourriture de l'homme. ■ *pl* Produits alimentaires.

comète nf Corps céleste suivi d'une traînée lumineuse.

comices nmpl Loc *Comices agricoles* : assemblée de cultivateurs, de propriétaires ruraux pour améliorer la production.

comics [-miks] nmpl Bandes dessinées.

coming-out [kɔmiŋaut] nm inv Action de dévoiler un fait jusque-là tenu secret.

comique a **1** Qui appartient à la comédie. **2** Qui fait rire, drôle. ■ nm **1** Acteur ou auteur de comédies. **2** Ce qui fait rire.

comité nm Groupe restreint de personnes chargées d'examiner certaines affaires, de donner un avis. Loc *En petit comité* : dans l'intimité.

comitial, ale, aux [-sjal] a De l'épilepsie.

commandant nm **1** Officier situé immédiatement au-dessus du capitaine. **2** Officier qui commande un bâtiment de guerre ou un navire de commerce. Loc *Commandant de bord* : pilote chef de l'équipage d'un avion.

commande nf **1** Demande de marchandise ou de travail à fournir. **2** La marchandise commandée. **3** Mécanisme qui permet la mise en marche, l'arrêt ou la manœuvre d'un organe. Loc *De commande* : affecté, feint, simulé.

commandement nm **1** Action de commander. **2** Ordre, injonction. **3** Autorité, pouvoir de celui qui commande.

commander vt, vti **1** User de son autorité en indiquant à autrui ce qu'il doit faire. **2** Être le chef. ■ vt **1** Appeler, exiger. *La situation commande la prudence.* **2** Faire une commande de. **3** Dominer, en parlant d'un lieu. **4** Faire marcher, faire fonctionner. ■ vpr S'ouvrir l'une sur l'autre, en parlant des pièces d'un appartement.

commandeur nm Dans l'ordre de la Légion d'honneur, grade au-dessus de celui d'officier.

commanditaire nm **1** Bailleur de fonds dans une société en commandite. **2** Sponsor.

commandite nf **1** Forme de société dans laquelle certains associés (bailleurs de fonds) ne prennent pas part à la gestion. **2** Fonds versés par chaque associé. **3** Sponsoring.

commanditer vt **1** Verser des fonds dans une société en commandite. **2** Financer.

commando nm Groupe de combat chargé d'exécuter une opération rapidement et par surprise.

comme av Marque la quantité, la manière. *Comme c'est beau !* ■ conj **1** Indique la cause, le temps. **2** Indique la manière, la comparaison, la qualité ; de même que, ainsi que, en tant que. Loc *Comme tout* : extrêmement. *Comme quoi* : ce qui montre que.

commedia dell'arte [kɔmedjadɛlarte] nf inv Comédie jouée par des acteurs qui improvisent le dialogue sur un scénario donné.

commémoratif, ive a Qui commémore.

commémoration nf Cérémonie à la mémoire de qqn ou d'un évènement.

commémorer vt Rappeler le souvenir de qqn, d'un évènement.

commençant, ante n Débutant dans une discipline.

commencement nm Premier moment dans l'existence d'une chose ; début, origine.

commencer vi [10] Débuter. *Le film a commencé.* ■ vt **1** Faire le commencement, la première partie de qqch. *Commencer un ouvrage.* **2** Être au début de. ■ vti **1** Se mettre à. *Commencer à (ou de) travailler.* **2** Faire qqch en premier lieu. *Commencer par la conclusion.*

commensal, ale, aux n, a **1** litt Qui mange à la même table que d'autres. **2** BIOL Être vivant qui vit et se nourrit auprès d'autres sans leur nuire.

comment av Indique la manière ; de quelle façon. ■ nm Loc *Le pourquoi et le comment d'une chose* : ses causes et la manière dont elle s'est produite. ■ interj Exprime la surprise, l'indignation, etc.

commentaire nm **1** Remarques faites pour faciliter la compréhension d'un texte. **2** Observation, remarque sur un évènement, une situation.

commentateur, trice n Auteur de commentaires.

commenter vt **1** Expliquer un texte par des remarques. **2** Éclairer par des commentaires.

commérage nm fam Racontar, cancan.

commerçant, ante n Qui fait du commerce. ■ a Où se trouvent de nombreux commerces. *Une rue commerçante.*

commerce nm **1** Achat et vente de marchandises, de biens. **2** Boutique, magasin. *Tenir un commerce.* **3** litt Manière d'être en société ; relations humaines. *Il est d'un commerce agréable.* Loc *Commerce électronique* : secteur de l'économie fondé sur l'utilisation d'Internet. *Commerce équitable* : commerce entre pays développés et pays en développement, exercé dans des conditions propices au développement de ces derniers.

commercer *vi* [10] Faire du commerce.

commercial, ale, aux *a* 1 Relatif au commerce. 2 Réalisé dans le seul but lucratif. ■ *n* Personne qui travaille dans le secteur commercial d'une entreprise.

commercialement *av* Du point de vue du commerce.

commercialisation *nf* Action de commercialiser.

commercialiser *vt* Mettre qqch sur le marché.

commère *nf* Femme curieuse et cancanière.

commettre *vt* [64] 1 Accomplir un acte répréhensible. 2 Préposer qqn à, charger qqn de. ■ *vpr* Se compromettre, s'exposer.

comminatoire *a* Qui exprime une menace.

commis *nm* Employé subalterne. Loc *Grand commis de l'État* : haut fonctionnaire.

commisération *nf* Compassion.

commissaire *nm* 1 Personne remplissant des fonctions généralement temporaires. 2 Membre d'une commission. Loc *Commissaire de police* : fonctionnaire chargé, dans les villes, du maintien de l'ordre et de la sécurité.

commissaire-priseur *nm* Officier ministériel chargé des ventes publiques. *Des commissaires-priseurs.*

commissariat *nm* Bureaux, services d'un commissaire.

commission *nf* 1 Somme rémunérant l'activité d'un intermédiaire. 2 Message, objet confié à une personne chargée de la transmettre. 3 Réunion de personnes chargées du contrôle ou du règlement de certaines affaires. ■ *pl* Achat des produits ménagers courants.

commissionnaire *n* 1 Qui fait des opérations commerciales pour le compte d'autrui. 2 Chargé d'une commission.

commissionner *vt* Charger qqn d'acheter ou de vendre des marchandises.

commissure *nf* Point de jonction des parties d'un organe. *La commissure des lèvres.*

commode *a* 1 Pratique, qui répond à l'usage qu'on veut en faire. 2 Qui a un caractère agréable ; facile à vivre. ■ *nf* Meuble de rangement à hauteur d'appui, pourvu de larges tiroirs.

commodément *av* De façon commode.

commodité *nf* Qualité de ce qui est commode. ■ *pl* Facilités offertes par qqch.

commotion *nf* Choc nerveux ou émotionnel brutal.

commotionner *vt* Frapper d'une commotion.

commuer *vt* DR Transformer une peine en une peine moindre.

commun, une *a* 1 Qui est partagé par plusieurs personnes, par plusieurs choses. 2 Répandu, général. 3 Qui manque de distinction. Loc *Nom commun* : celui des êtres ou des choses d'une même catégorie. *Droit commun* : ensemble de normes juridiques applicables sur un territoire donné. *En commun* : tous ensemble. ■ *nm* L'ensemble, la majorité du groupe considéré. *Le commun des mortels.* ■ *pl* Bâtiments réservés au service dans une grande propriété.

communal, ale, aux *a* De la commune. ■ *nf* École primaire.

communard, arde *n, a* Partisan de la Commune de Paris en 1871.

communautaire *a* D'une communauté, en partic. de la Communauté européenne.

communautarisme *nm* Tendance à privilégier la place des communautés (ethniques, religieuses) dans l'organisation sociale.

communauté *nf* 1 Caractère de ce qui est commun à plusieurs personnes. 2 Groupe de personnes vivant ensemble et partageant des intérêts, une culture, ou un idéal commun. 3 DR Régime matrimonial dans lequel les époux mettent en commun tout ou partie de leurs biens.

commune *nf* La plus petite division administrative de France, dirigée par un maire.

communément *av* Suivant l'usage le plus courant.

communiant, ante *n* Personne qui reçoit l'eucharistie.

communicable *a* Qui peut être communiqué.

communicant, ante *a, n* Qui communique.

communicateur, trice *n* Personne qui est habile à communiquer par le canal des médias.

communicatif, ive *a* 1 Qui se communique facilement. 2 Qui se confie facilement.

communication *nf* 1 Action de communiquer. 2 Avis, information. 3 Moyen de liaison entre deux points. *Porte de communication.* 4 Conversation téléphonique. 5 Diffusion d'informations par les médias.

communicationnel, elle *a* SOCIOL De la communication.

communier *vi* 1 Recevoir le sacrement de l'eucharistie. 2 Être en parfait accord d'idées, de sentiments.

communion *nf* 1 Union de personnes dans une même foi, dans les mêmes idées. 2 Réception du sacrement de l'eucharistie.

communiqué *nm* Avis transmis au public par la presse, la radio, etc.

communiquer *vt* 1 Transmettre. *Communiquer une réclamation.* 2 Faire partager. *Communiquer sa joie.* 3 Faire connaître, publier. ■ *vi* 1 Être en relation. *Communiquer par téléphone.* 2 Être en communication. *Le salon communique avec la chambre.* 3 Faire connaître dans le public grâce aux médias.

communisme *nm* Organisation sociale fondée sur l'abolition de la propriété privée des moyens de production.

communiste *a, n* Qui relève du communisme.

commutable *a* Qu'on peut commuter.

commutateur *nm* Appareil permettant de fermer ou d'ouvrir un circuit électrique.

commutation *nf* 1 Changement, substitution. 2 DR Fait de changer une peine en une peine moindre.

commuter *vt* didac Transférer, substituer des éléments.

comorien, enne *a, n* Des Comores.

compacité *nf* Caractère compact.

compact, acte *a* 1 Dont les parties sont fortement resserrées et forment une masse très dense. 2 Qui tient relativement peu de place. *Un appareil photo compact.* ■ *nm* 1 Appareil compact. 2 Disque compact.

compactage *nm* 1 Compression maximale de qqch (sol, ordures). 2 INFORM Réduction de la longueur des données.

compact-disque *nm* Disque audionumérique de 12 cm de diamètre. (Abrév. CD.) *Des compacts-disques.*

compacter *vt* Soumettre au compactage.

compagne *nf* Celle qui partage les activités, la vie de qqn.

compagnie *nf* 1 Fait d'être présent auprès de qqn. 2 Assemblée de personnes. 3 Association commerciale ou corporative. 4 Troupe théâtrale. 5 Unité d'infanterie commandée par un capitaine. 6 Bande d'animaux de même espèce vivant en colonie. Loc *fam Et compagnie :* et tous les autres ; et tout ce qui s'ensuit.

compagnon *nm* 1 Qui accompagne qqn. 2 Qui partage la vie de qqn. 3 Ouvrier qui travaille pour le compte d'un entrepreneur.

compagnonnage *nm* Association d'instruction professionnelle et de solidarité entre ouvriers de même métier.

comparable *a* Qui peut être comparé.

comparaison *nf* 1 Action de comparer. 2 Figure par laquelle on rapproche deux éléments en vue d'un effet stylistique. Loc *Degrés de comparaison :* positif, comparatif, superlatif d'un adjectif ou d'un adverbe. *En comparaison de :* par rapport à. *Sans comparaison :* incomparablement, incontestablement.

comparaître *vi* [55] Se présenter devant la justice, une autorité compétente. **Var comparaitre**

comparatif, ive *a* Qui sert à comparer ; qui exprime une comparaison. ■ *nm* GRAM Un des trois degrés de comparaison de l'adverbe ou de l'adjectif. *Comparatif d'égalité* (ex. : *aussi beau), d'infériorité* (ex. : *moins beau), de supériorité* (ex. : *plus beau).*

comparativement *av* Par comparaison.

comparer *vt* 1 Examiner les rapports entre des choses, des êtres en vue de dégager leurs différences et leurs ressemblances. 2 Présenter comme semblable, analogue.

comparse *n* Qui joue un rôle secondaire.

compartiment *nm* 1 Chacune des divisions pratiquées dans un espace, un meuble. 2 Partie d'une voiture de chemin de fer limitée par des cloisons.

compartimenter *vt* Diviser en compartiments, en espaces clos.

comparution *nf* Fait de comparaître devant un juge, un notaire.

compas *nm* 1 Instrument fait de deux branches reliées par une charnière, servant à tracer des cercles, à prendre certaines mesures. 2 Instrument de navigation indiquant le cap.

compassé, ée *a* D'une retenue, d'une régularité affectée.

compassion *nf* Sentiment de sympathie éprouvé pour les maux d'autrui.

compassionnel, elle *a* Inspiré par la compassion. *Traitement compassionnel.*

compatibilité *nf* Caractère compatible.

compatible *a* Susceptible de s'accorder.

compatir *vti* Éprouver de la compassion. *Compatir à la douleur de qqn.*

compatissant, ante *a* Qui a de la compassion.

compatriote *n* Qui est de la même patrie qu'un autre.

compensateur, trice *a* Qui apporte une compensation. **Var compensatoire**

compensation *nf* 1 Action de compenser. 2 Dédommagement qui compense une perte, un inconvénient.

compensé, ée *a* Loc *Semelle compensée :* semelle épaisse qui fait corps avec le talon.

compenser *vt* Rétablir un équilibre entre deux ou plusieurs éléments.

compère *nm fam* Camarade, complice.

compère-loriot *nm* 1 Loriot (oiseau). 2 Syn. de *orgelet. Des compères-loriots.*

compétence *nf* 1 Aptitude d'une autorité administrative ou judiciaire à procéder à certains actes dans des conditions déterminées par la loi. 2 Connaissance, expérience qu'une personne a acquise dans tel ou tel domaine.

compétent, ente *a* 1 Dont la compétence juridique est reconnue. 2 Qui a de la compétence dans un domaine.

compétiteur, trice *n* Personne qui est en compétition.

compétitif, ive *a* Capable de supporter la concurrence en matière économique.

compétition *nf* 1 Concurrence de personnes qui visent un même but. 2 SPORT Match, épreuve.

compétitivité *nf* Caractère compétitif.

compilateur, trice *n* Qui compile.

compilation *nf* 1 Action de compiler. 2 Recueil sans originalité, fait d'emprunts. 3 Sélection de succès musicaux.

compiler *vt* 1 Rassembler des extraits de divers auteurs pour composer un ouvrage. 2 INFORM Traduire un langage de programmation en un langage utilisable par l'ordinateur.

complainte *nf* Chanson populaire plaintive sur un sujet tragique.

complaire *vti* [68] *litt* Se comporter de façon à plaire à qqn. ■ *vpr* Se délecter, trouver du plaisir.

complaisamment *av* Par, avec complaisance.

complaisance *nf* 1 Disposition à se conformer aux goûts, à acquiescer aux désirs d'autrui. 2 *péjor* Contentement de soi. Loc *Attestation, certificat de complaisance :* établi en faveur de qqn qui n'y a pas droit.

complaisant, ante *a* 1 Prévenant, qui aime rendre service. 2 Qui a trop d'indulgence.

complanter *vt* AGRIC Planter d'espèces différentes.

complément *nm* 1 Ce qui s'ajoute ou doit être ajouté à une chose pour la compléter. 2 Mot ou groupe de mots relié à un autre afin d'en compléter le sens.

complémentaire *a* Qui sert à compléter. Loc *Arcs, angles complémentaires :* dont la somme égale 90 degrés. *Couleurs complémentaires :* dont le mélange donne du blanc.

complémentarité *nf* Caractère complémentaire.

complet, ète *a* 1 Auquel rien ne manque, qui contient tous les éléments nécessaires. 2 Qui ne peut contenir davantage. 3 À qui aucune qualité ne manque. *Un artiste complet.* Loc *Au (grand) complet :* dans son intégralité. *Pain complet :* auquel on a laissé le son. ■ *nm* Vêtement masculin en deux ou trois pièces de même tissu.

complètement *av* Tout à fait.

compléter *vt* [12] Rendre complet. ■ *vpr* Former un ensemble complet, un tout.

complétive *nf* GRAM Subordonnée sujet, complément d'objet ou attribut.

complexe *a* 1 Qui contient plusieurs éléments combinés, emmêlés. 2 Compliqué. *Situation com-*

plexe. ■ *nm* **1** Ensemble de sentiments, de souvenirs plus ou moins inconscients qui conditionnent le comportement. **2** Sentiment d'infériorité, manque de confiance en soi. **3** Ensemble d'industries semblables ou complémentaires groupées dans une région. **4** Ensemble d'édifices aménagés pour un usage déterminé.

complexé, ée *a, n* fam Affligé de complexes, timide.

complexer *vt* fam Provoquer des complexes chez qqn.

complexifier *vt* Rendre complexe, compliqué.

complexion *nf* litt Constitution physique de qqn.

complexité *nf* Caractère complexe.

complication *nf* **1** État de ce qui est compliqué. **2** Concours de faits, de circonstances susceptibles de perturber le bon fonctionnement de qqch. **3** MED Nouveau trouble lié à un état pathologique préexistant.

complice *n* Qui prend part à une action blâmable. ■ *a* Qui est de connivence.

complicité *nf* **1** Participation à la faute d'un autre. **2** Connivence.

compliment *nm* **1** Paroles de félicitations, obligeantes ou affectueuses. **2** Paroles de civilité.

complimenter *vt* Faire des compliments à.

compliqué, ée *a* **1** Difficile à analyser, à comprendre. **2** Qui manque de simplicité dans son comportement.

compliquer *vt* Rendre moins simple ; rendre difficile à comprendre.

complot *nm* Machination concertée entre plusieurs personnes.

comploter *vi* Préparer un complot.

comploteur, euse *n* Qui complote.

componction *nf* litt Gravité affectée.

comportement *nm* Manière d'agir, de se comporter. *Un comportement étrange.*

comportemental, ale, aux *a* PSYCHO Du comportement.

comporter *vt* Comprendre, contenir, se composer de. ■ *vpr* Se conduire, agir.

composant, ante *a* Qui entre dans la composition de. ■ *nm* Élément faisant partie de la composition de qqch. ■ *nf* Élément, facteur à prendre en compte.

composé, ée *a* Constitué de plusieurs éléments. Loc GRAM *Temps composé* : temps verbal comportant un auxiliaire. ■ *nm* Tout, ensemble formé de plusieurs parties. ■ *nf* BOT Plante à fleurs groupées en capitules.

composer *vt* **1** Former par assemblage de plusieurs éléments. **2** Entrer dans la composition d'un ensemble. **3** Produire une œuvre littéraire ou musicale. **4** litt Contrôler son expression, son comportement dans une intention déterminée. **5** Assembler des caractères qui formeront un texte destiné à être imprimé. ■ *vi* **1** Transiger, trouver un accord de compromis. **2** Faire une composition scolaire.

composite *a* Composé d'éléments très différents. ■ *nm* Matériau très résistant constitué de fibres.

compositeur, trice *n* **1** Qui écrit des œuvres musicales. **2** Qui compose un texte avec des caractères d'imprimerie.

composition *nf* **1** Action ou manière de composer ; résultat de cette action. **2** Assemblage de caractères d'imprimerie pour constituer un texte.

3 Art d'écrire la musique. **4** Rédaction, dissertation. **5** Épreuve scolaire en vue d'un classement. **6** litt Accommodement, acceptation d'un compromis. *Amener qqn à composition.* Loc *Être de bonne composition* : être très arrangeant.

compost *nm* Mélange de matières organiques et minérales, destiné à fertiliser le sol.

compostage *nm* **1** Action de marquer avec un composteur. **2** Préparation du compost.

composter *vt* **1** Marquer au composteur. **2** Transformer des déchets en compost.

composteur *nm* **1** Appareil automatique qui sert à perforer ou à dater, à numéroter un document, un billet. **2** Dispositif servant à obtenir du compost.

compote *nf* Fruits entiers ou en morceaux, cuits avec du sucre.

compotier *nm* Grande coupe pour les compotes, les entremets, les fruits.

compréhensible *a* Qui peut être compris.

compréhensif, ive *a* Qui comprend autrui ; tolérant, indulgent.

compréhension *nf* **1** Faculté de comprendre, aptitude à concevoir clairement. **2** Aptitude à admettre le point de vue d'autrui.

comprendre *vt* [70] **1** Contenir, renfermer en soi. **2** Faire entrer dans un tout, une catégorie. **3** Pénétrer, saisir le sens de. *Comprendre une question.* **4** Se représenter qqch, concevoir. **5** Admettre, se montrer tolérant pour.

comprenette *nf* fam Faculté de comprendre.

compresse *nf* Pièce de gaze utilisée pour nettoyer, panser une plaie, etc.

compresser *vt* Serrer, presser, comprimer.

compresseur *am* Qui comprime, sert à comprimer. ■ *nm* Appareil servant à comprimer un gaz.

compressible *a* Qui peut être comprimé, réduit.

compressif, ive *a* Qui sert à comprimer.

compression *nf* **1** Action de comprimer ; résultat de cette action. **2** Restriction, réduction.

comprimé, ée *a* Dont le volume est réduit sous l'effet de la pression. ■ *nm* Pastille de poudre de médicament comprimée.

comprimer *vt* **1** Presser un corps pour en diminuer le volume. **2** Empêcher qqch de se manifester. **3** Réduire. *Comprimer un budget.*

compris, ise *a* Contenu, inclus. *Service compris.* Loc *Y compris* : en incluant. *Non compris* : sans inclure.

compromettant, ante *a* Qui peut compromettre, nuire à la réputation.

compromettre *vt* [64] **1** Exposer à des difficultés, mettre en péril. **2** Nuire à l'honneur, à la réputation de. ■ *vpr* Faire un acte préjudiciable à sa propre réputation.

compromis *nm* **1** Accord dans lequel on se fait des concessions mutuelles. **2** État intermédiaire, moyen terme.

compromission *nf* Action par laquelle qqn se compromet.

compromissoire *a* DR D'un compromis. *Clause compromissoire.*

comptabiliser *vt* Inscrire dans une comptabilité ; prendre en compte.

comptabilité *nf* **1** Technique de l'établissement des comptes. **2** Ensemble des comptes ainsi établis. **3** Service, personnel qui établit les comptes.

comptable *a* **1** Responsable, tenu de se justifier. **2** Relatif à la comptabilité. *Pièce comptable.* ■ *n* Personne qui a la charge de tenir une comptabilité.

comptage *nm* Action de compter pour dénombrer.

comptant *am, nm* Loc *Argent comptant :* compté, débité sur-le-champ, en espèces. *Opérations au comptant :* suivies d'un paiement immédiat. ■ *av* Avec de l'argent comptant.

compte *nm* **1** Action de compter, d'évaluer ; résultat de cette action. **2** État des recettes et des dépenses, de ce que l'on doit et de ce qui est dû. **3** Ce qui est dû à qqn. Loc *Au bout du compte, en fin de compte, tout compte fait :* tout bien considéré. fam *Régler son compte à qqn :* le punir, le tuer, lui faire un mauvais parti. *Règlement de comptes :* vengeance, explication violente. *À bon compte :* à bon marché, à peu de frais. *Tenir compte de, faire entrer, mettre en ligne de compte :* prendre en considération. *Être à son compte :* travailler pour soi, de manière indépendante. *Sur le compte de :* au sujet de. *Demander des comptes :* exiger une justification. *Rendre compte de :* faire un rapport sur, expliquer. *Rendre des comptes :* se justifier, exposer ses raisons. *Se rendre compte, que :* comprendre.

compte-chèques *nm* Compte postal ou bancaire permettant d'utiliser des chèques. *Des comptes-chèques.* Var **compte chèques**

compte-fil *nm* Instrument comportant une loupe pour examiner de près qqch. *Des compte-fils.*

compte-goutte *nm* Petite pipette destinée à verser un liquide goutte à goutte. Loc *Au compte-goutte :* de façon parcimonieuse. *Des compte-gouttes.*

compter *vt* **1** Dénombrer, calculer le nombre, le montant de. **2** Comprendre, inclure dans un compte, un ensemble. **3** Comporter. **4** Estimer à un certain prix. **5** Calculer, mesurer parcimonieusement. **6** Se proposer de, avoir l'intention de. **7** Payer qqn. *Compter une somme à qqn.* ■ *vi* **1** Dénombrer, calculer. *Savoir lire et compter.* **2** Entrer en ligne de compte, être pris en considération. **3** Être important. ■ *vti* Tenir compte de qqch. *Compter avec la chance.* Loc *Compter sur :* avoir confiance en, s'appuyer sur. *À compter de :* à dater de, à partir de.

compte rendu *nm* Exposé d'un fait, d'un évènement, d'une œuvre. *Des comptes rendus.*

compte-tour *nm* Appareil qui compte le nombre de tours effectués pendant un temps donné. *Des compte-tours.*

compteur *nm* Appareil servant à mesurer différentes grandeurs (vitesse, distance parcourue, énergie consommée ou produite, etc.) pendant un temps donné.

comptine *nf* Court texte, chanté ou récité par des enfants, utilisé pour choisir le rôle des participants à un jeu.

comptoir *nm* **1** Table longue et étroite sur laquelle un commerçant étale sa marchandise, reçoit de l'argent, sert des consommations. **2** Établissement commercial installé à l'étranger.

compulser *vt* Examiner, consulter. *Compulser des documents.*

compulsion *nf* PSYCHO Force intérieure irrésistible.

comte *nm* Personne dotée d'un titre de noblesse intermédiaire entre marquis et vicomte.

comté *nm* **1** Terre qui donnait au possesseur le titre de comte. **2** Fromage de Franche-Comté, proche du gruyère.

comtesse *nf* **1** Femme qui possédait un comté. **2** Femme d'un comte.

con, conne *n, a* pop Stupide, idiot.

concasser *vt* Broyer, réduire en fragments relativement gros.

concaténation *nf* didac Enchaînement d'éléments entre eux.

concave *a* Qui présente une surface courbe en creux. *Miroir concave.*

concavité *nf* État de ce qui est concave ; cavité, creux.

concéder *vt* [12] **1** Accorder, octroyer comme une faveur. **2** Admettre, reconnaître que, qqch.

concélébrer *vt* [12] Célébrer un office avec un ou plusieurs autres ministres du culte.

concentration *nf* **1** Action de concentrer. **2** CHIM Grandeur caractérisant la richesse d'un mélange en un de ses constituants. **3** Fait de concentrer son esprit. Loc *Camp de concentration :* camp où l'on regroupe des prisonniers de guerre, des déportés, etc.

concentrationnaire *a* Relatif aux camps de concentration.

concentré, ée *a* **1** Que l'on a concentré. *Lait concentré.* **2** Dont l'esprit est tendu. ■ *nm* Substance concentrée.

concentrer *vt* **1** Réunir, faire converger en un point. **2** CHIM Augmenter la concentration de. **3** Appliquer sur un objet unique. ■ *vpr* Réfléchir intensément.

concentrique *a* Qui a le même centre de courbure.

concentriquement *av* De façon concentrique.

concept *nm* **1** PHILO Représentation mentale abstraite et générale. **2** Projet d'un nouveau produit industriel ou commercial.

concepteur, trice *n* Qui conçoit des projets de publicité.

conception *nf* **1** Acte par lequel un être vivant est produit par fécondation d'un ovule. **2** Action, façon de concevoir une idée ; création de l'imagination. Loc *Immaculée Conception :* dogme catholique selon lequel la Vierge Marie a été préservée du péché originel.

conceptuel, elle *a* Relatif aux concepts.

concernant *prép* Au sujet de.

concerner *vt* Intéresser, avoir rapport à.

concert *nm* **1** Exécution d'une œuvre musicale. **2** Ensemble de sons, de bruits. *Concert de louanges.* Loc *De concert :* d'un commun accord.

concertation *nf* Action de se concerter.

concerter *vt* litt Préparer en conférant avec une ou plusieurs personnes. *Concerter un dessein.* ■ *vpr* Préparer ensemble un projet, s'entendre pour agir.

concertina *nm* Petit accordéon hexagonal.

concertiste *n* Musicien qui se produit en concert.

concerto *nm* Œuvre pour un ou plusieurs instruments et orchestre.

concessif, ive *a* GRAM Qui marque l'idée de concession (ex. : *bien que, quoique,* etc.).

concession *nf* **1** Action d'accorder un droit, un privilège, un bien. **2** Chose concédée ; terrain loué ou vendu pour une sépulture. **3** Ce que l'on accorde à qqn dans un litige.

concessionnaire n 1 Qui a obtenu une concession. 2 Représentant exclusif d'une marque dans une région.

concevable a Qui peut se concevoir.

concevoir vt [43] 1 Devenir enceinte. 2 Former dans son esprit, créer. 3 Comprendre, avoir une idée de. 4 Éprouver. *Concevoir de la jalousie.*

conchyliculture [-ki-] nf Élevage des coquillages comestibles.

conchyliologie [-ki-] nf Étude des coquillages.

concierge n Personne qui a la garde d'un immeuble.

conciergerie nf Logement de concierge d'un bâtiment administratif.

concile nm Assemblée d'évêques et de théologiens sur des questions de dogme, de liturgie, de discipline.

conciliable a Qu'on peut concilier avec qqch d'autre.

conciliabule nm Conversation secrète.

conciliaire a Relatif à un concile.

conciliant, ante a Accommodant.

conciliateur, trice a, n Qui concilie. ■ nm DR Chargé de régler à l'amiable des conflits privés.

conciliation nf Action de concilier.

concilier vt Accorder ensemble des personnes divisées d'opinion, des choses contraires. ■ vpr Disposer favorablement, gagner à soi.

concis, ise a Qui s'exprime en peu de mots.

concision nf Qualité de ce qui est concis.

concitoyen, enne n Citoyen de la même ville, d'un même État.

conclave nm Assemblée de cardinaux réunis pour l'élection d'un pape.

concluant, ante a Qui apporte une preuve ; décisif. *Démonstration concluante.*

conclure vt [54] 1 Déterminer par un accord les conditions de. 2 Écrire, prononcer une conclusion. ■ vti Déduire après examen. *Conclure à la démence.*

conclusion nf 1 Action de conclure, accord final. 2 Solution finale, issue. *Toucher à sa conclusion.* 3 Fin d'un discours, péroraison. 4 Conséquence tirée d'un raisonnement.

concocter vt fam Préparer en pensée, remuer dans sa tête.

concombre nm Plante potagère dont le gros fruit oblong et aqueux est consommé surtout en salade.

concomitance nf Simultanéité.

concomitant, ante a Qui accompagne une chose, un fait.

concordance nf Fait de s'accorder, d'être en conformité avec une autre chose.

concordant, ante a Qui concorde.

concordat nm Accord entre le pape et un gouvernement à propos d'affaires religieuses.

concorde nf Union de cœurs, de volontés, bonne intelligence.

concorder vi Être en accord, en conformité.

concourir vti [25] Contribuer à produire un effet. ■ vi 1 GEOM Se rencontrer. 2 Être en compétition.

concours nm 1 Participation à une action. 2 Compétition sélectionnant les meilleurs candidats. Loc *Concours de circonstances :* coïncidence d'évènements.

concret, ète a 1 Qui exprime, désigne ce qui est perçu par les sens. 2 Qui est réel, matériel. 3 Qui a le sens des réalités.

concrètement av D'une manière concrète.

concrétion nf didac Agrégat de particules en un corps solide.

concrétisation nf Fait de concrétiser, de se concrétiser.

concrétiser vt Rendre concret, réel. ■ vpr Se réaliser, prendre corps.

concubin, ine a Qui vit en concubinage.

concubinage nm Situation de deux personnes vivant en couple sans être mariées.

concupiscence nf litt Vive inclination pour les plaisirs sensuels.

concupiscent, ente a litt Qui manifeste de la concupiscence.

concurremment [-ramā] av 1 En rivalité. 2 Conjointement, ensemble.

concurrence nf 1 Rivalité d'intérêts économiques. 2 Ensemble des concurrents. Loc *Jusqu'à concurrence de :* jusqu'à la limite de.

concurrencer vt [10] Faire concurrence à.

concurrent, ente a, n Qui fait concurrence à. *Des commerces concurrents. Évincer tous ses concurrents.* ■ n Qui participe à un concours, à une compétition sportive.

concurrentiel, elle a De la concurrence.

concussion nf Délit consistant à exiger des sommes non dues, dans l'exercice d'une fonction publique.

condamnable a Qui mérite d'être condamné.

condamnation nf 1 Décision d'une juridiction de sanctionner un coupable. 2 Blâme, critique.

condamné, ée a, n Qui s'est vu infliger une peine. ■ a 1 Dont la maladie est mortelle. 2 Obligé, astreint à.

condamner vt 1 Prononcer une peine contre. 2 Astreindre qqn à, réduire. *Son accident le condamne à l'immobilité.* 3 Blâmer, désapprouver. 4 Barrer un passage, supprimer une ouverture.

condensateur nm Appareil capable d'emmagasiner une charge électrique.

condensation nf Action de condenser, de se condenser.

condensé, ée a Réduit de volume par évaporation. *Lait condensé.* ■ nm Bref résumé.

condenser vt 1 Rendre plus dense, resserrer dans un moindre espace. 2 Faire passer de l'état gazeux à l'état liquide. 3 Exprimer avec concision. ■ vpr Passer de l'état gazeux à l'état liquide.

condescendance nf Attitude de bienveillance marquée de supériorité.

condescendant, ante a Marqué par la condescendance.

condescendre vi [71] Daigner. *Il a condescendu à me répondre.*

condiment nm Substance ajoutée à un aliment pour en relever le goût.

condisciple n Compagnon, compagne d'études.

condition nf 1 État, situation d'une personne, d'une chose. *La condition humaine.* 2 Rang social. 3 Ce dont qqch dépend. 4 Convention à la base d'un accord. Loc *À condition, sous condition :* avec certaines réserves. *À condition de, que :* si seulement, pourvu que. *Mettre en condition :* préparer physiquement ou psychologiquement. ■ *pl* Ensemble de circonstances qui déterminent une situation.

conditionné, ée *a* Soumis à des conditions. Loc *Air conditionné* : air d'une pièce, etc., maintenu dans les conditions voulues de température, d'hygrométrie.

conditionnel, elle *a* Subordonné à un fait incertain. ■ *nm* Mode verbal indiquant que l'action ou l'état dépend d'une condition.

conditionnement *nm* 1 Action de conditionner qqn, qqch. 2 Action d'emballer un produit pour le vendre ; l'emballage de ce produit.

conditionner *vt* 1 Mettre qqn en condition. 2 Procéder au conditionnement d'un produit. 3 Constituer la condition de.

condoléances *nfpl* Témoignage de sympathie à la douleur d'autrui.

condom *nm* Préservatif masculin.

condor *nm* Vautour des Andes.

condottière *nm* HIST Chef d'aventuriers italiens.

conducteur, trice *a* Qui conduit, guide. ■ *n* Qui est aux commandes d'un véhicule. ■ *nm* Corps qui transmet l'électricité, la chaleur.

conduction *nf* didac Transmission de l'électricité, de la chaleur, de l'influx nerveux.

conductivité *nf* PHYS Capacité à transmettre l'électricité.

conduire *vt* [67] 1 Mener, guider, transporter qq part. 2 Aboutir à. *Conduire à l'échec.* 3 Commander, être à la tête de. 4 Être aux commandes d'un véhicule. 5 PHYS Transmettre la chaleur, l'électricité. ■ *vpr* Se comporter.

conduit *nm* Canal, tuyau.

conduite *nf* 1 Action de conduire, de diriger. 2 Action de conduire un véhicule. 3 Manière de se comporter, d'agir. 4 Canalisation.

cône *nm* 1 GEOM Surface engendrée par une droite (la génératrice) passant par un point fixe (le sommet) et s'appuyant sur une courbe fixe (la directrice) ; volume déterminé par cette surface et un plan d'intersection. 2 BOT Fleur ou inflorescence de forme conique. *Cônes de pin.* 3 Mollusque gastéropode à coquille conique.

confection *nf* 1 Action de fabriquer, de préparer qqch. 2 Industrie des vêtements vendus tout faits.

confectionner *vt* Préparer, fabriquer.

confectionneur, euse *n* Qui fabrique des vêtements de confection.

confédéral, ale, aux *a* D'une confédération.

confédération *nf* 1 Association d'États dont, tout en conservant leur souveraineté, sont soumis à un pouvoir central. 2 Groupement d'associations, de fédérations, de syndicats, etc.

confédéré, ée *a, n* Réuni en confédération.

confer [-fɛʀ] Indication d'avoir à se reporter à un autre passage. (Abrév. : *cf.*)

conférence *nf* 1 Réunion où plusieurs personnes examinent ensemble une question. 2 Discours prononcé en public dans un but didactique. Loc *Conférence de presse* : où des journalistes interrogent une ou plusieurs personnalités.

conférencier, ère *n* Qui fait une conférence.

conférer *vt* [12] Accorder, donner. ■ *vi* Être en conversation, s'entretenir.

confesse *nf* Loc *Aller à confesse* : se confesser.

confesser *vt* 1 Déclarer ses péchés en confession. 2 Entendre en confession. 3 Avouer. ■ *vpr* Reconnaître ses péchés, ses fautes.

confesseur *nm* Prêtre qui entend qqn en confession.

confession *nf* 1 Aveu de ses péchés fait à un prêtre en vue de recevoir l'absolution. 2 Aveu, déclaration d'une faute. 3 Appartenance à une religion.

confessionnal, aux *nm* Lieu où le prêtre entend les confessions.

confessionnalisme *nm* Sentiment d'appartenance à une religion, primant le sentiment national.

confessionnel, elle *a* Relatif à la religion. Loc *École confessionnelle* : destinée aux élèves d'une religion déterminée.

confetti *nm* Petite rondelle de papier de couleur qu'on se lance par poignées pendant une fête.

confiance *nf* 1 Espérance ferme en une personne, une chose. 2 Assurance, hardiesse. Loc *Question de confiance* : demande faite à l'Assemblée nationale d'approuver la politique du gouvernement.

confiant, ante *a* Qui a confiance.

confidence *nf* Communication d'un secret personnel.

confident, ente *n* À qui on confie ses pensées intimes.

confidentialité *nf* Caractère confidentiel.

confidentiel, elle *a* Dit, écrit, fait en confidence, en secret.

confidentiellement *av* En confidence.

confier *vt* 1 Remettre qqch, qqn au soin de qqn d'autre. 2 Dire confidentiellement. ■ *vpr* Faire des confidences.

configuration *nf* Forme extérieure, disposition d'ensemble.

confiné, ée *a* Loc *Air confiné* : insuffisamment renouvelé.

confinement *nm* Action de confiner ; fait d'être confiné.

confiner *vt* Reléguer en un lieu, isoler. ■ *vti* Toucher aux limites de qqch.

confins *nmpl* Limites d'un pays, d'une terre.

confire *vt* [79] Mettre des aliments dans une substance qui les conserve.

confirmation *nf* 1 Action de confirmer. 2 Sacrement de l'Église catholique qui confirme le baptême. 3 Dans l'Église protestante, profession publique de la foi chrétienne.

confirmer *vt* 1 Maintenir, ratifier. 2 Conforter. *Il m'a confirmé dans mon opinion.* 3 Assurer la vérité de qqch, l'appuyer par de nouvelles preuves. 4 Administrer le sacrement de la confirmation.

confiscation *nf* Action de confisquer.

confiscatoire *a* Qui a le caractère d'une confiscation.

confiserie *nf* 1 Lieu où l'on fabrique, où l'on vend des friandises à base de sucre. 2 Fabrication, commerce de ces produits. 3 Ces produits mêmes ; sucreries.

confiseur, euse *n* Personne qui fabrique, qui vend de la confiserie.

confisquer *vt* Saisir qqch par acte d'autorité.

confit, ite *a* Conservé dans du vinaigre, de la graisse, du sucre. Loc fam *Confit en dévotion* : d'une dévotion outrée. ■ *nm* Viande cuite et conservée dans sa propre graisse.

confiture *nf* Conserve de fruits cuits avec du sucre.

conflagration *nf* Conflit vaste et violent (guerre, révolution).

conflictuel, elle *a* Relatif à un conflit.

conflit *nm* 1 Antagonisme. 2 Opposition entre deux États qui se disputent un droit.

confluent *nm* Lieu où deux cours d'eau se réunissent.

confluer *vi* Se réunir (cours d'eau).

confondant, ante *a* Qui remplit d'étonnement.

confondre *vt* [71] 1 Remplir d'étonnement, troubler. 2 Réduire qqn au silence en lui prouvant sa faute, son erreur. 3 Prendre une chose, une personne pour une autre. ■ *vpr* Se mêler. *Loc Se confondre en excuses, etc. :* multiplier les excuses, etc.

conformation *nf* Manière dont un corps organisé est conformé, dont ses parties sont disposées.

conforme *a* 1 De même forme que, semblable à un modèle. 2 Qui s'accorde, qui convient.

conformé, ée *a* Qui possède telle conformation.

conformément *av* De façon conforme.

conformer *vt* Rendre conforme. ■ *vpr* Agir selon. *Se conformer aux coutumes du pays.*

conformisme *nm* Soumission aux opinions généralement admises.

conformiste *n, a* Qui fait preuve de conformisme.

conformité *nf* Accord, adéquation.

confort *nm* Bien-être matériel, commodités de la vie quotidienne.

confortable *a* 1 Qui offre du confort. 2 Important. *Revenus confortables.*

confortablement *av* De façon confortable.

conforter *vt* Rendre plus ferme, plus solide, renforcer.

confraternel, elle *a* De confrère.

confrère *nm* Qui appartient à la même profession intellectuelle, à la même compagnie, à la même confrérie qu'un autre.

confrérie *nf* Association pieuse.

confrontation *nf* Action de confronter des personnes, des choses.

confronter *vt* 1 Mettre des personnes en présence les unes des autres, pour comparer leurs opinions. 2 Comparer deux choses.

confucéen, enne *a* Du confucianisme.

confucianisme *nm* Doctrine et enseignement de Confucius.

confus, use *a* 1 Dont les éléments sont brouillés, mêlés. 2 Embarrassé, gêné.

confusément *av* De façon confuse.

confusion *nf* 1 Embarras, honte. 2 Fait de confondre, de prendre une personne, une chose, pour une autre.

confusionnel, elle *a* De la confusion mentale.

confusionnisme *nm* État de confusion dans les esprits.

congé *nm* 1 Permission de se retirer, de quitter momentanément son travail. 2 Période où l'on ne travaille pas ; vacances. *Congés payés.* 3 Attestation de paiement des droits de circulation frappant certaines marchandises. *Loc Donner congé à un locataire :* lui faire savoir qu'il doit quitter les lieux.

congédiement *nm* Action de congédier.

congédier *vt* Renvoyer qqn, lui dire de se retirer.

congélateur *nm* Appareil qui sert à congeler des denrées alimentaires.

congélation *nf* Action de congeler.

congeler *vt* [16] 1 Faire passer de l'état liquide à l'état solide par l'action du froid. 2 Soumettre à l'action du froid pour conserver.

congénère *n* Qui est de la même espèce, du même genre.

congénital, ale, aux *a* Qui existe à la naissance.

congère *nf* Neige amassée par le vent.

congestif, ive *a* De la congestion.

congestion *nf* 1 Excès de sang dans les vaisseaux d'un organe ou d'une partie d'organe. 2 Encombrement. *Congestion urbaine.*

congestionner *vt* Déterminer la congestion.

conglomérat *nm* 1 Roche formée de blocs agglomérés. 2 Ensemble d'entreprises aux productions variées.

conglomérer *vt* [12] Réunir en boule, en pelote, en masse.

congluter *vt* MED Agglutiner.

congolais, aise *a, n* Du Congo. ■ *nm* Petit gâteau à la noix de coco.

congratulations *nfpl* Félicitations.

congratuler *vt* Féliciter.

congre *nm* Poisson de mer, allongé comme une anguille.

congrégation *nf* Association religieuse.

congrès *nm* Rassemblement de personnes pour traiter d'intérêts communs, d'études spécialisées.

congressiste *n* Membre d'un congrès.

congru, ue *a Loc Portion congrue :* attribution à peine suffisante de qqch à qqn.

conifère *nm* Arbre produisant des cônes (pin, sapin, etc.).

conique *a* Qui a la forme d'un cône.

conjectural, ale, aux *a* Fondé sur des conjectures.

conjecture *nf* Opinion fondée sur des présomptions, des probabilités.

conjecturer *vt* Juger en fonction de conjectures.

conjoint, ointe *a* Lié. *Questions conjointes.* ■ *n* Chacun des époux.

conjointement *av* Ensemble, de concert.

conjonctif, ive *a Loc Locution conjonctive :* qui réunit deux mots, deux propositions. *Tissu conjonctif :* tissu de liaison entre les différents tissus et organes.

conjonction *nf* 1 didac Réunion. *Conjonction des contraires.* 2 GRAM Mot invariable qui unit deux mots, deux propositions.

conjonctive *nf* ANAT Membrane qui tapisse l'œil et la paupière.

conjonctivite *nf* Inflammation de la conjonctive.

conjoncture *nf* 1 Situation résultant d'un ensemble d'évènements. 2 Ensemble des conditions déterminant l'état de l'économie à un moment donné.

conjoncturel, elle *a* Qui dépend de la conjoncture. Ant. structurel.

conjoncturiste *n* Spécialiste de l'étude de la conjoncture économique.

conjugable *a* Qu'on peut conjuguer.

conjugaison *nf* 1 didac Action d'unir, de coordonner. 2 GRAM Ensemble des formes que possède un verbe.

conjugal, ale, aux *a* Qui concerne l'union du mari et de la femme.

conjugalement *av* Comme des personnes mariées.

conjuguer *vt* 1 Unir. *Conjuguer ses efforts.* 2 Réciter, donner la conjugaison d'un verbe.

conjuration *nf* Association en vue d'exécuter un complot contre l'État, le souverain.

conjuré, ée *n* Qui est entré dans une conjuration.

conjurer *vt* 1 Écarter, repousser un danger, une menace, des maléfices. 2 Prier avec insistance, supplier.

connaissance *nf* 1 Le fait de connaître. 2 Personne avec qui on en est en relation. *C'est une vieille connaissance.* Loc *Avoir connaissance de qqch* : en venir à apprendre qqch. *Prendre connaissance de qqch* : l'examiner. *À ma connaissance* : autant que je sache. *En connaissance de cause* : en se rendant compte de ce que l'on fait, dit. *Perdre connaissance, rester, tomber sans connaissance* : avoir une syncope. *Reprendre connaissance* : revenir d'un évanouissement. *Faire connaissance avec qqn* : entrer en relation avec lui. *En pays de connaissance* : au milieu de personnes, de choses que l'on connaît. ■ *pl* Notions acquises ; ce que l'on a appris d'un sujet.

connaisseur, euse *a, n* Expert en une chose.

connaître *vt* [55] 1 Avoir une idée pertinente de ; être informé de. 2 Avoir la pratique, l'expérience de. *Connaître une langue, un métier.* 3 Avoir. *Son ambition ne connaît pas de limites.* 4 Savoir l'identité de qqn. 5 Comprendre le caractère, la personnalité de qqn. ■ *vpr* Avoir une juste notion de soi-même. Loc *Ne plus se connaître* : être dominé par la colère. *S'y connaître* : être compétent. Var **connaître**

connard, arde *a, n* pop Imbécile.

connecter *vt* TECH Joindre. ■ *vpr* INFORM Établir une liaison avec un réseau informatique.

connecteur *nm* Dispositif de connexion électrique ou électronique.

connectique *nf* Industrie des connecteurs.

connerie *nf* pop Bêtise, stupidité.

connétable *nm* HIST Premier officier de la maison du roi, commandant l'armée.

connexe *a* Lié avec qqch.

connexion *nf* 1 Liaison logique entre des choses. 2 ÉLECTR Liaison de conducteurs ou d'appareils entre eux. 3 INFORM Liaison établie avec un réseau.

connivence *nf* Complicité par complaisance ou tolérance ; accord secret.

connotation *nf* LING Évocation affective ou intellectuelle accompagnant la signification propre d'un mot, d'un énoncé.

connoter *vt* Exprimer comme connotation.

connu, ue *a* 1 Dont on a connaissance. 2 Réputé, célèbre.

conque *nf* Coquille de gros gastéropodes.

conquérant, ante *a, n* Qui fait des conquêtes.

conquérir *vt* [34] 1 Prendre par les armes. 2 Gagner, séduire, s'attacher.

conquête *nf* 1 Action de conquérir. 2 Ce qui est conquis. 3 fam Personne dont on a conquis les bonnes grâces.

conquistador *nm* HIST Conquérant espagnol du Nouveau Monde (XVIe s.).

consacré, ée *a* 1 Qui a reçu une consécration religieuse. 2 Sanctionné par l'usage.

consacrer *vt* 1 Dédier à Dieu ; rendre sacré. *Consacrer une église.* 2 Prononcer les paroles sacramentelles de l'eucharistie. *Consacrer le pain et le vin.* 3 Sanctionner, faire accepter de tous. *L'usage a consacré ce mot.* 4 Destiner qqch à. *Consacrer ses loisirs à la musique.* ■ *vpr* Se vouer. *Se consacrer à un travail.*

consanguin, uine *a, n* Parent du côté paternel Loc *Mariage consanguin* : entre proches parents

consanguinité [-gui-] *nf* 1 Parenté du côté du père. 2 Parenté proche entre conjoints.

consciemment *av* De façon consciente.

conscience *nf* 1 Sentiment, perception que l'être humain a de lui-même, de sa propre existence. 2 Siège des convictions, des croyances. *Liberté de conscience.* 3 Sentiment par lequel l'être humain juge de la moralité de ses actions. Loc *Avoir qqch sur la conscience* : avoir qqch à se reprocher. *Cas de conscience* : difficulté à se déterminer au regard de la morale. *La main sur la conscience* : en toute franchise. *En mon âme et conscience* : selon ma conviction la plus intime. *En conscience, en bonne conscience* : honnêtement, franchement.

consciencieusement *av* De façon consciencieuse.

consciencieux, euse *a* 1 Qui remplit scrupuleusement ses obligations. 2 Fait avec soin.

conscient, ente *a* 1 Qui a la conscience de soi-même, d'un fait, de l'existence d'une chose. 2 Qui est perçu par la conscience.

conscription *nf* Recrutement annuel de soldats selon la classe d'âge.

conscrit *nm* Soldat nouvellement incorporé.

consécration *nf* 1 Action de consacrer. 2 Action du prêtre qui consacre, pendant la messe, le pain et le vin. 3 Sanction, confirmation. *C'est la consécration de son succès.*

consécutif, ive *a* 1 Qui se suit sans interruption *Trois années consécutives.* 2 Qui suit, comme résultat. *Accident consécutif à une imprudence* Loc GRAM *Proposition consécutive* : subordonnée indiquant la conséquence.

consécutivement *av* Aussitôt après.

conseil *nm* 1 Avis donné à qqn sur ce qu'il convient qu'il fasse. 2 Personne dont on prend avis. 3 Assemblée ayant pour mission de donner son avis, de statuer sur certaines affaires. Loc *Conseil des ministres* : réunion des ministres présidée par le chef de l'État. *Conseil général* : assemblée composée de membres élus de chaque département. *Conseil municipal* : composé de membres élus pour s'occuper des affaires communales.

1. conseiller *vt* Donner un conseil à qqn, lui recommander qqch.

2. conseiller, ère *n* 1 Personne qui donne des conseils. 2 Membre d'un conseil, d'un tribunal.

conseilleur, euse *n* Personne qui se contente de conseiller, sans prendre de risques.

consensuel, elle *a* Issu d'un consensus.

consensus [-sys] *nm* Consentement, accord entre des personnes.

consentant, ante *a* Qui consent, qui donne son adhésion.

consentement *nm* Approbation, adhésion donnée à un projet.

consentir *vti* [29] Donner son consentement à. ■ *vt* Accorder qqch. *Consentir un rabais.*

conséquemment *av* litt Par suite.

conséquence *nf* 1 Résultat, suite d'une action d'un fait. 2 Effet important. *Cela ne tire pas à conséquence.* Loc *En conséquence* : par conséquent, donc.

onséquent, ente a 1 Qui agit d'une manière ogique. 2 abusiv Considérable, important. Loc *Par onséquent :* donc.

onservateur, trice a Du conservatisme. *Journal conservateur.* Loc *Chirurgie conservatrice :* ui vise à conserver les organes dans leur état. ■ n 1 Personne chargée de garder qqch ; titre e certains fonctionnaires. 2 Hostile ou réservé l'égard des innovations politiques, sociales, tc. 3 Membre d'un des principaux partis politiques britanniques. ■ nm 1 Produit qui assure la onservation des aliments. 2 Appareil utilisé pour a conservation des produits congelés.

onservation nf 1 Action de conserver. 2 État e ce qui est conservé.

onservatisme nm Attitude des conservateurs ; aditionalisme.

onservatoire a DR Qui conserve un droit. ■ nm tablissement public d'enseignement de la usique, de la danse, de l'art dramatique.

onserve nf Substance alimentaire qui peut se arder longtemps dans un récipient clos. ■ av oc litt *De conserve :* ensemble, en accord.

onserver vt 1 Ne pas se défaire de, garder. 2 Maintenir en bon état ; faire durer.

onserverie nf Fabrique de conserves.

onsidérable a Puissant, important.

onsidérablement av Beaucoup, très.

onsidérant nm Motif justifiant une décision.

onsidération nf 1 Examen attentif que l'on fait 'une chose avant de se décider. 2 Motif, raison 'une action. 3 Estime, déférence. Loc *Prendre n considération :* tenir compte de. *En considération de :* à cause de. ■ pl Réflexions.

onsidérer vt [12] 1 Regarder attentivement, xaminer. 2 Tenir compte de ; estimer, faire cas e. Loc *Considérer comme :* juger, estimer.

onsignation nf DR Dépôt d'une somme entre les ains d'un tiers ou d'un officier public ; somme éposée.

onsigne nf 1 Instruction donnée à une senti- elle, à un surveillant, à un gardien, etc. 2 Puni- on infligée à un soldat, à un élève consistant en ne privation de sortie. 3 Endroit où l'on met les agages en dépôt dans une gare, un aéroport. 4 omme rendue en retour d'un emballage.

onsigner vt 1 Mettre en dépôt chez un tiers. Mettre par écrit. 3 Priver de sortie. 4 Facturer n emballage, une bouteille qui, une fois rendus, ront remboursés.

onsistance nf 1 État plus ou moins solide, rme d'une matière. 2 Sérieux, solidité. *La nou- elle prend de la consistance.*

onsistant, ante a Qui a une consistance ferme, ais, solide. *Soupe consistante.*

onsister vti 1 Être composé de. *Sa fortune onsiste en actions.* 2 Se limiter à, avoir pour ature le. *Votre travail consiste à trier ces apiers.*

onsistoire nm 1 Réunion des cardinaux sur onvocation du pape. 2 Direction administrative e certaines communautés religieuses.

onsœur nf Femme appartenant au même corps, la même compagnie qu'une autre.

onsolant, ante a Propre à consoler.

onsolateur, trice a, n Qui console.

onsolation nf 1 Soulagement apporté à la ouleur morale de qqn. 2 Chose, personne qui onsole.

console nf 1 Table à deux ou quatre pieds en forme de S, appuyée contre un mur. 2 Pièce encastrée dans une paroi, servant de support. 3 INFORM Périphérique ou terminal permettant de communiquer avec l'unité centrale.

consoler vt Soulager qqn dans sa douleur, son affliction. ■ vpr Oublier son chagrin.

consolidation nf Action de consolider.

consolider vt Affermir, rendre plus solide.

consommable a Qui peut être consommé.

consommateur, trice n 1 Personne qui achète des produits pour les consommer. 2 Personne qui boit ou mange dans un café.

consommation nf 1 Action de consommer. 2 Boisson prise dans un café. Loc *Société de consommation :* société où la production entraîne la surconsommation.

consommé, ée a Expérimenté, parfait. *Un musicien consommé.* ■ nm Bouillon de viande.

consommer vt 1 Employer comme aliment. 2 Utiliser pour fonctionner. *Ce moteur consomme du gazole.* ■ vi Prendre une consommation dans un café.

consomption nf MED Amaigrissement et perte des forces.

consonance nf 1 Ressemblance de sons dans la terminaison de deux ou plusieurs mots. 2 Suites de sons. *Des consonances harmonieuses.*

consonantique a De la consonne.

consonantisme nm LING Système des consonnes d'une langue.

consonne nf Phonème formant une syllabe avec une voyelle.

consorts nmpl Personnes qui sont du même genre. *Escrocs et consorts.* ■ am Loc *Prince consort :* époux d'une reine, qui n'est pas roi lui-même.

consortium [-sjɔm] nm Association d'entre- prises.

conspirateur, trice n Qui conspire.

conspiration nf Complot, conjuration.

conspirer vi Comploter. ■ vti litt Tendre au même but. *Tout conspire à votre bonheur.*

conspuer vt Manifester bruyamment son hosti- lité à qqn.

constamment av Toujours, très souvent.

constance nf 1 Persistance, persévérance dans ses actions ou ses goûts. 2 État de ce qui ne change pas.

constant, ante a 1 Qui ne change pas ; persé- vérant. *Constant en amour.* 2 Qui dure ; ininter- rompu. *Pluie constante.* ■ nf 1 Tendance durable. 2 Grandeur invariable.

constat nm 1 Procès-verbal d'huissier constatant un fait. 2 Constatation. *Un constat d'échec.* Loc *Constat amiable :* déclaration d'accident faite par les parties.

constatation nf 1 Action de constater. 2 Fait constaté et rapporté.

constater vt 1 Certifier la réalité d'un fait. 2 Remarquer, s'apercevoir de.

constellation nf Groupement d'étoiles.

constellé, ée a 1 Parsemé d'étoiles. 2 Parsemé abondamment. *Texte constellé de fautes.*

consternant, ante a Désolant.

consternation nf Stupeur causée par un évène- ment pénible.

consterner vt Jeter dans l'accablement.

constipation *nf* Retard dans l'évacuation des selles.

constipé, ée *a*, *n* **1** Qui souffre de constipation. **2** pop Taciturne, embarrassé.

constiper *vt* Causer la constipation.

constituant, ante *a*, *nm* Qui entre dans la constitution de qqch. ■ *a* Loc *Assemblée constituante* : qui élabore une Constitution.

constitué, ée *a* Loc *Corps constitués* : organismes établis par la Constitution.

constituer *vt* **1** Former un tout, par la réunion d'éléments. **2** Représenter. *Le loyer constitue le quart de ses dépenses.* **3** Établir qqn comme. *Il a constitué son neveu son héritier.* **4** Établir qqch pour qqn. *Constituer une dot à qqn.* ■ *vpr* Loc *Se constituer prisonnier* : se livrer à la justice.

constitutif, ive *a* Qui constitue.

constitution *nf* **1** Ensemble des éléments constitutifs de qqch ; composition. *La constitution des corps.* **2** Nature, état physique. *Être de constitution délicate.* **3** Création, fondation. *Constitution d'une société.* **4** (avec majusc.) Ensemble des lois fondamentales d'un État.

constitutionnel, elle *a* **1** Régi par une constitution. **2** Conforme à la Constitution de l'État.

constitutionnellement *av* De façon constitutionnelle.

constricteur *am* Loc *Muscle constricteur* : qui resserre certains orifices. *Boa constricteur* ou *constrictor* : qui se contracte autour de sa proie pour l'étouffer.

constructeur, trice *n*, *a* Qui construit.

constructible *a* Où on peut construire.

constructif, ive *a* Qui contribue à construire, positif. *Des propositions constructives.*

construction *nf* **1** Action de construire. **2** Édifice. **3** Branche particulière de l'industrie. *Construction mécanique, navale, aéronautique.* **4** Arrangement des mots dans la phrase.

constructivisme *nm* Courant artistique du XXᵉ s. privilégiant les formes géométriques.

construire *vt* [67] **1** Bâtir. *Construire un pont.* **2** Assembler. *Construire une automobile.* **3** Concevoir. *Construire un raisonnement.*

consubstantiel, elle *a* didac De même substance, inséparable.

consul *nm* **1** ANTIQ Magistrat qui assumait le pouvoir exécutif à Rome. **2** Titre des trois magistrats suprêmes de la République française de 1789 à 1804. **3** Diplomate chargé, à l'étranger, des ressortissants de son pays.

consulaire *a* **1** Propre aux consuls romains. **2** Relatif à un consulat à l'étranger. Loc *Juge consulaire* : membre des tribunaux de commerce.

consulat *nm* **1** Dans la Rome antique, charge de consul. **2** Charge ou résidence d'un consul à l'étranger.

consultable *a* Que l'on peut consulter.

consultant, ante *n* **1** Personne qui donne avis et conseil. **2** Personne qui vient consulter un médecin.

consultatif, ive *a* Qui donne un avis, sans pouvoir de décision.

consultation *nf* **1** Action de consulter, de donner un avis. **2** Examen d'un malade par un médecin.

consulter *vt* **1** S'adresser à qqn pour avis. *Consulter un avocat, un médecin, un expert.* **2** Examiner pour information. *Consulter un dictionnaire.* ■ *vi* Recevoir des malades (médecin).

consumer *vt* Détruire par le feu. ■ *vpr* **1** Êtr[e] détruit par le feu. **2** litt Dépérir, s'épuiser.

consumérisme *nm* Doctrine économique d[e] organisations de consommateurs.

consumériste *a*, *n* Qui relève du consumé[r]isme.

contact *nm* **1** État de corps qui se touchent. Liaison, relation. *Prendre contact, être en conta[ct]* *avec qqn.* **2** Proximité permettant le combat. Liaison de deux conducteurs électriques assuran[t] le passage d'un courant. Loc *Lentille, verre d[e] contact* : lentille correctrice appliquée directe[ment] sur le globe oculaire.

contacter *vt* Établir un contact avec qqn.

contacteur *nm* Appareil ouvrant et fermant u[n] circuit électrique.

contagieux, euse *a*, *n* Transmissible par conta[gion]. ■ *a* Qui se communique facilement. *Un rir[e]* *contagieux.*

contagion *nf* **1** Transmission d'une maladie pa[r] contact direct ou indirect. **2** Imitation involontair[e].

contagiosité *nf* MED Caractère contagieux d'un[e] maladie.

container [-nɛʀ] *nm* Conteneur.

contamination *nf* Souillure par des germe[s] pathogènes ou des substances radioactives.

contaminer *vt* Souiller par contamination.

conte *nm* **1** Récit, généralement bref, d'aventure[s] imaginaires. **2** Histoire peu vraisemblable.

contemplatif, ive *a*, *n* Qui s'adonne à la con[templation].

contemplation *nf* **1** Action de contempler. **2** Profonde méditation.

contempler *vt* Regarder attentivement, ave[c] admiration.

contemporain, aine *a*, *n* **1** De la même époqu[e]. **2** De notre époque.

contempteur, trice *n* litt Qui méprise.

contenance *nf* **1** Capacité, quantité contenu[e]. **2** Attitude. Loc *Perdre contenance* : être emba[r]rassé.

contenant *nm* Ce qui contient qqch.

conteneur *nm* Récipient métallique pour l[e] transport des marchandises. Syn. container.

conteneurisation *nf* Action de conteneuriser.

conteneuriser *vt* Mettre dans des conteneurs.

contenir *vt* [35] **1** Avoir une capacité de. *Cett[e]* *cuve contient cent litres.* **2** Renfermer. *Ce verr[e]* *contient de l'eau.* **3** Maintenir, retenir. *Les garde[s]* *contiennent la foule.* ■ *vpr* Se maîtriser.

content, ente *a* Satisfait, joyeux. ■ *nm* Lo[c]* *Avoir son content* : avoir ce que l'on désirait.

contentement *nm* État d'une personne contente[,] satisfaction.

contenter *vt* Rendre content, satisfaire. ■ *vpr* S[e]* borner à. *Il s'est contenté de rire.*

contentieux *nm* Litige, contestation.

contention *nf* Immobilisation d'un membr[e]* d'un animal afin de le soigner.

contenu *nm* **1** Ce qui est renfermé dans qqc[h]* *Le contenu d'une boîte.* **2** Substance. *Le conten[u]* *d'une lettre.*

conter *vt* litt Faire le récit de, narrer. Loc E[n]* *conter à qqn* : le tromper.

contestable *a* Qui peut être contesté.

contestataire *a*, *n* Qui conteste l'ordre établi.

contestation *nf* **1** Objection, discussion. **2** Action de contester. **3** Remise en cause de l'ordre établi. *La contestation étudiante.*

conteste (sans) *av* Incontestablement.

contester *vt* Refuser de reconnaître la légalité ou la réalité d'un fait. *Contester un testament.* ■ *vi* Discuter, pratiquer la contradiction.

conteur, euse *n* **1** Qui conte, qui fait des récits. **2** Auteur de contes.

contexte *nm* **1** Cadre dans lequel se place un mot, une expression, une phrase. **2** Ensemble des circonstances d'un évènement.

contextuel, elle *a* Du contexte.

contexture *nf* Liaison, agencement des différentes parties d'un tout.

contigu, uë *a* Attenant à un autre lieu. **Var contigu, üe**

contiguïté *nf* Proximité immédiate. **Var contiguïté**

continence *nf* Abstention volontaire de tout plaisir charnel.

1. continent *nm* Vaste étendue de terre émergée. *Les cinq continents.* **Loc** *Ancien Continent :* Europe. *Nouveau Continent :* Amérique.

2. continent, ente *a* Qui pratique la continence.

continental, ale, aux *a* D'un continent. **Loc** *Climat continental :* marqué par l'éloignement de la mer. *État continental :* sans accès à la mer.

continentalité *nf* Caractère continental d'une région, d'un climat.

contingence *nf* Possibilité qu'une chose arrive ou non. ■ *pl* Choses sujettes à variation.

contingent, ente *a* Qui peut arriver ou non. ■ *nm* **1** Ensemble des conscrits effectuant leur service militaire pendant une même période. **2** Ensemble de choses reçues ou fournies. **3** Quantité maximale de marchandises.

contingentement *nm* Limitation des importations.

contingenter *vt* Fixer un contingent à.

continu, ue *a* Qui n'est pas interrompu.

continuateur, trice *n* Qui continue ce qu'un autre a commencé.

continuation *nf* Action de continuer.

continuel, uelle *a* **1** Qui dure sans interruption. **2** Qui se répète constamment.

continuellement *av* Sans cesse.

continuer *vt* Poursuivre. *Continuer son chemin, ses études.* ■ *vti* Ne pas cesser. *Il continue à (de) pleuvoir.* ■ *vi* Durer. *La séance continue.* ■ *vpr* Être continué, se prolonger. *Des traditions qui se continuent avec les générations.*

continuité *nf* Caractère continu. **Loc** *Solution de continuité :* interruption.

continûment *av* Sans interruption. **Var continûment**

continuum [-nyɔm] *nm* didac Suite d'états entre lesquels le passage est continu.

contondant, ante *a* Qui fait des contusions.

contorsion *nf* Contraction, mouvement volontaire ou non des membres. *Les contorsions d'un acrobate.*

contorsionner (se) *vpr* Faire des contorsions.

contorsionniste *n* Acrobate qui fait des contorsions.

contour *nm* **1** Limite extérieure d'un corps, d'une surface. **2** Aspect général de qqch. **3** Courbe, sinuosité.

contourné, ée *a* **1** D'un contour compliqué. **2** Maniéré.

contourner *vt* Faire partiellement le tour de. *Contourner une île.*

contraceptif, ive *a* Propre à la contraception. ■ *nm* Produit destiné à empêcher la conception.

contraception *nf* Méthode pour empêcher la grossesse.

contractant, ante *a, n* DR Qui s'engage par contrat.

1. contracter *vt* **1** DR S'engager par un contrat à qqch. **2** Prendre, acquérir une habitude, attraper une maladie.

2. contracter *vt* **1** Diminuer le volume de. *Le froid contracte le corps.* **2** Durcir. *Contracter ses muscles.* **3** Rendre nerveux. *L'attente me contracte.* **4** Réunir deux syllabes. *Contracter « de le » en « du ».* ■ *vpr* Diminuer de volume.

contractile *a* Qui peut se contracter.

contraction *nf* Action de contracter, de se contracter. **Loc** *Contraction de texte :* résumé qui respecte la forme et le contenu.

contractuel, elle *a* Stipulé par contrat. ■ *a, n* **1** Agent d'un service public non titulaire. **2** Auxiliaire de police qui relève les infractions de stationnement.

contracture *nf* Contraction involontaire et prolongée d'un muscle.

contradicteur, trice *n* Qui contredit.

contradiction *nf* **1** Action de contredire, de se contredire. **2** Désaccord, incompatibilité. **Loc** *Esprit de contradiction :* disposition à contredire.

contradictoire *a* Qui comporte une contradiction. **Loc** *Jugement contradictoire :* rendu en présence des parties intéressées.

contradictoirement *av* DR Avec présence des deux parties.

contraignant, ante *a* Qui contraint, qui gêne.

contraindre *vt* [57] Obliger, forcer qqn à agir contre son gré.

contraint, ainte *a* Gêné, qui manque de naturel. *Il a un air contraint.*

contrainte *nf* **1** Violence, pression exercée sur qqn. *Céder à la contrainte.* **2** Obligation, règle. *Les contraintes du métier.* **Loc** *Sans contrainte :* sans retenue.

contraire *a* **1** Opposé. *Des goûts contraires. Vent contraire.* **2** Qui nuit à. *Un régime contraire à la santé.* ■ *nm* Ce qui est inverse. *Froid est le contraire de chaud.* **Syn** antonyme. **Loc** *Au contraire :* inversement. *Au contraire de :* contrairement à.

contrairement à *prép* À l'inverse de.

contralto *nm* La plus grave des voix de femme. ■ *nf* Femme qui a cette voix.

contrariant, ante *a* Qui contrarie ; fâcheux.

contrarié, ée *a* Mécontent, dépité.

contrarier *vt* **1** S'opposer à. *Contrarier les projets de qqn.* **2** Mécontenter, dépiter. *Tes paroles l'ont contrarié.*

contrariété *nf* Dépit, déplaisir créé par un obstacle imprévu.

contraste *nm* Opposition prononcée entre deux choses, chacune mettant l'autre en relief.

contrasté, ée *a* Qui présente des contrastes.

contraster *vi* Être en contraste. ■ *vt* Mettre en contraste. *Contraster les couleurs.*

contrat nm 1 Convention qui lie plusieurs personnes. 2 Acte qui enregistre cette convention. 3 Au bridge, dernière annonce du camp déclarant.

contravention nf 1 Infraction aux lois et aux règlements. 2 Amende dont est punie cette infraction. 3 Procès-verbal dressé pour cette infraction.

contre prép Marque l'opposition, l'hostilité, le contact, l'échange, la défense. ■ av Loc Par contre : en revanche. Tout contre : en contact. Ci-contre : en face. ■ nm 1 Ce qui est défavorable. Le pour et le contre. 2 Dans les sports de combat, contre-attaque. 3 Au billard, fait de toucher deux fois la même bille avec sa propre bille. 4 Au bridge, contestation du contrat de l'adversaire.

contre-allée nf Allée latérale, parallèle à une voie principale. Des contre-allées. Var **contrallée**

contre-amiral nm Officier général de la marine. Des contre-amiraux. Var **contramiral**

contre-attaque nf Action offensive répondant à une attaque. Des contre-attaques. Var **contrattaque**

contre-attaquer vt Effectuer une contre-attaque. Var **contrattaquer**

contrebalancer vt Égaler, compenser. ■ vpr Loc fam S'en contrebalancer : s'en moquer.

contrebande nf Importation clandestine de marchandises ; marchandise de contrebande.

contrebandier, ère n Qui se livre à la contrebande.

contrebas (en) av À un niveau inférieur.

contrebasse nf Le plus grave des instruments de la famille des violons.

contrebassiste n Personne qui joue de la contrebasse.

contrecarrer vt S'opposer à qqn ; contrarier, empêcher qqch.

contrechamp nm Prise de vues effectuée dans un sens opposé à celui de la précédente.

contrechoc nm Choc en retour. Des contrechocs. Var **contre-choc**

contrecœur (à) av À regret.

contrecoup nm 1 Rebond d'un objet, répercussion d'un choc. 2 Conséquence indirecte. Les contrecoups de la guerre.

contre-courant nm Courant allant en sens inverse du courant principal. Des contre-courants. Var **contrecourant**

contre-culture nf Système de valeurs opposé à la culture dominante. Des contre-cultures. Var **contreculture**

contredanse nf 1 Danse dans laquelle les couples se font face. 2 fam Contravention.

contredire vt [60] 1 Dire le contraire. 2 Être en contradiction avec. Cette nouvelle contredit vos prévisions. ■ vpr Tenir des propos contradictoires.

contredit (sans) av Sans conteste.

contrée nf Étendue de pays, région.

contre-emploi nm Rôle qui ne correspond pas au rôle habituel d'un comédien. Des contre-emplois. Var **contremploi**

contre-enquête nf Enquête destinée à compléter une enquête précédente. Des contre-enquêtes. Var **contrenquête**

contre-épreuve nf Seconde épreuve destinée à vérifier les résultats d'une première. Des contre-épreuves. Var **contrépreuve**

contre-espionnage nm Service chargé de repérer et de contrôler les espions d'une nation étrangère. Des contre-espionnages. Var **contrespionnage**

contre-exemple nm Exemple qui contredit une règle, une affirmation. Des contre-exemples. Var **contrexemple**

contre-expertise nf Nouvelle expertise pratiquée pour contrôler la précédente. Des contre-expertises. Var **contrexpertise**

contrefaçon nf Reproduction frauduleuse de l'œuvre d'autrui.

contrefacteur nm Faussaire, copieur.

contrefaire vt [9] 1 Imiter, singer. 2 Simuler. Contrefaire la folie. 3 Déguiser. Contrefaire sa voix. 4 Reproduire frauduleusement.

contrefait, aite a Difforme.

contre-feu nm Feu allumé pour créer une zone vide qui arrête un incendie de forêt. Des contre-feux. Var **contrefeu**

contreficher (se) vpr fam Se moquer complètement de. Var **contrefiche (se)**

contre-filet nm Faux-filet. Des contre-filets. Var **contrefilet**

contrefort nm 1 Pilier, mur servant d'appui à un autre mur. 2 Pièce de cuir renforçant l'arrière d'une chaussure. ■ pl Chaîne montagneuse plus basse, latérale à la chaîne principale.

contrefoutre (se) vpr [64] pop Se moquer de.

contre-indication nf Circonstance interdisant un médicament. Des contre-indications. Var **contrindication**

contre-indiquer vt Déconseiller. Var **contrindiquer**

contre-interrogatoire nm Interrogatoire mené par la partie adverse. Des contre-interrogatoires. Var **contrinterrogatoire**

contre-jour nm Éclairage d'un objet qui reçoit la lumière du côté opposé à celui du regard. Loc À contre-jour : face à la lumière. Des contre-jours. Var **contrejour**

contre-la-montre nm inv Course cycliste chronométrée avec départs séparés.

contremaître, contremaîtresse n Qui dirige une équipe d'ouvriers.

contre-manifestant, ante n Qui participe à une contre-manifestation. Des contre-manifestants. Var **contremanifestant, ante**

contre-manifestation nf Manifestation organisée pour protester contre une autre. Des contre-manifestations. Var **contremanifestation**

contremarche nf Face verticale d'une marche d'escalier.

contremarque nf 1 Seconde marque apposée sur des marchandises. 2 Billet délivré aux spectateurs sortant pendant l'entracte, et qui leur permet de rentrer dans la salle.

contre-mesure nf Disposition prise pour contrer ou prévenir une action. Des contre-mesures. Var **contremesure**

contre-offensive nf Offensive qui contrecarre une offensive ennemie. Des contre-offensives. Var **controffensive**

contrepartie nf 1 Ce qui est demandé en échange ; compensation. 2 Opinion, sentiment contraires. Loc En contrepartie : en revanche.

contre-performance nf Mauvaise performance de qqn dont on attendait mieux. Des contre-performances. Var **contreperformance**

contrepèterie nf Permutation comique de lettres ou de sons à l'intérieur d'un groupe de mots. (*La fesse du pion* pour *la pièce du fond*.)

contre-pied nm Opinion, comportement contraire. Loc *Prendre à contre-pied :* diriger l'action du côté opposé à celui de l'adversaire. *Des contre-pieds.* **Var contrepied**

contreplaqué nm Bois constitué de minces feuilles collées en alternant le sens des fibres.

contrepoids nm 1 Poids qui contrebalance une force opposée. 2 Ce qui contrebalance une qualité, un sentiment.

contrepoint nm Art d'écrire de la musique en superposant des lignes mélodiques.

contrepoison nm Substance qui neutralise l'effet d'un poison.

contre-pouvoir nm Force politique, économique ou sociale qui contrebalance le pouvoir en place. *Des contre-pouvoirs.* **Var contrepouvoir**

contre-productif, ive a Qui obtient le résultat opposé à celui qui était escompté. **Var contreproductif, ive**

contre-projet nm Projet qui s'oppose à un précédent. *Des contre-projets.* **Var contreprojet**

contre-proposition nf Proposition faite en réponse à une proposition précédente. *Des contre-propositions.* **Var contreproposition**

contre-publicité nf Publicité contraire à l'effet souhaité. *Des contre-publicités.* **Var contrepublicité**

contrer vt 1 Au bridge, mettre l'adversaire au défi de gagner. 2 Contrecarrer, se dresser contre.

contre-révolution nf Mouvement politique visant à détruire les résultats d'une révolution. *Des contre-révolutions.* **Var contrerévolution**

contre-révolutionnaire n, a Favorable à la contre-révolution. *Des contre-révolutionnaires.* **Var contrerévolutionnaire**

contrescarpe nf Paroi extérieure du fossé d'une fortification.

contreseing nm Signature de qqn qui contresigne.

contresens nm Interprétation d'un mot, d'une phrase contraire à la signification. Loc *À contresens :* en sens interdit.

contresigner vt Signer à la suite de qqn pour authentifier un acte.

contre-sommet nm Réunion de personnalités destinée à faire contrepoids à une autre conférence sur le même thème. *Des contre-sommets.* **Var contresommet**

contretemps nm 1 Circonstance imprévue qui dérange. 2 En musique, attaque sur un temps faible. Loc *À contretemps :* mal à propos.

contre-terrorisme nm Action en riposte au terrorisme. *Des contre-terrorismes.* **Var contreterrorisme**

contre-torpilleur nm Petit bateau de guerre rapide utilisé contre les torpilleurs. *Des contre-torpilleurs.* **Var contretorpilleur**

contretype nm Copie d'une photo.

contreur, euse n Joueur habile à contrer l'adversaire, au basket-ball ou au volley-ball.

contre-valeur nf Valeur donnée en échange de qqch que l'on reçoit. *Des contre-valeurs.* **Var contrevaleur**

contrevenant, ante n Qui enfreint une loi, un règlement.

contrevenir vti [35] Agir contrairement à une loi, à un règlement.

contrevent nm Volet extérieur.

contrevérité nf Affirmation contraire à la vérité.

contre-voie (à) av Par le côté opposé au quai. **Var contrevoie (à)**

contribuable n Qui paie des impôts.

contribuer vti 1 Prendre part à. *Contribuer au progrès.* 2 Payer sa part d'une dépense, d'une charge commune.

contributif, ive a D'une contribution.

contribution nf 1 Part payée par chacun dans une dépense, une charge commune. 2 Impôt. *Contributions directes, indirectes.* 3 Concours apporté à une œuvre. Loc *Mettre à contribution :* avoir recours à.

contrit, ite a Qui a le regret de ses fautes ; penaud.

contrition nf Repentir sincère d'avoir péché.

contrôlable a Qui peut être contrôlé.

controlatéral, ale, aux a MED Du côté opposé au côté du cerveau atteint.

contrôle nm 1 Vérification, surveillance. *Contrôle d'identité.* 2 Lieu où se tiennent les contrôleurs. 3 Organisme chargé du contrôle. 4 Maîtrise. *Perdre le contrôle de son véhicule.* Loc *Contrôle continu des connaissances :* interrogations échelonnées sur l'année scolaire. *Contrôle des naissances :* planning familial.

contrôler vt 1 Effectuer un contrôle sur. *Contrôler les billets d'entrée.* 2 Être maître de. *L'armée contrôle le pays.* ■ vpr Être maître de soi.

contrôleur, euse n Personne qui contrôle.

contrordre nm Révocation d'un ordre donné.

controuvé, ée a litt Inventé pour nuire.

controverse nf Débat suivi, contestation.

controversé, ée a Qui est l'objet d'une controverse.

contumace nf Non-comparution d'un prévenu devant la cour d'assises.

contusion nf Lésion des chairs sans déchirure.

contusionner vt Faire une contusion.

conurbation nf Groupement de plusieurs villes rapprochées.

convaincant, ante a Propre à convaincre.

convaincre vt [75] Amener à reconnaître la vérité d'un fait ; persuader. Loc *Convaincre qqn d'une faute :* en donner des preuves certaines.

convaincu, ue a, n Profondément persuadé de ses opinions. ■ a Qui marque la conviction.

convalescence nf Rétablissement progressif de la santé.

convalescent, ente a, n En convalescence.

convenable a 1 Adapté, qui a les qualités requises. 2 Conforme aux convenances.

convenablement av De façon convenable.

convenance nf Loc *À sa convenance :* à son goût. ■ pl Bienséance. Loc *Pour convenances personnelles :* pour des raisons personnelles.

convenir vti [35] 1 (aux. *avoir* ou *être*) S'accorder sur. *Nous sommes convenus d'un prix. Ils ont convenu d'une date.* 2 Reconnaître. *Il convient de son erreur.* 3 (aux. *avoir*) Être approprié. *Le mot convient à la chose.* 4 Plaire, agréer. *Cette solution me convient.* ■ v impers Il est utile de. *Il convient de partir.*

convention nf 1 Accord, pacte, contrat. *Convention collective.* 2 Ce qu'il convient d'admettre. *Les conventions sociales.* 3 Aux États-Unis, congrès d'un parti réuni pour désigner un candidat à la présidence. **Loc** *De convention :* factice.

conventionné, ée a Qui a passé une convention avec la Sécurité sociale. *Clinique conventionnée.*

conventionnel, elle a 1 Qui résulte d'une convention. *Signe conventionnel.* 2 Conforme aux conventions sociales. *Formule conventionnelle.* **Loc** *Armes conventionnelles :* autres que nucléaires, biologiques et chimiques. **Syn.** armes classiques.

conventionnement nm Fait d'être conventionné.

conventuel, elle a Du couvent.

convenu, ue a Conforme à un accord. *Il est arrivé à l'heure convenue.* **Loc** *Langage convenu :* code.

convergence nf Action, fait de converger.

convergent, ente a Qui converge.

converger vi [11] 1 Se diriger vers un même lieu. 2 Avoir le même but.

conversation nf 1 Entretien libre, familier. 2 Matière, sujet de cet entretien. **Loc** *Avoir de la conversation :* parler facilement sur tout.

conversationnel, elle a INFORM Qui permet le dialogue homme-machine.

converser vi S'entretenir avec.

conversion nf 1 Transformation d'une chose en une autre. 2 Changement de religion, de parti, d'opinion.

converti, ie a, n Qui a changé de religion ou qui a été amené à la religion.

convertibilité nf Caractère convertible.

convertible a Qui peut être converti, échangé ou transformé.

convertir vt 1 Changer, transformer. 2 Amener qqn à changer de religion, de parti, d'opinion. ■ vpr Adopter une religion.

convertisseur nm Appareil qui transforme.

convexe a Bombé, courbé en dehors. *Miroir convexe.*

convexité nf Rondeur, courbure sphérique.

conviction nf Certitude intime et ferme. ■ pl Idées, opinions auxquelles on est attaché.

convier vt Inviter à.

convive n Qui participe à un repas.

convivial, ale, aux a 1 Chaleureux. *Atmosphère conviviale.* 2 INFORM Simple pour l'utilisateur. *Logiciel convivial.*

convivialité nf 1 Chaleur dans les relations entre personnes. 2 Caractère convivial d'un système informatique.

convocation nf Action de convoquer ; document par lequel on convoque.

convoi nm 1 Réunion de véhicules cheminant vers une même destination. 2 Cortège funèbre.

convoiter vt Désirer avidement.

convoitise nf Désir immodéré de possession.

convoler vi litt Se marier.

convoquer vt 1 Appeler à se réunir. *Convoquer le Parlement.* 2 Mander. *Convoquer à un examen.*

convoyer vt [22] 1 Accompagner pour protéger. 2 Conduire un véhicule à son destinataire. 3 Transporter.

convoyeur nm 1 Personne qui convoie. 2 Dispositif de transport des matériaux.

convulsé, ée a Agité de convulsions.

convulsif, ive a D'une convulsion.

convulsion nf Contraction involontaire et transitoire des muscles. ■ pl litt Troubles sociaux violents.

convulsivement av De façon convulsive.

cooccupant, ante a, n Qui occupe un local avec d'autres.

cookie [kuki] nm 1 Petit gâteau sec. 2 INFORM Programme enregistré sur le disque dur et contenant des informations sur les visiteurs de sites sur Internet.

cool [kul] a fam Détendu, calme.

coolie [kuli] nm Travailleur en Extrême-Orient.

coopérant, ante n 1 Chargé d'une mission d'assistance à l'étranger. 2 Jeune appelé qui remplit ses obligations militaires à l'étranger.

coopératif, ive a Qui coopère volontiers.

coopération nf 1 Action de coopérer. 2 Politique d'aide aux pays en voie de développement.

coopérative nf Société dont les associés participent également à la gestion et au profit.

coopérer vi [12] Travailler conjointement avec qqn, participer.

cooptation nf Élection des nouveaux membres d'une assemblée par les membres déjà élus.

coopter vt Admettre par cooptation.

coordination nf Action de coordonner ; état de ce qui est coordonné. **Loc** GRAM *Conjonction de coordination :* mot de liaison (*mais, ou, et, donc, or, ni, car*).

coordonnant nm LING Mot qui assure une coordination.

coordonnateur, trice a, n Qui coordonne. **Var** **coordinateur, trice**

coordonné, ée a **Loc** GRAM *Propositions coordonnées :* unies par une conjonction de coordination. ■ nfpl 1 MATH Ensemble des nombres qui permettent de définir la position d'un point dans un espace. 2 fam Indications (adresse, téléphone) permettant de joindre qqn. ■ nmpl Éléments assortis dans le domaine de la décoration, de l'habillement.

coordonner vt Organiser dans une intention déterminée.

copain, copine n fam Camarade, ami.

coparticipant, ante a, n Qui agit en coparticipation.

coparticipation nf Participation avec d'autres à une entreprise.

copeau nm Morceau, éclat enlevé par un instrument tranchant.

copie nf 1 Reproduction exacte d'un écrit. 2 Devoir d'écolier. 3 Reproduction qui imite une œuvre d'art. 4 Film positif tiré d'un négatif. 5 Texte à composer.

copier vt 1 Reproduire. *Copier un texte.* 2 Imiter. *Copier un tableau.* ■ vi Reproduire frauduleusement le travail d'autrui. *Copier sur son voisin.*

copier-coller vt INFORM Sélectionner un texte, un objet pour l'insérer à un autre endroit.

copieur, euse n, a Qui copie frauduleusement.

copieusement av Abondamment.

copieux, euse a Abondant. *Repas copieux.*

copilote n Pilote auxiliaire.

copinage nm fam, péjor Entraide par relations, par combine.

copine. V. copain.

⋅opiste n 1 Personne qui recopiait les manuscrits, avant l'imprimerie. 2 Personne qui copie de musique.

⋅oprah nm Amande de coco dont on extrait des ⋅aisses. **Var copra**

⋅oprésidence nf Présidence exercée par deux ⋅ésidents.

⋅oprin nm Champignon qui pousse sur le ⋅mier.

⋅oprocesseur nm INFORM Processeur auxiliaire.

⋅oproducteur, trice n Personne qui participe à ⋅e coproduction.

⋅oproduction nf Production en commun.

⋅oproduire vt [67] Produire, réaliser avec ⋅autres.

⋅oprophage a, n Qui se nourrit d'excréments.

⋅opropriétaire n Personne qui possède qqch ⋅ec d'autres.

⋅opropriété nf Propriété commune à plusieurs ⋅sonnes.

⋅opte n, a Chrétien d'Égypte ou d'Éthiopie.

⋅opulation nf Accouplement, coït.

⋅opule nf LING Mot qui lie le sujet d'une proposi- ⋅on avec l'attribut (en partic. *être*).

⋅opuler vi fam S'accoupler avec.

⋅opyright [-piʀajt] nm 1 Droit de publication ⋅une œuvre pendant une durée déterminée. 2 ⋅arque de ce droit (signe ©).

⋅oq nm 1 Mâle de la poule domestique et de ⋅vers galliformes. 2 Cuisinier sur un bateau. **Loc** ⋅*oids coq* : boxeur pesant entre 51 kg et 54 kg.

⋅oq-à-l'âne nm inv Passage sans transition d'un ⋅jet à un autre.

⋅oquard nm pop Coup sur l'œil.

⋅oque nf 1 Enveloppe externe, dure, d'un œuf. ⋅ Enveloppe ligneuse de certaines graines. 3 ⋅oquillage comestible. 4 Ensemble de la mem- ⋅ure et du bordé d'un navire. 5 Carcasse du ⋅rps d'un avion. 6 Carrosserie d'une automobile ⋅ns châssis. **Loc** *Œuf à la coque* : cuit mais non ⋅rci.

⋅oquelet nm Jeune coq.

⋅oquelicot nm Fleur des champs rouge vif.

⋅oqueluche nf Maladie contagieuse, caractéri- ⋅e par une toux quinteuse. **Loc** fam *Être la coque-* ⋅*che de* : être très admiré par.

⋅oquet, ette a 1 Qui aime être élégant. 2 D'as- ⋅ect soigné. *Un jardin coquet.* **Loc** *Une somme* ⋅*quette* : importante.

⋅oquetier nm Petit récipient pour manger l'œuf ⋅ la coque.

⋅oquetterie nf 1 Goût de la parure. 2 Désir de ⋅aire.

⋅oquillage nm 1 Animal, mollusque pourvu ⋅une coquille. 2 Coquille vide.

⋅oquille nf 1 Enveloppe dure de certains mol- ⋅sques. *Coquille d'huître, d'escargot.* 2 Enve- ⋅ppe calcaire de l'œuf. 3 Enveloppe ligneuse des ⋅ix, des amandes, etc. 4 Motif ornemental figu- ⋅nt une coquille. 5 En sport, appareil de protec- ⋅on des parties génitales. 6 En typographie, faute ⋅ composition. **Loc** *Coquille Saint-Jacques* : ⋅ollusque comestible. *Coquille d'œuf* : jaune ⋅le. *Coquille de noix* : petit bateau.

⋅oquillette nf Pâte alimentaire en forme de ⋅tite coquille.

⋅oquin, ine n, a Espiègle, malicieux. ■ a Licen- ⋅eux, grivois. ■ nm vx Escroc.

coquinerie nf Malice, espièglerie.

cor nm 1 Instrument à vent, en cuivre, enroulé sur lui-même et terminé par un large pavillon. 2 Petite tumeur dure située sur le pied. ■ pl Andouillers des bois des cervidés.

corail, aux nm 1 Polype des mers chaudes à squelette calcaire rouge-orangé, utilisé en joaillerie. 2 Substance rouge des coquilles Saint-Jacques. ■ a inv Rouge-orangé.

corallien, enne a Formé de coraux.

coranique a Du Coran.

corbeau nm 1 Grand oiseau noir au bec puissant. 2 Auteur de lettres ou de coups de téléphone anonymes. 3 Pierre en saillie sur un parement de maçonnerie.

corbeille nf 1 Panier sans anse. 2 Massif de fleurs. 3 Balcon d'un théâtre.

corbières nm Vin rouge du Midi.

corbillard nm Voiture mortuaire.

cordage nm Câble, corde à bord d'un navire.

corde nf 1 Lien fait de brins retordus d'une matière textile. *Corde à linge.* 2 Fil tendu. *Corde de guitare, de raquette. Danseuse de corde.* 3 Limite intérieure d'une piste de course. 4 MATH Droite qui sous-tend un arc de cercle. **Loc** *Condamner à la corde* : à la pendaison. *Être sur la corde raide* : dans une situation difficile. *Usé jusqu'à la corde* : très usé. ■ pl Instruments à cordes frottées ou pincées. **Loc** *Dans les cordes de qqn* : dans ses possibilités. *Cordes vocales* : replis du larynx grâce auxquels on produit les sons.

cordeau nm Petite corde qu'on tend pour obtenir des lignes droites.

cordée nf Caravane d'alpinistes réunis par une corde.

cordelette nf Corde mince.

cordelière nf Cordon de soie, de laine servant de ceinture ou d'ornement de passementerie.

corder vt 1 Tordre, mettre en corde. 2 Garnir une raquette de cordes.

cordial, ale, aux a Qui vient du cœur ; sincère. ■ nm Breuvage tonique.

cordialement av Avec cordialité.

cordialité nf Manière ouverte de parler, d'agir.

cordillère nf GÉOGR Chaîne de montagnes parallèles, à crête élevée.

cordite nf Explosif à base de nitroglycérine.

cordoba nm Unité monétaire du Nicaragua.

cordon nm 1 Petite corde. 2 Ruban servant d'insigne à certaines décorations. 3 Série d'éléments alignés. *Cordon d'arbres, de troupes.* **Loc** *Cordon ombilical* : qui relie le fœtus au placenta.

cordon-bleu nm Personne qui fait très bien la cuisine. *Des cordons-bleus.*

cordonnerie nf Métier, boutique de cordonnier.

cordonnet nm Petit cordon.

cordonnier, ère n Artisan qui répare les chaussures.

coréen, enne a, n De Corée. ■ nm Langue parlée en Corée.

coreligionnaire a, n De même religion qu'un autre.

coresponsabilité nf Fait d'être coresponsable.

coresponsable a, n Qui partage une responsabilité avec d'autres.

coriace a 1 Dur. *Viande coriace.* 2 Tenace. *Adversaire coriace.*

coriandre nf Plante dont la feuille est une herbe aromatique et la graine un condiment.

corindon nm Pierre très dure (rubis, saphir).

corinthien, enne a Se dit d'un ordre architectural grec (chapiteaux à feuille d'acanthe).

cormier nm Sorbier domestique au bois très dur.

cormoran nm Oiseau palmipède pêcheur.

cornac nm Qui guide et soigne un éléphant.

cornaline nf Agate rouge ou jaune, utilisée en joaillerie.

cornaquer vt fam Guider.

corne nf 1 Excroissance dure sur la tête de certains mammifères (bœuf, rhinocéros, etc). 2 Appendice céphalique. *Cornes d'un escargot. Vipère à cornes.* 3 Matière dure des cornes, ongles, sabots, etc. *Un peigne de corne.* 4 Trompe d'appel. *Corne de brume.* 5 Pli au coin d'une feuille de papier. Loc *Prendre le taureau par les cornes :* affronter résolument le problème. *Faire les cornes à qqn :* faire avec les doigts un signe de dérision. fam *Avoir, porter des cornes :* être cocu. *Corne d'abondance :* remplie de fruits et symbolisant la prospérité.

corné, ée a De la nature de la corne.

corned-beef [kɔrnbif] nm inv Conserve de viande de bœuf.

cornée nf ANAT Partie transparente de la conjonctive de l'œil, située devant l'iris.

cornéen, enne a De la cornée.

corneille nf Oiseau noir voisin du corbeau.

cornélien, enne a 1 Relatif à Pierre Corneille. 2 Qui constitue un dilemme douloureux. *Situation cornélienne.*

cornemuse nf Instrument à vent celtique, composé d'un sac en peau et de tuyaux.

1. corner vi Sonner d'une corne, klaxonner. Loc *Les oreilles me cornent :* bourdonner. *Corner aux oreilles de qqn :* parler très fort. ■ vt Plier le coin de. *Corner les pages d'un livre.*

2. corner [-nɛr] nm Au football, coup franc tiré d'un coin de la ligne de but.

cornet nm 1 Cône de papier ou de pâtisserie servant de récipient. 2 Gobelet de cuir pour le jeu de dés. Loc *Cornet (à pistons) :* instrument à vent, en cuivre, à pistons.

cornette nf Coiffure de certaines religieuses.

cornettiste n Personne qui joue du cornet.

cornflakes [-flɛks] nmpl Flocons de maïs grillés.

corniaud nm 1 Chien bâtard. 2 fam Imbécile.

corniche nf 1 Ornement saillant. *Corniche d'une armoire.* 2 Route à flanc de montagne.

cornichon nm 1 Petit concombre que l'on confit dans le vinaigre. 2 pop Sot, niais.

cornière nf Profilé métallique en équerre servant à renforcer les angles.

corniste n Personne qui joue du cor.

cornouiller nm Petit arbre à bois dur.

cornu, ue a Qui a des cornes.

cornue nf Vase à col allongé et recourbé utilisé en chimie.

corollaire nm Proposition qui découle nécessairement d'une autre ; conséquence immédiate. Var **corolaire**

corolle nf Pétales d'une fleur. Var **corole**

coron nm Groupe de maisons de mineurs.

coronaire a, nf ANAT Loc *Artère coronaire :* qui irrigue le muscle cardiaque.

coronarien, enne a De l'artère coronaire.

coronarite nf Inflammation des coronaires.

coronavirus nm Virus responsable d'infection digestives chez les animaux, dont une form mutante provoque le SRAS.

coroner [-nɛr] nm Officier de justice, dans le pays anglo-saxons.

corossol nm Fruit comestible d'une anone.

corozo nm Graine très dure d'un palmier, po vant remplacer l'ivoire.

corporatif, ive a Propre aux corporations.

corporation nf Ensemble des professionne exerçant une même activité.

corporatisme nm Attitude qui consiste à défend uniquement les intérêts de sa corporation.

corporatiste a Qui relève du corporatisme.

corporel, elle a Du corps.

corps nm 1 Partie physique de l'homme, l'animal. *Avoir le corps couvert de plaies.* 2 Obj matériel. *La chute des corps. Un corps étra ger dans l'estomac.* 3 Substance chimique. carbone est un corps simple.* 4 Partie principa d'une chose. *Le corps d'une doctrine.* 5 Ensemb de personnes appartenant à une même catégor sociale ou professionnelle. *Le corps médic électoral.* 6 ANAT Nom donné à divers organe *Corps calleux.* 7 IMPRIM Encombrement d'un cara tère typographique. Loc *À son corps défendan malgré soi. Corps à corps :* de très près. *Corps bâtiment, de logis :* partie principale du bâtimen *Corps du délit :* le délit en lui-même. *Corps garde :* soldats assurant la garde ; local où ils tiennent. *Plaisanterie de corps de garde :* gro sière. *Donner corps à qqch :* matérialiser, concr tiser. *Esprit de corps :* solidarité corporativ *Faire corps avec :* adhérer étroitement. *Garde corps :* qui veille à la sécurité d'une personnalit *Prendre corps :* prendre forme.

corps-à-corps [kɔrakɔr] nm inv Combat dire tement aux prises avec l'adversaire.

corpsard [kɔrsar] nm fam Haut fonctionnai souvent issu de Polytechnique.

corpulence nf Masse du corps, souvent impo tante.

corpulent, ente a De forte corpulence.

corpus [-pys] nm Ensemble d'énoncés, réunis vue d'une analyse linguistique.

corpusculaire a Des corpuscules.

corpuscule nm Très petit corps.

corral nm Enclos où on parque les bêtes, dans élevage américain. *Des corrals.*

correct, ecte a 1 Exempt de fautes. 2 Conform aux règles, aux convenances. 3 fam Convenabl acceptable. *Repas très correct.*

correctement av Sans faute.

correcteur, trice n 1 Qui corrige un devoir, u examen. 2 Chargé de la correction des épreuv d'imprimerie. ■ a Loc *Verres correcteurs :* q corrigent la vue. ■ nm Loc *Correcteur orth graphique :* logiciel qui vérifie automatiqueme l'orthographe.

correctif, ive a Propre à corriger. *Gymnastiq corrective.* ■ nm Ce qui corrige un texte, un pr pos. *Publier un correctif.*

correction nf 1 Action de corriger. 2 Châtime corporel. 3 Qualité de ce qui est correct. *Corre tion du style, de la tenue.*

correctionnaliser vt DR Faire relever du tribun correctionnel.

rrectionnel, elle a, n f Loc DR *Tribunal correcnnel :* qui juge les délits et non les crimes.

rrélat nm Terme en corrélation avec un autre.

rrélatif, ive a En relation logique avec autre se.

rrélation nf Relation entre deux choses, deux mes corrélatifs.

rrélativement av De façon corrélative.

rréler vt [12] Mettre en corrélation.

rrespondance nf 1 Rapport de conformité, analogie. *Correspondance de vues.* 2 Liaison tre deux moyens de transport ; moyen de transrt qui l'assure. 3 Échange régulier de lettres ; lettres elles-mêmes.

rrespondant, ante a Qui correspond. ■ n 1 vec qui on est en relation épistolaire ou téléonique. 2 Chargé par un média de transmettre s informations. *Correspondant de guerre.* 3 argé de veiller sur un élève interne hors de tablissement.

rrespondre vti [71] 1 Être en rapport de nformité avec. *Cet article ne correspond pas à on texte.* 2 Communiquer avec. *Living qui corspond avec la chambre.* ■ vi Avoir un échange istolaire ou téléphonique.

rrida nf 1 Course de taureaux. 2 fam Agitation, usculade.

rridor nm Couloir dans un appartement.

rrigé nm Devoir donné comme modèle à des ves.

rriger vt [11] 1 Rectifier les erreurs. *Corriger texte.* 2 Rectifier les fautes et donner une note. rriger un devoir. 3 Tempérer qqch. *Corriger défaut, une tendance.* 4 Punir d'une peine rporelle. 5 fam Battre sévèrement. *Ce boxeur a rrigé son adversaire.*

rrigible a Qu'on peut corriger.

rroborer vt Appuyer, confirmer. *Ceci corrore son témoignage.*

rroder vt Ronger un métal.

rrompre vt [78] 1 Soudoyer. *Corrompre des moins.* 2 Pervertir. *Corrompre les mœurs.* 3 écomposer. *La chaleur corrompt la viande.*

rrosif, ive a Qui corrode.

rrosion nf Action de corroder.

rrupteur, trice a, n Qui corrompt.

rruptible a Sujet à la corruption.

rruption nf 1 Action de corrompre. *Corrupn de fonctionnaire.* 2 litt Perversion, déformaon. *Corruption des mœurs, du goût.*

rsage nm Vêtement féminin recouvrant le ste.

rsaire nm HIST Navire privé ou capitaine de navire qui, avec l'autorisation du gouverneent, capturait les navires marchands d'un pays nemi.

rse a, n De Corse. ■ nm Langue parlée en orse.

rsé, ée a 1 Relevé, fort. 2 Grivois.

rselet nm ZOOL Partie dorsale du thorax des sectes.

rser vt Donner de la force, de la vigueur ; épir. ■ vpr fam Se compliquer.

rset nm Sous-vêtement à baleines qui soutient taille.

rso nm Défilé de chars fleuris, lors de certaines es.

cortège nm 1 Suite de personnes qui en accompagnent une autre avec cérémonie. 2 Groupe de gens qui défilent. 3 Suite, accompagnement de qqch. *Cortège d'horreurs.*

cortex nm ANAT 1 Substance grise des hémisphères cérébraux. 2 Couche superficielle de certains organes.

cortical, ale, aux a ANAT D'un cortex.

corticoïde nm Hormone sécrétée par le cortex surrénal ; dérivé ou succédané de cette hormone.

corticosurrénal, ale, aux a Du cortex surrénal. ■ nf Cortex surrénal, exerçant une importante fonction métabolique.

cortinaire nm Champignon aux couleurs vives.

cortisone nf Hormone corticosurrénale antiinflammatoire.

corvéable a Soumis à la corvée.

corvée nf 1 HIST Travail gratuit dû par les paysans au seigneur ou au roi. 2 Chose pénible, désagréable qu'on doit faire.

corvette nf Escorteur de haute mer spécialisé dans la lutte contre les sous-marins.

corvidé nm ZOOL Grand oiseau tel que les corbeaux, les corneilles, les choucas, les geais, les pies.

coryphée nm Chef du chœur dans le théâtre antique.

coryza nm Rhume de cerveau.

cosaque nm Cavalier de l'armée russe.

cosignataire [-si-] n Personne qui signe avec d'autres un document.

cosigner [-si-] vt Signer un texte avec d'autres.

cosinus nm MATH Rapport du côté adjacent d'un angle aigu à l'hypoténuse d'un triangle rectangle.

cosmétique nm Substance utilisée pour l'hygiène et la beauté de la peau, des cheveux. ■ a 1 Des cosmétiques. 2 fam Superficiel, anodin. *Des réformes cosmétiques.*

cosmétologie nf Industrie des cosmétiques.

cosmique a Relatif à l'Univers, à l'espace extraterrestre. *Rayons cosmiques.*

cosmogonie nf Théorie de la formation de l'Univers.

cosmographie nf Description de l'Univers.

cosmologie nf Étude de l'ensemble de l'Univers et de sa structure.

cosmonaute n Pilote ou passager d'un véhicule spatial soviétique.

cosmopolite a Composé de personnes originaires de pays divers.

cosmopolitisme nm Caractère cosmopolite.

cosmos nm 1 L'Univers, considéré comme un tout organisé. 2 L'espace extraterrestre.

cossard, arde a, n fam Paresseux.

cosse nf 1 Enveloppe des petits pois, haricots, fèves, etc. 2 Plaque métallique pour connecter un conducteur. 3 fam Paresse.

cossu, ue a Riche, opulent.

costal, ale, aux a Des côtes. *Douleur costale.*

costard nm fam Costume d'homme.

costaricien, enne a, n Du Costa Rica.

costaud a, nm fam Fort, solide; résistant.

costume nm 1 Manière de se vêtir propre à une époque, à un pays. 2 Vêtement d'homme composé d'un pantalon et d'une veste, et parfois d'un gilet. 3 Habit de théâtre, déguisement. **Loc** fam *En costume d'Adam :* tout nu.

costumé, ée a Loc Bal costumé : où les invités sont travestis.

costumer (se) vpr Se déguiser.

costumier, ère n Qui fait, vend, répare des costumes de théâtre.

cotangente nf MATH Inverse de la tangente d'un angle.

cotation nf Action de coter.

cote nf 1 Marque numérale pour classer des documents, des livres, etc. 2 Indication du cours des valeurs mobilières. 3 Évaluation, estimation de la valeur de qqch. 4 Indication d'une dimension, d'un niveau. Loc fam Avoir la cote : être très prisé. Cote d'alerte : niveau d'un cours d'eau laissant prévoir une inondation ; point critique. Cote mal taillée : compromis boiteux.

côte nf 1 Chacun des os longs et courbes formant la cage thoracique. 2 Lignes en saillie. Côtes d'un melon. Velours à grosses côtes. 3 Pente d'une montagne ; route qui monte. 4 Rivage de la mer. Loc Côte à côte : l'un à côté de l'autre. On lui voit les côtes : il est très maigre. fam Avoir les côtes en long : être paresseux, fatigué. Côte de bœuf : morceau de viande coupé dans les côtes.

côté nm 1 Partie latérale du corps. Être couché sur le côté. 2 Partie extérieure. Côté droit du chemin. 3 Segment de droite du périmètre d'un polygone. Côtés d'un triangle. 4 Surface limitant un objet. Côtés d'un meuble. 5 L'une des parties, des faces d'une chose. Feuille imprimée sur un côté. 6 Manière de voir. Le bon côté des choses. 7 Ligne de parenté. Du côté de ma mère. 8 Parti, camp, opinion. Être du côté du plus fort. Loc À côté : tout près. À côté de : près de. Du côté de : en direction, aux environs de. De mon côté : pour ma part. De côté : de biais. Mettre de l'argent de côté : épargner. Laisser de côté : négliger. fam Côté finances : du point de vue des finances.

coteau nm Versant d'une colline.

côtelé, ée a Loc Velours côtelé : à côtes.

côtelette nf Côte des petits animaux de boucherie (mouton, porc).

coter vt 1 Attribuer une cote, évaluer. 2 Inscrire les cotes sur un plan. 3 Inscrire à la cote de la Bourse. Loc Être coté : être estimé.

coterie nf péjor Personnes qui se groupent pour défendre leurs intérêts.

côtes-du-rhône nm inv Vin récolté dans la vallée du Rhône, au sud de Lyon.

coteur nm Qui effectue les cotations à la Bourse.

cothurne nm Chaussure à semelle épaisse portée par les acteurs tragiques dans l'Antiquité.

côtier, ère a Relatif à la côte, au rivage. Navigation côtière.

cotillon nm 1 Danse terminant un bal. 2 Accessoires de fête (confettis, serpentins, etc.).

cotisant, ante a, n Qui cotise.

cotisation nf 1 Somme cotisée. 2 Versement obligatoire aux organismes de Sécurité sociale.

cotiser vti Payer sa quote-part. Cotiser à une mutuelle. ■ vpr Apporter sa part à une dépense commune.

côtoiement nm Fait de côtoyer.

coton nm 1 Fil textile extrait des graines du cotonnier. 2 Morceau d'ouate. Loc Élever un enfant dans du coton : le couver. Avoir les bras, les jambes en coton : être très affaibli. fam C'est coton : c'est difficile. fam Filer un mauvais coton : être dans une situation difficile.

cotonéaster nm Arbrisseau ornemental, feuillage fin.

cotonnade nf Étoffe de coton.

cotonneux, euse a 1 Dont l'aspect, la constance rappelle la ouate. 2 Fade.

cotonnier, ère a Du coton. Industrie cotonnière. ■ nm Arbrisseau qui fournit le coton.

coton-tige nm (n. déposé) Bâtonnet entouré d'ouate aux extrémités. Des cotons-tiges.

côtoyer vt [22] 1 Fréquenter, être en relation avec. Il côtoie des députés. 2 Longer. La route côtoie la rivière. 3 Être proche de. Histoire qui côtoie le ridicule.

cotre nm Petit voilier à un mât.

cottage [-tedʒ] nm Petite maison de campagne coquette et rustique.

cotte nf Loc Cotte de mailles : armure souple faite de mailles de fer.

cotuteur, trice n DR Personne qui exerce une tutelle avec d'autres.

cotylédon nm BOT Lobe charnu servant de réserve nutritive à la plante.

cou nm 1 Partie du corps qui joint la tête au thorax. 2 Partie longue et amincie d'un récipient. Loc Prendre ses jambes à son cou : se sauver. Jusqu'au cou : complètement.

couac nm Son faux, discordant.

couard, arde a, n litt Lâche, poltron.

couardise nf litt Poltronnerie, lâcheté.

couchage nm Action de coucher. Loc Sac de couchage : duvet.

couchant, ante a Loc Soleil couchant : se couche. Chien couchant : qui se couche quand il flaire le gibier. ■ nm Point de l'horizon moment où le soleil se couche.

couche nf 1 Substance étalée. Couche de peinture. 2 Épaisseur de terreau. Champignons de couche. 3 Strate homogène de terrains sédimentaires. 4 Protection absorbante pour nourrissons. litt Lit. Partager la couche de qqn. 6 Classe, catégorie sociale. Loc Être en couches : en train de venir d'accoucher. fam En tenir une couche : être stupide. Fausse couche : avortement spontané.

couché, ée a 1 Allongé, étendu. 2 Incliné. Écriture couchée. Loc Papier couché : couvert d'une couche d'enduit.

couche-culotte nf Culotte jetable, absorbante imperméable pour bébé. Des couches-culottes.

coucher vt 1 Mettre au lit. Coucher un enfant. Mettre horizontal. Coucher l'armoire. 3 Incliner. L'orage couche les blés. Loc Coucher par écrit : inscrire. ■ vi Passer la nuit. Coucher à l'hôtel. ■ vti Loc Coucher avec qqn : avoir des relations sexuelles. ■ vpr 1 S'allonger. 2 S'incliner. bateau se couche sur le flanc. ■ nm Loc Coucher du soleil : moment où il disparaît à l'horizon.

coucherie nf fam Relations sexuelles.

couchette nf Lit étroit dans un train.

coucheur, euse n Loc fam Mauvais coucheur : personne difficile à vivre.

couci-couça av fam Ni bien ni mal.

coucou nm 1 Oiseau grimpeur. 2 Primevère sauvage. 3 Pendule de style rustique dont la sonnerie imite le cri du coucou. 4 fam Vieil avion ; petit avion. ■ interj Manifeste l'arrivée de qqn.

coude nm 1 Articulation le bras et l'avant-bras. 2 Partie de la manche couvrant le coude. Tournant, angle. Coude d'un chemin. Loc Cou

　　　　　　　　　　　　　　　　　　　　　　　　　coupe

coude : solidairement. *Se tenir les coudes :* être solidaires. *Sous le coude :* en attente.

coudée *nf* anc Mesure de longueur d'environ 50 centimètres. Loc *Avoir les coudées franches :* pouvoir agir librement.

cou-de-pied *nm* Partie supérieure du pied. *Des cous-de-pied.*

couder *vt* Plier en forme de coude.

coudière *nf* Accessoire sportif protégeant l'articulation du coude.

coudoyer *vt* [22] Fréquenter, côtoyer.

coudre *vt* [56] Joindre au moyen d'un fil passé dans une aiguille.

coudrier *nm* Noisetier.

couenne [kwan] *nf* Peau de cochon employée en charcuterie.

couette *nf* 1 Lit ou édredon de plume. 2 Petite touffe de cheveux retenue par un lien.

couffin *nm* Grand panier en osier servant de berceau.

couguar *nm* Puma. Var **cougouar**

couille *nf* pop Testicule.

couillon *nm, a* pop Idiot, imbécile.

couillonnade *nf* pop Sottise, erreur.

couillonner *vt* pop Tromper, gruger.

couinement *nm* Action de couiner ; cris, bruits aigus.

couiner *vi* 1 Pousser de petits cris. 2 Grincer.

coulage *nm* 1 Action de couler. 2 fam Gaspillage, chapardage.

coulant, ante *a* 1 Qui coule, fluide. *Camembert coulant.* 2 Facile, aisé. *Un style coulant.* 3 Accommodant. *Un patron très coulant.* Loc *Nœud coulant :* qui se serre quand on tire l'extrémité du lien. ■ *nm* Anneau d'une ceinture.

coule (à la) *av* Loc fam *Être à la coule :* débrouillard.

coulée *nf* Matière liquide ou en fusion qui s'étale. *Coulée de boue, de lave.*

coulemelle *nf* Champignon comestible à chapeau écailleux (lépiote).

couler *vi* 1 Se mouvoir (liquide). *Le ruisseau coule.* 2 S'échapper. *Le vin coule du tonneau.* 3 Laisser échapper. *Le tonneau coule.* 4 S'enfoncer, sombrer. *Le bateau coule.* Loc *Couler de source :* être la conséquence évidente. *Faire couler de l'encre :* susciter des commentaires. ■ *vt* Verser une matière liquide. *Couler du plomb.* Glisser, introduire. *Couler la clé dans la serrure.* Loc *Couler un bateau, une entreprise :* les faire sombrer. *Couler des jours heureux :* mener une vie heureuse. ■ *vpr* Se glisser. *Le serpent se coule dans le panier.* Loc fam *Se la couler douce :* vivre agréablement.

couleur *nf* 1 Impression produite sur l'œil par la lumière. *Les couleurs du prisme.* 2 Ce qui n'est ni noir, ni gris, ni blanc. *Une carte postale en couleurs.* 3 Aux cartes, trèfle, carreau, cœur, pique. Substance colorante. *Boîte de couleurs.* Loc *Personne de couleur :* qui n'est pas blanc. *Avoir des couleurs :* bonne mine. *Couleur locale :* caractère pittoresque. *Couleur politique :* opinion. *Sous couleur de :* sous prétexte. *Annoncer la couleur :* dévoiler ses intentions. ■ *pl* Habit, signe distinctif. *Les couleurs d'un club sportif.* 2 Drapeau. *Envoyer les couleurs.* Loc fam *En voir de toutes les couleurs :* subir des difficultés, des affronts.

couleuvre *nf* Serpent non venimeux commun en Europe. Loc fam *Avaler des couleuvres :* subir sans protester, croire n'importe quoi.

coulis *nm* Extrait obtenu par tamisage et/ou cuisson. *Coulis de fraises, de tomates.* ■ am Loc *Vent coulis :* qui se glisse par les fentes.

coulissant, ante *a* Qui coulisse.

coulisse *nf* 1 Rainure où glisse une pièce mobile. 2 Rempli d'étoffe pour passer un cordon. 3 Partie d'un théâtre invisible pour le public, derrière les décors. Loc *Les coulisses du pouvoir :* les côtés secrets.

coulissement *nm* Fait de coulisser.

coulisser *vt* Faire glisser sur une coulisse. ■ *vi* Glisser. *Porte qui coulisse.*

couloir *nm* 1 Passage entre plusieurs lieux. *Les couloirs du métro.* 2 Passage étroit. Loc *Couloir d'avalanches :* chemin suivi généralement par les avalanches. *Couloir d'autobus :* passage réservé aux autobus. *Couloir aérien :* route imposée aux avions. ■ *pl* Galeries avoisinant une salle de séance. *Les couloirs de l'Assemblée.*

coulomb *nm* PHYS Quantité d'électricité transportée en 1 seconde par un courant de 1 ampère.

coulommiers *nm* Fromage à pâte fermentée.

coulpe *nf* Loc litt *Battre sa coulpe :* s'avouer coupable.

coulure *nf* 1 Matière qui coule ; sa trace. *Des coulures de peinture.* 2 BOT Absence de fécondation due au mauvais temps au moment de la floraison.

coup *nm* 1 Choc physique, heurt ; sa trace. *Coup de bâton. Le coup se voit encore.* 2 Choc psychologique. *Cette nouvelle a été un coup pour lui.* 3 Geste rapide. *Coup de volant.* 4 Bruit dû à un choc. *Coup de marteau.* 5 Décharge et détonation d'une arme à feu. *Coup de fusil, de canon.* 6 Fois. *Ce coup-ci. Encore un coup. À tous les coups.* 7 Accès. *Coup de folie, de colère, de désespoir.* Loc fam *C'est un coup de :* c'est la faute de. fam *Être aux cents coups :* être bouleversé. fam *Monter, faire un coup :* faire une action louche. *Donner le coup de grâce à :* achever. fam *Avoir un coup dans le nez :* être ivre. *Donner un coup de main à :* aider. *Donner un coup de balai, de téléphone, etc. :* balayer, téléphoner. *Coup de théâtre :* évènement soudain. *Coup de Trafalgar :* catastrophe. *Coup de tête :* décision brusque. *Coup d'État :* prise du pouvoir par la force. *Coup de soleil :* insolation. fam *Coup dur :* malheur. *Coup franc :* sanction contre une équipe qui a commis une faute. *Sur le coup :* immédiatement. *À coup sûr :* certainement. *Tout à coup :* brusquement. *Au coup par coup :* selon la circonstance. *Du coup :* de ce fait. *Coup sur coup :* sans interruption.

coupable *a, n* Qui a commis une faute, un délit. *Être coupable de vol. Retrouver le coupable.* ■ *a* Blâmable. *Négligence coupable.*

coupage *nm* 1 Action de mélanger des vins, des alcools. 2 Addition d'eau à un liquide.

coupant, ante *a* 1 Qui coupe. 2 Autoritaire, impérieux. *Un ton coupant.*

coup-de-poing *nm* Arme métallique percée de trous pour les doigts. *Des coups-de-poing.*

1. coupe *nf* 1 Verre, récipient évasé, à pied. *Une coupe à champagne. Une coupe de fruit.* 2 Trophée offert au vainqueur d'une compétition sportive ; la compétition elle-même. *La Coupe Davis.*

2. coupe nf 1 Action de couper ; ce qui a été coupé. *Coupe de tissu.* 2 Manière de tailler. *Costume de bonne coupe.* 3 Division en deux d'un paquet de cartes. 4 Étendue de bois sur pied à abattre. 5 Pause dans la diction. *Coupe d'un vers.* 6 Représentation de la section verticale d'une pièce, d'un bâtiment. Loc *Être sous la coupe de qqn* : sous son emprise. *Coupe sombre dans qqch* : restriction importante.

coupé nm Automobile à deux portes généralement à deux places.

coupe-chou nm Rasoir droit. *Des coupe-choux.*

coupe-cigare nm Instrument pour couper le bout des cigares. *Des coupe-cigares.*

coupe-circuit nm Fusible.

coupe-coupe nm inv Sabre d'abattis. **Var coupecoupe**

coupée nf Ouverture d'accès dans le flanc d'un navire.

coupe-faim nm Médicament destiné à couper la faim. *Des coupe-faims.*

coupe-feu nm Obstacle ou espace libre destiné à la propagation d'un incendie. *Des coupe-feux.*

coupe-file nm Carte officielle permettant de circuler en priorité. *Des coupe-files.*

coupe-gorge nm Endroit où l'on risque de se faire attaquer. *Des coupe-gorges.*

coupe-jarret nm litt Spadassin, brigand. *Des coupe-jarrets.*

coupelle nf Petite coupe.

coupe-ongle nm Instrument pour couper les ongles. *Des coupe-ongles.*

coupe-papier nm Lame de bois, d'ivoire, etc., pour couper les pages d'un livre. *Des coupe-papiers.*

couper vt 1 Diviser avec un instrument tranchant. *Couper du bois.* 2 Tailler dans de l'étoffe. *Couper une robe.* 3 Entailler, blesser. 4 Interrompre. *Couper un circuit, le courant.* 5 Supprimer, censurer. *Certains passages du film ont été coupés.* 6 Traverser. *Ce chemin coupe la route.* 7 Mélanger un liquide à un autre. *Couper d'eau du lait, du vin.* 8 Séparer un jeu de cartes en deux. 9 Jouer un atout quand on ne peut fournir la couleur demandée. 10 Au tennis, au ping-pong, donner de l'effet à une balle. Loc fam *Couper le sifflet à qqn* : le faire taire. fam *Couper les cheveux en quatre* : compliquer inutilement. fam *Couper l'herbe sous le pied de qqn* : le supplanter. *Donner sa tête à couper que* : affirmer catégoriquement. ■ vi Être tranchant. *Ce rasoir coupe bien.* ■ vti Échapper à qqch. *Couper à une corvée.* Loc *Couper court à* : écourter. ■ vpr 1 Se blesser avec un instrument tranchant. 2 Se contredire après avoir menti.

couperet nm 1 Couteau de boucher large et lourd. 2 Couteau de la guillotine.

couperose nf Rougeur du visage due à une dilatation vasculaire.

couperosé, ée a Atteint de couperose.

coupeur, euse n Qui fait la coupe des vêtements.

coupe-vent nm Vêtement qui protège du vent. *Des coupe-vents.*

couplage nm Assemblage, connexion, réunion.

couple nm 1 Deux personnes vivant ensemble. 2 Deux personnes. *Un couple d'associés.* 3 Le mâle et la femelle. *Un couple de serins.* 4 PHYS Système de deux forces égales, parallèles, de sens con-

traires. 5 MAR Section transversale de la structure d'un navire.

couplé nm Pari consistant à désigner les deux premiers chevaux d'une course.

coupler vt Assembler deux par deux.

couplet nm Strophe d'une chanson.

coupole nf Partie concave d'un dôme. Loc *Siéger sous la Coupole* : à l'Académie française.

coupon nm 1 Morceau d'étoffe restant d'une pièce. 2 Titre d'intérêt joint à une action, à une obligation.

couponnage nm Vente par correspondance avec des coupons-réponse. **Var couponing**

coupon-réponse nm Partie détachable d'une annonce publicitaire à renvoyer par le lecteur. *Des coupons-réponse.*

coupure nf 1 Incision, entaille. 2 Suppression. *La censure a fait des coupures dans le film.* 3 Article découpé dans un journal. *Coupures de presse.* 4 Billet de banque. 5 Interruption. *Coupure de courant.*

cour nf 1 Espace découvert environné de murs ou de bâtiments. *Un appartement sur cour.* 2 Société vivant autour d'un souverain ; lieu où vit cette société. 3 Ensemble de gens qui s'efforcent de plaire à qqn. *Avoir une cour d'adorateurs.* 4 Siège de justice ; magistrats de l'une des juridictions. *Cour d'appel, d'assises.* Loc *Cour des Miracles* : ancien quartier mal famé de Paris. *Être (bien) en cour* : en faveur. *Faire la cour à qqn* : tenter de le séduire. *Côté cour* : côté de la scène à gauche de l'acteur regardant la salle.

courage nm 1 Fermeté d'âme devant le danger, la souffrance, zèle. 2 Ardeur, zèle.

courageusement av Avec courage.

courageux, euse a Qui a du courage.

couramment av 1 Sans hésitations. *Parler couramment anglais.* 2 Fréquemment. *Cela se voit couramment.*

courant, ante a 1 Habituel, commun. *Pratique courante, mot courant.* 2 En cours. *Mois courant. Affaires courantes.* Loc *Chien courant* : dressé à poursuivre le gibier. *Eau courante* : au robinet. *Main courante* : registre de police. *Compte courant* : compte bancaire ou postal. ■ nm 1 Mouvement d'un fluide dans une direction déterminée. *Les courants marins.* 2 Mouvement de particules électriques. *Courant alternatif, continu. Coupure de courant.* 3 Mouvement d'ensemble, tendance générale. *Les courants de populations. Les grands courants de pensée.* Loc *Dans le courant de la semaine* : durant. *Être au courant de* : informé. ■ nf 1 Danse ancienne. 2 fam Diarrhée.

courbatu, ue a litt Courbaturé.

courbature nf Douleur musculaire due à un effort ou à la fièvre.

courbaturé, ée a Qui ressent des courbatures.

courbe a En arc. *Surface courbe.* ■ nf 1 Ligne courbe. 2 Ligne représentant graphiquement les variations d'un phénomène. *Courbes de température.* 3 Virage.

courbé, ée a Rendu courbe, fléchi.

courber vt 1 Rendre courbe. *Courber une branche.* 2 Fléchir, baisser. *Il courbe la tête.* ■ vi Plier, fléchir. *Courber sous le poids.* ■ vpr Céder, se soumettre. *Je refuse de me courber devant lui.*

courbette nf Politesse exagérée et obséquieuse.

courbure nf Forme ou état d'une chose courbe.

courée nf Petite cour dans les villes du Nord.

ourette *nf* Petite cour intérieure.

oureur, euse *n* **1** Qui pratique la course. *Coureur cycliste. Coureur de fond.* **2** *fam* Qui court les aventures galantes. *Un coureur de filles.*

ourge *nf* Cucurbitacée à fruit comestible (citrouille, courgette, etc.).

ourgette *nf* Petite courge allongée.

ourir *vi* [25] **1** Aller vite. *Courir à toutes jambes. Aller vite au pas. Courir chez le boucher acheter un steak.* **3** Se répandre, s'étendre. *L'eau court sur le toit. Le fil court sur le mur.* **4** Être en cours. *Le bail court jusqu'à demain.* **5** Participer à une course. *Il court sur Ferrari.* Loc *fam Laisser courir :* laisser faire. *fam Tu me cours (sur le système, le haricot) :* agacer. *Le bruit court que :* on dit. *vti* **1** Rechercher qqch. *Courir après l'argent, les honneurs.* **2** *fam* Harceler. *Courir après qqn.* Loc *Courir à un échec :* y aller tout droit. *vt* **1** Disputer une course. *Courir le marathon.* **2** S'exposer à. *Courir un risque.* Aller souvent qq part. *Courir les bars, les magasins.* Loc *Spectacle très couru :* fréquenté. *fam C'était couru d'avance :* prévisible. *fam Courir les rues :* être banal. *Courir le cerf :* V. courre.

ourlis *nm* Oiseau échassier à long bec fin, arqué vers le sol.

ouronne *nf* **1** Ornement encerclant la tête. *Couronne de lauriers, de fleurs. Couronne royale.* **2** (avec majusc.) Autorité, dignité royale, impériale ; territoire royal. *Duché réuni à la Couronne.* **3** Objet de forme circulaire. *Pain en couronne.* **4** Tonsure monastique. **5** Prothèse dentaire. **6** Format de papier (46 cm x 36 cm). **7** Unité monétaire de la Suède, de la Norvège, du Danemark, de l'Islande, de l'Estonie, de la Slovaquie et de la République tchèque.

ouronnement *nm* **1** Action de couronner. **2** Achèvement de qqch. *Le couronnement de sa carrière.*

ouronner *vt* **1** Mettre une couronne sur la tête de. **2** Sacrer souverain. **3** Décerner un prix, une récompense à. **4** Surmonter. *Une frise couronne la tour.* **5** Parfaire. *Le succès a couronné son effort.*

ourre *vt* Loc *Chasse à courre :* chasse à cheval avec des chiens courants.

ourriel *nm* Courrier électronique, synonyme recommandé de *e-mail.*

ourrier *nm* **1** Porteur de dépêches. **2** Service postal. *Courrier aérien.* **3** Correspondance transmise par la poste. *Faire lire son courrier.* **4** Chronique d'un journal. *Le courrier de la mode.* Loc *Courrier électronique :* message échangé entre deux ordinateurs.

ourriériste *n* Journaliste tenant une rubrique régulière.

ourroie *nf* Bande de matière souple servant à lier qqch ou à transmettre un mouvement. Loc *Courroie de transmission :* simple intermédiaire.

ourroucer *vt* [10] litt Mettre en colère.

ourroux *nm* litt Colère, irritation.

ours *nm* **1** Mouvement continu des liquides. *Le cours d'un fleuve.* **2** Longueur d'un fleuve. **3** Enchaînement dans le temps. *Le cours des évènements. Suivre son cours.* **4** Avenue plantée d'arbres. **5** Taux de base des transactions. *Cours du dollar.* **6** Suite de leçons. *Cours d'histoire. Cours par correspondance.* **7** Manuel. *Cours polycopié.* **8** Degré d'enseignement. *Cours préparatoire.* **9** Établissement d'enseignement privé.

Loc *Au cours de :* pendant. *Avoir cours :* être en usage. *Cours d'eau :* rivière, fleuve, etc. *Donner libre cours à :* laisser aller. *Navigation au long cours :* de longue durée.

course *nf* **1** Action de courir. **2** Compétition, épreuve de vitesse. *Course à pied, cycliste, automobile.* **3** Espace parcouru par une pièce mobile. *La course d'un piston.* **4** Lutte pour obtenir. *Course à la présidence.* **5** Trajet en taxi. Loc *À bout de course :* fatigué. *fam Être dans la course :* être au courant. *pl* Compétitions hippiques. *Jouer aux courses.* Loc *Faire des courses :* faire des commissions, des achats.

course-poursuite *nf* Poursuite mouvementée, pleine de péripéties. *Des courses-poursuites.*

courser *vt* *fam* Poursuivre à la course.

coursier, ère *n* Qui transporte messages et paquets à travers une ville. *nm* litt Cheval.

coursive *nf* Couloir étroit à bord d'un navire.

1. court, courte *a* **1** De peu de longueur. *Des cheveux courts.* **2** Qui dure peu. *Les nuits d'été sont courtes.* **3** Peu éloigné dans le temps. *Échéance à court terme.* **4** Insuffisant, sommaire. *Des connaissances un peu courtes.* *av* Loc *S'arrêter court :* brusquement. *Couper court à :* arrêter net. *Être à court de :* manquer. *Prendre qqn de court :* à l'improviste. *Tout court :* sans autre précision.

2. court *nm* Terrain de tennis.

courtage *nm* **1** Profession, activité des courtiers. **2** Commission perçue. *Frais de courtage.*

courtaud, aude *a* De taille courte et ramassée.

court-bouillon *nm* Bouillon épicé et vinaigré dans lequel on cuit le poisson. *Des courts-bouillons.*

court-circuit *nm* Connexion entre deux points d'un circuit, à tensions différentes. *Des courts-circuits.*

court-circuiter *vt* **1** Mettre en court-circuit. **2** *fam* Éliminer un intermédiaire. *Distribution qui court-circuite les grossistes.*

court-courrier *nm* Avion de transport pour étapes courtes. *Des court-courriers.*

courtepointe *nf* Couverture piquée.

courtier, ère *n* Intermédiaire commercial.

courtilière *nf* Insecte fouisseur, nuisible.

courtine *nf* Muraille réunissant les tours d'un château fort.

courtisan, ane *n* **1** Qui vit à la cour d'un souverain. **2** Qui, par intérêt, cherche à plaire. *nf* litt Prostituée de luxe.

courtiser *vt* Faire sa cour à.

court-jus *nm* pop Court-circuit. *Des courts-jus.*

court-métrage *nm* Film de moins de vingt minutes. *Des courts-métrages.*

courtois, oise *a* D'une politesse raffinée. Loc *Amour courtois :* chevaleresque.

courtoisement *av* De façon courtoise.

courtoisie *nf* Politesse, civilité.

court-vêtu, ue *a* Qui porte un vêtement court. *Des femmes court-vêtues.*

couru, ue *a* Recherché, à la mode. *Un spectacle couru.* Loc *fam C'est couru :* c'est prévisible.

couscous [kuskus] *nm* Mets d'Afrique du Nord (semoule, légumes, viande).

cousette *nf* Apprentie couturière.

1. cousin *nm* Moustique commun.

2. cousin, ine *n* Parent issu de l'oncle ou de la tante.

cousinage *nm* Parenté de cousins.

coussin *nm* Petit sac cousu, rembourré, servant d'appui. *Coussins de canapé.* Loc *Coussin d'air :* couche d'air sous pression maintenant un véhicule au-dessus d'une surface.

coussinet *nm* 1 Petit coussin. 2 Pièce qui maintient les rails. 3 TECH Douille contenant un arbre tournant.

cousu, ue *a* Assemblé par une couture. Loc *Garder bouche cousue :* ne rien dire.

coût *nm* Ce que coûte qqch. Var **cout**

coûtant *am* Loc *Prix coûtant :* prix qu'une chose a coûté, sans bénéfice. Var **coutant**

couteau *nm* 1 Instrument tranchant composé d'une lame et d'un manche. 2 Prisme triangulaire qui supporte le fléau d'une balance. 3 Coquillage long et étroit. Syn. solen. Loc *Être à couteaux tirés :* en conflit ouvert. fam *Second* ou *troisième couteau :* simple comparse.

couteau-scie *nm* Couteau à lame dentée. *Des couteaux-scies.*

coutelas *nm* Grand couteau.

coutelier, ère *n* Qui fabrique, vend des couteaux, des rasoirs, etc.

coutellerie *nf* 1 Industrie, commerce des couteaux. 2 Fabrique, boutique de couteaux. 3 Produits vendus par les couteliers.

coûter *vi* 1 Être au prix de. *Ce vase coûte cent euros, cher.* 2 Occasionner des frais. *Son procès lui a coûté cher.* Loc *Coûte que coûte :* quoi qu'il en coûte, à tout prix. ■ *vt* Causer. *Les peines que ce travail m'a coûtées.* Var **couter**

coûteux, euse *a* Qui coûte cher, onéreux. Var **couteux, euse**

coutil [-ti] *nm* Toile très serrée et lissée.

coutume *nf* 1 Pratique consacrée par l'usage. *Les coutumes d'un pays.* 2 Habitude individuelle. *Il a coutume de se lever tôt.* 3 DR Droit né de l'usage. 4 Recueil du droit coutumier d'un pays.

coutumier, ère *a* 1 Qui a coutume de. *Coutumier de se lever tôt.* 2 Ordinaire, habituel. *Les occupations coutumières.* Loc *Droit coutumier :* consacré par l'usage (par oppos. à *droit écrit*).

couture *nf* 1 Action de coudre. *Faire de la couture.* 2 Art de coudre. 3 Suite de points. *Couture de pantalon.* 4 Cicatrice en longueur. Loc *Haute couture :* les grands couturiers. *À plate couture :* complètement.

couturé, ée *a* Couvert de cicatrices.

couturier *nm* Personne qui dirige une maison de couture. *Les grands couturiers.*

couturière *nf* Qui confectionne des vêtements.

couvain *nm* Ensemble des œufs, chez divers insectes (abeilles).

couvaison *nf* Action de couver.

couvée *nf* Œufs couvés en même temps par un oiseau ; les petits une fois éclos.

couvent *nm* Maison de religieux, de religieuses.

couver *vt* 1 Se tenir sur des œufs pour les faire éclore (oiseaux). 2 fam Entourer d'une sollicitude excessive. *Couver ses enfants.* Loc *Couver des yeux, du regard :* regarder longuement. *Couver une maladie :* en porter les germes. ■ *vi* Être latent. *La révolte couvait.*

couvercle *nm* Ce qui sert à couvrir un pot, une boîte, etc.

couvert, erte *a* 1 Muni d'un couvercle, d'un toi 2 Habillé, vêtu. *Être bien, chaudement couver* Loc *Restez couvert :* gardez votre chapeau. *Cie temps couvert :* nuageux. *Parler à mots couverts* par allusions. ■ *nm* Cuiller, fourchette et couteau Loc *Mettre le couvert :* mettre la table. *Une tabl de six couverts :* une table pour six personnes. *À couvert :* à l'abri. *Sous couvert de :* sous prétexte *Le vivre et le couvert :* nourriture et logement.

couverture *nf* 1 Toit d'une construction. *Couver ture de tuiles.* 2 Tissu épais de laine placé sur le draps pour tenir chaud. 3 Ce qui couvre, protèg un livre, un cahier. *Couverture toilée.* 4 Ce qu sert à dissimuler, à protéger. 5 Compte rendu d'u évènement par les médias. 6 FIN Garantie donné pour un paiement. Loc *Couverture sociale :* protection garantie à un actif social. *Couvertur maladie universelle :* dispositif qui permet l'accè aux soins aux plus démunis.

couveuse *nf* 1 Femelle d'oiseau de basse-cour 2 Appareil à couver les œufs. 3 Appareil où o place les nouveau-nés fragiles.

couvrant, ante *a* Facile à étaler (peinture).

couvre-chef *nm* Chapeau. *Des couvre-chefs.*

couvre-feu *nm* Interdiction de sortir après cer taines heures. *Des couvre-feux.*

couvre-lit *nm* Pièce d'étoffe dont on recouvre u lit. *Des couvre-lits.*

couvre-pied *nm* Couverture de lit décorative *Des couvre-pieds.*

couvreur *nm* Personne qui couvre les maisons répare les toitures.

couvrir *vt* [31] 1 Placer sur pour protéger. *Cou vrir une maison, un livre.* 2 Habiller, vêtir. *Couvr d'un châle ses épaules.* 3 Mettre en quantité su *Couvrir un mur de tableaux.* 4 Être répandu su *Des feuilles couvrent les allées.* 5 Cacher. *Voi qui couvre le visage.* 6 Prendre la responsabilité. Balancer, compenser. *La recette couvre les frai* 8 Parcourir. *Couvrir dix kilomètres.* 9 S'accouple avec une femelle. *Étalon qui couvre une jumen* 10 Assurer l'information sur un évènemen 11 Garantir. *Couvrir un risque.* ■ *vpr* Se vê chaudement ; mettre son chapeau. Loc *Le ciel, l temps se couvre :* des nuages apparaissent.

COV *nm* CHIM Composé organique volatil, polluar atmosphérique d'origine chimique.

cover-girl [kɔvœʀɡœʀl] *nf* Jeune femme qu pose pour les photographes. *Des cover-girls.* Va **covergirl**

covoiturage *nm* Utilisation de la même voitur par plusieurs personnes pour se rendre au travail

cow-boy [kawbɔj] *nm* Gardien de troupeaux a Far West. *Des cow-boys.* Var **cowboy**

coxalgie *nf* Arthrite de la hanche.

coxarthrose *nf* Arthrose de la hanche.

coyote *nm* Canidé d'Amérique du Nord.

cqfd Sigle de *ce qu'il fallait démontrer* (conclu une démonstration). Var **CQFD**

crabe *nm* Crustacé marin comestible. Loc fa *Panier de crabes :* groupe de personnes qui s dénigrent ou cherchent à se nuire. *Marcher e crabe :* de côté.

crac *interj* Imite le bruit de qqch qui se brise.

crachat *nm* Mucosité que l'on crache.

craché, ée *a* fam Très ressemblant.

crachement *nm* 1 Action de cracher. 2 Brui parasite émis par un haut-parleur.

acher vt **1** Rejeter hors de la bouche. *Cracher noyau.* **2** Expulser. *La cheminée crache de la fumée.* **3** pop Dépenser. *Il a craché mille francs.* ◾ vi **1** Rejeter un crachat. *Défense de cracher.* **2** Éclabousser. *Stylo qui crache.* **3** Grésiller. *Radio qui crache.* ◾ vti Mépriser. *Cracher sur qqn.*

achin nm Pluie fine et dense.

achiner v impers Tomber (crachin).

achoir nm Récipient où on crache.

achotement nm Petit crachement.

achoter vi Faire entendre de petits crachements.

ack nm **1** Cheval favori d'une écurie de course. **2** fam Personne très forte. **3** fam Cocaïne cristallisée très toxique.

cracker [-kœʀ] nm Petit gâteau sec, salé.

cracker vt Pénétrer de force dans un système informatique.

acking [-kiŋ] nm Syn. de *craquage*.

aie nf **1** Roche calcaire généralement blanche, tendre et perméable. **2** Bâton pour écrire sur un tableau noir.

aindre vt [57] **1** Redouter. *Ce chien craint son maître.* **2** Considérer comme probable une chose fâcheuse. *Je crains qu'il ne vienne plus. Il craint d'échouer.* **3** Être sensible à. *Cette plante craint le froid.* Loc *Ne pas craindre de :* avoir le courage de. fam *Ça craint :* c'est affreux ; c'est difficile ou dangereux.

ainte nf Sentiment de peur, d'inquiétude à l'idée d'une menace. Loc *De crainte que* (+ subj.), *de crainte de* (+ inf.) : de peur que, de.

aintif, ive a Peureux, apeuré.

aintivement av De façon craintive.

amer vi, vt pop Brûler, roussir.

amoisi, ie a **1** Rouge foncé. **2** Très rouge. *Cramoisi de colère.*

ampe nf Contraction douloureuse et passagère d'un muscle.

ampon nm **1** Pièce de métal, recourbée, à une ou plusieurs pointes, qui sert à fixer. **2** fam Personne insistante et importune.

amponner vt **1** Attacher avec un crampon. **2** fam Importuner par son insistance. ◾ vpr S'accrocher. *Enfant qui se cramponne à sa mère.*

an nm **1** Entaille dans un corps dur pour accrocher ou arrêter. **2** Trou d'une courroie. **3** Ondulation donnée à la chevelure. *Se faire des crans.* **4** fam Énergie, courage. *Avoir du cran.* Loc *Être à cran :* de très mauvaise humeur. *Monter, baisser d'un cran :* passer à un degré supérieur, inférieur.

âne nm **1** Boîte osseuse contenant l'encéphale des vertébrés. **2** fam Tête. *J'ai mal au crâne.* ◾ a Brave, décidé.

ânement av litt Hardiment.

âner vi fam Se montrer prétentieux.

ânerie nf litt Attitude fanfaronne.

âneur, euse n, a fam Prétentieux.

ânien, enne a Du crâne.

anter vt Faire des crans à.

apaud nm **1** Batracien à peau verruqueuse. **2** Tache noire dans une pierre précieuse. **3** Petit fauteuil bas. **4** Petit piano à queue.

apaud-buffle nm Gros crapaud d'Afrique. *Des crapauds-buffles.*

apette nf Jeu de cartes à deux joueurs.

apule nf Individu malhonnête.

crapulerie nf Malhonnêteté.

crapuleux, euse a D'une crapule. Loc *Crime crapuleux :* commis pour voler.

craquage nm Procédé de raffinage du pétrole, de transformation des produits agricoles par séparation des constituants. Syn. cracking.

craquant, ante a Qui craque.

craque nf pop Mensonge.

craqueler vt [16] ou [18] Fendiller.

craquelure nf Fendillement, fissure.

craquement nm Bruit sec de qqch qui craque.

craquer vi **1** Faire un bruit sec. *Le plancher craque.* **2** Céder, se casser bruyamment. *La digue a craqué.* **3** fam S'effondrer nerveusement. *Je suis à bout, je vais craquer !* **4** fam Ne pas résister. *J'ai craqué et je l'ai acheté.* Loc *Plein à craquer :* trop plein. ◾ vt **1** Déchirer. *Craquer son pantalon.* **2** Enflammer une allumette.

craquètement nm **1** Petit craquement. **2** Cri de la grue, de la cigogne.

craqueter vi [17] ou [19] **1** Craquer à petits bruits. **2** Crier (grue, cigogne).

crash [kʀaʃ] nm Pour un avion, fait de s'écraser au sol ; pour une voiture, choc frontal très violent.

crasher (se) vpr abusiv Subir un crash, s'écraser.

crassane nf Poire jaunâtre à chair fondante.

crasse nf **1** Saleté qui s'amasse. **2** fam Mauvais coup. *Faire une crasse à qqn.* ◾ af Loc fam *Une ignorance crasse :* grossière.

crasseux, euse a Couvert de crasse.

crassier nm Entassement des scories de hauts fourneaux.

cratère nm **1** Grand vase antique à deux anses. **2** Bouche d'un volcan. **3** Cavité creusée par une explosion. *Cratère de bombe.*

craterelle nf Syn. de *trompette-de-la-mort*.

cravache nf Badine servant de fouet aux cavaliers. Loc *À la cravache :* durement.

cravacher vt Frapper avec une cravache. ◾ vi fam Se dépêcher.

cravate nf **1** Mince bande d'étoffe qui se noue sous le col de chemise. **2** En lutte, torsion imprimée au cou de l'adversaire.

cravater vt **1** Mettre une cravate à. **2** pop Prendre, attraper. *La police a cravaté le voleur.*

crawl [kʀol] nm Nage rapide par battement continu des pieds et mouvement alterné des bras.

crayeux, euse a Qui contient de la craie, qui a l'aspect de la craie.

crayon nm Baguette de bois entourant une mine pour écrire ou dessiner. Loc *Crayon à bille :* stylo à bille. *Coup de crayon :* manière de dessiner. *Crayon optique :* qui permet de lire les codes barres.

crayon-feutre nm Stylo à pointe en feutre. *Des crayons-feutres.*

crayonnage nm Dessin fait au crayon.

crayonné nm Maquette d'une illustration, d'une affiche publicitaire. Syn. rough.

crayonner vt Esquisser, écrire au crayon.

créance nf Droit d'exiger de qqn un paiement, une obligation ; titre établissant ce droit. Loc *Lettres de créance :* document accréditant un diplomate auprès d'un gouvernement étranger.

créancier, ère n À qui on doit de l'argent.

créateur, trice n **1** Qui crée, invente. **2** Premier interprète d'un rôle. Loc *Le Créateur :* Dieu.

créatif, ive a, n Capable de créativité.

création nf 1 Action de créer. *Création d'une société.* 2 Chose créée, invention. *Les créations de Léonard.* 3 Première interprétation d'un rôle, d'une œuvre. 4 Nouveau modèle d'un grand couturier.

créationnisme nm Doctrine qui nie l'évolution des espèces.

créativité nf Capacité de créer, à innover.

créature nf 1 L'être humain, par rapport à Dieu. 2 fam Femme. *Une belle créature.* 3 Qui tient sa position d'un autre. *Les créatures du président.*

crécelle nf Instrument en bois très bruyant. Loc *Voix de crécelle :* criarde et déplaisante.

crèche nf 1 Petite construction représentant l'étable de la Nativité. 2 Établissement qui garde les enfants, le jour. 3 pop Chambre, logement.

crécher vt [12] pop Habiter.

crédibiliser vt Rendre crédible qqch.

crédibilité nf Caractère crédible.

crédible a Qu'on peut croire.

crédit nm 1 Faculté de se procurer des capitaux. 2 Délai de paiement. *Vendre, acheter à crédit.* 3 Avance de fonds. *Crédit à court terme.* 4 Confiance, considération, influence. *Perdre tout crédit.* 5 Partie d'un compte où figurent les créances. Loc *Carte de crédit :* à paiement différé. *Crédit photographique :* mention obligatoire du nom des propriétaires des photos figurant dans un ouvrage. ■ pl Somme prévue par le budget pour une dépense publique.

crédit-bail nm Crédit dans lequel un bien est loué avec promesse de vente. *Des crédits-bails.*

créditer vt Inscrire une somme au crédit de qqn.

créditeur, trice n Qui ouvre un crédit à qqn. ■ a Loc *Compte, solde créditeur :* positif.

crédit-relais nm Prêt effectué pour faire la liaison entre une dépense immédiate et une rentrée d'argent attendue. *Des crédits-relais.*

crédo [kRe-] nm inv Opinions politiques. Var **credo**

crédule a Qui croit facilement ; naïf.

crédulité nf Propension à croire n'importe quoi.

créer vt 1 Fonder, instituer. *Créer une société.* 2 Inventer, concevoir. *Créer un produit nouveau.* 3 Interpréter pour la première fois. *Créer un rôle.* 4 Produire, causer. *La sècheresse crée des problèmes.*

crémaillère nf Pièce métallique crantée permettant de suspendre un chaudron à la hauteur voulue. Loc *Pendre la crémaillère :* fêter un emménagement.

crémant nm Vin mousseux d'appellation contrôlée.

crémation nf Incinération.

crématiste n Partisan de la crémation des défunts.

crématoire a Loc *Four crématoire :* où on brûle les cadavres.

crématorium [-toRjom] nm Lieu où les morts sont incinérés.

crème nf 1 Substance grasse du lait. 2 Entremets fait de lait, de sucre et d'œufs. *Crème au chocolat.* 3 Liqueur sirupeuse. *Crème de cassis.* 4 Produit de toilette onctueux. *Crème de beauté.* Loc fam *La crème des hommes :* le meilleur. ■ a inv D'un blanc jaune pâle. Loc *Café crème :* additionné de lait. ■ nm Café crème.

crèmerie nf Boutique où on vend des produ[its] laitiers, des œufs, etc. Loc fam *Changer de crèm[e]rie :* aller ailleurs. Var **crémerie**

crémeux, euse a 1 Qui contient beaucoup [de] crème. *Du lait crémeux.* 2 Qui ressemble à [la] crème. *Une peinture crémeuse.*

crémier, ère n Qui tient une crèmerie.

crémone nf Verrou double utilisé pour la ferm[e]ture des croisées.

créneau nm 1 Échancrure rectangulaire p[ra]tiquée en haut d'un mur. 2 Intervalle de tem[ps] disponible. 3 Secteur où une entreprise a inté[rêt] à exercer son activité. Loc *Faire un créneau :* garer entre deux véhicules. fam *Monter au c[ré]neau :* aller là où se déroule l'action.

crèneler vt [16] ou [18] Munir de créneaux, [de] crans. Var **créneler**

créole n, a Blanc né dans une colonie tro[pi]cale. ■ nm Langue parlée dans ces régions. ■ [nf] Grande boucle d'oreille circulaire.

créolophone a, n Qui parle créole.

créosote nf Liquide antiseptique (phéno[l]) d'odeur forte, qui protège les bois.

crêpage nm Action de crêper les cheveux.

1. crêpe nf Fine galette de blé ou de sarrasin.

2. crêpe nm 1 Tissu léger de soie brute ou [de] laine très fine. 2 Tissu noir porté en signe de de[uil]. 3 Caoutchouc brut épuré. *Semelles de crêpe.*

crêper vt Faire gonfler les cheveux. ■ vpr Loc *Se crêper le chignon :* se battre (femmes).

crêperie nf Établissement où l'on fait et où l'[on] mange des crêpes.

crépi nm Enduit projeté sur un mur et non liss[e].

crépière nf Poêle plate à crêpes.

crépine nf Membrane transparente de la panse [du] porc ou du veau, utilisée en charcuterie.

crépinette nf Saucisse plate enveloppée dans [de] la crépine.

crépir vt Enduire de crépi.

crépissage nm Action de crépir.

crépitement nm Bruit de ce qui crépite. V[ar] **crépitation** nf

crépiter vi Produire une suite de bruits secs.

crépu, ue a Très frisé. *Cheveux crépus.*

crépusculaire a Du crépuscule.

crépuscule nm 1 Lumière diffuse qui précède [le] lever du soleil ou qui suit son coucher. 2 Tomb[ée] du jour. 3 litt Déclin.

crescendo [kRefɛndo] av En augmentant p[ar] degrés l'intensité du son. Loc *Aller crescende :* augmenter. ■ nm Augmentation progressive. *[Un] crescendo de cris.*

cresson [kresɔ̃] nm Plante crucifère comestib[le] d'eau douce.

cressonnière nf Plantation de cresson.

crésyl nm (n. déposé) Antiseptique (eau, savo[n,] crésol et huile de créosote).

crêt [kRe] nm Escarpement rocheux.

crétacé nm Période géologique du secondaire.

crête nf 1 Excroissance en lame de certains an[i]maux. *La crête du coq.* 2 Sommet, faîte. *Cré[te] d'un toit, d'une vague.*

crétin, ine n 1 Atteint de crétinisme. 2 fam Imb[é]cile.

crétinerie nf Stupidité, bêtise.

crétiniser vt Abrutir.

crétinisme nm Affection de la thyroïde caracté[ri]sée par des œdèmes.

étois, oise a, n De l'île de Crète.

etonne nf Fort coton d'ameublement.

eusement nm Action de creuser. Var creuse

euser vt 1 Rendre creux. *Creuser le sol.* 2 ire un creu dans. *Creuser un trou.* 3 Approfon-. *Creuser un sujet, une question.* Loc fam Creu- *l'estomac* : s'écrier devant un fait extra- r *l'estomac* : donner de l'appétit. ■ vpr Loc fam *creuser la tête* : réfléchir.

euset nm 1 Vase qui sert à faire fondre cer- nes substances. 2 Point de rencontre. *La capi- e, creuset de cultures.*

eux, euse a 1 Dont l'intérieur présente un de. *Un mur creux.* 2 Qui présente une cavité. *siettes creuses.* 3 Sans substance, sans inté- . *Des paroles creuses.* Loc *Avoir le ventre eux* : avoir faim. *Chemin creux* : encaissé. *Mer euse* : houleuse. *Heures creuses* : de moindre ivité. ■ nm 1 Cavité. *Le creux d'un arbre.* 2 pression, concavité. *Le creux de la main.* Loc re *au (dans le) creux de la vague* : traverser e période de difficultés.

evaison nf Action de crever un pneu.

evant, ante a pop 1 Hilarant. 2 Épuisant.

evasse nf 1 Fissure profonde du sol, d'un mur. Fissure de la peau.

evasser vt Faire des crevasses.

ève nf Loc fam *Attraper la crève* : prendre oid.

ève-cœur nm litt Grand chagrin. *Des crève- eurs.*

ever vt [15] 1 Percer, faire éclater. *Crever un llon, un abcès.* 2 fam Épuiser. *Ce sport le crève.* oc fam *Cela crève les yeux* : est évident. *Crever cœur à* : faire de la peine. *Crever l'écran* : ire sensation. *Crever le plafond* : dépasser les eilleures estimations. ■ vi [aux. *avoir* ou *être*] Se percer. *Pneu de voiture qui crève.* 2 fam Mou- . *La plante a crevé, est crevée.* Loc fam *Crever faim, de froid, de jalousie, etc.* : les ressentir rtement.

evette nf Petit crustacé marin comestible.

i nm 1 Bruit caractéristique d'un animal. *Cri hibou.* 2 Son inarticulé. *Pousser un cri.* 3 Opi- on manifestée hautement. *Ce texte est un cri indignation.* Loc *Dernier cri* : dernière mode. *cor et à cri* : bruyamment. *Jeter les hauts cris* : otester énergiquement. *Cri du cœur* : opinion ontanée.

iailler vt 1 Crier sans cesse. 2 Pousser son cri aisan, oie, perdrix, pintade, paon).

iaillerie nf Récrimination répétée.

iant, ante a 1 Évident. *Ressemblance criante.* Scandaleux. *Une injustice criante.*

iard, arde a 1 Qui crie souvent et fort. *Un fant criard.* 2 Qui blesse l'oreille. *Voix iarde.* 3 Qui heurte la vue. *Couleurs criardes.* oc *Dettes criardes* : à rembourser d'urgence.

iblage nm Triage mécanique.

ible nm Appareil muni de trous pour trier des atériaux. Loc *Passer au crible* : examiner très igneusement.

ibler vt 1 Passer au crible. *Cribler du sable.* 2 Percer, marquer en de nombreux endroits. *Cri- er de balles.*

ic [kʀik] nm Appareil qui sert à soulever des rps lourds sur une faible hauteur.

icket [-kɛt] nm Sport anglais qui se joue avec s battes et des balles de cuir.

cricri nm Grillon.

criée nf 1 Vente aux enchères en public. 2 Endroit d'un port où on vend le poisson.

crier vi 1 Pousser un cri, des cris. 2 Élever la voix, se fâcher. 3 Pousser le cri de l'espèce. Loc *Crier à l'injustice, au scandale* : les dénoncer. *Crier au miracle* : s'écrier devant un fait extra- ordinaire. ■ vt 1 Dire d'une voix forte. *Il lui a crié de venir.* 2 Proclamer. *Crier son innocence.* Loc *Crier famine, misère* : se plaindre. *Crier vengeance* : réclamer la vengeance. *Crier gare* : avertir d'un danger.

crieur, euse n Marchand ambulant. *Crieur de journaux.*

crime nm 1 Meurtre. *Crime passionnel.* 2 DR Infraction la plus grave punie par la loi (opposé à *contravention* et à *délit*). 3 Action blâmable. *Ce serait un crime d'abattre cet arbre.*

criminaliser vt DR Faire relever de la juridiction criminelle.

criminalistique nf Techniques d'investigation policière.

criminalité nf Ensemble des faits criminels dans une société donnée, pour une période donnée.

criminel, elle n 1 Coupable d'un crime. ■ a 1 DR Qui a trait à la répression pénale. *Le droit crimi- nel.* 2 Répréhensible pour la morale. *Une passion criminelle.*

criminologie nf Science de la criminalité.

criminologiste n Spécialiste de criminologie.

crin nm 1 Poil long et rêche. *Crin de cheval.* 2 Matériau de rembourrage. *Matelas de crin.* Loc fam *À tous crins* ou *à tout crin* : à l'excès.

crincrin nm fam Mauvais violon.

crinière nf 1 Crins du cou de quelques animaux (lion, cheval, etc.). 2 fam Chevelure abondante.

crinoline nf Jupon bouffant.

crique nf 1 Petite avancée de mer. 2 Fissure dans une pièce métallique.

criquet nm Insecte herbivore migrateur qui res- semble à la sauterelle.

crise nf 1 Brusque accès. *Crise d'asthme. Crise de larmes.* 2 Période difficile. *Crise politique. Crise de l'enseignement.* 3 Pénurie importante. *Crise du logement.* Loc *Crise de foie* : trouble digestif. *Crise de nerfs* : état de tension extrême avec cris, pleurs, etc. fam *Piquer une crise* : une colère.

crispant, ante a Qui agace, crispe.

crispation nf 1 Contraction musculaire involon- taire. 2 Impatience, vive irritation.

crisper vt 1 Contracter. *Le froid crispe la peau.* 2 Provoquer la crispation musculaire. *Douleur, colère qui crispe le visage.* 3 Agacer, irriter. *Son arrogance me crispe.*

crissement nm Bruit de ce qui crisse.

crisser vi Produire un grincement. *Pneus qui crissent.*

cristal, aux nm 1 GEOL Minéral de formes régu- lières. 2 Variété de verre pur, dense, sonore, limpide. Loc *Cristal de roche* : quartz. *Cristal liquide* : substance organique utilisée pour l'affi- chage électronique. ■ pl Objets en cristal.

cristallin, ine a 1 Propre au cristal. 2 Pur, clair comme le cristal. *Voix cristalline.* ■ nm Partie de l'œil qui sert de lentille à courbure variable.

cristallisation nf 1 Formation de cristaux. 2 Fait de prendre forme. *Cristallisation des espé- rances.*

cristalliser vt 1 Provoquer la cristallisation. *Cristalliser du sucre.* 2 Donner forme à, concrétiser. *Cristalliser les aspirations des citoyens.* ■ vi, vpr 1 Former des cristaux. *Le sucre (se) cristallise.* 2 Prendre forme, devenir cohérent.

cristallographie nf Science des cristaux.

criste-marine nf Plante des littoraux rocheux, aux feuilles comestibles en salade ou confites. *Des cristes-marines.*

cristophine nf Courge utilisée comme légume dans la cuisine antillaise.

critère nm Principe, propriété qui permet d'évaluer, de choisir.

critérium [-ʀjɔm] nm Épreuve sportive de qualification.

criticité nf PHYS Caractère critique.

critiquable a Sujet à la critique.

critique a 1 Grave. *Malade dans un état critique.* 2 Décisif. *Moment critique.* 3 Qui évalue, sait juger, apprécier. *Esprit critique.* 4 Sévère, négatif. *Opinion très critique.* 5 PHYS Où se produit un changement entraînant une réaction en chaîne. ■ n Personne qui juge. *Un critique d'art.* ■ nf 1 Art de juger les œuvres littéraires ou artistiques. *La critique théâtrale.* 2 Jugement. *Avoir une critique favorable.* 3 Examen rigoureux. *Critique historique d'un texte.* 4 Jugement négatif. *Accabler qqn de critiques.* 5 Ensemble des personnes qui jugent. *La critique est unanime.*

critiquer vt 1 Examiner en critique. *Critiquer un livre.* 2 Juger avec sévérité, blâmer. *Critiquer ses amis.*

croassement nm Cri du corbeau.

croasser vi Pousser des croassements.

croate a, n De Croatie. ■ nm Langue slave parlée en Croatie.

croc [kʀo] nm 1 Pointe recourbée servant à suspendre. 2 Perche munie d'un crochet. 3 Canine de certains carnivores.

croc-en-jambe [kʀɔkɑ̃ʒɑ̃b] nm Croche-pied. *Des crocs-en-jambe.*

croche nf Note qui vaut la moitié d'une noire. Loc *Double croche, triple croche* : la moitié, le quart de la croche.

croche-pied nm Action de mettre son pied devant la jambe de qqn pour le faire tomber. *Des croche-pieds.* Var **crochepied**

crochet nm 1 Instrument recourbé pour suspendre. 2 Tige à extrémité recourbée servant à saisir. 3 Instrument en L pour ouvrir les serrures. 4 Grosse aiguille à pointe recourbée pour le tricot ou la dentelle. 5 Dent de serpent venimeux. 6 Signe voisin de la parenthèse. 7 Détour. *Faire un crochet pour éviter le trafic.* 8 En boxe, coup porté le bras en arc de cercle.

crochetage nm Action de crocheter.

crocheter vt [17] Ouvrir avec un crochet. *Crocheter une serrure.*

crochu, ue a Recourbé. *Doigts crochus.* Loc *Avoir des atomes crochus avec qqn* : avoir des affinités avec lui.

croco fam Peau tannée de crocodile.

crocodile nm Grand reptile carnivore des eaux chaudes, à pattes courtes et à longues mâchoires.

crocus [-kys] nm Plante vivace bulbeuse à fleur violette, jaune ou blanche.

croire vt [58] 1 Tenir pour vrai. *Croire que Dieu existe. Croire un récit.* 2 Avoir confiance en qqn. *Je le crois sur parole.* 3 Avoir l'impression. *J'ai*

cru entendre du bruit. 4 Estimer. *Je crois qu'il f[...] beau. Elle se croit sportive.* Loc *À l'en croire* selon lui. *Ne pas en croire ses oreilles, ses yeu[...]* être stupéfait. *Il faut croire que* : il est vraise[...] blable. *On croirait* : ça ressemble. *C'est à cro[...] que* : on pourrait y penser. *Croire au Père No[...]* être naïf. ■ vti 1 Penser que qqch existe. *Cra[...] en Dieu, aux fantômes.* 2 Avoir confiance. *Cro[...] à la science, en l'avenir.* ■ vi Avoir la foi. *Il cr[...] mais ne pratique pas.* ■ vpr Être vaniteux.

croisade nf 1 HIST Expédition partie d'Occident [...] Moyen Âge pour délivrer Jérusalem de la dom[...] tion musulmane. 2 Lutte menée pour une cau[...] *Croisade pour la paix.*

croisé, ée a 1 En forme de croix. *Baguet[...] croisées.* 2 Produit par croisement. Loc *Rim[...] croisées* : alternées. *Mots croisés* : jeu cons[...] tant à trouver, d'après une définition, des mots [...] croisant horizontalement et verticalement sur u[...] grille. *Veston croisé* : à pans superposés. ■ nf [...] Qui partait en croisade. ■ nf Fenêtre. Loc *La cr[...] sée des chemins* : intersection.

croisement nm 1 Fait de croiser, de se crois[...] *Croisement de deux fils, de deux véhicules.* [...] Intersection, carrefour. 3 Reproduction entre a[...] maux ou plantes d'espèces voisines.

croiser vt 1 Disposer en croix. *Croiser les ja[...] bes.* 2 Traverser. *Route qui croise un chemin.* [...] Passer à côté en allant en sens inverse. *Je l[...] croisé hier. Voiture qui croise un bus.* 4 Faire [...] reproduire des espèces différentes. *Croiser de[...] races bovines.* 5 SPORT Imprimer au ballon u[...] trajectoire oblique. Loc *Croiser le fer* : se batt[...] *Croiser les doigts* : passer le majeur sur l'ind[...] pour conjurer le mauvais sort. ■ vi Aller et ve[...] qq part. *Navire qui croise au large.* ■ vpr 1 [...] rencontrer. 2 Suivre des chemins inverses sur [...] même route. *Nos lettres se sont croisées.* 3 [...] reproduire par croisement. Loc *Se croiser [...] bras* : refuser de travailler.

croiseur nm Bâtiment de guerre rapide serva[...] d'escorte.

croisière nf Voyage d'agrément en mer. L[...] *Vitesse de croisière* : vitesse à laquelle un vé[...] cule peut effectuer un long parcours.

croisillon nm 1 Traverse d'une croix, d'une cr[...] sée. ■ pl 1 Pièces disposées en croix à l'intérie[...] d'un châssis, servant à supporter les vitres. [...] Motifs, pièces en forme de croix.

croissance nf 1 Développement progressif [...] êtres organisés. *Croissance d'un enfant.* 2 Au[...] mentation, développement. *Croissance écon[...] mique. Croissance des villes.*

croissant, ante a Qui s'accroît. ■ nm 1 For[...] échancrée au premier ou au dernier quartier de [...] Lune. 2 Petite pâtisserie feuilletée. 3 Emblème [...] l'Islam.

croissanterie nf Établissement qui vend d[...] croissants, des brioches, etc.

croître vi [59] 1 Grandir. *Les petits agnea[...] croissent vite.* 2 Augmenter. *La production cr[...]* 3 Pousser. *Ces plantes croissent à l'ombre.* V[...] **croitre**

croix nf 1 Instrument de supplice antique co[...] posé de deux pièces de bois croisées. 2 Représe[...] tation de cet instrument sur lequel Jésus-Ch[...] fut crucifié. 3 Objet, signe, ornement composé [...] deux éléments qui se croisent. 4 Décoration. [...] *croix de la Légion d'honneur.* 5 Marque form[...]

par deux traits qui se croisent. *Marquer d'une croix.* **Loc** *Point de croix :* utilisé en broderie, en tapisserie. fam *Faire une croix sur qqch :* y renoncer. *Signe de croix :* geste rituel des chrétiens. *Chemin de croix :* représentation de la passion du Christ.

cromalin nm (n. déposé) IMPRIM Épreuve en couleurs servant de bon à tirer.

cromlech [-lɛk] nm Monument mégalithique formé de blocs dressés en cercle.

crooner [kʀunœʀ] nm Chanteur de charme. **Var crooneur**

croquant, ante a Qui croque sous la dent. *Biscuits croquants.* ■ nm HIST Paysan.

croque au sel (à la) av Cru et avec du sel pour seul assaisonnement.

croque-madame nm inv Croque-monsieur coiffé d'un œuf au plat. **Var croquemadame**

croquemitaine nm 1 Être imaginaire terrible dont on menace les enfants désobéissants. 2 Personne très sévère.

croque-monsieur nm inv Sandwich grillé au jambon et au fromage. **Var croquemonsieur**

croque-mort nm fam Employé des pompes funèbres. *Des croque-morts.* **Var croquemort**

croquer vi Faire un bruit sec. *Chocolat qui croque sous la dent.* **Loc** *Croquer dans un fruit :* mordre dans ce fruit. ■ vt 1 Manger en broyant avec les dents. *Croquer du sucre.* 2 fam Dilapider. *Croquer son héritage.* 3 Dessiner rapidement. *Croquer un visage.* 4 Décrire en quelques traits. *Croquer une scène.*

croquet nm Jeu où l'on pousse avec un maillet des boules de bois sous des arceaux.

croquette nf Boulette frite de pâte, de viande hachée, etc.

croquignolet, ette a fam Mignon.

croquis nm Dessin rapide.

crosne [kʀon] nm Tubercule comestible.

cross nm Course sur un parcours tout-terrain (vélo, moto, etc.).

cross-country [-kuntʀi] nm Course à pied au milieu d'obstacles naturels. *Des cross-countrys.* **Var crosscountry**

crosse nf 1 Bâton recourbé. *Crosse d'évêque.* 2 Bâton à bout recourbé utilisé pour pousser la balle. *Crosse de hockey.* 3 Partie d'une arme à feu que l'on tient, qu'on épaule. **Loc** *Mettre la crosse en l'air :* refuser de se battre. fam *Chercher des crosses à qqn :* chercher querelle.

crotale nm Serpent très venimeux d'Amérique, dont la queue produit un bruit de crécelle. **Syn** serpent à sonnette.

croton nm Arbuste dont les graines donnent une huile purgative.

crotte nf Fiente de certains animaux. **Loc** fam *C'est de la crotte :* ça n'a aucune valeur. *Crotte en chocolat :* bonbon. ■ interj Marque le dépit.

crotter vt Salir avec de la boue. *Crotter son pantalon.* ■ vi Faire des crottes.

crottin nm 1 Excrément de cheval. 2 Petit fromage de chèvre rond.

croulant, ante a Qui croule. ■ n pop Adulte ou personne âgée.

crouler vi 1 Tomber en se désagrégeant. *Le mur croule.* 2 Être écrasé, réduit à néant. *Crouler sous le travail.*

croup nm vx Diphtérie.

croupe nf 1 Partie de divers animaux qui s'étend des reins à la queue. 2 Postérieur, fesses. **Loc** *Monter en croupe :* derrière le cavalier.

croupetons (à) av En position accroupie.

croupi, ie a Se dit d'eau stagnante, non potable.

croupier, ère n Employé(e) d'une maison de jeux qui dirige les parties.

croupière nf Partie du harnais passant sous la queue. **Loc** litt *Tailler des croupières à qqn :* lui susciter des difficultés.

croupion nm Extrémité postérieure d'une volaille.

croupir vi 1 Se corrompre en stagnant. *L'eau croupit.* 2 Vivre dans un état dégradant. *Croupir dans l'ignorance.*

croupissant, ante a Qui croupit.

croupissement nm Fait de croupir.

croustade nf Pâté chaud à croûte feuilletée.

croustillant, ante a 1 Qui croustille. 2 Grivois. *Histoire croustillante.*

croustiller vi Craquer agréablement sous la dent.

croûte nf 1 Partie extérieure plus dure. *Croûte du pain, du fromage.* 2 Pâte cuite. *Pâté en croûte.* 3 Reste de pain, croûton. 4 Tout dépôt durci. *Croûte de tartre, de peinture.* 5 Sang séché. 6 Couche durcie sur une peau côté chair. 7 fam Mauvais tableau. 8 GEOL Partie la plus superficielle du globe terrestre. **Loc** fam *Casser la croûte :* manger. fam *Gagner sa croûte :* sa vie. **Var croute**

croûter vi 1 Former une croûte. 2 pop Manger. **Var crouter**

croûteux, euse a Qui présente l'aspect d'une croûte. **Var crouteux, euse**

croûton nm 1 Extrémité d'un pain ; reste de pain. 2 Petit morceau de pain frit. 3 fam Individu routinier. *Un vieux croûton.* **Var crouton**

croyable a Qui peut être cru.

croyance nf 1 Fait de croire. *La croyance au progrès.* 2 Ce que l'on croit, spécialement dans le domaine religieux.

croyant, ante a, n Qui a la foi. **Ant** athée.

CRS [seeɛʀɛs] nm Membre d'une force de police chargée du maintien de l'ordre.

1. cru nm 1 Terroir qui produit un vin déterminé. 2 Ce vin. *Un grand cru.* **Loc** *Du cru :* local, du pays. *De son cru :* de son invention.

2. cru, crue a 1 Qui n'est pas cuit. *Viande crue.* 2 Brut. *Chanvre cru.* 3 Inconvenant. *Propos crus.* 4 Que rien n'atténue, violent. *Lumière crue.* ■ av De façon non cuite. *Manger cru.* **Loc** *Monter à cru :* sans selle.

cruauté nf 1 Inclination à faire souffrir. 2 Férocité. *La cruauté du tigre.* 3 Acte cruel. *Commettre des cruautés.*

cruche nf 1 Vase à large panse, à col étroit et à anses. 2 fam Personne sotte.

cruchon nm Petite cruche.

crucial, ale, aux a Décisif, capital. *Décision cruciale.*

crucifère nf BOT Plante à quatre pétales en croix, faisant partie d'une famille comprenant le chou, le navet, la giroflée, etc.

crucifier vt 1 Supplicier en fixant sur une croix. 2 Tourmenter cruellement.

crucifix [-fi] nm Croix sur laquelle est représenté le Christ crucifié.

crucifixion nf 1 Action de crucifier. 2 Représentation de Jésus sur la croix. **Var crucifiement** nm

cruciforme a En forme de croix.

cruciverbiste n Amateur de mots croisés.

crudité nf Réalisme choquant. *Crudité des propos.* ■ pl Légumes crus en salade.

crue nf Élévation du niveau d'un cours d'eau ; son débordement.

cruel, elle a 1 Qui prend du plaisir à faire, à voir souffrir. 2 Barbare. *Action cruelle.* 3 Douloureux. *Une cruelle maladie.*

cruellement av De façon cruelle.

crûment av De façon crue. **Var crument**

crural, ale, aux a ANAT De la cuisse.

crustacé nm Arthropode aquatique tel que le homard, la crevette, le crabe.

cryogène a PHYS Qui produit du froid.

cryogéniser vt Conserver qqch au moyen de très basses températures.

cryologie nf Étude des basses températures.

cryométrie nf Étude des températures de congélation.

cryotechnique nf Technique de production des basses températures.

cryptage nm Action de crypter.

crypte nf Caveau au-dessous d'une église.

crypter vt Transformer un message en clair en message codé.

cryptogame nm BOT Végétal dont les organes de fructification sont cachés (algues, champignons, mousses, etc.).

cryptogamique a D'un cryptogame.

cryptogramme nm Message chiffré.

cryptographie nf Technique du chiffrage.

cryptomère nm Grand conifère du Japon.

CSG nf Sigle de *Contribution sociale généralisée*, impôt destiné à renflouer la Sécurité sociale.

cténaire nm ZOOL Animal voisin des cnidaires.

cubage nm Action de mesurer un volume ; cette mesure. *Cubage d'air.*

cubain, aine a, n De Cuba.

cube nm 1 Solide à six côtés carrés égaux. 2 Objet en forme de cube. 3 MATH Troisième puissance d'un nombre. *4 au cube (4³).* Loc *Mètre cube (m³)* : unité de mesure de volume ou de contenance.

cuber vt Mesurer un volume. ■ vi 1 Avoir une certaine contenance. *Cette citerne cube 300 litres.* 2 fam Représenter une grosse quantité.

cubique a 1 En forme de cube. 2 MATH Du troisième degré. *Équation cubique.* 3 MATH *Racine cubique d'un nombre* : dont le cube a ce nombre comme valeur.

cubisme nm Mouvement artistique, né vers 1906, qui représente le sujet fragmenté, décomposé en plans géométriques.

cubiste a, n Qui relève du cubisme.

cubitainer [-nɛʀ] nm (n. déposé) Récipient cubique pour le transport du vin.

cubital, ale, aux a Du coude.

cubitus nm ANAT Le plus gros des deux os de l'avant-bras.

cucul [kyky] a inv fam Bêtement naïf.

cucurbitacée nf BOT Plante à tige charnue rampante faisant partie d'une famille comprenant les courges, les melons, etc.

cueillette nf 1 Récolte d'un fruit. 2 Produit de cette récolte.

cueilleur, euse n Personne qui cueille.

cueillir vt [26] 1 Détacher de la branche ou de la tige. *Cueillir des roses, des cerises.* 2 fam Appréhender. *Cueillir un malfaiteur.* 3 fam Passer prendre qqn. *Il nous a cueillis à l'arrivée du train.*

cuiller nf 1 Ustensile de table formé d'une palette creuse à manche. 2 Cuillerée. *Une cuiller de sirop.* 3 Leurre. *Pêcher à la cuiller.* Loc fam *Ne pas y aller avec le dos de la cuiller* : agir sans ménagement. fam *Être à ramasser à la petite cuiller* : être en piteux état. **Var cuillère**

cuillerée nf Ce que contient une cuiller. **Var cuillerée**

cuir nm 1 Peau épaisse de certains animaux ; cette peau préparée. *Bagages en cuir.* 2 Liaison incorrecte entre des mots. (ex. : *Il va (t) à Paris.*) Loc *Cuir chevelu* : peau du crâne.

cuirasse nf Armure recouvrant le torse. Loc *Défaut de la cuirasse* : point faible.

cuirassé, ée a 1 Couvert, protégé par une cuirasse. 2 Endurci, insensible. ■ nm Bâtiment de guerre blindé et armé d'artillerie lourde.

cuirasser vt Revêtir d'une cuirasse.

cuirassier nm Soldat de cavalerie lourde.

cuire vt [67] 1 Soumettre à l'action du feu, de la chaleur. *Cuire des légumes. Cuire des briques.* 2 Donner une sensation de brûlure. *Le soleil cuisait ses épaules.* ■ vi 1 Être en cours de cuisson. *La soupe cuit.* 2 Avoir très chaud. *On cuit au soleil.* 3 Causer une sensation de brûlure. *Cette écorchure me cuit.* Loc *Il vous en cuira* : vous vous en repentirez.

cuisant, ante a 1 Qui provoque une sensation de brûlure. 2 Qui affecte vivement. *Échec cuisant.*

cuiseur nm Appareil électrique servant à la cuisson à la vapeur ou à l'étouffée.

cuisine nf 1 Pièce où l'on prépare les repas. 2 Manière, art de préparer les mets. *Livre, recettes de cuisine.* 3 Ce qu'on mange. 4 fam Manigances, intrigues. *Cuisine électorale.*

cuisiner vi Préparer les repas, faire la cuisine. *Elle cuisine bien.* ■ vt 1 Accommoder, préparer. *Cuisiner un ragoût.* 2 fam Interroger qqn. Loc *Plat cuisiné* : vendu tout préparé.

cuisinier, ère n Personne qui fait la cuisine. ■ nf Fourneau de cuisine.

cuisiniste n Fabricant de mobilier de cuisine.

cuissage nm Loc HIST *Droit de cuissage* : droit qu'aurait possédé un seigneur de passer avec la femme d'un serf la nuit des noces de celle-ci.

cuissard nm Culotte des coureurs cyclistes, s'arrêtant à mi-cuisse.

cuissarde nf Botte dont la tige couvre la cuisse.

cuisse nf Partie de la jambe qui va de la hanche au genou.

cuisseau nm CUIS Morceau du veau entre la queue et le rognon.

cuisson nf Action de faire cuire. *La cuisson d'un rôti.*

cuissot nm CUIS Cuisse de gibier de grande taille. **Var cuisseau**

cuistance nf pop Cuisine.

cuistot nm fam Cuisinier.

cuistre nm, a litt Pédant, prétentieux.

cuistrerie nf litt Pédantisme.

cuit, cuite a 1 Qui a subi une cuisson. *Pommes cuites. Poteries de terre cuite.* 2 pop Ivre. *Être complètement cuit.* 3 fam Fini, perdu. *C'est cuit.*

Loc *fam C'est du tout cuit* : c'est gagné d'avance. ■ *nf* fam Fait de se saouler.

cuivre *nm* **1** Métal usuel de couleur rouge. **2** Objet en cuivre. ■ *pl* Instruments à vent (trompettes, trombones, etc.).

cuivré, ée *a* De la couleur du cuivre. *Avoir le teint cuivré.*

cuivreux, euse *a* Qui contient du cuivre.

cul [ky] *nm* **1** pop Partie postérieure du corps de certains animaux. *Botter le cul à qqn.* **2** Fond de certains objets. *Cul de bouteille.* **Loc** pop *En tomber sur le cul* : être stupéfait. *Être comme cul et chemise* : inséparables. *Avoir le cul entre deux chaises* : être en position fausse. *Lécher le cul à qqn* : le flatter bassement. *Faire cul sec* : vider son verre d'un trait.

culasse *nf* **1** Partie arrière mobile d'une arme à feu. **2** Partie supérieure du bloc-moteur.

culbute *nf* **1** Saut cul par-dessus tête, galipette. *Faire des culbutes.* **2** Chute à la renverse. **3** fam Faillite, ruine. **Loc** fam *Faire la culbute* : revendre au double du prix coûtant.

culbuter *vi* Tomber à la renverse. ■ *vt* **1** Renverser cul par-dessus tête, bousculer. *Il culbutait tout sur son passage.* **2** Rejeter en désordre. *Culbuter l'ennemi.* **3** fam Faire tomber, ruiner. *Culbuter un ministère.*

culbuteur *nm* **1** Dispositif qui fait basculer un récipient. **2** Pièce de moteur qui actionne les soupapes.

cul-de-basse-fosse *nm* Cachot souterrain. *Des culs-de-basse-fosse.*

cul-de-jatte [kydʒat] *n, a,* fam Privé de jambes. *Des culs-de-jatte.*

cul-de-lampe [ky-] *nm* **1** Ornement d'une voûte d'église. **2** Vignette à la fin d'un livre. *Des culs-de-lampe.*

cul-de-poule [ky-] *nm* **Loc** *Bouche en cul-de-poule* : aux lèvres arrondies en une moue pincée.

cul-de-sac [ky-] *nm* Impasse, voie sans issue. *Des culs-de-sac.*

culée *nf* ARCHI Ouvrage d'appui à l'extrémité d'un pont, d'une voûte.

culinaire *a* De la cuisine. *Art culinaire.*

culminant, ante *a* **Loc** *Point culminant* : le plus haut sommet d'une région.

culminer *vi* Atteindre son plus haut point.

culot *nm* **1** Partie inférieure de certains objets (douille, ampoule électrique). **2** Résidu amassé dans le fourneau d'une pipe. **3** fam Audace excessive.

culotte *nf* **1** Pantalon qui s'arrête au genou. **2** Sous-vêtement féminin, d'enfant. **3** Pièce de bœuf entre le filet et l'échine. **Loc** pop *Prendre une culotte* : perdre au jeu. fam *Porter la culotte* : commander.

culotté, ée *a* **1** Se dit d'une pipe au fourneau doublé d'un dépôt. **2** Patiné par l'usage. **3** fam D'une audace excessive.

culpabilisant, ante *a* Qui culpabilise.

culpabiliser *vt* Faire se sentir coupable. ■ *vi* Éprouver un sentiment de culpabilité.

culpabilité *nf* État d'un individu reconnu coupable. **Loc** *Sentiment de culpabilité* : fait de se sentir coupable de qqch.

culte *nm* **1** Hommage religieux que l'on rend à un dieu, à un saint. **2** Religion. *Culte catholique.* **3** Office religieux protestant. **4** Admiration passionnée. *Vouer un culte à une star.*

cul-terreux *nm* pop Paysan. *Des culs-terreux.*

cultivable *a* Qu'on peut cultiver.

cultivateur, trice *n* Agriculteur, paysan. ■ *nm* Machine agricole.

cultivé, ée *a* Qui possède une culture intellectuelle.

cultiver *vt* **1** Travailler la terre. *Cultiver un jardin.* **2** Faire pousser. *Cultiver des fleurs.* **3** Développer. *Cultiver sa mémoire.* **4** S'adonner à. *Cultiver les sciences.* **5** Conserver, entretenir. *Cultiver l'amitié de qqn.* ■ *vpr* Enrichir son esprit.

cultuel, elle *a* Du culte. *Édifice cultuel.*

cultural, ale, aux *a* De la culture de la terre.

culture *nf* **1** Action de cultiver le sol, un végétal. **2** Ensemble des connaissances acquises. *Culture littéraire, artistique.* **3** Ensemble de phénomènes matériels et idéologiques propres à un groupe social donné. *Culture occidentale. Culture d'entreprise.* **Loc** *Culture physique* : gymnastique. ■ *pl* Terres cultivées.

culturel, elle *a* Relatif à la culture intellectuelle, à la civilisation. *Héritage culturel.*

culturisme *nm* Gymnastique visant à développer la musculature.

culturiste *n* Personne qui pratique le culturisme.

cumin *nm* Ombellifère aux graines aromatiques ; ces graines servant de condiment.

cumul *nm* Fait de cumuler.

cumulable *a* Qu'on peut cumuler.

cumulatif, ive *a* Propre à l'accumulation.

cumuler *vt* Avoir plusieurs emplois, salaires, diplômes en même temps.

cumulonimbus [-bys] *nm* Nuage sombre et épais, signe d'orage.

cumulostratus. *V. stratocumulus.*

cumulus *nm* Nuage blanc plat, de beau temps.

cunéiforme *a,* nm Se dit d'une ancienne écriture à caractères anguleux (Mèdes, Assyriens).

cunnilingus [-gys] *nm* SEXOL Excitation buccale du sexe de la femme.

cupide *a* Âpre au gain.

cupidité *nf* Amour du gain.

cuprifère *a* Qui contient du cuivre.

cuprique *a* CHIM Du cuivre.

cupule *nf* BOT Enveloppe du fruit du chêne, du noisetier, etc.

curable *a* Qui peut être guéri.

curaçao [-raso] *nm* Liqueur d'écorces d'oranges et d'eau-de-vie sucrée.

curage *nm* Action de curer.

curare *nm* Poison végétal entraînant une paralysie générale.

curatelle *nf* DR Fonction de curateur.

curateur, trice *n* **1** Personne nommée par le juge des tutelles pour administrer les biens d'un mineur émancipé, d'un incapable. **2** En Belgique, administrateur d'une université.

curatif, ive *a* Destiné à la guérison.

1. cure *nf* **1** Traitement d'une maladie. **2** Séjour thérapeutique. *Aller en cure thermale.* **3** Usage prolongé d'une chose salutaire. *Faire une cure d'oranges.* **Loc** litt *N'avoir cure de* : ne pas se soucier de.

2. cure *nf* Presbytère.

curé *nm* Prêtre qui a la charge d'une paroisse.

cure-dent *nm* Petit instrument servant à se curer les dents. *Des cure-dents.*

curée nf 1 Partie de la bête donnée aux chiens après la chasse ; moment de la chasse où on la donne. 2 Lutte acharnée pour un partage.

cure-ongle nm Instrument pour nettoyer les ongles. *Des cure-ongles.*

cure-pipe nm Instrument qui sert à nettoyer les pipes. *Des cure-pipes.*

curer vt Nettoyer en grattant. *Se curer les ongles.*

curetage nm CHIR Opération de nettoyage d'une cavité organique.

cureter vt [17] ou [19] CHIR Effectuer un curetage.

curette nf CHIR Petit instrument pour cureter une cavité naturelle, une plaie.

curie nf Unité de radioactivité.

curieusement av De façon curieuse.

curieux, euse a, n 1 Qui a un grand désir de voir, de savoir. 2 Indiscret. *Petit curieux !* 3 Bizarre, singulier. *Un curieux personnage.*

curiosité nf 1 Désir de s'instruire. *Satisfaire sa curiosité.* 2 Désir indiscret de savoir. ■ pl Objets, choses remarquables. *Magasin de curiosités.*

curiste n Personne qui fait une cure thermale.

curling [kœrliŋ] nm Sport sur glace où l'on fait glisser un palet vers une cible.

curriculum vitæ [-kylɔmvite] nm inv Document indiquant l'état civil, les titres, les capacités professionnelles de qqn.

curry nm 1 Assaisonnement indien constitué d'un mélange d'épices. 2 Plat préparé avec cet assaisonnement. **Var cari** ou **cary**

curseur nm 1 Repère coulissant. 2 Repère lumineux indiquant sur un écran d'ordinateur l'emplacement du caractère où on se trouve.

cursif, ive a, n Loc *Écriture cursive :* tracée à main courante. *Lecture cursive :* rapide.

cursus [-sys] nm Carrière professionnelle, cycle d'études.

curviligne a Formé de lignes courbes.

cuscute nf Plante parasite des légumineuses.

custode nf 1 Partie arrière d'une automobile. 2 Boîte servant à transporter les hosties.

customiser vt Personnaliser un objet standard (véhicule, appareil, etc.).

cutané, ée a De la peau.

cuticule nf Peau très fine. *Cuticules de l'ongle.*

cutiréaction nf Test réactif pour détecter la tuberculose. Loc fam *Virer sa cuti :* changer radicalement, perdre sa virginité, etc. **Var cuti**

cutter [-tœr] nm Instrument à lame coulissante pour couper le papier, le carton, etc. **Var cutteur**

cuvage nm Action de faire cuver le vin. **Var cuvaison** nf

cuve nf 1 Grand récipient pour la fermentation du vin, de la bière, etc. 2 Grand réservoir. *Cuve à fioul.*

cuvée nf 1 Contenu d'une cuve. 2 Vin d'une même vigne.

cuver vi Fermenter dans une cuve (vin). ■ vt Loc fam *Cuver son vin :* dormir après boire.

cuvette nf 1 Bassin portatif peu profond. 2 Partie inférieure du siège de W.-C. 3 Dépression naturelle du sol.

CV nm Sigle de *curriculum vitæ.*

cyanhydrique a Loc *Acide cyanhydrique :* acide prussique, toxique violent.

cyanoacrylate nm Adhésif très puissant.

cyanose nf Coloration bleue de la peau due à un manque d'oxygène.

cyanure nm Poison très violent.

cybercafé nm Débit de boissons d'où on peut consulter le réseau Internet.

cybercriminalité nf Criminalité qui s'exerce grâce au réseau Internet.

cyberespace nm Ensemble des informations et des relations que l'on peut trouver sur le réseau Internet.

cyberlibraire n Entreprise de commerce du livre qui opère sur le réseau Internet.

cybernaute n Internaute.

cybernétique nf Science de la commande et de la communication dans les systèmes. *L'informatique, application de la cybernétique.*

cyclable a Loc *Piste cyclable :* réservée aux cyclistes.

cyclamen [-mɛn] nm Plante ornementale à fleurs blanches ou roses.

cycle nm 1 Période après laquelle certains phénomènes astronomiques se reproduisent. *Cycle solaire, lunaire.* 2 Suite de phénomènes se renouvelant constamment dans un ordre immuable. *Le cycle des saisons.* 3 Ensemble des transformations chimiques subies par un corps depuis son état initial. *Cycle de l'urée.* 4 Ensemble des étapes du vivant de la fécondation à la reproduction. 5 Ensemble d'œuvres littéraires sur le même sujet. *Le cycle de la Table ronde.* 6 Divisions dans l'enseignement secondaire (premier, second cycle) et universitaire (licence, maîtrise, doctorat). ■ pl Nom générique des bicyclettes, cyclomoteurs, etc.

cyclique a Qui revient selon un cycle.

cycliquement av De façon cyclique.

cyclisme nm Sport, pratique de la bicyclette.

cycliste n Personne qui fait de la bicyclette. ■ a Du cyclisme. *Course cycliste.*

cyclocross nm inv Épreuve cycliste pratiquée en terrains variés.

cyclomoteur nm Cycle à moteur auxiliaire de moins de 50 cm³.

cyclomotoriste n Personne qui va à cyclomoteur.

cyclonal, ale, aux a D'un cyclone. **Var cyclonique**

cyclone nm Mouvement giratoire rapide de l'air ; typhon.

cyclopousse nm Pousse-pousse tiré par un cycliste.

cyclothymique a, n Dont l'humeur change constamment.

cyclotourisme nm Tourisme à bicyclette.

cyclotron nm PHYS Accélérateur de particules.

cygne nm Grand oiseau à plumage blanc ou noir et au long cou très flexueux. Loc *Le chant du cygne :* le dernier chef-d'œuvre d'un artiste.

cylindre nm 1 GEOM Surface engendrée par une droite qui se déplace parallèlement à elle-même en s'appuyant sur une courbe plane. 2 Appareil en forme de rouleau. *Cylindre de laminoir.* 3 Organe dans lequel se déplace un piston. *Moteur à huit cylindres.*

cylindrée nf Volume engendré par le déplacement des pistons dans les cylindres.

cylindrique a En forme de cylindre.

cymbale nf Instrument à percussion (disque de cuivre ou de bronze).

ynégétique *a* Qui concerne la chasse. ■ *nf* Art e la chasse.

ynique *a, n* **1** D'une école de philosophes recs qui professaient le mépris des conventions ociales pour mener une vie conforme à la nature. Qui ignore délibérément les convenances.

yniquement *av* De façon cynique.

ynisme *nm* Attitude cynique.

ynocéphale *nm* Singe dont la tête ressemble à elle d'un chien.

ynodrome *nm* Piste pour les courses de hiens.

ynorhodon *nm* Fruit rouge de l'églantier. Syn. ratte-cul.

yphoscoliose *nf* Déformation associant yphose et scoliose.

yphose *nf* Déviation convexe de la colonne ertébrale.

yprès *nm* Conifère à feuilles vertes persistantes es régions méditerranéennes.

yprin *nm* Poisson rouge élevé en aquarium.

ypriote. *V. chypriote.*

cyrillique *a, nm* Se dit de l'alphabet slave servant pour le russe, le bulgare, le serbe.

cystite *nf* Inflammation de la vessie.

cytaphérèse *nf* MED Extraction des plaquettes et des globules blancs du sang d'un donneur.

cytise *nm* Plante arbustive aux fleurs jaune d'or en grappes.

cytobiologie *nf* BIOL Biologie des cellules.

cytochrome *nm* BIOL Pigment respiratoire essentiel de la cellule.

cytogénétique *nf* BIOL Étude de la structure des chromosomes.

cytologie *nf* Étude de la cellule vivante.

cytolyse *nf* BIOL Destruction cellulaire.

cytolytique *a, nm* BIOL Qui produit la cytolyse.

cytomégalovirose *nf* Infection due à un cytomégalovirus.

cytomégalovirus *nm* Virus responsable d'affections graves chez les immunodéprimés.

cytoplasme *nm* BIOL Constituant fondamental de la cellule vivante.

cytoplasmique *a* Du cytoplasme.

d nm **1** Quatrième lettre (consonne) de l'alphabet. **2** D : chiffre romain valant 500. Loc fam *Système D* : art de se débrouiller.

dacron nm (n. déposé) Fibre textile synthétique.

dactyle nm VERSIF Pied composé d'une longue et de deux brèves.

dactylo n Personne qui utilise professionnellement une machine à écrire.

dactylogramme nm Texte dactylographié.

dactylographie nf Technique de l'écriture à la machine. Var **dactylo**

dactylographier vt Écrire à la machine.

dactylographique a De la dactylographie.

dada nm **1** fam Cheval. **2** fam Idée sur laquelle on revient sans cesse. **3** Mouvement de révolte littéraire et artistique du XXᵉ s.

dadais nm Niais, gauche.

dadaïsme nm Mouvement dada.

dague nf Épée très courte.

daguerréotype nm Appareil photo inventé par Daguerre ; image obtenue avec cet appareil.

dahlia nm Plante à grandes fleurs vivement colorées.

dahu nm Animal fantastique.

daigner vt Condescendre à. *Il n'a pas daigné répondre.*

daim nm Petit ruminant proche du cerf. ■ nm Cuir de daim ou de veau. Var **daine** nf

daïmyo nm HIST Seigneur féodal japonais.

daïra nf En Algérie, subdivision de la wilaya.

dais nm Baldaquin au-dessus d'un autel, d'un trône, d'un lit.

dalaï-lama nm Chef suprême des bouddhistes tibétains. *Des dalaï-lamas.*

dallage nm Revêtement de dalles.

dalle nf **1** Plaque dure pour le revêtement d'un sol. **2** Grand espace au niveau du rez-de-chaussée d'immeubles. Loc *Dalle funéraire :* pierre tombale. pop *N'y voir que dalle :* ne rien voir.

daller vt Couvrir, paver de dalles.

dalmate a, n De Dalmatie.

dalmatien [-sjɛ̃] nm Grand chien dont la robe blanche porte de petites taches noires.

daltonien, enne a, n Atteint de daltonisme.

daltonisme nm Trouble de la perception des couleurs.

dam nm Loc litt *Au grand dam de qqn :* à son détriment ; à son grand regret.

damage nm Action de damer.

daman nm Mammifère herbivore voisin de la marmotte.

damas [-ma] nm **1** Tissu de soie présentant des dessins satinés. **2** Acier à surface moirée.

damasquiner vt Incruster de filets de métal précieux.

damassé, ée a, nm Préparé comme du damas (tissu, acier).

1. dame nf **1** Femme d'un rang social élevé. **2** Terme courtois pour « femme ». **3** Femme mariée. **4** Carte de jeu figurant une reine. **5** Pièce du jeu d'échecs, appelée aussi *reine*. **6** Outil servant à damer le sol. Loc *Jeu de dames :* jeu qui se joue à deux sur un damier, avec des pions noirs et blancs.

2. dame ! interj fam Marque une évidence.

dame-jeanne nf Bonbonne renflée. *Des dames-jeannes.*

damer vt Tasser la neige, le sol. Loc fam *Damer le pion à qqn :* l'emporter sur lui.

damier nm Tablette divisée en carreaux blancs et noirs, sur laquelle on joue aux dames.

damnable [dana-] a Pernicieux, blâmable.

damnation [dana-] nf Châtiment des damnés.

damné, ée [dane] a, n Condamné à l'enfer. ■ a fam Maudit. *Cette damnée bagnole.* Loc *Être l'âme damnée de qqn :* l'aider dans ses mauvais desseins.

damner [dane] vt Condamner aux peines de l'enfer. Loc fam *Faire damner qqn :* l'exaspérer.

damoiseau nm Au Moyen Âge, jeune gentilhomme qui n'était pas encore chevalier.

damoiselle nf Jeune fille, au Moyen Âge.

dan [dan] nm Chacun des degrés dans la hiérarchie de la ceinture noire de judo.

dancing nm Établissement public de danse.

dandinement nm Action de se dandiner.

dandiner (se) vpr Balancer son corps d'un mouvement régulier et rythmé.

dandy nm Homme raffiné dans sa toilette.

dandysme nm Raffinement du dandy.

danger nm Ce qui expose à un mal quelconque. Loc fam *Il n'y a pas de danger :* cela n'arrivera sûrement pas. *Un danger public :* qqn qui met les autres en péril.

dangereusement av De façon dangereuse.

dangereux, euse a Qui constitue un danger. *Abus dangereux pour la santé.*

dangerosité nf Caractère dangereux.

danois, oise *a, n* Du Danemark. ■ *nm* 1 Langue scandinave parlée au Danemark. 2 Chien de grande taille à robe rase.

dans *prép* Marque le lieu, la situation, la manière, la durée.

dansant, ante *a* Où l'on peut danser. *Soirée dansante.*

danse *nf* Suite de mouvements rythmiques du corps, à pas réglés, à la cadence de la musique. Loc *fam Mener la danse* : diriger une action. *Danse de Saint-Guy* : maladie caractérisée par des mouvements brusques.

danser *vi, vt* Exécuter une danse. *Danser la valse.* Loc *fam Ne savoir sur quel pied danser* : être indécis. ■ *vi litt* Remuer, s'agiter. *Les flammes dansent dans la cheminée.*

danseur, euse *n* Personne qui danse, par plaisir ou par profession. Loc *Pédaler en danseuse* : debout sur les pédales.

dantesque *a* D'une horreur grandiose.

danubien, enne *a* Du Danube.

daphnie *nf* Très petit crustacé d'eau douce, qui se déplace par saccades. Syn. puce d'eau.

darbouka. V. derbouka.

dard *nm* 1 Aiguillon de certains animaux. 2 Langue de serpent.

darder *vt litt* Lancer vivement. *Le soleil darde ses rayons.*

dare-dare *av fam* En toute hâte.

dari *nm* Forme de persan parlée en Afghanistan.

darne *nf* Tranche de gros poisson.

darse *nf* MAR Bassin d'un port.

dartre *nf* MED Plaque sèche de la peau.

darwinien, enne [-wi] *a, n* Qui relève du darwinisme. Var **darwiniste**.

darwinisme [-wi-] *nm* Théorie de Ch. Darwin, selon laquelle les divers êtres vivants actuels résulteraient de la sélection naturelle.

datable *a* Qu'on peut dater.

datation *nf* Action d'attribuer une date.

datcha *nf* Maison de campagne russe.

date *nf* 1 Indication précise du jour, du mois et de l'année. 2 Évènement important dans l'histoire. Loc *De fraîche date* : récent. *De longue date* : très ancien. *Faire date* : marquer un moment important, décisif. *Prendre date* : déterminer un jour pour faire qqch.

dater *vt* Mettre la date sur un document, un acte, etc. ; en déterminer la date. ■ *vti* Avoir eu lieu, avoir commencé d'exister à telle date. *Immeuble qui date du XIX*ᵉ *s.* Loc *À dater de* : à partir de. ■ *vi* Être démodé. *Sa robe date un peu.*

dateur *nm* Appareil pour apposer les dates.

datif *nm* GRAM Cas du complément d'attribution dans les langues à déclinaison.

dation *nf* DR Action de donner à un créancier qqch en échange d'une dette.

datte *nf* Fruit comestible, sucré du dattier.

dattier *nm* Grand palmier d'Afrique et du Proche-Orient, cultivé pour ses dattes.

daube *nf* Manière de cuire les viandes dans un récipient couvert.

dauber *vt litt* Dénigrer qqn, se moquer de lui.

1. dauphin *nm* Cétacé grégaire au sens social très développé.

2. dauphin *nm* 1 HIST Titre de l'héritier du trône de France. 2 Successeur présumé de qqn.

dauphine *nf* Femme du dauphin de France.

dauphinois, oise *a, n* Du Dauphiné.

daurade *nf* Poisson marin aux écailles dorées ou argentées. Var dorade

davantage *av* Plus, bien plus, plus longtemps. *Je veux davantage. Je n'attendrai pas davantage.*

davier *nm* Pince pour extraire les dents.

dazibao *nm* Affiche politique en Chine.

DCA *nf* Artillerie antiaérienne.

DDT *nm* Insecticide puissant.

de, d' *prép* (*de* se contracte en *du* et *de les* en *des*). 1 Introduit des compléments exprimant l'origine, la durée, la progression, la cause, la manière, le moyen, la mesure, l'agent, l'appartenance, la qualité, la destination. 2 S'emploie devant l'objet d'un verbe transitif indirect, un infinitif sujet ou complément, l'attribut du complément d'objet. 3 Entre dans la constitution de l'article partitif (*du, de la, des*).

dé *nm* 1 Petit cube pour jouer dont chaque face est marquée d'un nombre, de un à six. 2 Petit cube de matière quelconque. 3 Petit fourreau de métal, protégeant le doigt qui pousse l'aiguille.

deal [dil] *nm fam* Opération commerciale, marché.

dealer [dilœr] *nm* Revendeur de drogue. Var **dealeur, euse**

déambulation *nf* Marche sans but précis.

déambulatoire *nm* ARCHI Galerie qui passe derrière le chœur.

déambuler *vi* Marcher sans but précis.

débâcher *vt* Ôter la bâche de.

débâcle *nf* 1 GEOGR Rupture de la glace recouvrant un cours d'eau. 2 Effondrement, ruine, déroute. *Débâcle financière.*

déballage *nm* 1 Action de déballer. 2 Étalage de secrets, de confidences.

déballer *vt* 1 Retirer de son emballage. 2 Exposer des marchandises. 3 Étaler, exposer. *Déballer ses griefs.*

débandade *nf* Fuite, dispersion désordonnée.

débander *vt* 1 Enlever la bande, le bandage. 2 Détendre ce qui est tendu. ■ *vpr* Se disperser en désordre.

débaptiser [-bati-] *vt* Changer le nom de qqch. *Débaptiser une ville.*

débarbouiller *vt* Laver le visage. ■ *vpr* Se laver sommairement.

débarcadère *nm* Quai de débarquement des voyageurs, des marchandises.

débardeur *nm* 1 Ouvrier qui travaille au chargement et au déchargement de marchandises. 2 Maillot de corps très échancré, sans manches.

débarquement *nm* Action de débarquer des marchandises, des passagers, des troupes.

débarquer *vt* 1 Mettre à terre des passagers, des marchandises d'un navire, d'un avion, d'un train. 2 *fam* Se débarrasser de qqn. ■ *vi* [aux. *avoir* ou *être*] 1 Descendre à terre d'un train, d'un avion. 2 *fam* Arriver à l'improviste. 3 *fam* Ne pas être au courant.

débarras [-ra] *nm* Lieu où l'on range les objets encombrants. Loc *fam Bon débarras* : délivrance de ce qui embarrassait.

débarrasser *vt* Dégager de ce qui embarrasse, de ce qui gêne, encombre. ■ *vpr* Se défaire de qqch, de qqn.

débat *nm* Discussion entre des personnes d'avis différents. Loc *Débat intérieur* : conflit psychologique. ■ *pl* 1 Discussion dans une assemblée politique. 2 Phases d'un procès.

débatteur *nm* Personne remarquable dans les débats publics.

débattre *vt, vti* [77] Discuter de façon contradictoire. *Débattre (d') une affaire.* ■ *vpr* Lutter énergiquement pour se dégager.

débauchage *nm* Action de débaucher.

débauche *nf* Recherche excessive des plaisirs sensuels. **Loc** *Débauche de :* profusion de.

débauché, ée *n, a* Qui vit dans la débauche.

débaucher *vt* 1 Engager qqn à quitter son travail. 2 Renvoyer d'un emploi, faute de travail. 3 Entraîner dans la débauche.

débecter *vt* fam Dégoûter.

débile *a* 1 Sans force, sans vigueur. *Esprit débile.* 2 fam Stupide. *Histoire débile.* ■ *n* Arriéré mental.

débilitant, ante *a* Qui déprime.

débilité *nf* État d'un débile mental.

débiliter *vt* Rendre débile, affaiblir.

débine *nf* pop Misère.

débiner *vt* pop Dénigrer. ■ *vpr* fam Se sauver.

débit *nm* 1 Vente au détail d'une marchandise. 2 Établissement où l'on vend au détail des boissons, du tabac. 3 Manière de réciter, de parler. *Un débit rapide.* 4 Quantité de fluide, de moyens de transport, etc., qui s'écoule en un temps donné. 5 Compte des sommes dues par qqn. Ant. crédit.

débitant, ante *n* Personne qui tient un débit de tabac, de boissons.

débiter *vt* 1 Tailler en morceaux. *Débiter une pierre.* 2 Vendre au détail. 3 Fournir une quantité de matière, de fluide, d'électricité, etc., en une période donnée. 4 Réciter d'une manière monotone. 5 Raconter. *Débiter des mensonges, des sottises.* 6 Porter une somme au débit de qqn.

débiteur, trice *n* 1 Personne qui doit de l'argent. 2 Personne qui a une obligation morale envers qqn. ■ *a* Qui présente un débit. *Compte débiteur.* Ant. créditeur.

déblai *nm* Action de déblayer. ■ *pl* Gravats que l'on retire d'un terrain.

déblaiement *nm* Action de déblayer.

déblatérer *vi* [12] fam Parler avec violence contre qqch, qqn.

déblayer *vt* [20] Dégager un lieu de ce qui l'encombre. **Loc** *Déblayer le terrain :* aplanir les difficultés avant d'entreprendre une action.

déblocage *nm* Action de débloquer.

débloquer *vt* 1 Remettre en mouvement une machine, permettre la circulation, la liberté de mouvement de qqch. ■ *vi* pop divaguer.

débobiner *vt* Dérouler.

déboires *nmpl* Déception pénible.

déboisement *nm* Action de déboiser.

déboiser *vt* Dégarnir une terre de ses arbres.

déboîtement *nm* Action de déboîter. **Var déboitement**

déboîter *vt* Faire sortir de son logement. ■ *vi* Sortir d'une file de véhicules. **Var déboiter**

débonnaire *a* Bienveillant.

débordant, ante *a* Qui se manifeste avec exubérance.

débordement *nm* Fait de déborder. ■ *pl* Excès. *Se livrer à des débordements.*

déborder *vi* 1 Laisser son contenu se répandre par-dessus bord. *Le vase déborde.* 2 Se répandre par-dessus bord. *Le lait déborde.* ■ *vt* 1 Dépasser les limites, le bord de. 2 Dépasser en contournant.

Loc *Être débordé :* être surchargé de travail, d'obligations, etc.

débotté *nm* **Loc** *Au débotté :* à l'improviste.

débouchage *nm* Action de déboucher.

débouché *nm* 1 Issue large d'un passage resserré. 2 Marché pour un produit. ■ *pl* Professions ouvertes à qqn.

déboucher *vt* 1 Dégager de ce qui obstrue. 2 Ôter le bouchon d'une bouteille. ■ *vti* 1 Sortir d'un endroit resserré, se jeter dans. 2 Aboutir à. *Déboucher sur une impasse.*

déboulé *nm* Course rapide, puissante.

débouler *vi, vt* Descendre très vite. *Débouler l'escalier.*

déboulonnage *nm* Action de déboulonner. **Var déboulonnement**

déboulonner *vt* 1 Enlever les boulons de, démonter. 2 fam Faire perdre son prestige, son poste à qqn.

débourrer *vt* 1 Ôter la bourre. 2 Retirer les cendres d'une pipe.

débours *nm* Somme déboursée.

déboursement *nm* Fait de débourser de l'argent.

débourser *vt* Payer.

déboussoler *vt* fam Déconcerter.

debout *av* 1 En position, en station verticale. 2 Hors de son lit. **Loc** *Être, tenir debout :* être vraisemblable, cohérent. ■ *a inv* **Loc** *Vent debout :* contraire à la direction suivie.

débouter *vt* DR Rejeter la demande faite en justice.

déboutonner *vt* Dégager les boutons de leurs boutonnières. ■ *vpr* fam Parler sans retenue.

débraillé, ée *a* Négligé, sans soin. ■ *nm* Tenue négligée.

débrancher *vt* Supprimer le branchement.

débrayage *nm* 1 Action de débrayer. 2 Arrêt de travail.

débrayer *vt* [20] TECH Désaccoupler l'arbre mené de l'arbre moteur. ■ *vi* Cesser le travail.

débridé, ée *a* Sans retenue. *Joie débridée.*

débrider *vt* Ôter la bride ou les brides.

débriefing [-bRifiŋ] *nm* Réunion de militaires après une mission pour en dresser le bilan.

débris *nm* Fragment de qqch de brisé ou détruit.

débrouillard, arde *a, n* fam Qui sait se débrouiller. *Enfant débrouillard.*

débrouillardise *nf* fam Aptitude à se débrouiller.

débrouiller *vt* 1 Démêler, remettre en ordre. 2 Éclaircir, dénouer. *Débrouiller une affaire.* ■ *vpr* fam Se tirer d'embarras.

débroussaillage *nm* Action de débroussailler.

débroussailler *vt* 1 Enlever les broussailles ; défricher. 2 Commencer à tirer au clair.

débroussailleuse *nf* Machine servant à débroussailler.

débudgétiser *vt* Enlever une charge du budget.

débureaucratiser *vt* Supprimer le caractère bureaucratique.

débusquer *vt* Chasser d'un abri, d'une retraite.

début *nm* Commencement. ■ *pl* Premiers pas dans une activité, une carrière.

débutant, ante *n, a* Qui débute, sans expérience. *Acteur débutant.*

débuter *vi* 1 Commencer. 2 Faire ses débuts dans une activité, une carrière.

déca *nm* fam Café décaféiné.

deçà *prép* Loc *En deçà de :* au-dessous de. ■ *av* Loc *Deçà delà :* d'un côté et de l'autre.

décacheter *vt* [19] Ouvrir ce qui est cacheté.

décadaire *a* De la décade.

décade *nf* 1 Période de dix jours. 2 HIST Dans le calendrier républicain, période remplaçant la semaine.

décadenasser *vt* Ouvrir en enlevant le cadenas.

décadence *nf* Période de déclin.

décadent, ente *a, n* En décadence.

décadi *nm* HIST Dixième jour de la décade, dans le calendrier républicain.

décaèdre *nm* Polyèdre à dix faces.

décaféiné, ée *a, nm* Sans caféine.

décagone *nm* Polygone à dix angles.

décaisser *vt* Payer en tirant de la caisse.

décalage *nm* 1 Position de ce qui est décalé. *Décalage horaire.* 2 Inadéquation, non-concordance.

décalaminer *vt* Ôter l'oxyde qui s'est formé sur une surface métallique.

décalcification *nf* MED Diminution du calcium de l'organisme.

décalcifier *vt* Priver de calcium.

décalcomanie *nf* Procédé décoratif par report de motifs sur un objet à décorer.

décaler *vt* Faire subir un déplacement dans le temps ou dans l'espace.

décalitre *nm* Mesure de capacité valant dix litres (symbole : dal).

décalogue *nm* Les dix commandements de Dieu, reçus par Moïse sur le mont Sinaï.

décalotter *vt* Dégager de ce qui couvre.

décalque *nm* Action de décalquer. **Var décalquage**

décalquer *vt* Reporter un calque de sur une surface.

décamètre *nm* Unité de longueur égale à dix mètres (symbole : dam).

décamper *vi* fam S'enfuir.

décan *nm* Division des signes du zodiaque.

décaniller *vi* pop S'enfuir.

décantation *nf* Action de décanter. **Var décantage** *nm*

décanter *vt* Laisser se déposer les matières solides d'un liquide. ■ *vpr* Se clarifier.

décapage *nm* Action de décaper.

décapant, ante *a, nm* Qui décape.

décaper *vt* Débarrasser une surface d'une couche d'enduit, d'impuretés.

décapitation *nf* Action de décapiter.

décapiter *vt* 1 Trancher la tête. 2 Enlever la partie essentielle. *Décapiter un parti politique.*

décapode *nm* ZOOL Crustacé pourvu de cinq paires de pattes locomotrices, comme le crabe.

décapotable *a, nf* Qu'on peut décapoter.

décapoter *vt* Ouvrir la capote d'une voiture.

décapsuler *vt* Enlever la capsule.

décapsuleur *nm* Ustensile pour décapsuler les bouteilles.

décarcasser (se) *vpr* fam Se donner beaucoup de peine.

décasyllabe *a, nm* De dix syllabes.

décathlon *nm* Compétition masculine d'athlétisme de dix épreuves (4 courses, 3 sauts, 3 lancers).

décathlonien *nm* Personne qui pratique le décathlon.

décati, ie *a* Qui a perdu sa fraîcheur.

décédé, ée *a* Mort.

décéder *vi* [12] [aux. *être*] Mourir.

décelable *a* Qu'on peut déceler.

déceler *vt* [16] 1 Découvrir ce qui était caché. 2 Être l'indice de ; révéler. *Un bruit décela sa présence.*

décélération *nf* Diminution de la vitesse d'un mobile.

décélérer *vi* [12] Effectuer une décélération.

décembre *nm* Douzième et dernier mois de l'année.

décemment *av* De façon décente.

décence *nf* Respect de la pudeur, de la correction.

décennal, ale, aux *a* 1 Qui dure dix ans. 2 Qui revient tous les dix ans.

décennie *nf* Période de dix ans.

décent, ente *a* 1 Conforme à la décence, convenable. *Tenue décente.* 2 Raisonnable, acceptable. *Salaire décent.*

décentrage *nm* Action de décentrer.

décentralisateur, trice *a, n* Qui décentralise.

décentralisation *nf* Transfert de compétences d'un organisme central à des organismes locaux.

décentraliser *vt* Procéder à la décentralisation de. *Décentraliser l'administration.*

décentrer *vt* Déplacer le centre de.

déception *nf* Sentiment de qqn trompé dans ses espérances.

décerner *vt* Attribuer un prix.

décerveler *vt* [16] fam Abrutir.

décès *nm* Mort de qqn.

décevant, ante *a* Qui déçoit.

décevoir *vt* [43] Tromper qqn dans ses espérances.

déchaîné, ée *a* Violent, très agité. *Un vent déchaîné.* **Var déchainé, ée**

déchaînement *nm* Action de se déchaîner. **Var déchainement**

déchaîner *vt* Exciter, soulever. *Déchaîner les passions.* ■ *vpr* S'emporter violemment. **Var déchainer**

déchanter *vi* Rabattre de ses espérances.

décharge *nf* 1 Lieu où on décharge des ordures. 2 Salve, tir simultané de plusieurs armes à feu. 3 Perte brusque de la charge d'un conducteur électrique. 4 Attestation qui dégage la responsabilité de qqn. *Faire signer une décharge.* Loc *À décharge :* qui enlève la charge, l'accusation, la responsabilité.

déchargement *nm* Action de décharger.

décharger *vt* [11] 1 Enlever le chargement, la charge. 2 Soulager. *Décharger sa conscience.* 3 Dispenser d'une charge, d'un travail, d'une responsabilité. 4 Tirer les projectiles d'une arme à feu. 5 Annuler la charge électrique de qqch. ■ *vi* Déteindre. ■ *vpr* Laisser à qqn le soin de faire qqch. *Se décharger sur ses collaborateurs.*

décharné, ée *a* Extrêmement maigre.

déchausser *vt* 1 Enlever ses chaussures à qqn. 2 Dégager le pied ou la base de qqch. ■ *vpr* Ôter ses chaussures.

dèche *nf* pop Misère.

déchéance *nf* 1 Décadence, avilissement. 2 Perte d'un droit, d'une fonction.

déchet *nm* 1 Résidus, restes (surtout pl.). *Déchets radioactifs.* 2 Personne déchue, méprisable.

déchetterie nf (n. déposé) Lieu public où l'on peut déposer certains déchets. **Var déchèterie**

déchiffrable a Qu'on peut déchiffrer.

déchiffrage nm Action de déchiffrer. **Var déchiffrement**

déchiffrer vt **1** Traduire en clair. *Déchiffrer des hiéroglyphes.* **2** Lire ce qui est difficile à lire. **3** Lire de la musique. **4** Démêler, pénétrer ce qui est obscur. *Déchiffrer une énigme.*

déchiqueter vt [17] ou [19] Mettre en pièces.

déchirant, ante a Qui émeut énormément.

déchirement nm **1** Action de déchirer. **2** Souffrance morale extrême. ■ *pl* Discordes, luttes intestines.

déchirer vt **1** Mettre en pièces. **2** Produire une douleur. **3** Diviser par des dissensions. ■ *vpr* Se claquer un muscle.

déchirure nf Rupture faite en déchirant.

déchloruration nf Action de déchlorurer.

déchlorurer vt Enlever le chlorure de l'eau, du sol.

déchocage nm MED Action de déchoquer.

déchoir vi [50] [aux. *avoir* ou *être*] Tomber dans un état inférieur. **Loc** *Être déchu d'un droit :* en être dépossédé.

déchoquer vt MED Traiter un blessé en état de choc.

déchristianisation nf Action de déchristianiser.

déchristianiser vt Faire perdre la religion chrétienne.

déchu, ue a Atteint de déchéance.

décibel nm Unité exprimant le rapport entre deux intensités sonores (symbole : dB).

décidé, ée a Résolu, ferme. *Un ton décidé.*

décidément av Tout bien considéré.

décider vt **1** Prendre la résolution de. *J'ai décidé son départ.* **2** Déterminer qqn à faire qqch. *Je l'ai décidé à venir.* ■ *vti* **1** Statuer sur, décréter sur, disposer de. *Décider de l'avenir.* **2** Prendre la résolution de. *Décider de partir.* ■ *vpr* **1** Prendre la décision de. *Il s'est enfin décidé à revenir.* **2** Se prononcer pour ou contre qqn, qqch.

décideur nm Personne qui a le pouvoir de prendre des décisions.

décigramme nm Dixième partie du gramme (symbole : dg).

décilitre nm Dixième partie du litre (symbole : dl).

décimal, ale, aux a Qui a pour base le nombre 10. **Loc** *Nombre décimal :* qui comporte une fraction de l'unité, séparée par une virgule. ■ *nf* Chacun des chiffres séparés de l'unité par une virgule.

décimaliser vt Appliquer le système décimal.

décimer vt Faire périr une proportion importante d'une population.

décimètre nm **1** Dixième partie du mètre (symbole : dm). **2** Règle mesurant 1 dm.

décisif, ive a Qui résout, qui tranche ce qui est incertain.

décision nf Action de décider ; chose décidée.

décisionnaire n Personne qui exerce un pouvoir de décision.

décisionnel, elle a Qui relève de la décision.

déclamation nf Langage pompeux et affecté.

déclamatoire a Emphatique, pompeux.

déclamer vt Réciter, parler avec emphase.

déclaratif, ive a DR Se dit d'un acte par lequel on constate un état de fait. **Loc** GRAM *Verbes déclaratifs :* qui indiquent une énonciation (ex. : *dire, raconter*).

déclaration nf **1** Discours, acte, écrit par lequel on déclare ; proclamation. **2** Action de porter à la connaissance des autorités.

déclaré, ée a Avoué, reconnu.

déclarer vt **1** Manifester, faire connaître. *Déclarer ses intentions.* **2** Fournir un renseignement aux autorités compétentes. *Déclarer ses revenus.* ■ *vpr* **1** Manifester son existence. *Le choléra s'est déclaré.* **2** Faire connaître sa pensée. *Il s'est déclaré incompétent.* **3** Faire une déclaration d'amour.

déclassé, ée a, n Déchu de son statut.

déclassement nm Action de déclasser, fait d'être déclassé.

déclasser vt **1** Déranger ce qui est classé. **2** Faire tomber dans une classe inférieure.

déclenchement nm Action de déclencher, fait de se déclencher.

déclencher vt **1** Amorcer le fonctionnement de. *Déclencher l'alarme.* **2** Provoquer subitement. *Déclencher la guerre.*

déclencheur nm Appareil qui déclenche un mécanisme.

déclic nm **1** Pièce qui déclenche un mécanisme. **2** Bruit sec d'un mécanisme qui se déclenche.

déclin nm État de ce qui tend vers sa fin, de ce qui perd de sa force.

déclinable a Qu'on peut décliner.

déclinaison nf **1** Action de décliner qqch. **2** LING Ensemble des formes (cas) que prennent dans les langues flexionnelles les noms, pronoms et adjectifs selon leur fonction dans la phrase. **3** ASTRO Hauteur d'un astre au-dessus du plan équatorial.

déclinant, ante a Sur son déclin.

décliner vi **1** Tendre vers sa fin. *Le jour décline.* **2** S'affaiblir, tomber en décadence. *Ses forces déclinent.* ■ *vt* **1** Énumérer les cas de la déclinaison. **2** Énumérer. *Décliner les raisons d'une décision.* **3** Refuser d'accepter. *Décliner une invitation.* **4** Présenter à la vente un même produit sous diverses formes. **Loc** *Décliner son identité :* l'énoncer avec précision.

déclivité nf Pente, inclinaison.

décloisonnement nm Action de décloisonner.

décloisonner vt Enlever ce qui sépare.

déclouer vt Défaire, enlever les clous.

décocher vt **1** Lancer. *Décocher un coup.* **2** Lancer avec hostilité. *Décocher une remarque.*

décoction nf Action de faire bouillir une substance pour en extraire les principes solubles.

décodage nm Action de décoder.

décoder vt Déchiffrer un message codé.

décodeur nm Appareil qui permet de décoder des informations.

décoffrer vt Ôter le coffrage d'un ouvrage en béton.

décoiffer vt **1** Déranger, défaire la coiffure de qqn. **2** fam Étonner.

décoincer vt [10] Dégager ce qui était coincé.

décolérer vi [12] **Loc** *Ne pas décolérer :* ne pas cesser d'être en colère.

décollage nm Fait de décoller (avion).

décollectivisation nf Action de décollectiviser.

décollectiviser vt Supprimer la collectivisation.

décollement nm Action de décoller, de se décoller. *Décollement de la rétine.*

décoller vt Séparer, détacher ce qui était collé. ■ vi Quitter le sol (avion).

décolleté, ée a Qui laisse apparaître le cou, les épaules. *Robe décolletée.* ■ nm Partie décolletée d'un vêtement.

décolleter vt [17] ou [19] Couper un vêtement de manière à dégager le cou.

décolleuse nf Machine servant à décoller le papier peint.

décolonisation nf Processus par lequel un peuple colonisé accède à l'indépendance.

décoloniser vt Accorder l'indépendance à une colonie.

décolorant, ante a, nm Qui décolore.

décoloration nf Perte de la couleur.

décolorer vt Faire perdre en partie ou complètement sa couleur. *Décolorer les cheveux.*

décombres nmpl Ruines, restes de ce qui a été détruit.

décommander vt Annuler une invitation, une commande, etc. ■ vpr Annuler un rendez-vous

décomplexer vt Enlever à qqn ses complexes.

décomposable a Qu'on peut décomposer.

décomposer vt 1 Séparer les parties de qqch ; analyser. *Décomposer une phrase.* 2 Gâter. *La chaleur décompose la viande.* 3 Bouleverser. *La terreur décomposait son visage.*

décomposition nf 1 Analyse des constituants de qqch. 2 Altération profonde.

décompresser vi 1 fam Relâcher sa tension nerveuse. 2 INFORM Reconstituer des données comprimées pour les afficher sur l'écran de l'ordinateur.

décompression nf Diminution de la pression.

décomprimer vt Réduire la pression.

décompte nm Compte détaillé d'une somme.

décompter vt Déduire d'une somme.

déconcentration nf Action de déconcentrer.

déconcentrer vt 1 Procéder à une répartition moins centralisée. 2 Troubler la concentration, l'attention. ■ vpr Relâcher son attention.

déconcertant, ante a Qui déconcerte.

déconcerter vt Troubler, dérouter.

déconfit, ite a Abattu, décontenancé.

déconfiture nf Ruine financière ; faillite morale ; déroute totale.

décongélation nf Action de décongeler.

décongeler vt [16] Ramener un corps congelé à une température supérieure à 0 °C.

décongestionner vt 1 Faire disparaître la congestion. 2 Atténuer, faire cesser l'encombrement.

déconnant, ante a pop Absurde, stupide.

déconnecter vt 1 Débrancher. *Déconnecter un ordinateur.* 2 fam Faire perdre le sentiment des réalités.

déconner vi pop Dire ou faire des bêtises.

déconnexion nf Action de déconnecter.

déconseiller vt Conseiller de ne pas faire.

déconsidérer vt [12] Faire perdre la considération, l'estime dont jouissait qqn. ■ vpr Se discréditer.

déconstruction nf LITTER Décomposition analytique d'une œuvre.

décontamination nf Action de décontaminer.

décontaminer vt Éliminer les effets d'une contamination.

décontenancer vt [10] Faire perdre contenance à qqn. ■ vpr Perdre contenance.

décontracté, ée a Détendu.

décontracter (se) vpr Se détendre.

décontraction nf Détente, insouciance.

décontracturant, ante a, nm Qui fait disparaître les contractures musculaires.

déconventionner vt Mettre fin à une convention.

déconvenue nf Désappointement, déception.

décor nm 1 Ensemble de ce qui sert à décorer. 2 Au théâtre, au cinéma, ce qui sert à représenter les lieux de l'action. 3 Environnement, cadre. *Le décor quotidien.*

décorateur, trice n Professionnel de la décoration.

décoratif, ive a Qui décore agréablement, qui enjolive. Loc *Arts décoratifs* : arts du décor (tapisserie, céramique, design, etc.). Syn. arts appliqués.

décoration nf 1 Action de décorer ; art du décorateur ; ce qui décore. 2 Insigne d'une récompense honorifique.

décorer vt 1 Orner, parer, embellir. 2 Conférer une décoration.

décorticage nm Action de décortiquer.

décortiquer vt 1 Enlever l'écorce d'un arbre, l'enveloppe d'une graine, d'un fruit. 2 Faire l'analyse minutieuse de qqch.

décorum [-ROM] nm Pompe officielle.

décote nf 1 Baisse de la valeur de qqch. *Subir une décote.* 2 Réduction d'impôt.

découcher vi Coucher ailleurs que chez soi.

découdre vt [56] Défaire ce qui est cousu. ■ vti Loc *En découdre* : se battre.

découler vi Être la conséquence de.

découpage nm Action de découper ; image découpée.

découpe nf Résultat d'un découpage.

découpé, ée a Échancré. *Une côte découpée.*

découper vt 1 Couper en morceaux ou en tranches. 2 Couper avec des ciseaux en suivant un contour. 3 Diviser un scénario de film en scènes. ■ vpr Se détacher sur un fond.

découplage nm Action de découpler.

découplé, ée a Loc *Être bien découplé* : vigoureux et bien bâti.

découpler vt Cesser de considérer comme inséparables des choses qui l'étaient jusqu'alors.

découpure nf Irrégularité d'un contour.

décourageant, ante a Qui fait perdre courage. Syn. démoralisant.

découragement nm Abattement, perte du courage.

décourager vt [11] Ôter le courage, l'énergie, l'envie de qqch. ■ vpr Perdre courage.

décousu, ue a Sans suite. *Conversation décousue.*

découvert, erte a Qui n'est pas couvert. *Une allée découverte.* Loc *À visage découvert* : sincèrement. *Pays découvert* : non boisé. ■ nm FIN Solde débiteur d'un compte. Loc *À découvert* : sans protection ; sans se cacher.

découverte nf Action de découvrir ce qui était caché ou inconnu ; chose découverte.

découvreur, euse n Personne qui fait des découvertes.

découvrir vt [31] 1 Ôter ce qui couvre, protège. 2 Révéler ce qui était tenu caché. 3 Voir, apercevoir. **4** Trouver ce qui n'est pas connu, ce qui est secret. ■ *vpr* **1** Retirer ce qui couvre le corps. **2** S'éclaircir (temps, ciel).

décrassage *nm* Action de décrasser. Var **décrassement**

décrasser *vt* Enlever la crasse ; nettoyer.

décrédibiliser *vt* Faire perdre sa crédibilité à.

décrépir *vt* Enlever le crépi d'un mur.

décrépit, ite *a* Très affaibli par la vieillesse.

décrépitude *nf* Affaiblissement dû à la vieillesse ; délabrement.

decrescendo [dekreʃɛndo] *av, nm* MUS En diminuant l'intensité des sons. Var **decrescendo**

décret *nm* Décision, ordre émanant du pouvoir exécutif.

décréter *vt* [12] **1** Ordonner, régler par un décret. **2** Décider de manière autoritaire.

décret-loi *nm* Arrêté gouvernemental ayant force de loi ; ordonnance. *Des décrets-lois.*

décrier *vt* S'efforcer de ruiner la réputation de qqch, l'autorité de qqn.

décriminaliser *vt* Soustraire à la juridiction criminelle.

décrire *vt* [61] **1** Représenter, dépeindre en paroles ou par écrit. **2** Dessiner une ligne courbe, tracer.

décrispation *nf* Action de décrisper.

décrisper *vt* Diminuer les tensions.

décrochage *nm* Action de décrocher.

décrochement *nm* Partie en retrait.

décrocher *vt* **1** Détacher qqch qui était accroché. **2** fam Obtenir. *Décrocher un examen.* ■ *vi* **1** fam Ne plus porter son attention sur qqch. **2** Rompre le contact avec l'ennemi. **3** Interrompre une activité. **4** Cesser de se droguer.

décroiser *vt* Cesser de croiser.

décroissance *nf* Diminution.

décroissant, ante *a* Qui décroît.

décroître *vi* [59] Diminuer peu à peu. Var **décroitre**

décrotter *vt* Ôter la boue de.

décrue *nf* Baisse du niveau des eaux après une crue.

décryptage *nm* Action de décrypter. Var **décryptement**

décrypter *vt* Découvrir le sens d'un texte chiffré ; décoder.

déçu, ue *a, n* Qui a éprouvé une déception.

déculottée *nf* pop Défaite humiliante.

déculotter *vt* Ôter la culotte, le pantalon de qqn. ■ *vpr* **1** Enlever sa culotte. **2** pop Se comporter lâchement.

déculpabiliser *vt* Libérer d'un sentiment de culpabilité.

déculturation *nf* Perte d'une culture propre.

décuple *a, nm* Qui vaut dix fois.

décuplement *nm* Fait de décupler.

décupler *vt* **1** Rendre dix fois plus grand. **2** Augmenter considérablement. ■ *vi* Devenir dix fois plus grand.

dédaignable *a* Qu'on peut dédaigner (surtout avec négation).

dédaigner *vt* Traiter avec dédain, rejeter comme sans intérêt.

dédaigneusement *av* Avec dédain.

dédaigneux, euse *a, n* Qui montre du dédain.

dédain *nm* Mépris, orgueil.

dédale *nm* **1** Labyrinthe. **2** Ensemble compliqué où il est difficile de se reconnaître.

dedans *av, prép* À l'intérieur. Loc *Au-dedans, en dedans de* : à l'intérieur de. fam *Mettre dedans* : tromper. ■ *nm* L'intérieur de qqch.

dédicace *nf* Inscription par laquelle un auteur dédie son œuvre à qqn.

dédicacer *vt* [10] Faire l'hommage d'un livre, d'une photographie, par une dédicace.

dédicataire *n* Personne à qui un ouvrage est dédié.

dédié, ée *a* TECH Se dit d'un équipement spécialisé à des tâches déterminées.

dédier *vt* **1** Consacrer au culte divin. **2** Faire hommage d'un ouvrage par une dédicace.

dédire (se) *vpr* [60] Se rétracter.

dédit *nm* DR Pénalité subie par qqn qui manque à l'exécution d'un contrat.

dédommagement *nm* Réparation d'un dommage ; compensation.

dédommager *vt* [11] **1** Indemniser d'un dommage. **2** Offrir une compensation à une peine. ■ *vpr* Trouver une compensation.

dédorer *vt* Ôter la dorure.

dédouanement *nm* Action de dédouaner.

dédouaner *vt* **1** Acquitter les droits de douane d'une marchandise. **2** Réhabiliter, blanchir qqn.

dédoublement *nm* Action de dédoubler, de se dédoubler.

dédoubler *vt* **1** Diviser en deux. *Dédoubler une classe.* **2** Doubler un train. ■ *vpr* Perdre le sentiment de l'unité de sa personnalité.

dédramatiser *vt* Ôter le caractère dramatique.

déductibilité *nf* Caractère déductible.

déductible *a* Qui peut être déduit.

déductif, ive *a* Qui procède par déduction.

déduction *nf* **1** Soustraction. **2** Raisonnement par lequel on infère toutes les conséquences qui découlent d'une hypothèse ; conclusion.

déduire *vt* [67] **1** Retrancher, soustraire d'une somme. **2** Tirer par déduction comme conséquence.

déesse *nf* Divinité féminine.

de facto [defakto] *av* De fait et non de droit. Ant. de jure.

défaillance *nf* **1** Évanouissement. **2** Faiblesse morale. **3** Arrêt du fonctionnement normal. *Défaillance du système de sécurité.*

défaillant, ante *a* Qui fait défaut.

défaillir *vi* [27] **1** S'évanouir. **2** Faiblir.

défaire *vt* [9] **1** Réaliser à l'inverse. **2** Détacher, dénouer. **3** litt Battre, vaincre. ■ *vpr* Se débarrasser de qqch. *Se défaire d'un vieux fauteuil.*

défait, aite *a* Abattu, épuisé.

défaite *nf* **1** Perte d'une bataille. **2** Échec. *Défaite électorale.*

défaitisme *nm* Manque de confiance dans le succès.

défaitiste *a, n* Qui fait preuve de défaitisme.

défalcation *nf* Déduction d'une somme.

défalquer *vt* Déduire une somme d'un compte.

défausse *nf* Carte dont on se défausse.

défausser (se) *vpr* Se débarrasser d'une carte inutile. *Se défausser à pique.*

défaut *nm* **1** Imperfection physique ou morale. **2** Manque de qqch. *Le défaut de preuves.* Loc *Faire défaut* : manquer. *Défaut de la cuirasse* : point faible. *Être en défaut* : commettre une faute, une erreur. *Par défaut :* en l'absence du demandeur, du prévenu dans un procès. *À défaut de :* en l'absence de.

défaveur *nf* litt Disgrâce.

défavorable *a* Qui n'est pas favorable.

défavorablement *av* De façon défavorable.

défavorisé, ée *a, n* Pauvre.

défavoriser *vt* Priver qqn de certains avantages ; désavantager.

défécation *nf* Expulsion des matières fécales.

défectif, ive *a* GRAM Se dit d'un verbe auquel il manque certaines formes (ex. : *choir*).

défection *nf* Abandon d'une cause. Loc *Faire défection :* abandonner, ne pas être présent.

défectueux, euse *a* Qui manque des qualités requises.

défectuosité *nf* Imperfection.

défendable *a* Qui peut être défendu.

défendeur, deresse *n* Personne contre qui est introduite une action en justice.

défendre *vt* [71] 1 Protéger, soutenir, plaider pour. *Défendre sa vie, un accusé.* 2 Prohiber, interdire qqch à qqn. *Il est défendu de parler au conducteur.* Loc *À son corps défendant :* à contrecœur. ■ *vpr* 1 Repousser une attaque. *Il ne se défendait que mollement.* 2 fam Se débrouiller. *Il se défend bien dans son métier.* 3 Chercher à se justifier. 4 Nier. *Il se défend d'avoir emporté ce livre.* 5 Se mettre à l'abri de. *Se défendre du froid.* 6 S'empêcher d'éprouver, se retenir de. *Elle ne peut se défendre de pleurer.*

défenestration *nf* Action de jeter qqn ou de se jeter par la fenêtre.

défenestrer *vt* Jeter qqn par la fenêtre.

défense *nf* 1 Action de faire face à une agression, une attaque. 2 Moyens employés par une nation pour se protéger. 3 Moyens employés pour se défendre en justice ; ensemble constitué par l'avocat et l'accusé. 4 Prohibition, interdiction. *Défense d'afficher.* 5 Grande dent, sortant de la cavité buccale de certains mammifères.

défenseur *nm* 1 Personne qui défend, soutient, protège. 2 Avocat qui défend en justice. 3 Joueur chargé de résister aux attaques de l'adversaire.

défensif, ive *a* Fait pour la défense. ■ *nf* État d'une armée prête à se défendre. Loc *Être, se tenir sur la défensive :* être prêt à se défendre.

déféquer *vt* [12] Évacuer les matières fécales.

déférence *nf* Politesse respectueuse.

déférent, ente *a* Respectueux. *Attitude déférente.* Loc ANAT *Canal déférent :* conduit excréteur du testicule.

déférer *vt* [12] Soumettre à une juridiction. ■ *vti* Céder par respect. *Déférer au désir de qqn.*

déferlant, ante *a* Qui déferle. ■ *nf* Vague déferlante.

déferlement *nm* Action de déferler.

déferler *vi* 1 Se déployer et se briser en écume (vagues). 2 Se répandre avec abondance, violence. *Les injures déferlaient sur lui.*

défi *nm* Appel à se mesurer avec, à affronter. Loc *Mettre au défi de :* provoquer qqn à faire qqch d'impossible.

défiance *nf* Méfiance.

défiant, ante *a* Méfiant, soupçonneux.

défibrillateur *nm* Appareil opérant la défibrillation.

défibrillation *nf* Traitement des contractions anormales du cœur par le courant électrique.

déficeler *vt* [16] ou [18] Ôter la ficelle d'un paquet.

déficience *nf* Insuffisance, carence.

déficient, ente *a* Trop faible, insuffisant.

déficit [-sit] *nm* 1 Insuffisance, manque. *Déficit immunitaire.* 2 Excédent des dépenses sur les recettes.

déficitaire *a* Qui présente un déficit.

défier *vt* 1 Provoquer à une lutte. 2 Braver, se dresser contre. *Défier la morale.* 3 Résister à l'épreuve de. *Défier le temps.* ■ *vpr* Avoir de la défiance envers. *Se défier des racontars.*

défigurer *vt* 1 Altérer l'aspect du visage. 2 Altérer, dénaturer. *Défigurer la vérité.*

défilé *nm* 1 Passage étroit et encaissé entre deux montagnes. 2 File de personnes, de véhicules en marche.

défilement *nm* Déroulement régulier des images d'une bande magnétique.

1. défiler *vt* Ôter le fil passé dans. *Défiler des perles.* ■ *vpr* fam S'esquiver, se dérober.

2. défiler *vi* 1 Aller à la file, en colonne. *Défiler le 14 juillet.* 2 Se succéder avec régularité. *Les jours défilaient.*

défini, ie *a* Déterminé, précisé. Loc *Article défini :* le, la, les.

définir *vt* Expliquer, préciser.

définissable *a* Qu'on peut définir.

définitif, ive *a* Qui ne peut plus être modifié. ■ *av* Loc *En définitive :* en conclusion.

définition *nf* 1 Ensemble des caractéristiques d'un concept. 2 Explication précise de ce qu'un mot signifie. 3 Nombre de lignes dans lesquelles est composée une image de télévision.

définitionnel, elle *a* Relatif à une définition. Var **définitoire**

définitivement *av* De façon définitive.

défiscalisation *nf* Action de défiscaliser.

défiscaliser *vt* Exonérer d'impôts.

déflagration *nf* Violente explosion.

déflation *nf* ECON Ensemble des mesures destinées à lutter contre l'inflation.

déflationniste *a* ECON De la déflation.

déflecteur *nm* Appareil, dispositif servant à modifier la direction d'un fluide.

déflocage *nm* TECH Suppression du flocage qui couvre une surface.

défloraison *nf* Chute des fleurs.

défloration *nf* Perte de la virginité.

déflorer *vt* 1 Faire perdre sa fraîcheur, sa nouveauté à. *Déflorer un sujet.* 2 Faire perdre sa virginité à une jeune fille.

défoliant *nm* Produit provoquant la chute des feuilles.

défoliation *nf* Chute des feuilles d'un végétal.

défonce *nf* pop État dans lequel se trouve un drogué après usage de drogue.

défoncer *vt* [10] Briser, crever en enfonçant. *Défoncer un mur.* ■ *vpr* 1 pop Se droguer. 2 fam Donner le meilleur de soi-même.

déforestation *nf* Déboisement.

déformant, ante *a* Qui déforme.

déformation *nf* Action de déformer.

déformer *vt* 1 Altérer la forme, l'aspect, l'esprit de. 2 Reproduire inexactement. *Déformer la pensée de qqn.*

défoulement nm Fait de se défouler.

défouler (se) vpr **1** PSYCHO Se livrer à des actions sur lesquelles pesait un interdit. **2** Se libérer dans une activité quelconque. **3** fam S'épancher sans retenue.

défraîchir vt Faire perdre sa fraîcheur, son éclat à. **Var défraichir**

défraiement nm Action de défrayer ; remboursement.

défrayer vt [20] Payer la dépense, les frais de qqn. **Loc** *Défrayer la conversation, la chronique :* faire beaucoup parler de soi.

défrichement nm Action de défricher. **Var défrichage**

défricher vt **1** Rendre cultivable un terrain en friches. **2** Débrouiller une question.

défricheur, euse n Personne qui défriche.

défriser vt **1** Défaire la frisure de. **2** fam Désappointer.

défroisser vt Rendre uni ce qui est froissé.

défroque nf Vêtements usagés et ridicules.

défroqué, ée a, n Qui a quitté l'état religieux.

défunt, unte a, n Mort.

dégagé, ée a Qui fait preuve d'assurance. *Air dégagé.* **Loc** *Ciel dégagé :* sans nuages.

dégagement nm **1** Action de dégager. **2** Passage facilitant la circulation.

dégager vt [11] **1** Retirer ce qui est en gage. **2** Débarrasser de ce qui encombre. *Dégager le passage.* **3** Libérer de ce qui engage. *Dégager qqn d'une responsabilité.* **4** Produire une émanation. *Dégager une odeur.* **5** Isoler d'un ensemble. *Dégager la morale d'une histoire.* ■ vt Envoyer le ballon loin de ses buts. *Dégager en touche.* ■ vpr **1** Émaner, ressortir. *Une impression pénible se dégage de ce film.* **2** Se libérer d'une obligation. *Se dégager d'une obligation.*

dégaine nf fam Allure ridicule.

dégainer vt Tirer une arme de son fourreau.

déganter (se) vpr Ôter ses gants.

dégarnir vt Retirer ce qui garnit. ■ vpr Perdre ses cheveux.

dégât nm (souvent pl.) Dommage, destruction. *Les dégâts du tremblement de terre.*

dégauchir vt Rendre plane une pièce déformée.

dégazage nm Action de dégazer.

dégazer vt Éliminer les gaz de.

dégel nm **1** Fonte de la glace, de la neige. **2** Détente des relations entre États.

dégelée nf pop Volée de coups.

dégeler vt [16] **1** Faire fondre ce qui était gelé. **2** Détendre qqn, une atmosphère. ■ vi [aux. *avoir* ou *être*] Cesser d'être gelé.

dégénératif, ive a BIOL Qui présente une dégénérescence.

dégénéré, ée a, n Qui a dégénéré.

dégénérer vi [12] **1** S'abâtardir, perdre ses qualités propres. **2** Changer de nature en s'aggravant. *Discussion qui dégénère en querelle.*

dégénérescence nf Fait de dégénérer, de s'altérer.

dégingandé, ée a fam Qui a l'air disloqué dans sa démarche.

dégivrage nm Action de dégivrer.

dégivrer vt Ôter le givre de.

dégivreur nm Appareil servant à dégivrer.

déglacer vt [10] Ôter la glace de.

déglaciation nf Fonte des glaciers.

déglinguer vt fam Disloquer.

déglutir vt Avaler.

déglutition nf Action de déglutir.

dégobiller vt, vi pop Vomir.

dégoiser vi fam Parler beaucoup.

dégommer vt fam Renvoyer, destituer.

dégonflage nm Action de dégonfler. **Var dégonflement**

dégonflé, ée a, n fam Peureux, lâche.

dégonfler vt Vider de ce qui gonflait. *Dégonfler un ballon.* ■ vpr fam Perdre son courage.

dégorgement nm Action de dégorger.

dégorger vt [11] **1** Expulser, évacuer un liquide. **2** Débarrasser un conduit de ce qui l'engorge. ■ vi **Loc** CUIS *Faire dégorger :* faire rendre du liquide, des impuretés à.

dégoter vt fam Trouver, obtenir.

dégoulinade nf Ce qui dégouline. **Var dégoulinement** nm

dégouliner vi S'écouler goutte à goutte ou en filet. *L'eau dégouline du toit.*

dégoupiller vt Enlever la goupille de.

dégourdi, ie a, n fam Débrouillard.

dégourdir vt **1** Faire cesser l'engourdissement. **2** Faire perdre sa gaucherie à qqn.

dégoût nm **1** Répugnance pour certains aliments. **2** Aversion, répulsion. **Var dégout**

dégoûtant, ante a, n **1** Très sale. **2** Qui inspire du dégoût. **Var dégoutant, ante**

dégoûté, ée n **Loc** *Faire le dégoûté :* être trop exigeant. **Var dégouté, ée**

dégoûter vt **1** Inspirer de la répugnance, de l'aversion. **2** Enlever le désir, le goût de. *Il est dégoûté du jeu.* **Var dégouter**

dégoutter vi Couler goutte à goutte.

dégradant, ante a Avilissant.

dégradation nf Action de dégrader, de se dégrader ; fait d'être dégradé.

dégradé nm Affaiblissement progressif des couleurs.

dégrader vt **1** Destituer qqn de son grade, de sa dignité, de ses droits civiques. **2** Avilir. **3** Endommager. *Dégrader un monument.* ■ vpr Se détériorer.

dégrafer vt Détacher, défaire les agrafes.

dégraissage nm Action de dégraisser.

dégraisser vt **1** Enlever la graisse. **2** Enlever les taches de graisse. **3** fam Alléger d'éléments en surnombre.

degré nm **1** litt Marche d'un escalier. **2** Échelon, rang, niveau dans une hiérarchie, un système, un cycle d'études, la parenté d'une famille. **3** Chacune des divisions de l'échelle de mesure d'un système donné. **4** Unité d'arc égale à la 360ᵉ partie du cercle et unité d'angle correspondant à un arc d'un degré. **Loc** *Par degrés :* graduellement. *Degré Fahrenheit :* degré d'une échelle de température où au 0 °C correspond le 32 °F, au 100 °C, le 212 °F.

dégressif, ive a Qui diminue par degrés.

dégressivité nf Caractère dégressif.

dégrèvement nm Action de dégrever.

dégrever vt [15] Dispenser du paiement d'une charge fiscale.

dégriffé, ée nm, a Vêtement vendu à prix réduit.

dégriffer vt Retirer la marque commerciale.

dégringolade nf fam Chute rapide.

dégringoler vt, vi fam 1 Descendre avec précipitation. 2 Faire une chute rapide.

dégrippant nm Produit pour dégripper.

dégripper vt Supprimer le grippage d'une pièce, d'un mécanisme avec un dégrippant.

dégrisement nm Fait de se dégriser.

dégriser vt 1 Dissiper l'ivresse. 2 Faire cesser l'illusion.

dégrossir vt 1 Ébaucher, donner une première forme à une matière. 2 Commencer à débrouiller, à éclaircir. 3 Donner les premiers rudiments d'instruction.

dégrossissage nm Action de dégrossir. Var **dégrossissement**

dégrouiller (se) vpr fam Se dépêcher.

dégroupement nm Action de dégrouper.

dégrouper vt Séparer des éléments groupés.

déguenillé, ée a Dont les vêtements sont en lambeaux.

déguerpir vi Se sauver, s'enfuir.

dégueulasse a, n pop Dégoûtant, ignoble.

dégueuler vt, vi pop Vomir.

dégueulis nm pop Vomi.

déguisé, ée a, n Revêtu d'un déguisement.

déguisement nm Travestissement.

déguiser vt 1 Habiller d'un costume inhabituel ou amusant. 2 Contrefaire, changer. *Déguiser sa voix.*

dégurgiter vt Vomir.

dégustateur, trice n Spécialiste de la dégustation des vins.

dégustation nf Action de déguster, de reconnaître au goût la qualité du vin.

déguster vt 1 Goûter pour apprécier la qualité. 2 pop Recevoir des coups.

déhanchement nm Action de se déhancher.

déhancher (se) vpr 1 Balancer les hanches en marchant. 2 Faire reposer le poids du corps sur une jambe.

déhiscent, ente a BOT Se dit d'organes clos qui s'ouvrent naturellement à maturité.

dehors av Indique le lieu à l'extérieur. Loc *En dehors* : à, vers l'extérieur. *En dehors de* : à l'extérieur de. *Au-dehors* : à l'extérieur. *De dehors* : de l'extérieur. ■ nm La partie extérieure d'une chose. ■ pl L'apparence de qqn.

déictique nm LING Élément servant à montrer ; démonstratif.

déifier vt Diviniser, placer au rang des dieux.

déisme nm Croyance en l'existence d'un Être suprême en dehors de toute religion.

déiste a, n Qui professe le déisme.

déjà av 1 Indique le moment révolu ; dès ce moment. 2 Auparavant. *Je vous l'avais déjà dit.*

déjanter vt Faire sortir de la jante.

déjà-vu nm inv Ce qui n'a rien de nouveau.

déjection nf Évacuation des matières fécales de l'intestin. ■ pl Les matières évacuées.

déjeté, ée a Dévié de sa direction normale.

déjeuner vi Prendre le repas de midi ou du matin. ■ nm Repas de midi ou du matin.

déjouer vt Faire échouer une intrigue.

déjuger (se) vpr [11] Revenir sur ce que l'on avait jugé, décidé.

de jure [dezyre] av De droit. Ant. de facto.

delà av Loc *Deci delà* : par endroits. *Au-delà, par-delà* : encore plus, encore davantage. *Encore plus loin.* ■ prép Loc *Par-delà* : de l'autre côté, plus loin que, en dépassant. *Au-delà de* : en dépassant.

délabré, ée a En mauvais état.

délabrement nm État délabré.

délabrer vt Détériorer, ruiner. ■ vpr Tomber en ruine.

délacer vt [10] Défaire les lacets.

délai nm 1 Temps accordé pour faire une chose. 2 Retard, temps supplémentaire. Loc *Sans délai* : immédiatement.

délaissement nm litt Action de délaisser.

délaisser vt 1 Laisser qqn sans secours, sans assistance. 2 S'occuper de moins en moins de qqch, abandonner.

délassant, ante a Qui délasse.

délassement nm Repos, distraction.

délasser vt Reposer, faire cesser la lassitude de. ■ vpr Se reposer.

délateur, trice n, a Dénonciateur.

délation nf Dénonciation inspirée par des motifs méprisables.

délavé, ée a Décoloré, pâle.

délaver vt 1 Détremper. 2 Affaiblir une couleur avec de l'eau.

délayage nm 1 Action de délayer. 2 Remplissage, longueurs inutiles.

délayer vt [20] Détremper une substance dans un liquide. Loc *Délayer sa pensée* : l'exprimer trop longuement.

delco nm (n. déposé) Dispositif d'allumage pour moteur à explosion.

délectable a Exquis, délicieux.

délectation nf Plaisir qu'on savoure.

délecter (se) vpr Trouver un vif plaisir.

délégation nf 1 Action de déléguer ; procuration donnée. 2 Groupe de personnes déléguées.

délégué, ée n Représentant de qqn, d'un groupe. *Délégué du personnel.*

déléguer vt [12] 1 Charger qqn d'une mission, d'une fonction, avec pouvoir d'agir. 2 Transmettre un pouvoir à qqn.

délestage nm Action de délester.

délester vt 1 Décharger de sa charge. 2 fam Dévaliser. 3 Détourner la circulation d'une route encombrée. 4 Réduire la charge d'un réseau électrique.

délétère a Dangereux ; toxique.

délibérant, ante a Qui délibère.

délibératif, ive a Loc *Voix délibérative* : voix de celui qui a qualité pour voter.

délibération nf Action de délibérer ; débat.

délibéré, ée a Ferme, décidé. Loc *De propos délibéré* : à dessein. ■ nm Délibérations d'un tribunal avant jugement.

délibérément av Résolument.

délibérer vi [12] Discuter, réfléchir avant de décider.

délicat, ate a 1 Fin, raffiné. 2 Exécuté avec beaucoup de minutie. *Sculpture délicate.* 3 Fragile. *Plante délicate.* 4 Qui demande de la prudence. *Situation délicate.* 5 Qui fait preuve de tact, de scrupules. *Une délicate attention.*

délicatement av De façon délicate.

délicatesse nf Qualité de qqch ou de qqn de délicat.

délice nm Vif plaisir. *Cette poire est un délice.* ■ nfpl litt Jouissances, plaisirs.

délicieusement av De façon délicieuse.

délicieux, euse *a* Exquis.

délictueux, euse *a* Qui a le caractère d'un délit. Var **délictuel, elle**

délié, ée *a* **1** Extrêmement mince, ténu. **2** Subtil, fin. ■ *nm* Partie fine d'une lettre calligraphiée.

délier *vt* **1** Défaire ce qui lie ou ce qui est lié. **2** Dégager d'une obligation. *Délier qqn d'un serment.* Loc *Sans bourse délier* : sans payer.

délimitation *nf* Action de délimiter.

délimiter *vt* Assigner des limites à ; borner.

délinquance *nf* Ensemble des crimes et délits.

délinquant, ante *n* Personne qui a commis un délit.

déliquescence *nf* État de ce qui se décompose ; dégénérescence.

déliquescent, ente *a* Décadent ; sans fermeté, sans rigueur.

délirant, ante *a, n* En proie au délire. ■ *a* Excessif, désordonné.

délire *nm* **1** Trouble psychique caractérisé par une perception erronée de la réalité. **2** Trouble extrême, passion violente. *Foule en délire.*

délirer *vi* Avoir le délire.

delirium tremens [-ʀjɔmtʀemɛs] *nm inv* Délire alcoolique aigu. Var **delirium tremens**

délit *nm* DR Infraction punie d'une peine correctionnelle. Loc *En flagrant délit* : sur le fait. *Le corps du délit* : les preuves matérielles.

déliter (se) *vpr* Se fragmenter par plaques.

délivrance *nf* **1** Action de délivrer. **2** Accouchement.

délivrer *vt* **1** Libérer. *Délivrer un prisonnier.* **2** Remettre entre les mains, livrer. *Délivrer des marchandises, un certificat.*

délocalisation *nf* Action de délocaliser.

délocaliser *vt* Déplacer une industrie, une administration, etc. dans le cadre d'une décentralisation ou pour réduire les coûts de production.

déloger *vi* [11] Quitter un endroit. ■ *vt* Chasser qqn d'un lieu.

déloyal, ale, aux *a* Dépourvu de loyauté, perfide.

déloyalement *av* De façon déloyale.

déloyauté *nf* Manque de loyauté.

delphinarium [-ʀjɔm] *nm* Aquarium où on présente des dauphins.

delphinium [-njɔm] *nm* Plante ornementale à grandes fleurs.

delta *nm* **1** Quatrième lettre de l'alphabet grec correspondant à *d*. **2** Embouchure d'un fleuve divisée en bras.

deltaïque *a* GEOGR D'un delta.

deltaplane *nm* Appareil de vol à voile ultraléger à aile triangulaire.

deltoïde *nm* Muscle triangulaire de l'épaule.

déluge *nm* **1** (avec majusc.) Inondation universelle, d'après la Bible. **2** Pluie torrentielle. **3** Déferlement, grande quantité. *Un déluge de paroles.*

déluré, ée *a* Dégourdi, effronté.

démagnétiser *vt* Supprimer l'aimantation.

démagogie *nf* Procédés qui consistent à flatter les passions et les préjugés des masses pour s'attirer la popularité.

démagogique *a* De la démagogie.

démagogue *n, a* Qui pratique la démagogie.

démailler *vt* Défaire les mailles de.

démailloter *vt* Ôter ce qui enveloppe.

demain *av* **1** Le jour qui suivra celui où l'on est. **2** Dans un futur proche. *Le monde de demain.*

démancher *vt* **1** Ôter le manche. **2** Désarticuler, démettre. *Démancher l'épaule.*

demande *nf* **1** Action de demander. **2** Écrit exprimant une demande. **3** Chose demandée. *Des demandes irréalistes.* **4** ECON Besoins des consommateurs. *L'offre et la demande.*

demander *vt* **1** Solliciter. *Je vous demande de venir, un verre d'eau.* **2** Interroger. *Demande lui s'il a fini. Demander son chemin à qqn.* **3** Réclamer. *On vous demande au téléphone.* **4** Avoir besoin de. *On demande un plombier.* **5** Requérir. *Cette plante demande beaucoup d'eau.* **6** Engager une demande en justice. *Demander le divorce. Ne pas demander mieux* : accepter volontiers. ■ *vpr* S'interroger. *Je me demande s'il viendra.*

1. demandeur, deresse *n* DR Personne qui forme une demande en justice.

2. demandeur, euse *n* Personne qui demande qqch. Loc *Demandeur d'emploi* : chômeur.

démangeaison *nf* **1** Picotement de l'épiderme qui incite à se gratter. **2** Vif désir de faire qqch.

démanger *vi* [11] **1** Causer une démangeaison. *Le dos lui démange.* **2** Avoir envie de. *L'envie de partir le démange.*

démantèlement *nm* Action de démanteler.

démanteler *vt* [16] **1** Démolir. *Démanteler une muraille.* **2** Anéantir. *Démanteler un réseau de trafiquants.*

démantibuler *vt* fam Disloquer. *On a démantibulé ce piano.*

démaquillage *nm* Action de démaquiller, de se démaquiller.

démaquillant, ante *a, nm* Se dit d'un produit utilisé pour démaquiller.

démaquiller *vt* Enlever le maquillage de.

démarcation *nf* **1** Limite qui sépare deux territoires. *Ligne de démarcation.* **2** Séparation. *Démarcation entre classes sociales.*

démarchage *nm* Travail du démarcheur.

démarche *nf* **1** Façon de marcher. *Une démarche gracieuse.* **2** Raisonnement. *Une démarche logique.* **3** Tentative, intervention. *Faire des démarches auprès du ministre.*

démarcher *vt* Visiter à domicile pour vendre.

démarcheur, euse *n* Personne dont le métier est de démarcher un produit.

démarquage *nm* Action de (se) démarquer.

démarque *nf* Action de démarquer des marchandises.

démarquer *vt* **1** Enlever la marque de. *Démarquer du linge.* **2** Plagier. *Démarquer un texte.* **3** Enlever la marque pour solder. *Démarquer des marchandises.* **4** SPORT Libérer un joueur de l'emprise d'un adversaire. ■ *vpr* Prendre du recul vis-à-vis de qqn, qqch.

démarrage *nm* Action de démarrer.

démarrer *vt* fam Mettre en train, commencer. *Démarrer un travail.* ■ *vi* **1** Se mettre en mouvement. *Le train démarre.* **2** Commencer à fonctionner. *Une entreprise qui démarre bien.*

démarreur *nm* Dispositif électrique qui lance un moteur à explosion.

démasquer *vt* **1** Enlever son masque à qqn. **2** Dévoiler, montrer sous son vrai jour. *Démasquer une intrigue, un hypocrite.* Loc *Démasquer ses batteries* : montrer ses intentions.

démâter vt Enlever le mât d'un navire. ■ vi Perdre son mât.

dématérialisation nf Action de dématérialiser.

dématérialiser vt Rendre immatériel, intangible.

démazouter vt Nettoyer qqch du mazout qui le souille.

dème nm Division administrative de la Grèce.

démêlage nm Action de démêler. Var **démêlement**

démêlant, ante a, nm Produit qui démêle les cheveux après un shampooing.

démêlé nm Altercation, désaccord.

démêler vt 1 Séparer ce qui est emmêlé. *Démêler ses cheveux.* 2 Éclaircir. *Démêler une intrigue.*

démêloir nm Peigne à grosses dents.

démembrement nm Morcellement.

démembrer vt Morceler, séparer les parties.

déménagement nm Action de déménager ; ce qu'on déménage.

déménager vt [11] Transporter des objets, des meubles d'un endroit à un autre. ■ vi 1 Changer de logement. 2 fam Déraisonner.

déménageur nm Personne qui fait des déménagements.

démence nf 1 Aliénation mentale qui entraîne l'irresponsabilité. 2 Conduite insensée. *Sortir par ce froid, c'est de la démence.*

démener (se) vpr [15] 1 S'agiter violemment. 2 Se donner du mal. *Il s'est démené pour réussir.*

dément, ente a, n Atteint de démence. ■ a fam Extravagant, déraisonnable. *Des prix déments.*

démenti nm Action de démentir ; ce qui dément. *Un démenti formel.*

démentiel, elle a Qui relève de la démence.

démentir vt [29] 1 Contredire. *Démentir un témoin.* 2 Déclarer faux. *Démentir une nouvelle.* 3 Être en contradiction avec. *Sa conduite dément ses paroles.* ■ vpr Cesser de se manifester. *Sa patience ne s'est jamais démentie.*

démerder (se) vpr pop 1 Se débrouiller. 2 Se dépêcher.

démérite nm litt Ce qui fait perdre l'estime d'autrui.

démériter vi Agir d'une façon telle qu'on perd l'estime d'autrui.

démesure nf Manque de mesure, excès.

démesuré, ée a Qui excède la mesure.

démesurément av Excessivement.

démettre vt 1 Déplacer un os, luxer. *Il lui a démis le bras.* 2 Destituer d'un emploi, d'une charge. ■ vpr Démissionner.

demeurant (au) av Au reste.

demeure nf 1 litt Habitation. 2 Grande maison. Loc *Mettre qqn en demeure de* : le sommer de. *À demeure* : de façon permanente.

demeuré, ée a, n Mentalement retardé.

demeurer vi 1 (aux. *avoir*) Habiter. *Il demeure à la campagne.* 2 Persister, durer (choses). *Les écrits demeurent.* 3 (aux. *être*) Persister à être. *Il est demeuré inébranlable.*

demi, ie a 1 (devant un nom et suivi d'un trait d'union, inv.) La moitié exacte d'un tout. *Un demi-kilo. Une demi-livre.* 2 (après un nom, s'accordant en genre seulement) Plus une moitié. *Deux heures et demie. Sept ans et demi.* ■ n La moitié d'une unité, d'une chose. ■ nm 1 Verre de bière qui contient 25 cl. 2 Joueur de milieu de terrain (football, rugby). Loc *À demi* : à moitié. ■ nf Demi-heure. *J'ai rendez-vous à la demie.*

demi-bouteille nf Bouteille de 37 centilitres. *Des demi-bouteilles.*

demi-cercle nm Moitié d'un cercle. *Des demi-cercles.*

demi-dieu nm MYTH Fils d'un dieu et d'une femme, d'une déesse et d'un homme, ou héros divinisé. *Des demi-dieux.*

demi-douzaine nf La moitié d'une douzaine. *Des demi-douzaines.*

demi-finale nf Épreuve éliminatoire pour la finale. *Des demi-finales.*

demi-finaliste n, a Qui participe à une demi-finale. *Des demi-finalistes.*

demi-fond nm inv Course de moyenne distance.

demi-frère nm Frère seulement par le père ou la mère. *Des demi-frères.*

demi-heure nf La moitié d'une heure. *Des demi-heures.*

demi-jour nm Faible clarté. *Des demi-jours.*

demi-journée nf Moitié d'une journée. *Des demi-journées.*

démilitarisation nf Action de démilitariser.

démilitariser vt Empêcher toute activité militaire dans une zone.

demi-litre nm Moitié d'un litre. *Des demi-litres.*

demi-longueur nf Dans une course, moitié de la longueur d'un cheval, d'un bateau, etc. *Des demi-longueurs.*

demi-mal nm Dommage moindre que celui que l'on redoutait. *Des demi-maux.*

demi-mesure nf Mesure, précaution insuffisante. *Des demi-mesures.*

demi-mot (à) av Sans qu'il soit nécessaire de tout dire. *Comprendre à demi-mot.*

déminage nm Action de déminer.

déminer vt Nettoyer une zone des mines, des engins explosifs.

déminéralisation nf 1 Action de déminéraliser. 2 Perte pathologique des sels minéraux des os.

déminéraliser vt Débarrasser, priver des sels minéraux.

démineur nm Spécialiste du déminage.

demi-pause nf MUS Silence d'une durée égale à deux temps. *Des demi-pauses.*

demi-pension nf 1 Tarif hôtelier à un seul repas par jour. 2 Régime des demi-pensionnaires. *Des demi-pensions.*

demi-pensionnaire n Élève qui prend son repas de midi dans l'établissement scolaire. *Des demi-pensionnaires.*

demi-place nf Place à moitié prix. *Des demi-places.*

demi-portion nf fam Personne malingre. *Des demi-portions.*

demi-saison nf L'automne ou le printemps. *Des demi-saisons.*

demi-sel a inv Peu salé (fromage, beurre). ■ nm inv Fromage blanc frais. 2 pop Individu qui se prétend du milieu.

demi-sœur nf Sœur par le père ou par la mère seulement. *Des demi-sœurs.*

demi-sommeil nm État intermédiaire entre veille et sommeil. *Des demi-sommeils.*

demi-soupir nm MUS Silence d'une durée égale à un demi-temps. *Des demi-soupirs.*

démission nf 1 Acte par lequel on renonce à un emploi, à une dignité. 2 Renoncement par incapacité.

démissionnaire a, n Qui a démissionné.

démissionner vi 1 Donner sa démission. 2 Renoncer. *C'est trop dur, je démissionne.* 3 Abdiquer. *Parents qui démissionnent.*

demi-tarif nm Moitié du plein tarif. *Des demi-tarifs.*

demi-teinte nf Teinte peu soutenue. *Des demi-teintes.*

demi-ton nm MUS Intervalle de la moitié d'un ton. *Des demi-tons.*

demi-tour nm Moitié d'un tour. Loc *Faire demi-tour* : revenir sur ses pas. *Des demi-tours.*

démiurge nm 1 PHILO Nom donné par Platon à l'ordonnateur du cosmos. 2 Créateur d'une grande œuvre littéraire.

demi-volée nf Reprise d'une balle, d'un ballon juste après son rebond. *Des demi-volées.*

démobilisateur, trice a Qui démobilise.

démobilisation nf Action de démobiliser.

démobiliser vt 1 Renvoyer un soldat à la vie civile. 2 Diminuer l'enthousiasme combatif de.

démocrate n, a 1 Partisan de la démocratie. 2 Partisan de l'un des deux grands partis politiques américains.

démocrate-chrétien, enne n, a Qui se réclame à la fois du christianisme et de la démocratie. *Des démocrates-chrétiens.*

démocratie nf 1 Régime politique où la souveraineté est exercée par le peuple. 2 Pays qui vit sous un tel régime.

démocratique a 1 Conforme à la démocratie. 2 À la portée de tous. *Un sport démocratique.*

démocratiquement av De façon démocratique.

démocratisation nf Action de démocratiser.

démocratiser vt 1 Rendre démocratique. *Démocratiser les institutions.* 2 Rendre populaire. *Démocratiser l'équitation.*

démodé, ée a Qui n'est plus de mode.

démoder (se) vpr Cesser d'être à la mode.

démodex nm Acarien parasite des glandes sébacées des mammifères.

démographe n Spécialiste de démographie.

démographie nf 1 Science qui étudie statistiquement les populations. 2 État de la population dans une région.

démographique a De la démographie.

demoiselle nf 1 Jeune fille, jeune femme non mariée. 2 Jeune fille attachée à la cour d'une reine. 3 Libellule. 4 Outil de paveur. Loc *Demoiselle d'honneur* : jeune fille qui accompagne la mariée.

démolir vt 1 Détruire, abattre. *Démolir un immeuble.* 2 Mettre en pièces, casser. *Démolir ses jouets.* 3 Ruiner, saper. *L'alcool l'a démoli.*

démolissage nm Action de démolir qqn.

démolisseur, euse n 1 Personne qui travaille à démolir. 2 Destructeur.

démolition nf Action de démolir. ■ pl Matériaux provenant de bâtiments démolis.

démon nm 1 Chez les Anciens, bon ou mauvais génie. 2 Ange déchu, chez les chrétiens et les juifs ; Satan. 3 Personne méchante, mauvaise. 4 fam Enfant turbulent. Loc *Le démon de* : l'instinct mauvais qui pousse vers. *Le démon de midi* : poussée d'appétit sexuel vers le milieu de la vie.

démonétisation nf Action de démonétiser.

démonétiser vt 1 Enlever sa valeur légale à une monnaie. 2 Discréditer.

démoniaque a Diabolique.

démonologie nf Étude des démons et de leur influence supposée sur les humains.

démonstrateur, trice n Personne qui fait la démonstration. *Démonstratrice en aspirateurs.*

démonstratif, ive a 1 Convaincant. *Argument démonstratif.* 2 Qui manifeste ses sentiments. *Un homme peu démonstratif.* ■ a, nm GRAM Se dit des adjectifs et des pronoms qui servent à désigner ce dont on parle.

démonstration nf 1 Raisonnement par lequel on démontre. 2 Explication pratique sur l'utilisation d'un appareil, d'un produit. *Démonstration à domicile.* 3 Témoignage, manifestation d'un sentiment. *Des démonstrations d'affection.* 4 Manifestation publique spectaculaire. *L'aéro-club organise une démonstration aérienne.*

démonstrativement av De façon démonstrative.

démontable a Qui se démonte.

démontage nm Action de démonter.

démonté, ée a Loc *Mer démontée* : très agitée.

démonte-pneu nm Levier pour retirer un pneu. *Des démonte-pneus.*

démonter vt 1 Séparer, désassembler. *Démonter une horloge.* 2 Jeter à bas de. *Cheval qui démonte son cavalier.* 3 Déconcerter. *Cette objection le démonta.*

démontrable a Que l'on peut démontrer.

démontrer vt 1 Établir la vérité de. *Démontrer un théorème.* 2 Indiquer. *Ceci démontre sa gentillesse.*

démoralisant, ante a Décourageant.

démoralisateur, trice a, n Qui cherche à démoraliser.

démoralisation nf Action de démoraliser.

démoraliser vt Donner un mauvais moral ; décourager. *Son échec l'a démoralisé.*

démordre vti Loc *Ne pas démordre de* : s'obstiner.

démotivant, ante a Qui démotive.

démotivation nf Action de démotiver.

démotiver vt Retirer toute motivation à qqn. *Cet échec l'a démotivé.*

démoulage nm Action de démouler.

démouler vt Retirer du moule.

démoustiquer vt Débarrasser un lieu des moustiques.

démultiplication nf Système mécanique de réduction de vitesse.

démultiplier vt 1 Réduire par démultiplication la vitesse de. 2 Augmenter la puissance en multipliant les relais.

démunir vt Priver. *La crise l'a démuni de ses économies.* ■ vpr Se dessaisir de.

démuseler vt [16] ou [18] Ôter la muselière.

démutiser vt Apprendre à parler à des sourds.

démystification nf Action de démystifier.

démystifier vt Désabuser la victime d'une mystification.

démythifier vt Ôter son caractère mythique à.

dénatalité nf Décroissance du nombre des naissances dans un pays.

dénationalisation nf Action de dénationaliser ; privatisation.

dénationaliser *vt* Rendre au secteur privé une entreprise nationalisée ; privatiser.

dénaturé, ée *a* 1 Qui a subi une dénaturation. *Alcool dénaturé.* 2 Dépravé, contre nature. *Mœurs dénaturées.*

dénaturer *vt* 1 Changer la nature, le goût de. 2 Altérer, déformer.

dénazifier *vt* Débarrasser de l'influence nazie.

dendrite *nf* BIOL Prolongement du cytoplasme d'une cellule nerveuse.

dénégation *nf* Action, fait de nier.

déneigement *nm* Action de déneiger.

déneiger *vt* [11] Ôter la neige.

dengue *nf* Maladie tropicale due à un virus.

déni *nm* Loc *Déni de justice :* refus de rendre la justice.

déniaiser *vt* 1 Rendre moins niais. 2 Faire perdre sa virginité à.

dénicher *vt* 1 Ôter du nid. *Dénicher des oiseaux.* 2 Trouver, découvrir. *Dénicher un objet rare.*

dénicotiniser *vt* Enlever la nicotine.

denier *nm* 1 Monnaie ancienne. 2 Unité de mesure de la finesse d'un fil. Loc *Denier du culte :* offrande des catholiques pour les besoins du culte.

dénier *vt* 1 Refuser de se voir imputer. *Je dénie toute responsabilité.* 2 Refuser. *Je vous dénie ce droit.*

dénigrement *nm* Action de dénigrer.

dénigrer *vt* Rabaisser, décrier.

denim *nm* Toile de coton servant à la fabrication des blue-jeans. Syn. jean.

dénitrater *vt* Débarrasser un sol, une eau de ses nitrates.

dénivelé *nm* Différence de niveau, d'altitude. Var **dénivelée** *nf*

déniveler *vt* [16] ou [18] 1 Rendre accidenté. 2 Donner une certaine inclinaison.

dénivellation *nf* 1 Action de déniveler. 2 Différence de niveau. Var **dénivèlement** ou **dénivellement** *nm*

dénombrable *a* Qu'on peut compter.

dénombrement *nm* Action de dénombrer.

dénombrer *vt* Compter, recenser. *Dénombrer des effectifs.*

dénominateur *nm* MATH Terme d'une fraction indiquant en combien de parties égales l'unité a été divisée. Loc *Dénominateur commun :* caractéristique commune.

dénomination *nf* Désignation par un nom ; ce nom. *Dénomination injurieuse.*

dénommé, ée *n* Personne qui a pour nom. *Le dénommé Untel.*

dénommer *vt* 1 Assigner un nom. *Dénommer un produit nouveau.* 2 DR Désigner par son nom. *Dénommer les contractants.*

dénoncer *vt* [10] 1 Signaler qqn à la justice. 2 Faire connaître publiquement qqch en s'élevant contre. *Dénoncer l'arbitraire d'une décision.* 3 Indiquer, révéler qqch. *Tout en lui dénonce la fausseté.* 4 Faire connaître la cessation, la rupture de. *Dénoncer un contrat.*

dénonciateur, trice *n, a* Qui dénonce.

dénonciation *nf* Action de dénoncer.

dénotation *nf* LING Sens permanent d'un mot excluant toute valeur subjective.

dénoter *vt* Marquer, être le signe de. *Tout cela dénote du courage.*

dénouement *nm* 1 Manière dont se termine un récit, un film. 2 Solution. *Le dénouement de la crise.*

dénouer *vt* 1 Défaire, détacher. *Dénouer sa ceinture.* 2 Débrouiller, trouver la solution de. *Dénouer une crise.*

dénoyautage *nm* Action de dénoyauter.

dénoyauter *vt* Enlever le noyau de.

denrée *nf* Tout ce qui se vend pour la nourriture de l'homme.

dense *a* 1 Compact, épais. *Une forêt dense.* 2 Concentré. *Une population dense.* 3 Riche et concis. *Style dense.* 4 PHYS De densité élevée.

densifier *vt* Rendre plus dense. *Densifier l'habitat.*

densité *nf* 1 Caractère dense. 2 PHYS Rapport entre la masse du volume d'un corps et la masse du même volume d'eau.

dent *nf* 1 Organe très dur, de coloration blanche, implanté dans le maxillaire et servant à la mastication. 2 Pointe ou saillie de certains objets. *Les dents d'un râteau, d'un pignon.* Loc *N'avoir rien à se mettre sous la dent :* à manger. fam *Avoir la dent :* avoir faim. *Mordre à belles dents :* avec avidité. *Manger du bout des dents :* sans appétit. *Parler entre ses dents :* de manière indistincte. *Ne pas desserrer les dents :* garder le silence. *Avoir la dent dure :* ne pas ménager celui dont on parle. *Avoir une dent contre qqn :* avoir une rancune. *Se faire les dents :* s'aguerrir. *Être sur les dents :* être débordé de travail. *Être armé jusqu'aux dents :* très bien armé.

dentaire *a* Qui a rapport aux dents.

dentale *nf* LING Consonne qui se prononce la langue contre les dents inférieures (t, d, n,).

dent-de-lion *nf* Pissenlit. *Des dents-de-lion.*

denté, ée *a* Garni de dents. *Roue dentée.*

denteler *vt* [16] ou [18] Découper en forme de dents.

dentelle *nf* Tissu à jours et à mailles très fines de lin, de soie, d'or, etc.

dentellier, ère *a* De la dentelle. ■ *nf* Ouvrière qui fait de la dentelle. Var **dentelier, ière**

denteure *nf* Découpure en forme de dents.

dentier *nm* Prothèse dentaire amovible.

dentifrice *nm* Préparation servant au nettoyage des dents.

dentiste *n* Praticien diplômé qui soigne les dents.

dentisterie *nf* Étude et pratique des soins dentaires.

dentition *nf* 1 Mise en place naturelle de la denture. 2 abusiv Denture.

denture *nf* Ensemble des dents.

dénucléarisation *nf* Action de dénucléariser.

dénucléariser *vt* Prohiber ou réduire l'armement nucléaire.

dénuder *vt* Mettre à nu. *Dénuder un fil.*

dénué, ée *a* Dépourvu, privé de. *Un livre dénué d'intérêt.*

dénuement *nm* Manque du nécessaire ; grande pauvreté.

dénutri, ie *a* Qui souffre de dénutrition.

dénutrition *nf* Déficience nutritionnelle due à une carence ou à des troubles d'assimilation.

déodorant *nm* abusiv Désodorisant corporel.

déontologie *nf* Ensemble des devoirs et des droits régissant l'exercice d'une profession.

déontologique *a* De la déontologie.

dépacser (se) *vpr* Rompre un PACS.

dépannage *nm* Action de dépanner.

dépanner *vt* 1 Remettre en état, réparer. 2 fam Tirer d'embarras. *Peux-tu me dépanner de 10 euros ?*

dépanneur, euse *n, a* Qui se charge des dépannages. ■ *nf* Voiture équipée pour remorquer les véhicules en panne.

dépaqueter *vt* [17] ou [19] Défaire un paquet ; sortir d'un paquet.

déparasiter *vt* Débarrasser un appareil des parasites radioélectriques.

dépareillé, ée *a* 1 Qui a été séparé de ce avec quoi il formait un ensemble. *Des chaussettes dépareillées.* 2 Incomplet. *Jeu de cartes dépareillé.*

déparer *vt* Nuire à l'harmonie d'un ensemble.

déparier *vt* Ôter l'une des deux choses qui forment une paire. *Déparier des gants.*

départ *nm* 1 Action de partir. *Le signal du départ.* 2 Lieu d'où l'on part. *Rassembler des coureurs au départ.* Loc *Au départ* : au début.

départager *vt* [11] Faire cesser l'égalité.

département *nm* 1 Partie de l'administration attribuée à un ministre. *Le département de la marine.* 2 Division d'un service. *Le département des manuscrits d'une bibliothèque.* 3 Division administrative de la France.

départemental, ale, aux *a* Du département.

départementaliser *vt* Attribuer au département une compétence qui relevait du pouvoir central.

départir *vt* [29] litt Distribuer, attribuer. *Départir des faveurs.* ■ *vpr* Abandonner. *Il ne s'est pas départi de son calme.*

dépassé, ée *a* 1 Caduc. 2 Qui ne maîtrise plus la situation.

dépassement *nm* Action de dépasser, fait de se dépasser.

dépasser *vt* 1 Aller au-delà de. *Dépasser la limite.* 2 Doubler. *Dépasser un camion dans la côte.* 3 Être plus grand que. *Cette dépense dépasse les prévisions.* 4 fam Déconcerter. *Cette histoire me dépasse.* ■ *vi* Être trop long. *La doublure dépasse de la robe.* ■ *vpr* Réussir pleinement. *L'artiste s'est dépassé.*

dépassionner *vt* Rendre plus objectif. *Dépassionner un débat.*

dépatouiller (se) *vpr* fam Se débrouiller.

dépaver *vt* Ôter les pavés de.

dépaysant, ante *a* Qui dépayse.

dépaysement *nm* Action de dépayser ; changement de milieu. *Il supporte mal le dépaysement.*

dépayser *vt* Dérouter, désorienter. *Le climat l'a dépaysé.*

dépeçage *nm* Action de dépecer. **Var dépècement**

dépecer *vt* [15] Mettre en pièces. *Dépecer une volaille.*

dépêche *nf* 1 DR Correspondance officielle concernant les affaires publiques. 2 vx Télégramme.

dépêcher *vt* litt Envoyer en hâte. *On a dépêché un ambassadeur.* ■ *vpr* Se hâter, se presser.

dépeigner *vt* Déranger, défaire la coiffure de qqn. *Ce vent m'a dépeignée.*

dépeindre *vt* [69] Décrire, représenter par le discours.

dépenaillé, ée *a* 1 Mal habillé. 2 En lambeaux, très endommagé.

dépénalisation *nf* Action de dépénaliser.

dépénaliser *vt* Ôter à une infraction son caractère pénal.

dépendance *nf* 1 Domination, subordination. *Être sous la dépendance de qqn.* 2 Besoin impérieux éprouvé par un toxicomane pour sa drogue. ■ *pl* Terre, bâtiment qui dépend d'un autre.

dépendant, ante *a* Qui dépend de, subordonné.

dépendre *vti* [71] 1 Être assujetti à. *Les enfants dépendent de leurs parents.* 2 Être rattaché à. *Ce hameau dépend de la ville.* 3 Être fonction de. *Son succès dépendra de son travail.* Loc *Ça dépend* : c'est selon les circonstances. ■ *vt* Détacher ce qui était pendu.

dépens *nmpl* DR Frais de justice. *Être condamné aux dépens.* Loc *Aux dépens de qqn* : à sa charge, à ses frais ; en lui causant du tort.

dépense *nf* 1 Emploi d'argent. *Faire des dépenses.* 2 Argent déboursé. *Participer aux dépenses.* 3 Emploi de qqch. *Dépense de temps, d'énergie.*

dépenser *vt* 1 Employer de l'argent. *Dépenser 1 000 euros.* 2 Employer des ressources. *Dépenser son temps, ses forces.* 3 Consommer. *Le four dépense beaucoup d'électricité.* ■ *vpr* Déployer une grande activité. *Elle se dépense pour les siens.*

dépensier, ère *a, n* Qui aime la dépense, qui dépense excessivement.

déperdition *nf* Diminution, perte.

dépérir *vi* 1 S'affaiblir, décliner. *Cet arbre dépérit.* 2 Se détériorer, péricliter. *Les affaires dépérissent.*

dépérissement *nm* État de ce qui dépérit.

dépersonnaliser *vt* Faire perdre sa personnalité à qqn.

dépêtrer *vt* Dégager, délivrer. ■ *vpr* Se débarrasser. *On ne peut se dépêtrer de cette affaire.*

dépeuplement *nm* Action de dépeupler, fait de se dépeupler.

dépeupler *vt* Vider de ses habitants.

déphasage *nm* Fait d'être déphasé.

déphasé, ée *a* fam Perturbé dans son rythme de vie.

déphaser *vt* Faire perdre le contact avec la réalité.

déphosphater *vt* Éliminer les phosphates d'une eau, d'un sol.

dépiauter *vt* fam Enlever la peau, l'écorce. *Dépiauter un lapin, une orange.*

dépilatoire *a, nm* Qui sert à éliminer les poils.

dépistable *a* Qu'il est possible de dépister. *Un dopage est souvent dépistable.*

dépistage *nm* Action de dépister.

dépister *vt* 1 Découvrir la piste. *La police a dépisté les coupables.* 2 Découvrir. *Dépister une fraude.* 3 Faire perdre la piste. *Dépister ses poursuivants.* 4 Rechercher et découvrir ce qui était dissimulé. *Dépister une maladie.*

dépit *nm* Vive contrariété mêlée de colère. Loc *En dépit de* : malgré.

dépiter *vt* Causer du dépit à.

déplacé, ée *a* 1 Inconvenant, choquant. *Des propos déplacés.* Loc *Personne déplacée* : contrainte de quitter son pays.

déplacement *nm* 1 Action de déplacer, de se déplacer. *Déplacement d'air.* 2 Voyage. *Cet emploi exige des déplacements fréquents.*

déplacer *vt* [10] 1 Changer de place. *Déplacer un meuble.* 2 Muter. *Déplacer un fonctionnaire.* **Loc** *Déplacer les foules* : avoir du succès. ■ *vpr* Sortir de chez soi. *Ce médecin se déplace.*

déplafonnement *nm* Fait de déplafonner.

déplafonner *vt* Supprimer la limite supérieure de. *Déplafonner les cotisations.*

déplaire *vti* [68] Ne pas plaire à. *Ce livre m'a déplu.* **Loc** *Ne vous en déplaise* : malgré votre mécontentement. ■ *vpr* N'éprouver aucun plaisir. *Je me déplais en sa compagnie.*

déplaisant, ante *a* Qui ne plaît pas. *Une situation déplaisante.*

déplaisir *nm* Contrariété, mécontentement.

déplanter *vt* Enlever de terre pour planter ailleurs.

déplâtrer *vt* Ôter le plâtre.

dépliant, ante *n* Prospectus à plusieurs volets. *Dépliants d'une agence de voyages.*

déplier *vt* Étaler, étendre. *Déplier sa serviette.*

déplisser *vt* Défaire les plis.

déploiement *nm* Action de déployer, état de ce qui est déployé. *Déploiement de troupes.*

déplomber *vt* Ôter le plomb, la protection de.

déplorable *a* 1 Regrettable. *Un incident déplorable.* 2 Très mauvais. *Un travail déplorable.*

déplorer *vt* Trouver mauvais, regretter.

déployé, ée *a* Étendu, déplié. *Voiles déployées.* **Loc** *Rire à gorge déployée* : aux éclats.

déployer *vt* [22] 1 Étendre, déplier. *Déployer des tentures.* 2 MILIT Faire prendre à une troupe le dispositif de combat. 3 Montrer, étaler. *Déployer tous ses talents.*

déplumer (se) *vpr* fam Perdre ses cheveux.

dépoétiser *vt* Ôter sa poésie à.

dépoitraillé, ée *a* fam Dont la poitrine est fort découverte.

dépoli, ie *a* **Loc** *Verre dépoli* : rendu translucide.

dépolir *vt* Ôter le poli de.

dépolitisation *nf* Action de dépolitiser.

dépolitiser *vt* Ôter son caractère politique à.

dépolluant, ante *a, nm* Produit qui dépollue.

dépolluer *vt* Supprimer les effets de la pollution. *Dépolluer une plage.*

dépollution *nf* Action de dépolluer.

déponent, ente *a, nm* GRAM Verbe latin de forme passive et de sens actif.

dépopulation *nf* Action de dépeupler ; fait de se dépeupler.

déportation *nf* 1 Peine d'exil appliquée autrefois aux crimes politiques. 2 Internement dans un camp de concentration.

déporté, ée *n* Condamné à la déportation.

déporter *vt* 1 Faire subir la déportation. *Déporter des opposants.* 2 Dévier. *Son chargement le déportait vers la droite.*

déposant, ante *n* 1 Personne qui fait une déposition en justice. 2 Personne qui effectue un dépôt de fonds.

dépose *nf* Opération consistant à déposer ce qui était fixé. *Frais de dépose.*

déposer *vt* 1 Destituer du pouvoir. *Déposer un pape, un roi.* 2 Poser ce que l'on porte. *Déposer son manteau sur une chaise.* 3 Démonter. *Déposer un moteur.* 4 Former un dépôt. *L'eau a déposé beaucoup de sable.* 5 Mettre en dépôt. *Déposer de l'argent à la banque.* 6 Faire enregistrer pour protéger. *Déposer un brevet, une marque.* **Loc** *Déposer une plainte* : porter plainte en justice. ■ *vi* Faire une déposition en justice.

dépositaire *n* Personne qui reçoit qqch en dépôt.

déposition *nf* 1 Destitution. 2 Déclaration d'un témoin en justice.

déposséder *vt* [12] Priver qqn de ce qu'il possédait.

dépossession *nf* Spoliation.

dépôt *nm* 1 Action de déposer, de placer qqch qq part. *Le dépôt des ordures est interdit ici.* 2 Action de confier des fonds à un organisme bancaire. 3 La chose confiée. *Restituer un dépôt.* 4 Lieu où on garde des objets. *Dépôt d'armes clandestin.* 5 Lieu où on gare des locomotives, des autobus, etc. 6 Lieu de vente au détail de certains produits. *Dépôt de pain.* 7 Lieu où on emprisonne provisoirement ceux qui viennent d'être arrêtés. 8 Matières qui se déposent au fond d'un récipient contenant un liquide. 9 Matière recouvrant une surface. *Dépôt glaciaire, éolien.* **Loc** *Dépôt légal* : obligation de remettre aux autorités un exemplaire de toute nouvelle publication.

dépoter *vt* 1 Ôter d'un pot. *Dépoter une plante.* 2 Transvaser. *Dépoter un wagon-citerne.*

dépotoir *nm* Lieu où l'on dépose les ordures ; décharge publique.

dépouille *nf* Peau enlevée à un animal. ■ *pl* Butin pris à l'ennemi.

dépouillé, ée *a* 1 Dont on a ôté la peau. 2 Sobre, sans fioritures. *Formes dépouillées.*

dépouillement *nm* 1 Action de dépouiller. 2 Compte des suffrages. 3 Sobriété, simplicité.

dépouiller *vt* 1 Enlever la peau de. *Dépouiller une anguille.* 2 Priver de ce qui couvre ou garnit. *Dépouiller une pièce de ses tentures.* 3 Déposséder. *Dépouiller qqn de ses biens.* 4 Examiner minutieusement. *Dépouiller un dossier.* 5 Dénombrer les suffrages d'un scrutin. 6 Quitter, perdre. *L'insecte dépouille sa carapace.*

dépourvu, ue *a* Dénué, privé de. ■ *av* **Loc** *Au dépourvu* : sans préparation.

dépoussiérage *nm* Action de dépoussiérer.

dépoussiérer *vt* [12] 1 Enlever les poussières de. 2 Rénover, rajeunir.

dépravation *nf* Perversion, corruption.

dépravé, ée *a* Altéré, corrompu. *Goût dépravé.* ■ *a, n* Perverti. *Des gens dépravés.*

dépraver *vt* Pervertir, corrompre.

dépréciatif, ive *a* Qui vise à déprécier.

dépréciation *nf* Action de déprécier, de se déprécier.

déprécier *vt* 1 Diminuer la valeur de. *L'installation d'une usine a déprécié ce terrain.* 2 Dénigrer. ■ *vpr* Perdre de sa valeur.

déprédation *nf* Vol, pillage accompagné de détérioration.

déprendre (se) *vpr* [70] litt Se défaire de. *Se déprendre d'une habitude.*

dépressif, ive *a* De la dépression. ■ *a, n* Atteint de dépression nerveuse.

dépression *nf* 1 Zone en forme de cuvette. 2 Baisse de pression atmosphérique. 3 État psychique de souffrance marqué, par le ralentissement de l'activité, la lassitude, la tristesse, l'anxiété. 4 Ralentissement de l'activité économique.

dépressionnaire *a* Soumis à une dépression atmosphérique.

dépressurisation *nf* Perte de la pressurisation.

dépressuriser *vt* Faire cesser la pressurisation d'un avion, d'un engin spatial.

déprimant, ante *a* Qui déprime, abat.

déprime *nf* fam Abattement, idées noires.

déprimé, ée *a, n* Atteint de dépression nerveuse.

déprimer *vt* 1 Diminuer l'activité économique. 2 Diminuer l'énergie, abattre le moral de qqn. *Sa maladie l'a beaucoup déprimé.* ■ *vi* fam Se démoraliser.

de profundis [deprɔfɔ̃dis] *nm inv* Prière catholique pour les morts.

déprogrammation *nf* Action, fait de déprogrammer.

déprogrammer *vt* Supprimer du programme une émission, un spectacle.

dépucelage *nm* fam Action de dépuceler.

dépuceler *vt* [16] ou [18] fam Ôter son pucelage à.

depuis *prép* 1 À partir de tel moment, tel évènement passé. *Je ne l'ai pas revu depuis la guerre.* 2 Pendant un moment. *Je vous attends depuis deux heures.* 3 abusiv À partir de tel endroit. *Il est venu à pied depuis Rouen.* ■ *conj* Loc *Depuis que :* dès le moment où.

dépuratif, ive *a* Propre à dépurer l'organisme.

dépuration *nf* Action de dépurer.

dépurer *vt* MED, TECH Rendre plus pur.

députation *nf* 1 Envoi de personnes chargées de mission ; ces personnes elles-mêmes. 2 Fonction de député.

député, ée *n* 1 Personne envoyée pour remplir une mission particulière. 2 Membre élu(e) de l'Assemblée nationale.

députer *vt* Envoyer qqn comme député.

déqualification *nf* Baisse de la qualification professionnelle.

déqualifier *vt* Employer qqn à un poste inférieur à sa qualification.

der *nf inv* Loc fam *La der des der :* l'ultime fois ; la dernière de toutes les guerres. ■ *nm inv* Loc *Dix de der :* les dix points du dernier pli à la belote.

déraciné, ée *a, n* Qui a quitté son pays, son milieu d'origine.

déracinement *nm* Action de déraciner, fait d'être déraciné.

déraciner *vt* 1 Arracher avec ses racines un végétal. 2 Faire disparaître. *Déraciner un vice.* 3 Faire quitter son pays, son milieu d'origine.

déraillement *nm* Accident de chemin de fer.

dérailler *vi* 1 Sortir de ses rails. 2 fam Fonctionner mal. *Ce baromètre déraille.* 3 fam Déraisonner, perdre son bon sens.

dérailleur *nm* Dispositif permettant de faire passer la chaîne d'une bicyclette d'un pignon sur un autre.

déraison *nf* litt Manque de raison.

déraisonnable *a* Qui n'est pas raisonnable.

déraisonnablement *av* De façon déraisonnable.

déraisonner *vi* Penser, parler contrairement à la raison, au bon sens.

déramer *vt* Séparer les feuilles d'une rame de papier.

dérangé, ée *a* 1 Indisposé. 2 fam Un peu fou.

dérangeant, ante *a* Qui dérange, perturbe.

dérangement *nm* 1 Action de déranger. 2 Désordre. 3 Mauvais fonctionnement. *Téléphone*

en *dérangement.* 4 Indisposition passagère. *Dérangement intestinal.*

déranger *vt* [11] 1 Ôter de sa place habituelle. *Déranger des livres.* 2 Obliger qqn à quitter sa place. *Il m'a dérangé pour passer.* 3 Importuner. *Cette musique me dérange.* 4 Contrarier, gêner. *Cela vous dérange-t-il de reporter notre rendez-vous ?* 5 Provoquer des troubles physiologiques. *Des mets qui dérangent le foie.* ■ *vpr* 1 Se déplacer. 2 Interrompre son activité.

dérapage *nm* Action de déraper.

déraper *vi* 1 Glisser de façon incontrôlée. *La voiture a dérapé.* 2 Dévier. *La conversation a dérapé.*

dératé, ée *n* Loc fam *Courir comme un dératé :* très rapidement.

dératisation *nf* Action de dératiser.

dératiser *vt* Débarrasser des rats.

derbouka *nf* Tambour d'Afrique du Nord, en terre cuite. **Var darbouka**

derby *nm* 1 (avec majusc.) Course de chevaux qui a lieu chaque année à Epsom. 2 Match entre deux équipes d'une même ville ou région.

derechef *av* vx De nouveau.

déréglé, ée *a* 1 Mal réglé, détraqué. *Montre déréglée.* 2 Immoral. *Conduite déréglée.*

dérèglement *nm* État de ce qui est déréglé.

déréglementation *nf* Fait d'alléger ou de supprimer la règlementation. **Var déréglementation**

déréglementer *vt* Pratiquer la déréglementation d'un secteur économique. **Var déréglementer**

dérégler *vt* [12] Détraquer, modifier le réglage. *Le froid dérègle les horloges.*

dérégulation *nf* Action de déréguler.

déréguler *vt* Supprimer les contraintes pesant sur une activité économique.

déremboursement *nm* Cessation ou diminution du remboursement d'un médicament par la Sécurité sociale.

déresponsabiliser *vt* Ôter le sentiment de responsabilité.

dérestauration *nf* BX-A Rétablissement dans son état ancien d'une œuvre d'art défigurée par une restauration abusive.

dérider *vt* 1 Faire disparaître les rides. 2 Égayer.

dérision *nf* Moquerie méprisante.

dérisoire *a* 1 Qui incite à la dérision. *Des propos dérisoires.* 2 Ridiculement bas. *Un salaire dérisoire.*

dérivatif, ive *a, nm* Qui procure une diversion pour l'esprit. *Le travail est un dérivatif.*

dérivation *nf* 1 Action de dévier de son cours. *Dérivation d'un fleuve.* 2 LING Formation de mots nouveaux à partir d'un radical (ex. : *accidentel* par suffixation de *accident*).

dérive *nf* 1 Dérivation d'un avion, d'un navire, sous l'effet du vent, des courants. 2 Fait de s'écarter de la norme, de la morale. 3 Aileron vertical immergé amovible destiné à diminuer la dérive d'un bateau à voile (dériveur). Loc *Aller, être à la dérive :* ne plus pouvoir se diriger, se laisser aller. *Dérive des continents :* théorie géologique selon laquelle les masses continentales se déplacent.

dérivé *nm* 1 Mot qui dérive d'un autre. 2 Corps qui provient d'un autre. *L'essence est un dérivé du pétrole.*

dérivée *nf* MATH Limite du rapport entre l'accroissement d'une fonction continue et l'accroissement de la variable, lorsque ce dernier tend vers zéro.

dériver vt Détourner de son cours. *Dériver un ruisseau.* ■ vti Tirer son origine de. *Mot qui dérive du latin.* ■ vi 1 S'écarter du cap suivi sous l'effet du vent, des courants. 2 Aller à la dérive.

dériveur nm Voilier muni d'une dérive.

dermatite nf Inflammation de la peau. Var **dermite**

dermatologie nf Partie de la médecine qui traite des maladies de la peau.

dermatologique a De la dermatologie.

dermatologiste n Spécialiste de dermatologie. Var **dermatologue**

dermatose nf Maladie de la peau.

derme nm ANAT Partie profonde de la peau située sous l'épiderme.

dermique a Relatif à la peau.

dernier, ère a, n 1 Qui vient après tous les autres. *Le dernier jour du mois.* 2 Le plus récent. *Habillé à la dernière mode.* 3 Extrême. *Le dernier degré de la perfection.* Loc *Rendre le dernier soupir* : expirer. *Dire son dernier mot* : faire entendre que la décision prise est définitive.

dernièrement av Récemment.

dernier-né, dernière-née n L'enfant né le dernier dans une famille. *Des derniers-nés.*

dérobade nf Action de se dérober.

dérobé, ée a Secret. *Escalier dérobé.* Loc *Culture dérobée* : pratiquée entre deux cultures principales. ■ av Loc *À la dérobée* : subrepticement, sans être vu.

dérober vt 1 litt Prendre en cachette, voler. *On lui a dérobé sa montre.* 2 Soustraire. *Dérober un coupable à la justice.* ■ vpr 1 Se soustraire à. *Se dérober à toutes les questions.* 2 Fléchir, faiblir. *Ses genoux se dérobèrent sous lui.* 3 Refuser de sauter un obstacle (cheval).

dérogation nf Action de déroger à une règle.

dérogatoire a Qui déroge.

déroger vti [11] S'écarter d'un usage, d'une loi, d'une convention.

dérouiller nf pop Correction, volée de coups.

dérouiller vt 1 Ôter la rouille de. *Dérouiller une arme.* 2 Dégourdir. *La lecture dérouille l'esprit.* 3 pop Battre. *Je l'ai dérouillé.* ■ vi pop Recevoir des coups. *Tu vas dérouiller.*

déroulement nm 1 Action de dérouler. 2 Succession dans le temps. *Le déroulement des faits.*

dérouler vt Étaler ce qui était roulé. *Dérouler un tapis.* ■ vpr Se produire selon une succession donnée, avoir lieu. *Les faits se sont déroulés en peu de temps.*

dérouleur nm Appareil servant à dérouler.

déroutage nm Modification de l'itinéraire d'un avion, d'un bateau. Var **déroutement**

déroutant, ante a Qui déconcerte.

déroute nf 1 Fuite en désordre d'une armée vaincue. 2 Déconfiture. *Ses affaires sont en déroute.*

dérouter vt 1 Modifier l'itinéraire initialement prévu. *Dérouter un avion.* 2 Déconcerter.

derrick nm Tour métallique supportant les tubes de forage des puits de pétrole.

derrière prép 1 Après, en arrière de (par oppos. à *devant*). *Marcher derrière qqn. Les mains derrière le dos.* 2 De l'autre côté de. *Derrière le mur.* 3 Après. *X est classé derrière Y.* ■ av En arrière. *Regarder derrière.* Loc *Par-derrière* : du côté opposé ; sournoisement. ■ nm 1 Partie pos-

térieure. *Le derrière de la maison.* 2 Les fesses et le fondement. *Tomber sur le derrière.*

derviche nm Religieux musulman.

des art 1 Article indéfini, pluriel de *un, une.* 2 Article contracté pour *de les.*

dès prép 1 À partir de, aussitôt après. *Dès l'enfance. Dès maintenant.* 2 Depuis un lieu. *Fleuve navigable dès sa source.* ■ conj Loc *Dès que* : aussitôt que. ■ av Loc *Dès lors* : à partir de ce moment.

désabonnement nm Fait de se désabonner.

désabonner vt Faire cesser un abonnement.

désabusé, ée a Qui n'a plus d'illusions ; revenu de tout.

désabuser vt Désillusionner, détromper.

désaccord nm 1 Dissentiment, différence d'opinion, désunion. *Désaccord dans la famille.* 2 Contradiction.

désaccorder vt Perdre l'accord d'un instrument de musique.

désaccoutumance nf Perte de l'habitude.

désaccoutumer vt Déshabituer.

désacidifier vt Traiter un papier pour en supprimer l'acidité.

désacralisation nf Action de désacraliser.

désacraliser vt Retirer le caractère sacré.

désactiver vt Débarrasser une substance de sa radioactivité.

désadapter vt Faire perdre son adaptation.

désaffectation nf Action de désaffecter.

désaffecté, ée a Qui n'assure plus le service auquel il était affecté. *Gare désaffectée.*

désaffecter vt Ôter à qqch son affectation première.

désaffection nf Perte de l'affection, de l'intérêt porté.

désaffilier vt Retirer son affiliation.

désagréable a Déplaisant.

désagréablement av De façon désagréable.

désagrégation nf Séparation des parties d'un corps ; dislocation.

désagréger vt [13] Décomposer, disjoindre. ■ vpr S'effriter.

désagrément nm Déplaisir, souci.

désaimanter vt Supprimer l'aimantation de.

désaltérant, ante a Qui désaltère.

désaltérer vt [12] Apaiser la soif. ■ vpr Boire.

désambiguïser vt Faire disparaître l'ambiguïté. Var **désambiguïser**

désamianter vt Supprimer les matériaux à base d'amiante dans une construction.

désamorçage nm Action de désamorcer.

désamorcer vt [10] 1 Ôter l'amorce de. 2 Interrompre le fonctionnement. 3 Neutraliser. *Désamorcer un conflit.*

désappointé, ée a Déçu.

désappointement nm Déception.

désappointer vt Tromper qqn dans son attente, son espérance.

désapprendre vt [70] Oublier ce qu'on avait appris.

désapprobateur, trice a Qui désapprouve.

désapprobation nf Action de désapprouver.

désapprouver vt Ne pas agréer, blâmer.

désarçonner vt 1 Jeter à bas de la selle. 2 Déconcerter. *Ma réponse l'a désarçonné.*

désargenté, ée a Démuni d'argent.

désargenter vt Enlever la couche d'argent.

désarmant, ante *a* Touchant.

désarmement *nm* **1** Action de désarmer. **2** Réduction des forces militaires.

désarmer *vt* **1** Enlever ses armes à qqn. **2** Ôter à qqn tout moyen de s'irriter. **3** Débarrasser un navire de ses agrès et débarquer son équipage. ■ *vi* **1** Réduire son armement. **2** Renoncer à un sentiment hostile.

désarroi *nm* Confusion de l'esprit ; trouble.

désarticulation *nf* Fait de se désarticuler.

désarticuler *vt* Faire sortir de l'articulation. ■ *vpr* Se contorsionner.

désassembler *vt* Défaire ce qui est assemblé.

désassortir *vt* Dépareiller.

désastre *nm* **1** Catastrophe. *Cette inondation fut un désastre.* **2** Grave échec.

désastreux, euse *a* Catastrophique.

désavantage *nm* **1** Cause d'infériorité. **2** Préjudice, dommage.

désavantager *vt* [11] Faire supporter un désavantage ; handicaper.

désavantageux, euse *a* Qui cause un désavantage.

désaveu *nm* **1** Déclaration par laquelle on désavoue ce qu'on a dit ou fait. **2** Fait de désavouer qqn.

désavouer *vt* **1** Ne pas vouloir reconnaître comme sien. **2** Déclarer qu'on n'a pas autoriser qqn à dire ou à faire qqch. **3** Désapprouver, condamner.

désaxé, ée *a, n* Déséquilibré.

désaxer *vt* Déséquilibrer.

descellement *nm* Action de desceller.

desceller *vt* Défaire ce qui était scellé.

descendance *nf* Ensemble des descendants.

descendant, ante *n* Individu issu d'une personne, d'une famille. ■ *a* Qui descend. *Marée descendante.*

descendeur, euse *n* Spécialiste de la descente (cyclisme, ski).

descendre *vt* [5] **1** Parcourir de haut en bas. *Descendre un escalier.* **2** Mettre, porter plus bas. *Descendre un tableau.* **3** fam Tuer qqn. **4** fam Faire tomber. *Descendre un avion.* ■ *vi* [aux. *être*] **1** Aller de haut en bas. *Descendre de la montagne.* **2** Mettre pied à terre. *Descendre de bicyclette.* **3** S'arrêter pour coucher. *Descendre à l'hôtel.* **4** Être issu de. *Il descend d'une grande famille.* **5** Être en pente. *La route descend.* **6** Baisser. *La mer descend.*

descente *nf* **1** Action de descendre. **2** Irruption dans un lieu. *Une descente de police.* **3** Mouvement de haut en bas. *Descente d'un avion.* **4** Pente. **5** Épreuve de ski chronométrée. Loc *Descente de lit :* tapis mis à côté du lit. fam *Avoir une bonne descente :* boire en grande quantité.

déscolariser *vt* Retirer un enfant du système scolaire.

descripteur *nm* INFORM Ensemble des signes qui servent à décrire qqch.

descriptif, ive *a* Qui a pour objet de décrire. *Poésie descriptive.* ■ *nm* Document, schéma décrivant précisément qqch.

description *nf* Action de décrire ; écrit ou discours par lequel on décrit.

déséchouer *vt* Remettre à flot un navire échoué.

déségrégation [-se-] *nf* Suppression de la ségrégation raciale.

désembouteiller *vt* Supprimer un embouteillage.

désembuage *nm* Action de désembuer.

désembuer *vt* Ôter la buée de.

désemparé, ée *a* **1** Qui ne peut plus manœuvrer (navire, avion). **2** Qui a perdu ses moyens ; décontenancé.

désemparer *vi* Loc *Sans désemparer :* sans interruption.

désemplir *vi* Loc *Ne pas désemplir :* être très fréquenté.

désencadrer *vt* Libérer du cadre qui restreignait.

désenchanté, ée *a* Désillusionné.

désenchantement *nm* Désillusion.

désenclavement *nm* Action de désenclaver.

désenclaver *vt* Faire cesser l'isolement d'une région.

désencombrer *vt* Débarrasser un local de ce qui l'encombre.

désencrage *nm* Action de désencrer.

désencrer *vt* Supprimer l'encre sur du papier afin de le recycler.

désendetter (se) *vpr* Se décharger de ses dettes.

désenfler *vi* Devenir moins enflé.

désengagement *nm* Action de désengager ou de se désengager.

désengager *vt* [11] Libérer d'un engagement.

désengorger *vt* [11] Déboucher.

désennuyer *vt* [21] Distraire.

désensabler *vt* Dégager qqch du sable.

désensibilisation *nf* Action de désensibiliser.

désensibiliser *vt* Rendre moins sensible à des substances provoquant des allergies.

désépaissir *vt* Rendre moins épais.

déséquilibre *nm* **1** Absence d'équilibre. **2** Manque d'équilibre mental.

déséquilibré, ée *a, n* Dont l'équilibre psychique est perturbé.

déséquilibrer *vt* **1** Faire perdre l'équilibre à qqn. **2** Rompre l'équilibre de qqch. **3** Troubler l'équilibre mental.

désert, erte *a* **1** Sans habitants. **2** Peu fréquenté. **3** Sans végétation. ■ *nm* Région où la vie végétale et animale est presque inexistante. Loc *Prêcher dans le désert :* parler sans être écouté.

déserter *vt* **1** Abandonner un lieu. **2** Abandonner, trahir. ■ *vi* En parlant d'un militaire, abandonner son poste.

déserteur *nm* **1** Militaire qui a déserté. **2** Personne qui abandonne une cause, un parti.

désertification *nf* Transformation en désert.

désertifier (se) *vpr* Se transformer en désert.

désertion *nf* Action de déserter.

désertique *a* Du désert. *Climat désertique.*

désescalade *nf* Diminution progressive de la tension internationale.

désespérance *nf* litt Désespoir.

désespérant, ante *a* Décourageant.

désespéré, ée *a, n* Qui s'abandonne au désespoir. ■ *a* **1** Inspiré par le désespoir. **2** Sans espoir. *Situation désespérée.* **3** Ultime. *Tentative désespérée.*

désespérément *av* De façon désespérée.

désespérer *vi* [12] Perdre tout espoir. ■ *vti* **1** Perdre l'espoir de. *Désespérer de réussir.* **2** Cesser d'espérer en. *Désespérer de qqn.* ■ *vt* **1** litt Ne plus espérer que. *On désespère qu'il aille mieux.*

2 Réduire au désespoir. *Ta conduite me désespère.* ■ *vpr* S'abandonner au désespoir.
désespoir *nm* État de qui a perdu l'espoir. **Loc** *Faire le désespoir de qqn* : l'affliger. *En désespoir de cause* : en dernière ressource.
désétatiser *vt* Réduire le rôle ou la part de l'État dans une industrie.
déshabillage *nm* Action de déshabiller ou de se déshabiller.
déshabillé *nm* Léger vêtement d'intérieur.
déshabiller *vt* Enlever à qqn ses vêtements. ■ *vpr* Retirer ses vêtements.
déshabituer *vt* Faire perdre à qqn l'habitude de. ■ *vpr* Perdre l'habitude de.
désherbant, ante *a, nm* Qui détruit les mauvaises herbes.
désherber *vt* Ôter les mauvaises herbes de.
déshérence *nf* DR État d'une succession vacante, absence d'héritiers.
déshérité, ée *a* Pauvre. *Une région déshéritée.*
déshériter *vt* Priver d'un héritage.
déshonneur *nm* Perte de l'honneur, honte.
déshonorant, ante *a* Qui déshonore.
déshonorer *vt* 1 Ôter l'honneur à qqn. 2 Enlaidir qqch. ■ *vpr* Perdre son honneur.
déshumaniser *vt* Faire perdre son caractère humain.
déshydratant, ante *a* Qui déshydrate.
déshydratation *nf* 1 Action de déshydrater. 2 Diminution de l'eau dans l'organisme.
déshydraté, ée *a* 1 Privé de son eau. 2 Atteint de déshydratation. 3 *fam* Assoiffé.
déshydrater *vt* Enlever l'eau combinée ou mélangée à un corps. ■ *vpr* Perdre son eau.
désidérata *nm* Choses désirées. *Des désidératas* ou *désidérata.*
design [dizajn] *nm inv* Style de décoration visant à adapter la forme et la fonction.
désignation *nf* Action de désigner.
designer [dizajnœr] *nm* Spécialiste du design.
désigner *vt* 1 Indiquer. *Il a désigné son agresseur.* 2 Signaler. *Désigner qqn à l'hostilité générale.* 3 Renvoyer à qqch. *Le mot « vilain » désignait le paysan.* 4 Choisir. *Désigner son successeur.*
désillusion *nf* Déception, désenchantement.
désillusionner *vt* Faire perdre ses illusions.
désincarcération *nf* Action de désincarcérer.
désincarcérer *vt* [12] Dégager qqn des tôles d'un véhicule accidenté.
désincarné, ée *a* 1 litt Dégagé de son enveloppe charnelle. 2 Détaché des considérations matérielles.
désindexer *vt* Supprimer l'indexation.
désindustrialisation *nf* Processus qui désindustrialise.
désindustrialiser *vt* ECON Réduire l'activité industrielle d'un pays, d'une région.
désinence *nf* GRAM Terminaison de mots qui sert à marquer le cas, le genre, etc.
désinfectant, ante *a, nm* Qui désinfecte.
désinfecter *vt* Nettoyer avec un produit qui détruit les germes pathogènes.
désinfection *nf* Action de désinfecter.
désinflation *nf* Diminution de l'inflation.
désinformation *nf* Action de désinformer.
désinformer *vt* Diffuser par les médias des informations délibérément orientées ou mensongères.

désinhiber *vt* Supprimer l'inhibition.
désinsectiser *vt* Débarrasser des insectes.
désinstaller *nm* INFORM Logiciel qui permet de faire disparaître les logiciels superflus d'un disque dur.
désintégration *nf* Action de désintégrer.
désintégrer *vt* [12] Détruire complètement. ■ *vpr* Perdre sa cohésion ; être détruit.
désintéressé, ée *a* Qui n'est pas motivé par son intérêt particulier.
désintéressement *nm* Détachement de tout intérêt personnel.
désintéresser *vt* Indemniser, dédommager. ■ *vpr* N'avoir plus d'intérêt pour qqch, qqn.
désintérêt *nm* Perte d'intérêt.
désintoxication *nf* Traitement destiné à désintoxiquer.
désintoxiquer *vt* Libérer qqn de l'intoxication.
désinvestir *vi* 1 Cesser d'investir dans. 2 Cesser d'être motivé pour qqch.
désinvestissement *nm* Action de désinvestir.
désinvolte *a* Trop libre, impertinent.
désinvolture *nf* Légèreté, sans-gêne.
désir *nm* 1 Tendance particulière à vouloir obtenir qqch. 2 Attirance sexuelle.
désirable *a* 1 Qui mérite d'être désiré. 2 Qui suscite l'attirance sexuelle.
désirer *vt* 1 Avoir le désir de qqch. 2 Éprouver une attirance sexuelle pour qqn. **Loc** *Se faire désirer* : se faire attendre. *Laisser à désirer* : présenter quelque imperfection.
désireux, euse *a* Qui désire qqch.
désistement *nm* Action de se désister.
désister (se) *vpr* Retirer sa candidature à une élection, en faveur d'un autre candidat.
desmosome *nm* BIOL Zone de la paroi cellulaire où se font les échanges avec les cellules voisines.
désobéir *vti* Ne pas obéir à qqn, à un ordre.
désobéissance *nf* Action de désobéir.
désobéissant, ante *a* Qui désobéit.
désobligeant, ante *a* Qui désoblige, vexe.
désobliger *vt* [11] Causer du déplaisir à qqn, le vexer.
désodé, ée [-so-] *a* Sans sel. *Régime désodé.*
désodorisant, ante *a, nm* Qui enlève les odeurs.
désodoriser *vt* Enlever les mauvaises odeurs.
désœuvré, ée *a* Qui ne sait pas s'occuper.
désœuvrement *nm* État de qqn de désœuvré.
désolant, ante *a* Qui désole ; affligeant.
désolation *nf* Affliction extrême.
désolé, ée *a* 1 Attristé. *Un air désolé.* 2 Désert, aride. *Une région désolée.*
désoler *vt* 1 Causer une grande affliction à qqn. 2 Contrarier.
désolidariser *vt* [-so-] Désunir, disjoindre. ■ *vpr* Cesser d'être solidaire avec qqn, qqch.
désopilant, ante *a* Qui fait beaucoup rire.
désordonné, ée *a* 1 Qui manque d'ordre. 2 En désordre.
désordre *nm* 1 Manque d'ordre. 2 Confusion. *Le désordre des idées.* 3 Mauvaise organisation. ■ *pl* 1 Troubles sociaux. 2 Troubles physiologiques. *Désordres gastriques.*
désorganisateur, trice *a, n* Qui désorganise.
désorganisation *nf* Action de désorganiser, désordre.
désorganiser *vt* Détruire l'organisation.

désorientation nf Fait d'être désorienté.
désorienter vt 1 Faire perdre l'orientation. 2 Déconcerter, dérouter.
désormais av À l'avenir, dorénavant.
désosser vt 1 Ôter les os de. 2 fam Démonter complètement un appareil. ■ vpr Se désarticuler, se contorsionner.
désoxyder vt CHIM Supprimer l'oxydation.
désoxyribonucléique a Loc Acide désoxyribonucléique : constituant essentiel des chromosomes. Syn. ADN.
desperado [dɛspe-] nm Personne disponible pour des entreprises hasardeuses ou violentes. Var **desperado**
despote nm 1 Dirigeant qui exerce un pouvoir arbitraire et absolu. 2 Personne tyrannique.
despotique a Arbitraire, tyrannique.
despotisme nm 1 Pouvoir absolu et arbitraire. 2 Autorité tyrannique.
desquamation [-kwa-] nf MED Chute des squames de la peau.
desquels, desquelles. V. lequel.
dessabler vt Enlever le sable de.
dessaisir vt Enlever la juridiction de. ■ vpr Remettre la possession de qqch à.
dessaisissement nm Action de dessaisir.
dessalement nm Action de dessaler. Var **dessalage**
dessaler vt 1 Enlever le sel. 2 fam Déniaiser. ■ vi Chavirer, en parlant d'un voilier.
dessaouler. V. dessouler.
dessèchement nm Action de dessécher, état desséché.
dessécher vt [12] 1 Rendre sec. 2 Faire perdre toute sensibilité. ■ vpr Devenir sec.
dessein nm Intention, projet. Loc À dessein : exprès, intentionnellement.
desseller vt Enlever la selle de.
desserrage nm Action de desserrer, fait de se desserrer. Var **desserrement**
desserrer vt Relâcher ce qui est serré. Loc Ne pas desserrer les dents : se taire obstinément.
dessert nm Mets sucré, fruits, etc., mangés à la fin du repas.
desserte nf 1 Fait de desservir une localité, un lieu. 2 Petit meuble destiné à recevoir la vaisselle de service.
dessertir vt Dégager une perle de sa monture.
desservant nm Ecclésiastique qui dessert une paroisse, une chapelle, etc.
desservir vt [29] 1 Assurer les communications avec un lieu. 2 Assurer le service d'une paroisse. 3 Enlever les plats après le repas. 4 Nuire à qqn. Son arrogance le dessert.
dessiccation nf Action de dessécher.
dessiller vt Loc litt Dessiller les yeux : détromper, désabuser. Var **déciller**
dessin nm 1 Représentation d'objets sur une surface. 2 Lignes agencées pour produire un effet visuel. Le dessin d'un papier mural. 3 Contour, forme naturelle. Le dessin des sourcils. 4 Art de la représentation graphique des objets. Loc Dessin animé : film tourné à partir d'une série de dessins qui décomposent le mouvement.
dessinateur, trice n Qui dessine.
dessiner vt 1 Représenter au moyen du dessin. 2 Accuser, faire ressortir. Robe qui dessine la silhouette. ■ vpr 1 Se profiler. La montagne se dessine sur le ciel. 2 Se préciser. La solution se dessine.
dessouder vt 1 Disjoindre des éléments soudés. 2 pop Assassiner.
dessouler vt Faire cesser l'ivresse de. ■ vi Cesser d'être soûl. Var **dessouler** ou **dessaouler**
dessous av, prép Marque la position d'une chose sous une autre. Loc Au-dessous : plus bas. Ci-dessous : ci-après, plus loin dans le texte. En dessous, par-dessous : sous autre chose. Regarder en dessous : sournoisement. ■ nm 1 Ce qui est en dessous ; l'envers. Le dessous d'une table. 2 Objet que l'on place sous qqch. Loc Avoir le dessous : être vaincu. fam Être dans le trente-sixième dessous : dans une situation catastrophique. ■ pl 1 Ce qui est caché, secret. Les dessous de l'affaire. 2 Sous-vêtements, lingerie féminine.
dessous-de-plat nm inv Support pour recevoir les plats sur la table.
dessous-de-table nm inv Somme donnée clandestinement par un acheteur en plus du prix régulièrement fixé.
dessus av, prép Marque la position d'une chose sur une autre. Loc Par-dessus tout : surtout. Par-dessus le marché : en plus. Au-dessus de : plus haut que. Sens dessus dessous : à l'envers. Ci-dessus : plus haut, avant dans le texte. Là-dessus : sur ce sujet, aussitôt après. ■ nm 1 Ce qui est au-dessus. 2 Objet que l'on place sur qqch. Loc Avoir le dessus : avoir l'avantage. Le dessus du panier : ce qu'il y a de mieux.
dessus-de-lit a inv Couvre-lit.
déstabilisateur, trice a Qui déstabilise. Var **déstabilisant, ante**
déstabilisation nf Action de déstabiliser.
déstabiliser vt Saper la stabilité de.
déstalinisation nf Action de déstaliniser.
déstaliniser vt Libéraliser un parti, un État où règne le stalinisme.
destin nm 1 Puissance qui règlerait le cours des évènements à venir. 2 Sort particulier de qqn, de qqch.
destinataire n À qui on adresse un envoi.
destination nf 1 Rôle, emploi assigné à qqch. 2 Lieu d'arrivée.
destinée nf 1 Destin. 2 Sort, avenir de qqn. 3 Vie, existence.
destiner vt 1 Réserver à un usage. 2 Orienter qqn vers une carrière.
destituer vt Priver qqn de son emploi, de sa fonction.
destitution nf Action de destituer.
déstocker vt Retirer des stocks.
destrier nm Autrefois, cheval de bataille.
destroyer nm Contre-torpilleur rapide.
destructeur, trice a, n Qui détruit.
destructible a Qu'on peut détruire.
destruction nf Action de détruire.
déstructuration nf Action de déstructurer.
déstructurer vt Détruire la structure de ; désorganiser.
désuet, ète [-sɥe] a Rétrograde, dépassé.
désuétude [-sɥe-] nf Caractère désuet.
désuni, ie a Séparé par la mésentente.
désunion nf Division, mésentente.
désunir vt Rompre l'union, la bonne entente.
désynchroniser vt Faire cesser le synchronisme de.

désyndicalisation nf Baisse du nombre des syndiqués ; perte d'audience des syndicats.

détachable a Qui peut être détaché.

détachant, ante a, nm Qui enlève les taches.

détaché, ée a 1 Qui n'est plus attaché. 2 Indifférent. *Un air détaché.* Loc *Pièce détachée :* que l'on peut se procurer isolément.

détachement nm 1 Indifférence. *Sourire avec détachement.* 2 Groupe de soldats chargé de mission. 3 Position d'un fonctionnaire provisoirement affecté à un autre service.

détacher vt 1 Dégager qqn, défaire qqch. *Détacher un animal. Détacher des liens.* 2 Séparer, éloigner. *Détacher une feuille d'un carnet.* 3 Envoyer pour une mission. 4 Affecter qqn à un autre service. 5 Enlever les taches de. ■ vpr 1 Prendre de l'avance sur les autres coureurs. 2 Ressortir, être en évidence.

détail nm 1 Vente par petites quantités. 2 Ensemble considéré dans ses moindres particularités. 3 Élément accessoire. *Se perdre dans les détails.*

détaillant, ante n Commerçant qui vend au détail.

détailler vt 1 Vendre au détail. 2 Raconter, exposer en détail. 3 Observer avec attention.

détaler vi fam S'enfuir au plus vite.

détartrage nm Action de détartrer.

détartrant, ante a, nm Produit qui détartre.

détartrer vt Enlever le tartre de.

détaxation nf Action de détaxer.

détaxe nf Suppression, diminution, remboursement d'une taxe.

détaxer vt Supprimer ou réduire une taxe.

détectable a Qu'on peut détecter.

détecter vt Déceler la présence de.

détecteur nm Appareil servant à détecter.

détection nf Action de détecter.

détective nm [69] Policier privé.

déteindre vt Enlever la teinture, la couleur de. ■ vi Perdre sa couleur. *Ce tissu déteint au lavage.* ■ vti Loc *Déteindre sur qqn :* l'influencer.

dételer vt [16] ou [18] Détacher un animal attelé. ■ vi fam Interrompre une occupation.

détendeur nm Appareil servant à réduire la pression d'un gaz.

détendre vt [5] 1 Faire cesser la tension. *Détendre un ressort.* 2 Faire cesser la tension mentale de qqn. 3 Diminuer la pression. ■ vpr Se distraire.

détendu, ue a Calme. *Avoir l'air détendu.*

détenir vt [35] 1 Conserver qqch par-devers soi. *Détenir un secret.* 2 Retenir qqn en prison.

détente nf 1 Pièce qui fait partir une arme à feu. *Avoir le doigt sur la détente.* 2 Expansion d'un fluide comprimé. 3 Brusque effort musculaire. 4 Repos. *Profiter de ses heures de détente.* 5 Amélioration d'une situation tendue. Loc fam *Dur à la détente :* avare.

détenteur, trice n Personne qui détient qqch.

détention nf 1 Action de détenir qqch. 2 Incarcération.

détenu, ue n, a Personne emprisonnée.

détergent, ente a, nm Produit qui nettoie. Var **détersif, ive**

détérioration nf Action de détériorer.

détériorer vt Abîmer, dégrader. ■ vpr Empirer. *Situation qui se détériore.*

déterminant, ante a Décisif. ■ nm 1 LING Mot qui détermine un substantif (article, adjectif possessif, démonstratif, numéral, etc.). 2 Facteur qui exerce une action décisive.

détermination nf 1 Action de déterminer. 2 Intention, résolution. 3 Fermeté de caractère.

déterminé, ée a Résolu. *Un air déterminé.*

déterminer vt 1 Amener à. *Ceci l'a déterminé à s'en aller.* 2 Établir avec précision, définir. *Déterminer la cause de l'incendie.* 3 GRAM Caractériser. *L'article détermine le nom.* 4 Être la cause de. *Le choc a déterminé l'explosion.*

déterminisme nm Système philosophique selon lequel tout dans la nature obéit à des lois rigoureuses.

déterministe a, n Qui relève du déterminisme.

déterré, ée n Loc fam *Avoir une mine de déterré :* le visage pâle et défait.

déterrement nm Action de déterrer.

déterrer vt 1 Retirer de terre. 2 fam Découvrir. *Déterrer un livre rare.*

détersif. V. détergent.

détestable a Très mauvais, exécrable.

détester vt Avoir en horreur ; exécrer.

détonant, ante a, nm Qui produit une détonation.

détonateur nm 1 Amorce servant à faire détoner un explosif. 2 Fait, évènement qui déclenche qqch.

détonation nf Bruit fait par ce qui détone, explose.

détoner vi Exploser bruyamment.

détonique nf Science et technique des explosifs.

détonner vi 1 Chanter faux. 2 Contraster désagréablement.

détortiller vt Défaire ce qui entortillait, ce qui est entortillé.

détour nm 1 Changement de direction par rapport à la ligne directe. 2 Trajet qui s'écarte du plus court chemin. 3 Moyen indirect, subterfuge. *Avouer sans détour.*

détourné, ée a Indirect. *Un moyen détourné.*

détournement nm 1 Action de détourner. 2 Soustraction frauduleuse.

détourner vt 1 Changer la direction, l'itinéraire de. 2 Tourner la tête dans une autre direction. 3 Soustraire frauduleusement. 4 Éloigner qqn de. Loc *Détourner la conversation :* l'orienter vers un autre sujet.

détracteur, trice n Personne qui déprécie la valeur de qqch, de qqn.

détraqué, ée a, n fam Malade mental, déséquilibré.

détraquer vt 1 Déranger un mécanisme. 2 fam Dérégler. *Médicament qui détraque le foie.*

détrempe nf 1 Peinture à l'eau additionnée de liant. 2 Œuvre exécutée avec cette préparation.

détremper vt Délayer, mouiller abondamment.

détresse nf 1 Angoisse. 2 Dénuement, misère. 3 Situation périlleuse. *Navire en détresse.*

détriment nm Loc *Au détriment de :* aux dépens de.

détritique a GÉOL Qui provient de la désagrégation des roches.

détritus [-ty] ou [-tys] nm Débris, ordures.

détroit nm Passage maritime resserré entre deux terres.

détromper vt Tirer qqn d'erreur.

détrôner vt 1 Déposséder du pouvoir souverain. 2 Supplanter.

étrousser *vt* litt Voler, dévaliser.

étruire *vt* [67] **1** Démolir, abattre. **2** Anéantir. Tuer. *Potion qui détruit les rongeurs.* **4** Ruiner santé de qqn.

ette *nf* **1** Somme d'argent due. **2** Obligation orale envers qqn.

EUG *nm* Diplôme d'études universitaires générales qui sanctionne le premier cycle des études universitaires.

euil *nm* **1** Douleur, tristesse éprouvée à la mort e qqn. **2** Marques extérieures du deuil ; temps endant lequel on porte le deuil. Loc *Faire son euil :* ne plus compter sur qqch.

eus ex machina [deuseksmakina] *nm inv* ersonnage qui vient arranger providentiellement ne situation difficile.

eutérium [-Rjɔm] *nm* CHIM Isotope lourd de l'hyogène.

eux *a num* **1** Un plus un (2). **2** Deuxième. *hapitre deux.* **3** Très petit nombre indéterminé. *habite à deux pas.* Loc fam *En moins de deux :* ès vite. ■ *nm inv* **1** Le nombre, le chiffre deux. **2** arte, face d'un dé, moitié d'un domino marquée e deux points.

euxième *a num* Dont le rang est marqué par le ombre 2.

euxièmement *av* En deuxième lieu.

eux-mâts *nm inv* Voilier à deux mâts.

eux-pièces *nm inv* **1** Maillot de bain composé un slip et d'un soutien-gorge. **2** Appartement omportant deux pièces.

eux-points *nm inv* Signe de ponctuation (:).

eux-roues *nm inv* Véhicule à deux roues (bicyette, cyclomoteur, etc.).

eux-temps *nm inv* Moteur à deux temps.

évaler *vi, vt* Descendre rapidement. *L'avanche dévale. Dévaler l'escalier.*

évaliser *vt* Voler, cambrioler.

évalorisant, ante *a* Qui dévalorise.

évalorisation *nf* Action de dévaloriser.

évaloriser *vt* Déprécier, diminuer la valeur.

évaluation *nf* Abaissement de la valeur légale 'une monnaie.

évaluer *vt* Opérer la dévaluation de.

évanagari *nf* Écriture utilisée pour le sanskrit l'hindi. **Var** devanagari

évancer *vt* [10] **1** Aller en avant de. **2** Surpaser. **3** Précéder dans le temps. **4** Prévenir qqch. *evancer une attaque.*

évancier, ère *n* Personne qui a précédé.

evant *av, prép* **1** En avant. **2** En face. **3** En préence de. *Il l'a dit devant témoin.* Loc *Au-devant e :* à la rencontre de. *Par-devant :* par l'avant. ■ *nm* Face antérieure de qqch. *Le devant d'une aison, d'une robe.* Loc *Prendre les devants :* evancer qqn en faisant qqch.

evanture *nf* **1** Façade d'une boutique. **2** Étaye, objets en vitrine.

évastateur, trice *a, n* Qui dévaste.

évastation *nf* Action de dévaster.

évaster *vt* Ruiner, causer de grands dégâts à.

éveine *nf* fam Malchance.

éveloppement *nm* **1** Déroulement. *Développement des opérations.* **2** Exposition détaillée. Croissance physique et intellectuelle. **4** Extenon. *Une entreprise en plein développement.* **5** pérations qui font apparaître l'image sur une hoto. **6** Distance parcourue par une bicyclette

à chaque tour de pédalier. **loc** *Développement durable :* développement économique qui accroît le bien-être sans détruire l'environnement.

développer *vt* **1** Déployer. **2** Exposer en détail. *Développer une idée.* **3** Faire croître. *Développer la mémoire.* **4** Faire prendre de l'extension. *Développer une affaire.* **5** Traiter un cliché photographique pour faire apparaître l'image. **6** Mettre au point un produit industriel et le commercialiser. **7** Être atteint d'une maladie. *Développer un sida.* ■ *vpr* **1** Se déployer. **2** Prendre de l'extension.

développeur *nm* Industriel qui développe un produit. *Développeur de logiciels.*

devenir *vi* [35] [aux. *être*] **1** Passer d'un état à un autre. *Devenir vieux, riche.* **2** Avoir tel ou tel résultat. ■ *nm* litt Avenir.

déverbal, aux *nm* Nom formé à partir du radical d'un verbe.

dévergondage *nm* Libertinage, débauche.

dévergondé, ée *a* Débauché.

dévergonder (se) *vpr* Se débaucher.

dévernir *vt* Ôter le vernis de.

déverrouillage *nm* Action de déverrouiller.

déverrouiller *vt* **1** Ouvrir en tirant le verrou. **2** Libérer. *Déverrouiller le train d'atterrissage.*

devers (par-) V. par-devers.

déversement *nm* Action de déverser, de se déverser.

déverser *vt* Répandre qqch dans, sur.

déversoir *nm* Ouvrage servant à évacuer l'eau en excès.

dévêtir *vt* [32] litt Déshabiller.

déviance *nf* Attitude déviante.

déviant, ante *a, n* Dont la conduite s'écarte des normes sociales.

déviation *nf* **1** Fait de dévier ; écart. **2** Déformation. *Déviation de la colonne vertébrale.* **3** Itinéraire détourné.

déviationnisme *nm* Fait de s'écarter de l'orthodoxie d'un parti.

déviationniste *a, n* Qui s'écarte de la ligne d'un parti.

dévider *vt* **1** Mettre du fil en écheveau ou en pelote. **2** Dérouler. *Dévider une bobine.*

dévidoir *nm* Appareil à dévider.

dévier *vi* S'écarter de sa direction. *La balle a dévié.* ■ *vt* Détourner. *Dévier la circulation.*

devin, devineresse *n* Personne qui prétend prédire les évènements futurs.

deviner *vt* Découvrir, savoir par supposition.

devinette *nf* Question dont on doit deviner la réponse.

devis *nm* État détaillé des travaux à effectuer et estimation de leur prix.

dévisager *vt* [11] Regarder qqn avec insistance.

devise *nf* **1** Formule symbolique (ex. : *Liberté, Égalité, Fraternité.*) **2** Sentence indiquant une règle de conduite (ex. : *Bien faire et laisser dire*). **3** Monnaie étrangère.

deviser *vi* Converser avec qqn.

dévissage *nm* Action de dévisser.

dévisser *vt* **1** Ôter une vis, un écrou. **2** Démonter une pièce vissée. *Dévisser une serrure.* ■ *vi* Lâcher prise d'une paroi, pour un alpiniste.

de visu *av* En voyant. *Constater qqch de visu.*

dévitalisation *nf* Action de dévitaliser.

dévitaliser *vt* Retirer le tissu vital (pulpe et nerf) d'une dent.

dévitaminé *a* Qui a perdu ses vitamines.

dévoiement *nm* État d'une personne dévoyée.

dévoilement *nm* Action de dévoiler.

dévoiler *vt* 1 Enlever le voile de qqch, de qqn. 2 Découvrir, révéler. *Dévoiler un scandale.*

devoir *vt* [4] 1 Avoir à payer à qqn. 2 Être redevable de qqch à qqn. *Il lui doit sa situation.* 3 Avoir pour obligation morale. *Il me doit le respect.* 4 (avec l'inf.) Marque la nécessité, le futur proche ou la possibilité. ■ *vpr* Avoir des obligations morales envers qqn. **Loc** *Comme il se doit* : comme il faut. ■ *nm* 1 Ce à quoi on est obligé par la morale, la loi, la raison, les convenances. 2 Tâche écrite donnée à un élève.

dévolu, ue *a* DR Acquis, échu par droit. ■ *nm* **Loc** *Jeter son dévolu sur* : fixer son choix sur.

dévolution *nf* DR Transmission d'un bien à qqn d'autre.

dévorant, ante *a* Insatiable.

dévorer *vt* 1 Manger en déchirant. 2 Manger gloutonnement. 3 Détruire, consumer. *Les flammes dévorèrent la maison.* **Loc** *Dévorer des yeux* : regarder avec convoitise.

dévoreur, euse *n, a* Qui dévore.

dévot, ote *a, n* Plein de dévotion.

dévotion *nf* Vive piété. **Loc** *Être à la dévotion de qqn* : lui être dévoué.

dévoué, ée *a* Plein de dévouement.

dévouement *nm* 1 Action de se dévouer. 2 Disposition à servir qqn.

dévouer (se) *vpr* Se consacrer, se sacrifier.

dévoyé, ée *a, n* Perverti, sans moralité.

dévoyer *vt* [22] Détourner du droit chemin, débaucher.

dextérité *nf* Adresse, habileté.

dextre *nf* vx Main droite.

dey *nm* Chef turc qui gouvernait Alger avant la conquête française.

DHEA *nf* Hormone surrénale réputée ralentir le vieillissement.

diabète *nm* Maladie caractérisée par la présence de sucre dans le sang.

diabétique *a, n* Atteint de diabète.

diabétologie *nf* Étude du diabète.

diabétologue *n* Spécialiste du diabète.

diable *nm* 1 Démon, esprit du mal. 2 Enfant espiègle et turbulent. 3 Chariot à deux roues servant à transporter les objets lourds. **Loc** *Se débattre comme un (beau) diable* : remuer beaucoup. *Tirer le diable par la queue* : avoir des difficultés financières. *À la diable* : vite et mal. *Au diable* : très loin. *En diable* : extrêmement. *Un vent du diable* : très violent. *Bon diable* : brave homme. *Pauvre diable* : miséreux. *Un diable de* : qqn, qqch qui surprend ou mécontente. ■ *interj* Marque la surprise, etc.

diablement *av* fam Excessivement.

diablerie *nf* 1 Malice, espièglerie. 2 Sortilège, ensorcellement.

diablesse *nf* Femme remuante, fillette turbulente.

diablotin *nm* 1 Petit diable. 2 Enfant vif et turbulent.

diabolique *a* Méchant et pernicieux.

diaboliquement *av* De façon diabolique.

diabolisation *nf* Action de diaboliser.

diaboliser *vt* Attribuer à qqn ou à qqch un caractère maléfique.

diabolo *nm* 1 Jouet qu'on lance et rattrape su● une ficelle tendue. 2 Limonade au sirop.

diachronie *nf* LING Évolution des faits linguis● tiques dans le temps. Ant. synchronie.

diachronique *a* LING De la diachronie.

diaclase *nf* GEOL Fissure dans une roche.

diaconat *nm* Ordre qui précède la prêtrise.

diacre *nm* 1 Ministre catholique ou orthodoxe qu● a reçu le diaconat. 2 Laïc protestant remplissa● bénévolement diverses fonctions.

diacritique *a* **Loc** *Signe diacritique* : signe gra● phique adjoint à une lettre, destiné notamment ● distinguer des mots homographes.

diadème *nm* 1 Bandeau décoré, insigne de ● royauté. 2 Bijou féminin en forme de bandeau.

diagnostic *nm* 1 MED Identification d'une affec● tion par les symptômes. 2 Évaluation d'une situa● tion donnée.

diagnostique *a* MED Relatif au diagnostic. *Signe● diagnostiques d'une maladie.*

diagnostiquer *vt* Faire le diagnostic de.

diagonal, ale, aux *a* Qui joint deux angles oppo● sés. ■ *nf* Droite reliant deux sommets non consé● cutifs d'un polygone. **Loc** *En diagonale* : en biai● *Lire en diagonale* : superficiellement.

diagramme *nm* Représentation graphique de ● variation d'une grandeur.

dialectal, ale, aux *a* D'un dialecte.

dialecte *nm* Parler régional.

dialecticien, enne *n* Personne qui use de la dia● lectique.

dialectique *nf* Art du raisonnement. ■ *a* Qu● concerne la dialectique.

dialectologie *nf* Étude des dialectes.

dialectologue *n* Spécialiste de dialectologie.

dialectophone *a, n* Qui parle un dialecte. Va●

dialectisant, ante

dialogue *nm* 1 Entretien entre deux personne● 2 Texte dit par les personnages d'une pièce d● théâtre, d'un film.

dialoguer *vti* Converser avec qqn. ■ *vt* Écrire le● dialogues. *Dialoguer un film.*

dialoguiste *n* Auteur du dialogue d'un film.

dialyse *nf* 1 Analyse chimique par diffusion ● travers des parois semi-perméables. 2 Procéd● thérapeutique, qui permet d'éliminer les toxine● en excès dans le sang. Syn. rein artificiel.

dialyser *vt* Pratiquer la dialyse sur qqn.

diamant *nm* 1 Pierre de grande valeur qui est d● carbone pur cristallisé. 2 Bijou orné d'un diaman● 3 Outil servant à couper le verre.

diamantaire *n* Négociant ou tailleur de dia● mants.

diamantifère *a* Qui contient du diamant.

diamétral, ale, aux *a* Du diamètre.

diamétralement *av* **Loc** *Points de vue diamétra●* *lement opposés* : radicalement opposés.

diamètre *nm* GEOM Segment de droite joignan● deux points d'un cercle et passant par le centre.

diantre ! *interj* litt Marque l'étonnement.

diapason *nm* 1 MUS Note de référence pour accor● der instruments et voix. 2 Petit instrument fourch● qui produit le *la*. **Loc** *Être au diapason de qqn* ● adopter la même attitude.

diaphane *a* litt Qui se laisse traverser par ● lumière sans être transparent.

diaphragme *nm* 1 Muscle transversal qui sépar● le thorax de l'abdomen. 2 Préservatif fémini●

Dispositif permettant de régler la quantité de lumière dans un appareil photo.

...aphragmer vt Régler l'ouverture d'un appareil photographique.

...apositive nf Photographie positive destinée à être projetée. **Var diapo**

...apré, ée a litt De couleurs vives et variées.

...arrhée nf Évacuation fréquente de selles liquides.

...arrhéique a, n De la diarrhée ; atteint de diarrhée.

...aspora nf Dispersion d'une ethnie au cours des siècles, à travers le monde.

...astole nf PHYSIOL Période de repos du cœur où les ventricules se remplissent.

...atomée nf Algue brune unicellulaire.

...atonique a MUS Qui procède par succession des tons et demi-tons de la gamme.

...atribe nf Critique amère et virulente.

...chotomie [-ko-] nf 1 Opposition entre deux choses. 2 BOT Division en deux ramifications.

...ichotomique [-ko-] a Qui se divise en deux.

...ico nm fam Dictionnaire.

...icotylédone a BOT Plante dont la graine renferme un embryon à deux cotylédons.

...ctat. V. diktat.

...ctateur nm Homme politique qui exerce un pouvoir absolu.

...ctatorial, ale, aux a D'un dictateur, d'une dictature. Pouvoir dictatorial.

...ctature nf Pouvoir absolu.

...ictée nf 1 Action de dicter. 2 Exercice scolaire de contrôle de l'orthographe ; le texte dicté lui-même.

...icter vt 1 Prononcer des mots pour que qqn les écrive. 2 Suggérer, inspirer. La raison nous dicte la prudence. 3 Imposer. Le vainqueur dicte ses conditions.

...iction nf Manière d'articuler les mots d'un texte. Syn. élocution.

...ictionnaire nm Ouvrage qui recense et décrit, souvent par ordre alphabétique, les mots d'une langue. Loc Dictionnaire bilingue : qui donne les équivalents dans une autre langue.

...icton nm Phrase passée en proverbe.

...idacticiel nm Logiciel d'enseignement assisté par ordinateur.

...idactique a 1 Destiné à l'enseignement. 2 Qui appartient au langage savant. ■ nf Théorie et méthode de l'enseignement.

...idactisme nm Caractère didactique.

...ièdre nm Figure formée par deux demi-plans issus de la même droite.

...iérèse nf LING Prononciation en deux syllabes de deux voyelles consécutives (ex. : missi-on).

...iergol nm Propergol constitué d'un combustible et d'un comburant.

...ièse nm Signe qui élève d'un demi-ton la note qui suit.

...iésel [djesεl] nm Moteur à combustion interne fonctionnant au gazole. **Var diesel**

...iéséliser vt Équiper de diésels.

...iéséliste n Spécialiste des diésels.

...iester nm (n. déposé) Biocarburant à base d'huile de colza.

...diète nf Régime alimentaire reposant sur l'abstention de certains aliments.

2. diète nf Assemblée politique où l'on règle les affaires publiques.

diététicien, enne n Spécialiste de diététique.

diététique nf Étude de l'hygiène alimentaire. ■ a Sain, équilibré (régime alimentaire).

dieu nm 1 (avec majusc. et sans pl.) L'Être suprême. 2 Divinité. Les dieux de l'Olympe.

diffamant, ante a Qui diffame.

diffamateur, trice n, a Qui diffame.

diffamation nf Action de diffamer.

diffamatoire a Qui a pour but de diffamer.

diffamer vt Attaquer la réputation de.

différé, ée a Ajourné. Paiement différé. ■ nm Diffusion après enregistrement d'une émission télévisée ou radiophonique.

différemment av De façon différente.

différence nf 1 Ce qui distingue. Différence d'âge. 2 Résultat d'une soustraction. La différence entre 30 et 20 est 10.

différenciation nf Action de différencier, de se différencier.

différencier vt Distinguer entre des choses, des personnes. ■ vpr Se distinguer par.

différend nm Opposition, désaccord.

différent, ente a Dissemblable, distinct. Ce mot a des sens différents. ■ pl Plusieurs. Différentes personnes sont venues.

différentiel, elle a Qui implique une différence. Tarif différentiel. Loc MATH Calcul différentiel : recherche de la limite du rapport de deux infiniment petits. ■ nm 1 Mécanisme de transmission qui permet aux roues motrices de tourner à des vitesses différentes. 2 Écart entre deux grandeurs. Différentiel d'inflation.

différer vi [12] Être différent. ■ vt Retarder, remettre à plus tard.

difficile a Qui donne de la peine, qui cause des soucis. ■ a, n Exigeant.

difficilement av Avec peine.

difficulté nf 1 Caractère difficile. 2 Chose difficile, obstacle. 3 Objection, contestation.

difforme a Contrefait, mal bâti.

difformité nf Défaut de proportions, anomalie.

diffraction nf PHYS Déviation d'une onde au voisinage d'un obstacle.

diffus, use a 1 Répandu, renvoyé dans toutes les directions. 2 Imprécis et délayé.

diffuser vt 1 Répandre dans toutes les directions. 2 Transmettre sur les ondes. 3 Répandre dans le public.

diffuseur nm 1 Personne qui diffuse. 2 Appareil d'éclairage qui donne une lumière diffuse.

diffusion nf Action de diffuser.

digérer vt [12] 1 Faire l'assimilation des aliments. 2 Assimiler intellectuellement. 3 fam Endurer.

digest [dajʒεst] nm Résumé d'un article, d'un livre.

digeste a Facile à digérer.

digestible a Apte à être digéré.

digestif, ive a De la digestion. ■ nm Liqueur, alcool bu en fin de repas.

digestion nf Transformation des aliments dans l'organisme, permettant leur assimilation.

digicode nm (n. déposé) Code d'accès à un immeuble.

digit [-ʒit] nm INFORM Symbole représentant un caractère numérique.

digital

digital, ale, aux *a* **1** Des doigts. *Empreintes digitales.* **2** abusiv Numérique. *Affichage digital.*

digitale *nf* Plante toxique à fleurs en forme de doigt de gant.

digitaline *nf* Produit extrait de la digitale possédant une action sur le cœur.

digitigrade *a, nm* ZOOL Vertébré dont les doigts constituent la surface d'appui sur le sol.

digitoponcture *nf* Traitement par des applications des doigts sur des points d'acupuncture. **Var** **digitopuncture**

diglossie *nf* Bilinguisme où une des deux langues a un statut inférieur.

digne *a* **1** Qui mérite qqch. *Attitude digne de mépris.* **2** Conforme à qqn. *Fils digne de son père.* **3** Grave. *Attitude digne.*

dignement *av* Avec dignité.

dignitaire *nm* Pourvu d'une dignité.

dignité *nf* **1** Respect que mérite qqn. **2** Allure grave et fière. **3** Fonction éminente.

digramme *nm* Suite de deux lettres transcrivant un son unique (ex. : *ou, ch*).

digression *nf* Développement qui s'écarte du sujet traité.

digue *nf* Construction servant à contenir les eaux marines ou fluviales.

diktat [-tat] *nm* Clause d'un traité imposée par la force. **Var dictat**

dilacérer *vt* [12] Déchirer, mettre en pièces.

dilapidation *nf* Action de dilapider.

dilapider *vt* Gâcher, gaspiller. *Dilapider un héritage.*

dilatation *nf* Action de dilater ou de se dilater.

dilater *vt* Augmenter le volume de.

dilatoire *a* Qui vise à gagner du temps.

dilemme *nm* Situation qui oblige à choisir entre deux partis, chacun entraînant des conséquences graves.

dilettante *n* Personne qui exerce une activité pour le plaisir, avec une certaine fantaisie ; amateur.

dilettantisme *nm* Caractère du dilettante.

diligemment *av* litt Avec diligence.

diligence *nf* Voiture à chevaux qui transportait des voyageurs. **Loc** litt *Faire diligence :* se hâter.

diligent, ente *a* litt Qui agit vite et bien.

diligenter *vt* DR Entreprendre d'urgence.

diluant, ante *a, nm* Qui sert à diluer.

diluer *vt* Délayer dans un liquide. ■ *vpr* Perdre sa consistance.

dilution *nf* Action de diluer, de se diluer.

diluvien, enne *a* Relatif au déluge. **Loc** *Pluie diluvienne :* très abondante.

dimanche *nm* Septième jour de la semaine, qui suit le samedi.

dîme *nf* HIST Prélèvement d'un dixième sur les récoltes au profit de l'Église. **Var dime**

dimension *nf* **1** Étendue considérée comme susceptible de mesure. **2** Grandeur mesurée. **3** Importance. *Homme de dimension internationale.*

dimensionnel, elle *a* Relatif aux dimensions.

dimensionner *vt* TECH Fixer les dimensions de qqch.

diminué, ée *a* Affaibli au physique ou au moral.

diminuer *vt* **1** Rendre moindre une grandeur, une quantité. **2** Déprécier, dénigrer. ■ *vi* Devenir moindre. *La pluie a diminué.*

diminutif *nm* Transformation familière d'un nom ou d'un prénom.

diminution *nf* Action de diminuer.

dimorphe *a* didac Qui se présente sous deux formes différentes.

dimorphisme *nm* Caractère dimorphe.

dinanderie *nf* Ustensiles de cuivre jaune.

dinar *nm* Unité monétaire d'Algérie, de Tunisie, d'Irak, de Jordanie, du Koweït, de Libye et du Yémen.

dînatoire *a* Qui tient lieu de dîner. **Var dinatoire**

dinde *nf* **1** Femelle du dindon. **2** fam Femme stupide, niaise.

dindon *nm* Gros oiseau de basse-cour originaire d'Amérique du Nord. **Loc** fam *Être le dindon de la farce :* être la dupe.

dindonneau *nm* Jeune dindon.

dîner *vi* Prendre le repas du soir. ■ *nm* Repas du soir. **Var diner**

dînette *nf* **1** Simulacre de repas que font les enfants. **2** Service de table miniature. **Var dinette**

dîneur, euse *n* Convive à un dîner. **Var dineur, euse**

dinghy [dingi] *nm* Embarcation pneumatique.

dingo *nm* Chien sauvage d'Australie. ■ *a, nm* fam Fou, cinglé.

dingue *a, n* fam Fou.

dinosaure *nm* **1** Reptile fossile du secondaire. **2** fam Personnage important mais dépassé.

diocésain, aine *a, n* Du diocèse.

diocèse *nm* Circonscription placée sous la juridiction d'un évêque.

diode *nf* Composant à deux électrodes redresseur de courants alternatifs.

dionée *nf* Plante carnivore d'Amérique du Nord.

dionysiaque *a* De Dionysos.

dioptrie *nf* PHYS Unité de mesure de la distance focale d'un système optique.

dioxine *nf* CHIM Produit très toxique.

dioxyde *nm* CHIM Oxyde pourvu de deux atomes d'oxygène.

dioxygène *nm* Oxygène gazeux (O_2).

dipétale *a* BOT Qui a deux pétales.

diphasé, ée *a* ÉLECTR Qui présente deux phases.

diphtérie *nf* Maladie infectieuse contagieuse.

diphtérique *a, n* Atteint de la diphtérie.

diphtongaison *nf* LING Fusion de deux sons vocaliques en une seule syllabe.

diphtongue *nf* LING Voyelle complexe dont le timbre se modifie en cours d'émission.

diphtonguer *vt* Changer une voyelle en diphtongue.

diplodocus [-kys] *nm* Dinosaure herbivore qui atteignait parfois 32 m de long.

diplomate *n* Chargé d'une fonction diplomatique. ■ *a* Qui a du tact avec autrui, habile à négocier. ■ *nm* Gâteau de biscuits, de crème et de fruits confits.

diplomatie [-si-] *nf* **1** Pratique des négociations entre États. **2** Tact et habileté dans les relations avec autrui.

diplomatique *a* **1** Relatif à la diplomatie. **2** Habile dans les relations privées.

diplomatiquement *av* De façon diplomatique.

diplôme *nm* **1** Titre ou grade, généralement délivré par un établissement d'enseignement à la fin d'un cycle d'études. **2** Certificat écrit attestant l'obtention d'un diplôme.

diplômé, ée *a, n* Qui a obtenu un diplôme.

diplopie *nf* MED Trouble de la vue qui fait voir double.

diptère *nm* ZOOL Insecte à deux ailes, comme les mouches, les moustiques.

diptyque *nm* Tableau formé de deux panneaux rabattables l'un sur l'autre.

dire *vt* [60] 1 Articuler, prononcer. *Dites « trente-trois ».* 2 Employer, utiliser un mot. 3 Communiquer, faire savoir que. 4 Ordonner que (+ subj.). 5 Prétendre que. 6 Réciter un texte. 7 Indiquer. *La pendule dit l'heure exacte.* 8 Plaire, convenir. *Ce voyage ne lui dit rien.* 9 Évoquer. *Ce nom me dit qqch.* Loc *Cela va sans dire :* c'est évident. *Si le cœur vous en dit :* si cela vous tente. *Soit dit en passant :* sans insistance. *On dirait que :* il semble que. *Vouloir dire :* signifier. ■ *vpr* Se prétendre tel. ■ *nm* Ce que qqn dit. *Nous vérifions ses dires.* Loc *Au dire de :* au témoignage de.

direct, ecte *a* 1 Droit, sans détour. 2 Immédiat. *Conséquences directes.* Loc *Style direct :* qui rapporte telles quelles les paroles prononcées. *Train direct :* qui ne s'arrête qu'aux stations principales. ■ *nm* 1 En boxe, coup droit. 2 Train direct. Loc *Émission en direct :* diffusée dans l'instant même.

directement *av* 1 Tout droit, sans détour. 2 Sans préambule. 3 Sans intermédiaire.

directeur, trice *n* 1 Personne qui dirige, qui est à la tête d'une entreprise, d'un service, etc. 2 HIST Chacun des cinq membres du Directoire. ■ *a* Qui dirige. *Comité directeur.*

directif, ive *a* 1 Qui dirige fermement. *Un instituteur très directif.* 2 Qui capte dans une direction privilégiée. *Micro directif.*

direction *nf* 1 Action de diriger. 2 Fonction, poste de directeur. 3 Siège, bureau du directeur. 4 Orientation du déplacement. *Être dans la bonne direction.* 5 TECH Ensemble des organes qui servent à diriger un véhicule.

directionnel, elle *a* Qui capte ou rayonne dans une direction déterminée.

directive *nf* Instructions, indications générales données par une autorité.

directivité *nf* Caractère directif.

directoire *nm* Conseil chargé de diriger et d'administrer.

directorat *nm* Fonction de directeur.

directorial, ale, aux *a* Relatif à la fonction de directeur.

dirham *nm* Unité monétaire du Maroc et des Émirats arabes unis.

dirigeable *nm* Ballon propulsé par un moteur.

dirigeant, ante *a, n* Qui dirige.

diriger *vt* [11] 1 Commander, être à la tête de. *Diriger un ministère.* 2 Exercer une autorité sur *Diriger un élève, ses études.* 3 Conduire. *On nous dirigea vers la sortie.* 4 Guider. *L'intérêt public a dirigé toute sa vie.* 5 Orienter. *Diriger un bateau vers le port.*

dirigisme *nm* Système où l'État dirige la vie économique.

dirigiste *a, n* Qui relève du dirigisme.

discal, ale, aux *a* Relatif aux disques intervertébraux. *Hernie discale.*

discarthrose *nf* Arthrose des disques vertébraux.

discernable *a* Qu'on peut discerner.

discernement *nm* Faculté d'apprécier avec justesse les situations, les choses.

discerner *vt* 1 Distinguer, reconnaître par la vue. 2 Faire la distinction entre, différencier.

disciple *nm* Personne qui reçoit l'enseignement d'un maître.

disciplinaire *a* Qui relève de la discipline.

discipline *nf* 1 Domaine particulier de la connaissance ; matière d'enseignement. 2 Règles de conduite pour le bon fonctionnement de l'organisation sociale ; obéissance à ces règles. 3 Règle de conduite qu'on s'impose. *Sportif qui s'astreint à une discipline rigoureuse.*

discipliné, ée *a* Qui se soumet à la discipline.

discipliner *vt* Habituer à se conformer à la discipline.

disc-jockey *nm* Animateur de radio ou de discothèque qui choisit et passe les disques. *Des disc-jockeys.*

disco *nm* Musique de variétés fortement rythmée et saccadée.

discobole *nm* ANTIQ Athlète qui lançait le disque.

discographie *nf* Répertoire méthodique des disques enregistrés.

discoïde *a* En forme de disque.

discontinu, ue *a* Qui n'est pas continu ou continuel.

discontinuer *vi* Loc *Sans discontinuer :* sans s'arrêter.

discontinuité *nf* Absence de continuité.

disconvenir *vti* [35] Loc litt *Ne pas disconvenir de :* être d'accord.

discordance *nf* Absence ou défaut d'accord, d'harmonie.

discordant, ante *a* Qui n'est pas en accord, en harmonie.

discorde *nf* Dissentiment grave ; dissension.

discothèque *nf* 1 Collection de disques enregistrés. 2 Lieu public où on peut écouter des disques et danser.

discount [-kunt] ou [-kaunt] *nm* Rabais sur un prix.

1. discounter [-kuntœr] ou [-kauntœr] *nm* Commerçant qui fait du discount. **Var discounteur**

2. discounter [-kunte] ou [-kaunte] *vt* Vendre des marchandises en discount.

discoureur, euse *n* Personne qui aime à discourir.

discourir *vi* [25] Parler longuement sur un sujet ; pérorer.

discours *nm* 1 Paroles (par oppos. à *action*). 2 Exposé oratoire. 3 Exposé écrit didactique. Loc LING *Parties du discours :* catégories de mots (article, nom, pronom, verbe, adjectif, adverbe, préposition, conjonction, interjection).

discourtois, oise *a* litt Impoli.

discrédit *nm* Diminution, perte du crédit.

discréditer *vt* Faire tomber en discrédit.

discret, ète *a* 1 Qui parle ou agit avec retenue, tact, réserve. 2 Qui n'attire pas l'attention. 3 Qui sait garder un secret. 4 MATH PHYS LING Composé d'unités distinctes. Ant. continu.

discrètement *av* De façon discrète.

discrétion *nf* 1 Réserve, sobriété. 2 Qualité de qqn qui sait garder un secret. Loc *À la discrétion de :* à la disposition de. *À discrétion :* à volonté.

discrétionnaire *a* DR Laissé à la discrétion de l'Administration.

discriminant, ante *a, nm* Qui établit une discrimination, une distinction.

discrimination *nf* 1 litt Séparation, distinction. 2 Ségrégation. *Discrimination raciale.*

discriminatoire *a* Qui établit une discrimination.

discriminer *vt* litt Distinguer, mettre à part.

disculpation *nf* Action de disculper.

disculper *vt* Mettre qqn hors de cause, innocenter. ■ *vpr* Prouver son innocence.

discursif, ive *a* 1 Qui procède par le raisonnement. 2 Relatif au discours.

discussion *nf* 1 Action de discuter, de débattre. 2 Fait d'élever des objections. 3 Conversation, échange de vues.

discutable *a* 1 Qui prête à discussion. 2 Critiquable, douteux.

discutailler *vi* fam Discuter longuement sur des détails.

discuté, ée *a* Controversé, critiqué.

discuter *vt* 1 Débattre de qqch. 2 Contester. 3 fam Converser, bavarder. ■ *vi, vti* Échanger des opinions. *Discuter de politique.*

disert, erte [-zɛr, -zɛrt] *a* litt Qui parle avec aisance.

disette *nf* Manque ou rareté de vivres.

diseur, euse *n* Personne qui dit habituellement telle ou telle chose.

disgrâce *nf* Perte des bonnes grâces dont on jouissait.

disgracié, ée *a* litt Défavorisé par la nature.

disgracier *vt* litt Ôter à qqn la faveur qu'on lui accordait.

disgracieux, euse *a* Dépourvu de grâce.

disjoindre *vt* [62] Séparer ce qui était joint.

disjoint, ointe *a* Séparé ou mal joint.

disjoncter *vi* 1 Couper le courant, en parlant d'un disjoncteur. 2 fam Perdre la tête.

disjoncteur *nm* Interrupteur qui s'ouvre automatiquement si l'intensité électrique dépasse une limite.

disjonction *nf* Action de séparer ce qui est joint.

dislocation *nf* 1 Déboîtement, luxation. 2 Séparation, démembrement.

disloquer *vt* 1 Démettre une articulation. 2 Désunir, diviser, démembrer.

disparaître *vi* [55] [aux. *avoir* ou *être*] 1 Cesser d'être visible. 2 Quitter un lieu, partir. 3 Mourir, périr. 4 Ne plus exister. *L'enflure a disparu.* Var **disparaître**

disparate *a* Qui manque d'unité, hétéroclite.

disparité *nf* Manque d'égalité ; différence, dissemblance.

disparition *nf* Fait de disparaître ; mort.

disparu, ue *a, n* Personne présumée décédée.

dispatcher *vt* Distribuer, répartir, orienter.

dispatching [-ʃiŋ] *nm* 1 Répartition. 2 Organisme répartiteur.

dispendieux, euse *a* litt Coûteux.

dispensaire *nm* Établissement de diagnostic et de soins.

dispensateur, trice *a, n* Qui distribue.

dispense *nf* 1 Exemption. 2 Pièce qui atteste cette exemption.

dispenser *vt* 1 litt Distribuer. *Dispenser des soins.* 2 Exempter qqn de.

dispersant, ante *a, nm* Produit utilisé pour dissoudre le mazout répandu à la surface de la mer.

dispersé, ée *a* Loc *En ordre dispersé :* de façon désordonnée.

disperser *vt* 1 Éparpiller, répandre de tous côtés. 2 Placer dans des endroits divers ; disséminer. 3 Séparer en faisant aller dans des directions différentes. ■ *vpr* 1 S'éparpiller. 2 S'adonner à trop d'activités.

dispersion *nf* Action de disperser, de se disperser.

display *nm* Présentoir publicitaire.

disponibilité *nf* 1 Fait pour qqn ou qqch d'être disponible. 2 Situation d'un fonctionnaire temporairement déchargé de ses fonctions. ■ *pl* Fonds, capitaux disponibles.

disponible *a* Dont on peut disposer.

dispos, ose *a* Loc *Être frais et dispos :* en bonne forme, reposé.

disposé, ée *a* Loc *Être disposé à :* être prêt à. *Être bien, mal disposé envers :* être favorable, défavorable ; être de bonne, de mauvaise humeur.

disposer *vt* 1 Arranger dans un certain ordre. 2 Préparer qqn à. 3 litt Stipuler, prescrire. ■ *vti* Avoir à sa disposition, pouvoir utiliser. *Disposer de capitaux.* ■ *vi* Loc *Vous pouvez disposer :* vous pouvez partir. ■ *vpr* Se préparer à, être sur le point de.

dispositif *nm* 1 Les divers organes d'un système. 2 Ensemble de mesures pour remplir une mission donnée.

disposition *nf* 1 Arrangement. 2 Tendance, inclination à. *À la disposition de :* au service de. ■ *pl* 1 Mesures qu'on prend. 2 Aptitudes. 3 Sentiment. *Être dans de bonnes dispositions.*

disproportion *nf* Défaut de proportion, différence importante.

disproportionné, ée *a* Sans proportion, excessif.

disputailler *vi* fam Disputer longtemps sur des futilités.

dispute *nf* Altercation, querelle.

disputé, ée *a* Que l'on se dispute.

disputer *vt* 1 Lutter pour obtenir ou conserver. 2 Participer comme concurrent à une compétition. 3 fam Réprimander. ■ *vpr* Se quereller.

disquaire *n* Marchand de disques.

disqualification *nf* Action de disqualifier.

disqualifier *vt* 1 Exclure d'une compétition pour infraction aux règles. 2 litt Discréditer. ■ *vpr* Perdre tout crédit.

disque *nm* 1 Palet que lancent les athlètes. 2 Objet de forme ronde et plate. 3 Plaque mince et circulaire en matière synthétique pour l'enregistrement et la reproduction des sons. 4 ANAT Cartilage entre deux vertèbres. Loc INFORM *Disque dur :* support matériel de mémoire.

disquette *nf* Disque magnétique pour données informatiques.

dissection *nf* Action de disséquer.

dissemblable *a* Non semblable.

dissemblance *nf* litt Défaut de ressemblance.

dissémination *nf* Action de disséminer.

disséminer *vt* Répandre çà et là, disperser.

dissension *nf* Vif désaccord.

dissentiment *nm* litt Différence conflictuelle de vues, de jugement.

disséquer vt [12] 1 Ouvrir un corps pour en étudier l'anatomie. 2 Analyser minutieusement.

dissertation nf Exercice scolaire écrit sur un sujet littéraire ou philosophique.

disserter vi 1 Exposer méthodiquement. 2 Discourir longuement, d'une manière ennuyeuse. *Disserter sur la politique.*

dissidence nf 1 Action, état de celui qui cesse d'obéir à l'autorité établie. 2 Groupe de dissidents. *Rallier la dissidence.*

dissident, ente a, n En dissidence.

dissimulateur, trice n, a Qui sait dissimuler.

dissimulation nf 1 Action de dissimuler. 2 Duplicité, hypocrisie.

dissimulé, ée a Hypocrite, sournois.

dissimuler vt 1 Tenir caché, ne pas laisser paraître. *Dissimuler sa crainte.* 2 Taire, laisser ignorer à. *On lui dissimula l'incident.* 3 Masquer, cacher, rendre moins visible. *Dissimuler son visage.* ■ vpr Se cacher.

dissipateur, trice n, a litt Dépensier.

dissipation nf 1 Action de dissiper. 2 Manque d'attention, de sérieux. 3 Conduite débauchée.

dissipé, ée a Inattentif, turbulent.

dissiper vt 1 Faire disparaître en dispersant. 2 litt Perdre en dépenses, en prodigalités. 3 Distraire qqn, l'inciter à des écarts de conduite. ■ vpr Être inattentif.

dissociable a Qu'on peut dissocier.

dissociation nf Action de dissocier.

dissocier vt Séparer, distinguer, disjoindre.

dissolu, ue a litt Qui vit dans la débauche.

dissolution nf 1 Action de dissoudre. 2 DR Action de mettre légalement fin à. *Dissolution du mariage.* 3 litt Dérèglement des mœurs.

dissolvant, ante a, nm Produit employé pour dissoudre.

dissonance nf 1 Rencontre de sons qui ne s'accordent pas. 2 Discordance, manque d'harmonie.

dissonant, ante a Désagréable à l'oreille.

dissoudre vt [51] 1 Opérer la mise en solution d'un corps. 2 Mettre légalement fin à.

dissuader vt Détourner qqn d'un projet.

dissuasif, ive a Qui dissuade.

dissuasion nf Action de dissuader. **Loc** *Force de dissuasion* : force de frappe nucléaire visant à dissuader l'ennemi.

dissyllabe a, nm Qui a deux syllabes. **Var dissyllabique**

dissymétrie nf Défaut de symétrie.

dissymétrique a Sans symétrie.

distance nf 1 Espace qui sépare deux lieux, deux choses. 2 Intervalle de temps. 3 Différence. **Loc** *À distance* : de loin. *Prendre ses distances* : s'éloigner. *Tenir à distance* : à l'écart.

distancer vt [10] Mettre une certaine distance entre soi et les autres concurrents.

distanciation nf Fait de se distancier.

distancier (se) vpr Prendre du recul par rapport à un évènement, à une situation.

distant, ante a 1 À une certaine distance dans l'espace ou le temps. 2 Réservé ou froid dans son attitude.

distendre vt [5] Augmenter par tension les dimensions de qqch.■ vpr Se relâcher.

distension nf Augmentation des dimensions de qqch. *Distension d'une courroie.*

distillateur, trice [-tila-] n Fabricant de liqueurs alcoolisées.

distillation [-tila-] nf Action de distiller.

distiller [-tile] vt 1 Extraire d'un liquide certains produits en les transformant en vapeur condensée. 2 litt Produire, répandre peu à peu. *Des propos qui distillent la haine.*

distillerie [-tilRi] nf Lieu de distillation.

distinct, incte [-tɛ̃, -ɛ̃kt] a 1 Séparé, différent. 2 Qui se perçoit nettement. *Des paroles distinctes.*

distinctement av De façon distincte.

distinctif, ive a Caractéristique. *Signe distinctif.*

distinction nf 1 Action de distinguer. 2 Division, séparation. 3 Marque d'honneur. 4 Élégance des manières, du langage.

distinguable a Perceptible.

distingué, ée a 1 Remarquable par ses mérites. 2 Qui a de l'élégance.

distinguer vt 1 Rendre particulier, reconnaissable. 2 Faire la différence entre. *Savoir distinguer le fer de l'acier.* 3 Remarquer. 4 Percevoir. *Distinguer une odeur.* ■ vpr Se signaler par. *Se distinguer par son audace.*

distinguo nm Distinction subtile.

distique nm LITTER Réunion de deux vers, formant une unité poétique.

distordre vt [5] Déformer une onde, un signal.

distorsion nf 1 Torsion, déplacement d'une partie du corps. 2 Déformation d'un signal, d'une onde. 3 Déséquilibre entre plusieurs facteurs.

distraction nf 1 Manque d'attention, étourderie. 2 Délassement, amusement.

distraire vt [74] 1 Détourner à son profit. 2 Déranger qqn. 3 Divertir, amuser. ■ vpr S'amuser, se détendre.

distrait, aite a, n Qui ne prête pas attention à ce qu'il dit, à ce qu'il fait.

distraitement av Sans prêter attention.

distrayant, ante a Qui distrait.

distribuer vt 1 Donner à diverses personnes, répartir, partager. 2 Répartir dans plusieurs endroits. *Conduites qui distribuent l'eau.* 3 Assurer la distribution. *Distribuer un film.*

distributeur, trice n 1 Personne qui distribue. 2 Personne ou organisme chargé de la diffusion commerciale. ■ nm Appareil servant à distribuer.

distributif, ive a GRAM Qui désigne séparément. *« Chaque » est un adjectif distributif.*

distribution nf 1 Répartition entre plusieurs personnes. *Distribution du courrier.* 2 Recherche des interprètes et attribution des rôles ; ensemble des interprètes. 3 Diffusion commerciale des produits. 4 Arrangement, disposition. *Distribution des pièces dans un appartement.* 5 LING Environnement d'un élément dans un énoncé.

district nm Étendue de juridiction administrative ou judiciaire. **Loc** *District urbain* : qui regroupe des communes voisines.

dit, dite a Surnommé. *Charles V, dit le Sage.* **Loc** *C'est chose dite* : c'est convenu. *Ledit, ladite, lesdits, lesdites* : celui, celle, ceux, celles dont on vient de parler. ■ nm Récit comique du Moyen Âge.

dithyrambe nm litt Louange enthousiaste, souvent excessive.

dithyrambique a Très élogieux.

diurèse nf MED Sécrétion d'urine.

diurétique *a, nm* MED Qui augmente la sécrétion urinaire.

diurne *a* De jour. Ant. nocturne.

diva *nf* Cantatrice célèbre.

divagation *nf* Propos incohérents, délire.

divaguer *vi* Tenir des propos incohérents.

divan *nm* Canapé sans dossier ni bras, garni de coussins et pouvant servir de lit.

divergence *nf* 1 Fait de diverger. 2 Différence, désaccord. *Divergence d'opinions.* Loc *Entrer en divergence* : en parlant d'une réaction de fission nucléaire, s'entretenir d'elle-même.

divergent, ente *a* 1 Qui diverge. *Lentille divergente.* 2 En désaccord, opposé.

diverger *vi* [11] 1 Aller en s'écartant de plus en plus. *Lignes qui divergent.* 2 Être en désaccord.

divers, erse *a* 1 Varié. *Pays très divers.* ■ *pl* 1 Différent, distinct. *Les divers sens d'un mot.* 2 Plusieurs. *Parler de diverses choses.* Loc *Fait divers* : incident qui donne lieu à information.

diversement *av* De diverses manières.

diversification *nf* Action de diversifier, de se diversifier.

diversifier *vt* Rendre divers ; varier.

diversion *nf* 1 Opération destinée à détourner l'attention de l'ennemi. 2 Action de détourner le cours des idées de qqn. Loc *Faire diversion* : détourner l'attention.

diversité *nf* 1 Variété, différence, pluralité. 2 Opposition, divergence.

diverticule *nm* 1 MED Cavité pathologique communiquant avec un conduit naturel. 2 Voie secondaire, petit détour.

divertimento [-mɛn-] *nm* MUS Suite pour un petit orchestre.

divertir *vt* Récréer, amuser. ■ *vpr* S'amuser, se distraire.

divertissant, ante *a* Distrayant.

divertissement *nm* 1 Récréation, distraction, passe-temps. 2 Composition instrumentale du XVIIIe s., écrite pour être jouée en plein air.

dividende *nm* 1 MATH Le nombre divisé. Ant. diviseur. 2 Part de bénéfice distribuée à chaque actionnaire d'une société.

divin, ine *a, nm* 1 Qui appartient à un dieu, à Dieu. 2 Excellent, délicieux, ravissant.

divinateur, trice *a* Qui prévoit l'avenir.

divination *nf* 1 Art de deviner l'avenir par l'interprétation des présages. 2 Faculté d'expliciter des pressentiments ; intuition.

divinatoire *a* Qui procède de la divination.

divinement *av* À la perfection.

divinisation *nf* Action de diviniser.

diviniser *vt* 1 Mettre au rang des dieux. 2 litt Exalter, glorifier.

divinité *nf* 1 Essence, nature divine. 2 Dieu.

diviser *vt* 1 Partager en plusieurs parties. 2 MATH Effectuer la division de. 3 Désunir. *Diviser pour régner.* ■ *vpr* Se séparer.

diviseur *nm* MATH Nombre qui divise un autre nombre appelé *dividende.*

divisibilité *nf* MATH Propriété d'un nombre divisible.

divisible *a* MATH Qui peut être divisé sans reste. *9 est divisible par 3.*

division *nf* 1 Action de diviser, de séparer. 2 MATH Opération consistant à partager un nombre en un certain nombre de parties égales. 3 Chaque partie d'un tout divisé. 4 MILIT Unité importante regroupant des troupes de différentes armes. 5 Désunion, discorde.

divisionnaire *a, n* Qui appartient à une division, s'occupe d'une division.

divisionnisme *nm* Technique de peintres du XIXe s., appelée aussi *pointillisme.*

divorce *nm* 1 Rupture légale du mariage. 2 Opposition entre deux choses.

divorcé, ée *a, n* Séparé par un divorce.

divorcer *vi* [10] [aux. *avoir* ou *être*] Rompre légalement son mariage.

divulgation *nf* Action de divulguer.

divulguer *vt* Rendre public, révéler.

diwan *nm* LITTER Recueil de poèmes d'un écrivain arabe ou persan.

dix [dis] *nm* 1 En position isolée ; [diz] devant voyelle ou *h* muet ; [di] devant consonne ou *h* aspiré. *num* 1 Neuf plus un (10). 2 Dixième. *Tome X.* ■ *nm inv* Nombre dix.

dix-huit *a num* 1 Dix plus huit (18). 2 Dixhuitième. *Le dix-huit mars.* ■ *nm inv* Nombre dix-huit.

dix-huitième *a num* Qui occupe le rang marqué dix-huit. ■ *a, nm* Contenu dix-huit fois dans le tout.

dixième *a num* Au rang, au degré dix. ■ *a, nm* Contenu dix fois dans le tout. ■ *nm* Billet de loterie nationale qui a dix fois moins de valeur qu'un billet entier.

dixièmement *av* En dixième lieu.

dix-neuf *a num* 1 Dix plus neuf (19). 2 Dixneuvième. *Chapitre dix-neuf.* ■ *nm inv* Nombre dix-neuf.

dix-neuvième *a num* Au rang, au degré dix-neuf. ■ *a, nm* Contenu dix-neuf fois dans le tout.

dix-sept *a num* 1 Dix plus sept (17). 2 Dixseptième. *Page dix-sept.* ■ *nm inv* Nombre dixsept.

dix-septième *a num* Au rang, au degré dix-sept. ■ *a, nm* Contenu dix-sept fois dans le tout.

dizain *nm* Stance de dix vers.

dizaine *nf* 1 Nombre de dix. 2 Quantité proche de dix.

dizygote *a, n* BIOL Faux jumeaux provenant chacun d'un œuf différent.

dj *n* fam Disc-jockey.

djébel *nm* Montagne en Afrique du Nord. Var. **djebel**

djellaba *nf* Robe longue à capuchon, portée en Afrique du Nord.

djiboutien, enne *a, n* De Djibouti.

djihad *nm* Guerre sainte, pour les musulmans.

djinn *nm* Génie, lutin, esprit de l'air, chez les Arabes.

do *nm inv* Première note de la gamme.

doberman *nm* Chien de garde au poil ras.

docile *a* Obéissant.

docilement *av* Avec docilité.

docilité *nf* Soumission, disposition à obéir.

dock *nm* 1 Bassin entouré de quais, servant au chargement et au déchargement des navires. 2 Chantier de réparation de navires. ■ *pl* Entrepôts dans les ports.

docker [dɔkɛʀ] *nm* Ouvrier qui travaille à charger et à décharger les navires.

docte *a* Savant, érudit.

doctement *av* Savamment.

cteur *nm* **1** Personne qui a soutenu une thèse de doctorat. *Docteur ès lettres, ès sciences.* **2** decin.

ctoral, ale, aux *a* **1** Pédant. *Ton doctoral.* **2** doctorat. *Études doctorales.*

ctoralement *av* Avec pédantisme.

ctorant, ante *n* Personne qui prépare un doc-at.

ctorat *nm* Grade de docteur.

ctoresse *nf* Médecin femme.

ctrinaire *n, a* **1** Systématiquement attaché à e doctrine. **2** Dogmatique.

ctrinal, ale, aux *a* Relatif à une doctrine.

ctrine *nf* **1** Ensemble des opinions qu'on pro-se. **2** Système intellectuel lié à un penseur ou n thème.

cudrame *nm* Film de fiction sur un canevas torique.

cument *nm* Chose écrite qui peut servir à ren-gner, à prouver.

cumentaire *a* Qui possède un caractère de cument. Loc *À titre documentaire :* à titre de seignement. ■ *nm* Film à but didactique.

cumentaliste *n* Spécialiste de la recherche, la se en ordre et la diffusion des documents.

cumentariste *n* Auteur de documentaires.

cumentation *nf* **1** Action de documenter, de documenter. **2** Ensemble de documents.

cumenté, ée *a* **1** Fondé sur une documenta-. *Étude documentée.* **2** Bien informé.

cumenter *vt* Fournir des documents, des ren-gnements. ■ *vpr* Se renseigner.

décaèdre *nm* Solide à douze faces.

décagone *nm* Polygone à douze côtés.

décaphonique *a* Du dodécaphonisme.

décaphonisme *nm* Musique dans laquelle utilisée, sans répétitions, la série des douze ns de l'échelle chromatique.

décasyllabe *a, nm* Qui a douze syllabes.

deliner *vt, vti* (Se) balancer doucement. *deliner (de)* la tête.

do *nm* Loc fam *Faire dodo :* dormir. *Aller au do :* aller au lit.

du, ue *a* Gras, potelé.

ge *nm* HIST Premier magistrat au Moyen Âge à nise et à Gênes.

gmatique *a* **1** Qui concerne le dogme. **2** Déci-, péremptoire.

gmatiquement *av* Avec dogmatisme.

gmatiser *vi* Affirmer de façon autoritaire.

gmatisme *nm* Attitude intellectuelle consis-t à affirmer des idées sans les discuter.

gme *nm* **1** Principe établi, servant de fonde-ent à une doctrine. **2** Ensemble des articles de i d'une religion.

gue *nm* Chien de garde à grosse tête, au iseau écrasé. Loc *Être d'une humeur de gue :* de très mauvaise humeur.

igt *nm* Chacune des cinq parties articulées, obiles, qui terminent la main. Loc *Les doigts pied :* les orteils. *Se mordre les doigts :* éprou-r des regrets vifs. *Taper sur les doigts de n :* le réprimander, le rappeler à l'ordre. *Obéir doigt et à l'œil :* ponctuellement, au premier gne. *Être comme les deux doigts de la main :* s liés. *Être à deux doigts de :* très près de. *voir sur le bout des doigts :* parfaitement. fam *mettre le doigt dans l'œil :* se tromper lourde-

ment. fam *Faire qqch les doigts dans le nez :* avec une grande facilité. *Un doigt de :* très peu.

doigté *nm* **1** MUS Jeu des doigts sur les instru-ments ; indication chiffrée, sur la partition. **2** Tact, finesse.

doigtier *nm* Fourreau servant à coudre, à proté-ger un doigt.

doit *nm* DR Partie d'un compte contenant les det-tes.

dojo *nm* **1** Salle d'entraînement pour les arts martiaux. **2** Salle de méditation zen.

dolby *nm* (n. déposé) Système de réduction du bruit de fond des bandes magnétiques.

dolce [dɔltʃe] *av* MUS Indique qu'un passage doit être exécuté avec douceur.

doléances *nfpl* Plaintes, récriminations.

dolent, ente *a* Triste et plaintif.

dolichocéphale [-kɔ-] *a, n* Dont le crâne a une longueur supérieure à sa largeur.

doline *nf* GÉOL Petite dépression fermée dans une région calcaire.

dollar *nm* Unité monétaire des États-Unis, du Canada, de l'Australie, de Nouvelle-Zélande, de Hong Kong, du Liberia et du Zimbabwe.

dolman *nm* Veste militaire à brandebourgs des hussards.

dolmen [-mɛn] *nm* Monument mégalithique composé d'une grande dalle reposant sur deux pierres verticales.

dolomie *nf* Roche sédimentaire formée surtout de dolomite.

dolomite *nf* Carbonate naturel de calcium et de magnésium.

dolomitique *a* De la dolomie.

dom [dɔ̃] *nm* RELIG Titre d'honneur donné aux bénédictins, aux chartreux.

domaine *nm* **1** Propriété foncière. **2** Ensemble des biens. **3** Tout ce qu'embrasse un art, une activité intellectuelle donnée. **4** Ensemble des connaissances, des compétences de qqn.

domanial, ale, aux *a* Qui appartient à un domaine, en particulier au domaine de l'État.

dôme *nm* **1** Comble arrondi qui recouvre un édi-fice. **2** Objet de forme hémisphérique.

domestication *nf* Action de domestiquer.

domesticité *nf* Ensemble des domestiques.

domestique *a* **1** De la maison, du ménage. **2** Se dit d'animaux apprivoisés. **3** Qui concerne l'inté-rieur d'un pays. ■ *n* Serviteur, servante à gages ; employé de maison.

domestiquer *vt* **1** Rendre domestique un animal sauvage. **2** Tirer parti de, maîtriser. *Domestiquer l'énergie atomique.*

domicile *nm* Lieu où demeure qqn. Loc *À domi-cile :* au lieu d'habitation. *Sans domicile fixe :* en état de vagabondage.

domiciliaire *a* Loc DR *Visite domiciliaire :* per-quisition.

domiciliation *nf* DR Désignation du domicile.

domicilié, ée *a* Qui a son domicile en tel lieu.

domicilier *vt* DR Fixer un domicile à.

domien, enne *a, n* D'un département (français) d'outre-mer.

dominance *nf* Fait de dominer.

dominant, ante *a* **1** Qui domine, prévaut. **2** Qui exerce une autorité sur. **3** Qui surplombe. ■ *nf* **1** Ce qui domine, est prépondérant dans un ensemble. **2** Principale matière enseignée. **3** MUS Cinquième degré de la gamme diatonique.

dominateur, trice *a, n* Qui domine, aime à dominer.

domination *nf* **1** Puissance, autorité souveraine. **2** Influence, ascendant.

dominer *vt* **1** Avoir une puissance absolue sur. **2** Maîtriser. *Dominer sa colère.* **3** L'emporter en quantité, en intensité. *Une voix qui dominait le brouhaha.* **4** Être plus haut que. *La citadelle domine la ville.* ■ *vi* Avoir la suprématie.

1. dominicain, aine *n, a* Religieux, religieuse de l'ordre de saint Dominique.

2. dominicain, aine *a, n* De la République dominicaine.

dominical, ale, aux *a* **1** Du Seigneur. **2** Du dimanche.

dominion [-njon] *nm* Pays membre du Commonwealth.

domino *nm* **1** Déguisement de bal masqué, consistant en une longue robe à capuchon. **2** Petite plaque marquée de points combinés en double marque. **3** Pièce servant à raccorder des conducteurs électriques. *Loc Couple domino :* constitué d'une personne blanche et d'une personne noire. ■ *pl* Jeu de société composé de 28 dominos (sens 2).

dommage *nm* **1** Ce qui fait du tort. **2** Chose fâcheuse, regrettable. *Dommage qu'il pleuve !* ■ *pl* Dégâts.

dommageable *a* Qui cause un dommage.

domotique *nf* Automatisation de la gestion de la maison.

dompter [dôte] *vt* **1** Forcer un animal sauvage à obéir. **2** litt Maîtriser. *Dompter une passion.*

dompteur, euse [dôtœr] *n* Personne qui dompte les animaux sauvages.

DOM-TOM *nmpl* Départements et territoires français d'outre-mer.

1. don *nm* **1** Action de donner. **2** Chose donnée. **3** Avantage naturel, talent. *Cet enfant à des dons.* **4** Aptitude innée à. *Le don des langues.*

2. don *nm*, **doña** [donja] *nf* Titre d'honneur des nobles d'Espagne. **Var don, donia**

donataire *n* DR À qui est faite une donation.

donateur, trice *n* Personne qui fait un don, une donation.

donation *nf* DR Contrat par lequel qqn donne de son vivant une partie de ses biens.

donc *conj* **1** Marque la conséquence. « *Je pense, donc je suis* ». **2** Reprend un discours. *Nous disions donc que...* **3** Marque la surprise. *Qu'avez-vous donc ?*

dondon *nf* Loc pop *Grosse dondon :* femme, fille obèse.

dông *nm* Unité monétaire du Viêt-nam.

donjon *nm* Tour principale d'un château fort.

don Juan *nm* Grand séducteur. *Des dons Juans.* **Var donjuan**

donjuanesque *a* Digne d'un don Juan.

donjuanisme *nm* Comportement d'un don Juan.

donnant, ante *a* Loc *Donnant donnant :* on ne donne qu'en échange de qqch.

donne *nf* Action de distribuer les cartes ; les cartes distribuées. Loc *Nouvelle donne :* nouveau rapport de forces.

donné, ée *a* Déterminé, fixé. *En un temps donné.* Loc *Étant donné que :* puisque, du fait que. ■ *nf* **1** Élément servant de base à un raisonnement, une recherche, etc. **2** MATH Grandeur permettant [de] résoudre une équation, un problème. ■ *pl* Ense[m]ble des faits conditionnant un évènement. *[…] données de la situation.*

donner *vt* **1** Offrir gratuitement. **2** Payer. *Don[ner] tant l'heure.* **3** Transmettre, passer. *Donner [son] rhume à qqn.* **4** Faire avoir. *Le repos lui do[nne] de l'énergie.* **5** Attribuer. *Donner un sens à [ce] mot.* **6** Accorder. *Donner sa confiance à qqn.* [7] Communiquer. *Donner son nom à l'entrée.* **8** [...] Dénoncer. **9** Produire. *Cette vigne donne du [bon] vin.* **10** Présenter comme. *Donner un texte p[our] authentique.* Loc *Donner un coup de fil :* té[lé]phoner. *Donner une réception :* recevoir. *Don[ner] un coup de balai :* balayer. ■ *vti* **1** Avoir [vue] sur. *Donner sur la mer.* **2** Communiquer av[ec]. *Le couloir donne dans le salon.* **3** Se compla[ire] dans. *Donner dans l'occultisme.* **4** Croire av[ec] crédulité. *Donner dans une histoire.* Loc *Don[ner] de la tête contre le mur :* la cogner. ■ *vi* Renc[...] produire. *La tomate donne cette année.* Loc *F[...]* donner qqch : attaquer par ce moyen. ■ *vpr* **1** [...] consacrer à. **2** Accorder ses faveurs à qqn. [...] *S'en donner à cœur joie :* s'amuser.

donneur, euse *n* **1** Personne qui distribue [les] cartes. **2** Personne qui donne son sang pour [une] transfusion, un organe pour une greffe. **3** [...] Dénonciateur, mouchard.

don Quichotte *nm* Homme généreux et n[aïf,] redresseur de torts. *Des dons Quichottes.* **V[ar]** **donquichotte**

donquichottisme *nm* Comportement d'un d[on] Quichotte.

dont *pr rel inv* **1** Mis pour *de qui, de quoi, duqu[el,]* *desquels,* etc. **2** Parmi lesquel(le)s. *Ils ont ch[oisi]* *dix personnes, dont moi.*

donzelle *nf* fam Jeune vaniteuse.

dopage *nm* **1** Utilisation d'une substance [qui] augmente les performances physiques d'un in[di]vidu. **2** CHIM Modification de certaines proprié[tés] par addition d'un dope. **Var doping**

dopant, ante *a, nm* Stimulant, excitant.

dope *nm* CHIM Produit ajouté en petites quantité[s à] une substance. ■ *nf* pop Drogue.

doper *vt* **1** Administrer un stimulant à. **2** C[HIM] Ajouter un dope à une substance. **3** Augmenter [la] puissance de qqch.

dorade. V. **daurade**.

doré, ée *a* **1** Recouvert d'or. **2** De la couleur [de] l'or. **3** Fortuné, brillant. *Existence dorée.*

dorénavant *av* À l'avenir.

dorer *vt* **1** Appliquer une mince couche d[...] sur. **2** Donner un teinte d'or à. ■ *vpr* Se bru[nir] au soleil.

doreur, euse *n* Personne dont le métier est [de] dorer.

dorien, enne *a* De Doride. ■ *nm* Dialecte de [la] langue grecque ancienne.

dorique *a, nm* Se dit du plus simple des tr[ois] ordres d'architecture grecque.

doris *nm* Bateau à rames, à fond plat.

dorloter *vt* Traiter délicatement, avec tendress[e.]

dormant, ante *a* Immobile, stagnant. ■ *nm* P[ar]tie fixe d'une fenêtre, d'une porte.

dormeur, euse *n* Personne qui dort ou qui a[ime] dormir. ■ *nm* Tourteau (crabe).

dormir *vi* [29] **1** Être dans le sommeil. **2** Ne p[as] agir, être lent. *Ce n'est pas le moment de dormi[r.]* Rester improductif. *Laisser dormir des capita[ux.]*

tre immobile, stagner, en parlant de l'eau. Loc *rmir debout* : avoir envie de dormir. *À dormir out* : invraisemblable. *Dormir sur ses deux illes* : sans inquiétude. *Ne dormir que d'un* : légèrement

rmitif, ive *a* fam Qui fait dormir.

rsal, ale, aux *a* 1 Du dos. 2 Qui se fixe sur le . *Parachute dorsal.* ■ *nf* 1 GÉOL Ligne continue montagnes terrestres ou océaniques. 2 MÉTÉO e de hautes pressions entre deux zones dépres-nnaires.

rsalgie *nf* Mal de dos.

rtoir *nm* Grande salle commune où on dort.

rure *nf* 1 Action, art de dorer. 2 Couche d'or.

ryphore *nm* Coléoptère jaune et noir qui aste les champs de pommes de terre.

s *nm* 1 Partie arrière du corps de l'homme, nprise entre la nuque et les reins. 2 Face érieure du corps des vertébrés. 3 Partie ement couvrant le dos. 4 Partie supérieure et vexe de certains organes ou objets. *Le dos la main. Le dos d'une cuiller.* 5 Envers d'un et. *Le dos d'un billet.* Loc *Le bas du dos* : les ses. fam *En avoir plein le dos* : être excédé. fam *e sur le dos de qqn* : le harceler. *Passer la in dans le dos* : flatter.

sable *a* Qu'on peut doser.

sage *nm* Action de doser ; répartition, pro-tion.

s-d'âne *nm inv* Relief, bosse, élévation à deux ates sur une route.

se *nf* 1 Quantité d'un médicament à adminis-en une seule fois. 2 Proportion des ingrédients nposant un mélange. 3 Quantité quelconque. c fam *Avoir sa dose de* : en avoir assez.

ser *vt* 1 Déterminer la dose de. 2 Proportion-. *Doser ses efforts.*

sette *nf* Petit doseur fourni avec un produit poudre.

seur *nm* Appareil servant à doser.

simètre *nm* Appareil de dosimétrie.

simétrie *nf* Mesure des rayonnements ioni-ts, grâce à un dosimètre.

ssard *nm* Pièce d'étoffe marquée d'un numéro se porte sur le dos lors d'une compétition.

ssier *nm* 1 Partie d'un siège sur laquelle on ouie le dos. 2 Ensemble de documents sur le me sujet ; carton où ceux-ci sont rangés. 3 estion, problème à traiter.

t [dɔt] *nf* Biens qu'une femme apporte à l'oc-ion de son mariage.

tal, ale, aux *a* Relatif à la dot.

tation *nf* 1 Ensemble des revenus, des dons ibués à un établissement d'utilité publique. Revenus assignés à un souverain, à un chef Ètat. 3 Action de fournir un matériel.

ter *vt* 1 Donner en dot à. 2 Assigner une dota-n à. Fournir en matériel. *Cuisine dotée d'un* r. 4 Gratifier. *Être doté d'un grand talent.*

uaire *nm* Anciennement, biens réservés par mari à sa femme en cas de veuvage.

uairière *nf* 1 Veuve jouissant d'un douaire. 2 eille dame d'allure solennelle.

uane *nf* 1 Administration qui perçoit des oits sur les marchandises exportées ou impor-s. 2 Lieu du bureau de douane. 3 Taxe perçue la douane.

uanier, ère *a* Relatif à la douane. ■ *n* Agent s douanes.

douar *nm* Village en Afrique du Nord.

doublage *nm* Action de doubler.

double *a* 1 Égal à deux fois la chose simple. *Une double part de gâteau.* 2 Composé de deux cho-ses pareilles. *Une double porte.* 3 Qui se fait deux fois. *Un double contrôle.* 4 Qui a deux aspects dont un seul est connu, visible. *Une personnalité double.* Loc *Faire double emploi* : être inutile. ■ *nm* 1 Quantité multipliée par deux. 2 Copie, reproduction. *Le double d'une lettre.* 3 Partie de tennis, de ping-pong opposant deux équipes de deux joueurs. Loc *Avoir en double* : en deux exemplaires. ■ *av* Loc *Voir double* : voir deux objets là où il y en a un seul.

doublé, ée *a* 1 Multiplié par deux. 2 Pourvu d'une doublure. 3 Qui a aussi une autre qualité. *Un poète doublé d'un musicien.* ■ *nm* Double réussite.

double-cliquer *vi* INFORM Effectuer deux clics rapprochés sur un écran pour activer un logiciel, une fenêtre, etc.

double-crème *nm* Fromage frais à forte teneur en matière grasse. *Des doubles-crèmes.*

1. doublement *av* Pour deux raisons.

2. doublement *nm* Action de doubler.

double peine *nf* Fait pour un étranger d'être expulsé du territoire une fois qu'il a purgé sa peine de prison.

doubler *vt* 1 Multiplier par deux. 2 Plier en deux. 3 Mettre une doublure à. 4 Dépasser. *Dou-bler une voiture.* 5 fam Trahir qqn. 6 Traduire le dialogue d'un film. 7 Remplacer un acteur. ■ *vpr* S'accompagner de. ■ *vi* Devenir double. *Les prix ont doublé.*

doublet *nm* Mot de même origine qu'un autre, mais de forme différente (ex : *pasteur* et *pâtre*).

doubleur, euse *n* Professionnel qui assure le doublage d'un film.

doublon *nm* 1 Répétition fautive (lettre, mot, ligne). 2 Chose qui fait double emploi. 3 Ancienne monnaie espagnole.

doublonner *vi* Faire double emploi avec.

doublure *nf* 1 Étoffe qui garnit l'intérieur de. 2 Acteur qui joue à la place d'un autre.

douceâtre *a* D'une douceur fade. Var douçâtre

doucement *av* 1 De façon modérée. 2 Sans rudesse. 3 Médiocrement.

doucereux, euse *a* Doux avec affectation.

doucette *nf* Mâche (salade).

doucettement *av* fam Très doucement.

douceur *nf* 1 Saveur douce, agréable au goût. 2 Sentiment, sensation agréable. 3 Qualité de qqn de doux. Loc *En douceur* : avec précaution. ■ *pl* Pâtisseries, sucreries.

douche *nf* 1 Jet d'eau qui arrose le corps. 2 Appareil sanitaire pour prendre une douche. 3 fam Grosse averse. 4 fam Désillusion brutale.

doucher *vt* 1 Faire prendre une douche à. 2 fam Arroser. 3 fam Tempérer rudement l'exaltation.

douchette *nf* 1 Petite douche à pomme mobile. 2 Lecteur de code-barres.

doudoune *nf* fam Veste rembourrée de duvet.

doué, ée *a* Qui a des aptitudes naturelles.

douer *vt* Pourvoir d'un avantage.

douille *nf* 1 Partie évidée qui reçoit le manche d'un outil. 2 Partie de la cartouche qui contient la poudre. 3 Pièce qui reçoit le culot d'une ampoule électrique.

douillet, ette a 1 Doux, bien rembourré. 2 Trop sensible à la douleur.

douillette nf Manteau ouaté.

douillettement av De façon douillette.

douleur nf 1 Sensation pénible ressentie dans une partie du corps. 2 Impression morale pénible.

douloureusement av Avec douleur.

douloureux, euse a 1 Qui provoque une douleur physique ou morale. 2 Où la douleur est ressentie. 3 Qui exprime la douleur. Regard douloureux. ■ n MED Malade qui éprouve des douleurs intenses. ■ nf fam Note à payer.

douma nf HIST Conseil, assemblée, dans la Russie des tsars.

doute nm 1 Hésitation à croire. 2 Soupçon, méfiance. Avoir des doutes. Loc Mettre en doute : contester. Sans doute : probablement.

douter vti 1 Hésiter à croire. Je doute qu'il vienne. 2 Ne pas avoir confiance en qqn. Loc Ne douter de rien : être trop sûr de soi. ■ vpr Pressentir. Se douter de qqch.

douteux, euse a 1 Incertain. Un résultat douteux. 2 Dont la qualité laisse à désirer. 3 Malpropre. 4 Louche. Un individu douteux.

douve nf 1 Fossé rempli d'eau entourant un château. 2 Planches courbes formant un tonneau. 3 Ver parasite du foie.

doux, douce a 1 D'une saveur sucrée. 2 Agréable aux sens. Lumière douce. Fourrure douce. 3 Modéré. Pente douce. Cuire à feu doux. 4 Clément, affable. Loc Cidre doux : faible en alcool. Eau douce : non salée. Médecine douce : utilisant des moyens naturels. ■ av Loc Filer doux : se soumettre sans résister. Tout doux : très doucement. Se douter de qqch. ■ nf Loc fam En douce : à l'insu d'autrui. ■ n Personne modérée, bienveillante.

doux-amer, douce-amère a À la fois agréable et pénible.

douzaine nf 1 Ensemble de douze objets de même nature. 2 Quantité voisine de douze.

douze a num 1 Dix plus deux (12). 2 Douzième. Page douze. ■ nm inv Nombre douze.

douzième a num Au rang, au degré douze. ■ a, nm Contenu douze fois dans le tout.

douzièmement av En douzième lieu.

Dow Jones (indice) [dowdʒɔns] nm (n. déposé) Indice boursier américain.

doyen, enne n 1 Personne la plus âgée d'un groupe. 2 Titre de celui qui dirige une faculté. 3 Titre ecclésiastique.

drachme [dʀakm] nf Anc. unité monétaire de la Grèce.

draconien, enne a D'une excessive sévérité.

dragage nm Action de draguer.

dragée nf 1 Confiserie constituée d'une amande recouverte de sucre. 2 pop Balle d'arme à feu. Loc Tenir la dragée haute à qqn : faire payer cher un avantage.

dragéifié, ée a Enrobé de sucre.

drageon nm BOT Pousse qui naît d'une racine.

dragon nm 1 Animal fabuleux ayant des griffes, des ailes et une queue de serpent. 2 Gardien intraitable. 3 Soldat d'une unité blindée. 4 Personne autoritaire.

dragonnade nf HIST Persécution exercée sous Louis XIV contre les protestants.

dragonne nf Courroie d'un bâton de ski, d'un appareil photo, etc., qu'on passe au poignet.

drague nf 1 Filet à manche, servant à pêcher moules. 2 Engin flottant utilisé pour curer un ca nal à la drague. 3 fam Action de draguer qqn.

draguer vt 1 Pêcher avec une drague. 2 App fondir un chenal à la drague. 3 Rechercher mines sous-marines. 4 fam Aborder, racoler.

dragueur, euse n fam Personne qui drague, a l'habitude de flâner en quête d'aventures. ■ Bateau qui drague.

drain nm 1 Conduit souterrain qui sert à épu l'eau du sols trop humides. 2 MED Tube perce trous qui assure l'élimination d'un liquide.

drainage nm Action de drainer.

drainer vt 1 Assainir un terrain par des drain Retirer de l'organisme un liquide par un drain Attirer vers soi, rassembler. Drainer les capite

draisienne nf Ancêtre de la bicyclette.

draisine nf Wagonnet à moteur pour l'entre des voies.

drakkar nm HIST Navire à étrave très relevée, lisé par les Vikings.

dramatique a 1 Du théâtre. Auteur dram que. 2 Émouvant, poignant. 3 Grave, tragic Évènements dramatiques. ■ nf Pièce de thé télévisée.

dramatiquement av De façon dramatique.

dramatisation nf Action de dramatiser.

dramatiser vt 1 Rendre dramatique, théâtra Exagérer la gravité, l'importance.

dramaturge n Auteur de pièces de théâtre.

dramaturgie nf Art de composer des œu dramatiques.

drame nm 1 Pièce de théâtre dont le sujet est gique. 2 Évènement tragique. Loc Faire (tout, drame de : dramatiser.

drap nm 1 Étoffe de laine. 2 Grande pièce de t qui couvre un lit. Loc Drap de bain : grande viette éponge. fam Être dans de beaux draps : d une situation embarrassante.

drapé nm Arrangement de plis d'un vêtem d'une tenture.

drapeau nm Pièce d'étoffe attachée à une har et servant d'emblème à une nation, à une soci etc. Loc Sous les drapeaux : au service milita Drapeau blanc : de négociation.

draper vt Disposer harmonieusement les d'une étoffe, d'un vêtement. ■ vpr 1 S'envel per dans un vêtement. 2 Mettre en avant. Se a per dans sa dignité.

draperie nf 1 Étoffe, tenture, disposée en gra plis. 2 Manufacture, commerce du drap.

drap-housse nm Drap qui s'adapte au mate grâce à des coins extensibles. Des draps-houss

drapier, ère n Fabricant ou vendeur de drap.

drastique a Rigoureux, radical.

dravidien nm Famille de langues du sud l'Inde.

dreadlocks [dʀɛd-] nfpl Petites nattes, coiff traditionnelle des rastas.

drelin ! interj Imite le bruit d'une clochette.

drépanocytose nf Maladie génétique due à malformation des globules rouges.

dressage nm 1 Action de faire tenir droit, d' ver. 2 Action d'habituer un animal à faire telle telle chose.

dresser vt 1 Lever, tenir droit. Dresser la te 2 Faire tenir droit. Dresser un échelle con 3 Élever, installer. Dresser un échafaudage Préparer. Dresser la table. 5 Établir. Dres n contrat, un plan. **6** Effectuer le dressage de. *Dresser un chien.* **7** Exciter qqn contre. ■ *vpr* **1** Se tenir droit, levé. *Se dresser sur la pointe des pieds.* **2** S'élever, protester contre.

dresseur, euse *n* Personne qui dresse des animaux.

dressoir *nm* Buffet à vaisselle.

dreyfusard, arde *n, a* HIST Partisan de Dreyfus.

dribble *nm* Action de progresser en contrôlant le ballon.

dribbler *vi* Faire un dribble. ■ *vt* Éviter un adversaire par un dribble.

drille [dʀij] *nm* Loc *Joyeux drille :* gai luron, joyeux camarade.

drink [dʀink] *nm* fam Boisson alcoolisée.

drisse *nf* MAR Cordage servant à hisser.

drive [dʀajv] *nm* **1** Au tennis, coup droit. **2** Au golf, coup puissant au départ d'un trou.

driver *vi* Exécuter un drive. ■ *vt* Conduire un cheval dans une course de trot attelé.

drogue *nf* **1** péjor Médicament. **2** Stupéfiant. *Trafiquant de drogue.*

drogué, ée *a, n* Qui s'adonne aux stupéfiants.

droguer *vt* **1** Donner beaucoup de médicaments à qqn. **2** Donner de la drogue, un stimulant. ■ *vpr* **1** Prendre trop de médicaments. **2** Prendre des stupéfiants.

droguerie *nf* Commerce, magasin de produits d'entretien.

droguiste *n* Personne qui tient une droguerie.

droit *nm* **1** Faculté d'accomplir une action, de jouir d'une chose, de l'exiger, impôt. *Droits sur le tabac.* **3** Ensemble des dispositions juridiques qui règlent les rapports entre les hommes. *Droit civil, droit pénal.* **4** Science des règles juridiques. Loc *Avoir droit à :* pouvoir prétendre à.

droit, droite *a* **1** Qui n'est pas courbe ; rectiligne. **2** Qui va au plus court. *Une ligne droite.* **3** Vertical. *Ce mur n'est pas droit.* **4** GEOM Se dit d'un angle formé par deux droites perpendiculaires. **5** Honnête et loyal. **6** Opposé à celui du cœur. *La main droite.* ■ *av* **1** En ligne droite. *Aller droit devant soi.* **2** Directement. *Aller droit au fait.* ■ *nm* Pied ou poing droit dans les sports. ■ *nf* **1** GEOM Ligne droite. **2** Le côté droit, la partie droite, la main droite. **3** En politique, ensemble des conservateurs modérés ou virulents (extrême droite).

droitier, ière *a, n* **1** Qui se sert habituellement de sa main droite. **2** De la droite politique.

droiture *nf* Honnêteté, sincérité.

drolatique *a* litt Comique.

drôle *a* **1** Plaisant, comique. **2** Singulier, curieux, bizarre. *Une drôle d'histoire.*

drôlement *av* **1** De façon drôle. **2** fam Extrêmement.

drôlerie *nf* Bouffonnerie, facétie.

dromadaire *nm* Chameau à une seule bosse.

drop-goal [dʀɔpgol] *nm* Au rugby, coup de pied en demi-volée qui projette le ballon entre les poteaux. *Des drop-goals.* **Var drop**

droséra [-ze-] *nf* Petite plante carnivore. **Var drosera**

drosophile *nf* Mouche du vinaigre.

drosser *vt* Entraîner un navire vers la côte.

dru, drue *a* Épais, touffu. *Blés drus.* ■ *av* En grande quantité. *La grêle tombe dru.*

drugstore [dʀœgstɔʀ] *nm* Magasin composé d'un restaurant, d'un bar et de stands divers.

druide *nm* HIST Ancien prêtre celte.

druidique *a* Relatif aux druides.

drupe *nf* BOT Fruit charnu à noyau contenant l'amande.

dry [dʀaj] *a inv* Sec en parlant du champagne. ■ *nm* Cocktail (vermouth blanc sec et gin). *Des drys* ou *dry.*

dryade *nf* MYTH Nymphe des forêts.

du Article masculin singulier contracté (*de le*).

dû, due *a* Que l'on doit. *Chose promise, chose due.* Loc *En bonne et due forme :* rédigé dans les formes légales ; de façon parfaite. ■ *nm* Ce qui est dû. *Réclamer son dû.*

dual, ale, aux *a* Qui présente une dualité.

dualisme *nm* PHILO Système qui admet la coexistence de deux principes irréductibles (le corps et l'âme, par ex.).

dualiste *a, n* Qui relève du dualisme.

dualité *nf* Caractère double.

dubitatif, ive *a* Qui exprime le doute ; sceptique.

dubitativement *av* De façon dubitative.

duc *nm* **1** Titre de noblesse le plus élevé, sous l'Ancien Régime. **2** Nom courant de divers hiboux (*grand duc, moyen duc* et *petit duc*).

ducal, ale, aux *a* Propre à un duc, à une duchesse.

ducat *nm* Monnaie ancienne de Venise.

duce [dutʃe] *nm* HIST Titre de Mussolini.

duché *nm* Étendue de territoire à laquelle le titre de duc était attaché.

duchesse *nf* **1** Femme qui possède un duché. **2** Épouse d'un duc. **3** Variété de poire.

ductile *a* Qui peut être étiré sans se rompre.

ductilité *nf* Propriété d'un métal ductile.

duègne *nf* Gouvernante espagnole.

duel *nm* **1** Combat, devant témoins, entre deux personnes. **2** GRAM Nombre qui désigne deux personnes, deux choses. Loc *Duel oratoire :* assaut d'éloquence.

duelliste *nm* Personne qui se bat en duel.

duettiste *n* Personne qui chante ou joue en duo.

duffel-coat [dœfœlkot] *nm* Manteau trois-quarts à capuchon. *Des duffel-coats.* **Var duffelcoat**

dugong [-gɔ̃] *nm* Gros mammifère marin de l'océan Indien.

dulcicole *a* BIOL Qui vit dans les eaux douces. **Var dulçaquicole**

dulcinée *nf* fam Femme dont on est épris.

dûment *av* Selon les formes prescrites. **Var dument**

dumping [dœmpiŋ] *nm* Pratique consistant à vendre sur le marché extérieur moins cher que sur le marché national.

dundee [dœndi] *nm* Bateau de pêche écossais.

dune *nf* Colline de sable accumulé par les vents au bord de mer ou dans les déserts.

dunette *nf* Superstructure élevée à l'arrière d'un navire.

duo *nm* Composition pour deux voix ou deux instruments.

duodécimal, ale, aux *a* Qualifie un système de numération à base 12.

duodénal, ale, aux *a* Du duodénum.

duodénite *nf* Inflammation du duodénum.

duodénum [-nɔm] *nm* Portion de l'intestin grêle qui fait suite à l'estomac.

duopole nm ECON Marché où les acheteurs se trouvent en présence de deux vendeurs.

dupe nf litt Personne trompée ou facile à tromper. ■ a Loc *Être dupe* : être naïvement trompé.

duper vt litt Tromper.

duperie nf litt Action de duper.

duplex nm 1 Système de télécommunication permettant la réception et l'envoi des messages. 2 Appartement sur deux étages reliés par un escalier intérieur.

duplicata nm Copie d'un document. *Des duplicatas* ou *duplicata*.

duplication nf Action de dupliquer.

duplicité nf Hypocrisie, fausseté.

dupliquer vt Faire un duplicata, une copie de.

duquel. *V. lequel.*

dur, dure a 1 Difficile à entamer, à mâcher. 2 Dépourvu de moelleux. 3 Difficile. *Un problème dur. Un plat dur à digérer.* 4 Résistant. *Être dur à la fatigue.* 5 Pénible. *Un hiver dur.* 6 Déplaisant, sans harmonie. *Un visage dur.* 7 Sans indulgence, sans douceur. Loc *Eau dure* : très calcaire. *Être dur d'oreille* : entendre mal. *Avoir la tête dure* : être têtu. ■ av fam Énergiquement, intensément. *Taper dur. Il gèle dur.* ■ n 1 fam Personne qui ne recule devant rien. 2 Intransigeant. ■ nf Loc *Coucher sur la dure* : à même le sol. *À la dure* : rudement.

durabilité nf Caractère durable.

durable a Qui peut durer, stable.

durablement av De façon durable.

duralumin nm (n. déposé) Alliage d'aluminium et de cuivre, dur et léger.

durant prép Au cours de, pendant.

durcir vt Rendre plus dur. ■ vpr, vi Devenir dur.

durcissement nm Action de durcir, de se durcir.

durcisseur nm Produit qui sert à faire durcir une substance.

durée nf Espace de temps que dure une chose.

durement av De façon dure, pénible.

dure-mère nf ANAT La plus externe des trois enveloppes qui forment les méninges.

durer vi 1 Continuer. *L'entretien a duré une heure.* 2 Se prolonger, persister. *La pluie dure.* 3 Se conserver. *Ces chaussures ont duré un an.* 4 Sembler long. *Le temps me dure.*

dureté nf 1 Qualité dure. 2 Manque de douceur. 3 Caractère pénible. *La dureté d'un climat.* 4 Insensibilité, sévérité.

durillon nm Callosité sur la paume des mains ou la plante des pieds.

durite nf (n. déposé) Tube de caoutchouc qui raccorde les canalisations des moteurs à explosion. Var **durit**

duvet nm 1 Plume très légère. 2 Poil fin et tendre de certains mammifères. 3 Sac de couchage bourré de duvet. 4 Peau cotonneuse de certains fruits.

duveté, ée a Couvert de duvet, qui en a l'aspect. Var **duveteux, euse**

DVD nm Disque optique numérique, support de stockage multimédia à grande capacité.

dyarchie nf Pouvoir politique exercé par deux personnes ou deux groupes.

dyke [dajk] nm GEOL Filon volcanique dégagé par l'érosion.

dynamique a 1 Relatif aux forces et aux mouvements qu'elles engendrent. Ant. statique. 2 Qui manifeste de l'énergie, de l'entrain, de la vitalité. ■ nf Partie de la mécanique qui traite des forces. Loc *Dynamique de groupe* : étude du comportement des groupes et de leur dynamisme interne.

dynamisation nf Action de dynamiser.

dynamiser vt Donner du dynamisme.

dynamisme nm Puissance d'action, activité entraînante.

dynamitage nm Action de dynamiter.

dynamite nf Explosif constitué de nitroglycérine.

dynamiter vt Faire sauter à la dynamite.

dynamiteur, euse n Personne qui dynamite.

dynamo nf Génératrice de courant continu.

dynamoélectrique a Qui transforme l'énergie cinétique en électricité (machine).

dynamomètre nm Appareil servant à la mesure des forces.

dynastie nf Succession de souverains, d'hommes illustres, d'une même famille.

dynastique a D'une dynastie.

dyne nf PHYS Unité de mesure des forces.

dysenterie [-sã-] nf MED Maladie infectieuse caractérisée par des diarrhées.

dysfonctionnement nm Trouble dans le fonctionnement de qqch.

dysgraphie nf Trouble de l'écriture.

dysharmonie nf Absence d'harmonie.

dysharmonique a Sans harmonie.

dyslexie nf MED Trouble de la lecture.

dyslexique a, n MED Atteint de dyslexie.

dysménorrhée nf MED Menstruation difficile et douloureuse.

dysorthographie nf Trouble de l'orthographe.

dyspepsie nf MED Digestion douloureuse et difficile.

dyspepsique a, n MED De la dyspepsie, atteint de dyspepsie. Var **dyspeptique**

dyspnée nf MED Trouble de la respiration.

dytique nm Coléoptère carnivore des eaux stagnantes.

	E	E	E
E	E	E	E
	E	E	*E*

e *nm* Cinquième lettre (voyelle) de l'alphabet.

eau *nf* **1** Substance liquide transparente, inodore et sans saveur à l'état pur. *Eau de source, de pluie.* **2** Toute masse plus ou moins considérable de ce liquide (mer, rivière, lac, etc.). *Le bord de l'eau.* **3** Préparation aqueuse utilisée en médecine, en parfumerie et dans l'industrie. *Eau de Cologne. Eau oxygénée.* **4** Sueur, salive. *Être en eau. L'eau vient à la bouche.* **5** Transparence, éclat d'une pierre précieuse. Loc *Être comme un poisson dans l'eau :* être dans son élément. *Pêcher en eau trouble :* se procurer un profit à la faveur du désordre. *Se jeter à l'eau :* se lancer avec courage dans une entreprise. *Tomber à l'eau :* échouer. ■ *pl* **1** Eaux qui possèdent des vertus curatives ou bienfaisantes. **2** MED Liquide amniotique. Loc *Grandes eaux :* aménagements des bassins avec jets d'eaux ; ces eaux jaillissantes. *Nager entre deux eaux :* louvoyer entre deux partis.

eau-de-vie *nf* Liqueur alcoolique extraite par distillation du jus fermenté de fruits, de plantes ou de grains. *Des eaux-de-vie.*

eau-forte *nf* **1** Acide nitrique dont se servent les graveurs. **2** Gravure obtenue par l'action de cet acide sur une plaque servant à l'impression. *Des eaux-fortes.*

ébahi, ie *a* Très étonné, surpris, stupéfait.

ébahir *vt* Frapper d'étonnement.

ébahissement *nm* Étonnement, très grande surprise.

ébarber *vt* Enlever les barbes, les irrégularités, les bavures de.

ébats *nmpl* litt Mouvements, jeux de qqn qui s'ébat.

ébattre (s') *vpr* [77] S'amuser, se divertir en se donnant du mouvement.

ébaubi, ie *a* fam Muet d'étonnement.

ébauche *nf* **1** Première forme donnée à une œuvre, à un ouvrage, à une pièce. **2** Commencement d'une chose, amorce. *L'ébauche d'un sourire.*

ébaucher *vt* **1** Donner une première forme à un ouvrage. *Ébaucher un roman.* **2** Commencer, esquisser. *Ébaucher un sourire.*

ébène *nf* **1** Bois de l'ébénier, dur, très dense, noir. **2** Couleur d'un noir éclatant. *Chevelure d'ébène.*

ébénier *nm* Arbre exotique fournissant l'ébène. Loc *Faux ébénier :* cytise.

ébéniste *n* Ouvrier, artisan qui fabrique des meubles de luxe.

ébénisterie *nf* Travail, art de l'ébéniste.

éberlué, ée *a* Très étonné, stupéfait.

éberluer *vt* Stupéfier.

éblouir *vt* **1** Troubler la vue de qqn par une lumière trop vive. *Le soleil l'éblouissait.* **2** Séduire par une apparence brillante mais trompeuse. **3** Susciter l'admiration, l'émerveillement.

éblouissant, ante *a* Qui éblouit.

éblouissement *nm* **1** Gêne dans la perception visuelle causée par une lumière vive. **2** Trouble de la vue dû à un malaise. **3** Émerveillement.

ébonite *nf* Matière dure et isolante composée de caoutchouc et de soufre.

éborgner *vt* Rendre borgne.

éboueur *nm* Employé chargé de ramasser les ordures ménagères.

ébouillanter *vt* Tremper dans l'eau bouillante. ■ *vpr* Se brûler avec un liquide bouillant.

éboulement *nm* **1** Fait de s'ébouler. **2** Éboulis.

ébouler *vt* Provoquer la chute, l'effondrement de qqch. ■ *vpr* S'affaisser, s'effondrer en se désagrégeant.

éboulis *nm* Amas de matériaux éboulés.

ébourgeonner *vt* Ôter les bourgeons inutiles.

ébouriffant, ante *a* fam Extraordinaire, renversant. *Un succès ébouriffant.*

ébouriffer *vt* **1** Rebrousser en désordre les cheveux. **2** fam Stupéfier.

ébranchage *nm* Action d'ébrancher un arbre. Var **ébranchement**

ébrancher *vt* Dépouiller un arbre d'une partie ou de la totalité de ses branches.

ébranlement *nm* **1** Mouvement provoqué par une secousse, par un choc. **2** Menace de ruine, d'effondrement. **3** Commotion nerveuse.

ébranler *vt* **1** Provoquer des secousses, des vibrations dans qqch. **2** Rendre moins stable, moins solide. **3** Rendre qqn moins ferme dans ses convictions, ses sentiments. ■ *vpr* Se mettre en mouvement.

ébrécher *vt* [12] **1** Abîmer en faisant une brèche. **2** Diminuer, entamer.

ébréchure *nf* Partie ébréchée.

ébriété *nf* Ivresse. *Conduite en état d'ébriété.*

ébrouer (s') *vpr* **1** En parlant d'un cheval, expirer fortement en faisant vibrer ses naseaux. **2** Se secouer pour se nettoyer, se sécher.

ébruitement nm Action d'ébruiter.
ébruiter vt Divulguer, rendre public. ■ vpr Se propager. La nouvelle s'est ébruitée.
ébullition nf 1 État d'un liquide qui bout. 2 Surexcitation, vive agitation.
éburnéen, enne a litt Qui rappelle l'ivoire.
écaillage nm 1 Action d'écailler. 2 Fait de s'écailler.
écaille nf 1 Chacune des plaques minces recouvrant le corps de certains animaux. 2 Valve de coquillage. Une écaille d'huître. 3 Matière cornée tirée de la carapace de certaines tortues de mer. 4 Fine lamelle qui se détache d'une surface qui s'effrite.
1. écailler vt 1 Enlever les écailles de. 2 Ouvrir un coquillage bivalve. ■ vpr Se détacher par plaques minces. La peinture s'écaille.
2. écailler, ère n Personne qui vend, qui ouvre des huîtres et autres coquillages.
écale nf Enveloppe recouvrant la coque dure des noix, des amandes, etc.
écaler vt Enlever l'écale de.
écarlate nf 1 Colorant rouge vif. 2 vx Étoffe teinte de cette couleur. ■ a Rouge vif.
écarquiller vt Ouvrir tout grands les yeux.
écart nm 1 Différence, variation, décalage par rapport à un point de référence. 2 Action de s'écarter de sa direction, de sa position, de la règle. 3 Groupe de maisons éloigné de l'agglomération communale. Loc À l'écart : dans un lieu écarté, isolé. Faire le grand écart : écarter les jambes tendues, jusqu'à ce qu'elles touchent le sol sur toute leur longueur.
écarté, ée a Situé à l'écart. ■ nm Jeu de cartes.
écartèlement nm HIST Supplice consistant à arracher les membres d'un condamné en les faisant tirer par quatre chevaux.
écarteler vt [16] Faire subir le supplice de l'écartèlement à. Loc Être écartelé : être partagé entre des sentiments contraires.
écartement nm 1 Action d'écarter, de s'écarter. 2 Espace qui sépare des choses.
écarter vt 1 Séparer, éloigner des choses jointes ou rapprochées. 2 Déplacer des choses qui gênent le passage, la vue. 3 Repousser, chasser, éliminer. 4 Détourner de sa voie. ■ vpr 1 S'éloigner de qqn, de qqch. 2 Se détourner de.
ecce homo [εkseɔmo] ou [etʃeɔmo] nm inv Tableau ou statue du Christ couronné d'épines.
ecchymose [-ki-] nf Marque cutanée bleuâtre, souvent causée par un coup.
ecclésial, ale, aux a Relatif à l'Église.
ecclésiastique a Relatif à l'Église, au clergé. ■ nm Membre du clergé.
écervelé, ée a, n Qui est sans jugement, sans prudence ; étourdi.
échafaud nm 1 Plate-forme dressée sur la place publique pour l'exécution des condamnés à mort ; guillotine. 2 Peine de mort.
échafaudage nm 1 Construction provisoire faite de planches, de perches et de traverses pour édifier ou rénover un bâtiment. 2 Amas de choses entassées. 3 Assemblage d'idées, d'arguments.
échafauder vi Monter un échafaudage. ■ vt Édifier un projet ; combiner.
échalas [-la] nm 1 Piquet fiché en terre pour soutenir un cep de vigne, etc. 2 fam Personne grande et maigre.
échalote nf Plante potagère proche de l'oignon.

échancrer vt Creuser le bord de ; tailler e arrondi en V. Échancrer une robe.
échancrure nf Partie échancrée, découpure Échancrure d'un corsage.
échange nm 1 Action d'échanger. 2 BIOL Trans fert réciproque de substances entre l'organisme la cellule, et le milieu extérieur. 3 SPORT Série de balles après un service. Loc En échange : e contrepartie, par compensation.
échangeable a Qu'on peut échanger.
échanger vt [11] 1 Donner une chose et en obte nir une autre à la place. Échanger des livres. S'adresser, se remettre réciproquement. Échange une correspondance.
échangeur, euse nm, a Récipient où s'opère u transfert de chaleur entre un fluide chaud et u fluide froid. ■ nm Ouvrage de raccordement d routes ou d'autoroutes qui évite aux usagers tout intersection à niveau des voies.
échangisme nm Échange de partenaire sexue entre des couples.
échanson nm Officier chargé de servir à boire un roi, à un prince.
échantillon nm 1 Petite quantité d'une marchan dise, qui sert à faire apprécier la qualité de celle ci. 2 Spécimen, exemple aperçu. 3 STATIS Ensembl d'individus choisis comme représentatifs d'un population.
échantillonnage nm 1 Assortiment d'échan tillons. 2 Action d'échantillonner.
échantillonner vt Prélever, choisir des échan tillons de choses, de personnes.
échappatoire nf Moyen habile et détourné pou se tirer d'une difficulté.
échappée nf 1 Action menée par un ou plusieur coureurs qui distancent le peloton. 2 litt Cour voyage de détente. 3 Espace resserré mais pa lequel la vue peut porter au loin.
échappement nm 1 Mécanisme oscillant, régu lateur d'un mouvement d'horlogerie. 2 Évacua tion des gaz de combustion d'un moteur ; systèm qui permet cette évacuation.
échapper vii 1 S'enfuir, se soustraire à. Échap per à la surveillance d'un gardien. 2 N'être plu tenu, retenu. Le vase m'a échappé des mains 3 Se sauver ou être sauvé de ; être exempt de Échapper à un accident. Il échappe à toute cri tique. 4 Ne pas être perçu, compris. Ce détai m'a échappé. ■ vt Loc L'échapper belle : évite de peu un péril, un grave inconvénient. ■ vpr S'enfuir, s'évader. Les détenus se sont échappés 2 Sortir, se répandre. Fumée qui s'échappe d'u conduit. 3 Se dissiper, disparaître. Il a vu s'échap per ses illusions.
écharde nf Petit éclat de bois, entré dans la pea par accident.
écharpe nf 1 Bande d'étoffe qui sert d'insigne d certaines dignités, de certaines fonctions. 2 Ban dage passé au cou pour soutenir un bras blessé 3 Bande d'étoffe, de tricot, qui se porte sur le épaules ou autour du cou. Loc En écharpe : obli quement, de biais.
écharper vt Mettre en pièces, maltraiter trè durement.
échasse nf Chacun des deux longs bâtons muni d'un étrier où l'on pose le pied pour marcher au dessus du sol.
échassier nm ZOOL Oiseau à pattes longues et long cou tel que le héron, la cigogne, etc.

hauder vt 1 Jeter de l'eau chaude sur ; plon- r dans l'eau chaude ou bouillante. 2 Causer e brûlure avec un liquide très chaud. 3 fam re subir à qqn une mésaventure lui servant de on.

hauffement nm Action d'échauffer ; fait de chauffer.

hauffer vt 1 Rendre chaud, spécial. de nière inhabituelle ou excessive. *Frottement* échauffe un essieu. 2 Animer, exciter. *La uvelle échauffa les esprits.* ■ vpr 1 S'animer, xciter. *La conversation soudain s'échauffe.* 2 RT Se préparer avant une épreuve par des exer- es de mise en condition physique.

hauffourée nf Affrontement inopiné et confus tre deux groupes d'adversaires.

hauguette nf Guérite de pierre placée en corbellement sur une muraille fortifiée.

he. V. esche.

héance nf Date à laquelle un paiement, une ligation, un engagement vient à exécution ; lai.

héancier nm 1 Registre où sont inscrits par dre d'échéance les effets à payer ou à recevoir. Ensemble de délais à respecter.

héant, ante a Loc *Le cas échéant :* si le cas se ésente, à l'occasion.

hec nm Insuccès, revers, défaite. Loc *Faire hec à qqch :* en empêcher la réalisation. *Tenir n en échec :* l'empêcher de réussir. ■ pl Jeu i se joue sur un échiquier, et qui oppose deux versaires disposant chacun de seize pièces. ■ a c *Être échec :* aux échecs, se dit du roi quand il t directement menacé.

helle nf 1 Appareil constitué de deux mon- nts réunis par des traverses qui permettent monter ou de descendre. 2 Série de niveaux lon lesquels s'organise une hiérarchie. *Situer n dans l'échelle sociale.* 3 MUS Succession des ns produits par des instruments ou des voix. 4 semble de graduations d'un instrument ou d'un bleau de mesures ; mode de graduation des énomènes mesurés. 5 Rapport des dimensions urées sur un plan, avec les dimensions dans réalité. *Ce plan est à l'échelle de 1/50 000.* 6 oportion, importance ; adaptation à la dimen- on de qqch. *Un produit fabriqué sur une grande helle, à l'échelle nationale.*

chelon nm 1 Barreau d'une échelle. 2 Degré ns une série, une hiérarchie. 3 Degré d'avance- ent d'un fonctionnaire à l'intérieur d'un même ade. 4 Chacun des niveaux de décision d'une ministration, d'une entreprise. *Initiatives prises l'échelon communal.*

chelonnement nm Action d'échelonner.

chelonner vt Placer de distance en distance, ou des dates successives.

chenillage nm Action d'écheniller.

cheniller vt 1 Ôter les chenilles de. 2 Suppri- er ce qui est inutile ; élaguer.

cheveau nm 1 Longueur de fil roulée en cercle 1 repliée sur elle-même. *Écheveau de laine.* 2 semble compliqué, embrouillé.

chevelé, ée a 1 Se dit d'une personne dont la evelure est en désordre. 2 Débridé, effréné.

chevin nm Magistrat municipal, en Belgique.

chidné [-ki-] nm ZOOL Mammifère d'Australie, 1 corps couvert de piquants.

échine nf 1 Colonne vertébrale. 2 Morceau du haut du dos du porc. Loc *Avoir l'échine souple :* être complaisant jusqu'à la servilité.

échiner (s') vpr fam Se fatiguer, se donner de la peine.

échinoderme [eki-] nm ZOOL Animal marin appartenant au même embranchement que les oursins, les étoiles de mer, etc.

échiquéen, enne a Du jeu d'échecs.

échiquier nm 1 Tableau divisé en 64 cases alter- nativement blanches et noires, et sur lequel on joue aux échecs. 2 Lieu, domaine où s'opposent les partis, les intérêts. *L'échiquier économique.* 3 En Grande-Bretagne, administration financière centrale.

écho [eko] nm 1 Phénomène de répétition d'un son par réflexion sur une paroi ; son ainsi répété. 2 Lieu où ce phénomène se produit. 3 Onde électro- magnétique réfléchie ou diffusée par un obstacle et revenant vers sa source. *Un écho enregistré sur le radar.* 4 Propos répétés. *J'ai eu des échos de ta conduite.* 5 Nouvelle, information locale donnée dans les journaux. Loc *Se faire l'écho de :* répéter ce que l'on a entendu ; propager. *Ne pas trouver d'écho :* ne recueillir aucune approbation, aucune adhésion.

échographie [-ko-] nf Méthode d'exploration médicale utilisant la réflexion des ultrasons par les organes.

échographier [-ko-] vt Examiner par échogra- phie.

échographiste n Spécialiste d'échographie.

échoir vti [50] [aux. *avoir* ou *être*] litt Être dévolu par le sort à. ■ vi Arriver à échéance.

écholocation [-ko-] nf ZOOL Localisation des obs- tacles par émission d'ultrasons observée chez les chauves-souris, les dauphins.

échoppe nf Petite boutique, le plus souvent faite de planches et adossée à un mur.

échosondage [-ko-] nm Mesure de la profondeur marine par la réflexion des ondes acoustiques.

échotier [-ko-] nm Rédacteur chargé des échos dans un journal.

échouage nm 1 Situation d'un navire que l'on échoue volontairement. 2 Endroit où l'on peut échouer des bateaux sans danger.

échouement nm Fait d'échouer involontaire- ment.

échouer vi 1 Toucher le fond et cesser de flot- ter (navire). 2 Aboutir en un lieu sans l'avoir vraiment voulu. 3 Ne pas réussir. *Il a échoué à l'examen.* ■ vt Faire échouer volontairement un navire. ■ vpr S'immobiliser en touchant acciden- tellement le fond.

écimer vt Couper la cime d'un végétal.

éclaboussement nm Action d'éclabousser.

éclabousser vt 1 Faire rejaillir un liquide, de la boue sur. 2 Causer un dommage, un préjudice par contrecoup.

éclaboussure nf 1 Liquide salissant qui a rejailli. 2 Dommage subi par contrecoup.

éclair nm 1 Lumière violente et brève provoquée par une décharge électrique entre deux nuages. 2 Vive lueur, rapide et passagère. 3 Ce qui a la vivacité, la rapidité de l'éclair. *Avoir un éclair de lucidité.* 4 Petit gâteau allongé. Loc *En un éclair :* très rapidement. ■ a inv Très rapide. *Voyage éclair.*

éclairage nm 1 Action, manière d'éclairer à l'aide d'une lumière artificielle. 2 Dispositif servant à éclairer. 3 Manière dont une chose est considérée.

éclairagiste nm Spécialiste de l'éclairage.

éclairant, ante a Qui a la propriété d'éclairer.

éclaircir vt 1 Espace clair dans un ciel nuageux ; interruption momentanée du temps pluvieux. 2 Amélioration momentanée d'une situation. 3 Opération consistant à diminuer le nombre d'arbres dans un bois.

éclaircir vt 1 Rendre plus clair. *Éclaircir une teinte. Éclaircir sa pensée.* 2 Rendre moins dense. *Éclaircir une forêt.* ■ vpr Devenir plus clair, plus intelligible.

éclaircissement nm 1 Action de rendre moins sombre. 2 Explication d'une chose difficile à comprendre ou qui prête à équivoque.

éclairé, ée a 1 Cultivé, instruit. *Un public éclairé.* 2 Sensé, avisé. *Un avis éclairé.*

éclairement nm 1 Quotient du flux lumineux par unité de surface. 2 Manière dont une surface est éclairée.

éclairer vt 1 Répandre de la clarté, de la lumière sur. 2 Procurer de la lumière à. 3 Rendre plus clair, plus lumineux. 4 Renseigner, mettre qqn en état de comprendre. 5 Rendre intelligible. 6 MILIT Reconnaître au préalable un itinéraire par l'envoi d'éclaireurs. ■ vpr Devenir intelligible. Loc *Son visage s'éclaire* : s'épanouit de joie.

éclaireur, euse n Membre d'une organisation laïque de scouts. ■ nm Soldat envoyé pour reconnaître un itinéraire, une position.

éclampsie nf MED Syndrome convulsif grave, parfois observé en fin de grossesse.

éclat nm 1 Fragment détaché d'un corps dur. 2 Son, bruit soudain, plus ou moins violent. *Des éclats de voix.* 3 Manifestation violente, scandale. *On craint qu'il ne fasse un éclat.* 4 Vive lumière. 5 Vivacité d'une couleur. 6 Ce qui frappe par des qualités brillantes. Loc *Action d'éclat* : remarquable, dont on parle.

éclatant, ante a 1 Qui brille avec éclat. *Lumière éclatante.* 2 Sonore, retentissant. *Un son éclatant.* 3 Qui se manifeste avec évidence. *Victoire éclatante.*

éclaté, ée a Dispersé, sans cohésion. *Projets éclatés.* ■ nm Dessin représentant les parties d'un ensemble complexe.

éclatement nm Action d'éclater.

éclater vi 1 Se rompre, se briser avec violence et par éclats. *La bombe a éclaté.* 2 Se séparer en plusieurs éléments. 3 Faire entendre un bruit soudain et violent. *Des applaudissements éclatèrent.* 4 Manifester un sentiment brusquement et bruyamment. *Éclater de rire. Éclater en sanglots.* 5 Se manifester d'une manière soudaine et violente. *Une révolte éclata.* 6 Se manifester avec évidence. *Faire éclater la vérité.* ■ vpr fam S'amuser sans retenue.

éclectique a. n Qui fait preuve d'éclectisme.

éclectisme nm Grande diversité de goût amenant à des choix variés, sans exclusion.

éclipse nf 1 ASTRO Disparition momentanée d'un astre lorsqu'un autre astre intercepte les rayons lumineux qui l'éclairent. 2 Disparition ou défaillance momentanée.

éclipser vt 1 ASTRO Provoquer une éclipse. 2 Empêcher de paraître, en attirant sur soi toute attention.

Éclipser ses partenaires. ■ vpr Partir discrètement ; s'esquiver. *S'éclipser d'une réunion.*

écliptique nm ASTRO Plan de l'orbite de la Terre autour du Soleil.

éclisse nf 1 Lame d'osier, de châtaignier, etc. utilisée notamment en vannerie. 2 Support d'osier pour l'égouttage du fromage. 3 Syn. de *attelle.* Pièce servant à relier deux rails.

éclopé, ée a, n Qui marche avec peine à cause d'une blessure.

éclore vi [53] [aux. *être* ou *avoir*] 1 Naître d'un œuf. 2 S'ouvrir pour donner naissance à un animal (œufs). 3 Commencer à s'ouvrir (fleurs). 4 Naître, paraître, se manifester.

écloserie nf Établissement d'aquaculture spécialisé dans la reproduction.

éclosion nf Fait d'éclore ; apparition.

éclusage nm Action d'écluser.

écluse nf Ouvrage étanche, délimité par de portes, permettant à un bateau le passage d'un bief à un autre.

écluser vt 1 Faire passer un bateau d'un bief à l'autre par une écluse. 2 pop Boire de l'alcool.

éclusier, ère n Préposé à la garde et à la manœuvre d'une écluse. ■ a Relatif à une écluse.

écobuage nm Action d'écobuer.

écobuer vt Arracher la végétation sauvage, brûler et utiliser des cendres comme engrais.

écocitoyen, enne a, n Qui respecte l'environnement dans le cadre de la cité. *Habitudes écocitoyennes.*

écœurant, ante a Qui écœure.

écœurement nm Action d'écœurer ; état d'une personne écœurée.

écœurer vt 1 Soulever le cœur de dégoût. 2 Provoquer la répugnance, le découragement.

éco-industrie nf Industrie visant à réduire la pollution, à protéger l'environnement. *Des éco-industries.*

écolabel nm Label écologique délivré à un produit industriel.

école nf 1 Établissement où on dispense un enseignement collectif. 2 Ensemble des élèves et des professeurs d'un tel établissement. 3 Ce qui est propre à instruire, à former. *S'instruire à l'école de la vie.* 4 Ensemble des adeptes d'un même maître, d'une même doctrine : cette doctrine elle-même. Loc *Être à bonne école* : être avec des gens capables de bien former. *Faire école* : servir de modèle ; gagner à son opinion.

écolier, ère n Enfant qui fréquente une école primaire.

écologie nf 1 Science qui étudie les conditions d'existence d'un être vivant et les rapports qui s'établissent entre cet être et son environnement. 2 Protection de la nature, de l'environnement.

écologique a De l'écologie.

écologisme nm Mouvement qui vise à la défense de l'environnement.

écologiste n Personne attachée à la protection de la nature et des équilibres biologiques. 2 Syn. de *écologue.*

écologue n Biologiste spécialiste d'écologie.

écomusée nm Établissement de recherche et de conservation des biens naturels.

éconduire vt [67] Repousser avec plus ou moins de ménagements ; ne pas agréer.

économat nm Emploi, bureau, charge d'économe.

économe a Qui dépense avec mesure. ■ n Personne chargée de l'administration matérielle d'un établissement, d'une communauté.

économétrie nf Application des méthodes mathématiques aux sciences économiques.

économie nf 1 Soin à ne dépenser que ce qui convient. 2 Ce qui est épargné. *Économie de temps, d'énergie.* 3 Administration, gestion d'une maison, d'un ménage, d'un bien. *Économie domestique.* 4 Ensemble des faits relatifs à la production, à la circulation, à la répartition et à la consommation des richesses dans une société ; science qui étudie ces phénomènes. 5 Distribution des parties d'un tout, coordination d'ensemble. Loc *Économie sociale/solidaire* : secteur constitué par les coopératives, les mutuelles, etc. *Nouvelle économie* : secteur de l'économie fondé sur l'utilisation d'Internet. ■ pl Argent épargné.

éconornique a 1 De l'économie. *Doctrines économiques.* 2 Qui réduit la dépense, qui coûte peu. *Un logement économique.*

économiquement av 1 À peu de frais. 2 Du point de vue de la science économique.

économiser vt 1 Épargner. *Économiser l'énergie.* 2 Ménager. *Économiser ses forces.* ■ vi Mettre de l'argent de côté.

économiseur nm Dispositif permettant une économie de combustible, d'électricité, etc.

économisme nm Tendance à privilégier l'approche économique des faits.

économiste n Spécialiste d'économie.

écope nf Pelle creuse servant à écoper.

écoper vt Vider l'eau d'une embarcation à l'aide d'une écope. ■ vt, vti fam Subir une punition. *Il a écopé (de) trois ans de prison.*

écoproduit nm Produit fabriqué sans polluer l'environnement.

écorce nf 1 Épaisse enveloppe des troncs et des branches des arbres. 2 Peau épaisse de divers fruits. *Écorce d'orange.* Loc GÉOL *Écorce terrestre* : syn. de *croûte terrestre*.

écorcer vt [10] 1 Retirer l'écorce de. *Écorcer un arbre.* 2 Peler, décortiquer.

écorché, ée n Loc *Écorché vif* : dont la sensibilité est à fleur de peau. ■ nm Figure, gravure, statue, etc., représentant un homme ou un animal dépouillé de sa peau.

écorcher vt 1 Dépouiller de sa peau. *Écorcher un lapin.* 2 Blesser superficiellement, égratigner. 3 fam Réclamer un prix trop élevé à un client. 4 Prononcer d'une manière incorrecte. Loc *Écorcher les oreilles* : être désagréable, choquer (bruit, mot).

écorcheur nm 1 Personne qui écorche les bêtes mortes. 2 fam Personne qui fait payer trop cher.

écorchure nf 1 Plaie superficielle de la peau. 2 Légère éraflure à la surface d'une chose.

écorner vt 1 Rompre une corne ou les cornes à un animal. 2 Casser, déchirer un coin d'un objet. *Écorner un livre.* 3 Diminuer, entamer un bien. *Écorner son patrimoine.*

écornifleur, euse n vx Parasite, pique-assiette.

écornure nf Morceau d'un objet écorné.

écossais, aise a, n D'Écosse. ■ a, nm Se dit d'une étoffe à carreaux de couleurs.

écosser vt Enlever la cosse de.

écosystème nm Ensemble écologique constitué par un milieu et des êtres vivants.

écot nm litt Quote-part due pour un repas.

écotaxe nf Impôt sur les activités industrielles polluantes.

écotourisme nm Tourisme dans des régions écologiquement préservées.

écotoxicologie nf Étude des substances écotoxiques.

écotoxique a Toxique pour l'environnement.

écoulement nm 1 Action de s'écouler ; mouvement d'un fluide qui s'écoule. 2 Possibilité de vente ; vente, débit.

écouler vt 1 Vendre, débiter une marchandise jusqu'à épuisement. 2 Mettre en circulation. *Écouler de faux billets.* ■ vpr 1 Couler hors de quelque endroit (liquides). 2 Passer, disparaître progressivement.

écourter vt Rendre plus court.

écoutant, ante n Personne qui écoute au téléphone les appels des gens en détresse.

écoute nf 1 Action d'écouter une émission radiophonique ou de télévision. *Heure de grande écoute.* 2 Capacité à écouter autrui. 3 MAR Cordage assujetti au coin inférieur d'une voile. Loc *Écoutes téléphoniques* : interception d'une communication à l'insu des interlocuteurs.

écouter vt 1 Prêter l'oreille pour entendre. 2 Prêter attention à l'avis de qqn, suivre un avis. ■ vpr Être trop attentif à soi-même, à sa santé.

écouteur nm Dispositif qui transmet les sons du téléphone, de la radio, etc.

écoutille nf Ouverture pratiquée sur le pont d'un navire pour donner accès aux cales.

écouvillon nm Brosse fixée à une longue tige, pour nettoyer l'intérieur des récipients étroits.

écrabouiller vt fam Écraser complètement, réduire en bouillie.

écran nm 1 Objet interposé pour dissimuler ou protéger. 2 Surface sur laquelle apparaissent des images, des textes, des données informatiques. 3 L'art cinématographique. *Les vedettes de l'écran.* Loc *Le petit écran* : la télévision.

écrasant, ante a 1 Très lourd, difficile à supporter. 2 Très supérieur. *Majorité écrasante.*

écrasement nm Action d'écraser.

écraser vt 1 Aplatir, déformer par une forte compression, un coup violent ; broyer. *Écraser du grain.* 2 Vaincre, anéantir. *L'armée fut écrasée.* 3 Faire supporter une charge excessive à. *Écraser le peuple d'impôts.*

écraseur, euse n fam Chauffard.

écrémage nm Action d'écrémer.

écrémer vt [12] 1 Enlever la crème du lait. 2 Prendre ce qu'il y a de meilleur dans.

écrêtement nm Action d'écrêter.

écrêter vt 1 Abaisser la crête de. 2 Supprimer la partie la plus élevée. *Écrêter les revenus.*

écrevisse nf Crustacé d'eau douce muni de deux fortes pinces, qui rougit à la cuisson.

écrier (s') vpr Dire en criant, en s'exclamant.

écrin nm Petit coffret où l'on dispose des bijoux, des objets précieux.

écrire vt [61] 1 Tracer, former des lettres, des caractères. 2 Orthographier. *Comment écrivez-vous ce mot ?* 3 Mettre, noter, consigner par écrit. *Écrire son adresse.* 4 Rédiger, composer un texte. *Écrire un roman.* ■ vi Faire le métier d'écrivain.

écrit, ite a 1 Tracé. *Un mot mal écrit.* 2 Couvert de signes d'écriture. *Papier écrit des deux côtés.* 3 Noté par écrit. *Langue écrite et langue parlée.* 4 Décidé par le sort. ■ nm 1 Papier, parchemin sur lequel est écrit qqch ; ce qui est écrit. 2 Ouvrage de l'esprit. *Les écrits de Hugo.* 3 Épreuves écrites d'un examen (par oppos. à *l'oral*). Loc *Par écrit :* sur le papier.

écriteau nm Inscription destinée au public.

écritoire nf Coffret ou plateau contenant ce qu'il faut pour écrire.

écriture nf 1 Représentation des mots, des idées, du langage au moyen de signes. 2 Caractères écrits, forme des lettres tracées. 3 Manière particulière à chacun de former les lettres. *J'ai reconnu son écriture.* 4 Manière de s'exprimer par écrit ; style. *Une écriture simple.* Loc *L'Écriture sainte, les Saintes Écritures :* l'Ancien et le Nouveau Testament, la Bible. ■ pl Comptabilité, correspondance d'un commerçant, d'un industriel, d'une administration.

écrivaillon nm fam Écrivain sans talent.

écrivain nm Personne qui compose des ouvrages littéraires, scientifiques, etc. Loc *Écrivain public :* qui, moyennant rémunération, se charge d'écrire pour les illettrés.

écrivassier, ère n péjor Personne qui a la manie d'écrire.

écrou nm Pièce dont l'intérieur est fileté de façon à recevoir une vis, un boulon. Loc *Levée d'écrou :* acte qui remet un prisonnier en liberté.

écrouelles nfpl vx Inflammation des ganglions du cou, d'origine tuberculeuse.

écrouer vt DR Emprisonner.

écroulement nm 1 Chute de ce qui s'écroule. 2 Ruine complète, soudaine.

écrouler (s') vpr 1 Tomber en s'affaissant, de toute sa masse et avec fracas. *La tour s'est écroulée.* 2 S'anéantir, tomber en décadence. 3 Avoir une défaillance brutale.

écru, ue a Qui n'a pas subi le blanchiment (tissu).

ectoderme nm BIOL Feuillet externe de l'embryon. Var ectoblaste.

ectopie nf MED Emplacement anormal d'un organe.

ectoplasme nm 1 Forme visible qui résulterait de l'émanation psychique de certains médiums. 2 fam Individu sans personnalité, insignifiant.

ectropion nm MED Retournement vers l'extérieur du bord des paupières.

écu nm 1 Bouclier des hommes d'armes au Moyen Âge. 2 Figure portant des armoiries. 3 Ancienne monnaie, généralement d'argent. 4 Ancienne monnaie de compte de la CÉE.

écueil nm 1 Rocher ou banc de sable à fleur d'eau. 2 Obstacle, cause possible d'échec.

écuelle nf Assiette épaisse et creuse, sans rebord ; son contenu.

éculé, ée a 1 Très usé, déformé. *Des bottes éculées.* 2 Qui a trop servi. *Une plaisanterie éculée.*

écumage nm Action d'écumer.

écumant, ante a litt Couvert d'écume.

écume nf 1 Mousse blanchâtre se formant à la surface d'un liquide. 2 Bave mousseuse de certains animaux. 3 Sueur du cheval. Loc *Écume de mer :* silicate de magnésium d'un blanc pur ; sépiolite.

écumer vi 1 Se couvrir d'écume. 2 Être exaspéré. ■ vt 1 Ôter l'écume de la surface d'un liquide. 2 Pratiquer la piraterie, le brigandage.

écumeur nm Loc *Écumeur des mers :* pirate.

écumeux, euse a litt Qui écume.

écumoire nf Ustensile de cuisine pour écumer.

écureuil nm Petit rongeur arboricole au pelage généralement brun-roux, à la queue en panache.

écurie nf 1 Bâtiment destiné à loger les chevaux. 2 Ensemble des chevaux de course d'un propriétaire. 3 Ensemble des coureurs représentant une même marque (cyclisme ou sport automobile).

écusson nm 1 HERALD Petit écu armorial. 2 MILIT Petite pièce de drap, cousue sur un uniforme indiquant l'arme et l'unité. 3 Insigne indiquant l'appartenance à un groupe. 4 Plaque ornant l'entrée d'une serrure. 5 AGRIC Greffon constitué par un fragment d'écorce portant un bourgeon.

écussonner vt AGRIC Greffer en écusson.

écuyer, ère n 1 Personne qui monte à cheval. 2 Professeur d'équitation. 3 Personne qui fait des exercices équestres dans un cirque. ■ nm HIST Jeune noble au service d'un chevalier.

eczéma nm Affection cutanée causant des démangeaisons. Var exéma.

eczémateux, euse a, n Atteint d'eczéma. Var exémateux, euse.

édam [edam] nm Fromage de Hollande.

édelweiss [edɛlvɛs] nm inv Plante montagnarde couverte d'un duvet blanc. Var edelweiss.

éden [edɛn] nm 1 Nom du paradis terrestre dans la Bible. 2 litt Lieu de délices.

édénique a litt Paradisiaque.

édenté, ée a, n Qui a perdu ses dents.

édicter vt Prescrire une loi, un règlement.

édicule nm Petite construction utilitaire élevée sur la voie publique.

édifiant, ante a 1 Qui porte à la vertu. 2 Instructif. *Spectacle édifiant.*

édification nf 1 Action de bâtir, de constituer. 2 Action de porter à la vertu.

édifice nm 1 Grand bâtiment. 2 Ensemble compliqué. *Édifice législatif.*

édifier vt 1 Bâtir un édifice, un monument. 2 Constituer, créer. 3 Porter à la vertu par l'exemple. 4 Renseigner en ôtant toute illusion sur qqn.

édile nm 1 ANTIQ Magistrat romain préposé aux édifices, etc. 2 Magistrat municipal.

édit nm HIST Loi promulguée par un roi ou un gouverneur.

éditer vt 1 Publier un ouvrage. 2 Établir et annoter le texte d'une œuvre qu'on publie. 3 Présenter informatiquement les données d'un traitement de textes.

éditeur, trice n 1 Personne qui prépare la publication de certains textes. 2 Personne ou société qui assure la publication et, le plus souvent, diffusion d'un ouvrage. ■ nm Programme de traitement de textes.

édition nf 1 Publication et diffusion d'une œuvre écrite. 2 Ensemble des livres ou des journaux publiés en une seule fois. 3 Action d'établir un texte ; texte ainsi édité. 4 Industrie et commerce du livre.

édito nm fam Éditorial.

éditorial, ale, aux a De l'édition. ■ nm Article de fond d'un journal, d'une revue, émanant souvent de la direction.

éditorialiste n Personne qui écrit l'éditorial.

édredon *nm* Couvre-pieds constitué d'une poche remplie de duvet.

éducable *a* Qui peut être éduqué.

éducateur, trice *n, a* Personne qui se consacre à l'éducation.

éducatif, ive *a* 1 Qui concerne l'éducation. 2 Propre à éduquer.

éducation *nf* 1 Action de développer les facultés morales, physiques et intellectuelles. 2 Connaissance et pratique des usages (politesse, bonnes manières, etc.) de la société. 3 Action de développer une faculté particulière de l'être humain. *L'éducation du goût.* Loc *Éducation nationale* : services ministériels chargés de l'organisation et de la gestion de l'enseignement public et privé.

édulcorant, ante *a, nm* Se dit d'une substance donnant une saveur sucrée.

édulcorer *vt* 1 Adoucir un médicament, etc., en ajoutant une substance sucrée. 2 Adoucir, atténuer. *Édulcorer un texte.*

éduquer *vt* Donner une éducation à qqn, élever, former.

effaçable *a* Qui peut être effacé.

effacé, ée *a* Qui se tient à l'écart, qui ne se fait pas remarquer.

effacement *nm* 1 Action d'effacer, de s'effacer. 2 Attitude d'une personne effacée.

effacer *vt* [10] 1 Enlever, faire disparaître ce qui est écrit, marqué, enregistré. 2 Faire disparaître, faire oublier. *Le temps efface bien des souvenirs.* Loc *Effacer le corps* : le tenir de côté, en retrait. ■ *vpr* Se mettre de côté. *Il s'effaça pour le laisser passer.* Loc *S'effacer devant qqn* : lui céder le pas.

effaceur *nm* Feutre permettant d'effacer l'encre.

effarant, ante *a* Qui effare ; stupéfiant.

effaré, ée *a* Stupéfié.

effarement *nm* Stupéfaction.

effarer *vt* Troubler vivement, stupéfier.

effarouchement *nm* Action d'effaroucher.

effaroucher *vt* 1 Faire fuir un animal en l'effrayant. 2 Mettre qqn en défiance.

effectif, ive *a* Qui est de fait ; tangible, réel. ■ *nm* Nombre des personnes qui composent un groupe, une collectivité.

effectivement *av* Réellement ; en effet.

effectuer *vt* Faire une action plus ou moins complexe ; accomplir. ■ *vpr* Avoir lieu.

efféminé, ée *a* Qui a des manières, des apparences féminines.

efférent, ente *a* ANAT Qui sort d'un organe. Ant. afférent.

effervescence *nf* 1 Bouillonnement de certaines substances au contact de certaines autres, dû à un dégagement de gaz. 2 Émotion vive, agitation.

effervescent, ente *a* Qui est ou peut entrer en effervescence. *Comprimé effervescent.*

effet *nm* 1 Ce qui est produit par une cause ; résultat, conséquence. 2 PHYS Phénomène particulier obéissant à des lois précises. 3 Impression particulière produite par un procédé. *Des effets de style.* 4 Impression produite par qqn. Loc *En effet* : effectivement, assurément ; c'est parce que. *À cet effet* : dans cette intention, pour obtenir ce résultat. *Faire l'effet de* : avoir l'air de, donner l'impression de. *Donner de l'effet à qqch* : lui imprimer un mouvement de rotation qui modifie sa trajectoire normale. *Effet de commerce* : titre portant engagement de payer une somme. ■ *pl* Vêtements. Loc *Effets spéciaux* : truquages cinématographiques.

effeuillage *nm* Action d'effeuiller.

effeuiller *vt* Dépouiller de ses feuilles, de ses pétales.

effeuilleuse *nf* fam Strip-teaseuse.

efficace *a* 1 Qui produit l'effet attendu. *Un traitement efficace.* 2 Se dit de qqn dont l'action aboutit au résultat attendu. *Un employé efficace.*

efficacement *av* De façon efficace.

efficacité *nf* Qualité efficace.

efficience *nf* abusiv Rendement, performance.

efficient, ente *a* abusiv Qui a de l'efficacité, du dynamisme. *Un jeune cadre efficient.* Loc PHILO *Cause efficiente* : qui produit un effet.

effigie *nf* Représentation d'un personnage sur une monnaie, une médaille.

effilage *nm* Action d'effiler. **Var effilement**

effilé, ée *a* Mince et allongé. *Lame effilée.*

effiler *vt* 1 Défaire une étoffe fil à fil. 2 Diminuer progressivement l'épaisseur des cheveux.

effilochage *nm* Action d'effilocher.

effilocher *vt* Déchirer un tissu en tous sens, en arrachant les fils. ■ *vpr* S'effiler par l'usure.

efflanqué, ée *a* Maigre et sec. *Un grand garçon efflanqué.*

effleurement *nm* Action d'effleurer ; caresse légère.

effleurer *vt* 1 Toucher légèrement, superficiellement. 2 Ne pas approfondir, examiner superficiellement une question.

efflorescence *nf* CHIM Dépôt qui se forme à la surface des hydrates salins.

efflorescent, ente *a* CHIM Qui forme une efflorescence.

effluent, ente *a* Qui s'écoule d'une source, d'un lac. ■ *nm* Fluide qui s'écoule hors de qqch.

effluve *nm* Émanation qui s'exhale d'un corps ; odeur, parfum.

effondrement *nm* Fait de s'effondrer.

effondrer *vt* AGRIC Labourer le sol très profondément. ■ *vpr* 1 S'écrouler. 2 Être soudain anéanti. *Tous ses espoirs se sont effondrés.*

efforcer (s') *vpr* [10] Faire tous ses efforts pour. *S'efforcer de courir.*

effort *nm* 1 Action énergique des forces physiques, intellectuelles ou morales. *Faire tous ses efforts pour vaincre. Un effort d'attention.* 2 Force avec laquelle un corps tend à exercer son action.

effraction *nf* Bris de clôture, fracture de serrure. *Vol avec effraction.*

effraie *nf* Chouette au ventre clair et aux yeux cernés de plumes.

effranger *vt* [11] Effiler une étoffe sur le bord pour constituer une frange.

effrayant, ante *a* 1 Qui effraie, épouvantable. 2 fam Excessif, très pénible.

effrayer *vt* [20] Provoquer la frayeur de, épouvanter. ■ *vpr* Éprouver de la frayeur.

effréné, ée *a* Sans frein, sans retenue.

effritement *nm* Fait de s'effriter.

effriter *vt* Désagréger, mettre en morceaux. ■ *vpr* Se désagréger.

effroi *nm* Frayeur intense, épouvante.

effronté, ée *a* Impudent, trop hardi.

effrontément *av* De façon effrontée.

effronterie *nf* Hardiesse excessive, impudence.

effroyable a 1 Qui cause de l'effroi, de l'horreur, de la répulsion. 2 fam Excessif, pénible.

effroyablement av De façon effroyable.

effusif, ive a Loc GEOL *Roche effusive* : résultant d'un magma qui s'est répandu à l'air libre.

effusion nf Vive manifestation d'un sentiment. *Effusion de tendresse*. Loc *Effusion de sang* : sang versé, massacre, tuerie.

égailler (s') vpr Se disperser.

égal, ale, aux a 1 Pareil, semblable en nature, en quantité, en qualité, en droit. 2 Qui ne varie pas, uniforme. *Humeur égale*. 3 Uni, de niveau, régulier. *Chemin égal*. 4 Indifférent. *Tout lui est égal*. Loc *C'est égal* : cela ne change rien, peu importe. ■ n Qui a au même rang qu'un autre. *Considérer qqn comme son égal*. Loc *N'avoir pas d'égal, être sans égal* : être le premier, le meilleur. *À l'égal de* : autant que, de la même manière que.

égalable a Qu'on peut égaler.

également av 1 De façon égale. 2 Pareillement, aussi, de même.

égaler vt 1 Être égal à. 2 Atteindre le même niveau que. *Égaler un champion*.

égalisateur, trice a Qui égalise.

égalisation nf Action d'égaliser.

égaliser vt 1 Rendre égal. 2 Rendre uni, plan. ■ vi SPORT Obtenir, en cours de partie, le même nombre de points, de buts que l'adversaire.

égalitaire a Qui vise à l'égalité politique et sociale.

égalitarisme nm Doctrine professant l'égalité de tous les hommes.

égalitariste a, n Qui relève de l'égalitarisme.

égalité nf 1 Rapport entre les choses égales ; parité, conformité. 2 Principe selon lequel tous les hommes, possédant une égale dignité, doivent être traités de manière égale. 3 Uniformité d'un mouvement ; modération, mesure du tempérament. 4 État de ce qui est plan, uni.

égard nm Attention, considération particulière pour qqn ou qqch. *J'ai cédé par égard pour vous. Il n'a aucun égard à ce que je lui ai dit*. Loc *Eu égard à* : en considération de. *À l'égard de* : pour ce qui concerne, vis-à-vis de. *À tous égards* : sous tous les rapports. *À différents égards, à certains égards* : sous différents aspects, à certains points de vue. ■ pl Marques de déférence. *Avoir des égards pour les anciens*.

égaré, ée a Qui dénote l'égarement.

égarement nm 1 Fait d'avoir l'esprit égaré. 2 litt Dérèglement, erreur. *Les égarements du cœur*.

égarer vt 1 Détourner du bon chemin, fourvoyer. 2 Perdre momentanément qqch. *Égarer ses lunettes*. 3 Jeter dans l'erreur, détourner du droit chemin. ■ vpr 1 Perdre sa route. 2 S'écarter du bon sens, se tromper.

égayer vt [20] 1 Réjouir, rendre gai. 2 Rendre plus agréable, plus gai.

égéen, enne a HIST De la civilisation de l'âge du bronze, en Méditerranée orientale.

égérie nf litt Inspiratrice, conseillère secrète.

égide nf Loc *Sous l'égide de* : sous la protection, le patronage de.

églantier nm Rosier sauvage.

églantine nf Fleur de l'églantier.

églefin nm Poisson voisin de la morue qui, fumé, fournit le haddock. Var **aiglefin**

église nf 1 (avec majusc.) Communion de personnes unies par une même foi chrétienne ; en particulier l'Église catholique, apostolique et romaine. 2 Édifice consacré chez les chrétiens au culte divin. 3 (avec majusc.) L'état ecclésiastique ; le clergé en général. *Un homme d'Église*.

églogue nf Petit poème pastoral ou bucolique.

ego [ego] nm inv PSYCHAN Le moi.

égocentrique a, n Qui manifeste de l'égocentrisme.

égocentrisme nm Tendance à faire de soi le centre de tout.

égoïne nf Scie à main sans monture.

égoïsme nm Disposition à rechercher exclusivement son plaisir et son intérêt personnels.

égoïste a, n Qui manifeste de l'égoïsme.

égoïstement av De façon égoïste.

égorgement nm Action d'égorger.

égorger vt [11] Tuer en coupant la gorge.

égorgeur, euse n Meurtrier qui égorge ses victimes.

égosiller (s') vpr Crier longtemps très fort.

égotisme nm litt 1 Tendance marquée à s'analyser et à parler de soi. 2 Attitude de celui qui cultive à l'excès ce qui est moi.

égotiste a, n litt Qui relève de l'égotisme.

égout nm Canalisation souterraine servant à l'évacuation des eaux pluviales et usées.

égoutier nm Personne qui est chargée de l'entretien des égouts.

égouttage nm Action d'égoutter ; fait de s'égoutter. Var **égouttement**

égoutter vt Faire écouler peu à peu le liquide qui imprègne. ■ vpr Perdre son eau goutte à goutte.

égouttoir nm Ustensile qui sert à faire s'égoutter qqch.

égrapper vt Détacher de la grappe.

égratigner vt 1 Blesser superficiellement la peau, écorcher. 2 Érafler, rayer en surface. 3 Dénigrer qqn, médire à son propos.

égratignure nf 1 Légère blessure faite en égratignant. 2 Éraflure d'une chose. 3 Légère blessure d'amour-propre.

égrenage nm Action d'égrener ; fait de s'égrener. Var **égrènement**

égrener vt [15] 1 Détacher les grains d'une grappe, d'une cosse, etc. 2 Faire entendre des sons l'un après l'autre en les détachant nettement. Loc *Égrener un chapelet* : en faire passer un à un les grains entre ses doigts, à chaque prière. ■ vpr Se séparer, s'espacer en parlant d'éléments disposés en rang, en file.

égrillard, arde a Licencieux, grivois.

égrotant, ante a litt Maladif.

égueulé, ée a GEOL Se dit d'un cratère dont un côté présente une dépression.

égyptien, enne a, n D'Égypte.

égyptologie nf Étude de l'Égypte antique.

égyptologue n Spécialiste d'égyptologie.

eh ! interj Marque la surprise, l'admiration ; sert à interpeller.

éhonté, ée a Sans vergogne ; impudent.

eider nm Gros canard marin de Scandinavie dont le duvet est recherché.

einsteinium [-njom] nm Élément chimique artificiel.

éjaculation nf Fait d'éjaculer.

éjaculer vt Émettre du sperme lors de l'orgasme (mâle).

éjectable a Qui peut être éjecté.

éjecter vt 1 Rejeter au-dehors avec force. 2 fam Chasser, renvoyer.

éjection nf Action d'éjecter.

élaboration nf Action d'élaborer.

élaboré, ée a Perfectionné.

élaborer vt 1 Préparer, produire par un long travail de réflexion. 2 En parlant d'organismes vivants, faire subir diverses modifications aux substances soumises à leur action.

elæis [eleis] nm Palmier à huile d'Afrique occidentale. **Var éléis**

élagage nm Action d'élaguer.

élaguer vt 1 Débarrasser un arbre des branches superflues. 2 Débarrasser un texte de ce qui l'allonge inutilement.

élagueur nm 1 Personne qui élague les arbres. 2 Outil à élaguer.

1. élan nm Grand cervidé des régions froides.

2. élan nm 1 Mouvement d'un être qui s'élance. 2 Mouvement affectif provoqué par un sentiment passionné. *Élan du cœur.*

élancé, ée a Grand et mince ; svelte.

élancement nm Douleur vive et lancinante.

élancer vi, vt [10] Produire des élancements. ■ vpr Se porter en avant avec impétuosité.

éland nm Antilope africaine.

élargir vt 1 Rendre plus large. 2 Donner plus d'ampleur, plus de champ à. *Élargir le débat.* 3 Relaxer, faire sortir de prison. ■ vpr Devenir plus large. *Le fleuve s'élargit.*

élargissement nm 1 Action de rendre ou de devenir plus large. 2 Libération d'un prisonnier.

élasticité nf 1 Propriété des corps qui tendent à reprendre leur forme première après avoir été déformés. 2 Souplesse. *Élasticité du règlement.*

élastique a 1 Qui possède de l'élasticité. *Le caoutchouc est élastique.* 2 Souple, que l'on peut adapter facilement. *Un horaire élastique.* ■ nm 1 Tissu contenant des fibres de caoutchouc. 2 Ruban ou fil de caoutchouc.

élastomère nm Polymère possédant des propriétés élastiques.

eldorado nm Pays d'abondance, de délices.

électeur, trice n Personne qui a le droit de participer à une élection.

électif, ive a Choisi ou attribué par élection.

élection nf Action d'élire une ou plusieurs personnes par un vote. **Loc** *Terre, patrie d'élection :* que l'on a choisie. **DR** *Élection de domicile :* choix d'un domicile légal.

électoral, ale, aux a Relatif aux élections. *Une liste électorale.*

électoralisme nm Orientation démagogique de la politique d'un parti ou d'un gouvernement à l'approche d'une élection.

électoraliste a Marqué par l'électoralisme.

électorat nm 1 Droit d'être électeur. 2 Ensemble d'électeurs.

électricien, enne n Personne qui est spécialisée dans le montage d'installations électriques.

électricité nf 1 PHYS Une des propriétés fondamentales de la matière, caractéristique de certaines particules (électron, proton, etc.). 2 Courant électrique. *Panne d'électricité.*

électrification nf Action d'électrifier.

électrifier vt Alimenter en énergie électrique, par l'installation d'une ligne.

électrique a 1 Relatif à l'électricité. 2 Mû par l'énergie électrique.

électriquement av Au moyen du courant électrique.

électrisation nf Action d'électriser.

électriser vt 1 Communiquer une charge électrique à un corps. 2 Causer une vive impression à, saisir, enthousiasmer.

électroacoustique nf, a Technique des applications de l'électricité à la production, à l'enregistrement et à la reproduction des sons.

électroaimant nm Appareil constitué d'un noyau en fer doux et d'un bobinage dans lequel on fait passer un courant électrique pour créer un champ magnétique.

électrobiologie nf Étude des phénomènes électriques qui se produisent chez les êtres vivants.

électrocardiogramme nm Tracé obtenu par l'enregistrement de l'activité électrique du cœur (abrév. : ECG).

électrocardiographie nf Étude de l'activité électrique du cœur par l'électrocardiogramme.

électrochimie nf Science et technique des transformations de l'énergie chimique en énergie électrique et réciproquement.

électrochoc nm 1 Traitement psychiatrique par le passage d'un courant électrique à travers la boîte crânienne. 2 Évènement capable de débloquer une situation.

électrocoagulation nf Destruction des tissus par un courant électrique.

électrocuter vt Tuer par électrocution.

électrocution nf 1 Exécution des condamnés à mort par le courant électrique. 2 Mort accidentelle causée par le courant électrique.

électrode nf Pièce conductrice amenant le courant électrique au point d'utilisation.

électrodomestique a Se dit des appareils électroménagers.

électrodynamique nf, a Science qui étudie les actions mécaniques des courants électriques.

électroencéphalogramme nm Tracé obtenu par électroencéphalographie (abrév. : EEG).

électroencéphalographie nf Enregistrement graphique, au moyen d'électrodes placées à la surface du crâne, des tensions électriques de l'écorce cérébrale.

électrogène a Qui produit de l'électricité. **Loc** *Groupe électrogène :* ensemble formé d'un moteur et d'un générateur électrique.

électrologie nf Application de l'électricité à la médecine.

électroluminescence nf Luminescence produite par l'action d'un champ électrique sur une substance.

électrolyse nf Décomposition chimique de certaines substances sous l'effet d'un courant électrique.

électrolyser vt Faire l'électrolyse.

électrolyte nm Composé qui, à l'état liquide ou en solution, permet le passage du courant électrique.

électrolytique a Qui se fait par électrolyse.

électromagnétique a De l'électromagnétisme.

électromagnétisme nm Ensemble des interactions entre courants électriques et magnétiques.

électromécanicien, enne n Spécialiste du montage des ensembles électromécaniques.

électromécanique *nf* Ensemble des applications de l'électricité à la mécanique. ■ *a* Se dit des mécanismes à commande électrique.

électroménager, ère *a* Se dit d'un appareil à usage domestique fonctionnant à l'électricité. ■ *nm* Secteur économique de ces appareils.

électroménagiste *n* Personne qui vend des appareils électroménagers.

électrométallurgie *nf* Ensemble des techniques de préparation ou d'affinage des métaux utilisant l'électricité.

électromètre *nm* Appareil servant à mesurer une différence de potentiel ou une charge électrique.

électromoteur, trice *a, nm* Qui produit de l'énergie électrique.

électron *nm* Particule constitutive de la partie externe de l'atome, qui porte une charge électrique négative.

électronégatif, ive *a* CHIM Qui a tendance à capter des électrons.

électronicien, enne *n* Spécialiste de l'électronique.

électronique *a* 1 Propre à l'électron. *Flux électronique.* 2 Relatif à l'électronique. ■ *nf* 1 Science ayant pour objet l'étude de la conduction électrique dans le vide, les gaz et les semi-conducteurs. 2 L'ensemble des techniques dérivées de cette science.

électroniquement *av* Par des moyens électroniques.

électronucléaire *a* Se dit d'une centrale électrique utilisant l'énergie nucléaire.

électronvolt *nm* Unité d'énergie égale à la variation d'énergie cinétique d'un électron qui subit une variation de potentiel de 1 volt.

électrophone *nm* Appareil électrique de reproduction des enregistrements sonores sur disques.

électrophorèse *nf* CHIM Méthode d'analyse utilisant la séparation des molécules sous l'action d'un champ électrique.

électroponcture *nf* Méthode dérivée de l'acuponcture, utilisant l'électricité.

électroportatif, ive *a* Se dit de l'outillage électrique facile à transporter.

électropositif, ive *a* CHIM Qui a tendance à perdre des électrons.

électroradiologie *nf* Utilisation médicale de l'électricité et de la radiologie.

électrostatique *nf* Science qui étudie les propriétés des corps porteurs de charges électriques en équilibre. ■ *a* De l'électrostatique.

électrotechnicien, enne *n* Spécialiste d'électrotechnique.

électrotechnique *nf* Applications industrielles de l'électricité. ■ *a* De l'électrotechnique.

électrothérapie *nf* Traitement médical par l'électricité.

élégamment *av* Avec élégance.

élégance *nf* 1 Qualité esthétique alliant la grâce, la distinction et la simplicité. 2 Raffinement de bon goût dans l'habillement, les manières.

élégant, ante *a, n* Qui a de l'élégance.

élégiaque *a* Relatif à l'élégie.

élégie *nf* Poème lyrique et mélancolique.

éléis. V. *elæis*.

élément *nm* 1 Partie constitutive d'un tout. 2 Personne appartenant à un groupe. 3 Milieu dans lequel vit un être. *L'eau est l'élément du poisson.* 4 CHIM Configuration atomique d'un corps, caractérisée par un nombre, le numéro atomique. 5 MATH Être mathématique appartenant à un ensemble. Loc *Être dans son élément :* dans un milieu où on se sent à l'aise. ■ *pl* 1 Principes fondamentaux d'une discipline. 2 litt Les forces de la nature. *Lutter contre les éléments déchaînés.* Loc *Les quatre éléments :* l'eau, l'air, la terre, le feu.

élémentaire *a* 1 Qui concerne les premiers éléments d'une discipline. 2 Facile à comprendre. 3 Réduit à l'essentiel. *La plus élémentaire des politesses.*

éléphant *nm* Grand mammifère à peau rugueuse, muni d'une trompe et de défenses. Loc *Être comme un éléphant dans un magasin de porcelaine :* se comporter avec une grande maladresse. *Avoir une mémoire d'éléphant :* avoir beaucoup de mémoire. *Éléphant de mer :* gros phoque à trompe des îles Kerguelen.

éléphanteau *nm* Petit de l'éléphant.

éléphantesque *a* Qui rappelle l'éléphant par sa taille, son poids, son aspect.

éléphantiasis [-zis] *nm* MED Augmentation considérable du volume d'un membre ou d'une partie du corps.

éléphantin, ine *a* Propre à l'éléphant.

élevage *nm* Production et entretien des animaux domestiques ou utiles.

élévateur, trice *a* Qui sert à élever, à soulever. ■ *nm* Appareil de manutention capable de lever des charges.

élévation *nf* 1 Action d'élever ou de s'élever. *L'élévation d'un monument, de la température.* 2 Hauteur, terrain plus haut que ceux du voisinage. 3 GEOM Projection d'un objet sur un plan vertical. 4 Moment de la messe où le prêtre élève le pain et le vin consacrés. 5 Caractère élevé de l'esprit. *L'élévation des sentiments.*

élévatoire *a* Qui sert à lever, à élever des charges des liquides.

élève *n* 1 Personne qui reçoit les leçons d'un maître. 2 Personne qui fréquente un établissement scolaire. 3 MILIT Personne qui aspire à un grade.

élevé, ée *a* 1 Haut. *Une montagne élevée. Des prix élevés.* 2 D'un haut niveau intellectuel ou moral. Loc *Bien, mal élevé :* qui a reçu une bonne une mauvaise éducation.

élever *vt* [15] 1 Mettre, porter plus haut. 2 Construire, dresser. 3 Placer à un rang, à un niveau supérieur. 4 Assurer le développement physique et moral des enfants, les éduquer. 5 Faire l'élevage d'animaux. 6 Surveiller le vieillissement d'un vin. Loc *Élever la voix, le ton :* parler plus fort. *Élever une protestation :* l'exprimer. ■ *vpr* 1 Monter plus haut. 2 Se dresser. *Une statue s'élève sur la place.* 3 Surgir, naître. *Un cri s'élève.* Loc *S'élever à :* atteindre, se monter à. *S'élever contre :* s'opposer violemment à.

éleveur, euse *n* Personne qui élève des animaux.

élevure *nf* MED Léger gonflement de la peau à la suite d'une irritation.

elfe *nm* Génie de la mythologie scandinave, symbolisant les forces de la nature.

élider *vt* Effectuer l'élision de.

éligibilité *nf* Qualité éligible.

éligible *a* Qui remplit les conditions nécessaires pour pouvoir être élu.

élimer *vt* User un tissu par frottement.

élimination *nf* Action d'éliminer.

éliminatoire a Qui a pour but ou résultat d'éliminer. ■ nf SPORT Épreuve préliminaire permettant de sélectionner les concurrents.
éliminer vt 1 Écarter après sélection. 2 Rejeter hors de l'organisme.
élingue nf MAR Cordage servant à soulever qqch.
élire vt [63] Nommer à une fonction par voie de suffrages. Loc *Élire domicile qq part* : s'y installer.
élisabéthain, aine a Relatif à Élisabeth Ire d'Angleterre, à son époque.
élision nf LING Suppression d'une voyelle à la fin d'un mot, quand le mot suivant commence par une voyelle ou un h muet.
élitaire a D'une élite.
élite nf Ensemble formé par les meilleurs, les plus distingués des éléments d'une communauté. Loc *D'élite* : parmi les meilleurs.
élitisme nm Système favorisant l'élite.
élitiste a, n Inspiré par l'élitisme.
élixir nm 1 Philtre magique. *Élixir de longue vie*. 2 Sirop pharmaceutique.
elle, elles pr pers Féminin de il, lui, eux.
ellébore nm Herbe vivace qui passait pour guérir la folie. var hellébore
ellipse nf 1 GRAM Omission d'un ou de plusieurs mots à l'intérieur d'une phrase, leur absence ne nuisant ni à la compréhension ni à la syntaxe. 2 GÉOM Courbe fermée faite de l'ensemble des points dont la somme des distances à deux points fixes (foyers) est constante.
ellipsoïdal, ale, aux a GÉOM Qui a la forme d'une ellipse ou d'un ellipsoïde.
ellipsoïde nm GÉOM Surface engendrée par la révolution d'une ellipse autour de l'un de ses axes. ■ a Qui ressemble à une ellipse.
elliptique a 1 GRAM Qui contient une, des ellipses. 2 Qui s'exprime par allusions. 3 GÉOM Qui a la forme d'une ellipse.
elliptiquement av Allusivement.
élocution nf Manière de s'exprimer oralement, d'articuler les mots.
éloge nm Discours à la louange de qqn, de qqch ; louange.
élogieusement av De façon élogieuse.
élogieux, euse a Qui contient un éloge, des louanges.
éloigné, ée a 1 Qui est loin dans l'espace, dans le temps, dans le degré de parenté. 2 Différent. *Un récit éloigné de la vérité*.
éloignement nm Action d'éloigner, fait de s'éloigner, d'être éloigné.
éloigner vt 1 Mettre, envoyer loin ; écarter. 2 Séparer dans le temps. ■ vpr 1 Augmenter progressivement la distance qui sépare de qqch. 2 Devenir de plus en plus lointain dans le temps. 3 Se détourner, se détacher.
élongation nf MÉD Lésion causée par une traction excessive sur un muscle, un tendon, un nerf.
éloquemment av Avec éloquence.
éloquence nf Aptitude à s'exprimer avec aisance ; capacité d'émouvoir, de persuader par la parole.
éloquent, ente a 1 Qui a de l'éloquence. 2 Exprimé avec éloquence. 3 Significatif, expressif. *Un silence éloquent*.
élu, ue n, a Personne choisie par élection ou par inclination, par amour. ■ pl Ceux que Dieu a admis à la béatitude.

élucidation nf Action d'élucider.
élucider vt Expliquer, tirer au clair.
élucubration nf Réflexion laborieusement construite, absurde ou sans intérêt.
éluder vt Éviter avec adresse, esquiver.
élyséen, enne a 1 MYTH De l'Élysée. 2 De la présidence de la République française.
élytre nm ZOOL Aile antérieure rigide, coriace, inapte au vol, de divers ordres d'insectes (coléoptères, etc.).
émacié, ée a Devenu extrêmement maigre. *Visage émacié*.
émail, aux nm 1 Enduit dur et brillant d'aspect vitreux appliqué par cuisson sur des céramiques et des métaux. 2 Substance transparente et dure qui recouvre la couronne des dents. ■ pl Objets d'art émaillés.
e-mail [imɛl] nm Courrier électronique ou adresse électronique. Syn. courriel.
émaillage nm Action d'émailler.
émailler vt 1 Recouvrir d'émail. 2 litt Parsemer pour embellir. *Texte émaillé de citations*.
émaillerie nf Art de l'émailleur.
émailleur, euse n Personne qui travaille l'émail.
émanation nf 1 Effluve, odeur qui se dégage. *Émanations pestilentielles*. 2 Ce qui émane, provient de qqch, de qqn ; manifestation.
émancipateur, trice a, n Qui émancipe.
émancipation nf Action d'émanciper, de s'émanciper.
émancipé, ée a, n DR Mineur ayant fait l'objet d'une émancipation.
émanciper vt 1 DR Mettre hors de la puissance paternelle par un acte juridique. 2 Affranchir d'une autorité, d'une domination. ■ vpr Devenir indépendant, se libérer.
émaner vi 1 S'exhaler, se dégager d'un corps. 2 Provenir, découler de.
émargement nm Action d'émarger.
émarger vt [11] 1 Mettre sa signature en marge d'un compte, d'un état, etc. *Émarger une circulaire*. 2 Rogner, diminuer la marge de. *Émarger une estampe*. ■ vti Toucher les appointements provenant de. *Émarger à un budget*.
émasculation nf Action d'émasculer.
émasculer vt 1 Pratiquer l'ablation des organes sexuels mâles, châtrer. 2 litt Affaiblir, diminuer la force, la vigueur de. *Texte émasculé par la censure*.
embâcle nf Amoncellement de glaçons sur un cours d'eau, gênant ou empêchant la navigation.
emballage nm 1 Action d'emballer. 2 Ce dans quoi on emballe un objet (boîte, caisse, etc.).
emballement nm 1 Fait de s'emballer ; enthousiasme, élan non contrôlé. 2 Fonctionnement d'un moteur à un régime trop élevé.
emballer vt 1 Empaqueter, mettre dans un emballage. 2 fam Réprimander. 3 Faire tourner un moteur à un régime anormalement élevé. 4 fam Enthousiasmer. ■ vpr 1 Échapper au contrôle de son cavalier (cheval). 2 Tourner à un régime anormalement élevé (moteur). 3 Se laisser emporter par un mouvement de colère, d'impatience ou d'enthousiasme.
emballeur, euse n Dont la profession est d'emballer des marchandises.
embarbouiller (s') vpr fam S'embarrasser, s'empêtrer dans ce qu'on dit.

embarcadère nm Môle, jetée, appontement aménagé pour l'embarquement ou le débarquement.

embarcation nf Petit bateau.

embardée nf Écart brusque que fait un véhicule.

embargo nm 1 Défense faite à des navires marchands de sortir d'un port. 2 Mesure interdisant la libre circulation d'une marchandise.

embarquement nm Action d'embarquer, de s'embarquer.

embarquer vt 1 Charger, faire monter dans un bateau. 2 Charger dans un véhicule. 3 fam Engager qqn dans une affaire difficile, compliquée ou malhonnête. ■ vi Passer par-dessus bord et se répandre dans le bateau (vagues). ■ vi, vpr Monter à bord d'un bateau, d'un avion, d'un véhicule. ■ vpr fam S'engager dans une entreprise difficile, hasardeuse ou malhonnête.

embarras nm 1 Gêne, difficulté rencontrée dans la réalisation de qqch. 2 Position difficile, gênante. 3 Pénurie d'argent. 4 Trouble, perplexité. Loc *Embarras gastrique* : trouble gastro-intestinal. *Faire de l'embarras, des embarras* : faire des manières, des histoires.

embarrassant, ante a Gênant.

embarrassé, ée a 1 Encombré. 2 Compliqué, embrouillé. 3 Gêné, contraint, perplexe.

embarrasser vt 1 Obstruer, encombrer. 2 Gêner, entraver la liberté de mouvement de qqn. 3 fam Mettre qqn dans une situation gênante ; rendre perplexe. ■ vpr 1 Se préoccuper, se soucier à l'excès de. 2 S'empêtrer.

embase nf TECH Pièce servant de support à une autre pièce.

embastiller vt litt Mettre en prison.

embauchage nm Action d'embaucher.

embauche nf Possibilité d'embauche.

embaucher vt 1 Engager un salarié. 2 fam Prendre avec soi pour un travail quelconque.

embauchoir nm Instrument qui sert à élargir les chaussures ou à éviter qu'elles ne se déforment.

embaumement nm Action d'embaumer un cadavre.

embaumer vt 1 Remplir un cadavre de substances balsamiques pour empêcher qu'il ne se corrompe. 2 Parfumer agréablement. ■ vi Exhaler un parfum. *Ces roses embaument.*

embaumeur nm Spécialiste de l'embaumement.

embellie nf 1 MAR Éclaircie. 2 Amélioration momentanée.

embellir vt 1 Rendre beau ou plus beau. 2 Orner aux dépens de l'exactitude ; enjoliver. *Embellir la réalité.* ■ vi Devenir beau ou plus beau.

embellissement nm Action d'embellir ; ce qui contribue à embellir.

emberlificoter vt fam 1 Embrouiller. 2 Enjôler, séduire qqn pour le tromper. ■ vpr S'empêtrer. *S'emberlificoter dans ses explications.*

embêtant, ante a fam Ennuyeux, contrariant.

embêtement nm fam Ennui, souci, contrariété.

embêter vt fam Contrarier, ennuyer, importuner. ■ vpr S'ennuyer fortement.

emblaver vt AGRIC Ensemencer une terre de blé ou de toute autre céréale.

emblavure nf AGRIC Terre emblavée.

emblée (d') av Du premier coup, sans difficulté. *Être reçu d'emblée.*

emblématique a 1 Qui sert d'emblème. 2 Qui sert de référence, exemplaire.

emblème nm 1 Figure symbolique, souvent accompagnée d'une devise. 2 Être ou objet devenu la représentation d'une chose abstraite. *La balance, emblème de la justice.*

embobeliner vt fam Enjôler, embobiner.

embobiner vt 1 Enrouler sur une bobine. 2 fam Enjôler, séduire.

emboîtable a Qu'on peut emboîter. Var **emboîtable**

emboîtage nm 1 Action de mettre en boîte. 2 Cartonnage, étui qui protège un livre de luxe. Var **emboîtage**

emboîtement nm Assemblage de deux pièces qui s'emboîtent. Var **emboîtement**

emboîter vt Faire pénétrer une pièce dans une autre, assembler des pièces en les ajustant. Loc *Emboîter le pas à qqn* : le suivre de près ; l'imiter. Var **emboîter**

embolie nf MED Oblitération d'un vaisseau par un corps (caillot, bulle de gaz).

embonpoint nm État de qqn un peu gras.

embossage nm Impression en relief sur un support en matière plastique (carte de crédit).

embosser vt Réaliser un embossage.

embouche nf 1 Prairie très fertile où l'on engraisse les bestiaux. 2 Engraissement des bestiaux en prairie.

embouché, ée a Loc fam *Être mal embouché* : parler, agir avec grossièreté.

emboucher vt Mettre à la bouche un instrument à vent pour en jouer.

embouchure nf 1 Endroit où un cours d'eau se jette dans la mer. 2 Partie d'un instrument à vent qu'on porte à la bouche. 3 Partie du mors qui entre dans la bouche du cheval.

embourber vt Engager, enfoncer dans un bourbier. ■ vpr S'empêtrer dans la boue, dans une sale affaire.

embourgeoisement nm Fait de s'embourgeoiser.

embourgeoiser (s') vpr Prendre les habitudes, les modes de vie et de pensée bourgeois.

embout nm 1 Garniture fixée à l'extrémité d'un objet allongé. 2 Élément terminal d'assemblage.

embouteillage nm 1 Action de mettre en bouteilles. 2 Encombrement qui arrête la circulation.

embouteiller vt 1 Mettre en bouteilles. 2 Provoquer l'encombrement d'une voie.

emboutir vt 1 TECH Mettre en forme par emboutissage. 2 Heurter violemment, défoncer.

emboutissage nm TECH Action de donner, par compression, une forme à une pièce métallique initialement plane.

embranchement nm 1 Division en branches, en rameaux, d'un tronc d'arbre, d'une branche, d'une voie, d'une canalisation, etc. 2 Point où s'opère cette division. 3 SC NAT Grande unité de division des animaux, des végétaux.

embrancher (s') vpr Se raccorder (canalisation, voie, etc.).

embrasement nm litt 1 Incendie vaste et violent. 2 Illumination, ardente lueur.

embraser vt litt 1 Mettre en feu, mettre le feu à. 2 Illuminer de lueurs rouges. 3 Exalter, remplir de ferveur.

embrassade nf Action de deux personnes qui s'embrassent.

embrasse nf Bande d'étoffe, passementerie servant à retenir un rideau.

mbrassement nm litt Action d'embrasser, de embrasser.

mbrasser vt 1 Donner un baiser, des baisers 2 Saisir par la vue ou par l'intelligence un aste ensemble. 3 Contenir, englober. 4 Choisir, rendre un parti, adopter une idée, une carrière.

mbrasure nf Ouverture pratiquée dans l'épaisseur d'un mur pour y placer une porte ou une nêtre.

mbrayage nm 1 Action d'embrayer. 2 Mécanisme permettant d'embrayer.

mbrayer vt [20] Mettre en communication un oteur avec des organes mécaniques. ■ vti Commencer à s'occuper de qqch. Embrayer sur une uestion.

mbrigadement nm Action d'embrigader.

mbrigader vt Enrôler par persuasion ou par ontrainte dans un parti, une association, etc.

mbringuer vt fam Engager fâcheusement dans.

mbrocation nf MED Application d'un liquide ras sur une partie du corps malade ou fatiguée ; e liquide.

mbrocher vt 1 Mettre à la broche un morceau e viande, une volaille. 2 fam Transpercer avec ne arme pointue.

mbrouillamini nm fam Confusion, désordre.

mbrouille nf fam Affaire confuse et emmêlée.

mbrouillé, ée a 1 Emmêlé. 2 Extrêmement onfus. Histoire embrouillée.

mbrouillement nm Action, fait d'embrouiller, 'être embrouillé.

mbrouiller vt 1 Mettre en désordre ; emmêler. 2 .endre obscur, compliqué, confus. 3 Faire perdre fil de ses idées à qqn, le troubler. ■ vpr S'emêler, s'égarer.

mbroussaillé, ée a Encombré de broussailles.

mbrumer vt 1 Couvrir, charger de brume. 2 litt ssombrir, attrister.

mbruns nmpl Bruine formée par les vagues qui e brisent.

mbryogenèse nf BIOL Formation et développement de l'embryon animal ou végétal. Var mbryogénie

mbryologie nf Étude de l'embryogenèse.

mbryologique a De l'embryologie.

mbryon nm 1 Vertébré aux premiers stades de on développement, qui suivent la fécondation. 2 Chose inachevée, à peine commencée ; germe.

mbryonnaire a 1 De l'embryon. 2 Au premier tade de son développement ; rudimentaire. Pro-et embryonnaire.

mbryopathie nf Malformation de l'embryon.

mbûche nf 1 Ruse, machination destinée à uire à qqn. 2 Difficulté, obstacle. Var embuche

mbuer vt Couvrir de buée.

mbuscade nf Manœuvre qui consiste à se acher pour surprendre l'ennemi.

mbusqué nm Mobilisé affecté par faveur à un oste sans danger en temps de guerre.

mbusquer vt Mettre en embuscade. ■ vpr Se acher avec des intentions hostiles.

méché, ée a fam Légèrement ivre.

meraude nf Pierre précieuse translucide, de ouleur vert bleuté. ■ a inv Vert clair.

emergé, ée a Au-dessus de la surface des eaux. Rocher émergé. Ant. immergé.

mergence nf Action d'émerger.

émergent, ente a 1 Qui émerge. 2 Qui commence à apparaître, à exister. 3 ECON Se dit de pays en cours de développement rapide. Marché émergent.

émerger vi [11] 1 Se dégager, sortir d'un milieu après y avoir été plongé ; apparaître au-dessus du niveau de l'eau. 2 Sortir de l'ombre, apparaître plus clairement. 3 Se distinguer parmi d'autres. 4 fam Sortir du sommeil, d'une situation difficile.

émeri nm Variété de corindon qui, réduit en poudre, est utilisé comme abrasif, antidérapant.

émerillon nm Petit faucon.

éméritat nm Dignité de professeur émérite.

émérite a 1 abusiv Qui a acquis une connaissance remarquable d'une science, d'un métier. 2 Qui conserve son titre après avoir cessé d'exercer ses fonctions.

émersion nf Action, fait d'émerger.

émerveillement nm Fait de s'émerveiller.

émerveiller vt Frapper d'admiration. ■ vpr Être frappé d'admiration.

émétique a, nm Qui provoque le vomissement.

émetteur, trice a, n Qui émet. ■ nm 1 Appareil qui émet des ondes radioélectriques. 2 Station de radiodiffusion ou de télévision.

émettre vt [64] 1 Mettre en circulation. Émettre des billets de banque. 2 Produire, envoyer vers l'extérieur des sons, des radiations, etc. 3 Exprimer. Émettre une opinion.

émeu nm Très grand oiseau d'Australie aux ailes réduites.

émeute nf Soulèvement populaire.

émeutier, ère n Personne qui prend part à une émeute.

émiettement nm Action d'émietter, fait de s'émietter.

émietter vt 1 Réduire en miettes, en petits morceaux. 2 Réduire en petites parcelles ; disperser. Émietter ses forces.

émigrant, ante n Personne qui émigre.

émigration nf 1 Action d'émigrer. 2 Ensemble des personnes qui émigrent ou qui ont émigré.

émigré, ée a, n Qui a émigré.

émigrer vi 1 Quitter son pays pour aller s'établir dans un autre. 2 ZOOL Migrer.

émincé nm Mince tranche de viande cuite.

émincer vt [10] Couper en tranches minces.

éminemment av Au plus haut degré.

éminence nf 1 Élévation de terrain, hauteur, monticule. 2 Titre d'honneur donné aux cardinaux. Loc Éminence grise : conseiller secret très écouté.

éminent, ente a 1 Supérieur en mérite, en condition. 2 Remarquable, considérable.

émir nm Chef dans les pays musulmans.

émirat nm 1 Dignité d'émir. 2 État gouverné par un émir.

émirati, ie a, n Des Émirats arabes unis.

émissaire nm 1 Personne envoyée pour accomplir une mission. 2 GEOGR Cours d'eau par lequel s'évacue l'eau d'un lac.

émission nf 1 Action d'émettre des sons, des radiations, etc. 2 Programme diffusé (radiophonique ou télévisé).

émissole nf Petit requin comestible.

emmagasinage nm Action d'emmagasiner. Var **emmagasinement**

emmagasiner vt 1 Mettre en magasin, stocker. 2 Acquérir, accumuler.

emmailloter vt 1 Mettre un bébé dans un maillot, dans des langes. 2 Envelopper. *Emmailloter un doigt blessé.*

emmancher vt 1 Mettre un manche à un outil. 2 fam Mettre en train. ■ vpr fam Commencer d'une certaine façon. *L'affaire s'emmanche mal.*

emmanchure nf Ouverture d'un vêtement à laquelle est cousue une manche.

emmêler vt 1 Mêler, enchevêtrer. 2 Embrouiller. *Emmêler une affaire.*

emménagement nm Action d'emménager.

emménager vi [11] S'installer dans un nouveau logement. ■ vt Transporter dans un logement.

emmener vt [15] Mener qqn avec soi d'un lieu dans un autre.

emmenthal nm Variété de gruyère. **Var emmental**

emmerdant, ante a pop Ennuyeux, embêtant.

emmerdement nm pop Ennui, contrariété.

emmerder vt pop Agacer, contrarier, gêner à l'excès. ■ vpr S'ennuyer à l'excès.

emmerdeur, euse n pop 1 Personne qui emmerde les autres. 2 Personne pointilleuse à l'excès.

emmétrope a, n MED Se dit d'un œil, de qqn dont la vision est normale.

emmitoufler vt Envelopper chaudement, douillettement.

emmurer vt Enfermer en bloquant toutes les issues.

émoi nm 1 Trouble, agitation suscitée par l'émotion ou l'inquiétude. 2 litt Émotion sensuelle.

émollient, ente a, nm MED Qui relâche, qui ramollit les tissus.

émoluments nmpl Rétribution attachée à une place, à un emploi.

émondage nm Action d'émonder.

émonder vt Retrancher d'un arbre les branches nuisibles ou inutiles.

émotif, ive a Dû à l'émotion. ■ a, n Sujet à des émotions intenses.

émotion nf 1 Trouble intense, soudain et passager de l'affectivité. 2 Manifestation d'une sensibilité délicate. *Réciter un poème avec émotion.*

émotionnel, elle a Propre à l'émotion.

émotionner vt fam Causer de l'émotion.

émotivité nf PSYCHO Caractère émotif.

émouchet nm Petit rapace diurne, comme l'épervier.

émoulu, ue a Loc *Frais émoulu, fraîche émoulue :* récemment sorti(e) d'une école.

émoussement nm Action d'émousser ; état émoussé.

émousser vt 1 Rendre moins tranchant, moins aigu. 2 Rendre moins vif, atténuer, affaiblir.

émoustillant, ante a Qui émoustille.

émoustiller vt 1 Mettre en gaieté. 2 Exciter, disposer aux plaisirs sensuels.

émouvant, ante a Qui émeut, qui suscite une émotion plus ou moins vive.

émouvoir vt [42] 1 Susciter l'émotion de. 2 Susciter l'intérêt ou la sympathie de. ■ vpr Se soucier, s'inquiéter.

empaillage nm Action d'empailler.

empaillé, ée a, n fam Empoté.

empailler vt Emplir de paille la peau d'un animal mort pour lui conserver ses formes naturelles.

empailleur, euse n Personne qui empaille les animaux.

empalement nm Action d'empaler.

empaler vt Infliger le supplice du pal à qqn en le transperçant d'un pieu introduit par l'anus. ■ vpr Être transpercé par un objet pointu que l'on a heurté.

empan nm Distance entre l'extrémité du pouce et celle du petit doigt de la main écartée.

empanacher vt Orner d'un panache.

empanner vi MAR Faire changer de bord la grand-voile en virant de bord vent arrière.

empaquetage nm Action d'empaqueter.

empaqueter vt [17] ou [19] Mettre en paquet.

emparer (s') vpr 1 Se saisir d'une chose, s'en rendre maître. 2 Envahir, dominer qqn (sensation, sentiment).

empâtement nm État empâté ou pâteux.

empâter vt 1 Rendre pâteux. 2 Gonfler, épaissir, alourdir. ■ vpr Devenir gras, s'épaissir.

empathie nf PSYCHO Faculté de ressentir ce qu'un autre ressent.

empattement nm 1 Massif de maçonnerie qui sert de pied, de base à un mur. 2 Distance entre les essieux extrêmes d'un véhicule.

empaumer vt 1 Recevoir dans la paume de sa main. 2 fam Tromper, duper.

empêché, ée a Retenu par un empêchement.

empêchement nm Ce qui empêche d'agir, embarrasse, fait obstacle.

empêcher vt 1 Entraver qqn dans son action, ses projets. 2 Mettre un obstacle à qqch. Loc *Il n'empêche que :* malgré cela, néanmoins. ■ vpr Se retenir, s'abstenir. *Il ne peut s'empêcher de mentir.*

empêcheur, euse n Loc *Empêcheur de tourner en rond :* trouble-fête.

empeigne nf Dessus d'un soulier, depuis le cou-de-pied jusqu'à la pointe.

empennage nm Ensemble des plans fixes de l'arrière d'un avion, assurant sa stabilité.

empenne nf Ensemble des plumes qui garnissent le talon d'une flèche.

empenner vt Garnir une flèche de plumes.

empereur nm Souverain de certains États.

empesage nm Action d'empeser.

empesé, ée a 1 Apprêté avec de l'empois. 2 fam Guindé, compassé.

empeser vt [15] Apprêter du linge avec de l'empois.

empester vt 1 Corrompre, vicier. 2 Empuantir. ■ vi Dégager une odeur désagréable.

empêtrer vt 1 Embarrasser, gêner dans ses mouvements. 2 Mettre dans des difficultés. ■ vpr S'embrouiller, s'embarrasser.

emphase nf Exagération prétentieuse dans le ton, le geste, l'expression, le style.

emphatique a Qui s'exprime avec emphase ampoulé. *Un discours emphatique.*

emphatiquement av De façon emphatique.

emphysémateux, euse a, n Atteint d'emphysème.

emphysème nm MED Infiltration gazeuse diffuse du tissu cellulaire provoquant un gonflement, en particulier une dilatation pulmonaire.

emphytéotique a DR Se dit d'un bail à longue durée.

emplècement nm COUT Pièce rapportée à la partie supérieure d'un vêtement.

empierrement nm 1 Action d'empierrer. 2 Matériaux qui servent à empierrer.

empierrer vt Garnir de pierres.

empiètement nm Action d'empiéter.

empiéter vi [12] 1 S'étendre partiellement sur la terre d'autrui. 2 Usurper en partie les droits de qqn. 3 Déborder sur qqch (espace ou temps).

empiffrer (s') vpr fam Manger avec excès, glou-tonnement.

empilable a Qu'on peut empiler.

empilage nm Action d'empiler ; choses empi-lées. **Var empilement**

empiler vt 1 Mettre en pile. 2 fam Duper.

empire nm 1 Régime où l'autorité politique est détenue par un empereur. 2 État gouverné par un empereur. 3 Ensemble de territoires placés sous l'autorité d'un gouvernement central. *Empire colonial.* 4 Groupe industriel vaste et puissant. 5 litt Domination morale, ascendant.

empirer vi Devenir pire, s'aggraver.

empirique a Qui se fonde sur l'expérience et non sur un savoir théorique.

empiriquement av De façon empirique.

empirisme nm 1 Méthode, pratique empirique. 2 Doctrine selon laquelle toute connaissance dérive de l'expérience.

empiriste n Partisan de l'empirisme.

emplacement nm Lieu occupé par qqch ou qui convient pour placer ou édifier qqch.

emplafonner vt fam Heurter avec violence.

emplâtre nm 1 Pâte médicamenteuse qui s'ap-plique sur la peau. 2 fam Personne sans énergie, incapable.

emplette nf Achat.

emplir vt litt Rendre plein, combler, remplir.

emploi nm 1 Usage que l'on fait d'une chose ; manière d'en faire usage. 2 Travail rémunéré. 3 Rôle que l'on confie habituellement à un acteur.

employé, ée n Salarié ayant un emploi non manuel. **Loc** *Employé de maison :* domestique.

employer vt [22] 1 Faire usage de. 2 Faire tra-vailler en échange d'un salaire. ■ vpr 1 Être utilisé, usité. 2 S'occuper activement de. *S'em-ployer à faire des heureux.*

employeur, euse n Personne qui emploie un ou plusieurs salariés.

emplumé, ée a Garni de plumes.

empocher vt Toucher de l'argent.

empoignade nf fam Discussion violente.

empoigne nf Loc *Foire d'empoigne :* conflit tumultueux entre des personnes se disputant âprement des biens ou des avantages.

empoigner vt 1 Saisir avec les mains en serrant fortement. *Empoigner un outil.* 2 Émouvoir vive-ment. ■ vpr Se battre ; se quereller.

empois nm Colle légère d'amidon utilisée pour empeser le linge.

empoisonnant, ante a fam Très ennuyeux.

empoisonnement nm 1 Fait d'empoisonner ou d'être empoisonné ; intoxication. 2 fam Ennui, contrariété.

empoisonner vt 1 Intoxiquer, mortellement ou non, par du poison. 2 Mettre du poison sur qqch. 3 Infecter d'une odeur incommodante. 4 fam Importuner, ennuyer.

empoisonneur, euse n 1 Coupable d'empoi-sonnement. 2 fam Importun.

empoissonner vt Peupler de poissons.

emporté, ée a, n Violent, colérique.

emportement nm Accès de colère.

emporte-pièce nm Instrument servant à décou-per des pièces d'une forme déterminée. *Des emporte-pièces.* **Loc** *À l'emporte-pièce :* sans nuances.

emporter vt 1 Prendre avec soi et porter ailleurs. 2 Pousser, entraîner ; arracher. **Loc** *L'emporter sur :* avoir la supériorité, prévaloir sur. ■ vpr S'abandonner à la colère.

empoté, ée a, n fam Peu dégourdi.

empoter vt Mettre en pot.

empourprer vt Colorer de pourpre.

empoussiérer vt [12] Couvrir de poussière.

empreindre vt [69] (rare à l'actif) Marquer de certains traits de caractère. *Son visage est empreint de douceur.*

empreinte nf Marque imprimée, trace. **Loc** *Empreintes digitales :* traces laissées sur une surface par les sillons de la peau des doigts. *Empreinte génétique :* manière d'identifier un individu par l'analyse de ses sécré-tions.

empressé, ée a Zélé, ardent.

empressement nm Zèle, ardeur.

empresser (s') vpr 1 Se hâter de. 2 Montrer du zèle, de la prévenance.

emprise nf 1 Domination morale, intellectuelle, influence. 2 DR Terrain exproprié dans l'intérêt public.

emprisonnement nm Action d'emprisonner.

emprisonner vt 1 Mettre en prison. 2 Tenir comme enfermé.

emprunt nm 1 Action d'emprunter ; chose ou somme empruntée. **Loc** *D'emprunt :* que l'on ne possède pas en propre ; factice.

emprunté, ée a Qui manque de naturel, d'aisance ; gauche. *Un air emprunté.*

emprunter vt 1 Se faire prêter. 2 Prendre, tirer d'une source. *Emprunter des citations à un auteur.* 3 Prendre un chemin. *Emprunter un nou-vel itinéraire.*

emprunteur, euse n Personne qui emprunte.

empuantir vt Infecter d'une mauvaise odeur.

empyrée nm litt Ciel, paradis.

ému, ue a Qui éprouve ou exprime une émo-tion.

émulation nf Sentiment qui pousse à égaler ou à surpasser qqn.

émule n litt Personne qui cherche à rivaliser avec une autre en mérite, en savoir, etc.

émulsif, ive a, nm Qui stabilise une émulsion. **Var émulsifiant, ante**

émulsifier vt Mettre en émulsion. **Var émul-sionner**

émulsion nf 1 Dispersion d'un liquide au sein d'un autre avec lequel il n'est pas miscible. 2 Couche photosensible qui recouvre les pellicules et les papiers photographiques.

1. en prép 1 Indique le lieu, l'état, la manière d'être, la matière, la forme, la transformation, etc. 2 Sert à former le gérondif (ex. : *en lisant*). 3 Entre dans de nombreuses locutions.

2. en pr pers, av 1 Indique la provenance, l'ori-gine. *J'en viens.* 2 Représente un nom complément introduit par de. *J'en parle.* 3 Entre dans de nombreuses locutions.

enamourer (s') [ãna-] ou [ena-] *vpr* litt Tomber amoureux. Var **énamourer (s')**

énarque *n* Ancien élève de l'ÉNA.

en-avant *nm inv* Au rugby, faute consistant à faire une passe vers l'avant avec la main.

en-but *nm* Au rugby, surface où peut être marqué un essai. *Des en-buts* ou *en-but.*

encablure *nf* MAR Ancienne mesure de longueur valant environ 180 m.

encadré *nm* Texte entouré d'un filet, dans une page.

encadrement *nm* 1 Action d'encadrer. 2 Ce qui encadre. 3 Ensemble des cadres dans l'armée, dans une entreprise, une collectivité.

encadrer *vt* 1 Placer dans un cadre. 2 Entourer pour mettre en valeur, pour limiter, pour garder, etc. 3 Mettre sous la responsabilité de cadres. *Encadrer les nouveaux appelés.*

encadreur, euse *n* Artisan spécialiste de l'encadrement.

encaissable *a* Qui peut être encaissé.

encaisse *nf* Somme disponible qui se trouve dans la caisse.

encaissé, ée *a* Resserré entre des bords élevés et escarpés.

encaissement *nm* 1 État de ce qui est encaissé. 2 Action de recevoir de l'argent et de le mettre en caisse.

encaisser *vt* 1 Toucher de l'argent en paiement. 2 fam Recevoir des coups, subir des mauvais traitements, etc. Loc fam *Ne pas encaisser qqn :* ne pas le supporter.

encaisseur *nm* Employé qui effectue des recouvrements.

encalminé, ée *a* MAR Immobilisé par manque de vent.

encan (à l') *av* Aux enchères publiques. *Vendre des meubles à l'encan.*

encanaillement *nm* Fait de s'encanailler.

encanailler (s') *vpr* Fréquenter ou imiter des gens vulgaires.

encapuchonner *vt* Couvrir d'un capuchon.

encart *nm* Feuillet mobile ou cahier tiré à part que l'on insère dans un ouvrage imprimé. *Un encart publicitaire.*

encarter *vt* 1 Insérer un encart. 2 Fixer sur un carton des articles pour la vente.

en-cas *nm inv* Repas sommaire tenu prêt en cas de besoin. Var **encas**

encaserner *vt* Enfermer dans une caserne.

encastrable *a, nm* Qui peut être encastré.

encastrement *nm* Action d'encastrer. ■ *vpr* S'ajuster exactement qq part.

encastrer *vt* Insérer, ajuster dans un espace creux. ■ *vpr* S'ajuster exactement qq part.

encaustique *nf* Produit à base de cire et d'essence, utilisé pour entretenir les parquets, les meubles.

encaustiquer *vt* Étendre de l'encaustique sur.

1. enceinte *nf* 1 Ce qui entoure, enclôt un espace et le protège. 2 Espace clos, dont l'accès est protégé. Loc *Enceinte acoustique :* boîte rigide contenant des haut-parleurs. Syn. baffle.

2. enceinte *af* Se dit d'une femme en état de grossesse.

encens [-sã] *nm* Substance résineuse qui dégage un parfum pénétrant quand on la fait brûler.

encensement *nm* Action d'encenser.

encenser *vt* 1 Honorer en balançant l'encensoir. 2 Flatter par des louanges excessives.

encensoir *nm* Cassolette suspendue à des chaînes, dans laquelle on brûle l'encens.

encépagement *nm* Ensemble des cépages d'un vignoble.

encéphale *nm* Masse nerveuse contenue dans la boîte crânienne, comprenant le cerveau, le cervelet et le tronc cérébral.

encéphalique *a* De l'encéphale.

encéphalite *nf* Inflammation de l'encéphale.

encéphalogramme *nm* Électroencéphalogramme.

encéphalographie *nf* Examen de l'encéphale par radiographie.

encéphalomyélite *nf* Inflammation de l'encéphale et de la moelle épinière.

encéphalopathie *nf* Affection de l'encéphale.

encerclement *nm* Action d'encercler ; fait d'être encerclé.

encercler *vt* 1 Entourer d'un cercle. 2 Entourer de toutes parts, cerner.

enchaînement *nm* 1 Suite de choses qui s'enchaînent. 2 Liaison d'arguments, d'idées. Var **enchainement**

enchaîner *vt* 1 Attacher avec une chaîne. 2 Lier, retenir par une obligation morale, par des sentiments, etc. 3 Lier, coordonner logiquement. ■ *vi* Passer d'une question, d'une action à une autre sans interruption. ■ *vpr* Former une suite d'éléments dépendant les uns des autres. Var **enchainer**

enchanté, ée *a* 1 Soumis à un sortilège. 2 Ravi, heureux.

enchantement *nm* 1 Action d'ensorceler ; sortilège. 2 Ravissement profond. 3 Chose qui ravit. Loc *Comme par enchantement :* avec une rapidité, une facilité extraordinaire.

enchanter *vt* 1 Ensorceler. 2 Causer un vif plaisir à, ravir.

enchanteur, teresse *n* Magicien. ■ *a* Qui charme, ravit. *Paysage enchanteur.*

enchâssement *nm* Action d'enchâsser.

enchâsser *vt* 1 Mettre dans une châsse. 2 Fixer sur un support, dans un logement ménagé à cet effet. 3 litt Insérer, intercaler.

enchère *nf* 1 Offre d'un prix supérieur à une offre déjà faite. 2 Aux cartes, demande supérieure à celle de l'adversaire.

enchérir *vi* 1 Faire une enchère. 2 litt Surpasser, aller au-delà de.

enchérisseur, euse *n* Personne qui fait une enchère.

enchevêtrement *nm* 1 Action d'enchevêtrer ; état de ce qui est enchevêtré. 2 Ensemble, amas de choses enchevêtrées.

enchevêtrer *vt* Embrouiller, emmêler. ■ *vpr* S'embrouiller, s'emmêler.

enchifrené, ée *a* fam Enrhumé.

enclave *nf* Terrain ou territoire enfermé dans un autre.

enclavement *nm* Action d'enclaver ; état de ce qui est enclavé.

enclaver *vt* 1 Enclore, entourer comme enclave. 2 Engager, insérer entre.

enclenchement nm 1 Action d'enclencher ; état d'une pièce enclenchée. 2 Organe mobile rendant deux pièces solidaires.

enclencher vt 1 Mettre en marche un mécanisme en rendant solidaires deux pièces. 2 Faire démarrer. ■ vpr Commencer, se mettre en marche.

enclin, ine a Porté, disposé à. *Être enclin à la paresse.*

encliquetage nm Mécanisme permettant l'entraînement d'un organe dans un seul sens.

encliqueter vt [17] ou [19] Faire fonctionner un encliquetage.

enclitique nm gram Mot atone qui s'unit avec le précédent dans la prononciation (ex. : *ce* dans *est-ce*, *je* dans *puis-je*).

enclore vt [53] Entourer de murs, de fossés, de haies, etc.

enclos nm 1 Terrain entouré d'une clôture. 2 Ce qui clôt un terrain.

enclume nf 1 Masse métallique sur laquelle on forge les métaux. 2 ANAT Un des osselets de l'oreille moyenne.

encoche nf Petite entaille.

encocher vt Faire une encoche à.

encodage nm Action d'encoder.

encoder vt Transcrire qqch selon un code.

encoignure [ɑ̃kɔɲyʀ] nf 1 Angle rentrant formé par la jonction de deux pans de mur. 2 Petit meuble d'angle.

encollage nm 1 Action d'encoller. 2 Apprêt ou enduit pour encoller.

encoller vt Enduire de colle, d'apprêt ou de gomme.

encolure nf 1 Cou du cheval et de certains animaux. 2 Dimension du tour de cou. 3 Partie du vêtement entourant le cou.

encombrant, ante a Qui encombre ; gênant.

encombre (sans) av Sans incident, sans rencontrer d'obstacle.

encombré, ée a Rempli, obstrué.

encombrement nm 1 Action d'encombrer ; état qui en résulte. 2 Accumulation d'un grand nombre de choses qui encombrent. 3 Dimensions d'un objet, volume qu'il occupe.

encombrer vt 1 Embarrasser, obstruer qqch. 2 Gêner, embarrasser qqn.

encontre (à l') prép Loc *À l'encontre de :* dans le sens contraire, à l'opposé de.

encorbellement nm ARCHI Construction en saillie du plan vertical d'un mur.

encorder (s') vpr Se relier par une même corde, par mesure de sécurité, en parlant d'alpinistes.

encore av Indique la persistance de l'action, la répétition, le renforcement ou la restriction. Loc *Encore que :* bien que, quoique.

encorner vt Frapper, percer à coups de cornes.

encornet nm Petit calmar.

encourageant, ante a Qui encourage, qui donne de l'espoir.

encouragement nm 1 Action d'encourager. 2 Ce qui encourage.

encourager vt [11] 1 Donner du courage. 2 Inciter à agir. 3 Favoriser l'essor, le développement de qqch. *Encourager l'industrie.*

encourir vt [25] litt S'exposer à, tomber sous le coup de. *Encourir la réprobation.*

en-cours nm inv FIN Montant des titres représentant des engagements financiers en cours. **Var encours**

encrage nm Action d'encrer.

encrassement nm Fait de s'encrasser.

encrasser vt Recouvrir de crasse. ■ vpr Devenir crasseux.

encre nf 1 Substance liquide, noire ou colorée, servant à écrire, à dessiner, à imprimer. 2 Liquide noir émis par les céphalopodes. Loc *C'est la bouteille à l'encre :* c'est une affaire obscure, confuse. *Faire couler de l'encre :* être le sujet de nombreux articles.

encrer vt Charger, enduire d'encre.

encreur, euse a Qui sert à encrer.

encrier nm Petit récipient pour mettre l'encre.

encroûtement nm Action d'encroûter, fait de s'encroûter. **Var encroutement**

encroûter vt Recouvrir d'une croûte. ■ vpr 1 Se couvrir d'une croûte. 2 S'abêtir dans des habitudes, des opinions figées. **Var encrouter**

encrypter vt INFORM Crypter des données pour préserver leur confidentialité.

enculé nm pop Injure de mépris.

enculer vt pop Pratiquer la sodomisation.

enculeur nm Loc fam *Enculeur de mouches :* excessivement pointilleux.

encyclique nf Lettre adressée par un pape au clergé et aux fidèles.

encyclopédie nf Ouvrage où on expose méthodiquement les connaissances dans un domaine ou un ensemble de domaines.

encyclopédique a Propre à l'encyclopédie, à l'ensemble des connaissances.

encyclopédisme nm Tendance à accumuler toutes sortes de connaissances.

encyclopédiste nm Collaborateur de l'*Encyclopédie* de Diderot et d'Alembert. ■ n Rédacteur d'articles d'encyclopédie.

endémie nf Persistance dans une région d'une maladie qui frappe une partie importante de la population.

endémique a 1 De l'endémie. 2 BIOL Se dit d'une espèce qui n'existe que dans une région précise.

endémisme nm BIOL Caractère d'une espèce endémique.

endettement nm Fait de s'endetter, d'être endetté.

endetter vt Engager dans des dettes. ■ vpr Faire des dettes.

endeuiller vt Plonger dans le deuil, dans la tristesse.

endiablé, ée a Plein de fougue.

endiguement nm Action d'endiguer.

endiguer vt 1 Contenir par des digues. 2 Contenir, refréner.

endimancher (s') vpr Mettre ses plus beaux habits, ses habits du dimanche.

endive nf Variété de chicorée.

endocarde nm ANAT Tunique interne du cœur.

endocardite nf Inflammation de l'endocarde.

endocarpe nm BOT Partie la plus interne du fruit ; coque du noyau.

endocrine a Se dit des glandes à sécrétion interne. Ant. exocrine.

endocrinien, enne a Des glandes endocrines.

endocrinologie nf MED Étude des glandes endocrines.

endocrinologue n Spécialiste des glandes endocrines. Var **endocrinologiste**.

endoctrinement nm Action d'endoctriner.

endoctriner vt Faire la leçon à qqn pour qu'il adhère à une doctrine.

endoderme nm 1 BOT Assise interne de l'écorce. 2 ZOOL Feuillet embryonnaire interne.

endogame a, n Qui pratique l'endogamie.

endogamie nf SOCIOL Fait de se marier à l'intérieur de son groupe social. Ant. exogamie.

endogène a Qui se forme à l'intérieur de qqch. Ant. exogène.

endolorir vt Rendre douloureux.

endomètre nm ANAT Muqueuse utérine.

endométrite nf Inflammation de l'endomètre.

endommagement nm Action d'endommager.

endommager vt [11] Abîmer, détériorer.

endoréique a Se dit d'un cours d'eau qui se déverse dans une dépression intérieure et non dans la mer. Ant. exoréique.

endormi, ie a 1 Lent, nonchalant. 2 Qui a une activité réduite. *Une petite ville endormie.*

endormir vt [29] 1 Faire dormir. 2 Tromper qqn pour l'empêcher d'agir. 3 Atténuer, rendre moins vif. *Endormir la douleur.* 4 Ennuyer profondément. ■ vpr 1 Commencer à dormir. 2 Perdre de son activité, de sa vigilance.

endormissement nm Moment où l'on passe de la veille au sommeil.

endorphine nf Substance présente dans le cerveau et qui a une action analgésique.

endos. V. endossement.

endoscope nm MED Instrument destiné à explorer certains conduits, certaines cavités du corps (estomac, vessie, etc.).

endoscopie nf MED Technique d'observation utilisant un endoscope.

endoscopique a De l'endoscopie.

endosmose nf PHYS Passage, à travers une membrane, du solvant de la solution la moins concentrée vers la plus concentrée.

endossable a Qui peut être endossé (chèque).

endossataire n FIN Personne pour laquelle un effet est endossé.

endossement nm FIN Action de transférer à un autre la propriété d'un effet de commerce en l'endossant. Var **endos**.

endosser vt 1 Mettre un vêtement sur son dos. 2 Assumer, prendre sur soi. 3 Inscrire au dos d'un chèque, d'une traite, l'ordre de le payer.

endothélium [-teljom] nm ANAT Tissu qui tapisse la paroi interne de l'appareil circulatoire.

endothermique a CHIM Se dit d'une réaction qui absorbe de la chaleur.

endotoxine nf Toxine contenue dans certaines bactéries.

endroit nm 1 Lieu, place, partie déterminée. 2 Côté sous lequel se présente habituellement un objet. Ant. envers. **Loc** *À l'endroit* : du bon côté. litt *À l'endroit de* : à l'égard de, envers qqn.

enduire vt [67] Couvrir d'un enduit.

enduit nm Matière molle dont on couvre la surface de certains objets.

endurance nf Capacité de résister à la fatigue, aux souffrances.

endurant, ante a Qui a de l'endurance.

endurci, ie a 1 Devenu insensible. 2 Invétéré dans son état, ses habitudes. *Menteur endurci.*

endurcir vt 1 Rendre plus robuste, plus résistant. 2 Rendre insensible, impitoyable. ■ vpr 1 S'aguerrir. 2 Devenir insensible.

endurcissement nm État de qqn d'endurci.

endurer vt Souffrir, supporter ce qui est pénible.

enduro nm Épreuve motocycliste d'endurance tout-terrain. ■ nf Moto conçue pour l'enduro.

énéolithique nm Dernière période de la préhistoire.

énergétique a Relatif à l'énergie.

énergie nf 1 Force, puissance d'action. 2 Fermeté, résolution que l'on fait apparaître dans ses actes. 3 PHYS Capacité d'un corps ou d'un système à produire un travail, à élever une température etc. *Énergie électrique. Sources d'énergie.*

énergique a Qui a, qui manifeste de l'énergie.

énergiquement av De façon énergique.

énergisant, ante a Qui donne de l'énergie. ■ nm Substance stimulant le tonus psychique.

énergiser vt Donner davantage d'énergie, stimuler.

énergivore a Qui gaspille l'énergie.

énergumène n Individu exalté, agité.

énervant, ante a Qui agace. *Refrain énervant.*

énervation nf Ablation ou section d'un nerf.

énervé, ée a Agacé, irrité.

énervement nm État d'excitation, d'irritation.

énerver vt Agacer, irriter. ■ vpr Perdre son calme, le contrôle de ses nerfs.

enfance nf 1 Période de la vie de l'être humain qui va de la naissance jusqu'à l'âge de la puberté. 2 Les enfants. *La cruauté de l'enfance.* 3 Début, commencement. **Loc** *C'est l'enfance de l'art* : c'est très facile à faire.

enfant n 1 Être humain dans l'enfance. 2 Fils ou fille, quel que soit son âge. 3 Descendant. 4 Originaire d'un pays, d'une région, d'un milieu. **Loc** *Enfant de troupe* : fils de militaire élevé aux frais de l'État. *Faire l'enfant* : se comporter puérilement.

enfantement nm litt Action d'enfanter.

enfanter vt litt 1 Mettre un enfant au monde. 2 Produire, créer.

enfantillage nm Comportement, discours puérils.

enfantin, ine a 1 Propre à l'enfance. 2 Très facile. *Travail enfantin.* 3 Puéril.

enfariné, ée a Couvert de farine. **Loc** fam *Le bec enfariné* : avec la sotte confiance du quémandeur naïf.

enfer nm 1 Dans le christianisme, lieu de supplice des damnés. 2 Souffrance permanente. *Sa vie est devenue un enfer.* 3 Partie d'une bibliothèque qui contient les ouvrages interdits au public. **Loc** *Une vie d'enfer* : pleine de tourments. *Un feu, un bruit d'enfer* : extrêmement violents. ■ pl Séjour des âmes des morts, dans la mythologie gréco-latine.

enfermement nm Action d'enfermer qqn.

enfermer vt 1 Mettre et maintenir qqn dans un lieu clos. 2 Mettre qqch dans un lieu, un meuble fermé. 3 S'installer dans un lieu fermé, isolé. ■ vpr Se maintenir dans une situation, un état.

enferrer (s') vpr Tomber dans son propre piège, s'enfoncer maladroitement.

enfiévrer vt [12] Exciter la fièvre, l'ardeur de.

enfilade nf Série de choses se suivant sur une même ligne, en file.

enfilage nm Action d'enfiler.

enfiler vt 1 Passer un fil, etc., à travers, par le trou de. *Enfiler une aiguille, des perles.* 2 Passer, mettre un vêtement sur soi. *Enfiler une robe.* 3 S'engager dans. *Enfiler une rue.*

enfin av Marque la fin, la conclusion de qqch, l'impatience, le soulagement.

enflammer vt 1 Mettre le feu à. 2 litt Emplir d'ardeur, de passion. 3 Irriter, provoquer l'inflammation de.

enflé, ée a Gonflé. Loc *Style enflé* : ampoulé, emphatique. ■ n pop Idiot.

enfler vt Augmenter le volume, l'importance de. *Les pluies ont enflé la rivière. Enfler un incident.* ■ vi Gonfler, se tuméfier.

enflure nf 1 Gonflement d'une partie du corps ; œdème. 2 Exagération, emphase. *Enflure du style.*

enfoiré, ée a, n pop Idiot, abruti.

enfoncé, ée a Logé au fond, reculé.

enfoncement nm 1 Action d'enfoncer. 2 Partie reculée, en retrait. Ant. saillie.

enfoncer vt [10] 1 Faire pénétrer. *Enfoncer un clou.* 2 Accabler qqn. 3 Rompre en pesant sur. 4 fam Faire plier, vaincre, surpasser. Loc *Enfoncer le clou* : insister fortement. ■ vi Aller vers le fond. *On enfonçait dans la boue.* ■ vpr 1 Aller vers le fond, s'affaisser. 2 Pénétrer bien avant. *S'enfoncer dans la forêt.*

enfouir vt Mettre ou cacher en terre ou sous des objets.

enfouissement nm Action d'enfouir.

enfourcher vt Monter à califourchon sur.

enfournage nm Action d'enfourner. Var **enfournement**.

enfourner vt 1 Mettre dans un four. 2 fam Mettre dans la bouche largement ouverte.

enfreindre vt [69] Ne pas respecter. *Enfreindre une loi.*

enfuir (s') vpr [28] Prendre la fuite.

enfumer vt 1 Remplir, envelopper de fumée. 2 Noircir de fumée.

engagé, ée a Qui prend ouvertement parti pour une cause. *Littérature engagée.* ■ a, n Qui a contracté un engagement dans l'armée.

engageant, ante a Attirant, qui séduit.

engagement nm 1 Action d'engager, de s'engager. 2 Combat de courte durée. 3 SPORT Coup d'envoi d'une partie. Loc *Engagement physique* : utilisation maximale de ses qualités athlétiques.

engager vt [11] 1 Mettre, donner en gage. 2 Lier par une promesse, une convention. *Cela n'engage à rien.* 3 Prendre à son service ; embaucher. *Engager un employé de maison.* 4 Faire pénétrer, introduire. *Engager la main dans l'ouverture.* 5 Faire entrer, mettre en jeu. *Engager des capitaux dans une affaire.* 6 Commencer, provoquer. *Engager un procès.* 7 Amener qqn à faire qqch. ■ vpr 1 Promettre. 2 Prendre politiquement une position politique ; militer. 3 S'enrôler dans l'armée. 4 Commencer ; entrer dans une voie, un processus. *La négociation s'engage.*

engeance nf Catégorie de personnes jugées méprisables.

engelure nf Lésion due au froid, caractérisée par un œdème rouge.

engendrement nm Action d'engendrer.

engendrer vt 1 Procréer, en parlant des mâles. 2 Être la cause de, faire naître, provoquer.

engerber vt Mettre en gerbes.

engin nm 1 Appareil conçu pour exécuter des travaux. *Engin de terrassement.* 2 Appareil équipé à des fins militaires ; missile. 3 Instrument, outil quelconque.

engineering [ɛnʒiniriŋ] nm Ingénierie.

englober vt Réunir, comprendre en un tout.

engloutir vt 1 Avaler gloutonnement. 2 Faire disparaître, absorber.

engloutissement nm Action d'engloutir.

engluage nm Fait d'être englué. Var **engluement**.

engluer vt 1 Enduire d'une matière gluante. 2 Prendre à la glu.

engoncement nm Fait d'être engoncé.

engoncer vt [10] En parlant de vêtements, faire paraître le cou enfoncé dans les épaules.

engorgement nm Obstruction formée dans un tuyau, un canal, etc.

engorger vt [11] Obstruer, boucher un conduit, une voie.

engouement nm Fait de s'engouer.

engouer (s') vpr Se prendre d'une passion excessive et passagère pour.

engouffrement nm Action d'engouffrer, de s'engouffrer.

engouffrer vt Dévorer, engloutir. ■ vpr Entrer avec violence, pénétrer précipitamment.

engoulevent nm Oiseau au plumage roussâtre, qui ressemble à un grand martinet.

engourdir vt 1 Causer l'engourdissement de. 2 Diminuer, ralentir l'activité, l'énergie de.

engourdissement nm 1 Privation momentanée de la sensibilité ou de la mobilité. 2 État de torpeur.

engrais nm 1 Action d'engraisser. *Porc à l'engrais.* 2 Matière qui fertilise le sol. *Engrais chimique.*

engraissement nm Action d'engraisser. Var **engraissage**.

engraisser vt 1 Faire devenir gras. *Engraisser de la volaille.* 2 Améliorer par des engrais. 3 fam Rendre riche, florissant. ■ vi Devenir gras.

engramme nm PSYCHO Trace laissée dans les centres nerveux par toute activité antérieure.

engranger vt [11] 1 Mettre dans une grange. 2 litt Accumuler. *Engranger des bénéfices.*

engrenage nm 1 Dispositif composé de pièces à dents ou à rainures se transmettant un mouvement de rotation. 2 Enchaînement de circonstances auquel il est difficile d'échapper.

engrener vt [15] Mettre en prise les pièces d'un engrenage.

engrosser vt pop Rendre enceinte.

engueulade nf fam Action d'engueuler, de s'engueuler ; violents reproches.

engueuler vt fam Faire des reproches véhéments à, invectiver. ■ vpr fam Se disputer.

enguirlander vt 1 Garnir de guirlandes. 2 fam Engueuler.

enhardir [ɑ̃ar-] vt Donner de la hardiesse à. ■ vpr Prendre de la hardiesse.

enharmonie [ɑ̃nar-] nf MUS Annulation de la différence d'intonation entre deux notes conjointes (ex. : *fa* et *mi dièse*).

enharmonique a De l'enharmonie.

énième a Qui est à un rang indéterminé.

énigmatique a Qui renferme une énigme.

énigme nf 1 Chose à deviner d'après une description en termes obscurs et ambigus. 2 Problème difficile à comprendre.

enivrant, ante [ãni-] a Qui enivre.

enivrement [ãni-] nm Exaltation de l'âme, des passions.

enivrer [ãni-] vt 1 Rendre ivre ; saouler. 2 Étourdir, exalter. Enivrer de bonheur.

enjambée nf Grand pas.

enjambement nm LITTER Rejet au vers suivant d'un ou plusieurs mots qui complètent le sens du premier vers.

enjamber vt Franchir en faisant un pas par-dessus.

enjeu nm 1 Somme que l'on mise au jeu et qui revient au gagnant. 2 Ce que l'on risque de gagner ou de perdre dans une entreprise, une compétition.

enjoindre vt [62] Ordonner.

enjôler vt Séduire par des manières, des paroles flatteuses.

enjôleur, euse n, a Personne qui enjôle.

enjolivement nm Ornement, ajout qui enjolive. Var **enjolivure** nf

enjoliver vt Rendre plus joli, orner.

enjoliveur nm Garniture qui recouvre la partie centrale extérieure d'une roue.

enjoué, ée a Qui a de l'enjouement.

enjouement nm Gaieté aimable, bonne humeur, entrain.

enkyster (s') vpr S'enfermer dans un kyste.

enlacement nm Action d'enlacer.

enlacer vt [10] Étreindre, serrer dans ses bras.

enlaidir vt Rendre laid. ■ vi Devenir laid.

enlaidissement nm Fait d'enlaidir.

enlevé, ée a Exécuté avec brio.

enlèvement nm 1 Action d'emporter qqch d'un lieu. 2 Rapt, kidnapping.

enlever vt [15] 1 Déplacer, mettre plus loin. Enlevez ce paquet. 2 Retirer, ôter. Enlève tes chaussures. 3 Faire disparaître. Enlever une tache. 4 S'emparer de. Enlever une place. 5 Ravir, emmener de gré ou de force. 6 Exécuter avec vivacité et brio. Enlever un morceau de musique.

enliasser vt Mettre en liasse.

enlisement nm Fait de s'enliser.

enliser (s') vpr 1 Disparaître peu à peu dans un sol mouvant. 2 Stagner, régresser.

enluminer vt 1 Orner d'enluminures. 2 litt Colorer vivement.

enlumineur, euse n Artiste d'enluminures.

enluminure nf Lettre ornée ou miniature colorée des anciens manuscrits.

ennéagone nm Polygone à neuf côtés.

enneigé, ée [ã-] a Couvert de neige.

enneigement [ã-] nm 1 État du sol enneigé. 2 Épaisseur de la couche de neige en un lieu donné.

ennemi, ie n, a 1 Qui hait qqn, qui cherche à lui nuire. 2 Chose opposée, nuisible à une autre. Le mieux est l'ennemi du bien. 3 Qui éprouve de l'aversion pour qqch. ■ nmpl Ceux contre qui on se bat, en période de guerre, leur État, leur armée.

ennoblir [ã-] vt Conférer de la noblesse morale, de la dignité à.

ennoblissement [ã-] nm Action d'ennoblir.

ennuager [ã-] vt [11] Couvrir de nuages.

ennui [ã-] nm 1 Lassitude morale, absence d'intérêt. 2 Souci, contrariété, problème. Avoir des ennuis d'argent.

ennuyer [ã-] vt [21] 1 Causer du souci, de la contrariété à. Cette panne m'ennuie beaucoup. 2 Importuner, lasser. Il m'ennuie avec ses questions. ■ vpr Éprouver de l'ennui.

ennuyeux, euse [ã-] a Qui cause de l'ennui ou des soucis.

énoncé nm 1 Action d'énoncer ; ce qui est énoncé. 2 Formulation des données d'un problème, d'un exercice.

énoncer vt [10] Exprimer sa pensée, la rendre par des mots. Énoncer une vérité.

énonciatif, ive a Qui énonce.

énonciation nf Action, manière d'énoncer.

enorgueillir [ãnɔr-] vt Rendre orgueilleux. ■ vpr Tirer orgueil de.

énorme a 1 Démesuré, extraordinairement grand ou gros. 2 fam Remarquable, incroyable.

énormément av Beaucoup, extrêmement, excessivement.

énormité nf 1 Caractère énorme. 2 fam Parole ou action d'une extravagance ou d'une stupidité énorme.

enquérir (s') vpr [34] Se renseigner, s'informer sur. Il s'est enquis de ma santé.

enquête nf 1 Étude d'une question, s'appuyant sur des témoignages, des informations. Enquête journalistique. 2 Recherche faite par une autorité judiciaire, administrative ou religieuse.

enquêter vi Faire une enquête.

enquêteur, euse ou **trice** n, a Personne qui mène une enquête.

enquiquinant, ante a fam Qui agace.

enquiquinement nm fam Ennui.

enquiquiner vt fam Ennuyer, agacer.

enquiquineur, euse n, a fam Importun.

enracinement nm Action d'enraciner, de s'enraciner.

enraciner vt 1 Faire prendre racine à. 2 Implanter profondément dans l'esprit, les mœurs, etc. ■ vpr 1 Prendre racine. 2 S'établir solidement. Préjugé qui s'est enraciné.

enragé, ée a Atteint de la rage. Loc fam Manger de la vache enragée : mener une vie de privations. ■ a, n 1 Furieux. 2 Passionné, acharné. Un joueur enragé.

enrageant, ante a Qui met en colère.

enrager vi [11] Éprouver un vif déplaisir ; être en colère. Loc Faire enrager : irriter, taquiner.

enraiement nm Action d'enrayer. Var **enrayement**

enrayage nm Blocage du mécanisme d'une arme à feu.

enrayer vt [20] 1 Arrêter l'extension d'une chose fâcheuse. Enrayer une épidémie. 2 Bloquer une roue, un mécanisme. ■ vpr Se bloquer, en parlant d'un mécanisme, d'une arme à feu.

enrégimentement nm Action d'enrégimenter.

enrégimenter vt Faire entrer dans un groupe qui exige une stricte discipline.

enregistrement nm 1 Action d'enregistrer. 2 Administration chargée d'enregistrer certains actes officiels. 3 Opération consistant à recueillir sur un support matériel des sons, des images qui peuvent être restitués par une lecture ; ces sons, ces images ainsi recueillis.

enregistrer *vt* **1** Inscrire sur un registre, une feuille, etc. **2** Noter dans sa mémoire. **3** Constater, observer. *Enregistrer une amélioration du temps.* **4** Transférer des informations (sonores, visuelles, codées) sur un support matériel (disque, bande magnétique, etc.).

enregistreur, euse *a, nm* Se dit d'un appareil qui enregistre.

enrhumer *vt* Causer un rhume à. ■ *vpr* Contracter un rhume.

enrichi, ie *a* **1** Dont la fortune est récente. **2** PHYS Dont la teneur en l'un de ses constituants a été augmentée. *Un minerai enrichi.*

enrichir *vt* **1** Rendre riche. **2** Apporter qqch de précieux ou de nouveau à. ■ *vpr* Devenir riche.

enrichissant, ante *a* Qui apporte un enrichissement intellectuel.

enrichissement *nm* Action d'enrichir, de s'enrichir.

enrobage *nm* **1** Action d'enrober. **2** Ce qui enrobe. **Var enrobement**

enrobé, ée *a* fam Grassouillet. ■ *nm* Granulat utilisé pour le revêtement des chaussées.

enrober *vt* **1** Recouvrir d'une couche qui protège ou améliore le goût. **2** Envelopper pour atténuer ou déguiser.

enrochement *nm* Amoncellement de blocs de roche qui protègent la base d'une digue, d'une jetée, etc.

enrôlé *nm* Soldat inscrit sur les rôles de l'armée.

enrôlement *nm* Action d'enrôler, de s'enrôler.

enrôler *vt* **1** Inscrire sur les rôles de l'armée. **2** Faire entrer dans un groupe. ■ *vpr* S'engager, se faire inscrire.

enrouement *nm* Altération de la voix qui devient rauque et voilée.

enrouer *vt* Rendre la voix rauque, sourde. ■ *vpr* Être pris d'enrouement.

enroulement *nm* **1** Action d'enrouler ; fait de s'enrouler. **2** Ce qui forme une crosse, une spirale. **3** ELECTR Bobinage.

enrouler *vt* Rouler plusieurs fois une chose sur elle-même ou autour d'une autre. ■ *vpr* S'envelopper. *S'enrouler dans une couverture.*

enrouleur, euse *a, nm* Qui sert à enrouler.

enrubanner *vt* Garnir de rubans.

ensablement *nm* Action d'ensabler, de s'ensabler ; fait d'être ensablé.

ensabler *vt* Couvrir, remplir de sable. ■ *vpr* **1** Se recouvrir, se remplir de sable. **2** S'enfoncer dans le sable.

ensachage *nm* Action d'ensacher.

ensacher *vt* Mettre dans un sac, un sachet.

ensanglanter *vt* **1** Tacher, couvrir de sang. **2** litt Souiller par un acte meurtrier.

enseignant, ante *a, n* Qui enseigne. **Loc** *Le corps enseignant :* l'ensemble des personnes chargées d'enseigner.

1. enseigne *nf* Inscription, emblème placé sur la façade d'un établissement commercial. **Loc** *À telle enseigne que :* la preuve en est que.

2. enseigne *nm* **Loc** *Enseigne de vaisseau :* officier de marine dont le grade correspond à celui de lieutenant ou de sous-lieutenant.

enseignement *nm* **1** Action, manière d'enseigner ; son résultat. **2** Profession des enseignants. **3** Leçon donnée par l'exemple, l'expérience.

enseigner *vt* **1** Transmettre un savoir. *Enseigner l'histoire.* **2** Montrer, prouver que.

ensemble *av* **1** L'un avec l'autre, les uns avec les autres. *Ils vivent ensemble.* **2** Simultanément. *Démarrer ensemble.* ■ *nm* **1** Groupe d'éléments formant un tout. *Examiner l'ensemble des problèmes.* **2** Groupe d'éléments unis par des traits communs. *Un ensemble de musiciens.* **3** Costume de femme composé de plusieurs pièces assorties. **4** Accord, harmonie entre des éléments. *Défiler avec un ensemble parfait.* **5** MATH Collection d'objets ayant les mêmes propriétés. *Théorie des ensembles.* **Loc** *Grand ensemble :* vaste groupe de hauts immeubles, conçu comme une unité architecturale. *Dans l'ensemble :* en gros, de façon générale.

ensemblier, ère *n* **1** Artiste qui combine des ensembles décoratifs. **2** Industriel fournisseur d'installations complexes.

ensembliste *a* MATH Qui concerne les ensembles.

ensemencement *nm* Action d'ensemencer.

ensemencer *vt* **[10]** Mettre de la semence dans. *Ensemencer un champ.*

enserrer *vt* Entourer en serrant.

ensevelir *vt* **1** Inhumer, enterrer. **2** Recouvrir d'un amoncellement de matériaux.

ensevelissement *nm* Action d'ensevelir.

ensilage *nm* **1** Action d'ensiler. Syn. silotage. **2** Fourrage ensilé.

ensiler *vt* Mettre en silo.

ensoleillement *nm* **1** État d'un lieu ensoleillé. **2** Temps pendant lequel un lieu est ensoleillé.

ensoleiller *vt* **1** Éclairer, échauffer par la lumière du soleil. **2** litt Rendre radieux.

ensommeillé, ée *a* Gagné ou engourdi par le sommeil.

ensorcelant, ante *a* Qui ensorcelle.

ensorceler *vt* **[16]** ou **[18]** **1** Soumettre qqn à un sortilège. **2** Exercer un charme irrésistible.

ensorceleur, euse *n, a* Qui charme.

ensorcellement *nm* Fait d'ensorceler ou d'être ensorcelé. **Var ensorcèlement**

ensuite *av* Après, dans le temps ou dans l'espace.

ensuivre (s') *vpr* **[73]** Survenir comme conséquence ; découler logiquement. **Loc** *Et tout ce qui s'ensuit :* et tout ce qui vient après cela.

entablement *nm* Partie supérieure d'un édifice, d'un meuble, d'une porte, etc.

entacher *vt* **1** Souiller moralement. **2** Diminuer le mérite, la valeur de.

entaillage *nm* Action d'entailler.

entaille *nf* **1** Coupure dans une pièce dont on enlève une partie. **2** Coupure faite dans les chairs.

entailler *vt* Faire une entaille à.

entame *nf* **1** Premier morceau coupé d'un pain, d'un rôti, etc. **2** Première carte jouée dans une partie.

entamer *vt* **1** Faire une incision, une coupure à. *Entamer la peau.* **2** Couper un premier morceau dans. **3** Commencer à consommer. *Entamer son capital.* **4** Commencer à détruire ; ébranler. *Entamer la résistance d'un ennemi.* **5** Commencer, entreprendre. *Entamer un débat.*

entartrage *nm* Formation, dépôt de tartre. **Var entartrement**

entartrer *vt* Produire l'entartrage de.

entassement nm **1** Action d'entasser, de s'entasser. **2** Ensemble de choses mises en tas.

entasser vt **1** Mettre en tas. **2** Amasser, accumuler. **3** Réunir, serrer dans un lieu étroit.

entelle nm Grand singe gris de l'Inde.

entendement nm PHILO Faculté de concevoir et de comprendre.

entendeur nm Loc *À bon entendeur salut !* : que celui qui a compris ce que l'on vient de dire en fasse son profit.

entendre vt [5] **1** Percevoir, saisir par l'ouïe. *Entendre un bruit.* **2** Prêter attention à, écouter. *Aller entendre un conférencier.* **3** litt Saisir par l'intelligence, comprendre, être compétent. *Il n'entend pas ces subtilités. Il n'entend rien à l'informatique.* **4** Vouloir dire. *Qu'entendez-vous par là ?* **5** litt Avoir l'intention, la volonté de. *J'entends être respecté.* ■ vpr Être en bonne intelligence ; se mettre d'accord. Loc *S'y entendre* : être compétent, habile ; s'y connaître. *Cela s'entend* : cela va de soi.

entendu, ue a **1** Convenu, conclu. *L'affaire est entendue.* **2** litt Compétent, capable. Loc *Bien entendu* : assurément, cela va de soi. *C'est entendu* : certes, d'accord. *Air, sourire entendu* : qui veut marquer la complicité ou la supériorité.

enténébrer vt [12] litt Plonger dans les ténèbres.

entente nf **1** Fait d'être ou de se mettre d'accord ; bonne intelligence. **2** Accord, convention entre des groupes, des sociétés, des pays. Loc *Mot, phrase à double entente* : que l'on peut interpréter de deux façons.

enter vt **1** Greffer. **2** Ajuster ou abouter deux pièces de bois.

entériner vt **1** Rendre valable en ratifiant juridiquement. **2** Établir ou admettre comme valable, assuré, définitif.

entérique a Relatif aux intestins.

entérite nf Inflammation de la muqueuse intestinale.

entérobactérie nf Bactérie de l'intestin.

entérocolite nf Inflammation simultanée des muqueuses de l'intestin grêle et du côlon.

entérocoque nm Microbe de l'intestin.

enterrement nm **1** Action de mettre un mort en terre. **2** Ensemble des cérémonies funéraires. **3** Convoi funèbre. **4** Fait de laisser tomber dans l'oubli, d'abandonner qqch.

enterrer vt **1** Inhumer, mettre un corps en terre. *Enterrer les morts.* **2** Enfouir dans la terre. *Enterrer une canalisation.* **3** Laisser tomber dans l'oubli. *Enterrer un projet.* ■ vpr Se retirer, s'isoler. *Aller s'enterrer à la campagne.*

entêtant, ante a Qui entête.

en-tête nm Inscription imprimée ou gravée en haut de papiers utilisés pour la correspondance. *Des en-têtes.* Var **entête**

entêté, ée a, n Obstiné.

entêtement nm **1** Fait de s'entêter. **2** Caractère entêté ; obstination.

entêter vt Étourdir par des émanations qui montent à la tête. *Un parfum m'entête.* ■ vpr Persister obstinément dans ses résolutions.

enthousiasmant, ante a Qui enthousiasme.

enthousiasme nm **1** Exaltation joyeuse, admirative. *Applaudir avec enthousiasme.*

enthousiasmer vt Provoquer l'enthousiasme de. *Ce livre m'a enthousiasmé.* ■ vpr Devenir enthousiaste.

enthousiaste a, n Qui ressent ou manifeste de l'enthousiasme. *Accueil enthousiaste.*

enticher (s') vpr Se prendre d'un attachement excessif pour. *Elle s'est entichée d'un inconnu.*

entier, ère a **1** À quoi rien ne manque, complet. *Le gâteau est encore entier.* **2** Absolu, total sans réserve. *Laisser à qqn une entière liberté.* **3** (après le nom) D'un caractère tranché, peu enclin aux nuances. Loc *Nombre entier* : nombre sans fraction décimale. ■ nm **1** Nombre entier. **2** Une unité. *Quatre quarts font un entier.* Loc *En entier, dans son entier* : en totalité.

entièrement av Complètement.

entité nf **1** Ce qui constitue l'essence d'un être, d'une chose. **2** Objet de pensée qui existe en soi.

entoilage nm Action d'entoiler.

entoiler vt **1** Fixer sur une toile. **2** Garnir de toile.

entôler vt pop Voler en bernant.

entolome nm Champignon à lames roses.

entomologie nf Partie de la zoologie qui traite des insectes.

entomologique a De l'entomologie.

entomologiste n Spécialiste d'entomologie.

entomophage a, nm Qui se nourrit d'insectes.

1. entonner vt Mettre en tonneau.

2. entonner vt Commencer à chanter. *Entonner la Marseillaise.*

entonnoir nm **1** Instrument conique servant à verser un liquide dans un récipient. **2** Excavation produite dans le sol par un obus.

entorse nf Lésion douloureuse par élongation ou déchirure d'un ou des ligaments d'une articulation. Loc *Faire une entorse à* : contrevenir exceptionnellement.

entortillage nm Action d'entortiller, de s'entortiller. Var **entortillement**

entortiller vt **1** Envelopper dans qqch que l'on tortille. *Entortiller des bonbons dans du papier.* **2** Rendre obscur par l'emploi de circonlocutions, de périphrases. *Entortiller une réponse.* Loc *Entortiller qqn* : l'amener insidieusement à faire ce que l'on désire. ■ vpr **1** S'enrouler. **2** S'embrouiller.

entourage nm **1** Ce qui entoure pour protéger, orner, etc. **2** Ensemble des personnes qui vivent auprès de qqn.

entouré, ée a Recherché, admiré ou aidé par de nombreuses personnes.

entourer vt **1** Être autour de. *Un mur entoure le jardin.* **2** Mettre, disposer autour de. **3** Former l'environnement, l'entourage de qqn. **4** Être prévenant, attentionné envers qqn. ■ vpr Réunir des gens autour de soi. *S'entourer d'amis.*

entourloupe nf fam Mauvais tour ; tromperie. Var **entourloupette**

entournure nf Loc fam *Être gêné aux entournures* : être mal à l'aise.

entracte nm **1** Intervalle qui sépare les actes, les parties d'un spectacle. **2** Temps de repos, d'interruption.

entraide nf Action de s'entraider.

entraider (s') vpr S'aider mutuellement.

entrailles nfpl **1** Viscères, intestins, boyaux. **2** litt Le ventre de la mère. **3** litt Les lieux les plus profonds. *Les entrailles de la terre.* **4** litt Le cœur, siège de la sensibilité.

entrain nm **1** Gaieté franche et communicative. **2** Zèle, ardeur.

entraînant, ante *a* Qui entraîne par sa vivacité communicative. **Var entrainant, ante**

entraînement *nm* 1 Action d'entraîner. 2 Préparation à une épreuve sportive, à une activité. **Var entrainement**

entraîner *vt* 1 Traîner qqch avec soi. 2 Emmener, conduire qqn. 3 Avoir pour résultat, pour conséquence. 4 Communiquer un mouvement. 5 Préparer à une compétition, à une activité. ■ *vpr* Pratiquer un entraînement. **Var entrainer**

entraîneur, euse *n* Personne qui entraîne des chevaux, des sportifs. ■ *nf* Femme qui, dans un cabaret, entraîne les clients à consommer, à danser. **Var entraineur, euse**

entrant, ante *a, n* Qui entre dans un corps, un groupe.

entrapercevoir *vt* [43] Apercevoir à peine, fugitivement.

entrave *nf* 1 Lien que l'on attache aux jambes de certains animaux. 2 Ce qui gêne, empêche.

entraver *vt* 1 Mettre des entraves à ; gêner. 2 *pop* Comprendre.

entre *prép* 1 Dans l'espace qui sépare deux lieux, deux choses, etc. 2 Dans l'intervalle qui sépare deux états, deux situations, deux moments. 3 Parmi. *Quel est le meilleur d'entre eux ?* 4 Exprime la réciprocité, la relation, la comparaison.

entrebâillement *nm* Espace laissé par ce qui est entrebâillé.

entrebâiller *vt* Ouvrir à demi.

entrebâilleur *nm* Dispositif qui permet de maintenir une porte entrebâillée.

entrechat *nm* Saut léger pendant lequel le danseur fait des battements de pieds.

entrechoquement *nm* Choc réciproque.

entrechoquer (s') *vpr* Se choquer, se heurter l'un contre l'autre.

entrecôte *nf* Morceau de viande de bœuf coupé dans le train de côtes.

entrecoupé, ée *a* Saccadé.

entrecouper *vt* Interrompre en divers endroits.

entrecroisement *nm* Disposition de choses qui s'entrecroisent.

entrecroiser *vt* Croiser en divers sens.

entrecuisse *nm* Espace entre les cuisses.

entredéchirer (s') *vpr* Se déchirer l'un l'autre.

entre-deux *nm inv* 1 Partie intermédiaire. 2 Solution, état intermédiaire. 3 Jet de ballon entre deux joueurs. **Var entredeux**

entre-deux-guerres *nm inv* Période entre les deux guerres mondiales (1918-1939).

entre-deux-mers *nm inv* Bordeaux blanc produit entre la Garonne et la Dordogne.

entre-deux-tours *nm inv* Période qui sépare le premier et le deuxième tour d'une élection présidentielle.

entredévorer (s') *vpr* Se dévorer mutuellement.

entrée *nf* 1 Action d'entrer. 2 Lieu par où l'on entre. 3 Vestibule. *Voulez-vous attendre dans l'entrée ?* 4 Accession au sein d'une communauté, d'un corps, d'une collectivité, etc. 5 Ce que l'on sert au début du repas. 6 Dans un dictionnaire, mot en caractères gras qui introduit chaque article. **Loc** *D'entrée de jeu* : dès le début, d'emblée.

entre-égorger (s') *vpr* [11] S'égorger mutuellement. **Var entrégorger (s')**

entrefaites *nfpl* **Loc** *Sur ces entrefaites :* à ce moment-là.

entrefilet *nm* Court article de journal.

entregent *nm* Manière habile de se conduire, de nouer des relations utiles.

entrejambe *nm* Partie de la culotte ou du pantalon qui se trouve entre les jambes.

entrelacement *nm* État de choses entrelacées.

entrelacer *vt* [10] Enlacer l'un dans l'autre.

entrelacs [-la] *nm* Ornement constitué de motifs entrelacés.

entrelarder *vt* 1 Piquer une viande de lard. 2 *fam* Mêler, parsemer.

entremêlement *nm* Action d'entremêler ; état de choses entremêlées.

entremêler *vt* Mêler plusieurs choses ; mêler de place en place.

entremets *nm* Plat sucré servi avant le dessert ou comme dessert.

entremetteur, euse *n* Personne qui sert d'intermédiaire dans une intrigue galante.

entremettre (s') *vpr* [64] Intervenir pour faciliter un accord.

entremise *nf* Action de s'entremettre. **Loc** *Par l'entremise de :* par l'intervention, l'intermédiaire de.

entrepont *nm* Intervalle compris entre deux ponts, dans un navire.

entreposage *nm* Action d'entreposer.

entreposer *vt* Déposer dans un entrepôt, dans un lieu d'attente.

entrepôt *nm* Lieu, bâtiment où l'on met en dépôt des marchandises.

entreprenant, ante *a* 1 Hardi, audacieux dans ses projets. 2 Hardi auprès des femmes.

entreprendre *vt* [70] 1 Commencer à faire. *Entreprendre des recherches.* 2 *fam* Chercher à gagner, à séduire qqn.

entrepreneur, euse *n* Chef d'entreprise qui se charge d'effectuer certains travaux pour autrui, et particulièrement des travaux de construction.

entrepreneurial, ale, aux *a* Qui concerne l'entreprise, le chef d'entreprise.

entreprise *nf* 1 Ce que l'on entreprend. 2 Unité économique de production à but industriel ou commercial (biens et services).

entrer *vi* [aux. *être*] 1 Passer du dehors au dedans d'un lieu ; pénétrer. *Entrer dans une ville. Clé qui n'entre pas dans la serrure.* 2 Commencer à être dans tel état, telle situation, à faire partie d'un groupe. *Entrer en convalescence. Entrer dans l'enseignement.* 3 Être un composant, un élément de. *Les épices qui entrent dans une recette.* **Loc** *Entrer dans les vues de qqn :* les partager, y adhérer. ■ *vt* Faire pénétrer, introduire.

entresol *nm* Étage situé entre le rez-de-chaussée et le premier étage.

entre-temps *av* Pendant ce temps, dans cet intervalle. **Var entretemps**

entretenir *vt* [35] 1 Maintenir en bon état. *Entretenir un jardin.* 2 Faire durer. *Entretenir une correspondance.* 3 Subvenir aux dépenses de. *Entretenir une famille.* 4 Avoir avec qqn une conversation sur. ■ *vpr* Causer, converser.

entretien *nm* 1 Action de maintenir en bon état ; dépense qu'exige cette conservation. 2 Conversation.

entretoise *nf* TECH Élément de jonction maintenant un écartement.

entretuer (s') *vpr* Se tuer l'un l'autre.

entrevoir *vt* [45] 1 Voir imparfaitement, en passant. 2 Concevoir, prévoir de manière imprécise ; pressentir.

entrevue *nf* Rencontre concertée entre personnes qui doivent se parler.

entrisme *nm* Pratique consistant à introduire dans un groupe (parti, syndicat) de nouveaux militants en vue de modifier la ligne d'action.

entriste *a, n* Qui pratique l'entrisme.

entropie *nf* PHYS Grandeur thermodynamique qui caractérise l'état de désordre d'un système.

entropion *nm* MED Renversement du bord de la paupière en dedans.

entrouvrir *vt* [31] Ouvrir à demi.

entuber *vt* pop Voler, tromper, duper.

enturbanné, ée *a* Coiffé d'un turban.

énucléation *nf* CHIR Extirpation d'une tumeur, d'un œil.

énucléer *vt* Pratiquer l'énucléation.

énumératif, ive *a* Qui énumère.

énumération *nf* 1 Action d'énumérer. 2 Liste de ce qu'on énumère.

énumérer *vt* [12] Énoncer un à un les éléments d'un ensemble.

énurésie *nf* Incontinence d'urine.

énurétique *a, n* Atteint d'énurésie.

envahir *vt* 1 Entrer de force dans un territoire. 2 Occuper entièrement, remplir, gagner.

envahissant, ante *a* 1 Qui envahit. 2 Indiscret, importun.

envahissement *nm* Action, fait d'envahir.

envahisseur, euse *n, a* Qui envahit. *Chasser les envahisseurs.*

envasement *nm* 1 Fait de s'envaser. 2 État de ce qui est envasé.

envaser *vt* Remplir de vase. ■ *vpr* S'enfoncer dans la vase.

enveloppant, ante *a* Qui enveloppe.

enveloppe *nf* 1 Ce qui sert à envelopper. 2 Pochette de papier dans laquelle on place un document, une lettre. 3 Montant global affecté à un poste budgétaire.

enveloppé, ée *a* Qui a un peu d'embonpoint.

enveloppement *nm* Action d'envelopper.

envelopper *vt* 1 Entourer, emballer dans du papier, du tissu, etc. 2 Environner, entourer, encercler. *Envelopper un détachement ennemi.* 3 Déguiser, dissimuler. *Envelopper sa pensée.*

envenimer *vt* 1 Infecter. 2 Aviver, rendre virulent. ■ *vpr* 1 S'infecter. 2 Se détériorer.

envergure *nf* 1 MAR Largeur d'une voile fixée sur la vergue. 2 Distance entre les extrémités des ailes déployées d'un oiseau, d'un avion. 3 Valeur, capacité. *Un homme sans envergure.* Loc *D'envergure* : de grande ampleur.

1. envers *prép* À l'égard de. *Il a été honnête envers moi.* Loc *Envers et contre tous* : malgré l'opposition de tout le monde.

2. envers *nm* Côté opposé à l'endroit. Loc *À l'envers* : dans le sens contraire, inverse du sens normal.

envi (à l') *av* litt À qui mieux mieux.

enviable *a* Digne d'être convoité.

envie *nf* 1 Sentiment de frustration, d'irritation jalouse à la vue d'un avantage d'autrui. 2 Désir. *Avoir envie de voyager.* 3 Besoin organique. 4 Tache congénitale sur la peau. 5 Pellicule qui se détache de l'épiderme autour de l'ongle.

envié, ée *a* Recherché, convoité.

envier *vt* Regretter de ne pas posséder qqch que qqn d'autre possède.

envieux, euse *a, n* Qui éprouve ou dénote un sentiment d'envie.

environ *av* À peu près, approximativement. ■ *nmpl* Lieux d'alentour. Loc *Aux environs de* : vers.

environnant, ante *a* Avoisinant.

environnement *nm* 1 Ensemble de ce qui entoure. 2 Cadre de vie de l'homme, d'une espèce animale ; milieu.

environnemental, ale, aux *a* Relatif à l'environnement, à la défense de l'environnement.

environnementalisme *nm* Défense de l'environnement.

environnementaliste *a, n* Qui relève de l'environnementalisme.

environner *vt* Entourer, être aux environs de.

envisageable *a* Qui peut être envisagé.

envisager *vt* [11] 1 Examiner, prendre en considération. 2 Projeter.

envoi *nm* 1 Action d'envoyer. 2 Ce qui est envoyé. 3 LITTER Dernière strophe d'une ballade.

envol *nm* Action de s'envoler.

envolée *nf* 1 Envol. 2 Mouvement lyrique ou oratoire plein d'élan.

envoler (s') *vpr* 1 S'élever dans l'air en volant. 2 Décoller (avion). 3 S'enfuir, disparaître.

envoûtant, ante *a* Qui charme, séduit. Var **envoutant, ante**

envoûtement *nm* 1 Pratique de magie par laquelle on cherche à exercer une action sur qqn en agissant sur une figurine qui le représente. 2 Charme puissant et mystérieux. Var **envoutement**

envoûter *vt* 1 Pratiquer un envoûtement sur qqn. 2 Subjuguer. Var **envouter**

envoyé, ée *n* Personne envoyée avec une mission diplomatique ; messager.

envoyer *vt* [23] 1 Faire partir qqn pour une destination. 2 Adresser, expédier. 3 Lancer, jeter. ■ *vpr* fam 1 Absorber. 2 Se charger d'une corvée.

envoyeur, euse *n* Personne qui fait un envoi, expéditeur. *Retour à l'envoyeur.*

enzymatique *a* Des enzymes.

enzyme *nf* Substance protéique qui active une réaction biochimique.

enzymologie *nf* Étude des enzymes.

éocène *nm, a* GEOL Étage le plus ancien du tertiaire.

éolien, enne *a* 1 Du vent, relatif au vent. *Érosion éolienne.* 2 Actionné par le vent. ■ *nf* Machine qui utilise la force motrice du vent.

éosine *nf* Matière colorante rouge, utilisée comme désinfectant.

éosinophile *nm* Type de leucocytes du sang.

épagneul, eule *n* Chien d'arrêt au poil long, aux oreilles pendantes.

épais, aisse *a* 1 Qui a telle épaisseur. *Rempart épais de deux mètres.* 2 Qui a une grande épaisseur. *Sandwich épais.* 3 Consistant, pâteux ; dense. *Sirop épais.*

épaisseur *nf* 1 L'une des trois dimensions d'un corps, opposée à longueur et à largeur. *L'épais-*

seur d'une planche. **2** Caractère épais. *L'épaisseur du brouillard.*

épaissir vt Rendre plus épais. ■ vi, vpr Devenir
plus épais.

épaississement nm Fait de s'épaissir.

épamprer vt Ôter les pampres inutiles de la
vigne.

épanchement nm **1** Présence anormale de gaz
ou de liquide dans une région du corps. *Épanchement de synovie.* **2** Effusion de sentiments.

épancher vt Exprimer ses sentiments intimes.
■ vpr **1** litt Se répandre. **2** Parler librement en
confiant ses sentiments.

épandage nm Action d'épandre les engrais, le
fumier, etc.

épandre vt [5] Jeter çà et là, éparpiller.

épanouir vt Rendre heureux, joyeux. ■ vpr **1**
S'ouvrir, déployer ses pétales (fleurs). **2** Avoir
un air pleinement heureux. **3** Atteindre à sa plénitude.

épanouissement nm Action de s'épanouir, état
de ce qui est épanoui.

épargnant, ante n Personne qui s'est constitué
un capital par l'épargne.

épargne nf **1** Action d'épargner de l'argent ;
somme épargnée. **2** Fraction d'un revenu qui
n'est pas affectée à la consommation immédiate.
Loc Caisse d'épargne : établissement public qui
reçoit et rémunère les dépôts des épargnants.

épargner vt **1** Faire grâce à. *Épargner les vaincus.* **2** Ne pas endommager, ne pas détruire. **3**
Mettre de côté. *Il a épargné trois mille euros.* **4**
Employer avec modération. **5** Permettre à qqn
d'éviter qqch, lui permettre de ne pas le subir. *Il
m'a épargné le dérangement.* ■ vpr Se dispenser
de. *S'épargner une démarche pénible.*

éparpillement nm Action d'éparpiller ; état de
ce qui est éparpillé.

éparpiller vt Disperser, disséminer. ■ vpr Disperser son action, ses forces.

épars, arse [epaʀ] a Dispersé, en désordre.

épatant, ante a fam Remarquable, excellent.

épate nf Loc fam *Faire de l'épate :* chercher à
étonner.

épaté, ée a Loc *Nez épaté :* large et court.

épatement nm **1** Forme d'un nez large et court.
2 fam Surprise.

épater vt fam Étonner, impressionner.

épaulard nm Orque.

épaule nf Articulation du bras ou du membre
antérieur avec le tronc. *Loc Par-dessus l'épaule :*
avec dédain, avec négligence. *Donner un coup
d'épaule à qqn :* l'aider. *Avoir la tête sur les
épaules :* être bien équilibré.

épaulé, ée a Dont les épaules sont soulignées
par des épaulettes (vêtement). ■ nm Mouvement
dans lequel l'haltère est amené du sol à la hauteur
des épaules.

épaulement nm **1** Mur de soutènement. **2** Replat
sur la pente d'un versant. **3** Saillie servant d'arrêt,
de butée.

épauler vt **1** Aider, soutenir qqn. **2** Appuyer une
arme contre son épaule pour viser, tirer.

épaulette nf **1** Bande rigide, garnie parfois de
franges, qui orne les épaules de certains uniformes militaires. **2** Rembourrage qui donne leur
forme aux épaules d'un vêtement.

épaulière nf Accessoire protégeant l'épaule.

épave nf **1** Objet, débris provenant d'un navire
naufragé. **2** Navire naufragé. **3** Voiture hors
d'usage abandonnée. **4** Personne déchue, dans
la misère.

épaviste n Spécialisé dans la récupération des
voitures accidentées.

épée nf Arme constituée par une lame longue et
droite munie d'une poignée et d'une garde. *Loc
Coup d'épée dans l'eau :* action vaine.

épeiche nf Pic d'Europe au plumage noir et
blanc.

épeire nf Nom de diverses espèces d'araignées.

épéiste n Escrimeur à l'épée.

épeler vt [16] ou [18] Énoncer une à une, dans
l'ordre, les lettres qui composent un mot.

épellation nf Fait d'épeler.

épépiner vt Ôter les pépins d'un fruit.

éperdu, ue a **1** En proie à une émotion profonde.
2 Vif, intense. *Joie éperdue.*

éperdument av De façon éperdue.

éperlan nm Poisson des mers européennes, voisin du saumon.

éperon nm **1** Pièce de métal fixée au talon du
cavalier et qui sert à piquer les flancs du cheval
pour l'exciter. **2** Relief abrupt en pointe. *Éperon
rocheux.*

éperonner vt **1** Piquer un cheval avec les épe-
rons. **2** Inciter vivement à agir. **3** Heurter un
navire en défonçant sa coque avec sa propre
étrave.

épervier nm **1** Oiseau de proie voisin du faucon.
2 Filet de pêche conique, lesté de plomb.

épervière nf Plante herbacée à fleurs jaunes.

éphèbe nm **1** ANTIQ Adolescent. **2** Jeune homme
très beau.

éphédra nm Arbrisseau à baies rouges comestibles.

éphélide nf Tache de rousseur.

éphémère a Qui dure peu. *Amour éphémère.*
■ nm Insecte qui ne vit qu'un ou deux jours.

éphéméride nf Calendrier dont on enlève chaque
jour une feuille.

épi nm **1** GÉOL Ensemble des grains d'une graminée
(blé, orge, etc.) groupés à l'extrémité de la tige,
insérés directement sur l'axe. **2** Mèche rebelle
de cheveux. **3** Ouvrage, généralement en pieux,
destiné à retenir les matériaux et à stabiliser une
berge. *Loc En épi :* se dit de choses parallèles,
disposées obliquement par rapport à un axe.

épiage nm Formation de l'épi. *Var épiaison* nf

épicarpe nm BOT Feuillet le plus externe du péri-
carpe.

épice nf Substance aromatique servant d'assaisonnement en cuisine.

épicéa nm Conifère proche du sapin.

épicène a GRAM Se dit d'un mot qui désigne l'un
ou l'autre sexe (ex. : *enfant, je*).

épicentre nm **1** GÉOL Point de la surface terrestre
où un séisme atteint son intensité maximale. **2**
Centre d'un bouleversement politique, social.

épicer vt [10] **1** Assaisonner, relever avec des
épices. *Épicer un plat.* **2** Relever de détails licencieux. *Épicer un récit.*

épicerie nf **1** Produits d'alimentation générale. **2**
Magasin où on les vend.

épicier, ère n Personne qui tient une épicerie.

épicurien, enne a, n D'Épicure ou de l'épicurisme.

épicurisme nm 1 Philosophie d'Épicure. 2 Morale qui valorise les plaisirs des sens.

épidémicité nf Caractère épidémique.

épidémie nf 1 Développement rapide d'une maladie contagieuse dans une population. 2 Propagation d'un phénomène néfaste.

épidémiologie nf MED Étude des facteurs qui conditionnent l'apparition et l'évolution des maladies et des phénomènes morbides.

épidémiologique a De l'épidémiologie.

épidémiologiste n Spécialiste d'épidémiologie.

épidémique a De l'épidémie.

épiderme nm 1 Couche superficielle de la peau ; la peau elle-même. 2 Couche externe imperméable qui protège les végétaux.

épidermique a De l'épiderme.

épididyme nm ANAT Organe qui coiffe le bord supérieur du testicule.

épidural, ale, aux a ANAT Qui concerne la partie du canal rachidien située entre les vertèbres et les méninges.

épier vt 1 Observer attentivement et secrètement. 2 Guetter. *Épier l'occasion.*

épierrer vt Ôter les pierres de.

épieu nm Arme à manche de bois, terminée par un fer plat et pointu.

épigastre nm ANAT Région de l'abdomen située entre le sternum et l'ombilic.

épigastrique a ANAT De l'épigastre.

épiglotte nf ANAT Opercule assurant l'occlusion des voies respiratoires lors de la déglutition.

épigone nm litt Imitateur, suiveur.

épigramme nf 1 Petit poème satirique. 2 Trait satirique ou mordant.

épigraphe nf 1 Inscription placée sur un édifice. 2 Citation placée en tête d'un livre, d'un chapitre.

épigraphie nf Étude des inscriptions.

épilation nf Action d'épiler.

épilatoire a, nm Qui sert à épiler.

épilepsie nf Affection caractérisée par des crises convulsives ou des troubles sensoriels.

épileptique a, n Atteint d'épilepsie.

épiler vt Arracher les poils de.

épillet nm Petit épi constitutif d'une inflorescence composée.

épilogue nm 1 Conclusion d'un ouvrage littéraire. Ant. prologue. 2 Dénouement.

épiloguer vti Faire de longs commentaires.

épinard nm Plante potagère dont les feuilles sont comestibles.

épine nf Organe acéré et dur de certains végétaux. *Les épines d'un rosier.* Loc *Épine dorsale :* colonne vertébrale. *Tirer une épine du pied de qqn :* le tirer d'une difficulté.

épinette nf Petit clavecin.

épineux, euse a 1 Qui porte des épines. 2 Plein de difficultés. ■ nm Arbuste à épines.

épine-vinette nf Arbuste épineux à fleurs jaunes et à baies rouges. *Des épines-vinettes.*

épinglage nm Action d'épingler.

épingle nf Petite tige métallique, pointue à une extrémité, et pourvue d'une tête à l'autre, servant à attacher. Loc *Épingle double, de nourrice, de sûreté :* épingle recourbée dont l'extrémité pointue se referme sur un crochet. *Épingle à cheveux :* tige pliée par son milieu, qui sert à fixer les cheveux. *Virage en épingle à cheveux :* virage très accentué. *Monter en épingle :* mettre en valeur.

Tiré à quatre épingles : habillé avec un soin minutieux. *Tirer son épingle du jeu :* se dégager adroitement d'une affaire délicate.

épingler vt 1 Fixer avec des épingles. 2 fam Arrêter, prendre qqn.

épinglette nf Syn. de pin's.

épinière af Loc *Moelle épinière :* V. moelle.

épinoche nf Petit poisson d'eau douce dont la nageoire dorsale est munie d'épines.

épipaléolithique nm Période située entre le paléolithique et le néolithique.

Épiphanie nf Fête chrétienne célébrant la visite des Rois mages à Jésus (le 6 janvier).

épiphénomène nm Phénomène secondaire, lié à un autre.

épiphyse nf ANAT 1 Extrémité des os longs. 2 Glande située au fond du cerveau.

épiphyte a, nm Se dit des végétaux poussant sur d'autres sans en être les parasites.

épiploon nm ANAT Repli du péritoine.

épique a 1 De l'épopée. 2 Mémorable par ses proportions, son ton. *Un débat épique.*

épiscopal, ale, aux a De l'évêque. Loc *Église épiscopale :* l'Église anglicane des États-Unis.

épiscopat nm 1 Dignité d'évêque. 2 Durée des fonctions d'évêque. 3 Corps des évêques.

épisode nm 1 Partie d'une œuvre littéraire, d'un film. 2 Évènement particulier dans une action d'ensemble.

épisodique a Secondaire, intermittent. *Elle n'a joué qu'un rôle épisodique.*

épisodiquement av De façon épisodique.

épisser vt MAR Faire une épissure.

épissure nf Jonction des bouts de deux cordages, de deux fils électriques par l'entrelacement des torons.

épistémologie nf Étude critique des sciences.

épistémologique a De l'épistémologie.

épistolaire a Qui concerne la correspondance par lettres.

épistolier, ère n Écrivain connu par ses lettres.

épitaphe nf Inscription sur une sépulture.

épithélial, ale, aux a Relatif à l'épithélium.

épithélium [-ljɔm] nm ANAT Membrane ou tissu formé de cellules juxtaposées.

épithète nf 1 GRAM Adjectif ajouté à un nom pour le qualifier ou le déterminer (ex. : *une robe bleue*). 2 Mot qui qualifie qqn. « *Imbécile, voyou* » sont des épithètes injurieuses.

épitoge nf Bande d'étoffe que les magistrats, des professeurs, etc., portent parfois sur la robe, attachée à l'épaule gauche.

épître nf 1 litt Lettre missive. 2 Texte du Nouveau Testament, souvent tiré des lettres des apôtres, lu à la messe. **Var épitre**

épizootie [-zɔɔ-] nf Épidémie frappant une espèce animale.

éploré, ée a, n Qui est en pleurs.

épluchage nm Action d'éplucher.

épluche-légume nm Appareil pour éplucher les légumes. *Des épluche-légumes.*

éplucher vt 1 Ôter la peau, les parties inutilisables de. *Éplucher les légumes.* 2 Rechercher minutieusement les défauts, les erreurs dans qqch ; lire attentivement. *Éplucher un compte.*

épluchure nf Déchet qu'on enlève à une chose en l'épluchant.

épointer *vt* Émousser la pointe de. *Épointer un couteau.*

époisses *nm* Fromage bourguignon, au lait de vache.

éponge *nf* **1** Squelette corné, fibreux et souple d'animaux marins primitifs utilisé pour son aptitude à retenir les liquides. **2** Objet fabriqué industriellement pour le même usage. Loc *Passer l'éponge :* pardonner, oublier. *Jeter l'éponge :* abandonner le combat.

éponger *vt* [11] **1** Essuyer, absorber un liquide avec une éponge. **2** Résorber un excédent, une inflation. *Éponger la dette.*

éponyme *a* Qui donne son nom à qqch.

épopée *nf* **1** Long poème racontant des aventures héroïques. **2** Suite d'actions pleines d'héroïsme.

époque *nf* **1** Période de l'histoire marquée par des évènements importants, par une certaine situation. *L'époque de la Révolution.* **2** Moment où se passe un évènement déterminé. Loc *La Belle Époque :* les années 1900. *D'époque :* authentiquement ancien (meuble).

épouillage *nm* Action d'épouiller.

épouiller *vt* Ôter ses poux à.

époumoner (s') *vpr* Crier à tue-tête jusqu'à s'essouffler.

épousailles *nfpl* vx Noce.

épouse. V. *époux.*

épouser *vt* **1** Se marier avec. **2** litt S'attacher à qqch, embrasser une cause. **3** Se modeler sur.

époussetage *nm* Action d'épousseter.

épousseter *vt* [17] ou [a] fam Nettoyer en chassant la poussière.

époustouflant, ante *a* fam Très étonnant.

époustoufler *vt* fam Jeter qqn dans l'étonnement.

épouvantable *a* **1** Qui épouvante, effrayant. **2** Très mauvais. *Temps épouvantable.* **3** Extrême, excessif. *Une bêtise épouvantable.*

épouvantablement *av* **1** De façon effroyable. **2** À l'extrême.

épouvantail *nm* **1** Objet destiné à épouvanter les oiseaux dans un champ, un verger, un jardin. **2** Ce qui effraie sans cause réelle.

épouvante *nf* Effroi violent, peur soudaine, panique.

épouvanter *vt* Effrayer vivement, remplir qqn d'épouvante.

époux, épouse *n* Personne unie à une autre par le mariage. ■ *pl* Le mari et la femme.

éprendre (s') *vpr* [70] Se mettre à aimer ardemment. *S'éprendre d'une femme.*

épreuve *nf* **1** Évènement pénible, malheur, souffrance. *Passer par de rudes épreuves.* **2** Action d'éprouver qqch ou qqn ; test. *Matériau soumis à des épreuves de résistance.* **3** Partie d'un examen. *Épreuves écrites.* **4** Compétition sportive. **5** Feuille imprimée soumise à des corrections. **6** Image tirée d'un cliché photographique ; exemplaire tiré d'une planche gravée. Loc *À l'épreuve de :* qui résiste à. *À toute épreuve :* très solide, résistant. *Épreuve de force :* affrontement.

épris, ise *a* Animé d'une grande passion pour qqch, qqn.

éprouvant, ante *a* Dur à supporter. *Chaleur éprouvante.*

éprouvé, ée *a* Dont la valeur est reconnue. *Technique éprouvée.*

éprouver *vt* **1** Essayer qqch pour s'assurer de ses qualités. *Éprouver un remède.* **2** Faire souffrir. *La guerre a éprouvé ces régions.* **3** Ressentir. *Éprouver de la joie.*

éprouvette *nf* CHIM Vase ou tube de verre qui sert à manipuler des liquides ou des gaz au cours d'expériences.

epsilon [-lɔn] *nm* **1** Cinquième lettre de l'alphabet grec. **2** MATH Symbole d'une quantité infinitésimale.

épucer *vt* [10] Ôter ses puces à.

épuisant, ante *a* Très fatigant.

épuisement *nm* Action d'épuiser ; état de qqch ou de qqn qui est épuisé.

épuiser *vt* **1** Tarir, consommer en totalité. *Épuiser ses provisions.* **2** Traiter complètement un sujet, une question. **3** Lasser. *Épuiser la patience de qqn.* **4** Affaiblir à l'extrême. *La maladie l'épuise.* ■ *vpr* Se tarir (choses) ; s'affaiblir à l'extrême (personnes). *Nos ressources s'épuisent. Il s'épuise en vains efforts.*

épuisette *nf* Petit filet de pêche monté sur un cercle fixé à un manche.

épurateur *nm* Appareil servant à épurer les liquides ou les gaz.

épuration *nf* Action d'épurer.

épure *nf* Représentation plane d'un objet obtenue par sa projection sur un ou plusieurs plans.

épurement *nm* litt Action d'épurer.

épurer *vt* **1** Rendre pur, plus pur. *Épurer un sirop.* **2** Débarrasser de ses défauts, de ce qui peut choquer. *Épurer un texte.* **3** Éliminer d'un groupe les éléments jugés indésirables. *Épurer une administration.*

équarrir *vt* **1** Tailler à angle droit, rendre carré. *Équarrir une poutre.* **2** Écorcher, dépecer un animal mort.

équarrissage *nm* Action d'équarrir.

équarrisseur *nm* Personne qui équarrit les animaux.

équateur [-kwa-] *nm* **1** Grand cercle imaginaire du globe terrestre, perpendiculaire à l'axe des pôles. **2** Région du globe proche de ce cercle.

équation [-kwa-] *nf* **1** MATH Égalité qui n'est vérifiée que pour certaines valeurs attribuées aux inconnues. **2** fam Problème difficile. Loc *Équation personnelle :* caractéristiques de la personnalité.

équatorial, ale, aux [-kwa-] *a* De l'équateur. *Climat équatorial.*

équatorien, enne [-kwa-] *a, n* De la république de l'Équateur.

équerre *nf* **1** Instrument qui sert à tracer des angles plans droits, des perpendiculaires. **2** Pièce métallique en T ou en L utilisée pour renforcer des assemblages. Loc *D'équerre :* à angle droit.

équestre *a* Relatif à l'équitation. Loc *Statue équestre :* qui représente un personnage à cheval.

équeutage *nm* Action d'équeuter.

équeuter *vt* Ôter la queue d'un fruit.

équidé *nm* ZOOL Mammifère appartenant à la même famille que le cheval.

équidistance [-kɥi-] *nf* Caractère équidistant.

équidistant, ante [-kɥi-] *a* Situé à une distance égale. *Deux points équidistants d'une droite.*

équilatéral, ale, aux [-kɥi-] *a* GEOM Dont tous les côtés sont égaux.

équilibrage *nm* Action d'équilibrer.

équilibrant, ante *a* Qui rétablit l'équilibre.

équilibration nf Maintien ou mise en équilibre.

équilibre nm 1 État d'un corps en repos, sollicité par des forces qui se contrebalancent. 2 Position d'une personne qui se maintient sans tomber. 3 Disposition, situation stable résultant de compensations entre divers éléments. *L'équilibre budgétaire.* 4 Harmonie psychique, santé mentale.

équilibré, ée a 1 En bon équilibre, stable. 2 Sensé, modéré. *Un garçon équilibré.*

équilibrer vt Mettre en équilibre. ■ vpr Être d'importance égale.

équilibriste n Artiste qui fait des tours d'équilibre acrobatique.

équille nf Petit poisson allongé qui s'enfouit dans le sable.

équin, ine a Du cheval.

équinoxe nm Époque de l'année, au printemps ou à l'automne, où le jour et la nuit ont la même durée.

équinoxial, ale, aux a De l'équinoxe.

équipage nm Ensemble du personnel à bord d'un navire, d'un avion, etc.

équipe nf 1 Groupe de personnes collaborant à un même travail. 2 Ensemble de joueurs associés pour disputer un match.

équipée nf Entreprise irréfléchie, escapade aux suites fâcheuses.

équipement nm 1 Action d'équiper. 2 Ce qui sert à équiper qqn ou qqch (tenue, matériel, etc.).

équipementier nm Fabricant d'équipements automobiles, aéronautiques.

équiper vt Pourvoir de ce qui est nécessaire à une activité. *Équiper une troupe.* ■ vpr Se pourvoir d'un équipement.

équipier, ère n Membre d'une équipe (spécialement sportive).

équipotent, ente [-kɥi-] a MATH Se dit de deux ensembles qui ont la même puissance.

équiprobable [ekɥi-] a MATH De même probabilité.

équitable a Qui a de l'équité.

équitablement av De façon équitable.

équitation nf Art, action de monter à cheval.

équité nf Justice naturelle fondée sur la reconnaissance des droits de chacun ; impartialité.

équivalence nf Caractère équivalent.

équivalent, ente a Qui a la même valeur. ■ nm 1 Ce qui est équivalent. 2 Synonyme.

équivaloir vti [44] Être de même valeur. *Sa fortune équivaut à la mienne. Cette réponse équivaut à un refus.*

équivoque a 1 Susceptible de plusieurs interprétations. 2 Qui n'inspire pas confiance. ■ nf Expression, situation laissant dans l'incertitude.

érable nm Grand arbre, dont le fruit est un akène ailé.

éradication nf Action d'éradiquer.

éradiquer vt Faire disparaître totalement.

éraflement nm Action d'érafler.

érafler vt Écorcher légèrement.

éraflure nf Écorchure légère.

éraillement nm Fait d'être éraillé.

érailler vt 1 Érafler, rayer. 2 Effiler du tissu par usure. 3 Rendre la voix rauque.

éraillure nf 1 Légère écorchure ; rayure. 2 Partie éraillée d'un tissu.

ère nf 1 Époque fixe à partir de laquelle on commence à compter les années. 2 Période marquée par un fait social, économique, etc. *L'ère industrielle.* 3 Chacune des grandes divisions du temps, en géologie.

érecteur, trice a, nm ANAT Qui produit l'érection.

érectile a Qui peut se dresser, se raidir. *Poils érectiles. Crête érectile.*

érection nf 1 Action d'élever, de construire. *L'érection d'un monument.* 2 État d'un organe, tel que le pénis, qui devient raide.

éreintage nm Critique sévère et malveillante.

éreintement nm 1 État d'une personne éreintée. 2 Syn. de *éreintage.*

éreinter vt 1 Excéder de fatigue. 2 Critiquer violemment et méchamment.

érémitique a Propre aux ermites.

érésipèle. V. *érysipèle.*

1. erg nm PHYS Unité de mesure du travail.

2. erg nm Dans un désert, région couverte de dunes.

ergol nm Composant du propergol, utilisé comme combustible pour les fusées.

ergonome n Spécialiste d'ergonomie. Var **ergonomiste**

ergonomie nf 1 Étude de l'adaptation du travail à l'homme. 2 Bonne adaptation d'un objet à sa fonction.

ergonomique a Pratique. *Siège ergonomique.*

ergot nm 1 Griffe placée en arrière du pied de certains animaux (coq, chien). 2 Maladie des céréales. 3 Saillie sur une pièce de bois ou de fer.

ergotage nm Manie d'ergoter.

ergotamine nf Alcaloïde de l'ergot de seigle, à usage médical.

ergoter vi Contester, trouver à redire sur tout.

ergoteur, euse a, n Qui aime ergoter.

ergothérapie nf Utilisation thérapeutique du travail manuel.

éricacée nf BOT Plante appartenant à la même famille que la bruyère, le rhododendron, la myrtille, etc.

ériger vt [11] 1 Dresser, élever un monument. *Ériger une statue, un autel.* 2 Établir, instituer. 3 Élever à la qualité de. *Ériger une église en cathédrale.* ■ vpr S'attribuer le rôle de, se poser en. *S'ériger en censeur.*

ermitage nm litt Demeure écartée et solitaire.

ermite nm 1 Religieux vivant retiré dans un lieu désert. 2 Personne qui vit seule et retirée.

éroder vt Ronger par une action lente.

érogène a Qui est la source d'une excitation sexuelle.

érosif, ive a Qui produit l'érosion.

érosion nf 1 Usure du relief du sol. 2 Altération. *Érosion de la confiance.* Loc *Érosion monétaire :* dégradation de la valeur d'une monnaie.

érotique a De l'amour sensuel, de la sexualité.

érotiser vt Donner un caractère érotique à.

érotisme nm 1 Caractère érotique. 2 Description par la littérature, l'art, de l'amour et de la sexualité.

érotologie nf Étude de l'érotisme.

érotomane n, a Atteint d'érotomanie.

érotomanie nf Obsession sexuelle.

erpétologie nf Étude des reptiles.

errance nf litt Action d'errer.

errant, ante a Qui erre, sans se fixer.

errata nm Liste des erreurs d'impression d'un texte, signalées avec leurs corrections.

erratique *a* Qui n'est pas fixe ; instable.

erratum [-tom] *nm* Faute décelée dans un texte après impression, que l'on signale.

errements *nmpl* Manière habituelle et néfaste d'agir, de se conduire.

errer *vi* Marcher au hasard.

erreur *nf* 1 Action de se tromper ; faute, méprise. 2 État de celui qui se trompe. *Être dans l'erreur.* 3 Action inconsidérée, regrettable, maladroite.

erroné, ée *a* Entaché d'erreur ; faux.

ers [ɛʀ] *nm* Lentille fourragère.

érubescent, ente *a* litt Qui devient rouge.

éructation *nf* Bruit produit en éructant ; rot.

éructer *vi* Rejeter avec bruit par la bouche les gaz venant de l'estomac. ■ *vt* Lancer, beugler. *Éructer des injures.*

érudit, ite *a, n* Qui possède un savoir approfondi.

érudition *nf* Savoir de l'érudit.

éruptif, ive *a* 1 Relatif aux éruptions volcaniques. 2 MED Qui caractérise une éruption.

éruption *nf* 1 Projection par un volcan de divers matériaux : scories, cendres, lave, gaz, etc. 2 MED Apparition sur la peau de taches, de boutons.

érysipèle *nm* MED Inflammation de l'épiderme, d'origine infectieuse. **Var érésipèle**

érythémé *nm* MED Rougeur de la peau.

érythréen, enne *a, n* D'Érythrée.

érythroblaste *nm* BIOL Cellule mère des globules rouges.

érythrocyte *nm* BIOL Globule rouge.

érythropoïèse *nf* BIOL Formation des globules rouges.

érythropoïétine *nf* BIOL Protéine qui stimule l'érythropoïèse.

érythrosine *nf* Substance rouge utilisée comme colorant alimentaire.

ès *prép* (devant un nom pluriel) En, en matière de. *Docteur ès sciences.*

esbroufe *nf* fam Air important par lequel on cherche à impressionner qqn.

escabeau *nm* Petit meuble muni de marches, utilisé comme échelle.

escadre *nf* 1 Flotte de guerre. 2 Formation d'avions de combat.

escadrille *nf* 1 mar Ensemble de bâtiments légers. 2 Groupe d'avions.

escadron *nm* Unité d'un régiment de cavalerie, de blindés ou de gendarmerie.

escalade *nf* 1 Action de franchir un mur, une clôture en grimpant. 2 Ascension d'une paroi rocheuse. 3 Augmentation rapide comme par surenchère ; aggravation. *Escalade de la violence.*

escalader *vt* 1 Franchir par escalade. 2 Faire l'ascension de.

escalator *nm* (n. déposé) Escalier mécanique.

escale *nf* 1 Action de faire relâche pour embarquer ou débarquer des passagers, se ravitailler, etc. 2 Lieu où l'on fait relâche.

escalier *nm* Suite de marches pour monter et descendre. Loc *Avoir l'esprit de l'escalier :* manquer de repartie.

escalope *nf* Mince tranche de viande ou de poisson.

escaloper *vt* CUIS Découper en tranches fines.

escamotable *a* Qui peut être escamoté.

escamotage *nm* Action d'escamoter.

escamoter *vt* 1 Faire disparaître adroitement. 2 Subtiliser. *Escamoter un portefeuille.* 3 Faire rentrer automatiquement l'organe saillant d'une machine, d'un appareil. 4 Esquiver ce qui embarrasse. *Escamoter une difficulté.*

escamoteur, euse *n* Illusionniste.

escampette *nf* Loc fam *Prendre la poudre d'escampette :* s'enfuir, déguerpir.

escapade *nf* Action de s'échapper, de se dérober momentanément à ses obligations.

escarbille *nf* Fragment de braise qui s'échappe d'un foyer.

escarboucle *nf* litt Pierre rouge foncé qui brille vivement.

escarcelle *nf* litt Bourse, caisse.

escargot *nm* Mollusque gastéropode à coquille hélicoïdale. Loc *Comme un escargot :* très lentement. *Escargot de mer :* bulot.

escarmouche *nf* 1 Combat entre petits détachements de deux armées. 2 Petite lutte préliminaire.

escarpe *nf* Talus intérieur du fossé d'un ouvrage fortifié.

escarpé, ée *a* En pente raide ; abrupt.

escarpement *nm* Pente raide.

escarpin *nm* Chaussure découverte et légère, à semelle fine.

escarpolette *nf* Siège suspendu par des cordes, servant de balançoire.

escarre *nf* Nécrose cutanée dans laquelle les tissus mortifiés forment une croûte noirâtre.

eschatologie *nf* [ɛska-] *nf* THEOL Doctrine relative à la destinée humaine et à la fin du monde.

esche *nf* Appât accroché à l'hameçon. **Var èche ou aiche**

escient *nm* Loc *À bon escient :* avec discernement, avec raison.

esclaffer (s') *vpr* Éclater d'un rire bruyant.

esclandre *nm* Incident fâcheux, bruyant qui cause du scandale.

esclavage *nm* 1 Condition, état d'esclave. 2 État de dépendance, de soumission.

esclavagisme *nm* Organisation sociale fondée sur l'esclavage.

esclavagiste *a, n* Partisan de l'esclavage.

esclave *n, a* 1 Qui est sous la dépendance absolue d'un maître. 2 Qui subit la domination, l'emprise de qqn, de qqch.

escogriffe *nm* Loc fam *Grand escogriffe :* homme grand et dégingandé.

escomptable *a* FIN Que l'on peut escompter.

escompte *nm* 1 FIN Paiement d'une traite avant l'échéance ; somme retenue par l'acheteur de cette traite. 2 Prime accordée au débiteur qui paie avant l'échéance ou à l'acheteur au comptant.

escompter *vt* 1 FIN Prélever l'escompte sur. 2 S'attendre à qqch de favorable.

escopette *nf* anc Petit fusil à bouche évasée.

escorte *nf* 1 Groupe de personnes accompagnant qqn pour le surveiller, le protéger, l'honorer. 2 Ensemble de bâtiments, d'avions accompagnant des navires, des avions pour assurer leur protection.

escorter *vt* Accompagner en escorte.

escorteur *nm* Bâtiment de guerre spécialisé dans la protection navale.

escouade nf Groupe de quelques personnes.

escourgeon nm Orge d'hiver.

escrime nf Sport du maniement du fleuret, de l'épée, du sabre.

escrimer (s') vpr S'évertuer, faire de grands efforts.

escrimeur, euse n Personne qui pratique l'escrime.

escroc [-kro] nm Filou, auteur d'escroqueries.

escroquer vt Voler, soutirer qqch à qqn par des manœuvres frauduleuses.

escroquerie nf Action d'escroquer.

escudo nm Anc. unité monétaire du Portugal.

esgourde nf pop Oreille.

ésotérique a Difficile à comprendre, obscur pour qui n'est pas initié.

ésotérisme nm Caractère ésotérique.

espace nm 1 Étendue indéfinie contenant tous les objets. *Le temps et l'espace.* 2 Étendue dans laquelle se meuvent les astres. 3 Surface, volume, place déterminée. *Manquer d'espace.* 4 Intervalle, distance entre deux points. 5 Intervalle de temps. *En l'espace d'une journée.* Loc *Géométrie dans l'espace :* qui étudie les figures dans un espace à trois dimensions. *Espace vert :* surface réservée aux parcs, aux jardins, dans une agglomération. *Espace aérien :* partie de l'atmosphère contrôlée par un État. *Espace vital :* territoire qu'un État juge nécessaire à sa survie. ■ nf IMPRIM Lamelle de métal servant à séparer deux caractères.

espacement nm 1 Action d'espacer. 2 Intervalle entre deux points, deux moments.

espacer vt [10] Séparer par un espace. *Espacer des arbres. Espacer des visites.*

espace-temps nm inv PHYS Espace non euclidien à quatre dimensions, postulé dans la théorie de la relativité d'Einstein.

espadon nm Grand poisson dont la mâchoire supérieure est allongée en forme d'épée.

espadrille nf Chaussure à empeigne de grosse toile et à semelle de corde.

espagnol, ole a, n D'Espagne. ■ nm Langue romane parlée en Espagne et en Amérique.

espagnolette nf Fermeture de fenêtre à tige pivotante.

espalier nm 1 Rangée d'arbres fruitiers dont les branches sont palissées contre un mur ou un treillage. 2 Échelle fixée à un mur, servant à exécuter des exercices de gymnastique.

espar nm mar Longue pièce de bois ou de métal du gréement d'un bateau.

espèce nf 1 BIOL Ensemble des individus offrant des caractères communs qui les différencient d'individus voisins. *L'espèce humaine.* 2 Sorte, qualité, catégorie. *Marchandises de toute espèce.* Loc *Une espèce de... :* une personne, une chose comparable à... fam *Espèce de :* précédé un terme d'injure. *Cas d'espèce :* cas particulier. *En l'espèce :* en la circonstance. ■ pl Argent liquide. *Payer en espèces.*

espérance nf 1 Attente confiante de qqch que l'on désire. 2 Personne, chose sur laquelle se fonde cette attente. Loc *Espérance de vie :* durée de vie moyenne des individus d'une population donnée.

espéranto nm Langue internationale artificielle, créée en 1887.

espérer vt [12] Compter sur, s'attendre à, souhaiter. *Espérer la victoire.* ■ vti Avoir confiance en. *Espérer en Dieu.*

espiègle a, n Malicieux, vif et éveillé. *Un enfant espiègle.*

espièglerie nf 1 Caractère espiègle ; malice. 2 Action espiègle.

espiogiciel nm Logiciel espion qui s'introduit sur le disque dur d'un ordinateur et transmet des informations sur son utilisateur.

espion, onne n 1 Personne qui est chargée de recueillir clandestinement des renseignements sur une puissance étrangère ; agent secret. 2 Personne qui épie.

espionnage nm Action d'espionner ; activité d'espion. Loc *Espionnage industriel :* exercé par une firme qui cherche à s'emparer de secrets technologiques.

espionner vt Épier autrui par intérêt ou par curiosité malveillante.

espionnite nf fam Peur maladive des espions.

esplanade nf Espace uni et découvert devant un édifice important.

espoir nm 1 Fait d'espérer. 2 Chose, personne en qui on espère.

espressivo av MUS Avec sentiment.

esprit nm 1 Être immatériel, incorporel ou imaginaire. 2 Ensemble des facultés intellectuelles et psychiques ; caractère. *Cultiver son esprit. Avoir l'esprit éveillé. Esprit chagrin.* 3 Manière de penser, de se comporter. *Avoir l'esprit large, étroit.* 4 Disposition, aptitude intellectuelle. *Avoir l'esprit de suite.* 5 Sens profond, intention. *Saisir l'esprit d'une déclaration.* 6 Humour, sens de l'ironie. *Avoir de l'esprit. Faire de l'esprit.* 7 En grec, signe marquant une aspiration (*esprit rude*) ou une absence d'aspiration (*esprit doux*) 8 vx Liquide volatil chargé de principes aromatiques. *Esprit de vin.* Loc *Bel esprit :* qui cherche à briller par sa finesse intellectuelle. *En esprit :* mentalement. *Mot d'esprit :* repartie brillante. *Perdre l'esprit :* devenir fou. ■ pl Loc *Reprendre ses esprits :* reprendre conscience.

esquif nm litt Embarcation légère.

esquille nf Petit fragment d'un os fracturé.

esquimau, aude, aux a, n Relatif aux Esquimaux (ou Eskimos). ■ nm (n. déposé) Glace fichée sur un bâtonnet, comme une sucette.

esquimautage nm Mouvement par lequel on retourne un kayak sens dessus dessous.

esquintant, ante a fam Fatigant, éreintant.

esquinter vt fam 1 Abîmer, détériorer. 2 Critiquer durement. *Esquinter un roman.* ■ vpr fam S'éreinter, se surmener.

esquisse nf 1 Ébauche d'une œuvre artistique. 2 Amorce. *L'esquisse d'un geste.*

esquisser vt 1 Faire l'esquisse de. 2 Commencer à faire. *Esquisser un geste.*

esquive nf Mouvement du corps pour esquiver un coup.

esquiver vt Éviter adroitement. ■ vpr S'échapper discrètement.

essai nm 1 Épreuve à laquelle on soumet qqch ou qqn. 2 Tentative. *Faire deux essais.* 3 Livre, article qui présente très librement des idées sans prétention exhaustive. 4 Au rugby, action de poser le ballon derrière la ligne de but adverse.

essaim nm 1 Colonie d'abeilles. 2 litt Troupe nombreuse.

essaimage *nm* **1** Action d'essaimer. **2** Période où les abeilles essaiment.

essaimer *vi* **1** Quitter la ruche en essaim. **2** litt Émigrer en se dispersant.

essartage *nm* Action d'essarter.

essarter *vt* AGRIC Défricher en arrachant les arbres, les broussailles.

essayage *nm* Action d'essayer un vêtement.

essayer *vt* [20] **1** Faire l'essai d'une chose pour vérifier si elle convient. **2** Tenter, s'efforcer de, tâcher de. *J'ai tout essayé en vain. Essayez de vous rappeler ce nom.* ■ *vpr* S'exercer à.

essayeur, euse *n* **1** Personne qui fait essayer et éventuellement rectifier les vêtements. **2** Personne qui est chargée de procéder à des essais.

essayiste *n* Auteur d'essais littéraires.

esse *nf* Crochet double en forme de S.

essence *nf* **1** Ce qui constitue la nature profonde d'un être, d'une chose. **2** Espèce d'arbres. *Une forêt aux essences variées.* **3** Composé liquide volatil et odorant extrait d'une plante. *Essence de rose.* **4** Liquide provenant de la distillation du pétrole, employé comme carburant, comme solvant, etc.

essénien, enne *a, n* HIST D'une secte juive du début de l'ère chrétienne.

essentiel, elle *a* **1** Qui appartient à l'essence d'un être, d'une chose. **2** Nécessaire, très important. ■ *nm* **1** La chose principale, le point capital. **2** La plus grande partie. *L'essentiel de sa vie.*

essentiellement *av* Principalement.

esseulé, ée *a* Délaissé, abandonné.

essieu *nm* Tige, barre servant d'axe commun à deux roues d'un véhicule.

essor *nm* **1** Action de s'envoler. **2** Développement, progrès, extension.

essorage *nm* Action d'essorer.

essorer *vt* Débarrasser le linge de son eau par torsion, compression, etc.

essoreuse *nf* Machine à essorer.

essoucher *vt* Arracher les souches d'arbres abattus d'un terrain.

essoufflement *nm* État de qqn qui est essoufflé.

essouffler *vt* Mettre hors d'haleine, à bout de souffle. ■ *vpr* Peiner, avoir du mal à suivre un certain rythme.

essuie-glace *nm* Appareil servant à balayer mécaniquement les gouttes de pluie sur le pare-brise d'un véhicule. *Des essuie-glaces.*

essuie-main *nm* Linge servant à s'essuyer les mains. *Des essuie-mains.*

essuie-tout *nm inv* Papier absorbant présenté en rouleau.

essuyage *nm* Action d'essuyer.

essuyer *vt* [21] **1** Sécher ou nettoyer en frottant. **2** Supporter, subir. *Essuyer un échec.*

est [ɛst] *nm, a inv* **1** Un des quatre points cardinaux, situé au soleil levant. **2** (avec majusc.) Partie orientale d'une région, d'un pays. **3** (avec majusc.) L'Europe orientale, l'ancien bloc socialiste. Ant. ouest.

establishment [ɛstabliʃmɛnt] *nm* Ensemble de ceux qui détiennent le pouvoir, l'autorité.

estafette *nf* Militaire porteur de dépêches.

estafilade *nf* Grande coupure faite avec un instrument tranchant.

estaminet *nm* vx Débit de boissons.

estampage *nm* Action d'estamper.

estampe *nf* **1** Machine, outil servant à estamper. **2** Image imprimée au moyen d'une planche gravée de bois, de cuivre ou de pierre calcaire.

estamper *vt* **1** Façonner une matière, une surface à l'aide de presses, de matrices et de moules. **2** fam Voler, escroquer.

estampeur, euse *n* **1** Spécialiste de l'estampage. **2** fam Commerçant malhonnête.

estampillage *nm* Action d'estampiller.

estampille *nf* Marque attestant l'authenticité de qqch ou constatant l'acquittement d'un droit fiscal.

estampiller *vt* Marquer d'une estampille.

est-ce que *av* Exprime l'interrogation directe. *Est-ce que tu comprends ?*

1. ester *vi* DR Poursuivre une action en justice.

2. ester [ɛstɛr] *nm* CHIM Composé résultant de l'action d'un acide sur un alcool ou un phénol avec élimination d'eau.

esthète *n, a* Qui goûte la beauté, l'art, parfois avec affectation.

esthéticien, enne *n* **1** Personne qui s'occupe d'esthétique. **2** Spécialiste des soins de beauté.

esthétique *a* Conforme au sens du beau. Loc *Chirurgie esthétique :* qui vise à rectifier les traits du visage, les formes du corps. ■ *nf* **1** Conception, théorie du beau. **2** Aspect de qqn, de qqch sous le rapport de la beauté.

esthétiquement *av* De façon esthétique.

esthétisant, ante *a* Qui verse dans l'esthétisme.

esthétisme *nm* Attitude des esthètes.

estimable *a* Digne d'estime.

estimatif, ive *a* Qui a pour objet une estimation.

estimation *nf* **1** Évaluation exacte. **2** Ordre de grandeur, approximation.

estime *nf* Opinion favorable, cas que l'on fait de qqn ou de qqch. Loc *Succès d'estime :* accueil favorable des seuls critiques, peu suivis par le public. *À l'estime :* au jugé.

estimer *vt* **1** Déterminer la valeur exacte de. **2** Calculer approximativement. **3** Juger, considérer. **4** Tenir en considération, faire cas de.

estivage *nm* Envoi des animaux sur des pâturages de montagne pendant l'été.

estival, ale, aux *a* D'été. *Tenue estivale.*

estivant, ante *n* Personne qui passe l'été en villégiature.

estoc *nm* Loc *Frapper d'estoc et de taille :* donner de grands coups d'épée.

estocade *nf* **1** Coup donné avec la pointe de l'épée. **2** Coup par lequel le matador tue le taureau. **3** litt Attaque imprévue et décisive.

estomac [-ma] *nm* **1** Poche du tube digestif, entre l'œsophage et le duodénum. **2** Partie extérieure du corps correspondant à l'emplacement de l'estomac. **3** fam Courage, cran. Loc fam *À l'estomac :* au culot.

estomaquer *vt* fam Frapper d'étonnement.

estompe *nf* Petit rouleau de papier servant à étaler les traits de crayon, de fusain.

estomper *vt* **1** Passer à l'estompe, ombrer. **2** Voiler, rendre flou. ■ *vpr* Devenir moins net.

estonien, enne *a, n* De l'Estonie. ■ *nm* Langue parlée en Estonie.

estoquer *vt* Porter l'estocade au taureau.

estouffade *nf* Plat cuit à l'étouffée.

estourbir *vt* fam Assommer ; tuer.

estrade *nf* Plancher légèrement surélevé par rapport au niveau du sol.

estragon *nm* Armoise dont on utilise les feuilles comme condiment.

estran *nm* GEOGR Partie du littoral recouvert par la marée.

estrapade *nf* HIST Supplice qui consistait à hisser qqn à l'aide d'une corde à une certaine hauteur, puis à le laisser retomber.

estropié, ée *n* Personne qui a perdu l'usage d'un membre.

estropier *vt* 1 Faire perdre l'usage d'un membre à. 2 Altérer, déformer. *Estropier un mot.*

estuaire *nm* Embouchure d'un fleuve, formant un bras de mer.

estudiantin, ine *a* Propre aux étudiants.

esturgeon *nm* Grand poisson qui vit en mer et va pondre dans les grands fleuves.

et *conj* Sert à coordonner des termes de même fonction. Loc *Et/ou* : sert à coordonner soit par « et », soit par « ou ».

êta *nm* Septième lettre de l'alphabet grec.

étable *nf* Lieu couvert, bâtiment où l'on abrite les bœufs, les vaches.

établi, ie *a* 1 Stable, solide. 2 En place. *Ordre établi.* ■ *nm* Table de travail d'un menuisier, d'un serrurier, etc.

établir *vt* 1 Placer de manière stable en un endroit choisi. 2 Réaliser, mettre en état. *Établir un plan.* 3 Prouver, démontrer. ■ *vpr* 1 S'installer. 2 Se constituer ; s'instaurer.

établissement *nm* 1 Action d'établir, de s'établir. 2 Installation établie pour l'exercice d'un commerce, d'une industrie, pour l'enseignement, etc.

étage *nm* 1 Division formée par les planchers dans la hauteur d'un édifice. 2 Chacun des niveaux successifs, dans une disposition selon des plans superposés. *Jardin en étages.* 3 Subdivision d'une période géologique. Loc *De bas étage* : peu recommandable, médiocre.

étagement *nm* Disposition par étages.

étager *vt* [11] Disposer par étages. ■ *vpr* Être disposé en étages, en niveaux.

étagère *nf* 1 Planche, tablette fixée horizontalement sur un mur. 2 Meuble à tablettes superposées.

étai *nm* Pièce servant à soutenir un mur, un plancher.

étaiement V. *étayage.*

étain *nm* 1 Métal blanc, très malléable. 2 Objet en étain.

étal *nm* 1 Table de boucher. 2 Table servant à exposer des marchandises dans un marché. *Des étals* ou *des étaux.*

étalage *nm* 1 Exposition de marchandises à la vente. 2 Lieu où sont exposées ces marchandises ; ensemble de marchandises exposées. Loc *Faire étalage de* : montrer avec ostentation.

étalagiste *n* Personne qui dispose les marchandises dans les vitrines.

étale *a* Dont le niveau est stationnaire. *Mer étale.* ■ *nm* Moment où la mer est stationnaire.

étalement *nm* Action d'étaler.

étaler *vt* 1 Exposer des marchandises à vendre. 2 Déployer. *Étaler une carte routière.* 3 Étendre. *Étaler de la peinture sur une toile.* 4 Montrer avec ostentation. 5 Répartir dans le temps. *Étaler les*

vacances annuelles. ■ *vpr* 1 S'étendre. *Le village s'étale sur la colline.* 2 fam Tomber de tout son long. *S'étaler dans la boue.*

1. étalon *nm* Cheval destiné à la reproduction.

2. étalon *nm* 1 Objet, appareil qui permet de définir une unité de mesure légale. 2 Métal ou monnaie de référence qui fonde la valeur d'une unité monétaire.

étalonnage *nm* 1 Vérification de la conformité des indications d'un appareil de mesure à celle de l'étalon. 2 Graduation d'un instrument conformément à l'étalon. Var **étalonnement**

étalonner *vt* Procéder à l'étalonnage.

étamage *nm* Action d'étamer.

étambot *nm* Forte pièce de la charpente du navire reliée à la quille, et qui supporte le gouvernail.

étamer *vt* 1 Revêtir un métal d'étain. 2 Revêtir de tain la face arrière d'une glace.

étameur *nm* Personne qui étame.

étamine *nf* 1 Étoffe mince non croisée. *Étamine de soie.* 2 BOT Organe mâle des plantes à fleurs, qui porte à son extrémité l'anthère, où s'élabore le pollen.

étampe *nf* Matrice qui sert à produire une empreinte sur le métal.

étamper *vt* Produire une empreinte avec une étampe.

étanche *a* Imperméable aux liquides, aux gaz. Loc *Cloison étanche* : séparation complète.

étanchéité *nf* Nature de ce qui est étanche. *Étanchéité d'une citerne.*

étancher *vt* 1 Arrêter l'écoulement d'un liquide. 2 Rendre étanche en calfeutrant. Loc *Étancher la soif* : l'apaiser.

étançon *nm* Pilier, poteau de soutènement.

étang [etã] *nm* Étendue d'eau stagnante plus petite qu'un lac.

étape *nf* 1 Lieu où l'on fait halte, où l'on passe la nuit au cours d'un voyage. 2 Distance à parcourir entre deux arrêts. 3 Période envisagée dans sa succession ; degré. *Procéder par étapes.*

1. état *nm* 1 Situation, dans laquelle se trouve qqn ou qqch. *L'état sanitaire de la population. Une voiture en bon état. La glace est de l'eau à l'état solide.* 2 Relevé descriptif (liste, tableau, etc.). *L'état des ressources.* 3 Profession. *L'état ecclésiastique. Il est menuisier de son état.* Loc *État civil* : indication de la date et du lieu de naissance de qqn, du nom de ses parents, etc. *État d'esprit* : disposition affective, humeur. *État des lieux* : description d'un local à l'entrée ou au départ d'un occupant. *Faire état de* : mettre en avant, faire valoir. *États généraux* : sous l'Ancien Régime, assemblée des représentants des divers ordres de la nation. *Tiers état* : le peuple, sous l'Ancien Régime. *En état de* : en mesure de, capable de. *Hors d'état de* : incapable de. *fam Être dans tous ses états* : être bouleversé, affolé. *En tout état de cause* : quoi qu'il en soit. *Remettre en état* : réparer.

2. État *nm* 1 Nation gouvernée par un pouvoir représentatif. 2 Gouvernement, administration. Loc *Affaire d'État* : affaire d'une importance capitale. *Homme d'État* : personnage qui joue un rôle politique important. *Coup d'État* : action violente pour s'emparer du pouvoir. *Raison d'État* : motif d'intérêt public invoqué pour justifier une action arbitraire. *État-voyou* État accusé de contrevenir aux règles du droit international.

étatique *a* De l'État.

étatisation *nf* Action d'étatiser.

étatiser *vt* Placer sous l'administration de l'État.

étatisme *nm* Système politique caractérisé par l'intervention directe de l'État sur le plan économique.

état-major *nm* 1 Corps d'officiers chargés d'assister un chef militaire dans l'exercice du commandement ; lieu où ces officiers se réunissent. 2 Ensemble des dirigeants d'un groupement. *Des états-majors.*

états-unien, enne *a, n* Des États-Unis.

étau *nm* Instrument composé de deux mâchoires et qui sert à enserrer un objet que l'on façonne. *Des étaux.*

étayage *nm* Action d'étayer. **Var étayement** ou **étaiement**

étayer *vt* [20] 1 Soutenir avec des étais. 2 Soutenir une idée, renforcer.

et cetera [ɛtsetera] *av* Et le reste (Abrév. etc). **Var etcétéra** ou **et cœtera**

été *nm* Saison la plus chaude de l'année, entre le printemps et l'automne.

éteignoir *nm* 1 Petit cône métallique creux servant à éteindre les cierges. 2 *fam* Rabat-joie.

éteindre *vt* [69] 1 Faire cesser de brûler, d'éclairer, de fonctionner. *Éteindre un feu. Éteindre la lumière.* 2 *litt* Tempérer, adoucir. *Éteindre la soif.* 3 Annuler, faire cesser. *Éteindre une dette.* ■ *vpr* 1 Cesser de brûler ou d'éclairer. 2 *litt* Diminuer. *Son ardeur s'éteint.* 3 Disparaître. 4 Mourir doucement.

éteint, einte *a* Qui a perdu son éclat, sa force. *Un regard éteint.*

étendage *nm* Action d'étendre.

étendard *nm* Drapeau ; signe de ralliement d'une cause, d'un parti. *Lever, brandir l'étendard de la révolte.*

étendoir *nm* Fil sur lequel on étend du linge.

étendre *vt* [5] 1 Allonger. *Étendre le bras.* 2 Coucher de tout son long. *Étendre un blessé sur le sol.* 3 Déployer en surface. *Étendre du linge pour le faire sécher.* 4 Additionner d'eau, diluer. *Étendre du vin.* 5 Agrandir, accroître. *Étendre ses domaines.* 6 *fam* Refuser à un examen. ■ *vpr* 1 Occuper un certain espace. *La plaine s'étend jusqu'à la mer.* 2 Augmenter, se développer. *L'épidémie s'étend.* 3 S'allonger. *S'étendre sur l'herbe.* 4 Parler longuement de. *S'étendre sur un sujet.*

étendu, ue *a* 1 Vaste. *Une province étendue.* 2 Déployé. *Oiseau aux ailes étendues.*

étendue *nf* 1 Espace, superficie, durée. *Dans toute l'étendue du pays.* 2 Développement, importance.

éternel, elle *a* 1 Sans commencement ni fin. 2 Immuable. *Vérité éternelle.* 3 Sans fin : continuel. *Son éternel bavardage.* **Loc** *La Ville éternelle* : Rome. ■ *nm* **Loc** *L'Éternel* : Dieu.

éternellement *av* Toujours, continuellement.

éterniser *vt* Prolonger indéfiniment. *Éterniser une discussion.* ■ *vpr* 1 Se prolonger indéfiniment. *La polémique s'éternise.* 2 Rester trop longtemps qq part.

éternité *nf* 1 Durée sans commencement ni fin. 2 Durée sans fin ; temps très long. **Loc** *De toute éternité* : depuis toujours. *fam Il y a une éternité que* : il y a longtemps que.

éternuement *nm* Expiration brusque et bruyante par le nez et la bouche provoquée par une irritation des muqueuses nasales.

éternuer *vi* Avoir un éternuement.

étêtage *nm* Action d'étêter. **Var étêtement**

étêter *vt* Couper la cime d'un arbre.

éteule *nf* AGRIC Partie du chaume qui reste en place après la moisson.

éthane *nm* CHIM Hydrocarbure saturé.

éthanol *nm* CHIM Alcool éthylique.

éther *nm* 1 *litt* Le ciel, les espaces célestes. 2 CHIM Liquide très volatil utilisé comme solvant et comme anesthésique.

éthéré, ée *a* *litt* Très délicat, très élevé, très pur. *Une âme éthérée. Un amour éthéré.*

éthéromane *n, a* Atteint d'éthéromanie.

éthéromanie *nf* Toxicomanie à l'éther.

éthiopien, enne *a, n* D'Éthiopie.

éthique *a* Qui concerne la morale. ■ *nf* Morale.

ethmoïde *nm* ANAT Os de la base du crâne.

ethnie *nf* Groupement humain caractérisé par une même culture, une même langue.

ethnique *a* De l'ethnie. *Groupe ethnique.* **Loc** LING *Nom, adjectif ethnique* : dérivé d'un nom de pays, de région, de ville.

ethnobiologie *nf* Étude des relations entre les populations humaines et leur environnement.

ethnocentrisme *nm* Tendance à prendre les normes de son propre groupe social pour juger d'autres groupes sociaux.

ethnocide *nm* Destruction d'une culture.

ethnographe *n* Spécialiste d'ethnographie.

ethnographie *nf* Science descriptive des origines, des mœurs des ethnies.

ethnographique *a* De l'ethnographie.

ethnolinguistique [-gɥis-] *nf* Étude des relations entre le langage, la culture et les populations humaines.

ethnologie *nf* Branche de l'anthropologie qui étudie les ethnies et les cultures.

ethnologique *a* De l'ethnologie.

ethnologue *n* Spécialiste d'ethnologie.

ethnomusicologie *nf* Étude de la musique des ethnies.

ethnonyme *nm* LING Nom ou adjectif ethnique.

ethnopsychiatrie [-kja-] *nf* Étude des troubles mentaux en relation avec l'ethnie.

éthologie *nf* Science du comportement des animaux dans leur milieu naturel.

éthologue *n* Spécialiste d'éthologie.

éthylène *nm* Gaz incolore obtenu à partir du gaz naturel, d'essences lourdes ou de gazole.

éthylique *a* MED De l'éthylisme. **Loc** *Alcool éthylique* ou *éthanol* : syn. de *alcool.* ■ *n* Alcoolique.

éthylisme *nm* MED Alcoolisme.

éthylomètre *nm* Appareil mesurant l'alcoolémie.

éthylotest *nm* Test fait avec un éthylomètre.

étiage *nm* Niveau le plus bas atteint par un cours d'eau.

étincelant, ante *a* Éclatant, brillant.

étinceler *vi* [16] ou [18] Briller, jeter des éclats de lumière.

étincelle *nf* 1 Petite parcelle incandescente qui se détache d'un corps qui brûle ou qui subit un choc. 2 Brève manifestation. **Loc** *Étincelle électrique* : phénomène lumineux très bref qui évacue l'énergie lors d'une décharge. *fam Faire des* *étincelles :* éblouir, se faire remarquer (qqn) ; faire du scandale (qqch).

étincellement *nm* Éclat de ce qui étincelle. Var **étincèlement**

étiolement *nm* 1 Désordre physiologique généralisé provoqué chez une plante verte par le manque de lumière. 2 Affaiblissement d'une faculté de qqn.

étioler *vt* Provoquer l'étiolement de. ■ *vpr* S'affaiblir, dépérir.

étiologie *nf* MED Étude des causes d'une maladie ; ensemble de ces causes.

étique *a* litt Très maigre, décharné.

étiquetage *nm* Action d'étiqueter.

étiqueter *vt* [17] ou [19] 1 Mettre une étiquette sur. *Étiqueter des paquets.* 2 Ranger qqn dans une catégorie.

étiqueteuse *nf* Machine à étiqueter.

étiquette *nf* 1 Fiche attachée ou collée à un objet pour en indiquer le contenu, le prix, le possesseur, etc. 2 Cérémonial en usage dans une cour, lors d'une réception officielle, etc.

étirage *nm* Action d'étirer une matière.

étirement *nm* Action, fait de s'étirer.

étirer *vt* Étendre, allonger par traction. ■ *vpr* Se détendre en allongeant les membres.

étoffe *nf* Tissu servant pour l'habillement, l'ameublement. **Loc** *Avoir de l'étoffe :* une personnalité forte, prometteuse.

étoffer *vt* Développer, donner de l'ampleur à. *Étoffer une argumentation.* ■ *vpr* Devenir plus fort, plus robuste.

étoile *nf* 1 Astre qui brille d'une lumière propre et dont le mouvement apparent est imperceptible. 2 Astre considéré du point de vue de son influence supposée sur la destinée de qqn. *Croire à son étoile.* 3 Figure géométrique rayonnante. *Étoile à cinq, à six branches.* 4 Rond-point où aboutissent des allées, des avenues. 5 Artiste célèbre ; star. **Loc** *L'étoile du berger :* la planète Vénus. *Coucher à la belle étoile :* dehors. *Danseur, danseuse étoile :* échelon suprême dans la hiérarchie des solistes de corps de ballet. *Étoile de mer :* animal marin en forme d'étoile à cinq branches.

étoilé, ée *a* 1 Parsemé d'étoiles. 2 En forme d'étoile. 3 Se dit d'un restaurant signalé par certains guides gastronomiques. **Loc** *La bannière étoilée :* le drapeau des États-Unis.

étoilement *nm* Fait de s'étoiler.

étoiler *vt* Marquer, fêler en étoile.

étole *nf* 1 Ornement sacerdotal, large bande ornée de croix, que le prêtre officiant porte autour du cou. 2 Large écharpe en fourrure.

étonnamment *av* De façon étonnante.

étonnant, ante *a* 1 Qui étonne, surprend, déconcerte. 2 Remarquable.

étonnement *nm* Stupéfaction, surprise devant qqch d'inhabituel.

étonner *vt* Causer de l'étonnement, de la surprise à qqn. *Son silence m'étonne.* ■ *vpr* Trouver étrange.

étouffant, ante *a* 1 Qui gêne la respiration. 2 Qui crée un malaise ; pesant.

étouffe-chrétien *nm* fam Mets difficile à avaler à cause de sa consistance. *Des étouffe-chrétiens.*

étouffée (à l') *av* **Loc** *Cuire à l'étouffée :* dans un récipient clos.

étouffement *nm* Action d'étouffer ; le fait d'être étouffé.

étouffer *vt* 1 Gêner ou arrêter la respiration par asphyxie. 2 Éteindre en privant d'air. *Étouffer un incendie.* 3 Amortir les sons. 4 Réprimer, retenir. *Étouffer des cris.* 5 Arrêter dans son développement. *Étouffer un complot.* ■ *vi* 1 Avoir du mal à respirer. 2 Se sentir oppressé, être mal à l'aise ; s'ennuyer. ■ *vpr* Perdre la respiration.

étouffoir *nm* 1 Mécanisme servant à faire cesser les vibrations des cordes d'un piano, d'un clavecin. 2 fam Lieu mal aéré.

étoupe *nf* Partie la plus grossière de la filasse de chanvre ou de lin.

étourderie *nf* 1 Disposition à agir sans réflexion. 2 Oubli, erreur due à l'inadvertance.

étourdi, ie *a, n* Qui agit sans réflexion, sans attention.

étourdiment *av* Sans réfléchir.

étourdir *vt* 1 Assommer, amener au bord de l'évanouissement. 2 Fatiguer, importuner. *Son bavardage m'étourdit.* ■ *vpr* Se jeter dans les distractions.

étourdissant, ante *a* 1 Qui étourdit. 2 Très surprenant. *Un talent étourdissant.*

étourdissement *nm* 1 Vertige, perte de conscience momentanée. 2 Griserie.

étourneau *nm* 1 Passereau au plumage noirâtre. 2 Étourdi, écervelé.

étrange *a* Qui étonne, intrigue comme inhabituel ; singulier, bizarre.

étrangement *av* De façon étrange.

étranger, ère *a* 1 Qui est d'une autre nation ; relatif à une autre pays. 2 Qui ne fait pas partie d'un groupe ou d'une famille. 3 Qui n'est pas connu ou familier. *Cette voix ne m'est pas étrangère.* 4 Sans rapport ou sans conformité avec qqch. *Une remarque étrangère au débat.* **Loc** MED *Corps étranger :* qui se trouve de façon anormale dans l'organisme (projectile, écharde, etc.). ■ *n* Personne qui est d'un autre pays, d'un autre groupe. ■ *nm* Tout pays étranger.

étrangeté *nf* 1 Caractère étrange. 2 litt Chose étrange.

étranglé, ée *a* **Loc** *Voix étranglée :* à demi étouffée par l'émotion.

étranglement *nm* 1 Action d'étrangler. 2 Le fait d'être étranglé, de s'étrangler. 3 Resserrement, rétrécissement. **Loc** *Goulet* ou *goulot d'étranglement :* ce qui limite un écoulement, empêche un développement, un progrès.

étrangler *vt* 1 Serrer le cou jusqu'à l'étouffement. 2 Couper la respiration. *La colère l'étranglait.* 3 Opprimer. *Étrangler la presse.* ■ *vpr* Perdre la respiration.

étrangleur, euse *n* Personne qui tue par strangulation.

étrave *nf* Forte pièce qui termine à l'avant la charpente d'un navire.

être *vi* 1 Introduit un attribut. *La mer est bleue.* 2 Introduit un élément circonstanciel. *Le vase est sur la table.* 3 Indique l'appartenance. *Ce livre est à moi.* 4 S'emploie comme auxiliaire des voix passive et pronominale et de certains verbes intransitifs ou impersonnels. **Loc** litt *Il est :* il y a. *J'y suis :* je comprends. *En être à :* être au point de. *Il n'en est rien :* c'est faux. *En être pour sa peine, son argent :* avoir inutilement mis en œuvre sa peine, son argent. ■ *nm* 1 PHILO État, qualité de ce qui est ; essence. 2 Tout ce qui existe, vit. *L'être humain.*

3 Personne humaine, individu. *Un être cher.* **4** Nature intime d'une personne.

étreindre *vt* [69] **1** Presser dans ses bras ; serrer, saisir fortement. **2** Oppresser. *L'émotion l'étreignait.*

étreinte *nf* **1** Action de presser qqn dans ses bras. **2** Action d'enserrer ; pression exercée sur qqn. *Les assiégeants resserrent leur étreinte.*

étrenne *nf* (surtout pl.) Présent, gratification, notamment à l'occasion du Jour de l'an. *Recevoir des étrennes.* Loc *Avoir, faire l'étrenne de qqch :* en avoir, en faire le premier usage.

étrenner *vt* Faire usage le premier ou pour la première fois de qqch.

étrier *nm* **1** Anneau suspendu de chaque côté de la selle, et qui sert d'appui au pied du cavalier. **2** Nom de divers appareils servant à soutenir ou à maintenir le pied. *Étrier de ski.* **3** Pièce métallique servant à fixer, à lier. **4** Osselet de l'oreille moyenne. Loc *Vider les étriers :* tomber de cheval. *Avoir le pied à l'étrier :* être prêt à partir. *Le coup de l'étrier :* le dernier verre que l'on boit au moment du départ.

étrille *nf* **1** Brosse en fer à lames dentelées servant à nettoyer le poil des chevaux. **2** Crabe comestible.

étriller *vt* **1** Nettoyer avec l'étrille. **2** Malmener, éreinter.

étriper *vt* **1** Ôter les tripes à. *Étriper un porc.* **2** *fam* Éventrer, mettre à mal. ■ *vpr fam* Se battre avec une grande violence.

étriqué, ée *a* **1** Qui manque d'ampleur. *Veste étriquée.* **2** Sans largeur de vues ; mesquin. *Un esprit étriqué.*

étrivière *nf* Courroie qui porte l'étrier.

étroit, oite *a* **1** De faible largeur. *Chemin étroit.* **2** Limité, restreint ; intime. *Un cercle étroit d'amis.* **3** Borné, intolérant, mesquin. **4** Rigoureux, strict. *L'observation étroite d'une règle.* Loc *À l'étroit :* dans un espace trop resserré ; mal à l'aise.

étroitement *av* **1** De façon étroite ; intimement. **2** De façon rigoureuse, stricte. **3** À l'étroit.

étroitesse *nf* Caractère étroit.

étron *nm* Matière fécale moulée.

étrusque *a, n* De l'Étrurie. ■ *nm* Langue parlée par les Étrusques.

étude *nf* **1** Activité intellectuelle par laquelle on s'applique à apprendre, à connaître. *Une vie consacrée à l'étude. L'étude du droit.* **2** Travail de conception et de préparation d'un ouvrage, d'une installation, etc. *Bureau d'études.* **3** Ouvrage littéraire ou scientifique sur un sujet que l'on a étudié. **4** Dessin, peinture, sculpture préparatoires. *Études de visage.* **5** Composition musicale particulière à un instrument. **6** Salle où les élèves travaillent en dehors des heures de cours. **7** Charge et lieu de travail d'un officier ministériel ou public. *Étude de notaire, d'huissier.* ■ *pl* Degrés successifs de l'enseignement scolaire, universitaire. *Faire ses études.*

étudiant, ante *n, a* Qui suit les cours d'une université, d'une grande école. ■ *a* Relatif aux étudiants. *Syndicat étudiant.*

étudié, ée *a* **1** Préparé, médité, conçu avec soin. **2** Sans naturel, affecté. *Geste étudié.* Loc *Prix étudié :* calculé au plus juste.

étudier *vt* **1** S'appliquer à connaître, à apprendre. *Étudier la musique.* **2** Faire par l'observation, l'analyse, l'étude, l'examen de. *Étudier un phé-*nomène. ■ *vi* Faire des études. ■ *vpr* **1** S'observer, s'examiner soi-même. **2** Prendre des airs affectés.

étui *nm* Boîte ou enveloppe dont la forme est adaptée à l'objet qu'elle doit contenir.

étuvage *nm* Action d'étuver. **Var étuvement**

étuve *nf* **1** Chambre close où l'on élève la température pour provoquer la sudation. **2** Lieu où règne une température élevée. **3** Appareil destiné à obtenir une température déterminée.

étuvée *nf* Loc *À l'étuvée :* mode de cuisson à la vapeur en récipient clos.

étuver *vt* **1** Chauffer ou sécher dans une étuve. **2** Faire cuire à l'étuvée.

étymologie *nf* **1** Science qui a pour objet l'origine des mots. **2** Origine d'un mot.

étymologique *a* De l'étymologie.

étymologiquement *av* Selon l'étymologie.

étymologiste *n* Spécialiste de l'étymologie.

étymon *nm* Mot considéré comme étant à l'origine d'un autre.

eucalyptus [-tys] *nm* Grand arbre aux feuilles odorantes.

eucharistie [-ka-] *nf* RELIG Sacrement par lequel se continue le sacrifice du Christ.

eucharistique [-ka-] *a* De l'eucharistie.

euclidien, enne *a* De la géométrie d'Euclide.

eugénique *a* De l'eugénisme.

eugénisme *nm* Méthode visant à l'amélioration de l'espèce humaine par des actions sur les gènes et un contrôle sur la reproduction.

euh ! *interj* Marque l'hésitation, le doute.

eunuque *nm* Homme castré.

euphémique *a* De l'euphémisme.

euphémisme *nm* Façon de présenter une réalité brutale ou blessante en atténuant son expression. « *Il nous a quittés* » est un euphémisme pour « *il est mort* ».

euphonie *nf* Succession harmonieuse de sons dans un mot, une phrase.

euphonique *a* De l'euphonie.

euphorbe *nf* Plante contenant un latex âcre et caustique.

euphorie *nf* Sentiment de profond bien-être.

euphorique *a* De l'euphorie.

euphorisant, ante *a, nm* Qui provoque l'euphorie.

eurasiatique *a* De l'ensemble formé par l'Europe et l'Asie.

eurasien, enne *n, a* Métis d'Européen et d'Asiatique.

eurêka *interj* Exprime que l'on vient de trouver une solution.

EURL *nf* Entreprise unipersonnelle à responsabilité limitée.

euro *nm* Monnaie de l'Union européenne, en usage depuis 2002.

eurobanque *nf* Banque spécialisée dans les eurodevises.

eurocrate *n* Fonctionnaire de l'Union européenne.

eurodevise *nf* Devise placée par un non-résident dans un pays européen différent du pays d'émission de cette devise. Syn. euromonnaie.

eurodollar *nm* Titre en dollars déposé dans une banque européenne.

euromarché *nm* Marché des émissions en eurodevises ou en euros.

euromissile nm Missile nucléaire basé en Europe.

euromonnaie nf Syn. de *eurodevise*.

européanisation nf Action d'européaniser.

européaniser vt Rendre européen.

européen, enne a, n 1 De l'Europe. 2 Se dit du chat domestique commun.

europium [-pjɔm] nm Métal du groupe des terres rares.

eurythmie nf Harmonie dans la composition d'une œuvre artistique.

eustatique a GEOL De l'eustatisme.

eustatisme nm GEOL Variation du niveau des mers.

euthanasie nf Mort provoquée dans le dessein d'abréger les souffrances d'un malade incurable.

euthanasique a De l'euthanasie.

eutrophisation nf Accroissement anarchique d'une eau en sels nutritifs.

eux pr pers Pluriel du pronom masculin *lui*.

évacuateur, trice a Qui sert à l'évacuation. ■ nm Dispositif d'évacuation des eaux.

évacuation nf Action d'évacuer.

évacuer vt 1 Expulser de l'organisme. 2 Déverser hors d'un lieu. *Évacuer les eaux usées.* 3 Cesser d'occuper un lieu. 4 Transporter qqn hors d'un lieu, d'une zone.

évadé, ée a, n Qui s'est évadé de prison.

évader (s') vpr 1 S'échapper d'un lieu. *S'évader de prison.* 2 Se libérer des contraintes, des soucis.

évagination nf Sortie anormale d'un organe hors de sa gaine.

évaluable a Que l'on peut évaluer.

évaluatif, ive a Qui concerne une évaluation.

évaluation nf Action d'évaluer.

évaluer vt 1 Déterminer la valeur marchande de qqch. *Faire évaluer un terrain.* 2 Déterminer approximativement une quantité, une qualité.

évanescence nf litt Caractère évanescent.

évanescent, ente a litt Qui disparaît, s'efface ou apparaît fugitivement.

évangéliaire nm Livre contenant les parties des Évangiles des messes de l'année.

évangélique a 1 De l'Évangile. 2 De la religion réformée.

évangélisateur, trice a, n Qui évangélise.

évangélisation nf Action d'évangéliser.

évangéliser vt Diffuser l'Évangile ; convertir au christianisme. *Évangéliser un peuple.*

évangélisme nm Aspiration à une vie religieuse selon l'Évangile.

évangéliste nm 1 Chacun des quatre apôtres auteurs des Évangiles. 2 Suppléant d'un pasteur protestant.

évangile nm 1 (avec majusc.) Message de Jésus-Christ. *Prêcher l'Évangile.* 2 (avec majusc.) Chacun des livres qui exposent ce message. 3 Partie des Évangiles lue à la messe. Loc *Parole d'évangile* : propos d'une vérité indiscutable.

évanouir (s') vpr 1 Tomber en syncope. 2 litt Se dissiper. *La brume s'est évanouie.*

évanouissement nm 1 Perte de connaissance. 2 Disparition totale.

évaporateur nm Appareil servant à la dessiccation.

évaporation nf Passage d'un liquide à l'état de vapeur.

évaporé, ée a, n Qui se dissipe en futilités ; qui est vain et léger.

évaporer vt Soumettre à l'évaporation. ■ vpr 1 Se transformer en vapeur. 2 fam Disparaître.

évasement nm Action d'évaser ; état de ce qui est évasé.

évaser vt Élargir l'ouverture de. *Évaser un tuyau.* ■ vpr Aller en s'élargissant.

évasif, ive a Qui reste dans le vague, qui élude. *Une réponse évasive.*

évasion nf 1 Action de s'évader. 2 Fait d'échapper aux contraintes de la vie quotidienne.

évasivement av De façon évasive.

évêché nm 1 Territoire soumis à l'autorité d'un évêque. 2 Demeure, siège de l'évêque.

évection nf Irrégularité du mouvement de la Lune, due à l'attraction du Soleil.

éveil nm 1 Sortie de l'état de repos. 2 Fait d'apparaître, de se manifester (sentiment, idée). Loc *Activités, disciplines d'éveil* : destinées à développer l'intelligence, la créativité des enfants. *Donner l'éveil* : attirer l'attention. *En éveil* : attentif.

éveillé, ée a Plein de vivacité.

éveiller vt 1 litt Tirer du sommeil. 2 Faire se manifester ce qui était à l'état latent, virtuel. 3 Faire naître, provoquer (un sentiment, une attitude). *Éveiller la sympathie.* ■ vpr Sortir du sommeil.

éveilleur, euse n Personne qui fait naître un sentiment.

évènement nm 1 Ce qui arrive. 2 Fait important. Var événement

évènementiel elle a De l'évènement. Var événementiel, elle

évent nm Narine située au sommet de la tête de certains cétacés.

éventail nm 1 Petit écran portatif que l'on agite pour s'éventer. 2 Ensemble de choses d'une même catégorie, diversifiées à l'intérieur de certaines limites.

éventaire nm Étalage de marchandises à l'extérieur d'une boutique.

éventer vt 1 Agiter l'air pour rafraîchir qqn. 2 Exposer qqch à l'air. Loc *Éventer un piège* : le découvrir, en empêcher l'effet. ■ vpr S'altérer au contact de l'air. *Ce parfum s'est éventé.*

éventration nf 1 MED Rupture musculaire de l'abdomen. 2 Action d'éventrer.

éventrer vt 1 Blesser en ouvrant le ventre. 2 Déchirer, défoncer. *Éventrer un matelas. Éventrer un mur.*

éventreur nm Assassin qui éventre ses victimes.

éventualité nf 1 Caractère de ce qui est éventuel. 2 Fait qui peut ou non se produire.

éventuel, elle a Qui peut ou non survenir, exister, selon les circonstances.

éventuellement av Le cas échéant.

évêque nm Dignitaire de l'Église qui dirige un diocèse.

évertuer (s') vpr Faire beaucoup d'efforts.

éviction nf Action d'évincer.

évidage nm Action d'évider ; état de ce qui est évidé. Var évidement

évidemment av 1 De façon évidente, certaine. 2 Bien sûr.

évidence nf 1 Caractère de ce qui s'impose à l'esprit. *Il a fallu se rendre à l'évidence.* 2 Chose évidente. Loc *À l'évidence, de toute évidence* sans conteste. *Mettre en évidence :* disposer de façon à attirer l'attention.

évident, ente *a* Clair, manifeste. Loc abusiv *Ne pas être évident :* être difficile, ardu.

évider *vt* **1** Creuser intérieurement. *Évider un fruit.* **2** Échancrer.

évier *nm* Bac fermé par une bonde et alimenté en eau par un robinet, dans une cuisine.

évincement *nm* Action d'évincer.

évincer *vt* [10] Écarter qqn d'une position avantageuse.

évitement *nm* Loc *Voie d'évitement :* servant à garer un train qu'un autre doit dépasser.

éviter *vt* **1** Faire en sorte de ne pas heurter qqn, qqch ou d'échapper à une chose fâcheuse. **2** S'abstenir de faire. *Éviter de parler.* **3** abusiv Épargner. *Éviter une démarche à qqn.*

évocateur, trice *a* Propre à évoquer.

évocation *nf* Action d'évoquer.

évocatoire *a* Qui évoque.

évolué, ée *a* Parvenu à un haut degré de culture, de civilisation.

évoluer *vi* **1** Se transformer progressivement (personnes ou choses). **2** Exécuter des évolutions, des manœuvres.

évolutif, ive *a* Qui peut évoluer ou produire l'évolution.

évolution *nf* **1** Transformation graduelle, développement progressif. **2** BIOL Ensemble des transformations des êtres vivants dues aux mutations génétiques. **3** Mouvement d'ensemble exécuté par qqn, un animal, un groupe.

évolutionnisme *nm* BIOL Théorie suivant laquelle les espèces actuelles dérivent de formes anciennes.

évolutionniste *a, n* Partisan de l'évolutionnisme.

évoquer *vt* **1** Rendre présent à la mémoire, à l'esprit. *Évoquer son enfance. Évoquer une question.* **2** Faire songer à, rappeler. *Une odeur qui évoque la mer.* **3** Appeler par des procédés magiques.

ex- Particule qui, placée devant un nom, indique une qualité ou un état antérieurs. *L'ex-président.*

ex abrupto *av* Brusquement, sans préambule.

exacerbation *nf* Fait de s'exacerber.

exacerber *vt* Rendre plus aigu, plus vif. *Exacerber un désir.*

exact, acte *a* **1** Qui arrive à l'heure fixée. **2** Conforme à la réalité, à la logique. *Récit exact.* Loc *Les sciences exactes :* les sciences mathématiques et physiques.

exactement *av* **1** De façon exacte. **2** Tout à fait.

exaction *nf* litt Action d'exiger plus qu'il n'est dû. ■ *pl* abusiv Sévices, violences exercés sur qqn.

exactitude *nf* Qualité d'une personne ou d'une chose exacte.

ex æquo [egzeko] *av, n inv* À égalité (concurrents). *Départager les ex æquo.*

exagération *nf* Action d'exagérer ; excès.

exagéré, ée *a* Outré, excessif.

exagérément *av* De façon exagérée.

exagérer *vt* [12] Présenter une chose comme plus grande, plus importante qu'elle n'est en réalité. ■ *vi* Aller au-delà de ce qui est convenable.

exaltant, ante *a* Qui suscite l'enthousiasme.

exaltation *nf* **1** litt Action d'exalter, de glorifier. **2** Vive excitation de l'esprit.

exalté, ée *a, n* Passionné, excité.

exalter *vt* **1** litt Louer hautement, glorifier. **2** Élever l'esprit par la passion, l'enthousiasme. ■ *vpr* S'enthousiasmer.

examen [-mɛ̃] *nm* **1** Observation minutieuse. *Examen médical.* **2** Épreuve ou ensemble d'épreuves que subit un candidat.

examinateur, trice *n* Personne qui fait passer un examen à des candidats.

examiner *vt* **1** Considérer, observer attentivement. *Examiner un tableau.* **2** Faire subir un examen. *Examiner un patient.*

exanthème *nm* MED Rougeur cutanée.

exarque *nm* **1** HIST Chef civil ou ecclésiastique, dans l'ancien empire d'Orient. **2** Dignitaire d'une Église orientale.

exaspérant, ante *a* Qui exaspère.

exaspération *nf* Vive irritation.

exaspérer *vt* [12] Irriter violemment.

exaucement *nm* litt Action d'exaucer.

exaucer *vt* [10] **1** Accueillir favorablement un vœu, une prière. **2** Satisfaire qqn dans sa demande.

ex cathedra *av* Du haut de la chaire, avec l'autorité de son titre. *Parler ex cathedra.*

excavateur *nm* ou **excavatrice** *nf* Engin de terrassement sur chenilles pour creuser le sol.

excavation *nf* Cavité dans le sol.

excédent *nm* **1** Ce qui dépasse le nombre, la quantité prévus. **2** Solde positif.

excédentaire *a* En excédent.

excéder *vt* [12] **1** Dépasser en quantité, en valeur. **2** litt Outrepasser certaines limites. *Excéder son autorité.* **3** Lasser, importuner à l'excès.

excellemment *av* De façon excellente.

excellence *nf* **1** Haut degré de perfection. **2** (avec majusc.) Titre honorifique donné à un ministre ou à un ambassadeur. Loc *Par excellence :* au plus haut degré dans son genre.

excellent, ente *a* Qui excelle dans son genre ; très bon.

exceller *vi* Montrer des qualités supérieures. *Exceller à faire un travail.*

excentrer *vt* Déplacer le centre, l'axe de rotation de qqch.

excentricité *nf* **1** Manière d'être, d'agir qui s'éloigne des manières usuelles. **2** Action excentrique, extravagante.

excentrique *a, n* Qui a de l'excentricité, de la bizarrerie ; original. ■ *a* **1** GEOM Dont les centres ne coïncident pas. **2** Éloigné du centre de la ville. *Quartier excentrique.* ■ *nm* Pièce dont l'axe de rotation ne passe pas par le centre.

excepté *prép* Sauf, en excluant. *Ouvert tous les jours excepté le dimanche.*

excepter *vt* Ne pas inclure dans un ensemble.

exception *nf* **1** Action d'excepter. **2** Ce qui n'est pas soumis à la règle. Loc *D'exception :* exceptionnel. *Faire exception :* sortir de la règle générale. *À l'exception de :* hormis.

exceptionnel, elle *a* **1** Qui fait exception. **2** Extraordinaire, remarquable.

exceptionnellement *av* De façon exceptionnelle.

excès *nm* **1** Ce qui dépasse la mesure. **2** Acte dénotant la démesure, l'outrance, le dérèglement. Loc *À l'excès :* excessivement.

excessif, ive *a* Qui excède la juste mesure. *Un prix excessif.*

excessivement *av* **1** Beaucoup trop. **2** *abusiv* Très, extrêmement.

exciper *vti* litt Faire état de. *Exciper de sa bonne foi.*

excipient *nm* Substance à laquelle est incorporé un médicament.

exciser *vt* **1** CHIR Ôter en coupant une partie d'organe, une tumeur. **2** Pratiquer l'excision rituelle.

excision *nf* **1** Action d'exciser. **2** Ablation rituelle du clitoris.

excitabilité *nf* Propriété de ce qui est excitable.

excitable *a* Qui peut être excité.

excitant, ante *a, nm* Qui excite, stimule.

excitation *nf* **1** Action d'exciter, ce qui excite. **2** Activité anormale de l'organisme ; agitation. **3** Provocation. *Excitation à la violence.*

excité, ée *a, n* Qui est agité, énervé.

exciter *vt* **1** Stimuler l'activité du système nerveux, de l'esprit. *Exciter l'imagination.* **2** Irriter. *Exciter un animal.* **3** Entraîner, pousser à faire qqch.

exclamatif, ive *a* Qui marque l'exclamation.

exclamation *nf* Cri, expression traduisant l'émotion, la surprise. Loc *Point d'exclamation :* signe de ponctuation (!) utilisé après une exclamation.

exclamer (s') *vpr* Pousser des exclamations.

exclu, ue *n* Chassé d'un groupe.

exclure *vt* [54] **1** Mettre dehors, renvoyer qqn. **2** Ne pas admettre qqn, qqch. *Exclure une hypothèse.* **3** Être incompatible avec.

exclusif, ive *a* **1** Qui est le privilège de qqn à l'exclusion des autres. **2** Qui ne s'intéresse qu'à son objet en excluant le reste. *Amour exclusif.* ■ *nf* Mesure d'exclusion.

exclusion *nf* Action d'exclure. Loc *À l'exclusion de :* en excluant.

exclusivement *av* **1** Uniquement. **2** En n'incluant pas le dernier terme.

exclusivisme *nm* Tendance à être exclusif.

exclusivité *nf* **1** Droit exclusif de vendre un produit, de publier un article. **2** Produit vendu, exploité par une seule firme. **3** Information importante donnée en priorité par un journal.

excommunication *nf* **1** Sanction par laquelle l'autorité ecclésiastique sépare un chrétien de la communauté des fidèles. **2** Exclusion d'un groupe.

excommunié, ée *a, n* Exclu de la communauté des fidèles.

excommunier *vt* Prononcer l'excommunication de.

excoriation *nf* Écorchure superficielle.

excorier *vt* Écorcher légèrement.

excrément *nm* Matière évacuée du corps par les voies naturelles (urine, matières fécales).

excrémentiel, elle *a* Des excréments.

excréter *vt* [12] Évacuer, éliminer par excrétion.

excréteur, trice *a* Qui excrète.

excrétion *nf* Rejet des déchets de l'organisme (urine, matières fécales, sueur).

excroissance *nf* **1** Protubérance à la surface de qqch. **2** MED Tumeur de la peau formant une proéminence superficielle (verrue, polype, etc.).

excursion *nf* Parcours et visite d'une région dans un but touristique.

excursionner *vi* Faire une excursion.

excursionniste *n* Personne qui fait une excursion.

excusable *a* Qui peut être excusé.

excuse *nf* **1** Raison que l'on apporte pour se disculper ou se soustraire à une obligation. **2** Une des cartes du jeu de tarot. ■ *pl* Témoignage des regrets que l'on a d'avoir offensé qqn, de lui avoir causé du tort.

excuser *vt* **1** Pardonner ; ne pas tenir rigueur à qqn de qqch. **2** Servir d'excuse à. **3** Dispenser d'une obligation. ■ *vpr* Présenter ses excuses.

exécrable *a* Très mauvais.

exécration *nf* litt Horreur extrême, dégoût.

exécrer *vt* [12] litt Abhorrer, haïr.

exécutable *a* Qui peut être exécuté.

exécutant, ante *n* **1** Qui exécute une chose. **2** Qui joue dans un orchestre.

exécuter *vt* **1** Réaliser, accomplir. **2** Faire, mener à bien un ouvrage. **3** Jouer, chanter, représenter une œuvre musicale. **4** Mettre qqn à mort. ■ *vpr* Se résoudre à faire qqch, à obéir.

exécuteur, trice *n* Personne qui exécute. Loc *Exécuteur testamentaire :* chargé par le testateur de l'exécution du testament.

exécutif, ive *a* Chargé de faire exécuter les lois. ■ *nm* Pouvoir exécutif.

exécution *nf* **1** Action d'exécuter, d'accomplir qqch. **2** Action de réaliser ce qui a été conçu. **3** Réalisation vocale ou instrumentale d'une œuvre. **4** Action d'exécuter qqn.

exécutoire *a* DR Qui doit être mis à exécution.

exégèse *nf* Critique et interprétation des textes, en partic. de la Bible.

exégète *n* Spécialiste de l'exégèse.

exéma. V. *eczéma.*

exémateux, euse. V. *eczémateux, euse.*

exemplaire *a* **1** Qui peut servir d'exemple, de modèle. **2** Dont la rigueur doit servir de leçon. ■ *nm* Chacun des objets (livre, gravure, médaille, etc.) tirés en série d'après un type commun.

exemplairement *av* De façon exemplaire.

exemplarité *nf* Caractère exemplaire.

exemple *nm* **1** Action ou personne servant de modèle, digne d'en servir. **2** Peine, châtiment qui peut servir de leçon. *Faire un exemple.* **3** Acte, évènement, texte auquel on se réfère pour appuyer son propos. **4** Phrase ou mot éclairant une définition. Loc *Par exemple :* pour éclairer, illustrer ce qui vient d'être dit. ■ *interj* Loc *Par exemple !* : exprime la surprise, l'incrédulité.

exempt, empte [εgzɑ̃] *a* **1** Dispensé, non assujetti. **2** Préservé, dépourvu de.

exempté, ée *a, n* Dispensé d'obligations règlementaires.

exempter *vt* Dispenser, affranchir d'une charge, d'une obligation.

exemption *nf* Dispense, affranchissement.

exercer *vt* [10] **1** Dresser, former par une pratique fréquente. **2** Mettre fréquemment en activité un faculté pour la développer. **3** Pratiquer une profession. *Exercer la médecine.* **4** Faire usage de. *Exercer un droit.* **5** Produire, faire un effet. *Exercer de l'influence sur qqn.* ■ *vpr* **1** S'entraîner à la pratique. **2** Se faire sentir ; agir sur.

exercice *nm* **1** Action de s'exercer, de s'exercer. *L'exercice d'un droit, d'un métier.* **2** Travail propre à exercer un organe, une faculté. **3** Devoir donné aux élèves pour l'application de ce qu'ils ont appris. **4** Mouvement pour exercer le corps. **5** Période comprise entre deux inventaires, entre deux budgets consécutifs.

exérèse nf CHIR Ablation d'un organe ou extraction d'un corps étranger.

exergue nm 1 Inscription portée sur une médaille. 2 Avertissement, citation placés en tête d'un texte.

exfiltration nf Récupération d'un agent secret, au terme de sa mission.

exfolier vt Séparer en lames fines, en plaques.

exhalaison nf Gaz, odeur, vapeur qui s'exhale d'un corps.

exhalation nf Action d'exhaler.

exhaler vt 1 Répandre une odeur, un gaz, des vapeurs, etc. 2 litt Exprimer avec force. *Exhaler sa rage.* ■ vpr Se répandre dans l'air.

exhaussement nm Élévation.

exhausser vt Rendre plus haut.

exhausteur nm Additif qui renforce le goût des aliments.

exhaustif, ive a Qui épuise une matière, un sujet. *Un relevé exhaustif.*

exhaustivement av De façon exhaustive.

exhaustivité nf Caractère exhaustif.

exhiber vt 1 Présenter. *Exhiber ses papiers.* 2 Faire étalage de. ■ vpr Se produire, s'afficher en public.

exhibition nf 1 Action d'exhiber, de présenter qqch. 2 Étalage ostentatoire.

exhibitionnisme nm 1 Tendance pathologique à exhiber ses organes sexuels. 2 Étalage impudent de sentiments ou de faits personnels et intimes.

exhibitionniste n, a Qui fait preuve d'exhibitionnisme.

exhortation nf Discours par lequel on exhorte.

exhorter vt Encourager, inciter vivement par un discours.

exhumation nf Action d'exhumer un cadavre.

exhumer vt 1 Tirer de sa sépulture, de la terre. 2 Tirer de l'oubli, retrouver.

exigeant, ante a Qui exige beaucoup.

exigence nf 1 Caractère exigeant. 2 Ce qui est exigé par qqn, par les circonstances, etc.

exiger vt [11] 1 Réclamer impérativement. 2 Nécessiter, requérir. *Son état exige du repos.*

exigibilité nf Caractère exigible. *L'exigibilité d'une dette.*

exigible a Qui peut être exigé.

exigu, uë a Restreint, insuffisant, très petit. **Var exigu, ïe**

exiguïté nf Caractère exigu. **Var exiguïté**

exil nm 1 Action d'expulser qqn hors de sa patrie ; condition, lieu de séjour de celui qui est ainsi banni. 2 Séjour obligé et pénible loin de ses proches, de ce à quoi l'on est attaché.

exilé, ée a, n Condamné à l'exil ; qui vit en exil.

exiler vt Condamner à l'exil ; éloigner. ■ vpr S'expatrier, partir loin de son pays.

existant, ante a Qui existe actuellement.

existence nf 1 Le fait d'être, d'exister. 2 Durée de ce qui existe. 3 Vie et manière de vivre de l'homme. *Avoir une existence heureuse.*

existentialisme nm Mouvement philosophique selon lequel l'homme, une fois doté de l'existence, se construit sans cesse par son action.

existentialiste a, n Relatif à l'existentialisme, qui y adhère.

existentiel, elle a De l'existence en tant que réalité vécue.

exister vt 1 Être en réalité, effectivement. *Un personnage de roman qui a existé.* 2 Être actuellement, subsister. *Ce monument n'existe plus.* 3 Avoir de l'importance, compter. *Rien n'existe pour lui que son projet.*

exit [egzit] av 1 Indique qu'un acteur quitte la scène. 2 fam Indique que l'action de qqn touche à sa fin.

ex-libris [-bris] nm inv Vignette personnalisée qu'on colle à l'intérieur d'un livre. **Var exlibris**

ex nihilo av À partir de rien.

exobiologie nf ASTRO Étude de la possibilité d'une vie hors de la Terre.

exocet [-sɛ] nm Poisson des mers chaudes appelé aussi *poisson volant.*

exocrine a Se dit d'une glande à sécrétion externe. Ant. endocrine.

exode nm Départ en masse d'une population, d'un lieu vers un autre.

exogamie nf Obligation ou tendance qu'ont les membres de certains groupes de se marier hors de leur groupe. Ant. endogamie.

exogène a Qui provient de l'extérieur, de la périphérie. Ant. endogène.

exonération nf Action d'exonérer.

exonérer vt [12] Décharger, libérer d'une obligation de paiement.

exophtalmie nf MED Saillie du globe oculaire hors de l'orbite.

exoplanète nf Planète extérieure au système solaire.

exorbitant, ante a Excessif, démesuré.

exorbité, ée a Loc *Yeux exorbités :* qui semblent sortir de leurs orbites.

exorciser vt 1 Chasser les démons par des cérémonies. 2 Chasser, dissiper qqch.

exorcisme nm Cérémonie par laquelle on exorcise.

exorciste n Personne qui exorcise.

exorde nm 1 Première partie d'un discours. 2 Entrée en matière.

exoréique a Se dit d'un réseau hydrographique en relation avec la mer. Ant. endoréique.

exosphère nf Zone de l'atmosphère de la Terre, au-delà de 1 000 km.

exosquelette nm ZOOL Squelette externe des arthropodes, des mollusques.

exostose nf Tumeur osseuse bénigne.

exotique a Qui provient de contrées lointaines. *Fruits exotiques.*

exotisme nm Caractère exotique.

expansé, ée a Qui a subi une augmentation de volume (matériau).

expansible a Capable, susceptible de dilatation.

expansif, ive a 1 Qui tend à se dilater. 2 Ouvert de caractère, qui aime à communiquer ses sentiments.

expansion nf 1 Augmentation de volume ou de surface. 2 Phase dans laquelle l'activité économique et le pouvoir d'achat augmentent. 3 Propagation. 4 litt Épanchement de l'âme.

expansionnisme nm Politique d'un État qui préconise pour lui-même l'expansion territoriale, économique.

expansionniste a, n Qui relève de l'expansionnisme.

expatriation nf Fait de s'expatrier.

expatrié, ée *a, n* Qui travaille à l'étranger pour une entreprise de son pays d'origine.

expatrier *vt* Envoyer hors de sa patrie. ■ *vpr* Quitter sa patrie.

expectative *nf* Attitude qui consiste à attendre prudemment qu'une solution se dessine avant d'agir.

expectoration *nf* Action d'expectorer ; les substances expectorées ; crachat.

expectorer *vt, vi* Expulser par la bouche des substances qui encombrent les voies respiratoires, les bronches.

expédient *nm* Moyen de se tirer d'embarras par quelque artifice.

expédier *vt* **1** Faire rapidement pour se débarrasser. **2** Envoyer, faire partir. *Expédier une lettre.* **3** Se débarrasser promptement de qqn.

expéditeur, trice *a, n* Qui expédie.

expéditif, ive *a* Qui mène les choses rondement ou qui les bâcle.

expédition *nf* **1** Action d'envoyer. *Expédition d'un colis.* **2** Entreprise de guerre hors des frontières. **3** Voyage scientifique ou touristique.

expéditionnaire *a* Chargé d'une expédition militaire. ■ *n* Employé à l'expédition de marchandises.

expéditivement *av* De façon expéditive.

expérience *nf* **1** Connaissance acquise par une longue pratique. **2** Fait de provoquer un phénomène pour l'étudier. **3** Mise à l'essai, tentative.

expérimental, ale, aux *a* Fondé sur l'expérience scientifique.

expérimentalement *av* De façon expérimentale.

expérimentateur, trice *n* Personne qui fait des expériences scientifiques.

expérimentation *nf* Action d'expérimenter.

expérimenté, ée *a* Instruit par l'expérience.

expérimenter *vt* Soumettre à des expériences pour vérifier, juger, etc.

expert, erte *a, nm* Qui a acquis une grande compétence par la pratique. ■ *nm* Spécialiste qui est chargé de vérifications, d'évaluations. ■ *a* Exercé. *Oreille experte.* Loc INFORM *Système expert :* logiciel d'aide à la décision ou au diagnostic.

expert-comptable *n* Professionnel qui vérifie les comptabilités. *Des experts-comptables.*

expertise *nf* **1** Examen et rapport techniques effectués par un expert. **2** Compétence d'un expert.

expertiser *vt* Soumettre à une expertise.

expiateur, trice *a* Propre à expier.

expiation *nf* Peine, souffrance par laquelle on expie une faute, un crime.

expiatoire *a* Qui sert à apaiser la colère céleste. *Victime expiatoire.*

expier *vt* Réparer un crime, une faute par la peine qu'on subit.

expiration *nf* **1** Action par laquelle les poumons expulsent l'air inspiré. **2** Échéance d'un terme convenu.

expiratoire *a* Relatif à l'expiration.

expirer *vt* Rejeter l'air inspiré dans les poumons. ■ *vi* [aux. *avoir* ou *être*] **1** Mourir. **2** Arriver à son terme.

explétif, ive *a, nm* GRAM Se dit des mots qui entrent dans une phrase sans être nécessaires pour le sens. *Dans «* il a peur que je ne parte *», l'adverbe «* ne *» est explétif.*

explicable *a* Qui peut être expliqué.

explicatif, ive *a* Qui sert à expliquer.

explication *nf* **1** Développement destiné à faire comprendre qqch, à en éclaircir le sens. **2** Motif, raison d'une chose. **3** Discussion pour justifier, éclaircir.

explicitation *nf* Action d'expliciter.

explicite *a* Énoncé clairement et complètement, sans ambiguïté.

explicitement *av* De façon explicite.

expliciter *vt* Énoncer clairement.

expliquer *vt* **1** Éclaircir, faire comprendre. **2** Faire connaître, développer en détail. **3** Apparaître comme la cause de qqch. ■ *vpr* **1** Faire connaître sa pensée. **2** Tirer les choses au clair en discutant. **3** Devenir clair. **4** Comprendre les raisons de. *Je m'explique mal sa réaction.* **5** fam Se battre.

exploit *nm* **1** Action d'éclat. **2** DR Acte de procédure signifié par un huissier.

exploitable *a* Qui peut être exploité.

exploitant, ante *n* **1** Personne qui exploite une terre. **2** Propriétaire ou directeur d'une salle de cinéma.

exploitation *nf* **1** Action d'exploiter. **2** Ce que l'on fait produire pour en tirer profit. *Une exploitation agricole.*

exploité, ée *a, n* Travailleur payé insuffisamment.

exploiter *vt* **1** Faire valoir, tirer parti de qqch. *Exploiter une terre, une mine.* **2** Tirer tout le bénéfice de qqch. *Exploiter une situation.* **3** Utiliser abusivement qqn pour son profit.

exploiteur, euse *n* Personne qui abuse de la faiblesse d'autrui pour en tirer profit.

explorateur, trice *n* Personne qui explore une région inconnue ou difficile d'accès.

exploration *nf* Action d'explorer.

exploratoire *a* Qui sert à préparer une négociation, une recherche.

explorer *vt* **1** Visiter une région inconnue ou difficile d'accès. **2** Examiner une question.

exploser *vi* **1** Éclater avec violence. **2** Ne plus se maîtriser. **3** S'accroître brusquement.

explosif, ive *a* Qui peut faire explosion ; critique. *Situation explosive.* ■ *nm* Substance susceptible de faire explosion.

explosion *nf* **1** Action d'éclater avec violence. **2** Manifestation soudaine d'un sentiment. *Explosion de colère.* **3** Accroissement brutal. *Explosion démographique.*

exponentiel, elle *a* Qui croît ou décroît selon un taux de plus en plus fort.

exportable *a* Que l'on peut exporter.

exportateur, trice *a, n* Qui exporte.

exportation *nf* **1** Action d'exporter. **2** Ce qui est exporté.

exporter *vt* Vendre et transporter à l'étranger des produits nationaux.

exposant, ante *n* Personne qui fait une exposition de ses œuvres, de ses produits. ■ *nm* MATH Indice qui exprime la puissance d'un nombre.

1. exposé, ée *a* Sujet au risque.

2. exposé *nm* Développement dans lequel on présente des faits, des idées.

exposer *vt* **1** Mettre qqch en vue. *Exposer un tableau.* **2** Présenter, faire connaître. *Exposer une* *thèse.* **3** Soumettre à l'action de. **4** Faire courir un risque. *Ce refus vous expose à des sanctions.* ■ *vpr* Prendre un risque.

exposition *nf* **1** Action d'exposer. **2** Présentation au public de produits commerciaux, d'œuvres d'art ; lieu où on les expose. **3** Orientation d'une maison, d'un terrain. **4** Première partie d'une œuvre littéraire ou musicale.

1. exprès, esse [ɛkspʀɛs] *a* Énoncé de manière précise et formelle. ■ *a inv* Distribué dans les plus brefs délais (lettre, colis).

2. exprès [ɛkspʀɛ] *av* Avec intention formelle. *Il l'a fait exprès.* **Loc** *Un fait exprès :* une coïncidence fâcheuse.

express *a inv, nm* Se dit d'un train rapide. **Loc** *Voie express :* voie à circulation rapide. *Café express :* très concentré.

expressément *av* De façon expresse. *Je l'ai dit expressément.*

expressif, ive *a* **1** Qui exprime bien ce qu'on veut dire. *Terme expressif.* **2** Qui a de l'expression. *Visage expressif.*

expression *nf* **1** Manifestation d'une pensée, d'un sentiment, par le langage, le corps, le visage, l'art. **2** Mot, groupe de mots employés pour exprimer la pensée. **Loc** *Réduire à sa plus simple expression :* réduire à l'extrême ou supprimer totalement.

expressionnisme *nm* Forme d'art qui s'efforce de donner à une œuvre le maximum d'intensité expressive.

expressionniste *a, n* De l'expressionnisme.

expressivité *nf* Caractère expressif.

exprimer *vt* Manifester par le langage, par la mimique ou l'attitude, par des moyens artistiques. ■ *vpr* Manifester sa pensée, ses sentiments.

expropriation *nf* Action d'exproprier.

exproprié, ée *a, n* Qui est l'objet d'une expropriation.

exproprier *vt* Dépouiller de la propriété d'un bien par voie légale.

expulser *vt* **1** Chasser d'un lieu. *Expulser un locataire.* **2** Évacuer qqch de l'organisme.

expulsion *nf* Action d'expulser.

expurger *vt* [11] Débarrasser un texte des passages jugés choquants, répréhensibles.

exquis, ise *a* **1** Qui est très agréable au goût par sa délicatesse. **2** Qui a ou dénote du raffinement, de la délicatesse.

exsangue *a* D'une pâleur extrême.

exsudation *nf* Suintement pathologique d'un liquide organique.

extase *nf* **1** Sentiment de joie ou d'admiration extrême. **2** État mystique.

extasié, ée *a* Ravi. *Yeux extasiés.*

extasier (s') *vpr* Manifester une admiration, un plaisir extrême.

extatique *a* Qui tient de l'extase mystique.

extenseur *nm* **1** ANAT Muscle qui assure l'extension. Ant. fléchisseur. **2** Appareil utilisé pour développer les muscles.

extensibilité *nf* Caractère extensible.

extensible *a* Susceptible de s'étendre, de s'allonger.

extensif, ive *a* Qui détermine l'extension. **Loc** *Culture extensive :* effectuée sur une grande surface avec un rendement assez faible.

extensifier *vt* Rendre plus extensive l'utilisation d'une terre.

extension *nf* **1** Action d'étendre, de s'étendre. **2** Développement, accroissement, élargissement.

exténuant, ante *a* Qui exténue.

exténuation *nf* Action d'exténuer.

exténuer *vt* Causer un grand affaiblissement à qqn ; épuiser.

extérieur, eure *a* **1** Qui est au-dehors. Ant. intérieur. **2** Apparent, visible. **Loc** *Politique extérieure :* qui concerne les pays étrangers. ■ *nm* **1** Partie d'une chose visible du dehors. **2** Apparence. **3** Les pays étrangers. **Loc** *À l'extérieur :* au-dehors. ■ *pl* Scènes de film tournées hors du studio.

extérieurement *av* À l'extérieur.

extériorisation *nf* Action d'extérioriser.

extérioriser *vt* Manifester un sentiment, une émotion.

extériorité *nf* Caractère extérieur.

exterminateur, trice *a, n* Qui extermine.

extermination *nf* Action d'exterminer.

exterminer *vt* Détruire en totalité des êtres vivants, massacrer.

externaliser *vt* ÉCON Sous-traiter certaines activités de l'entreprise.

externat *nm* **1** École où l'on ne reçoit que des élèves externes. **2** Fonction d'externe dans les hôpitaux.

externe *a* Situé au-dehors, tourné vers l'extérieur. **Loc** *Médicament pour l'usage externe :* à ne pas absorber. ■ *n* **1** Élève qui n'est ni logé ni nourri dans l'établissement scolaire. **2** Étudiant en médecine assistant les internes, dans un service hospitalier.

exterritorialité *nf* DR Immunité exemptant les agents diplomatiques de la juridiction de l'État où ils se trouvent.

extincteur, trice *a, nm* Se dit d'un appareil servant à éteindre un foyer d'incendie.

extinction *nf* **1** Action d'éteindre, fait de s'éteindre. **2** Cessation de l'activité, de l'existence. *Extinction de voix.*

extirpation *nf* Action d'extirper.

extirper *vt* **1** Arracher avec sa racine, enlever totalement. **2** Ôter, faire cesser.

extorquer *vt* Obtenir qqch par la violence, la menace, la duplicité.

extorsion *nf* Action d'extorquer.

extra *nm inv* **1** Ce que l'on fait en plus de l'ordinaire. **2** Service exceptionnel en dehors des horaires habituels ; personne qui fait ce service. ■ *a inv* fam Supérieur par la qualité.

extracorporel, elle *a* En dehors du corps.

extracteur *nm* Appareil, dispositif servant à extraire.

extraction *nf* **1** Action d'extraire. **2** litt Ascendance, origine.

extrader *vt* Soumettre à l'extradition.

extradition *nf* Acte par lequel un gouvernement livre un individu prévenu d'un crime ou d'un délit à un État étranger qui le réclame.

extrados *nm* ARCHI Surface extérieure d'une voûte ou d'un arc.

extrafin, fine *a* Très fin ; de qualité supérieure. *Chocolat extrafin.*

extrafort *nm* Ruban pour border les ourlets, les coutures.

extragalactique *a* Situé hors de la Galaxie.

extraire *vt* [74] **1** Retirer, ôter. **2** Séparer une substance d'une autre. *Extraire l'aluminium de la bauxite.* **3** Tirer un passage d'une œuvre. **4** MATH Calculer la racine d'un nombre.

extrait *nm* **1** Substance extraite d'un corps. *Extrait de café.* **2** Passage tiré d'un texte. **3** Copie conforme d'une partie d'un registre officiel.

extrajudiciaire *a* Hors de la procédure d'une instance judiciaire.

extralégal, ale, aux *a* Hors de la légalité.

extralucide *a* Qui perçoit ce qui échappe à la conscience normale (l'avenir, les pensées d'autrui, etc.).

extra-muros *av* En dehors de la ville. *Quartiers extra-muros.* **Var extramuros**

extraordinaire *a* **1** Qui étonne par sa singularité, sa bizarrerie. **2** Bien au-dessus de la moyenne. **3** Spécial, exceptionnel.

extraordinairement *av* De façon extraordinaire.

extraparlementaire *a* Qui se fait, qui existe en dehors du Parlement.

extrapatrimonial, ale, aux *a* DR Extérieur au patrimoine.

extrapolation *nf* Action de tirer une conclusion générale à partir de données partielles.

extrapoler *vt* Faire une extrapolation ; généraliser.

extrasensible *a* Hors de la perception directe des sens.

extrasensoriel, elle *a* Perçu sans l'intermédiaire des récepteurs sensoriels.

extraterrestre *a, n* D'une autre planète, d'un autre monde que la Terre.

extra-utérin, ine *a* Loc MED *Grossesse extra-utérine :* développement de l'œuf fécondé en dehors de la cavité utérine.

extravagance *nf* **1** Caractère extravagant. **2** Acte, propos extravagant.

extravagant, ante *a* **1** Qui s'écarte du sens commun. **2** Inouï, insensé.

extravéhiculaire *a* Se dit de la sortie dans l'espace d'un astronaute.

extraverti, ie *a, n* Qui manifeste son affectivité à l'extérieur.

extrême *a* **1** Qui est tout à fait au bout, à la fin. *L'extrême limite.* **2** Au plus haut degré. *Extrême plaisir.* **3** Excessif. ■ *nm* Chose, personne totalement opposée à une autre. Loc *À l'extrême :* au dernier point.

extrêmement *av* De façon extrême.

extrême-onction *nf* Sacrement des malades. *Des extrêmes-onctions.*

extrême-oriental, ale, aux *a, n* De l'Extrême-Orient.

extrémisme *nm* Tendance à adopter des idées, des moyens extrêmes.

extrémiste *a, n* Favorable à l'extrémisme.

extrémité *nf* **1** Partie qui termine une chose. **2** État, situation critique. ■ *pl* **1** Actes violents. **2** Les pieds et les mains.

extrinsèque *a* Qui vient du dehors, dépend de circonstances extérieures.

extrudé *nm* Produit alimentaire soufflé obtenu par extrusion.

extrudeuse *nf* Appareil utilisé pour l'extrusion.

extrusion *nf* **1** TECH Mise en forme des matières plastiques à travers une filière. **2** Transformation d'un produit agricole par soufflage à chaud.

exubérance *nf* **1** Caractère exubérant. *Parler avec exubérance.* **2** Surabondance, profusion.

exubérant, ante *a* **1** Qui exprime un débordement de vie. **2** Surabondant.

exultation *nf* litt Transport de joie.

exulter *vi* Être transporté de joie.

exutoire *nm* Moyen de se débarrasser d'une chose ; dérivatif à un sentiment violent.

exuvie *nf* ZOOL Peau rejetée par un serpent lors de la mue.

ex-voto *nm* Inscription, objet placés dans un sanctuaire en remerciement pour un vœu exaucé. *Des ex-votos* ou *ex-voto.* **Var exvoto**

m 1 Sixième lettre (consonne) de l'alphabet. **2** symbole du franc.

nm inv Quatrième note de la gamme.

ble *nf* **1** Court récit en vers dont on tire une oralité. **2** Récit mensonger. **3** Sujet de risée. *Être fable du village.*

bliau *nm* Conte en vers au Moyen Âge.

bricant, ante *n* Personne qui possède ou dirige e fabrique.

brication *nf* Action, manière de fabriquer des oduits.

brique *nf* Établissement où on fabrique des oduits de consommation.

briquer *vt* **1** Faire un objet en transformant une atière. **2** Confectionner de toutes pièces.

bulateur, trice *a, n* Qui fabule.

bulation *nf* Fait de présenter comme une réalité qui est imaginaire.

buler *vt* Se livrer à la fabulation.

buleusement *av* Prodigieusement.

buleux, euse *a* Invraisemblable, extraordi-aire. *Un prix fabuleux.*

buliste *n* Auteur de fables.

çade *nf* **1** Côté d'un mur où est située l'entrée incipale d'un bâtiment. **2** Apparence trompeuse. nabilité de façade.

ce *nf* **1** Partie antérieure de la tête. **2** Côté d'une èce de monnaie portant une figure. **3** Chacune es surfaces présentées par une chose. **4** Aspect qqch. *Une affaire à plusieurs faces.* Loc *Faire ce à :* être tourné du côté de ; faire front. *En face e) :* par-devant, vis-à-vis. *De face :* du côté où voit toute la face. *Face à face :* chacun ayant visage tourné vers l'autre. *À la face de :* en pré-nce de, à la vue de. *Perdre la face :* perdre sa gnité. *Sauver la face :* sauver les apparences.

ce-à-face *nm inv* Confrontation de deux per-nnalités devant le public.

ce-à-main *nm* Binocle à manche. *Des faces-main.*

cétie [-si] *nf* Plaisanterie, farce.

cétieux, euse [-sjø] *a* Cocasse, drôle.

cette *nf* Petite face plane.

ché, ée *a* Mécontent, irrité.

cher *vt* Mettre en colère, irriter. ■ *vpr* **1** Se ettre en colère. **2** Se brouiller avec qqn.

cherie *nf* Brouille, mésentente.

cheusement *av* De façon fâcheuse.

fâcheux, euse *a* Qui amène des désagréments. ■ *n* litt Personne qui importune, dérange.

facho *a, n* pop Fasciste.

facial, ale, als ou **aux** *a* De la face.

faciès [-sjɛs] *nm* **1** Aspect du visage ; physionomie. **2** Caractéristiques générales d'une roche, d'une période préhistorique.

facile *a* **1** Qui se fait sans peine ; aisé. **2** Qui se laisse mener aisément ; accommodant. **3** Dont on obtient aisément les faveurs.

facilement *av* Avec facilité, aisément.

facilité *nf* **1** Qualité de qqch facile à faire. **2** Aptitude à faire qqch sans effort. **3** (souvent pl.) Moyen de faire qqch sans difficulté. ■ *pl* Crédits temporaires.

faciliter *vt* Rendre facile.

façon *nf* **1** Manière d'être, d'agir. **2** Action de façonner, main-d'œuvre. *Payer la façon.* Loc *De toute façon :* quelles que soient les circonstances. *De façon à :* indique la conséquence, le but. *De (telle) façon que :* de telle sorte que. *Façon de parler :* à ne pas prendre au pied de la lettre. *Sans façon(s) :* en toute simplicité. ■ *pl* **1** Manières propres à qqn ; comportement. **2** péjor Démonstrations de politesse affectée.

faconde *nf* litt Abondance de paroles.

façonnage *nm* Action de façonner. **Var façonnement**

façonner *vt* **1** Travailler une matière pour lui donner une forme. *Façonner de l'argile.* **2** Faire un objet. **3** litt Former qqn.

façonnier, ère *n, a* Qui travaille à la façon.

fac-similé *nm* Reproduction exacte d'un écrit, d'un dessin, etc. *Des fac-similés.* **Var facsimilé**

facteur *nm* **1** Fabricant d'instruments de musique. **2** Postier chargé de distribuer les lettres et paquets. Syn. préposé. **3** Élément qui conditionne un résultat. *Facteur de croissance.* **4** MATH Chacun des termes d'un produit.

factice *a* Artificiel, faux, imité.

factieux, euse [-sjø] *a, n* Qui fomente des troubles politiques.

faction [-sjɔ̃] *nf* **1** Groupe exerçant une activité subversive dans un État, un parti. **2** Service de garde, de surveillance.

factionnaire [-sjo-] *nm* Soldat en faction.

factitif, ive *a, nm* GRAM Qui indique que le sujet du verbe fait faire l'action.

factoriel, elle *a* MATH Relatif à un facteur.

factorisation nf MATH Mise en facteurs.

factoriser vt MATH Mettre en facteurs.

factotum [-tɔm] nm litt Homme à tout faire.

factrice nf fam Employée des Postes qui distribue le courrier ; préposée.

factuel, elle a Relevant de faits.

facturation nf Action d'établir des factures.

facture nf 1 Manière dont est réalisée une œuvre de création. 2 Pièce comptable détaillant les marchandises ou les services livrés, afin d'en demander le règlement.

facturer vt Établir la facture de.

facturette nf Reçu d'un paiement fait avec une carte de crédit.

facturier, ère n Chargé de la facturation.

facultatif, ive a Qu'on peut faire ou non, utiliser ou non. Ant. obligatoire.

facultativement av De façon facultative.

faculté nf 1 (souvent pl.) Aptitude, puissance naturelle de qqn. 2 Propriété que possède une chose. 3 Possibilité, pouvoir de faire. 4 anc Établissement d'enseignement supérieur. Loc *La Faculté* : les médecins.

fada a, n fam Un peu fou.

fadaise nf Niaiserie.

fadasse a fam D'une fadeur déplaisante.

fade a Qui manque de saveur.

fadeur nf Caractère de ce qui est fade.

fading [-diŋ] nm Diminution momentanée de la puissance d'une onde radioélectrique.

fado nm Chant populaire portugais.

faena nf Travail à la muleta dans une corrida.

fafiot nm pop Billet de banque.

fagot nm Faisceau de menues branches. Loc *De derrière les fagots* : excellent, mis en réserve. *Sentir le fagot* : être suspect d'hérésie.

fagoter vt fam Habiller mal, sans goût.

faiblard, arde a fam Plutôt faible.

faible a 1 Qui manque de force, de vigueur, de résistance, de solidité. 2 Insuffisant en intensité. *Une voix faible.* 3 Peu important. *Une faible quantité.* 4 Dont la valeur, les capacités sont insuffisantes. Loc *Point faible* : ce qu'il y a de moins solide ; défaut. ■ a, n 1 Qui manque de fermeté, d'énergie. 2 Qui ne sait pas se défendre. Loc *Faible d'esprit* : débile. ■ nm Principal défaut de qqn, sa passion dominante. Loc *Avoir un faible pour* : une préférence marquée pour.

faiblement av De façon faible.

faiblesse nf 1 Caractère faible, insuffisant. 2 Défaut qui dénote cette insuffisance. 3 Défaillance, syncope. Loc *Avoir une faiblesse pour* : une préférence pour.

faiblir vi Perdre de sa force, de sa fermeté.

faiblissant, ante a Qui faiblit.

faïence nf Poterie à pâte poreuse, opaque, vernissée ou émaillée.

faïencerie nf Fabrique de faïence.

faïencier, ère n Personne qui fait ou vend de la faïence.

faille nf 1 Cassure des couches géologiques. 2 Défaut, lacune. *Faille dans un raisonnement.*

failli, ie a, n Qui a fait faillite.

faillible a Qui peut faillir, se tromper.

faillir vti [27] litt Manquer à un devoir. *Faillir à une promesse.* ■ vi Manquer de, risquer de, être sur le point de. *J'ai failli mourir.*

faillite nf 1 Cessation de paiements d'un comm çant, d'une entreprise. 2 Échec complet, insucc *La faillite d'une politique.*

faim nf 1 Besoin, désir de manger. *Avoir faim* Malnutrition, sous-alimentation.

faîne nf Fruit du hêtre. Var **faine**

fainéant, ante a, n Qui ne veut pas travailler.

fainéanter vi Paresser.

fainéantise nf Paresse.

faire vt [9] 1 Créer, fabriquer, produire qqo 2 Chercher à paraître. *Faire l'idiot.* 3 Opér accomplir, effectuer. *Faire un miracle. Fa son devoir.* 4 Pratiquer, exercer. *Faire un spo un métier.* 5 Peut remplacer de nombreux verb comme *donner, vendre, constituer, causer,* etc Égaler. *Trois et trois font six.* ■ v impers Indiq un état. *Il fait nuit. Il fait du vent.* ■ vi 1 Av l'air. *Il fait vieux.* 2 Avoir utilité. Loc *Se la ture fait du cent.* ■ vpr 1 Devenir. *Il se fait vie 2 Être conforme, être en usage. *Cela ne se f pas.*

faire-part nm inv Lettre par laquelle on annon un décès, un mariage, etc. **Var fairepart**

faire-valoir nm inv 1 Personne qui met qqn valeur. 2 Exploitation d'une terre.

fair-play [fɛʀplɛ] nm inv Respect loyal des règl d'un jeu, d'un sport, des affaires. ■ a Qui respec ces règles. **Var fairplay**

faisabilité [fə-] nf Caractère faisable.

faisable [fə-] a Qui n'est pas impossible.

faisan [fə-] nm Oiseau gallinacé aux longu plumes, gibier de choix.

faisandage [fə-] nm Action de faisander.

faisander [fə-] vt Laisser le gibier se mortifi pour qu'il prenne un fumet spécial.

faisanderie [fə-] nf Élevage de faisans.

faisane [fə-] nf Femelle du faisan.

faisceau nm 1 Assemblage d'objets oblongs li ensemble, d'armes qui se soutiennent mutuell ment. 2 Ensemble des fibres formant un musc 3 Ensemble de rayons lumineux issus d'u même source. 4 Ensemble cohérent. *Un faisce de preuves.* ■ pl ANTIQ Verges liées autour d'u hache que portaient les licteurs.

faiseur, euse [fə-] n 1 Personne qui fait tel chose. ■ nm litt Habile intrigant.

faisselle nf Égouttoir à fromages.

1. fait nm 1 Action de faire, ce que l'on a fait. Ce qui existe réellement, ce qui est arrivé. *C'e un fait.* Loc *De fait, en fait, par le fait* : vérit blement, effectivement. *Au fait* : à propos. *D son fait à qqn* : lui dire ses vérités. *Mettre* fait : instruire. *État de fait* : réalité. *En fait de* : matière de. *Prendre sur le fait* : au moment où commet un délit. *Si fait* : oui, assurément. *Tou fait* : entièrement, complètement. ■ pl Loc *Hau faits* : exploits.

2. fait, faite a Qui est à maturité. *Un homme fa Un fromage fait.* Loc fam *Être fait* : être sur point d'être arrêté. *Phrase toute faite* : locuti banale. fam *C'est bien fait* : c'est un désagréme mérité. *C'en est fait* : c'est irrévocable.

faîtage nm Arête supérieure d'un toit. **Var fa tage**

fait divers nm Vol, crime, etc., faisant l'obj d'une rubrique dans un journal. ■ pl Cet rubrique. *Des faits divers.*

fait-diversier nm Journaliste qui s'occupe d faits divers. *Des faits-diversiers.*

faîte nm 1 Partie la plus élevée d'un bâtiment. 2 litt Sommet, cime. **Var faite**

faîtière nf Tuile courbe recouvrant un faîtage. **Var faitière**

fait-tout nm inv Récipient profond pour faire cuire des aliments. **Var faitout** nm

faix [fɛ] nm litt Charge.

fakir nm 1 Ascète musulman ou hindou. 2 Magicien, prestidigitateur.

falafel nm Petit beignet de pois chiches ; pain fourré de ces beignets et de légumes.

falaise nf Rivage abrupt et très élevé.

falbalas nmpl Ornements prétentieux.

falconidé nm ZOOL Rapace diurne.

fallacieux, euse a Trompeur, spécieux.

falloir v impers [49] Être nécessaire. Il vous faut partir. Il faut que vous y alliez. Loc fam Comme il faut : convenablement ; bien élevé. ■ vpr Loc s'en falloir de : manquer. Il s'en est fallu de peu : cela a failli arriver.

falot, ote a Terne, effacé.

falsifiable a Qu'on peut falsifier ou réfuter.

falsificateur, trice a, n Qui falsifie.

falsification nf Action de falsifier.

falsifier vt Altérer volontairement dans l'intention de tromper.

falun nm Roche sédimentaire utilisée pour amender les terres.

falzar nm pop Pantalon.

famélique a Affamé, maigre.

fameusement av fam Remarquablement.

fameux, euse a 1 Renommé, célèbre. 2 Excellent. Ce vin est fameux.

familial, ale, aux a De la famille. ■ nf Automobile de tourisme de grande capacité.

familiarisation nf Fait de se familiariser.

familiariser vt Rendre familier à qqn, accoutumer, habituer. ■ vpr Se rendre qqch familier.

familiarité nf Manière simple, familière, de se comporter. ■ pl Façons trop familières.

familier, ère a 1 Qui vit en compagnie. Un animal familier. 2 Qui se comporte librement, sans façons avec qqn. 3 Qui se dit de façon courante. Que l'on connaît bien. Un visage familier. ■ n Qui fréquente qqn, un lieu.

familièrement av De façon familière.

famille nf 1 Ensemble formé par le père, la mère les enfants. 2 Enfants issus d'un mariage. Ensemble des personnes ayant un lien de parenté ; lignée, descendance. Famille royale. 4 Choses ou êtres présentant des points communs. Famille de mots. Famille d'esprit. 5 BIOL Unité systématique inférieure à l'ordre.

famine nf Manque de vivres dans un pays. Loc Salaire de famine : très bas.

fan [fan] n fam Admirateur enthousiaste. **Var fana**

fanage nm Action de faner.

fanal nm Grosse lanterne servant à baliser, à signaler un véhicule, un navire. Des fanaux.

fanatique a, n 1 Animé d'une exaltation outrée pour qqch ou qqn. 2 Passionné de qqch.

fanatiquement av De façon fanatique.

fanatiser vt Rendre fanatique.

fanatisme nm Zèle, enthousiasme excessif, exalté, intolérant.

fan-club [fanklœb] nm Club regroupant les fans d'une vedette. Des fans-clubs.

fandango nm Danse populaire espagnole.

fane nf Feuille ou tige feuillue de certaines plantes.

faner vt 1 Retourner l'herbe coupée pour qu'elle sèche. 2 Altérer l'éclat de. ■ vpr Perdre sa fraîcheur, sa couleur.

fanfare nf Orchestre de cuivres et de percussions ; air exécuté par cet orchestre.

fanfaron, onne a, n Vantard, hâbleur.

fanfaronnade nf Propos, action, attitude de fanfaron.

fanfaronner vi Faire le fanfaron.

fanfreluche nf Ornement de peu de valeur.

fange nf litt Boue.

fangeux, euse a litt Plein de fange.

fanion nm Petit drapeau.

fanon nm ZOOL 1 Peau pendant sous le cou du bœuf, du chien, etc. 2 Lame du palais de la baleine.

fantaisie nf 1 Originalité imaginative. 2 Pensée, idée, goût capricieux. 3 Humeur, goût propre à qqn. Vivre à sa fantaisie.

fantaisiste a, n Qui n'est pas sérieux. ■ n Artiste comique de music-hall.

fantasia nf Carrousel arabe au cours duquel les cavaliers au galop tirent des coups de fusil.

fantasmagorie nf Spectacle étrange, fantastique.

fantasmagorique a De la fantasmagorie.

fantasmatique a Du fantasme.

fantasme nm Produit de l'imagination, de l'inconscient.

fantasmer vi Élaborer des fantasmes.

fantasque a Sujet à des sautes d'humeur, à des fantaisies bizarres.

fantassin nm Soldat d'infanterie.

fantastique a 1 Chimérique, né de l'imagination ; surnaturel. Une vision fantastique. 2 Étonnant, incroyable. ■ nm Le genre fantastique, en art, en littérature, au cinéma.

fantastiquement av De façon fantastique.

fantoche nm Individu sans personnalité qui se laisse manœuvrer.

fantomatique a Qui relève du fantôme.

fantôme nm 1 Apparition surnaturelle d'un défunt ; spectre. 2 Apparence vaine, sans réalité. ■ a Dépourvu d'existence réelle. Gouvernement fantôme.

fanzine nm Magazine élaboré par des passionnés de cinéma, de bandes dessinées, etc.

faon [fɑ̃] nm Petit du cerf.

faquin nm vx Homme méprisable.

far nm En Bretagne, flan aux pruneaux.

farad nm PHYS Unité de capacité électrique.

faraday nm PHYS Charge électrique d'une valeur de 96 486 coulombs.

faramineux, euse a fam Extraordinaire, fantastique. Payer des sommes faramineuses.

farandole nf Danse provençale formée d'une chaîne de danseurs.

faraud, aude a, n fam Fat et fanfaron.

farce nf 1 Hachis de viandes, d'épices, etc., servant à farcir. 2 Pièce de théâtre bouffonne. 3 Tour, niche faite à qqn.

farceur, euse n, a 1 Qui aime faire des farces, jouer des tours. 2 Qui n'est pas sérieux.

farci, ie a Garni de farce.

farcir vt 1 Remplir de farce. Farcir une volaille. 2 Bourrer, remplir avec excès. Farcir un discours de citations. ■ vpr pop Supporter, endurer. *J'ai dû me farcir cet énergumène.*

fard nm Composition cosmétique donnant de l'éclat au teint. Loc fam *Piquer un fard* : rougir. litt *Parler sans fard* : directement, franchement.

fardeau nm Lourde charge.

farder vt 1 Mettre du fard. 2 Dissimuler pour embellir. *Farder la vérité.*

faré nm Habitation polynésienne traditionnelle.

farfadet nm Esprit, lutin.

farfelu, ue a, n fam D'une fantaisie extravagante.

farfouiller vi fam Fouiller en bouleversant tout.

faribole nf fam Propos frivole.

farine nf Poudre résultant du broyage de graines de céréales. Loc fam *Se faire rouler dans la farine* : se faire duper.

fariner vt Poudrer de farine.

farineux, euse a, nm Qui contient de la fécule. ■ a Qui a l'aspect, le goût de la farine.

farniente [-njɛnte] nm fam Douce oisiveté.

farouche a 1 Qui s'enfuit quand on l'approche. 2 Peu sociable, méfiant. *Enfant farouche.* 3 Cruel, violent. *Haine farouche.*

farouchement av De façon farouche.

fart [faʀt] nm Matière dont on enduit les skis pour les rendre glissants.

fartage nm Action de farter.

farter vt Enduire les skis de fart.

fascicule nm Cahier d'un ouvrage publié par livraisons.

fascinant, ante a Qui fascine, éblouit. Var fascinateur, trice.

fascination nf Attrait irrésistible.

fascine nf Fagot de branchages utilisé pour les terrassements.

fasciner vt 1 Immobiliser par le seul regard. 2 Charmer, éblouir.

fascisant, ante a [-fisɑ̃] a Qui tend au fascisme.

fascisme [-fism] nm 1 Régime autoritaire instauré par Mussolini en Italie de 1922 à 1943-1945. 2 Idéologie totalitaire et nationaliste.

fasciste [-fist] a, n Qui relève du fascisme.

1. faste nm Pompe, magnificence.

2. faste a Loc *Jour faste* : jour de chance.

fast-food [fastfud] nm Restaurant où l'on peut consommer sur place ou emporter des repas standard et bon marché. *Des fast-foods.* Var fastfood

fastidieusement av De façon fastidieuse.

fastidieux, euse a Lassant. *Attente fastidieuse.*

fastueusement av Avec un grand faste.

fastueux, euse a Plein de faste.

fat [fa] ou [fat] am, nm litt Prétentieux.

fatal, ale, als a 1 Qui entraîne la perte, la ruine, la mort. *Coup fatal.* 2 Inévitable. Loc *Femme fatale* : à la beauté envoûtante.

fatalement av Inévitablement.

fatalisme nm Attitude de ceux qui pensent que le cours des évènements est fixé par le destin.

fataliste a, n Qui relève du fatalisme.

fatalité nf 1 Destin, destinée. 2 Enchaînement fâcheux des évènements.

fatidique a Qui semble indiquer un arrêt du destin. *Moment fatidique.*

fatigabilité nf Tendance à être facilement fatigué.

fatigable a Sujet à la fatigue.

fatigant, ante a 1 Qui fatigue. *Travail fatigant.* 2 Importun, ennuyeux.

fatigue nf 1 Impression de lassitude causée un travail, un effort. 2 Diminution de résistan d'une pièce après un long fonctionnement.

fatigué, ée a 1 Qui manifeste la fatigue. 2 Défraîchi. *Costume fatigué.*

fatiguer vt 1 Causer de la fatigue. 2 Importun lasser qqn. ■ vi Supporter un trop grand eff *Moteur qui fatigue.* ■ vpr Se donner, éprouver la fatigue.

fatma nf Femme musulmane.

fatras [-tʀa] nm Amas hétéroclite.

fatuité nf Attitude d'un fat ; prétention sotte.

faubourg nm Quartier excentrique d'une ville

faubourien, enne a Des faubourgs populair *Accent faubourien.*

fauchage nm Action de faucher. Var fauch son nf

fauche nf pop Vol.

fauché, ée a, n pop Sans argent.

faucher vt 1 Couper à la faux. 2 Renverser, tu *La voiture a fauché un piéton.* 3 pop Voler.

faucheur, euse n Personne qui fauche. ■ Machine à faucher le foin.

faucheux nm Arachnide carnassier aux long pattes grêles. Var **faucheur**

faucille nf Instrument pour couper les céréa l'herbe, etc. Loc *La faucille et le martea* emblème communiste.

faucon nm Oiseau rapace au vol rapide.

fauconnerie nf Art de dresser les rapaces p la chasse.

fauconnier nm Personne qui dresse des fauc pour la chasse.

faufiler vt Coudre provisoirement à grands poin ■ vpr Se glisser adroitement.

1. faune nm, **faunesse** nf MYTH Divinité cha pêtre, chez les Latins.

2. faune nf 1 ZOOL Ensemble des animaux habita une région. 2 péjor Groupe de gens qui fréquente un même lieu.

faunique a ZOOL De la faune.

faunistique nf ZOOL Étude de la faune.

faussaire n Personne qui fabrique un faux.

faussement av De façon fausse.

fausser vt 1 Rendre faux, altérer l'exactitude 2 Déformer par pression ou torsion. *Fausser u* clé. Loc *Fausser compagnie à qqn* : le quitter sa le prévenir.

fausset nm Loc *Voix de fausset* : voix aiguë. S voix de tête.

fausseté nf 1 Caractère faux. 2 Hypocrisie.

faute nf 1 Manquement à la morale ou à la loi Action maladroite, erreur. *Faute d'orthograp* Loc *Faute de* : par manque de. *Sans faute* : à co sûr. *Ne pas se faire faute de* : ne pas s'abstenir

fauter vi vx Se laisser séduire (femme).

fauteuil nm Siège à bras et à dossier. Loc *Arriver dans un fauteuil* : remporter sans pe la victoire.

fauteur, trice n Loc *Fauteur de troubles, désordre, etc.* : qui fait naître les troubles, désordre, etc.

fautif, ive a, n En faute. *Se sentir fautif.* ■ Erroné, incorrect. *Édition fautive.*

fautivement av De façon erronée.

fauve a De couleur rousse ou tirant sur le rou Loc *Bête fauve* : grand félin. ■ nm 1 Bête fauve Peintre adepte du fauvisme.

fauverie nf Ménagerie de fauves.

fauvette nf Passereau au plumage terne.

fauvisme nm Mouvement pictural du début du XXᵉ s.

1. faux, fausse a 1 Non conforme à la vérité, à la réalité. 2 Mal fondé, vain. *Fausse joie. Faux problème.* 3 Qui manque de justesse. *Esprit faux.* 4 MUS Qui n'est pas dans le ton. *Fausse note.* 5 Altéré, non vrai. *Fausse monnaie. Fausse nouvelle.* 6 Qui n'est pas ce qu'il semble être. *Faux ami.* 7 Qui n'est pas tel qu'il doit être. *Faux mouvement.* ■ av De façon fausse. *Chanter faux.* ■ nm 1 Ce qui est faux, contraire à la vérité. 2 Altération, contrefaçon frauduleuse. Loc *S'inscrire en faux* : nier avec preuves.

2. faux nf Lame d'acier courbée, fixée à un long manche, servant à faucher.

faux-facturier, ière n Personne coupable d'avoir délivré des fausses factures. *Des faux-facturiers.*

faux-filet nm Morceau de viande de bœuf, le long de l'échine. *Des faux-filets.*

faux-fuyant nm Subterfuge pour éviter de s'engager. *Des faux-fuyants.*

faux-monnayeur nm Personne qui fabrique de la fausse monnaie. *Des faux-monnayeurs.*

faux-semblant nm Apparence trompeuse. *Des faux-semblants.*

faux-sens nm inv Interprétation erronée d'un mot.

favéla nf Bidonville au Brésil. **Var favela**

faveur nf 1 Bienveillance, protection, appui de qqn d'influent. 2 Considération, dont on jouit auprès de qqn. 3 Avantage, privilège. *Demander une faveur.* 4 Petit ruban. Loc *En faveur de :* en considération de, dans l'intérêt de. *À la faveur de :* grâce à. ■ pl Marques d'amour d'une femme à un homme.

favorable a 1 Bien disposé à l'égard de qqn, de qqch. 2 À l'avantage de qqn, de qqch. *Préjugé favorable.*

favorablement av De façon favorable.

favori, ite a, n 1 Qui est l'objet d'une préférence habituelle. 2 Concurrent donné comme gagnant. ■ nm Personne qui tenait le premier rang dans la faveur d'un prince. ■ nf Maîtresse attitrée d'un souverain. ■ nmpl Touffe de barbe de chaque côté du visage.

favorisant, ante a Qui contribue au développement de qqch.

favoriser vt 1 Traiter avec faveur, soutenir ou avantager. 2 Apporter son appui, faciliter. *Favoriser une entreprise.*

favoritisme nm Tendance à accorder des avantages injustifiés.

fax nm Syn. de *télécopie*.

faxer vt Envoyer un document par fax.

fayot, ote a, n fam Se dit d'une personne servile, d'un élève trop zélé. ■ nm pop Haricot sec.

fayoter vi pop Faire du zèle pour obtenir des faveurs.

fazenda nf Grand domaine agricole au Brésil.

FCP nm Fonds commun de placement.

féal, ale, aux a, nm litt Fidèle, loyal.

fébrifuge a, nm Qui fait baisser la fièvre.

fébrile a 1 Qui a de la fièvre. 2 Qui manifeste une agitation excessive.

fébrilement av De façon fébrile.

fébrilité nf État d'agitation extrême.

fécal, ale, aux a Relatif aux fèces.

fèces [fɛs] nfpl Excréments. **Var fécès** [fesɛs]

fécond, onde a 1 Qui peut se reproduire. 2 Fertile. *Sol fécond.* Ant. stérile.

fécondant, ante a Qui féconde.

fécondateur, trice a, n Qui a la capacité de féconder.

fécondation nf Action de féconder.

féconder vt 1 Réaliser l'union de deux cellules sexuelles, mâle et femelle. 2 litt Rendre fécond, fertile.

fécondité nf 1 Aptitude à se reproduire. 2 Fertilité.

fécule nf Matière farineuse extraite de divers végétaux.

féculent, ente a Qui contient de la fécule. ■ nm Graine de légumineuse (lentille, haricot, etc.).

féculerie nf Usine de fécule ; industrie de la fécule.

fédayin [fedajin] nm Combattant palestinien. **Var fedayin**

fédéral, ale, aux a Qui appartient à une fédération. ■ nmpl HIST Aux États-Unis, soldats des États du Nord pendant la guerre de Sécession.

fédéraliser vt Organiser en fédération.

fédéralisme nm Système fédéral.

fédéraliste a, n Partisan du fédéralisme.

fédérateur, trice a, n Qui fédère, qui favorise une union, une convergence.

fédératif, ive a Constitué en fédération.

fédération nf 1 Association de plusieurs pays en un État unique. 2 Regroupement de plusieurs sociétés, syndicats, clubs.

fédéré nm HIST Partisan armé de la Commune de Paris, en 1871.

fédérer vt [12] Grouper en fédération. ■ vpr S'unir en fédération.

fée nf Être féminin imaginaire doué d'un pouvoir magique. Loc *Avoir des doigts de fée :* être d'une grande adresse. *Conte de fées :* récit merveilleux.

feed-back [fidbak] nm inv Rétroaction. **Var feedback**

feeling [filiŋ] nm fam Sensibilité manifestée dans une situation, une interprétation musicale.

féerie [feʁi] nf Spectacle merveilleusement beau. **Var féérie** [feeʁi]

féerique a D'une beauté merveilleuse. **Var féérique**

feignant, ante a, n pop Fainéant.

feindre vt [69] Faire semblant de. *Feindre de sortir.*

feinte nf Action destinée à tromper, à donner le change, à surprendre.

feinter vi Faire une feinte. ■ vt fam Tromper.

feldspath [-pat] nm Minéral fréquent dans les roches éruptives et métamorphiques.

feldwébel [-vebɛl] nm Sous-officier allemand. **Var feldwebel**

fêlé a, n fam Un peu fou.

fêler vt Fendre un objet cassant sans que les morceaux se disjoignent.

félibre nm Écrivain de langue d'oc.

félibrige nm Mouvement littéraire fondé en Provence en 1854 par F. Mistral.

félicitations nfpl Compliments, éloges.

félicité nf litt Bonheur suprême.

féliciter *vt* Témoigner sa satisfaction à qqn ; complimenter. ■ *vpr* S'estimer heureux de.

félidé *nm* ZOOL Mammifère carnivore dont le chat est le type.

félin, ine *a,* ZOOL Qui appartient au type chat. ■ *a* Qui rappelle le chat. *Grâce féline.*

fellaga *nm* HIST Partisan algérien dressé contre l'autorité française et luttant pour l'indépendance de son pays.

fellah *nm* Paysan au Maghreb et en Égypte.

fellation *nf* SEXOL Excitation avec la bouche du sexe de l'homme.

félon, onne *a, n* litt Qui manque à la foi jurée ; traître.

félonie *nf* litt Déloyauté ; traîtrise.

felouque *nf* Petit navire à voiles du Nil.

fêlure *nf* Fente d'une chose fêlée.

femelle *nf* Animal du sexe féminin. ■ *a* 1 Propre à la femelle. 2 Qualifie une pièce présentant un évidement dans lequel vient s'insérer la saillie de la pièce mâle. *Fiche femelle.*

féminin, ine *a* Propre à la femme. Loc VERSIF *Rime féminine* : terminée par un *e* muet. ■ *a, nm* GRAM Se dit du genre grammatical qui s'oppose au masculin.

féminisation *nf* Action de féminiser.

féminiser *vt* 1 Donner le type, le caractère féminin à. 2 Faire accéder un plus grand nombre de femmes à une catégorie sociale. ■ *vpr* Comporter davantage de femmes.

féminisme *nm* Attitude favorable à l'extension des droits de la femme.

féministe *a, n* Qui relève du féminisme.

féminité *nf* Ensemble des qualités attribuées à la femme.

femme *nf* 1 Être humain adulte du sexe féminin. 2 Épouse. Loc fam *Bonne femme* : femme, avec une intention péjorative ou affective. *Femme de ménage* : rétribuée pour faire le ménage dans une maison. *Femme de chambre* : attachée au service particulier d'une dame ou chargée du service des chambres dans un hôtel. *Prendre femme* : se marier.

femmelette *nf* fam Personne faible et sans courage.

fémoral, ale, aux *a* ANAT De la cuisse.

fémur *nm* Os de la cuisse.

fenaison *nf* Action de couper et de faner les foins.

1. fendant *nm* Vin blanc réputé de Suisse.

2. fendant, ante *a* fam Drôle.

fendillement *nm* Action de se fendiller.

fendiller *vt* Produire de petites fentes à. ■ *vpr* Se craqueler.

fendre *vt* [5] 1 Couper, diviser un corps solide dans le sens longitudinal. 2 Crevasser, craqueler. *Fendre le sol.* Loc *Fendre le cœur, l'âme* : faire ressentir un grand chagrin. ■ *vpr* 1 Se diviser, se couvrir de fentes. 2 fam Donner. *Se fendre de vingt euros.*

fenêtre *nf* 1 Ouverture dans le mur d'une construction pour donner du jour et de l'air. 2 Châssis vitré fermant cette ouverture. 3 INFORM Zone de l'écran où peuvent s'inscrire des informations.

fennec *nm* Petit renard du Sahara.

fenouil *nm* Plante aromatique et comestible.

fente *nf* Ouverture étroite et longue ; fissure.

féodal, ale, aux *a* Relatif à un fief, à la féodalité. ■ *nm* Grand propriétaire terrien.

féodalisme *nm* Système féodal.

féodalité *nf* 1 Organisation politique du Moye[n] Âge, dans laquelle les fiefs étaient concédés p[ar] des seigneurs à des vassaux contre certaines obl[i]gations. 2 Système social rappelant la féodali[té] *La féodalité financière.*

fer *nm* 1 Métal gris blanc ductile, ferromagn[é]tique, utilisé en métallurgie. 2 Objet en fer, [en] métal. 3 Outil en fer. *Fer à repasser.* 4 Fleur[et] épée, sabre. Loc *Âge du fer* : période où se répa[n]dit l'usage du fer (v. 850 av. J.-C.). *De fer* : rési[s]tant, dur comme le fer. *Fer à cheval* : bande [de] métal recourbée pour protéger les sabots des ch[e]vaux. fam *Tomber les quatre fers en l'air* : tomb[er] sur le dos. *En fer à cheval* : en demi-cercle. ■ [pl] Entraves d'un prisonnier.

fer-blanc *nm* Tôle d'acier doux recouver[te] d'étain. *Des fers-blancs.*

ferblanterie *nf* Industrie d'objets en fer-blanc.

féria [feʀja] *nf* Grande fête annuelle dans le mi[di] de la France. **Var feria**

férié, ée *a* Loc *Jour férié* : où on ne travaille p[as] à l'occasion d'une fête.

féringien, enne *a,* n Des îles Féroé.

férir *vt* Loc *Sans coup férir* : sans difficulté.

ferler *vt* MAR Plier une voile.

fermage *nm* Loyer d'une terre prise à bail.

fermant, ante *a* Se dit d'un couteau dont la lam[e] se replie.

1. ferme *a* 1 Qui offre une certaine résistanc[e.] *Fromage à pâte ferme.* 2 Stable. *Ferme sur s[es] pieds.* 3 Qui ne se laisse pas ébranler. *Ferme da[ns] ses résolutions.* 4 Qui fait preuve d'autorité. *Ferm[e] avec les enfants.* 5 Sans sursis. *Prison ferme.* L[oc] *De pied ferme* : résolument. ■ *av* Avec arde[ur.] Loc *Tenir ferme* : résister vigoureusement.

2. ferme *nf* 1 Convention par laquelle un proprié[é]taire loue un bien rural ; domaine ainsi exploité. Toute exploitation agricole ; habitation de l'ag[ri]culteur.

fermé, ée *a* 1 Inaccessible. *Milieu fermé.* [2] Insensible. *Fermé à la pitié.* Loc *Visage fermé* [:] impénétrable.

ferme-auberge *nf* Ferme servant des rep[as] élaborés avec ses propres produits. *Des ferme[s-]auberges.*

fermement *av* De façon ferme.

ferment *nm* 1 Agent d'une fermentation. 2 Ce qui entretient les passions. *Un ferment de di[s]corde.*

fermentation *nf* 1 Dégradation d'une substan[ce] par un microorganisme. 2 litt Effervescence d[es] esprits.

fermenter *vi* Être en fermentation.

fermentescible *a* Qui peut fermenter.

fermer *vt* 1 Boucher une ouverture. 2 Isoler [de] l'extérieur. *Fermer une chambre.* 3 Rapproch[er] les parties de qqch. *Fermer les yeux.* 4 Interd[ire] l'accès de. *Fermer un établissement.* 5 Arrêt[er] circulation, le fonctionnement de. *Fermer l'ea[u,]* *l'électricité.* Loc *Fermer la marche* : marcher dernier. pop *La fermer* : se taire. ■ *vi* Être, rest[er] fermé. *Ferme à cinq heures.*

fermeté *nf* 1 État de ce qui est ferme. 2 Énergi[e,] autorité. *Parler avec fermeté.*

fermette *nf* Petite ferme.

fermeture *nf* 1 Dispositif servant à fermer. [2] Action de fermer ; état d'un établissement ferm[é.] *Heure de la fermeture.*

feuilleté

'mier, ère *n* Exploitant agricole. Loc *Fermier*
léral : sous l'Ancien Régime, financier qui
recevait certains impôts. ■ *a* De ferme. *Beurre*
mier.

'mion *nm* PHYS Particule, tels l'électron, le pro-
, etc.

'moir *nm* Agrafe ou attache qui sert à tenir
mé un sac, un collier.

'oce *a* Cruel, sans pitié.

'ocement *av* De façon féroce.

'ocité *nf* Caractère féroce.

'raille *nf* 1 Pièces métalliques hors d'usage. 2
Petite monnaie.

'railler *vi* Se battre au sabre ou à l'épée.

'railleur *nm* Marchand de ferraille.

'ré, ée *a* Loc fam *Être ferré sur :* être compétent
Voie ferrée : voie constituée par deux rails
iés par des traverses.

'rer *vt* 1 Garnir de fer, de ferrures. 2 Garnir de
s les sabots d'une bête. Loc *Ferrer le poisson :*
en l'accrocher à l'hameçon d'un coup sec.

'ret *nm* Embout d'un lacet.

'rreux, euse *a* Qui contient du fer.

'rrite *nf* Variété de fer, l'un des constituants de
cier.

'rromagnétique *a* Doué de ferromagnétisme.

'rromagnétisme *nm* Propriété de certaines
ostances (fer, cobalt, nickel) d'acquérir une
rte aimantation.

'rronnerie *nf* Art du fer forgé ; objets ainsi
gés.

'rronnier, ère *n* Personne qui fabrique de la
rronnerie d'art.

'rroutage *nm* Transport par rail et par route.

'rroviaire *a* Relatif aux chemins de fer.

'rrugineux, euse *a* Qui contient du fer.

'rrure *nf* Garniture de fer.

'rry *nm* Navire transportant des wagons et
s automobiles. *Des ferrys.* Var **ferry-boat** ou
rryboat

'rtile *a* 1 Qui fournit des récoltes abondantes. 2
che en. *Voyage fertile en incidents.* 3 Fécond.
agination fertile.

'rtilisant, ante *a, nm* Qui fertilise.

'rtilisation *nf* Action de fertiliser.

'rtiliser *vt* Rendre fertile.

'rtilité *nf* Qualité fertile.

'ru, ue *a* Loc litt *Féru de :* passionné de.

'rule *nf* Loc litt *Sous la férule de :* sous l'auto-
é de.

'rvent, ente *a, n* Qui éprouve ou manifeste de
ferveur.

'rveur *nf* Ardeur des sentiments.

'sse *nf* Chacune des parties charnues qui
rment le derrière de l'homme et de certains
imaux. Loc fam *Serrer les fesses :* avoir peur.

'ssée *nf* Correction donnée sur les fesses.

'sser *vt* Donner une fessée.

'ssier, ère *a* Des fesses. ■ *nm* Les deux fesses.

'ssu, ue *a* fam Qui a de grosses fesses.

'stif, ive *a* De la fête. *Ambiance festive.*

'stin *nm* Repas somptueux, excellent.

'stival *nm* Manifestation artistique organisée à
oque fixe. *Des festivals.*

'stivalier, ère *n, a* Qui fréquente un festival.

'stivités *nfpl* Fêtes, cérémonies.

'st-noz *nm inv* Fête traditionnelle bretonne.
ar **festnoz**

feston *nm* 1 Guirlandes de feuilles et de fleurs.
2 Bordure brodée.

festonner *vt* Orner de festons.

festoyer *vi* [22] Faire bonne chère.

feta *nf* Fromage grec au lait de brebis. Var **feta**

fêtard, arde *n* fam Personne qui fait la fête.

fête *nf* 1 Jour consacré à commémorer un fait
religieux, historique, un saint, etc. 2 Réjouissances. Loc *Faire fête à qqn :* lui réserver un
accueil chaleureux. *Faire la fête :* mener joyeuse
vie. *N'être pas à la fête :* être dans une situation
désagréable.

Fête-Dieu *nf* Fête de l'Eucharistie. *Des Fêtes-*
Dieu.

fêter *vt* 1 Célébrer une fête ou par une fête. 2
Accueillir chaleureusement.

fétiche *nm* Objet magique, porte-bonheur.

féticheur *nm* Sorcier, dans les religions ani-
mistes.

fétichisme *nm* 1 Culte des fétiches. 2 Attachement, admiration excessif à l'égard de qqch ou
de qqn.

fétichiste *a, n* Qui relève du fétichisme.

fétide *a* Qui sent très mauvais.

fétidité *nf* Caractère fétide.

fétu *nm* Brin de paille.

1.feu, feue *a* litt Défunt (au sing. et invariable
sauf entre le déterminant et le nom). *La feue*
reine. Feu la reine.

2.feu *nm* 1 Flamme. 2 Corps en combustion ;
chaleur dégagée par ce corps. 3 Incendie. *Feu de*
forêt. 4 Lumière d'éclairage. 5 Signal lumineux
réglant la circulation. Loc *Feu de Bengale :* pièce
d'artifice qui brûle avec une flamme colorée. *De*
feu : ardent, passionné. *Coup de feu :* décharge
d'arme (fusil, pistolet, etc.) ; moment de presse.
Faire feu : tirer. *À petit feu :* lentement. *À feu et*
à sang : par l'incendie et le massacre. *Aller au*
feu : au combat. *Ne pas faire long feu :* ne pas
durer longtemps. *N'y voir que du feu :* ne rien
comprendre. ■ *pl* Éclat très vif. *Les feux d'une*
pierre précieuse. Loc *Entre deux feux :* attaqué
de deux côtés.

feudataire *nm* HIST Possesseur d'un fief.

feuillage *nm* Feuilles d'un arbre ; branches coupées garnies de feuilles.

feuillaison *nf* BOT Développement des feuilles.

feuillant, feuillantine *nf* HIST Religieux, religieuse membre d'un ancien ordre détaché des
cisterciens.

feuillard *nm* Bande plate servant à l'emballage.

feuille *nf* 1 Partie d'un végétal, généralement
verte, plate et mince. 2 Morceau de papier quadrangulaire. 3 Document portant des indications.
4 Plaque très mince. *Feuille de tôle.* Loc *Feuille*
de route : calendrier prévisionnel du règlement
d'un conflit, d'un processus. *Une feuille de route*
pour la paix au Proche-Orient.

feuillées *nfpl* vx Latrines.

feuille-morte *a inv* Brun-roux.

feuillet *nm* 1 Chacune des feuilles d'un livre,
d'un cahier, etc. 2 Troisième poche de l'estomac
des ruminants.

feuilletage *nm* Pâte feuilletée.

feuilleté, ée *a* Formé de minces couches superposées. Loc *Pâte feuilletée :* pâte à gâteaux travaillée pour se diviser en fines feuilles. ■ *nm*
Pâtisserie faite avec cette pâte.

feuilleter vt [17] ou [19] Tourner les feuilles d'un livre ; parcourir hâtivement.

feuilleton nm Œuvre de fiction paraissant par épisodes dans un journal, à la télévision.

feuilletoniste n Personne qui écrit des feuilletons.

feuillu, ue a Qui a beaucoup de feuilles.

feuillure nf TECH Entaille pratiquée dans un panneau pour recevoir une autre pièce.

feulement nm Cri du tigre, du chat.

feuler vi Pousser un feulement.

feutrage nm Action de feutrer.

feutre nm 1 Étoffe non tissée faite de poils ou de laines agglutinés et foulés. 2 Chapeau de feutre. 3 Stylo, crayon dont la pointe est faite de fibres synthétiques.

feutré, ée a 1 Qui a l'aspect du feutre. 2 Silencieux, discret. *Atmosphère feutrée.* Loc *À pas feutrés* : sans bruit.

feutrer vt Donner l'aspect du feutre à une étoffe. ■ vi, vpr Prendre l'aspect du feutre.

feutrine nf Feutre léger.

fève nf 1 Plante potagère dont la graine est comestible. 2 Figurine qu'on cache dans une galette le jour de l'Épiphanie.

féverole nf Variété de fève pour le bétail. Var **féverole**

février nm Deuxième mois de l'année, qui compte 28 ou 29 jours.

fez nm Coiffure tronconique portée dans certains pays musulmans.

fi ! interj litt Marque du dégoût. Loc litt *Faire fi de* : mépriser.

fiabiliser vt Rendre fiable, sûr.

fiabilité nf Probabilité de bon fonctionnement.

fiable a 1 Qui a un certain degré de fiabilité. 2 À qui on peut se fier. *Témoin fiable.*

fiacre nm Voiture de louage hippomobile.

fiançailles nfpl Promesse mutuelle de mariage.

fiancé, ée n Personne qui s'est engagée au mariage.

fiancer vt [10] Promettre en mariage par la cérémonie des fiançailles. ■ vpr S'engager au mariage.

fiasco nm Échec complet.

fiasque nf Bouteille à long col et à large panse, entourée de paille.

fibranne nf (n. déposé) Tissu artificiel.

fibre nf 1 Expansion cellulaire allongée et fine. *Fibres musculaires.* 2 Filament de certaines plantes, de certaines matières. 3 litt Disposition à éprouver certains sentiments. *La fibre paternelle.* Loc *Fibre de verre* : filament obtenu par étirage de verre fondu. *Fibre optique* : fibre utilisée pour la transmission d'informations.

fibreux, euse a Formé de fibres.

fibrillation nf MED Contractions désordonnées des fibres cardiaques.

fibrille [-bril] nf Petite fibre.

fibrine nf BIOL Protéine insoluble qui forme la majeure partie du caillot sanguin.

fibrinogène nm BIOL Protéine synthétisée par le foie, qui se transforme en fibrine.

fibroblaste nm BIOL Cellule du tissu conjonctif, participant à l'élaboration du collagène.

fibrociment nm (n. déposé) Matériau constitué de ciment et d'amiante. Syn. amiante-ciment.

fibromateux, euse a MED Du fibrome.

fibromatose nf MED Affection résultant de plusieurs fibromes.

fibrome nm Tumeur fibreuse bénigne.

fibroscope nm MED Endoscope flexible à fibres de quartz.

fibroscopie nf MED Examen réalisé au moyen d'un fibroscope.

fibrose nf MED Évolution fibreuse d'un organe.

fibule nf ANTIQ Agrafe.

ficaire nf Petite plante à fleurs jaune d'or.

ficelage nm Action de ficeler.

ficeler vt [16] ou [18] 1 Lier avec de la ficelle. 2 fam Habiller. 3 fam Concevoir, écrire.

ficelle nf Corde très mince. ■ pl Loc *Tirer les ficelles* : faire agir les autres sans être connu. *Les ficelles du métier* : ses trucs.

fichage nm Action de ficher qqn.

fiche nf 1 Feuille sur laquelle on inscrit des renseignements destinés à être classés. 2 TECH Cheville.

1. ficher vt 1 fam Mettre, donner avec force *Ficher une claque.* 2 Faire. *Il n'a rien fichu cette année.* ■ vpr fam Se moquer. *Tu te fiches de moi ?* Var **fiche**

2. ficher vt 1 Noter un renseignement sur une fiche. 2 Faire figurer qqn dans un fichier de police un fichier informatique.

fichier nm 1 Ensemble de fiches. 2 Ensemble d'informations traitées par l'ordinateur.

fichtre ! interj fam Marque l'étonnement.

fichtrement av fam Extrêmement.

1. fichu, ue a fam Mauvais, désagréable, détestable. *Un fichu caractère.* Loc *Être fichu* : être dans un état désespéré ; être manqué, raté. *Être fichu de* : être capable de.

2. fichu nm Étoffe triangulaire que les femmes se mettent sur les épaules ou sur la tête.

fictif, ive a Imaginaire, inventé.

fiction nf Ce qui relève de l'imaginaire ; création littéraire.

fictionnel, elle a De la fiction, des œuvres de fiction.

fictivement av De façon fictive.

ficus [-kys] nm Plante d'appartement appelée aussi *caoutchouc.*

fidèle a 1 Qui remplit ses engagements. 2 Constant dans son attachement. 3 Qui respecte la vérité, exact. ■ n Personne qui pratique une religion.

fidèlement av De façon fidèle.

fidélisation nf Action de fidéliser.

fidéliser vt Rendre fidèle une clientèle.

fidélité nf Caractère fidèle de qqn, de qqch.

fiduciaire a FIN Se dit de valeurs fondées sur la confiance que le public accorde à l'organisme émetteur.

fief nm 1 FEOD Domaine d'un vassal. 2 Domaine exclusif de qqn. *Fief électoral.*

fieffé, ée a Qui a tel vice au suprême degré. *Un fieffé coquin.*

fiel nm 1 Bile. 2 litt Animosité, amertume.

fielleux, euse a litt Amer, méchant.

fiente [fjãt] nf Excrément d'animaux.

1. fier, fière [fjɛr] a, n Hautain, méprisant. *Fais le fier.* ■ a 1 Qui tire un certain orgueil de qqch. Noble, élevé. *Âme fière.* 3 fam Remarquable en son genre. *Un fier imbécile.*

2. fier (se) *vpr* Mettre sa confiance en. *Se fier à un ami.*

fier-à-bras *nm* Fanfaron. *Des fier(s)-à-bras.*

fièrement *av* De façon fière.

fierté *nf* Caractère fier.

fiesta *nf fam* Fête.

fièvre *nf* **1** Élévation anormale de la température du corps. **2** Agitation provoquée par la passion. *La fièvre du combat.*

fiévreusement *av* De façon fiévreuse.

fiévreux, euse *a* **1** Qui a ou donne de la fièvre. **2** Agité, désordonné. *Attente fiévreuse.*

fifre *nm* Petite flûte au son aigu.

fifrelin *nm fam* Chose sans valeur.

fifty-fifty [fifti-] *av* Moitié-moitié. **Var fiftyfifty**

figé, ée *a* Stéréotypé. *Locution figée.*

figer *vt* [11] **1** Rendre solide un liquide gras par le froid. **2** Immobiliser qqn, son visage.

fignolage *nm fam* Action de fignoler.

fignoler *vt fam* Apporter un soin très minutieux.

figue *nf* Fruit charnu, comestible du figuier. Loc *Figue de Barbarie :* fruit comestible de l'opuntia. ■ *a inv* Loc *Mi-figue, mi-raisin :* plaisant d'un ôté et désagréable de l'autre ; ambigu.

figuier *nm* Arbre méditerranéen qui produit les figues. Loc *Figuier de Barbarie :* opuntia.

figurant, ante *n* **1** Acteur de complément au héâtre, au cinéma. **2** Personne qui joue un rôle econdaire dans une affaire.

figuratif, ive *a* Qui est la représentation, la figure de qqch. ■ *a, n* Peintre qui représente les formes es objets (par oppos. à *abstrait*).

figuration *nf* **1** Action de représenter qqch sous ne forme visible. **2** Ensemble des figurants au héâtre, au cinéma.

figure *nf* **1** Visage. *Se laver la figure.* **2** Mine, ontenance. *Faire bonne figure.* **3** Personnalité marquante. **4** Représentation d'un être humain, 'un animal par le dessin, la sculpture. **5** GEOM nsemble de lignes ou de surfaces. Loc *Figure de hétorique :* procédé de langage destiné à rendre a pensée plus frappante. *Faire figure de :* présen-er les apparences de.

figuré, ée *a, nm* Loc *Sens figuré :* métaphorique par oppos. au *sens propre*).

figurer *vt* **1** Représenter qqn, qqch. **2** Avoir aspect de. *Le décor figure une place publique.* ■ *vi* Apparaître, se trouver. *Son nom figure sur la ste.* ■ *vpr* Se représenter par l'imagination.

figurine *nf* Statuette.

fil *nm* **1** Brin mince et long de matière végétale, nimale ou synthétique. **2** Métal étiré. *Fil de fer.* Direction des fibres (de la viande, du bois). Courant d'un cours d'eau. **5** Liaison, enchaî-ement. *Perdre le fil de ses idées. Ne tenir 'à un fil :* être précaire, instable. *Fil d'Ariane, conducteur, fil rouge :* qui permet de se guider ans des recherches difficiles. *Fil à plomb :* fil ndu par un poids et donnant la verticale. *Passer n coup de fil :* téléphoner. *Fils de la vierge :* fils ndus par certaines araignées. **6** Tranchant 'une arme, d'un outil. *Le fil d'un rasoir.* *Le fil en aiguille :* d'un propos à l'autre.

fil-à-fil *nm inv* Tissu chiné.

filage *nm* **1** Action de filer des fibres textiles. **2** épétition en continu d'un spectacle.

filaire *nm* Ver parasite de l'homme et des ani-aux.

filament *nm* **1** Brin long et fin de matière ani-male ou végétale. **2** Fil très fin pour le passage du courant électrique.

filamenteux, euse *a* Formé de filaments.

filandreux, euse *a* **1** Rempli de fibres longues. **2** Embrouillé, confus.

filant, ante *a* Qui file. *Liquide filant.* Loc *Étoile filante :* météorite porté à incandescence.

filao *nm* Bois du casuarina.

filariose *nf* Parasitose causée par un filaire.

filasse *nf* Amas de filaments du chanvre, du lin, etc. ■ *a inv* Loc *Blond filasse :* jaune pâle.

filature *nf* **1** Opération de transformation des matières textiles ; usine textile. **2** Surveillance faite en filant qqn.

file *nf* Suite de personnes ou de choses qui se suivent ; colonne, rangée. *File de voitures. File d'attente.* Loc *À la file, en file, en file indienne :* l'un derrière l'autre.

filé *nm* Fil destiné à être tissé.

filer *vt* **1** Amener une matière textile à l'état de fil. **2** Sécréter des fils. *L'araignée file sa toile.* **3** MAR Larguer, mollir une cordage. **4** Suivre qqn pour le surveiller. **5** pop Donner. Loc *Filer le par-fait amour :* vivre un amour heureux. *Filer tant de nœuds :* avoir une vitesse de tant de milles à l'heure (bateau). ■ *vi* **1** Couler en filet. *Le miel file.* **2** Se défaire. *Bas qui file.* **3** fam Aller, s'en aller rapidement. *Filer à toute allure.* Loc *Filer à l'anglaise :* partir sans être vu. *Filer doux :* devenir docile.

filet *nm* **1** ANAT Frein de la langue. **2** Trait mince divisant un texte. **3** TECH Rainure hélicoïdale d'un écrou, d'une vis. **4** Écoulement ténu. *Un filet d'eau.* **5** Morceau charnu du dos du bœuf ; bande de chair de poisson. **6** Réseau, ouvrage à larges mailles, servant à divers usages. *Filet à cheveux. Filet à provisions. Filet de volley-ball.* Loc *Filet de voix :* voix très faible. *Coup de filet :* opération policière en vue d'arrestations. *Travailler sans filet :* en prenant de grands risques.

filetage *nm* TECH Ensemble des filets d'une pièce, d'une vis.

fileter *vt* [17] ou [19] Exécuter le filetage d'une pièce.

fileur, euse *n* Personne qui file une matière textile.

filial, ale, aux *a* Propre au fils, à la fille. *Amour filial.* ■ *nf* Société contrôlée et dirigée par une société mère.

filialiser *vt* Découper une entreprise entre plu-sieurs filiales.

filiation *nf* **1** Lien de parenté qui unit l'enfant à ses parents ; descendance directe. **2** Liaison, enchaînement de choses. *La filiation des mots.*

filière *nf* **1** TECH Pièce pour étirer une matière en fil, pour fileter une vis. **2** Suite de formalités, d'épreuves, etc., pour obtenir un résultat, faire une carrière. **3** Suite d'intermédiaires. *Remonter la filière de la drogue.* **4** Suite de phases consti-tuant un processus de production. **5** PHYS Ensemble de réacteurs nucléaires fonctionnant selon le même principe.

filiforme *a* Mince comme un fil, grêle.

filigrane *nm* **1** Ouvrage d'orfèvrerie à jour. **2** Empreinte de lettres et figures dans le corps du papier. Loc *En filigrane :* à l'arrière-plan.

filin *nm* MAR Cordage, câble.

fille *nf* 1 Personne de sexe féminin, par rapport aux parents. 2 Enfant, personne jeune de sexe féminin. Loc *Jeune fille* : qui n'est pas mariée. *Vieille fille* : célibataire âgée. *Fille mère* : mère célibataire. *Fille de joie* ou *fille* : prostituée.

fillette *nf* Petite fille.

filleul, eule *n* Personne par rapport à ses parrain et marraine.

film *nm* 1 Pellicule, couche très mince d'une substance. 2 Bande mince recouverte d'une couche sensible servant pour la photo et le cinéma. 3 Œuvre cinématographique.

filmage *nm* Action de filmer ; tournage.

filmer *vt* Enregistrer un film.

filmique *a* Relatif au film, au cinéma.

filmographie *nf* Ensemble des films réalisés par un cinéaste.

filon *nm* 1 GEOL Masse longue et étroite de minéraux recoupant des couches de nature différente. 2 *fam* Source facile d'avantages divers.

filonien, enne *a* GEOL Qui concerne les filons, qui en résulte.

filou *nm, a* *fam* Voleur adroit, rusé.

filouter *vt* *fam* Tricher, voler.

filouterie *nf* *fam* Escroquerie.

fils [fis] *nm* 1 Personne du sexe masculin, par rapport aux parents. 2 Personne qui est issue, originaire de. *Fils du peuple*. Loc *Fils de famille* : d'une famille riche. *Fils spirituel* : disciple d'un maître. *Être (le) fils de ses œuvres* : ne devoir sa situation qu'à soi-même.

filtrage *nm* Action de filtrer.

filtrant, ante *a* Qui sert à filtrer. Loc *Virus filtrant* : qui traverse les filtres les plus fins.

filtrat *nm* CHIM Liquide épuré, filtré.

filtre *nm* 1 Corps poreux ou appareil servant à purifier un liquide ou un gaz, à faire passer un liquide. 2 Appareil qui absorbe une partie du rayonnement qui le traverse.

filtrer *vt* 1 Faire passer par un filtre. 2 Soumettre à un contrôle. ■ *vi* 1 Traverser un corps. *L'eau a filtré*. 2 Apparaître. *La vérité commence à filtrer*.

1. fin *nf* 1 Point ultime d'une durée ; terme. 2 Mort. *Une fin tragique*. 3 Extrémité, bout. *La fin d'un chemin*. 4 But. *La fin justifie les moyens*. Loc *Prendre fin* : cesser. *Mettre fin à* : faire cesser. *Sans fin* : sans arrêt. *En fin de compte* : en définitive. *À la fin* : enfin. *À toutes fins utiles* : pour tout usage éventuel.

2. fin, fine *a* 1 Très pur. *Or fin*. 2 D'une qualité supérieure. *Épicerie fine*. 3 D'une grande sensibilité. *Avoir l'ouïe fine*. 4 Perspicace, subtil, délicat. *Remarque fine*. 5 Menu, ténu, mince. *Pluie fine*. *Trait fin*. *Fine pellicule*. Loc *Jouer au plus fin* : rivaliser d'adresse. *Le fin mot d'une chose* : son motif véritable. ■ *nm* Loc *Le fin du fin* : ce qu'il y a de mieux. ■ *av* Tout à fait. *Nous voici fin prêts*.

1. final, ale, aux *a* 1 Qui finit, qui est à la fin. *Consonne finale*. 2 GRAM Qui marque l'idée de but. *Conjonction finale (pour que, afin que, etc.)*. ■ *nf* 1 Syllabe ou lettre finale d'un mot. 2 Dernière épreuve d'une compétition.

2. final *nm* Dernière partie d'une symphonie, d'une sonate, d'un opéra. Var **finale**

finalement *av* À la fin, pour en terminer.

finalisation *nf* Action de finaliser.

finaliser *vt* 1 Orienter vers un but précis. 2 Mettre au point dans ses moindres détails. *Finaliser un projet*.

finaliste *n, a* Qualifié pour une finale.

finalité *nf* Caractère de ce qui tend vers un but.

finançable *a* Qu'on peut financer.

finance *nf* Ensemble des grandes affaires d'argent, de ceux qui les manient. *La haute finance*. Loc *Moyennant finance* : contre une certaine somme d'argent. ■ *pl* 1 Argent de l'État ; son administration. 2 Ressources pécuniaires d'une société, d'un particulier.

financement *nm* Action de financer.

financer *vt* [10] Fournir des capitaux, de l'argent.

financier, ère *a* Relatif à l'argent, aux finances. ■ *nm* Personne qui fait des opérations d'argent.

financièrement *av* En ce qui concerne les finances.

finasser *vi* *fam* User de subterfuges, de finesses.

finasserie *nf* *fam* Finesse rusée.

finaud, aude *a, n* Rusé.

fine *nf* Eau-de-vie supérieure.

finement *av* De façon fine.

finesse *nf* 1 Qualité de ce qui est délicat, fin. Subtilité, acuité sensorielle.

finette *nf* Étoffe de coton à envers pelucheux.

fini, ie *a* 1 Parfait, achevé. 2 Usé intellectuellement. ■ *nm* 1 Perfection. *Manquer de fini*. 2 Ce qui a des bornes. *Le fini et l'infini*.

finir *vt* 1 Mener à son terme. *Finir un ouvrage*. *Finir de déjeuner*. 2 Terminer. *Finissez vos querelles*. ■ *vi* 1 Arriver à son terme. *Le spectacle finit tard*. 2 Avoir telle issue. *Un film qui finit bien*. 3 Mourir. Loc *En finir* : arriver à une solution. *Finir par* : arriver finalement à.

finish *nm* Dernier effort en fin d'épreuve. *Des finishs*.

finissage *nm* Parachèvement.

finisseur, euse *n* Concurrent qui termine bien les courses.

finition *nf* Achèvement des derniers détails d'u ouvrage.

finlandais, aise *a, nm* De Finlande.

finnois, oise *a, n* D'un peuple de Finlande. ■ *nm* Langue parlée en Finlande.

finno-ougrien, enne *a, nm* Se dit de langue tels le finnois et le hongrois, formant un groupe.

fiole *nf* Petite bouteille de verre à col étroit.

fioriture *nf* Ornement ajouté.

fioul *nm* Produit dérivé du pétrole, utilisé comm combustible. Var **fuel**

firmament *nm* *litt* Voûte céleste.

firme *nf* Entreprise commerciale ou industrielle.

fisc *nm* Administration chargée du recouvreme des taxes et des impôts.

fiscal, ale, aux *a* Du fisc. *Agent fiscal*.

fiscalement *av* Du point de vue fiscal.

fiscalisation *nf* Action de fiscaliser.

fiscaliser *vt* Soumettre à l'impôt.

fiscaliste *n* Spécialiste du droit fiscal.

fiscalité *nf* Ensemble des lois destinées à fourr les ressources d'un État par l'impôt.

fish-eye [fiʃaj] *nm* Objectif photographique co vrant un champ très large. *Des fish-eyes*.

fissible *a* Susceptible de subir la fissi nucléaire. Var **fissile**

fission *nf* PHYS Division d'un noyau atomiq lourd, libérant de l'énergie.

fissuration *nf* Formation d'une fissure.

fissure *nf* Petite fente.

fissurer *vt* Diviser par des fissures, craqueler. ■ *vpr* Se crevasser, se craqueler.

fiston *nm* fam Fils.

fistule *nf* MÉD Voie anormale, suivie par un liquide physiologique ou pathologique.

fistuline *nf* Champignon rouge vivant sur le tronc des chênes et des châtaigniers.

FIV *nf* Fécondation in vitro.

fixage *nm* 1 Action de rendre fixe. 2 TECH Action de fixer une photo, un dessin.

fixateur, trice *a* Qui fixe. ■ *nm* Produit servant à fixer un cliché photographique.

fixatif *nm* Vernis servant à fixer un dessin.

fixation *nf* 1 Action de fixer. 2 Ce qui sert à fixer. *Les fixations de skis.*

fixe *a* 1 Immobile. 2 Certain, déterminé. *Venir à heure fixe.* 3 Obsédant. *Idée fixe.* ■ *nm* Rémunération régulière, assurée.

fixement *av* De façon fixe.

fixer *vt* 1 Rendre fixe ; assujettir. *Fixer un cadre.* 2 Établir durablement. *Fixer sa résidence dans telle ville.* 3 Regarder avec attention. 4 Régler, arrêter, déterminer. *Fixer un rendez-vous.* 5 Renseigner qqn exactement. 6 TECH Rendre inaltérables une photo, un dessin. Loc *Fixer l'attention :* la retenir. ■ *vpr* 1 S'établir durablement. 2 Choisir finalement. *Se fixer sur une date de vacances.*

fixing [fiksiŋ] *nm* FIN Cotation de l'or.

fixité *nf* Caractère fixe.

fjord [fjɔrd] *nm* Vallée glaciaire envahie par la mer. **Var** fiord.

flac ! *interj* Bruit de choc.

flaccidité [flaksi-] *nf* État flasque.

flacon *nm* Petite bouteille.

flaconnage *nm* Présentation en flacons.

flagada *a inv* fam Sans vigueur.

flagellation *nf* Action de flageller.

flagelle *nm* BIOL Organe mobile assurant la locomotion d'organismes unicellulaires.

flagellé *nm* ZOOL Protiste pourvu de flagelles.

flageller *vt* Donner des coups de fouet.

flageoler *vi* Trembler des jambes.

flageolet *nm* 1 Flûte à bec. 2 Petit haricot.

flagorner *vt* Flatter bassement.

flagornerie *nf* Flatterie servile.

flagorneur, euse *n, a* Qui flagorne.

flagrant, ante *a* Évident, patent. *Mensonge flagrant.* Loc *Flagrant délit :* délit commis sous les yeux de celui qui le constate.

flair *nm* 1 Odorat d'un animal. 2 Sagacité, perspicacité.

flairer *vt* 1 Discerner par l'odorat ; sentir. 2 Pressentir. *Flairer un piège.*

flamand, ande *a, n* De Flandre. ■ *nm* Langue néerlandaise parlée en Belgique.

flamant *nm* Grand oiseau au plumage rose, noir ou écarlate.

flambage *nm* Action de passer au feu.

flambant, ante *a* Qui flambe. Loc *Flambant neuf :* tout neuf (*flambant* inv.).

flambard *nm* fam Fanfaron. **Var** flambart.

flambeau *nm* 1 Torche, chandelle. 2 Chandelier, candélabre. Loc *Se passer le flambeau :* continuer la tradition.

flambée *nf* 1 Feu vif et de courte durée. 2 Forte poussée subite. *Une flambée de violence.*

flamber *vi* 1 Brûler d'un feu vif. 2 fam Augmenter brutalement. *Le chômage a flambé en mars.* ■ *vt* 1 Passer à la flamme. *Flamber une volaille.* 2 Arroser d'alcool que l'on fait brûler. 3 pop Dilapider follement. Loc fam *Être flambé :* ruiné.

flambeur, euse *nm* Personne qui dilapide son argent au jeu ou qui joue gros jeu.

flamboiement *nm* Éclat flamboyant.

flamboyant, ante *a* Qui flamboie. Loc *Gothique flamboyant :* aux ornements contournés (XVᵉ s.) ■ *nm* Arbre tropical à floraison rouge.

flamboyer *vi* [22] 1 Jeter des flammes vives. 2 litt Briller comme une flamme.

flamenco [-mɛn-] *nm* Genre musical originaire d'Andalousie.

flamiche *nf* Tarte aux poireaux.

flamine *nm* ANTIQ Prêtre romain.

flamingant, ante *a, n* Qui parle flamand ; nationaliste flamand.

flamme *nf* 1 Produit gazeux et incandescent d'une combustion. 2 Passion ardente, enthousiasme. 3 Pavillon long et étroit, triangulaire. 4 Marque postale apposée à côté du cachet d'oblitération. ■ *pl* Incendie.

flammé, ée *a* Loc *Grès flammé :* céramique colorée irrégulièrement par le feu.

flammèche *nf* Parcelle de matière enflammée qui s'envole d'un foyer.

flan *nm* 1 Crème prise au four. 2 TECH Disque destiné à recevoir l'empreinte d'une pièce. Loc pop *En être, en rester comme deux ronds de flan :* être stupéfait. pop *C'est du flan ! :* du bluff.

flanc *nm* 1 Région latérale du corps comprenant les côtes et la hanche. 2 Côté de diverses choses. *Le flanc d'une montagne.* 3 MILIT Côté droit ou gauche d'une formation. Loc *Prêter le flanc :* s'exposer à un inconvénient. *À flanc de :* sur la pente du. *Sur le flanc :* exténué. *Se battre les flancs :* lutter vainement. fam *Tirer au flanc :* chercher à échapper à un travail.

flancher *vi* fam Céder, faiblir.

flanchet *nm* Morceau du bœuf situé entre la tranche et la poitrine.

flandrin *nm* Loc fam *Grand flandrin :* grand garçon d'allure molle et gauche.

flanelle *nf* Étoffe légère en laine.

flâner *vi* 1 Se promener sans but. 2 Perdre du temps en lambinant.

flânerie *nf* Action de flâner.

flâneur, euse *n, a* Qui flâne.

flanquer *vt* 1 Être disposé, construit de part et d'autre. *Deux tourelles flanquaient le bâtiment.* 2 Accompagner. *Être flanqué de deux gendarmes.* 3 fam Lancer, jeter, donner. ■ *vpr* Loc pop *Se flanquer par terre :* tomber rudement.

flapi, ie *a* fam Abattu, éreinté.

flaque *nf* Petite mare.

flash [flaʃ] *nm* 1 Dispositif photographique qui émet un bref éclat de lumière intense. 2 Annonce brève à la radio ou à la télévision.

flash-back [flaʃbak] *nm inv* Retour en arrière évoquant, au cinéma, une période antérieure. **Var** flashback

flasher [flaʃe] *vti* fam Éprouver une attirance subite pour. *Flasher sur une robe.*

1. flasque *a* Mou, dépourvu de fermeté.

2. flasque *nf* Petit flacon plat.

3. flasque *nm* Garniture en métal des roues d'une automobile.

flatter vt 1 Louer exagérément pour plaire. 2 Présenter qqn avantageusement. 3 Caresser de la main un animal. 4 Être agréable à qqn. *Flatter le palais, l'oreille.* 5 Encourager qqch de mauvais. *Flatter une manie.* ■ vpr Se faire fort de, prétendre. *Se flatter de réussir.*

flatterie nf Louange fausse ou exagérée.

flatteur, euse n, a Qui flatte.

flatulence nf MED Accumulation de gaz gastro-intestinaux.

flaveur nf Sensations (odeur, goût) résultant de la consommation d'un aliment.

fléau nm 1 anc Instrument pour battre les céréales. 2 Barre qui supporte les plateaux d'une balance. 3 Grande calamité.

fléchage nm Action de flécher un itinéraire.

flèche nf 1 Projectile qu'on lance avec un arc ou une arbalète. 2 Trait piquant, ironique. 3 Signe en forme de flèche pour indiquer une direction. 4 Pointe d'un clocher, d'une grue, etc. Loc *Faire flèche de tout bois :* recourir à tous les moyens pour arriver à ses fins. *En flèche, comme une flèche :* très rapidement. *Être en flèche :* à l'avant-garde. *La flèche du Parthe :* mot ironique qui termine une conversation.

flécher vt [12] Jalonner avec des flèches.

fléchette nf Petite flèche.

fléchir vt 1 Ployer, courber. *Fléchir les genoux.* 2 Faire céder ; émouvoir, attendrir qqn. ■ vi 1 Se courber, ployer sous une charge. 2 Céder, faiblir, diminuer. *L'intérêt fléchit.*

fléchissement nm Action de fléchir.

fléchisseur nm Muscle qui détermine la flexion d'un membre. Ant. extenseur.

flegmatique a Qui a du flegme.

flegme nm Caractère de qqn qui reste toujours calme.

flemmard, arde a, n fam Paresseux.

flemmarder vi fam Ne rien faire.

flemme nf fam Paresse.

flétan nm Poisson dont le foie fournit une huile riche en vitamines.

flétrir vt 1 Faire perdre sa fraîcheur à une plante. 2 Ternir, altérer. *Visage flétri.* 3 litt Stigmatiser, vouer au déshonneur.

flétrissure nf 1 Altération de la fraîcheur d'une plante. 2 litt Atteinte grave à la réputation.

fleur nf 1 Partie des végétaux qui porte les organes de la reproduction. 2 Plante qui produit des fleurs. 3 Représentation d'une fleur. *Papier à fleurs.* 4 Ce qu'il y a de meilleur. *Fleur de farine.* Loc *La fleur de l'âge :* la jeunesse. *La fine fleur :* l'élite. *Faire une fleur à qqn :* lui accorder une faveur. *Être fleur bleue :* être d'une sentimentalité naïve. fam *Comme une fleur :* très facilement. *Couvrir de fleurs :* complimenter. *À fleur de :* presque au niveau de. *Avoir les nerfs à fleur de peau :* être très nerveux, facilement irritable. ■ pl Moisissures.

fleurdelisé, ée a Orné de fleurs de lis.

fleurer vi litt Sentir, exhaler une bonne odeur.

fleuret nm Arme d'escrime à lame très fine.

fleurette nf Petite fleur. Loc *Conter fleurette :* courtiser.

fleurettiste n Escrimeur au fleuret.

fleuri, ie a En fleurs, couvert de fleurs. Loc *Teint fleuri :* qui a de l'éclat, de la fraîcheur. *Style fleuri :* orné.

fleurir vi 1 Produire des fleurs, être en fleurs. *rosiers fleurissent.* 2 Être prospère (en ce sens *rissait* ou *fleurissait* à l'imparfait). *Les arts flo saient.* ■ vt Orner de fleurs.

fleuriste n Personne qui cultive les fleurs ou fait le commerce.

fleuron nm 1 Ornement figurant une feuille une fleur. 2 Ce qu'il y a de plus remarquable.

fleuve nm 1 Grand cours d'eau qui se jette d la mer. 2 Masse en mouvement. 3 (en appositi Très long. *Roman fleuve. Discours fleuve.*

flexibiliser vt Rendre flexible, souple.

flexibilité nf Caractère flexible.

flexible a 1 Qui plie aisément sans se romp 2 Qui s'adapte aux circonstances. ■ nm Tuy souple.

flexion nf 1 Le fait de fléchir. *Flexion des geno* 2 LING Ensemble des variations d'un mot selor genre, le nombre, le cas, etc.

flexionnel, elle a LING Qui comporte des flexio *Langues flexionnelles.*

flibustier nm Pirate des mers américaines, a XVIIᵉ s. et XVIIIᵉ s.

flic nm pop Policier.

flicage nm pop Surveillance policière.

flingue nm pop Fusil ou pistolet.

flinguer vt pop Tuer avec une arme à feu.

flipper vi fam Être déprimé, mal à l'aise.

flippeur [-pœr] nm Jeu électrique doté d mécanisme totalisateur de points. Var **flipper**

flirt [flœrt] nm 1 Jeu amoureux. 2 Personne a qui l'on flirte. 3 Rapprochement passager avec adversaire politique.

flirter [flœrte] vi Avoir un flirt.

floc ! interj Onomatopée évoquant qqch tombe.

flocage nm TECH Application de fibres synthétiqu sur une surface recouverte d'un adhésif.

flocon nm Petite touffe de laine, de neige. ■ Lamelles de graines de céréales.

floconneux, euse a Qui a l'aspect de flocons

floculation nf CHIM Précipitation d'une soluti sous forme colloïdale.

flonflons nmpl Accents bruyants de musiq populaire.

flood [flœd] a inv Loc *Lampe flood :* à lumiè intense, utilisée en photographie.

flop nm fam Échec.

flopée nf fam Grande quantité.

floraison nf 1 Épanouissement des fleurs. Développement, épanouissement.

floral, ale, aux a Relatif à la fleur, aux fleurs.

floralies nfpl Exposition florale.

flore nf BOT Ensemble des espèces végétales d'u région, d'un pays.

floréal nm HIST Huitième mois du calendrier rép blicain (avril-mai).

florentin, ine a, n De Florence.

florès nm Loc litt *Faire florès :* avoir du succès

floriculture nf Culture des plantes à fleurs.

florifère a BOT Qui porte des fleurs.

florilège nm Sélection de choses remarquables

florin nm Anc. unité monétaire des Pays-Bas.

florissant, ante a Prospère.

floristique a BOT De la flore. ■ nf Étude de flore.

flot nm 1 Eau, liquide en mouvement. *Le flot la Seine, de la mer.* 2 Grande quantité. *Un flot*

paroles. Loc À flot : qui flotte. *Être à flot :* avoir suffisamment d'argent. *Remettre à flot :* renflouer. ■ *pl* litt La mer. **Loc** *À flots :* abondamment.

flottable *a* Qui permet le flottage du bois.

flottage *nm* Transport par eau du bois qu'on fait flotter.

flottaison *nf* **Loc** *Ligne de flottaison :* niveau atteint par l'eau sur la coque d'un navire.

flottant, ante *a* 1 Qui flotte. 2 Ample et ondoyant. *Une robe flottante.* 3 Incertain, irrésolu. 4 Dont le taux de change varie (monnaie). ■ *nm* Short de sport.

flotte *nf* 1 Groupe de navires qui naviguent ensemble. 2 Ensemble des navires ou des avions d'une nation. 3 fam Eau, pluie.

flottement *nm* 1 Mouvement d'ondulation. 2 Hésitation, irrésolution.

flotter *vi* 1 Être porté par un liquide. *Des épaves flottaient à la surface.* 2 Onduler, voltiger en ondoyant. *Des drapeaux flottaient au vent.* 3 Être hésitant, irrésolu, incertain. 4 fam Pleuvoir. ■ *vt* Transporter du bois par flottage.

flotteur *nm* Dispositif destiné à flotter à la surface d'un liquide.

flottille *nf* Réunion de petits bateaux.

flou, floue *a* 1 Dont les contours sont peu nets, brouillés. 2 Qui manque de précision, de netteté. ■ *nm* Manque de netteté.

flouer *vt* fam Voler, duper.

flouse *nm* pop Argent. **Var flouze**

flouter *vt* Rendre flou, difficile à reconnaître. *Flouter un visage.*

fluctuant, ante *a* Changeant.

fluctuation *nf* 1 Mouvement alternatif d'un liquide. 2 Variation fréquente. *Fluctuations des prix, des monnaies.*

fluctuer *vi* Varier.

fluent, ente *a* Qui coule.

fluet, ette *a* Grêle et délicat.

fluide *a* 1 Qui coule, s'écoule facilement. 2 Changeant, instable. *Situation fluide.* ■ *nm* 1 Corps qui n'a pas de forme propre. *Les gaz et les liquides sont des fluides.* 2 Force mystérieuse que posséderaient certains êtres.

fluidifiant, ante *a, nm* Qui fluidifie.

fluidifier *vt* Rendre fluide, plus liquide.

fluidité *nf* Caractère fluide.

fluor *nm* Gaz jaune-vert utilisé en combinaison pour la prophylaxie des caries.

fluoré, ée *a* Qui contient du fluor.

fluorescéine *nf* Matière colorante à fluorescence verte.

fluorescence *nf* PHYS Émission de lumière par une substance soumise à un rayonnement.

fluorescent, ente *a* Qui produit une fluorescence.

fluorine *nf* MINER Fluorure naturel de calcium.

fluorure *nm* CHIM Composé du fluor.

flush [flœʃ] *nm* Au poker, réunion de cinq cartes de même couleur.

flûte *nf* 1 Instrument à vent composé d'un tube creux percé de trous. 2 Pain long et fin. 3 Verre à pied long et étroit. ■ *pl* fam Longues jambes grêles. ■ *interj* fam Marque le mécontentement. **Var flute**

flûtiste *n* Joueur de flûte. **Var flutiste**

fluvial, ale, aux *a* Des cours d'eau.

fluviatile *a* GEOGR Des eaux courantes.

fluvioglaciaire *a* D'origine glaciaire remanié par un cours d'eau.

flux [fly] *nm* 1 Action de couler, écoulement. 2 Grande abondance. *Un flux de paroles.* 3 Marée montante. *Le flux et le reflux.* **Loc** *Flux lumineux :* débit d'énergie rayonnante.

fluxion *nf* MED Tuméfaction inflammatoire des joues et des gencives. **Loc** vx *Fluxion de poitrine :* congestion pulmonaire.

flysch *nm* GEOL Sédiment principalement formé d'argile et de sable.

FM *nf* Modulation de fréquence.

F-M *nm* Sigle de *fusil-mitrailleur.*

foc *nm* Voile triangulaire à l'avant d'un navire.

focal, ale, aux *a* Relatif à un foyer optique. **Loc** *Distance focale :* qui sépare deux foyers optiques. ■ *nf* Distance focale.

focalisation *nf* Action de focaliser.

focaliser *vt* 1 Faire converger un rayonnement sur une surface. 2 Concentrer sur un point. *Focaliser l'attention.*

foehn [føn] *nm* Vent chaud et sec des Alpes. **Var föhn**

fœtal, ale, aux [fe-] *a* Du fœtus.

fœtologie [fe-] *nf* MED Étude du fœtus.

fœtus [fetys] *nm* Embryon de plus de trois mois.

fofolle. V. **foufou.**

foi *nf* 1 Croyance, confiance. *Digne de foi. Avoir foi en qqn.* 2 Adhésion ferme de l'esprit à une vérité révélée ; religion. **Loc** *Bonne foi :* sincérité, droiture. *Mauvaise foi :* hypocrisie. *Sans foi ni loi :* sans aucun respect pour les lois humaines. *Sous la foi de :* sous la garantie morale de. *Faire foi :* administrer la preuve, témoigner.

foie *nm* Volumineux viscère de l'abdomen, glande digestive et organe d'excrétion. **Loc** *Foie gras :* foie d'oie ou de canard engraissés. pop *Avoir les foies :* avoir très peur.

foin *nm* Herbe fauchée, séchée pour nourrir le bétail. **Loc** fam *Faire du foin :* faire du tapage. ■ *interj* litt Marque le mépris.

foire *nf* 1 Grand marché public qui se tient à dates régulières. 2 Exposition commerciale. 3 Fête foraine. 4 fam Désordre, confusion. **Loc** fam *Faire la foire :* faire la noce.

foirer *vi* pop Rater, échouer.

foireux, euse *a* pop Qui a toutes les chances d'échouer, qui rate.

fois *nf* Marque la multiplication ou la division avec un nom de nombre. *Trois fois deux six. Elle va quatre fois moins vite que nous.* **Loc** *Une bonne fois, une fois pour toutes :* définitivement. *Pour une fois :* marque l'exception. *Cette fois :* désormais. *À la fois :* en même temps. fam *Des fois :* parfois. *Une fois :* jadis. *Une fois que :* dès que.

foison *nf* **Loc** *À foison :* en abondance.

foisonnant, ante *a* Qui foisonne.

foisonnement *nm* Fait de foisonner.

foisonner *vi* Abonder, pulluler.

fol. V. **fou.**

folâtre *a* Qui aime à badiner. *Humeur folâtre.*

folâtrer *vi* S'ébattre avec une gaîté enfantine.

foliacé, ée *a* BOT Qui a l'aspect d'une feuille.

foliaire *a* BOT Relatif aux feuilles.

foliation *nf* BOT Moment où les bourgeons développent leurs feuilles.

folichon, onne *a* fam (souvent négatif) Gai, badin, drôle.

folie *nf* **1** Dérangement de l'esprit, maladie mentale. **2** Extravagance, manque de jugement. Loc *À la folie* : extrêmement, éperdument. *Faire des folies* : des dépenses exagérées.

folié, ée *a* BOT Garni de feuilles.

folio *nm* Feuillet numéroté d'un ouvrage.

foliole *nf* BOT Partie du limbe de la feuille.

folioter *vt* Paginer.

folklore *nm* **1** Ensemble des arts, usages et traditions populaires. **2** fam Ensemble de faits pittoresques mais peu sérieux.

folklorique *a* **1** Du folklore. **2** fam Pittoresque et superficiel.

folkloriste *n* Spécialiste du folklore.

folksong [folksɔg] *nm* Musique chantée s'inspirant du folklore nord-américain. Var **folk**

folle. V. **fou**.

follement *av* De façon extrême.

follet, ette *a* Loc *Feu follet* : petite lueur apparaissant au-dessus de terrains marécageux dégageant du méthane.

folliculaire *a* didac D'un follicule.

follicule *nm* **1** BOT Fruit sec constitué d'un seul carpelle. **2** ANAT Prolongement en cul-de-sac d'une muqueuse.

folliculine *nf* BIOL Hormone œstrogène.

folliculite *nf* MED Inflammation d'un follicule pileux.

fomenter *vt* litt Provoquer en secret des actes d'hostilité.

foncé, ée *a* Sombre (couleur). *Bleu foncé*.

foncer *vi* [10] **1** Se précipiter sur qqn, qqch. **2** fam Se déplacer à grande vitesse. **3** Devenir plus sombre. *Son teint a foncé*. ■ *vt* **1** Rendre plus foncé. **2** Mettre un fond à. *Foncer un tonneau*.

fonceur, euse *a, n* fam Énergique et entreprenant.

foncier, ère *a* **1** Relatif à un bien immobilier, à un bien-fonds. *Impôt foncier*. **2** Qui est au fond de la nature de qqn. *Qualité foncière*. ■ *nm* Propriété foncière.

foncièrement *av* Dans le fond. *Il est foncièrement honnête*.

fonction *nf* **1** Emploi, charge, profession. *Dans l'exercice de ses fonctions*. **2** Rôle, activité propre d'un organe, d'un appareil, d'un service, etc. **3** GRAM Relation d'un mot avec les autres dans une phrase. **4** MATH Grandeur dépendant d'une ou plusieurs variables. Loc *En fonction de* : en rapport avec. *Être fonction de* : dépendre de. *Faire fonction de* : jouer le rôle de. *Fonction publique* : agents de la puissance publique, ensemble des fonctionnaires.

fonctionnaire *n* Agent du service public.

fonctionnaliser *vt* Rendre fonctionnel, adapté.

fonctionnalisme *nm* Doctrine selon laquelle toute structure forme doit être appropriée à un besoin.

fonctionnalité *nf* Caractère fonctionnel. ■ *pl* INFORM Possibilités de traitement offertes par un système.

fonctionnariat *nm* État de fonctionnaire.

fonctionnariser *vt* Transformer en fonctionnaire, en service public.

fonctionnel, elle *a* **1** Relatif à une fonction organique, mathématique, chimique, etc. **2** Adapté à la fonction à remplir. *Mobilier fonctionnel*.

fonctionnement *nm* Manière de fonctionner.

fonctionner *vi* Remplir sa fonction (machine, organe). *La voiture fonctionne bien*.

fond *nm* **1** Partie la plus basse, la plus profonde de qqch, la plus éloignée de l'ouverture. *Le fond d'une casserole. Le fond d'une vallée. Le fond de la mer. Le fond d'un placard*. **2** Surface sur laquelle se détache qqch. *Le fond d'un tableau*. **3** Ce qui est essentiel, fondamental. *Le fond du problème. Article de fond*. Loc *Fond de teint* : crème colorée servant de maquillage. *Fond sonore* : musique, bruitages, qui accompagnent un spectacle. litt *Faire fond sur qqn, qqch* : compter sur eux. *Course de fond* : qui se dispute sur une grande distance. *À fond* : entièrement. Loc *À fond de train* : à toute vitesse. *Au fond, dans le fond* : en réalité. ■ *pl* Eaux profondes. *Fonds océaniques*.

fondamental, ale, aux *a* Essentiel, déterminant. Loc *Recherche fondamentale* : théorique, par oppos. à *recherche appliquée*. MUS *Son fondamental* : qui sert de base à un accord. ■ *nmpl* Éléments de base. *Les fondamentaux de l'économie*.

fondamentalement *av* Essentiellement.

fondamentalisme *nm* Tendance religieuse conservatrice.

fondamentaliste *n, a* **1** Qui adhère au fondamentalisme. **2** Qui travaille dans la recherche fondamentale.

fondant, ante *a* **1** Qui fond. *Neige fondante*. **2** Qui fond dans la bouche. *Poire fondante*.

fondateur, trice *n, a* Qui a fondé qqch d'important et de durable.

fondation *nf* **1** Action de fonder, de créer qqch. *La fondation d'une cité*. **2** Don ou legs d'un capital pour un usage déterminé. ■ *pl* Sous-sol d'une construction sur lequel elle repose.

fondé, ée *a* Qui repose sur des bases rationnelles. *Une crainte fondée*. ■ *n* Loc *Fondé de pouvoir* : qui a reçu de qqn ou d'une société le pouvoir d'agir en son nom.

fondement *nm* **1** Élément essentiel, base de qqch. **2** Motif, raison. *Rumeur sans fondement*. **3** fam Fesses, anus.

fonder *vt* **1** Créer qqch de durable en posant ses bases. *Fonder une ville*. **2** Donner les fonds nécessaires pour une fondation d'intérêt public. **3** Faire reposer qqch sur. *Opinion fondée sur les faits*. Loc *Être fondé à* : avoir des motifs légitimes pour. *Fonder une famille* : se marier.

fonderie *nf* Usine de fabrication d'objets métalliques par moulage du métal en fusion.

fondeur, euse *n* Spécialiste de la course de fond. ■ *nm* Ouvrier d'une fonderie.

fondre *vt* [5] **1** Rendre liquide une matière solide. *Fondre du métal*. **2** Fabriquer avec du métal fondu et moulé. *Fondre un canon*. **3** Combiner des éléments en un tout. *Fondre des couleurs*. **4** Dissoudre. *Fondre du sucre*. ■ *vi* **1** Devenir liquide sous l'effet de la chaleur. *La neige fond*. **2** Se dissoudre. *Le sucre fond dans l'eau*. **3** fam Maigrir. Loc *Fondre en larmes* : se mettre à pleurer très fort. ■ *vti* Se précipiter sur. *Fondre sur sa proie*.

fondrière *nf* Nid-de-poule plein d'eau.

fonds *nm* **1** Terre considérée comme un bien immeuble. **2** Capital d'un bien, d'une entreprise. **3** Compte spécial dans le budget de l'État. Loc *Fonds de commerce* : valeur d'un établissement commercial. ■ *pl* Somme d'argent. *Fonds secrets*. Loc fam *Être en fonds* : avoir de l'argent. *Mise de*

onds : investissement. *Fonds communs de placement* : société gérant des dépôts à court terme. *Fonds de pension* : dépôts de particuliers en vue de leur retraite ; organisme qui gère ces dépôts.

ondu, ue a Loc *Couleurs fondues* : mêlées les unes aux autres ou dans des nuances graduées. ■ nm Apparition ou disparition progressive d'une image dans un film. ■ nf Mets fait de gruyère fondu dans du vin blanc. Loc *Fondue bourguignonne* : petits morceaux de bœuf plongés dans l'huile bouillante.

ongicide nm Qui détruit les champignons.

ongiforme a En forme de champignon.

ongique a Relatif aux champignons.

ongueux, euse a didac D'aspect spongieux.

ontaine nf 1 Eau vive sortant de terre. 2 Construction comportant une alimentation en eau et un bassin.

ontainebleau nm Fromage frais additionné de crème fouettée.

ontanelle nf ANAT Espace membraneux compris entre les os du crâne du nouveau-né, qui s'ossifie progressivement.

onte nf 1 Fait de fondre. *Fonte des neiges, des glaciers.* 2 Opération consistant à fondre du verre, un métal, etc. 3 Alliage de fer et de carbone. 4 IMPRIM Ensemble des caractères de même type.

ontine nf Fromage italien fait de lait de vache.

onts nmpl Loc *Fonts baptismaux* : cuve qui contient l'eau du baptême.

ootball [futbol] nm Sport de ballon opposant deux équipes de onze joueurs. Var **foot** [fut]

ootballeur, euse n Joueur de football.

ooting [futin] nm Promenade sportive à pied.

or nm Loc *Dans* (ou *en*) *mon* (*ton, son*) *for intérieur* : au plus profond de moi (toi, soi).

orage nm Action de forer.

orain, aine a Relatif aux foires, aux forains. *Fête foraine.* ■ a, nm Loc *Marchand forain* ou *forain* : marchand ambulant qui fait les marchés.

orban nm Individu sans scrupules, bandit.

orçage nm Opération visant à accélérer le développement d'une plante.

orçat nm Condamné aux travaux forcés.

orce nf 1 Cause capable de modifier le mouvement d'un corps. *Force centrifuge.* 2 Toute cause provoquant un mouvement, un effet. *Forces occultes.* 3 Puissance physique. *Un homme d'une force herculéenne.* 4 Puissance intellectuelle, habileté, talent. *Une grande force de travail. Être de force égale.* 5 Pouvoir de qqch. *Force d'un poison.* 6 Puissance d'un groupe, d'un État, etc. Loc *Force de l'âge* : âge où on a tous ses moyens. *Force d'âme* : fermeté morale. *De force* : par la contrainte ou la violence. *Travailleur de force* : qui doit fournir un gros effort physique. *En force* : en nombre. *Cas de force majeure* : contrainte à laquelle on ne peut résister. *Force m'est de* : je suis obligé de. *À toute force* : à tout prix. *Force de* : grâce à. ■ pl Troupes d'un État ; moyens militaires. *Forces armées.*

orcé, ée a 1 fam Obligatoire, inévitable, imposé. 2 Qui manque de naturel, affecté. *Sourire forcé.*

orcément av Nécessairement.

orcené, ée a, n Fou furieux. ■ a Passionné, acharné. *Lutte forcenée.*

orceps nm Instrument servant à saisir la tête du fœtus, en cas d'accouchement difficile.

forcer vt [10] 1 Faire céder par la force. *Forcer une porte.* 2 Contraindre, obliger. *Forcer un enfant à manger.* 3 Pousser au-delà des limites normales. *Forcer un cheval.* 4 Outrepasser. *Forcer la dose. Forcer le sens d'un mot.* 5 Hâter la végétation. ■ vi Fournir un effort excessif. ■ vti fam Abuser de. *Il a tendance à forcer sur l'alcool.* ■ vpr Se contraindre à. *Se forcer à sourire.*

forcing [-siɲ] nm Augmentation de l'effort au cours d'une épreuve.

forcir vi Grossir, engraisser.

forclos, ose a DR Atteint de forclusion.

forclusion nf DR Perte d'un droit non exercé dans le délai imparti.

forer vt Percer, creuser. *Forer un puits.*

forestier, ère a Relatif aux forêts. ■ n Employé de l'administration forestière.

foret nm Outil servant à forer.

forêt nf Grande étendue plantée d'arbres. Loc *Forêt vierge* : non modifiée par l'homme. *Une forêt de* : une grande quantité de.

foreur, euse n Personne qui fore. ■ nf Machine qui sert à forer.

1. forfait nm litt Crime très grave.

2. forfait nm 1 Convention par laquelle on s'engage à fournir une marchandise, un service pour un prix fixé à l'avance. 2 Évaluation globale par le fisc des revenus de qqn. Loc *Déclarer forfait* : renoncer à une épreuve, à une entreprise.

forfaitaire a Fixé à forfait. *Prix forfaitaire.*

forfaiture nf DR Crime d'un fonctionnaire dans l'exercice de ses fonctions.

forfanterie nf litt Vantardise.

forficule nf Perce-oreille.

forge nf Usine, atelier, où l'on travaille le métal, spécialement le fer.

forger vt [11] 1 Mettre en forme une pièce métallique par martelage. 2 Inventer, fabriquer. *Forger un mot.* 3 Former le caractère de qqn.

forgeron nm Personne qui travaille le fer au marteau.

forint nm Unité monétaire de la Hongrie.

formage nm TECH Mise en forme d'un objet.

formalisation nf Action de formaliser.

formaliser vt Donner un caractère formel à un énoncé, à un système. ■ vpr S'offusquer.

formalisme nm 1 Attachement excessif aux formes, aux formalités. 2 MATH, LOG Développement de systèmes formels.

formaliste a, n 1 Qui s'attache scrupuleusement aux formes. 2 MATH, LOG Qui relève du formalisme.

formalité nf 1 Procédure obligatoire. 2 Règle de l'étiquette. 3 Acte de peu d'importance.

format nm 1 Dimension d'un objet, d'une feuille, d'un livre. 2 INFORM Structure de présentation des données.

formatage nm INFORM Action de formater.

formater vt INFORM Présenter les informations selon un format.

formateur, trice a Qui forme. *Enseignement formateur.* ■ n Éducateur, instructeur.

formation nf 1 Action de former, de se former. *Formation d'un abcès.* 2 Action d'instruire, d'éduquer. *Formation professionnelle.* 3 GEOL Nature d'une couche de terrain. 4 MILIT Troupe, escadre. 5 Groupe, parti. *Les formations politiques.* Loc *Formation végétale* : groupement de végétaux.

forme nf 1 Configuration des choses. *La Terre a une forme sphérique.* 2 Contour d'un objet ou du corps. *La forme d'une table.* 3 Aspect qu'une chose peut présenter. *La forme d'un mot.* 4 Manière d'exprimer, de présenter qqch. *Vice de forme.* 5 Moule qui sert à former certains objets. 6 Condition physique. *Être en forme.* Loc *De pure forme* : purement formel. *En bonne et due forme* : toutes les règles de présentation étant observées. *En forme de* : avec l'aspect de. *Pour la forme* : pour se conformer aux usages. *Prendre forme* : commencer à être reconnaissable. ■ pl 1 Contours du corps humain. 2 Manières d'agir conformes à l'usage.

formé, ée a Qui a pris sa forme ; qui a atteint sa maturité.

formel, elle a 1 Clairement déterminé, sans équivoque. *Démenti formel.* 2 Relatif au style, à la forme. *Beauté formelle.* 3 Indépendant du contenu. *Logique formelle.*

formellement av En termes exprès.

former vt 1 Donner forme à ; tracer, façonner. *Former des lettres.* 2 Constituer, créer. *Former un gouvernement.* 3 Instruire, éduquer. *Former des soldats. Former le caractère.* ■ vpr Se constituer. *Orage en train de se former.*

formica nm (n. déposé) Matériau stratifié recouvert de résine artificielle.

formidable a 1 Très important, considérable. 2 fam Étonnant, remarquable.

formidablement av fam Extraordinairement.

formique a Loc *Acide formique* : acide sécrété par les fourmis.

formol nm Liquide volatil utilisé comme désinfectant.

formulable a Qu'on peut formuler.

formulaire nm Questionnaire administratif.

formulation nf Action de formuler ; expression.

formule nf 1 DR Modèle dans lequel un acte doit être rédigé. 2 Façon de s'exprimer consacrée par l'usage social. *Formule de politesse.* 3 Suite de mots censée être chargée d'un pouvoir magique ou religieux. 4 Façon d'agir, mode d'action. *Une bonne formule pour réussir.* 5 Document imprimé que l'on doit remplir, compléter. 6 Expression symbolique représentant des grandeurs, des relations, une composition chimique. 7 Catégorie de voitures de course. *Courir en formule 1.*

formuler vt Exprimer avec précision.

fornication nf 1 RELIG Péché de la chair. 2 fam Relations sexuelles.

forniquer vi 1 RELIG Commettre le péché de fornication. 2 fam Avoir des relations sexuelles.

fors [fɔʀ] prép vx Hors, excepté.

forsythia [-sja] nm Arbrisseau à fleurs jaunes.

fort, forte a 1 Qui a de la force physique. 2 Qui a de l'embonpoint. 3 Qui a des capacités intellectuelles. *Être fort en maths.* 4 Résistant moralement, courageux. *Être fort devant l'adversité.* 5 Solide. *Carton fort.* 6 Fortifié. *Château fort.* 7 Important en intensité, en quantité. *Un fort vent. Une forte somme.* 8 fam Exagéré, difficile à admettre. 9 Qui agit efficacement. *Un remède fort.* 10 Qui dispose de la puissance. Loc *Se faire fort de* : s'estimer capable de. *Esprit fort* : incroyant. ■ av 1 Avec intensité. *Parler fort.* 2 litt Très, beaucoup. *Je suis fort content. Il y a fort à faire.* ■ nm 1 Domaine où qqn excelle. *Le français n'est pas son fort.* 2 Ouvrage militaire puissamment armé et défendu.

Loc *Au plus fort de* : au cœur de. *Fort des Halles* : manutentionnaire aux anciennes Halles de Paris.

forte [fɔʀte] av, nm inv MUS En renforçant l'intensité du son. Var **forté**

fortement av 1 Avec force. *Serrer fortement.* 2 Beaucoup.

forteresse nf Ouvrage fortifié.

fortiche a pop Fort.

fortifiant, ante a, nm Qui donne des forces.

fortification nf 1 Action de fortifier. 2 Ouvrage fortifié défendant une ville, un point stratégique.

fortifier vt 1 Rendre plus fort physiquement ou moralement. 2 Entourer de fortifications.

fortin nm Petit ouvrage fortifié.

fortissimo av, nm MUS Très fort.

fortuit, uite a Qui arrive par hasard ; imprévu.

fortuitement av Par hasard.

fortune nf 1 litt Hasard, chance, destinée. 2 Grande richesse. Loc *Une bonne fortune* : aventure galante. *Faire contre mauvaise fortune bon cœur* : accepter sans se plaindre un désagrément. *À la fortune du pot* : invitation impromptue à un repas. *De fortune* : improvisé. *Faire fortune* : devenir riche.

fortuné, ée a Riche.

forum [-ʀɔm] nm 1 ANTIQ Place où se tenait l'assemblée du peuple. 2 Colloque, réunion. 3 Sur Internet, groupe de discussion à propos d'un thème au moyen de messages électroniques.

fosse nf 1 Excavation, trou dans la terre. 2 Dépression du fond de l'océan. 3 ANAT Cavité. *Fosses nasales.*

fossé nm 1 Cavité creusée en long pour écouler les eaux ou défendre une place. 2 Ce qui sépare profondément. *Il y a un fossé entre nous.*

fossette nf Petit creux du menton, des joues.

fossile nm, a 1 GEOL Restes d'un animal ou d'un végétal resté dans une roche sédimentaire. 2 fam Personne aux idées désuètes.

fossilifère a GEOL Qui contient des fossiles.

fossilisation nf GEOL Passage d'un corps à l'état de fossile.

fossiliser (se) vpr Devenir fossile.

fossoyeur [-swajœʀ] nm 1 Personne qui creuse les fosses pour enterrer les morts. 2 Personne qui travaille à la ruine de. *Les fossoyeurs de la République.*

fou ou **fol** (devant voyelle ou h non aspiré), **folle** a, nm 1 Malade mental. ■ a 1 Déraisonnable. *Il est fou d'agir ainsi.* 2 Hors de son état normal. *Fou de colère.* 3 Contraire à la raison, immodéré. *Course folle.* 4 Passionné pour. *Elle est folle de lui.* 5 Considérable. *Un monde fou.* Loc *Herbes folles* : croissant en tous sens. ■ nm 1 Bouffon des rois. 2 Pièce du jeu d'échecs. 3 Oiseau palmipède.

fouace nf Galette rustique. Var **fougasse**

fouailler vt vx Frapper à coups de fouet.

foucade nf litt Emportement passager.

1. foudre nf 1 Décharge électrique intense par temps d'orage. Loc *Coup de foudre* : amour subit. ■ pl litt Violents reproches. ■ nm Loc *Un foudre de guerre* : un grand homme de guerre.

2. foudre nm Grand tonneau.

foudroiement nm litt Action de foudroyer.

foudroyant, ante a 1 Qui frappe brutalement, soudainement. 2 Stupéfiant. *Succès foudroyant.*

udroyer vt [22] **1** Frapper de la foudre. **2** Tuer udainement. **3** Atterrer. Loc *Foudroyer du gard :* lancer un regard haineux.

uet nm **1** Corde ou lanières de cuir attachées bout d'un manche pour frapper. **2** Châtiment nné avec le fouet. **3** Ustensile qui sert à battre s œufs et les sauces. Loc *Coup de fouet :* stimution instantanée. *De plein fouet :* perpendiculaiment à l'obstacle.

uetter vt **1** Donner des coups de fouet. **2** Cinr, frapper. *La pluie fouette les vitres.* **3** CUIS attre. *Fouetter de la crème.*

ufou, fofolle a, nm fam Écervelé.

ugasse. V. fouace.

ugère nf **1** Plante sans fleurs, aux grandes uilles très découpées.

ugue nf Impétuosité, ardeur.

ugueusement av Avec fougue.

ugueux, euse a Plein de fougue.

uille nf **1** Action de fouiller la terre pour retrour des vestiges archéologiques. **2** Action de uiller minutieusement. *La fouille d'un détenu.* pop Poche.

uiller vt **1** Creuser le sol. **2** Explorer soigneument pour trouver qqch. *Fouiller une maison.* Chercher dans les poches, les habits de qqn. Approfondir une question. ■ vi Chercher une ose en remuant tout ce qui pourrait la cacher. *Fouiller dans sa poche.* ■ vpr Loc pop *Tu peux te uiller :* il n'en est pas question.

uilleur, euse n Personne qui fait des fouilles chéologiques.

uillis nm Désordre de choses accumulées.

uine nf Martre.

uiner vi fam Fureter, épier.

uineur, euse a, n fam Qui furète partout. Var **uinard, arde**

uir vt litt Creuser le sol.

uisseur, euse a, nm Qui fouit la terre. ■ a ui sert à fouir.

ulage nm Action de fouler.

ulant, ante a Loc *Pompe foulante :* qui élève n liquide par la pression qu'elle exerce. fam *Pas ulant :* pas fatigant.

ulard nm Écharpe en tissu léger.

ule nf Multitude de gens réunis. Loc *Une foule :* une grande quantité. *En foule :* en grand ombre.

ulée nf **1** Temps pendant lequel le pied du eval pose sur le sol. **2** Longueur de l'enjambée un coureur. Loc fam *Dans la foulée :* sur la lane, dans le prolongement de qqch.

uler vt **1** Presser, écraser. *Fouler du raisin.* litt Marcher sur. *Fouler le sol.* Loc *Fouler aux ieds :* mépriser. ■ vpr Se blesser par foulure.

ulon nm anc Moulin servant à fouler.

ulque nf Gros oiseau au plumage sombre, abitant des eaux douces.

ultitude nf fam Grande quantité.

ulure nf Légère entorse.

ur nm **1** Appareil dans lequel on fait rôtir les iments. **2** Appareil dans lequel on chauffe une atière pour lui faire subir une transformation hysique ou chimique. **3** fam Échec d'un speccle. Loc *Petit four :* petite pâtisserie.

urbe a Qui trompe perfidement.

urberie nf Caractère fourbe ; ruse perfide.

urbi nm fam Ensemble de choses hétéroclites.

fourbir vt Polir un objet de métal.

fourbu, ue a Harassé.

fourche nf **1** Instrument agricole à long manche terminé par plusieurs dents. **2** Disposition en deux ou plusieurs branches ; bifurcation.

fourcher vi Se diviser en deux ou plusieurs branches. Loc *Sa langue a fourché :* il a prononcé un mot pour un autre.

fourchette nf **1** Ustensile de table terminé par plusieurs dents. **2** Intervalle entre deux valeurs extrêmes. *Fourchette de prix.* Loc fam *Avoir un bon coup de fourchette :* être un gros mangeur.

fourchu, ue a Divisé en deux.

fourgon nm Véhicule, wagon, servant au transport des marchandises. Loc *Fourgon mortuaire :* corbillard.

fourgonner vi fam Fouiller dans qqch en mettant du désordre.

fourgonnette nf Petite camionnette.

fourgue nm pop Receleur.

fourguer vt pop Vendre.

fouriérisme nm Doctrine de Ch. Fourier, préconisant la constitution de coopératives.

fourme nf Fromage de vache à pâte ferme.

fourmi nf **1** Petit insecte vivant en société, ou fourmilières. **2** fam Petit passeur de drogue. Loc *Avoir des fourmis dans les jambes, dans les bras :* éprouver des picotements multiples.

fourmilier nm Mammifère édenté (tamanoir) qui se nourrit de fourmis.

fourmilière nf **1** Colonie de fourmis. **2** Lieu où s'agite une grande foule.

fourmi-lion nm Insecte dont la larve se nourrit de fourmis. *Des fourmis-lions.* Var **fourmilion**

fourmillement nm **1** Agitation en tous sens. **2** Picotement.

fourmiller vi **1** S'agiter vivement et en grand nombre. **2** Abonder. *Les fautes fourmillaient dans cet ouvrage.* **3** Être le siège de picotements.

fournaise nf **1** Feu très vif. **2** Lieu très chaud.

fourneau nm **1** Appareil pour cuire les aliments. **2** TECH Appareil servant à soumettre une substance à l'action du feu.

fournée nf **1** Quantité que l'on fait cuire en même temps dans un four. **2** Groupe de gens promis à un même sort ou à une même fonction.

fourni, ie a **1** Garni. *Table bien fournie.* **2** Abondante. *Barbe fournie.*

fournil [-ni] nm Pièce où se trouve le four du boulanger.

fourniment nm **1** Équipement du soldat. **2** fam Attirail.

fournir vt **1** Pourvoir, approvisionner habituellement. **2** Livrer, donner. *Fournir de l'argent.* **3** Apporter. *Fournir des preuves.* **4** Accomplir. *Fournir un effort.* ■ vti Subvenir. *Fournir aux besoins.* ■ vpr S'approvisionner.

fournisseur, euse n Personne qui fournit habituellement une marchandise.

fourniture nf Action de fournir. ■ pl Ce qui est fourni. *Fournitures de bureau.*

fourrage nm Substance végétale qu'on destine à l'alimentation du bétail.

1. fourrager, ère a Employé comme fourrage. *Plantes fourragères.* ■ nf Ornement militaire, marque de distinction.

2. fourrager vi [11] fam Fouiller, farfouiller.

1. fourré nm Endroit touffu d'un bois.

2. fourré, ée a **1** Doublé de fourrure. *Gants fourrés.* **2** Garni à l'intérieur. *Bonbons fourrés au chocolat.* Loc *Coup fourré* : coup bas, piège.

fourreau nm **1** Étui. *Fourreau d'une épée.* **2** Robe droite moulant le corps.

fourrer vt **1** Doubler de fourrure ou d'une autre matière. **2** fam Placer, mettre. *Fourrer ses mains dans ses poches.* ▪ vpr fam Se mettre, se cacher. *Où est-il encore allé se fourrer ?*

fourre-tout nm inv **1** Sac de voyage. **2** Ramassis hétéroclite d'idées diverses. **Var fourretout** nm

fourreur nm Personne qui façonne ou vend des peaux, des vêtements de fourrure.

fourrier nm HIST Sous-officier qui était chargé du logement et du ravitaillement.

fourrière nf Dépôt où sont placés les animaux trouvés sur la voie publique, les voitures enlevées de la voie publique.

fourrure nf **1** Peau avec son poil préparée pour la confection de vêtements ; ce vêtement. **2** Peau d'un animal à poil touffu.

fourvoiement nm Fait de se fourvoyer.

fourvoyer vt Tromper grossièrement. ▪ vpr Se perdre, s'égarer, se tromper.

foutaise nf pop Chose sans valeur.

foutoir nm pop Grand désordre.

foutre vt **1** pop Faire. *Qu'est-ce que vous foutez là ?* **2** Flanquer, jeter. *Il m'a foutu par terre.* Loc *Foutre le camp* : s'en aller. *Foutez-moi la paix* : laissez-moi tranquille. *Va te faire foutre !* : va-t-en ! ▪ vpr Se moquer de.

foutrement av pop Extrêmement.

foutu, ue a pop **1** Fait, exécuté. *Ouvrage mal foutu.* **2** Perdu, ruiné. **3** (avant le nom) Sacré, sale. *Quel foutu temps !*

fox-terrier nm Chien de petite taille, à poil ras, raide ou frisé. *Des fox-terriers.* **Var fox**

fox-trot [-tʀɔt] nm inv Danse à quatre temps. **Var foxtrot**

foyer nm **1** Partie d'une cheminée où se fait le feu. **2** Endroit où le feu est le plus ardent. *Foyer d'un incendie.* **3** Partie d'une machine où a lieu la combustion. *Le foyer d'une chaudière.* **4** Domicile familial ; la famille elle-même. *Femme au foyer. Fonder un foyer.* **5** Lieu de réunion ou d'habitation pour certains. *Foyer de jeunes travailleurs.* **6** Dans un théâtre, salle où le public peut aller pendant les entractes. **7** Point central d'où provient. *Foyer de résistance.* **8** PHYS Point de convergence des rayons lumineux. ▪ pl Domicile, pays natal. *Rentrer dans ses foyers.*

frac nm Habit de cérémonie noir, à basques.

fracas nm Bruit très violent. Loc *Avec perte et fracas* : brutalement.

fracassant, ante a Qui fait un grand bruit.

fracasser vt Briser en plusieurs pièces.

fraction nf **1** MATH Expression indiquant quel nombre de parties égales de l'unité on considère. **2** Partie d'un tout.

fractionnaire a MATH Sous forme de fraction.

fractionnel, elle a Qui tend à diviser un groupe, un parti.

fractionnement nm Action de fractionner.

fractionner vt Diviser en plusieurs parties.

fractionniste a, n Qui tend à rompre l'unité d'un parti.

fracture nf **1** Rupture d'un os. **2** Cassure de l'écorce terrestre. **3** Dissensions au sein d'un groupe.

fracturer vt **1** Rompre en forçant. *Fracturer coffre-fort.* **2** Briser un os.

fragile a **1** Sujet à se briser. *Porcelaines fragil▪* **2** Instable. *Un fragile équilibre.* **3** Dont la san̄ est précaire.

fragilisation nf Action de fragiliser.

fragiliser vt Rendre fragile.

fragilité nf Caractère fragile.

fragment nm **1** Morceau d'une chose brisée. Extrait d'une œuvre, d'un discours.

fragmentaire a Partiel, incomplet.

fragmentation nf Action de fragmenter, de fragmenter.

fragmenter vt Morceler, diviser.

fragrance nf litt Odeur agréable.

frai nm **1** Ponte des œufs, chez les poissons ; œu fécondés des poissons. **2** Alevin.

fraîche. V. *frais 1.*

fraîchement av **1** Froidement, sans courtois Fraîchement reçu.* **2** Récemment. *Fraîcheme débarqué.* **Var fraichement**

fraîcheur nf Caractère frais. **Var fraicheur**

fraîchir vi Devenir plus frais. **Var fraichir**

1. frais, fraîche a **1** Modérément froid. *E▪ fraîche.* **2** Nouvellement produit. *Du pain, d▪ œufs frais.* **3** Récent. *Nouvelles fraîches.* **4** N▪ altéré, non fatigué. *Frais et dispos.* ▪ av **1** Lég▪ rement froid. **2** litt Nouvellement. *Fleurs fraîch▪ écloses. Frais émoulu.* ▪ nm Air frais. *Prena le frais.* ▪ nf Moment frais. *Sortir à la fraîch▪* **Var frais, fraiche**

2. frais nmpl Dépenses liées à certaines circor▪ tances. Loc *Faux frais* : frais accessoires. *À pe de frais* : sans peine. *Se mettre en frais* : proc▪ guer son argent ou sa peine. *Faire les frais ▪ qqch* : en supporter les conséquences.

fraisage nm Action de fraiser.

fraise nf **1** Fruit du fraisier. **2** Membrane q▪ enveloppe les intestins du veau et de l'agneau. Masse charnue sous le cou du dindon. **4** Coll▪ rette plissée portée au XVIe s. **5** Outil rotatif mu▪ d'arêtes tranchantes, servant à usiner des pièces, creuser les dents cariées.

fraiser vt Usiner une pièce avec une fraise.

fraiseur, euse n Spécialiste du fraisage. ▪ Machine-outil servant à fraiser.

fraisier nm Plante basse qui produit les fraises.

framboise nf Fruit comestible du framboisier.

framboisier nm Arbuste dont le fruit est la fram▪ boise.

1. franc, franche a **1** Exempt de taxes. *Franc ▪ port.* **2** Sincère, loyal. *Être franc comme l'or.* ▪ Net. *Une situation franche.* **4** Plein, entier. *Hu▪ jours francs.* **5** Naturel, sans mélange. *Couleu▪ franche.* ▪ av litt Franchement.

2. franc, franque a, n Des Francs.

3. franc nm **1** Anc. unité monétaire de la Franc▪ de la Belgique et du Luxembourg. **2** Unité mon▪ taire de la Suisse et de pays d'Afrique franc▪ phone.

français, aise a, n De la France. ▪ nm Langu▪ romane parlée en France, en Belgique, en Suiss▪ au Québec, etc.

franc-comtois, oise a, n De la Franche-Comt▪ *Des Francs-comtois. Des Franc-Comtoises.*

franchement av **1** De façon sincère. **2** Très, vra▪ ment. *C'est franchement désagréable.*

franchir vt 1 Passer un obstacle. 2 Traverser de bout en bout. *Franchir un pont.*

franchisage nm COMM Contrat de franchise commerciale. **Var franchising** [-ʒiŋ]

franchise nf 1 Sincérité. *Répondre avec franchise.* 2 Exemption légale ou règlementaire de taxes, d'impositions. 3 COMM Droit concédé par une entreprise d'utiliser sa marque pour la vente de produits. 4 Somme laissée à la charge d'un assuré en cas de dommages.

franchisé, ée a, n Commerçant lié à une société par une franchise.

franchiser vt COMM Lier par le franchisage.

franchiseur, euse a, n Société qui accorde une franchise.

franchissable a Qu'on peut franchir.

franchissement nm Action de franchir.

franchouillard, arde a, n fam, péjor Français moyen caricatural.

francien nm Dialecte de l'Île-de-France au Moyen Âge, ancêtre du français.

francilien, enne a, n De l'Île-de-France.

francique nm Langue germanique des Francs.

francisation nf Action de franciser.

franciscain, aine n, a Religieux, religieuse de l'ordre de saint François d'Assise.

franciser vt Donner un caractère français.

francisque nf Hache de guerre des Francs.

francité nf Caractère français.

francium [-sjɔm] nm Métal radioactif alcalin.

franc-jeu nf 1, a Fair-play. *Des francs-jeux.*

franc-maçon, onne n Membre de la franc-maçonnerie. *Des francs-maçons. Des franc-maçonnes.*

franc-maçonnerie nf 1 Association de personnes unies par un même idéal de fraternité. 2 Entente occulte entre des personnes. *Des franc-maçonneries.*

franco av 1 Sans frais. *Marchandises franco de port.* 2 pop Sans détour, franchement.

franco-français, aise a fam Qui ne concerne que les Français.

francophile a, n Ami de la France.

francophilie nf Attitude francophile.

francophobe a, n Hostile à la France.

francophobie nf Attitude francophobe.

francophone a, n De langue française.

francophonie nf Ensemble des peuples francophones.

franco-provençal nm Dialecte des régions de Suisse romande et du Lyonnais.

franc-parler nm Franchise de langage. *Des francs-parlers.*

franc-tireur nm 1 Combattant qui n'appartient pas à une unité régulière. 2 Personne qui agit de façon indépendante du groupe. *Des francs-tireurs.*

frange nf 1 Bande d'étoffe à filets retombants. 2 Cheveux retombant sur le front. 3 Ce qui est au bord, marginal. *Frange côtière.* 4 Petit groupe marginal. *Une frange de séditieux.*

frangeant am Loc *Récif frangeant :* proche du littoral.

franger vt [11] Border.

frangin, ine n fam Frère, sœur.

frangipane nf Crème aux amandes.

frangipanier nm Arbre tropical à belles fleurs parfumées.

franglais nm Français mêlé d'anglicismes.

franquette av Loc fam *À la bonne franquette :* sans façons.

franquisme nm HIST Régime politique instauré par Franco en Espagne en 1936.

franquiste a, n Qui relève du franquisme.

frappant, ante a Qui fait une vive impression.

frappe nf 1 Action de frapper les monnaies, de dactylographier, de frapper la balle. 2 pop Voyou. Loc *Force de frappe :* armement permettant une riposte rapide.

frapper vt 1 Donner un ou plusieurs coups. 2 Tomber sur. *Lumière qui frappe un objet.* 3 Marquer d'une empreinte. *Frapper des médailles.* 4 Rafraîchir par de la glace. *Café frappé.* 5 Atteindre d'un mal. *Malheur qui frappe une famille. Être frappé d'apoplexie.* 6 Soumettre à une taxe, etc. 7 Atteindre d'une impression vive. *Frapper la vue, l'esprit.* 8 Dactylographier. ■ vpr fam S'inquiéter exagérément.

frappeur, euse a Loc *Esprit frappeur :* qui, selon les spirites, se manifeste par des coups.

frasque nf Écart de conduite.

fraternel, elle a 1 Relatif aux frères et sœurs. 2 Amical.

fraternellement av De façon fraternelle.

fraternisation nf Action de fraterniser.

fraterniser vti Adopter un comportement de solidarité, en cessant toute hostilité.

fraternité nf Solidarité entre les hommes.

fratricide n, a Qui tue son frère ou sa sœur. ■ a Qui oppose les membres d'une communauté. ■ nm Meurtre du frère ou de la sœur.

fratrie nf Groupe formé par les frères et les sœurs d'une famille.

fraude nf Action faite pour tromper ; falsification punie par la loi.

frauder vt, vi Commettre une fraude. *Frauder le fisc. Frauder sur le poids.*

fraudeur, euse n Personne qui fraude.

frauduleusement av De façon frauduleuse.

frauduleux, euse a Entaché de fraude.

frayer vt [20] Ouvrir, tracer un chemin. ■ vi 1 Pondre les œufs (poissons) 2 litt Fréquenter.

frayeur nf Crainte vive et passagère.

fredaine nf Écart de conduite.

fredonnement nm Action de fredonner.

fredonner vt, vi Chanter à mi-voix, sans ouvrir la bouche.

free-jazz [fʀidʒaz] nm Courant du jazz apparu vers 1960, qui privilégie l'improvisation. **Var freejazz**

free-lance [fʀi-] a inv, n Qui travaille de façon indépendante. *Des free-lances.* **Var freelance**

freezeur [fʀizœʀ] nm Compartiment à glace d'un réfrigérateur. **Var freezer**

frégate nf 1 anc Bâtiment de guerre à trois mâts. 2 Bâtiment rapide destiné à l'escorte des porte-avions. 3 Oiseau des mers tropicales possédant un sac gonflable rouge vif sous le bec.

frein nm 1 Organe servant à réduire ou à annuler le mouvement d'un véhicule, d'une machine. 2 Ce qui retient un élan excessif. 3 ANAT Membrane qui bride ou retient certains organes. *Frein de la langue.* 4 Mors du cheval. Loc *Mettre un frein à :* chercher à arrêter.

freinage nm Action de freiner.

freiner vt, vi Ralentir ou arrêter un véhicule. ■ vt Modérer une progression, un élan. *Freiner la hausse des prix.*

frelaté, ée a Altéré, corrompu.

frelater vt Altérer, falsifier un produit.

frêle a Qui manque de solidité, de force ; fluet.

frelon nm Grosse guêpe.

freluquet nm Homme petit et mal bâti.

frémir vi 1 Être agité d'un frissonnement accompagné d'un bruit léger. *Feuillage qui frémit au vent. L'eau frémit avant de bouillir.* 2 Trembler d'émotion. *Frémir d'horreur.*

frémissant, ante a Qui frémit.

frémissement nm 1 Léger mouvement accompagné de bruissement. 2 Tremblement léger dû à l'émotion.

frênaie nf Lieu planté de frênes.

french cancan [fʀɛnʃ-] nm Danse de girls. *Des french cancans.*

frêne nm Grand arbre à bois blanc et dur.

frénésie nf Exaltation violente.

frénétique a Violent.

frénétiquement av De façon frénétique.

fréon nm (n. déposé) Fluide utilisé dans les réfrigérateurs.

fréquemment av Souvent.

fréquence nf 1 Caractère fréquent. 2 STATIS Nombre d'observations correspondant à un évènement donné. 3 PHYS Nombre de vibrations par unité de temps.

fréquencemètre nm PHYS Appareil mesurant les fréquences.

fréquent, ente a Qui arrive souvent, se répète.

fréquentable a Qu'on peut fréquenter.

fréquentatif, ive a, nm LING Qui exprime la répétition. *Criailler est le fréquentatif de crier.*

fréquentation nf 1 Action de fréquenter un lieu. 2 Personne fréquentée.

fréquenté, ée a Où il y a beaucoup de monde.

fréquenter vt 1 Aller souvent dans un lieu. 2 Avoir de fréquentes relations avec qqn.

fréquentiel, elle a PHYS De la fréquence.

frère nm 1 Né du même père et de la même mère. 2 Membre de certains ordres religieux. **Loc** *Frères d'armes* : compagnons de combat. *Faux frère* : traître. ■ a, nm Uni par des liens étroits. *Tous les hommes sont frères. Des pays frères.*

frérot nm fam Petit frère.

frésia [fʀe-] nm Plante bulbeuse aux fleurs odorantes. **Var** freesia

fresque nf 1 Peinture sur des murs enduits de mortier frais, à l'aide de couleurs délayées à l'eau. 2 Tableau d'une époque, d'une société.

fresquiste n Peintre de fresques.

fressure nf Ensemble des viscères du mouton, du bœuf, etc.

fret nm 1 Coût du transport de marchandises par mer, par air ou par route. 2 Cargaison.

fréter vt [12] Donner ou prendre un navire, un avion, une voiture en location.

frétillant, ante a Qui frétille.

frétillement nm Mouvement de ce qui frétille.

frétiller vi S'agiter de petits mouvements vifs.

fretin nm Petits poissons. **Loc** *Menu fretin* : personne ou chose de peu d'intérêt.

frette nf TECH Cercle métallique renforçant une pièce cylindrique.

freudien, enne a De Freud, du freudisme.

freudisme nm Ensemble des conceptions et des méthodes psychanalytiques de S. Freud et de son école.

freux nm Corbeau.

friabilité nf Propriété friable.

friable a Qui se réduit aisément en poudre, en menus fragments.

friand, ande a Qui a un goût particulier pour qqch. ■ nm Petit pâté fait avec un hachis de viande.

friandise nf Sucrerie ou pâtisserie délicate.

fribourg nm Gruyère suisse.

fric nm pop Argent.

fricandeau nm Tranche de veau lardée, braisée ou poêlée.

fricassée nf Ragoût de volaille.

fricative nf PHON Consonne caractérisée par un bruit de frottement.

fric-frac nm inv fam Cambriolage.

friche nf Terrain non cultivé. **Loc** *En friche* : inculte. *Friche industrielle* : terrain, bâtiment précédemment occupé par une industrie.

frichti nm pop Fricot, repas.

fricot nm fam Plat grossier.

fricoter vt, vi fam Manigancer, tramer.

fricoteur, euse n fam Magouilleur.

friction nf 1 Action de frotter, de masser une partie du corps. 2 Frottement dur dans un mécanisme. 3 Heurt, désaccord.

frictionner vt Faire une friction à.

frigidaire nm (n. déposé) abusiv Réfrigérateur.

frigide a Incapable d'orgasme (femme).

frigidité nf État d'une femme frigide.

frigo nm fam Réfrigérateur.

frigorifier vt 1 Soumettre au froid pour conserver. 2 fam Transir.

frigorifique a Qui produit du froid. *Installation frigorifique.* ■ nm Installation, appareil servant à conserver par le froid.

frigoriste n Spécialiste du froid.

frileusement av Craintivement.

frileux, euse a 1 Qui craint le froid. 2 Craintif pusillanime.

frilosité nf Caractère craintif.

frimaire nm Troisième mois du calendrier républicain (novembre-décembre).

frimas [-ma] nm litt Brouillard épais qui devien de la glace en tombant.

frime nf fam Simulation, faux-semblant.

frimer vi fam Bluffer.

frimeur, euse n fam Personne qui frime.

frimousse nf fam Jeune visage.

fringale nf fam Faim subite.

fringant, ante a Très vif, alerte.

fringues nfpl fam Vêtements.

fripes nfpl fam Vêtements d'occasion.

friper vt Chiffonner, froisser.

friperie nf Commerce de fripier.

fripier, ère n Personne qui fait commerce de vêtements d'occasion.

fripon, onne a, n fam Malicieux, polisson. ■ nr vx Escroc.

friponnerie nf Espièglerie.

fripouille nf pop Canaille.

frire vt, vi [79] Cuire dans un corps gra bouillant.

frisant, ante a **Loc** *Lumière frisante* : rasante.

frisbee [-bi] *nm* (n. déposé) Disque de plastique que les joueurs se lancent.

frise *nf* **1** Partie de l'entablement entre l'architrave et la corniche. **2** Surface plane qui porte des motifs décoratifs.

frisé, ée *a* **1** Qui forme des boucles fines et serrées. **2** Dont les feuilles sont ondulées et découpées. ■ *nf* Variété de chicorée.

friselis *nm* litt Très léger frémissement.

friser *vt* **1** Donner la forme de boucles fines. **2** Passer au ras de, frôler. **3** Être très près de. *Procédés qui frisent l'indélicatesse.* ■ *vi* Se mettre en boucles.

frisette *nf* fam Petite boucle de cheveux. **Var frisottis** ou **frisotis**

frison, onne *a, n* De la Frise. ■ *nf* Race de vaches laitières.

frisotter *vt, vi* Friser menu. **Var frisoter**

frisquet, ette *a* fam Vif et piquant (temps). *Un vent frisquet.*

frisson *nm* Tremblement causé par une sensation de froid ou par la fièvre.

frissonnant, ante *a* Qui frissonne.

frissonnement *nm* litt Léger frisson.

frissonner *vi* Trembler sous l'effet du froid, de la fièvre ou d'une émotion intense.

frisure *nf* Façon de friser.

frite *nf* Bâtonnet frit de pomme de terre. **Loc** fam *Avoir la frite* : Être en forme.

friterie *nf* Baraque où on vend des frites.

friteuse *nf* Ustensile pour frire les aliments.

friton *nm* CUIS Syn. de *grattons*.

friture *nf* **1** Action de frire un aliment ; aliments frits. **2** Grésillement parasite dans le téléphone, dans un appareil de radio.

frivole *a* Vain et léger ; futile.

frivolité *nf* Caractère frivole ; chose frivole.

froc *nm* pop Pantalon.

froid, froide *a* **1** À basse température. *Un climat froid.* **2** Refroidi. *Le thé sera froid.* **3** Qui semble indifférent, insensible. *Colère froide.* **4** Qui ne se manifeste pas extérieurement. *Colère froide.* **5** Qui manifeste de la réserve, de l'hostilité. **Loc** *Coloris, tons froids* : bleu, vert. *À froid* : hors de toute passion. ■ *nm* **1** Basse température. **2** Absence de sympathie, d'amitié. **Loc** *Avoir froid* : souffrir du froid. *N'avoir pas froid aux yeux* : être courageux. *Prendre, attraper froid* : être malade après un refroidissement. *Jeter un froid* : provoquer un malaise. *Être en froid avec qqn* : être brouillé avec lui.

froidement *av* **1** Sans passion. **2** Sans scrupule. **3** Sans chaleur.

froideur *nf* Insensibilité, indifférence.

froidure *nf* litt Temps froid.

froissable *a* Qui se froisse facilement.

froissement *nm* Action de froisser.

froisser *vt* **1** Faire prendre des plis. **2** Blesser par un choc. *Froisser un muscle.* **3** Choquer qqn par manque de délicatesse.

frôlement *nm* Action de frôler ; contact.

frôler *vt* **1** Toucher légèrement. **2** Passer très près de.

fromage *nm* **1** Aliment fait de lait caillé, fermenté ou non. **2** fam Sinécure. **Loc** *Fromage de tête* : pâté de tête de porc en gelée.

fromager, ère *a* Relatif au fromage. ■ *n* Personne qui fabrique ou vend du fromage. ■ *nm* Grand arbre tropical produisant le kapok.

fromagerie *nf* Lieu où on fait, où on vend des fromages.

froment *nm* Blé cultivé.

fronce *nf* Chacun des petits plis obtenus par le resserrement d'un fil coulissé.

froncement *nm* Action de froncer le front, les sourcils.

froncer *vt* [10] **1** Rider en contractant, plisser. *Froncer le front.* **2** Resserrer une étoffe par des fronces.

frondaison *nf* Apparition du feuillage aux arbres ; le feuillage lui-même.

fronde *nf* **1** Arme de jet constituée de deux liens réunis par une pièce de cuir contenant le projectile. **2** Lance-pierres. **3** litt Révolte contre l'autorité.

fronder *vt* litt Critiquer, railler. *Fronder le gouvernement.*

frondeur, euse *a, n* litt Qui a tendance à critiquer l'autorité. ■ *nm* HIST Personne qui participait à la Fronde.

front *nm* **1** Partie supérieure du visage. **2** litt Le visage. *Le rouge au front.* **3** Zone des combats (par oppos. à *l'arrière*). *Monter au front.* **4** Alliance entre des partis, des syndicats, etc. **Loc** *Front de mer* : bande de terrain, avenue en bordure de la mer. *Front de taille* : face verticale selon laquelle progresse un chantier dans les mines. *Avoir le front de* : l'audace de. *De front, de plein front* : par-devant. *De front* : sans détour ; sur un même rang ; en même temps.

frontal, ale, aux *a* Qui se produit de front. *Choc frontal.* **Loc** ANAT *Os frontal* : os situé à la partie antérieure du crâne.

frontalier, ère *a* Proche d'une frontière. ■ *a, n* Qui habite une région frontalière.

frontière *nf* **1** Limite séparant deux États. **2** Limite, borne. *Les frontières du savoir.*

frontignan *nm* Vin muscat du Midi.

frontispice *nm* **1** ARCHI Façade principale d'un monument. **2** Titre d'un ouvrage imprimé ; planche illustrée placée en regard.

fronton *nm* **1** ARCHI Ornement triangulaire couronnant un édifice. **2** Mur contre lequel on joue à la pelote basque.

frottage *nm* Action de frotter.

frottement *nm* **1** Action de frotter. **2** Contact entre deux surfaces dont l'une au moins se déplace. ■ *pl* Désaccords.

frotter *vt* **1** Presser, appuyer sur qqch, souvent pour nettoyer ; astiquer. **2** Frictionner son corps. ■ *vi* Produire une friction, une résistance, en parlant d'un corps en mouvement. ■ *vpr* **1** Fréquenter. *Se frotter à la bonne société.* **2** fam Attaquer, s'en prendre à qqn. **Loc** fam *Se frotter les mains* : se réjouir.

frottis *nm* MED Étalement sur une lame, pour examen au microscope, d'un liquide organique.

frottoir *nm* Surface enduite provoquant par friction l'allumage d'une allumette.

froufrou *nm* Bruit produit par un froissement léger.

froufroutant, ante *a* Qui froufroute.

froufrouter *vi* Produire des froufrous.

froussard, arde *a* fam Peureux.

frousse *nf* fam Peur.

fructidor nm HIST Douzième et dernier mois du calendrier républicain (août-septembre).

fructifère a BOT Qui porte des fruits.

fructification nf BOT Formation des fruits ; période où les fruits se forment.

fructifier vi 1 Produire des fruits. 2 Avoir des résultats avantageux ; produire des bénéfices.

fructose nm CHIM Sucre des fruits.

fructueux, euse a Avantageux, bénéfique.

frugal, ale, aux a Qui se satisfait d'une nourriture simple et peu abondante.

frugalement av frugalité.

frugalité nf Caractère frugal, sobre.

frugivore a, nm ZOOL Qui se nourrit de fruits.

fruit nm 1 BOT Produit végétal qui succède à la fleur après fécondation et qui renferme les graines. 2 Produit sucré, comestible, d'un arbre fruitier. 3 Avantage, bénéfice. *Le fruit de son travail.* 4 Inclinaison de la face extérieure d'un mur. Loc *Avec fruit* : utilement. litt *Le fruit d'une union* : un enfant. *Fruit défendu* : chose interdite. *Fruit sec* : raté, personne improductive. ■ pl 1 Produits de la nature. 2 DR Revenus fonciers. Loc *Fruits de mer* : crustacés et mollusques comestibles.

fruité, ée a Qui a un goût de fruit.

fruiterie nf Commerce du fruitier.

fruitier, ère a Qui produit des fruits comestibles. ■ n Commerçant de fruits au détail. ■ nm Local où on conserve les fruits frais. ■ nf Fromagerie coopérative (Jura, Savoie).

frusques nfpl pop Vêtements usagés.

fruste a 1 Grossier, sans raffinement. 2 Au relief usé (sculpture, médaille).

frustrant, ante a Qui frustre, décevant.

frustration nf 1 Action de frustrer. 2 PSYCHO Impossibilité de satisfaire un désir, aboutissant à son refoulement.

frustré, ée a, n fam Qui se sent perpétuellement insatisfait.

frustrer vt 1 Priver qqn de ce qui lui est dû. 2 Décevoir qqn dans son attente.

frutescent, ente a BOT Qui tient de l'arbrisseau.

fuchsia [fyʃja] ou [fyksja] nm Arbrisseau à fleurs en forme de clochettes.

fuchsine [fuksin] nf CHIM Colorant rouge.

fucus nm Algue brune constituant le goémon.

fuégien, enne a, n De la Terre de Feu.

fuel. V. fioul.

fugace a Qui disparaît rapidement, ne dure pas.

fugacité nf Caractère fugace.

fugitif, ive a, n Qui s'est échappé, qui a pris la fuite. ■ a Fugace. *Plaisirs fugitifs.*

fugitivement av De façon fugitive.

fugue nf 1 Forme musicale, caractérisée par des reprises du motif. 2 Abandon du domicile familial pendant une courte période.

fuguer vi Faire une fugue.

fugueur, euse a, n Qui fait des fugues.

Führer [fyʀœʀ] nm Titre que prit Hitler.

fuir vi [28] 1 S'éloigner rapidement pour échapper à un danger. *Fuir de son pays.* 2 Se dérober, s'esquiver. *Fuir devant ses responsabilités.* 3 S'échapper par une issue, une fente (liquide, gaz). *Vin qui fuit d'un tonneau.* 4 Laisser passer un fluide (récipient). *Tonneau qui fuit.* ■ vt Chercher à éviter. *Fuir un danger.*

fuite nf 1 Action de fuir. 2 Échappement de fluides par une fissure ; la fissure elle-même.

Fuite de gaz. Boucher une fuite. 3 Indiscrétion ; communication illicite de documents.

fulgurant, ante a 1 Rapide comme l'éclair *Démarrage fulgurant.* 2 Qui illumine soudainement l'esprit. *Intuition fulgurante.* Loc MED *Douleur fulgurante* : aiguë et fugace.

fulguration nf Éclair de chaleur.

fulgurer vi litt Briller vivement.

fuligineux, euse a 1 Qui produit de la suie. 2 Qui évoque la couleur de la suie.

full [ful] nm Au poker, réunion dans une même main d'un brelan et d'une paire.

full-contact [ful-] nm Sport de combat où les coups peuvent être portés avec toutes les extrémités. Syn. boxe américaine.

fulminant, ante a 1 litt Menaçant. 2 CHIM Détonant. *Mélange fulminant.*

fulminer vi 1 S'emporter violemment en proférant des menaces. *Fulminer contre les mœurs du siècle.* 2 CHIM Détoner. 3 litt Formuler avec emportement. *Fulminer des accusations.*

fumable a Qu'on peut fumer.

fumage nm Action de fumer une terre.

fumaison nf Action de fumer de la viande, du poisson. Var fumage nm

fumant, ante a 1 Qui dégage de la fumée, de la vapeur. 2 fam Sensationnel, formidable. *Un coup fumant.*

fumé, ée a Qu'on a fumé (produit comestible). Loc *Verre fumé* : de couleur foncée.

fume-cigare, fume-cigarette nm Petit tube de bois, d'ambre, etc., pour fumer un cigare, une cigarette. *Des fume-cigares, des fume-cigarettes.*

fumée nf 1 Mélange de gaz et de particules solides se dégageant de corps qui brûlent. 2 Vapeur exhalée par un liquide chaud. Loc *Noir de fumée* : produit obtenu par combustion incomplète de corps riches en carbone. *S'en aller en fumée* : disparaître, ne rien produire. ■ pl Excréments des cerfs et autres animaux sauvages. Loc litt *Fumées du vin, de l'ivresse* : troubles mentaux provoqués par l'alcool.

1. fumer vt Épandre du fumier sur le sol pour l'amender.

2. fumer vi 1 Répandre de la fumée. 2 Dégager de la vapeur d'eau. 3 fam Être dans une violente colère. ■ vt 1 Faire brûler du tabac, du haschisch pour en aspirer la fumée. 2 Exposer de la viande, du poisson à la fumée pour les conserver.

fumerie nf Lieu où l'on fume l'opium.

fumerolle nf Émanation gazeuse sortant de crevasses dans des régions volcaniques. Var fumerole

fumet nm 1 Arôme des viandes à la cuisson, d'un vin. 2 Odeur que dégagent certains animaux. 3 CUIS Sauce à base de poisson.

fumeur, euse n Personne qui fume du tabac. ■ nm Personne qui fume des viandes et des poissons.

fumeux, euse a 1 Qui répand de la fumée. 2 Obscur, confus. *Explications fumeuses.*

fumier nm 1 Mélange de la litière et des déjections des bestiaux, qu'on utilise comme engrais. 2 fam Homme vil, abject.

fumigateur nm Appareil destiné aux fumigations.

fumigation nf 1 MED Inhalation de vapeurs médicamenteuses. 2 Production de vapeurs désinfectantes pour assainir un local, détruire les parasites.

fumigatoire a Qui sert à des fumigations.

fumigène a Qui produit de la fumée.

fumiste a, n fam Peu sérieux, dilettante. ■ nm Personne qui entretient les appareils de chauffage.

fumisterie nf 1 Profession du fumiste. 2 fam Chose qui manque totalement de sérieux.

fumoir nm 1 Local destiné aux fumeurs. 2 Lieu où l'on fume les viandes, les poissons.

fumure nf 1 Action de fumer une terre. 2 Engrais ou fumier utilisé pour cela.

funambule n Acrobate qui marche sur une corde au-dessus du sol.

funambulesque a De funambule.

funboard [fœnbɔrd] nm Planche à voile courte ; sport pratiqué avec cette planche. **Var fun** [fœn]

funèbre a 1 Relatif aux funérailles. 2 Triste, lugubre.

funérailles nfpl Cérémonies accompagnant les enterrements.

funéraire a Propre aux funérailles, aux tombes.

funérarium [-rjɔm] nm Lieu où se réunit la famille avant les obsèques.

funeste a 1 Qui apporte la mort. 2 Désastreux.

funiculaire nm Chemin de fer à câbles ou à crémaillère.

funk [fœnk] a inv, nm inv Style de rock des années 1970.

funky [fœnki] a inv, nm inv Style de jazz des années 1960.

furax a inv fam Furieux.

furet nm Petit mammifère carnivore.

fur et à mesure (au) av Simultanément et proportionnellement ou successivement.

fureter vi [17] Fouiller, chercher avec soin pour découvrir qqch.

fureteur, euse a, n Curieux.

fureur nf 1 Colère très violente. Être en fureur. 2 Passion excessive. Aimer avec fureur. 3 Déchaînement. Fureur de la tempête. **Loc** Faire fureur : être très en vogue.

furibard, arde a fam Furieux. **Var furibond, onde**

furie nf 1 Colère démesurée. Être en furie. 2 Violence impétueuse. 3 Femme violente.

furieusement av Avec furie.

furieux, euse a 1 Qui ressent ou marque une violente colère. 2 Impétueux. Assaut furieux. **Loc** Fou furieux : pris d'une crise de violence.

furioso MUS Plein d'impétuosité.

furoncle nm Inflammation ayant en son centre une accumulation de pus.

furonculose nf Éruption de furoncles.

furtif, ive a Fait à la dérobée. Signe furtif. **Loc** Avion furtif : que les radars ne peuvent détecter.

furtivement av De façon furtive.

furtivité nf Caractère d'un avion furtif.

fusain nm 1 Arbrisseau à fruits rouges. 2 Charbon fin fait avec le fusain ; crayon au fusain ; dessin fait avec ce crayon.

fusant, ante a 1 Qui fuse. Poudre fusante. 2 Qui explose en l'air (obus).

fuseau nm 1 Instrument pour filer la laine, faire de la dentelle. 2 Pantalon dont les jambes se rétrécissent vers le bas. **Loc** Fuseau horaire : chacune des 24 zones de la surface terrestre dont tous les points ont la même heure légale. En fuseau : renflé en son milieu et effilé aux extrémités pointues.

fusée nf 1 Engin spatial, projectile propulsé par la force d'expansion du gaz résultant de la combustion d'un carburant. 2 Pièce d'artifice composée de poudre mélangée à des matières colorantes. 3 Pièce conique qui reçoit la roue d'un véhicule.

fuselage nm Corps principal d'un avion, sur lequel est fixée la voilure.

fuselé, ée a En fuseau.

fuseler vt [16] ou [18] TECH Donner une forme fuselée à qqch.

fuser vi 1 Jaillir. 2 Brûler sans détoner (poudre).

fusette nf COUT Petite bobine de fil.

fusible a Qui peut fondre. ■ nm 1 Élément protecteur d'un circuit électrique contre les intensités trop élevées. 2 fam Personne qui prend sur elle une responsabilité pour protéger son supérieur hiérarchique.

fusiforme a D'une forme allongée et renflée en son milieu.

fusil [-zi] nm 1 Arme à feu portative. 2 Instrument en acier pour aiguiser les couteaux. **Loc** Changer son fusil d'épaule : changer d'opinion. fam Coup de fusil : addition exagérée à l'hôtel, au restaurant. En chien de fusil : les genoux contre la poitrine.

fusilier nm **Loc** Fusilier marin : marin entraîné pour un débarquement.

fusillade nf Décharge de coups de feu.

fusiller vt 1 Tuer à coups de fusil. 2 fam Abîmer. Fusiller son moteur. **Loc** Fusiller du regard : regarder avec hostilité.

fusil-mitrailleur nm Arme légère à tir automatique. Des fusils-mitrailleurs.

fusion nf 1 Passage d'un corps de l'état solide à l'état liquide sous l'action de la chaleur. 2 Union d'éléments distincts en un tout. Fusion de sociétés. 3 PHYS Réunion d'atomes libérant une énergie considérable.

fusionnement nm Action de fusionner.

fusionner vt Regrouper par fusion. ■ vi Se regrouper par fusion. Ces sociétés ont fusionné.

fustanelle nf Court jupon évasé chez les Grecs.

fustigation nf Action de fustiger.

fustiger vt [11] 1 Battre, flageller. 2 litt Blâmer, stigmatiser.

fût [fy] nm 1 Partie dépourvue de branches du tronc d'un arbre. 2 Partie d'une colonne, située entre la base et le chapiteau. 3 Monture de certains objets, d'une arme à feu. 4 Tonneau. 5 Élément cylindrique d'un appareil, d'un instrument. Fût d'un tambour. **Var fut**

futaie nf Forêt où on laisse les arbres atteindre une grande taille avant de les exploiter.

futaille nf Tonneau.

futé, ée a fam Rusé, malin.

futile a Insignifiant, frivole.

futilement av De façon futile.

futilité nf Caractère futile ; chose futile.

futon nm Matelas japonais.

futur, ure a 1 Qui est à venir. Les jours futurs. 2 Qui sera ultérieurement tel. Les futurs époux. ■ nm 1 Temps à venir ; avenir. 2 GRAM Temps du verbe indiquant que l'action ou l'état se situe dans l'avenir. **Loc** Futur antérieur : exprimant l'antériorité d'une action future par rapport à une autre.

futurisme nm 1 Doctrine esthétique du XXᵉ s. 2 Caractère de ce qui semble préfigurer l'avenir.

futuriste *a, n* Du futurisme.
futurologie *nf* Discipline visant à prévoir l'avenir dans une perspective globale.
futurologue *n* Spécialiste de futurologie.

fuyant, ante [fyijã] *a* **1** Qui fuit. **2** Qui sembl s'enfoncer vers l'arrière-plan. *Ligne fuyante. Lo Front fuyant :* effacé vers l'arrière.
fuyard, arde [fyijaʀ] *a, n* Qui s'enfuit.

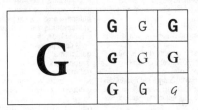

g nm Septième lettre (consonne) de l'alphabet.
gabardine nf 1 Tissu de laine sergé. 2 Manteau imperméable.
gabarit [-ʀi] nm 1 Dimension règlementée d'un objet. 2 Taille, stature, dimension physique ou morale de qqn.
gabbro nm Roche magmatique.
gabegie nf Gaspillage, gâchis.
gabelle nf HIST Impôt sur le sel.
gabelou nm fam Douanier.
gabier nm Matelot chargé de la manœuvre.
gabonais, aise a, n Du Gabon.
gâche nf Boîtier métallique recevant le pêne de la serrure.
gâcher vt 1 Délayer du mortier, du plâtre. 2 Abîmer, gâter. *Le temps a gâché vos vacances.* 3 Dissiper, gaspiller. Loc *Gâcher le métier :* travailler pour un prix trop bas.
gâchette nf 1 Arrêt de pêne d'une serrure. 2 Mécanisme d'une arme à feu actionné par la détente. 3 abusiv La détente elle-même.
gâcheur, euse n Personne qui gaspille.
gâchis nm 1 Choses gâchées, détériorées. 2 Désordre, gabegie.
gadget [-ʒɛt] nm Objet ou procédé ingénieux et nouveau, utile ou non.
gadgétiser vt Munir de nombreux gadgets.
gadidé nm ZOOL Poisson marin, comme la morue, le merlan, le lieu.
gadin nm fam *Prendre un gadin :* tomber.
gadjo n Non-gitan, pour un gitan.
gadoue nf fam Boue. **Var gadouille**
gadzarts n fam Élève des écoles d'arts et métiers.
gaélique a Des Gaëls. ■ nm Parler celtique d'Écosse et d'Irlande.
gaffe nf 1 MAR Perche munie d'un croc, utilisée pour accrocher. 2 fam Lourde maladresse. Loc fam *Faire gaffe :* faire attention.
gaffer vt Accrocher avec une gaffe. ■ vi fam Commettre une maladresse.
gaffeur, euse n fam Personne qui commet des maladresses.
gag nm Situation engendrant un effet comique.
gaga a, n fam Gâteux.
gage nm 1 Objet, bien mobilier constituant une garantie de paiement. 2 À certains jeux, pénitence que doit accomplir celui qui a perdu ou qui a commis une faute. 3 Preuve, témoignage. *Gage*

d'amitié. ■ pl Rétribution d'un employé de maison. Loc *Tueur à gages :* payé pour tuer.
gager vt [11] 1 Garantir par un gage. *Gager un emprunt.* 2 litt Parier.
gageure [gaʒyʀ] nf Défi, pari impossible, difficile à réaliser. **Var gageüre**
gagnable a Qu'on peut gagner.
gagnant, ante a, n Qui gagne.
gagne-pain nm Instrument, métier qui permet de gagner sa vie. *Des gagne-pains* ou *gagne-pain.*
gagne-petit nm Personne aux revenus modestes, sans ambition. *Des gagne-petits* ou *gagne-petit.*
gagner vt 1 Acquérir qqch par son travail ou ses activités. *Gagner de l'argent. Gagner la confiance de qqn.* 2 Voir se terminer à son avantage un conflit, une lutte, une rencontre sportive. *Gagner un procès, la guerre.* 3 Se diriger vers, rejoindre un lieu. 4 Se propager dans, s'étendre à. *L'incendie a gagné la maison voisine. Le sommeil me gagne.* 5 Rendre qqn favorable à. *Gagner qqn à une cause.* Loc *Avoir bien gagné qqch :* mérité de l'obtenir. *Gagner du temps :* économiser du temps ; temporiser, atermoyer. ■ vi 1 Être vainqueur. 2 Tirer avantage à. *Il gagne à être connu.* 3 S'améliorer. *Ce vin a gagné en vieillissant.*
gagneur, euse n Personne qui a la volonté de gagner.
gai, gaie a 1 Enclin à la bonne humeur. 2 Mis en gaieté par la boisson. 3 Qui marque la gaieté.
gaiement av Avec gaieté.
gaieté nf Caractère gai, joyeux. Loc *De gaieté de cœur :* sans contrainte et avec un certain plaisir (souvent en phrase négative).
gaillac nm Vin du Sud-Ouest.
1. gaillard, arde a 1 Plein de force, de santé et de vivacité. 2 Leste, grivois. ■ n Personne vigoureuse et pleine d'allant.
2. gaillard nm MAR Partie élevée à l'une ou l'autre extrémité du pont supérieur d'un navire.
gaillardement av De façon gaillarde.
gaillardise nf litt Grivoiserie.
gain nm 1 Fait de gagner. *Gain d'un procès, d'une bataille.* 2 Salaire, profit, bénéfice. Loc *Avoir gain de cause :* l'emporter dans un litige.
gaine nf 1 Étui épousant la forme de l'objet qu'il contient. 2 Sous-vêtement féminin élastique enserrant les hanches. 2 Conduit. *Gaine de ventilation.* 4 Cage pour la cabine d'un ascenseur.

gainer *vt* 1 Recouvrir d'une gaine. 2 Mouler étroitement. *Jambes gainées de soie.*

gala *nm* Réception, fête, représentation artistique de caractère officiel.

galactique *a* D'une galaxie.

galactomètre *nm* Appareil mesurant la densité du lait.

galactose *nm* CHIM Sucre contenu dans le lait.

galalithe *nf* (n. déposé) Matière plastique.

galamment *av* Avec courtoisie.

galant, ante *a* 1 Prévenant, empressé auprès des femmes. 2 Inspiré par l'amour. *Intrigue galante.* Loc *Femme galante* : qui fait commerce de ses charmes.

galanterie *nf* 1 Délicatesse, prévenance envers les femmes. 2 Propos flatteurs adressés à une femme.

galantine *nf* Charcuterie servie froide dans de la gelée.

galapiat *nm* fam Vaurien.

galaxie *nf* 1 Vaste ensemble dynamique d'étoiles et de matière interstellaire. 2 (avec majusc.) *La galaxie à laquelle appartient le Soleil.* 3 fam Ensemble flou de personnes ou de choses.

galbe *nm* Contour arrondi et harmonieux d'un objet, du corps humain.

galbé, ée *a* Qui présente un contour arrondi et harmonieux.

galber *vt* Donner du galbe à.

gale *nf* 1 Maladie cutanée due à un acarien. 2 Personne méchante.

galéjade *nf* Plaisanterie faite pour mystifier.

galéjer *vi* [12] Dire des galéjades.

galène *nf* MINER Sulfure de plomb.

galénique *a* Loc *Médicament galénique* : préparé dans la pharmacie.

galéopithèque *nm* Écureuil volant.

galère *nf* 1 HIST Bâtiment à voiles et à rames. 2 fam Situation très pénible. ■ *pl* Peine des condamnés à ramer sur les galères.

galérer *vi* [12] fam 1 Faire un travail pénible et mal payé. 2 Vivre sans ressources assurées.

galerie *nf* 1 Passage couvert situé à l'intérieur ou à l'extérieur d'un bâtiment. 2 Balcons les plus élevés, dans un théâtre. 3 Lieu d'exposition d'œuvres d'art ; magasin de vente de ces œuvres. 4 Petit chemin que creusent sous terre divers animaux. 5 Conduit souterrain. *Galerie de mine.* 6 Porte-bagage fixé au toit d'une automobile. Loc *La galerie* : les spectateurs. *Pour la galerie* : pour se faire remarquer.

galérien *nm* Condamné aux galères.

galeriste *n* Personne qui dirige une galerie d'art.

galet *nm* 1 Caillou poli par le frottement des eaux. 2 Cylindre, disque de roulement de métal, de bois, etc.

galetas [galta] *nm* Logement misérable.

galette *nf* 1 Gâteau rond et plat, cuit au four. 2 fam Argent.

galeux, euse *a, n* Qui a la gale.

galibot *nm* anc Apprenti mineur.

galicien, enne *a, n* De la Galice. ■ *nm* Parler du nord-ouest de l'Espagne.

galiléen, enne *a, n* De Galilée.

galimatias [-tja] *nm* Discours confus.

galion *nm* Grand bâtiment de charge utilisé autrefois pour le transport de l'or d'Amérique.

galipette *nf* fam Culbute, cabriole.

galle *nf* BOT Excroissance d'un tissu végétal dû à un parasite. Loc *Noix de galle* : galle du chêne dont on extrait du tanin.

gallican, ane *a, n* Du gallicanisme.

gallicanisme *nm* HIST Doctrine préconisant une certaine indépendance des Églises nationales vis-à-vis de la papauté.

gallicisme *nm* Idiotisme particulier à la langue française (ex. : *en être de sa poche*).

gallinacé *nm* ZOOL Oiseau omnivore au vol lourd, telle la poule. **Var** galliforme

gallique *a* Loc *Acide gallique* : extrait de la noix de galle, utilisé comme colorant.

gallium [-ljɔm] *nm* Métal rare utilisé comme semi-conducteur.

gallo *nm* Dialecte d'oïl de Bretagne orientale.

gallois, oise *a, n* Du pays de Galles. ■ *nm* Langue celtique du pays de Galles.

gallon *nm* Unité de capacité anglo-saxonne qui vaut 4,54 l en Grande-Bretagne et 3,785 l aux États-Unis.

gallo-romain, aine *a, n* De la Gaule romaine. *Des vestiges gallo-romains.*

gallo-roman, ane *a, nm* Se dit des dialectes romans parlés dans l'ancienne Gaule.

galoche *nf* Chaussure à semelle de bois. Loc *Menton en galoche* : pointu et recourbé.

galon *nm* 1 Ruban pour border, orner. 2 Marque servant à distinguer différents grades militaires. Loc fam *Prendre du galon* : monter en grade.

galonné, ée *nm* fam Officier ou sous-officier.

galop *nm* 1 La plus rapide des allures des quadrupèdes (du cheval). 2 Ancienne danse d'un mouvement très vif. Loc *Au galop* : très vite. *Galop d'essai* : épreuve probatoire.

galopade *nf* Course précipitée.

galopant, ante *a* Qui s'accroît très rapidement. *Inflation galopante.*

galoper *vi* 1 Aller au galop. 2 Courir, se précipiter.

galopin *nm* fam Garnement, polisson.

galoubet *nm* Flûte provençale à trois trous.

galuchat *nm* Peau de raie ou de requin, préparée pour la reliure, la maroquinerie, etc.

galurin *nm* pop Chapeau. **Var** galure.

galvanique *a* Du galvanisme.

galvanisation *nf* Action de galvaniser.

galvaniser *vt* 1 Enthousiasmer, remplir d'ardeur. 2 Recouvrir une pièce métallique d'une couche protectrice de zinc.

galvanisme *nm* Effets produits par le courant électrique continu sur les muscles, les nerfs.

galvanomètre *nm* ÉLECTR Appareil mesurant l'intensité des courants faibles.

galvanoplastie *nf* Dépôt par électrolyse d'une couche de métal sur un support.

galvaudage *nm* Action de galvauder.

galvauder *vt* Avilir par un mauvais usage.

gamay *nm* Cépage rouge du Beaujolais.

gamba *nf* Grosse crevette.

gambade *nf* Cabriole.

gambader *vt* Faire des gambades.

gamberger *vi, vt* [11] pop Réfléchir, imaginer.

gambien, enne *a, n* De Gambie.

gamelle *nf* Récipient individuel pour transporter un repas tout préparé. Loc fam *Ramasser une gamelle* : tomber ; échouer.

gamète nm BIOL Cellule reproductrice mâle (spermatozoïde) ou femelle (ovule).

gamétogenèse nf BIOL Formation des gamètes.

gamin, ine n fam Enfant, adolescent.

gaminerie nf fam Enfantillage.

gamma nm Troisième lettre de l'alphabet grec, correspondant à g. Loc *Rayons gamma(s) :* rayons très pénétrants émis lors de la désintégration des corps radioactifs.

gammaglobuline nf MED Protéine du plasma utilisée comme anticorps.

gamme nf 1 MUS Suite ascendante ou descendante de notes conjointes. 2 Ensemble de couleurs, d'états, d'objets, etc., qui s'ordonnent suivant une gradation. *Gamme de voitures.* Loc *Haut de gamme :* de luxe. *Bas de gamme :* de mauvaise qualité ou bon marché.

gammée af Loc *Croix gammée :* croix à branches coudées, qui a servi d'emblème à l'Allemagne nazie.

gamopétale a, nf BOT À pétales soudés.

gamosépale a BOT À sépales soudés.

ganache nf 1 Région postérieure de la mâchoire inférieure du cheval. 2 fam Incapable.

gandin nm litt Jeune dandy ridicule.

gandoura nf Tunique sans manches des pays arabes.

gang [gɑ̃g] nm Association de malfaiteurs.

ganga nm Oiseau proche du pigeon.

ganglion nm Petit corps arrondi sur le trajet d'un vaisseau lymphatique ou d'un nerf.

ganglionnaire a Des ganglions.

gangrène nf 1 Nécrose et putréfaction des tissus. 2 litt Ce qui corrompt, détruit.

gangrener vt [15] 1 Atteindre de gangrène. 2 litt Corrompre, pourrir. **Var gangréner** [12]

gangreneux, euse a MED De la gangrène. **Var gangréneux, euse**

gangster [gɑ̃gstɛʀ] nm Bandit, malfaiteur.

gangstérisme [gɑ̃g-] nm Banditisme.

gangue nf Enveloppe rocheuse des minerais.

ganse nf Cordonnet servant d'ornement dans le costume, l'ameublement.

ganser vt Orner, border d'une ganse.

gant nm Pièce d'habillement ou objet en cuir, en tissu qui couvre la main. Loc *Aller comme un gant :* convenir parfaitement. *Prendre des gants :* des précautions. *Jeter le gant :* lancer un défi. *Relever le gant :* relever le défi. *Retourner comme un gant :* faire changer d'avis.

gantelet nm Pièce qui protège les mains.

ganter vt Mettre des gants à. ■ vi Avoir comme pointure de gants. *Ganter du 7.*

ganterie nf Fabrication ou commerce des gants.

gantier, ère n Personne qui fabrique ou vend des gants.

gantois, oise a, n De Gand.

gap nm Écart, retard important.

gaperon nm Fromage de vache auvergnat.

garage nm 1 Action de garer. 2 Local destiné à remiser les voitures. 3 Entreprise de réparation et d'entretien des véhicules. Loc *Voie de garage :* voie pour garer les trains ; fonction secondaire, sans avenir.

garagiste n Personne qui tient un garage.

garance nf Plante cultivée pour le colorant rouge tiré de ses racines. ■ a inv Rouge vif.

garant, ante n, a Qui répond de qqn, de ses obligations. ■ nm Caution, preuve.

garantie nf Engagement pris par un contractant de prendre à sa charge la réparation d'une marchandise défectueuse, d'indemniser des dommages, etc. ■ pl Gages, assurance. *Donner des garanties.*

garantir vt 1 Se porter garant de ; assurer un droit. 2 Donner pour vrai, pour certain. *Je vous garantis que je l'ai.* 3 Protéger qqn, qqch. *La digue garantit la ville de (ou contre) l'inondation.*

garbure nf CUIS Soupe du Sud-Ouest, au chou et au confit d'oie.

garce nf fam Fille ou femme sans moralité ou méchante.

garçon nm 1 Enfant mâle. 2 Adolescent ; homme jeune. 3 Célibataire. 4 Employé d'un artisan, d'un commerçant ; serveur dans un café. Loc *Mauvais garçon :* voyou.

garçonne nf Loc *Coiffure à la garçonne :* cheveux courts et nuque rasée.

garçonnet nm Petit garçon.

garçonnière nf Studio pour une personne seule.

1. garde nf 1 Action de surveiller, de protéger, d'interdire l'accès à un lieu. 2 Service de sécurité, de protection. 3 Position d'attente, de défense en boxe, en escrime. 4 Partie d'une arme blanche qui protège la main. Loc *Garde à vue :* mesure qui permet à la police de retenir pendant un temps dans ses locaux tout individu pour les besoins de l'enquête. *De garde :* qui assure une permanence. *Monter la garde :* être de faction. *Être sur ses gardes :* se méfier. *Vieille garde :* les plus anciens partisans d'une personnalité. *Prendre garde :* faire attention.

2. garde n 1 Gardien, surveillant. 2 Personne qui appartient à une troupe, à un service de protection. 3 Personne qui garde les enfants, les malades. Loc *Garde champêtre :* agent municipal chargé de faire respecter les règlements municipaux. *Garde forestier :* chargé de surveiller les bois et les forêts. *Garde des Sceaux :* en France, ministre de la Justice.

garde-à-vous interj Commandement militaire enjoignant de prendre une position rigide règlementaire. ■ nm inv Cette position.

garde-barrière n Chargé de la manœuvre d'un passage à niveau non automatisé. *Des gardes-barrières* ou *garde-barrières.*

garde-boue nm Pièce incurvée qui protège les roues d'une bicyclette, d'une motocyclette, des éclaboussures. *Des gardes-boues* ou *garde-boue.*

garde-chasse nm Gardien d'une chasse privée. *Des gardes-chasses* ou *garde-chasses.*

garde-chiourme nm anc Surveillant dans un bagne. *Des gardes-chiourmes* ou *gardes-chiourme.*

garde-corps nm inv Balustrade empêchant de tomber dans le vide.

garde-côte nm anc Petit navire de guerre chargé de surveiller les côtes. *Des gardes-côtes* ou *garde-côtes.*

garde-du-corps n Chargé de veiller à la sécurité rapprochée d'une personnalité. *Des gardes-du-corps.*

garde-feu nm Grille placée devant le foyer d'une cheminée. *Des garde-feux* ou *garde-feu.*

garde-fou nm 1 Balustrade empêchant de tomber dans le vide. 2 Ce qui empêche les erreurs. *Des gardes-fous* ou *garde-fous.*

garde-frontière nm Militaire contrôlant une frontière. *Des gardes-frontières* ou *garde-frontières.*

garde-malade n Personne qui garde et soigne les malades. *Des gardes-malades* ou *garde-malades.*

garde-manger nm inv Petit placard aéré où on conserve les aliments.

garde-meuble nm Lieu où on peut laisser des meubles en garde. *Des garde-meubles.*

gardénal nm (n. déposé) Médicament sédatif.

gardénia nm Arbrisseau à grandes fleurs ornementales.

garden-party [-dɛn-] nf Réception élégante donnée dans un jardin. *Des garden-partys.*

garde-pêche nm 1 Agent qui surveille les cours d'eau et les étangs. 2 Petit navire de guerre qui protège les zones de pêche. *Des gardes-pêches* ou *garde-pêche.*

garder vt 1 Veiller sur, prendre soin de. *Garder un malade. Garder les chèvres.* 2 Surveiller pour empêcher de s'enfuir. *Garder à vue un suspect.* 3 Veiller à la sécurité de. *Des gendarmes gardent l'arsenal.* 4 Ne pas se dessaisir de. *Gardez bien ces papiers.* 5 Réserver. *Garder une chambre pour qqn.* Loc *Garder le silence :* rester silencieux. *Garder son sérieux :* se retenir de rire. *Garder la chambre :* rester chez soi pour cause de maladie. ■ vpr 1 Se prémunir contre. *Se garder du froid.* 2 S'abstenir de. *Gardez-vous de partir.*

garderie nf Garde des enfants en bas âge ; lieu où elle est assumée.

garde-robe nf 1 Armoire, placard où on garde les vêtements. 2 Ensemble des vêtements que possède qqn. *Des garde-robes.*

garde-voie nm Surveillant des voies ferrées. *Des garde(s)-voies.*

gardian nm Gardien de taureaux ou de chevaux, en Camargue.

gardien, enne n 1 Personne qui garde ; surveillant. *Gardien de prison, de musée, de square. Gardien de nuit.* 2 Préposé à la garde d'un immeuble ; concierge. 3 Personne qui défend, qui maintient. *Les gardiens de la tradition.* Loc *Gardien de la paix :* agent de police.

gardiennage nm Garde et surveillance assurées par des gardiens.

gardon nm Petit poisson d'eau douce.

1. gare nf Installations et bâtiments destinés au trafic des trains. Loc *Gare maritime :* sur le quai où accostent les navires. *Gare routière :* pour le trafic des camions.

2. gare ! interj Avertit d'avoir à faire attention. Loc *Sans crier gare :* sans prévenir.

garenne nf Zone où vivent des lapins sauvages. Loc *Lapin de garenne :* lapin sauvage.

garer vt Ranger un véhicule à l'abri ou à l'écart de la circulation. ■ vpr 1 Ranger sa voiture. 2 Se mettre à l'abri.

gargantuesque a Digne de Gargantua.

gargariser (se) vpr 1 Se rincer la gorge avec un gargarisme. 2 fam Se délecter de.

gargarisme nm 1 Action de se gargariser. 2 Liquide médicamenteux pour se gargariser.

gargote nf fam Restaurant médiocre.

gargouille nf Gouttière en saillie autrefois ornée d'un motif architectural, pour rejeter l'eau en avant d'un mur.

gargouillement nm Bruit analogue à celui d'un liquide qui s'écoule irrégulièrement. Var **gargouillis**

gargouiller vi Faire entendre un gargouillement

gargoulette nf Récipient pour garder l'eau fraîche.

garnement nm Enfant turbulent.

garni, ie a Servi avec une garniture. *Choucroute garnie.* ■ nm Logement meublé.

garnir vt 1 Munir, pourvoir de. 2 Couvrir et décorant. 3 Remplir, occuper un espace.

garnison nf Troupe casernée dans une ville, une place forte ; cette ville.

garnissage nm Action de garnir ; revêtement.

garniture nf 1 Ce qui garnit. 2 Ce qu'on sert avec un mets, ce qui l'accompagne. 3 Élément formant un joint hermétique autour de pièces subissant un frottement.

garou nm Arbrisseau du Midi, à fleurs blanches odorantes. Syn. sainbois.

garrigue nf Formation buissonneuse des régions méditerranéennes.

garrot nm 1 ZOOL Saillie du corps, à l'aplomb des membres antérieurs des quadrupèdes (cheval, bœuf, tigre). 2 Morceau de bois passé dans une corde pour la serrer en tordant. 3 Lien pour comprimer une artère et arrêter une hémorragie.

garrotter vt Attacher, lier fortement. Var **garroter**

gars [ga] nm fam Garçon, jeune homme.

gascon, onne a, n De la Gascogne. ■ nm Parler roman de Gascogne.

gasconnade nf litt Fanfaronnade.

gasoil [gazwal] nm Produit pétrolier utilisé comme carburant ou comme combustible. Var **gazole**

gaspacho [-patʃo] nm Potage espagnol.

gaspillage nm Action de gaspiller.

gaspiller vt Consommer, dépenser sans utilité et avec excès ; dilapider.

gaspilleur, euse a, n Qui gaspille.

gastéropode nm ZOOL Mollusque qui se déplace par reptation au moyen de son pied (escargot, limnée, bigorneau). Var **gastropode**

gastralgie nf Douleur à l'estomac.

gastrectomie nf Ablation totale ou partielle de l'estomac.

gastrique a De l'estomac. *Douleur gastrique.*

gastrite nf Inflammation de l'estomac.

gastroentérite nf Inflammation aiguë de l'estomac et de l'intestin.

gastroentérologie nf Médecine du tube digestif.

gastroentérologue n Médecin spécialiste de gastroentérologie.

gastro-intestinal, ale, aux a De l'estomac et de l'intestin.

gastromycète nm BOT Champignon basidiomycète, telle la vesse-de-loup.

gastronome n Amateur de bonne chère.

gastronomie nf Art du bien manger, de la bonne chère.

gastronomique a De la gastronomie.

gastropode. V. gastéropode.

gastroscopie nf Examen endoscopique de l'estomac.

gastrula nf BIOL Troisième stade du développement de l'embryon, succédant à la blastula.

gâteau *nm* 1 Pâtisserie sucrée, faite avec de la farine, du beurre et des œufs. 2 Masse aplatie d'une matière compacte. *Loc* fam *C'est du gâteau :* c'est facile. ■ *a inv* fam Qui gâte beaucoup les enfants. *Papa gâteau.*

gâter *vt* 1 vx Endommager. *La grêle a gâté les vignes.* 2 Corrompre, pourrir. *Un fruit pourri gâte tous les autres.* 3 Altérer, troubler. *Cet incident a gâté notre plaisir.* 4 Combler de cadeaux ; choyer. 5 Traiter avec trop d'indulgence. *Enfant gâté.* ■ *vpr* S'altérer, se modifier en mal. *Le temps se gâte.*

gâterie *nf* Menu cadeau, friandise.

gâteux, euse *a, n* Dont les facultés mentales sont amoindries par le grand âge.

gâtisme *nm* État de qqn de gâteux.

gauche *a* 1 Situé du côté du cœur. 2 Dépourvu d'aisance, d'adresse ; maladroit, gêné. *Loc Se lever du pied gauche :* de mauvaise humeur. ■ *nm* Pied ou poing gauche. *Direct du gauche.* ■ *nf* 1 Le côté gauche, la partie gauche, la main gauche. 2 Parti ou personnes professant des opinions réformistes, révolutionnaires (extrême gauche). *Loc Jusqu'à la gauche :* jusqu'à l'extrême limite, complètement. *À gauche :* du côté gauche. fam *Mettre de l'argent à gauche :* épargner.

gauchement *av* Maladroitement.

gaucher, ère *a, n* Qui se sert habituellement de sa main gauche.

gaucherie *nf* 1 Manque d'adresse. 2 Manualité gauche.

gauchir *vi* Se déformer, se voiler. ■ *vt* 1 Déformer une surface plane. 2 Fausser, détourner. *Gauchir le sens d'un texte.*

gauchisant, ante *a* Qui a des opinions politiques proches de la gauche.

gauchisme *nm* Courant politique d'extrême gauche.

gauchissement *nm* Action, fait de gauchir.

gauchiste *n, a* Partisan du gauchisme.

gaucho *nm* Gardien de troupeau des pampas sud-américaines.

gaudriole *nf* fam Plaisanterie un peu leste.

gaufrage *nm* Action de gaufrer.

gaufre *nf* 1 Pâtisserie alvéolée cuite dans un gaufrier. 2 Gâteau de cire des abeilles.

gaufrer *vt* Imprimer à chaud des dessins sur du cuir, des étoffes, etc.

gaufrette *nf* Petite gaufre.

gaufrier *nm* Moule à gaufres.

gaulage *nm* Action de gauler.

gaule *nf* 1 Grande perche. 2 Canne à pêche.

gauler *vt* Battre un arbre, ses branches avec une gaule pour faire tomber les fruits.

gaullien, enne *a* Du général de Gaulle.

gaullisme *nm* Conceptions politiques se réclamant du général de Gaulle.

gaulliste *a, n* Partisan du gaullisme.

gaulois, oise *a, n* De la Gaule, des Gaulois. ■ *a* D'une gaieté grivoise. ■ *nm* Langue celtique parlée par les Gaulois. ■ *nf* (n. déposé) Cigarette brune.

gauloisement *av* De façon grivoise.

gauloiserie *nf* Parole un peu leste.

gauss *nm* Unité de champ magnétique.

gausser (se) *vpr* litt Se moquer de qqn.

gavage *nm* Action de gaver.

gave *nm* Torrent des Pyrénées.

gaver *vt* 1 Faire manger de façon excessive ou de force. 2 Combler, emplir à l'excès. *Gaver de connaissances.* ■ *vpr* Se gorger de.

gavial *nm* Crocodile d'Asie. *Des gavials.*

gavotte *nf* Ancienne danse à deux temps.

gavroche *nm* Gamin parisien.

gay *n, a* Homosexuel.

gayal *nm* Bœuf sauvage d'Asie. *Des gayals.*

gaz *nm* 1 Fluide expansible et compressible. 2 Produit gazeux à usage industriel ou domestique. 3 Produit chimique utilisé comme arme. *Loc Gaz de pétrole liquéfié (GPL) :* mélange d'hydrocarbures, utilisé comme carburant. *Gaz rare :* hélium, néon, argon, krypton, xénon et radon. fam *Il y a de l'eau dans le gaz :* il y a des difficultés.* ■ *pl* 1 Mélange détonant d'air et de vapeurs d'essence brûlé dans un moteur à explosion. 2 Substances gazeuses se formant dans l'intestin ou l'estomac. *Loc À pleins gaz :* à pleine puissance.

gazage *nm* Action de gazer.

gaze *nf* Étoffe légère et transparente.

gazé, ée *a, n* Soumis à l'action d'un gaz nocif.

gazéification *nf* Action de gazéifier.

gazéifier *vt* 1 Transformer en gaz. 2 Dissoudre du gaz carbonique dans un liquide.

gazelle *nf* Petite antilope d'Afrique et d'Asie.

gazer *vt* Intoxiquer par un gaz nocif. ■ *vi* fam Aller vite, à pleins gaz.

gazette *nf* litt Journal.

gazeux, euse *a* 1 À l'état de gaz. 2 Qui contient du gaz carbonique. *Eau gazeuse.*

gazier, ère *a* Relatif au gaz. ■ *nm* Personne qui travaille dans une compagnie du gaz.

gazinière *nf* Cuisinière à gaz.

gazoduc *nm* Canalisation servant au transport du gaz naturel.

gazogène *nm* Appareil transformant le bois ou le charbon en gaz combustible.

gazole. *V. gasoil.*

gazoline *nf* Produit pétrolier très volatil.

gazomètre *nm* Réservoir pour gaz de ville.

gazon *nm* 1 Herbe courte et menue. 2 Terre couverte de cette herbe.

gazouillement *nm* Action de gazouiller ; bruit ainsi produit.

gazouiller *vi* 1 Faire entendre un petit bruit doux et agréable (oiseaux). 2 Babiller (enfants).

gazouillis *nm* Petit gazouillement.

geai *nm* Passereau à plumage beige tacheté.

géant, ante *n* 1 Être colossal des contes et des légendes. 2 Personne très grande. *Loc Aller à pas de géant :* très vite. ■ *a* De très grande taille. *Étoile géante.*

géantiste *n* Spécialiste du slalom géant.

gecko *nm* Reptile saurien des régions chaudes.

géhenne *nf* litt Souffrance intense.

geignard, arde *a, n* fam Qui se plaint sans cesse.

geignement *nm* Gémissement.

geindre *vi* [69] Se plaindre faiblement.

geisha [ɡeʃa] *nf* Au Japon, danseuse, musicienne et chanteuse traditionnelle, qui joue le rôle d'hôtesse. **Var guécha.**

gel *nm* 1 Abaissement de la température atmosphérique entraînant la congélation de l'eau. 2 Préparation cosmétique à base d'eau. 3 Blocage, arrêt. *Gel des négociations.*

gélatine *nf* Matière albuminoïde à l'aspect de gelée obtenue à partir de substances animales.

gélatineux, euse *a* De la consistance, de l'aspect de la gélatine.

gélatinobromure *nm* Sel d'argent dans de la gélatine, émulsion utilisée en photographie.

gelée *nf* 1 Gel. 2 Bouillon de viande qui se solidifie en refroidissant. 3 Jus de fruits cuits qui se solidifie en refroidissant. Loc *Gelée blanche* : congélation de la rosée. *Gelée royale* : substance avec laquelle les abeilles nourrissent les larves de reines.

geler *vt* [16] 1 Transformer en glace. 2 Durcir par le gel. *Geler la terre.* 3 Faire mourir ou nécroser par un froid excessif. 4 Bloquer. *Geler les négociations.* ■ *vi* 1 Se transformer en glace. 2 Mourir, se nécroser sous l'action du froid. *Les oliviers ont gelé.* 3 Avoir très froid.

gélinotte *nf* Oiseau voisin de la perdrix.

gélose *nf* Gélatine extraite de certaines algues.

gélule *nf* Petite capsule de gélatine contenant un médicament.

gelure *nf* Lésion des tissus due au froid.

gémellaire *a* Relatif aux jumeaux.

gémellité *nf* État d'enfants jumeaux.

gémination *nf* Disposition par paires.

géminé, ée *a* Double ; groupé par deux.

gémir *vi* 1 Exprimer la douleur par des plaintes faibles. 2 Produire un son comparable à un gémissement.

gémissant, ante *a* Qui gémit.

gémissement *nm* 1 Cri, plainte faible et inarticulée. 2 Bruit comparable à une plainte.

gemme *nf* 1 Pierre précieuse ou pierre fine transparente. 2 Suc résineux des pins. ■ *a* Loc *Sel gemme* : sel de terre.

gemmologie *nf* Étude scientifique des gemmes.

gemmule *nf* BOT Bourgeon d'une plantule ; embryon d'une graine.

gémonies *nfpl* Loc litt *Vouer qqn aux gémonies* : le maudire.

gênant, ante *a* Qui gêne.

gencive *nf* Muqueuse buccale qui enserre le collet des dents.

gendarme *nm* 1 Militaire appartenant au corps de la gendarmerie. 2 Personne autoritaire. 3 Hareng saur. 4 Punaise rouge et noire.

gendarmer (se) *vpr* Protester avec vivacité.

gendarmerie *nf* 1 Corps militaire chargé de veiller à la sécurité publique. 2 Caserne et bureaux des unités de ce corps.

gendre *nm* Mari de la fille, par rapport au père et à la mère de celle-ci.

gène *nm* BIOL Unité constituée d'ADN et portée par les chromosomes, qui transmet les caractères héréditaires des êtres vivants.

gêne *nf* 1 Malaise physique. 2 Embarras, contrainte désagréable. 3 Manque d'argent. Loc *fam Être sans gêne* : ne pas se préoccuper des autres en prenant ses aises.

gêné, ée *a* 1 Mal à l'aise. 2 Qui manque d'argent.

généalogie *nf* 1 Suite d'ancêtres qui établit une filiation. 2 Science des filiations.

généalogique *a* De la généalogie. Loc *Arbre généalogique* : filiation en forme d'arbre.

généalogiste *n* Spécialiste de généalogie.

génépi *nm* 1 Armoise aromatique des montagnes. 2 Liqueur à base de cette plante.

gêner *vt* 1 Causer un malaise physique ou moral à. 2 Entraver, faire obstacle à. *Gêner la circulation.* 3 Réduire à manquer d'argent. ■ *vpr* Se contraindre par discrétion ou par timidité.

1. général, ale, aux *a* 1 Qui s'applique à un grand nombre de cas. 2 Qui concerne ou englobe la totalité ou la plus grande partie d'un ensemble, d'une administration, d'un service, d'un groupe. 3 Qui est à l'échelon le plus élevé d'une hiérarchie. Loc *En général* : le plus souvent. *D'une manière générale* : ordinairement. *Répétition générale* : dernière répétition avant la première représentation.

2. général *nm* 1 Chef militaire. 2 Officier des plus hauts grades dans les armées de terre et de l'air. 3 Supérieur de certaines congrégations religieuses.

générale *nf* 1 Femme d'un général. 2 Répétition générale.

généralement *av* Ordinairement.

généralisable *a* Que l'on peut généraliser.

généralisateur, trice *a* Qui généralise.

généralisation *nf* Action de généraliser, fait de se généraliser.

généraliser *vt* 1 Rendre général. *Généraliser une méthode.* 2 Raisonner en allant du particulier au général. ■ *vpr* Devenir commun ; se répandre.

généralissime *nm* Général en chef.

généraliste *a, n* Qui n'est pas spécialisé dans une activité. ■ *n* Médecin généraliste. Ant. spécialiste.

généralité *nf* Caractère général. ■ *pl* Propos banals par leur caractère trop vague.

générateur, trice *a* Qui génère. ■ *nm* Transformateur d'une énergie quelconque en énergie électrique. ■ *nf* Machine servant à produire du courant continu.

génération *nf* 1 Reproduction des êtres vivants. 2 Degré de filiation dans une famille ; durée séparant ces degrés. 3 Ensemble d'individus ayant approximativement le même âge en même temps. 4 Degré d'un progrès technique. *Machine de deuxième génération.*

générationnel, elle *a* Relatif aux rapports entre les générations.

générer *vt* [12] Engendrer, être la cause de, produire.

généreusement *av* De façon généreuse.

généreux, euse *a* 1 Qui dénote la noblesse de caractère. 2 Qui donne volontiers et largement. Loc *Vin généreux* : capiteux.

générique *a* Propre au genre, à l'espèce, à tout un ensemble. ■ *nm* 1 Séquence d'un film, d'une émission de télévision indiquant le nom des divers collaborateurs. 2 Médicament tombé dans le domaine public.

générosité *nf* Qualité de qqn de généreux.

genèse *nf* Processus donnant naissance à qqch. *La genèse d'un livre.*

génésique *a* De la génération (sens 1).

genêt *nm* Arbrisseau à fleurs jaunes.

généticien, enne *n* Spécialiste de génétique.

génétique *a* Relatif aux gènes et à l'hérédité. ■ *nf* Science de l'hérédité.

génétiquement *av* Sur le plan génétique.

genette *nf* Mammifère carnivore au pelage clair taché de noir.

gêneur, euse *n* Personne qui gêne, importun.

genevois, oise *a, n* De Genève.

genévrier nm Conifère dont les cônes sont utilisés pour parfumer diverses eaux-de-vie.

génial, ale, aux a 1 Qui a ou dénote du génie. 2 abusiv Remarquable, excellent.

génie nm 1 Être imaginaire, surnaturel de la mythologie. *Les génies des eaux.* 2 Talent, aptitude particulière. *Avoir le génie des affaires.* 3 Caractère propre et distinctif. *Le génie d'une langue.* 4 Aptitude créatrice extraordinaire ; personne géniale. 5 Dans l'armée, arme qui fournit les installations et les équipements. 6 Technique relevant d'un domaine spécifique. *Génie rural, civil, maritime, génétique.*

genièvre nm Eau-de-vie de grain aromatisée aux baies de genévrier.

génique a BIOL Relatif aux gènes.

génisse nf Jeune vache qui n'a pas encore vêlé.

génital, ale, aux a De la reproduction des animaux et de l'homme.

géniteur, trice n Personne qui a engendré.

génitif nm LING Cas exprimant l'appartenance ou la dépendance, dans les langues à flexion.

génito-urinaire a ANAT Des appareils génital et urinaire.

génocide nm Extermination systématique d'un groupe humain du fait de sa race.

génois, oise a De Gênes. ■ nm MAR Grand foc. ■ nf Gâteau aux amandes.

génome nm BIOL Ensemble des chromosomes.

génotype nm BIOL Ensemble des gènes portés par l'ADN d'une cellule vivante.

genou nm Articulation unissant la jambe et la cuisse. *Des genoux.* Loc *À genoux :* les genoux posés à terre. fam *Sur les genoux :* très fatigué.

genouillère nf Bande servant à protéger ou à maintenir le genou.

genre nm 1 Ensemble d'êtres ou de choses présentant des caractères communs ; espèce, sorte. 2 BIOL Subdivision de la famille, supérieure à l'espèce. *Le chat domestique, famille des félidés, genre Felis.* 3 Sorte d'œuvres caractérisées par le sujet, le style. *Genre épique.* 4 Comportement de qqn, d'un groupe ; manières. 5 LING Classification morphologique des noms et pronoms répartis, en français, en masculin et en féminin.

gens nmpl (l'adjectif précédant *gens* se met au féminin) Personnes en nombre indéterminé. *Une foule de gens. De vieilles gens. Des gens âgés.* Loc *Gens d'affaires, gens d'Église, gens de lettres, etc. :* personnes exerçant telle ou telle activité.

gentiane [-sjan] nf 1 Plante de montagne à fleurs bleues, jaunes ou violettes. 2 Liqueur amère préparée à partir de cette plante.

1. gentil nm Non-juif chez les anciens Hébreux ; païen, chez les premiers chrétiens.

2. gentil, ille a 1 Joli, gracieux, charmant. 2 Obligeant, attentionné. *Il est très gentil.* 3 fam Important. *Une gentille somme.*

gentilé nm LING Syn. de *nom ethnique.*

gentilhomme [-tijom] nm Homme de naissance noble. *Des gentilshommes* [-tizom].

gentilhommière nf Petit château à la campagne.

gentillesse nf 1 Qualité de qqn de gentil. 2 Action, parole gentille.

gentillet, ette a Assez gentil.

gentiment av De façon gentille.

gentleman [dʒɛntləman] nm Personne qui se conduit avec tact et élégance. *Des gentlemans* ou *gentlemen.*

gentleman's agreement [-agriment] nm Accord diplomatique entre deux parties.

gentry [dʒɛntri] nf Petite noblesse anglaise.

génuflexion nf Flexion d'un genou, des genoux en signe de respect.

géocentrique a Relatif à la Terre, prise comme centre.

géochimie nf Étude des éléments chimiques des roches.

géochimiste n Spécialiste de géochimie.

géochronologie nf Étude de l'âge des roches et de l'histoire de la Terre.

géode nf Masse minérale creuse, dont l'intérieur est tapissé de cristaux.

géodésie nf Science de la forme et des dimensions de la Terre.

géodésique a De la géodésie.

géodynamique nf Science de la dynamique du globe. ■ a De la géodynamique.

géographe n Spécialiste de la géographie.

géographie nf 1 Science de la description des phénomènes physiques et humains. 2 Ensemble des caractères propres à une région.

géographique a De la géographie.

géographiquement av Selon la géographie.

geôle nf litt Prison.

geôlier, ère n litt Gardien de prison.

géolocaliser vt TELECOM Localiser très précisément un téléphone mobile au moyen d'un GPS.

géologie nf Science de l'histoire de la Terre et des constituants de l'écorce terrestre.

géologique a De la géologie.

géologue n Spécialiste de géologie.

géomagnétique a Du géomagnétisme.

géomagnétisme nm Magnétisme terrestre.

géomètre n 1 Spécialiste de géométrie. 2 Technicien qui exécute des levers de plans.

géométrie nf Branche des mathématiques qui étudie les propriétés de l'espace. Loc *À géométrie variable :* qui peut s'adapter.

géométrique a 1 De la géométrie. 2 D'aspect régulier et simple. 3 Précis et rigoureux.

géométriquement av De façon géométrique.

géomorphologie nf Science des reliefs terrestres actuels et leur évolution.

géophysicien, enne n Spécialiste de géophysique.

géophysique nf Étude des phénomènes physiques du globe terrestre et de son atmosphère. ■ a De la géophysique.

géopolitique nf Étude de l'influence des facteurs géographiques sur la politique internationale. ■ a De la géopolitique.

géorgien, enne a, n De Géorgie. ■ nm Langue caucasienne parlée en Géorgie.

géorgique a litt Des travaux champêtres.

géostationnaire a Se dit d'un satellite artificiel dont la position par rapport à la Terre ne varie pas.

géostratégie nf MILIT Données mondiales de la stratégie.

géosynclinal, aux nm GEOL Vaste dépression de l'écorce terrestre dont le fond s'enfonce sous le poids des sédiments.

géotechnique nf Géologie appliquée à la construction et aux travaux publics.

géothermie nf Chaleur interne de la Terre.

géothermique a De la géothermie.

géotropisme nm Orientation de la croissance des végétaux sous l'action de la pesanteur.

géotrupe nm Coléoptère de type bousier.

gérable a Que l'on peut gérer.

gérance nf Fonction de gérant.

géranium [-njɔm] nm Plante ornementale aux fleurs roses, rouges ou blanches.

gérant, ante n Personne qui administre pour autrui ; mandataire.

gerbe nf 1 Faisceau de tiges de céréales coupées et liées ; bouquet de fleurs. 2 Forme en faisceau, trajectoire. Gerbe d'eau.

gerber vt Empiler des charges les unes sur les autres. ■ vi pop Vomir.

gerbéra nm Plante ornementale. Var **gerbera**

gerbeur nm Appareil de levage.

gerbille nf Petit rongeur des régions arides.

gerboise nf Petit rongeur qui progresse par bonds.

gercer vt [10] Faire de petites fentes ou crevasses. ■ vi, vpr Se fendiller. Les mains (se) gercent en hiver.

gerçure nf Crevasse sur la peau, due au froid.

gérer vt [12] 1 Administrer, diriger pour son propre compte ou pour le compte d'autrui. 2 Dominer au mieux une situation difficile.

gerfaut nm Grand faucon des régions septentrionales.

gériatre n Spécialiste de gériatrie.

gériatrie nf Étude et traitement des maladies des personnes âgées.

gériatrique a De la gériatrie.

1. germain, aine a, n Né du même père et de la même mère. Sœur germaine. Loc Cousins germains : dont le père ou la mère de l'un a pour frère ou sœur le père ou la mère de l'autre. Cousins issus de germains : dont les parents sont cousins germains.

2. germain, aine a, n De la Germanie.

germanique a Relatif à l'Allemagne.

germanisation nf Action de germaniser.

germaniser vt Rendre allemand.

germanisme nm Mot, expression propre à l'allemand.

germaniste n Spécialiste des langues, de la civilisation germaniques.

germanium [-njɔm] nm CHIM Métalloïde utilisé comme semi-conducteur.

germanophile a, n Favorable aux Allemands.

germanophobe a, n Hostile aux Allemands.

germanophone a, n De langue allemande.

germe nm 1 Rudiment d'un être vivant (œuf, embryon, plantule, etc.). 2 Première pousse issue de la graine, du tubercule, etc. 3 Bactérie, virus. 4 Principe, origine de qqch. Les germes d'une révolution.

germer vi 1 Commencer à pousser, en parlant d'une plante. 2 Se former. Ce projet a germé dans son esprit.

germinal nm Septième mois (mars-avril) du calendrier républicain.

germinatif, ive a BOT De la germination.

germination nf BOT Développement du germe, d'une plante.

germon nm Thon blanc de l'Atlantique.

géromé nm Fromage des Vosges, au lait de vache.

gérondif nm GRAM 1 Mode latin, déclinaison de l'infinitif. 2 Forme verbale en ant, précédée de la préposition en (ex. : en dormant).

géronte nm litt Vieillard ridicule.

gérontocratie nf Prépondérance politique des vieillards.

gérontologie nf Étude du vieillissement.

gérontologue n Spécialiste de gérontologie.

gésier nm Seconde poche de l'estomac des oiseaux.

gésir vi [36] (usité seulement au présent, à l'imparfait de l'indicatif et au participe présent). 1 Être étendu, abandonné sur le sol. 2 Se trouver. C'est là que gît la difficulté.

gesse nf Plante grimpante, fourragère ou ornementale.

gestaltisme [geʃtal-] nm PSYCHO Théorie psychologique qui considère les phénomènes comme des ensembles structurés.

gestation nf 1 État d'une femelle de mammifère portant son petit. 2 Grossesse d'une femme. 3 Élaboration d'un ouvrage de l'esprit.

1. geste nm Mouvement des bras et des mains, pour faire ou exprimer qqch. Loc Avoir, faire un geste : faire une belle action. ■ pl Loc Faits et gestes de qqn : ses actions, sa conduite.

2. geste nf Loc Chanson de geste : poème épique du Moyen Âge.

gesticulation nf Action de gesticuler.

gesticuler vi Faire de grands gestes dans tous les sens.

gestion nf Action d'administrer une entreprise.

gestionnaire a De la gestion. ■ n Chargé de la gestion.

gestualité nf Ensemble des gestes.

gestuel, elle a Propre aux gestes. ■ nf Ensemble de gestes significatifs.

gevrey-chambertin nm inv Bourgogne rouge, très renommé.

gewurztraminer nm Cépage blanc d'Alsace.

geyser nm Jaillissement intermittent d'eau chaude.

ghanéen, enne a, n Du Ghana.

ghetto nm 1 Quartier où les Juifs étaient contraints de résider. 2 Lieu où une minorité est isolée du reste de la population.

GI [dʒiaj] nm inv Soldat américain.

gibbon nm Singe d'Asie dépourvu de queue.

gibbosité nf Bosse produite par une déformation de la colonne vertébrale.

gibecière nf Sacoche portée en bandoulière.

gibelotte nf Fricassée de lapin au vin.

giberne nf Ancienne boîte à cartouches.

gibet nm litt Potence.

gibier nm Animal susceptible d'être chassé ; viande de cet animal. Loc Gibier de potence : individu malhonnête.

giboulée nf Averse soudaine et brève.

giboyeux, euse a Abondant en gibier.

gibus nm Chapeau haut de forme à ressorts.

GIC n Sigle de grand invalide civil.

giclée nf Jet de liquide qui gicle.

giclement nm Action de gicler.

gicler vi Jaillir en éclaboussant.

gicleur *nm* Dispositif destiné à régler le débit de l'essence dans un carburateur.

gifle *nf* **1** Coup sur la joue avec le plat ou le revers de la main. **2** Affront, humiliation.

gifler *vt* Donner une gifle.

GIG *n* Sigle de *grand invalide de guerre*.

gigantesque *a* Qui dépasse de beaucoup la moyenne ; immense.

gigantisme *nm* **1** Accroissement exagéré du squelette. **2** Caractère démesuré.

gigogne *a* Se dit d'objets qui s'emboîtent les uns dans les autres. *Des poupées gigognes.*

gigolo *nm fam* Jeune amant entretenu.

gigot *nm* Cuisse de mouton, d'agneau, de chevreuil, coupée pour la table. *Loc Manches gigot :* manches longues et bouffantes.

gigotement *nm fam* Action de gigoter.

gigoter *vi fam* Remuer en tous sens.

1. gigue *nf* Cuisse de chevreuil. *Loc fam Une grande gigue :* une grande fille dégingandée.

2. gigue *nf* Danse au rythme vif.

gilet *nm* **1** Veste masculine sans manches portée sous un veston. **2** Sous-vêtement couvrant le torse. **3** Cardigan. *Loc Gilet de sauvetage :* brassière maintenant hors de l'eau la tête d'une personne immergée. *Pleurer dans le gilet de qqn :* se lamenter auprès de lui.

gimmick [gi-] *nm fam* Gadget astucieux.

gin [dʒin] *nm* Eau-de-vie de grain anglaise.

gin-fizz [dʒinfiz] *nm inv* Cocktail au gin et au jus de citron.

gingembre *nm* Plante aromatique d'Asie.

gingival, ale, aux *a* Des gencives.

gingivite *nf* Inflammation des gencives.

ginkgo [ʒinko] *nm* Arbre ornemental sacré de Chine. *Syn.* arbre aux quarante écus.

ginseng [ʒinsɔ̃g] *nm* Racine d'une plante aux vertus toniques.

giorno (a) *V. a giorno.*

girafe *nf* **1** Mammifère ruminant des savanes africaines, au long cou. **2** Perche munie d'un micro pour les prises de son. *Loc fam Peigner la girafe :* ne rien faire d'utile.

girafeau *nm* Petit de la girafe. *Var* **girafon**

girandole *nf* **1** Chandelier à plusieurs branches. **2** Guirlande d'ampoules électriques.

giration *nf* Mouvement giratoire.

giratoire *a* Circulaire autour d'un axe.

giraumon *nm* Variété de courge.

girelle *nf* Poisson méditerranéen.

girl [gœrl] *nf* Danseuse de music-hall.

girofle *nm Loc Clou de girofle :* bouton du giroflier employé comme épice.

giroflée *nf* Plante ornementale à fleurs odorantes.

giroflier *nm* Arbre tropical produisant le clou de girofle.

girolle *nf* Champignon basidiomycète, comestible apprécié, de couleur jaune orangé. *Var* **girole**

giron *nm litt* Partie du corps allant de la ceinture aux genoux. *Loc Le giron de l'Église :* la communion des fidèles.

girond, onde *a pop* Joli, bien fait (femme).

girondin, ine *a, n* De la Gironde.

girouette *nf* **1** Plaque mobile autour d'un axe vertical servant à indiquer la direction du vent. **2** *fam* Personne versatile.

gisant *nm* Effigie couchée, sculptée sur un tombeau.

gisement *nm* **1** Filon, amas minéral. *Gisement de cuivre.* **2** Public visé par un média, clientèle visée par une entreprise.

gitan, ane *n, a* Bohémien, tsigane.

gîte *nm* **1** Lieu où on demeure. **2** Lieu où se retire le lièvre. **3** En boucherie, partie inférieure de la cuisse du bœuf. ■ *nf MAR* Inclinaison d'un navire sur le côté. *Var* **gite**

gîter *vi MAR* S'incliner sur un bord. *Var* **giter**

givrage *nm* Formation de givre.

givrant, ante *a* Qui forme le givre. *Brouillard givrant.*

givre *nm* Couche de glace qui se forme par condensation du brouillard sur une surface.

givré, ée *a* **1** Se dit d'un fruit dont l'intérieur est fourré de glace. **2** *fam* Fou.

givrer *vt* Couvrir de givre. ■ *vi* Se couvrir de givre.

glabelle *nf ANAT* Espace entre les sourcils.

glabre *a* Imberbe.

glaçage *nm* Action de glacer.

glaçant, ante *a* Qui rebute par sa froideur.

glace *nf* **1** Eau congelée. **2** Crème aromatisée servie congelée. **3** Mélange de sucre et de blanc d'œuf dont on recouvre certains gâteaux. **4** Plaque de verre épaisse pour les vitrages, les miroirs. *Loc Rester de glace :* très réservé. *Rompre la glace :* faire cesser la gêne.

glacé, ée *a* **1** Très froid. *Avoir les mains glacées.* **2** Hostile ou indifférent.

glacer *vt* [10] **1** Convertir en glace, congeler. **2** Causer une vive sensation de froid. **3** Paralyser par sa froideur. *Son abord vous glace.* **4** Recouvrir d'une couche de sucre, de jus, de gelée. **5** Donner une apparence brillante à un papier, à un tissu.

glaciaire *a* D'un glacier, d'une glaciation.

glacial, ale, als ou **aux** *a* Extrêmement froid.

glaciation *nf* Période pendant laquelle les glaciers ont recouvert une région.

glacier *nm* **1** Vaste masse de glace. **2** Marchand de glaces.

glacière *nf* **1** Appareil refroidi par de la glace. **2** Lieu très froid.

glaciologie *nf* Étude des glaciers.

glacis [-si] *nm* **1** Pente douce partant de la crête d'une fortification. **2** Zone de protection d'un État. **3** Pente pour l'écoulement des eaux.

glaçon *nm* **1** Morceau de glace. **2** *fam* Personne froide, sans enthousiasme.

gladiateur *nm* À Rome, celui qui combattait dans les jeux du cirque.

glaïeul *nm* Plante ornementale à longues feuilles pointues.

glaire *nf* **1** Blanc d'œuf cru. **2** Liquide incolore filant que sécrètent les muqueuses.

glaireux, euse *a* De la glaire.

glaise *nf, a* Terre argileuse.

glaiseux, euse *a* De la glaise.

glaive *nm* Courte épée à deux tranchants.

glamour *a fam* Séduisant. ■ *nm* Beauté sensuelle.

gland *nm* **1** Fruit du chêne. **2** Passementerie en forme de gland. **3** *ANAT* Portion terminale du pénis.

glande nf 1 ANAT Organe sécréteur. 2 MED Ganglion lymphatique enflammé.

glander vi fam Paresser. Var **glandouiller**

glandulaire a De la nature d'une glande.

glaner vt 1 Ramasser après la moisson les produits du sol abandonnés. 2 Recueillir de-ci, de-là. *Glaner des renseignements.*

glaneur, euse n Personne qui glane.

glapir vi 1 Émettre des jappements aigus et répétés (renard, jeunes chiens). 2 Crier, chanter d'une voix aigre.

glapissant, ante a Aigu, criard (voix).

glapissement nm Cri aigu.

glas [glɑ] nm Tintement lent et répété des cloches pour annoncer les funérailles.

glasnost nf Transparence en politique.

glatir vi Pousser son cri (aigle).

glaucome nm MED Augmentation de la pression intraoculaire entraînant une diminution de l'acuité visuelle.

glauque a 1 Vert bleuâtre. *Yeux glauques.* 2 fam Triste, sordide. *Quartier glauque.*

glaviot nm fam Crachat.

glèbe nf litt Terre cultivée.

glie nf ANAT Substance constituant avec les neurones le tissu nerveux.

gliome nm MED Tumeur du système nerveux.

glissade nf Action de glisser.

glissant, ante a Où l'on glisse facilement. Loc *Terrain glissant :* affaire dangereuse.

glisse nf Qualité d'un matériel capable de glisser sur une surface (glace, neige). Loc *Sports de glisse :* ski, surf, planche à voile.

glissement nm Action de glisser.

glisser vi 1 Se déplacer d'un mouvement continu sur une surface lisse. *Glisser sur la glace.* 2 Se diriger insensiblement vers. *Glisser vers la droite.* 3 Présenter une surface glissante. *La chaussée glisse.* 4 Perdre l'équilibre. Loc *Glisser sur un sujet :* ne pas insister dessus. *Glisser des mains :* tomber. ■ vt Introduire adroitement. *Glisser une pièce dans la main.* ■ vpr S'introduire subrepticement.

glissière nf Dispositif, rainure pour guider un mouvement de glissement.

glissoire nf Chemin sur la glace.

global, ale, aux a Pris dans son ensemble, en bloc.

globalement av De façon globale.

globaliser vt Réunir en un tout.

globalité nf Caractère global.

globe nm 1 Corps sphérique. *Globe oculaire.* 2 La Terre. 3 Calotte sphérique en verre.

globe-trotter [-tʀɔtœʀ] n Voyageur qui parcourt le monde. *Des globe-trotters.* Var **globetrotter, euse**

globicéphale nm Mammifère marin proche des dauphins.

globulaire a En forme de globe. Loc *Numération globulaire :* dénombrement des globules du sang.

globule nm Cellule du sang. Loc *Globule rouge :* hématie. *Globule blanc :* leucocyte.

globuleux, euse a Loc *Yeux globuleux :* saillants.

globuline nf BIOL Protéine du sang et des muscles.

gloire nf 1 Grande renommée, réputation, célébrité. 2 Personne célèbre, illustre. *Une gloire nationale.* 3 Splendeur, éclat. *Dans toute sa gloire.* Loc *Pour la gloire :* sans profit. *Rendre gloire :* rendre hommage.

glomérule nm ANAT Formation glandulaire ou vasculaire en forme de boule.

glorieusement av De façon glorieuse.

glorieux, euse a 1 Qui donne de la gloire. *Combat glorieux.* 2 Célèbre, splendide. *Période glorieuse.*

glorification nf Action de glorifier.

glorifier vt Rendre gloire à, honorer, célébrer ■ vpr Tirer vanité de.

gloriole nf Vanité ; gloire vaine.

glose nf Explication destinée à éclaircir le sens d'une expression, d'un texte.

gloser vt Éclaircir par une glose. ■ vti Faire de longs commentaires stériles. *Gloser sur des détails.*

glossaire nm Ensemble de termes relatifs à une activité ou contenus dans un ouvrage.

glotte nf Orifice du larynx.

glouglou nm fam Bruit intermittent d'un liquide qui s'écoule d'un orifice étroit.

gloussement nm Action de glousser.

glousser vi 1 Crier (poule). 2 fam Rire en émettant des petits cris.

glouton, onne a, n Qui mange avec avidité. ■ nm Mammifère carnivore des régions arctiques.

gloutonnement av Avec avidité.

gloutonnerie nf Avidité, goinfrerie.

glu nf Matière végétale visqueuse.

gluant, ante a 1 Qui a la consistance de la glu. 2 Collant.

glucide nm CHIM Hydrate de carbone. Syn. sucre.

glucidique a Des glucides.

glucose nm Glucide de certains fruits.

glutamate nm Sel de l'acide glutamique.

glutamique a Loc *Acide glutamique :* acide aminé présent dans le tissu nerveux.

gluten [-tɛn] nm Protéine végétale, constituant essentiel des graines de céréales.

glycémie nf MED Concentration en glucose du sérum sanguin.

glycérine nf CHIM Liquide sirupeux composant des corps gras. Var **glycérol** nm

glycérophtalique a Se dit d'une résine à base de glycérine.

glycine nf Plante aux longues grappes de fleurs odorantes blanches ou mauves.

glycocolle nm BIOL Acide aminé, constituant des protéines.

glycogène nm Glucide constituant une réserve de glucose dans le foie et les muscles.

glycogenèse nf BIOL Formation de glucose par le glycogène.

glycosurie nf MED Présence anormale de sucre dans les urines.

glyptique nf Gravure sur pierres fines.

glyptodon nm Mammifère édenté fossile.

GMT Sigle anglais indiquant le temps moyen de Greenwich (Grande-Bretagne).

gnangnan a inv fam Mou et geignard.

gneiss [gnɛs] nm Roche métamorphique constituée de quartz, de feldspath et de mica.

gnocchi [-ki] nm Petite quenelle à base de semoule.

gnognote nf Loc fam *De la gnognote :* chose de peu de valeur. Var **gnognotte**

gnôle nf fam Eau-de-vie. Var **gniole**

gnome [gnom] *nm* Nain contrefait.

gnomon [gnɔmɔ̃] *nm* Cadran solaire.

gnon *nm* fam Coup.

gnose [gnoz] *nf* Syncrétisme religieux antique, visant à la connaissance suprême.

gnostique *a, n* Qui relève de la gnose.

gnou [gnu] *nm* Antilope africaine.

1. go *nm* inv Jeu chinois de pions.

2. go (tout de) *av* fam Sans façon, directement.

goal [gol] *nm* Gardien de but.

gobelet *nm* Récipient sans pied et sans anse pour boire.

gobe-mouche *nm* Passereau qui chasse les insectes au vol. *Des gobe-mouches*

gober *vt* **1** Avaler rapidement en aspirant. **2** Croire sans discernement. Loc fam *Ne pas gober :* détester.

goberger (se) *vpr* [11] fam Faire bonne chère, se prélasser.

godasse *nf* fam Chaussure.

godelureau *nm* fam Jeune galant.

goder *vi* Faire des faux plis. **Var godailler**

godet *nm* Petit récipient sans pied ni anse. Loc *Jupe à godets :* très évasée dans le bas.

godiche *a, nf* fam Empoté, maladroit.

godille *nf* **1** Aviron à l'arrière d'une embarcation. **2** À skis, enchaînement de petits virages dans la ligne de pente.

godiller *vi* **1** Faire avancer une embarcation à l'aide d'une godille. **2** À skis, pratiquer la godille.

godillot *nm* fam Grosse chaussure.

goéland *nm* Grand oiseau de mer piscivore.

goélette *nf* Navire à deux mâts.

goémon *nm* Algue marine.

1. gogo *nm* fam Naïf, jobard.

2. gogo (à) *av* fam En abondance.

goguenard, arde *a* Narquois, moqueur.

goguenardise *nf* Moquerie.

goguette (en) *av* fam Bien décidé à faire la fête ; un peu ivre.

goï. V. goy.

goinfre *n, a* Qui mange voracement.

goinfrer (se) *vpr* fam Se gaver.

goinfrerie *nf* Voracité, gloutonnerie.

goitre *nm* Grosseur du cou, due à une tuméfaction de la thyroïde.

goitreux, euse *a, n* Atteint d'un goitre.

golden *nf* Pomme à peau jaune.

golf *nm* **1** Sport qui consiste à placer une balle dans une série de trous répartis sur un parcours. **2** Terrain de golf.

golfe *nm* Vaste échancrure d'une côte.

golfeur, euse *n* Personne qui joue au golf.

golfique *a* Du golf. *Compétition golfique.*

golmote *nf* Champignon (lépiote) comestible.

gombo *nm* Plante potagère tropicale.

gominé, ée *a* Recouvert de brillantine (chevelure).

gommage *nm* Action de gommer.

gomme *nf* **1** Substance visqueuse qui s'écoule de certains arbres. *Gomme arabique. Gomme adragante.* **2** Petit bloc de caoutchouc servant à effacer. Loc fam *À la gomme :* sans intérêt, sans valeur. fam *Mettre toute la gomme :* forcer au maximum la vitesse d'un véhicule.

gommé, ée *a* Recouvert de gomme adhésive.

gomme-gutte *nf* Résine utilisée dans les peintures et les vernis. *Des gommes-guttes.*

gomme-laque *nf* Résine employée dans la fabrication des vernis. *Des gommes-laques.*

gommer *vt* **1** Effacer avec une gomme. **2** Atténuer, faire disparaître. *Gommer un détail.*

gommette *nf* Petit morceau de papier gommé.

gommeux *nm* litt Jeune prétentieux.

gommier *nm* Arbre qui produit de la gomme.

gonade *nf* ANAT Glande génitale.

gonadostimuline *nf* BIOL Hormone qui stimule l'activité des glandes sexuelles. **Var gonadotrophine**

gond *nm* Pièce métallique autour de laquelle tourne une porte ou une fenêtre. Loc *Sortir de ses gonds :* s'emporter.

gondolant, ante *a* fam Très drôle.

gondole *nf* **1** Barque vénitienne longue et plate à un seul aviron. **2** Meuble à rayons superposés, utilisé dans les magasins.

gondolement *nm* Fait de gondoler.

gondoler *vi, vpr* Se gonfler, se gauchir. *Bois qui gondole, se gondole.* ■ *vpr* fam Se tordre de rire.

gondolier *nm* Batelier qui conduit une gondole.

gonflable *a* Qui prend sa forme par gonflage.

gonflage *nm* Action de gonfler.

gonflant, ante *a* Qui prend du volume.

gonflé, ée *a* Loc fam *Gonflé à bloc :* rempli d'ardeur. fam *Être gonflé :* montrer une assurance extraordinaire, avoir du culot.

gonflement *nm* Fait d'être gonflé.

gonfler *vt* **1** Distendre, augmenter le volume d'un corps en l'emplissant d'air, de gaz. **2** Exagérer, grossir. *La presse a gonflé cette histoire.* **3** Remplir, combler. *Être gonflé de joie.* ■ *vi, vpr* Augmenter de volume. *Cette pâte gonfle à la cuisson.*

gonflette *nf* fam Musculature exagérément saillante.

gonfleur *nm* Appareil servant à gonfler.

gong [gɔ̃g] *nm* Plateau de métal sur lequel on frappe avec un maillet.

goniomètre *nm* Récepteur servant à déterminer la direction d'une émission radioélectrique.

gonocoque *nm* Microbe agent de la blennorragie.

gonocyte *nm* BIOL Cellule embryonnaire des animaux.

gonzesse *nf* fam Femme.

gordien *am* Loc *Trancher le nœud gordien :* mettre fin brutalement à une situation de crise.

goret *nm* Jeune porc.

goretex *nm* (n. déposé) Textile synthétique imperméable.

gorge *nf* **1** Partie antérieure du cou. **2** Gosier. *Avoir mal à la gorge.* **3** litt Poitrine, seins d'une femme. **4** Vallée étroite et profonde. Loc *Rire à gorge déployée :* très fort. *Prendre à la gorge :* réduire à merci. *Rendre gorge :* forcer à restituer. *Faire des gorges chaudes de qqch :* s'en moquer ostensiblement.

gorge-de-pigeon *a inv* À reflets changeants.

gorgée *nf* Quantité de liquide avalée en une seule fois.

gorger *vt* [11] **1** Faire manger avec excès, gaver. **2** Imprégner. *Un terrain gorgé d'eau.* ■ *vpr* Absorber en quantité. *Se gorger de café.*

gorgonzola nm Fromage italien, proche des bleus.

gorille nm 1 Le plus grand des singes, très puissant. 2 fam Garde-du-corps.

gosier nm Arrière-gorge et pharynx. Loc fam *Avoir le gosier (à) sec* : avoir soif. *À plein gosier* : à pleine voix.

gospel nm Chant religieux des Noirs d'Amérique du Nord.

gosse n fam Enfant.

gotha nm Ensemble des familles de la noblesse, des personnalités en vue.

gothique a, nm Style architectural qui s'est répandu en Europe du XIIᵉ au XVIᵉ s. ■ nf Écriture à traits droits, anguleux.

gotique nm Langue germanique ancienne parlée par les Goths.

gouache nf Peinture à l'eau.

gouaille nf Verve moqueuse.

gouailleur, euse a Moqueur. *Ton gouailleur.*

gouape nf pop Voyou.

gouda nm Fromage de Hollande.

goudron nm Émulsion épaisse et noirâtre obtenue par distillation du pétrole, de la houille.

goudronnage nm Action de goudronner.

goudronner vt Enduire, recouvrir de goudron.

goudronneux, euse a De la nature du goudron. ■ nf Machine à goudronner.

gouffre nm 1 Dépression naturelle très profonde. 2 Ce dans quoi on engloutit beaucoup d'argent.

gouge nf Ciseau à tranchant semi-circulaire.

gougère nf Pâtisserie salée, au gruyère.

gouine nf pop Femme homosexuelle.

goujat [-ʒa] nm Homme grossier.

goujaterie nf Grossièreté.

goujon nm 1 Poisson des eaux courantes. 2 TECH Pièce servant à assembler deux éléments.

goulag nm Camp de travail forcé, en URSS.

goulasch nm Ragoût hongrois épicé avec du paprika. Var **goulache.**

goule nf Vampire femelle.

goulet nm Chenal, entrée d'un port.

gouleyant, ante a Frais et léger (vin).

goulot nm Col d'un vase, d'une bouteille à orifice étroit. *Boire au goulot.*

goulu, ue a, n Vorace, glouton.

goulûment av Avec avidité. Var **goulument.**

goupil [-pi] nm litt Renard.

goupille nf Tige métallique servant à immobiliser une pièce.

goupiller vt 1 Fixer avec une goupille. 2 fam Arranger, manigancer.

goupillon nm 1 Tige garnie de poils pour nettoyer les bouteilles. 2 Instrument qui sert à asperger d'eau bénite.

gourance nf pop Erreur. Var **gourante**

gourbi nm 1 Cabane en Afrique du Nord. 2 fam Logement sale et exigu.

gourd, gourde a Engourdi par le froid.

gourde nf 1 Récipient portatif pour conserver la boisson. 2 Monnaie de Haïti. ■ a, nf Niais, maladroit. *Avoir l'air gourde. Quelle gourde !*

gourdin nm Gros bâton noueux.

gourer (se) vpr fam Se tromper.

gourgandine nf vx Femme de mauvaise vie.

gourmand, ande a, n Qui aime la bonne chère. ■ a Avide, exigeant.

gourmander vt litt Réprimander sévèrement.

gourmandise nf 1 Caractère gourmand. 2 Friandise.

gourme nf Maladie infectieuse des chevaux. Loc litt *Jeter sa gourme* : se dévergonder.

gourmé, ée a litt Guindé.

gourmet nm Connaisseur en vins, en cuisine.

gourmette nf Bracelet formé d'une chaîne à mailles aplaties.

gourou nm Maître à penser.

gousse nf Fruit sec des légumineuses. Loc *Gousse d'ail* : partie d'une tête d'ail.

gousset nm Petite poche de pantalon ou de gilet.

goût nm 1 Sens par lequel on perçoit les saveurs. 2 Saveur d'un aliment. 3 Appétit, désir. *Il n'a de goût pour rien.* 4 Faculté de discerner, d'apprécier le beau. *Il n'a aucun goût.* 5 Plaisir éprouvé à faire qqch. *Avoir le goût de la lecture.* Loc *Prendre goût à qqch* : commencer à l'aimer. *Au goût du jour* : conforme à la mode. *De mauvais goût* : grossier. *De bon goût* : beau. *Dans le goût de* : à la manière de. Var **gout.**

goûter vt 1 Apprécier par le sens du goût. *Goûter un vin.* 2 Aimer, savourer. *Ne pas goûter une plaisanterie.* ■ vti 1 Boire ou manger un peu d'une chose. *Goûter à un plat.* 2 Tâter de. *Il a goûté d'un peu tous les métiers.* ■ vi Prendre une collation au milieu de l'après-midi. ■ nm Collation au milieu de l'après-midi. Var **gouter**

goûteux, euse a Qui a de la saveur, du goût. Var **gouteux, euse**

goutte nf 1 Toute petite quantité de liquide, de forme arrondie. 2 Petite quantité de liquide. 3 Maladie caractérisée par des atteintes articulaires dues à l'acide urique. Loc *Goutte à goutte* : peu à peu. *Se ressembler comme deux gouttes d'eau* : parfaitement. vx *N'y voir goutte* : ne voir absolument rien. ■ pl Médicaments qui s'administrent par gouttes.

goutte-à-goutte nm inv MED Appareil qui sert à la perfusion.

gouttelette nf Petite goutte.

goutter vi Laisser tomber des gouttes ; couler goutte à goutte.

goutteux, euse a, n Atteint de la goutte.

gouttière nf 1 Conduit qui sert à recueillir les eaux de pluie le long d'une toiture. 2 Appareil qui sert à immobiliser un membre fracturé. Loc *Chat de gouttière* : de race indéfinie.

gouvernable a Qui peut être gouverné.

gouvernail nm Dispositif à l'arrière d'un navire, d'un avion, permettant de les diriger.

gouvernant, ante a, n Qui gouverne. ■ nf 1 vx Femme chargée de garder, d'éduquer des enfants. 2 Femme qui tient la maison d'une personne seule.

gouverne nf Organes servant à diriger un avion. Loc litt *Pour votre gouverne* : pour vous informer.

gouvernement nm 1 Action de gouverner, d'administrer. 2 Régime politique d'un État. *Un gouvernement républicain.* 3 Ensemble des ministres. *Entrer au gouvernement.*

gouvernemental, ale, aux a Du gouvernement. *Décision gouvernementale.*

gouverner vt 1 Administrer, avoir la conduite d'un pays, d'un État. 2 Diriger un bateau. 3 LING Régir tel cas ou tel mode.

gouverneur nm Personne qui gouverne un territoire, une place militaire.

gouvernorat nm Division administrative de certains pays.

goy nm Pour les Israélites, non-juif. *Des goys* ou *goyim.* Var **goï**.

goyave nf Fruit comestible du goyavier.

goyavier nm Arbre tropical.

GPL nm Sigle de *gaz de pétrole liquéfié.*

GPS nm Appareil relié à des satellites et permettant de se positionner précisément sur la Terre.

grabat nm litt Très mauvais lit.

grabataire n Malade, vieillard qui ne peut quitter son lit.

grabatisation nf Fait de devenir grabataire.

grabuge nm pop Dispute, bagarre.

grâce nf 1 Faveur accordée volontairement. 2 Remise de peine. 3 Don surnaturel accordé par Dieu en vue du salut. 4 Attrait, agrément, charme, élégance de qqn. Loc *De grâce* : s'il vous plaît. *De bonne grâce* : de bon gré. *De mauvaise grâce* : à contrecœur. *Faire grâce à* : dispenser de. *Grâce à* : avec l'aide de. *Trouver grâce auprès de qqn* : lui plaire, gagner sa bienveillance. *Rendre grâce* : reconnaître une faveur. ■ pl Loc *Faire des grâces* : être maniéré. *Être dans les bonnes grâces de qqn* : jouir de sa faveur. *Action de grâces* : remerciements à Dieu. ■ interj Pitié !

gracier vt Commuer la peine d'un condamné.

gracieusement av 1 Aimablement. 2 Avec charme. 3 Gratuitement.

gracieuseté nf litt Action, parole aimable.

gracieux, euse a 1 Qui a du charme. 2 Aimable. 3 Gratuit.

gracile a litt De forme élancée et délicate.

gracilité nf litt Caractère gracile.

gradation nf Augmentation ou diminution progressive et par degrés.

grade nm 1 Degré dans la hiérarchie. 2 GEOM Unité d'arc et d'angle (symbole gr). Loc *En prendre pour son grade* : se faire réprimander.

gradé, ée a, n Qui a un grade dans l'armée.

gradient nm PHYS Taux de variation d'une grandeur en fonction d'un paramètre.

gradin nm Banc ou marche étagé dans un stade, un amphithéâtre.

graduation nf Division en degrés, en repères.

gradué, ée a 1 Progressif. *Exercices gradués.* 2 Muni d'une graduation. *Règle graduée.*

graduel, elle a Qui va par degrés, progressif.

graduellement av Par degrés.

graduer vt 1 Augmenter par degrés. 2 Diviser en degrés l'échelle d'un instrument de mesure.

graffiter vt Dessiner sur les murs.

graffiteur, euse a, n Qui graffite.

graffiti nm Dessin, inscription, slogan, etc., tracé sur les murs.

graillon nm pop Crachat. Loc *Odeur de graillon* : de graisse ou viande brûlée.

grain nm 1 Graine ou fruit de céréales. 2 Corps sphérique très petit. 3 Aspect rugueux, inégal d'une surface. *Le grain d'un cuir.* 4 Bref coup de vent accompagné d'averses. Loc fam *Avoir un grain* : être un peu fou. *Grain de beauté* : petite tache sur la peau. fam *Mettre son grain de sel* : intervenir sans en avoir été prié. *Veiller au grain* : être sur ses gardes.

graine nf Organe de reproduction des plantes, enfermé dans leur fruit. Loc *Mauvaise graine* :

mauvais sujet. *En prendre de la graine* : prendre en exemple. fam *Casser la graine* : manger.

graineterie nf Magasin du grainetier.

grainetier, ère n Personne qui vend des graines.

graissage nm Action de graisser, de lubrifier.

graisse nf 1 Substance onctueuse d'origine animale, végétale ou minérale. 2 PHYSIOL Tissu adipeux ; embonpoint. 3 Altération huileuse des vins. 4 Épaisseur du trait d'un caractère d'imprimerie.

graisser vt 1 Frotter de graisse. *Graisser ses bottes.* 2 Souiller de graisse. Loc fam *Graisser la patte* : soudoyer qqn par des pots-de-vin.

graisseur nm Ouvrier ou appareil qui lubrifie, qui graisse.

graisseux, euse a 1 De la nature de la graisse. 2 Taché de graisse.

graminée nf Plante monocotylédone à tige creuse (chaume), aux fruits farineux, telle que les céréales, la canne à sucre, le bambou. Var **graminacée**.

grammaire nf 1 Étude de la morphologie et de la syntaxe d'une langue. 2 Livre de grammaire.

grammairien, enne n Spécialiste de grammaire.

grammatical, ale, aux a Propre, conforme à la grammaire.

grammaticalement av Selon la grammaire.

gramme nm 1 Millième partie du kilogramme. 2 Quantité minime.

grana nf Variété de parmesan.

grand, grande a, n 1 De taille élevée. *Un grand arbre.* 2 Qui a atteint la taille adulte. 3 Qui a une importance politique, sociale. *Un grand de ce monde.* ■ a 1 Qui occupe beaucoup d'espace. *Une grande ville.* 2 Intense. *Un grand froid.* 3 Important. *Les grandes dates. La grande bourgeoisie.* Loc *Grand jour* : plein jour. *Grand air* : air libre. *Grand frère, grande sœur* : frère, sœur aînés. ■ pl *Les grandes puissances.* ■ av *Voir grand* : avoir des projets grandioses. *En grand* : sur une grande échelle.

grand-angle nm Objectif qui couvre un angle très important. *Des grands-angles.* Var **grand-angulaire**.

grand-chose pr indéf Loc *Pas grand-chose* : peu de chose, presque rien.

grand-croix nf inv Grade le plus élevé dans les principaux ordres de chevalerie (ex. : la Légion d'honneur). ■ nm Dignitaire qui est arrivé à ce grade. *Des grands-croix.*

grand-duc nm Titre d'un prince souverain de quelques pays. Loc fam *Faire la tournée des grands-ducs* : des restaurants, des cabarets.

grand-duché nm Pays dont le souverain est un grand-duc, une grande-duchesse. *Des grands-duchés.*

grande-duchesse nf 1 Femme, fille d'un grand-duc. 2 Souveraine d'un grand-duché. *Des grandes-duchesses.*

grandement av 1 Beaucoup, tout à fait. *Avoir grandement tort.* 2 litt Avec générosité.

grandeur nf 1 Caractère grand, étendue, importance. *La grandeur d'un palais. Grandeur d'un forfait.* 2 Dignité, noblesse morale. *Grandeur d'âme.* 3 MATH Tout ce à quoi on peut affecter une valeur, dans un système d'unités de mesure. Loc *Grandeur nature* : aux dimensions réelles. ■ pl Loc *Folie des grandeurs* : ambition démesurée.

grand-guignol nm inv Mélodrame horrible.

grand-guignolesque a Digne du grand-guignol. *Des spectacles grand-guignolesques.*

grandiloquence nf Éloquence pompeuse, emphase.

grandiloquent, ente a Pompeux, emphatique. *Discours grandiloquent.*

grandiose a Imposant, majestueux.

grandir vi Devenir plus grand, croître, augmenter. ■ vt Rendre plus grand, faire paraître plus grand.

grandissant, ante a Qui augmente, croît.

grand-maman nf Grand-mère. *Des grand(s)-mamans.*

grand-mère nf Mère du père ou de la mère. *Des grand(s)-mères.*

grand-messe nf 1 Messe chantée solennelle. 2 Manifestation destinée à affirmer la cohésion d'un groupe social. *Des grand(s)-messes.*

grand-oncle nm Frère d'un des grands-parents. *Des grands-oncles.*

grand-papa nm Grand-père. *Des grands-papas.*

grand-peine (à) av Très difficilement.

grand-père nm Père du père ou de la mère. *Des grands-pères.*

grand-rue nf Rue principale d'un village, d'un bourg. *Des grand(s)-rues.*

grands-parents nmpl Le grand-père et la grand-mère paternels ou maternels.

grand-tante nf Sœur d'un des grands-parents. *Des grand(s)-tantes.*

grand-voile nf Voile principale du grand mât. *Des grand(s)-voiles.*

grange nf Bâtiment où on abrite les récoltes.

granite nm Roche cristalline composée de quartz, de feldspath et de mica. **Var granit**.

granité, ée a Qui présente un aspect grenu. ■ nm 1 Tissu à gros grains. 2 Sorbet granuleux.

graniter vt Peindre en imitant le granit.

granitique a De granit.

granivore a, nm ZOOL Qui se nourrit de graines (oiseau).

granny-smith [-smis] nf inv Pomme à peau verte, à chair ferme.

granulaire a Composé de petits grains.

granulat nm Constituant du béton.

granulation nf Fragmentation ou agglomération d'une substance en petits grains.

granule nm Petit grain ou petite pilule.

granulé, ée a Qui présente une granulation. ■ nm Médicament présenté en petits grains.

granuler vt Réduire en petits grains.

granuleux, euse a Formé de petits grains.

granulite nf Roche métamorphique.

granulocyte nm BIOL Leucocyte polynucléaire.

granulome nm MED Tumeur bénigne d'origine inflammatoire.

granulométrie nf Mesure de la taille des particules constituant un sol, une roche, une substance pulvérulente.

grape-fruit [gʀɛpfʀut] nm Pamplemousse. *Des grape-fruits.*

graphe nm MATH Ensemble de points dont certains couples sont reliés par une ligne orientée (flèche) ou non (arête).

graphème nm LING Unité distinctive minimale d'un système d'écriture.

grapheur nm INFORM Logiciel de gestion de graphiques.

graphie nf Manière d'écrire un mot.

graphiose nf Maladie de l'orme.

graphique a Relatif aux procédés d'impression. ■ nm Tracé d'un diagramme, d'un plan, d'une courbe.

graphisme nm 1 Façon particulière d'écrire de qqn. 2 Manière de dessiner.

graphiste n Dessinateur spécialisé dans les arts graphiques.

graphite nm Carbone naturel, presque pur.

graphitique a De graphite.

graphologie nf Examen de l'écriture manuscrite, afin de définir sa personnalité.

graphologique a De la graphologie.

graphologue n Spécialiste de graphologie.

grappa nf Eau-de-vie italienne.

grappe nf 1 Ensemble de fleurs ou de fruits portés sur une tige commune. 2 Groupe de personnes serrées les unes contre les autres.

grappillage nm Action de grappiller.

grappiller vt 1 Cueillir de-ci, de-là, par petites quantités. 2 Récolter au hasard. *Grappiller des informations.* 3 Réaliser de petits profits.

grappin nm Petite ancre à branches recourbées. Loc fam *Jeter, mettre le grappin sur qqn* : l'accaparer.

gras, grasse a 1 Constitué de graisse, qui en contient. 2 Qui a beaucoup de graisse (êtres vivants). *Personne grosse et grasse.* 3 Souillé, maculé de graisse. *Papiers gras.* 4 Épais. *Encre grasse. Trait gras.* 5 (av. le n.) Abondant, riche. *Gras pâturages.* 6 Grossier, obscène. *Une grasse plaisanterie.* Loc *Faire la grasse matinée* : se lever tard. *Voix grasse* : pâteuse. *Toux grasse* : avec des expectorations. *Plantes grasses* : à feuilles épaisses. ■ nm Partie grasse, charnue. *Le gras de la jambe.* Loc fam *Discuter le bout de gras* : bavarder un peu.

gras-double nm Membrane comestible de l'estomac du bœuf. *Des gras-doubles.*

grassement av Largement, généreusement.

grasseyement nm Fait de grasseyer.

grasseyer vi Prononcer la lettre r du fond de la gorge.

grassouillet, ette a Dodu.

gratifiant, ante a Qui satisfait, valorise.

gratification nf 1 Somme d'argent accordée en plus du salaire. 2 Sentiment de valorisation du sujet à ses propres yeux.

gratifier vt 1 Accorder un don, une faveur. *Gratifier qqn d'une pension.* 2 Donner psychologiquement satisfaction.

gratin nm 1 Croûte grillée faite de chapelure ou de fromage râpé ; mets ainsi recouvert. 2 fam La haute société.

gratiné, ée a 1 Cuit au gratin. 2 fam Singulier, osé. ■ nf Soupe à l'oignon gratinée.

gratiner vi Se former en gratin. ■ vt Accommoder au gratin.

gratis [-tis] av, a inv Gratuitement.

gratitude nf Reconnaissance pour un service rendu.

grattage nm Action de gratter.

gratte nf fam Petit profit illicite.

gratte-ciel nm Immeuble d'une très grande hauteur. *Des gratte-ciels ou gratte-ciel.*

gratte-cul nm Fruit de l'églantier. *Des gratte-culs.*

grattement nm Action de gratter ; bruit ainsi produit.

gratte-papier nm fam Petit employé de bureau. *Des gratte-papiers.*

gratter vt 1 Racler une surface avec un instrument, avec les ongles. 2 Faire disparaître en raclant. *Gratter une inscription.* 3 fam Causer des démangeaisons. 4 fam Distancer à la course. 5 fam Faire de menus profits. ■ vi pop Travailler.

gratteron nm Plante dont la tige et les fruits sont couverts de poils. Var **grateron**

grattoir nm 1 Outil pour gratter, effacer. 2 Frottoir d'une boîte d'allumettes.

gratton nm CUIS Petit morceau de porc cuit dans la graisse. Syn. friton.

gratuit, uite a 1 Qu'on donne sans faire payer ; qu'on reçoit sans payer. 2 Sans fondement. *Supposition gratuite.*

gratuité nf Caractère gratuit.

gratuitement av 1 Sans payer. 2 Sans motif.

grau nm Chenal entre un étang et la mer.

gravats nmpl Débris provenant de démolitions.

grave a 1 Qui peut avoir des conséquences funestes. *Grave maladie. Situation grave.* 2 Sérieux, digne. *De graves magistrats. Une figure grave.* Loc *Accent grave* : tourné de gauche à droite (ex. : à, père). ■ a, nm Bas dans l'échelle tonale (sons). *Une voix grave. Haut-parleur de graves.*

graveleux, euse a Licencieux et vulgaire. *Chanson graveleuse.*

gravement av De façon grave.

graver vt 1 Tracer en creux sur une surface dure. 2 Rendre durable.

graves nfpl Terrain de sable et de gravier, dans le Bordelais. ■ nm Vin récolté sur ces terrains.

graveur, euse n 1 Artiste, professionnel qui grave, fait des gravures. 2 Appareil servant à graver des cédéroms.

gravide a En état de gestation.

gravidique a Relatif à la grossesse.

gravier nm Très petits cailloux.

gravillon nm Gravier fin et anguleux obtenu par concassage.

gravillonner vt Couvrir de gravillon.

gravimétrie nf 1 PHYS Mesure de l'intensité de la pesanteur. 2 CHIM Méthode d'analyse par pesées.

gravir vt Parcourir en montant avec effort ; escalader. Loc *Gravir les échelons* : monter en grade.

gravitation nf PHYS Attraction universelle, qui s'exerce entre tous les corps.

gravitationnel, elle a De la gravitation.

gravité nf 1 Pesanteur, force de gravitation. 2 Attitude grave, réservée. 3 Importance, sérieux. *La gravité de la blessure.* Loc PHYS *Centre de gravité* : point d'application de la résultante des forces de pesanteur s'exerçant en chaque point de ce corps.

graviter vi 1 Décrire une orbite autour de. 2 Évoluer dans l'entourage de.

gravure nf 1 Action, art de graver. 2 Estampe, image, illustration.

gré nm Loc *Au gré de qqn* : à son goût. *Au gré des évènements* : sans pouvoir modifier le cours des choses. *De son plein gré, de bon gré* : sans

être contraint. *De gré à gré* : à l'amiable. *Contre le gré de* : contre la volonté de. *De gré ou de force* : volontairement ou sous la contrainte. *Bon gré, mal gré* : qu'on le veuille ou non, malgré soi. *Savoir gré à qqn de qqch* : lui en être reconnaissant.

grèbe nm Oiseau aquatique piscivore.

grec, grecque a, n De la Grèce. ■ nm Langue indo-européenne parlée en Grèce. ■ nf 1 Ornement formé d'une suite de lignes brisées. 2 Scie de relieur pour faire des encoches au dos des volumes.

grécité nf Caractère grec.

gréco-latin, ine a Propre au grec et au latin.

gréco-romain, aine a Commun aux Grecs et aux Romains. Loc *Lutte gréco-romaine* : qui n'admet que les prises au-dessus de la ceinture.

gredin, ine n Crapule.

gréement [gremã] nm Ensemble des voiles, de la mâture et des haubans d'un voilier.

green [grin] nm Aire gazonnée qui entoure un trou, au golf.

gréer vt Munir un bateau de son gréement.

greffage nm Action de greffer.

1. greffe nm Lieu où sont déposées les minutes de jugements et où se font les déclarations des procédures.

2. greffe nf 1 Opération qui consiste à insérer une partie d'une plante (œil, branche, bourgeon), appelée *greffon,* dans une autre plante ; le greffon lui-même. 2 CHIR Transplantation d'un tissu, d'un organe ; tissu, organe transplanté.

greffé, ée n Personne qui a subi une greffe.

greffer vt Faire une greffe. ■ vpr Se développer sur.

greffier, ère n Fonctionnaire préposé au greffe, et qui assiste les magistrats. ■ nm fam Chat.

greffon nm Partie d'une plante, tissu, organe destinés à être greffés.

grégaire a Qui vit ou se développe en groupe. Loc *Instinct grégaire* : qui pousse à se grouper.

grégarisme nm Instinct grégaire.

grège a Loc *Soie grège* : brute, telle qu'elle sort du cocon. ■ a, nm Beige tirant sur le gris.

grégeois am Loc HIST *Feu grégeois* : mélange incendiaire utilisé par les Byzantins.

grégorien, enne a Loc *Calendrier grégorien* : calendrier julien réformé par le pape Grégoire XIII. *Chant grégorien* : musique liturgique de l'Église romaine.

1. grêle a 1 Long et menu. *Jambes grêles.* 2 Aigu et faible. *Voix grêle.* Loc *Intestin grêle* : partie longue et mince de l'intestin.

2. grêle nf 1 Pluie de petits glaçons de forme arrondie. 2 Chute abondante de qqch.

grêlé, ée a 1 Endommagé par la grêle. 2 Marqué par la variole.

grêler v impers Tomber (grêle).

grêlon nm Glaçon de la grêle.

grelot nm Boule métallique creuse contenant un morceau de métal qui la fait tinter.

grelottement nm Tremblement. Var **grelotte-ment**

grelotter vi Trembler de froid, de peur. Var **greloter**

greluche nf fam Jeune femme sotte.

grenache nm 1 Cépage noir du sud de la France. 2 Vin doux fait avec ce cépage.

grenade nf 1 Fruit du grenadier. 2 Projectile explosif, lancé à la main ou avec un fusil.

grenadier nm 1 Arbre méditerranéen dont le fruit est la grenade. 2 Soldat spécialement entraîné au lancement des grenades.

grenadille nf Fruit tropical d'une passiflore.

grenadin nm 1 Tranche de veau fine piquée de lard. 2 Variété d'œillet.

grenadine nf Sirop à base de jus de grenade.

grenaille nf Métal réduit en menus grains.

grenat nm Pierre précieuse de couleur pourpre. ■ a inv De couleur rouge sombre.

grenier nm 1 Lieu où on conserve le grain, le fourrage. 2 L'étage le plus élevé d'une maison, sous les combles. Loc De la cave au grenier : dans toute la maison.

grenouillage nm fam Combines douteuses.

grenouille nf Batracien sauteur et nageur. Loc fam Manger la grenouille : s'approprier les fonds communs, la caisse.

grenouiller vi fam Magouiller.

grenouillère nf 1 Marécage peuplé de grenouilles. 2 Combinaison pour bébé.

grenu, ue a Marqué de grains, d'aspérités. Cuir grenu.

grès nm 1 Roche sédimentaire formée de grains de sable agglomérés par un ciment. 2 Céramique dure.

gréseux, euse a Du grès.

grésil nm Pluie de petits granules de glace.

grésillement nm Léger crépitement.

grésiller vi Crépiter un peu. Loc Il grésille : il tombe du grésil.

gressin nm Petit pain allongé et croquant.

grève nf 1 Plage de gravier, de sable. 2 Cessation de travail concertée.

grever vt [15] Soumettre à de lourdes servitudes financières.

gréviste n, a Qui fait grève.

gribouillage nm Dessin informe ; écriture mal formée. Var gribouillis

gribouiller vt, vi Faire des gribouillages.

gribouilleur, euse n Personne qui gribouille.

grief nm Motif de plainte. Loc Faire grief : reprocher.

grièvement av Blesser grièvement : gravement.

griffe nf 1 Ongle acéré et crochu de certains animaux. 2 Marque commerciale. La griffe d'un grand couturier. 3 Signature caractéristique de qqn. Loc Rogner les griffes de qqn : l'empêcher de nuire.

griffer vt 1 Égratigner. Le chat l'a griffé. 2 Marquer d'une griffe. Vêtement griffé.

griffon nm 1 MYTH Lion ailé à bec et à serres d'aigle. 2 Chien à poils longs.

griffonnage nm Écriture difficile à lire.

griffonner vt Écrire peu lisiblement.

griffu, ue a Armé de griffes.

griffure nf Coup de griffe. Var griffade

grignotage nm Action de grignoter. Var grignotement

grignoter vt 1 Manger par très petites quantités. 2 Diminuer, détruire peu à peu. Grignoter son héritage. 3 Gagner peu à peu. Grignoter quelques secondes.

grigou nm fam Avare.

gri-gri nm Amulette, talisman, en Afrique noire. Des gris-gris ou des grigris. Var grigri

gril nm Ustensile de cuisine pour faire rôtir la viande. Loc fam Être sur le gril : angoissé.

grill. V. grill-room.

grillade nf Viande grillée.

grillage nm Treillis métallique.

grillager vt [11] Garnir d'un grillage.

grille nf 1 Clôture de barreaux à claire-voie. 2 Document servant à coder ou à décoder un message. 3 Support, tableau quadrillé. Grille de mots croisés. 4 Tableau de répartition. Grille des programmes, des salaires. ■ pl Loc Être derrière les grilles : en prison.

grillé, ée a fam Démasqué.

grille-pain nm Appareil servant à faire griller des tranches de pain. Des grille-pains.

griller vt 1 Rôtir sur le gril. Griller du poisson. 2 Torréfier. Griller du café. 3 Chauffer vivement ; dessécher. Les vents grillaient la végétation. 4 fam Mettre hors d'usage. Griller une lampe. 5 fam Dépasser sans s'arrêter. Griller un feu rouge. Griller les étapes. 6 fam Démasquer. Loc fam Griller une cigarette : la fumer. ■ vi 1 Cuire sur le gril. 2 Avoir très chaud. ■ vti Être très désireux de. Il grillait de tout lui raconter.

grillon nm Insecte sauteur.

grill-room [grilrum] nm Restaurant où on sert des grillades. Des grill-rooms. Var grill [gril]

grimaçant, ante a Qui grimace.

grimace nf Contorsion du visage pour exprimer un sentiment.

grimacer vi, vt [10] Faire des grimaces.

grimacier, ère a, n Qui fait des grimaces.

grimage nm Action de grimer.

grimer vt Maquiller un acteur.

grimoire nm Ouvrage confus et illisible.

grimpant, ante a Loc Plante grimpante : dont la tige s'accroche par des vrilles.

grimpe nf fam Escalade.

grimper vi 1 Monter en s'aidant des pieds et des mains. 2 Monter sur un lieu élevé. 3 Augmenter rapidement et fortement. Les cours ont grimpé. ■ vt Gravir. Il grimpa les étages. ■ nm Exercice par lequel on grimpe à la corde.

grimpette nf Chemin qui grimpe fort.

grimpeur, euse n 1 Coureur cycliste qui monte bien les côtes. 2 Personne qui pratique l'escalade.

grinçant, ante a Qui grince.

grincement nm Fait de grincer.

grincer vi [10] Produire par frottement un bruit strident et désagréable. Loc Grincer des dents : manifester sa rage, son dépit.

grincheux, euse a fam Grognon.

gringalet nm Homme petit et fluet.

gringo [gringo] nm En Amérique latine, étranger, en partic. Américain du Nord.

gringue nm Loc pop Faire du gringue à : faire la cour à.

griot nm Poète musicien en Afrique noire.

griotte nf Petite cerise noire acidulée.

grippage nm Adhérence anormale de surfaces métalliques. Var grippement

grippal, ale, aux a De la grippe.

grippe nf Maladie infectieuse, épidémique due à un virus. Loc Prendre en grippe : avoir de l'antipathie pour.

grippé, ée a, n Qui a la grippe.

gripper vi, vpr Adhérer, se bloquer (pièces d'une machine).

grippe-sou nm fam Avare. Des grippe-sous.

gris, grise a, nm D'une couleur résultant d'un mélange de blanc et de noir. ■ a 1 Terne, triste. Faire grise mine. 2 fam Temps gris : brumeux, couvert. fam Matière grise : intelligence, réflexion. Vin gris : rosé.

grisaille nf Caractère terne, morne. La grisaille quotidienne.

grisant, ante a Qui grise.

grisâtre a Qui tire sur le gris.

grisbi nm pop Argent, magot.

grisé nm Teinte grise.

griser vt 1 Colorer de gris. 2 Enivrer. 3 Exciter. Le succès l'a grisé.

griserie nf Exaltation, enivrement.

grisonnant, ante a Qui grisonne.

grisonner vi Devenir gris (barbe, cheveux).

grisou nm Méthane libéré par la houille. Loc Coup de grisou : explosion du grisou.

grive nf Passereau proche du merle.

grivèlerie nf Délit consistant à consommer dans un restaurant ce qu'on ne pourra pas payer.

grivois, oise a Licencieux.

grivoiserie nf Caractère ou propos grivois.

grizzly nm Grand ours gris des montagnes Rocheuses. Var **grizzli**

grœnendael [grɔnɛndal] nm Chien de berger belge à poil long.

grœnlandais, aise a, n Du Groenland.

grog nm Boisson composée de rhum, d'eau chaude sucrée et de citron.

groggy a iny 1 Qui a perdu en partie conscience (boxeur). 2 Étourdi par un choc.

grognard nm Soldat de la vieille garde sous le premier Empire.

grogne nf fam Mécontentement.

grognement nm 1 Cri du porc, du sanglier. 2 Grondement de protestation.

grogner vi 1 Émettre un grondement sourd (porc, sanglier). 2 Exprimer son mécontentement.

grognon, onne a, n Maussade, bougon.

groin nm Museau du porc, du sanglier.

grolle nf pop Chaussure. Var **grole**

grommeler vi, vt [16] ou [18] Se plaindre, murmurer entre ses dents. Grommeler des injures.

grommellement nm Action de grommeler. Var **grommèlement**

grondement nm Bruit sourd et prolongé.

gronder vi 1 Faire entendre un son sourd. 2 Menacer. La révolte gronde. ■ vt Réprimander un enfant.

grondeur, euse a Qui réprimande.

grondin nm Poisson marin à tête volumineuse.

groom [grum] nm Jeune employé d'un hôtel.

gros, grosse a Important en volume, en surface, en épaisseur, en corpulence, en intensité. Un gros chat. Faire de grosses taches. Une grosse fièvre. Remporter le gros lot. Loc Avoir le cœur gros : être peiné. fam Avoir la grosse tête : être vaniteux. Mer grosse : dont les vagues atteignent 6 à 9 m. Gros temps : mauvais temps. Gros rire : vulgaire. ■ av 1 Beaucoup. Gagner gros. 2 En grand. Écrire gros. ■ nm 1 La partie la plus importante. Le gros de l'affaire. 2 Vente par grandes quantités. Prix de gros. Loc En gros : sans donner de détails. En avoir gros sur le cœur : ressentir du dépit, de la rancœur.

groseille nf Petite baie rouge, fruit du groseillier.

groseillier nm Arbuste qui donne des groseilles. Var **groseiller**

gros-grain nm Tissu soyeux à grosses côtes. Des gros-grains.

gros-plant nm Cépage blanc nantais ; vin de ce cépage. Des gros-plants.

gros-porteur nm Avion de grande capacité. Des gros-porteurs.

grosse nf 1 DR Copie d'une décision judiciaire ou d'un acte notarié revêtue de la formule exécutoire. 2 Douze douzaines.

grossesse nf État de la femme enceinte, qui dure neuf mois.

grosseur nf 1 Volume, taille. 2 Corpulence. 3 Enflure sous la peau.

grossier, ère a 1 Sans finesse, de mauvaise qualité. Tissu grossier. 2 Sommaire, rudimentaire. Imitation grossière. 3 Qui dénote l'ignorance. Faute grossière. 4 Contraire aux bienséances ; impoli. Réponse grossière.

grossièrement av De façon grossière.

grossièreté nf Parole ou action grossière.

grossir vi 1 Prendre de l'embonpoint. 2 Devenir plus important ; augmenter. Le troupeau grossit. ■ vt Rendre plus gros ; accroître. Les pluies grossissent le torrent. Grossir les dangers.

grossissant, ante a Qui fait paraître plus gros. Verres grossissants.

grossissement nm Action de grossir.

grossiste n Commerçant en gros.

grosso modo av Approximativement.

grotesque a Ridicule, bizarre, extravagant.

grotte nf Excavation profonde dans la roche.

grouillant, ante a Qui grouille.

grouillement nm Mouvement de ce qui grouille.

grouiller vi 1 S'agiter en tous sens. 2 Fourmiller, être plein de. Ce fromage grouille de vers. ■ vpr fam Se hâter.

grouillot nm fam Garçon de courses.

groupage nm 1 Réunion de colis vers un même destinataire. 2 Détermination du groupe sanguin.

groupe nm 1 Ensemble de personnes, de choses ayant certaines caractéristiques en commun. Un groupe de curieux. Un groupe de maisons. Un groupe de travail. Un groupe parlementaire. Un groupe financier, industriel. 2 Petit orchestre, formation. Loc Groupe sanguin : classement des individus selon certaines propriétés du sang (pour les transfusions).

groupement nm 1 Action de grouper. 2 Réunion de personnes ayant un intérêt commun. Groupement politique.

grouper vt Réunir en un groupe. Grouper des envois. ■ vpr S'assembler.

groupie n Fanatique d'un artiste, d'un homme politique, etc.

groupuscule nm Groupement politique comportant un très petit nombre d'adhérents.

grouse nf Oiseau gallinacé d'Écosse.

gruau nm Loc Farine de gruau : fine fleur de farine.

grue nf 1 Oiseau migrateur de grande taille. 2 pop Prostituée. 3 Engin de levage de grande dimension. Loc fam Faire le pied de grue : attendre longtemps debout.

gruger *vt* [11] Tromper, duper.

grume *nf* Tronc d'arbre ébranché, non écorcé.

grumeau *nm* Petite masse solide coagulée.

grumeleux, euse *a* Plein de grumeaux.

grumier *nm* Camion ou bateau conçu pour transporter des grumes.

grunge [grœndʒ] *a, nm* 1 Se dit d'un mouvement musical mêlant le hard rock et la musique punk, né aux États-Unis dans les années 1980. 2 Se dit du style vestimentaire négligé des amateurs de ce mouvement.

grutier *nm* Conducteur de grue.

gruyère *nm* Fromage cuit d'origine suisse.

gryphée *nf* Huître dont la coquille a des valves très inégales.

GSM *nm* Sigle de *groupes systèmes mobiles*. Téléphone portable.

guacamole [gwa-] *nm* Plat mexicain consistant en une purée d'avocats, d'oignons et de piments assaisonnée au citron.

guadeloupéen, enne [gwa-] *a, n* De la Guadeloupe.

guano [gwa-] *nm* Engrais d'origine animale.

guarani [gwa-] *nm* 1 Langue indienne du Paraguay. 2 Unité monétaire du Paraguay.

guatémaltèque [gwa-] *a, n* Du Guatemala.

gué *nm* Endroit d'une rivière où on peut passer à pied.

guéable *a* Qu'on peut passer à gué.

guéguerre *nf fam* Petite guerre.

guelte *nf* COMM Pourcentage accordé à un vendeur sur ses ventes.

guenille *nf* Vêtement déchiré.

guenon *nf* Femelle du singe.

guépard *nm* Mammifère carnassier d'Afrique tropicale, très rapide.

guêpe *nf* Insecte social à l'abdomen jaune rayé de noir. Loc *Taille de guêpe* : taille très fine.

guêpier *nm* 1 Nid de guêpes. 2 Oiseau au plumage de couleurs vives. Loc *Se fourrer dans un guêpier* : dans une mauvaise affaire.

guère *av* Loc *Ne... guère* : peu, pas beaucoup.

guéret *nm* Terre labourée et non ensemencée.

guéridon *nm* Petite table ronde à un seul pied.

guérilla *nf* 1 Guerre de partisans. 2 *fam* Harcèlement permanent.

guérilléro *nm* Partisan, franc-tireur. **Var** guérillero

guérir *vt* 1 Délivrer d'une maladie, d'un mal. 2 Faire cesser une maladie. *Guérir une angine.* ■ *vi, vpr* 1 Recouvrer la santé. *Il a guéri (s'est guéri) en huit jours.* 2 Cesser (maladie).

guérison *nf* Recouvrement de la santé.

guérissable *a* Qui peut être guéri.

guérisseur, euse *n* Personne qui traite par des méthodes extramédicales.

guérite *nf* Abri d'une sentinelle, d'un gardien.

guerre *nf* 1 Conflit armé entre des nations, des États, des groupes humains. 2 Lutte avec d'autres moyens que les armes. *Guerre psychologique, économique.* Loc *Guerre civile* : entre citoyens d'un même pays. *Guerre froide* : tension vive entre États. *Guerre sainte* : menée au nom d'un idéal religieux. *De bonne guerre* : légitimement. *De guerre lasse* : après une longue résistance. *Faire la guerre à qqch* : le combattre. *Petite guerre* : simulacre de combat.

guerrier, ère *a* Propre à la guerre ; belliqueux. *Humeur guerrière.* ■ *nm litt* Soldat.

guerroyer *vi* [22] *litt* Faire la guerre.

guet *nm* Loc *Faire le guet* : guetter.

guet-apens [gɛtapɑ̃] *nm* Embûche, traquenard. *Des guets-apens.*

guêtre *nf* Jambière d'étoffe ou de cuir. Loc *fa Traîner ses guêtres* : flâner.

guetter *vt* Épier, être à l'affût.

guetteur, euse *n* Personne qui guette.

gueulante *nf pop* Cri de colère, de protestation.

gueulard, arde *a, n pop* Braillard. ■ *nm* Orific de chargement d'un haut-fourneau.

gueule *nf* 1 Bouche des animaux. 2 *fam* Bouche visage humain. 3 Ouverture (d'un canon). Loc *fa Casser la gueule à qqn* : le battre. *Se casser l gueule* : tomber. *Gueule noire* : mineur. *Ferme sa gueule* : se taire. *Ta gueule !* : silence ! *Fir gueule* : gourmet. *Avoir la gueule de bois* : ▮ bouche pâteuse après s'être enivré. *Avoir de l gueule* : avoir de l'allure. *Faire la gueule* : bou der. *Grande gueule* : braillard inactif.

gueule-de-loup *nf* Muflier. *Des gueules-de loup.*

gueuler *vt, vi pop* Crier très fort.

gueuleton *nm fam* Festin.

gueuletonner *vi fam* Faire un gueuleton.

gueuse *nf* Lingot de fonte.

gueux, gueuse *n litt* Vagabond.

gueuze *nf* Bière belge forte.

guèze *nm* Langue liturgique des chrétien d'Éthiopie.

gugusse *nm fam* Clown.

gui *nm* Plante parasite de certains arbres.

guibolle *nf fam* Jambe. **Var** guibole.

guiches *nfpl* Mèches de cheveux frisés.

guichet *nm* Comptoir dans une banque, un poste, un théâtre, etc., derrière lequel se tient u employé.

guichetier, ère *n* Préposé à un guichet.

guidage *nm* Action de guider un avion, un fusée, etc.

guide *n* 1 Personne qui montre le chemin, qui fa visiter. 2 Personne qui conduit qqn, un groupe e montagne. ■ *nm* 1 Personne qui dirige, conseill qqn. 2 Ouvrage didactique. ■ *nf* Jeune fille faisar partie d'un groupe de scoutisme. ■ *nfpl* Longu rêne servant à diriger les chevaux.

guider *vt* 1 Conduire, montrer le chemin à. Diriger, mener, faire agir. *L'ambition le guide* ■ *vpr* Se diriger d'après un point de repère. S guider sur l'étoile polaire.

guidon *nm* Tube métallique cintré orientant l roue avant d'un deux-roues.

guigne *nf* 1 Cerise noirâtre à chair ferme. 2 *fa* Malchance. *J'ai la guigne !*

guigner *vt* 1 Regarder du coin de l'œil. 2 Convoiter. *Il guigne ma place.*

guignol *nm* 1 Marionnette. 2 Théâtre de marion nettes. 3 Personne qui fait l'imbécile, pitre.

guignolade *nf fam* Affaire peu sérieuse ; situatio grotesque.

guignolet *nm* Liqueur de cerise.

guilde *nf* Association commerciale ou culturelle

guilledou *nm* Loc *fam* *Courir le guilledou* rechercher des aventures galantes ; draguer.

guillemet nm Signe typographique double (« ») servant à mettre en valeur un mot ou à indiquer une citation.

guillemot nm Oiseau marin voisin du pingouin.

guilleret, ette a Vif, gai, leste.

guillocher vt Orner de guillochis.

guillochis nm Décor gravé fait de lignes brisées.

guillotine nf Instrument destiné à trancher la tête des condamnés à mort. **Loc** Fenêtre à guillotine : dont le châssis glisse verticalement entre deux rainures.

guillotiner vt Décapiter au moyen de la guillotine.

guimauve nf Plante qui a des propriétés émollientes et sédatives. **Loc** Pâte de guimauve : confiserie molle. À la guimauve : mièvre.

guimbarde nf 1 Instrument de musique composé d'une languette d'acier qu'on fait vibrer. 2 fam Vieille voiture.

guincher vi pop Danser.

guindé, ée a Qui manque de naturel.

guinée nf Ancienne monnaie anglaise.

guinéen, enne a, n De la Guinée.

guingois (de) av fam De travers.

guinguette nf Bistrot où on pouvait danser.

guipure nf Étoffe imitant la dentelle et utilisée pour les rideaux.

guirlande nf Ornement en forme de couronne, de feston.

guise nf **Loc** À sa guise : à son gré, selon son bon plaisir. En guise de : au lieu de.

guitare nf Instrument de musique à cordes pincées.

guitariste n Personne qui joue de la guitare.

guitoune nf fam Cabane, tente.

guppy nm Poisson d'aquarium.

gus nm pop Individu, type.

gustatif, ive a Relatif au goût.

gustation nf Perception des saveurs.

gutta-percha nf Substance proche du caoutchouc, extraite du latex. Des guttas-perchas.

guttural, ale, aux a Du gosier. ■ nf Consonne postérieure, comme [g] ou [k].

guyanais, aise a, n De la Guyane.

1. guyot nm GEOL Volcan sous-marin à sommet plat.

2. guyot nf Variété de poire.

gym nf fam Gymnastique.

gymkhana nm Épreuves et courses d'obstacles en moto ou en automobile.

gymnase nm Vaste salle pour la pratique de certains sports.

gymnaste n Athlète pratiquant la gymnastique.

gymnastique nf 1 Sport de compétition comprenant divers exercices physiques. 2 Éducation physique. 3 fam Manœuvres compliquées. Gymnastique intellectuelle. **Loc** Pas (de) gymnastique : pas de course cadencé.

gymnique a De gymnastique.

gymnosperme nf BOT Plante arborescente dont les ovules sont à nu, comme le pin.

gymnote nm Poisson américain qui paralyse ses proies par une décharge électrique.

gynécée nm ANTIQ Appartement des femmes.

gynécologie nf Étude de l'appareil génital féminin ; spécialité médicale le concernant.

gynécologique a De gynécologie.

gynécologue n Spécialiste de gynécologie.

gypaète nm Très grand vautour.

gypse nm Roche saline utilisée pour fabriquer du plâtre.

gypseux, euse a De gypse.

gyrocompas nm Compas gyroscopique utilisé par les avions et les bateaux.

gyromitre nm Champignon voisin de la morille, très toxique s'il est consommé cru.

gyrophare nm Phare rotatif équipant certains véhicules.

gyroscope nm Appareil constitué d'un volant monté dans une armature et dont l'axe de rotation donne une direction invariable de référence.

gyroscopique a Du gyroscope.

h *nm* Huitième lettre (consonne) de l'alphabet, ne se prononçant pas. L' *h* dit « aspiré », noté ['] empêche la liaison et l'élision par oppos. à l'*h* muet. **Loc** *Heure H :* heure décisive. *Bombe H :* bombe à hydrogène ou thermonucléaire.

ha ! ['a] *interj* Var. de *ah !*

habeas corpus [abeaskɔʀpys] *nm* Loi anglaise qui garantit la liberté individuelle.

habile *a* **1** Qui sait bien exécuter qqch ; adroit, expert. *Être habile en affaires.* **2** Qui témoigne d'une certaine adresse. *Décision habile.*

habilement *av* Avec adresse.

habileté *nf* Adresse, finesse, dextérité de qqn.

habilitation *nf* DR Action d'habiliter.

habilité *nf* DR Capacité légale.

habiliter *vt* DR Rendre légalement apte à accomplir un acte juridique.

habillage *nm* Action d'habiller qqn, de revêtir qqch.

habillé, ée *a* **1** Vêtu. *Il a dormi tout habillé.* **2** Qui porte des habits de cérémonie, de soirée.

habillement *nm* Ensemble des vêtements.

habiller *vt* **1** Mettre des vêtements à qqn. *Habiller un enfant en costume marin.* **2** Aller (vêtements). *Cette robe l'habille à ravir.* **3** Couvrir, envelopper qqch. *Habiller un meuble d'une housse.* ■ *vpr* **1** Se vêtir. **2** Revêtir des vêtements élégants.

habilleur, euse *n* Personne qui aide les acteurs à s'habiller, qui s'occupe de leurs costumes.

habit *nm* **1** Costume. **2** Vêtement de cérémonie masculin, noir, à basques et à revers de soie. **Loc** *Habit vert :* costume officiel des membres de l'Institut. *Prendre l'habit :* se faire religieux, religieuse. ■ *pl* Vêtements. *Des habits de deuil.*

habitabilité *nf* Place qu'offre à ses occupants un logement, un véhicule, etc.

habitable *a* Où l'on peut habiter.

habitacle *nm* Partie d'un avion ou d'un vaisseau spatial réservée à l'équipage.

habitant, ante *n* Personne qui a sa demeure en un endroit. *Une ville de 100 000 habitants.*

habitat *nm* **1** Mode de peuplement d'une région par l'homme. **2** Façon dont sont logés les habitants. *Habitat collectif.* **3** Lieu où l'on rencontre une espèce animale ou végétale.

habitation *nf* Lieu où l'on habite ; maison, logis, demeure.

habité, ée *a* Où il y a des habitants.

habiter *vt* **1** Être installé en un endroit. *Il habite Paris.* **2** Avoir son logement habituel dans. *Habiter une maison au bord de la mer.* ■ *vi* Demeurer, vivre en un endroit. *Elle habite chez ses parents.*

habituation *nf* BIOL Accoutumance.

habitude *nf* Manière d'agir acquise par la répétition des mêmes actes ; coutume. *Avoir l'habitude de fumer.* **Loc** *D'habitude :* ordinairement.

habitué, ée *n* Personne qui va habituellement en un endroit. *Les habitués de l'Opéra.*

habituel, elle *a* Fréquent, ordinaire.

habituellement *av* Ordinairement.

habituer *vt* Entraîner, accoutumer. ■ *vpr* Prendre l'habitude de. *S'habituer à se lever tôt.*

hâbleur, euse ['a] *n, a* litt Qui parle beaucoup et avec vantardise.

hach. V. hasch.

hachage ['a-] *nm* Action de hacher.

hache ['aʃ] *nf* Instrument pour couper et fendre.

haché, ée ['a-] *a* **1** Coupé en menus morceaux. **2** Entrecoupé. *Style haché.* ■ *nm* Viande hachée.

hacher ['a-] *vt* **1** Couper en petits morceaux. **2** Détruire en déchiquetant. *La grêle a haché les blés.* **3** Couper, interrompre sans cesse. *Hacher un discours.*

hachette ['a-] *nf* Petite hache.

hachis ['a-] *nm* Mets fait de viande ou de poisson haché.

hachisch. V. haschisch.

hachoir ['a-] *nm* **1** Grand couteau ou appareil à lame servant à hacher la viande, les légumes. **2** Planche sur laquelle on hache la viande.

hachure ['a-] *nf* Chacun des traits servant à faire les ombres d'une partie d'un dessin.

hachurer ['a-] *vt* Tracer des hachures sur.

hacienda *nf* Grande exploitation agricole, en Amérique du Sud.

haddock ['a-] *nm* Églefin fumé.

hadith ['adit] *nm* Récit relatif à la vie de Mahomet, à ses paroles.

hadj ['adʒ] *nm* **1** Musulman qui a fait le pèlerinage à La Mecque. **2** Ce pèlerinage lui-même.

hafnium ['afnjɔm] *nm* Métal des terres rares.

hagard, arde ['a-] *a* Farouche, effaré, hébété.

hagiographe *n* Auteur d'une hagiographie.

hagiographie *nf* Biographie d'un saint.

haie ['ɛ] *nf* **1** Clôture faite d'arbustes ou de branchages. **2** Rangée de personnes ou de choses. *Une* *haie d'honneur.* **3** Obstacle artificiel disposé pour certaines courses.

haïku ['ajku] *nm* Poème japonais constitué d'un verset.

haillon ['a-] *nm* Vêtement usé, déchiré.

haine ['ɛn] *nf* Aversion violente, dégoût profond.

haineusement ['ɛn-] *av* De façon haineuse.

haineux, euse ['ɛn-] *a* Naturellement porté à la haine ; inspiré par la haine.

haïr ['a-] *vt* [24] Éprouver de la haine ; détester, exécrer.

haïssable ['a-] *a* Odieux, détestable.

haïtien, enne *a, n* De Haïti.

halage ['a-] *nm* Action de haler un bateau.

halal *a inv* Conforme aux prescriptions de la religion musulmane (viande).

halbran ['a-] *nm* Jeune canard sauvage.

hâle ['a-] *nm* Teinte brune de la peau sous l'effet du soleil et du grand air.

haleine *nf* Air qui sort des poumons pendant l'expiration. Loc *Être hors d'haleine :* très essoufflé. *À perdre haleine :* à perdre le souffle. *Tenir en haleine :* retenir l'attention. *De longue haleine :* qui exige beaucoup de temps.

haler ['a-] *vt* **1** Tirer à soi avec force. *Haler un cordage.* **2** Faire avancer un bateau en le tirant.

hâler ['a-] *vt* Rendre le teint plus foncé, brunrouge ou doré.

haletant, ante ['a-] *a* Essoufflé.

halètement ['a-] *nm* Action de haleter ; bruit saccadé du souffle.

haleter ['a-] *vi* [17] Respirer bruyamment et à un rythme précipité, avoir de l'haleine.

half-track ['a-] *nm* Véhicule chenillé blindé. *Des half-tracks.*

halieutique *a* De la pêche. ■ *nf* Art de la pêche.

hall ['ol] *nm* Vaste salle située à l'entrée d'un bâtiment. *Le hall d'un hôtel, d'une gare.*

hallali *nm* VEN Sonnerie du cor annonçant que la bête est près de succomber.

halle ['a-] *nf* Lieu public où se tient un marché, un commerce en gros. ■ *pl* Marché des produits alimentaires d'une ville.

hallebarde ['a-] *nf* anc Pique à fer tranchant.

hallier ['a-] *nm* Gros buisson.

Halloween ['alɔwin] *nf* Fête anglo-saxonne célébrée par les enfants le 31 octobre.

hallucinant, ante *a* fam Très étonnant.

hallucination *nf* Perception imaginaire, onirique ; illusion.

hallucinatoire *a* De l'hallucination.

halluciné, ée *a, n* Qui a des hallucinations.

hallucinogène *nm, a* Substance qui provoque des hallucinations.

halo ['a-] *nm* **1** Auréole diffuse autour d'une source lumineuse. **2** Ce qui semble émaner de. *Un halo de mystère.*

halogène *nm* **1** Corps de la famille du chlore. **2** Lampe à incandescence contenant ce corps.

halogéné, ée *a* CHIM Qui contient un halogène.

halte ['a-] *nf* **1** Moment d'arrêt au cours d'une marche. **2** Étape, lieu fixé pour s'arrêter. ■ *interj* Loc *Halte !, halte-là ! :* arrêtez !

halte-garderie *nf* Crèche admettant des enfants en bas âge pour un court temps et occasionnellement. *Des haltes-garderies.*

haltère *nm* Instrument de culture physique constitué de deux disques réunis par une barre.

haltérophile *n* Personne qui pratique l'haltérophilie.

haltérophilie *nf* Sport des poids et haltères.

halva ['a-] *nm* Confiserie turque à base de sésame et de sucre.

hamac ['a-] *nm* Toile ou filet suspendu par ses deux extrémités, qui sert de lit.

hamburger ['ɑ̃bœʁgœʁ] *nm* Bifteck haché servi dans un petit pain rond.

hameau ['a-] *nm* Petit groupe isolé d'habitations rurales, ne formant pas une commune.

hameçon *nm* Petit crochet qu'on fixe au bout d'une ligne pour prendre du poisson. Loc fam *Mordre à l'hameçon :* se laisser séduire.

hammam ['amam] *nm* Établissement où l'on prend des bains de vapeur.

hampe ['ɑ̃-] *nf* **1** Longue tige qui sert de support à un drapeau. **2** BOT Tige portant des fleurs à son sommet. **3** Partie latérale supérieure du ventre du bœuf, vers la cuisse.

hamster ['amstɛʁ] *nm* Petit rongeur au pelage fauve et blanc.

hanap ['anap] *nm* Vase à boire du Moyen Âge.

hanche ['ɑ̃ʃ] *nf* Partie latérale du corps, entre la taille et le haut de la cuisse.

handball ['ɑ̃dbal] *nm* Sport de ballon opposant deux équipes de 7 joueurs qui doivent se servir uniquement de leurs mains.

handballeur, euse *n* Joueur de handball.

handicap ['ɑ̃-] *nm* **1** Désavantage imposé à un concurrent, à un cheval, pour équilibrer les chances de victoire ; épreuve sportive où les chances sont ainsi équilibrées. **2** Infirmité physique ou mentale. *Handicap moteur.* **3** Ce qui défavorise, met en position d'infériorité.

handicapant, ante ['ɑ̃-] *a* Qui handicape.

handicapé, ée ['ɑ̃-] *a, n* Atteint d'un handicap.

handicaper ['ɑ̃-] *vt* **1** SPORT Imposer un handicap à un concurrent, un cheval. **2** Mettre en état d'infériorité, désavantager. *Sa timidité l'a handicapé.*

handisport ['ɑ̃-] *a* Du sport pratiqué par les handicapés physiques.

hangar ['ɑ̃-] *nm* Construction ouverte formée d'un toit élevé sur des piliers ; entrepôt.

hanneton ['a-] *nm* Coléoptère aux élytres bruns, très commun en Europe.

Hanoukka ['a-] *nf* Fête juive célébrée au mois de décembre.

hanse ['ɑ̃s] *nf* HIST Ligue de marchands, au Moyen Âge.

hanséatique ['ɑ̃-] *a* HIST De la Hanse.

hanter ['ɑ̃-] *vt* **1** Habiter, apparaître qq part (spectres, fantômes). **2** Obséder. *La crainte de la maladie le hante.*

hantise ['ɑ̃-] *nf* Inquiétude obsédante.

haoussa *nm* Langue d'Afrique de l'Ouest.

hapax *nm* LING Mot, forme dont on ne possède qu'un exemple.

happement ['a-] *nm* Action de happer.

happening ['apnin] *nm* Manifestation artistique dont l'improvisation implique une participation du public.

happer ['a-] *vt* **1** Saisir avidement d'un coup de gueule ou de bec. **2** Attraper soudainement avec violence.

happy end ['apɛnd] *nm* Conclusion heureuse d'une œuvre dramatique. *Des happy ends.*

happy few ['apiʃu] *nmpl* Les quelques personnes privilégiées.

hara-kiri ['a-] *nm* Mode de suicide rituel, particulier aux Japonais, consistant à s'ouvrir le ventre. *Des hara-kiris.* **Var harakiri**

harangue ['a-] *nf* Discours solennel prononcé à l'intention d'une assemblée.

haranguer ['a-] *vt* Adresser une harangue.

haras ['aʀa] *nm* Établissement où on élève des juments et des étalons.

harassant, ante ['a-] *a* Qui harasse.

harassement ['a-] *nm* Lassitude extrême.

harasser ['a-] *vt* Fatiguer à l'excès.

harcèlement ['a-] *nm* Action de harceler. Loc *Harcèlement moral* : persécution d'un employé par son supérieur hiérarchique. *Harcèlement sexuel* : délit qui consiste à profiter d'une position hiérarchique pour imposer des relations sexuelles à qqn.

harceler ['a-] *vt* [16] 1 Poursuivre de petites attaques renouvelées. 2 Tourmenter.

harde ['aʀd] *nf* VEN Troupeau de bêtes sauvages.

hardes ['aʀd] *nfpl* litt Vieux vêtements.

hardi, ie ['a-] *a* 1 Audacieux, entreprenant, intrépide. 2 D'une originalité audacieuse. *Proposition hardie.* ■ *interj* Sert à encourager. *Hardi, les gars !*

hardiesse ['a-] *nf* Caractère hardi ; originalité.

hardiment ['a-] *av* Avec hardiesse.

hard rock ['aʀdʀɔk] *nm inv* Courant de la musique rock né vers 1970, caractérisé par une musique violente fortement amplifiée.

hardware ['aʀdwɛʀ] *nm* INFORM Matériel.

harem ['a-] *nm* 1 Appartement des femmes, chez les musulmans. 2 Ensemble des femmes qui y habitent.

hareng ['a-] *nm* Poisson très commun des côtes européennes de l'Atlantique. Loc *Hareng saur* : hareng salé, séché et fumé. *Serrés comme des harengs* : très serrés.

harengère ['a-] *nf* vx Marchande de poissons au parler grossier.

haret ['aʀɛ] *nm* Chat domestique devenu sauvage.

harfang ['aʀfɑ̃] *nm* Chouette blanche des régions arctiques.

hargne ['a-] *nf* Mauvaise humeur avec comportement agressif.

hargneusement ['a-] *av* De façon hargneuse.

hargneux, euse ['a-] *a* D'humeur querelleuse ; acariâtre.

haricot ['a-] *nm* Plante potagère dont on consomme les gousses vertes et les graines. Loc pop *Des haricots* : rien du tout. pop *C'est la fin des haricots* : la fin de tout. *Haricot de mouton* : ragoût de mouton accompagné de divers légumes.

haridelle ['a-] *nf* litt Cheval maigre.

harissa ['a-] *nf* Sauce pimentée nord-africaine.

harki ['a-] *nm* Algérien engagé dans l'armée française pendant la guerre d'Algérie.

harmattan *nm* Vent chaud et sec de l'Afrique occidentale.

harmonica *nm* Instrument de musique composé d'anches libres mises en résonance par le souffle.

harmonie *nf* 1 Concours heureux de sons, de mots, de rythmes, etc. 2 MUS Science de la formation et de l'enchaînement des accords. 3 Orchestre d'instruments à vent et à percussion. 4 Effet produit par un ensemble dont les parties s'équilibrent. *Harmonie de couleurs.* 5 Bonne entente entre des personnes.

harmonieusement *av* Avec harmonie.

harmonieux, euse *a* Qui a de l'harmonie. *Son harmonieux. Mélange harmonieux.*

harmonique *a* De l'harmonie. ■ *nm* MUS Son musical dont la fréquence est un multiple d'une fréquence de base, appelée fondamentale.

harmonisation *nf* Action d'harmoniser.

harmoniser *vt* Mettre en harmonie. *Harmoniser des couleurs.* ■ *vpr* Se trouver en harmonie. *Leurs caractères s'harmonisent fort bien.*

harmonium [-njɔm] *nm* Instrument de musique à soufflerie et à clavier.

harnachement ['a-] *nm* 1 Action de harnacher. 2 Ensemble des harnais d'un cheval. 3 fam Accoutrement lourd et ridicule.

harnacher ['a-] *vt* 1 Mettre un harnais à un cheval. 2 fam Accoutrer ridiculement.

harnais ['a-] *nm* 1 Équipement d'un cheval de selle ou d'attelage. 2 Dispositif formé de sangles entourant le corps. *Harnais de parachutiste.*

harnois ['a-] *nm* Loc litt *Blanchi sous le harnois* : qui a vieilli dans son métier, son activité.

haro ['a-] *nm* Loc *Crier haro sur* : se dresser avec indignation contre.

harpagon *nm* litt Avare.

harpe ['a-] *nf* Grand instrument de musique à cordes pincées, de forme triangulaire.

harpie ['a-] *nf* 1 Femme acariâtre et criarde. 2 MYTH Monstre ailé à visage de femme.

harpiste ['a-] *n* Personne qui joue de la harpe.

harpon ['a-] *nm* Large fer fixé à une hampe, servant à prendre les gros poissons.

harponnage ['a-] *nm* Action de harponner. **Var harponnement**

harponner ['a-] *vt* 1 Accrocher avec un harpon. 2 fam Saisir, arrêter qqn par surprise.

haruspice *nm* ANTIQ Prêtre romain pratiquant la divination.

hasard ['a-] *nm* 1 Concours de circonstances imprévu et inexplicable ; évènement fortuit. *Un malheureux hasard.* 2 Ce qui échappe à l'homme et qu'il ne peut ni prévoir ni expliquer ; sort. *Le hasard a fait que j'étais là.* Loc *Au hasard* : à l'aventure, sans but, sans méthode. *À tout hasard* : en prévision de tout ce qui pourrait arriver. *Au hasard de* : selon les aléas de. *Coup de hasard* : évènement inattendu. *Par hasard* : accidentellement. *Jeu de hasard* : où l'intelligence, le calcul n'ont pas de part.

hasardé, ée ['a-] *a* Risqué.

hasarder ['a-] *vt* 1 Exposer au hasard. *Hasarder sa fortune.* 2 Se risquer à exprimer. *Hasarder une hypothèse.* ■ *vpr* litt S'exposer à un risque.

hasardeux, euse ['a-] *a* Qui comporte des risques ; aléatoire.

has been ['azbin] *n inv* fam Personnalité quelque peu oubliée.

hasch ['aʃ] *nm* fam Haschisch. **Var hach**

haschisch ['aʃ-] *nm* Stupéfiant tiré du chanvre indien. **Var hachisch** ou **hachich**

hase ['az] *nf* Femelle du lièvre.

hassidique ['a-] *a* Du hassidisme.

hassidisme ['a-] *nm* Courant mystique du judaïsme.

272

hast nm Loc HIST Arme d'hast : arme montée sur une hampe.

hâte ['ɑ-] nf Promptitude, diligence dans l'action. Loc Avoir hâte : être impatient. À la hâte, en hâte : avec précipitation et sans soin.

hâter ['ɑ-] vt Accélérer, rendre plus rapide. Hâter le pas. ■ vpr Se dépêcher de.

hâtif, ive ['ɑ-] a 1 En avance par rapport au développement normal. Fruit hâtif. 2 Fait trop vite. Travail hâtif.

hâtivement ['ɑ-] av À la hâte.

hauban ['o-] nm Chacun des câbles qui assujettissent le mât d'un navire, qui consolident une construction.

haubert ['o-] nm HIST Cotte de mailles.

hausse ['os] nf 1 Augmentation de prix, de valeur, de degré. 2 Dispositif pour pointer une arme à feu.

haussement ['o] nm Loc Haussement d'épaules : mouvement de mépris.

hausser ['o-] vt 1 Élever, augmenter la hauteur, l'intensité, le prix. Hausser un mur, les salaires. 2 Soulever. Hausser une malle. Loc Hausser les épaules : marquer son mépris, son indifférence. Hausser la voix, le ton : parler plus fort pour s'imposer.

haussier ['o-] nm FIN Spéculateur qui joue à la hausse de valeurs immobilières.

haut, haute ['o] a 1 D'une certaine dimension verticale. Haut de dix mètres. 2 Élevé, grand. Haute montagne. 3 Intense, fort. Haute température. 4 Éloigné de la mer. La haute Loire. 5 Éloigné dans le temps. La haute antiquité. 6 Supérieur, excellent. Avoir une haute opinion de qqn. Loc Haut en couleur : pittoresque. Avoir le verbe haut : être arrogant. Avoir la haute main sur : avoir autorité sur. La tête haute : sans craindre de reproche. Haute trahison : crime contre l'État. ■ av 1 À un degré élevé. Parler haut. 2 À grande altitude. Monter haut. Loc De haut : d'un point, d'une partie élevée. Le prendre de haut : répondre avec arrogance. Voir les choses de haut : sans s'arrêter aux détails. Regarder qqn de haut en bas : avec mépris et arrogance. En haut de : dans la partie la plus haute de. ■ nm 1 Sommet. Le haut de l'arbre. 2 Élévation. Dix mètres de haut. Loc Tomber de son haut : être surpris. ■ nmpl Loc Les hauts et les bas : alternances favorables et défavorables. ■ nf Loc pop La haute : les hautes classes de la société.

hautain, aine ['o-] a Arrogant, dédaigneux.

hautbois ['o-] nm Instrument de musique à vent, en bois, et à anche double.

hautboïste ['o-] n Joueur de hautbois.

haut-de-chausses ['o-] nm HIST Culotte bouffante descendant à mi-mollet. Des hauts-de-chausses.

haut-de-forme ['o-] nm Haut chapeau cylindrique. Des hauts-de-forme.

haute-contre ['o-] nf Voix masculine la plus aiguë. ■ nm Personne qui a cette voix. Des hautes-contre. Var hautecontre.

haute-fidélité ['o-] nf Restitution très fidèle des sons (abrév. : hi-fi).

hautement ['o-] av 1 Ouvertement. Proclamer hautement son innocence. 2 Fortement. Un ouvrier hautement qualifié.

hauteur ['o-] nf 1 Dimension dans le sens vertical. 2 Caractère de ce qui est élevé, intense, fort.

3 Lieu élevé, éminence. Habiter sur les hauteurs. 4 MATH Segment de droite perpendiculaire au côté d'un triangle. 5 Élévation morale. Hauteur de vues. 6 Arrogance, mépris. Accueillir qqn avec hauteur. 7 PHYS Fréquence moyenne d'un son. Loc À la hauteur : au niveau de. Être à la hauteur de qqn : avoir la même valeur que lui. Être à la hauteur de la situation : être à même d'y faire face. fam Ne pas être à la hauteur : être incapable.

haut-fond ['o-] nm Élévation du fond marin recouverte de très peu d'eau. Des hauts-fonds.

haut-fourneau ['o-] nm Four destiné à la fusion du minerai de fer. Des hauts-fourneaux.

haut-le-cœur ['o-] nm inv Nausée.

haut-le-corps ['o-] nm inv Brusque mouvement marquant l'indignation, la surprise.

haut-parleur ['o-] nm Appareil qui transforme en ondes sonores les signaux électriques d'un amplificateur. Des haut-parleurs. Var hautparleur.

haut-relief ['o-] nm Sculpture où les figures se détachent presque entièrement du fond (par oppos. à bas-relief). Des hauts-reliefs.

hauturier, ère ['o-] a MAR Qui se pratique en haute mer. Pêche hauturière.

havage ['a-] nm Abattage de la roche en continu.

havanais, aise ['a-] a, n De La Havane.

havane ['a-] nm Tabac ou cigare de La Havane. ■ a inv Brun-roux.

hâve ['ɑ-] a litt Pâli, émacié par la faim.

havre ['a-] nm 1 Port abrité. 2 litt Lieu calme et protégé, refuge.

havresac ['a-] nm Sac porté sur le dos.

hawaiien, enne a, n Des îles Hawaii. Var hawaïen, enne.

hayon ['a-] nm Porte pivotante fermant l'arrière de certains véhicules automobiles.

hé ! ['e] interj 1 fam Sert à appeler, interpeller. Hé ! toi, viens ici ! 2 Marque, selon le ton, la surprise, l'approbation, l'ironie.

heaume ['om] nm Casque porté au Moyen Âge par les hommes d'arme.

hebdomadaire a De la semaine. ■ nm Publication qui paraît chaque semaine.

hebdomadairement av Toutes les semaines.

hébéphrénie nf PSYCHIAT Schizophrénie sévère des adolescents.

hébergement nm Logement.

héberger vt [11] Recevoir, loger chez soi.

hébètement nm État hébété, stupide. Var hébétement.

hébéter vt [12] Rendre stupide, ahuri.

hébétude nf MED Engourdissement des facultés intellectuelles.

hébraïque a Propre aux Hébreux.

hébreu nm Langue sémitique parlée en Israël. Loc fam C'est de l'hébreu : c'est incompréhensible. ■ am Relatif au peuple juif.

hécatombe nf 1 Massacre, tuerie d'animaux ou d'êtres humains. 2 Grand nombre de personnes éliminées.

hectare nm Unité de superficie valant 100 ares ou 10 000 m² (symbole : ha).

hectogramme nm Unité de masse valant 100 grammes (symbole : hg).

hectolitre nm Mesure de capacité valant 100 litres (symbole : hl).

ctomètre nm Mesure de longueur valant 100 etres (symbole : hm).

ctopascal nm Unité de pression valant 100 scals (symbole : hPa).

ctowatt nm Mesure de puissance équivalant à 0 watts (symbole : hW).

donisme nm Doctrine qui fait de la recherche plaisir le fondement de la vie.

doniste n, a De l'hédonisme.

gélianisme [ege-] nm Philosophie de Hegel.

gélien, enne [ege-] a, n Partisan de la philo-phie d'Hegel.

gémonie nf Suprématie, domination politique, onomique.

egémonique a Propre à l'hégémonie.

egémonisme nm Domination érigée en sys-ne politique.

gire nf Ère des musulmans, qui commence en 2 (départ de Mahomet pour Médine).

in ! ['ɛ] interj fam Indique la surprise, l'impa-nce, l'incompréhension, etc.

las ! interj Exprime la plainte, la tristesse, le sespoir, le regret.

ler ['e-] vt [12] Appeler de loin.

lianthe nm Plante à grands capitules jaunes.

lianthème nm Plante ornementale à grandes urs blanches ou jaunes.

lianthine nf Colorant synthétique utilisé mme indicateur chimique.

lice nf 1 Organe de propulsion ou de traction un navire, d'un avion. 2 Élément constitué de les reliées à un axe. *Hélice d'un ventilateur.* ɔc *En hélice :* en spirale.

liciculture nf Élevage des escargots.

licoïdal, ale, aux a En forme d'hélice.

licoptère nm Appareil d'aviation dont la sus-ntation et la propulsion sont assurées par des ilures tournantes.

ligare nf Aérogare pour hélicoptères.

liocentrique a De l'héliocentrisme.

liocentrisme nm ASTRO Système considérant le leil comme centre de l'Univers.

liogravure nf Procédé d'impression utilisant s cylindres gravés en creux.

liomarin, ine a Qui associe l'action des yons du soleil et de l'air marin.

liothérapie nf Traitement médical par exposi-on aux rayons ultraviolets.

liotrope nm Plante vivace à fleurs odorantes urnées vers le soleil.

liotropisme nm BOT Propriété des plantes tour-es vers la lumière.

liport nm Aéroport pour hélicoptères.

liportage nm Transport par hélicoptère.

liporté, ée a Transporté par hélicoptère.

litaxi nm Hélicoptère faisant le taxi.

litreuillage nm Treuillage par hélicoptère.

lium [eljɔm] nm Gaz rare de l'air.

lix nm 1 ANAT Repli du pavillon de l'oreille. 2 OL Escargot.

ellébore. V. ellébore.

ellène n, a De la Grèce ancienne.

elléniq ue a Propre à la Grèce.

elléniser vt Donner le caractère grec à.

ellénisme nm 1 HIST Civilisation de la Grèce cienne. 2 LING Forme particulière à la langue ecque.

helléniste n Spécialiste de la langue et la civili-sation de la Grèce. **Var hellénisant, ante**

hellénistique a Propre à l'histoire grecque, de la mort d'Alexandre à la conquête romaine.

hello ! ['e-] interj Sert à appeler, à saluer.

helminthe nm Ver parasite de l'intestin.

helminthiase nf Maladie parasitaire due à l'hel-minthe.

helvète n, a Suisse.

helvétique a De la Suisse.

helvétisme nm Expression, mot propres au fran-çais parlé en Suisse.

hem ! ['ɛm] interj Attire l'attention ou exprime le doute, l'embarras, la défiance.

hémarthrose nf Épanchement de sang dans une articulation.

hématie [-si] nf Globule rouge du sang.

hématique a MED Relatif au sang.

hématite nf Oxyde de fer naturel, exploité comme minerai de fer.

hématocrite nm MED Volume occupé par les glo-bules rouges du sang.

hématologie nf MED Étude du sang.

hématologiste n Spécialiste d'hématologie. **Var hématologue**

hématome nm Épanchement de sang sous la peau. Syn. bleu.

hématopoïèse [-pɔjɛz] nf BIOL Formation des globules du sang.

hématopoïétique a De l'hématopoïèse.

hématose nf MED Conversion du sang veineux en sang artériel oxygéné.

hématozoaire nm Parasite animal vivant dans le sang, agent du paludisme.

hématurie nf MED Présence de sang dans l'urine.

hémianopsie nf MED Perte de la moitié du champ visuel.

hémicycle nm Salle, espace semi-circulaire généralement entouré de gradins.

hémiplégie nf Paralysie frappant une moitié du corps.

hémiplégique a, n Atteint d'hémiplégie.

hémiptère nm ZOOL Insecte piqueur ou suceur, comme les punaises, les pucerons.

hémisphère nm Moitié d'une sphère. Loc *Hémisphères cérébraux :* les deux moitiés symé-triques du cerveau.

hémisphérique a D'un hémisphère.

hémistiche nm LITTER Chacune des deux parties d'un vers coupé par une césure.

hémobiologie nf Spécialité médicale concer-nant la transfusion sanguine.

hémocompatible a Dont le groupe sanguin est compatible avec un autre.

hémoculture nf MED Culture bactériologique du sang prélevé pour y rechercher les microbes.

hémodialyse nf MED Purification du sang.

hémoglobine nf Pigment rouge des hématies.

hémogramme nm MED Étude des cellules et des plaquettes du sang.

hémolyse nf Destruction des globules rouges.

hémolytique a De l'hémolyse.

hémopathie nf Maladie du sang.

hémophile a, n Atteint d'hémophilie.

hémophilie nf Maladie héréditaire caractérisée par une absence de coagulation du sang.

hémoptysie nf MED Crachement de sang.

hémorragie nf 1 Écoulement de sang hors d'un vaisseau. 2 Déperdition importante. *Hémorragie de capitaux.*

hémorragique a De l'hémorragie.

hémorroïde nf Varice formée par la dilatation des veines de l'anus.

hémostase nf Arrêt d'une hémorragie.

hémostatique a, nm Qui arrête l'hémorragie.

hendécagone nm Polygone qui a onze côtés.

hendécasyllabe nm Vers de onze syllabes.

henné ['e-] nm Arbuste exotique dont les feuilles fournissent une teinture jaune ou rouge utilisée pour les cheveux.

hennin ['ɛ-] nm Coiffure de femme au Moyen Âge, formée d'un haut cône tendu d'étoffe.

hennir ['ɛ-] vi Pousser son cri (cheval).

hennissement ['ɛ-] nm Cri du cheval.

hep ! interj Sert à appeler, à héler.

héparine nf Substance anticoagulante d'origine hépatique.

hépatique a ANAT Relatif au foie.

hépatite nf Inflammation du foie.

hépatocyte nm BIOL Cellule du foie.

hépatologie nf MED Étude du foie.

heptagonal, ale, aux a Qui a sept côtés.

heptagone nm Polygone à sept côtés.

heptamètre nm Vers de sept pieds.

heptasyllabe a, nm De sept syllabes.

heptathlon nm SPORT Épreuve féminine combinant trois courses et quatre lancers.

héraldique nf Science du blason, des armoiries. ■ a De l'héraldique.

héraldiste n Spécialiste de l'héraldique.

héraut ['e-] nm Au Moyen Âge, officier chargé de faire des proclamations solennelles.

herbacé, ée a BOT Qui a l'apparence de l'herbe. *Plante herbacée.*

herbage nm Prairie destinée au pâturage.

herbager, ère a Caractérisé par des herbages.

herbe nf 1 Plante fine, verte, non ligneuse, à tige molle. 2 Végétation formée de plantes herbacées. *Couché sur l'herbe.* Loc *Fines herbes :* plantes aromatiques (ciboule, estragon, etc.). *Herbes médicinales, officinales :* utilisées pour leurs propriétés thérapeutiques. *Mauvaises herbes :* nuisibles aux cultures. *Herbe aux chats :* valériane. *De la mauvaise herbe :* un vaurien, un voyou. *En herbe :* non mûr (céréale) ; doué pour une activité (enfant). *Couper l'herbe sous le pied de* (ou *à*) *qqn :* le devancer en le supplantant.

herbeux, euse a Où il pousse de l'herbe.

herbicide a, nm Qui détruit les mauvaises herbes.

herbier nm 1 Collection de plantes séchées. 2 Prairie sous-marine.

herbivore a, nm Qui se nourrit d'herbes.

herboriser vi Cueillir des plantes pour les étudier, pour constituer un herbier.

herboriste n Personne qui vend des plantes médicinales.

herboristerie nf Commerce de l'herboriste.

herbu, ue a Où l'herbe est épaisse.

hercule nm Homme d'une force colossale.

herculéen, enne a D'une force colossale.

hercynien, enne a GEOL Se dit des plissements de la fin de l'ère primaire.

hère ['ɛR] nm Loc litt *Pauvre hère :* homme lamentable, misérable.

héréditaire a Transmis par hérédité.

héréditairement av Par hérédité.

hérédité nf 1 Transmission par droit de succession. 2 Transmission de certains caractères dans la reproduction des êtres vivants. 3 Prédisposition, caractère hérités des parents, des générations précédentes.

hérésiarque n Auteur d'une hérésie.

hérésie nf 1 Doctrine contraire aux dogmes d'une religion. 2 Opinion en opposition avec les idées communément admises.

hérétique a, n Qui relève de l'hérésie.

hérissement ['e-] nm Fait de se hérisser.

hérisser ['e-] vt 1 Dresser ses poils, ses plumes en parlant d'un animal. 2 Garnir de choses pointues, saillantes. *Hérisser de tessons de bouteilles le haut d'un mur.* 3 Horripiler, irriter. *Ces propos le hérissaient.* ■ vpr 1 Se dresser en parlant de cheveux ou des plumes. 2 Avoir une réaction de révolte devant qqch.

hérisson ['e-] nm 1 Mammifère insectivore au corps couvert de piquants. 2 Brosse métallique circulaire pour le ramonage.

héritage nm Ce qui est transmis par succession ou par les générations précédentes.

hériter vti, vi, vt 1 Recueillir par héritage. *Hériter d'une maison.* 2 Recevoir un héritage. *Hériter la maison de ses parents.*

héritier, ère n 1 Personne qui hérite des biens d'un défunt. 2 Personne qui continue une tradition.

hermaphrodisme nm BIOL Réunion chez le même individu des caractères des deux sexes.

hermaphrodite nm, a Qui présente un hermaphrodisme.

herméneutique nf PHILO Théorie de l'interprétation des symboles.

herméticité nf Caractère hermétique (1).

hermétique a 1 Qui ferme parfaitement. *Récipient hermétique.* 2 Obscur, difficile à comprendre. *Poésie hermétique.*

hermétiquement av De façon hermétique.

hermétisme nm Caractère hermétique (2).

hermine nf 1 Carnivore dont la fourrure fauve en été, devient blanche en hiver. 2 Bande de fourrure que portent certains magistrats.

herniaire ['ɛR-] a Relatif à la hernie.

hernie ['ɛR-] nf MED Masse formée par un organe sorti de la cavité qui le contient normalement.

héroïcomique a Qui traite d'un comique traité de façon héroïque.

1. héroïne nf Stupéfiant dérivé de la morphine.

2. héroïne nf 1 Femme douée d'un courage hors du commun. 2 Femme qui tient le rôle principal dans une œuvre, une aventure.

héroïnomane n Toxicomane à l'héroïne.

héroïque a Qui montre de l'héroïsme. Loc *Âge, temps héroïques :* dans un lointain passé.

héroïquement av Courageusement.

héroïsme nm Courage exceptionnel.

héron ['e-] nm Grand oiseau vivant au bord des eaux et se nourrissant de petits animaux.

héros ['eRo] nm 1 MYTH Demi-dieu. 2 Personne qui se distingue par son courage, sa grandeur d'âme, etc. 3 Personnage principal ou important d'une œuvre littéraire ou d'une aventure.

herpès nm Éruption cutanée due à un virus.

herpétique a De l'herpès.

herse ['ɛ-] nf 1 Instrument muni de dents et qui sert, après le labour, à briser les mottes. 2 Grille

...issée de pointes qu'on abaissait pour fermer
...ntrée des forteresses.

...rser ['ɛ-] *vt* Passer la herse sur un sol.

...rtz ['ɛrts] *nm* PHYS Unité de fréquence (sym-
...le : Hz).

...rtzien, enne ['ɛ-] *a* Loc *Ondes hertziennes :*
...des électromagnétiques utilisées dans les télé-
...mmunications.

...sitant, ante *a, n* Mal assuré.

...sitation *nf* Fait d'hésiter.

...siter *vi* 1 Être irrésolu quant au parti qu'on
...it prendre. *Hésiter à venir.* 2 Marquer son indé-
...ion. *Hésiter dans ses réponses.*

...taïre *nf* ANTIQ Courtisane.

...téroclite *a* Fait d'un assemblage bizarre de
...orceaux disparates.

...térodoxe *a* Qui s'écarte de la doctrine consi-
...rée comme vraie.

...térodoxie *nf* Doctrine hétérodoxe.

...térodyne *nf* Oscillateur utilisé dans un récep-
...r radioélectrique pour en améliorer les perfor-
...nces.

...térogamie *nf* BIOL Fécondation par fusion de
...nètes dissemblables. Ant. isogamie.

...térogène *a* Formé d'éléments de nature diffé-
...te, dissemblable. Ant. homogène.

...térogénéité *nf* Caractère hétérogène.

...térogreffe *nf* CHIR Greffe entre sujets d'espèces
...férentes.

...térosexualité *nf* Sexualité des hétérosexuels.

...térosexuel, elle *a, n* Qui trouve la satisfac-
...n sexuelle avec des sujets du sexe opposé.

...térozygote *a, nm* BIOL Se dit d'un être vivant
...nt le patrimoine génétique est formé de gènes
...n identiques. Ant. homozygote.

...tre ['ɛ-] *nm* Grand arbre à écorce lisse, à tronc
...oit, à bois blanc.

...u ['ø] *interj* Marque le doute, l'hésitation, la
...ne ou une difficulté d'élocution.

...ur *nm* Loc *litt Avoir l'heur de :* avoir la chance

...ure *nf* 1 Période de temps correspondant à la
...ngt-quatrième partie du jour. *Il est six heures. Je
...rs dans deux heures.* 2 Moment de la journée
...fini par une activité quelconque. *C'est l'heure
...déjeuner.* Loc *À la bonne heure :* c'est satis-
...sant, soit. *De bonne heure :* tôt. *À cette heure :*
...ce moment. *À toute heure :* sans interruption.
...ant l'heure :* avant le moment prévu. *La der-
...ère heure :* la mort. *Remettre les pendules à
...ntres à l'heure :* adapter son attitude à une
...uvelle situation. *Sur l'heure :* à l'instant même.
...ut à l'heure :* un peu plus tard ; il y a quelques
...stants. ■ *pl* Période difficile. *Connaître des
...ures pénibles.* Loc *Livre d'heures :* livre de
...ères.

...ureusement *av* 1 Avec succès. 2 Par bonheur.
...ureusement il avait pris ses précautions.

...ureux, euse *a* 1 Favorisé par le sort. *Être
...ureux au jeu.* 2 Propice. *Un heureux hasard.*
...Ingénieux. *Une heureuse combinaison.* 4 Qui
...uit du bonheur. *Rendre qqn heureux.* 5 Qui
...arque le bonheur. *Air, visage heureux.* ■ Per-
...nne heureuse. *Faire des heureux.*

...uristique *a* PHILO Qui favorise la découverte de
...ts, de théories. ■ *nf* Discipline recherchant les
...gles de la découverte scientifique.

heurt ['œr] *nm* 1 Coup, choc brutal de corps qui
se rencontrent. 2 Friction entre des personnes,
désaccord.

heurté, ée ['œ-] *a* Contrasté.

heurter ['œ-] *vt* 1 Rencontrer rudement. *Son
front a heurté le pare-brise.* 2 Contrarier, blesser, offenser. *Heurter les sentiments de qqn.*
Loc *Heurter de front :* aller à l'encontre de.
■ *vti* Frapper contre. *Le bateau heurta contre un
écueil.*

heurtoir ['œr-] *nm* 1 Marteau fixé à la porte
d'une maison, et qui sert à frapper pour s'annoncer. 2 Butoir d'une voie de chemin de fer.

hévéa *nm* Arbre cultivé pour son latex dont on
tire le caoutchouc.

hexachlorophène [-klo-] *nm* MED Antiseptique.

hexachlorure [-klo-] *nm* CHIM Chlorure dont la
molécule contient six atomes de chlore.

hexaèdre *a, nm* GEOM Qui a six faces planes.

hexagonal, ale, aux *a* 1 GEOM En forme d'hexagone. 2 Qui concerne la France (l'Hexagone). *La
politique hexagonale.*

hexagone *nm* Polygone à six côtés. Loc *L'Hexagone :* la France métropolitaine.

hexamètre *nm* LITTER Vers de six pieds.

hexapode *a, nm* ZOOL Qui a six pattes.

hexasyllabe *a, nm* De six syllabes.

hexose *nm* CHIM Sucre simple, comme le glucose
et le lactose.

hi ! ['i] *interj* Note le rire ou les pleurs.

hiatus ['jatys] *nm* 1 Suite de deux voyelles contiguës
(ex. : il *a été*). 2 Discontinuité, coupure. 3 ANAT
Orifice.

hibernal, ale, aux *a* De l'hibernation.

hibernation *nf* État de torpeur dans lequel
demeurent certains animaux en hiver.

hiberner *vi* Passer l'hiver en hibernation.

hibiscus *nm* Plante tropicale à grosses fleurs.

hibou ['i-] *nm* Rapace nocturne. *Des hiboux.*

hic ['ik] *nm inv* Point difficile d'une question,
d'une affaire.

hic et nunc ['iketnɔ̃k] *av* Ici et maintenant.

hickory ['i-] *nm* Arbre au bois très résistant.

hidalgo *nm* HIST Noble espagnol.

hideusement ['i-] *av* De façon hideuse.

hideux, euse ['i-] *a* Horrible, repoussant.

hier [ijɛr] *av* 1 Le jour qui précède immédiatement celui où on est. 2 Dans un passé récent, à
une date récente. Loc *fam N'être pas né d'hier :*
avoir beaucoup d'expérience.

hiérarchie ['je-] *nf* Organisation d'un groupe,
d'un ensemble telle que chacun de ses éléments
se trouve subordonne à celui qu'il suit.

hiérarchique ['je-] *a* Propre à la hiérarchie.

hiérarchiquement ['je-] *av* De façon hiérarchique.

hiérarchisation ['je-] *nf* Action de hiérarchiser.

hiérarchiser ['je-] *vt* Organiser en établissant
une hiérarchie.

hiérarque ['je-] *nm* Personnage important.

hiératique *a* D'une raideur figée. *Pose hiératique.*

hiératisme *nm* Caractère hiératique.

hiéroglyphe *nm* Signe de l'écriture des anciens
Égyptiens. ■ *pl* Écriture illisible.

hiéroglyphique *a* Composé d'hiéroglyphes.

hi-fi ['i-] *nf* Abrév. de *haute-fidélité. Des hi-fis*
ou *hi-fi.* **Var hifi**

high-tech ['ajtɛk] *a* D'une technologie avancée. *Entreprise high-tech.*

higoumène *nm* RELIG Supérieur d'un monastère orthodoxe.

hi-han ['i-] *interj* Cri de l'âne. **Var hihan**

hilarant, ante *a* Qui cause le rire.

hilare *a* Qui exprime un parfait contentement.

hilarité *nf* Accès brusque de gaieté qui se manifeste par le rire.

hile ['il] *nm* ANAT Zone de pénétration des vaisseaux et des nerfs dans un viscère.

himalayen, enne *a* De l'Himalaya.

hindi ['indi] *nm* Langue officielle de l'Inde.

hindou, oue *a, n* Qui relève de l'hindouisme. **Var hindouiste**

hindouisme *nm* Religion polythéiste de l'Inde brahmanique.

hinterland *nm* GEOGR Arrière-pays.

hippie ['i-] *n* Jeune non violent remettant en cause par son comportement la société de consommation. *Des hippies* ['ipiz]. **Var hippy**

hippique *a* Propre aux chevaux, à l'équitation.

hippisme *nm* Sport équestre.

hippocampe *nm* Poisson marin dont la tête est perpendiculaire à l'axe du corps.

hippodrome *nm* Champ de courses.

hippologie *nf* Étude du cheval.

hippomobile *a* Tiré par des chevaux.

hippophagique *a* Loc *Boucherie hippophagique :* où on vend de la viande de cheval.

hippopotame *nm* Herbivore massif d'Afrique qui passe sa vie dans les cours d'eau.

hirondelle *nf* Passereau au vol léger et rapide. Loc *Hirondelle de mer :* sterne.

hirsute *a* Ébouriffé, échevelé.

hispanique *a, n* De l'Espagne ou de l'Amérique hispanophone.

hispanisant, ante *n* Spécialiste de la civilisation espagnole. **Var hispaniste**

hispanisme *nm* Expression propre à la langue espagnole.

hispano-américain, aine *a, n* Qui concerne l'Amérique espagnole.

hispanophone *a, n* De langue espagnole.

hisser ['i-] *vt* 1 Élever au moyen d'un cordage, d'un filin. 2 Faire monter, en tirant ou en poussant. ■ *vpr* S'élever avec effort, grimper.

histamine *nf* BIOL Amine qui provoque la sécrétion du suc gastrique et contracte les artères.

histaminique *a* De l'histamine.

histidine *nf* BIOL Acide aminé abondant dans l'hémoglobine.

histocompatibilité *nf* MED Compatibilité des tissus ou organes greffés.

histogenèse *nf* BIOL Formation de tissus divers à partir de cellules indifférenciées de l'embryon.

histogramme *nm* Représentation graphique d'une série statistique.

histoire *nf* 1 Récit d'actions, d'évènements passés. 2 Science de la connaissance du passé. 3 Suite des évènements vus rétrospectivement. *Le sens de l'histoire. L'accélération de l'histoire.* 4 Relation d'aventures réelles ou inventées. *Raconter une histoire à un enfant.* Loc *Histoire naturelle :* sciences naturelles. *C'est toute une histoire :* ce serait long à raconter. *C'est une autre histoire :* il s'agit d'autre chose. *En voilà une histoire :* c'est une nouvelle fâcheuse. *C'est de l'histoire ancienne :*

un évènement passé qu'on veut oublier. *Une h[istoire à dormir debout :* invraisemblable. fam *H[istoire de faire qqch :* pour le faire. ■ *pl* Loc *Faire des histoires :* faire des embarras. *S'atti[rer des histoires :* des désagréments, des querelles.

histologie *nf* BIOL Étude des tissus vivants.

histologique *a* De l'histologie.

histolyse *nf* BIOL Destruction des tissus.

historicité *nf* Caractère historique.

historié, ée *a* Orné d'enjolivures.

historien, enne *n* Spécialiste de l'histoir[e] auteur d'ouvrages d'histoire.

historiette *nf* Courte histoire, anecdote.

historiographe *n* Écrivain officiel de l'histo[ire de son temps.

historiographie *nf* 1 Travail de l'historiograp[he 2 Ensemble des ouvrages historiques d'u[ne période donnée.

historique *a* 1 Propre à l'histoire, à la réal[ité des faits. 2 Important, marquant. *Un mom[ent historique.* Loc *Monument historique :* classé [par l'État, qui en garantit la conservation en raison [de son intérêt. ■ *nm* Exposé chronologique de fa[its d'évènements.

historiquement *av* Du point de vue historique[

histrion *nm* litt Mauvais comédien, cabotin.

hitlérien, enne *a, n* Qui relève de l'hitlérisme[

hitlérisme *nm* Doctrine d'Hitler.

hit-parade ['i-] *nm* Cote de popularité des ch[ansons, des films, etc. *Des hit-parades.* **Var hitp[a]rade**

hittite ['i-] *a* Des Hittites. ■ *nm* Langue par[lée par les Hittites.

HIV ['aʃive] *nm* Nom anglais du VIH.

hiver *nm* Saison la plus froide.

hivernage *nm* 1 MAR Temps de relâche pend[ant la mauvaise saison. 2 Saison des pluies dans [les régions tropicales. 3 Séjour du bétail à l'étab[le, des abeilles à la ruche, pendant l'hiver.

hivernal, ale, aux *a* D'hiver. *Station hiverna[le.* ■ *nf* Ascension en haute montagne pendant l'[hi]ver.

hivernant, ante *a* Qui séjourne qq part pend[ant l'hiver.

hiverner *vi* Passer la mauvaise saison à l'abri.

HLM [aʃɛlɛm] *nm* ou *nf* Immeuble d'habitation[à] loyer modéré.

ho ! ['o] *interj* Sert à appeler, à s'indigner, etc[

hobby ['ɔ-] *nm* Passe-temps favori. *Des hobby[s.*

hobereau ['ɔ-] *nm* Gentilhomme campagnard[

hochement ['ɔ-] *nm* Action de hocher la tête.

hochepot ['ɔ-] *nm* Ragoût de bœuf avec d[es navets.

hochequeue ['ɔ-] *nm* Bergeronnette.

hocher ['ɔ-] *vt* Loc *Hocher la tête :* la remuer[.

hochet ['ɔ-] *nm* Jouet que les bébés peuve[nt secouer et qui fait du bruit.

hockey ['ɔ-] *nm* Jeu d'équipe pratiqué sur gaz[on ou sur glace.

hockeyeur, euse ['ɔ-] *n* Celui, celle qui joue [au hockey sur glace ou sur gazon.

Hodgkin (maladie de) *nf* Sarcome ganglio[n]naire.

ho hisse ! ['ɔ-] *interj* Rythme ou coordonne [les gestes de gens qui hissent.

hoirie *nf* vx Héritage.

holà ! *interj* Sert à appeler, à modérer. *Holà ! pas tant de bruit.* ■ *nm Loc Mettre le holà à :* mettre fin à qqch de fâcheux.

holding ['ɔldiŋ] *nm* ou *nf* Société qui détient des participations dans d'autres entreprises qu'elle contrôle.

hold-up ['ɔldœp] *nm inv* Agression à main armée. *Var* **holdup**

hollandais, aise ['ɔ-] *a, n* De Hollande.

hollande ['ɔ-] *nm* Fromage de vache, à croûte rouge, en forme de boule.

hollywoodien, enne ['ɔliwu-] *a* De Hollywood.

holocauste *nm* **1** Sacrifice religieux sanglant. **2** (avec majusc.) Massacre des Juifs par les nazis.

hologramme *nm* Photo donnant l'illusion du relief sous un certain angle.

holographie *nf* Réalisation des hologrammes.

holothurie *nf* Échinoderme au corps mou. *Syn.* concombre de mer.

homard ['ɔ-] *nm* Crustacé marin aux énormes pinces, à la chair très estimée.

home ['om] *nm Loc Home d'enfants :* maison qui accueille des enfants en vacances.

homélie *nf* **1** RELIG Sermon fait sur un ton familier. **2** *litt* Discours moralisant et ennuyeux.

homéopathe *n* Spécialiste de l'homéopathie.

homéopathie *nf* Traitement des maladies par des doses infinitésimales de produits qui déterminent des symptômes identiques aux troubles qu'on veut supprimer.

homéopathique *a* **1** De l'homéopathie. **2** À dose très faible.

homéostasie *nf* Faculté des êtres vivants de maintenir certaines constantes biologiques quel que soit le milieu extérieur.

homéostatique *a* De l'homéostasie.

homérique *a* **1** Relatif à Homère. **2** Spectaculaire, épique. *Bataille homérique.*

homicide *n, a* Qui tue un être humain. ■ *nm* Meurtre d'un être humain.

hominidé *nm* Primate fossile, ancêtre de l'homme.

hominien *nm* Homme fossile.

hominisation *nf* Constitution de l'espèce humaine à partir de primates.

hommage *nm* Acte, marque de soumission, de vénération, de respect. *Loc Présenter ses hommages :* ses civilités. *Rendre hommage :* témoigner son estime.

hommasse *a* Se dit d'une femme à l'allure virile.

homme *nm* **1** Être humain, par oppos. aux animaux. **2** Être humain de sexe masculin par oppos. à la femme. **3** Être humain de sexe masculin et adulte par oppos. à l'enfant. **4** *pop* Amant, mari. *Loc Grand homme :* personnage important. *Homme de lettres :* écrivain. *Homme d'État :* qui dirige ou a dirigé un État. *Homme de loi :* magistrat, avocat. *Homme d'affaires :* qui s'occupe d'entreprises commerciales. *Homme de troupe :* militaire qui n'est ni officier ni sous-officier. *Homme de confiance :* à qui on confie des missions délicates. *Homme de parole :* qui tient ses promesses. *Homme de paille :* prête-nom. *Être un)* homme à (+ inf) : capable de, ou digne de. *D'homme à homme :* directement, franchement. *Comme un seul homme :* tous ensemble.

homme-grenouille *nm* Plongeur muni d'un scaphandre autonome. *Des hommes-grenouilles.*

homme-orchestre *nm* Homme qui a des talents variés. *Des hommes-orchestres.*

homme-sandwich *nm* Homme qui déambule en portant des panneaux publicitaires. *Des hommes-sandwichs.*

homo *a, n pop* Homosexuel(le).

homogène *a* Formé d'éléments de même nature ; cohérent. *Ant.* hétérogène.

homogénéisation *nf* Action d'homogénéiser.

homogénéiser *vt* Rendre homogène.

homogénéité *nf* Caractère homogène.

homographe *a, nm* LING Se dit d'homonymes de même orthographe (ex. : *bière* « boisson » et *bière* « cercueil »).

homographie *nf* Propriété des homographes.

homogreffe *nf* Greffe dans laquelle le greffon est emprunté à un donneur de même espèce.

homologation *nf* Action d'homologuer.

homologie *nf didac* Caractère homologue.

homologue *a* = Équivalent, analogue. ■ *n* Personne qui a les mêmes fonctions, le même travail qu'une autre.

homologuer *vt* SPORT Reconnaître officiellement. *Homologuer un record.*

homoncule *nm fam* Homme petit et malingre.

homonyme *a, nm* LING Se dit des mots de même orthographe ou de même prononciation, mais qui ont des significations différentes. ■ *nm* Personne qui porte le même nom qu'une autre.

homonymie *nf* Caractère homonyme.

homoparental, ale, aux *a* Se dit d'un couple homosexuel ayant des enfants à charge.

homophile *a, n* Favorable aux homosexuels.

homophobe *a, n* Hostile aux homosexuels.

homophone *a, nm* LING Se dit d'homonymes de même prononciation (ex. : *comte, compte* et *conte*).

homophonie *nf* Caractère homophone.

homosexualité *nf* Sexualité des homosexuels.

homosexuel, elle *a, n* Qui trouve la satisfaction sexuelle avec des sujets du même sexe.

homozygote *a, nm* BIOL Se dit de jumeaux ayant les mêmes gènes. *Ant.* hétérozygote.

hondurien, enne ['ɔ̃-] *a, n* Du Honduras.

hongkongais, aise *a, n* De Hong Kong.

hongre ['ɔ̃-] *nm* Cheval châtré.

hongrois, oise ['ɔ-] *a, n* De Hongrie. ■ *nm* Langue finno-ougrienne parlée en Hongrie.

honnête *a* **1** Qui ne cherche pas à faire des profits illicites. *Commerçant honnête.* **2** Qui se conforme à la loi morale. *Un arbitre honnête.* **3** Satisfaisant. *Un salaire honnête.*

honnêtement *av* **1** De façon honnête. **2** Sincèrement. *Honnêtement, tu as tort.*

honnêteté *nf* Caractère honnête.

honneur *nm* **1** Sentiment qu'on a de sa propre dignité. **2** Considération dont jouit qqn d'estimable. *Sauver l'honneur.* **3** Gloire retirée d'une action remarquable. *Loc En l'honneur de :* en témoignage d'estime pour. *Champ d'honneur :* champ de bataille. *Place d'honneur :* réservée à un personnage éminent. *Demoiselle, garçon d'honneur :* qui assistent les mariés. *Faire honneur à qqn :* lui valoir de l'estime. *Faire honneur à ses engagements :* les remplir. *fam Faire honneur à un repas :* y manger copieusement. *Se faire un point d'honneur de :* mettre tous ses soins à. ■ *pl* **1** Titres qui permettent de se distinguer socialement. **2** Au bridge, les cartes les plus fortes. Loc *Honneurs militaires :* saluts pour honorer un chef, le drapeau. *Les honneurs de la guerre :* reddition permettant à une garnison de se retirer librement. *Honneurs funèbres :* funérailles. *Faire les honneurs d'une maison :* y recevoir avec courtoisie.

honnir ['ɔ-] *vt* litt Couvrir de honte.

honorabilité *nf* Caractère honorable.

honorable *a* **1** Estimable. *Un honorable commerçant.* **2** Qui attire de l'honneur, du respect. *Un métier honorable.* **3** Suffisant, satisfaisant.

honorablement *av* De façon honorable.

honoraire *a* Qui porte un titre sans exercer la fonction correspondante. ■ *nmpl* Rétribution des professions libérales.

honorer *vt* **1** Manifester du respect pour. **2** Gratifier qqn d'un honneur, d'une distinction. *Honorer qqn de sa confiance.* **3** Valoir de l'estime à. *Votre courage vous honore.* Loc *Honorer ses engagements :* les remplir. *Honorer un chèque :* le payer. ■ *vpr* Tirer honneur et fierté de qqch.

honorifique *a* Qui confère un honneur mais aucun autre avantage.

honoris causa ['ɔnɔʀis-] *a* Se dit d'un grade universitaire conféré à titre honorifique.

honte ['ɔt] *nf* **1** Sentiment de culpabilité, de déshonneur. **2** Timidité, embarras. **3** Fait scandaleux. Loc *Faire honte à qqn :* lui faire des reproches pour qu'il ait honte.

honteusement ['ɔ-] *av* De façon honteuse.

honteux, euse ['ɔ-] *a* **1** Qui éprouve de la honte. **2** Qui cause de la honte. Loc *Maladie honteuse :* vénérienne.

hop ! ['ɔp] *interj* Marque un mouvement vif.

hôpital, aux *nm* Établissement dispensant les soins médicaux et chirurgicaux.

hoplite *nm* ANTIQ Fantassin grec.

hoquet ['ɔ-] *nm* Contraction spasmodique du diaphragme.

hoqueter ['ɔ-] *vi* [17] ou [19] Avoir le hoquet.

horaire *a* Par heure. *Salaire horaire.* ■ *nm* **1** Tableau donnant les heures de départ et d'arrivée. **2** Emploi du temps. *Un horaire chargé.*

horde ['ɔ-] *nf* litt Bande violente, destructrice.

horion ['ɔ-] *nm* litt Coup assené rudement.

horizon *nm* **1** Ligne circulaire qui, pour un observateur, semble séparer le ciel et la terre. **2** Parties du ciel et de la terre voisines de cette ligne. **3** Domaine d'action. *Son horizon intellectuel est borné.* **4** Perspectives d'avenir. **5** Chacune des couches constitutives d'un sol. Loc *Faire un tour d'horizon :* examiner sommairement une situation.

horizontal, ale, aux *a* Perpendiculaire à la verticale. ■ *nf* Ligne horizontale.

horizontalement *av* En position horizontale.

horizontalité *nf* Caractère horizontal.

horloge *nf* Instrument servant à mesurer le temps.

horloger, ère *n* Qui fabrique, vend ou répare des horloges, des montres. ■ *a* De l'horlogerie.

horlogerie *nf* Commerce, industrie, magasin de l'horloger.

hormis ['ɔʀ-] *prép* litt Excepté.

hormonal, ale, aux *a* Des hormones.

hormone *nf* Substance produite par une glande endocrine et transportée dans le sang.

hormonothérapie *nf* MED Traitement par les ho̶mones.

horodateur, trice *a, nm* Qui enregistre imprime l'heure et la date.

horoscope *nm* Prédiction de l'avenir d'après position des planètes à la naissance de qqn ; doc̶ ment représentant cette position.

horreur *nf* Réaction d'effroi, de répulsion, dégoût provoquée par qqch d'affreux. ■ *pl* Acte paroles, écrits obscènes, très laids.

horrible *a* **1** Qui inspire de l'horreur. **2** Très lai pénible. *Temps horrible.*

horriblement *av* **1** De façon horrible. **2** Extrême ment. *Horriblement cher.*

horrifiant, ante *a* Qui horrifie.

horrifier *vt* Provoquer l'horreur.

horripilant, ante *a* Qui horripile.

horripilateur, trice *a* ANAT Qui provoque l'horr̶ pilation.

horripilation *nf* **1** PHYSIOL Érection des poils due la frayeur, au froid. **2** Agacement.

horripiler *vt* Agacer vivement, exaspérer.

hors ['ɔʀ] *prép* En dehors de. *Exemplaire ho̶ commerce. Objet hors série. Préfet hors cadr̶* Loc *Hors de :* à l'extérieur de, en dehors de. *Ho̶ de combat :* éliminé. *Hors de soi :* exaspéré. *Ho̶ concours :* très supérieur aux autres concurrents

hors-bord ['ɔʀ-] *nm* Canot rapide au mote̶ placé à l'arrière. *Des hors-bords.*

hors-d'œuvre ['ɔʀ-] *nm inv* Mets servi au déb̶ du repas.

hors-jeu ['ɔʀ-] *nm* Position irrégulière d'u̶ joueur (football, rugby). *Des hors-jeux.*

hors-la-loi ['ɔʀ-] *nm inv* Bandit, gangster.

hors-piste ['ɔʀ-] *nm* Ski pratiqué hors des piste̶ *Des hors-pistes.*

hors-série ['ɔʀ-] *a inv, nm* PRESSE Publication qu'u̶ magazine fait paraître en plus de ses numéro̶ réguliers. *Des hors-séries.*

hors-sol ['ɔʀ-] *a, nm* AGRIC Se dit d'une culture ou d'u̶ élevage pratiqués sans avoir recours au sol d̶ l'exploitation. *Des hors-sols.*

hors-texte ['ɔʀ-] *nm* Gravure intercalée dans u̶ livre. *Des hors-textes.*

hortensia *nm* Arbrisseau à grosses fleurs.

horticole *a* De l'horticulture.

horticulteur, trice *n* Spécialiste d'horticulture.

horticulture *nf* Culture des légumes, des frui̶ et des fleurs.

hortillonnage *nm* Marais aménagé pour le̶ cultures maraîchères.

hospice *nm* Établissement accueillant le̶ vieillards, les handicapés, etc.

hospitalier, ère *a* **1** Relatif aux hôpitaux, au̶ hospices. *Centre hospitalier.* **2** Qui exerce l'hos̶ pitalité. ■ *a* Employé d'un hôpital.

hospitalisation *nf* Action d'hospitaliser.

hospitaliser *vt* Faire entrer dans un hôpital.

hospitalité *nf* Fait d'accueillir chez soi généreu̶ sement, aimablement.

hospitalo-universitaire *a* Loc *Centre hospitalie̶ universitaire (CHU) :* hôpital auquel est attach̶ un centre d'enseignement médical.

hostellerie *nf* Restaurant élégant.

hostie *nf* RELIG Pain sans levain consacré par ̶ prêtre à la messe.

hostile *a* **1** Inamical, agressif. *Geste hostile.* **2** Opposé. *Hostile aux réformes.*

ostilement av De façon hostile.

ostilité nf Inimitié, agressivité. ■ pl Actes, opérations de guerre.

osto nm pop Hôpital.

ot dog ['ɔtdɔg] nm Sandwich garni d'une saucisse chaude. *Des hot dogs.* Var **hotdog**

ôte, hôtesse n 1 Personne qui donne l'hospitalité, qui reçoit chez elle. 2 Personne qui est reçue chez qqn, invité (le féminin est *hôte*). ■ nf Jeune femme chargée de l'accueil des visiteurs. Loc *Hôtesse de l'air :* membre féminin du personnel navigant, qui veille au bien-être et à la sécurité des passagers.

ôtel nm Établissement où on peut louer une chambre meublée. Loc *Hôtel particulier :* maison occupée dans sa totalité par un particulier. *Hôtel de ville :* mairie d'une grande ville. *Maître d'hôtel :* qui préside au service de la table dans un restaurant.

ôtel-Dieu nm Hôpital principal de certaines villes. *Des hôtels-Dieu.*

ôtelier, ère a De l'hôtellerie. *Industrie hôtelière.* ■ n Personne qui tient un hôtel.

ôtellerie nf 1 Industrie, profession des hôteliers. 2 Hôtel ou restaurant élégant.

otte ['ɔt] nf 1 Panier muni de bretelles, qu'on porte sur le dos. 2 Collecteur de vapeurs grasses dans une cuisine. 3 Partie de la cheminée recouvrant le conduit de fumée.

ou ! ['u] interj Sert à faire peur ou à huer.

oublon ['u-] nm Plante grimpante utilisée pour parfumer la bière.

oue ['u] nf Pioche à large fer courbé.

ouille ['uj] nf Charbon de terre. Loc *Houille blanche :* l'hydroélectricité.

ouiller, ère ['uj-] a Qui renferme de la houille. ■ nf Mine de houille.

oule ['ul] nf Mouvement ondulatoire de la mer.

oulette ['u-] nf Bâton de berger. Loc *Sous la houlette de :* sous l'autorité de.

ouleux, euse ['u-] a 1 Animé par la houle. 2 Mouvementé, agité. *Débat houleux.*

ouligan ['uligan] nm Jeune qui se livre à des actes de violence dans les lieux publics.

ouliganisme ['ul-] nm Comportement de houligan.

oumous nm CUIS Purée de pois chiches, spécialité du Moyen-Orient.

ouppe ['up] nf 1 Touffe de fils de laine, de soie, etc. 2 Touffe de cheveux.

ouppelande ['up-] nf anc Vaste manteau.

ouppette ['u-] nf Petite houppe.

ourdis ['u-] nm Remplissage en aggloméré entre les solives.

ourra ! ['u-] interj, nm Cri d'enthousiasme. Var **hurrah !**

ouspiller ['u-] vt Harceler de reproches.

ousse ['us] nf 1 Couverture couvrant la croupe d'un cheval. 2 Enveloppe de protection dont on recouvre des meubles, des vêtements.

oux ['u] nm Arbuste aux feuilles persistantes et luisantes, à baies rouges.

overcraft [ɔVɛR-] nm Aéroglisseur.

ublot ['y-] nm Ouverture étanche dans la coque d'un navire, dans un avion.

uche ['yʃ] nf anc Grand coffre de bois dans lequel on rangeait le pain, les provisions.

hue ! ['y] interj Cri des charretiers pour faire avancer leurs chevaux.

huée ['ɥe] nf Clameur d'hostilité.

huer ['ɥe] vt Conspuer qqn. ■ vi Crier, en parlant d'un oiseau de nuit.

huerta ['ɥɛRta] nf Plaine irriguée en Espagne.

huguenot, ote ['y-] n, a Calviniste.

huilage nm Action d'huiler.

huile nf 1 Liquide gras, onctueux et inflammable, d'origine végétale, animale ou minérale. 2 fam Personnage influent. Loc *Jeter de l'huile sur le feu :* exciter des passions déjà vives. *Mer d'huile :* parfaitement calme. fam *Ça baigne dans l'huile :* tout va bien. *Faire tache d'huile :* s'étendre rapidement. *Saintes huiles :* huiles utilisées pour les sacrements.

huiler vt Enduire d'huile ; lubrifier.

huilerie nf Fabrique d'huile.

huileux, euse a De la nature de l'huile.

huilier nm Accessoire réunissant les burettes d'huile et de vinaigre.

huis clos ['ɥi-] nm Débats hors de la présence du public. Loc *À huis clos :* les portes étant fermées ; en secret.

huisserie nf Encadrement d'une porte.

huissier nm 1 Personne qui est chargée d'accueillir et d'annoncer les visiteurs. 2 Préposé au service des assemblées législatives. 3 Officier ministériel qui exécute les décisions de justice.

huit ['ɥit] a num 1 Sept plus un (8). 2 Huitième. *Chapitre huit.* Loc *Aujourd'hui en huit :* dans une semaine à compter d'aujourd'hui. ■ nm inv Chiffre, nombre huit.

huitaine ['ɥi-] nf 1 Quantité de huit. 2 Huit jours. *Rendez-vous sous huitaine.*

huitante ['ɥi-] a num Quatre-vingts (Suisse).

huitième ['ɥi-] a num Au rang, au degré huit. ■ a, nm Contenu huit fois dans le tout.

huitièmement ['ɥi-] av En huitième lieu.

huître nf Mollusque élevé pour sa chair, ou pour la nacre, les perles. Var **huitre**

huîtrier, ère a Relatif aux huîtres. Var **huitrier, ère**

hulotte ['y-] nf Grande chouette d'Europe.

hululement ['y-] nm Cri des rapaces nocturnes. Var **ululement**

hululer ['y-] vi Pousser son cri, en parlant des rapaces nocturnes. Var **ululer**

hum ! ['œm] interj Exprime le doute, le mécontentement.

humain, aine a 1 Propre à l'homme. 2 Bon, généreux, compatissant. Loc *Le genre humain :* les hommes. ■ nm Homme, personne humaine.

humainement av 1 Sur le plan humain. *C'est humainement impossible.* 2 Avec humanité. *Traiter humainement des prisonniers.*

humanisation nf Action d'humaniser.

humaniser vt Rendre humain. ■ vpr Devenir plus compatissant.

humanisme nm Doctrine qui affirme la valeur de la personne humaine.

humaniste n Érudit versé dans la connaissance des langues et des littératures anciennes. ■ a, n Qui professe l'humanisme.

humanitaire a Qui vise à améliorer le sort des hommes.

humanitarisme nm Idées humanitaires.

humanité nf 1 Ensemble des hommes. 2 Altruisme, bienveillance.

humanoïde a, n En science-fiction, être ressemblant à l'homme.

humble a 1 Qui fait preuve d'humilité. 2 litt Médiocre, sans éclat. *Humbles travaux.* ■ a, n litt De condition modeste.

humblement av Avec humilité.

humecter vt Mouiller légèrement.

humer ['y-] vt Aspirer pour sentir.

humérus nm Os du bras qui s'articule avec l'omoplate.

humeur nf 1 Disposition affective. *Être de bonne humeur.* 2 Disposition chagrine, comportement agressif. *Avoir un geste d'humeur.* Loc *Être d'humeur à :* disposé à.

humide a Imprégné d'un liquide, d'une vapeur. *Climat humide.* Ant. sec.

humidificateur nm Appareil servant à humidifier l'air d'un local.

humidification nf Action d'humidifier.

humidifier vt Rendre humide.

humidité nf État humide.

humiliant, ante a Qui cause de la honte.

humiliation nf 1 Action d'humilier, fait d'être humilié. 2 Affront.

humilier vt Blesser qqn dans son amour-propre. ■ vpr S'abaisser volontairement.

humilité nf Caractère humble, modeste.

humoriste a, n Qui pratique le genre humoristique.

humoristique a Se dit de dessins, d'écrits où is entre de l'humour.

humour nm Forme d'esprit consistant à souligner en restant impassible les aspects drôles de la réalité. Loc *Humour noir :* cruel et macabre.

humus [ymys] nm Matière formée de débris végétaux décomposés.

hune ['yn] nf MAR Plate-forme fixée à la partie basse des mâts.

hunier ['y-] nm MAR Voile carrée située au-dessus des basses voiles.

huppe ['yp] nf Oiseau à la tête garnie d'une touffe de plumes ; cette touffe.

huppé, ée ['ype] a 1 Qui porte une huppe. 2 fam Riche et distingué.

hure ['yʀ] nf 1 Tête coupée de sanglier, de brochet, de porc. 2 Galantine farcie de morceaux de hure.

hurlant, ante ['yʀ-] a Qui hurle.

hurlement ['yʀ-] nm Cri aigu et prolongé.

hurler ['yʀ-] vi 1 Pousser des hurlements. 2 Former un contraste violent, jurer. *Couleurs qui hurlent.* ■ vt Crier qqch très fort.

hurleur, euse ['yʀ-] a, n Qui hurle. ■ nm Singe du Brésil aux cris puissants.

hurluberlu nm Fantasque, extravagant.

husky ['œski] nm Chien de traîneau.

hussard ['y-] nm HIST Militaire appartenant à un régiment de cavalerie légère. Loc *À la hussarde :* de façon cavalière et brutale.

hussite ['y-] n HIST Partisan de Jan Hus.

hutte ['yt] nf Petite cabane rudimentaire.

hyacinthe nf Variété de zircon transparent, rouge ou orangé.

hyalin, ine a didac Qui a l'aspect du verre.

hybridation nf BIOL Croisement d'espèces différentes.

hybride nm Animal ou végétal qui résulte du croisement de deux espèces différentes. ■ a 1 Fait d'éléments composites. *Solution hybride.* 2 Se dit d'une voiture qui peut fonctionner à l'essence et à l'électricité.

hydarthrose nf MED Épanchement de liquide dans une articulation.

hydratant, ante a, nm Destiné à hydrater.

hydratation nf MED Apport d'eau à l'organisme, aux tissus.

hydrate nm CHIM Composé qui résulte de la fixation d'eau sur un corps.

hydrater vt MED Apporter de l'eau à un organisme, à un tissu.

hydraulique a Mû, fourni par l'eau. *Frein hydraulique. Énergie hydraulique.* ■ nf 1 Science des lois de l'écoulement des liquides. 2 Technique de captage, de distribution et d'utilisation des eaux.

hydravion nm Avion conçu pour décoller sur l'eau et s'y poser.

hydre nf 1 MYTH Serpent fabuleux, dont les sept têtes repoussaient multipliées au fur et à mesure qu'on les coupait. 2 litt Mal monstrueux.

hydrique a Relatif à l'eau. *Bilan hydrique.*

hydrobiologie nf Étude des êtres vivant dans l'eau.

hydrocarbure nm CHIM Corps composé de carbone et d'hydrogène (ex. : *pétrole, méthane*).

hydrocéphale a, n Dont la boîte crânienne est anormalement développée.

hydrocortisone nf Hormone utilisée comme anti-inflammatoire.

hydrocution nf Syncope brutale due à une immersion brusque dans l'eau froide.

hydrodynamique nf Partie de la physique qui traite des liquides en mouvement. ■ a De l'hydrodynamique.

hydroélectricité nf Électricité d'origine hydraulique.

hydroélectrique a Qui produit de l'électricité par des moyens hydrauliques.

hydrofoil [-fɔjl] nm Navire rapide muni d'ailes portantes. Syn. hydroptère.

hydrofuge a Qui protège de l'humidité.

hydrofuger vt [11] Rendre hydrofuge.

hydrogénation nf Action d'hydrogéner.

hydrogène nf Corps simple (gaz) qui, combiné avec l'oxygène, forme l'eau.

hydrogéner vt [12] CHIM Combiner un corps avec l'hydrogène.

hydrogéologie nf Géologie appliquée à la recherche des eaux souterraines.

hydroglisseur nm Bateau à fond plat propulsé par une hélice aérienne.

hydrographie nf 1 Étude des eaux du globe 2 Ensemble des cours d'eau et des lacs d'une région.

hydrographique a De l'hydrographie.

hydrologie nf Science des eaux et de leur utilisation.

hydrologique a De l'hydrologie.

hydrologiste n Spécialiste d'hydrologie. Var hydrologue

hydrolyse nf CHIM Décomposition d'un corps par action de l'eau.

hydromassage nm Massage pratiqué au moyen de projections d'eau sous pression.

ydromel *nm* Boisson faite d'eau et de miel, ermentée ou non.

ydrophile *a* Qui absorbe l'eau.

ydroponique *a* Loc *Culture hydroponique :* ar des solutions nutritives, sans sol.

ydropression *nf* Projection d'eau à très forte ression.

ydroptère *nm* Syn. de *hydrofoil*.

ydrosoluble *a* Se dit des vitamines solubles ans l'eau.

ydrosphère *nf* GEOGR Ensemble de l'élément quide du globe terrestre.

ydrostatique *nf* PHYS Étude des conditions 'équilibre des liquides. ■ *a* De l'hydrostatique.

ydrothérapie *nf* Thérapeutique utilisant les ertus curatives de l'eau.

ydrothermal, ale, aux *a* GEOL De l'hydrothernalisme.

ydrothermalisme *nm* GEOL Circulation souteraine de fluides chauds.

yène *nf* Mammifère carnivore qui se nourrit de harognes.

ygiaphone *nm* (n. déposé) Dispositif d'hyiène équipant certains guichets.

ygiène *nf* Règles et pratiques nécessaires pour onserver et améliorer la santé.

ygiénique *a* 1 De l'hygiène. 2 Qui favorise la anté ; sain. *Activités hygiéniques.*

ygiéniste *n* Spécialiste de l'hygiène.

ygromètre *nm* Appareil mesurant le degré 'humidité de l'air.

ygrométrie *nf* Mesure du degré d'humidité de air ; ce degré.

ygrométrique *a* De l'hygrométrie.

ygrophore *nm* Champignon basidiomycète à pores blanches.

. hymen *nm* ANAT Membrane qui obture l'entrée lu vagin et qui est déchirée lors du premier rap-ort sexuel.

. hymen *nm* litt Mariage. **Var hyménée**

yménaptère *nm* ZOOL Insecte pourvu de deux aires d'ailes membraneuses de grandeur iné-gale, comme les fourmis, les abeilles.

ymne *nm* 1 Poème lyrique. 2 Chant national.

yoïde *nm* ANAT Os de la base de la langue.

yoïdien, enne *a* De l'hyoïde.

yperbare *a* Dont la pression est supérieure à la pression atmosphérique.

yperbole *nf* 1 Emploi d'expressions exagérées pour frapper l'esprit (ex. : *verser des torrents de armes*). 2 GEOM Lieu géométrique des points dont la différence des distances à deux points fixes, appelés foyers, est constante.

yperbolique *a* 1 Très exagéré dans son expression. *Louanges hyperboliques.* 2 GEOM En forme d'hyperbole.

ypercalcémie *nf* Augmentation pathologique du calcium dans le sang.

ypercholestérolémie *nf* Élévation anormale du taux de cholestérol dans le sang.

ypérémotivité *nf* Exagération de l'émotivité.

yperglycémie *nf* Excès de glucose dans le sang. Ant. hypoglycémie.

ypergol *nm* Carburant utilisé pour la propul-sion des fusées.

yperlien *nm* INFORM Lien servant à structurer un hypertexte.

hypermarché *nm* Magasin en libre-service dont la surface est supérieure à 2 500 m².

hypermédia *nm* INFORM Ensemble de documents (textes, images, sons) consultables à la manière de l'hypertexte.

hypermédiatisation *nf* Médiatisation extrême d'un évènement.

hypermétrope *a, n* Atteint d'hypermétropie.

hypermétropie *nf* MED Mauvaise perception des objets, rapprochés. Ant. myopie.

hypernerveux, euse *a, n* D'une très grande nervosité.

hyperonyme *nm* LING Mot dont le sens inclut celui d'autres mots.

hyperpuissance *nf* POLIT État prépondérant sur le plan mondial.

hyperréalisme *nm* Mouvement artistique visant à reproduire minutieusement la réalité.

hypersécrétion *nf* MED Sécrétion trop élevée.

hypersensibilité *nf* Sensibilité excessive.

hypersensible *a, n* Très sensible.

hypersonique *a* Supérieur à Mach 5 (vitesse).

hypertendu, ue *a, n* Atteint d'hypertension.

hypertenseur *a, nm* Qui provoque l'hyperten-sion.

hypertensif, ive *a* De l'hypertension.

hypertension *nf* Pression artérielle excessive.

hypertexte *nm* INFORM Ensemble de textes, liés en mémoire, que l'on peut afficher simultanément sur l'écran.

hypertrophie *nf* Développement excessif.

hypertrophier *vt* Produire l'hypertrophie.

hypholome *nm* Champignon poussant sur les souches.

hypnose *nf* Sommeil artificiel provoqué par suggestion.

hypnocras *a, nm* Qui provoque le sommeil.

hypnotiser *vt* 1 Plonger qqn dans l'hypnose. 2 Fasciner, éblouir. ■ *vpr* Être obnubilé.

hypnotiseur *nm* Personne qui hypnotise.

hypnotisme *nm* Technique de l'hypnose.

hypoallergique *a* MED Qui diminue les risques d'allergie.

hypocalcémie *nf* Insuffisance de calcium dans le sang.

hypocondriaque *a, n* Atteint d'hypocondrie.

hypocondrie *nf* Obsession maladive d'un sujet pour son état de santé.

hypocoristique *a, nm* LING Qui exprime l'affec-tion.

hypocras [-kras] *nm* Mélange de vin sucré et d'aromates.

hypocrisie *nf* Affectation d'un sentiment noble qu'on n'a pas.

hypocrite *a, n* Qui a de l'hypocrisie.

hypocritement *av* Avec hypocrisie.

hypodermique *a* Sous-cutané.

hypogastre *nm* ANAT Partie inférieure de l'abdo-men.

hypogée *nm* Chambre souterraine, tombeau.

hypoglosse *nm* ANAT Nerf moteur de la langue.

hypoglycémie *nf* Insuffisance du taux de glu-cose dans le sang. Ant. hyperglycémie.

hypomanie *nf* PSYCHIAT État d'excitation perma-nente.

hyponyme *nm* LING Mot dont le sens est inclus dans celui d'un autre.

hypophyse *nf* Glande endocrine logée sous le cerveau, sécrétant des hormones.

hypotendu, ue *a, n* Atteint d'hypotension.

hypotenseur *a, nm* Qui diminue la tension artérielle.

hypotension *nf* MED Tension artérielle inférieure à la normale. Ant. hypertension.

hypoténuse *nf* GEOM Côté opposé à l'angle droit d'un triangle rectangle.

hypothalamus *nm* Région du cerveau située sous le thalamus et au-dessus de l'hypophyse.

hypothécaire *a* De l'hypothèque.

hypothèque *nf* **1** DR Droit grevant les biens d'un débiteur pour garantir une créance. **2** Entrave au développement de qqch.

hypothéquer *vt* [12] **1** DR Soumettre à hypothèque. **2** Engager en faisant peser une menace sur. *Hypothéquer l'avenir.*

hypothermie *nf* Abaissement anormal de la température du corps.

hypothèse *nf* **1** Point de départ d'une démonstration à partir duquel on se propose d'aboutir à la conclusion. **2** Supposition, conjecture. *Envisag[er] toutes les hypothèses.*

hypothéticodéductif, ive *a* LOG Qui part d'hyp[o]thèses et en déduit les conséquences.

hypothétique *a* **1** Qui contient une hypothèse. Douteux, incertain.

hypotonie *nf* Diminution du tonus musculaire.

hypoxie *nf* MED Diminution de l'oxygénation d[u] sang et des tissus.

hypsométrie *nf* Cartographie du relief.

hypsométrique *a* De l'hypsométrie.

hysope *nf* Arbrisseau dont l'infusion des fleu[rs] sert de stimulant.

hystérectomie *nf* Ablation de l'utérus.

hystérie *nf* **1** Névrose caractérisée par une att[i]tude théâtrale et divers troubles de la sensibilité. Grande excitation, agitation bruyante.

hystérique *a* De l'hystérie. *Rire hystérique.* ■ Atteint d'hystérie.

hystérographie *nf* Radiographie de l'utérus.

hystérotomie *nf* Incision de l'utérus.

I *nm* **1** Neuvième lettre (voyelle) de l'alphabet. **2** : chiffre romain qui vaut 1. **Loc** *Droit comme un i* : très droit. *Mettre les points sur les i* : s'exprimer sans équivoque.

·ambe *nm* Pied d'un vers ancien composé d'une brève et d'une longue.

·atrogène *a* Se dit d'une maladie causée par le traitement médical.

·bérique *a* Relatif à l'Espagne et au Portugal.

·bidem *av* Au même endroit, dans le même texte (Abrév. : ibid., ib.).

·bis [ibis] *nm* Oiseau, échassier à long bec courbé vers le bas.

·ceberg [ajsbɛʀg] *nm* Bloc de glace détaché des glaciers polaires flottant dans la mer.

·ce-cream [ajskʀim] *nm* Crème glacée. *Des ice-creams.*

·chtyologie [ik-] *nf* Étude des poissons.

·chtyosaure [ik-] *nm* Reptile marin fossile à l'aspect de poisson.

·ci *av* **1** Dans le lieu défini par la personne qui parle. *Venez ici.* **2** À l'endroit indiqué dans le texte. **3** Au moment présent. *D'ici à huit jours.*

·ci-bas *av* Sur terre.

·cône *nf* **1** Image sacrée des religions orthodoxes, peinte sur bois. **2** INFORM Symbole graphique qui désigne un programme, sur un écran d'ordinateur.

·conoclaste *n, a* Qui cherche à détruire les idées établies.

·conographe *n* Spécialiste d'iconographie.

·conographie *nf* **1** Étude des représentations artistiques d'un sujet (peintures, sculptures, etc.). **2** Ensemble des illustrations d'un livre.

·conographique *a* De l'iconographie.

·conologie *nf* Étude des représentations figurées, des symboles.

·conoscope *nm* Dans une télévision, système qui analyse l'image.

·conostase *nf* Dans les églises orientales, cloison ornée d'icônes isolant la nef.

·ctère *nm* MED Jaunisse.

·ctus [-tys] *nm* MED Manifestation pathologique brutale, comme la congestion cérébrale.

·d. Abrév. de *idem*.

·déal, ale, als ou **aux** *a* **1** Qui n'existe que dans l'imagination. *Monde idéal.* **2** Parfait. *Pureté idéale.* ■ *nm* **1** Modèle absolu de la perfection. *Idéal de beauté.* **2** But élevé que l'on se propose d'atteindre. *Homme sans idéal.*

idéalement *av* De façon idéale.

idéalisation *nf* Action d'idéaliser.

idéaliser *vt* Représenter sous une forme idéale.

idéalisme *nm* **1** Attitude de qqn dont la conduite obéit à un idéal élevé. **2** Philosophie ramenant la réalité à la pensée du sujet.

idéaliste *a, n* Qui relève de l'idéalisme.

idéation *nf* PSYCHO Formation des idées.

idée *nf* **1** Notion, conception. *Idées neuves.* **2** Intention, projet. *Changer d'idée.* **3** Esprit, conscience. *Cela m'est sorti de l'idée.* **Loc** *Idée fixe* : obsession. *Idée force* : qui guide la conduite. ■ *pl* **1** Pensées originales. *Être plein d'idées.* **2** Opinions. *Ce n'est pas dans mes idées.* **3** Illusions. *Se faire des idées.*

idem *av* De même (Abrév. : id.).

identifiable *a* Qu'on peut identifier.

identificateur *nm* INFORM Symbole précisant la nature d'une variable.

identification *nf* Action d'identifier.

identificatoire *a* De l'identification.

identifier *vt* **1** Reconnaître, trouver l'identité de. *Identifier son agresseur.* **2** Établir la nature de. *Identifier un bruit.* ■ *vpr* S'assimiler mentalement à qqn. *S'identifier à un héros de roman.*

identique *a* Qui est en tous points semblable à un autre. *Copie identique à l'original.*

identiquement *av* De façon identique.

identitaire *a* Qui concerne l'identité profonde de qqn, d'un groupe.

identité *nf* **1** Caractère identique. **2** Caractère fondamental de qqch, de qqn. **3** Signalement exact, données permettant d'individualiser qqn.

idéogramme *nm* Signe graphique notant le sens et non le son d'un mot.

idéographie *nf* Écriture par idéogrammes.

idéographique *a* De l'idéographie.

idéologie *nf* **1** Ensemble des idées philosophiques propres à une époque ou à un groupe social. **2** Philosophie vague, plus ou moins utopique.

idéologique *a* De l'idéologie.

idéologue *n* Doctrinaire.

ides *nfpl* Dans le calendrier romain, quinzième jour des mois de mars, mai, juillet et octobre, et treizième jour des autres mois.

idiolecte *nm* LING Habitudes de langage propres à un individu.

idiomatique *a* Propre à un idiome.

idiome nm LING Langue propre à une nation, à une province.

idiosyncrasie [-sɛ̃-] nf Comportement propre à chaque individu.

idiot, idiote a, n Dépourvu d'intelligence.

idiotie [-si] nf 1 Caractère stupide, absurde. 2 Parole, action idiote. *Dire des idioties.*

idiotisme nm LING Expression particulière à une langue.

idoine a litt Convenable à qqch.

idolâtre a, n Qui adore les idoles.

idolâtrer vt Aimer avec excès, adorer.

idolâtrie nf 1 Adoration, culte des idoles. 2 Amour excessif.

idole nf 1 Figure, statue représentant une divinité. 2 Vedette adulée du public.

idylle nf Aventure amoureuse naïve et tendre.

idyllique a Merveilleux, naïf et tendre.

if nm Conifère aux feuilles vert sombre.

igloo [iglu] nm Construction hémisphérique en neige durcie des Esquimaux. Var **iglou**

igname nf Plante tropicale cultivée pour ses tubercules à chair farineuse.

ignare a, n Très ignorant, inculte.

igné, ée a Produit par le feu.

ignifugation nf Action d'ignifuger.

ignifuge a, nm Qui rend incombustible.

ignifuger vt [11] Rendre incombustible.

ignition nf État des corps en combustion.

ignoble a 1 Très vil, bas. *Conduite ignoble.* 2 D'une saleté, d'une laideur répugnante.

ignominie nf 1 Grand déshonneur, infamie. 2 Procédé, action infamants.

ignominieusement av litt De manière ignominieuse.

ignominieux, euse a litt Dégradant, infamant.

ignorance nf 1 Fait de ne pas savoir qqch, de ne pas être informé. 2 Défaut, absence de connaissances.

ignorant, ante a, n 1 Qui n'est pas informé. 2 Sans connaissance, inculte.

ignoré, ée a Inconnu ou méconnu.

ignorer vt 1 Ne pas savoir. 2 Ne témoigner aucune considération à qqn. 3 N'avoir pas l'expérience de. *Ignorer la peur.*

iguane [igwan] nm Reptile saurien d'Amérique tropicale.

iguanodon [igwa-] nm Reptile herbivore fossile du crétacé.

ikastola nf École où l'enseignement se fait en basque.

ikat [ikat] nm Tissu décoré de motifs symétriques obtenus par un procédé de teinture particulier.

ikébana [ike-] nm Art floral japonais obéissant à une codification symbolique. Var **ikebana**

il, ils pr pers 1 Sujet masculin de la 3e personne. *Il me fuit. Où sont-ils ?* 2 Sujet des verbes impersonnels. *Il pleut, il neige.*

ilang-ilang. V. ylang-ylang.

île nf Espace de terre entouré d'eau. Var **ile**

iléon nm ANAT Partie de l'intestin qui s'abouche au cæcum.

iliaque a Loc ANAT *Os iliaque :* chacun des deux os qui forment les bassin osseux.

îlien, enne n Habitant d'une île. Var **ilien, enne**

illégal, ale, aux a Contraire à la loi.

illégalité nf Caractère illégal ; acte illégal.

illégitime a 1 Qui ne remplit pas les conditio requises par la loi. *Mariage illégitime.* 2 Né ho du mariage. 3 Injustifié. *Réclamation illégitime.*

illégitimement av Injustement, indûment.

illégitimité nf Défaut de légitimité.

illettré, ée a Qui ne sait ni lire ni écrire.

illettrisme nm Analphabétisme résultant de perte de l'usage de la lecture.

illicite a Défendu par la loi ou par la morale.

illico av fam Immédiatement, sans délai.

illimité, ée a Sans limites.

illisibilité nf Caractère illisible.

illisible a 1 Qu'on ne peut pas déchiffrer. Incompréhensible.

illogique a Qui manque de logique.

illogiquement av De façon illogique.

illogisme nm Caractère illogique.

illumination nf 1 Inspiration soudaine. 2 Actio d'illuminer, d'éclairer vivement. ■ pl Lumière qui décorent une ville lors d'une fête.

illuminé, ée a, n Esprit chimérique.

illuminer vt 1 Éclairer. 2 Orner de lumières. *Illu miner un monument.* 3 Donner un éclat vif. *L joie illuminait son visage.*

illusion nf 1 Perception erronée. *Illusion d'o tique.* 2 Apparence trompeuse dénuée de réalit 3 Jugement erroné, chimère. Loc *Faire illusion* tromper. *Se faire des illusions :* s'abuser.

illusionner vt Tromper. ■ vpr S'abuser.

illusionnisme nm Art de créer l'illusion par d tours de prestidigitation.

illusionniste n Prestidigitateur.

illusoire a Vain, chimérique.

illustrateur, trice n Personne qui illustre de textes.

illustratif, ive a Qui illustre.

illustration nf 1 Action de rendre plus explicit 2 Action d'orner de gravures, de photographies. Image ornant un texte.

illustre a litt Célèbre. *Un artiste illustre.*

illustré nm Périodique, publication comporta de nombreuses illustrations.

illustrer vt 1 litt Rendre célèbre. 2 Rendre plu clair, plus explicite. *Illustrer un texte de commer taires.* 3 Orner un ouvrage d'images. ■ vpr litt S distinguer.

îlot nm 1 Petite île. 2 Groupe de maisons, entour de rues. Var **ilot**

îlotage nm Surveillance de l'îlotier. Var **ilotage**

ilote n 1 ANTIQ À Sparte, esclave de l'État. 2 l Personne méprisée réduite au dernier degré de l misère et de l'ignorance.

îlotier, ière n Agent de police chargé de la sur veillance d'un îlot de maisons. Var **ilotier**

ilotisme nm litt État de l'ilote.

image nf 1 Représentation d'une personne, d'un chose par la sculpture, le dessin, la photographie etc. 2 Estampe, gravure coloriée. 3 Représentatio visuelle d'un objet par un miroir. 4 Représentatio mentale de qqch d'abstrait. *Elle est l'image d bonheur.* 5 Ressemblance. *Cet enfant est l'imag de son père.* 6 Métaphore, symbole. *La balanc image de la justice.* Loc *Image d'Épinal :* imag populaire de style naïf.

imagé, ée a 1 Orné d'images. 2 Orné de méta phores. *Style imagé.*

imagerie nf Ensemble d'images représentan des faits, des personnages. Loc *Imagerie méd* le : procédés de diagnostic par la radiographie, échographie ou le scanner. *Imagerie par résonance magnétique :* ensemble des techniques de radiographie fondées sur le principe de la résonance magnétique nucléaire ; examen pratiqué par ce moyen.

agier *nm* **1** Sculpteur, miniaturiste, peintre du Moyen Âge. **2** Livre d'images.

aginable *a* Qui peut être imaginé.

aginaire *a* **1** Qui n'existe que dans l'imagination, fictif. *Mal imaginaire.* **2** Qui n'est tel qu'en imagination. *Malade imaginaire.* ■ *nm* Domaine de l'imagination.

aginatif, ive *a* Qui imagine, créatif.

agination *nf* **1** Faculté qu'a l'esprit de reproduire les images d'objets déjà perçus. **2** Faculté de créer, d'imaginer, d'inventer. *Avoir une imagination débordante.*

aginer *vt, vpr* Se représenter à l'esprit. *J'imagine* (ou *je m'imagine*) *votre joie.* ■ *vt* Inventer, créer. *Imaginer de nouvelles machines.* ■ *vpr* Se figurer à tort. *S'imaginer être un poète.*

ago *nf* ZOOL Forme adulte de l'insecte sexué devenu apte à la reproduction.

nam [imam] *nm* Chef de la communauté religieuse chiite.

nbattable *a* **1** Invincible. **2** Très avantageux. *Prix imbattable.*

nbécile *a, n* Dépourvu d'intelligence.

nbécillité *nf* Bêtise, absence d'intelligence. *Dire imbécillité.*

nberbe *a* Sans barbe.

nbiber *vt* Imprégner d'un liquide. ■ *vpr* Absorber un liquide.

nbrication *nf* Manière dont les choses sont imbriquées.

nbriquer *vt* Faire se chevaucher. ■ *vpr* S'entremêler de manière indissociable.

nbroglio [-glijo] ou [-ljo] *nm* Embrouillement, situation confuse.

nbu, ue *a* Pénétré, imprégné d'idées, de sentiments. Loc *Imbu de soi-même :* vaniteux.

nbuvable *a* **1** Qui n'est pas buvable ; mauvais. **2** fam Insupportable.

nitable *a* Qui peut être imité.

nitateur, trice *a, n* Qui imite, copie.

nitatif, ive *a* Qui imite.

nitation *nf* **1** Action d'imiter. **2** Contrefaçon. *Imitation d'une signature.* **3** Matière, objet artificiel qui imite une matière, un objet plus précieux. *Un sac imitation cuir.*

niter *vt* **1** Reproduire ou s'efforcer de reproduire. **2** Prendre pour modèle. **3** Contrefaire. *Imiter la signature de qqn.*

nmaculé, ée *a* **1** Sans tache. **2** Pur.

nmanence *nf* Caractère immanent.

nmanent, ente *a* Inhérent à la nature même de qqn, qqch. Loc *Justice immanente :* qui fait que le coupable est puni par les conséquences mêmes de sa faute.

nmangeable [ēmã-] *a* Mauvais à manger.

nmanquable [ēmã-] *a* Qui ne peut manquer de se produire. *Succès immanquable.*

nmanquablement [ēmã-] *av* Infailliblement.

nmatérialité *nf* Caractère immatériel.

nmatériel, elle *a* Qui n'a pas de consistance matérielle.

immatriculation *nf* Action d'immatriculer ; numéro ainsi attribué.

immatriculer *vt* Inscrire sur un registre public en vue d'identifier.

immature *a* **1** Qui n'est pas mûr. **2** Qui manque de maturité. *Adolescent immature.*

immaturité *nf* Absence de maturité.

immédiat, ate *a* Qui suit instantanément. ■ *nm* Loc *Dans l'immédiat :* en ce moment.

immédiatement *av* Sans délai.

immédiateté *nf* Caractère immédiat.

immémorial, ale, aux *a* Très ancien.

immense *a* Très étendu, considérable.

immensément *av* De façon immense.

immensité *nf* Très vaste étendue, très grande quantité.

immergé, ée *a* Recouvert d'eau. Loc *Économie immergée :* qui échappe au contrôle administratif.

immerger *vt* [11] Plonger dans un liquide, dans la mer. ■ *vpr* Se plonger totalement dans un milieu étranger pour l'étudier ou en apprendre la langue.

immérité, ée *a* Qui n'est pas mérité.

immersion *nf* Action d'immerger.

immettable [ēmet-] *a* Qu'on ne peut pas mettre (vêtement).

immeuble *nm* Bâtiment à plusieurs étages. ■ *a* DR Qui ne peut être déplacé. *Bien immeuble.*

immigrant, ante *a, n* Qui immigre.

immigration *nf* Action d'immigrer.

immigré, ée *a, n* Établi dans un pays par immigration.

immigrer *vi* Entrer dans un pays autre que le sien pour s'y établir.

imminence *nf* Caractère imminent.

imminent, ente *a* Qui est sur le point de se produire.

immiscer (s') *vpr* [10] S'ingérer dans, se mêler mal à propos de qqch.

immixtion *nf* Ingérence.

immobile *a* Qui ne se meut pas ; fixe.

immobilier, ère *a* **1** Composé d'immeubles. *Biens immobiliers.* **2** Relatif à un immeuble. *Vente immobilière.* ■ *nm* Secteur économique concernant la construction et la vente des immeubles.

immobilisation *nf* Action de rendre immobile. ■ *pl* ECON Biens d'une entreprise, grâce auxquels elle exerce son activité.

immobiliser *vt* Empêcher de se mouvoir ; fixer. ■ *vpr* S'arrêter.

immobilisme *nm* Refus systématique de toute transformation de l'état présent.

immobiliste *a, n* Qui relève de l'immobilisme.

immobilité *nf* État immobile.

immodéré, ée *a* Excessif.

immodérément *av* Avec excès.

immolation *nf* Action d'immoler.

immoler *vt* **1** Tuer en sacrifice à un dieu. **2** litt Faire périr, massacrer. ■ *vpr* litt Sacrifier sa vie, ses intérêts.

immonde *a* Ignoble, dégoûtant.

immondices *nfpl* Ordures.

immoral, ale, aux *a* Qui viole les règles de la morale.

immoralisme *nm* Rejet des valeurs morales.

immoraliste *a, n* Qui relève de l'immoralisme.

immoralité *nf* Caractère immoral.

immortaliser *vt* Rendre immortel dans la mémoire des hommes.

immortalité *nf* Caractère immortel.

immortel, elle *a* 1 Qui n'est pas sujet à la mort. *L'âme est immortelle.* 2 Impérissable. *Une œuvre immortelle.* 3 Dont le souvenir survivra toujours dans la mémoire des hommes. ■ *n* 1 Académicien(ne). 2 Divinité du paganisme. ■ *nf* Plante dont les fleurs, une fois desséchées, conservent leur aspect.

immotivé, ée *a* Qui n'est pas motivé.

immuabilité *nf* Caractère immuable.

immuable *a* 1 Qui n'est pas sujet à changement. 2 Ferme. *Volonté immuable.*

immuablement *av* De façon immuable.

immunisant, ante *a* Qui immunise.

immunisation *nf* Action d'immuniser.

immuniser *vt* 1 Rendre réfractaire à une maladie. 2 Rendre insensible à qqch de nocif.

immunitaire *a* BIOL De l'immunité.

immunité *nf* 1 Privilège accordé à certaines personnes. *Immunité parlementaire.* 2 BIOL Propriété que possède l'organisme vivant de développer des moyens de défense.

immunocompétent, ente *a* MED Qui a des propriétés immunitaires.

immunodéficience *nf* MED Déficience des défenses immunitaires. **Var immunodéficit** *nm*

immunodéficitaire *a* BIOL Dont les mécanismes immunitaires sont déficients.

immunodépresseur *am, nm* BIOL Qui diminue ou abolit les réactions immunitaires. **Var immunosuppresseur**

immunodépressif, ive *a* BIOL De l'immunodépression. **Var immunosuppressif, ive**

immunodéprimé, ée *a, n* Qui souffre d'immunodéficience.

immunoglobuline *nf* BIOL Syn. de *anticorps.*

immunologie *nf* BIOL Étude de l'immunité, des réactions immunitaires de l'organisme.

immunologue *n* Spécialiste d'immunologie.

immunostimulant, ante *a, nm* Qui stimule les défenses immunitaires.

immunotechnologie *nf* Technologie de la fabrication des anticorps.

immunothérapie *nf* MED Traitement visant à renforcer les défenses de l'organisme.

immutabilité *nf* DR Caractère immuable.

impact *nm* 1 Choc, collision, heurt. 2 Effet produit sur l'opinion par qqch. **Loc** *Point d'impact :* où un projectile vient de frapper. *Étude d'impact :* étude des incidences de grands travaux sur l'environnement.

impair, aire *a* 1 Qui ne peut être divisé en deux nombres entiers égaux. 2 Qui porte un numéro impair. *Le côté impair d'une rue.* ■ *nm* Bévue, maladresse. *Commettre un impair.*

impala *nm* Antilope africaine.

impalpable *a* Très fin, très ténu.

impaludation *nf* MED Infection par le parasite du paludisme.

impaludé, ée *a* Contaminé par le paludisme.

imparable *a* Qu'on ne peut parer.

impardonnable *a* Inexcusable.

imparfait, aite *a* Défectueux, inachevé. ■ *nm* GRAM Temps passé du verbe, indiquant une action habituelle ou répétée.

imparfaitement *av* De façon imparfaite.

imparisyllabique *a, nm* GRAM Se dit des mots latins qui n'ont pas le même nombre de syllabes au nominatif et au génitif singuliers.

impartial, ale, aux *a* Équitable, qui n'est pas partisan. *Juge impartial.*

impartialement *av* De façon impartiale.

impartialité *nf* Caractère impartial.

impartir *vt* DR Accorder, attribuer.

impasse *nf* 1 Petite rue sans issue, cul-de-sac. 2 Situation sans issue favorable. *Les négociations sont dans l'impasse.*

impassibilité *nf* Caractère impassible.

impassible *a* Qui ne laisse paraître aucune émotion, aucun trouble.

impatiemment *av* Avec impatience.

impatience *nf* Incapacité d'attendre, de patienter, de supporter qqn ou qqch.

impatient, ente *a, n* Qui manque de patience. ■ *a* Qui attend et a hâte de faire qqch. *Il est impatient de vous rencontrer.*

impatiente *nf* Plante aux nombreuses fleurs. **Var impatiens [-sjãs]**

impatienter *vt* Faire perdre patience, énerver, irriter. ■ *vpr* Perdre patience.

impatroniser (s') *vpr* litt Se poser, s'établir en maître qq part.

impavide *a* litt Inaccessible à la peur.

impayable *a* fam Comique ou ridicule.

impayé, ée *a, nm* Qui n'a pas été payé.

impeccable *a* Irréprochable, parfait.

impeccablement *av* De façon irréprochable.

impécunieux, euse *a* litt Qui manque d'argent.

impécuniosité *nf* litt Manque d'argent.

impédance *nf* PHYS Rapport entre la tension appliquée aux bornes d'un circuit électrique et le courant alternatif qui la traverse.

impédimenta [ɛ̃pedimɛ̃ta] *nmpl* litt Ce qui retarde le mouvement, l'activité. **Var impedimenta**

impénétrabilité *nf* Caractère impénétrable.

impénétrable *a* 1 Qu'on ne peut pénétrer. *Blindage impénétrable.* 2 Qu'on ne peut connaître, obscur. 3 Dont on ne peut deviner les sentiments

impénitent, ente *a* Qui persiste dans ses habitudes. *Bavard impénitent.*

impensable *a* Inconcevable.

imper *nm* fam Imperméable.

impératif, ive *a* 1 Qui a le caractère d'un ordre absolu. *Consigne impérative.* 2 Impérieux. *Besoins impératifs.* ■ *nm* 1 GRAM Mode du verbe qui exprime l'ordre. 2 Prescription impérieuse.

impérativement *av* De façon impérative.

impératrice *nf* 1 Femme d'un empereur. 2 Femme qui gouverne un empire.

imperceptible *a* 1 À peine perceptible. *Odeur imperceptible.* 2 Qui échappe à l'attention. *Progrès imperceptibles.*

imperceptiblement *av* De façon imperceptible.

imperdable *a* Qu'on ne peut perdre.

imperfectible *a* Qu'on ne peut perfectionner.

imperfectif, ive *a, nm* GRAM Se dit des formes verbales exprimant la durée.

imperfection *nf* 1 État imparfait. 2 Partie, détail défectueux.

impérial, ale, aux *a* 1 Qui appartient à un empereur, à un empire. 2 litt Majestueux. ■ *nf* Étage supérieur de certains véhicules de transport en commun.

périalement *av* De façon impériale.

périalisme *nm* Domination politique ou économique d'un État sur d'autres pays.

périaliste *a, n* Qui relève de l'impérialisme.

périeusement *av* De façon impérieuse.

périeux, euse *a* 1 Autoritaire. 2 Pressant, résistible. *Besoins impérieux.*

périssable *a* Qui dure très longtemps.

péritie [-si] *nf* litt Incapacité, inaptitude.

perméabilisant, ante *a, nm* Qui imperméabilise.

perméabilisation *nf* Action d'imperméabiliser.

perméabiliser *vt* Rendre imperméable.

perméabilité *nf* Caractère imperméable.

perméable *a* 1 Qui ne se laisse pas traverser par un liquide, par l'eau. 2 Insensible. *Imperméable aux reproches.* ■ *nm* Vêtement de pluie perméable.

personnalité *nf* Caractère impersonnel.

personnel, elle *a* Dépourvu d'originalité. *Une œuvre impersonnelle.* Loc GRAM *Verbes impersonnels* : dont le sujet est le pronom neutre « il ». *Modes impersonnels* : infinitif et participe.

personnellement *av* De façon impersonnelle.

pertinence *nf* Arrogance ; parole, action impertinente.

pertinent, ente *a, n* Qui manque de respect, politesse.

perturbable *a* Que rien ne peut troubler.

perturbablement *av* De façon imperturbable.

pesanteur *nf* PHYS Apesanteur.

pétigo *nm* Affection contagieuse de la peau, caractérisée par des pustules.

pétrant, ante *a* DR Personne qui obtient un titre, diplôme, etc., de l'autorité qui le décerne.

pétueusement *av* litt Avec impétuosité.

pétueux, euse *a* litt 1 Dont le mouvement est à la fois violent et rapide. 2 Plein de fougue, ardent. *Désirs impétueux.*

pétuosité *nf* litt Fougue, ardeur, violence.

pie *a, n* litt Qui manifeste du mépris pour la religion ; incroyant, athée.

piété *nf* litt Mépris pour la religion ; acte, parole impies.

pitoyable *a* Sans pitié.

pitoyablement *av* De façon impitoyable.

placable *a* Dont on ne peut apaiser la violence.

placablement *av* De façon implacable.

plant *nm* MED Substance qu'on place sous la peau dans un but thérapeutique. Loc *Implant dentaire* : dispositif destiné à une prothèse.

plantation *nf* Action d'implanter, de s'implanter.

planter *vt* Installer, introduire, établir qq part. ■ *vpr* Se fixer en un lieu.

plantologie *nf* Technique de réalisation des implants dentaires.

plication *nf* Action d'impliquer, fait d'être impliqué dans. ■ *pl* Conséquences inévitables.

plicite *a* Qui, sans être exprimé formellement, peut être déduit de ce qui est exprimé.

plicitement *av* De façon implicite.

pliquer *vt* 1 Mêler à une affaire fâcheuse. *Impliquer qqn dans un complot.* 2 Avoir pour

conséquence. *La politesse implique l'exactitude.* ■ *vpr* Se donner à fond dans.

imploration *nf* Action d'implorer.

implorer *vt* Supplier, demander humblement.

imploser *vi* Faire implosion.

implosion *nf* 1 Éclatement d'un corps sous l'action d'une pression plus forte à l'extérieur qu'à l'intérieur. 2 Destruction d'une organisation par carence interne.

impoli, ie *a, n* Discourtois, goujat.

impoliment *av* Avec impolitesse.

impolitesse *nf* Manque de politesse ; procédé impoli.

impondérabilité *nf* Caractère impondérable.

impondérable *a* litt Difficile à prévoir, à imaginer. ■ *nm* Évènement imprévisible.

impopulaire *a* Qui n'est pas conforme aux désirs de la population, d'un groupe.

impopularité *nf* Caractère impopulaire ; absence de popularité.

1. importable *a* Qu'on ne peut porter.

2. importable *a* Qu'on peut importer.

importance *nf* 1 Intérêt, portée de qqch. *L'importance d'un livre.* 2 Autorité, influence, prestige de qqn. Loc *D'importance* : très fort.

important, ante *a* 1 Qui a une valeur, un intérêt très grands ; considérable. 2 Puissant, influent.

importateur, trice *n, a* Qui fait le commerce d'importation. Ant. exportateur.

importation *nf* Action d'importer. ■ *pl* Ce qui est importé. Ant. exportation.

1. importer *vti, vi* Être important, digne d'intérêt. *Cela m'importe peu. Il importe de savoir manœuvrer.* Loc *Qu'importe ! Peu importe !* : cela est indifférent. *N'importe qui, n'importe quoi* : personne, chose quelconque. *N'importe comment, où, quand* : manière, lieu, temps quelconque.

2. importer *vt* Introduire dans un pays des biens de l'étranger. Ant. exporter.

import-export *nm inv* Commerce des importations et des exportations.

importun, une *a, n* Qui ennuie, dérange.

importuner *vt* Déranger, gêner.

importunité *nf* Caractère importun.

imposable *a* Assujetti à l'impôt.

imposant, ante *a* Qui frappe par sa grandeur, sa force, son nombre.

imposé, ée *a* 1 Fixé par voie d'autorité. *Prix imposé.* 2 Soumis à l'impôt.

imposer *vt* 1 Faire accepter en contraignant. *Imposer une tâche, le silence.* 2 Soumettre à l'impôt. Loc *Imposer les mains* : les mettre sur la tête de qqn selon un rite religieux. IMPRIM *Imposer une feuille* : la disposer pour l'impression. ■ *vti* Loc *En imposer* : susciter le respect. ■ *vpr* 1 Se contraindre à. *S'imposer des sacrifices.* 2 Être indispensable. *Cette démarche s'impose.* 3 Se faire accepter par la force ou par sa valeur. *Un chef qui s'impose.*

imposition *nf* 1 Impôt, taxe. 2 IMPRIM Action d'imposer une feuille.

impossibilité *nf* Caractère impossible ; chose impossible.

impossible *a* 1 Qui ne peut se faire. 2 fam Insupportable, pénible. ■ *nm* Ce qui est hors des limites du possible.

imposte nf 1 ARCHI Pierre en saillie sur laquelle prend appui le cintre d'une arcade. 2 CONSTR Partie supérieure d'une porte ou d'une croisée.

imposteur nm Personne qui trompe autrui en se faisant passer pour qqn d'autre.

imposture nf Action de tromper par de fausses apparences.

impôt nm Contribution exigée par l'État ou les collectivités locales pour subvenir aux dépenses publiques. *Impôts directs, indirects.*

impotence nf État d'un impotent.

impotent, ente a, n Qui ne peut se mouvoir qu'avec difficulté.

impraticable a 1 Que l'on ne peut mettre en pratique. *Une idée impraticable.* 2 Où l'on passe très difficilement. *Chemin impraticable.*

imprécateur, trice n litt Personne qui profère des imprécations.

imprécation nf litt Malédiction, souhait de malheur contre qqn.

imprécatoire a litt Propre à l'imprécation.

imprécis, ise a Qui manque de précision.

imprécision nf Manque de précision.

imprédictible a Qui échappe à la prévision.

imprégnation nf Action d'imprégner. Loc *Imprégnation dans un corps.* 2 Faire pénétrer une idée dans l'esprit de qqn.

imprégner vt [12] 1 Imbiber, faire pénétrer un liquide dans un corps. 2 Faire pénétrer une idée dans l'esprit de qqn.

imprenable a Qui ne peut être pris.

imprégnation nf Manque de préparation.

imprésario [-za-] nm Personne qui s'occupe des contrats d'un artiste, d'un comédien.

imprescriptibilité nf Caractère imprescriptible.

imprescriptible a DR Qui n'est jamais caduc.

impression nf 1 Action d'imprimer. *Fautes d'impression dans un livre.* 2 Marque laissée par un support. 3 Sensation, effet produit par une action extérieure. 4 Sentiment, opinion sur qqn, qqch après un premier contact. Loc *Faire impression :* être remarqué ; étonner. *Avoir l'impression de, que :* croire que.

impressionnable a Qui ressent vivement les impressions, les émotions.

impressionnant, ante a 1 Qui impressionne l'esprit. 2 Considérable.

impressionner vt 1 Faire une vive impression sur qqn. 2 PHOTO Produire une impression matérielle sur une surface sensible.

impressionnisme nm Mouvement pictural du dernier quart du XIXe s., qui privilégie les impressions ressenties.

impressionniste a, n Qui appartient à l'impressionnisme. ■ a Qui procède par nuances subtiles.

imprévisibilité nf Caractère imprévisible.

imprévisible a Qu'on ne peut prévoir.

imprévision nf litt Manque de prévision.

imprévoyance nf Défaut de prévoyance.

imprévoyant, ante a Qui manque de prévoyance.

imprévu, ue a Qui arrive sans qu'on l'ait prévu. *Ne pas aimer l'imprévu.*

imprimable a Qu'on peut imprimer.

imprimante nf Organe périphérique d'un ordinateur servant à imprimer sur du papier les résultats d'un traitement.

imprimatur nm HIST Permission d'imprimer accordée par l'autorité ecclésiastique.

imprimé nm Livre, brochure, feuille, tissu imprimés.

imprimer vt 1 Reporter sur un support des signes, des dessins. 2 Publier une œuvre, un auteur. ■ litt Faire, laisser une empreinte. *Traces de roues imprimées dans la boue.* 4 Communiquer un mouvement. *Vitesse que le vent imprime aux voiles.*

imprimerie nf 1 Technique de la fabrication des ouvrages imprimés. 2 Établissement où l'on imprime livres, journaux, etc.

imprimeur nm Directeur d'imprimerie ; ouvrier qui travaille dans une imprimerie.

improbabilité nf Caractère improbable.

improbable a Qui a peu de chances de se produire.

improductif, ive a Qui ne produit rien.

improductivité nf Caractère improductif.

impromptu, ue a Improvisé, fait sur-le-champ. *Concert impromptu.* ■ av Sans préparation. *Parler impromptu.* ■ nm Petite poésie improvisée.

imprononçable a Qu'on ne peut prononcer.

impropre a Qui ne convient pas ; inadéquat. *Eau impropre à la consommation.*

improprement av De façon impropre.

impropriété nf 1 Caractère impropre. 2 Mot, expression impropre.

improuvable a Qu'on ne peut prouver.

improvisateur, trice n Personne qui improvise.

improvisation nf Action d'improviser ; ce qui est improvisé.

improviser vt Faire sur-le-champ et sans préparation. ■ vpr Remplir sans préparation une fonction. *S'improviser cuisinier.*

improviste (à l') av De manière imprévue.

imprudemment av Avec imprudence.

imprudence nf Manque de prudence ; action imprudente.

imprudent, ente a, n Qui manque de prudence. *Alpiniste imprudent.*

impubère a Qui n'a pas atteint la puberté.

impubliable a Qu'on ne peut publier.

impudence nf Effronterie extrême ; cynisme.

impudent, ente a, n Insolent, cynique.

impudeur nf Manque de pudeur ; indécence.

impudique a, n Indécent.

impuissance nf 1 Manque de pouvoir, de moyens, pour faire qqch. 2 Impossibilité physique, pour l'homme, de pratiquer le coït.

impuissant, ante a Qui n'a pas le pouvoir suffisant pour faire qqch. ■ am, nm Incapable de pratiquer le coït.

impulser vt Donner une impulsion à.

impulsif, ive a, n Qui agit sans réflexion.

impulsion nf 1 Action d'imprimer un mouvement à un corps. 2 Incitation à l'activité. 3 Désir soudain et impérieux d'agir.

impulsivement av De façon impulsive.

impulsivité nf Caractère impulsif.

impunément av 1 Sans être sanctionné. 2 Sans subir de conséquences fâcheuses.

impuni, ie a Qui demeure sans punition.

impunité nf Absence de punition.

impur, ure a 1 Qui est altéré par des substances étrangères. 2 litt Impudique.

impureté nf Caractère impur, souillé, pollué ; ce qui rend impur.

imputable *a* Qui peut être imputé.

imputation *nf* Action d'imputer.

imputer *vt* **1** Attribuer une action, une chose répréhensible à qqn. *On lui a imputé l'accident.* **2** Affecter une somme à un compte.

imputrescible *a* Qui ne peut pourrir.

in [in] *a inv* fam À la mode.

inabordable *a* **1** Qu'on ne peut aborder. **2** D'un prix très élevé.

inabouti, ie *a* Qui a échoué. *Tentative inaboutie.*

in abstracto *av* Dans l'abstrait.

inaccentué, ée *a* Qui n'est pas accentué ; atone. *Voyelle inaccentuée.*

inacceptable *a* Qu'on ne peut accepter.

inaccessibilité *nf* Caractère inaccessible.

inaccessible *a* **1** Auquel on ne peut accéder. *Montagne inaccessible.* **2** Difficile à approcher, à aborder. *Personne inaccessible.* **3** Insensible à certains sentiments. *Inaccessible à la pitié.*

inaccompli, ie *a* litt Qui n'est pas achevé.

inaccomplissement *nm* litt Caractère inaccompli.

inaccoutumé, ée *a* Inhabituel.

inachevé, ée *a* Qui n'est pas achevé.

inachèvement *nm* État inachevé.

inactif, ive *a, n* Qui n'a pas d'activité ; désœuvré. ■ *a* Inopérant. *Médicament inactif.*

inaction *nf* Absence d'activité.

inactivation *nf* Action d'inactiver.

inactiver *vt* MED Rendre inactif un microorganisme, une substance.

inactivité *nf* Absence d'activité.

inactualité *nf* Caractère inactuel.

inactuel, elle *a* Qui n'est pas d'actualité.

inadaptable *a* Qui ne peut être adapté.

inadaptation *nf* Manque d'adaptation.

inadapté, ée *a, n* **1** Qui n'est pas adapté. **2** Qui présente un handicap.

inadéquat, ate [-kwa] *a* Qui n'est pas adéquat, qui ne convient pas.

inadéquation *nf* Caractère inadéquat.

inadmissibilité *nf* Caractère inadmissible.

inadmissible *a* Inacceptable.

inadvertance *nf* Loc *Par inadvertance :* par étourderie.

inaliénable *a* Qui ne peut être cédé ou vendu.

inaltérabilité *nf* Caractère inaltérable.

inaltérable *a* Qui ne peut s'altérer.

inaltéré, ée *a* Non modifié.

inamical, ale, aux *a* Hostile.

inamovibilité *nf* Caractère inamovible.

inamovible *a* Qu'on ne peut destituer.

inanalysable *a* Qu'on ne peut analyser.

inanimé, ée *a* **1** Non doué de vie. **2** Qui a perdu ou semble avoir perdu la vie. ■ *a, nm* GRAM Se dit de noms désignant des choses.

inanité *nf* litt Caractère inutile, vain.

inanition *nf* Épuisement dû à une profonde carence alimentaire.

inaperçu, ue *a* Qui a échappé aux regards.

inapparent, ente *a* Invisible.

inappétence *nf* Défaut d'appétit.

inapplicable *a* Qu'on ne peut appliquer.

inapplication *nf* Manque d'application.

inappliqué, ée *a* **1** Qu'on n'a pas mis en application. **2** Inattentif. *Élève inappliqué.*

inappréciable *a* Inestimable.

inapprochable *a* Qu'on ne peut approcher.

inapproprié, ée *a* Inadapté, inadéquat.

inapte *a, n* Qui manque des aptitudes requises pour qqch.

inaptitude *nf* Incapacité.

inarticulé, ée *a* Indistinct. *Son inarticulé.*

inassimilable *a* Qu'on ne peut assimiler.

inassimilé, ée *a* Qui n'est pas assimilé.

inassouvi, ie *a* litt Insatisfait.

inassouvissement *nm* litt Insatisfaction.

inattaquable *a* Qu'on ne peut attaquer.

inattendu, ue *a* Imprévu.

inattentif, ive *a* Distrait.

inattention *nf* Distraction. Loc *Faute d'inattention :* due à l'étourderie.

inaudible *a* Impossible ou difficile à entendre.

inaugural, ale, aux *a* De l'inauguration.

inauguration *nf* Action d'inaugurer.

inaugurer *vt* **1** Marquer par une cérémonie la mise en service de. *Inaugurer un pont.* **2** Employer pour la première fois. *Inaugurer une nouvelle méthode.* **3** Marquer le début de. *Cette réussite inaugura une période faste.*

inauthenticité *nf* Caractère inauthentique.

inauthentique *a* Non authentique ; faux.

inavouable *a* Non avouable.

inavoué, ée *a* Qu'on ne s'avoue pas.

inca *a* Relatif aux Incas.

incalculable *a* **1** Qu'on ne peut calculer, compter. **2** Impossible à évaluer. *Conséquences incalculables.*

incandescence *nf* État incandescent.

incandescent, ente *a* Devenu lumineux sous l'effet d'une chaleur intense.

incantation *nf* Formule magique pour produire un effet surnaturel.

incantatoire *a* De l'incantation.

incapable *a* Qui n'est pas capable. *Incapable de parler.* ■ *a, n* Qui n'a pas les compétences requises pour une activité donnée.

incapacitant, ante *a, nm* Se dit d'un produit qui paralyse temporairement certains organes.

incapacité *nf* Inaptitude.

incarcération *nf* Emprisonnement.

incarcérer *vt* [12] Emprisonner, écrouer.

incarnat, ate *a, nm* D'un rouge clair et vif.

incarnation *nf* **1** RELIG Action de s'incarner. **2** Image, représentation, personnification. *C'est l'incarnation de la bonté.*

incarné, ée *a* Personnifié. *C'est la méchanceté incarnée.* Loc *Ongle incarné :* entré profondément dans la chair.

incarner *vt* **1** Être l'image de. *Le Conseil constitutionnel incarne la loi.* **2** Interpréter le rôle de. *Acteur qui incarne le Cid.* ■ *vpr* RELIG Prendre un corps de chair (divinité).

incartade *nf* Écart de conduite.

incassable *a* Qu'on ne peut casser.

incendiaire *a* **1** Destiné à allumer un incendie. *Bombe incendiaire.* **2** Propre à échauffer les esprits, à susciter des troubles. *Discours incendiaire.* ■ *n* Auteur volontaire d'un incendie.

incendie *nm* Grand feu destructeur.

incendier *vt* **1** Provoquer l'incendie de. **2** fam Blâmer qqn avec violence.

incertain, aine *a* **1** Qui n'est pas certain ; douteux. *Résultat incertain.* **2** Variable. *Temps incer-*

tain. 3 Vague, peu distinct. *Contours incertains.* 4 Qui doute de qqch, hésitant.

incertitude *nf* Caractère incertain.

incessamment *av* Sans délai, sous peu.

incessant, ante *a* Continuel.

incessibilité *nf* Caractère incessible.

incessible *a* DR Qui ne peut être cédé.

inceste *nm* Relations sexuelles interdites entre des parents proches.

incestueux, euse *a* 1 Coupable d'inceste. 2 Entaché d'inceste. 3 Né d'un inceste.

inchangé, ée *a* Demeuré sans changement.

inchiffrable *a* Qu'on ne peut quantifier.

inchoatif, ive [-koa-] *a* GRAM Qui exprime le commencement d'une action.

incidemment *av* Par hasard, au passage.

incidence *nf* 1 Influence, répercussion. *Les incidences de la crise économique.* 2 MED Nombre de cas pathologiques nouveaux dans une population donnée.

incident, ente *a* 1 GRAM Se dit d'une incise. 2 PHYS Qualifie un rayon qui atteint une surface. 3 Occasionnel. *Remarque incidente.* ■ *nm* Évènement fortuit, fâcheux, mais peu important qui survient au cours d'une action.

incinérateur *nm* Appareil servant à brûler les déchets.

incinération *nf* Action d'incinérer.

incinérer *vt* [12] Réduire en cendres ; brûler.

incise *nf* GRAM Proposition très courte intercalée dans une autre (ex. : *dit-il*).

inciser *vt* Faire, avec un instrument tranchant, une entaille dans.

incisif, ive *a* Acerbe, mordant.

incision *nf* 1 Action d'inciser. 2 Coupure allongée, entaille.

incisive *nf* Chacune des dents de devant.

incitateur, trice *n* Personne qui pousse à faire qqch.

incitatif, ive *a* Propre à inciter.

incitation *nf* Action d'inciter.

inciter *vt* Déterminer, induire à.

incivil, ile *a* litt Impoli.

inclassable *a* Qu'on ne peut classer.

inclinable *a* Qui peut s'incliner.

inclinaison *nf* État incliné, oblique. *Inclinaison du sol.*

inclination *nf* 1 Disposition, penchant naturel qui porte vers qqch, qqn. 2 Action d'incliner le corps, la tête.

incliné, ée *a* Oblique. Loc *Plan incliné* : surface plane formant un certain angle avec l'horizontale.

incliner *vt* 1 Mettre dans une position oblique, pencher. *Incliner la tête.* 2 Porter, inciter à. *Tout l'incline à pardonner.* ■ *vti* Être porté, enclin à. *J'incline au pardon.* ■ *vpr* 1 Courber le corps, se pencher. 2 S'avouer vaincu, se soumettre, céder.

inclinomètre *nm* Appareil servant à mesurer une pente.

inclure *vt* [54] 1 Enfermer, insérer dans. 2 Comporter, impliquer.

inclus, use *a* Compris dans. Loc *Ci-inclus, ci-incluse* : inclus dans cet envoi.

inclusif, ive *a* Qui renferme en soi.

inclusion *nf* Action d'inclure ; état de ce qui est inclus ; chose incluse.

inclusivement *av* Y compris ce dont on parle.

incoercible *a* litt Qu'on ne peut contenir. *Rire incoercible.*

incognito *av* Sans se faire reconnaître. ■ *nm* Situation de qqn qui garde secrète son identité.

incohérence *nf* Absence de lien logique.

incohérent, ente *a* Qui manque de cohérence, de suite.

incollable *a* 1 Qui ne colle pas en cuisant. 2 fam Qui répond à toutes les questions.

incolore *a* Qui n'a pas de couleur.

incomber *vti* Revenir, être imposé à qqn. *Ce soin vous incombe.*

incombustibilité *nf* Caractère incombustible.

incombustible *a* Qui ne peut être brûlé.

incommensurabilité *nf* Caractère incommensurable.

incommensurable *a* 1 Sans mesure, sans limites. 2 MATH Qualifie deux grandeurs de même nature qui n'ont pas de sous-multiple commun (ex. : la diagonale et le côté d'un carré).

incommodant, ante *a* Qui gêne ; désagréable.

incommode *a* 1 Qui cause de la gêne. *Position incommode.* 2 Peu pratique. *Appartement incommode.*

incommoder *vt* Causer une gêne physique à qqn. *La fumée l'incommode.*

incommodité *nf* Caractère incommode.

incommunicabilité *nf* Impossibilité de communiquer.

incommunicable *a* Qu'on ne peut communiquer, exprimer.

incomparable *a* Tellement supérieur que rien ne peut lui être comparé.

incomparablement *av* Sans comparaison possible.

incompatibilité *nf* Caractère incompatible.

incompatible *a* Qui n'est pas compatible ; inconciliable avec.

incompétence *nf* Manque de compétence.

incompétent, ente *a* 1 Qui n'a pas l'aptitude requise. 2 Se dit d'une juridiction qui n'a pas qualité pour connaître certaines affaires.

incomplet, ète *a* Auquel il manque qqch.

incomplètement *av* De façon incomplète.

incomplétude *nf* État incomplet.

incompréhensible *a* Inintelligible, inexplicable. *Personnage incompréhensible.*

incompréhensif, ive *a* Qui manque de compréhension à l'égard d'autrui.

incompréhension *nf* Incapacité à comprendre.

incompressibilité *nf* Caractère incompressible.

incompressible *a* 1 Dont le volume ne diminue pas sous l'effet de la pression. 2 Qu'on ne peut réduire. *Des dépenses incompressibles.*

incompris, ise *a, n* Dont la valeur n'est pas reconnue.

inconcevable *a* Inimaginable.

inconciliable *a* Qu'on ne peut concilier avec un autre.

inconditionné, ée *a* Qui n'est soumis à aucune condition ; absolu.

inconditionnel, elle *a* Indépendant de toute condition. ■ *a, n* Qui se plie sans discussion aux décisions d'un homme, d'un parti.

inconditionnellement *av* De façon inconditionnelle.

inconduite *nf* Dévergondage.

inconfort *nm* Manque de confort.

nconfortable *a* Qui n'est pas confortable.

ncongru, ue *a* Déplacé, inconvenant.

ncongruité *nf* Caractère incongru.

ncongrûment *av* De façon incongrue. **Var** **ncongrument**

nconnaissable *a* Qui ne peut être connu.

nconnu, ue *a* **1** Qui n'est pas connu. **2** Qui 'n'est pas célèbre, obscur. ■ *n* Personne que l'on 'ne connaît pas. ■ *nm* Ce qui est mystérieux. ■ *nf* MATH Quantité que l'on détermine par la résolution d'une équation.

nconsciemment *av* De façon inconsciente.

nconscience *nf* **1** État de qqn d'inconscient, privé de sensibilité. **2** Manque de discernement.

nconscient, ente *a* **1** Qui n'a pas conscience de ses actes ; évanoui. **2** Dont on n'a pas conscience. *Geste inconscient.* ■ *a, n* Qui ne mesure pas l'importance des choses, la gravité de ses actes. ■ *nm* Domaine du psychisme échappant à la conscience.

nconséquence *nf* Incohérence.

nconséquent, ente *a* **1** Qui manque de cohérence, de logique. **2** Qui se conduit avec légèreté ; irréfléchi.

nconsidéré, ée *a* Irréfléchi.

nconsidérément *av* De façon inconsidérée.

nconsistance *nf* **1** Manque de consistance. **2** Absence de fermeté, de force, de cohérence.

nconsistant, ante *a* Qui manque de consistance, de fermeté.

nconsolable *a* Qui ne peut être consolé.

nconsolé, ée *a* litt Qui ne s'est pas consolé.

nconsommable *a* Immangeable.

nconstance *nf* Instabilité.

nconstant, ante *a, n* Dont les sentiments changent facilement. ■ *a* Variable. *Temps inconstant.*

nconstitutionnalité *nf* Caractère inconstitutionnel.

nconstitutionnel, elle *a* Non conforme à la Constitution.

nconstructible *a* Où on n'a pas le droit de construire.

ncontestable *a* Indéniable.

ncontestablement *av* Sans contestation.

ncontesté, ée *a* Qui n'est pas discuté.

ncontinence *nf* **1** Tendance incontrôlée à parler trop. **2** MED Émission incontrôlée d'urine, de matières fécales.

1. incontinent, ente *a* Qui n'est pas chaste. ■ *a, n* Atteint d'incontinence.

2. incontinent *av* litt Aussitôt.

ncontournable *a* Qu'on ne peut éviter.

ncontrôlable *a* Qu'on ne peut contrôler.

ncontrôlé, ée *a* Qui échappe à tout contrôle.

nconvenance *nf* Caractère inconvenant.

nconvenant, ante *a* Qui blesse la bienséance ; grossier.

nconvénient *nm* **1** Désavantage, défaut de qqch. **2** Désagrément, résultat fâcheux.

nconvertibilité *nf* Caractère inconvertible.

nconvertible *a* Qu'on ne peut être changé en une autre monnaie, en or.

ncoordination *nf* Absence de coordination.

ncorporable *a* Qui peut être incorporé.

ncorporation *nf* Action d'incorporer.

ncorporel, elle *a* Immatériel.

incorporer *vt* **1** Faire entrer qqch dans un tout. **2** MILIT Faire entrer une recrue dans son unité d'affectation.

incorrect, ecte *a* **1** Qui n'est pas correct ; mauvais. **2** Grossier.

incorrectement *av* Grossièrement.

incorrection *nf* **1** Manquement aux règles de la bienséance. **2** Faute de grammaire.

incorrigible *a* Qu'on ne peut corriger.

incorruptibilité *nf* Qualité incorruptible.

incorruptible *a, n* **1** Imputrescible, inaltérable. **2** Incapable de se laisser corrompre pour agir contre ses devoirs.

incrédibilité *nf* litt Caractère de ce qui est incroyable. *L'incrédibilité d'une histoire.*

incrédule *a, n* **1** Athée, libre penseur, incroyant. **2** Difficile à persuader ; sceptique.

incrédulité *nf* Fait d'être incrédule, scepticisme, athéisme.

incréé, ée *a* RELIG Qui existe sans avoir été créé.

incrémenter *vt* INFORM Augmenter d'une quantité donnée une variable d'un programme.

increvable *a* **1** Qui ne peut être crevé. **2** fam Infatigable.

incrimination *nf* Action d'incriminer.

incriminer *vt* Mettre en cause, accuser.

incrochetable *a* Qu'on ne peut crocheter.

incroyable *a* **1** Difficile ou impossible à croire. *Un récit incroyable.* **2** Peu commun, extraordinaire. *Une activité incroyable.* ■ *n* HIST Jeune dandy royaliste, sous le Directoire.

incroyablement *av* Extraordinairement.

incroyance *nf* Absence de croyance religieuse.

incroyant, ante *n, a* Qui n'a pas de foi religieuse ; athée.

incrustation *nf* **1** Action d'incruster ; ornement incrusté. **2** Dépôt calcaire sur un objet. **3** Apparition sur l'écran de télévision d'une image qui se superpose à la première.

incruster *vt* **1** Orner un objet en insérant des fragments d'une autre matière. *Coffret d'ébène incrusté de nacre.* **2** Couvrir d'un dépôt calcaire. ■ *vpr* fam S'installer chez qqn en parasite.

incubateur *nm* Couveuse artificielle.

incubation *nf* **1** Action de couver ; développement de l'embryon dans l'œuf. **2** MED Période entre la contamination et l'apparition de la maladie.

incube *nm* Démon mâle qui était censé abuser des femelles endormies.

incuber *vt* Opérer l'incubation de.

inculpation *nf* DR Syn. anc. de *mise* en examen.*

inculpé, ée *n,* DR Syn. anc. de *mis* en examen.*

inculper *vt* DR Mettre en examen.

inculquer *vt* Imprimer dans l'esprit de façon profonde et durable.

inculte *a* **1** Qui n'est pas cultivé. *Terre inculte.* **2** Peu soigné. *Barbe inculte.* **3** Dépourvu de culture intellectuelle.

incultivable *a* Qui ne peut être cultivé.

inculture *nf* Manque de culture intellectuelle.

incunable *nm* Ouvrage imprimé entre la découverte de l'imprimerie (1438) et 1500.

incurabilité *nf* Caractère incurable.

incurable *a, n* Qu'on ne peut guérir.

incurablement *av* De façon incurable.

incurie *nf* Défaut de soin, négligence.

incuriosité *nf* litt Manque de curiosité.

incursion nf 1 Courte irruption armée dans une région. 2 Entrée soudaine dans un lieu.

incurver vt Donner une forme courbe à. ■ vpr Prendre une forme courbe.

indatable a Qu'on ne peut dater.

indéboulonnable a fam Qu'on ne peut destituer.

indécelable a Impossible à déceler, indétectable.

indécemment av De façon indécente.

indécence nf Caractère indécent, inconvenant.

indécent, ente a Contraire à la décence, inconvenant, scandaleux, impudique.

indéchiffrable a Qui ne peut être déchiffré ; obscur, inintelligible.

indéchirable a Qui ne peut être déchiré.

indécidable a Qui ne peut être ni démontré ni réfuté.

indécis, ise a 1 Douteux, incertain. *Victoire indécise.* 2 Flou, imprécis, vague. *Traits indécis.* ■ a, n Irrésolu, qui ne sait pas se décider. *Tenter de convaincre les indécis.*

indécision nf Irrésolution, incertitude.

indéclinable a Qui ne se décline pas.

indécodable a Qu'on ne peut décoder.

indécollable a Impossible à décoller.

indécomposable a Qu'on ne peut décomposer.

indécrottable a fam Incorrigible.

indéfectible a Qui ne peut cesser d'être. *Une amitié indéfectible.*

indéfendable a Qu'on ne peut défendre.

indéfini, ie a 1 Dont les limites ne peuvent être déterminées. *Temps indéfini.* 2 Vague, imprécis. *Sentiment indéfini.* ■ a, nm GRAM Article, adjectif ou pronom qui présentent le nom de manière générale ou indéterminée.

indéfiniment av De façon indéfinie.

indéfinissable a Qu'on ne peut définir, expliquer. *Sentiment indéfinissable.*

indéformable a Qui ne se déforme pas.

indéfrichable a Qui ne peut être défriché.

indéfrisable nf vx Syn. de permanente.

indéhiscent, ente a BOT Se dit d'un fruit qui se détache en entier de la plante.

indélébile a Qui ne peut être effacé.

indélicat, ate a Malhonnête.

indélicatesse nf Malversation.

indémaillable a Dont les mailles ne peuvent se défaire.

indemne a Qui n'a souffert aucun dommage, aucune blessure à la suite d'un accident.

indemnisable a Qui peut être indemnisé.

indemnisation nf Paiement d'une indemnité.

indemniser vt Dédommager qqn.

indemnitaire a Qui relève d'une indemnité.

indemnité nf 1 Dédommagement d'un préjudice. 2 Allocation attribuée en compensation de certains frais.

indémodable a Qui ne peut se démoder.

indémontable a Qui ne peut se démonter.

indémontrable a Qu'on ne peut démontrer.

indéniable a Incontestable.

indéniablement av Incontestablement.

indénombrable a Incalculable.

indentation nf Échancrure.

indépassable a Impossible à dépasser.

indépendamment de prép 1 En faisant abstraction de. *Indépendamment des évènements.* 2 En outre, en plus de.

indépendance nf 1 Situation de qqn, d'un État autonome, indépendant. 2 Refus de toute sujétion. *Indépendance d'esprit, d'opinion.* 3 Absence de relations entre des phénomènes.

indépendant, ante a 1 Libre de toute sujétion de toute dépendance. 2 Qui refuse toute sujétion 3 Qui n'a pas de rapport avec. *Ce sont deux questions indépendantes.*

indépendantisme nm Revendication de l'indépendance politique.

indépendantiste a, n Partisan de l'indépendance politique.

indéracinable a Qu'on ne peut déraciner.

indéréglable a Qui ne peut se dérégler.

indescriptible a Qui ne peut être décrit.

indésirable a, n Dont on refuse la présence dans un pays, un groupe.

indestructible a Qui ne peut être détruit.

indétectable a Qu'on ne peut détecter.

indéterminable a Qu'on ne peut déterminer.

indétermination nf 1 Doute, irrésolution. 2 Caractère flou, vague.

indéterminé, ée a Imprécis, vague.

index nm inv 1 Deuxième doigt de la main, le plus rapproché du pouce. 2 Aiguille, repère mobile sur un cadran. 3 Table alphabétique à la fin d'un ouvrage. Loc *Mettre à l'index* : exclure.

indexation nf Action d'indexer. Var **indexage** nm

indexer vt 1 Lier l'évolution d'une valeur aux variations d'un indice de référence. 2 Réaliser l'index d'un ouvrage. 3 Mettre un élément à son ordre dans un index.

indianisme nm Étude des langues et des civilisations de l'Inde.

indianiste n Spécialiste de l'indianisme.

indic nm pop Indicateur de police.

indicateur, trice a Qui indique. *Poteau indicateur.* ■ n Personne qui, en échange d'avantages, renseigne la police. ■ nm 1 Livre, brochure qui contient des renseignements. 2 Instrument de mesure fournissant des indications.

indicatif, ive a Qui indique. *Je vous dis cela à titre indicatif.* ■ nm 1 GRAM Mode du verbe qui exprime l'état, l'action comme réels. 2 Air musical conventionnel identifiant un poste émetteur de radio ou de télévision.

indication nf 1 Action d'indiquer. 2 Signe, indice. 3 Renseignement. *Donner quelques indications.* 4 MED Maladie, cas pour lesquels le traitement est indiqué (par oppos. à *contre-indication*).

indice nm 1 Signe apparent rendant probable l'existence d'une chose. 2 MATH Signe (lettre ou chiffre) placé en bas à droite d'un autre signe pour le caractériser. 3 Rapport entre deux grandeurs. *Indice d'octane.* Loc *Indice des prix* : chiffre indiquant l'évolution du pouvoir d'achat.

indiciaire a Rattaché à un indice.

indicible a Qu'on ne saurait exprimer.

indiciblement av De façon indicible.

indiciel, elle a Qui a valeur d'indice.

indien, enne a, n 1 De l'Inde. 2 Relatif aux indigènes d'Amérique (Amérindiens). ■ nf Étoffe de coton peinte ou imprimée.

indifféremment av Sans faire de différence.

indifférence nf 1 État de qqn qui ne désire ni ne repousse une chose. *Indifférence religieuse.* 2 Insensibilité, froideur.

indifférenciation nf État indifférencié.

indifférencié, ée a Qui n'est pas différencié.

indifférent, ente a 1 Qui ne présente aucun motif de préférence. *Cela m'est indifférent.* 2 Qui manque d'intérêt. *Conversation indifférente.* ■ a, n Insensible, qui ne s'intéresse pas.

indifférer vt [12] fam Ne pas intéresser, laisser insensible. *Cela m'indiffère.*

indigence nf Grande pauvreté, misère.

indigène a Originaire du pays, de l'endroit où qqn, qqch se trouve. ■ n 1 Autochtone. 2 Originaire d'un pays d'outre-mer.

indigent, ente a, n Très pauvre.

indigeste a 1 Difficile à digérer. 2 Difficile à assimiler. *Ouvrage indigeste.*

indigestion [-tjõ] nf 1 Indisposition due à une mauvaise digestion. 2 fam Dégoût de qqch dû à un usage excessif. *Une indigestion de cinéma.*

indignation nf Colère et mépris provoqués par une injustice, une action honteuse.

indigne a 1 Qui ne mérite pas. *Il est indigne de votre estime.* 2 Qui ne sied pas à qqn. *Cette conduite est indigne de vous.* 3 Odieux, méprisable. *Mère indigne.*

indignement av De façon indigne.

indigner vt Exciter l'indignation de qqn. ■ vpr Éprouver de l'indignation.

indignité nf Caractère indigne.

indigo nm, a inv Variété de bleu.

indigotier nm Plante qui fournissait une teinture bleue.

indiqué, ée a Adéquat, opportun, recommandé. Ant. contre-indiqué.

indiquer vt 1 Montrer, désigner de façon précise. 2 Faire connaître en donnant des renseignements. *Indiquer le chemin à qqn.* 3 Dénoter, révéler. *Le signal vert indique la voie libre.*

indirect, ecte a Qui n'est pas direct, détourné. Loc GRAM *Complément indirect :* rattaché au verbe par une préposition. *Interrogation indirecte, style indirect :* rapportant les propos dans une proposition subordonnée (ex. : *je demande quand il est venu*).

indirectement av De façon indirecte.

indiscernable a Qu'on ne peut discerner.

indiscipline nf Désobéissance.

indiscipliné, ée a Désobéissant.

indiscret, ète a Qui manque de discrétion. ■ a, n Qui ne sait pas garder un secret.

indiscrètement av De façon indiscrète.

indiscrétion nf 1 Manque de discrétion. 2 Révélation de ce qui devait rester secret.

indiscriminé, ée a Qui ne fait pas de discriminations, de distinctions.

indiscutable a Incontestable.

indiscutablement av De façon indiscutable.

indiscuté, ée a Qui n'est pas mis en discussion.

indispensable a Absolument nécessaire.

indisponibilité nf Situation, état indisponible.

indisponible a Qui n'est pas disponible.

indisposé, ée a 1 Légèrement malade, incommodé. 2 Se dit d'une femme qui a ses règles.

indisposer vt 1 Fâcher, mécontenter. 2 Rendre légèrement malade, incommoder.

indisposition nf Léger malaise.

indissociable a Dont les éléments ne peuvent être dissociés.

indissolubilité nf Caractère indissoluble.

indissoluble a Qui ne peut être défait.

indissolublement av De façon indissoluble.

indistinct, incte [-tɛ̃] a Imprécis, confus.

indistinctement av De façon indistincte.

individu nm 1 Tout être organisé d'une espèce quelconque. 2 Être humain considéré isolément par rapport à la collectivité. 3 péjor Personne quelconque, qu'on ne peut nommer ou qu'on méprise.

individualisation nf Action d'individualiser.

individualiser vt 1 Distinguer en fonction des caractères individuels. 2 Adapter aux caractères individuels ; personnaliser.

individualisme nm 1 Conception qui voit dans l'individu la valeur la plus élevée. 2 Égoïsme.

individualiste a, n Qui relève de l'individualisme.

individualité nf 1 PHILO Ce qui caractérise un être en tant qu'individu. 2 Originalité propre d'une personne. 3 Personne qui fait preuve de caractère. *Une forte individualité.*

individuel, elle a De l'individu ; personnel.

individuellement av De façon individuelle.

indivis, ise a DR Possédé par plusieurs personnes sans être divisé matériellement.

indivisibilité nf Caractère indivisible.

indivisible a Qui ne peut être divisé.

indivision nf DR Possession indivise.

indochinois, oise a, n De l'Indochine.

indocile a Désobéissant, rebelle.

indocilité nf Caractère indocile.

indo-européen, enne a, nm Se dit d'un groupe de langues européennes et asiatiques qui ont une origine commune ; cette langue originelle elle-même.

indolence nf Mollesse, nonchalance.

indolent, ente a Mou, apathique.

indolore a Qui n'est pas douloureux.

indomptable a Qu'on ne peut dompter.

indompté, ée [ɛ̃dõte] a litt Non maîtrisé.

indonésien, enne a, n D'Indonésie.

indoor [indɔʀ] a inv Se dit d'épreuves sportives disputées en salle.

in-douze a inv, nm inv Format d'impression où les feuilles sont pliées en douze feuillets (abrév. : in-12 ou in-12°).

indu, ue a Loc *Heure indue :* inhabituelle.

indubitable a Certain. *Échec indubitable.*

indubitablement av Sans aucun doute.

inductance nf ELECTR Coefficient qui caractérise la propriété d'un circuit électrique de produire un flux à travers lui-même.

inducteur, trice a ELECTR Qui produit l'induction. ■ nm Électro-aimant servant à produire un champ inducteur.

inductif, ive a PHILO De l'induction.

induction nf 1 PHILO Raisonnement consistant à inférer une chose d'une autre, à aller des faits particuliers au général. 2 ELECTR Production d'un courant par un aimant ou un autre courant.

induire vt [67] 1 Inciter, amener à. *Induire qqn à mal faire.* 2 Causer, provoquer, entraîner. *Cette loi induira des inégalités.* 3 PHILO Trouver par induction ; conclure. *Que peut-on induire de cela ?* 4 ELECTR Produire une induction. Loc *Induire en erreur :* tromper.

induit, ite a 1 Qui résulte de, consécutif à. *Effet induit d'une décision.* 2 ELECTR Produit par induction. ■ *nm* Machine électrique où on produit une force électromotrice par induction.

indulgence *nf* 1 Facilité à excuser, à pardonner. 2 RELIG Remise de la peine du pécheur.

indulgent, ente *a* Qui pardonne, excuse aisément ; clément.

indûment *av* À tort. **Var indument**

induration *nf* MED Durcissement et épaississement des tissus organiques.

induré, ée *a* MED Devenu dur et épais.

industrialisation *nf* Action d'industrialiser.

industrialiser *vt* 1 Appliquer les méthodes industrielles à. 2 Implanter des industries dans.

industrialisme *nm* Conception économique faisant de l'industrie le pivot des sociétés.

industrie *nf* 1 Ensemble des entreprises ayant pour objet la transformation des matières premières et l'exploitation des sources d'énergie. 2 Secteur économique important. *Industrie du spectacle.* Loc litt *Chevalier d'industrie :* escroc.

industriel, elle *a* Qui relève de l'industrie. *La civilisation industrielle.* Loc *(En) quantité industrielle :* (en) grande quantité. ■ *n* Personne qui possède une entreprise, une usine.

industriellement *av* De façon industrielle.

industrieux, euse *a* litt Adroit, ingénieux.

inébranlable *a* Qui ne peut être ébranlé ; ferme, solide. *Courage inébranlable.*

inédit, ite *a, nm* 1 Qui n'a pas été publié, édité. 2 Qui n'a pas encore été vu ; nouveau.

ineffable *a* litt Indicible.

ineffaçable *a* Qui ne peut être effacé.

inefficace *a* Inopérant.

inefficacement *av* De façon inefficace.

inefficacité *nf* Manque d'efficacité.

inégal, ale, aux *a* 1 Qui n'est pas égal en dimension, en durée, en valeur, en quantité. 2 Raboteux (sol, surface). 3 Qui n'est pas régulier. *Mouvement inégal.* 4 Changeant, inconstant. *Humeur inégale.*

inégalable *a* Qui ne peut être égalé.

inégalé, ée *a* Qui n'a pas été égalé.

inégalement *av* De façon inégale.

inégalitaire *a* Fondé sur l'inégalité sociale.

inégalité *nf* 1 Caractère inégal. *Inégalité des chances.* 2 MATH Expression qui traduit que deux quantités ne sont pas égales.

inélégamment *av* Sans élégance.

inélégance *nf* Manque d'élégance.

inélégant, ante *a* Discourtois, grossier.

inéligibilité *nf* Caractère inéligible.

inéligible *a* Qui ne peut être élu.

inéluctable *a* Inévitable.

inéluctablement *av* Inévitablement.

inemployé, ée *a* Qu'on n'utilise pas.

inénarrable *a* Extraordinairement cocasse.

inentamé, ée *a* Qui n'est pas encore entamé.

inéprouvé, ée *a* Qui n'a pas été ressenti.

inepte *a* Stupide. *Raisonnement inepte.*

ineptie [-psi] *nf* Sottise, stupidité.

inépuisable *a* Intarissable.

inéquation *nf* MATH Inégalité qui n'est satisfaite que pour certaines valeurs des variables.

inéquitable *a* litt Injuste.

inerte *a* 1 Qui n'est pas en mouvement. *Corps inerte.* 2 CHIM Qui ne joue aucun rôle dans une réaction donnée. 3 Qui ne fait aucun des mouvements décelant la vie. 4 Qui n'agit pas ; sans énergie, apathique.

inertie [-si] *nf* 1 État inerte. 2 Absence d'activité, d'énergie. Loc *Force d'inertie :* résistance passive de qqn ; résistance au mouvement opposée par un corps du fait de sa seule masse.

inertiel, elle *a* PHYS Relatif à l'inertie, à la force d'inertie.

inespéré, ée *a* Inattendu.

inesthétique *a* Laid.

inestimable *a* Inappréciable, très précieux.

inévitable *a* Qu'on ne peut éviter.

inévitablement *av* De façon inévitable.

inexact, acte *a* 1 Qui manque de ponctualité. 2 Faux. *Calcul inexact.*

inexactement *av* De façon inexacte.

inexactitude *nf* 1 Manque de ponctualité. 2 Erreur. *Un livre plein d'inexactitudes.*

inexcusable *a* Qui ne peut être excusé.

inexécutable *a* Qui ne peut être exécuté.

inexécution *nf* Absence d'exécution.

inexercé, ée *a* Qui n'est pas exercé, formé.

inexigibilité *nf* Caractère inexigible.

inexigible *a* Qui ne peut être exigé.

inexistant, ante *a* 1 Qui n'existe pas. 2 Sans valeur, qui ne compte pas.

inexistence *nf* Défaut d'existence, de valeur.

inexorable *a* Implacable.

inexorablement *av* De façon inexorable.

inexpérience *nf* Manque d'expérience.

inexpérimenté, ée *a* Qui n'a pas d'expérience.

inexpiable *a* 1 Qui ne peut se réparer. *Crime inexpiable.* 2 Sans merci. *Lutte inexpiable.*

inexplicable *a* Incompréhensible, étrange.

inexplicablement *av* De façon inexplicable.

inexpliqué, ée *a* Qui n'a pas été expliqué.

inexploitable *a* Qu'on ne peut exploiter.

inexploité, ée *a* Qui n'est pas exploité.

inexploré, ée *a* Qui n'a pas été exploré.

inexpressif, ive *a* Qui manque d'expression.

inexprimable *a* Indicible.

inexprimé, ée *a* Qui n'est pas exprimé.

inexpugnable *a* Qu'on ne peut prendre d'assaut.

inextensible *a* Qu'on ne peut allonger.

in extenso [inɛkstɛ̃so] *av* En entier, complètement. *Publier un livre in extenso.*

inextinguible *a* Qu'on ne peut apaiser. *Une soif inextinguible.*

in extremis [inɛkstremis] *av* Au dernier moment, à la dernière minute. **Var in extremis**

inextricable *a* Très embrouillé.

inextricablement *av* De façon inextricable.

infaillibilité *nf* Caractère infaillible.

infaillible *a* 1 Qui ne peut se tromper. *Nul n'est infaillible.* 2 Certain, assuré. *Remède infaillible.*

infailliblement *av* Immanquablement.

infaisable [ɛ̃fǝ-] *a* Qui ne peut être fait.

infalsifiable *a* Qui ne peut être falsifié.

infamant, ante *a* Déshonorant.

infâme *a* 1 Avilissant, honteux. *Action infâme.* 2 Répugnant, sale. *Un infâme taudis.*

infamie *nf* 1 Action, parole infâme, vile. 2 litt Déshonneur.

infant, ante *n* Titre des enfants puînés des rois d'Espagne et de Portugal.

infanterie *nf* Ensemble des fantassins, des troupes qui combattent à pied.

infanticide a, n Qui a commis un meurtre d'enfant. ■ nm Meurtre d'un enfant, spécialement un nouveau-né.

infantile a 1 Des enfants en bas âge. Mortalité infantile. 2 Puéril. Discours infantile.

infantilisant, ante a Qui infantilise.

infantiliser vt Rendre infantile, puéril.

infantilisme nm Conduite puérile, infantile ; absence de maturité.

infarctus nm MED Oblitération d'un vaisseau par une thrombose. Loc Infarctus du myocarde : lésion entraînant la nécrose de la paroi musculaire du cœur.

infatigable a Que rien ne fatigue.

infatigablement av Sans se fatiguer.

infatuer (s') vpr litt Être excessivement satisfait de sa propre personne.

infécond, onde a Stérile.

infécondité nf Stérilité.

infect, ecte a 1 litt Qui répand une odeur repoussante. Haleine infecte. 2 Qui suscite le dégoût, répugnant. 3 fam Très mauvais.

infecter vt 1 Contaminer de germes infectieux. 2 Empester. ■ vpr Être atteint par l'infection.

infectieux, euse a MED Qui provoque une infection ou qui en résulte.

infectiologie nf Étude des maladies infectieuses.

infection nf 1 MED Développement d'un germe pathogène dans l'organisme. 2 Grande puanteur. Ça pipe, c'est une infection !

inféoder vt HIST Donner en fief à un vassal. Loc Être inféodé à : être sous la dépendance de. ■ vpr S'attacher par un lien étroit.

inférence nf PHILO Raisonnement consistant à tirer une conséquence d'une proposition.

inférer vt [12] Déduire une conséquence de.

inférieur, eure a 1 Placé au-dessous, en bas. Mâchoire inférieure. 2 Le plus éloigné de la source d'un fleuve. Le cours inférieur de la Seine. 3 BIOL Dont l'organisation est rudimentaire. 4 MATH Plus petit que. ■ a, n Au-dessous d'un autre en rang, en dignité ; subordonné, subalterne.

inférioriser vt Donner un sentiment d'infériorité à.

infériorité nf Désavantage, subordination. Loc Complexe d'infériorité : sentiment qui conduit qqn à se déprécier, à se dévaloriser.

infernal, ale, aux a 1 litt De l'enfer. 2 Insupportable. Vacarme infernal. Enfant infernal.

infertile a litt Stérile, infécond.

infertilité nf litt Stérilité.

infestation nf MED Envahissement de l'organisme par un parasite.

infester vt Envahir (animaux, plantes nuisibles). Cave infestée de rats.

infeutrable a Qui ne se feutre pas.

infibulation nf ETHNOL Opération rituelle consistant à fixer un anneau traversant le prépuce de l'homme ou les petites lèvres de la femme.

infichu, ue a pop Incapable de.

infidèle a 1 Qui n'est pas fidèle en amour. 2 Inexact. Traduction infidèle. ■ a, n Qui ne professe pas la religion tenue pour vraie.

infidélité nf Manque de fidélité.

infiltration nf Action de s'infiltrer.

infiltrer vt Introduire clandestinement des gens dans un groupe. ■ vpr 1 Pénétrer à travers les pores, les interstices d'un corps solide. 2 Pénétrer peu à peu, s'insinuer.

infime a Très petit, insignifiant.

infini, ie a 1 Sans bornes. Espace, durée infinis. 2 Très considérable. Infinie variété d'objets. ■ nm Ce qui est sans limites. Loc À l'infini : sans fin.

infiniment av Extrêmement.

infinité nf Quantité considérable.

infinitésimal, ale, aux a Très petit. Dose infinitésimale. Loc Calcul infinitésimal : partie des mathématiques comprenant le calcul différentiel et le calcul intégral.

infinitif, ive a GRAM Caractérisé par l'emploi de l'infinitif. ■ nm Forme nominale du verbe.

infirmation nf DR Annulation d'une décision.

infirme a, n Atteint d'une infirmité ; handicapé.

infirmer vt 1 Réfuter, démentir qqch. Les faits infirment ses paroles. 2 DR Déclarer nul.

infirmerie nf Local où on soigne les malades, les blessés, dans un établissement scolaire, une entreprise, une prison, etc.

infirmier, ère n Personne qui donne des soins aux malades en suivant les prescriptions des médecins. ■ a Des infirmiers. Soins infirmiers.

infirmité nf Atteinte chronique d'une partie de l'organisme.

infixe nm GRAM Dans certaines langues, élément qui s'insère au milieu d'une racine.

inflammabilité nf Caractère inflammable.

inflammable a Qui s'enflamme facilement.

inflammation nf 1 Fait de prendre feu. 2 MED Réaction de l'organisme à un choc, à un germe pathogène, caractérisée par une tuméfaction, une rougeur, etc.

inflammatoire a MED De l'inflammation.

inflation nf 1 ECON Hausse des prix. 2 Augmentation excessive. Inflation du personnel.

inflationniste a, n Qui relève de l'inflation.

infléchir vt Modifier l'orientation de qqch. Il a infléchi sa ligne de conduite. ■ vpr Dévier.

infléchissement nm Modification de l'orientation d'un processus.

inflexibilité nf Caractère inflexible.

inflexible a Inexorable, intraitable.

inflexiblement av De façon inflexible.

inflexion nf 1 Action de fléchir, d'incliner. Inflexion de la tête. 2 Modulation de la voix. 3 Changement d'orientation, de comportement.

inflorescence nf BOT Disposition des fleurs d'une plante.

influençable a Facile à influencer.

influence nf 1 Action exercée sur qqch ou qqn. 2 Crédit, autorité. Trafic d'influence.

influencer vt [10] Exercer une influence sur.

influent, ente a Qui a de l'influence, du crédit, de l'autorité.

influer vi Avoir une action déterminante sur qqch. Influer sur une décision.

influx [-fly] nm Loc PHYSIOL Influx nerveux : courant électrique qui transmet les commandes motrices ou les messages sensitifs.

info nf fam Information.

infographie nf (n. déposé) Informatique appliquée aux graphiques et à l'image.

infographiste n Spécialiste d'infographie.

in-folio [in-] *nm inv* TYPO Format dans lequel la feuille, pliée en deux, donne quatre pages. **Var infolio**

infondé, ée *a* Dénué de fondement.

informateur, trice *n* Personne qui donne des renseignements.

informaticien, enne *n* Spécialiste en informatique.

informatif, ive *a* Qui informe.

information *nf* 1 Action d'informer, de s'informer. 2 Renseignement, documentation sur qqn ou qqch. 3 DR Instruction d'un procès criminel. ■ *pl* Nouvelles communiquées par la presse, la radio, la télévision, etc.

informationnel, elle *a* De l'information.

informatique *nf* Science du traitement automatique de l'information au moyen d'ordinateurs. ■ *a* De l'informatique.

informatiquement *av* Par l'informatique.

informatisation *nf* Action d'informatiser.

informatiser *vt* 1 Traiter par l'informatique. 2 Doter de moyens informatiques.

informe *a* 1 Qui n'a pas de forme précise. 2 Incomplet, inachevé.

informé *nm* Loc *Jusqu'à plus ample informé :* jusqu'à une nouvelle information.

informel, elle *a* Qui n'est pas soumis à des règles strictes.

informer *vt* Avertir, mettre au courant. ■ *vpr* S'enquérir de, recueillir des renseignements sur.

informulé, ée *a* Qui n'est pas formulé.

infortune *nf* litt 1 Revers de fortune, désastre. 2 Fait d'être trompé par son conjoint.

infortuné, ée *a, n* litt Qui n'a pas de chance.

infra *av* Ci-dessous.

infraction *nf* Transgression, violation d'une loi, d'une règle, d'un ordre, etc.

infranchissable *a* Qu'on ne peut franchir.

infrarouge *nm, a* PHYS Rayonnement que sa fréquence place en deçà du rouge dans la partie du spectre non visible à l'œil.

infrason *nm* Vibration sonore de faible fréquence non perçue par l'oreille.

infrastructure *nf* 1 Ensemble des ouvrages et des équipements routiers, aériens, maritimes ou ferroviaires. 2 Base matérielle de la société.

infréquentable *a* Qu'on ne peut fréquenter.

infroissable *a* Qui ne se froisse pas.

infructueusement *av* Sans résultat.

infructueux, euse *a* Qui ne donne pas de résultat, qui est sans profit.

infuse *af* Loc *Avoir la science infuse :* être savant sans avoir étudié.

infuser *vt* 1 Laisser macérer une substance dans un liquide bouillant afin que celui-ci se charge de principes actifs. 2 litt Communiquer à qqn du courage, de l'ardeur.

infusette *nf* (n. déposé) Petit sachet de plantes à infuser.

infusion *nf* Action d'infuser ; liquide infusé.

infusoire *nm* ZOOL Protiste de grande taille.

ingagnable *a* Qu'on ne peut gagner.

ingambe *a* litt Alerte.

ingénier (s') *vpr* Chercher à, tâcher de trouver un moyen pour.

ingénierie *nf* Activité ayant pour objet la conception des équipements techniques, l'établissement du projet et le contrôle de sa réalisation. Syn. engineering.

ingénieriste *n* Spécialiste d'ingénierie.

ingénieur *nm* Personne capable, grâce à s[...] connaissances scientifiques, d'élaborer, d'orga[...] ser ou de diriger des plans de production.

ingénieusement *av* De façon ingénieuse.

ingénieux, euse *a* Plein d'esprit d'invention habile.

ingéniosité *nf* Caractère ingénieux.

ingénu, ue *a* D'une franchise innocente et ca[...] dide. ■ *nf* Rôle de jeune fille naïve.

ingénuité *nf* Candeur, innocence, naïveté.

ingénument *av* De façon ingénue.

1. ingérable *a* Impossible à gérer.

2. ingérable *a* Que l'on peut ingérer.

ingérence *nf* 1 Action de s'ingérer. 2 DR Dé[...] d'un fonctionnaire ou d'un magistrat qui abuse [...] sa fonction pour s'enrichir.

ingérer *vt* [12] Introduire par la bouche. ■ *vpr* S[...] mêler indûment de qqch ; s'immiscer dans.

ingestion *nf* Action d'ingérer.

ingouvernable *a* Qui ne peut être gouverné.

ingrat, ate *a, n* Qui n'a pas de reconnaissance pour les bienfaits reçus. ■ *a* 1 Stérile, aride. 2 Rebutant. *Travail ingrat.* 3 Sans grâce, laid. *L[...] L'âge ingrat :* la puberté.

ingratitude *nf* Manque de reconnaissance.

ingrédient *nm* Substance qui entre dans la com[...] position d'un mélange.

inguérissable *a* Qui ne peut être guéri.

inguinal, ale, aux [ɛ̃gɥi-] *a* ANAT De l'aine.

ingurgitation *nf* Action d'ingurgiter.

ingurgiter *vt* Absorber, avaler avec avidité.

inhabile *a* litt Qui manque d'habileté.

inhabileté *nf* litt Maladresse.

inhabilité *nf* DR Incapacité juridique.

inhabitable *a* Qui ne peut être habité.

inhabité, ée *a* Qui n'est pas habité.

inhabituel, elle *a* Qui n'est pas habituel.

inhalateur *nm* Appareil pour inhalations.

inhalation *nf* MED Absorption par les voies resp[...] ratoires d'une vapeur, d'un aérosol.

inhaler *vt* Absorber par inhalation.

inharmonieux, euse *a* litt Qui manque d'ha[...] monie.

inhérence *nf* État inhérent.

inhérent, ente *a* Lié nécessairement à un être à une chose.

inhiber *vt* Empêcher ou ralentir une activité, un[...] réaction.

inhibiteur, trice *a, nm* Qui produit une inhib[...] tion. *Un inhibiteur de l'infarctus.*

inhibition *nf* Arrêt, blocage, suspension d'u[...] processus psychologique ou physiologique, d'un[...] réaction chimique.

inhospitalier, ère *a* Qui n'est pas accueillant.

inhumain, aine *a* 1 Sans pitié, cruel. 2 Qui n'a[...] partient pas à la nature humaine. *Cri inhumain.* [...] Très pénible. *Conditions de vie inhumaines.*

inhumainement *av* Cruellement.

inhumanité *nf* litt Cruauté, barbarie.

inhumation *nf* Action d'inhumer.

inhumer *vt* Enterrer un corps humain avec le[...] cérémonies d'usage.

inimaginable *a* Qu'on ne peut imaginer.

inimitable *a* Qu'on ne saurait imiter.

inimité, ée *a* Qui n'a pas été imité.

inimitié nf Hostilité, aversion.
ininflammable a Qui ne peut s'enflammer.
inintelligence nf Défaut d'intelligence.
inintelligent, ente a Stupide.
inintelligibilité nf Caractère inintelligible.
inintelligible a Incompréhensible.
inintéressant, ante a Qui ne présente aucun intérêt.
inintérêt nm Manque d'intérêt.
ininterrompu, ue a Continuel.
inique a litt Gravement injuste.
iniquité nf litt Grave injustice.
initial, ale, aux a Qui est au commencement. ■ nfpl Premières lettres du nom et du prénom.
initialement av Au commencement.
initialisation nf INFORM Action d'initialiser.
initialiser vt INFORM Charger un support informatique, un ordinateur d'un programme nécessaire à son exploitation.
initiateur, trice n, a Qui initie.
initiation nf Action d'initier.
initiatique a De l'initiation. *Rite initiatique.*
initiative nf 1 Action de celui qui propose ou entreprend le premier qqch. 2 Qualité de qqn disposé à entreprendre qqch.
initié, ée n 1 Personne qui est admise à la connaissance de certains mystères. 2 Personne qui connaît bien une question, une spécialité. 3 Personne qui a profité d'informations confidentielles.
initier vt 1 Admettre à la connaissance de certains cultes secrets, faire entrer dans une société secrète. 2 Mettre au fait d'une science, d'un art, d'une pratique, etc. 3 Ouvrir un domaine de connaissance. 4 abusiv Entamer un processus. ■ vpr Acquérir les premiers principes de. *S'initier à l'informatique.*
injectable a Qu'on peut injecter.
injecter vt 1 Faire pénétrer par pression un liquide, un gaz. 2 Fournir des capitaux à une entreprise. Loc *Yeux injectés :* rougis par l'afflux du sang.
injecteur nm Appareil qui introduit un liquide dans un mécanisme.
injection nf Action d'injecter ; liquide injecté. Loc *Moteur à injection :* alimenté par un injecteur qui dose le carburant.
injoignable a Impossible à joindre.
injonction nf Ordre formel.
injouable a Qu'on ne peut jouer.
injure nf Parole offensante, insulte.
injurier vt Insulter.
injurieux, euse a Offensant, insultant.
injuste a 1 Contraire à l'équité. *Verdict injuste.* 2 Partial. *Soupçons injustes.*
injustement av De façon injuste.
injustice nf Caractère, acte injuste.
injustifiable a Qu'on ne peut justifier.
injustifié, ée a Qui n'est pas justifié.
inlandsis [inlɑ̃dsis] nm Calotte glaciaire couvrant les terres polaires.
inlassable a Qui ne se lasse pas.
inlassablement av Sans se lasser.
inlay [inlɛ] nm Bloc métallique coulé à l'intérieur d'une dent et servant à l'obturer.
in memoriam [inmemɔʀjam] Mots latins (en souvenir de) inscrits sur une pierre tombale.
inné, ée a Possédé en naissant.
innégociable a Non sujet à négociation.

innéisme nm PHILO Doctrine postulant l'existence de structures mentales innées.
innéiste a, n Partisan de l'innéisme.
innervation nf PHYSIOL Distribution des nerfs dans un organe.
innerver vt Réaliser l'innervation (nerf).
innocemment av Sans penser à mal.
innocence nf 1 Incapacité à faire le mal sciemment ; pureté. 2 Naïveté. 3 Absence de culpabilité.
innocent, ente a, n 1 Pur, candide. 2 Simple d'esprit. 3 Non coupable. ■ a Inoffensif. *Plaisanterie innocente.*
innocenter vt Déclarer innocent ; établir l'innocence de qqn.
innocuité nf Caractère non nuisible.
innombrable a Très nombreux.
innommable a Trop répugnant pour qu'on le nomme ; inqualifiable.
innommé, ée a Qui n'a pas reçu de nom.
innovant, ante a Qui constitue une innovation. *Technologie innovante.*
innovateur, trice n, a Qui innove.
innovation nf Action d'innover ; création.
innover vi Introduire qqch de nouveau dans un domaine.
inobservance nf Non-observance de prescriptions religieuses, morales, etc.
inobservation nf Non-observation des lois, des règlements.
inobservé, ée a Qui n'a pas été observé.
inoccupation nf État d'un lieu ou de qqn inoccupé.
inoccupé, ée a 1 Qui n'est occupé par personne. 2 Désœuvré.
in-octavo [in-] nm inv TYPO Feuille pliée en huit, formant seize pages. **Var** inoctavo
inoculable a Qui peut être inoculé.
inoculation nf Action d'inoculer.
inoculer vt 1 MED Introduire dans l'organisme un germe, une toxine. 2 litt Transmettre à qqn qqch de pernicieux.
inocybe nm Champignon à lamelles ocres.
inodore a Sans odeur.
inoffensif, ive a Qui ne nuit à personne.
inondable a Qui peut être inondé.
inondation nf 1 Débordement ou déversement des eaux qui submergent un terrain, un pays, un local. 2 Afflux considérable.
inonder vt 1 Submerger par une inondation. 2 Envahir.
inopérable a MED Qu'on ne peut opérer.
inopérant, ante a Sans effet. *Remède inopérant.*
inopiné, ée a Imprévu, inattendu.
inopinément av De façon inopinée.
inopportun, une a Fâcheux.
inopportunément av litt Fâcheusement.
inopportunité nf litt Caractère inopportun.
inopposable a DR Qui ne peut être opposé.
inorganisation nf Manque d'organisation.
inorganisé, ée a, n Qui n'appartient pas à un parti, à un syndicat.
inoubliable a Qu'on ne peut oublier.
inouï, ïe a Extraordinaire, incroyable.
inox nm (n. déposé) Acier inoxydable.
inoxydable a Qui ne s'oxyde pas.
in petto [inpeto] av Au fond de soi-même.

input [input] nm ECON Syn. de *intrant*.

inqualifiable a Scandaleux.

in-quarto [inkwarto] nm inv TYPO Feuille pliée en quatre feuillets, formant ainsi huit pages. Var **inquarto**

inquiet, ète a, n Troublé par la crainte, l'incertitude.

inquiétant, ante a Qui inquiète.

inquiéter vt [12] 1 Alarmer. 2 Troubler, causer du tracas à. ■ vpr S'alarmer de, se soucier de.

inquiétude nf Trouble, souci.

inquisiteur, trice a Qui scrute avec indiscrétion. ■ nm HIST Juge de l'Inquisition.

inquisition nf Recherche acharnée, menée de façon vexatoire.

inquisitoire a DR Se dit d'une procédure dirigée par le juge.

inquisitorial, ale, aux a Qui a le caractère d'une inquisition.

inracontable a Qu'on ne peut raconter.

insaisissable a 1 Que l'on n'arrive pas à capturer. 2 Imperceptible. *Nuance insaisissable.*

insalubre a Malsain. *Climat insalubre.*

insalubrité nf Caractère insalubre.

insane a litt Dénué de sens, de raison.

insanité nf litt Sottise. *Dire des insanités.*

insatiable [-sjabl] a Qu'on ne peut assouvir.

insatisfaction nf Absence de satisfaction.

insatisfaisant, ante [-fə-] a Insuffisant.

insatisfait, aite a Qui n'est pas satisfait.

inscriptible a Qu'on peut inscrire.

inscription nf 1 Action d'inscrire sur une liste, un registre. 2 Ce qui est inscrit.

inscrire vt [61] 1 Écrire, noter, coucher sur le papier. 2 Graver. 3 Tracer une figure géométrique à l'intérieur d'une autre. ■ vpr 1 Entrer dans un groupe. 2 Se situer dans. *Ceci s'inscrit dans un plan d'ensemble.* Loc *S'inscrire en faux :* opposer un démenti.

inscrit, ite n Dont le nom est porté sur une liste ; qui est adhérent d'une organisation.

insécable a Qui ne peut être partagé en plusieurs éléments.

insecte nm Petit animal dont le corps, en trois parties (tête, thorax, abdomen), porte trois paires de pattes et deux paires d'ailes.

insecticide a, nm Qui détruit les insectes.

insectivore a ZOOL Qui se nourrit d'insectes. ■ nm ZOOL Mammifère qui se nourrit d'insectes, comme les hérissons, les taupes.

insécurité nf Absence de sécurité.

in-seize [in-] nm inv TYPO Feuille pliée en 16 feuillets de 32 pages (Abrév. : in-16 ou in-16°).

insémination nf Dépôt de la semence mâle dans les voies génitales femelles.

inséminer vt Procéder à l'insémination de.

insensé, ée a, n litt Fou, extravagant.

insensibilisation nf Anesthésie.

insensibiliser vt Anesthésier.

insensibilité nf Perte de la sensibilité physique ou morale.

insensible a 1 Qui a perdu la sensibilité physique. *Insensible au froid.* 2 Indifférent. *Insensible aux malheurs d'autrui.* 3 Imperceptible. *Progrès insensible.*

insensiblement av Peu à peu.

inséparable a Qu'on ne peut séparer. ■ a, n Intimement lié. *Des amis inséparables.*

insérer vt [12] Introduire, faire entrer dans. ■ vpr 1 Se situer dans, se placer. 2 S'intégrer dans un milieu.

insermenté am Loc HIST *Prêtre insermenté :* prêtre réfractaire en 1790.

insert nm 1 Court passage introduit dans un film, dans une émission de radio. 2 Poêle encastré dans une cheminée.

insertion nf Action d'insérer ; fait de s'insérer ; intégration dans un groupe.

insidieusement av De façon insidieuse.

insidieux, euse a 1 Qui tend un piège. *Question insidieuse.* 2 Qui se répand sans qu'on s'en aperçoive.

1. insigne a litt Remarquable.

2. insigne nm Marque distinctive d'une fonction, d'un grade, d'un groupe.

insignifiance nf Caractère insignifiant.

insignifiant, ante a 1 Sans intérêt, sans valeur. 2 Sans personnalité.

insinuant, ante a Indirect, qui s'insinue.

insinuation nf Action d'insinuer ; allusion.

insinuer vt Laisser entendre, suggérer. ■ vpr S'infiltrer, se glisser. *S'insinuer dans un groupe.*

insipide a 1 Fade, saveur nulle. 2 Sans intérêt.

insipidité nf Caractère insipide.

insistance nf Action d'insister.

insistant, ante a Qui insiste ; pressant.

insister vti Souligner qqch. *Insister sur les résultats obtenus.* ■ vi Persévérer à demander. *Il insiste pour être reçu.*

in situ [in-] av Dans son milieu naturel.

insociable a Marginal.

insolation nf 1 Exposition aux rayons solaires. 2 Troubles dus à une exposition au soleil. 3 Durée d'apparition du soleil.

insolemment av Avec insolence.

insolence nf 1 Manque de respect ; parole, action insolente. 2 Arrogance, effronterie.

insolent, ente a, n Qui manque de respect, effronté. ■ a Provoquant.

insolite a Inhabituel, étrange.

insolubilité nf État, caractère insoluble.

insoluble a 1 Qu'on ne peut dissoudre. 2 Qu'on ne peut résoudre.

insolvabilité nf État insolvable.

insolvable a, n Qui ne peut payer ses dettes.

insomniaque a, n Sujet à des insomnies.

insomnie nf Impossibilité de dormir.

insondable a 1 Dont on ne peut mesurer la profondeur. 2 Impénétrable. *Mystère insondable.*

insonore a Qui amortit les sons.

insonorisation nf Action d'insonoriser.

insonoriser vt Amortir les sons dans un local.

insouciance nf Caractère insouciant.

insouciant, ante a, n Qui ne s'inquiète de rien.

insoucieux, euse a litt Qui ne se soucie pas de. *Insoucieux de ses intérêts.*

insoumis, ise a Rebelle. ■ nm Soldat qui n'a pas rejoint son corps dans les délais.

insoumission nf État de qqn d'insoumis.

insoupçonnable a Au-dessus de tout soupçon.

insoupçonné, ée a Qu'on ne soupçonne pas.

insoutenable a 1 Qu'on ne peut justifier. 2 Qu'on ne peut supporter.

inspecter vt 1 Examiner pour surveiller, contrôler. 2 Observer attentivement.

inspecteur, trice n Agent ou fonctionnaire chargés d'effectuer des contrôles.
inspection nf 1 Action d'inspecter. 2 Corps d'inspecteurs.
inspectorat nm Charge d'inspecteur.
inspirateur, trice a, n 1 Instigateur. 2 Auteur, artiste dont on s'inspire. ■ a ANAT Qui permet d'inspirer l'air.
inspiration nf 1 Phase de la respiration au cours de laquelle l'air entre dans les poumons. Ant. expiration. 2 Action d'inspirer qqch à qqn. *J'ai agi sur son inspiration.* 3 Idée venant soudain à l'esprit. 4 Impulsion créatrice. 5 Influence littéraire, artistique. *Chanson d'inspiration folklorique.*
inspiratoire a De l'inspiration de l'air pulmonaire.
inspiré, ée a 1 Qui a reçu l'inspiration. Loc fam *Être bien inspiré :* avoir une bonne idée.
inspirer vt, vi Faire entrer l'air dans ses poumons. ■ vt 1 Faire naître une pensée, un sentiment chez qqn. 2 Éveiller les facultés créatrices de qqn. *La nature inspire les poètes.* ■ vpr Tirer ses idées, ses modèles de.
instabilité nf Caractère instable.
instable a Qui n'est pas stable ; changeant. *Situation instable.* ■ a, n Sans stabilité affective.
installateur, trice n Personne qui installe des appareils.
installation nf 1 Action d'installer, de s'installer. 2 Appareils installés. 3 Dans l'art contemporain, œuvre constituée d'éléments divers disposés dans un espace.
installer vt 1 Mettre qqch en place, disposer, aménager. 2 Placer, loger qqn dans un endroit. 3 Établir officiellement qqn dans ses fonctions. ■ vpr S'établir dans un lieu.
instamment av De façon pressante.
instance nf DR Actes de procédure, de la demande en justice jusqu'au jugement. Loc *Affaire en instance :* non réglée. ■ pl 1 Sollicitations pressantes. 2 abusiv Autorité ayant le pouvoir de décider.
1. instant, ante a litt Pressant, insistant.
2. instant nm Moment très court. Loc *À chaque instant, à tout instant :* continuellement. *À l'instant :* tout de suite. *Dans un instant :* bientôt. *Dès l'instant que, où :* du moment que, où.
instantané, ée a Qui se produit en un instant ; immédiat. ■ nm Photographie effectuée avec un temps de pose très court.
instantanéité nf Caractère instantané.
instantanément av Immédiatement.
instar (à l') prép litt À l'exemple de.
instaurateur, trice n litt Personne qui instaure.
instauration nf Action d'instaurer.
instaurer vt Établir, instituer.
instigateur, trice n Personne qui pousse à faire qqch.
instigation nf Loc *À l'instigation de :* sous l'influence de.
instillation [ɛstilasjɔ̃] nf Action d'instiller.
instiller [ɛstile] vt 1 Verser un liquide goutte à goutte. 2 Faire pénétrer peu à peu.
instinct [-tɛ̃] nm 1 Tendance innée déterminant des comportements spécifiques chez les individus de la même espèce. 2 Intuition. Loc *D'instinct :* spontanément, sans réfléchir.
instinctif, ive a Irréfléchi, spontané. ■ a, n Qui obéit à son intuition plutôt qu'à sa raison.

instinctivement av D'instinct.
instinctuel, elle a De l'instinct.
instit [-it] n fam Instituteur.
instituer vt 1 Établir, fonder une chose nouvelle et durable. 2 DR Nommer par testament.
institut nm Nom de certains établissements de recherche, d'enseignement, de soins, etc.
instituteur, trice n Enseignant, dans les écoles primaires ; maître d'école.
institution nf 1 Action d'instituer qqch. 2 Ensemble des règles établies pour une collectivité. 3 Organisme, établissement. ■ pl Lois fondamentales de l'État.
institutionnalisation nf Action d'institutionnaliser.
institutionnaliser vt Élever au rang d'institution.
institutionnel, elle a Des institutions, de l'État.
instructeur nm Chargé de l'instruction des soldats. ■ am Loc *Magistrat instructeur :* chargé d'instruire une affaire judiciaire.
instructif, ive a Qui instruit.
instruction nf 1 Action d'instruire, enseignement, éducation. 2 Culture, savoir. *Avoir de l'instruction.* 3 DR Ensemble des recherches et formalités relatives à une affaire, en vue de son jugement. ■ pl Indications, directives pour mener à bien une mission, utiliser correctement qqch. *Laisser ses instructions.*
instruire vt [67] 1 Donner un enseignement, une formation à qqn. 2 Aviser qqn de, l'informer. 3 DR Mettre une affaire en état d'être jugée. ■ vpr Étudier, se cultiver.
instruit, uite a Qui a des connaissances.
instrument nm 1 Outil, appareil servant à effectuer une opération, à observer un phénomène, etc. 2 Ce dont on se sert pour parvenir à ses fins ; moyen. Loc *Instrument de musique :* avec lequel on produit des sons musicaux.
instrumental, ale, aux a Relatif aux instruments de musique.
instrumentaliser vt Réduire qqn au rôle d'instrument, se servir de lui.
instrumentation nf 1 MUS Art d'utiliser les possibilités de chaque instrument dans une œuvre musicale. 2 TECH Ensemble d'instruments, d'appareils.
instrumenter vt MUS Effectuer l'instrumentation de. ■ vi DR Dresser un acte juridique.
instrumentiste n 1 MUS Personne qui joue d'un instrument. 2 CHIR Personne qui assiste le chirurgien au cours d'une intervention.
insu de (à l') prép Sans qu'on le sache.
insubmersible a Qui ne peut couler.
insubordination nf Désobéissance, indiscipline.
insubordonné, ée a Indiscipliné.
insuccès nm Échec.
insuffisamment av De façon insuffisante.
insuffisance nf 1 Caractère insuffisant ; incapacité. 2 MED Défaillance d'un organe ; carence.
insuffisant, ante a 1 Qui ne suffit pas ; faible. 2 Qui manque de compétence.
insufflation nf MED Action d'insuffler.
insuffler vt 1 Inspirer, transmettre. *Insuffler du courage.* 2 MED Introduire de l'air, du gaz dans l'organisme.
insulaire a, n Qui habite une île. ■ a D'une île. *Climat insulaire.*

insularité nf Caractère, état insulaire.

insuline nf Hormone sécrétée par le pancréas.

insulinodépendance nf MED État d'un diabétique qui ne peut se passer d'insuline.

insulinothérapie nf Traitement du diabète par l'insuline.

insultant, ante a Offensant, injurieux.

insulte nf Injure, outrage.

insulter vt Offenser, outrager, injurier.

insupportable a 1 Intolérable. 2 Qui est très désagréable.

insupporter vt fam Exaspérer, irriter.

insurgé, ée a, n Révolté, rebelle.

insurger (s') vpr [11] Se révolter contre qqn, qqch. S'insurger contre les abus.

insurmontable a Impossible à surmonter.

insurpassable a Impossible à surpasser.

insurrection nf Soulèvement contre le pouvoir établi ; révolte.

insurrectionnel, elle a D'une insurrection.

intact, acte a 1 Qui n'a pas été touché, altéré. 2 Qui n'a souffert aucune atteinte.

intangibilité nf Caractère intangible.

intangible a Sacré, inviolable.

intarissable a 1 Qui ne peut être tari. 2 Qui ne cesse de parler.

intégrable a Que l'on peut intégrer.

intégral, ale, aux a 1 Dont on n'a rien retranché ; entier. Loc MATH Calcul intégral : recherche de la limite d'une somme d'infiniment petits. Casque intégral : qui protège le crâne, le visage, les cervicales. ■ nf 1 Édition complète des œuvres d'un musicien, d'un écrivain. 2 MATH Fonction qui admet une pour dérivée une fonction donnée.

intégralement av En totalité.

intégralité nf État de ce qui est complet.

intégrant, ante a Loc Partie intégrante : élément nécessaire à un tout.

intégrateur nm Appareil qui totalise des valeurs continues.

intégration nf Action d'intégrer, de s'intégrer dans un groupe, un pays.

intègre a litt D'une extrême probité.

intégrer vt [12] Faire entrer dans un tout. ■ vti, vt fam Entrer dans une grande école. ■ vpr S'assimiler à un groupe.

intégrisme nm Opinion de ceux qui refusent toute évolution d'un système doctrinal, religieux au nom du respect de la tradition.

intégriste n, a Partisan de l'intégrisme.

intégrité nf 1 État d'une chose à laquelle il ne manque rien. 2 Probité irréprochable.

intellect nm Faculté de comprendre, entendement, intelligence.

intellectualiser vt Revêtir d'un caractère intellectuel.

intellectualisme nm Attitude qui privilégie l'intelligence sur la sensibilité.

intellectualité nf Caractère intellectuel de qqch.

intellectuel, elle, a Qui se rapporte à l'intelligence. ■ a, n Chez qui prédomine, par goût ou par profession, la vie intellectuelle.

intellectuellement av De façon intellectuelle.

intelligemment av De façon intelligente.

intelligence nf 1 Faculté de connaître, de comprendre, d'agir avec discernement. 2 Personne intelligente. 3 Capacité de comprendre une chose particulière. L'intelligence des affaires. 4 (souvent pl.) Correspondance, communication secrète. Loc Intelligence artificielle : reproduction de l'activité intelligente humaine par des moyens informatiques. Être, agir d'intelligence avec qqn : être, agir de connivence avec lui. Vivre en bonne intelligence avec qqn : être en bons termes avec lui.

intelligent, ente a Qui a ou dénote de l'intelligence. Regard intelligent.

intelligentsia [-ʒɛʒsja] nf Ensemble des intellectuels d'un pays.

intelligibilité nf Caractère intelligible.

intelligible a Qui peut être aisément compris ou entendu.

intelligiblement av De façon intelligible.

intempérance nf Manque de sobriété, de retenue, de modération.

intempérant, ante a Qui fait preuve d'intempérance.

intempéries nfpl Mauvais temps (pluie, gel, vent, etc.).

intempestif, ive a Inopportun, déplacé.

intempestivement av De façon intempestive.

intemporalité nf Caractère intemporel.

intemporel, elle a En dehors de la durée.

intenable a 1 Où l'on ne peut tenir. 2 Insupportable. Chaleur intenable.

intendance nf 1 Fonction d'intendant. 2 fam Trésorerie de qqn, d'un groupe.

intendant, ante n 1 Personne qui administre le patrimoine d'une collectivité, d'un particulier. 2 Fonctionnaire responsable de l'administration financière d'un établissement public.

intense a Important, fort.

intensément av De façon intense.

intensif, ive a Qui met en œuvre des moyens importants. Loc Culture intensive : à rendement élevé. Ant extensif.

intensificateur nm Dispositif qui augmente l'intensité d'un phénomène.

intensification nf Action d'intensifier.

intensifier vt Rendre plus intense, augmenter. ■ vpr Devenir plus intense.

intensité nf Degré d'activité, de puissance.

intensivement av De façon intensive.

intenter vt DR Engager contre qqn une action en justice.

intention nf Acte de la volonté par lequel on se fixe un but ; dessein. Loc À l'intention de : spécialement pour.

intentionné, ée a Loc Bien, mal intentionné : qui a de bonnes, de mauvaises intentions.

intentionnel, elle a Fait délibérément.

intentionnellement av Exprès.

interactif, ive a 1 Qui permet une interaction. 2 INFORM Doué d'interactivité.

interaction nf Action mutuelle réciproque.

interactivité nf INFORM Possibilité pour un utilisateur d'intervenir dans le déroulement d'un programme.

interallié, ée a Commun à des pays alliés.

interarmées a inv Qui groupe des éléments de plusieurs armées.

interarmes a inv Qui groupe des éléments de plusieurs armes (artillerie, infanterie, etc.).

interbancaire a Qui concerne les relations entre banques.

intercalaire *a* Qu'on intercale. *Loc Jour intercalaire :* jour ajouté au mois de février des années bissextiles. ■ *nm* Feuillet inséré.

intercalation *nf* Action d'intercaler.

intercaler *vt* Placer entre deux choses ou dans un ensemble.

intercéder *vi* [12] Intervenir en faveur de qqn.

intercepter *vt* 1 Interrompre au passage. *Intercepter les rayons du soleil.* 2 Prendre ce qui est destiné à un autre. 3 MILIT Attaquer un navire, un avion pendant son trajet.

intercepteur *nm* Avion destiné à intercepter les appareils ennemis.

interception *nf* Action d'intercepter.

intercesseur *nm* litt Personne qui intercède.

intercession *nf* litt Action d'intercéder.

interchangeable *a* Se dit de choses qui peuvent être mises à la place l'une de l'autre.

interclasse *nm* Courte pause entre deux heures de classe.

interclasser *vt* Réunir en une seule série plusieurs séries de fiches, de documents, etc.

interclubs [-klœb] *a inv* SPORT Qui se dispute entre plusieurs clubs.

intercommunal, ale, aux *a* Qui relève de plusieurs communes.

intercommunautaire *a* Qui concerne les relations entre communautés.

intercompréhension *nf* Compréhension réciproque.

interconnecter *vt* Procéder à l'interconnexion de deux réseaux.

interconnexion *nf* TECH Connexion entre différents réseaux de distribution.

intercontinental, ale, aux *a* Qui a lieu entre deux continents.

intercostal, ale, aux *a* ANAT Situé entre deux côtes.

intercurrent, ente *a Loc Maladie intercurrente :* qui se déclare au cours d'une autre.

interdépartemental, ale, aux *a* Qui relève de plusieurs départements.

interdépendance *nf* Dépendance réciproque.

interdépendant, ante *a* En situation d'interdépendance.

interdiction *nf* Action d'interdire qqch ou qqn ; ce qui est interdit.

interdire *vt* [60] 1 Défendre qqch à qqn. 2 Faire défense à qqn d'exercer ses fonctions.

interdisciplinaire *a* Qui concerne plusieurs sciences.

interdisciplinarité *nf* Caractère interdisciplinaire.

interdit, ite *a* 1 Déconcerté, décontenancé. 2 Défendu, prohibé. ■ *a, n* Frappé d'une interdiction. *Interdit de séjour.* ■ *nm* Règle sociale qui proscrit une pratique, un comportement. *Loc Jeter l'interdit sur :* prononcer l'exclusive contre. *Lever l'interdit :* mettre fin à une interdiction.

interentreprises *a inv* Qui concerne plusieurs entreprises.

intéressant, ante *a* 1 Qui éveille l'intérêt. 2 Avantageux matériellement.

intéressé, ée *a, n* Qui est en cause. *Les parties intéressées.* ■ *a* Qui n'a en vue que son intérêt personnel.

intéressement *nm* Participation des salariés aux profits de l'entreprise.

intéresser *vt* 1 Retenir l'attention, susciter l'intérêt. 2 Concerner. *Loi qui intéresse les propriétaires.* 3 Faire participer qqn aux profits d'une entreprise. ■ *vpr* Prendre intérêt à.

intérêt *nm* 1 Ce qui est utile, profitable à qqn. 2 Recherche de ce qui est avantageux pour soi. 3 Attention, curiosité. *Lire un livre avec intérêt.* 4 Originalité de qqch. *L'intérêt d'un film.* 5 Bénéfice tiré d'un capital. ■ *pl* Somme d'argent placée dans une entreprise.

interethnique *a* Qui se produit entre ethnies.

interface *nf* 1 INFORM Dispositif permettant des échanges d'informations entre deux systèmes. 2 Limite, frontière entre deux systèmes.

interférence *nf* 1 PHYS Superposition de deux mouvements vibratoires. 2 Fait d'interférer.

interférer *vi* [12] 1 PHYS Produire des interférences. 2 Se mêler en se renforçant ou en se contrariant.

interférométrie *nf* PHYS Mesure très précise fondée sur les interférences.

interféron *nm* Protéine sécrétée par des cellules infectées et les rendant résistantes à toute autre infection.

interfluve *nm* GEOGR Région entre deux vallées.

intergalactique *a* Entre les galaxies.

intergroupe *nm* Groupe de parlementaires de familles politiques différentes pour l'étude d'une question.

intérieur, eure *a* 1 Situé au-dedans. *Mur intérieur.* 2 Du domaine de l'esprit. *Vie intérieure.* 3 Qui concerne le pays. *Politique intérieure.* ■ *nm* 1 Le dedans. *L'intérieur d'une voiture.* 2 Logement. *Un intérieur accueillant.* 3 Les affaires intérieures d'un État. *Ministre de l'Intérieur.* *Loc À l'intérieur de :* au-dedans de. *De l'intérieur :* en étant dans le groupe lui-même. *Femme d'intérieur :* qui a de l'aptitude pour les travaux ménagers.

intérieurement *av* Au-dedans.

intérim *nm* 1 Temps pendant lequel une fonction est exercée provisoirement par une autre personne que le titulaire. 2 Activité du personnel intérimaire.

intérimaire *a, n* 1 Qui remplit une fonction par intérim. 2 Détaché dans une entreprise par une entreprise de travail temporaire pour occuper un emploi ponctuel.

interindividuel, elle *a* Qui concerne les relations entre des individus.

intériorisation *nf* Action d'intérioriser.

intérioriser *vt* 1 Garder en son for intérieur, pour soi. 2 Faire siennes des règles de conduite, des opinions.

intériorité *nf* Caractère intérieur.

interjection *nf* Mot invariable qui exprime un ordre, un sentiment (ex. : *bof ! ah ! ouf ! ciel !*).

interjeter *vt* [19] *Loc* DR *Interjeter appel :* faire appel d'un jugement.

interleukine *nf* Protéine des lymphocytes, qui déclenche la sécrétion d'interféron.

interlignage *nm* Action d'interligner.

interligne *nm* Espace compris entre deux lignes d'écriture.

interligner *vt* Séparer par des interlignes.

interlocuteur, trice *n* Personne qui converse, négocie avec une autre.

interlope *a* Louche, équivoque.

interloquer *vt* Déconcerter, stupéfier.

interlude nm Divertissement entre deux émissions télévisées, deux spectacles, etc.

intermède nm 1 Divertissement exécuté entre deux parties d'un spectacle. 2 Ce qui interrompt la continuité d'un processus.

intermédiaire a Qui se trouve au milieu, entre deux. ■ nm Entremise, transition, moyen. *J'ai appris cela par son intermédiaire.* ■ n Personne qui intervient dans un circuit commercial entre le producteur et le consommateur.

intermezzo [-medzo] nm MUS Composition de forme libre.

interminable a Très long.

interminablement av De façon interminable.

interministériel, elle a Commun à plusieurs ministres.

intermittence nf Caractère intermittent. Loc *Par intermittence* : irrégulièrement.

intermittent, ente a Discontinu, irrégulier. ■ a, n Qui exerce une activité salariée avec des intervalles de chômage. *Intermittent du spectacle.*

internaliser vt ÉCON Transférer à l'intérieur d'une entreprise certaines activités confiées jusque-là à l'extérieur.

internat nm 1 État d'un élève interne ; établissement qui accueille des internes. 2 Fonction d'interne des hôpitaux.

international, ale, aux a Qui a lieu entre les nations. ■ n Sportif participant à des compétitions internationales.

internationalisation nf Action d'internationaliser.

internationaliser vt Rendre international.

internationalisme nm Doctrine privilégiant les intérêts supranationaux.

internationaliste a, n Qui relève de l'internationalisme.

internationalité nf Caractère international.

internaute n Utilisateur du réseau Internet. Syn. cybernaute.

interne a Situé à l'intérieur. ■ n 1 Élève logé et nourri dans l'établissement scolaire qu'il fréquente. 2 Étudiant en médecine qui, après avoir passé un concours, exerce certaines responsabilités hospitalières.

interné, ée a, n Enfermé dans un camp de concentration, un hôpital psychiatrique, etc.

internement nm Action d'interner.

interner vt Enfermer dans un hôpital psychiatrique, un camp.

interocéanique a Qui se fait entre deux océans.

interpellateur, trice n Personne qui interpelle.

interpellation nf 1 Action d'interpeller. 2 Demande d'explication adressée par un parlementaire à un ministre.

interpeller [-pəle] vt 1 Adresser la parole à qqn pour lui demander qqch, pour le sommer de s'expliquer. 2 S'imposer à qqn. *Les banlieues nous interpellent.* 3 Vérifier l'identité de qqn, l'arrêter. *Interpeller un suspect.* Var interpeler.

interpénétration nf Pénétration réciproque.

interpénétrer (s') vpr [12] Se pénétrer réciproquement.

interphone nm (n. déposé) Installation téléphonique intérieure à un immeuble.

interplanétaire a Situé entre les planètes.

interpolation nf Action d'interpoler ; texte interpolé.

interpoler vt Insérer dans un texte un passage qui lui est étranger.

interposer vt Placer entre deux choses. ■ vpr Intervenir comme médiateur.

interposition nf Action d'interposer, de s'interposer. *Force d'interposition entre des combattants.*

interprétable a Qui peut être interprété.

interprétariat nm Fonction d'interprète.

interprétatif, ive a Explicatif.

interprétation nf 1 Explication. 2 Façon dont est jouée une œuvre dramatique ou musicale.

interprète n 1 Personne qui traduit oralement une langue dans une autre. 2 Personne qui fait connaître les sentiments de qqn d'autre. 3 Personne qui interprète une œuvre musicale, joue un rôle au théâtre ou au cinéma.

interpréter vt [12] 1 Expliquer, clarifier, traduire, attribuer un sens. 2 Jouer un rôle ; exécuter un morceau de musique.

interprofession nf Organisme regroupant plusieurs professions.

interprofessionnel, elle a Commun à plusieurs professions.

interracial, ale, aux a Entre individus de races différentes.

interréaction nf Réaction réciproque.

interrégional, ale, aux a Qui concerne plusieurs régions.

interrègne nm Temps pendant lequel une fonction n'est pas assurée par le titulaire.

interrelation nf Relation entre des individus, des disciplines.

interrogateur, trice a, n Qui interroge.

interrogatif, ive a Qui sert à interroger. ■ nf GRAM Phrase exprimant une interrogation.

interrogation nf Question, demande. Loc *Point d'interrogation* : signe de ponctuation (?) qui indique une interrogation.

interrogatoire nm Questions posées à un inculpé, à un accusé, à un malade.

interrogeable a Qu'on peut interroger.

interroger vt [11] 1 Questionner qqn pour vérifier ses connaissances ou s'informer. 2 Examiner. *Interroger sa conscience.* ■ vpr Se poser des questions.

interrompre vt [78] 1 Rompre la continuité de. 2 Couper la parole à qqn. ■ vpr Cesser provisoirement de faire une chose.

interrupteur nm Dispositif pour interrompre ou rétablir le passage du courant électrique.

interruption nf Suspension, arrêt ; paroles pour interrompre. Loc *Interruption volontaire de grossesse (IVG)* : avortement. *Sans interruption* : d'affilée.

intersaison nf Période entre deux saisons touristiques, sportives, etc.

intersection nf 1 Rencontre de deux lignes qui se coupent. 2 Croisement de deux voies de circulation.

intersession nf Temps compris entre deux sessions d'une assemblée.

intersidéral, ale, aux a Situé entre les astres.

interspécifique a BIOL Qui concerne les relations entre les espèces.

interstellaire a Situé entre les étoiles.

interstice nm Très petit espace entre les éléments d'un tout.

interstitiel, elle a Situé dans les interstices.

intersyndical, ale, aux *a* Qui concerne plusieurs syndicats. ■ *nf* Association de syndicats.

intertitre *nm* Titre de partie d'un texte.

intertribal, ale, aux *a* Qui concerne les relations entre tribus.

intertrigo *nm* Lésion infectieuse siégeant au niveau des plis cutanés.

intertropical, ale, aux *a* Qui est situé entre les tropiques.

interurbain, aine *a* Qui relie plusieurs villes entre elles. ■ *nm* Téléphone interurbain.

intervalle *nm* Distance séparant deux lieux, deux faits, deux époques. Loc *Par intervalles :* de temps à autre.

intervenant, ante *a, n* Qui intervient dans un procès, un débat, un processus quelconque.

intervenir *vi* [35] [aux. *être*] **1** Prendre part à une action en cours ; jouer un rôle. **2** Prendre la parole dans un débat. **3** abusiv Se produire, survenir. *Un évènement est intervenu.*

intervention *nf* **1** Action d'intervenir. **2** Opération chirurgicale. **3** Action d'un État s'ingérant dans un conflit. **4** BX-A Mode d'expression artistique dont le matériau est l'environnement.

interventionnisme *nm* Doctrine préconisant l'intervention de l'État dans les affaires privées, ou dans un conflit.

interventionniste *a, n* Qui relève de l'interventionnisme.

interversion *nf* Renversement de l'ordre habituel.

intervertébral, ale, aux *a* Placé entre deux vertèbres.

intervertir *vt* Renverser l'ordre des éléments d'un ensemble.

interview [-vju] *nf* ou *nm* Entretien au cours duquel un enquêteur interroge qqn sur sa vie, ses opinions, etc.

interviewé [-vjuve] *a, n* Soumis à un interview.

interviewer [-vjuve] *vt* Soumettre à un interview.

intervieweur, euse [-vjuv-] *n* Personne qui interviewe.

intestat *a inv* Qui n'a pas fait de testament.

1. intestin, ine *a* litt Qui a lieu à l'intérieur d'un corps social.

2. intestin *nm* Portion du tube digestif comprise entre l'estomac et l'anus.

intestinal, ale, aux *a* Des intestins.

intimation *nf* DR Action d'intimer.

intime *a* **1** Intérieur et profond. **2** Tout à fait privé. *La vie intime.* Loc *Rapports intimes :* sexuels. ■ *a, n* Lié à un sentiment profond. *Amis intimes.*

intimement *av* Profondément.

intimer *vt* **1** Signifier avec autorité. **2** DR Assigner devant une juridiction supérieure.

intimidant, ante *a* Qui intimide.

intimidateur, trice *a* Propre à effrayer.

intimidation *nf* Action d'intimider ; menace, pression.

intimider *vt* **1** Inspirer de la crainte, de l'appréhension. **2** Faire perdre son assurance à qqn.

intimisme *nm* Caractère intimiste d'une expression littéraire ou artistique.

intimiste *a, n* **1** Qui décrit les sentiments et la vie intime sur un ton de confidence. **2** Qui peint des scènes d'intérieur.

intimité *nf* **1** Caractère intime, intérieur. **2** Liaison étroite. **3** La vie privée.

intitulé *nm* Titre d'un livre, d'un chapitre.

intituler *vt* Donner un titre à. ■ *vpr* Avoir comme titre.

intolérable *a* Insupportable.

intolérance *nf* **1** Disposition haineuse envers ceux qui ont d'autres opinions que soi. **2** MED Incapacité d'un organisme à tolérer certains médicaments.

intolérant, ante *a, n* Qui fait preuve d'intolérance.

intonation *nf* Ton qu'on prend en parlant.

intouchable *a, n* Qui ne peut être l'objet d'aucune critique ou condamnation. ■ *n* En Inde, individu qui appartient à la catégorie des parias.

intox *nf* fam Fait d'intoxiquer les esprits.

intoxication *nf* **1** MED Affection due à l'action d'un produit toxique. **2** Action insidieuse sur les esprits par la propagande (Abrév. fam : intox).

intoxiqué, ée *a, n* Qui a subi une intoxication.

intoxiquer *vt* **1** Causer une intoxication. **2** Influencer par une propagande insidieuse.

intracellulaire *a* BIOL Intérieur à une cellule.

intracommunautaire *a* Intérieur à une communauté, en particulier à l'Union européenne.

intradermique *a* Dans l'épaisseur du derme. *Injection intradermique.*

intradermoréaction *nf* MED Injection d'une substance, afin d'en étudier l'action sur l'organisme.

intrados [-do] *nm* Surface intérieure d'une voûte, de la voilure d'un avion.

intraduisible *a* Impossible à traduire.

intraitable *a* Très rigoureux, inflexible.

intra-muros [-ROS] *av* À l'intérieur d'une ville.

intramusculaire *a* À l'intérieur d'un muscle. ■ *nf* Injection intramusculaire.

intranet *nm* Réseau électronique de services internes à une entreprise, fonctionnant avec les mêmes outils qu'Internet.

intransigeance [-zi-] *nf* Caractère intransigeant.

intransigeant, ante [-zi-] *a* Qui n'accepte pas de compromis.

intransitif, ive [-zi-] *a, nm* GRAM Se dit d'un verbe qui n'est pas suivi d'un objet, direct ou indirect (ex. : *dormir*).

intransitivement [-zi-] *av* GRAM Comme un verbe intransitif.

intransitivité *nf* GRAM Caractère intransitif.

intransmissible *a* Qui ne peut être transmis.

intransportable *a* Qui ne peut être transporté.

intrant *nm* ECON Élément entrant dans la production d'un bien. Syn. input.

intraoculaire *a* À l'intérieur de l'œil.

intra-utérin, ine *a* À l'intérieur de l'utérus.

intraveineux, euse *a* À l'intérieur des veines. ■ *nf* Injection intraveineuse.

intrépide *a* Qui ne craint pas le danger.

intrépidité *nf* Caractère intrépide.

intrication *nf* Enchevêtrement.

intrigant, ante *a, n* Qui recourt à l'intrigue. ■ *a* Qui intrigue, étonnant. *Un personnage intrigant.*

intrigue *nf* **1** Menées secrètes pour faire réussir ou échouer une affaire. **2** Liaison amoureuse. **3** Sujet, trame d'une pièce, d'un roman, d'un film.

intriguer *vt* Exciter la curiosité de. ■ *vi* Nouer des machinations.

intrinsèque *a* Inhérent.

intrinsèquement *av* En soi.

intriquer *vt* Enchevêtrer, entremêler. ■ *vpr* Se mêler.

introducteur, trice *n* Personne qui introduit qqch.

introductif, ive *a* Qui sert de commencement.

introduction *nf* 1 Action d'introduire. 2 Ce qui introduit à la connaissance de qqch. 3 Préface, discours préliminaire.

introduire *vt* [67] 1 Faire entrer dans. 2 Faire adopter, faire admettre. *Introduire une mode nouvelle.* ■ *vpr* Entrer dans un lieu.

introït *nm* Prière d'introduction à la messe.

intromission *nf* Introduction d'une chose dans une autre.

intronisation *nf* Action d'introniser.

introniser *vt* 1 Placer solennellement sur le trône. 2 Introduire, établir qqn, qqch.

introspectif, ive *a* PSYCHO Qui relève de l'introspection.

introspection *nf* PSYCHO Observation du sujet par lui-même.

introuvable *a* Qu'on ne peut trouver.

introversion *nf* Attention privilégiée donnée à soi-même.

introverti, ie *a, n* Qui a tendance à l'introversion.

intrus, use *a, n* Qui s'introduit qq part sans y être convié.

intrusion *nf* Fait de s'introduire en un lieu, dans un groupe, sans droit ou sans y être convié.

intubation *nf* MED Introduction d'un tube ou d'une sonde dans un conduit naturel.

intuber *vt* MED Pratiquer une intubation.

intuitif, ive *a* Qui relève de l'intuition. ■ *a, n* Doué d'intuition.

intuition *nf* 1 Connaissance directe et immédiate, sans recours au raisonnement. 2 Pressentiment.

intuitivement *av* Par intuition.

intumescence *nf* didac Gonflement.

intumescent, ente *a* didac Qui enfle.

inusable *a* Qui ne s'use pas.

inusité, ée *a* Qui n'est pas usité.

inusuel, elle *a* Qui n'est pas usuel.

in utéro [inyteʀo] *av* À l'intérieur de l'utérus. Var **in utero**.

inutile *a* Qui n'est d'aucune utilité.

inutilement *av* En vain.

inutilisable *a* Qui ne peut être utilisé.

inutilisé, ée *a* Qui n'est pas utilisé.

inutilité *nf* Manque d'utilité.

invagination *nf* MED Repliement en doigt de gant d'une cavité sur elle-même.

invaincu, ue *a* Qui n'a jamais été vaincu.

invalidant, ante *a* Qui entrave l'activité habituelle. *Maladie invalidante.*

invalidation *nf* DR Action d'invalider.

invalide *a, n* Empêché par une infirmité de mener une vie normalement active. ■ *a* DR Qui n'a pas les qualités requises par la loi.

invalider *vt* DR Rendre nul un acte.

invalidité *nf* 1 État de qqn d'invalide. *Pension d'invalidité.* 2 DR Nullité.

invariabilité *nf* Caractère invariable.

invariable *a* Immuable.

invariablement *av* De façon invariable.

invariance *nf* Caractère invariant.

invariant, ante *a, nm* Se dit d'une grandeur, d'un élément, d'une propriété qui restent constants.

invasif, ive *a* MED 1 Qui implique une lésion de l'organisme. *Examen invasif.* 2 Qui envahit l'organisme (tumeur). 3 Qui a tendance à envahir le milieu environnant. *Plante invasive.*

invasion *nf* 1 Irruption armée d'un pays dans un autre. 2 Envahissement, arrivée soudaine et massive. *Une invasion de voitures d'importation.*

invective *nf* Injure, parole injurieuse.

invectiver *vt, vi* Lancer des invectives.

invendable *a* Qu'on ne peut vendre.

invendu, ue *a, nm* Qui n'a pas été vendu.

inventaire *nm* 1 État des biens de qqn, d'une communauté. 2 État des marchandises en stock. 3 Dénombrement, recensement.

inventer *vt* 1 Trouver, imaginer qqch de nouveau. 2 Forger de toutes pièces. *Inventer une histoire, une excuse.*

inventeur, trice *n* Personne qui invente, découvre.

inventif, ive *a* Qui a le talent d'inventer.

invention *nf* 1 Action d'inventer ; chose inventée. 2 Don d'imagination. 3 Mensonge, chimère.

inventivité *nf* Caractère inventif.

inventorier *vt* Faire l'inventaire de.

invérifiable *a* Qu'on ne peut vérifier.

inverse *a* Renversé par rapport à l'ordre naturel, habituel ; opposé. Loc *En raison inverse* : se dit de choses qui varient en proportion inverse l'une de l'autre. ■ *nm* Le contraire, l'opposé. *Faire l'inverse.* Loc *À l'inverse (de)* : au contraire (de).

inversement *av* De façon inverse.

inverser *vt* Mettre dans l'ordre inverse.

inverseur *nm* Appareil changeant le sens d'un courant électrique.

inversible *a* Loc *Film inversible* : dont le développement donne une image positive.

inversion *nf* 1 Action d'inverser, de s'inverser. 2 GRAM Renversement, changement dans l'ordre habituel des mots. 3 MED Retournement d'un organe sur lui-même.

invertébré, ée *a, nm* ZOOL Animal dépourvu de vertèbres.

inverti, ie *n* vx Homosexuel.

invertir *vt* Renverser symétriquement.

investigateur, trice *n, a* Qui fait des investigations.

investigation *nf* Recherche suivie et approfondie.

investir *vt* 1 Conférer à qqn un titre, un pouvoir. 2 Entourer de troupes un objectif militaire. 3 Placer des capitaux pour en tirer un profit. ■ *vi, vpr* Porter toute son énergie dans une action, sur un objet.

investissement *nm* 1 Action d'investir, de s'investir. 2 Placement de capitaux.

investisseur, euse *n, a* Qui investit des capitaux.

investiture *nf* 1 Action de conférer un titre, un pouvoir. 2 Désignation par un parti d'un candidat à des élections.

invétéré, ée *a* 1 Qui s'est enraciné avec le temps. 2 Impénitent. *Tricheur invétéré.*

invincibilité *nf* Caractère invincible.

invincible *a* 1 Qu'on ne peut vaincre. 2 Insurmontable, irrésistible. *Dégoût invincible.*

invinciblement *av* De façon invincible.

inviolabilité *nf* Caractère inviolable.

inviolable *a* **1** Qu'on ne saurait enfreindre. **2** À l'abri de toute poursuite.

inviolé, ée *a* litt Que l'on n'a pas profané.

invisibilité *nf* État invisible.

invisible *a* **1** Qui échappe à la vue. **2** Qui ne veut pas être vu.

invitant, ante *a* Qui invite.

invitation *nf* Action d'inviter.

invite *nf* Appel discret à faire qqch.

invité, ée *n, a* Qui a reçu une invitation.

inviter *vt* **1** Prier d'assister à, convier. **2** Engager, inciter à. *Je vous invite à réfléchir.* ■ *vpr* Aller qq part sans y être convié.

in vitro [in-] *av* BIOL En dehors de l'organisme vivant. *Fécondation in vitro.*

invivable *a* fam Insupportable, très pénible.

in vivo [in-] *av* BIOL Dans l'organisme vivant.

invocation *nf* Action d'invoquer.

invocatoire *a* Qui sert à invoquer.

involontaire *a* Qui n'est pas volontaire.

involontairement *av* Sans le vouloir.

involution *nf* BIOL, MED Régression d'un organe.

invoquer *vt* **1** Appeler à son secours une puissance surnaturelle. **2** En appeler à, recourir à. *Invoquer de faux arguments.*

invraisemblable *a* **1** Qui n'est pas vraisemblable. **2** Extravagant.

invraisemblablement *av* De façon invraisemblable.

invraisemblance *nf* Défaut de vraisemblance ; chose invraisemblable.

invulnérabilité *nf* Caractère invulnérable.

invulnérable *a* Qui ne peut être blessé, atteint.

iode *nm* CHIM Corps simple gris foncé.

iodé, ée *a* Qui contient de l'iode.

iodler. V. *jodler.*

ion *nm* PHYS Atome qui a perdu ou gagné un ou plusieurs électrons.

ionien, enne *a, n* D'Ionie.

1. ionique *a* PHYS Des ions.

2. ionique *nm, a* Ordre de l'architecture grecque, caractérisé par un chapiteau à volutes.

ionisant, ante *a* Qui provoque l'ionisation.

ionisateur *nm* Appareil servant à ioniser les produits alimentaires.

ionisation *nf* **1** PHYS Formation d'ions. **2** MED Pénétration de radiations dans l'organisme. **3** Stérilisation des aliments par des radiations.

ioniser *vt* Produire l'ionisation de.

ionosphère *nf* Partie de l'atmosphère située au-dessus de la stratosphère.

iota *nm* **1** Neuvième lettre de l'alphabet grec correspondant à *i*. **2** Très petit détail. *Sans changer un iota.*

iouler. V. *jodler.*

iourte. V. *yourte.*

ipéca *nm* Plante à propriétés vomitives.

ipomée *nf* Plante grimpante (patate douce, volubilis).

ippon [ipon] *nm* Au judo, prise parfaitement exécutée, qui donne la victoire.

ipso facto *av* Par le fait même.

irakien, enne *a, n* D'Irak.

iranien, enne *a, n* D'Iran. ■ *nm* Langue indo-européenne parlée en Iran.

irascibilité *nf* Propension à la colère.

irascible *a* Prompt à la colère.

ire *nf* litt Colère.

irénique *a* Qui cherche à éviter la polémique.

iridacée *nf* BOT Plante à bulbe (iris, crocus, glaïeuls, etc.).

iridescent, ente *a* À reflets irisés.

iridié, ée *a* CHIM Allié à l'iridium.

iridium [-djom] *nm* CHIM Métal servant à fabriquer des alliages d'une grande dureté.

iris [iRis] *nm* **1** Plante à grandes fleurs régulières. **2** Partie colorée de l'œil. **3** PHOTO Diaphragme à lamelles radiales.

irisation *nf* Dispersion à la surface d'un corps, des couleurs constitutives de la lumière ; les reflets ainsi produits.

iriser *vt* Colorer des couleurs de l'arc-en-ciel.

irish coffee [ajRiʃkɔfi] *nm* Café chaud avec whisky et crème fraîche. *Des irish coffees.*

irlandais, aise *a, n* D'Irlande. ■ *nm* Langue celtique parlée en Irlande.

IRM *nf* Sigle de *imagerie par résonance magnétique.*

ironie *nf* Raillerie consistant à dire le contraire de ce qu'on veut faire entendre. **Loc** *Ironie du sort* : contraste entre ses espoirs et la réalité.

ironique *a* Personne qui manifeste de l'ironie.

ironiquement *av* Avec ironie.

ironiser *vi* Railler avec ironie.

ironiste *n* Personne qui pratique l'ironie.

iroquois, oise *a* Relatif aux Iroquois.

irradiation *nf* **1** Action de rayonner, de se propager. **2** PHYS Exposition de qqn, d'un organisme, à l'action des rayonnements ionisants.

irradié, ée *a* Personne qui a subi une irradiation.

irradier *vi, vpr* Se propager, se répandre en rayonnant à partir d'un point. ■ *vt* Soumettre à un rayonnement ionisant.

irraisonné, ée *a* Qui n'est pas raisonné.

irrationalisme *nm* Hostilité au rationalisme.

irrationalité *nf* Caractère irrationnel.

irrationnel, elle *a* Non conforme à la raison.

irrattrapable *a* Qu'on ne peut rattraper.

irréalisable *a* Qui ne peut se réaliser.

irréalisme *nm* Manque de réalisme.

irréaliste *a* Qui n'est pas réaliste.

irréalité *nf* Caractère irréel.

irrecevabilité *nf* Caractère irrecevable.

irrecevable *a* Inacceptable.

irréconciliable *a* Qu'on ne peut réconcilier.

irrécouvrable *a* Qu'on ne peut recouvrer.

irrécupérable *a* Qu'on ne peut récupérer.

irrécusable *a* Qu'on ne peut récuser.

irrédentisme *nm* HIST Au XIXᵉ s., mouvement de revendication de l'Italie unifiée sur les territoires considérés comme italiens.

irrédentiste *a, n* Relevant de l'irrédentisme.

irréductibilité *nf* Caractère irréductible.

irréductible *a* **1** Qui ne peut être réduit, simplifié. **2** Sans concession, inflexible.

irréel, elle *a* En dehors de la réalité.

irréfléchi, ie *a* **1** Dit ou fait sans réflexion. **2** Qui ne réfléchit pas.

irréflexion *nf* Manque de réflexion.

irréformable *a* Qu'on ne peut réformer.

irréfragable *a* litt Qu'on ne peut récuser.

irréfutabilité *nf* Caractère irréfutable.

irréfutable *a* Qu'on ne peut réfuter.

irréfuté, ée *a* Qui n'a pas encore été réfuté.

irrégularité *nf* Caractère irrégulier ; chose ou action irrégulière.

irrégulier, ère *a* **1** Non conforme aux règles. **2** Non régulier en quantité, en qualité, dans le rythme, dans la forme, etc.

irrégulièrement *av* De façon irrégulière.

irréligieux, euse *a* Qui n'a pas de convictions religieuses, qui offense la religion.

irréligion *nf* Manque d'esprit religieux.

irrémédiable *a, nm* À quoi on ne peut remédier.

irrémédiablement *av* Sans recours.

irremplaçable *a* Qu'on ne peut remplacer.

irréparable *a, nm* Qu'on ne peut réparer.

irrépressible *a* Qu'on ne peut réprimer.

irréprochable *a* Sans reproche.

irrésistible *a* À qui, à quoi on ne peut résister.

irrésistiblement *av* De façon irrésistible.

irrésolu, ue *a* Qui a du mal à se déterminer.

irrésolution *nf* Manque de décision.

irrespect [-pɛ] *nm* Manque de respect.

irrespectueusement *av* De façon irrespectueuse.

irrespectueux, euse *a* Qui manque de respect.

irrespirable *a* **1** Qu'on ne peut respirer. **2** Où on respire mal.

irresponsabilité *nf* Caractère irresponsable.

irresponsable *a, n* **1** Qui n'est pas responsable de ses actes, de sa conduite. **2** Qui n'assume pas ses responsabilités.

irrétrécissable *a* Qui ne peut rétrécir.

irrévérence *nf* litt Manque de respect.

irrévérencieux, euse *a* litt Irrespectueux.

irréversibilité *nf* Caractère irréversible.

irréversible *a* Qui ne peut aller que dans un seul sens.

irrévocabilité *nf* Caractère irrévocable.

irrévocable *a* Définitif. *Décision irrévocable.*

irrévocablement *av* De façon irrévocable.

irrigable *a* Qui peut être irrigué.

irrigation *nf* **1** Arrosage artificiel d'une terre. **2** Circulation du sang dans un organe.

irriguer *vt* **1** Arroser, fournir artificiellement de l'eau à une terre. **2** MED Arroser les tissus de l'organisme, en parlant du sang.

irritabilité *nf* Caractère irritable.

irritable *a* Porté à s'irriter.

irritant, ante *a* **1** Qui excite la colère. **2** Qui détermine de l'inflammation.

irritation *nf* **1** Colère sourde. **2** Légère inflammation.

irriter *vt* **1** Provoquer l'irritation, l'impatience. **2** Rendre légèrement enflammé. *Irriter la peau.* ■ *vpr* Se fâcher, s'énerver.

irruption *nf* Entrée brusque et inattendue ; envahissement.

isabelle *a inv* D'une couleur jaune, très claire (robe des chevaux).

isard *nm* Chamois des Pyrénées.

isatis [izatis] *nm* Renard des régions arctiques.

isba *nf* Maison en bois des paysans russes.

ischémie [-ke-] *nf* MED Arrêt de la circulation artérielle dans un organe.

ischion [iskjɔ̃] *nm* ANAT Partie inférieure de l'os iliaque.

isiaque *a* D'Isis. *Culte isiaque.*

islam *nm* **1** Religion des musulmans. **2** (avec majusc.) Ensemble des pays, des peuples, des civilisations musulmanes.

islamique *a* De l'islam.

islamisant, ante *a, n* Spécialiste de l'islam.

islamisation *nf* Action d'islamiser.

islamiser *vt* **1** Convertir à l'islam. **2** Appliquer la loi coranique dans un pays.

islamisme *nm* Intégrisme musulman.

islamiste *a, n* Partisan de l'islamisme.

islamologie *nf* Étude scientifique de l'islam.

islandais, aise *a, n* De l'Islande. ■ *nm* Langue scandinave parlée en Islande.

ismaélien, enne *a, n* Membre d'une secte chiite.

isobare *a* PHYS D'égale pression atmosphérique.

isobathe *a* GEOGR D'égale profondeur.

isocèle *a* GEOM Qui a deux côtés ou deux faces égales.

isochrone *a* PHYS De même durée. **Var isochronique**

isoclinal, ale, aux *a* Loc GEOL *Pli isoclinal :* dont les flancs ont la même inclinaison.

isocline *a* PHYS, GEOGR De même inclinaison.

isogame *a* BOT Qui se reproduit par isogamie.

isogamie *nf* BOT Fécondation entre deux gamètes rigoureusement semblables (algues, champignons inférieurs). Ant. hétérogamie.

isoglosse *nf* LING Ligne séparant deux aires dialectales.

isoglucose *nm* Glucose tiré du maïs.

isogone *a* GEOM Dont les angles sont égaux.

isolable *a* Qui peut être isolé.

isolant, ante *a, nm* Qui isole du son, de l'électricité ou de la chaleur.

isolat *nm* Espèce, groupe complètement isolés.

isolateur *nm* Support isolant d'un conducteur électrique.

isolation *nf* Action d'isoler une pièce, un bâtiment, thermiquement ou phoniquement.

isolationnisme *nm* Politique d'un pays qui s'isole des autres pays.

isolationniste *a, n* Qui relève de l'isolationnisme.

isolé, ée *a, n* Seul, séparé socialement des autres. ■ *a* **1** À l'écart. *Endroit isolé.* **2** Unique. *Cas isolé.*

isolement *nm* État de qqn, de qqch d'isolé.

isolément *av* Séparément, individuellement.

isoler *vt* **1** Séparer qqch, qqn de ce qui environne ; empêcher le contact. **2** Considérer à part, en soi. **3** Rendre indépendant de l'extérieur, en interposant un matériau isolant. ■ *vpr* Se séparer des autres.

isoloir *nm* Cabine où l'électeur prépare son vote.

isomère *a, nm* CHIM Se dit de corps ayant la même formule, mais des propriétés différentes.

isomérie *nf* CHIM Caractère isomère.

isomorphe *a* didac De même forme.

isomorphisme *nm* Caractère isomorphe.

isopode *nm* ZOOL Crustacé au corps aplati tel que le cloporte.

isoprène *nm* Matière utilisée dans la fabrication de nombreux polymères (plastiques, résines).

isoptère *nm* ZOOL Insecte du type des termites.

isostasie *nf* Équilibre entre les diverses masses constituant la croûte terrestre.

isotherme *a* **1** PHYS D'égale température. **2** Où on maintient une température constante.

isotope *a, nm* PHYS Se dit d'éléments dont les noyaux ont le même nombre de protons mais un nombre différent de neutrons.

isotopique *a* PHYS Des isotopes.

isotrope *a* PHYS Se dit d'un corps qui présente les mêmes propriétés dans toutes les directions.

isotropie *nf* PHYS Propriété isotrope.

israélien, enne *a, n* De l'État d'Israël.

israélite *n, a* De religion juive.

issu, ue *a* Né, sorti. *Issu de la bourgeoisie.*

issue *nf* **1** Passage qui permet de sortir. **2** Moyen pour sortir d'une affaire. *Situation sans issue.* **3** Résultat. *L'issue du combat.* Loc *Issue fatale* : mort. *À l'issue de :* à la fin de. ■ *pl* Parties non comestibles des animaux de boucherie.

isthme [ism] *nm* **1** Étroite bande de terre entre deux mers. **2** ANAT Partie rétrécie de certains organes.

italianisant, ante *n* Spécialiste de la langue et de la culture italiennes.

italianiser *vt* Donner une tournure, un caractère italiens à.

italianisme *nm* Expression propre à l'italien.

italien, enne *a, n* De l'Italie. ■ *nm* Langue romane parlée en Italie.

italique *a* Relatif à l'ancienne Italie. ■ *nm* Caractère d'imprimerie incliné vers la droite.

item *nm* **1** Élément linguistique considéré à part. **2** Chacun des éléments d'un test, d'un questionnaire. ■ *av* En outre, de plus.

itératif, ive *a* didac Répété plusieurs fois.

itération *nf* didac Répétition.

itinéraire *nm* Route à suivre ou suivie ; parcours, trajet.

itinérant, ante *a* Qui se déplace, qui va de lieu en lieu pour exercer ses fonctions.

itou *av* fam De même.

IUFM *nm* Institut universitaire de formation des maîtres, structure créée pour unifier la formation des enseignants.

iule *nm* Mille-pattes.

IUT *nm* Institut universitaire de technologie.

IVG *nf* Interruption volontaire de grossesse.

ivoire *nm* **1** Matière des dents de l'homme, des défenses de l'éléphant. **2** Objet fait en cette matière.

ivoirien, enne *a, n* De Côte-d'Ivoire.

ivoirin, ine *a* litt Qui a l'aspect de l'ivoire.

ivraie *nf* Graminée sauvage envahissante dans les céréales. Loc litt *Séparer le bon grain de l'ivraie* : les bons des méchants.

ivre *a* **1** Troublé par les effets de l'alcool. Syn. soûl. **2** Exalté par la passion. *Ivre de jalousie.* Loc *Ivre mort* : ivre au point d'avoir perdu toute conscience.

ivresse *nf* **1** Intoxication alcoolique. **2** État d'euphorie ; exaltation. *L'ivresse de la victoire.*

ivrogne *nm* Personne qui a l'habitude de s'enivrer.

ivrognerie *nf* Habitude de s'enivrer.

ivrognesse *nf* fam Femme qui s'enivre.

ixode *nm* ZOOL Acarien tel que la tique.

J nm Dixième lettre (consonne) de l'alphabet. **Loc** *Jour J :* jour où qqch d'important doit avoir lieu.

jabot nm 1 Poche digestive de l'œsophage des oiseaux. 2 Dentelle, mousseline ornant le devant d'une chemise, d'un corsage.

jacaranda nm Arbre ornemental à fleurs roses et à bois très apprécié.

jacassement nm Action de jacasser.

jacasser vi 1 Pousser son cri (pie). 2 Bavarder avec volubilité.

jachère nf Terre labourable qu'on laisse volontairement reposer.

jacinthe nf Plante bulbeuse ornementale.

jack nm ELECTR Fiche de connexion à deux broches coaxiales.

jackpot [dʒakpɔt] nm 1 Dans les machines à sous, combinaison gagnante ; cette machine. 2 fam Gros lot, pactole, profit important.

jacobin, ine a, n Partisan d'une république centralisée. ■ nm Membre du club des Jacobins, sous la Révolution.

jacobinisme nm Doctrine des jacobins.

jacobite a, n HIST En Angleterre, partisan de Jacques II.

jacquard nm 1 Métier à tisser du XIXᵉ s., à cartes perforées. 2 Tricot à dessins géométriques sur fond de couleur.

jacquerie nf HIST Soulèvement de paysans.

jacques nm Loc fam *Faire le jacques :* le niais.

jacquet nm Jeu de dés dérivé du trictrac.

jactance nf litt Vantardise arrogante.

jacter vi pop Parler, bavarder.

jacuzzi nm (n. déposé) Grande baignoire à remous.

jade nm 1 Pierre fine verte très dure. 2 Objet sculpté en jade.

jadéite nf Variété de jade.

jadis [-dis] av Autrefois, il y a longtemps.

jaguar nm Grand félin d'Amazonie, proche de la panthère.

jaillir vi 1 Sortir impétueusement (liquide, lumière). 2 litt Se manifester soudain. *La vérité jaillit.*

jaillissement nm Fait de jaillir.

jaïn n, a Qui relève du jaïnisme.

jaïnisme nm Religion de l'Inde reposant sur l'ascétisme, la non-violence et le respect de la vie.

jais nm Variété de lignite d'un noir brillant.

jalon nm 1 Fiche plantée en terre pour marquer une direction. 2 Point de repère.

jalonnement nm Action de jalonner.

jalonner vt 1 Marquer un tracé au moyen de jalons. 2 Être placé en bordure et de distance en distance. *Arbres qui jalonnent la route.* 3 Se succéder au cours du temps.

jalousement av Avec jalousie.

jalouser vt Considérer avec envie et dépit.

jalousie nf 1 Sentiment de dépit mêlé d'envie. 2 Amour possessif et exclusif de qqn. 3 Persienne donnant plus ou moins de jour.

jaloux, ouse a, n Qui éprouve de la jalousie. ■ a Très attaché à qqch. *Il est très jaloux de son indépendance.*

jamaïquain, aine a, n De la Jamaïque. **Var jamaïcain, aine.**

jamais av 1 (sans négation) En un temps quelconque. *Si jamais vous le voyez.* 2 (avec négation) À aucun moment. *Il ne rit jamais.* **Loc** *À (tout) jamais, pour jamais :* pour toujours.

jambage nm 1 Trait vertical dans le tracé des lettres *m*, *n* et *u*. 2 ARCHI Piédroit.

jambe nf 1 Membre inférieur entre le genou et le pied. 2 Le membre inférieur tout entier. 3 Partie du vêtement recouvrant la jambe. **Loc** *Prendre ses jambes à son cou :* s'enfuir en courant. *À toutes jambes :* le plus vite possible. *Traîner la jambe :* marcher avec difficulté. fam *Faire qqch par-dessous* ou *par-dessus la jambe :* avec désinvolture. fam *Cela lui fait une belle jambe :* cela ne lui apporte rien. fam *Tenir la jambe à qqn :* l'importuner par un long discours.

jambière nf Pièce de vêtement qui protège la jambe.

jambon nm Cuisse ou épaule, salée ou fumée, du porc.

jambonneau nm Petit jambon fait avec les pattes de devant du porc.

jamborée [-Re] nm Réunion internationale de scouts. **Var jamboree** [-Ri].

jam-session nf Réunion de musiciens de jazz improvisant librement. *Des jam-sessions.*

janissaire nm HIST Fantassin turc.

jansénisme nm 1 RELIG Doctrine de Jansénius. 2 litt Austérité rigide.

janséniste a, n Qui relève du jansénisme.

jante nf Pièce circulaire qui constitue le pourtour d'une roue.

janvier nm Premier mois de l'année.

japon nm Papier résistant, blanc crème, des éditions de luxe.

japonais, aise a, n Du Japon. ■ nm Langue parlée au Japon.

japonaiserie nf Objet d'art du Japon.

japonisant, ante n Spécialiste de la langue, de la civilisation du Japon. **Var japonologue**

jappement nm Fait de japper.

japper vi Pousser des aboiements brefs et aigus.

jaque nm Gros fruit du jaquier.

jaquemart nm Automate frappant les heures avec un marteau sur la cloche d'une horloge.

jaquette nf 1 Veste de cérémonie pour hommes, à pans ouverts. 2 Veste de femme ajustée. 3 Couverture qui protège la reliure d'un livre. 4 Revêtement d'une couronne dentaire.

jaquier nm Arbre tropical qui produit de gros fruits comestibles (jaques).

jardin nm Terrain clos où l'on cultive des légumes, des fleurs, des arbres. Loc *Jardin public :* jardin d'agrément ouvert à tous. *Jardin d'enfants :* établissement d'éducation qui reçoit de très jeunes enfants. *Côté jardin :* côté de la scène à droite de l'acteur regardant la salle.

jardinage nm Culture des jardins.

jardiner vi S'adonner au jardinage.

jardinerie nf Établissement qui vend des plantes et des outils de jardinage.

jardinet nm Petit jardin.

jardinier, ère n Personne qui cultive un jardin. ■ nf 1 Bac dans lequel on cultive des fleurs. 2 Mélange de légumes cuits. Loc *Jardinière d'enfants :* éducatrice dans un jardin d'enfants.

jargon nm 1 Langage incompréhensible. 2 LING Langage spécifique d'un groupe social ou professionnel.

jargonner vi fam Parler un jargon. 2 Pousser son cri (jars, oie).

jarre nf Grand vase de terre cuite.

jarret nm 1 Partie du membre inférieur derrière le genou. 2 Articulation du milieu de la jambe chez le cheval.

jarretelle nf Ruban pour fixer les bas.

jarretière nf Ruban fixant le bas sur la jambe.

jars [ʒaʀ] nm Mâle de l'oie.

jas nm Barre transversale d'une ancre.

jaser vi 1 Médire, se montrer indiscret. 2 Jacasser (pie). 3 Gazouiller (nourrisson).

jasmin nm Arbuste à fleurs jaunes ou blanches très odorantes ; son parfum.

jaspe nm Pierre colorée par bandes ou par taches, utilisée en joaillerie.

jaspé, ée a, nm Bigarré.

jaspiner vi pop Bavarder.

jaspure nf Aspect jaspé ; marbrure.

jatte nf Récipient rond et sans rebord.

jauge nf 1 Capacité d'un récipient. 2 MAR Volume intérieur d'un navire, exprimé en tonneaux. 3 Règle graduée mesurant la quantité de liquide d'un réservoir.

jaugeage nm Action de jauger.

jauger vt [11] 1 Déterminer la jauge. 2 Estimer la valeur, les capacités de qqn. ■ vi Avoir telle jauge (navire).

jaunâtre a Qui tire sur le jaune.

jaune a De la couleur du citron, de l'or. Loc *Fièvre jaune :* maladie infectieuse tropicale. *Race*

jaune : caractérisée par une pigmentation cuivré de la peau. ■ av Loc *Rire jaune :* sans gaieté et e se forçant. ■ n 1 (avec majusc.) Personne qui es de race jaune. 2 Briseur de grève. ■ nm 1 Couleu jaune. 2 Colorant jaune. Loc *Jaune d'œuf :* parti centrale de l'œuf des oiseaux, formant l'ovule.

jaunir vt Rendre jaune. *Le soleil jaunit les blés* ■ vi Devenir jaune. *Herbe qui jaunit.*

jaunissant, ante a Qui jaunit.

jaunisse nf Affection hépatique aiguë. Syn ictère.

jaunissement nm Fait de devenir jaune.

java nf Danse populaire, à trois temps. Loc po *Faire la java :* faire la noce.

javanais, aise a, n De Java. ■ nm 1 Langu indonésienne parlée à Java. 2 Argot consistant intercaler dans les mots les syllabes va et av (ex. *manger* devient *mavangeaver*).

Javel (eau de) nf Solution d'un sel de chlore utilisée comme antiseptique et décolorant.

javeline nf Petit javelot long et mince.

javelle nf Petit tas de céréales avant le liage.

javellisation nf Action de javelliser.

javelliser vt Stériliser l'eau par l'eau de Javel.

javelot nm 1 Lance courte. 2 Instrument de lance en forme de lance, utilisé en athlétisme.

jazz [dʒaz] nm Genre musical d'origine amé ricaine, caractérisé par l'improvisation et un manière de traiter le tempo musical.

jazz-band [dʒazbãd] nm Orchestre de jazz. De *jazz-bands.*

jazzistique [dʒa-] a Du jazz. **Var jazzique**

jazzman [dʒazman] nm Musicien de jazz.

jazzy [dʒa-] a Qui évoque le jazz.

je, j' pr pers Sujet de la première personne du sin gulier, des deux genres.

jean [dʒin] nm 1 Tissu de coton bleu, d'une tram écrue. 2 Pantalon en jean. **Var jeans** [-ins]

jean-foutre nm inv pop Incapable. **Var jeanfoutr**

jean-le-blanc nm inv Circaète d'Europe.

jeannette nf Planchette utilisée pour le repas sage.

jeep [dʒip] nf (n. déposé) Automobile tout ter rain.

jéjunum [-nom] nm ANAT Partie de l'intestin grêle qui suit le duodénum.

je-m'en-fichisme nm fam Insouciance blâmable laisser-aller. *Des je-m'en-fichismes.* **Var je-m'en foutisme**

je-m'en-fichiste a, n fam Indifférent, passif. *De je-m'en-fichistes.* **Var je-m'en-foutiste**

je-ne-sais-quoi nm inv Chose indéfinissable.

jérémiade nf fam Plainte geignarde.

jerez. V. *xérès.*

jerk [dʒeʀk] nm Danse moderne, qui consiste e des secousses rythmiques du corps.

jéroboam nm Grande bouteille de champagne valant 4 bouteilles ordinaires.

jerricane nm Réservoir portatif de 20 litres.

jersey [-ze] nm Tissu élastique de laine, de fil ou de soie ; corsage, tricot fait dans ce tissu.

jersiais, aise a, n De l'île de Jersey.

jésuite nm Membre de la Compagnie de Jésus ■ a, n Hypocrite. *Attitude jésuite.*

jésuitique a Sournois.

jésuitisme nm 1 Système des jésuites. 2 Hypo crisie, fourberie.

jésus nm 1 Représentation de l'Enfant Jésus. 2 Saucisson sec gros et court.

1. jet nm 1 Action de jeter, de lancer. 2 Émission d'un fluide sous pression. *Jet de vapeur.* 3 BOT Jeune pousse. Loc *À jet continu :* sans interruption. *D'un seul jet :* d'un coup. *Premier jet :* ébauche d'une œuvre littéraire. *Jet d'eau :* gerbe d'eau verticale.

2. jet [dʒɛt] nm Avion à réaction long-courrier.

jetable a Que l'on jette après utilisation.

jeté nm 1 Pièce de tissu recouvrant un lit, une table. 2 CHORÉGR Saut lancé par une jambe et reçu par l'autre.

jetée nf Construction s'avançant dans la mer, destinée à permettre l'accostage des navires.

jeter vt [19] 1 Lancer. *Jeter des pierres.* 2 Se débarrasser de, mettre au rebut. *Jeter de vieux papiers.* 3 Renverser. *Jeter qqn à terre.* 4 Émettre hors. *Jeter son venin, un cri.* 5 Pousser, porter avec force vers. *Jeter dans un cachot.* 6 Asseoir, établir, poser. *Jeter les bases d'un accord.* 7 Mettre sur. *Jeter un châle sur ses épaules.* ■ *vpr* 1 Se précipiter vers. *Il s'est jeté sur moi.* 2 Se déverser dans (cours d'eau). Loc pop *S'en jeter un :* avaler un verre.

jeteur, euse n Loc *Jeteur, jeteuse de sort :* sorcier, sorcière.

jeton nm 1 Pièce plate et ronde, symbolisant une valeur quelconque. 2 pop Coup. Loc fam *Avoir les jetons :* avoir peur.

jet-set [dʒɛtsɛt] nf Haute société internationale.

jet-stream [dʒɛtstrim] nm MÉTÉO Courant d'ouest dans la stratosphère.

jeu nm 1 Divertissement, récréation. 2 Divertissement où seul le hasard intervient et où on risque généralement de l'argent (roulette, poker, etc.). 3 Au tennis, division d'un set. 4 Ensemble d'objets qui servent à jouer. 5 Cartes qu'un joueur a en main. *Avoir un beau jeu.* 6 Assortiment d'objets, de pièces de même nature. *Un jeu de clés.* 7 Manière dont un acteur remplit son rôle. 8 Manière de jouer d'un instrument de musique. 9 Mouvement d'un mécanisme. *Le jeu d'un ressort.* 10 Fonctionnement. *Le jeu des institutions.* 11 Espace nécessaire au mouvement de deux pièces. *Donner du jeu à un mécanisme.* Loc *Avoir beau jeu :* être en position de faire qqch. *D'entrée de jeu :* dès le début. *Entrer en jeu :* intervenir. *Être en jeu :* être en question. *Être vieux jeu :* démodé. *Jeu décisif :* tie-break. *Jeu d'enfant :* chose très facile. *Jeu d'esprit :* qui demande de l'invention. *Ce n'est pas un jeu :* ce n'est pas conforme aux règles. *Mettre en jeu :* faire intervenir. *Le jeu de qqn :* agir dans son intérêt. ■ *pl* Chez les Anciens, concours sportif ; spectacle du cirque.

jeudi nm Quatrième jour de la semaine.

jeun (à) [aʒœ̃] av Sans avoir mangé.

jeune a 1 Qui n'est pas avancé en âge. 2 Cadet. *Dubois jeune.* Ant. aîné. 3 Juvénile. 4 Composé de jeunes gens, de jeunes filles. *Un public jeune.* 5 Récent, nouveau. *Vin jeune.* 6 Qui manque de maturité, d'expérience. Loc fam *C'est un peu jeune :* insuffisant. ■ *n* 1 Personne jeune. 2 Animal non encore adulte. ■ *av* Comme les jeunes. *S'habiller jeune.*

jeûne nm Privation volontaire de nourriture.

jeûner vi S'abstenir de nourriture. **Var jeuner**

jeunesse nf 1 Partie de la vie comprise entre l'enfance et l'âge adulte. 2 Ensemble des personnes jeunes. 3 Période de développement de qqch. 4 Fraîcheur, vigueur.

jeunet, ette a fam Tout jeune.

jeune-turc, -turque n Personne qui dans un parti politique préconise une action radicale en s'opposant aux anciens.

jeûneur, euse n Qui jeûne. **Var jeuneur, euse**

jeunot nm fam Jeune homme naïf.

jingle [dʒingœl] nm Bref thème musical accompagnant une émission.

jiu-jitsu [ʒyʒitsy] nm inv Art martial japonais dont dérive le judo. **Var jiujitsu**

joaillerie nf Art, commerce du joaillier.

joaillier, ère n Personne qui travaille les joyaux, ou en fait le commerce. **Var joailler, ère**

job [dʒɔb] nm fam Emploi rémunéré.

jobard, arde a, n fam Crédule.

jobarderie nf fam Crédulité. **Var jobardise**

jockey nm Personne qui fait métier de monter les chevaux dans les courses.

jocrisse nm litt Benêt.

jodhpurs nmpl Pantalon de cheval, serré au-dessous du genou.

jodler [jodle] vi Faire des vocalises sans paroles. **Var iodler** ou **iouler**

jogger [dʒogœr] nm Chaussure de jogging.

joggeur, euse [dʒog-] n Personne qui pratique le jogging.

jogging [dʒogin] nm Course à pied pour se maintenir en forme.

joie nf 1 État de satisfaction intense. 2 Gaieté, bonne humeur. Loc *Fille de joie :* prostituée. *S'en donner à cœur joie :* profiter pleinement. *Mettre en joie :* réjouir. *Feu de joie :* allumé pour une fête. ■ *pl* Plaisirs, satisfactions.

joignable a Que l'on peut joindre, contacter.

joindre vt [62] 1 Unir solidement, rapprocher. 2 Ajouter, mettre avec. 3 Faire communiquer, relier. *Avion joignant Paris à Londres.* 4 Atteindre, être en contact avec qqn. *Joindre qqn par téléphone.* Loc fam *Joindre les deux bouts :* boucler son budget. ■ *vi* Se toucher étroitement. *Volets qui joignent mal.* ■ *vpr* S'associer. *Je me joins à vous.*

joint, jointe a Ajouté. *Pièce jointe à une lettre.* Loc *À pieds joints :* les pieds en contact. ■ *nm* 1 Dispositif servant à transmettre un mouvement. 2 Endroit où s'accolent deux éléments fixes contigus. 3 Matériau intercalé entre deux pièces. 4 Moyen de résoudre une affaire. 5 Intermédiaire, lien. *Faire le joint entre deux personnes.* 6 fam Cigarette de haschisch.

jointif, ive a Qui joint sans intervalle.

jointoyer vt [22] Remplir avec du mortier les joints d'une maçonnerie.

jointure nf 1 Articulation. 2 Endroit où se joignent deux éléments.

jojo Loc fam *Affreux jojo :* enfant turbulent. ■ *a inv* Joli. *C'est pas très jojo.*

joker [-kɛr] nm Carte à jouer qui prend la valeur que lui attribue celui qui la détient.

joli, ie a 1 Qui plaît par ses qualités esthétiques, la finesse de ses traits. *Une jolie femme.* 2 Avantageux. *Une jolie situation.* ■ *nm* Loc *C'est du joli !* : c'est mal.

joliesse nf litt Caractère joli.

joliment av 1 Très bien, agréablement. 2 fam Beaucoup, très. *Il est joliment bête.*

jonc [ʒɔ̃] *nm* **1** Plante des lieux humides, dont la tige est droite et flexible. **2** Canne faite avec la tige du jonc d'Inde. **3** Bague ou bracelet dont le cercle est de grosseur uniforme.

jonchée *nf* **1** litt Grande quantité d'objets éparpillés sur le sol. **2** Petit fromage égoutté sur une claie de jonc.

joncher *vt* **1** Recouvrir le sol de branchages, de feuilles, etc. **2** Couvrir en grande quantité.

jonchet *nm* Chacun des petits bâtons jetés pêle-mêle sur une table et qu'il faut retirer un à un sans faire bouger les autres.

jonction *nf* **1** Action de joindre, de se joindre. **2** Point où deux choses se joignent.

jongler *vi* **1** Lancer en l'air des objets qu'on reçoit et qu'on relance alternativement. **2** Manier avec dextérité. *Jongler avec les chiffres.* Loc *Jongler avec les difficultés* : les surmonter.

jonglerie *nf* **1** Virtuosité. **2** Tromperie.

jongleur, euse *n* Artiste qui fait métier de jongler. ■ *nm* HIST Ménestrel.

jonque *nf* Navire à voiles d'Extrême-Orient.

jonquille *nf* Narcisse à fleurs jaunes.

jordanien, enne *a, n* De Jordanie.

jota [xɔta] *nf* **1** Danse populaire espagnole. **2** Son guttural espagnol, noté par la lettre *j.*

jouable *a* **1** Qu'on peut jouer. **2** Qu'on peut risquer, tenter.

joual *nm* Parler populaire du Québec.

jouasse *a* pop Joyeux, content.

joubarbe *nf* Plante grasse.

joue *nf* Partie latérale du visage, de la tête. Loc *Coucher, mettre en joue qqn, qqch* : le viser.

jouer *vi* **1** Se divertir, s'occuper à un jeu. *Les enfants jouent dans la cour.* **2** Se mouvoir (pièce, mécanisme). **3** Ne plus joindre parfaitement, se déboîter. **4** Se déformer sous l'effet de l'humidité. **5** Intervenir, agir. *Ces considérations ont joué dans ma décision.* ■ *vti* **1** S'adonner à tel jeu. **2** Miser de l'argent à un jeu. **3** Spéculer à la Bourse. **4** Tirer des sons d'un instrument de musique. **5** Se servir d'un outil, d'une arme. Loc *Jouer de malchance, de malheur* : ne pas avoir de chance. *Jouer sur les mots* : user d'ambiguïtés verbales. ■ *vt* **1** Faire une partie à tel jeu ou sport. **2** Miser. *Jouer 100 euros sur le favori.* **3** Exécuter au moyen d'un instrument de musique. **4** Représenter sur la scène, au cinéma. *Jouer une comédie.* Loc *Jouer le jeu* : respecter des conventions explicites ou tacites. *Jouer gros jeu* : risquer de grosses sommes. ■ *vpr* litt Se moquer de qqn, le duper. Loc *Se jouer des difficultés* : en triompher aisément.

jouet *nm* Objet avec lequel un enfant joue. Loc *Être le jouet de qqch, de qqn* : en être victime.

joueur, euse *n* **1** Personne qui joue à un jeu, à un sport, d'un instrument. **2** Personne qui a la passion du jeu. Loc *Beau joueur* : qui sait accepter une défaite. *Mauvais joueur* : qui n'aime pas perdre. ■ *a* Qui aime à jouer. *Enfant joueur.*

joufflu, ue *a* Qui a de grosses joues.

joug [ʒu] *nm* **1** Pièce de bois qu'on place sur l'encolure des bœufs pour les atteler. **2** litt Sujétion, contrainte. *Le joug des tyrans.*

jouir *vti* **1** Avoir la possession, le profit de. *Jouir d'une bonne santé.* **2** Tirer grand plaisir de qqch. ■ *vi* Éprouver l'orgasme.

jouissance *nf* **1** Fait d'avoir pleine possession de qqch. **2** Plaisir de l'esprit ou des sens.

jouisseur, euse *n* Personne qui ne songe qu'à jouir des plaisirs matériels.

jouissif, ive *a* pop Qui procure un intense plaisir.

joujou *nm* fam Jouet. *Des joujoux.*

joule *nm* PHYS Unité de mesure d'énergie.

jour *nm* **1** Clarté, lumière du soleil. **2** Temps pendant lequel le soleil éclaire. **3** Espace de vingt-quatre heures. **4** Circonstance, moment indéterminé. **5** Époque actuelle. *Le goût du jour.* **6** Ouverture laissant passer la lumière ; vide. Loc *À jour* : exact, en règle. *Au jour le jour* : sans souci du lendemain. *De jour en jour* : graduellement. *Se faire jour* : apparaître. *Voir le jour* : naître. *Faux jour* : mauvais éclairage. *De jour* : pendant la journée. *Au grand jour* : au vu de tous. *Le petit jour* : l'aube. *D'un jour à l'autre* : à tout moment. *Jour pour jour* : exactement. *Un jour, un de ces jours* : dans l'avenir. ■ *pl* litt Vie. *Mettre fin à ses jours.* Loc *De nos jours* : à l'époque actuelle.

journal, aux *nm* **1** Cahier où on note régulièrement les évènements de sa vie. **2** Registre dans lequel on inscrit jour par jour les opérations comptables. **3** Toute publication quotidienne et, par extension, périodique. **4** Bulletin d'information à la radio, à la télévision.

journalier, ère *a* Qui se fait, se produit chaque jour. Syn. quotidien. ■ *nm* Travailleur agricole payé à la journée.

journalisme *nm* Profession, travail de journaliste.

journaliste *n* Professionnel de l'information écrite ou audiovisuelle.

journalistique *a* Propre aux journaux, au journalisme.

journée *nf* **1** Durée entre le lever et le coucher du soleil. **2** Temps de travail pendant la journée ; salaire de ce travail. **3** Jour marqué par un évènement important.

journellement *av* **1** Chaque jour. **2** Fréquemment.

joute *nf* **1** HIST Combat courtois à cheval. **2** litt Lutte où l'on rivalise de talent. *Joute oratoire.*

jouvence *nf* litt Jeunesse.

jouvenceau, elle *n* litt Jeune homme, jeune fille.

jouxter *vt* litt Se trouver près de.

jovial, ale, aux ou **als** *a* D'une gaieté familière.

jovialement *av* De façon joviale.

jovialité *nf* Humeur joviale.

joyau *nm* **1** Ornement, objet fait d'or, de pierreries. **2** Chose très belle.

joyeusement *av* Avec joie.

joyeux, euse *a* Gai. *Rires joyeux.*

joystick [dʒɔj-] *nm* Manette d'un jeu vidéo, servant à se déplacer sur l'écran.

jubarte *nf* Baleine à bosse.

jubé *nm* Galerie haute qui sépare le chœur de la nef d'une église.

jubilaire *a* D'un jubilé. *Année jubilaire.*

jubilation *nf* Joie intense.

jubilatoire *a* fam Très réjouissant.

jubilé *nm* **1** RELIG Indulgence plénière accordée par le pape. **2** Cinquantième année de mariage, d'activité professionnelle.

jubiler *vi* Éprouver une joie intense.

jucher *vi* Se poser sur une branche en parlant de certains oiseaux. ■ *vt* Placer dans un endroit élevé. ■ *vpr* Se percher.

juchoir *nm* Perchoir.

judaïcité *nf* Fait d'être juif.

judaïque *a* Des Juifs, de la religion juive.

judaïsme *nm* Religion juive.

judaïté *nf* Identité juive. **Var judéité**

judas *nm* **1** litt Traître. **2** Petite ouverture dans une porte pour voir sans être vu.

judéo-allemand *nm* Syn. de *yiddish*.

judéo-chrétien, enne *a* Qui relève des valeurs du judaïsme et du christianisme.

judéo-espagnol *nm* Syn. de *ladino*.

judiciaire *a* Qui relève de la justice.

judiciairement *av* Sur le plan judiciaire.

judicieusement *av* De façon judicieuse.

judicieux, euse *a* Qui juge bien, qui apprécie avec justesse.

judo *nm* Sport de combat d'origine japonaise.

judoka *n* Personne qui pratique le judo.

juge *n* **1** Magistrat ayant pour fonction de rendre la justice. **2** Officiel chargé dans une compétition de veiller à la régularité des épreuves. **3** Personne prise pour arbitre. **Loc** *Être bon, mauvais juge :* capable, incapable de porter un jugement juste. *Juge de proximité :* personne sous l'autorité d'un magistrat du tribunal de grande instance, chargée de trancher les litiges et les contraventions mineurs.

jugé (au) *av* De façon approximative. *Tirer au jugé.* **Var juger (au)**

jugement *nm* **1** Action de juger un procès, un accusé. **2** Faculté d'apprécier avec discernement. *Manquer de jugement.* **3** Opinion, avis. *Le jugement d'un critique sur un film.* **Loc** *Jugement dernier :* celui de Dieu, à la fin du monde.

jugeote *nf* fam Bon sens.

juger *vt* [11] **1** Prendre une décision concernant une affaire, qqn en qualité de juge ou d'arbitre. **2** Émettre une opinion. **3** Penser, estimer. *Il a jugé bon de se taire.* ■ *vti* **1** Porter une appréciation sur. *Juger de la vraisemblance d'un récit.* **2** S'imaginer, se représenter. *Jugez de ma surprise.*

jugulaire *a* De la gorge. *Veine jugulaire.* ■ *nf* Courroie qui maintient un casque.

juguler *vt* Empêcher de se développer.

juif, juive *n* **1** Descendant des anciens Hébreux. **2** Adepte de la religion et des traditions judaïques. ■ *a* Qui concerne les juifs.

juillet *nm* Septième mois de l'année.

juillettiste *n* Personne qui prend ses vacances en juillet.

juin *nm* pop **1** Sixième mois de l'année.

juiverie *nf* HIST Quartier juif, ghetto.

jujube *nm* Fruit comestible du jujubier ; suc extrait de ce fruit, qui a des vertus pectorales.

jujubier *nm* Arbuste cultivé dans les régions méditerranéennes.

juke-box [dʒukbɔks] *nm* Électrophone automatique à la disposition des clients d'un café. *Des juke-boxes.* **Var jukebox**

julep *nm* Préparation sucrée et aromatisée, dans laquelle on dilue un médicament.

jules *nm* pop **1** Souteneur. **2** Amant, mari.

julien, enne *a* *Loc Calendrier julien :* établi par Jules César, et comportant 365,25 jours.

juliénas *nm* Cru du Beaujolais.

julienne *nf* **1** Potage de légumes variés, coupés en menus morceaux. **2** Syn. de *lingue*.

jumbo-jet [dʒɔembodʒɛt] *nm* Avion à réaction de grande capacité. *Des jumbo-jets.*

jumeau, elle *a, n* Se dit d'enfants nés d'un même accouchement. ■ *a* Se dit de choses semblables. *Lits jumeaux.*

jumelage *nm* Action de jumeler.

jumelé, ée *a* Groupé par couple. *Colonnes jumelées.* **Loc** *Pari jumelé :* désignant les deux premiers d'une course de chevaux.

jumeler *vt* [16] ou [18] **1** Apparier deux objets semblables. **2** Associer des villes de pays différents pour des échanges culturels.

jumelle. V. *jumeau.*

jumelles *nfpl* Double lorgnette. (S'emploie parfois au sing.)

jument *nf* Femelle du cheval.

jumping [dʒœmpiŋ] *nm* Épreuve équestre de saut d'obstacles.

jungle [ʒɔ̃gl] *nf* **1** Formation végétale très dense des pays de mousson. **2** Milieu où règne la loi du plus fort. *La jungle des affaires.*

junior *a inv* **1** Cadet. *Dubois junior.* **2** Destiné aux jeunes. *Mode junior.* ■ *n* **1** Enfant ou adolescent. **2** Sportif entre 16 et 21 ans.

junker [junkœr] *nm* HIST Noble terrien en Prusse.

junkie [dʒœnki] *n* pop Toxicomane.

junte [ʒɔ̃t] *nf* Gouvernement d'origine insurrectionnelle.

jupe *nf* **1** Vêtement féminin qui part de la taille et couvre les jambes. **2** Surface latérale d'un piston. **3** Carénage aérodynamique d'un véhicule.

jupe-culotte *nf* Culotte aux jambes très amples, qui ressemble à une jupe. *Des jupes-culottes.*

jupette *nf* Jupe très courte.

jupon *nm* Jupe de dessous.

jurançon *nm* Vin blanc du Sud-Ouest.

jurande *nf* HIST Groupement professionnel sous l'Ancien Régime.

jurassien, enne *a, n* Du Jura.

jurassique *nm, a* GÉOL Période du secondaire, précédant le crétacé.

juré, ée *a* Qui a prêté serment. **Loc** *Ennemi juré :* irréconciliable. ■ *nm* Membre d'un jury.

jurer *vt* **1** Promettre par serment. *Jurer fidélité.* **2** Assurer, certifier. **Loc** *Jurer ses grands dieux :* affirmer fortement. ■ *vi* **1** Faire un serment. **2** Dire des blasphèmes, des jurons. **Loc** *Ne jurer que par :* dire le plus grand bien de. ■ *vti* Aller mal ensemble (couleurs).

jureur *nm* litt Personne qui blasphème. ■ *am* **Loc** HIST *Prêtre jureur :* pendant la Révolution, prêtre qui avait prêté serment de fidélité à la nation.

juridiction *nf* **1** Pouvoir d'un juge, d'un tribunal ; ressort, étendue de ce pouvoir. **2** Ensemble des tribunaux de même nature.

juridictionnel, elle *a* De la juridiction.

juridique *a* Relatif au droit.

juridiquement *av* De façon juridique.

juridisme *nm* Formalisme juridique.

jurisconsulte *n* Personne qui donne des consultations juridiques.

jurisprudence *nf* Ensemble des décisions des tribunaux, servant de référence.

jurisprudentiel, elle *a* DR De la jurisprudence.

juriste *n* Spécialiste du droit.

juron *nm* Expression blasphématoire ou grossière.

jury *nm* **1** Ensemble des jurés d'une cour d'assises. **2** Commission d'examinateurs, d'experts. *Jury d'un festival.*

jus [ʒy] *nm* **1** Suc d'une substance végétale. **2** Suc de viande. **3** pop Café noir. **4** pop Courant électrique.

jusant *nm* MAR Marée descendante.

jusqu'au-boutisme *nm* Position extrémiste. *Des jusqu'au-boutismes.*

jusqu'au-boutiste *a, n* Partisan des solutions extrêmes. *Des jusqu'au-boutistes.*

jusque *prép* (Le *e* de *jusque* s'élide devant voyelle. *Jusques* est poétique.) Suivi de *à, vers, où, en* marque une limite extrême. Loc *Jusqu'à ce que :* marque le terme d'une durée.

jusquiame *nf* Plante très toxique.

justaucorps *nm* Maillot collant utilisé pour la danse, le sport.

juste *a* **1** Conforme à la justice, au droit, à l'équité ; équitable. **2** Conforme à la réalité, à la vérité ; exact, précis, correct. **3** Étroit (vêtements). **4** Qui suffit à peine. *Huit jours pour agir, c'est juste.* ■ *a, n* Qui agit selon la justice, l'équité. Loc *Dormir du sommeil du juste :* profondément, tranquillement. ■ *av* **1** Avec exactitude, comme il convient. *Penser juste.* **2** Précisément. *C'est juste ce qu'il faut.* **3** Seulement. *J'ai juste pris un fruit.* Loc *Au juste :* précisément. *Au plus juste :* avec le plus d'exactitude possible. *Comme de juste :* comme il se doit.

justement *av* De façon juste, précise, pertinente.

justesse *nf* Qualité juste, exacte. Loc *De justesse :* de très peu.

justice *nf* **1** Vertu morale qui réside dans la reconnaissance et le respect des droits d'autrui. **2** Respect du droit, de l'équité, des droits de cha-

cun. **3** Pouvoir de dire le droit. **4** Institution chargée d'exercer ce pouvoir ; tribunal. Loc *Rendre justice à qqn :* reconnaître ses mérites. *Se faire justice :* se suicider. *Se faire justice soi-même :* venger soi-même d'un dommage subi.

justiciable *a, n* Qui relève d'une juridiction. ■ *a* Qui relève de. *Tumeur justiciable d'une opération.*

justicier, ère *n* Redresseur de torts.

justifiable *a* Qui peut être justifié.

justificateur, trice *a* Qui justifie.

justificatif, ive *a* Qui justifie, qui prouve. ■ *nm* Pièce attestant qu'une opération a bien été exécutée.

justification *nf* **1** Action de justifier, de se justifier. **2** Preuve de qqch. *Présenter des justifications.* **3** Longueur d'une ligne typographique.

justifier *vt* **1** Mettre hors de cause. **2** Rendre légitime. *Cela justifie sa colère.* ■ *vti* Constituer une preuve de. *Justifier d'un paiement.* ■ *vpr* Prouver son innocence.

jute *nm* Fibre textile servant à fabriquer une toile grossière.

juter *vi* fam Rendre du jus.

juteux, euse *a* **1** Qui rend beaucoup de jus. **2** fam Qui rapporte, fructueux. *Affaire juteuse.*

juvénile *a* Propre à la jeunesse. *Ardeur juvénile.* ■ *nm* AGRIC Animal jeune.

juxtalinéaire *a* Se dit d'une traduction donnant, sur deux colonnes et ligne par ligne, le texte original et la traduction correspondante.

juxtaposer *vt* Mettre l'un à côté de l'autre.

juxtaposition *nf* Action de juxtaposer.

k *nm* Onzième lettre (consonne) de l'alphabet.

kabbale *nf* Interprétation juive symbolique et ésotérique de la Bible.

kabbaliste *n* Spécialiste de la kabbale.

kabig *nm* Veste de marin breton, à capuchon. **Var kabic**

kabuki [-bu-] *nm* Genre théâtral japonais.

kabyle *a, n* De Kabylie. ■ *nm* Dialecte berbère des Kabyles.

kadaïf *nm* Gâteau oriental au miel.

kaddisch *nm* Prière de la liturgie juive.

kafkaïen, enne *a* Qui a le caractère angoissant des romans de Kafka.

kaiser [kajzœr] *nm* HIST Empereur d'Allemagne.

kakatoès. *V. cacatoès.*

kakémono *nm* Peinture japonaise qui se déroule de haut en bas.

1. kaki *nm* Fruit charnu du plaqueminier.

2. kaki *a inv, nm* Brun-jaune.

kala-azar *nm inv* Maladie parasitaire endémique en Orient.

kalachnikov *nf* Pistolet-mitrailleur.

kaléidoscope *nm* Cylindre creux contenant des miroirs et des paillettes multicolores, formant des motifs ornementaux.

kaléidoscopique *a* Qui évoque le kaléidoscope.

kaliémie *nf* Taux de potassium dans le sang.

kamikaze *nm* **1** HIST Pilote japonais volontaire pour écraser son avion sur les navires ennemis (1944). **2** Personne qui se sacrifie pour une cause.

kana *nm inv* Signe syllabique de l'écriture japonaise.

kanak, e. *V. canaque.*

kangourou *nm* Marsupial d'Australie qui se déplace par bonds.

kanji *nm inv* Signe idéographique de l'écriture japonaise, emprunté au chinois.

kannara *nm* Langue dravidienne de l'Inde du Sud.

kantien, enne *a, n* Qui relève de Kant.

kantisme *nm* Philosophie de Kant.

kaolin *nm* Argile blanche, utilisée dans la fabrication de la porcelaine.

kapo *nm* Dans les camps de concentration nazis, détenu qui dirigeait les autres détenus.

kapok *nm* Duvet végétal du kapokier, utilisé pour le rembourrage.

kapokier *nm* Arbre asiatique.

Kaposi (sarcome de) *nm* Sarcome apparaissant souvent lors du sida.

kappa *nm* Dixième lettre de l'alphabet grec correspondant à *k*.

karakul *nm* Mouton, dont les agneaux mort-nés fournissent l'astrakan. **Var caracul**

karaoké *nm* Appareil permettant de s'enregistrer sur un fond d'accompagnement musical.

karaté *nm* Art martial japonais.

karatéka *n* Personne qui pratique le karaté.

karité *nm* Plante d'Afrique, dont les graines fournissent une graisse.

karma *nm* Dans l'hindouisme, enchaînement des actes et de leurs effets, déterminant le destin des êtres vivants. **Var karman**

karst *nm* Relief typique des régions où les calcaires prédominent.

karstique *a* Qui relève du karst.

kart [kart] *nm* Petit véhicule monoplace de sport à quatre roues, sans carrosserie, équipé d'un moteur de faible cylindrée.

karting [-tiŋ] *nm* Sport pratiqué avec le kart.

kascher. *V. casher.*

kathakali *nm* Théâtre dansé du sud de l'Inde.

kayak *nm* Embarcation à une ou deux places, mue à l'aide d'une pagaie double.

kayakiste *n* Sportif pratiquant le kayak.

kazakh, akhe *a, n* Du Kazakhstan. ■ *nm* Langue turque du Kazakhstan.

kébab *nm* Dés de viande de mouton ou de bœuf rôtis en brochette. **Var kebab** [ke-]

keffieh [kefje] *nm* Coiffure arabe composée d'un carré de tissu maintenu par un gros cordon.

kéfir *nm* Boisson du Caucase, gazeuse et fermentée, préparée avec du lait de chèvre ou de vache. **Var képhir**

kelvin [-vin] *nm* PHYS Unité légale de température absolue (symbole : K).

kémalisme *nm* HIST Mouvement politique se réclamant de Mustapha Kémal.

kendo [ken-] *nm* Art martial japonais, qui se pratique avec des sabres de bambou.

kentia [kɛntja] ou [kɛ̃sja] *nm* Palmier de Nouvelle-Guinée.

kényan, ane *a, n* Du Kenya. **Var kenyan, ane**

képi *nm* Coiffure militaire cylindrique, munie d'une visière.

kératine *nf* Protéine fibreuse, constituant des ongles, des cornes, des poils, etc.

kératite *nf* MED Inflammation de la cornée.

kératoplastie *nf* CHIR Greffe de la cornée.

kératose *nf* MED Épaississement de l'épiderme.

kermès *nm* Loc *Chêne kermès :* chêne méditerranéen, à feuilles dures et persistantes.

kermesse *nf* **1** Dans les Flandres, fête patronale. **2** Fête de charité en plein air. **3** Toute fête foraine.

kérosène *nm* Carburant utilisé dans les réacteurs d'avions.

ketch *nm* Voilier à deux mâts.

ketchup [-tʃœp] *nm* Condiment à base de purée de tomates.

keuf *nm* POP Policier, flic.

keum *nm* POP Individu quelconque, type.

kevlar *nm* (n. déposé) Fibre synthétique très résistante, légère, imputrescible.

keynésianisme *nm* Doctrine économique de Keynes.

keynésien, enne *a, n* Qui relève des théories économiques de Keynes.

khâgne *nf* FAM Classe préparatoire à l'École normale supérieure (lettres).

khâgneux, euse *a* FAM Élève de khâgne.

khalkha *nm* Langue officielle de la Mongolie.

khamsin [xamsin] *nm* Vent brûlant du désert égyptien.

khan *nm* Titre des souverains mongols et des princes turcs.

khat [kat] *nm* Arbuste du Yémen dont les feuilles procurent une sorte d'ivresse quand on les mâche.

khi *nm* Vingt-deuxième lettre de l'alphabet grec, correspondant à *kh.*

khmer, khmère *a, n* Des Khmers, du Cambodge. ■ *nm* Langue officielle du Cambodge.

khoisan *nm* Groupe de langues parlées par les Bochimans et les Hottentots.

khôl *nm* Fard noirâtre. **Var kohol**

kibboutz [-buts] *nm* Exploitation agricole collective, en Israël.

kick *nm* Dispositif de mise en marche, au pied, d'une moto.

kidnapper *vt* Enlever qqn pour obtenir une rançon.

kidnappeur, euse *n* Personne qui kidnappe.

kidnapping [-piŋ] *nm* Enlèvement, rapt.

kif *nm* Mélange de haschich et de tabac.

kiffer *vt* POP Apprécier, aimer. ■ *vi* POP Prendre un vif plaisir, s'éclater.

kif-kif *a inv* Loc FAM *C'est kif-kif :* c'est pareil. **Var kifkif**

kilim *nm* Tapis d'Orient tissé à plat.

kilo *nm* Kilogramme. *Donnez-m'en 3 kilos.*

kilocalorie *nf* Unité valant 1 000 calories (symbole : kcal).

kilocycle *nm* Unité de fréquence égale à 1 kilohertz.

kiloeuro *nm* Unité de compte valant 1 000 euros (symbole : k€).

kilofranc *nm* Unité de compte valant 1 000 francs (symbole : kF).

kilogramme *nm* Unité de masse du système international (symbole : kg).

kilohertz *nm* Unité de fréquence radioélectrique de 1 000 hertz (symbole : kHz).

kilométrage *nm* Nombre de kilomètres parcourus.

kilomètre *nm* Unité de distance (symbole : km) valant 1 000 m. Loc *Kilomètre heure :* unité de mesure de la vitesse d'un véhicule. *Kilomètre lancé :* en ski, épreuve de descente à pleine vitesse chronométrée sur un kilomètre.

kilométrer *vt* [12] Jalonner de bornes kilométriques.

kilométrique *a* Du kilomètre.

kilo-octet *nm* INFORM Unité de mesure valant 100 octets (symbole : ko).

kilotonne *nf* Unité de puissance des explosif nucléaires (symbole : kt).

kilowatt *nm* Unité de puissance (symbole : kW) égale à 1 000 watts.

kilowattheure *nm* Unité de travail ou d'énergi (symbole : kWh).

kilt *nm* Jupe courte et plissée des Écossais.

kimono *nm* **1** Longue tunique japonaise à large manches. **2** Tenue des judokas, karatékas, etc. formée d'un pantalon et d'une veste.

kinésithérapeute *n* Praticien exerçant la kinési thérapie (abrév. : kiné).

kinésithérapie *nf* Mode de traitement, par mas sages et manipulations, de certaines affection osseuses et musculaires.

kinesthésie *nf* Ensemble des sensations qui ren seignent sur les positions et les mouvements d corps.

kinesthésique *a* De la kinesthésie.

king-charles [kiŋʃarl] *nm inv* Petit épagneul à poils longs.

kinkajou *nm* Mammifère carnivore des forêt d'Amérique du Sud.

kinois, oise *a, n* De Kinshasa.

kinyarwanda *nm* Langue bantoue parlée au Rwanda.

kiosque *nm* **1** Pavillon ouvert dans un jardin. **2** Petit pavillon pour la vente de journaux, de fleurs sur la voie publique. **3** Passerelle d'un sous-marin **4** Service télématique accessible par minitel.

kiosquier, ère *n* Personne qui tient un kiosque à journaux.

kip *nm* Unité monétaire du Laos.

kippa *nf* Calotte des juifs pratiquants.

Kippour. V. **Yom Kippour.**

kir *nm* (n. déposé) Mélange vin blanc et cassis.

kirghiz, ize *a, n* Du Kirghizistan. ■ *nm* Langue turque du Kirghizistan.

kirsch [kirʃ] *nm* Eau-de-vie de cerises.

kirundi *nm* Langue bantoue parlée au Burundi.

kit [kit] *nm* **1** Objet vendu en pièces détachées dont l'assemblage est à réaliser par l'acheteur. **2** Ensemble formant un tout fonctionnel.

kitchenette *nf* Petite cuisine.

kitsch [kitʃ] *a inv, n* Se dit d'objets et d'œuvres picturales au style volontairement démodé.

kiwi [kiwi] *nm* **1** Oiseau des forêts de Nouvelle-Zélande. Syn. aptéryx. **2** Fruit à l'écorce velue et à la chair parfumée.

klaxon [-son] *nm* (n. déposé) Avertisseur sonore d'automobile.

klaxonner [-sone] *vi* Faire usage du klaxon.

kleenex [kli-] *nm* (n. déposé) Mouchoir jetable en papier.

kleptomane *n, a* Qui souffre de kleptomanie. **Var cleptomane**

kleptomanie *nf* Impulsion à commettre des vols. **Var cleptomanie**

ickers [nikœʀs] *nmpl* Culottes larges serrées -dessous du genou.

ock-down [nɔkdawn] *nm inv* Mise à terre n boxeur qui se relève ensuite.

ock-out [nɔkawt] *nm inv* SPORT Mise hors combat d'un boxeur. ■ *a inv* fam Assommé brév. : K-O). **Var knockout**

out *nm* Fouet russe à lanières de cuir.

ow-how [noaw] *nm* ÉCON Savoir-faire.

O *V. knock-out.*

ala *nm* Marsupial grimpeur d'Australie.

hol. *V. khôl.*

inè [kɔjnɛ] *nf* **1** Langue grecque commune du onde hellénistique. **2** Toute langue servant à ntercompréhension dans une région.

la *nf* Graine du kolatier, riche en caféine. **Var la**

latier *nm* Arbre d'Afrique.

lkhoze *nm* HIST Exploitation agricole collec-e, en URSS.

lkhozien, enne *a, n* Du kolkhoze.

peck *nm* Centième partie du rouble.

ra *nf* Luth d'Afrique de l'Ouest.

rê *nf* BX-A Statue grecque représentant une jeune le.

rrigan, ane *n* Génie malfaisant des légendes etonnes.

to *nm* Sorte de luth d'Extrême-Orient.

ubba *nf* Monument élevé sur la tombe d'un arabout.

uglof *nm* Gâteau alsacien, brioche aux raisins cs.

uign-amann *nm* Gâteau breton au beurre, très cré.

koulak *nm* Paysan russe aisé à la fin du XIXe s. et au début du XXe s.

kouros [-ʀɔs] *nm* BX-A Statue grecque représentant un jeune homme nu.

koweïtien, enne *a, n* Du Koweït. **Var koweïti**

krach [kʀak] *nm* **1** Effondrement de la Bourse. **2** Faillite brutale.

kraft *nm* Papier fort pour les emballages.

krill *nm* Crustacé vivant en bancs, dont se nourrissent les cétacés.

kriss *nm* Poignard malais à lame ondulée.

krypton *nm* Gaz rare de l'air.

ksi *nm* Quatorzième lettre de l'alphabet grec, correspondant à *x*. **Var xi**

kummel *nm* Liqueur alcoolique au cumin.

kumquat [kumkwat] *nm* Petit agrume que l'on mange avec son écorce.

kung-fu [kuŋfu] *nm inv* Art martial chinois.

kurde *a, n* Du Kurdistan. ■ *nm* Langue iranienne parlée par les Kurdes.

kuru *nm* Encéphalite provoquée par un virus lent.

kwanza *nm* Unité monétaire de l'Angola.

kwashiorkor [kwaʃjɔʀkɔʀ] *nm* Maladie tropicale marquée par une dénutrition extrême.

k-way [kawɛ] *nm inv* (n. déposé) Coupe-vent très léger.

kyat *nm* Unité monétaire de la Birmanie.

kyrie [kiʀije] *nm inv* RELIG Invocation au début de la messe. **Var kyrie eleison** [kiʀijeeleison]

kyrielle *nf* fam Longue suite.

kyste *nm* Tumeur bénigne contenant une substance liquide ou solide.

kystique *a* De la nature du kyste.

kyudo [kjudo] *nm* Art martial japonais du tir à l'arc.

L | L | L
L | L | L
L | L | L

l nm **1** Douzième lettre (consonne) de l'alphabet. **2** L : chiffre romain valant 50.

1. la. V. le.

2. la nm inv Sixième note de la gamme. Loc *Donner le la* : donner le ton.

là av **1** Dans ce lieu, cette circonstance (en oppos. ou non à ici). *Installez-vous là. Je suis là. Il y a là de quoi s'inquiéter.* **2** À tel moment précis. *C'est là qu'il a mentionné votre nom.* **3** À tel point déterminé. *Tenez-vous en là. En venir là.* **4** Renforce un adjectif démonstratif. *Cet homme-là.* Loc *Là-bas* : à tel endroit au loin. *Là-haut* : en tel endroit élevé. *De là* : de cet endroit ; d'où, en conséquence. *D'ici là* : du moment présent à tel autre. *Loin de là* : au contraire. *Par là* : dans les environs ; par ces mots.

là-bas. V. là.

label nm **1** Marque délivrée par un organisme officiel, et apposée sur certains articles. **2** Éditeur de disques.

labelliser vt Garantir par un label. **Var labéliser**

labeur nm litt Travail long et pénible.

labial, ale, aux a didac Relatif aux lèvres.

labié, ée a BOT Se dit d'une corolle à deux lobes en forme de lèvres.

labile a Sujet à se transformer, à disparaître.

labo nm Abrév. familière de *laboratoire*.

laborantin, ine n Assistant, aide, technicien dans un laboratoire.

laboratoire nm Local aménagé pour mener à bien des travaux de recherche scientifique ou technique, des analyses biologiques, des travaux photographiques, etc. Loc *Laboratoire pharmaceutique* : entreprise industrielle où on fabrique les médicaments. *Laboratoire de langues* : local aménagé pour enseigner les langues étrangères à l'aide de magnétophones.

laborieusement av Péniblement.

laborieux, euse a **1** Qui travaille beaucoup. **2** Qui coûte beaucoup d'efforts. *Entreprise laborieuse.* **3** Qui manque de spontanéité.

labour nm Travail de labourage, façon donnée à une terre. ■ pl Terres labourées.

labourable a On peut être labouré, cultivé.

labourage nm Action de labourer.

labourer vt **1** Retourner la terre avec la charrue, la bêche, la houe, etc. **2** Creuser, déchirer. *La balle a labouré les chairs.*

laboureur nm litt Cultivateur, paysan.

labrador nm Chien de chasse à poil ras.

labre nm Gros poisson vorace des côtes rocheuses. Syn. vieille.

labyrinthe nm **1** Ensemble compliqué, où il est difficile de se reconnaître. Syn. dédale. **2** Jardin d'agrément dont les allées, bordées de haies épaisses, sont tracées selon un plan compliqué. **3** ANAT Cavité de l'oreille interne.

labyrinthique a D'un labyrinthe ; très compliqué.

labyrinthite nf Inflammation de l'oreille interne.

lac nm Grande étendue d'eau à l'intérieur des terres. Loc fam *Tomber dans le lac* : échouer.

laçage nm Action ou manière de lacer.

lacédémonien, enne a, n De Lacédémone.

lacer vt [10] Fermer, serrer, assujettir au moyen d'un lacet. *Lacer ses chaussures.*

lacération nf Action de lacérer.

lacérer vt [12] Déchirer, mettre en pièces.

lacertilien nm ZOOL Syn. de *saurien*.

lacet nm **1** Cordon que l'on passe dans des œillets pour serrer une partie de vêtement ou de chaussure. **2** Virage serré d'une route en zigzag. **3** Nœud coulant utilisé pour piéger le gibier.

lâchage nm Action de lâcher.

lâche a **1** Qui n'est pas tendu, serré. *Nœud trop lâche.* **2** Qui manque de vigueur. *Style lâche.* ■ a, n **1** Qui est sans courage. *Être lâche face au danger.* **2** Vil, méprisable.

lâchement av Avec lâcheté, bassesse.

lâcher vt **1** Détendre, desserrer. **2** Cesser de tenir. **3** Laisser aller, laisser échapper. *Lâcher les chiens contre qqn.* **4** fam Abandonner. *Lâcher ses amis.* **5** Lancer. *Lâcher un coup de fusil.* ■ vi Céder, se rompre. *La corde a lâché.* ■ nm Action de laisser aller. *Un lâcher de pigeons.*

lâcheté nf **1** Manque de courage ; poltronnerie, couardise. **2** Action lâche, indigne.

lâcheur, euse n fam Personne qui abandonne ses amis.

lacis [-si] nm Entrelacement, réseau.

laconique a Qui parle peu ; bref, concis.

laconiquement av De façon laconique.

laconisme nm Concision extrême.

lacrima-christi nm inv Vin blanc du Vésuve.

lacrymal, ale, aux a Relatif aux larmes.

lacrymogène a Qui provoque les larmes. *Gaz lacrymogène.*

lacs [lɑ] nm Nœud coulant servant à prendre du gibier. *Tendre des lacs.*

lactaire nm Champignon qui laisse écouler un latex si on le casse.

lactation nf Sécrétion et excrétion du lait par la glande mammaire.

lacté, ée a 1 Qui a rapport au lait, qui en a la couleur. 2 Qui contient du lait. *Farine lactée.* Loc *Voie lactée* : bande blanchâtre formée dans le ciel par d'innombrables étoiles.

lactescent, ente a 1 Qui a la couleur du lait. 2 Qui contient du latex.

lactique a Loc *Acide lactique* : contenu dans le petit-lait. *Ferments lactiques* : employés dans l'industrie laitière pour coaguler la caséine.

lactose nm CHIM Sucre contenu dans le lait.

lactosérum [-ʁɔm] nm Petit-lait.

lacunaire a Qui présente des lacunes. **Var lacuneux, euse**

lacune nf 1 Vide, cavité à l'intérieur d'un corps. 2 Ce qui manque pour que qqch soit complet. *Les lacunes d'une loi, d'un manuscrit.*

lacustre a Qui vit au bord ou dans l'eau des lacs. Loc PRÉHIST *Cité lacustre* : bâtie sur pilotis au bord d'un lac.

lad nm Garçon d'écurie chargé du soin des chevaux de course.

là-dedans, là-dessous, là-dessus. V. *dedans, dessous, dessus.*

ladin nm Langue romane du Tyrol du Sud.

ladino nm Langue des Juifs expulsés d'Espagne au XVᵉ s. Syn. judéo-espagnol.

ladite. V. *dit.*

ladre a VÉTER Dont les tissus contiennent des larves de ténia. ■ a, n litt Très avare.

ladrerie nf 1 VÉTER Maladie d'un animal ladre. 2 litt Avarice sordide.

lady [lɛdi] nf Femme noble anglaise. *Des ladies* ou *ladys.*

lagon nm Étendue d'eau séparée de la pleine mer par un récif corallien.

lagopède nm Oiseau montagnard appelé aussi *perdrix des neiges.*

laguiole [lajɔl] nm 1 Fromage voisin du cantal. 2 Couteau fermant à manche de corne.

lagunaire a Des lagunes.

lagune nf Étendue d'eau de mer, séparée du large par une bande de terre ou de sable.

là-haut. V. *là.*

1. lai nm LITTER Petit poème médiéval.

2. lai, laie a Se dit de religieux non prêtres servant dans un couvent.

laïc. V. *laïque.*

laiche nf Plante vivace des lieux humides.

laïcisation nf Action de laïciser.

laïciser vt Ôter tout caractère religieux à.

laïcisme nm Doctrine des partisans de la laïcité.

laïcité nf 1 Caractère laïque. 2 Principe de séparation des Églises et de l'État.

laid, aide a 1 Qui heurte le sens esthétique, désagréable à la vue. 2 Contraire aux bienséances ou à la probité. *C'est laid de tricher.*

laidement av De façon laide.

laideron nm Femme ou jeune fille laide.

laideur nf Caractère laid.

laie nf 1 Femelle du sanglier. 2 Chemin forestier rectiligne.

lainage nm 1 Étoffe de laine. 2 Vêtement laine. 3 Opération qui consiste à lainer.

laine nf 1 Poil doux, épais et frisé, qui consti la toison des moutons et de quelques autres a maux. 2 Vêtement de laine. 3 Fibres de différen matières utilisées comme isolants. *Laine de ver* 4 BOT Duvet de certaines plantes.

lainer vt TEXT Donner un aspect pelucheux à tissu par grattage.

laineux, euse a 1 Très fourni en laine. 2 Qu l'aspect de la laine. *Plante laineuse.*

lainier, ère a De la laine. *Industrie lainière.*

laïque a 1 Chrétien qui n'est ni clerc ni religie ■ a Qui n'a pas de caractère religieux, conf sionnel. *École laïque.* **Var laïc, laïque**

laisse nf 1 Lien servant à attacher un chien, petit animal. 2 Partie du rivage alternativem recouverte et découverte par la mer. 3 LITTER C plet, suite de vers d'une chanson de geste. *Tenir en laisse* : contraindre.

laissé-pour-compte nm 1 Marchandise refu par un client. 2 Chose ou personne dont person ne veut. *Des laissés-pour-compte.*

laisser vt 1 Ne pas prendre, volontairement non ; ne pas retirer. *Laisser du vin dans son ver Laisser des fautes dans un texte.* 2 Abandonn quitter. *Laisser son pays, ses amis.* 3 Être à l' gine de qqch, de qqn qui subsiste après soi. *Lais une empreinte. Mourir en laissant des orpheli* 4 Ne pas faire changer de lieu, d'état. *Laisser t en place. Laisser un champ en friche.* 5 Acc der de la disposition de. *Laisser sa place à qqn* Donner, céder. *Laisser un pourboire au perso nel.* 7 Confier, mettre en dépôt. *Laisser ses clés gardien.* 8 Transmettre à ses successeurs. *Lais un gros héritage.* 9 Ne pas empêcher de. *Lais les enfants s'amuser.* Loc *Laisser tomber* : nég ger, abandonner. *Laisser faire* : ne pas interve Laisser à penser* : susciter des réflexions. *N pas laisser de* : ne pas manquer de. ■ vpr Loc *laisser aller* : s'abandonner par manque d'é gie. *Se laisser vivre* : vivre dans l'insouciance *Se laisser dire que* : entendre dire que. *Se laisse faire* : ne pas opposer de résistance.

laisser-aller nm inv Abandon dans les manièr les attitudes ; négligence.

laisser-faire nm inv Attitude consistant à ne p intervenir.

laissez-passer nm inv Autorisation écrite laisser qqn ou qqch entrer, sortir, circuler.

lait nm 1 Liquide opaque, blanc, de saveur dou que sécrètent les glandes mammaires des femel des mammifères. 2 Liquide ayant l'aspect du la *Lait démaquillant.* Loc *Lait de poule* : lait suc auquel on a incorporé un jaune d'œuf. *Lait chaux* : chaux éteinte délayée dans de l'eau.

laitage nm Aliment à base de lait.

laitance nf Substance comestible constituée p le sperme des poissons. **Var laite**

laiterie nf 1 Lieu où on traite le lait et ses dériv 2 Industrie du lait.

laiteron nm Plante herbacée à latex blanc.

laiteux, euse a Qui a l'aspect du lait.

laitier, ère a Du lait. *L'industrie laitière.* L *Vache laitière* : élevée pour son lait. ■ n Co merçant en produits laitiers. ■ nm Sous-prod métallurgique utilisé en cimenterie.

laiton nm Alliage de cuivre et de zinc.

itue *nf* Plante herbacée cultivée pour être consommée en salade.

ïus [lajys] *nf fam* Discours, exposé.

ïusser *vi fam* Faire un laïus.

ïusseur, euse *n fam* Discoureur intarissable.

allation *nf* **1** Défaut de prononciation de la consonne *l*. **2** Émission par le nourrisson de sons dépourvus de signification.

, lama *nm* Mammifère ruminant des montagnes d'Amérique du Sud.

, lama *nm* Religieux bouddhiste du Tibet.

amaïsme *nm* Forme prise par le bouddhisme au Tibet et en Mongolie.

amantin *nm* Gros mammifère aquatique des régions tropicales.

amaserie *nf* Couvent de lamas.

ambda *nm* Onzième lettre de l'alphabet grec équivalent à notre *l*. ■ *a inv fam* Quelconque, moyen. *Le citoyen lambda.*

ambeau *nm* **1** Morceau déchiré de tissu, de papier, etc. **2** Fragment, débris. *Lambeaux de territoire.*

ambic *nm* Bière belge, appelée aussi *gueuze.*

ambin, ine *n, a fam* Qui lambine.

ambiner *vi fam* Agir avec lenteur, indolence.

ambliase *nf* Infection intestinale due à un parasite.

ambourde *nf* **1** TECH Pièce de bois qui supporte les lames d'un parquet. **2** BOT Rameau terminé par des bourgeons à fruits.

ambrequin *nm* Bande d'étoffe festonnée bordant un ciel de lit, un dais, etc.

ambris [-bʀi] *nm* Revêtement de menuiserie sur les parois intérieures d'une pièce.

ambrissage *nm* Action de lambrisser.

ambrisser *vt* Revêtir de lambris.

ambrusque *nf* Vigne sauvage.

ame *nf* **1** Bande de matière dure, mince et allongée. **2** Fer d'un outil coupant. *Lame de couteau, de ciseaux.* **3** Grosse vague. **Loc** *Lame de fond* : phénomène violent.

amé, ée *a, nm* Se dit d'une étoffe entremêlée de fils d'or, d'argent, etc.

amellaire *a* didac Qui, par sa structure, peut se diviser en lames, en lamelles.

amelle *nf* Petite lame, tranche très mince. *Champignons à lamelles.*

amellé, ée *a* Constitué de lamelles.

amellibranche *nm* ZOOL Mollusque aquatique à coquille, tel que les huîtres, les moules.

amellicorne *nm* ZOOL Coléoptère à antennes courtes, tel que les scarabées, les hannetons.

amelliforme *a* En forme de lamelles.

amentable *a* Déplorable, navrant, pitoyable. *Le sort lamentable des réfugiés.*

amentablement *av* De façon lamentable.

amentation *nf* **1** Plainte accompagnée de gémissements. **2** Récrimination geignarde.

amenter (se) *vpr* Se plaindre ; gémir.

amento [-mɛn-] *nm* MUS Morceau triste, plaintif.

amie *nf* Grand requin des mers d'Europe.

amier *nm* Plante herbacée appelée aussi *ortie blanche.*

amifié *nm* Matériau obtenu par pressage de feuilles ou de fibres (verre, tissu, bois, papier) imprégnées de résine.

aminage *nm* Action de laminer.

laminaire *nf* Longue algue brune.

laminer *vt* **1** Amincir par le laminoir. **2** Réduire à l'extrême, écraser. *Laminer l'opposition.*

laminoir *nm* Machine composée de cylindres tournant en sens inverse pour amincir une masse métallique.

lampadaire *nm* Support vertical d'un système d'éclairage.

lampant, ante *a* Se dit du pétrole raffiné utilisé pour l'éclairage.

lamparo *nm* Lampe avec laquelle les pêcheurs méditerranéens attirent le poisson.

lampe *nf* **1** Appareil d'éclairage. *Lampe à huile. Lampe électrique.* **2** Appareil dont la flamme sert à fournir de la chaleur. *Lampe à souder.* **Loc** pop *S'en mettre plein la lampe* : manger et boire copieusement.

lampée *nf fam* Grande gorgée de liquide.

lamper *vt* Boire à grands traits.

lampion *nm* Lanterne vénitienne. **Loc** *Sur l'air des lampions* : en scandant sur le même ton les syllabes des mots de circonstance.

lampiste *nm* **1** Chargé de l'entretien des appareils d'éclairage. **2** *fam* Employé subalterne. **3** *fam* Subordonné sur lequel les chefs font retomber la responsabilité de leurs fautes.

lamproie *nf* Animal aquatique allongé comme une anguille.

lampyre *nm* Insecte dont la femelle émet de la lumière (ver luisant).

lance *nf* **1** Arme offensive à longue hampe et à fer pointu. **2** Embout d'un tuyau souple servant à diriger un jet d'eau. **Loc** *Fer de lance* : élément le plus dynamique d'un dispositif militaire, d'un secteur économique. litt *Rompre des lances avec qqn* : discuter âprement avec lui.

lancé, ée *a* Qui a atteint une certaine notoriété. *Un artiste lancé.*

lancée *nf* **Loc** *Sur sa lancée* : sur son élan.

lance-flamme *nm* Arme portative servant à projeter un liquide enflammé. *Des lance-flammes.*

lance-fusée *nm* Pistolet pour tirer des fusées de signalisation. *Des lance-fusées.*

lance-grenade *nm* Arme servant à lancer des grenades. *Des lance-grenades.*

lancement *nm* Action de lancer.

lance-missile *nm* Engin conçu pour le tir des missiles. *Des lance-missiles.*

lancéolé, ée *a* BOT En forme de fer de lance.

lance-pierre *nm* Jouet muni d'élastiques pour lancer des pierres ; fronde. *Des lance-pierres.*

lancer *vt* [10] **1** Jeter avec force loin de soi. *Lancer une balle, des pierres.* **2** Porter vivement un coup. *Lancer une ruade.* **3** Émettre avec intensité ou violence. *Lancer un cri.* **4** Faire se porter en avant avec vivacité. *Lancer sa monture.* **5** Faire démarrer, mettre en route. *Lancer un moteur.* **6** Mettre à l'eau un navire pour la première fois. **7** *fam* Amener qqn à parler de qqch. **8** Faire connaître du public. *Lancer un artiste, un nouveau modèle.* ■ *vpr* Se jeter avec hardiesse, avec fougue. *Lancer des grenades.* **Loc** *Pêche au lancer* : consistant à lancer l'appât le plus loin possible et à le ramener à l'aide d'un moulinet.

lance-roquette *nm* Tube permettant le tir de roquettes. *Des lance-roquettes.*

lance-torpille *nm* Appareil servant à lancer des torpilles. *Des lance-torpilles.*

lancette nf Petit instrument de chirurgie.

lanceur, euse n Personne qui lance. ■ nm Véhicule permettant d'envoyer une charge dans l'espace.

lancier nm Cavalier armé d'une lance.

lancinant, ante a Qui lancine.

lancination nf Douleur lancinante. **Var lancinement** nm

lanciner vi, vt 1 Faire souffrir par des élancements douloureux. 2 Tourmenter, obséder.

lançon nm Autre nom de l'*équille*.

Land [lɔ̃d] nm État d'Allemagne, province autrichienne. *Des Länder* [lɛndœʀ] *ou Lands*.

landais, aise a, n Des Landes.

landau nm Voiture d'enfant à grandes roues, munie d'une capote. *Des landaus*.

lande nf Terre inculte et peu fertile où ne croissent que des ajoncs, des bruyères, etc.

landgrave nm HIST Titre de certains princes d'Allemagne.

landier nm anc Grand chenet garni de crochets pour soutenir les broches.

landolphia nf Liane d'Afrique, dont le latex fournit un caoutchouc.

langage nm 1 Faculté humaine de communiquer au moyen de signes vocaux (parole) ou de leur notation graphique (écriture). 2 Tout autre moyen d'expression socialement codifiée. *Langage des sourds-muets.* 3 Système de transmission d'informations chez certaines espèces animales. *Le langage des abeilles.* 4 Manière de s'exprimer propre à un ensemble social, à un individu, etc. *Langage technique.* 5 Le contenu de l'expression orale ou écrite. *Un langage subversif.* 6 INFORM Série d'instructions utilisant divers signes, numériques et alphabétiques.

langagier, ère a Du langage.

lange nm Étoffe servant à envelopper les enfants au berceau.

langer vt [11] Envelopper de langes.

langoureusement av De façon langoureuse.

langoureux, euse a Qui marque la langueur, la tendresse ; alangui.

langouste nf Gros crustacé marin proche du homard, à la chair estimée.

langoustier nm 1 Bateau équipé pour la pêche de la langouste. 2 Filet à langoustes.

langoustine nf Petit crustacé marin aux pinces longues et étroites.

langres nm Petit fromage fermenté, au lait de vache.

langue nf 1 Organe charnu et mobile situé dans la bouche. 2 Système de signes graphiques ou vocaux au moyen duquel les membres d'une communauté s'expriment et communiquent entre eux. *La langue française.* 3 Forme de langage propre à un milieu, à une profession, à un individu. *Langue technique. La langue de Rabelais.* **Loc** *Faire tirer la langue à qqn :* lui faire attendre longtemps ce qu'il désire. *Ne pas savoir tenir sa langue, avoir la langue trop longue :* ne pas savoir taire un secret. *Avoir la langue bien pendue :* avoir la parole facile ou hardie. *Avoir un mot sur le bout de la langue :* avoir l'impression qu'il va revenir à la mémoire. *Se mordre la langue :* retenir à temps une parole ou se repentir de l'avoir dite. *Prendre langue avec qqn :* entrer en rapport avec lui. *Mauvaise langue, langue de vipère :* personne médisante. *Langue de terre :* bande de terre étroite qui s'avance dans les eaux. *Langues vivantes :* cell[...] qui sont toujours en usage. *Langues mortes :* cell[...] qui ne se parlent plus. *La langue verte :* l'argo[...] *Langue de bois :* discours dogmatique stéréotyp[...]

langue-de-bœuf nf Fistuline (champignon). D[...] langues-de-bœuf.

langue-de-chat nf Petit gâteau sec, allongé[...] plat. *Des langues-de-chat.*

languedocien, enne a, n Du Languedoc.

languette nf 1 Ce qui a la forme d'une peti[...] langue. *Languette de cuir d'une chaussure.* 2 Pa[...] tie mâle d'un assemblage destinée à s'encastr[...] dans une rainure. 3 MUS Anche libre, dans certai[...] instruments à vent.

langueur nf 1 Apathie paralysant toute éne[...] gie ; dépression. 2 Disposition d'esprit tendre[...] rêveuse.

languide a litt Langoureux, languissant.

languir vi 1 litt Souffrir d'un affaiblissement, s[...] sentir déprimé. 2 Attendre dans l'ennui ou ave[...] impatience. 3 Manquer d'intérêt ; traîner en lo[...] gueur ; péricliter. *La conversation languit.* ■ v[...] litt S'ennuyer, se morfondre.

languissant, ante a Qui languit.

lanière nf Bande de cuir longue et étroite.

lanifère a didac Couvert de laine ou de duvet. V[...] **lanigère**

lanoline nf Corps gras, extrait du suint des laine[...] utilisé en pharmacie et en parfumerie.

lansquenet nm HIST Fantassin mercenaire alle[...] mand (XVᵉ-XVIᵉ s.).

lanterne nf 1 Appareil d'éclairage, boîte au[...] parois transparentes ou translucides. 2 ARCHI Pe[...] dôme vitré placé au sommet d'un édifice. L[...] *Éclairer la lanterne de qqn :* le renseigner. *La[...] terne magique :* autrefois, appareil de projectio[...] d'images sur un écran. fam *Lanterne rouge :* [...] dernier d'un classement. *Lanterne vénitienne [...] lanterne de papier coloré, utilisée pour les illum[...] nations. ■ pl Lampes d'une automobile donna[...] le plus faible éclairage.

lanterneau nm ARCHI Petite lanterne au somm[...] d'un comble, d'un dôme. **Var lanternon**

lanterner vi fam Perdre son temps à des riens. L[...] *Faire lanterner qqn :* le faire attendre.

lanthane nm CHIM Élément métallique, peu abo[...] dant dans la nature.

laotien, enne a, n Du Laos. ■ nm Langue th[...] parlée au Laos.

lapalissade nf Vérité évidente.

laparoscopie nf MED Examen endoscopique de [...] cavité abdominale.

laparotomie nf CHIR Ouverture de l'abdomen.

lapement nm Action de laper ; bruit produit e[...] lapant.

laper vt Boire en tirant le liquide à coups de langu[...] *Le chat lape du lait.*

lapereau nm Jeune lapin.

lapidaire a 1 Relatif aux pierres. *Inscriptio[...] lapidaire.* 2 Relatif aux pierres précieuses. 3 Tr[...] concis. *Style lapidaire.* ■ n Personne qui taille o[...] vend des pierres précieuses.

lapidation nf Action de lapider.

lapider vt Tuer à coups de pierres.

lapilli nm Petites projections volcaniques.

lapin, ine n Petit mammifère herbivore élev[...] pour sa chair ou sa fourrure. **Loc** fam *Chaud lapin[...] homme sexuellement ardent. *Lapin de garenne[...] lapin sauvage. fam *Coup du lapin :* coup violer[...]

...rté sur la nuque. fam *Poser un lapin :* ne pas ...nir à un rendez-vous.

...**piner** *vi* Mettre bas (lapine).

...**pis** [lapis] nm Pierre d'un beau bleu, ...cherchée en joaillerie. **Var** lapis-lazuli

...**pon, one** a, n De Laponie.

...**ps** nm Loc *Laps de temps :* espace de temps.

...**psus** [lapsys] nm Erreur qu'on commet en par-...nt ou en écrivant.

...**quage** nm Opération qui consiste à recouvrir ... laque un objet.

...**quais** nm 1 Autrefois, valet en livrée. 2 litt ...omme servile.

...**que** nf 1 Sève résineuse rouge foncé de divers ...bres d'Asie. 2 Vernis coloré obtenu à partir de ...tte résine. 3 Peinture qui a un aspect brillant et ...r. 4 Substance que l'on vaporise sur les che-...eux pour les fixer. ■ nm Objet d'art laqué.

...**qué, ée** a Loc *Canard, porc laqué :* enduit ...une sauce aigre-douce qui brille après cuisson.

...**quelle.** V. lequel.

...**quer** vt Recouvrir de laque, d'une peinture ou ...un enduit brillants.

...**rbin** nm fam 1 Domestique de sexe masculin. 2 ...omme servile.

...**rcin** nm Petit vol commis sans violence.

...**rd** nm Tissu conjonctif chargé de graisse, situé ...us la peau du porc, des cétacés. Loc fam *Gros ...rd :* homme gras et lourdaud. fam *Tête de lard :* ...têté, d'humeur peu accommodante.

...**rder** vt 1 Piquer de petits morceaux de lard ...ans la viande. 2 Porter de nombreux coups ...épée, de couteau.

...**rdoire** nf Brochette pour larder la viande.

...**rdon** nm 1 Petit morceau de lard allongé avec ...quel on larde la viande. 2 pop Jeune enfant.

...**re** nm ANTIQ Divinité romaine protectrice du ...yer.

...**rgable** a Qui peut être largué.

...**rgage** nm Action de larguer.

...**rge** a 1 Dont la largeur est importante. *Cou-...ir large :* Ample. *Chandail trop large.* 3 Qui a ...lle largeur. *Route large de 10 mètres.* 4 Étendu, ...aste, grand. *De larges possibilités.* 5 Généreux, ...i donne beaucoup. 6 Tolérant. *Un esprit large.* ... nm 1 Largeur. *Cette table a 90 cm de large.* ... La haute mer. Loc *Au large de :* en mer, en ...ce de tel point de la côte. *Être au large :* être ... l'aise. fam *Prendre le large :* s'enfuir. ■ av De ...anière large, sans étroitesse de vues. Loc *Ne ...us en mener large :* avoir peur dans une situa-...on fâcheuse.

...**rgement** av 1 De façon large. 2 Au moins. ...ette valise pèse largement 10 kilos.

...**rgesse** nf litt Générosité. ■ pl Dons généreux.

...**rgeur** nf 1 Une des dimensions d'une surface ...ar oppos. à *longueur).* 2 Qualité de ce qui n'est ...as borné, mesquin. *Largeur d'esprit.* Loc fam ...ans les grandes largeurs :* totalement.

...**rghetto** [-gɛ-] av, nm MUS Un peu moins lente-...ent que largo.

...**rgo** av, nm MUS Avec un mouvement très lent ...majestueux.

...**rgue** nm MAR Allure de route d'un bateau qui ...çoit le vent arrière oblique.

...**rguer** vt MAR Lâcher, laisser aller. *Larguer une ...marre.* 2 Lâcher en cours de vol. *Larguer des ...ombes.* 3 fam Jeter. Loc *Être largué :* ne plus ... comprendre.

larigot n MUS Petit flageolet.

larme nf 1 Goutte du liquide sécrété par les glandes lacrymales. 2 fam Très petite quantité de boisson. Loc *Larmes de crocodile :* hypocrites. *Rire aux larmes :* très fort. *À chaudes larmes :* en pleurant abondamment.

larmier nm 1 ARCHI Moulure en saillie qui collecte les gouttes de ruissellement. 2 ANAT Angle interne de l'œil.

larmoiement nm Fait de larmoyer.

larmoyant, ante a 1 Qui larmoie. 2 Propre à faire verser des larmes, à attendrir.

larmoyer vi [22] 1 Être plein de larmes. *Des yeux qui larmoient.* 2 Pleurnicher.

larron nm litt Voleur. Loc *Le troisième larron :* celui qui profite du désaccord des autres. *S'en-tendre comme larrons en foire :* être d'accord pour jouer quelque mauvais tour.

larsen [-sɛn] nm Sifflement intense dû au rap-prochement entre le micro et un haut-parleur.

larvaire a De la larve.

larve nf 1 Forme que prennent certains animaux entre l'état embryonnaire et l'état adulte. 2 fam Individu apathique.

larvé, ée a Qui ne se déclare pas franchement ; insidieux. *Révolte larvée.*

laryngé, ée a Du larynx. **Var** laryngien, enne

laryngectomie nf CHIR Ablation du larynx.

laryngite nf Inflammation du larynx.

laryngophone nm Microphone mis en fonction-nement par les vibrations du larynx.

laryngoscope nm Appareil qui permet d'exami-ner le larynx.

laryngoscopie nf Examen du larynx avec un laryngoscope.

laryngotomie nf CHIR Incision du larynx.

larynx nm Organe essentiel de la phonation, entre la trachée et le pharynx.

1. las, lasse [lɑ, lɑs] a 1 Fatigué. 2 Ennuyé, excédé, dégoûté. *Être las de tout.*

2. las ! [las] interj litt Hélas !

lasagne nf Pâte alimentaire en large ruban.

lascar nm fam Homme malin, hardi.

lascif, ive a 1 Porté à la volupté. 2 Qui exprime ou excite la sensualité.

lascivement av litt De façon lascive.

lascivité nf litt Caractère lascif. **Var** lasciveté

laser [-zɛr] nm Appareil qui produit un faisceau lumineux d'une extrême intensité.

lassant, ante a Qui lasse.

lasser vt Fatiguer ; ennuyer.

lassitude nf 1 Fatigue physique. 2 Ennui, décou-ragement.

lasso nm Corde à nœud coulant utilisée pour capturer les chevaux sauvages.

latex nm (n. déposé) Fil de caoutchouc gainé de textile (laine, coton, rayonne, etc.).

lasure nf Produit de protection du bois par imprégnation superficielle.

latanier nm Palmier d'appartement.

latence nf État latent.

latent, ente a Qui ne se manifeste pas, qui reste caché. *Maladie latente.*

latéral, ale, aux a Qui appartient au côté, qui se trouve sur le côté.

latéralement av De côté, sur le côté.

latéralisation nf PHYSIOL Prédominance d'un hémisphère cérébral sur l'autre.

latéralisé, ée a Loc *Bien, mal latéralisé :* qui présente une latéralisation nette, indécise.

latéralité nf PHYSIOL Fait que l'une des deux moitiés du corps soit dominante sur l'autre.

latérite nf Roche rouge ou brune des plateaux des régions tropicales.

latéritique a Formé de latérite.

latex nm inv Sécrétion laiteuse de divers végétaux (hévéa, pissenlit, laitue).

latifundium [-fɔdjɔm] nm Très grand domaine agricole privé.

latin, ine a, n 1 Du Latium. 2 De la Rome ancienne ou des peuples romanisés. 3 Qui appartient à un peuple parlant une langue romane. ■ a 1 Qui a trait à la langue latine. *Thème latin.* 2 Se dit de l'Église catholique d'Occident. 3 MAR Se dit d'une voile triangulaire à longue vergue oblique. ■ nm Langue des Romains de l'Antiquité. Loc fam *Y perdre son latin :* ne plus rien y comprendre.

latinisant, ante a, n Qui s'occupe d'études latines.

latinisation nf Action de latiniser.

latiniser vt 1 Donner une forme latine à un mot. 2 Donner un caractère latin à un pays.

latinisme nm Construction propre au latin.

latiniste n Spécialiste de langue et de littérature latines.

latinité nf Civilisation latine ; caractère latin.

latino n Aux États-Unis, personne originaire d'Amérique latine.

latino-américain, aine a, n De l'Amérique latine. *Des Latino-Américains.*

latitude nf 1 Faculté, liberté ou pouvoir de disposer, d'agir. 2 Distance angulaire d'un lieu à l'équateur. 3 Climat caractérisant telle ou telle région. *Aller vivre sous d'autres latitudes.*

lato sensu av Au sens large.

latrie nf Loc THEOL *Culte de latrie :* culte d'adoration rendu à Dieu seul.

latrines nfpl Lieux d'aisances.

latte nf Pièce de bois, de métal, de matière plastique, etc., longue, plate et étroite.

latté nm Contre-plaqué formé de lattes sur chant, collées entre elles.

latter vt Garnir de lattes.

lattis [-ti] nm Ouvrage de lattes.

laudanum [-nɔm] nm Dérivé de l'opium.

laudateur, trice n litt Personne qui décerne des louanges.

laudatif, ive a Élogieux.

laudes nfpl LITURG Office du matin.

lauracée nf BOT Arbre ou arbrisseau aromatique, comme le laurier, le camphrier, etc.

lauréat, ate a, n Qui a remporté un prix dans un concours.

laurier nm Arbre dont une variété (laurier-sauce) donne des feuilles utilisées comme condiment. ■ pl litt Succès, gloire. Loc *Se reposer, s'endormir sur ses lauriers :* ne pas poursuivre après un succès.

laurier-cerise nm Arbrisseau souvent utilisé pour les haies. *Des lauriers-cerises.*

laurier-rose nm Arbrisseau ornemental à fleurs roses ou blanches. *Des lauriers-roses.*

laurier-sauce nm Laurier culinaire. *Des lauriers-sauce.*

laurier-tin nm Nom courant d'une viorne. *Des lauriers-tins.*

lauze nf Plaque de schiste utilisée pour construction et la toiture.

lavable a Qui peut être lavé.

lavabo nm 1 Cuvette garnie d'une robinetterie d'un système de vidage. 2 LITURG Rite de lavement des mains, accompli par le prêtre au cours de messe. ■ pl Lieux d'aisances.

lavage nm Action de laver.

lavallière nf Cravate à large nœud flottant.

lavande nf Plante à petites fleurs bleues d'où l'extrait une essence utilisée en parfumerie. ■ a i Loc *Bleu lavande :* mauve clair.

lavandière nf 1 litt Femme qui lave le linge à main. 2 Bergeronnette grise.

lavandin nm Lavande hybride.

lavasse nf fam Breuvage insipide, trop dilué.

lave nf Roche en fusion qui sort d'un volcan éruption, puis se solidifie.

lavé, ée a Peu intense (couleur).

lave-glace nm Dispositif permettant de proje de l'eau sur le pare-brise d'une automobile pc le laver. *Des lave-glaces.*

lave-linge nm Machine à laver le linge. *Des lav linges ou lave-linge.*

lave-main nm Petit lavabo dans les toilettes. *L lave-mains.*

lavement nm MED Injection d'un liquide da l'intestin.

lave-pont nm Balai-brosse. *Des lave-ponts.*

laver vt 1 Nettoyer avec de l'eau ou un au liquide. 2 Disculper. *Laver qqn d'une accusati* Loc fam *Laver la tête à qqn :* lui faire une sévè réprimande. ■ vpr Faire sa toilette. Loc *Se lav les mains de qqch :* ne pas s'en reconnaître re ponsable.

laverie nf Blanchisserie en self-service.

lavette nf 1 Linge ou petit balai pour laver vaisselle. 2 pop Homme veule.

laveur, euse n Personne qui lave.

lave-vaisselle nm Machine à laver la vaissell *Des lave-vaisselles ou lave-vaisselle.*

lavis [-vi] nm Dessin teinté de couleurs unies tr délayées dans l'eau.

lavoir nm Bassin aménagé pour laver le linge.

laxatif, ive a, n MED Purgatif léger.

laxisme nm Tolérance excessive.

laxiste a, n Qui fait preuve de laxisme.

layette nf Vêtements du nouveau-né.

layon nm Chemin tracé en forêt.

lazaret nm Établissement servant à isoler l voyageurs en quarantaine.

lazariste nm Prêtre membre d'une congrégati fondée par saint Vincent de Paul.

lazzi [ladzi] nm Plaisanteries moqueuses, bou fonneries lancées à qqn.

LCD nm Écran plat d'ordinateur ou de télévisic à cristaux liquides.

le, la, les art Articles définis masculin, fémin et pluriel. ■ pr pers Troisième personne, compl ment direct du verbe. *Je le vois. Tu la conna On les aime.*

lé nm TECH Largeur d'une étoffe.

leader [lidœʁ] nm 1 Chef ou personne en vu dans une organisation, un pays. 2 Sportif, équip qui est en tête. 3 Entreprise, produit dominant da le domaine commercial. Var **leadeur, euse** n

leadership [lidœʁʃip] nm Position de leader. V **leadeurship**

leasing [liziŋ] nm Syn. de crédit-bail.

léchage nm Action de lécher.

lèche nf Loc pop Faire de la lèche à qqn : le flatter servilement.

léché, ée a fam Exécuté avec un soin minutieux. Loc Ours mal léché : individu bourru, mal élevé.

lèche-botte nm fam Individu servile. Des lèche-bottes.

lèche-cul nm pop Vil flatteur. Des lèche-culs ou lèche-cul.

léchefrite nf Récipient qui recueille le jus d'une viande qui rôtit.

lécher vt [12] 1 Passer la langue sur qqch. 2 Effleurer. Les flammes lèchent le mur.

lécheur, euse n fam Flatteur.

lèche-vitrine nm fam Passe-temps qui consiste à regarder en flânant les magasins. Des lèche-vitrines.

lécithine nf CHIM Lipide du jaune d'œuf.

leçon nf 1 Ce qu'un enseignant donne à apprendre à un élève. 2 Séance d'enseignement. 3 Chacune des divisions d'un enseignement. Le bridge en dix leçons. 4 Enseignement que l'on peut tirer d'un fait. Tirons de cet échec une leçon pour l'avenir. Variante d'un texte. Loc Faire la leçon à qqn : lui donner une consigne ; le réprimander.

lecteur, lectrice n 1 Personne qui lit. 2 Enseignant étranger adjoint à un professeur de langue vivante. ■ nm 1 Appareil de reproduction des sons enregistrés sur bande, disque, etc. 2 INFORM Système décodant des informations.

lectorat nm 1 Ensemble des lecteurs d'un journal, d'une revue. 2 Fonction de lecteur dans l'enseignement.

lecture nf 1 Action de lire. 2 Texte qu'on lit. Manière d'interpréter un auteur, une œuvre. Chacune des délibérations d'une assemblée sur un projet ou une proposition de loi. 5 INFORM Opération qui consiste à décoder les informations enregistrées sur un support et à les transformer en signaux.

lécythe nm Petit vase grec à parfum, servant d'offrande funéraire.

led. V. dit.

légal, ale, aux a Conforme à la loi.

légalement av De façon légale.

légalisation nf Action de légaliser.

légaliser vt 1 Rendre légal. 2 Authentifier. Légaliser une signature.

légalisme nm Respect scrupuleux ou trop minutieux de la loi.

légaliste a, n Partisan du légalisme.

légalité nf Caractère légal.

légat nm Représentant du Saint-Siège.

légataire n Bénéficiaire d'un legs.

légation nf Mission diplomatique qu'un État entretient dans un pays où il n'y a pas d'ambassade.

legato [le-] av, nm MUS En soutenant chaque note jusqu'à la suivante. Var **légato**

légendaire a 1 De la nature de la légende. 2 Bien connu de tous. Sa distraction légendaire.

légende nf 1 Récit populaire qui a pour sujet soit des faits ou des êtres imaginaires, soit des faits réels mêlés de merveilleux. 2 Texte explicatif accompagnant une figure, une photographie, un dessin, etc.

légender vt Compléter une illustration par une légende.

léger, ère a 1 De faible poids. 2 Peu consistant, peu intense, peu épais. Dîner léger. Sommeil léger. Étoffe légère. 3 Gracieux, délicat. Danse légère. Brise légère. 4 Peu important. Blessure légère. Légère amélioration. 5 Peu réfléchi, peu sérieux. Décision légère. 6 Divertissant ; leste. Musique légère. Histoire légère. Loc À la légère : sans réfléchir, étourdiment. Poids léger : catégorie de poids dans de nombreux sports (en boxe, entre 57 et 61 kg).

légèrement av 1 De façon légère. Dîner légèrement. 2 Un peu, à peine. Un vase légèrement fêlé. 3 Sans réfléchir. Agir légèrement.

légèreté nf Caractère léger.

leggings [legiŋz] nfpl Jambières.

légiférer vi [12] Faire des lois.

légion nf 1 ANTIQ Unité militaire romaine. 2 Grand nombre d'êtres. 3 Unité de gendarmerie commandée par un colonel.

légionellose nf Pneumonie d'origine bactérienne.

légionnaire nm Soldat d'une légion, en partic. de la Légion étrangère.

législateur, trice n Personne qui établit des lois.

législatif, ive a 1 Qui fait les lois. Le pouvoir législatif. 2 De la nature de la loi. Dispositions législatives. Loc Élections législatives : élections par lesquelles sont élus les députés.

législation nf Ensemble des lois d'un pays, ou concernant un domaine précis.

législature nf Période pour laquelle une assemblée législative est élue.

légiste n Personne qui étudie les lois. ■ a Loc Médecin légiste : chargé des expertises légales.

légitimation nf Action de légitimer.

légitime a 1 Consacré, reconnu par la loi, conforme à la Constitution. 2 Conforme à l'équité, à la morale, à la raison.

légitimement av De façon légitime.

légitimer vt 1 DR Rendre légitime ; faire reconnaître pour authentique. 2 Reconnaître juridiquement un enfant naturel. 3 Justifier. Rien ne peut légitimer sa conduite.

légitimisme nm Doctrine des légitimistes.

légitimiste n, a 1 Partisan du souverain ou de la dynastie légitime. 2 Qui défend l'ordre établi, le pouvoir en place.

légitimité nf Caractère légitime.

lego nm (n. déposé) Jeu de construction à pièces plastiques qui s'emboîtent.

legs [le] ou [leg] nm 1 Action de céder la possession d'un bien par qqn par testament ; bien ainsi cédé. 2 litt Héritage moral.

léguer vt [12] 1 Céder par testament. 2 Transmettre à ceux qui viennent ensuite.

légume nm Plante potagère. Loc Légumes verts : salades, haricots verts, etc. Légumes secs : lentilles, pois, etc. ■ nf Loc fam Grosse légume : personnage important.

légumier, ère a Des légumes. Cultures légumières. ■ nm Plat à légumes.

légumineuse nf BOT Plante appartenant à une famille aux nombreuses espèces, ayant pour fruits des gousses (haricots, genêts, etc.).

lei. V. leu 1.

leishmaniose nf Maladie endémique des régions tropicales.

leitmotiv [-tif] *nm* **1** MUS Motif, thème qui revient à plusieurs reprises. **2** Formule, idée qui revient fréquemment.

lek *nm* Unité monétaire de l'Albanie.

lemming [-miŋ] *nm* Petit mammifère rongeur des régions arctiques.

lempira *nm* Unité monétaire du Honduras.

lémure *nm* ANTIQ Âme errante d'un mort.

lémurien *nm* ZOOL Mammifère primate inférieur tel que le maki.

lendemain *nm* **1** Jour qui suit le jour considéré. **2** Avenir. *Songer au lendemain.* Loc *Du jour au lendemain* : en très peu de temps.

lendit *nm* HIST Grande foire qui se tenait, au Moyen Âge, dans la plaine Saint-Denis.

lénifiant, ante *a* Qui lénifie.

lénifier *vt* litt Calmer, apaiser.

léninisme *nm* Doctrine de Lénine.

léniniste *a, n* De Lénine ou du léninisme.

lent, lente *a* Qui se déplace ou qui agit sans rapidité. *Véhicule lent. Poison lent.*

lente *nf* Œuf de pou.

lentement *av* Avec lenteur.

lenteur *nf* Manque de rapidité, de promptitude.

lenticulaire *a* En forme de lentille.

lenticule *nf* Lentille d'eau.

lentiforme *a* En forme de lentille.

lentigo *nm* Tache pigmentaire de la peau, appelée couramment *grain de beauté.*

lentille *nf* **1** Plante qui fournit une graine comestible ayant la forme d'un petit disque biconvexe. **2** Disque de verre à fonction optique, dont une des faces au moins est concave ou convexe. **3** Verre de contact. Loc *Lentille d'eau* : plante aquatique dont les minuscules feuilles flottent sur l'eau.

lentisque *nm* Arbuste voisin du pistachier.

lentivirus *nm* Virus à action lente.

lento [lɛnto] *av, nm* MUS Lentement.

léonin, ine *a* **1** Qui appartient au lion. **2** Se dit d'un partage par lequel l'une des parties s'attribue la plus grosse part.

léopard *nm* Autre nom de la panthère. Loc *Tenue léopard* : vêtement de camouflage militaire tacheté.

lépidoptère *nm* ZOOL Insecte à métamorphoses, dont la forme adulte est un papillon.

lépiote *nf* Champignon à lamelles.

léporidé *nm* ZOOL Mammifère d'une famille comprenant le lapin, le lièvre.

lèpre *nf* **1** Maladie infectieuse contagieuse qui peut déformer et ronger les chairs. **2** litt Mal qui se propage.

lépreux, euse *a, n* Atteint de la lèpre. ■ *a* Dégradé, enlaidi de taches. *Murs lépreux.*

léproserie *nf* Hôpital où les lépreux sont isolés et soignés.

lequel, laquelle, lesquels, lesquelles duquel, desquels, desquelles, auquel, auxquels, auxquelles *pr rel* et *interrog* S'emploient comme variantes de *qui, que, dont.*

lérot *nm* Petit loir au pelage taché de noir.

les. V. *le.*

lès. V. *lez.*

lesbianisme *nm* Saphisme.

lesbienne *nf* Femme homosexuelle.

lèse-majesté *nf inv* Attentat contre la personne du souverain.

léser *vt* [12] **1** Causer préjudice à. *Léser certains intérêts.* **2** MED Causer une lésion à.

lésiner *vi* Se montrer parcimonieux.

lésion *nf* **1** Blessure, contusion, altération des tissus, d'un organe. **2** Préjudice subi par l'un des contractants dans un contrat à titre onéreux.

lésionnel, elle *a* D'une lésion, d'une contusion.

lessivage *nm* Action de lessiver.

lessive *nf* **1** Produit à base de sels alcalins, servant au lavage du linge. **2** Action de laver du linge. **3** Linge mis au lavage. **4** fam Action de se débarrasser de personnes indésirables.

lessiver *vt* **1** Nettoyer avec de la lessive. **2** fam Dépouiller complètement, ruiner. **3** fam Éreinter épuiser.

lessiveuse *nf* Grand récipient, dans lequel on fait bouillir le linge qu'on lessive.

lessiviel, elle *a* Relatif à la lessive.

lessivier *nm* Industriel de la lessive.

lest *nm* Matière lourde servant à équilibrer, à stabiliser un navire ou un aérostat. Loc *Jeter, lâcher du lest* : faire des concessions en vue de sauver une situation compromise.

lestage *nm* Action de lester.

leste *a* **1** Agile, vif. **2** Libre, grivois. Loc *Avoir la main leste* : être prompt à gifler.

lestement *av* Adroitement.

lester *vt* Garnir, charger de lest.

let [lɛt] *a* Au tennis, se dit d'une balle de service qui frappe le haut du filet.

létal, ale, aux *a* Qui entraîne la mort.

létalité *nf* Caractère létal ; mortalité.

letchi. V. *litchi.*

léthargie *nf* **1** Sommeil pathologique profond continu dans lequel les fonctions vitales sont très ralenties. **2** Engourdissement, torpeur.

léthargique *a* **1** De la léthargie. **2** Dont l'activité est réduite.

letton, one *a* De Lettonie. ■ *nm* Langue balte parlée en Lettonie.

lettrage *nm* Disposition des lettres d'un texte d'une publicité.

lettre *nf* **1** Signe graphique, caractère d'un alphabet, qu'on utilise pour transcrire une langue. **2** Sens strict, littéral d'un texte (par oppos. à l'esprit). **3** Écrit qu'on adresse à qqn ; missive. Acte officiel. *Lettres de créance.* Loc *À la lettre au pied de la lettre* : très exactement. *Avant la lettre* : avant l'état définitif. *En toutes lettres* : sans abréviations ; sans chiffres. *Lettre ouverte* : écrit adressé à qqn, qu'on fait largement diffuser par la presse, par affiches, etc. *Rester lettre morte* : ne pas être suivi d'effet. ■ *pl* Littérature, études littéraires. Loc *Homme, femme de lettres* : écrivain.

lettré, ée *a, n* Qui a du savoir, de la culture.

lettrine *nf* Lettre majuscule plus grande que les autres, au début d'un chapitre, d'un alinéa.

lettrisme *nm* Mouvement littéraire et pictural qui s'attache à la musique et au graphisme des lettres.

1. leu *nm* Unité monétaire de la Roumanie. *Pl. lei.*

2. leu *nm* Loc *À la queue leu leu* : à la file les uns derrière les autres.

leucanie *nf* Papillon jaune pâle de la famille des noctuelles.

leucémie *nf* Maladie caractérisée par la prolifération de globules blancs dans le sang.

...cémique *a* De la leucémie. ■ *a, n* Atteint de ...émie.

...cocytaire *a* Relatif aux leucocytes.

...cocyte *nm* Cellule sanguine appelée aussi *...ule blanc*.

...cocytose *nf* MED Augmentation des leucocytes ...le sang.

...copénie *nf* MED Diminution du nombre des ...ules blancs dans le sang.

...copoïèse *nf* BIOL Formation des globules ...cs.

...corrhée *nf* Écoulement blanchâtre des voies ...tales féminines.

...cose *nf* Syn. de *leucémie*.

...ur, leurs *a poss* Troisième personne du ...iel ; d'eux, à eux. *J'ai visité leur maison.* ...*onnais leurs habitudes.* ■ *pr poss* Ce qui est ...ix. *Nous avons réuni nos amis et les leurs.* ...*mpl* Leurs parents, leurs proches, leurs alliés.

...ur *pr pers inv* Troisième personne du plu- ...; à eux, à elles. *Je le leur donne. Je le leur en ...arlé.*

...re *nm* 1 Appât factice dissimulant un hame- ... 2 MILIT Dispositif destiné à tromper l'ennemi. ...e dont on se sert pour attirer et tromper. *Cette ...nesse n'est qu'un leurre.*

...rer *vt* Attirer par quelque espérance pour ...per. ■ *vpr* Se donner à soi-même de fausses ...frances ; s'abuser.

... *nm* Unité monétaire de la Bulgarie. *Des leva.*

...age *nm* Action de soulever qqch. *Appareils ...evage.*

...ain *nm* 1 Pâte à pain aigrie que l'on incorpore ...pâte fraîche pour la faire lever. 2 littT Ce qui fait ...e ou accroît le sentiment, telle passion, etc. *...evain de discorde.*

...ant *am* Se dit du soleil qui se lève. ■ *nm* ...ction de l'est ; orient.

...antin, ine *a, n* Du Levant.

...e, ée *a* Loc *Au pied levé :* à l'improviste. *...re levée :* menhir. ■ *nm* Établissement d'un ..., d'une carte (on écrit aussi *lever*). ■ *nf* ...ction de recruter. *Une levée de troupes.* 2 ...on de collecter. *Une levée d'impôts.* ...*e du courrier.* 3 Action de clore, d'annuler. *...levée des sanctions.* 4 Ensemble de cartes ...assées en un coup de jeu. 5 Digue en terre ...n maçonnerie. Loc *Levée de boucliers :* pro- ...ation massive. *Levée en masse :* appel à tous ...x qui sont capables de constituer rapidement ...force militaire.

...e-glace *nm* Mécanisme servant à ouvrir ou ...rmer les glaces d'une automobile. *Des lève- ...es.*

...er *vt* [15] 1 Déplacer de bas en haut. *Lever ...sac.* 2 Dresser, orienter vers le haut. *Lever le ..., les yeux.* 3 Faire partir du gibier. *Lever des ...trix.* 4 Enlever d'un lieu. *Lever les scellés.* 5 ...tre fin à, clore. *Lever l'audience. Lever un ...e.* 6 CUIS Prélever. *Lever des filets de poisson.* 7 ...ruter, enrôler. *Lever des troupes.* 8 Percevoir. ...*r une taxe.* Loc *Lever un plan :* procéder au ...rrain aux mesures nécessaires pour l'établir. ...1 Sortir de terre. *Les semis lèvent.* 2 Gonfler ...arlant de la pâte en fermentation. ■ *vpr* 1 Se ...tre debout. 2 Sortir du lit. 3 Apparaître. *Le ...il se lève. Le jour se lève.* 4 Se dissiper. *Le ...illard se lève.* ■ *nm* 1 Apparition d'un astre ...essus de l'horizon. 2 Action de sortir du lit ;

---

moment où on se lève. 3 Syn. de *levé*. Loc *Lever de rideau :* petite pièce de théâtre que l'on joue avant la pièce principale ; match préliminaire dans une rencontre sportive.

levier *nm* 1 Barre qu'on fait pivoter sur un point d'appui pour soulever des fardeaux. 2 Tige qui commande un mécanisme. 3 Ce qui fait agir ; mobile. *L'ambition est un puissant levier.*

lévitation *nf* Élévation et maintien d'un corps au-dessus du sol sans appui matériel.

lévite *nm* Chez les Hébreux, membre de la tribu de Lévi, voué au service du Temple.

levraut *nm* Jeune lièvre. *Var* **levreau**

lèvre *nf* Chacune des parties charnues qui forment le rebord de la bouche. Loc *Du bout des lèvres :* à contrecœur, sans conviction. *Être suspendu aux lèvres de qqn :* l'écouter avidement. *Il y a loin de la coupe aux lèvres :* on est souvent loin du but qu'on croit toucher. ■ *pl* 1 Bords d'une plaie. 2 ANAT Replis cutanés de la vulve.

levrette *nf* 1 Femelle du lévrier. 2 Lévrier de petite taille.

lévrier *nm* Chien aux membres longs, à la taille étroite et au ventre concave, très rapide.

lévulose *nm* CHIM Sucre simple, très abondant dans la cellule végétale.

levure *nf* 1 Micro-organisme capable de produire une fermentation. 2 Pâte ou poudre utilisée pour provoquer une fermentation.

lexème *nm* LING Unité minimale de signification, par oppos. à *morphème*.

lexical, ale, aux *a* Du lexique.

lexicalisation *nf* Fait d'être lexicalisé.

lexicaliser *vt* LING Introduire un mot, une locution dans le lexique d'une langue.

lexicographe *n* Rédacteur de dictionnaire.

lexicographie *nf* Technique de la rédaction des dictionnaires.

lexicographique *a* De la lexicographie.

lexicologie *nf* Partie de la linguistique qui étudie le sens des mots, le lexique.

lexicologique *a* De la lexicologie.

lexique *nm* 1 Dictionnaire bilingue abrégé. 2 Dictionnaire de la langue propre à un auteur, à une activité, à une science. 3 Liste alphabétique de mots à la fin d'un ouvrage. 4 LING Ensemble des mots d'une langue.

lez *prép* Près de (dans quelques noms de villes). *Plessis-lez-Tours.* *Var* **lès**

lézard *nm* 1 Reptile saurien au corps allongé, à la longue queue effilée. 2 Peau tannée d'un grand saurien. Loc *fam Faire le lézard :* se chauffer paresseusement au soleil.

lézarde *nf* Fissure dans un mur.

1. lézarder *vi* *fam* Faire le lézard.

2. lézarder *vt* Fissurer. ■ *vpr* Se crevasser.

liage *nm* Action de lier.

liaison *nf* 1 Assemblage, union de deux ou plusieurs objets ou substances. 2 CUIS Opération consistant à épaissir un potage, une sauce, etc. 3 Ce qui sert à jointoyer un ouvrage en maçon- nerie (mortier, plâtre, etc.). 4 Connexion, rapport logique. *Liaison entre deux textes.* 5 MUS Signe de notation indiquant que des notes consécu- tives doivent être enchaînées. 6 Prononciation de la consonne finale d'un mot placé devant un autre commençant par une voyelle ou un *h* muet (ex. : *c'est ici* [setisi]). 7 Relation entre des personnes ; relation amoureuse. 8 Contacts

suivis entre des services, des unités militaires.
9 Communication entre deux lieux. *Les liaisons maritimes.*

liane *nf* Végétal dont la tige, très flexible, croît le long d'un support.

liant, liante *a* Qui se lie facilement. ■ *nm* **1** Substance qui favorise l'adhérence, la prise d'un mélange (peinture, ciment, etc.). **2** litt Qualité de qqn qui se lie facilement ; affabilité.

liard *nm* anc Monnaie de très faible valeur.

lias *nm* GÉOL Jurassique inférieur.

liasse *nf* Ensemble de journaux, de papiers, etc., liés ensemble.

libanais, aise *a, n* Du Liban.

libation *nf* ANTIQ Offrande aux dieux, d'une coupe de vin, de lait, etc., que l'on répandait sur le sol. ■ *pl* Excès de boisson.

libelle *nm* Petit livre diffamatoire.

libellé *nm* Texte d'un document ; manière dont il est rédigé.

libeller *vt* Rédiger dans les formes requises.

libellule *nf* Insecte pourvu de deux paires d'ailes membraneuses inégales.

liber [LIBER] *nm* BOT Tissu qui constitue la face interne de l'écorce.

libérable *a* Qui peut être libéré.

libéral, ale, aux *a, n* **1** Tolérant, ouvert, peu autoritaire. *Éducation libérale.* **2** Partisan du libéralisme, en politique, en économie. Loc *Profession libérale* : non manuelle et non salariée (médecin, avocat, architecte, etc.).

libéralement *av* Avec libéralité.

libéralisation *nf* Action de libéraliser.

libéraliser *vt* Rendre plus libéral.

libéralisme *nm* **1** Attitude de ceux qui s'attachent à la défense de la démocratie politique et des libertés individuelles des citoyens. **2** Doctrine hostile à l'intervention de l'État dans la vie économique. **3** Respect de la liberté d'autrui, tolérance.

libéralité *nf* litt Propension à donner ; générosité. ■ *pl* Dons généreux.

libérateur, trice *n, a* Qui libère qqn, un peuple, un territoire.

libération *nf* Action de libérer, de se libérer.

libératoire *a* Qui libère d'une dette, d'un engagement, d'une obligation.

libéré, ée *a* **1** Rendu libre. **2** Affranchi moralement ou socialement ; émancipé.

libérer *vt* [12] **1** Mettre en liberté. *Libérer un détenu.* **2** Décharger d'une obligation, d'une gêne, etc. *Libérer le crédit.* **3** Renvoyer des soldats dans leurs foyers, à la fin du service. **4** Délivrer de la présence de l'occupant ennemi. **5** Délivrer d'une entrave, d'une gêne morale. *Il a libéré sa conscience.* **6** Rendre disponible, évacuer. *Libérer un appartement.* **7** Dégager, produire. *Cette réaction chimique libère du gaz carbonique.* ■ *vpr* **1** S'acquitter, s'affranchir d'une obligation. **2** Se rendre disponible.

libérien, enne *a, n* Du Liberia.

libériste *n* Sportif pratiquant l'aile libre.

libero [-be-] *nm* Au football, joueur qui évolue entre la ligne d'arrières et le gardien de but.

libertaire *a, n* Partisan d'une liberté sans limitation (sociale et politique) ; anarchiste.

liberté *nf* État de qqn ou de qqch qui est libre. *Mettre un prisonnier en liberté. Avoir la liberté de décision. La liberté de conscience. La liberté de la presse. La liberté des prix.* ■ *pl* Ensemble

des droits du citoyen. Loc *Prendre des liber[…]* agir avec désinvolture.

liberticide *a* Qui porte atteinte aux libertés.

libertin, ine *a, n* **1** Qui mène une vie dissol[…] licencieux. **2** anc Libre-penseur.

libertinage *nm* Conduite des libertins ; licenc[…]

libidinal, ale, aux *a* De la libido.

libidineux, euse *a* litt Porté à la luxure.

libido *nf* PSYCHAN Énergie vitale émanant de[…] sexualité.

libraire *n* Personne qui fait le commerce[…] livres.

librairie *nf* **1** Magasin du libraire. **2** Comme[…] des livres.

libre *a* **1** Qui n'est pas prisonnier, captif. **2**[…] n'est pas soumis à un pouvoir arbitraire, à[…] puissance étrangère. *Des citoyens libres. Un p[…] libre.* **3** Qui ne dépend pas d'un pouvoir politi[…] d'une autorité. *La presse libre. Une pensée li[…]* **4** Qui n'est pas limité, gêné par une contra[…] sociale. *Se sentir très libre avec qqn. Des pro[…] un peu trop libres.* **5** Qui peut agir à sa gu[…] *Vous êtes libre d'accepter ou de refuser.* **6**[…] n'est pas lié par des engagements, des obligati[…] *Êtes-vous libre ce soir ?* **7** Qui n'est pas occu[…] retenu ; disponible. *Place libre.* **8** Qui n'est[…] fixé, entravé dans son mouvement. *Une [...][…] libre.* Loc *Aile libre* : planeur léger auquel […] est suspendu par un harnais. *Chute libre* : so[…] seule action de son poids. *Entrée libre* : grat[…] ou sans obligation d'achat.

libre-arbitre. V. arbitre.

libre-échange *nm* Système qui préconise la s[…] pression des droits de douane.

libre-échangiste *n, a* Qui relève du li[…] échange. *Des libre-échangistes.*

librement *av* **1** En étant libre. *Circuler,[…] mouvoir librement.* **2** Franchement, sans arri[…] pensées. **3** Sans respecter certaines contrain[…] *Traduire librement un texte.*

libre-pensée *nf* État d'esprit, doctrine du li[…] penseur.

libre-penseur *nm* Personne qui s'est affranc[…] de toute croyance religieuse. *Des libres-pense[…]*

libre-service *nm* **1** Système dans lequel[…] clients se servent eux-mêmes. **2** Magasin qui[…] lise ce système. *Des libres-services.*

librettiste *n* Auteur d'un livret d'opéra.

libyen, enne *a, n* De Libye.

1.lice *nf* [12] HIST Espace clos qui servait aux jou[…] aux tournois. Loc *Entrer en lice* : s'engager d[…] une lutte, une compétition.

2.lice *nf* Femelle d'un chien de chasse.

3.lice. V. lisse 2.

licence *nf* **1** Autorisation administrative d'ex[…] cer certaines activités. **2** Autorisation de pratiq[…] un sport de compétition. **3** Grade universit[…] supérieur au baccalauréat. **4** litt Dérèglement[…] mœurs. Loc *Licence poétique* : transgression t[…] rée d'une règle grammaticale.

licencié, ée *n, a* **1** Titulaire d'une licence uni[…] sitaire ou sportive. **2** Qui a été congédié.

licenciement *nm* Action de licencier.

licencier *vt* Congédier, cesser d'employer c[…] *Licencier des ouvriers.*

licencieux, euse *a* Contraire aux bonnes mœ[…] à la pudeur.

lichen [likɛn] *nm* Végétal résultant de l'asso[…] tion d'un champignon et d'une algue.

lichette *nf fam* Petite quantité d'un aliment.

licite *a* Permis par la loi, les règlements.

licitement *av* De façon licite.

licorne *nf* Animal fabuleux, cheval à longue corne unique au milieu du front.

licou *nm* Lien de cuir, de corde, passé autour du cou des bêtes de somme. **Var licol**.

licteur *nm* ANTIQ Agent public romain qui était l'exécuteur des sentences des magistrats.

lie *nf* 1 Dépôt laissé par un liquide. 2 *litt* Ce qu'il y a de plus vil ; racaille.

lied [lid] *nm* Romance, chanson populaire des pays germaniques. *Des lieds* ou *des lieder*.

lie-de-vin *a inv* Rouge violacé.

liège *nm* Matière imperméable, peu dense, fournie par l'écorce de certains arbres, notamment du chêne-liège.

liégeois, oise *a, n* De Liège. **Loc** *Café, chocolat liégeois :* glace au café, au chocolat, nappée de crème Chantilly.

lien *nm* 1 Bande, ficelle, courroie, etc., qui sert à attacher. 2 Ce qui unit, qui relie. 3 INFORM Connexion sémantique et/ou logique établie entre des données informatiques.

lier *vt* 1 Attacher, serrer avec un lien. *Lier un fagot.* 2 Assembler par une liaison ; donner une certaine consistance, de la cohésion à. *Lier une sauce.* 3 Unir juridiquement, moralement. *Un contrat lie les deux parties.* 4 Établir des relations entre personnes. *Lier amitié avec qqn.* ■ *vpr* Établir des relations de sympathie, d'amitié.

lierre *nm* Plante à feuilles persistantes, s'accrochant à un support (mur, tronc d'arbre, etc.) par les racines à crampons.

liesse *nf litt* Allégresse collective.

1. lieu *nm* Espace, endroit considéré quant à sa situation, à son caractère, à sa destination. *Lieu écarté, humide. Le lieu du crime. Lieu de réunion.* **Loc** *Lieu géométrique :* ligne ou surface dont tous les points possèdent une même propriété. *Lieu public :* auquel tout le monde a accès. *Haut lieu :* endroit rendu célèbre par les faits qui s'y sont déroulés. *En haut lieu :* chez ceux qui ont le pouvoir. *Lieu commun :* idée banale, rebattue. *En premier, second lieu :* premièrement, deuxièmement. *Au lieu de :* à la place de. *Tenir lieu de :* remplacer. *Avoir lieu :* se produire ; arriver. *Avoir lieu de :* avoir une occasion, une raison de. *Donner lieu à :* être une occasion de. ■ *pl* local d'habitation. *Visiter les lieux.* **Loc** *Lieux d'aisances :* W.-C.

2. lieu *nm* Poisson marin estimé. *Des lieus.*

lieu-dit *nm* Lieu dans la campagne, qui porte un nom particulier. *Des lieux-dits.* **Var lieudit**.

lieue *nf* Ancienne mesure de distance qui valait environ 4 km. **Loc** *Être à cent lieues de :* très éloigné de.

lieuse *nf* Mécanisme servant à lier les gerbes d'une moissonneuse.

lieutenant *nm* 1 Personne directement sous les ordres d'un chef et qui peut le remplacer. 2 Officier dans l'armée de terre et de l'air, de grade inférieur à celui de capitaine. **Loc** *Lieutenant de vaisseau :* officier de marine de grade correspondant à celui de capitaine.

lieutenant-colonel *nm* Officier de grade inférieur à celui de colonel. *Des lieutenants-colonels.*

lièvre *nm* Petit mammifère sauvage très rapide à la course, qui ressemble au lapin. **Loc** *Courir deux lièvres à la fois :* entreprendre deux affaires

en même temps. *Lever un lièvre :* soulever une difficulté inattendue.

lift *nm* Au tennis, effet donné à une balle en la frappant de bas en haut.

lifter *vt, vi* Exécuter un lift.

liftier, ère *n* Chargé de faire fonctionner un ascenseur.

lifting [-iŋ] *nm* 1 Opération de chirurgie esthétique consistant à tendre la peau du visage pour supprimer les rides. Syn. lissage. 2 *fam* Rajeunissement, rénovation de qqch.

ligament *nm* ANAT Faisceau fibreux qui relie deux parties d'une articulation ou deux organes.

ligamentaire *a* ANAT Des ligaments. **Var ligamenteux, euse**.

ligature *nf* 1 Opération consistant à serrer ou à assembler par un lien. 2 Fil avec lequel on effectue cette opération.

ligaturer *vt* Attacher avec une ligature.

lige *a* **Loc** FÉOD *Homme lige :* qui était lié au seigneur par une promesse de fidélité et de dévouement absolu.

ligie *nf* Crustacé marin voisin du cloporte.

lignage *nm* 1 Suite de descendants d'un même ancêtre. 2 Nombre de lignes d'un texte. **Loc** *De haut lignage :* de naissance noble.

ligne *nf* 1 Trait continu. 2 Limite qui sépare. *Ligne de partage.* 3 Silhouette ; esthétique générale. *Elle surveille sa ligne. La ligne d'une nouvelle voiture.* 4 Direction suivie. *Aller en ligne droite. La ligne sinueuse d'une rivière.* 5 Orientation, grandes options d'un parti. 6 Parcours, itinéraire des véhicules d'un service de transport. 7 Suite de personnes ou de choses ; file. *Une ligne d'arbres.* 8 Front d'une armée. 9 Suite de caractères d'écriture, d'imprimerie. 10 Suite des descendants d'une famille. 11 Fil terminé par un hameçon. 12 Fils conducteurs acheminant l'énergie électrique, les communications téléphoniques. **Loc** INFORM *En ligne :* se dit d'un service accessible sur ordinateur par l'intermédiaire d'une ligne téléphonique. *Hors ligne :* incomparable. *Entrer en ligne de compte :* devoir être pris en considération. *Lire entre les lignes :* deviner ce qui n'est pas dit explicitement. *Sur toute la ligne :* complètement. *Ligne de crédit :* montant d'un crédit dont le bénéficiaire peut disposer.

lignée *nf* Descendance.

ligneux, euse *a* De la nature du bois.

lignicole *a* ZOOL Qui vit dans les bois.

lignification *nf* BOT Fait de se lignifier.

lignifier (se) *vpr* BOT Se transformer en bois.

lignine *nf* CHIM Substance organique qui imprègne la paroi des vaisseaux du bois.

lignite *nm* Charbon fossile brunâtre.

lignomètre *nm* IMPRIM Règle servant à compter les lignes composées.

ligoter *vt* Lier, attacher solidement.

ligue *nf* 1 Union, coalition d'États, liés par des intérêts communs. 2 Association fondée dans un but défini. *La ligue antialcoolique.*

liguer *vt* Unir en une ligue. ■ *vpr* Unir ses efforts pour ou contre.

ligueur, euse *n* Personne qui fait partie d'une ligue.

ligure *a, n* De Ligurie. **Var ligurien, enne**.

lilas [-la] *nm* Arbuste ornemental à fleurs en grappes, blanches ou violettes, très odorantes. ■ *a inv* Violet plus ou moins foncé.

liliacée nf BOT Plante à bulbe ou à rhizome, telle que le lis, la tulipe, etc.

lilliputien, enne a, n Très petit.

limace nf 1 Mollusque gastéropode terrestre sans coquille. 2 fam Personne lente, molle.

limaçon nm 1 Escargot. 2 ANAT Partie de l'oreille interne dont le conduit est enroulé.

limage nm Action de limer.

limaille nf Poudre de métal limé.

limande nf Poisson marin plat.

limbe nm 1 TECH Bord extérieur gradué d'un instrument de précision. 2 ASTRO Bord du disque d'un astre. 3 BOT Partie large d'une feuille. ■ pl RELIG Séjour des âmes des enfants morts sans baptême.

limbique a Loc ANAT Système limbique : structures cérébrales sous le cortex.

1. lime nf Outil formé d'une lame d'acier hérissée de dents, qui sert à polir par frottement.

2. lime nf Petit citron vert. **Var limette**

limer vt Façonner à la lime.

limicole a ZOOL Qui vit dans la vase.

limier nm 1 Chien de chasse utilisé pour dépister le gibier. 2 fam Policier, détective.

liminaire a Placé au début d'un livre, d'un écrit, d'un discours, etc.

limitatif, ive a Qui limite.

limitation nf Action de limiter ; restriction.

limite nf 1 Ce qui sépare un terrain, un territoire d'un autre, contigu. 2 Terme d'une période. La limite d'âge pour la retraite. 3 Point où s'arrête qqch ; borne. Exercer une autorité sans limites. Loc Dépasser les limites : aller au-delà de ce que la bienséance permet. À la limite : dans l'hypothèse extrême. ■ a fam Maximal, extrême. Un prix limite.

limité, ée a 1 Qui a des limites, des bornes. 2 fam Peu intelligent.

limiter vt 1 Fixer des limites à. 2 Être à la limite de. Une rivière limite le pré. 3 Restreindre. Limiter des dépenses.

limiteur nm Appareil servant à empêcher une grandeur (vitesse, tension, etc.) de dépasser un certain seuil.

limitrophe a Qui est à la frontière, à la limite d'un pays, d'une région.

limnologie nf Étude des marais, des étangs et des lacs.

limogeage nm Action de limoger.

limoger vt [11] Destituer de son poste un officier, un haut fonctionnaire, etc.

limon nm 1 Boue d'argile et de sable mêlée de matière organique, très fertile. 2 Chacun des deux brancards entre lesquels on attelle un cheval à une voiture. 3 CONSTR Pièce d'un escalier qui la limite du côté du vide et qui reçoit la balustrade. 4 Variété de citron.

limonade nf 1 Boisson gazeuse sucrée et acidulée. 2 fam Commerce des cafetiers.

limonadier, ière n 1 Personne qui fabrique des boissons gazéifiées. 2 Personne qui tient un café.

limonaire nm Orgue de Barbarie.

limoneux, euse a Riche en limon.

limousin, ine a, n Du Limousin.

limousine nf Automobile à six glaces latérales et à quatre portes.

limpide a 1 Parfaitement transparent, clair, pur. Eau limpide. 2 Facile à comprendre. Explication limpide.

limpidité nf Caractère limpide.

lin nm 1 Plante textile et oléagineuse à tige fibreuse. 2 Toile faite de fibres de lin.

linacée nf BOT Plante de la famille du lin.

linceul nm Pièce de toile dans laquelle on ensevelit un mort.

linéaire a 1 Dont la forme, la disposition rappelle une ligne continue. 2 Qui évoque une ligne par sa simplicité, sa sobriété. Récit linéaire. Loc Mesure linéaire : mesure de longueur (par oppos. à mesure de superficie ou de volume). MATH Fonction linéaire : fonction du premier degré, dont la représentation graphique est une droite. ■ nm Présentoir à marchandises dans un magasin en libre-service.

linéairement av De façon linéaire.

linéaments nmpl litt Esquisse, aspect général.

linéarité nf Caractère linéaire de qqch.

linge nm 1 Ensemble des pièces de tissu à usage domestique (draps, nappes, etc.). 2 Vêtements portés à même la peau. 3 Morceau de tissu léger.

lingère nf Femme chargée de l'entretien du linge dans une communauté, un hôtel, etc.

lingerie nf 1 Industrie et commerce du linge. 2 Lieu où l'on range et où l'on entretient le linge. 3 Ensemble des sous-vêtements féminins.

lingette nf Petite serviette jetable imprégnée d'un produit nettoyant.

lingot nm Pièce brute de métal obtenue par coulée dans un moule. Lingot d'or.

lingual, ale, aux a De la langue.

lingue nf Poisson marin, voisin de la morue. Syr julienne.

linguiste [-gɥi-] n Spécialiste de linguistique.

linguistique [-gɥi-] nf Science du langage et des langues. ■ a 1 De la linguistique. 2 Qui concerne la langue, une ou plusieurs langues.

linguistiquement av Sur le plan linguistique.

liniment nm Médicament onctueux pour frictionner la peau.

links [links] nmpl Parcours de golf.

linoléum [-leɔm] nm Revêtement de sol imperméable et brillant. **Var lino**

linon nm Toile de lin à fils peu serrés.

linotte nf Petit oiseau chanteur. Loc fam Tête de linotte : personne très étourdie.

linotype nf (n. déposé) IMPRIM Machine à composer qui fond les caractères en plomb par lignes entières.

linteau nm Pièce horizontale soutenant la maçonnerie au-dessus d'une baie.

lion, lionne n Grand mammifère carnivore d'Afrique, au pelage fauve. Loc La part du lion : celle que s'adjuge le plus fort. Lion de mer : grand phoque à crinière.

lionceau nm Petit de la lionne.

lipase nf BIOL Enzyme qui intervient dans la digestion des graisses.

lipémie nf Taux des lipides dans le sang.

lipide nm CHIM Corps gras.

lipidique a Des lipides.

lipolyse nf BIOL Destruction des graisses dans l'organisme.

lipome nm Tumeur sous-cutanée bénigne, constituée de tissu graisseux.

lipoprotéine nf Forme lipidique sous laquelle les protéines sont transportées dans le sang.

liposoluble a CHIM Soluble dans les graisses.

osome nm Vésicule artificielle microsco-
que servant à introduire des substances dans
rganisme.

othymie nf Premier degré de la syncope, dans
quel la circulation et la respiration persistent.

pe nf Grosse lèvre inférieure.

pu, ue a Qui a de grosses lèvres.

uéfaction nf Action de liquéfier.

uéfiable a Qui peut être liquéfié.

uéfier vt Faire passer à l'état liquide un gaz,
solide. ■ vpr 1 Devenir liquide. 2 fam S'amol-

uette nf pop Chemise.

ueur nf 1 Boisson sucrée faite d'un mélange
alcool et d'essences aromatiques. 2 Tout diges-
3 PHARM Nom donné à diverses solutions.

uidateur, trice n Chargé de procéder à une
uidation.

uidatif, ive a DR Qui opère la liquidation.

uidation nf Action de liquider un compte, des
archandises, etc.

uide a 1 Qui coule ou tend à couler. L'eau est
e substance liquide. 2 Se dit de l'argent, d'un
en dont on peut disposer immédiatement ; en
èces. ■ nm 1 Corps à l'état liquide. 2 Aliment
boisson liquide. 3 Argent liquide.

uider vt 1 Procéder à un règlement après en
oir fixé le montant. Liquider une succession. 2
finir définitivement avec qqch. Liquider une
uation. 3 Vendre au rabais des marchandises. 4
Tuer ou faire tuer qqn.

uidité nf Caractère d'un bien liquide. ■ pl
rgent liquide.

uoreux, euse a Se dit de vins sucrés et riches
alcool (porto, madère).

uoriste nf Fabricant de liqueurs.

lire vt [63] 1 Identifier et traduire sous une
rme orale, par la voix ou mentalement, des
gnes écrits. Savoir lire et écrire. Lire les carac-
res hébreux. 2 Prendre connaissance d'un texte
parcourant des yeux ce qui est écrit. Lire un
man. 3 Énoncer à haute voix un texte écrit. Le
ge lit la sentence à l'accusé. 4 Interpréter le
nction d'un code ; déchiffrer. Lire une carte
utière. 5 Deviner, déceler grâce à certains
gnes. Lire l'avenir dans le marc de café.

lire nf Anc. unité monétaire de l'Italie.

ette nf Tissage artisanal utilisant des bandes
étoffe.

s [lis] nm Plante ornementale à grandes fleurs
anches, jaunes ou rouges. Loc Fleur de lis :
eur de lis stylisée propre aux armoiries de la
onarchie française. Var lys.

seré nm 1 Ruban étroit dont on vêtement. 2 Bordure d'une pièce d'étoffe, d'un pan-
au peint. Var liséré.

seron nm Plante volubile grimpante à fleurs en
rme de cloche.

seur, euse n Personne qui aime lire. ■ nf 1
etit coupe-papier qui sert de signet. 2 Couvre-
vre. 3 Tricot léger de femme pour lire au lit.

sibilité nf Caractère lisible.

sible a 1 Aisé à lire, à déchiffrer. 2 Dont la lec-
re est facile, agréable.

siblement av De façon lisible.

sier nm Liquide provenant des déjections solides
de l'urine des animaux de ferme.

sière nf 1 Bord d'une pièce d'étoffe, de chaque
ôté de sa largeur. 2 Limite, bordure d'une zone.

La lisière d'un bois. Loc litt Tenir en lisière : diriger étroitement.

lissage nm 1 Action de lisser. 2 Lifting.

1. lisse a Uni, poli, sans aspérités.

2. lisse nf Fil portant une œillet dans lequel passe
le fil de chaîne, dans un métier à tisser. Var lice

lisser vt Rendre lisse.

lissier, ère n Personne qui monte les lisses, qui
exécute des tapisseries. Var licier, ère

lissoir nm Instrument servant à lisser.

listage nm Action de lister.

liste nf Série d'éléments analogues (chiffres,
mots, symboles, etc.) mis les uns à la suite des
autres. La liste des lauréats. Loc Liste noire :
liste de personnes à surveiller, à exclure, à éliminer. Liste civile : somme attribuée annuellement
à un chef d'État.

listel nm Cercle en saillie sur le bord d'une pièce
de monnaie.

lister vt Faire la liste de.

listériose nf Maladie infectieuse, grave pour le
nouveau-né.

listing [-iŋ] nm Ensemble d'informations traitées
par ordinateur, qui sort sur une imprimante.

lit nm 1 Meuble sur lequel on se couche pour
se reposer, pour dormir. 2 Union conjugale. Il
a deux enfants d'un premier lit. 3 Couche d'une
matière quelconque. Un lit de gravier. 4 Espace
occupé par les eaux d'un cours d'eau. Lit d'un
fleuve. Loc HIST Lit de justice : siège surélevé
où les rois se tenaient pour présider une séance
solennelle du Parlement ; cette séance.

litanie nf Énumération longue et monotone. Une
litanie de plaintes. ■ pl Prière faite de courtes
invocations psalmodiées ou chantées.

lit-cage nm Lit métallique pliant. Des lits-cages.

litchi nm Fruit d'Asie tropicale de saveur douce,
à gros noyau. Var letchi

liteau nm 1 Bande de couleur qui orne le linge de
maison. 2 Baguette qu'on cloue sur les chevrons
d'une toiture.

literie nf Garniture, équipement d'un lit (matelas,
traversin, oreillers, draps, couvertures).

litham nm Voile des femmes musulmanes.

lithiase nf MED Présence de calculs dans les reins,
la vésicule biliaire, etc.

lithique a PREHIST Relatif au travail de la pierre.

lithium [-tjɔm] nm Métal alcalin de faible densité.

lithographie nf 1 Reproduction de dessins tracés
sur une pierre calcaire. 2 Épreuve obtenue par ce
procédé. Var litho

lithographique a De la lithographie.

lithologie nf GEOL Nature des roches constituant
une couche géologique.

lithosphère nf GEOL Couche externe du globe.

lithotriteur nm MED Instrument destiné à dissoudre les calculs rénaux par les ultrasons.

litière nf 1 Paille que l'on répand dans les écuries, les étables, etc., pour que les animaux se
couchent dessus. 2 Matière granuleuse destinée
à recevoir les déjections des chats d'appartement.
3 anc Véhicule à deux brancards dans lequel on
voyageait couché.

litige nm 1 DR Contestation en justice, procès. 2
Contestation, controverse.

litigieux, euse a Contestable. Point litigieux.

litorne nf Grive à tête grise.

litote nf Figure de rhétorique consistant à dire moins pour faire entendre plus (ex. : *ce n'est pas mal* pour *c'est bien*).

litre nm 1 Unité de mesure de volume égale à 1 décimètre cube (symbole : l). 2 Récipient contenant 1 litre.

litron nm fam Litre de vin.

littéraire a Relatif aux lettres, à la littérature. ■ *a, n* Qui montre des dispositions pour les lettres plutôt que pour les sciences.

littérairement av Sur le plan littéraire.

littéral, ale, aux a Strictement conforme à la lettre d'un mot, d'un texte. *Sens littéral.*

littéralement av 1 À la lettre. *Traduire littéralement.* 2 fam Absolument. *Littéralement fou.*

littéralité nf Caractère littéral.

littérarité nf Caractère littéraire d'un texte.

littérateur nm Écrivain sans envergure.

littérature nf 1 Ensemble des œuvres écrites considérées comme susceptibles d'être l'objet de jugements esthétiques. 2 Ensemble des œuvres littéraires d'un pays, d'une époque. 3 Ensemble des textes qui traitent d'un sujet. *La littérature sur cette question.* 4 Art d'écrire ; carrière d'écrivain. 5 fam Vaines paroles.

littoral, ale, aux a Relatif aux bords de la mer, aux côtes. ■ nm Zone située en bordure de mer. *Le littoral breton.*

littorine nf Bigorneau.

lituanien, enne a, n De Lituanie. ■ nm Langue balte parlée en Lituanie.

liturgie nf Ordre des cérémonies du culte institué par une Église. *Liturgie catholique.*

liturgique a Relatif à la liturgie.

livarot nm Fromage normand fermenté, de lait de vache, à pâte molle.

live [lajv] a inv Enregistré en public et non en studio (disque, émission).

livide a D'une couleur plombée ; blafard.

lividité nf État livide.

living-room [liviŋrum] nm Salle de séjour. *Des living-rooms.* var **living**

livrable a Qui peut être livré.

livraison nf 1 Remise d'une marchandise vendue à la personne qui l'a acquise. 2 Marchandise livrée.

1. livre nm 1 Assemblage de feuilles imprimées réunies par un côté en un volume. 2 Texte imprimé d'un ouvrage. *Un livre captivant.* 3 Subdivision d'une œuvre littéraire. 4 Registre. *Loc* Livre blanc : recueil justificatif rassemblant les documents d'un dossier. *Livre d'or* : registre que les visiteurs d'un lieu sont invités à signer. *Livre électronique* : ordinateur de poche dédié à la lecture d'ouvrages préalablement téléchargés. *Parler comme un livre* : parler très bien d'une question. *À livre ouvert* : à première vue, sans préparation.

2. livre nf 1 Unité de masse valant un demi-kilogramme. 2 Unité de masse anglo-saxonne valant 453,59 g. 3 Ancienne monnaie de compte, de valeur variable. 4 Unité monétaire du Royaume-Uni, de Chypre, de l'Égypte, du Liban, du Soudan et de la Turquie.

livre-cassette nm Cassette contenant l'enregistrement d'un texte. *Des livres-cassettes.*

livrée nf 1 anc Habit porté par les domestiques d'une grande maison. 2 ZOOL Pelage, plumage de divers animaux.

livrer vt 1 Mettre au pouvoir, à la disposit[...] de. *Livrer un coupable à la justice.* 2 Dénonc[...] *Livrer ses complices.* 3 Abandonner à l'action [...] *Livrer une ville au pillage.* 4 Confier. *Livrer [...] pensées.* 5 Remettre à un acheteur la marchand[...] commandée. *Livrer une commande. Livrer [...] client.* Loc *Livrer (une) bataille* : l'engager, battre. *Livrer passage* : laisser passer. ■ vpr 1 [...] constituer prisonnier. 2 S'abandonner, se confi[...] 3 Se consacrer à qqch.

livresque a Qui vient des livres. *Savoir pureme[...] livresque.*

livret nm 1 Petit registre individuel ou famil[...] mentionnant les éléments d'une situation. *Liv[...] de la caisse d'épargne. Livret de famille.* 2 [...] Texte d'une œuvre lyrique.

livreur, euse n Personne qui livre à domicile [...] marchandises vendues.

LMD nm Organisation du cursus universita[...] reconnue au niveau européen, avec des vali[...] tions à bac+3 (licence), bac+5 (mastère) et bac [...] (doctorat).

lob nm Coup qui consiste à lancer la balle ou [...] ballon par-dessus l'adversaire.

lobby nm Groupe de pression. *Des lobbies* [...] lobbys.

lobbying nm Action menée par un lobby.

lobbyiste n Personne qui s'occupe de lobbyin[...]

lobe nm 1 Partie arrondie et bien délimitée [...] certains organes. *Lobes du cerveau, du foie.* 2 [...] Découpure arrondie des feuilles ou des pétales [...] ARCHI Découpure en arc de cercle.

lobé, ée a didac Divisé en lobes.

lobectomie nf CHIR Ablation d'un lobe d'[...] organe (poumon, cerveau, etc.).

lober vi, vt Faire un lob.

lobotomie nf CHIR Section de certaines fibres ne[...] veuses du lobe frontal du cerveau.

lobule nm Petit lobe ou partie de lobe.

local, ale, aux a Propre à un lieu, à un endro[...] à une région. *Usages locaux. Anesthésie loca[...]* ■ nm Lieu fermé ou partie d'un bâtiment con [...] dérés quant à leur destination. *Local commerci[...]*

localement av Relativement à un lieu.

localier, ère n Journaliste qui tient une rubriq[...] locale.

localisable a Qui peut être localisé.

localisation nf Action de localiser.

localiser vt 1 Déterminer la position de, situe[...] *Localiser un bruit.* 2 Limiter, empêcher l'exte[...] sion de. *Localiser un incendie.*

localité nf Petite agglomération ; village.

locataire n Personne qui prend à loyer un log[...] ment, une terre, etc.

1. locatif, ive a Qui concerne le locataire ou [...] location.

2. locatif nm GRAM Cas du complément de lie[...] dans certaines langues à déclinaisons.

location nf 1 Action de donner ou de prendre u[...] chose à louer. 2 Action de louer à l'avance u[...] place de spectacle, une chambre d'hôtel.

location-vente nf Contrat à l'expiration duqu[...] le locataire devient propriétaire. *Des location[...] ventes.*

1. loch [lɔk] nm GÉOGR Lac très allongé occupant [...] fond d'une vallée d'Écosse.

2. loch [lɔk] nm Appareil de mesure de vitesse s[...] un bateau.

...che *nf* **1** Poisson d'eau douce au corps allongé. **2** Limace grise.

...ck-out [lokaut] *nm inv* Fermeture d'une entreprise décidée par la direction en riposte à une menace de grève. **Var lockout.**

...ck-outer *vt* Fermer par lock-out. **Var lockouter.**

...comoteur, trice *a* Qui sert à la locomotion. *Organe locomoteur.*

...comotion *nf* Mouvement par lequel on se transporte d'un lieu à un autre.

...comotive *nf* **1** Puissant véhicule circulant sur rails et remorquant des rames de voitures ou de wagons. **2** fam Personne qui joue le rôle de l'élément moteur.

...custe *nf* Criquet migrateur.

...cuteur, trice *n* LING Personne qui parle.

...cution *nf* Groupe de mots formant une unité quant au sens ou à la fonction grammaticale.

...den [loden] *nm* **1** Lainage imperméable, épais et feutré. **2** Manteau de loden.

...ess [løs] *nm* GÉOL Limon très fertile.

...of *nm* Côté d'un navire qui reçoit le vent. **Loc** *virer lof pour lof* : virer vent arrière.

...ofer *vi* MAR Venir à un cap plus rapproché de la direction d'où souffle le vent.

...oft *nm* Atelier transformé en logement.

...ogarithme *nm* MATH Exposant dont il faut, pour obtenir un nombre, affecter un autre nombre appelé base. *2 est le logarithme de 100 dans le système à base 10 ($10^2 = 100$).*

...ogarithmique *a* Des logarithmes.

...ge *nf* **1** Petit logement d'un concierge. **2** Petite pièce dans les coulisses d'un théâtre, où les acteurs changent de costume. **3** Compartiment du pourtour d'une salle de spectacle, où plusieurs spectateurs peuvent prendre place. **4** Local où ont lieu les réunions des francs-maçons ; groupe, cellule de francs-maçons. **Loc** fam *Être aux premières loges* : être très bien placé pour voir un spectacle.

...geable *a* Habitable, spacieux, où l'on peut loger beaucoup de choses.

...ogement *nm* **1** Action de loger, de se loger. **2** Local d'habitation ; appartement. **3** Creux, renfoncement ménagé pour recevoir une pièce.

...oger *vi* [11] Habiter à demeure ou provisoirement. *Loger en meublé.* ■ *vt* **1** Abriter dans un logis, héberger. *Loger un ami.* **2** Mettre, placer ; faire entrer.

...ogeur, euse *n* Personne qui loue des chambres meublées.

...oggia [lodʒja] *nf* **1** Balcon couvert, en retrait par rapport à la façade. **2** Plate-forme construite à une certaine distance du sol dans une pièce haute de plafond.

...ogiciel *nm* INFORM Ensemble des règles et des programmes relatifs au fonctionnement d'un ordinateur, par oppos. à *matériel.*

...ogicien, enne *n* Spécialiste de logique.

...ogique *nf* **1** Science dont l'objet est de déterminer les règles du raisonnement. **2** Suite dans les idées, cohérence du discours. **3** Enchaînement nécessaire des choses. *La logique des évènements.* ■ *a* Conforme aux règles de la logique ; cohérent. *Raisonnement logique.*

...ogiquement *av* De façon logique.

...ogis *nm* vx Habitation. **Loc** *Corps de logis :* partie principale d'un bâtiment.

logisticien, enne *n* Spécialiste de logistique.

logistique *nf* **1** Ensemble des moyens assurant le ravitaillement d'une armée, ses déplacements. **2** Organisation matérielle d'une entreprise, d'une collectivité. ■ *a* De la logistique.

logithèque *nf* Bibliothèque de logiciels.

logo *nm* Élément graphique servant d'emblème à une société, à une marque commerciale.

logogriphe *nm* Énigme jouant sur les combinaisons des lettres d'un mot.

logomachie *nf* litt Suite de mots creux dans un débat.

logomachique *a* De la logomachie.

logopédie *nf* MÉD Correction des défauts de prononciation chez les enfants.

logopédiste *n* Spécialiste de logopédie.

logorrhée *nf* Discours, propos interminables et désordonnés.

logorrhéique *a* De la logorrhée.

loguer (se) *vpr* Se mettre en liaison avec un réseau télématique.

loi *nf* **1** Règle ou ensemble de règles édictées par une autorité souveraine et imposées à tous les individus d'une société. **2** Ensemble des règles qu'un être raisonnable se sent tenu d'observer. *La loi morale.* **3** Rapport de nécessité régissant des phénomènes dans un domaine particulier. *Loi physique, économique.* **4** Volonté, autorité. *Dicter sa loi.* **Loc** *Faire la loi* : se conduire en maître. ■ *pl* Conventions régissant la vie sociale. *Les lois de l'hospitalité.*

loi-cadre *nf* Loi énonçant un principe général dont les modalités d'application sont précisées par des décrets. *Des lois-cadres.*

loin *av* **1** À une grande distance. *Ce chemin ne mène pas loin.* **2** À une époque éloignée dans le passé ou dans l'avenir. *Ce temps est déjà loin.* **Loc** *Au loin* : à une grande distance. *De loin* : de beaucoup. *De près ou de loin* : d'une manière ou d'une autre. *De loin en loin* : à de grands intervalles. *Loin de* : au lieu de, au contraire de ; peu disposé à. *Aller trop loin* : exagérer.

lointain, aine *a* Qui est loin dans l'espace ou dans le temps. ■ *nm* Les lieux que l'on voit au loin. *Voir un village dans le lointain.*

lointainement *av* Vaguement.

loir *nm* Rongeur à longue queue touffue. **Loc** *Dormir comme un loir* : très profondément.

loisible *a* **Loc** *Il lui est loisible de :* il lui est permis, possible de.

loisir *nm* **1** Temps pendant lequel on n'est astreint à aucune tâche. **2** Temps nécessaire pour faire commodément qqch. *Je n'ai pas eu le loisir d'y réfléchir.* **Loc** *À loisir :* à son aise, sans hâte. ■ *pl* Activités diverses (sportives, culturelles, etc.) auxquelles on se livre pendant les moments de liberté. *Les loisirs de plein air.*

lombago. V. lumbago.

lombaire *a* Des lombes. ■ *nf* Vertèbre lombaire.

lombalgie *nf* Douleur dans les lombes.

lombard, arde *a, n* De la Lombardie.

lombarthrose *nf* Arthrose des lombaires.

lombes *nfpl* ANAT Région postérieure du tronc située au bas du dos.

lombric *nm* Ver de terre.

londonien, enne *a, n* De Londres.

long, longue *a* **1** Qui présente une certaine étendue dans le sens de sa plus grande dimension (par oppos. à *court*, à *large*). *Une salle très longue.* 2 Qui a telle longueur. *Un tapis long de deux mètres.* 3 Qui dure longtemps ou depuis longtemps (par oppos. à *bref*, à *court*). *Une longue vie.* 4 Qui met longtemps à faire qqch. ■ *nm* Longueur. *Des rideaux de trois mètres de long.* Loc *De tout son long* : en étant entièrement étendu. *En long* : dans le sens de la longueur. *En long et en large* : de toutes les façons. *De long en large* : en allant et venant sans cesse, en divers sens. *Tout du long, tout au long de* : d'un bout à l'autre de. *Au long de, le long de* : en côtoyant, en suivant. ■ *nf* Voyelle ou syllabe longue. Loc *À la longue* : avec le temps. ■ *av* Beaucoup. *Un regard qui en dit long.*

longane *nm* Fruit exotique proche du litchi.

longanimité *nf* litt Grande patience pleine d'indulgence, de tolérance.

long-courrier *nm* Navire, avion qui parcourt de longs trajets. *Des long-courriers.*

longe *nf* 1 Partie du dos des animaux de boucherie. 2 Longue courroie pour attacher ou conduire un cheval.

longer *vt* [11] Aller ou s'étendre le long de. *La route longe le lac.*

longère *nf* rég Ensemble de bâtiments ruraux contigus, de forme basse et allongée.

longeron *nm* Pièce maîtresse longitudinale d'une aile d'avion, d'une machine.

longévité *nf* 1 Longue durée de la vie. 2 Durée de la vie.

longiligne *a* Mince et élancé.

longitude *nf* Angle, compté de 0° à 180°, que forme le plan du méridien d'un lieu avec le plan du méridien pris pour origine.

longitudinal, ale, aux *a* Qui s'étend selon le sens de la longueur.

long-métrage *nm* Film dont la durée dépasse une heure. *Des longs-métrages.*

longtemps *av* Pendant un long espace de temps ; une longue durée.

longuement *av* Durant un long moment.

longuet, ette *a* fam Un peu long. ■ *nm* Petit pain allongé ; gressin.

longueur *nf* 1 Dimension d'une chose de l'une à l'autre de ses extrémités ; dimension maximale. *La longueur d'un fleuve. La longueur d'une table.* 2 Durée, étendue. *La longueur du jour. La longueur d'un poème.* Loc *En longueur* : dans le sens de la longueur. *Traîner en longueur* : durer trop longtemps. *À longueur de* : pendant tout le temps de. ■ *pl* Parties superflues d'une œuvre, d'un spectacle.

longue-vue *nf* Lunette d'approche. *Des longues-vues.*

look [luk] *nm* fam Aspect physique ; allure, style.

looping [lupiŋ] *nm* Boucle complète effectuée par un avion dans le plan vertical.

lophophore *nm* Oiseau de l'Himalaya, au plumage éclatant.

lopin *nm* Petit morceau de terrain.

loquace *a* Qui parle beaucoup.

loquacité *nf* Fait d'être loquace.

loque *nf* 1 Morceau d'étoffe déchirée. 2 fam Personne sans énergie. ■ *pl* Haillons.

loquet *nm* Fermeture de porte formée d'une lame qui se fixe en s'abaissant.

loqueteau *nm* Petit loquet.

loqueteux, euse *a, n* Qui est en loques.

lord [lɔrd] *nm* Membre de la Chambre haute ◀ Grande-Bretagne.

lordose *nf* Excès de convexité antérieure de colonne vertébrale.

lorgner *vt* 1 Regarder à la dérobée. 2 Convoite *Lorgner un héritage.*

lorgnette *nf* Petite lunette d'approche. L ◀ *Regarder par le petit bout de la lorgnette* : considérer que des détails secondaires.

lorgnon *nm* Paire de verres correcteurs avec le monture, sans branches.

loriot *nm* Passereau au chant sonore.

loris [-ris] *nm* Petit mammifère grimpeur asi ◀ tique, à gros yeux.

lorrain, aine *a, n* De la Lorraine.

lorry *nm* Wagonnet plat servant à l'entretien d ◀ voies. *Des lorries* ou *lorrys.*

lors *av* Loc *Dès lors* : dès ce moment-là ; ◀ conséquence. *Depuis lors* : depuis ce moment-▼ *Pour lors* : en ce cas. *Lors de* : au moment de. *D* ◀ *lors que* : à partir du moment où. *Lors même q* ◀ (+ conditionnel) : quand bien même.

lorsque *conj* Au moment où, quand.

losange *nm* Parallélogramme dont les quat ◀ côtés sont égaux.

losangé, ée *a* Divisé en losanges.

losangique *a* En forme de losange.

loser [luzœr] *nm* fam Perdant, médiocre.

lot [lo] *nm* 1 Portion d'un partage attribuée à qq ◀ 2 Ce qui échoit dans une loterie à chacun d ◀ gagnants. 3 litt Ce que le sort réserve à qqn. *M* ◀ *lot est d'être malchanceux.* 4 COMM Ensemble d'a ◀ ticles assortis vendus en bloc.

lote. V. lotte.

loterie *nf* 1 Jeu de hasard comportant la vente ◀ marques ou de billets numérotés et le tirage a ◀ sort des numéros gagnant un lot. 2 Ce qui dépen ◀ du hasard.

loti, ie *a* Loc *Être bien (mal) loti* : être favori ◀ (défavorisé) par le sort.

lotion *nf* Liquide spécialement préparé pour l ◀ soins de toilette.

lotir *vt* Partager en lots. *Lotir un terrain.*

lotissement *nm* Morcellement d'un terrain e ◀ parcelles destinées à la construction.

loto *nm* 1 Jeu de hasard qui se joue avec de ◀ jetons numérotés à placer sur des cartons à case ◀ numérotées. 2 Jeu de hasard national établi sur ◀ tirage au sort de numéros gagnants.

lotte *nf* 1 Poisson d'eau douce. 2 Autre nom de ◀ baudroie. Var lote

lotus [-tys] *nm* Nom usuel d'un nénuphar.

louable *a* Digne de louange.

louage *nm* Location. *Voiture de louage.*

louange *nf* Discours par lequel on loue qqn ◀ éloge. ■ *pl* Paroles par lesquelles on fait l'élog ◀ de qqn, de ses mérites.

louangeur, euse *a* Qui exprime des éloges. D ◀ *articles louangeurs.*

loubard *nm* fam Jeune voyou. Var loubar

1. louche *a* 1 Qui ne paraît pas parfaitemen ◀ honnête. *Une affaire louche. Il y a du louche dar* ◀ *tout cela.*

2. louche *nf* Cuiller large à long manche.

loucher *vi* Être atteint de strabisme. ■ *vti* Convo ◀ ter. *Loucher sur la part du voisin.*

loucherie *nf* Fait de loucher, strabisme.

loucheur, euse *n* Personne qui louche.

louer vt 1 Donner ou prendre en location. 2 éserver, retenir. *Louer une place de théâtre.*

louer vt Exalter qqch, qqn, en célébrer les mérites. ■ vpr Témoigner qu'on est satisfait de qch, de qqn. *Se louer d'un audace.*

loueur, euse n Personne qui donne en location.

loufiat nm pop Garçon de café.

loufoque a fam Un peu fou, saugrenu.

loufoquerie nf fam Acte, propos loufoques.

louis nm anc Pièce d'or française de 20 francs.

louise-bonne nf Variété de poire fondante. *Des louises-bonnes.*

loukoum. V. rahat-loukoum.

loulou nm 1 Chien de luxe au museau pointu et à long poil. 2 pop Loubard, voyou. *Des loulous.*

loup nm 1 Mammifère carnivore à l'allure de grand chien. 2 Bar (poisson). 3 Petit masque noir. TECH Défaut irréparable dans la fabrication d'une pièce. Loc *Jeune loup :* homme jeune et plein d'ambition. *Loup de mer :* marin expérimenté. *Faim de loup :* grande faim. *Marcher à pas de loup :* sans bruit. *Être connu comme le loup blanc :* être très connu.

loup-cervier nm Lynx. *Des loups-cerviers.*

loupe nf 1 Lentille convergente qui donne des objets une image agrandie. 2 MED Kyste sébacé. BOT Excroissance ligneuse qui se développe sur certains arbres.

loupé nm fam Erreur, échec. **Var loupage**

louper vt fam Rater, manquer.

loup-garou nm Personnage légendaire, malfaisant qui se métamorphose la nuit en loup. *Des loups-garous.*

loupiot, otte n fam Enfant.

loupiote nf fam Lampe.

lourd, lourde a 1 Pesant. *Une lourde charge.* 2 oppressant. *Climat lourd.* 3 Qui manque d'élégance, de finesse. 4 Difficile à digérer. 5 Qui nécessite des moyens importants. *Chirurgie lourde.* Loc *Sommeil lourd :* profond. *Avoir la main lourde :* frapper durement. *Poids lourd :* catégorie de poids dans de nombreux sports (en boxe, plus de 79 kg). ■ av Beaucoup. *Peser lourd. Ne pas en savoir lourd.*

lourdaud, aude a, n Grossier, maladroit.

lourde nf pop Porte.

lourdement av 1 Pesamment. 2 Grossièrement. *S'esclaffer lourdement.*

lourder vt pop Mettre à la porte.

lourdeur nf Caractère lourd.

lourdingue a pop Lourdaud.

loustic nm fam Individu peu sérieux.

loutre nf Mammifère carnivore aquatique ; fourrure appréciée de cet animal.

louve nf Femelle du loup.

louveteau nm 1 Petit de la louve. 2 Jeune scout.

louvoiement nm Action de louvoyer.

louvoyer vi [22] 1 MAR Tirer des bords pour naviguer contre le vent. 2 Faire de nombreux détours pour arriver à ses fins ; tergiverser.

lover vt MAR Enrouler un cordage sur lui-même. ■ vpr Se rouler en spirale.

loyal, ale, aux a Droit, honnête ; fidèle.

loyalement av Avec loyauté.

loyalisme nm 1 Fidélité au régime établi. 2 Fidélité à une cause.

loyaliste a, n Qui proclame son loyalisme.

loyauté nf Droiture, probité, honnêteté.

loyer nm Prix payé par le preneur pour l'usage d'une chose louée.

LSD nm Hallucinogène puissant.

lubie nf Caprice bizarre, fantaisie subite.

lubricité nf Penchant à la luxure.

lubrifiant, ante a, nm Qui lubrifie.

lubrification nf Action de lubrifier.

lubrifier vt Graisser pour rendre glissant.

lubrique a 1 Porté à la luxure. 2 Inspiré par la lubricité. *Des gestes lubriques.*

lucane nm Coléoptère appelé aussi *cerf-volant.*

lucarne nf Ouverture vitrée pratiquée dans une toiture pour donner du jour.

lucide a 1 Qui envisage la réalité clairement et nettement, telle qu'elle est. 2 Pleinement conscient.

lucidement av De façon lucide.

lucidité nf Qualité lucide.

lucilie nf Mouche verte qui pond sur la viande.

luciole nf Coléoptère lumineux.

lucite nf Affection de la peau due à la lumière.

lucratif, ive a Qui rapporte un profit, de l'argent. *Association à but non lucratif.*

lucre nm Profit qu'on recherche avidement.

ludiciel nm Logiciel de jeu.

ludion nm Jouet formé d'un corps creux qu'on fait monter ou descendre dans un liquide par pression sur la membrane fermant le flacon.

ludique a Qui concerne le jeu.

ludisme nm Comportement ludique.

ludothèque nf Établissement où les enfants peuvent emprunter des jeux.

luette nf ANAT Appendice conique prolongeant le bord postérieur du voile du palais.

lueur nf 1 Lumière faible ou passagère. 2 Expression passagère du regard. 3 Apparition passagère. *Une lueur d'espoir.*

luge nf Petit traîneau utilisé pour descendre rapidement les pentes neigeuses.

lugubre a Qui inspire ou qui dénote une tristesse profonde. *Un air lugubre.*

lugubrement av De façon lugubre.

lui pr pers Troisième personne du singulier, masculin ou féminin.

luire vi [67] Émettre ou refléter de la lumière.

luisant, ante a Qui luit. Loc *Ver luisant :* lampyre.

lumbago [lɔ̃-] ou [lœ̃-] nm Douleur lombaire survenant brutalement. **Var lombago**

lumen [lymɛn] nm PHYS Unité de flux lumineux (symbole : lm).

lumière nf 1 Phénomène spontanément perçu par l'œil et susceptible d'éclairer et de permettre de voir. *La lumière du soleil, d'une lampe.* 2 Ce qui sert à éclairer ; lampe. 3 Ce qui permet de comprendre ou de savoir. *La lumière de la raison.* 4 Personne intelligente, savante. 5 TECH Orifice, ouverture. Loc *Faire la lumière sur une chose :* la révéler, l'expliquer. *Mettre en (pleine) lumière :* faire voir clairement, mettre en évidence. ■ pl Connaissances.

lumignon nm Lampe qui éclaire peu.

luminaire nm Appareil ou ensemble d'appareils d'éclairage.

luminescence nf Propriété des corps qui deviennent lumineux à basse température.

luminescent, ente a Qui présente une luminescence.

lumineusement av Très clairement.

lumineux, euse a 1 Qui émet de la lumière. 2 Très clair. Un exposé lumineux.

luminosité nf Caractère lumineux.

lump [lœp] nm Poisson dont les œufs ressemblent à du caviar.

lunaire a De la Lune. ■ nf Syn. de monnaie-du-pape.

lunaison nf Durée comprise entre deux nouvelles lunes consécutives.

lunatique a, n Capricieux, fantasque.

lunch [lœntʃ] ou [lœʃ] nm Repas froid, constitué de mets légers présentés en buffet.

lundi nm Premier jour de la semaine.

lune nf 1 (avec majusc.) Corps céleste, satellite de la Terre et qui l'éclaire la nuit. 2 Lunaison. Loc Lune de miel : les débuts du mariage. Nouvelle lune : période où la Lune est visible. Pleine lune : période où la Lune est visible sous forme d'un disque lumineux. fam Demander, promettre la lune : une chose impossible. fam Être dans la lune : être distrait, inattentif. fam Vieilles lunes : idées démodées.

luné, ée a Loc fam Bien (mal) luné : de bonne (de mauvaise) humeur.

lunetier, ère n Fabricant de lunettes.

lunette nf 1 Instrument destiné à grossir ou à rapprocher l'image d'un objet éloigné. Lunette astronomique. 2 Ouverture d'une cuvette de W-C. ■ pl Paire de verres fixés à une monture, servant à corriger la vue ou à protéger les yeux.

lunetterie nf Fabrication des lunettes.

lunule nf Zone blanchâtre à la base de l'ongle.

lupanar nm litt Lieu de prostitution.

lupin nm Plante ornementale ou fourragère, à fleurs en grappes.

lupus [lypys] nm Dermatose, principalement localisée au visage.

lurette nf Loc fam Il y a belle lurette : il y a bien longtemps.

lurex nm (n. déposé) Fil recouvert de polyester, à l'aspect métallique.

luron, onne n fam Bon vivant.

lusitanien, enne a, n Portugais.

lusophone a, n De langue portugaise.

lustrage nm Action de lustrer.

lustral, ale, aux a litt Qui sert à purifier.

1. lustre nm litt Période de cinq années. ■ pl fam Longue période.

2. lustre nm 1 Appareil d'éclairage suspendu au plafond. 2 litt Éclat, brillant.

lustrer vt Donner du lustre à, rendre brillant.

lustrine nf Tissu de coton très apprêté et lustré.

luth nm MUS Instrument à cordes pincées.

luthéranisme nm Doctrine de Luther.

lutherie nf Profession, commerce du luthier.

luthérien, enne a, n Qui relève de la doctrine de Luther.

luthier nm Fabricant ou marchand d'instruments de musique à cordes.

luthiste n Personne qui joue du luth.

lutin nm 1 Petit démon familier d'esprit malicieux ou taquin. 2 Enfant vif, espiègle.

lutiner vt litt Harceler de familiarités galantes.

lutrin nm Pupitre sur lequel on pose les livres servant à chanter l'office, dans une église.

lutte nf 1 Sport de combat opposant deux adversaires dont chacun doit s'efforcer d'immobiliser l'autre au sol. 2 Rixe ou combat. Lutte au c[ou]teau. 3 Opposition ou conflit d'idées, d'intérê[ts] de pouvoir. Luttes politiques. 4 Action contre u[ne] force, un phénomène nuisible ou hostile.

lutter vi 1 Pratiquer la lutte. 2 Se battre, rivalis[er] Lutter contre un ennemi. 3 Être en lutte. Lutt[er] contre le vent.

lutteur, euse n Personne qui pratique la lutte.

lux nm Unité d'éclairement lumineux (symbol[e] lx).

luxation nf MED Déplacement anormal des s[ur]faces d'une articulation.

luxe nm 1 Magnificence, éclat ; abondance [de] choses somptueuses. Loc Un (grand) luxe d[e] une grande quantité, une profusion de. Se pay[er] s'offrir le luxe de : se permettre de faire qqch [de] difficile, d'agréable, de remarquable.

luxembourgeois, oise a, n Du grand duché [de] Luxembourg.

luxer vt Provoquer la luxation de.

luxueusement av De façon luxueuse.

luxueux, euse a Caractérisé par le luxe.

luxure nf litt Pratique immodérée des plais[irs] sexuels.

luxuriance nf Caractère luxuriant.

luxuriant, ante a Qui pousse avec abondan[ce] (végétation).

luxurieux, euse a litt 1 Qui s'adonne à la luxu[re] 2 Qui dénote la luxure.

luzerne nf Plante fourragère riche en protéines.

lycée nm Établissement d'enseignement [du] deuxième cycle du second degré.

lycéen, enne n, a Élève d'un lycée.

lycoperdon nm Champignon appelé couram[ment] vesse-de-loup.

lycra nm (n. déposé) Fibre textile artificielle, tr[ès] élastique.

lymphangite nf Inflammation aiguë ou chro[ni]que des vaisseaux lymphatiques.

lymphatique a De la lymphe. Ganglions lym[phatiques. ■ a, n Mou, sans énergie.

lymphatisme nm Caractère lent et apathique.

lymphe nf BIOL Liquide clair, blanchâtre qui c[ir]cule dans les vaisseaux lymphatiques.

lymphocytaire a Des lymphocytes.

lymphocyte nm BIOL Cellule sanguine monon[u]cléaire appartenant à la lignée blanche.

lymphocytose nf MED Augmentation du nomb[re] de lymphocytes dans le sang.

lymphographie nf Radiographie du systèm[e] lymphatique.

lymphoïde a Loc Tissu, système lymphoïde ensemble constitué par les lymphocytes et p[ar] les organes lymphoïdes (thymus, moelle osseus[e] ganglions lymphatiques, etc.), dont dépendent l[es] réactions d'immunité.

lymphome nm MED Tumeur maligne des ga[n]glions lymphatiques.

lymphopénie nf MED Baisse des lymphocyt[es] dans le sang.

lynchage nm Action de lyncher.

lyncher vt Exécuter un présumé coupable san[s] jugement préalable (groupe, foule).

lynx nm Mammifère carnivore félidé. Loc Ye[ux] de lynx : vue très perçante.

lyonnais, aise a, n De Lyon.

lyophilisation nf Procédé de dessiccation pa[r] congélation brutale.

ophiliser *vt* Soumettre à la lyophilisation.

re *nf* Instrument de musique à cordes pincées
ilisé par les Anciens.

rique *a* **1** Se dit d'une œuvre, d'un auteur qui
isse libre cours à l'expression des sentiments
ersonnels. **2** Se dit d'une œuvre théâtrale mise
1 musique pour être chantée. **3** Enthousiaste.
escription lyrique. **Loc** *Artiste lyrique :* chan-
ur, chanteuse d'opéra. ■ *nm* Poète lyrique. ■ *nf*
ésie lyrique.

lyriquement *av* Avec lyrisme.

lyrisme *nm* **1** Inspiration poétique lyrique. **2** Caractère lyrique.

lys. *V. lis.*

lyse *nf* BIOL Destruction d'une structure organique.

lysergique *a* **Loc** *Acide lysergique :* puissant hallucinogène (LSD).

lysine *nf* BIOL Acide aminé basique indispensable à la croissance.

lytique *a* BIOL Qui cause la lyse.

m *nm* **1** Treizième lettre (consonne) de l'alphabet. **2** M : chiffre romain valant 1 000. **3** M. : abrév. de *Monsieur*.

ma. V. *mon*.

maboul, oule *a, n* pop Fou.

mac *nm* pop Proxénète.

macabre *a* Qui évoque des choses funèbres, la mort. *Histoire macabre.*

macadam [-dam] *nm* Revêtement de chaussée constitué de pierres concassées agglomérées.

macanéen, enne *a, n* De Macao.

macaque *nm* **1** Singe d'Afrique et d'Eurasie, trapu, à queue réduite ou absente. **2** fam Personne très laide.

macareux *nm* Oiseau marin au gros bec bleu et rouge, qui vit dans des terriers.

macaron *nm* **1** Petit gâteau rond à la pâte d'amande. **2** Gros insigne de forme arrondie. **3** Natte de cheveux roulée sur l'oreille.

macaroni *nm* Pâte alimentaire, en forme de petit tube allongé.

maccarthysme *nm* HIST Politique anticommuniste systématique des États-Unis dans les années 1950.

macchabée [-ka-] *nm* pop Cadavre.

macédoine *nf* Mets composé de légumes ou de fruits coupés en morceaux.

macédonien, enne *a, n* De la Macédoine.

macération *nf* Opération qui consiste à laisser séjourner dans un liquide une substance pour l'accommoder, la conserver, etc.

macérer *vt* [12] Soumettre à la macération. ■ *vi* Séjourner dans un liquide.

Mach (nombre de) [mak] *nm* Loc *Voler à Mach 1, Mach 2...* : à une fois, deux fois la vitesse du son.

machaon [-ka-] *nm* Grand papillon aux ailes colorées.

mâche *nf* Variété de salade.

mâchefer *nm* Scorie provenant de la combustion de certains charbons.

mâchement *nm* Action de mâcher.

mâcher *vt* Broyer, triturer avec les dents. Loc *Mâcher la besogne à qqn* : à lui préparer de façon qu'il puisse l'achever sans peine. *Ne pas mâcher ses mots* : parler sans ménagements.

machette *nf* Sabre d'abattage.

machiavélique [-kja-] *a* Qui calcule ses coups avec une habileté perfide.

machiavélisme [-kja-] *nm* **1** Doctrine politique de Machiavel. **2** Attitude machiavélique.

mâchicoulis *nm* anc Encorbellement placé en haut d'une muraille et percé d'ouvertures.

machin *nm* fam Personne ou chose qu'on ne veut pas nommer plus précisément.

machinal, ale, aux *a* Fait sans intention consciente. *Geste machinal.*

machinalement *av* De façon machinale.

machination *nf* Intrigue ourdie secrètement dans le dessein de nuire.

machine *nf* **1** Appareil plus ou moins complexe, conçu pour accomplir des tâches, des travaux. *Machine à écrire. Machine agricole.* **2** Véhicule. **3** Ensemble organisé qui fonctionne comme un mécanisme. *La machine bureaucratique.* Loc *Faire machine arrière* : revenir sur ses affirmations. *Machine infernale* : engin explosif.

machine-outil *nf* Machine servant à façonner un matériau, à modifier la forme d'une pièce. *Des machines-outils.*

machiner *vt* Combiner, manigancer.

machinerie *nf* Ensemble de machines.

machinisme *nm* Généralisation de l'emploi de machines en remplacement de la main-d'œuvre.

machiniste *n* **1** Conducteur d'un véhicule de transports en commun. **2** Personne chargée de la manœuvre des décors et accessoires dans un théâtre, dans un studio de cinéma, de télévision.

machisme [mat∫ism] *nm* Comportement, idéologie de macho.

machiste *a* Propre au machisme.

macho [mat∫o] *nm, a* fam Homme qui affiche une attitude dominatrice envers les femmes.

mâchoire *nf* **1** Chacune des deux pièces osseuses dans lesquelles les dents sont implantées. **2** TECH Pièce qu'on rapproche d'une autre pour assujettir un objet. *Mâchoires d'un étau.*

mâchon *nm* Petit restaurant lyonnais.

mâchonnement *nm* Action de mâchonner.

mâchonner *vt* **1** Mâcher avec difficulté ou négligence. **2** Mordiller.

mâchouiller *vt* fam Mâchonner.

mâcon *nm* Vin du sud de la Bourgogne.

maçon, onne *a* Se dit de certains animaux bâtisseurs. ■ *nm* **1** Ouvrier en maçonnerie. **2** Abrév. de *franc-maçon*.

maçonnage *nm* Action de maçonner.

maçonner vt 1 Réaliser un ouvrage avec des pierres, des briques. 2 Revêtir de maçonnerie.

maçonnerie nf 1 Ouvrage en pierres, briques, liées au moyen de plâtre ou de ciment. 2 Corps de métier du bâtiment spécialisé dans le gros œuvre. 3 Franc-maçonnerie.

maçonnique a De la franc-maçonnerie.

macramé nm Dentelle d'ameublement.

macreuse nf 1 Canard marin des régions nordiques. 2 Morceau de viande maigre sur l'épaule du bœuf.

macrobiotique a, nf Se dit d'un régime alimentaire qui exclut la viande et consiste surtout en céréales, légumes et fruits.

macrocosme nm PHILO L'univers, dans sa relation avec l'homme.

macrocystis nm Grande algue brune.

macroéconomie nf Partie de l'économie qui considère uniquement les grandes composantes de la vie économique.

macroéconomique a De la macroéconomie.

macromolécule nf CHIM Molécule géante.

macrophage a BIOL Cellule dérivée des monocytes, ayant une fonction phagocytaire.

macroscopique a didac Se dit des objets, des phénomènes pouvant être observés à l'œil nu (par oppos. à *microscopique*).

macroure nm ZOOL Crustacé à l'abdomen allongé (homard).

macula nf ANAT Dépression située à l'arrière de la rétine, appelée aussi *tache jaune*.

macule nf Tache cutanée.

maculer vt Tacher.

macumba [-kum-] nf Culte brésilien apparenté au vaudou.

madame nf Titre donné à une femme mariée et qui tend aujourd'hui à être employé pour toute femme. (Au pl. *mesdames*. Abrév. : *Mme*, *Mmes*.)

made in [medin] loc Précède le nom du pays où un produit a été fabriqué. *Made in France.*

madeleine nf Petit gâteau ovale à pâte molle.

mademoiselle nf Titre donné à une jeune fille, à une femme célibataire. (Au pl. *mesdemoiselles*. Abrév. : *Mlle*, *Mlles*.)

madère nm Vin liquoreux de Madère.

madériser (se) vpr Prendre le goût du madère.

madone nf Représentation de la Vierge.

madrague nf Dispositif de pêche au thon fait d'une enceinte de filets.

madras [-dras] nm 1 Étoffe légère de soie et de coton, de couleurs vives. 2 Coiffure faite avec cette étoffe, portée par les Antillaises.

madré, ée a, n litt Rusé.

madrépore nm Corail constitutif des atolls et des récifs.

madrier nm Planche très épaisse utilisée en construction.

madrigal, aux nm Petite pièce de vers exprimant de tendres sentiments.

madrilène a, n De Madrid.

maelström nm litt Violent tourbillon. **Var malstrom**

maestria nf Grande habileté, virtuosité.

maestro nm Grand compositeur, chef d'orchestre réputé.

mafflu, ue a litt Qui a de grosses joues.

mafia nf 1 Association secrète de malfaiteurs. Clan défendant les intérêts de ses membres.

mafieux, euse a, n D'une mafia.

mafioso nm Membre d'une mafia. *Des mafio* ou *mafiosos.*

magasin nm 1 Lieu couvert où l'on entrepos des marchandises, des denrées. 2 Établissemen commercial de vente. 3 Logement des munition d'une arme, du film d'une caméra.

magasinage nm Action de déposer ou fait d conserver des marchandises dans un magasin.

magasinier, ère n Personne qui est chargée d gérer les marchandises déposées en magasin.

magazine nm 1 Publication périodique illustrée 2 Émission à la radio, à la télévision.

magdalénien, enne a, nm PRÉHIST De la fin d paléolithique supérieur.

mage nm Personne qui connaît les science occultes. ■ a Loc *Rois mages :* Balthazar, Gas pard et Melchior, riches personnages qui, selo l'Évangile, vinrent visiter Jésus à sa naissance.

magenta [-žēta] nm, a inv Rouge cramoisi.

maghrébin, ine a, n Du Maghreb.

magicien, enne n 1 Personne qui pratique l magie. 2 Personne qui enchante, qui fait des chose extraordinaires. 3 Illusionniste, prestidigitateur.

magie nf 1 Science occulte visant à obtenir d effets merveilleux à l'aide de moyens surnaturels 2 Prestidigitation. *Tour de magie.* 3 Enchante ment, séduction. *La magie du chant.*

magique a 1 De la magie. 2 Qui charme, qu enchante. 3 Surprenant.

magiquement av De façon magique.

magistère nm 1 litt Autorité morale, intellectuell ou doctrinale. 2 Diplôme universitaire de hau niveau.

magistral, ale, aux a 1 Qui appartient au maître *Chaire magistrale.* 2 Donné par un professeu en titre. *Cours magistral.* 3 D'une qualité remar quable. *Réussir un coup magistral.*

magistralement av De façon magistrale.

magistrat, ate nm 1 Fonctionnaire investi d'un autorité juridictionnelle, politique ou administra tive. 2 Membre de l'ordre judiciaire.

magistrature nf 1 Dignité, charge de magistra 2 Temps pendant lequel un magistrat exerce se fonctions. 3 Corps des magistrats.

magma nm 1 GÉOL Mélange pâteux de matière minérales en fusion, provenant de l'intérieur de l Terre. 2 Mélange confus, désordonné.

magmatique a GÉOL Du magma.

magmatisme nm GÉOL Phénomènes concernan les magmas.

magnanerie nf Bâtiment servant à l'élevage de vers à soie.

magnanime a litt Qui a de la générosité à l'égar des faibles, des vaincus.

magnanimement av Généreusement.

magnanimité nf litt Générosité, clémence.

magnat [magna] nm Financier ou industriel trè puissant.

magner (se) vpr fam Se dépêcher.

magnésie nf Oxyde de magnésium.

magnésien, enne a Du magnésium.

magnésium [-zjom] nm Métal gris-blanc trè léger, utilisé notamment en métallurgie.

magnet [maɲɛt] nm COMM Élément magnétisé inséré dans un livre, un disque, etc., pour lutter contre le vol.

magnétique a 1 Relatif à l'aimant, au magnétisme. *Champ magnétique.* 2 Qui semble exercer une influence puissante et mystérieuse sur la volonté d'autrui. *Charme magnétique.*

magnétisation nf Action de magnétiser.

magnétiser vt 1 Communiquer les propriétés de l'aimant à une substance. 2 Soumettre à une influence puissante ; subjuguer.

magnétiseur, euse n 1 Guérisseur qui attribue son action à un fluide personnel. 2 Hypnotiseur.

magnétisme nm 1 Partie de la physique qui étudie les propriétés des aimants, des champs magnétiques. 2 Ensemble des phénomènes relatifs aux champs magnétiques. 3 Attraction, fascination que qqn exerce sur une autre.

magnétite nf Oxyde naturel de fer.

magnéto nf Génératrice de courant alternatif.

magnétomètre nm Instrument de mesure des champs magnétiques.

magnétophone nm Appareil permettant d'enregistrer des sons sur bande magnétique et de les reproduire.

magnétoscope nm Appareil permettant d'enregistrer les images sur bande magnétique et de les reproduire sur un écran de télévision.

magnétosphère nf Zone du champ magnétique d'une planète.

magnificat [-kat] nm inv 1 Cantique de la Vierge Marie à l'Annonciation. 2 Musique sur le texte du Magnificat.

magnificence nf 1 litt Générosité grandiose dans les dons, les dépenses. 2 Caractère magnifique ; splendeur somptueuse.

magnifier vt litt Exalter la grandeur de.

magnifique a 1 Somptueux, plein de grandeur, d'éclat. 2 Très beau, remarquable.

magnifiquement av De façon magnifique.

magnitude nf 1 ASTRO Grandeur servant à caractériser l'éclat d'un astre. 2 GÉOL Grandeur permettant de classer les séismes.

magnolia nm Arbre ornemental aux grandes fleurs blanches très odorantes.

magnum [magnɔm] nm Grosse bouteille contenant 1,5 litre.

magot nm 1 Macaque sans queue d'Afrique du Nord. 2 Figurine représentant un personnage obèse. 3 fam Somme d'argent, économies.

magouille nf fam Intrigue, manœuvre douteuse.

magouiller vi fam Se livrer à des magouilles.

magouilleur, euse n, a fam Qui magouille.

magret nm Filet de canard élevé pour la production de foie gras.

magyar, are a, n Hongrois.

maharajah nm Titre donné autrefois aux princes de l'Inde. **Var maharadja**

maharani nf Femme de maharajah.

mahatma nm Nom attribué dans l'Inde moderne à certains chefs spirituels.

mahdi nm Envoyé de Dieu à la fin des temps, dans la religion islamique.

mah-jong nm Jeu chinois voisin des dominos. *Des mah-jongs.* **Var majong**

mahométan, ane n, a vx Musulman.

mahonia nm Arbrisseau ornemental à fleurs jaunes et à baies bleues.

mahorais, aise a, n De Mayotte.

mahratte nm Langue de l'Inde (Maharashtra), dérivée du sanskrit. **Var marathe**

mai nm Cinquième mois de l'année.

maïa nm Araignée de mer.

maïeutique nf PHILO Méthode dialectique visant à amener l'interlocuteur à découvrir par lui-même la vérité.

maigre a 1 Qui a peu de graisse, de matières grasses. *Viande maigre. Fromage maigre.* 2 Dont le corps présente peu de chair autour du squelette. 3 Peu fourni. *Une maigre végétation.* 4 Qui manque d'importance ; insuffisant. *Maigre bénéfice.* ■ nm 1 Partie maigre d'une viande. 2 Syn. de *sciène.* Loc *Faire maigre* : ne pas manger de viande pour des raisons religieuses.

maigrelet, ette a, n fam Un peu trop maigre. **Var maigrichon, onne**

maigrement av Petitement, chichement.

maigreur nf État d'un être maigre.

maigrir vi Devenir maigre. ■ vt Faire paraître maigre.

1. mail [maj] nm Promenade publique.

2. mail [mɛl] nm Courriel, e-mail.

mailing [mɛliŋ] nm Envoi de prospectus, de spécimens pour promouvoir la vente d'un produit.

maillage nm Disposition en réseau.

1. maille nf Chacune des boucles (de fil, de laine, etc.) dont l'entrelacement constitue un tissu, un tricot, un filet, un grillage, etc. Loc *Avoir maille à partir avec qqn* : avoir une dispute avec lui.

2. maille nf Loc *Avoir maille à partir avec qqn* : avoir une dispute avec lui.

maillechort nm Alliage de cuivre, de nickel et de zinc, blanc, dur et inaltérable.

mailler vt Fabriquer en mailles. *Mailler un filet.*

maillet nm Marteau à deux têtes en bois dur.

mailloche nf 1 Gros maillet. 2 MUS Baguette terminée par une boule utilisée avec certains instruments à percussion.

maillon nm Anneau d'une chaîne.

maillot nm 1 Lange et couches dont on enveloppait un bébé. 2 Vêtement de tricot porté à même la peau. 3 Costume de bain.

main nf 1 Partie du corps humain qui termine le bras, munie de cinq doigts. 2 IMPRIM Assemblage de vingt-cinq feuilles de papier. Loc *Porter la main sur qqn* : le frapper. *Mettre la main sur une chose* : la trouver après l'avoir cherchée. *Avoir le cœur sur la main* : être très généreux. *Forcer la main à qqn* : le contraindre à faire qqch. *À pleines mains* : abondamment, avec libéralité. *Attaque à main armée* : par une (des) personne(s) armée(s). *Coup de main* : opération exécutée par surprise. fam *Donner un coup de main à qqn* : l'aider. *De main de maître* : très bien fait, exécuté. fam *Ne pas y aller de main morte* : agir très vigoureusement. *De longue main* : depuis longtemps. *De première main* : directement, sans intermédiaire. *De seconde main* : d'occasion ; indirectement. *De la main à la main* : directement. *Prendre en main(s) une affaire* : s'en charger. *En main(s) propre(s)* : directement entre les mains de la personne concernée. *En bonnes mains* : sous la responsabilité de qqn de compétent. *Sous main* : secrètement. *Sous la main* : à portée, non loin. *Mettre la main à l'ouvrage, à la pâte* : participer activement à un travail. *Avoir la main heureuse* : réussir ce que l'on entreprend. *Avoir la haute* *main sur qqch :* avoir autorité. *Emporter une affaire haut la main :* facilement. *Avoir la main lourde :* faire trop sentir son autorité. *Faire main basse sur :* s'emparer de. *Passer la main :* renoncer à ce à quoi l'on avait droit. *Avoir la main :* aux cartes, être le premier à jouer. *Main courante :* dessus de la rampe d'escalier. *Petite main :* couturière débutante.

mainate nm Oiseau noir d'Asie, apte à imiter la voix humaine.

main-d'œuvre nf 1 Façon, travail de l'ouvrier. 2 Personnel de production.

main-forte nf Loc *Prêter main-forte à qqn :* l'aider pour exécuter qqch. Var **mainforte**

mainlevée nf DR Acte mettant fin aux mesures de saisie, de séquestre, etc.

mainmise nf Domination, accaparement.

mainmorte nf Loc DR *Biens de mainmorte :* biens possédés par des communautés religieuses, des œuvres charitables, etc., et qui échappent aux règles des mutations par décès.

maint, mainte a indéf litt Plus d'un, de nombreux. *Je te l'ai dit maintes fois.*

maintenance nf TECH Maintien d'un matériel en état de fonctionnement.

maintenant av 1 À présent, au temps où nous sommes. 2 Désormais. *Maintenant ils seront heureux.* Loc *Maintenant que :* dès lors que.

maintenir vt [35] 1 Tenir ferme et fixe. 2 Conserver dans le même état ; garder. 3 Continuer à affirmer, soutenir. ■ vpr Rester dans le même état. *Se maintenir en bonne santé.*

maintien nm 1 Contenance, attitude. 2 Action de maintenir, de conserver dans le même état.

maire nm Élu chargé de diriger une commune avec le conseil municipal. Loc HIST *Maire du palais :* sous les mérovingiens, dignitaire qui détenait la réalité du pouvoir.

mairesse nf 1 fam Femme d'un maire. 2 abusiv Femme maire.

mairie nf 1 Fonction du maire. 2 Administration municipale. 3 Bureaux de cette administration ; bâtiment qui les abrite.

mais conj Exprime une restriction, une différence, une opposition, une objection, etc. ■ av Loc litt *N'en pouvoir mais :* être impuissant.

maïs nm Céréale à grosse tige et à gros grains jaunes en épis.

maison nf 1 Bâtiment d'habitation. 2 Ensemble des lieux que l'on habite ; les habitants de ces lieux. 3 Établissement commercial, financier, industriel, social, culturel, etc. *Une maison sérieuse. Maison de retraite. Maison de la culture.* 4 Famille noble ; famille régnante. *La maison d'Autriche.* ■ a inv 1 Fait à la maison, de façon artisanale. *Gâteau maison.* 2 Formé dans l'établissement. *Ingénieur maison.*

maisonnée nf Ensemble des habitants d'une maison.

maisonnette nf Petite maison.

maître, maîtresse n 1 Personne qui détient une autorité comme patron, comme directeur. *Le chien obéit à son maître.* 2 Instituteur, institutrice. Loc *Être son maître :* ne dépendre que de soi-même. ■ a 1 Qui est en état de décider, de diriger. *Être maître du choix, de la situation.* 2 Qui est dominant, essentiel. *Qualité maîtresse. Poutre maîtresse.* Loc *Être maître de soi :* se dominer. *Se rendre maître de :* s'emparer de. ■ nm 1 Personne qui a des disciples, qui sert de modèle. 2 Titre donné aux avocats, aux commissaires-priseurs, aux notaires. Loc *Maître de conférences :* professeur non titulaire dans une université. *Maître d'hôtel :* employé responsable de l'ensemble du service dans un restaurant ou une grande maison. *Maître d'œuvre :* qui assure la conception et la réalisation d'un édifice, d'un projet. ■ nf Femme qui a des relations intimes avec un homme qui n'est pas son mari. Var **maitre, maitresse**

maître-autel nm Autel principal d'une église. *Des maîtres-autels.* Var **maitre-autel**

maître chanteur. V. *chanteur.*

maître-chien nm Spécialiste du dressage de chiens. *Des maîtres-chiens.* Var **maitre-chien**

maître-mot nm Mot qui résume la pensée de qqn d'un groupe. *Des maîtres-mots.* Var **maitre-mot**

maîtrisable a Qu'on peut maîtriser. Var **maitrisable**

maîtrise nf 1 École d'instruction musicale pour enfants de chœur ; ensemble des chanteurs. 2 Ensemble du personnel chargé de l'encadrement des ouvriers. 3 Titre universitaire supérieur à la licence et inférieur au doctorat. 4 Excellence dans un art, une science. 5 Domination, contrôle. *Le maîtrise des mers.* 6 Fait de maîtriser qqch. *Avoir une bonne maîtrise de l'anglais.* Var **maitrise**

maîtriser vt 1 Réduire par la force, dompter. *Maîtriser un cheval.* 2 Dominer. *Maîtriser ses passions.* 3 Savoir parfaitement conduire, traiter, utiliser. *Maîtriser son véhicule. Maîtriser son sujet.* ■ vpr Rester maître de soi. Var **maitriser**

maïzena [-ze-] nf (n. déposé) Farine de maïs.

majesté nf 1 Grandeur suprême ; caractère auguste qui inspire le respect. 2 Titre donné aux souverains.

majestueusement av Avec majesté.

majestueux, euse a Qui a de la majesté, de la grandeur, de la noblesse.

majeur, eure a 1 De première importance. *Un intérêt majeur.* 2 Qui a atteint l'âge de la majorité. Loc *Cas de force majeure :* situation imprévue qui impose une action. *La majeure partie :* la plus grande partie. ■ nm Doigt du milieu de la main le plus long. Syn. médius. ■ nf PHILO Première proposition d'un syllogisme, exprimant l'idée la plus générale.

major n 1 Officier supérieur chargé de l'administration d'un corps de troupe. 2 Premier d'un concours, d'une promotion. ■ nf Chacune des entreprises qui viennent en tête, dans un secteur de l'économie.

majoration nf Action de majorer.

majordome nm Chef des domestiques d'une grande maison.

majorer vt Augmenter le montant de.

majorette nf Jeune fille en uniforme militaire de fantaisie, qui participe à un défilé.

majoritaire a Qui constitue une majorité, qui appartient à la majorité. Loc *Scrutin majoritaire :* scrutin dans lequel celui des candidats qui a le plus grand nombre de voix l'emporte.

majoritairement av En majorité.

majorité nf 1 Âge fixé par la loi pour que qqn jouisse du libre exercice de ses droits. 2 Le plus grand nombre, la majeure partie. 3 Le plus grand nombre des suffrages dans un vote. 4 Parti qui réunit le plus grand nombre d'élus.

majorquin, ine a, n De Majorque.

majuscule nf Grande lettre, à l'initiale d'un nom propre ou d'un mot placé en tête de phrase, de vers, etc. Ant. minuscule.

maki nm Mammifère lémurien de Madagascar, arboricole, à très longue queue.

makimono nm Peinture japonaise sur un rouleau horizontal.

mal, maux nm 1 Douleur physique. *Souffrir d'un mal de dents. Avoir mal au dos.* 2 Maladie. *Un mal incurable.* 3 Difficulté, peine. *Avoir du mal à comprendre.* 4 Calamité, dommage. *Les maux de la guerre.* 5 Ce qui est mauvais. *Ce retard n'est pas un mal.* 6 Ce qui est contraire à la morale, au bien. *Être enclin au mal.* Loc *Mal blanc* : panaris. *Mal de mer, de l'air* : nausées en bateau, en avion. *Avoir mal au cœur* : avoir la nausée. *Mal du pays* : nostalgie. *Mal du siècle* : état dépressif propre aux romantiques. *Dire, penser du mal de qqn* : exprimer, avoir une opinion défavorable à son sujet. ■ *av* 1 De façon défavorable, fâcheuse. *Les affaires vont mal.* 2 De façon blâmable. 3 De façon incorrecte ou défectueuse. *Travail mal fait.* Loc *Se sentir mal* : éprouver un malaise. *Se trouver mal* : défaillir, tomber en syncope. *Prendre mal une réponse, une réflexion, etc.* : s'en offenser. *Se mettre, être mal avec qqn* : se brouiller, être brouillé avec lui. fam *Pas mal* : assez bien, plutôt bien ; en assez grand nombre, beaucoup. ■ *a* Loc *Bon an, mal an* : en moyenne, selon les années. *Bon gré, mal gré* : volontiers ou à contrecœur.

malabar nm, a pop Homme de forte stature.

malachite [-kit] nf Carbonate hydraté de cuivre, de couleur verte.

malacologie nf Étude des mollusques.

malade a, n Qui n'est pas en bonne santé. ■ a fam 1 Un peu fou. 2 En mauvais état, mal en point. *Une voiture bien malade.*

maladie nf 1 Altération de la santé. 2 Altération de l'état normal d'une chose. Loc fam *En faire une maladie* : être très contrarié.

maladif, ive a 1 Sujet à être malade. 2 Qui dénote une maladie ou une santé précaire. *Teint maladif.* 3 Qui a le caractère anormal d'une maladie. *Une susceptibilité maladive.*

maladivement av De façon maladive.

maladresse nf 1 Manque d'adresse. 2 Action, parole maladroite.

maladroit, oite a, n Qui n'est pas adroit. ■ a Qui dénote la maladresse.

maladroitement av De façon maladroite.

malaga nm Vin liquoreux espagnol.

mal-aimé, ée n litt Personne qui souffre d'un sentiment de rejet. *Des mal-aimé(e)s.*

malais, aise a, n De Malaisie. ■ nm Langue parlée en Malaisie et en Indonésie.

malaise nm 1 Sensation pénible d'un trouble, d'une indisposition physique. 2 État d'inquiétude, de crise. *Malaise économique.*

malaisé, ée a Difficile, peu commode.

malaisément av De façon malaisée.

malandrin nm litt Voleur, malfaiteur.

malappris, ise a, n Grossier, impoli.

malaria nf Paludisme.

malavisé, ée a, n litt Qui agit mal à propos.

malaxage nm Action de malaxer.

malaxer vt 1 Pétrir une substance pour l'amollir. 2 Masser une partie du corps.

malaxeur nm Machine à malaxer.

malayalam nm Langue dravidienne du Kerala.

malbâti, ie n Mal proportionné.

malbec nm Cépage rouge du Midi.

malbouffe nf fam Nourriture aussi défectueuse sur le plan gustatif que sur le plan diététique.

malchance nf 1 Manque de chance. 2 Événement fâcheux. *Une série de malchances.*

malchanceux, euse a, n Qui a de la malchance, est marqué de malchance.

malcommode a Qui n'est pas commode.

maldonne nf Erreur commise dans la distribution des cartes. Loc fam *Il y a maldonne* : il y a erreur.

mâle nm 1 Individu qui appartient au sexe doué du pouvoir fécondant. Ant. femelle. 2 pop Homme considéré dans sa force virile. ■ a 1 Viril. *Voix mâle. Une mâle assurance.* 2 TECH Se dit d'une pièce qui présente une saillie destinée à venir s'encastrer dans la cavité correspondante d'une autre pièce, dite femelle.

malédiction nf litt 1 Action de maudire ; paroles par lesquelles on maudit. 2 Fatalité, destin néfaste.

maléfice nm litt Opération magique destinée à nuire ; mauvais sort, enchantement.

maléfique a litt Qui exerce une influence surnaturelle maligne.

maléique a Loc *Acide maléique* : qui entre dans la composition de matières plastiques.

malencontreusement av Mal à propos.

malencontreux, euse a Qui survient mal à propos. *Paroles malencontreuses.*

mal-en-point a inv En mauvais état.

malentendant, ante a, n Qui souffre d'une déficience de l'ouïe.

malentendu nm Mauvaise interprétation d'une parole, d'un acte ; méprise.

mal-être nm inv Sentiment de profond malaise.

malfaçon nf Défaut dans la confection d'un ouvrage.

malfaisance [-fə-] nf litt Disposition à faire du mal à autrui.

malfaisant, ante [-fə-] a Nuisible, néfaste.

malfaiteur nm Homme qui commet des crimes, des délits.

malfamé, ée a De mauvaise réputation (lieu).

malformation nf Anomalie congénitale.

malfrat nm pop Malfaiteur, truand.

malgache a, n De Madagascar. ■ nm Langue officielle de Madagascar.

malgré prép Contre la volonté, le désir de qqn ; en dépit de qqch.

malhabile a Qui manque d'habileté.

malherbologie nf AGRIC Étude des mauvaises herbes, des moyens de les détruire.

malheur nm 1 Sort funeste. 2 Situation douloureuse, pénible ; adversité. 3 Événement affligeant, douloureux. Loc fam *Faire un malheur* : se livrer à une action violente, à un éclat regrettable ; avoir un succès considérable, gagner. *Jouer de malheur* : être victime de la malchance. *Porter malheur* : avoir une influence funeste.

malheureusement av Par malheur.

malheureux, euse a, n Qui est dans une situation pénible, douloureuse. ■ a 1 Qui n'a pas de chance ; qui ne réussit pas. 2 Qui dénote le malheur. 3 Qui a des conséquences fâcheuses. *Geste malheureux.* 4 Insignifiant, négligeable. *Trois malheureux spectateurs.*

malhonnête *a, n* **1** Qui manque à la probité. **2** Contraire à la décence ; inconvenant.

malhonnêtement *av* De façon malhonnête.

malhonnêteté *nf* **1** Manque de probité. **2** Action malhonnête.

malice *nf* Disposition à l'espièglerie, à la taquinerie. *Enfant plein de malice.*

malicieusement *av* Avec malice.

malicieux, euse *a* Qui a ou qui exprime de la malice ; malin.

malien, enne *a, n* Du Mali.

malignement *av* Avec malignité.

malignité *nf* **1** Inclination à nuire. **2** MED Caractère malin d'une maladie, d'une tumeur.

malin, maligne *a* **1** Où il entre de la méchanceté. *Joie maligne.* **2** Grave, dangereux ; cancéreux. *Tumeur maligne.* ■ *a, n* Fin, rusé, astucieux. Loc fam *Faire le malin :* faire le fanfaron, affecter un air de supériorité. fam *Ce n'est pas malin :* ce n'est pas très intelligent ; ce n'est pas difficile.

malingre *a* De constitution chétive.

malinois *nm* Chien de berger belge.

malintentionné, ée *a* Qui a de mauvaises intentions.

malique *a* Loc *Acide malique :* acide extrait de la pomme.

malle *nf* **1** Coffre servant à enfermer les objets que l'on transporte en voyage. **2** Coffre à bagages d'une automobile.

malléabilité *nf* Caractère malléable.

malléable *a* **1** Qu'on peut façonner, modeler sans difficulté. **2** Facilement influençable, docile.

malléole *nf* ANAT Extrémité inférieure du tibia et du péroné formant la cheville.

malle-poste *nf* anc Voiture qui faisait le service des lettres et des dépêches. *Des malles-poste.*

mallette *nf* Petite valise.

mal-logé, ée *n* Personne dont le logement n'est pas satisfaisant. *Des mal-logés.*

malmener *vt* [15] Traiter avec rudesse, en paroles ou en actes.

malnutrition *nf* Déséquilibre de l'alimentation.

malodorant, ante *a* Qui sent mauvais.

malophone *a, n* De langue malaise.

malotru, ue *n* Personne qui a des manières grossières.

malouin, ine *a, n* De Saint-Malo.

mal-pensant, ante *a, n* Dont les idées heurtent l'ordre établi.

malpoli, e *a, n* Impoli, grossier.

malpropre *a, n* Qui manque de propreté ; sale. Loc fam *Comme un malpropre :* de façon indigne.

malproprement *av* De façon malpropre.

malpropreté *nf* Caractère malpropre.

malsain, aine *a* **1** Nuisible à la santé. *Climat malsain.* **2** Pernicieux moralement.

malséant, ante *a* litt Contraire à la bienséance.

malsonnant, ante *a* litt Choquant (paroles).

malstrom. V. maelström.

malt *nm* Graines d'orge utilisées pour la fabrication de la bière ou du whisky.

maltais, aise *a, n* De Malte. ■ *nm* Forme d'arabe parlé à Malte. ■ *nf* Variété sucrée d'orange.

Malte (fièvre de) *nf* Syn. de brucellose.

malté, ée *a* Qui contient du malt.

malthusianisme *nm* **1** Doctrine préconisant la limitation volontaire des naissances. **2** Limitation volontaire de la croissance économique.

malthusien, enne *a, n* Qui relève du malthusianisme.

maltraitance *nf* Situation d'une personne exposée à des mauvais traitements systématiques.

maltraiter *vt* Traiter brutalement, rudoyer.

malus [-lys] *nm* Augmentation de la prime d'assurance d'un véhicule, en cas d'accident.

malvacée *nf* BOT Plante appartenant à la même famille que la mauve, le cotonnier, etc.

malveillance *nf* **1** Disposition à vouloir du mal à son prochain ; disposition à critiquer autrui. **2** Intention criminelle.

malveillant, ante *a, n* Plein de malveillance.

malvenu, ue *a* litt Qui n'a pas de raison légitime pour faire qqch. *Il serait mal venu à (de) se plaindre.*

malversation *nf* Malhonnêteté grave commise dans l'exercice d'une charge.

malvoisie *nm* Vin grec sucré et liquoreux.

malvoyant, ante *a, n* Qui souffre d'une déficience de la vue.

maman *nf* Mère (mot affectueux).

mamelle *nf* **1** Glande qui sécrète le lait, pis. **2** fam Gros sein.

mamelon *nm* **1** Bout du sein, de la mamelle. **2** Éminence, colline arrondie.

mamelonné, ée *a* Qui présente des saillies.

mamelouk *nm* HIST Soldat égyptien de la garde du sultan. **Var** mameluk

mamie *nf* **1** fam Grand-mère. **2** fam Femme âgée. **Var** mamy

mammaire *a* Relatif à la mamelle, au sein.

mammalogie *nf* Étude des mammifères.

mammectomie *nf* CHIR Ablation de la glande mammaire.

mammifère *nm* Animal vertébré supérieur portant des mamelles.

mammite *nf* Inflammation de la mamelle.

mammographie *nf* Radiographie des seins.

mammoplastie *nf* Intervention de chirurgie esthétique sur les seins.

mammouth *nm* Grand éléphant fossile du quaternaire.

mamours *nmpl* fam Démonstrations tendres.

mamy. V. mamie.

manade *nf* En Provence, troupeau conduit par un gardian.

management *nm* **1** Technique d'organisation et de gestion des entreprises. **2** Ensemble des cadres dirigeants d'une entreprise.

manager [manadʒœʀ] *n* **1** Personne qui assure l'organisation de spectacles, qui gère les intérêts d'un artiste, d'un sportif, etc. **2** Dirigeant d'une entreprise. **Var** manageur, euse

managérial, ale, aux *a* Du management.

manant *nm* **1** Autrefois, paysan. **2** litt Homme grossier, mal élevé.

manceau, elle *a, n* Du Mans ou du Maine.

1. manche *nm* **1** Partie d'un instrument, d'un outil, par laquelle on le tient pour en faire usage. **2** Partie découverte de l'os d'un gigot, d'une côtelette. Loc fam *Être du côté du manche :* du côté du plus fort. fam *Comme un manche :* maladroitement. *Manche à balai :* levier de commande d'un avion.

2. manche *nf* **1** Partie du vêtement qui recouvre le bras. **2** Chacune des parties liées d'un jeu, d'un match. Loc fam *C'est une autre paire de manches :*

e n'est pas la même chose, c'est plus difficile. *Manche à air* : tube coudé qui sert de prise d'air, sur le pont d'un navire. fam *Faire la manche* : mendier.

manchette nf 1 Garniture fixée aux poignets d'une chemise. 2 En lutte, prise à l'avant-bras ; coup donné avec l'avant-bras. 3 Titre de journal en gros caractères.

manchon nm 1 Fourreau dans lequel on met les mains pour les protéger du froid. 2 TECH Pièce cylindrique qui relie deux tubes.

manchot, ote a, n Estropié de la main ou du bras. ■ nm Oiseau palmipède qui vit dans l'Antarctique en vastes colonies.

mandala nm Figure géométrique représentant l'univers, dans le bouddhisme.

mandant, ante n DR Personne qui donne mandat à une autre de faire qqch.

mandarin nm 1 Dans l'ancienne Chine, fonctionnaire recruté par concours. 2 Personnage important, attaché à ses prérogatives. 3 Le plus important des dialectes parlés en Chine.

mandarinal, ale, aux a De mandarin.

mandarinat nm Charge de mandarin.

mandarine nf Fruit du mandarinier, ressemblant à une petite orange.

mandarinier nm Arbrisseau qui produit la mandarine.

mandat nm 1 Acte par lequel une personne donne à une autre le pouvoir d'agir en son nom. 2 Charge d'un représentant élu ; durée de cette charge. 3 DR Ordonnance signée par le juge d'instruction. *Mandat d'amener.* 4 FIN Ordre de payer dressé par un propriétaire de fonds à son dépositaire. 5 Titre postal de paiement permettant au destinataire de toucher une somme d'argent versée par l'expéditeur.

mandataire nm Personne qui a reçu un mandat ou une procuration pour représenter qqn.

mandatement nm Action de mandater.

mandater vt 1 FIN Verser une somme par un mandat. 2 Charger qqn d'un mandat.

mandchou, oue a, n De Mandchourie.

mandéisme nm Doctrine religieuse hérétique.

mandement nm RELIG Écrit par lequel un évêque donne des instructions.

mander vt litt 1 Faire savoir. 2 Faire venir.

mandibule nf 1 Maxillaire inférieur. 2 ZOOL Appendice buccal des crustacés et des insectes. ■ pl fam Mâchoires.

mandoline nf Instrument à cordes pincées.

mandragore nf Plante à laquelle on attribuait autrefois des vertus magiques.

mandrill nm Singe cynocéphale d'Afrique, à face rouge et bleue.

mandrin nm 1 Poinçon. 2 Appareil servant à fixer la pièce à usiner.

manécanterie nf Groupe d'enfants choristes.

manège nm 1 Lieu où l'on dresse les chevaux et où l'on donne des leçons d'équitation. 2 Attraction foraine dans laquelle des animaux figurés ou des véhicules divers tournent autour d'un axe central. 3 Manière d'agir rusée pour parvenir à qqch.

mânes nmpl ANTIQ Âmes des morts.

manette nf Petit levier que l'on manœuvre à la main.

manga nm Bande dessinée japonaise.

mangabey nm Grand singe d'Afrique.

manganèse nm Métal gris utilisé en alliage avec le fer.

mangeable a Qui peut se manger.

mangeoire nf Récipient, auge dans lequel on donne à manger aux animaux domestiques.

manger vt [11] 1 Mâcher et avaler un aliment. 2 Ronger, entamer. 3 Dilapider, consommer. *Manger ses économies.* Loc fam *Manger la consigne* : l'oublier. fam *Manger le morceau* : avouer. ■ vi Prendre un repas. *Manger à midi pile.* ■ nm pop Ce qu'on mange.

mange-tout nm inv Variété de haricots verts ou de pois. Var **mangetout** nm

mangeur, euse n Personne qui mange, qui aime à manger tel aliment.

manglier nm Palétuvier.

mangoustan nm Arbre de Malaisie ; fruit comestible de cet arbre.

mangouste nf Petit mammifère d'Asie qui s'attaque aux serpents.

mangrove nf Forêt de palétuviers des côtes tropicales.

mangue nf Fruit comestible du manguier.

manguier nm Arbre tropical produisant des mangues.

maniabilité nf Qualité maniable.

maniable a 1 Aisé à manier. 2 Docile.

maniacodépressif, ive a, n Qui manifeste une alternance d'exaltation et de dépression.

maniaque a, n Qui a des manies.

maniaquerie nf fam Comportement maniaque.

manichéen, enne [-ke] a Qui a un caractère de manichéisme.

manichéisme [-ke-] nm Attitude qui oppose d'une manière absolue le bien et le mal.

manie nf 1 Idée fixe, obsession. 2 Habitude bizarre, souvent ridicule.

maniement nm Action, façon de manier.

manier vt 1 Avoir entre les mains qqch qu'on examine, qu'on utilise, etc. 2 Faire usage de, manœuvrer. *Manier l'ironie. Manier un véhicule.* Loc CUIS *Manier le beurre* : le pétrir en le mélangeant à la farine.

manière nf Façon d'agir, de se comporter. *Il s'est conduit de manière irréprochable. On peut résoudre le problème d'une autre manière.* Loc *À la manière de* : comme. *De manière à* : de façon à. *De toute manière* : de toute façon, quoi qu'il en soit. *D'une manière générale* : généralement, en gros. *En quelque manière* : d'une certaine façon, en un certain sens. ■ pl Façon d'être, de se comporter en société. *Apprendre les bonnes manières.* Loc *Faire des manières* : agir avec affectation, se faire prier.

maniéré, ée a Qui manque de simplicité.

maniérisme nm 1 Manque de naturel, affectation, en art. 2 BX-A Style de transition entre la Renaissance et le baroque.

maniériste a, n Qui verse dans le maniérisme.

manieur, euse n Loc *Manieur d'argent* : homme d'affaires. *Manieur d'hommes* : meneur, chef écouté.

manifestant, ante n Personne qui participe à une manifestation.

manifestation nf 1 Action de manifester ; fait de se manifester. *Manifestation de joie.* 2 Rassemblement public de personnes pour exprimer une opinion. 3 Présentation d'œuvres culturelles, d'exercices sportifs, etc.

manifeste a Évident, indéniable. *Une erreur manifeste.* ■ nm Déclaration publique exposant une doctrine, un programme.

manifestement av De façon manifeste.

manifester vt Rendre manifeste, faire connaître. ■ vi Prendre part à une manifestation. *Manifester dans la rue.* ■ vpr 1 Devenir apparent, perceptible. 2 Donner signe de vie.

manigance nf fam Manœuvre secrète destinée à tromper.

manigancer vt [10] fam Préparer qqch par des manigances.

manille nf 1 Jeu de cartes où le dix appelé *manille*, est la carte la plus forte. 2 Pièce métallique en forme de U, qui sert à réunir deux tronçons de chaînes.

manioc nm Arbrisseau cultivé pour ses tubercules qui donnent le tapioca.

manipe nf fam Manœuvre louche.

manipulateur, trice n Personne qui manipule.

manipulation nf 1 Action de manipuler. 2 Partie de la prestidigitation qui se fonde uniquement sur l'habileté manuelle. 3 Manœuvre, pratique louche. 4 MED Manœuvre manuelle destinée à rétablir la position normale d'une articulation.

manipule nm Ornement sacerdotal porté au bras gauche par l'officiant pendant la messe.

manipuler vt 1 Arranger avec précaution des substances, des appareils. 2 Manier, déplacer avec la main. 3 Modifier de façon insolite, trafiquer. 4 Utiliser, manœuvrer qqn, un groupe en les trompant. *Des groupes manipulés par la police.*

manitou nm 1 Divinité amérindienne. 2 fam Personnage puissant, haut placé.

manivelle nf Pièce coudée qui sert à imprimer un mouvement de rotation.

manne nf 1 Nourriture miraculeuse envoyée par Dieu aux Hébreux dans le désert. 2 litt Aubaine, avantage que l'on n'espérait pas.

mannequin nm 1 Figure articulée du corps humain, à l'usage des peintres, des sculpteurs. 2 Forme humaine servant à l'essayage ou à l'exposition des vêtements. 3 Personne qui présente au public les créations des couturiers.

manœuvrable a Maniable.

manœuvre nf 1 Mise en œuvre d'un instrument, d'une machine ; action ou opération nécessaire à son fonctionnement. 2 Exercice destiné à l'instruction des troupes. *Champ de manœuvres.* 3 Ensemble des moyens que l'on emploie pour réussir. 4 MAR Cordage du gréement. ■ nm Ouvrier sans qualification.

manœuvrer vi Effectuer une manœuvre, des manœuvres. ■ vt 1 Agir sur un appareil, un véhicule, etc., pour le diriger, le faire fonctionner. 2 Influencer qqn de manière détournée pour qu'il agisse comme on le souhaite.

manœuvrier, ère n, a Qui sait conduire ses affaires avec habileté.

manoir nm Petit château campagnard.

manomètre nm Appareil servant à mesurer la pression d'un gaz.

manostat nm Appareil pour maintenir la pression constante d'un fluide.

manouche n Gitan nomade.

manquant, ante a, n Qui manque ; absent.

manque nm 1 Absence de ce qui est nécessaire. *Manque de pain.* 2 Ce qui manque. *Combler les manques.* Loc *État de manque :* état pénible du toxicomane privé de sa drogue. *Manque à gagner :* gain que l'on aurait pu réaliser. ■ nf Loc fam *À la manque :* mauvais, raté.

manqué, ée a Qui avait des dispositions pour un métier qui n'est pas le sien. *Un comédien manqué.* Loc *Garçon manqué :* fille qui a des comportements de garçon. *Acte manqué :* qui traduit une pulsion inconsciente. ■ nm Gâteau à pâte souple.

manquement nm Fait de manquer à un engagement, à un devoir.

manquer vi 1 Faire défaut. *L'eau manque.* Échouer. *La tentative a manqué.* 3 Être absent. *Plusieurs élèves manquent.* ■ vti 1 litt Ne pas manifester à qqn les égards qui lui sont dus. *Vous lui avez gravement manqué.* 2 Faire ressentir péniblement son absence. *Sa fille lui manque.* 3 Ne pas respecter une obligation. *Manquer à ses devoirs.* 4 Être dépourvu de. *Manquer d'argent.* 5 Omettre. *Je ne manquerai pas de vous informer.* 6 Être sur le point de, faillir. *Il a manqué de tomber.* ■ vt 1 Ne pas réussir, ne pas obtenir. *Manquer une affaire, une occasion.* 2 Ne pas atteindre un but, ne pas rencontrer qqn. *Manquer la cible.* 3 Ne pas assister à, être absent de. *Manquer la classe.* Loc *Manquer le train, l'avion, etc :* arriver trop tard pour le prendre.

mansarde nf Pièce ménagée sous un comble.

mansardé, ée a Disposé en mansarde.

mansuétude nf litt Clémence, indulgence.

mante nf Loc *Mante religieuse :* insecte au corps allongé, dont la femelle dévore parfois le mâle après l'accouplement.

manteau nm 1 Vêtement que l'on porte par dessus les autres habits. 2 Partie d'une cheminée construite au-dessus du foyer. 3 GEOL Couche du globe terrestre entre l'écorce et le noyau. Loc *Sous le manteau :* en cachette.

mantille nf Écharpe de dentelle couvrant la tête et les épaules d'une femme.

mantique nf Art de la divination.

mantisse nf MATH Partie décimale du logarithme d'un nombre.

mantra nm Prière brahmanique.

manualité nf Prédominance de la main droite ou de la gauche.

manucure n Personne qui donne des soins de beauté aux mains, aux ongles.

manucurer vt Soigner les mains.

manuel, elle a Qui se fait avec les mains, qui concerne les mains. ■ n Personne qui exerce un métier où prédominent les activités de la main par oppos. à *intellectuel*. ■ nm Ouvrage qui présente l'essentiel d'un art, d'une science, etc.

manuellement av Avec les mains.

manufacture nf Établissement industriel.

manufacturer vt Transformer une matière première en un produit fini.

manufacturier, ère a Relatif aux manufactures à l'industrie.

manu militari av En utilisant la force armée, la contrainte physique.

manuscrit, ite a Écrit à la main. *Page manuscrite.* ■ nm 1 Livre ancien écrit à la main. 2 Original écrit à la main ou dactylographié d'un texte imprimé ou destiné à l'être.

manutention nf 1 Transport de marchandises de produits industriels, sur de courtes distances. 2 Local où ont lieu ces opérations.

manutentionnaire n Personne qui fait des travaux de manutention.

manutentionner vt Soumettre à des opérations de manutention.

maoïsme nm Doctrine politique de Mao Zedong.

maoïste a, n Qui relève du maoïsme.

maori, ie a Relatif aux Maoris. ■ nm Langue polynésienne des Maoris.

maous, ousse [maus] a fam Gros, énorme.

mappemonde nf Carte du globe terrestre sur laquelle les deux hémisphères sont représentés côte à côte.

maquer vt pop Être le souteneur d'une prostituée. ■ vpr pop Se mettre en ménage.

maquereau nm 1 Poisson marin au dos bleu-vert rayé de noir. 2 pop Personne qui tire profit de la prostitution des femmes ; proxénète, souteneur.

maquette nf 1 Représentation à échelle réduite d'une œuvre d'architecture, d'un navire, d'un avion, d'une machine, etc. 2 Modèle original, simplifié ou complet, d'un ouvrage imprimé.

maquettiste n Qui réalise des maquettes.

maquignon nm 1 Marchand de chevaux. 2 Personne peu scrupuleuse en affaires.

maquignonnage nm Procédés indélicats, manœuvres illicites.

maquillage nm 1 Action de maquiller ou de se maquiller. 2 Produits que l'on utilise pour se maquiller.

maquiller vt 1 Modifier à l'aide de fards, de produits colorés, l'apparence d'un visage. 2 Modifier l'aspect de qqch pour tromper.

maquilleur, euse n Personne qui fait métier de maquiller les acteurs.

maquis nm 1 Formation végétale buissonneuse et épineuse des régions méditerranéennes. 2 Ce qui est ou paraît impénétrable, inextricable. *Le maquis de la procédure.* 3 Lieu peu accessible où des résistants à une occupation étrangère vivent dans la clandestinité.

maquisard nm Combattant d'un maquis.

marabout nm 1 Mystique musulman. 2 Devin, guérisseur, dans certains pays d'Afrique. 3 Grand oiseau charognard d'Afrique et d'Asie, au bec puissant et au cou déplumé.

maraîcher, ère n Celui, celle qui cultive les légumes. ■ a Qui concerne la culture des légumes et primeurs. **Var maraicher, ère**

marais nm Étendue d'eau stagnante de faible profondeur, envahie par la végétation aquatique.

marasme nm 1 Activité très ralentie, stagnation. 2 Champignon à lamelles, comestible.

marasque nf Cerise acide des régions méditerranéennes.

marasquin nm Liqueur de marasques.

marathe. V. mahratte.

marathon nm 1 Épreuve de course à pied de grand fond (42,195 km). 2 Séance, négociation prolongée et éprouvante.

marathonien, enne n Qui court un marathon.

marâtre nf Mauvaise mère.

maraud, aude n litt Scélérat, vaurien.

maraude nf Vol des produits de la terre avant leur récolte. **Loc** *En maraude :* se dit d'un taxi qui roule lentement à la recherche de clients. **Var maraudage** nm

marauder vi 1 Faire du maraudage. 2 Être en maraude.

maraudeur, euse n Personne qui maraude.

marbre nm 1 Calcaire souvent veiné, utilisé en construction, en décoration, en sculpture, etc. 2 Morceau, objet de marbre. **Loc** *De marbre :* impassible, froid.

marbré, ée a Veiné comme le marbre.

marbrer vt 1 Décorer de dessins qui imitent les veines du marbre. 2 Produire sur la peau des marques semblables aux veines du marbre.

marbrerie nf 1 Métier du marbrier. 2 Atelier de marbrier.

marbrier, ère n 1 Spécialiste du travail du marbre et des pierres dures. 2 Entrepreneur de monuments funéraires. ■ a Relatif au marbre.

marbrure nf 1 Imitation des veines du marbre. 2 Marque sur la peau.

marc [maʀ] nm 1 Résidu de fruits, de végétaux dont on a extrait le suc. *Marc de raisin. Marc de café.* 2 Eau-de-vie obtenue par distillation du marc de raisin.

marcassin nm Petit de la laie.

marcassite nf Sulfure naturel de fer.

marchand, ande n Personne qui fait profession d'acheter et de revendre avec bénéfice ; commerçant, négociant. ■ a Relatif au commerce. *Valeur marchande.*

marchandage nm 1 Action de marchander. 2 Tractation laborieuse.

marchander vt Débattre le prix de qqch pour l'obtenir à meilleur compte.

marchandisage nm Technique de diffusion commerciale. Syn. merchandising.

marchandise nf Objet, produit qui se vend ou s'achète.

marchant, ante a **Loc** *Aile marchante :* la partie la plus active d'un parti.

marche nf 1 Action de marcher ; enchaînement des pas. 2 Mouvement d'un groupe de personnes qui marchent. 3 Pièce de musique destinée à régler le pas d'une troupe, d'un cortège. 4 Mouvement d'un corps, d'un véhicule qui se déplace, d'un mécanisme qui fonctionne. 5 Fait de suivre son cours ou de fonctionner. *La marche du temps. La bonne marche d'une usine.* 6 Élément plan et horizontal d'un escalier, sur lequel on pose le pied. **Loc** *Faire marche arrière :* reculer ; revenir sur une prise de position. *Marche à suivre :* processus pour obtenir ce qu'on désire.

marché nm 1 Lieu couvert ou en plein air où l'on met en vente des marchandises. 2 Ville, endroit qui est le centre d'un commerce important. 3 Débouché économique. *Conquérir de nouveaux marchés.* 4 Ensemble des transactions portant sur tels biens, tels services. *Le marché du sucre.* 5 Convention concernant les conditions d'une vente, d'un travail à exécuter. **Loc** *Bon marché :* à un prix avantageux, peu cher. *Faire son marché :* aller aux provisions. *Faire bon marché de qqch :* en faire peu de cas. *Mettre le marché en main :* donner le choix de conclure ou de rompre. *Second marché :* marché boursier destiné surtout aux entreprises moyennes. *Par-dessus le marché :* de plus, en outre.

marchepied nm 1 Marche ou série de marches permettant de monter dans un véhicule. 2 Moyen de parvenir à une charge supérieure.

marcher vi 1 Se déplacer par la marche, aller d'un point à un autre en faisant des pas. 2 Poser le pied sur ou dans qqch. *Il a marché dans une* *flaque*. **3** fam Accepter de participer à une action. *Je ne marche pas !* **4** fam Se laisser tromper. **5** Se déplacer (véhicules). **6** Fonctionner. *La radio ne marche plus.* **7** Prospérer, avoir du succès. *Affaire qui marche.* Loc fam *Faire marcher qqn* : le tromper.

marcheur, euse *n* Personne qui marche, ou qui peut marcher longtemps sans se fatiguer.

marcottage *nm* AGRIC Opération par laquelle on fait des marcottes.

marcotte *nf* AGRIC Organe végétal aérien que l'on enterre et qui s'enracine avant de se séparer de la plante mère.

marcotter *vt* Pratiquer le marcottage sur.

mardi *nm* Deuxième jour de la semaine. Loc *Mardi gras* : veille du premier jour de carême.

mare *nf* **1** Petite étendue d'eau stagnante. **2** Grande quantité de liquide répandu sur le sol. *Une mare de sang.*

marécage *nm* Terrain imprégné d'eau.

marécageux, euse *a* **1** De la nature du marécage. **2** Qui se trouve dans les marécages.

maréchal, aux *nm* Loc *Maréchal de France* : officier général investi de la plus haute dignité militaire. *Maréchal des logis* : sous-officier dans la cavalerie, l'artillerie et la gendarmerie. fam *Avoir son bâton de maréchal* : être arrivé à la plus haute situation à laquelle on puisse prétendre.

maréchale *nf* Femme d'un maréchal.

maréchal-ferrant *nm* Artisan qui ferre les chevaux ; forgeron. *Des maréchaux-ferrants.*

maréchaussée *nf* fam Gendarmerie.

marée *nf* **1** Mouvement périodique des eaux de la mer, qui s'élèvent et s'abaissent à des intervalles réguliers. **2** Poissons de mer, coquillages, crustacés, qui viennent d'être pêchés. Loc *Marée noire* : couche d'hydrocarbures répandus accidentellement. *Marée humaine* : foule considérable en mouvement. *Contre vents et marées* : en dépit de tout.

marégraphe *nm* Appareil pour mesurer la hauteur des marées.

marelle *nf* Jeu d'enfants qui consiste à pousser un palet en sautant à cloche-pied.

marémoteur, trice *a* Qui concerne ou qui utilise l'énergie des marées.

marengo [-rɛ̃-] *a inv* Cuit dans de la matière grasse avec des tomates et des champignons.

mareyage *nm* Commerce du mareyeur.

mareyeur, euse *n* Marchand en gros de poisson et de fruits de mer.

margarine *nf* Mélange de graisses végétales, utilisé en cuisine.

margaux *nm* Bordeaux rouge, très apprécié.

marge *nf* **1** Espace blanc autour d'un texte, d'une gravure, d'une photographie, etc. **2** Latitude dont on dispose. *Tolérer une marge d'erreur.* **3** Différence entre le prix de vente et le prix d'achat d'une marchandise, exprimée en pourcentage du prix de vente. Loc *En marge de qqch* : en dehors de qqch, sans en être éloigné. *Vivre en marge de la société* : sans être socialement intégré.

margelle *nf* Rebord d'un puits.

margeur *nm* Dispositif qui permet de faire des marges.

marginal, ale, aux *a* **1** Qui est en marge d'un texte. *Notes marginales.* **2** Qui n'est pas essentiel, qui n'est pas principal. *Une œuvre marginale.* ■ *a, n* Qui vit en marge de la société.

marginalement *av* De façon marginale.

marginalisation *nf* Fait de marginaliser, de se marginaliser.

marginaliser *vt* Rendre marginal, mettre à l'écart de la société.

marginalisme *nm* ECON Théorie qui définit la valeur d'un produit par son utilité.

marginalité *nf* Caractère marginal.

margoulette *nf* pop Mâchoire, bouche.

margoulin, ine *n* fam Individu malhonnête en affaires.

margrave *n* HIST Titre de princes d'Allemagne.

marguerite *nf* Plante dont la fleur a un cœur jaune et des pétales blancs allongés.

mari *nm* Homme uni à une femme par le mariage. Syn. époux, conjoint.

mariable *a* En état de se marier.

mariage *nm* **1** Union légale d'un homme et d'une femme. **2** Célébration de cette union. **3** Union, alliance, assortiment de deux ou plusieurs choses. *Un heureux mariage de couleurs.*

marial, ale, aux *a* De la Vierge Marie.

marié, ée *a, n* Uni par le mariage.

marie-jeanne *nf inv* fam Marijuana.

marier *vt* **1** Unir un homme et une femme par les liens du mariage. **2** Donner en mariage. *Il a marié sa fille.* **3** Participer aux cérémonies de mariage de. **4** Unir, allier, assortir. *Marier les couleurs.* ■ *vpr* S'unir par le mariage.

marieur, euse *n* anc Personne qui s'entremet pour favoriser des mariages.

marigot *nm* Dans les pays tropicaux, étendue d'eau stagnante.

marijuana [mariχwana] *nf* Stupéfiant provenant du chanvre indien. **Var marihuana**

marin, ine *a* **1** Qui vient de la mer, qui y habite ; qui concerne la mer. *Sel marin. Animaux marins.* **2** Qui concerne la navigation en mer. *Carte marine.* ■ *nm* **1** Personne dont la profession est de naviguer en mer. **2** Homme d'équipage. *Les officiers et les marins.*

marina *nf* Complexe touristique associant des logements à un port de plaisance.

marinade *nf* Mélange aromatisé dans lequel on laisse tremper des viandes ou des poissons.

1. marine *nf* **1** Ce qui concerne l'art de la navigation sur mer. *Instrument de marine.* **2** Ensemble des navires, des équipages. *Marine marchande. Marine de guerre.* **3** Puissance navale d'un État. **4** Tableau qui a la mer pour sujet. ■ *a inv* Loc *Bleu marine* : bleu foncé.

2. marine *nm* Fusilier marin dans les armées britannique et américaine.

mariner *vi* **1** Tremper, être placé dans une marinade. **2** fam Attendre ; rester longtemps dans une situation désagréable.

marinier, ère *n* Personne qui conduit des péniches sur les cours d'eau. Loc *Officier marinier* : sous-officier de la Marine nationale. ■ *nm* Vêtement, blouse ample, que l'on enfile par la tête. Loc *Moules marinière* : cuites dans leur jus, avec du vin blanc, des échalotes et du persil.

mariolle *n* Loc fam *Faire le mariolle* : faire le malin, l'intéressant. **Var mariole** ou **mariol**

marionnette *nf* **1** Figurine qu'on actionne à l'aide de ficelles ou à la main. **2** Personne qu'on manœuvre comme on veut.

marionnettiste *n* Montreur de marionnettes.

mariste nm Religieux d'un ordre qui s'est voué à la Vierge Marie.

marital, ale, aux a Du mari.

maritalement av Comme des époux mais sans être mariés.

maritime a 1 Qui est en contact avec la mer, qui subit son influence. 2 Qui concerne la navigation sur mer, la marine.

marivaudage nm litt Galanterie raffinée dans l'expression des sentiments amoureux.

marivauder vi litt User de marivaudage.

marjolaine nf Plante aromatique. Syn. origan.

mark nm Anc. unité monétaire de l'Allemagne et de la Finlande.

marketing [-tiŋ] nm Technique ayant pour objet la diffusion commerciale d'un produit. Var **markéting**

marlou nm pop Souteneur.

marmaille nf fam Groupe de petits enfants.

marmelade nf Préparation de fruits écrasés sucrés et très cuits. Loc fam En marmelade : broyé, en capilotade.

marmite nf Récipient fermé d'un couvercle, dans lequel on fait cuire les aliments.

marmiton nm Jeune aide de cuisine.

marmonnement nm Murmure indistinct.

marmonner vt Murmurer entre ses dents.

marmoréen, enne a litt Qui évoque le marbre.

marmot nm fam Petit enfant. Loc fam, vx Croquer le marmot : attendre longtemps et en vain.

marmotte nf Mammifère rongeur des Alpes à fourrure épaisse gris cendré.

marmottement nm Action de marmotter.

marmotter vi Dire entre ses dents.

marmouset nm Figurine grotesque.

marnage nm Variation du niveau de la mer lors des marées.

marne nf Roche sédimentaire argileuse riche en calcaire utilisée pour amender les sols.

marner vt Amender un sol en y incorporant de la marne. ■ vi pop Travailler dur.

marneux, euse a Qui contient de la marne.

marocain, aine a, n Du Maroc.

maroilles nm Fromage de vache fabriqué dans le Nord.

maronite n, a Catholique de rite syrien.

maronner vi fam Maugréer, grogner.

maroquin nm 1 Cuir de chèvre tanné et teint. 2 fam Portefeuille, poste ministériel.

maroquinerie nf Fabrication ou commerce des objets en cuir fin.

maroquinier nm Fabricant ou commerçant d'articles de maroquinerie.

marotte nf fam Manie, idée fixe.

marouflage nm Action de maroufler.

maroufler vt Coller une toile peinte sur une toile de renfort, un panneau de bois, un mur.

marquage nm Action de marquer.

marquant, ante a Qui marque par sa singularité, son action. Évènement marquant.

marque nf 1 Trace laissée par qqch. Le projectile a fait une marque sur le mur. 2 Signe distinctif attestant un contrôle ou identifiant un fabricant, une entreprise. 3 Entreprise industrielle ou commerciale. Un produit d'une grande marque. 4 Moyen de repérage. Mettre une marque entre les pages d'un livre. 5 Dispositif pour caler les pieds des coureurs au départ. 6 Décompte des points d'un joueur, d'une équipe sportive. 7 Témoignage. Une marque de sympathie. Loc fam Chercher ses marques : à s'assurer une position avantageuse par rapport à ses concurrents.

marqué, ée a Très net. Avoir une préférence marquée pour qqch.

marque-page nm Signet servant à marquer une page. Des marque-pages.

marquer vt 1 Mettre une marque sur. Marquer du linge. Marquer le bétail. 2 Signaler par une marque, un repère. Marquer sa séparation. 3 Faire ou laisser une trace, une empreinte sur, dans. Le coup l'a marqué au front. 4 Inscrire, noter. Marquer un rendez-vous. 5 Indiquer. L'horloge marque midi. 6 Inscrire à la marque. Marquer un but. 7 Demeurer aux côtés d'un adversaire pour contrôler son action. 8 Indiquer en soulignant, en accentuant. Marquer la mesure du geste. 9 Manifester, témoigner, exprimer. Marquer son intérêt pour le cinéma.

marqueter vt [17] ou [19] Décorer en marqueterie.

marqueterie [-kɛtri] nf 1 Placage de bois, de nacre, d'ivoire, etc., formant un motif décoratif. 2 Ensemble disparate. Var **marqueterie**

marqueteur, euse n Spécialiste de marqueterie.

marqueur, euse n Personne qui marque. ■ nm 1 Crayon-feutre à pointe épaisse. 2 MED Marqueur permettant de déceler un état pathologique. 3 Traceur radioactif. ■ nf Machine imprimant une marque sur des articles industriels.

marquis nm Titre de noblesse entre le duc et le comte.

marquisat nm Fief, titre de marquis.

marquise nf 1 Femme d'un marquis. 2 Auvent ou vitrage sur un perron, un quai de gare, etc.

marraine nf 1 Celle qui présente un enfant, une personne au baptême. 2 Celle qui préside au baptême d'une cloche, d'un navire, etc.

marrane nm HIST Juif d'Espagne et du Portugal, converti de force au catholicisme.

marrant, ante a, n fam Drôle, amusant.

marre av Loc fam En avoir marre : en avoir assez, être excédé.

marrer (se) vpr fam Rire, s'amuser.

marri, ie a litt Attristé.

1. marron nm 1 Fruit comestible d'une variété de châtaignier. 2 fam Coup de poing. 3 Couleur marron. Loc Tirer les marrons du feu : prendre des risques au seul profit d'un autre. Marron d'Inde : graine non comestible du marronnier d'Inde. ■ a inv D'une couleur brun-rouge.

2. marron, onne a Qui exerce sans titre. Avocat marron. Loc HIST Esclave marron : fugitif.

marronnier nm Variété de châtaignier. Loc Marronnier d'Inde : grand arbre ornemental à fleurs en grappes blanches ou rouges.

mars nm Troisième mois de l'année.

marsala nm Vin doux produit en Sicile.

marseillais, aise a, n De Marseille.

marsouin nm 1 Mammifère cétacé proche du dauphin. 2 pop Soldat de l'infanterie de marine.

marsupial, ale, aux a Loc Poche marsupiale : poche ventrale des marsupiaux. ■ nm ZOOL Mammifère tel que le kangourou, la sarigue, etc., caractérisé par la poche où les petits achèvent leur développement embryonnaire.

martagon nm Lis des montagnes.

marte. V. martre.

marteau *nm* **1** Outil composé d'une tête en métal, munie d'un manche, qui sert à battre les métaux, à enfoncer des clous, etc. **2** Battant métallique. *Marteau de porte.* **3** ANAT Un des osselets de l'oreille moyenne. **4** Sphère métallique que l'athlète doit projeter le plus loin possible. Loc *Marteau piqueur* : engin servant à défoncer le sol, comportant une pointe agitée de secousses. ■ *a* pop Fou.

marteau-pilon *nm* Machine servant à forger de très grandes pièces de métal. *Des marteaux-pilons.*

martel *nm* Loc *Se mettre martel en tête* : se tourmenter, se faire du souci.

martelage *nm* Action de marteler, notamment pour préparer ou mettre en forme des métaux.

martèlement *nm* **1** Action de marteler. **2** Bruit scandé et sonore comme celui d'un marteau.

marteler *vt* [16] **1** Battre ou façonner à coups de marteau. *Marteler du cuivre.* **2** Frapper à coups répétés. **3** Articuler les mots avec force. Loc *Loi martiale* : qui autorise l'emploi de la force armée

martial, ale, aux [-sjal] *a* Énergique, décidé, combatif. *Un air, un discours martial.* Loc *Loi martiale* : qui autorise l'emploi de la force armée pour le maintien de l'ordre. *Cour martiale* : tribunal militaire d'exception. *Arts martiaux* : disciplines individuelles d'attaque et de défense, d'origine japonaise.

martien, enne [-sjɛ̃] *a* De la planète Mars. ■ *n* Habitant fictif de cette planète.

martinet *nm* **1** Fouet à plusieurs brins de corde ou de cuir. **2** Oiseau ressemblant à l'hirondelle.

martingale *nf* **1** Demi-ceinture qui retient l'ampleur du dos d'un vêtement. **2** Action par laquelle on mise sur chaque coup le double de sa perte du coup précédent ; système de jeu prétendument toujours gagnant.

martiniquais, aise *a, n* De la Martinique.

martin-pêcheur *nm* Petit oiseau qui se nourrit de poissons. *Des martins-pêcheurs.*

martre *nf* Petit mammifère carnivore au corps long et souple et au pelage brun. Var **marte**.

martyr, e *n* Personne qui est morte ou qui a beaucoup souffert pour fidélité à sa religion, à son idéal. ■ *n, a* Qui subit de mauvais traitements.

martyre *nm* **1** La mort, les tourments endurés par un martyr. **2** Très grande souffrance physique ou morale.

martyriser *vt* Faire souffrir durement ; maltraiter.

martyrologe *nm* Liste de personnes qui sont mortes ou ont souffert pour une cause.

marxien, enne *a* De Karl Marx.

marxisme *nm* Doctrine de Karl Marx fondée sur le principe de la lutte des classes.

marxisme-léninisme *nm* Doctrine de Lénine et de ses partisans, inspirée du marxisme.

marxiste *a, n* Qui relève du marxisme.

maryland [-lãd] *nm* Tabac à fumer américain.

mas [ma] ou [mas] *nm inv* Dans le Midi, ferme ou maison de campagne.

mascara *nm* Cosmétique utilisé pour colorer et épaissir les cils.

mascarade *nf* Actions, démonstrations hypocrites ; mise en scène trompeuse.

mascaret *nm* Haute vague qui remonte certains fleuves à la marée montante.

mascarpone *nm* Fromage italien à pâte molle.

mascotte *nf* Porte-bonheur, fétiche.

masculin, ine *a* **1** Qui appartient au mâle, à l'homme. *Le sexe masculin.* **2** LING Qui s'applique aux êtres mâles et à une partie des noms de choses. ■ *nm* Genre grammatical masculin.

masculiniser *vt* Rendre masculin.

masculinité *nf* Caractère masculin.

maser [mazɛʀ] *nm* PHYS Générateur de microondes, utilisé comme amplificateur, comme oscillateur.

maso *a, n* fam Abrév. de *masochiste*.

masochisme *nm* Comportement d'une personne qui prend plaisir à souffrir.

masochiste *a, n* Qui relève du masochisme.

masquage *nm* Action de masquer.

masque *nm* **1** Faux visage en carton, en plastique, etc., ou dispositif qu'on applique sur son propre visage pour se déguiser, se protéger, etc. *Masque de carnaval. Masque à gaz.* **2** Moulage du visage. *Masque mortuaire.* **3** Préparation cosmétique qu'on applique sur le visage et le cou. **4** litt Apparence trompeuse. Loc *Lever, jeter, tomber le masque* : ne plus déguiser ses vrais sentiments.

masqué, ée *a* Couvert d'un masque, un déguisement. Loc *Bal masqué* : où l'on porte un masque, un déguisement.

masquer *vt* **1** Cacher qqch sous des apparences trompeuses. **2** Dissimuler qqch à la vue.

massacrant, ante *a* Loc *Humeur massacrante* : très mauvaise humeur.

massacre *nm* Action de massacrer ; son résultat. Loc *Jeu de massacre* : jeu forain qui consiste à abattre au moyen de balles des poupées à bascule.

massacrer *vt* **1** Tuer en grand nombre et avec sauvagerie des gens sans défense. *Massacrer des otages.* **2** Gâter par une exécution maladroite. *Massacrer une pièce de théâtre.*

massacreur, euse *n* Personne qui massacre.

massage *nm* Action de masser. Loc *Massage cardiaque* : réanimation d'urgence par pression pratiquée en cas d'arrêt cardiaque.

masse *nf* **1** Quantité importante de matière formant un ensemble compact, indifférencié. *Une masse rocheuse. Une sculpture taillée dans la masse.* **2** Grand nombre de choses, d'êtres animés. *Prendre un objet au hasard dans la masse. La masse des réfugiés.* **3** Le plus grand nombre, par oppos. à *l'élite*. **4** Somme d'argent affectée à un emploi particulier. *La masse salariale.* **5** PHYS Grandeur fondamentale liée à la quantité de matière d'un corps et qui intervient dans les lois de son mouvement. *Le kilogramme, unité de masse.* **6** ELECTR Bâti métallique d'une machine, d'un appareil, relié au pôle négatif du générateur. **7** Marteau à tête très lourde. Loc *En masse* : en grand nombre. pop *Des masses* : beaucoup. *De masse* : concernant la grande majorité de la société. *Plan de masse* ou *plan-masse* : plan qui ne donne que les contours extérieurs d'une construction, d'un ensemble de bâtiments. ■ *pl* Les classes populaires.

massepain *nm* Pâtisserie à base d'amandes pilées et de sucre.

masser *vt* **1** Disposer en grand nombre. *Masser des troupes.* **2** Pétrir, presser différentes parties du corps. ■ *vpr* Se rassembler en masse.

massette *nf* Petite masse (marteau).

masseur, euse *n* Personne qui pratique des massages.

massicot *nm* Machine à couper le papier.

massicoter *vt* Couper du papier au massicot.

massif, ive *a* 1 Qui est ou paraît épais, compact, lourd. *Porte massive. Attaque massive.* 2 Qui a lieu, se produit, est fait en masse. ■ *nm* 1 Ensemble montagneux. 2 Assemblage de fleurs, d'arbustes en vue d'un effet décoratif.

massification *nf* Adaptation de qqch à la masse, au grand nombre.

massifier *vt* Opérer une massification.

massique *a* PHYS De la masse ou de l'unité de masse.

massivement *av* De façon massive.

massue *nf* Bâton noueux beaucoup plus gros à un bout qu'à l'autre et servant d'arme. Loc *Coup de massue* : coup brutal, décisif ; catastrophe accablante. *Argument massue* : décisif.

mastaba *nm* HIST Tombeau de l'Égypte antique en forme de pyramide tronquée.

1. master *nm* AUDIOV Disque ou bande matrice, permettant de réaliser un moule à partir duquel sont produites les copies commercialisables.

2. master *nm* Diplôme national de niveau bac+5, reconnu au niveau européen. **Var mastère**

masterclasse *nf* Enseignement accueillant des élèves de très haut niveau.

mastère *nm* Diplôme universitaire de haut niveau.

mastic *nm* 1 Pâte à base d'huile de lin, durcissant à l'air, utilisée pour fixer des vitres, etc. 2 Erreur typographique. ■ *a inv* D'une couleur gris-beige clair. *Imperméable mastic.*

masticage *nm* Action de mastiquer (sens 1).

masticateur, trice *a* Qui sert à la mastication.

mastication *nf* Action de mastiquer (sens 2).

masticatoire *nm* Substance à mâcher destinée à exciter la sécrétion salivaire.

mastiff *nm* Grand chien à corps trapu.

1. mastiquer *vt* Boucher avec du mastic.

2. mastiquer *vt* Mâcher.

mastite *nf* Inflammation de la glande mammaire.

mastoc *a inv* fam Lourd, épais, sans grâce.

mastodonte *nm* 1 Grand mammifère herbivore fossile, voisin de l'éléphant. 2 fam Personne d'une taille démesurée ; objet énorme.

mastoïde *nf* ANAT Éminence osseuse située derrière l'oreille.

mastoïdien, enne *a* De la mastoïde.

mastoïdite *nf* Inflammation de la muqueuse des cavités mastoïdiennes.

masturbation *nf* Attouchement des parties génitales, destiné à procurer le plaisir sexuel.

masturber *vt* Pratiquer la masturbation.

m'as-tu-vu *n inv* fam Individu vaniteux.

masure *nf* Maison misérable, délabrée.

1. mat [mat] *nm* Aux échecs, coup qui met fin à la partie. ■ *a inv* Qui a perdu la partie.

2. mat, mate [mat] *a* 1 Qui ne brille pas. *Peinture mate.* 2 Se dit d'un teint plutôt foncé. 3 Se dit d'un son assourdi.

mât *nm* Longue pièce de bois ou de métal destinée à porter les voiles d'un bateau, les pavillons, les antennes de radio, etc.

matador *nm* Toréro qui met à mort le taureau.

matamore *nm* Faux brave, bravache.

match *nm* Compétition opposant deux adversaires ou deux équipes.

maté *nm* Houx d'Amérique du Sud, dont on fait infuser les feuilles ; cette infusion.

matelas *nm* 1 Élément de literie constitué par un grand coussin rembourré. 2 Couche épaisse et souple qui amortit les chocs. Loc *Matelas pneumatique* : grand coussin fait d'une enveloppe étanche, gonflée d'air.

matelasser *vt* Rembourrer qqch à la façon d'un matelas.

matelassier, ère *n* Personne qui confectionne, répare les matelas.

matelot *nm* Homme d'équipage d'un navire.

matelote *nf* Plat de poisson cuit dans du vin rouge avec des oignons.

mater *vt* Soumettre, réprimer.

mâter *vt* Munir un navire de son mât.

matérialisation *nf* Action de matérialiser.

matérialiser *vt* Donner une réalité matérielle à qqch d'abstrait. ■ *vpr* Se concrétiser.

matérialisme *nm* 1 PHILO Doctrine qui affirme que la seule réalité fondamentale est la matière. 2 Attitude de recherche exclusive des satisfactions matérielles.

matérialiste *a, n* Qui relève du matérialisme.

matérialité *nf* Caractère matériel, concret.

matériau *nm* Matière utilisée pour fabriquer ou construire. ■ *pl* 1 Éléments qui entrent dans la construction d'un bâtiment (pierre, bois, tuiles, ciment, etc.). 2 Documentation d'un ouvrage, d'une recherche.

matériel, elle *a* 1 Formé de matière. *Le monde matériel.* 2 Qui relève de la réalité concrète, objective. *Être dans l'impossibilité matérielle de faire qqch.* 3 Relatif aux nécessités de l'existence, à l'argent. *Problèmes matériels.* 4 Incapable de sentiments élevés. *Esprit bassement matériel.* 5 Qui concerne les choses et non les personnes. *Dégâts matériels.* Loc *Temps matériel* : nécessaire pour agir. ■ *nm* Ensemble des objets (outils, machines, etc.) qu'on utilise dans une activité, un travail déterminé.

matériellement *av* 1 En ce qui concerne la vie matérielle ; d'un point de vue matériel. 2 Réellement. *C'est matériellement impossible.*

maternage *nm* Fait de materner.

maternel, elle *a* 1 Propre à une mère. *Instinct maternel.* 2 Relatif à la mère, en ce qui concerne les liens de parenté. Loc *La langue maternelle* : la première langue parlée par un enfant. *École maternelle* : école où on reçoit les très jeunes enfants. ■ *nf* École maternelle.

maternellement *av* De façon maternelle.

materner *vt* Avoir une attitude maternelle à l'égard de qqn ; protéger excessivement.

maternisé, ée *a* Loc *Lait maternisé* : traité pour se rapprocher le plus possible du lait de femme.

maternité *nf* 1 État, qualité de mère. 2 Hôpital, clinique où les femmes accouchent.

math *nfpl* fam Mathématiques. **Var maths**

mathématicien, enne *n* Spécialiste des mathématiques.

mathématique *a* 1 Relatif à la science du calcul et de la mesure des grandeurs. 2 Rigoureux, précis. ■ *nf* Ensemble des opérations logiques portant sur les nombres, les figures géométriques, etc. (surtout au pl.).

mathématiquement *av* 1 De façon mathématique. 2 Inévitablement.

matheux, euse *n* fam Personne qui a du goût pour les mathématiques ; qui étudie les mathématiques.

matière *nf* **1** Substance constituant les corps. **2** Ce dont une chose est faite. *La matière de cette robe est de la soie.* **3** Ce sur quoi écrit, on parle, on travaille. *La matière d'un roman.* **4** Sujet, occasion. *Fournir matière à rire.* **Loc** *En matière de :* en ce qui concerne, en fait de. *Entrer en matière :* aborder une question. *Matière première :* produit à l'état brut. *Table des matières :* à la fin ou au début d'un livre, liste des chapitres, des questions traitées.

matin *nm* Première partie du jour, après le lever du soleil. **Loc** *De bon, de grand matin :* très tôt. *Un beau matin :* un jour parmi d'autres. ■ *av* Dans la matinée. *Tous les lundis matin.*

1. mâtin *nm* Gros chien de garde.

2. matin, ine *n* litt Personne délurée.

matinal, ale, aux *a* **1** Du matin. *Fraîcheur matinale.* **2** Qui se lève tôt. *Être matinal.*

mâtiné, ée *a* **1** De race croisée (chien). **2** Mélange. *Un français mâtiné de patois.*

matinée *nf* **1** Temps qui s'écoule entre le lever du soleil et midi. **2** Spectacle ayant lieu l'après-midi.

matines *nfpl* RELIG Première partie de l'office divin, qu'on récite la nuit ou à l'aube.

matir *vt* TECH Rendre mat, dépolir.

matité *nf* Caractère mat.

matois, oise *a, n* litt Rusé, finaud.

maton, onne *n* pop Gardien(enne) de prison.

matou *nm* Chat domestique mâle.

matraquage *nm* Action de matraquer. **Loc** *Matraquage publicitaire :* multiplication des opérations publicitaires.

matraque *nf* Arme pour frapper, en forme de bâton court.

matraquer *vt* **1** Donner des coups de matraque à qqn. **2** fam Demander un prix trop élevé à qqn. **3** Faire subir un matraquage publicitaire.

matraqueur, euse *a, n* Qui matraque.

matriarcal, ale, aux *a* Du matriarcat.

matriarcat *nm* Régime social dans lequel la femme joue un rôle prépondérant.

matricaire *nf* Camomille officinale.

matrice *nf* **1** TECH Moule qui présente une empreinte destinée à donner une forme à une pièce. **2** MATH Disposition de nombres en tableau à deux entrées (lignes et colonnes). **3** FIN Registre d'après lequel sont établis les rôles des contributions. **4** vx Utérus.

matriciel, elle *a* didac Relatif aux matrices.

matricule *nf* **1** Registre où est noté le nom des personnes qui entrent dans certains corps, certains établissements. **2** Extrait de ce registre. ■ *nm* Numéro sous lequel qqn est inscrit sur une matricule.

matrilinéaire *a* ETHNOL Qui repose sur la seule ascendance maternelle.

matrimonial, ale, aux *a* Du mariage.

matrone *nf* péjor Femme d'un certain âge, corpulente et autoritaire.

matronyme *nm* Nom de famille transmis par la mère.

maturation *nf* Fait de mûrir.

mature *a* **1** BIOL Complètement développé. **2** Qui manifeste de la maturité d'esprit.

mâture *nf* Ensemble des mâts d'un navire.

maturité *nf* **1** État mûr. *Fruit à maturité.* **2** Époque de la vie entre la jeunesse et la vieillesse. **3** Prudence, sagesse qui vient avec l'âge.

matutinal, ale, aux *a* litt Du matin.

maudire *vt* Prononcer des imprécations contre qqn, qqch.

maudit, ite *a, n* **1** Voué à la damnation éternelle. **2** Sur qui s'abat une malédiction. ■ *a* Détestable, haïssable. *Cette maudite époque.*

maugréer *vi* Témoigner son mécontentement en pestant entre ses dents.

maure *n* De la Mauritanie antique ; du Maghreb. **Var more**

mauresque *a* Propre aux Maures. *Art mauresque.* **Var moresque**

mauricien, enne *a, n* De l'île Maurice.

mauritanien, enne *a, n* De Mauritanie.

mauser [mozɛʀ] *nm* Pistolet automatique.

mausolée *nm* Grand monument funéraire.

maussade *a* **1** Qui dénote la mauvaise humeur. **2** Sombre, triste. *Un temps maussade.*

mauvais, aise *a* **1** Imparfait, défectueux. *Avoir une mauvaise vue.* **2** Qui n'a pas les qualités requises. *Fournir de mauvais arguments. Un mauvais administrateur.* **3** Défavorable, hostile, malfaisant. *Donner de mauvais renseignements sur qqn. Préparer un mauvais coup. Des gens mauvais.* **4** Contraire à la morale. *Mauvaise action.* **5** Désagréable. *Être de mauvaise humeur.* **6** D'un goût désagréable. **Loc** *Avoir mauvaise mine :* l'air fatigué. *Mauvaise tête :* caractère difficile.* fam *La trouver, l'avoir mauvaise :* ne pas trouver qqch à son goût, être dépité. ■ *nm* Ce qu'il y a de défectueux dans qqch, qqn. ■ *av* Loc *Sentir mauvais :* exhaler une odeur désagréable ; commencer à tourner mal. *Il fait mauvais :* le temps est désagréable.

mauve *nf* Petite plante à fleurs blanches, roses ou violettes. ■ *a* De couleur violet pâle. ■ *nm* Couleur violette.

mauviette *nf* fam Personne frêle, chétive.

1. maxi *a, av* fam Abrév. de *maximal* et de *(au) maximum. Ça coûte quinze euros maxi.*

2. maxi *nm* Disque (CD ou vinyle) de longueur moyenne.

maxillaire *nm* Chacun des deux os qui forment les mâchoires. ■ *a* Des mâchoires.

maximal, ale, aux *a* Qui atteint un maximum. *Température maximale.*

maximalisation *nf* Action de maximaliser, de maximiser. **Var maximisation**

maximaliser *vt* Donner la plus haute valeur à. **Var maximiser**

maximalisme *nm* Attitude des maximalistes ; radicalisme, intransigeance.

maximaliste *n, a* Qui préconise les solutions extrêmes, notamment en politique.

maxime *nf* Sentence qui résume une règle de conduite.

maximum [-mɔm] *nm* Le plus haut degré possible. **Loc** *Au maximum :* au plus. *Des maximums* ou *des maxima.* ■ *a* fam Maximal. *Tarif maximum.*

maxwell *nm* PHYS Unité de flux magnétique.

maya *a* Des Mayas.

mayonnaise *nf* Sauce faite d'huile émulsionnée avec du jaune d'œuf.

mazagran *nm* Récipient en faïence, à petit pied, pour le café.

mazdéen, enne *a, n* Qui relève du mazdéisme.

mazdéisme *nm* Religion de la Perse ancienne, fondée sur l'opposition du Bien et du Mal.

mazette ! *interj* vx Marque l'admiration.

mazout [-zut] *nm* Combustible liquide visqueux obtenu par raffinage du pétrole.

mazoutage *nm* Pollution au mazout.

mazouter *vt* Polluer par le mazout.

mazurka *nf* **1** Danse d'origine polonaise. **2** Air de cette danse.

me *pr pers* Forme atone complément de la première personne du singulier.

mea-culpa *nm inv* Aveu, repentir d'une faute.

méandre *nm* **1** Sinuosité d'un cours d'eau. **2** Détour, sinuosité, louvoiement.

méat *nm* ANAT Orifice d'un conduit.

mec *nm* fam Homme, individu, mari, amant.

mécanicien, enne *n* Spécialiste de la conduite, de l'entretien, de la réparation des machines, des moteurs.

mécanique *a* **1** Relatif à la mécanique, à des lois. **2** Mû par une machine. **3** Qui agit uniquement d'après les lois du mouvement (et non chimiquement, électriquement). **4** Machinal. *Geste mécanique.* ■ *nf* **1** Partie de la physique ayant pour objet l'étude des mouvements des corps et les forces qui les produisent. **2** Science de la construction et du fonctionnement des machines. **3** Ensemble de pièces destinées à produire ou à transmettre un mouvement.

mécaniquement *av* De façon mécanique, machinale. *Répondre mécaniquement.*

mécanisation *nf* Action de mécaniser.

mécaniser *vt* Introduire l'utilisation de la machine dans une activité.

mécanisme *nm* **1** Agencement de pièces disposées pour produire un mouvement, un effet donné. *Mécanisme d'une montre.* **2** Manière dont fonctionne un ensemble complexe. *Mécanisme du langage, de la pensée.* **3** Philosophie expliquant les phénomènes naturels par la seule loi de cause à effet.

mécaniste *a, n* Qui relève du mécanisme philosophique.

mécano *nm* fam Ouvrier mécanicien.

mécanographe *n* Employé(e) spécialisé(e) dans les travaux de mécanographie.

mécanographie *nf* Technique de traitement de l'information utilisant des cartes perforées.

mécanothérapie *nf* Kinésithérapie pratiquée à l'aide d'appareils.

meccano *nm* (n. déposé) Jeu de construction.

mécénat *nm* Soutien matériel apporté à des activités présentant un intérêt général.

mécène *nm* Protecteur généreux des lettres, des sciences, des arts.

méchamment *av* **1** Avec méchanceté. *Rire méchamment.* **2** fam Très. *Il est méchamment intelligent.*

méchanceté *nf* **1** Penchant à faire du mal. **2** Action, parole méchante.

méchant, ante *a, n* **1** Qui est porté à faire du mal, à nuire à autrui. **2** Qui peut causer des ennuis. *Une méchante affaire.* **3** Déplaisant, désagréable. *Être de méchante humeur.*

mèche *nf* **1** Cordon, tresse qui porte la flamme d'une bougie, d'une lampe, etc. **2** Cordon combustible servant à mettre le feu à une charge explosive. **3** CHIR Petite bande de gaze stérile utilisée pour réaliser le drainage d'une plaie. **4** Petite touffe de cheveux. **5** Tige métallique s'adaptant à un vilebrequin, une perceuse, pour percer des

trous. **Loc** *Vendre la mèche :* dévoiler qqch qui devait être tenu secret. fam *Être de mèche avec qqn :* être de connivence avec lui.

méchoui *nm* Mouton cuit à la broche.

mécompte *nm* Espérance trompée, déception.

méconnaissable *a* Que l'on a peine à reconnaître.

méconnaissance *nf* litt Ignorance.

méconnaître *vt* [55] litt Ne pas savoir apprécier à sa juste valeur ; ignorer. **Var méconnaitre**

méconnu, ue *a, n* Qui n'est pas apprécié à sa juste valeur.

mécontent, ente *a, n* Qui n'est pas content.

mécontentement *nm* Déplaisir, manque de satisfaction.

mécontenter *vt* Rendre mécontent, insatisfait.

mécréant, ante *a, n* Qui n'a pas la foi considérée comme la seule vraie ; infidèle.

médaille *nf* **1** Pièce de métal à l'effigie d'un personnage illustre ou commémorant un évènement. **2** Pièce de métal décernée comme récompense ; décoration. **3** Prix décerné dans un concours. **4** Petite pièce de métal à sujet religieux, qu'on porte suspendue à une chaîne. **5** Plaque de métal servant à l'identification.

médaillé, ée *a, n* Décoré d'une médaille.

médailleur *nm* Graveur de médailles.

médaillier *nm* Collection de médailles.

médaillon *nm* **1** Bijou circulaire ou ovale renfermant un portrait, une mèche de cheveux. **2** Élément décoratif, peint ou sculpté, de forme circulaire ou ovale. **3** Tranche de viande, de poisson ronde ou ovale.

mède *a* Relatif aux Mèdes.

médecin *nm* Personne qui exerce la médecine, est habilitée à le faire.

médecine *nf* **1** Science des maladies et art de les soigner. **2** Profession, pratique du médecin. **Loc** *Médecine légale :* qui effectue les constats de décès, les expertises judiciaires.

médersa *nf* École coranique. **Var medersa** [me-]

média *nm* Moyen de large diffusion de l'information (radio, télévision, presse, etc.).

médial, ale, aux *a* Placé au milieu d'un mot.

médian, ane *a* Placé au milieu. *Ligne médiane.* ■ *nf* Droite qui joint l'un des sommets d'un triangle au milieu du côté opposé.

médiaplanning *nm* Choix et achat des supports destinés à une campagne publicitaire.

médiastin *nm* ANAT Espace entre les deux poumons.

médiat, ate *a* Qui est pratiqué ou qui agit de façon indirecte, par un intermédiaire.

médiateur, trice *n, a* Personne, puissance qui s'entremet pour opérer une médiation. ■ *nf* GEOM Perpendiculaire à un segment de droite en son milieu.

médiathèque *nf* Collection de documents sur des supports divers (film, bande magnétique, disque, diapositive, etc.).

médiation *nf* Action d'intervenir pour faciliter un accord.

médiatique *a* **1** Des médias. **2** Populaire grâce aux médias. *Un footballeur médiatique.*

médiatiquement *av* Par les médias.

médiatisation *nf* Action de médiatiser.

médiatiser *vt* Faire connaître par les médias.

médiator nm Lamelle avec laquelle on fait vibrer les cordes d'une guitare, d'un banjo, etc.

médiatrice. V. *médiateur.*

médical, ale, aux a De la médecine.

médicalement av Du point de vue médical.

médicalisation nf Action de médicaliser.

médicaliser vt 1 Faire relever du domaine médical. 2 Doter un lieu d'une infrastructure médicale. *Résidence médicalisée.* 3 Soumettre à des soins médicaux.

médicament nm Substance employée pour lutter contre les maladies.

médicamenteux, euse a Qui a la propriété d'un médicament.

médication nf Administration systématique d'agents thérapeutiques pour répondre à une indication déterminée.

médicinal, ale, aux a Qui possède des propriétés thérapeutiques.

médicolégal, ale, aux a De la médecine légale. *Expertise médicolégale.*

médicosocial, ale, aux a De la médecine sociale. *Des centres médicosociaux.*

médicosportif, ive a Qui concerne les soins médicaux aux athlètes.

médiéval, ale, aux a Du Moyen Âge.

médiéviste n Spécialiste du Moyen Âge.

médina nf En Afrique du Nord, partie ancienne d'une ville.

médiocratie nf Gouvernement des médiocres.

médiocre a 1 Qui n'est pas très bon. *Un vin médiocre.* 2 Insuffisant. *Résultats médiocres.* ■ a, n Qui n'a pas beaucoup de talent, de capacités. *Un étudiant médiocre.*

médiocrement av 1 De façon médiocre. 2 Peu. *Être médiocrement surpris.*

médiocrité nf Caractère médiocre.

médique a Qui concerne les Mèdes.

médire vi [60] Dire du mal de qqn sans aller contre la vérité. *Médire de ses voisins.*

médisance nf 1 Propos médisant. 2 Action de médire ; dénigrement.

médisant, ante a Qui médit.

méditatif, ive a, n Porté à la méditation. ■ a Qui dénote la méditation ; songeur.

méditation nf Action de méditer.

méditer vt 1 Examiner, réfléchir profondément sur un sujet. *Méditer une question.* 2 Se proposer de réaliser qqch en y réfléchissant longuement. *Méditer un plan.* ■ vti, vi Faire longuement porter sa réflexion sur qqch.

méditerranéen, enne a, n De la Méditerranée et des régions qui bordent cette mer.

médium [medjɔm] n Personne qui, selon les spirites, peut servir d'intermédiaire avec les esprits. ■ nm 1 Technique servant de support à un média. 2 MUS Registre entre le grave et l'aigu.

médiumnique a Qui relève d'un médium.

médius [-djys] nm Syn. de *majeur* (doigt).

médoc nm Bordeaux rouge apprécié.

médullaire a Qui a rapport à la moelle.

médullosurrénale nf ANAT Partie des surrénales qui sécrète l'adrénaline.

méduse nf Animal marin nageur, translucide et gélatineux.

méduser vt Frapper de stupeur.

meeting [mitiŋ] nm Réunion publique politique, sportive, etc.

méfait nm 1 Action nuisible ; délit. 2 Conséquence néfaste de qqch.

méfiance nf Disposition à être méfiant.

méfiant, ante a, n Qui se méfie, soupçonneux, défiant.

méfier (se) vpr 1 Ne pas se fier à. 2 Faire attention.

méforme nf Mauvaise forme physique.

mégabit [-bit] nm INFORM Un million de bits.

mégahertz nm PHYS Un million de hertz.

mégalithe nm PRÉHIST Monument formé de gros blocs de pierre (dolmen, menhir, etc.).

mégalithique a Des mégalithes.

mégalomane a, n Atteint de mégalomanie.

mégalomaniaque a De la mégalomanie.

mégalomanie nf Désir immodéré de puissance, goût des réalisations grandioses.

mégalopole nf Énorme agglomération urbaine. Var **mégapole**.

mégaoctet nm INFORM Un million d'octets.

mégaphone nm Porte-voix.

mégaporteur nm Avion de très grande capacité.

mégarde nf Loc *Par mégarde :* par inadvertance.

mégatonne nf Unité servant à mesurer la puissance d'un explosif nucléaire.

mégère nf Femme méchante.

mégisserie nf Tannage à l'alun des peaux de chevreaux et d'agneaux.

mégot nm fam Bout de cigare, de cigarette.

mégotage nm fam Fait de mégoter.

mégoter vi fam Chercher de petits profits.

méhari nm Dromadaire de selle en Afrique.

méhariste n Personne qui monte un méhari.

meilleur, eure a Qui a un plus haut degré de bonté, de qualité. *Cet homme est meilleur qu'il n'en a l'air. Sa santé est meilleure.* ■ n Celui, celle qui a atteint le plus haut degré de bonté, de qualité. ■ nm Ce qui vaut le mieux. *Donner le meilleur de sa vie.* Loc *Prendre le meilleur :* l'emporter.

mélose nf BIOL Division des cellules vivantes.

méjuger vt, vti [11] litt Juger mal, méconnaître.

mélampyre nm Plante parasite des graminées.

mélancolie nf État de tristesse vague, sans cause définie.

mélancolique a, n Qui est atteint de mélancolie. ■ a Qui exprime, inspire la mélancolie.

mélancoliquement av De façon mélancolique.

mélanésien, enne a, n De Mélanésie.

mélange nm 1 Action de mêler ; fait de se mêler. 2 Ensemble constitué d'éléments divers mêlés. ■ pl Recueil d'articles divers.

mélangé, ée a Disparate.

mélanger vt [11] 1 Réunir de manière à former un mélange. *Mélanger des jaunes d'œufs et de la farine.* 2 fam Mettre en désordre ; confondre.

mélangeur nm Appareil opérant un mélange.

mélanine nf PHYSIOL Pigment foncé de la peau et des cheveux.

mélanoderme a, n Dont la peau est noire.

mélanome nm Tumeur de la peau.

mélasse nf 1 Matière visqueuse brune, sous-produit de la fabrication du sucre. 2 fam Misère, situation pénible.

melba a inv Loc *Pêche, poire, fraises melba :* servies nappées de sirop avec de la glace à la vanille et de la crème Chantilly.

méléagrine nf Huître perlière.

mêlée nf 1 Combat confus où deux troupes s'attaquent corps à corps. 2 Cohue, bousculade tumultueuse. 3 Au rugby, phase du jeu où deux groupes de joueurs cherchent à s'emparer du ballon en s'arc-boutant face à face. Loc *Au-dessus de la mêlée* : en dehors des conflits.

mêler vt 1 Mettre ensemble des choses, des êtres de manière à les confondre, à les unir. *Mêler de l'eau et du vin, le tragique au comique.* 2 Mettre en désordre, emmêler, embrouiller. *Mêler du fil.* 3 Associer qqn à, impliquer qqn dans quelque affaire. ■ vpr 1 Se confondre, s'unir. 2 S'occuper de, intervenir dans.

mélèze nm Conifère de haute montagne, à aiguilles caduques.

mélilot nm Herbe fourragère odorante.

méli-mélo nm fam Mélange confus de choses en désordre. *Des mélis-mélos.* Var **mélimélo**.

mélinite nf Explosif de grande puissance.

mélioratif, ive a, nm Qui présente ce dont on parle d'une façon avantageuse.

mélisse nf Plante aromatique.

melkite a, n Chrétien d'Orient, de rite byzantin.

mellifère a Qui produit du miel.

mélo nm, a fam Abrév. de mélodrame et de mélodramatique.

mélodie nf 1 Succession de sons qui forment une phrase musicale. 2 Composition à une voix avec accompagnement. 3 Qualité de ce qui charme l'oreille. *La mélodie d'un vers.*

mélodieusement av De façon mélodieuse.

mélodieux, euse a Qui forme une mélodie ; qui produit des sons agréables à l'oreille.

mélodique a De la mélodie.

mélodiste n Compositeur de mélodies.

mélodramatique a Du mélodrame.

mélodrame nm Drame qui vise à un effet pathétique par les caractères outrés, des situations peu vraisemblables.

mélomane n Amateur de musique.

melon nm 1 Plante potagère au fruit comestible. 2 Fruit de cette plante, ovoïde ou sphérique, à la pulpe jaunâtre ou orangée. Loc *Melon d'eau* : pastèque. *Chapeau melon* : chapeau rigide et bombé.

mélopée nf Chant, air monotone.

melting-pot [mɛltiŋpɔt] nm Lieu où les peuples d'origines diverses se mêlent. *Des melting-pots.*

membranaire a D'une membrane.

membrane nf 1 ANAT Tissu mince et souple qui enveloppe, tapisse, sépare, etc., des organes. 2 Feuille mince, dans un appareil, un dispositif.

membraneux, euse a D'une membrane.

membre nm 1 Chacun des appendices articulés qui permettent les grands mouvements (locomotion, préhension) chez l'homme et les animaux. 2 Chacun des éléments (personne, groupe, pays, etc.) composant un ensemble organisé. 3 GRAM Chacune des parties d'une période ou d'une phrase. 4 MATH Chacune des parties d'une équation. Loc *Membre viril* : pénis.

membrure nf 1 Membres du corps humain. 2 Charpente d'un navire, d'une construction.

même a 1 Indique l'identité ou la ressemblance. *J'ai acheté la même voiture que lui. Je connais ce genre de chiens : j'ai même.* 2 Après un nom ou un pronom, exprime une insistance sur la personne ou la chose désignée. *Ce sont ses paroles*

mêmes. Lui-même n'en sait rien. ■ av Indique le degré atteint dans une gradation, et signifie « aussi, de plus, y compris, jusqu'à ». *Tous étaient venus, même les infirmes.* Loc *À même* : directement en contact avec. *Être à même de faire qqch* : en être capable. *De même* : de la même manière. *Tout de même* : néanmoins, cependant. *Quand bien même* : même si. *Quand même !* : malgré tout. *De même que* : comme, de la même manière que.

mémento [-mɛ̃-] nm 1 Carnet où l'on note ce dont on doit se souvenir, agenda. 2 Livre où sont résumées les notions essentielles sur une science, une technique.

mémère nf fam 1 Grand-mère. 2 Femme d'un certain âge. Var **mémé**.

1. mémoire nf 1 Faculté de se souvenir ; siège de cette faculté. *Avoir de la mémoire. L'incident est gravé dans ma mémoire.* 2 Souvenir laissé par qqn ou qqch. *Ce jour, de sinistre mémoire.* 3 Dispositif d'un ordinateur capable d'enregistrer et de conserver des données. Loc *À la mémoire de, en mémoire de* : pour perpétuer le souvenir de. *Pour mémoire* : à titre de rappel. *De mémoire* : par cœur.

2. mémoire nm 1 Écrit sommaire destiné à exposer l'essentiel d'une affaire. 2 Dissertation sur un sujet de science, d'érudition. 3 Relevé des sommes dues pour les travaux effectués, les fournitures remises, etc. ■ pl Recueil de souvenirs personnels ; autobiographie.

mémorable a Digne d'être conservé dans la mémoire.

mémorandum [-dɔm] nm 1 Note diplomatique. 2 Mémento.

mémorial nm 1 (avec majusc.) Écrit relatant des faits mémorables. 2 Monument commémoratif. *Des mémoriaux.*

mémorialiste n Auteur de mémoires historiques ou littéraires.

mémorisable a Que l'on peut mémoriser.

mémorisation nf Action de mémoriser.

mémoriser vt 1 Enregistrer dans sa mémoire. 2 INFORM Mettre des données en mémoire.

menaçant, ante a Qui exprime une menace.

menace nf 1 Parole, geste, expression signifiant une intention hostile et visant à intimider. 2 Indice laissant prévoir qqch de fâcheux ou de dangereux.

menacé, ée a En danger. *Espèce menacée.*

menacer vt [10] 1 Chercher à intimider, à faire peur. 2 Représenter un danger, un risque imminent. *Un péril nous menace.* 3 Laisser prévoir qqch de fâcheux. *Le toit menace de s'écrouler.*

ménage nm 1 Soin, entretien d'une maison. 2 Ensemble des objets nécessaires à la vie dans une maison. *Monter son ménage.* 3 Couple d'époux. *Jeune ménage.* Loc *Faire bon, mauvais ménage* : s'entendre bien, mal. *Faire le ménage* : nettoyer un local ; se débarrasser de ce qui est inutile. *Femme de ménage* : qui fait des travaux domestiques, moyennant une rémunération.

ménagement nm Réserve, précaution avec laquelle on traite qqn.

1. ménager, ère a Relatif à l'entretien de la maison. *Appareils ménagers.* ■ nf 1 Femme qui s'occupe de son foyer. 2 Service de couverts pour la table, dans un écrin.

2. ménager *vt* [11] **1** Employer avec économie, avec réserve. *Ménager ses ressources.* **2** Traiter qqn avec égards ou avec précautions. **3** Préparer, arranger à l'avance. *Ménager une entrevue.* ■ *vpr* Prendre soin de sa santé, éviter de trop se fatiguer.

ménagerie *nf* Lieu où sont rassemblés, exposés et entretenus des animaux.

menchevik [mɛnʃə-] *a, n* HIST Membre de l'aile modérée du parti social-démocrate russe. Var **menchévique**

mendiant, ante *n, a* Qui mendie. Loc HIST *Moines mendiants* : dominicains, franciscains et carmes.

mendicité *nf* Action de mendier.

mendier *vi* Demander l'aumône. ■ *vt* **1** Demander comme aumône. **2** Solliciter humblement. *Mendier un service.*

mendigot, ote *n* fam et vx Mendiant.

meneau *nm* Montant qui partage l'ouverture d'une fenêtre en compartiments.

menées *nfpl* Intrigues, machinations.

mener *vt* [15] **1** Faire aller qq part en accompagnant. **2** Aboutir. *Ce chemin mène à la plage.* **3** Tracer. *Mener une droite.* **4** Conduire, diriger. *Mener sa vie comme on l'entend.* Loc *Mener à bien une affaire* : la faire réussir. fam *Ne pas en mener large* : avoir peur. fam *Mener qqn en bateau* : le berner. ■ *vi* Être provisoirement en tête.

ménestrel *nm* Au Moyen Âge, poète et musicien itinérant.

ménétrier *nm* Musicien de fêtes villageoises.

meneur, euse *n* Personne qui mène, dirige. *Meneur d'hommes.* Loc *Meneur de jeu* : qui anime et dirige un jeu ou un spectacle.

menhir *nm* Monument mégalithique, pierre dressée verticalement.

méninge *nf* ANAT Chacune des trois membranes qui enveloppent le cerveau et la moelle épinière. ■ *pl* fam Cerveau, esprit.

méningé, ée *a* Relatif aux méninges.

méningite *nf* Inflammation des méninges.

ménisque *nm* **1** ANAT Formation cartilagineuse de certaines articulations (genou). **2** PHYS Lentille présentant une face convexe et une face concave.

ménopause *nf* PHYSIOL Cessation de la fonction ovarienne chez la femme, marquée par l'arrêt définitif de la menstruation.

ménopausée *nf, af* Dont la ménopause s'est effectuée.

ménorrhée *nf* Écoulement menstruel.

menotte *nf* Petite main. ■ *pl* Bracelets de métal reliés par une chaîne, que l'on met aux poignets d'un prisonnier.

mensonge *nm* Assertion contraire à la vérité faite dans le dessein de tromper.

mensonger, ère *a* Faux, trompeur.

menstruation *nf* Écoulement sanguin périodique d'origine utérine se produisant chez la femme non enceinte, de la puberté à la ménopause. Syn. règles.

menstruel, elle *a* De la menstruation.

menstrues *nfpl* vx Règles de la femme.

mensualisation *nf* Action de mensualiser.

mensualiser *vt* **1** Rendre mensuel un salaire, un paiement. **2** Attribuer un salaire mensuel à.

mensualité *nf* Somme payée chaque mois.

mensuel, elle *a* Qui se fait, arrive tous les mois. *Salaire mensuel.* ■ *n* Salarié payé au mois. ■ *nm* Publication paraissant chaque mois.

mensuellement *av* Tous les mois.

mensuration *nf* **1** Mesure de certaines dimensions caractéristiques du corps humain. **2** Ces dimensions elles-mêmes.

mental, ale, aux *a* **1** Qui s'exécute dans l'esprit. *Calcul mental.* **2** Relatif aux facultés intellectuelles, au psychisme. Loc *Âge mental* : degré de maturité intellectuelle. ■ *nm* État psychologique de qqn.

mentalement *av* Par la pensée seulement.

mentalité *nf* **1** État d'esprit ; façon, habitude de penser. **2** Ensemble des habitudes, des croyances propres à une collectivité.

menterie *nf* vx, fam Mensonge.

menteur, euse *n, a* Qui ment, qui a l'habitude de mentir.

menthe *nf* **1** Plante aux feuilles aromatiques. **2** Sirop, liqueur, infusion de cette plante.

menthol *nm* Alcool de menthe.

mentholé, ée *a* Qui contient du menthol.

mention *nf* **1** Action de mentionner. **2** Appréciation favorable accordée par un jury d'examen. Loc *Faire mention de* : mentionner.

mentionner *vt* Faire état de, citer, rapporter.

mentir *vi* [29] Donner pour vrai ce que l'on sait être faux ; nier ce que l'on sait être vrai. Loc *Sans mentir* : en vérité.

menton *nm* Saillie de la mâchoire, au-dessous de la lèvre inférieure.

mentonnière *nf* Bande étroite passant sous le menton et servant à attacher une coiffure.

mentor [mɛ̃-] *nm* litt Guide, conseiller avisé.

menu, ue *a* **1** Qui a peu de volume, de grosseur. *Du menu bois.* **2** De peu d'importance. *Menues dépenses.* ■ *av* En très petits morceaux. *Hacher menu.* ■ *nm* **1** Liste détaillée des mets d'un repas. **2** Repas servi pour un prix fixé à l'avance dans un restaurant. **3** INFORM Liste des opérations qu'un logiciel est capable d'effectuer, et qui s'affiche sur l'écran.

menuet *nm* Ancienne danse à trois temps.

menuiserie *nf* Fabrication d'ouvrages en bois (huisseries, parquets, meubles, etc.).

menuisier *nm* Artisan spécialisé dans les travaux de menuiserie.

ménure *nm* Oiseau australien de la taille d'un faisan. Syn. oiseau-lyre.

méphistophélique *a* litt Diabolique.

méphitique *a* Se dit d'une exhalaison fétide, malsaine ou toxique.

méplat, ate *a* Nettement plus large qu'épais. ■ *nm* Partie aplatie d'une surface.

méprendre (se) *vpr* [70] litt Se tromper. Loc *À s'y méprendre* : au point de se tromper.

mépris *nm* Sentiment, attitude traduisant que l'on juge qqn, qqch indigne d'estime, d'égards ou d'intérêt. Loc *Au mépris de* : sans prendre en considération.

méprisable *a* Qui mérite le mépris.

méprisant, ante *a* Qui témoigne du mépris.

méprise *nf* Erreur d'appréciation.

mépriser *vt* **1** Avoir du mépris pour, ne faire aucun cas de qqch, de qqn. **2** Ne pas craindre. *Mépriser le danger.*

mer nf **1** Vaste étendue d'eau salée qui entoure les continents. **2** Partie de cette étendue couvrant une surface déterminée. **3** Vaste étendue. *Mer de sable.* Loc fam *Ce n'est pas la mer à boire* : ce n'est pas difficile.

mercanti nm Commerçant peu scrupuleux.

mercantile a Avide, âpre au gain.

mercantilisme nm Esprit mercantile ; âpreté au gain, avidité.

mercatique nf Syn. de *marketing.*

mercenaire a litt Fait en vue d'un salaire. *Travail mercenaire. Troupe mercenaire.* ■ nm Soldat étranger à la solde d'un État.

mercerie nf **1** Menus articles servant pour la couture. **2** Commerce de ces articles.

mercerisé, ée a Se dit d'un textile rendu brillant et soyeux par un traitement spécial.

merchandising [-tjɑ̃dajziŋ] nm Syn. de *marchandisage.*

merci nf Loc *Être à la merci de qqn* : être entièrement dépendant de lui. *Dieu merci* : heureusement. *Sans merci* : acharné. ■ nm, interj Formule de remerciement. *Merci beaucoup. Dire un grand merci.*

mercier, ère n Personne qui vend de la mercerie.

mercredi nm Troisième jour de la semaine.

mercure nm **1** Métal liquide à température ordinaire, et très lourd. **2** fam Température atmosphérique. *Le mercure est en hausse.*

mercurey nm Bourgogne rouge.

mercuriale nf Liste des prix des denrées sur un marché public.

mercuriel, elle a Qui contient du mercure.

mercurochrome nm (n. déposé) Antiseptique mercuriel, rouge.

merde nf pop **1** Excrément, matière fécale. **2** Personne ou chose méprisable, sans valeur. **3** Situation difficile, inextricable. ■ interj fam Exclamation de colère, d'agacement, etc.

merdeux, euse a pop Souillé d'excréments. ■ n pop Enfant, blanc-bec.

merdier nm fam Situation confuse.

merdique a fam Sans intérêt.

merdoyer vi [22] pop S'empêtrer.

mère nf **1** Femme qui a donné naissance à un ou plusieurs enfants. **2** Femelle d'un animal qui a eu des petits. **3** Titre de la supérieure d'un couvent de femmes. **4** (en appos.) Source, point de départ. *Langue mère.* **5** Membrane formée par les bactéries qui transforment le vin en vinaigre.

merguez nf Petite saucisse pimentée.

méridien, enne a Relatif au méridien. *Hauteur méridienne d'un astre.* ■ nm Grand cercle fictif passant par les deux pôles de la Terre. ■ nf Canapé dont les deux chevets, de hauteur inégale, sont reliés par un dossier.

méridional, ale, aux a Du côté du midi, du sud. ■ a, n Du midi de la France.

meringue nf Pâtisserie légère faite de blancs d'œufs montés en neige, et de sucre.

meringuer vt Garnir d'une meringue.

mérinos [-nos] nm **1** Race de mouton très estimée pour sa laine. **2** Étoffe de cette laine.

merise nf Fruit du merisier.

merisier nm Cerisier sauvage.

méritant, ante a Qui a du mérite.

mérite nm Ce qui rend qqn ou qqch digne d'estime, de considération. *Elle a du mérite à travailler dans ces conditions.*

mériter vt **1** Se rendre, par sa conduite, digne d'une récompense ou passible d'une sanction. *Mériter des félicitations. Mériter une punition.* **2** Donner droit à. *Tout travail mérite salaire.* ■ vti Loc litt *Avoir bien mérité de la patrie* : avoir rendu de grands services à la patrie.

méritocratie nf Système où le mérite détermine la hiérarchie.

méritoire a Louable, digne d'estime.

merlan nm Poisson qui vit en bancs près du littoral européen.

merle nm Oiseau très répandu dont le mâle est noir et la femelle d'un gris brun. Loc *Merle blanc* : personne, chose très rare, introuvable.

merlin nm Sorte de hache pour fendre le bois.

merlon nm Portion de mur comprise entre deux créneaux.

merlot nm Cépage rouge du Bordelais.

merlu nm Autre nom du colin.

merluche nf **1** Merlu. **2** Morue séchée au soleil et non salée.

mérou nm Gros poisson des mers chaudes, à chair très estimée.

mérovingien, enne a, n De la dynastie des Mérovingiens.

merveille nf Chose qui suscite l'admiration. Loc *À merveille* : très bien. *Faire merveille* : se distinguer par des qualités remarquables. *Promettre monts et merveilles* : faire des promesses exagérées.

merveilleusement av De façon merveilleuse.

merveilleux, euse a Étonnant, prodigieux, qui suscite l'admiration. ■ nm Ce qui est extraordinaire, inexplicable, surnaturel.

mes. V. **mon.**

mésalliance nf Fait de se mésallier.

mésallier (se) vpr Épouser qqn d'une condition considérée comme inférieure.

mésange nf Oiseau insectivore commun.

mésaventure nf Aventure désagréable.

mescaline nf Alcaloïde doté de propriétés hallucinogènes.

mesclun [mɛsklœ̃] nm Mélange de feuilles de salades diverses.

mesdames, mesdemoiselles. V. **madame, mademoiselle.**

mésencéphale nm ANAT Région de l'encéphale, relais des voies optiques et auditives.

mésenchyme nm BIOL Tissu conjonctif de l'embryon.

mésentente nf Défaut d'entente, désaccord.

mésentère nm ANAT Partie du péritoine unissant l'intestin grêle à la paroi abdominale.

mésestimer vt litt Ne pas apprécier à sa juste valeur.

mésintelligence nf Défaut de compréhension mutuelle, d'entente.

mésocarpe nm BOT Zone médiane de fruits, charnue et sucrée.

mésoderme nm BIOL Un des feuillets embryonnaires.

mésolithique a, nm PRÉHIST Antérieur au néolithique (v. 10000 - 5000 av. J.-C.).

mésomorphe a PHYS Entre l'état liquide et l'état cristallin.

méson nm PHYS Particule dont la masse est entre l'électron et le proton.

mésosphère nf Partie de l'atmosphère située entre la stratosphère et la thermosphère.

mésothérapie nf Traitement thérapeutique fait de petites injections simultanées.

mésozoïque a, nm GEOL De l'ère secondaire.

mesquin, ine a Qui manque de grandeur, de noblesse, de générosité.

mesquinement av De façon mesquine.

mesquinerie nf 1 Caractère mesquin ; petitesse. 2 Action mesquine.

mess nm Lieu où les officiers prennent ensemble leurs repas.

message nm 1 Information, communication transmise à qqn. 2 Contenu d'une œuvre considérée comme dotée d'un sens profond.

messager, ère n Chargé d'un message.

messagerie nf Service de transport de marchandises ; bureaux d'un tel service. Loc *Messagerie électronique :* service de communication fonctionnant grâce à un réseau télématique.

messe nf 1 Cérémonie rituelle du culte catholique, célébrée par le prêtre qui commémore le sacrifice du Christ. 2 Musique composée pour une grand-messe. Loc fam *Messe basse :* entretien en aparté avec qqn. *Messe noire :* cérémonie de sorcellerie.

messianique a Du Messie, du messianisme.

messianisme nm Croyance en l'avènement sur la terre d'un monde idéal.

messidor nm Dixième mois du calendrier républicain (juin-juillet).

messie nm 1 Libérateur, rédempteur des péchés, envoyé de Dieu dans l'Ancien Testament, et que les chrétiens reconnaissent en Jésus-Christ. 2 Homme providentiel.

messieurs. V. monsieur.

messin, ine a, n De Metz.

messire nm Titre d'honneur ancien.

mesurable a Qui peut être mesuré.

mesure nf 1 Évaluation d'une grandeur par comparaison avec une grandeur de même espèce prise comme référence ; dimension. 2 Quantité, grandeur servant d'unité ; étalon matériel servant à mesurer. *Le mètre, mesure de longueur.* 3 Récipient servant de mesure. 4 Valeur, capacité d'une personne. *Il a donné toute sa mesure.* 5 MUS Division de la durée en parties égales marquant un rythme. 6 Limites de la bienséance, de ce qui est considéré comme normal. *Dépasser la mesure.* 7 Modération dans sa manière d'agir, de parler. *Avoir le sens de la mesure.* 8 Moyen que l'on se donne pour obtenir qqch. *Mesures fiscales impopulaires.* Loc *Faire deux poids, deux mesures :* être partial. *À la mesure de :* proportionné à. *Dans la mesure où :* dans la proportion où ; si. *À mesure que :* simultanément et dans la même proportion que. *Être en mesure de :* être capable, avoir le pouvoir de. *Faire bonne mesure :* donner généreusement. *Outre mesure :* d'une manière excessive.

mesuré, ée a Modéré.

mesurer vt 1 Évaluer les dimensions, la quantité, l'importance de. *Mesurer un champ. Mesurer du blé. Mesurer l'étendue du désastre.* 2 Déterminer par comparaison la valeur de. *Mesurer sa force avec qqn.* 3 Modérer. *Mesurer ses paroles.* 4 Donner, distribuer avec parcimonie. *Le temps nous est*

mesuré. ■ vi Avoir pour mesure. *Ce mur mesure 2 mètres.* ■ vpr Essayer ses forces contre qqn, lutter avec lui.

mesureur nm Dispositif de mesure.

métabolique a Du métabolisme.

métaboliser vt BIOL Transformer par le métabolisme.

métabolisme nm BIOL Ensemble des réactions biochimiques qui se produisent au sein de la cellule ou de l'organisme.

métabolite nm BIOL Substance résultant d'une transformation par le métabolisme.

métacarpe nm ANAT Partie du squelette de la main entre le poignet et les doigts.

métairie nf Domaine rural exploité par un métayer.

métal, aux nm Corps simple, le plus souvent ductile, malléable et bon conducteur de la chaleur, de l'électricité, d'un éclat particulier, tel que le fer, le cuivre, l'argent, etc.

métalangage nm LING Langage utilisé pour décrire un autre langage. **Var métalangue** nf

métalinguistique [-gui-] a Du métalangage.

métallerie nf Fabrication et pose d'ouvrages métalliques (ferrures, serrures, etc.).

métallier nm Spécialiste de métallerie.

métallifère a Qui contient un métal.

métallique a 1 En métal. 2 Qui a le caractère du métal. *Bruit métallique.*

métallisation nf Fait de recouvrir qqch d'une mince couche de métal.

métallisé, ée a À l'aspect brillant (peinture).

métallo nm fam Métallurgiste.

métalloïde nm CHIM Élément intermédiaire entre un métal et un non-métal.

métallurgie nf Ensemble des techniques d'extraction et de traitement des métaux.

métallurgique a De la métallurgie.

métallurgiste nm Personne qui travaille dans la métallurgie.

métamère nm ZOOL Anneau d'un ver).

métamorphique a Du métamorphisme.

métamorphiser vt GEOL Transformer par métamorphisme.

métamorphisme nm GEOL Ensemble des transformations que la pression et la chaleur font subir à une roche.

métamorphose nf 1 Changement d'une forme en une autre ; transformation. 2 Changement complet d'apparence.

métamorphoser vt Modifier profondément l'apparence, l'état, la nature de qqn, de qqch. ■ vpr Se transformer.

métaphore nf Procédé qui consiste à donner à un mot un sens qu'on lui attribue par analogie (ex. : « *Le printemps de la vie* » pour « *la jeunesse* »).

métaphorique a De la métaphore.

métaphoriquement av Par métaphore.

métaphysicien, enne n Personne qui étudie la métaphysique.

métaphysique nf Recherche rationnelle de la nature des choses, au-delà de leur apparence sensible. ■ a De la métaphysique.

métastase nf MED Localisation secondaire, à distance, d'une affection cancéreuse.

métastaser (se) vpr Produire des métastases.

métastatique a Relatif aux métastases.

métatarse nm ANAT Partie du squelette du pied située entre la cheville et les orteils.

métathèse nf LING Déplacement de phonèmes à l'intérieur d'un mot.

métayage nm Bail agricole selon lequel l'exploitant partage les récoltes avec le propriétaire.

métayer, ère n Personne qui exploite un domaine rural selon le système du métayage.

métazoaire nm ZOOL Animal pluricellulaire (par oppos. à protozoaire).

méteil nm Mélange de seigle et de froment.

métempsycose nf RELIG Transmigration, après la mort, de l'âme d'un corps dans un autre.

météo nf fam Météorologie.

météore nm 1 Apparition lumineuse d'une météorite dans l'atmosphère. 2 Personne dont la carrière est brillante mais très brève.

météorique a Relatif aux météores.

météorisme nm MED Accumulation de gaz dans l'intestin.

météorite nf Fragment minéral provenant de l'espace et traversant l'atmosphère terrestre.

météorologie nf 1 Science des phénomènes atmosphériques, permettant la prévision du temps. 2 Organisme établissant cette prévision.

météorologique a De la météorologie.

météorologiste n Spécialiste de météorologie. Var **météorologue**

métèque nm péjor Étranger au pays où il vit.

méthadone nf Dérivé de la morphine.

méthane nm Gaz naturel inflammable.

méthanier nm Navire conçu pour le transport du gaz naturel liquéfié.

méthanol nm CHIM Alcool méthylique.

méthode nf 1 Ensemble de procédés, de moyens organisés rationnellement pour arriver à un résultat. *Méthode d'enseignement, de fabrication.* 2 Ouvrage d'enseignement élémentaire. *Méthode de piano.* 3 Qualité d'esprit consistant à savoir procéder avec ordre et logique.

méthodique a 1 Fait avec méthode. *Recherche méthodique.* 2 Qui a de la méthode.

méthodiquement av Avec méthode.

méthodisme nm Mouvement religieux protestant fondé au XVIII⁰ s.

méthodiste a, n Qui relève du méthodisme.

méthodologie nf 1 Étude des méthodes des différentes sciences. 2 Démarche suivie ; procédure de recherche, de travail.

méthodologique a De la méthodologie.

méthylène nm Nom commercial du méthanol. Loc *Bleu de méthylène* : liquide coloré utilisé comme antiseptique.

méthylique a Dérivé du méthane. Loc *Alcool méthylique* : extrait des goudrons de bois.

métical nm Unité monétaire du Mozambique. *Des méticals.*

méticuleusement av De façon méticuleuse.

méticuleux, euse a D'une minutie poussée jusqu'aux plus petits détails.

méticulosité nf litt Caractère méticuleux.

métier nm 1 Occupation qui permet de gagner sa vie ; profession. *Métier manuel. Métier intellectuel.* 2 Savoir-faire, habileté professionnelle. 3 Machine utilisée pour la fabrication des tissus. 4 Chacun des secteurs d'activité d'un groupe industriel.

métis, isse [-tis] a, n Dont les parents sont de races différentes. Loc *Toile métisse :* dans laquelle lin et coton sont mélangés. ■ nm Toile métissée.

métissage nm Croisement de races. Loc *Métissage culturel :* influence mutuelle de cultures en contact.

métisser vt Croiser deux races différentes.

métonymie nf Procédé consistant à désigner le tout par la partie, le contenu par le contenant, etc. (ex. : *une voile* pour *un bateau*).

métonymique a De la métonymie.

métope nf ARCHI Espace de la frise dorique, souvent orné d'un bas-relief.

métrage nm 1 Action de métrer. 2 Longueur en mètres (d'une pièce de tissu, par ex.). 3 Longueur d'un film.

1. mètre nm 1 Unité fondamentale des mesures de longueur (symbole m). 2 Règle, ruban gradué de 1 m de long. Loc *Mètre carré* (m^2) : unité égale à l'aire d'un carré de 1 mètre de côté. *Mètre cube* (m^3) : unité égale au volume d'un cube de 1 mètre d'arête.

2. mètre nm 1 Unité rythmique du vers grec et latin, comprenant un temps fort et un temps faible. 2 Rythme d'un vers français.

métré nm CONSTR Devis détaillé des mesures d'un ouvrage.

métrer vt [12] Mesurer à l'aide d'un mètre.

métreur, euse n Personne qui établit des métrés.

1. métrique a 1 Relatif au mètre. 2 Qui a le mètre pour base. *Système métrique.*

2. métrique nf Étude de la versification. ■ a Qui concerne la métrique.

métrite nf Inflammation de l'utérus.

métro nm Chemin de fer urbain, partiellement ou totalement souterrain. ■ a, n fam Dans les départements d'outre-mer, personne qui vient de la métropole.

métrologie nf Science des mesures.

métronome nm Instrument battant la mesure utilisé en musique.

métropole nf 1 État considéré par rapport à ses territoires extérieurs. 2 Capitale d'un pays, ville principale d'une région.

métropolitain, aine a, n De la métropole. ■ nm Métro.

métropolite nm Prélat d'un rang élevé, dans l'Église orthodoxe.

métrorragie nf MED Hémorragie utérine.

mets nm Aliment préparé qui entre dans la composition d'un repas ; plat.

mettable a Qui peut être encore porté (habits).

metteur, euse n Professionnel qui met (au point, en pages, en scène, etc.).

mettre vt [64] 1 Placer ou amener qqch, qqn dans un lieu. *Mettre un vase sur la table. Mettre qqn en prison.* 2 Amener qqch, qqn dans un état, une situation. *Mettre un appareil en marche. Mettre qqn à la tête d'une entreprise.* 3 Introduire, faire apparaître. *Mettre de l'animation dans une réunion.* 4 Employer de l'argent, du temps à qqch. *Mettre 10 000 euros dans une moto. Mettre une heure à lire un livre.* 5 Placer sur son corps, revêtir, porter. *Mettre un pull.* Loc *Mettre en pages un texte :* en rassembler les éléments de composition pour former des pages. *Mettre en scène un spectacle :* diriger le jeu des acteurs, les répétitions, régler les décors, etc. *Y mettre du sien :* apporter sa contribution à qqch ; faire des concessions. ■ *vpr* **1** Se placer dans un lieu, un état. *Se mettre à la fenêtre. Se mettre en colère.* **2** Commencer à faire qqch. *Se mettre à son travail.* **3** S'habiller. *Se mettre en tenue.*

meuble *a* **1** DR Que l'on peut déplacer. *Biens meubles.* **2** Facile à labourer. *Terre meuble.* ■ *nm* Objet construit en matériau rigide pour l'aménagement, la décoration des locaux et des lieux d'habitation (armoire, table, chaise, etc.).

meublé *nm* Appartement ou chambre loués garnis de meubles.

meubler *vt* **1** Garnir de meubles. **2** Remplir, occuper. *Meubler ses loisirs en bricolant.*

meuf *nf* fam Femme, fille.

meuglement *nm* Beuglement.

meugler *vi* Faire entendre son cri (bovins).

meule *nf* **1** Pièce massive cylindrique qui sert à broyer, à moudre. **2** Disque abrasif qui sert à aiguiser, à polir. **3** Fromage en forme de gros cylindre. **4** Tas de foin, de paille. **5** fam Moto.

meulière *nf* Pierre très dure, calcaire et siliceuse, utilisée dans le bâtiment.

meunerie *nf* Industrie de la fabrication de la farine ; commerce du meunier.

meunier, ère *n* Personne qui exploite un moulin à céréales, qui fabrique de la farine. Loc *Échelle de meunier :* escalier raide, sans contremarches. ■ *af inv* Se dit d'un poisson passé à la farine avant cuisson au beurre.

meurette *nf* Sauce au vin rouge.

meursault *nm* Bourgogne blanc, réputé.

meurtre *nm* Homicide volontaire.

meurtrier, ère *n* Personne qui a commis un meurtre. ■ *a* Qui cause la mort. *Folie meurtrière.*

meurtrière *nf* Ouverture étroite dans un mur de fortification pour lancer des projectiles.

meurtrir *vt* **1** Faire une meurtrissure à ; contusionner. **2** Blesser moralement.

meurtrissure *nf* **1** Contusion avec changement de coloration de la peau. **2** Tache sur un fruit, provenant d'un choc.

meute *nf* **1** Troupe de chiens dressés pour la chasse à courre. **2** Troupe de personnes acharnées contre qqn.

mévente *nf* Mauvaise vente.

mexicain, aine *a, n* Du Mexique.

mezcal *nm* Eau-de-vie mexicaine.

mézès *nm* Assortiment de hors-d'œuvre froids.

mezzanine [medza-] *nf* **1** Petit étage entre deux plus grands ; entresol. **2** Étage ménagé entre le parterre et le balcon, dans un théâtre. **3** Niveau intermédiaire aménagé dans une pièce haute de plafond.

mezza voce [medzavotʃe] *av* À demi-voix.

mezzo-soprano [medzo-] *nm* Voix de femme intermédiaire entre le soprano et le contralto. ■ *nf* Celle qui a cette voix. *Des mezzo-sopranos.*

mi *nm* Troisième note de la gamme.

miasme *nm* Émanation putride provenant d'une décomposition.

miaulement *nm* Cri du chat.

miauler *vi* Pousser son cri (chat).

mi-bas *nm* inv Chaussette montant jusqu'au genou.

mica *nm* Minéral brillant à structure feuilletée.

micacé, ée *a* Qui contient du mica.

mi-carême *nf* Jeudi de la troisième semaine du carême. *Des mi-carêmes.*

micaschiste *nm* Roche métamorphique composée de mica et de quartz.

miche *nf* Gros pain rond.

micheline *nf* Autorail.

mi-chemin (à) *av* À la moitié d'un trajet ; à un degré intermédiaire.

micheton *nm* pop Client d'une prostituée.

mi-clos, -close *a* À moitié clos.

micmac *nm* fam **1** Intrigue secrète et embrouillée. **2** Situation confuse.

micocoulier *nm* Arbre ornemental des régions méditerranéennes.

mi-corps (à) *av* Jusqu'au milieu du corps.

mi-côte (à) *av* Au milieu d'une côte.

mi-course (à) *av* À moitié de la course.

micro *nm* Abrév. de *microphone* et de *microordinateur.* ■ *nm* Abrév. de *micro-informatique.*

microbe *nm* Organisme microscopique unicellulaire (bactérie, virus, etc.).

microbien, enne *a* Relatif aux microbes.

microbiologie *nf* Science des microbes.

microcassette *nf* Cassette magnétique de petit format.

microchimie *nf* Chimie portant sur des petites quantités de matière.

microchirurgie *nf* Chirurgie pratiquée à l'aide d'un microscope.

microcircuit *nm* Circuit électronique miniaturisé.

microclimat *nm* Climat propre à une zone peu de faible étendue.

microcomposant *nm* Composant électronique très petit.

microcosme *nm* **1** Monde ou société en réduction. **2** Milieu social replié sur lui-même.

micro-cravate *nm* Microphone qu'on peut accrocher aux vêtements. *Des micros-cravates.*

microcrédit *nm* ECON Prêt à taux très bas, destiné à financer les plus pauvres qui sont en dehors du circuit bancaire.

microcuvée *nf* Cuvée faisant l'objet d'une élaboration rigoureuse pour une production de vin très limitée.

microéconomie *nf* Étude des comportements économiques individuels.

microélectronique *nf* Technique des microstructures électroniques.

microentreprise *nf* Très petite entreprise, pouvant bénéficier d'un régime fiscal favorable.

microfaune *nf* Faune microscopique.

microfiche *nf* Document comportant plusieurs microphotographies.

microfilm *nm* Film qui groupe des photographies de format très réduit.

microfilmer *vt* Reproduire sur microfilm.

microfinance *nf* ECON Système d'épargne alternatif aux banques, destiné aux plus pauvres qui n'ont pas accès au système bancaire.

microforme *nf* Image photographique fortement réduite.

micrographie *nf* Étude au microscope de la structure des métaux, des roches.

micro-informatique *nf* Domaine de l'informatique utilisant des microordinateurs.

micromètre nm 1 Unité de longueur valant un millionième de mètre. 2 Instrument pour mesurer les petites longueurs.

micrométrie nf Mesure des très petites dimensions.

micron nm Syn. ancien de *micromètre*.

microonde nf Onde électromagnétique ultra-courte. ■ nmpl Four à microondes.

microordinateur nm Ordinateur individuel de petit format, dont l'unité centrale est constituée autour d'un microprocesseur (abrév. : micro). Var **micro-ordinateur**

microorganisme nm BIOL Organisme microscopique.

microphone nm Appareil servant à transformer en signaux électriques des vibrations sonores (abrév. : micro).

microphotographie nf Photographie de l'image formée par un microscope.

microphysique nf Physique des atomes et des particules.

microprocesseur nm INFORM Ensemble de circuits intégrés constituant l'unité centrale d'un microordinateur.

microscope nm Instrument d'optique permettant d'observer des objets très petits.

microscopique a 1 Réalisé à l'aide du microscope. 2 Qui n'est visible qu'au microscope. 3 Minuscule.

microsillon nm Disque phonographique.

microsociété nf Communauté humaine très petite.

microsonde nf Sonde pour analyser de très petites quantités de matière.

microstructure nf 1 Structure microscopique. 2 Élément d'une structure plus grande.

miction nf PHYSIOL Expulsion de l'urine accumulée dans la vessie.

midi nm 1 Milieu du jour ; douzième heure. 2 Sud (point cardinal). 3 (avec majusc.) Partie méridionale de la France.

midinette nf Jeune citadine aux idées naïves et romanesques.

mie nf Partie intérieure du pain, qui est molle.

miel nm Matière sucrée plus ou moins épaisse que les abeilles élaborent. Loc *Être tout sucre tout miel* : être d'une amabilité inhabituelle.

miellé, ée a 1 Enduit de miel. 2 Qui rappelle le miel. *Odeur miellée.*

mielleusement av Doucereusement.

mielleux, euse a D'une douceur affectée et obséquieuse.

mien, mienne a poss litt Qui est à moi, qui m'appartient. *Un mien ami. Cette idée est mienne.* ■ pr poss Ce qui est à moi. *Ta fille et la mienne.* ■ nmpl Mes proches, mes parents.

miette nf 1 Petite parcelle de pain, de gâteau, qui se détache. 2 Petite parcelle.

mieux av De façon plus avantageuse, plus accomplie. *Il peut mieux faire.* Loc *Aimer mieux* : préférer. *Valoir mieux* : être préférable. *De mieux en mieux* : en faisant toujours des progrès. fam *À qui mieux mieux* : en rivalisant. *Tant mieux* : marque la satisfaction. ■ nm Amélioration. *On observe un léger mieux.* Loc *Faire de son mieux* : aussi bien que l'on peut. *Au mieux* : dans les conditions les plus favorables. *Être au mieux avec qqn* : être en très bons termes avec lui. *Faute de mieux* : à défaut de qqch de plus

avantageux. ■ a inv 1 Meilleur, plus convenable. *C'est mieux pour lui.* 2 En meilleure santé. *Il est mieux qu'hier.* 3 Plus beau ; d'une valeur supérieure. *Elle est mieux que lui.*

mieux-être nm inv Bien-être accru.

mièvre a D'une grâce un peu fade.

mièvrerie nf État, parole, acte mièvre.

mignard, arde a litt D'une grâce recherchée.

mignardise nf 1 litt Délicatesse mignarde. 2 Petit œillet très parfumé.

mignon, onne a Délicat, gentil, gracieux. *Enfant mignon.* ■ n Terme d'affection. ■ nm HIST Nom donné aux favoris d'Henri III.

mignonnette nf 1 Petite bouteille destinée à un échantillon de liqueur. 2 Poivre grossièrement moulu.

migraine nf 1 Douleur n'affectant qu'un seul côté de la tête. 2 Mal de tête en général.

migraineux, euse a MED De la migraine. ■ a, n Sujet à la migraine.

migrant, ante a, n Qui migre (personne).

migrateur, trice a, n Qui migre (animal).

migration nf 1 Déplacement d'une population passant d'une région dans une autre pour s'y établir. 2 Déplacement en groupes, au cours des saisons, de certains animaux.

migratoire a Qui concerne les migrations.

migrer vi Effectuer une migration.

mihrab nm Niche à l'intérieur d'une mosquée, orientée vers La Mecque.

mi-jambe (à) av Jusqu'au niveau du milieu de la jambe.

mijaurée nf vx Femme aux manières prétentieuses, affectées.

mijoter vt 1 Faire cuire à petit feu. 2 fam Préparer à loisir, et d'une manière plus ou moins secrète un projet. ■ vi Cuire à petit feu.

mikado nm 1 Empereur du Japon. 2 Jeu d'adresse ressemblant aux jonchets.

1. mil. V. *mille 1*.

2. mil nm Céréale à petits grains des régions chaudes de l'Ancien Monde.

milan nm Oiseau de proie.

milanais, aise a, n De Milan.

mildiou nm Maladie de la vigne, de la pomme de terre, etc., due à des moisissures.

mile [majl] nm Mesure anglaise de longueur équivalant à 1 609 m.

milice nf 1 Au Moyen Âge, troupe levée dans une ville affranchie pour défendre celle-ci. 2 Formation de police, sans caractère officiel, chargée de défendre des intérêts privés.

milicien, enne n Membre d'une milice.

milieu nm 1 Centre d'un lieu, point situé à égale distance des extrémités, des bords. *Poser un vase au milieu de la table.* 2 Période située à égale distance du début et de la fin. *Le milieu du mois.* 3 Ce qui est également éloigné de deux excès contraires. *Garder le juste milieu.* 4 Ensemble de conditions naturelles (géographiques, climatiques, etc.) qui régissent la vie des êtres vivants. 5 Entourage, société, sphère sociale où l'on vit. 6 Monde de la pègre. Loc *Au milieu de* : parmi. *Au milieu, en plein milieu* : au moment le plus fort. *Milieu de terrain* : au football, joueur qui coordonne l'attaque et la défense.

militaire *a* 1 Relatif à l'armée, aux soldats, à la guerre. 2 Qui s'appuie sur l'armée. *Dictature militaire*. ■ *nm* Membre de l'armée.

militairement *av* 1 Par la force armée. 2 Selon l'esprit militaire.

militant, ante *a, n* Qui lutte, qui agit pour un parti, une cause.

militantisme *nm* Activité des militants.

militarisation *nf* Action de militariser.

militariser *vt* 1 Pourvoir d'une force armée. 2 Organiser de façon militaire.

militarisme *nm* 1 Politique s'appuyant sur les militaires, sur l'armée. 2 Tendance favorable à l'influence des militaires.

militariste *a, n* Qui relève du militarisme.

militer *vi* Œuvrer activement à la défense ou à la propagation d'une idée ; participer activement à un parti, un syndicat.

milk-shake [milkʃɛk] *nm* Boisson de lait aromatisé. *Des milk-shakes.* Var **milkshake**

1. mille *a num inv* (peut s'écrire *mil* dans une date inférieure à *deux mille* : *mil neuf cent trente*). 1 Dix fois cent (1 000). 2 Millième. *Le numéro mille*. 3 Un grand nombre de. *Je vous remercie mille fois.* Loc *Je vous le donne en mille* : je parie, il mille contre un, que vous ne devinerez pas. ■ *nm inv* 1 Nombre, numéro mille. 2 Millier. *Quel est le prix au mille ?* Loc *Taper dans le mille* : deviner juste.

2. mille *nm* 1 ANTIQ Unité de distance valant mille pas (1 482 m). 2 Unité de distance utilisée en navigation (1 852 m).

1. millefeuille *nf* Plante des terrains incultes à feuilles finement divisées.

2. millefeuille *nm* Gâteau de pâte feuilletée garnie de crème pâtissière.

millénaire *a* Qui existe depuis mille ans. ■ *nm* 1 Période de mille ans. 2 Millième anniversaire.

millénarisme *nm* Croyance en un règne messianique destiné à durer mille ans.

mille-pattes *nm inv* Myriapode. Var **millepatte**.

millepertuis *nm* Plante à fleurs jaunes, dont les feuilles semblent criblées de trous.

millerandage *nm* AGRIC Développement incomplet des grains de raisin.

millésime *nm* Date de fabrication d'une monnaie, de récolte d'un vin, etc.

millésimer *vt* Attribuer un millésime à.

millet [-jɛ] *nm* Céréale cultivée surtout en Asie et en Afrique.

milliard [-ljaʀ] *nm* 1 Nombre qui vaut mille millions. 2 Nombre extrêmement important.

milliardaire *a, n* Dont la richesse dépasse le milliard d'une unité monétaire donnée.

milliardième *a num* Au rang marqué par le nombre 1 milliard. ■ *a, nm* Contenu un milliard de fois dans un tout.

millibar *nm* Unité de pression valant un millième de bar.

millième *a num* Dont le rang est marqué par le nombre mille. ■ *a, nm* Contenu mille fois dans un tout. ■ *nm* 1 Très petite partie. 2 Unité de répartition des charges dans une copropriété.

millier *nm* Nombre de mille, d'environ mille.

milligramme *nm* Millième partie du gramme.

millilitre *nm* Millième partie du litre.

millimètre *nm* Un millième de mètre.

millimétré, ée *a* Relatif au millimètre, gradué e[?] millimètres. Var **millimétrique**

million [-ljɔ̃] *nm* 1 Nombre qui vaut mille fo[?] mille. 2 Nombre très élevé.

millionième *a num* Au rang marqué par l[?] nombre 1 million. ■ *a, nm* Contenu un million d[?] fois dans un tout.

millionnaire *a, n* Dont la fortune s'évalue en mi[?] lions d'une unité monétaire donnée.

milord *nm* Titre donné à un lord.

milouin *nm* Canard plongeur.

mi-lourd *nm* Boxeur pesant entre 75 et 79 k[?] *Des mi-lourds.*

mime *nm* 1 Comédie sans paroles, où l'acte[?] s'exprime par gestes. 2 Acteur de cette comédie

mimer *vt* Imiter, représenter par des gestes, de[?] attitudes.

mimétique *a* Du mimétisme.

mimétisme *nm* 1 Aptitude de certaines espèce[?] animales à prendre l'aspect d'un élément de le[?] milieu de vie. 2 Tendance à imiter le comport[?] ment d'autrui.

mimique *nf* Représentation par le geste ou pa[?] l'expression du visage d'une idée, d'un sentimen[?] etc.

mimodrame *nm* Œuvre dramatique représenté[?] par des mimes.

mimolette *nf* Fromage de vache, jaune orang[?] de forme sphérique.

mimosa *nm* Arbuste à fleurs ornementales, grou[?] pées en petites boules très odorantes.

mi-moyen *nm* Boxeur pesant entre 63,5 et 67 k[?] Syn. welter. *Des mi-moyens.*

minable *a, n* fam Pitoyable, médiocre.

minage *nm* Action de miner.

minaret *nm* Tour d'une mosquée.

minauder *vi* Faire des mines, des manières.

minauderie *nf* Action de minauder ; manque d[?] naturel.

minaudière *nf* (n. déposé) Petite boîte contenan[?] un nécessaire à maquillage.

minbar [min-] *nm* Chaire à prêcher d'une mos[?] quée.

mince *a* 1 De peu d'épaisseur. 2 Svelte. 3 Pe[?] important, médiocre. ■ *interj* fam Exprime la su[?] prise, l'admiration, etc.

minceur *nf* Caractère mince, peu épais.

mincir *vi* Devenir plus mince. ■ *vt* Faire paraîtr[?] plus mince.

1. mine *nf* 1 Excavation pratiquée dans le sol pou[?] exploiter un gisement d'une matière minérale o[?] métallique ; ce gisement. *Mine de charbon, d[?] fer.* 2 Engin conçu pour faire explosion au pas[?] sage d'un homme, d'un véhicule, d'un navire. Mince baguette de graphite ou de matière colore[?] dans un crayon.

2. mine *nf* 1 Expression du visage, physionom[?] de qqn en tant qu'indice de son état de santé, d[?] son humeur, etc. 2 Apparence, aspect de qqch[?] Loc *Faire mine de* (+ inf.) : faire semblant de. fa[?] *Mine de rien* : sans en avoir l'air. *Ne pas payer d[?] mine* : n'avoir pas bon aspect. ■ *pl* Loc *Faire de[?] mines* : avoir un comportement affecté.

miner *vt* 1 Creuser en créant un risque d'effor[?] drement. 2 Consumer peu à peu. *Le chagrin l[?] mine.* 3 Placer des mines explosives dans.

minerai *nm* Roche d'où l'on peut extraire u[?] métal, un minéral.

minéral, ale, aux *a* Des minéraux. *Chimie minérale.* **Loc** *Eau minérale :* eau contenant des éléments minéraux. ■ *nm* Corps inorganique se trouvant à l'intérieur de la terre ou à sa surface.

minéralier *nm* Cargo équipé pour le transport des minerais.

minéralisation *nf* Action de minéraliser.

minéraliser *vt* **1** Transformer en minerai. **2** Rendre minérale une eau.

minéralogie *nf* Science des minéraux.

minéralogique *a* De la minéralogie. **Loc** *Numéro minéralogique :* immatriculation d'une automobile.

minéralogiste *n* Spécialiste de minéralogie.

minéralurgie *nf* Technique de traitement des minerais bruts.

minerve *nf* Appareil d'orthopédie, collerette rigide qui maintient la tête droite.

minervois *nm* Vin rouge du sud de la France.

minestrone *nm* Soupe italienne épaisse.

minet, ette *n* **1** fam Chat, chatte. **2** Jeune qui s'habille en suivant la mode de très près.

mineur, eure *a* **1** De moindre importance. *Cela n'a qu'un intérêt mineur.* **2** MUS Se dit d'une gamme, d'un ton dont la tierce comprend un ton et un demi-ton. ■ *a, n* Qui n'a pas atteint l'âge de la majorité. ■ *nf* PHILO Deuxième proposition d'un syllogisme.

mineur *nm* Ouvrier qui travaille dans une exploitation minière.

miniature *nf* **1** Lettre ornée en tête de chapitre d'un manuscrit médiéval. **2** Très petite peinture. **Loc** *En miniature :* sous une forme très réduite. *a* Très réduit. *Autos miniatures.*

miniaturisation *nf* Action de miniaturiser.

miniaturiser *vt* Réduire le plus possible les dimensions de qqch.

miniaturiste *n* Peintre de miniatures.

minibus *nm* Petit autobus.

minicaméra *nf* Caméra digitale miniaturisée.

minicassette *nf* Cassette de petit format.

minichaîne *nf* Chaîne haute-fidélité miniaturisée. **Var** minichaine.

minier, ère *a* Relatif aux mines. *Gisement minier.*

minigolf *nm* Golf miniature.

minijupe *nf* Jupe très courte.

minima. *V.* minimum.

minimal, ale, aux *a* Qui a atteint, qui constitue un minimum.

minimalisme *nm* Attitude des minimalistes.

minimaliste *n, a* Qui représente ou recherche une position minimale, éloignée des extrêmes, pouvant regrouper l'adhésion.

minime *a* Très petit. *Valeur minime.* ■ *n* Jeune sportif de 11 à 13 ans.

minimessage *nm* Synonyme de *SMS.*

minimisation *nf* Action de minimiser.

minimiser *vt* Réduire l'importance de qqch au minimum.

minimum [-mɔm] *nm* La plus petite valeur possible ou acceptable. **Loc** *Au minimum :* au moins. *Des minimums* ou *des minima.* ■ *a* Le plus bas. *Tarif minimum.*

miniordinateur *nm* Ordinateur de puissance moyenne.

minispace *nm* AUTO Monospace de petite taille.

ministère *nm* **1** Charge de ministre. **2** Ensemble des ministres constituant un cabinet. *Renverser le ministère.* **3** Ensemble des services publics placés sous la direction d'un ministre ; bâtiment qui les abrite. **4** Sacerdoce. **Loc** *Ministère public :* corps de magistrats chargés de requérir l'exécution des lois.

ministériel, elle *a* Relatif au ministère. *Crise ministérielle.* **Loc** *Officier ministériel :* notaire, huissier ou commissaire-priseur.

ministrable *a* Qui peut devenir ministre.

ministre *n* **1** Membre du gouvernement qui dirige un ensemble de services publics. **2** Agent diplomatique de rang inférieur à celui d'ambassadeur. *Ministre plénipotentiaire.* **Loc** *Ministre du culte :* ecclésiastique ; pasteur protestant.

minitel *nm* (n. déposé) Petit terminal commercialisé par les télécommunications, servant à la consultation de banques de données et à l'échange d'informations.

minitéliste *n* Utilisateur du minitel.

minium [-njɔm] *nm* Oxyde de plomb rouge orangé, utilisé comme antirouille.

minoen, enne *a, n* HIST De la période la plus ancienne de l'histoire crétoise (IIIᵉ mill. - 1400 env. av. J.-C.).

minois *nm* Visage frais, délicat d'enfant, de jeune fille, de jeune femme.

minoration *nf* Action de minorer qqch ; ce qui est minoré.

minorer *vt* Réduire la valeur, l'importance de qqch.

minoritaire *a, n* Qui appartient à la minorité.

minorité *nf* **1** Le plus petit nombre dans un ensemble. *Dans une minorité de cas.* **2** Parti, tendance représentant le moins de voix dans une élection (par oppos. à *majorité*). **3** Petite collectivité à l'intérieur d'un ensemble. *Les minorités ethniques.* **4** État d'une personne légalement mineure.

minorquin, ine *a, n* De Minorque.

minoterie *nf* **1** Meunerie. **2** Grand moulin industriel.

minotier *nm* Exploitant d'une minoterie.

minou *nm* fam Chat.

minuit *nm* Instant où un jour finit et où l'autre commence (24 h ou 0 h).

minus [minys] *n inv* fam Peu intelligent ou peu capable.

minuscule *a* Très petit. ■ *nf* Petite lettre (par oppos. à *majuscule*).

minutage *nm* Décompte précis du temps.

minute *nf* **1** Division du temps, égale à la soixantième partie d'une heure et à 60 secondes. **2** Espace de temps très court. *Je reviens dans une minute.* **3** Unité de mesure d'arc et d'angle, égale à la soixantième partie d'un degré. **4** DR Original des actes notariés ou des sentences des tribunaux. ■ *interj* fam Attention, doucement.

minuter *vt* Déterminer avec précision le déroulement dans le temps, l'horaire.

minuterie *nf* Dispositif électrique servant à établir un contact pendant une durée déterminée, utilisée principalement pour l'éclairage.

minuteur *nm* Appareil ménager déclenchant une sonnerie au bout d'un temps donné.

minutie [-si] *nf* Soin extrême, qui se manifeste jusque dans les plus petits détails.

minutieusement *av* De façon minutieuse.

minutieux, euse a Qui marque la minutie.

miocène nm Troisième période de l'ère tertiaire.

mioche n fam Enfant.

mirabelle nf 1 Petite prune jaune, ronde et parfumée. 2 Eau-de-vie de cette prune.

mirabilis nm Syn. de belle-de-nuit.

miracle nm 1 Phénomène inexplicable par les lois connues de la nature et attribué à une intervention divine. 2 Effet extraordinaire d'un hasard heureux. Par miracle il est sauf.

miraculé, ée a, n Qui a été l'objet d'un miracle, d'un hasard heureux.

miraculeusement av De façon miraculeuse.

miraculeux, euse a 1 Qui tient du miracle. Guérison miraculeuse. 2 Étonnant, extraordinaire.

mirador nm Poste d'observation élevé, servant en partic. à surveiller un camp de prisonniers.

mirage nm 1 Phénomène optique propre aux régions chaudes, qui donne l'illusion d'une nappe d'eau lointaine où se reflètent les objets. 2 Illusion séduisante, chimère.

mire nf 1 Règle graduée utilisée pour les relevés topographiques. 2 Image diffusée par un émetteur de télévision et qui sert au réglage des récepteurs. Loc Cran de mire : échancrure dans la hausse d'un fusil. Ligne de mire : ligne qui va de l'œil du tireur au point visé. Être le point de mire : être l'objet de tous les regards.

mirer vt Examiner à la lumière par transparence. Mirer des œufs. ■ vpr litt Se refléter ; voir son image réfléchie.

mirettes nfpl pop Yeux.

mirifique a Merveilleux.

mirliton nm Instrument de musique formé d'un tube et de membranes que l'on fait vibrer. Loc Vers de mirliton : mauvais vers.

miro a fam Très myope.

mirobolant, ante a fam Extraordinaire au point d'en être incroyable.

miroir nm 1 Surface polie qui réfléchit les rayons lumineux, qui renvoie l'image des objets. 2 litt Image, reflet de qqch. Loc Miroir aux alouettes : attrait trompeur.

miroitement nm Éclat d'une surface qui miroite.

miroiter vi Renvoyer la lumière en présentant des reflets changeants, scintiller. Loc Faire miroiter : faire entrevoir un avantage possible.

miroiterie nf Commerce, industrie des miroirs.

miroitier, ère n Personne qui vend, répare, installe des miroirs.

miroton nm Ragoût de bœuf accommodé aux oignons. Var mironton

mis, mise n DR Mis en examen : qui est sous le coup d'une mise en examen. Syn. anc. inculpé.

misaine nf Loc Mât de misaine : mât vertical, entre la proue et le grand mât.

misandrie nf Aversion pour le sexe masculin.

misanthrope n, a Qui a de l'aversion pour le genre humain, qui est peu sociable.

misanthropie nf Caractère du misanthrope.

miscible a Qui peut se mélanger de manière homogène avec un autre corps.

mise nf 1 Action de mettre. Mise à l'écart. Mise au point. Mise en scène. 2 Manière de se vêtir. 3 Somme que l'on engage au jeu, dans une entreprise, etc. Loc Être, n'être pas de mise : être, n'être pas convenable, admissible. Mise en examen : imputation à qqn d'un crime ou d'un délit

ouvrant une procédure d'instruction. Syn. an inculpation. Sauver la mise : se tirer d'une situa tion dangereuse.

miser vt Déposer comme mise, comme enjeu ■ vti Compter sur. Je mise sur sa loyauté.

misérabilisme nm Populisme qui s'attache ave complaisance à la description de la misère.

misérabiliste a, n Qui relève du misérabilisme.

misérable a Qui est très pauvre, qui suscite pitié. ■ n Personne méprisable, vaurien.

misérablement av De façon misérable.

misère nf 1 État d'extrême pauvreté. 2 Éta condition malheureuse, pitoyable. La misère d temps. 3 Chose pénible, douloureuse. 4 Chos insignifiante. Se quereller pour une misère. 5 B Variété de tradescantia. Loc Faire des misères qqn : l'importuner, lui nuire.

miséreux, euse a, n Qui est dans la misère.

miséricorde nf litt Pardon accordé par compas sion. ■ interj Exprime la surprise, la crainte.

miséricordieux, euse a litt Enclin à la pitié.

misogyne a, n Qui éprouve de l'aversion, d mépris pour les femmes.

misogynie nf Caractère du misogyne.

miss nf Lauréate de concours de beauté.

missel nm Livre de messe.

missile nm Engin explosif de grande puissance autopropulsé et autoguidé.

missilier nm Spécialiste des missiles.

mission nf 1 Charge confiée à qqn de faire qqch 2 Groupe de personnes auxquelles une charg est confiée. 3 Activité, communauté de mission naires.

missionnaire n Religieux, religieuse qui pro page l'Évangile. ■ a Relatif aux missions.

missive nf litt Lettre qu'on envoie.

mistelle nf Moût de raisin dont la fermentation été arrêtée par addition d'alcool.

mistigri nm 1 fam Chat. 2 Valet de trèfle.

mistral nm Vent violent du nord soufflant dans l vallée du Rhône et en Provence.

mitaine nf Gant qui laisse découvertes les deu dernières phalanges des doigts.

mitan nm pop Le milieu, les truands.

mitard nm pop Cachot disciplinaire d'une prison

mite nf Insecte dont les chenilles attaquent le tissus et les fourrures.

mité, ée a Rongé par les mites.

mi-temps nf inv 1 Temps de repos entre les deu parties d'un match. 2 Chacune de ces deux par ties, d'égale durée. Loc À mi-temps : pendant l durée équivalente à la moitié du temps de trava normal. ■ nm inv Travail à mi-temps.

miter (se) vpr Être rongé par les mites.

miteux, euse a, n fam D'aspect pitoyable.

mithridatiser vt Immuniser contre un poison.

mitigé, ée a 1 abusiv Partagé, mêlé. Une joie mit gée de remords. 2 Qui laisse à désirer, incertain Accueil mitigé.

mitigeur nm Mélangeur pour régler la tempéra ture de l'eau.

mitochondrie [-kɔ̃-] nf BIOL Un des élémen constituants de la cellule.

mitonner vi Cuire doucement dans son jus. ■ 1 Faire cuire longtemps et à petit feu. 2 Prépare avec soin, longuement.

mitose nf BIOL Division des chromosomes d'un cellule et formation de deux cellules.

mitotique *a* BIOL De la mitose.

mitoyen, enne *a* Qui sépare deux choses et leur est commun. *Mur mitoyen.*

mitoyenneté *nf* Caractère mitoyen.

mitraillade *nf* Décharges d'armes à feu.

mitraillage *nm* Action de mitrailler.

mitraille *nf* 1 Pluie de projectiles d'armes à feu. 2 fam Menue monnaie.

mitrailler *vt* 1 Tirer des rafales de projectiles sur. 2 fam Photographier, filmer sous tous les angles.

mitraillette *nf* Pistolet-mitrailleur.

mitrailleur *nm* Personne qui tire à la mitrailleuse.

mitrailleuse *nf* Arme automatique à tir rapide, montée sur affût ou sur tourelle.

mitral, ale, aux *a* Loc ANAT *Valvule mitrale :* une des valvules du cœur.

mitre *nf* Coiffure haute et conique portée par les évêques, les abbés, lorsqu'ils officient.

mitron *nm* Garçon boulanger.

mi-voix (à) *av* D'une voix faible.

mixage *nm* Action de mixer.

mixer *vt* 1 Mélanger, combiner. *Mixer des informations.* 2 Passer au mixeur. 3 Combiner des signaux (son ou image) sur un même support.

mixeur [-ksœr] *nm* Appareil électrique pour broyer, mélanger des aliments. **Var mixer**

mixité *nf* Caractère mixte.

mixte *a* 1 Qui est formé d'éléments hétérogènes : qui participe de leurs différentes propriétés. 2 Qui comprend, qui reçoit des personnes des deux sexes. *École mixte.*

mixtion *nf* Action de mélanger.

mixture *nf* 1 Mélange, généralement liquide, de substances chimiques, de médicaments. 2 Mélange peu appétissant.

mnémotechnique *a* Qui aide la mémoire par des procédés d'association.

mnésique *a* Relatif à la mémoire.

mobile *a* 1 Qui se meut ; qui peut être mû, déplacé. 2 Dont la date, la valeur peut varier. *Fête mobile. Échelle mobile des salaires.* ■ *nm* 1 Corps en mouvement. 2 Ce qui incite à agir ; motif. *Le mobile d'un crime.* 3 Téléphone mobile.

mobile-home *nm* Habitation que l'on peut installer sur une remorque pour la déplacer. Syn. résidence mobile. *Des mobile-homes.*

mobilier, ère *a* DR Qui consiste en biens meubles. Loc *Valeurs mobilières :* actions, obligations, etc. ■ *nm* 1 Ensemble des meubles d'un appartement, de l'équipement d'une maison. Loc *Mobilier urbain :* équipements tels que bancs publics, kiosques, etc.

mobilisable *a, n* Qui peut être mobilisé.

mobilisateur, trice *a* Susceptible de mobiliser. *Mot d'ordre mobilisateur.*

mobilisation *nf* Action de mobiliser.

mobilisé, ée *a, nm* Rappelé sous les drapeaux lors d'une mobilisation.

mobiliser *vt* 1 Organiser, équiper en vue d'opérations militaires. *Mobiliser des troupes.* 2 Faire appel à l'action de. *Mobiliser les adhérents.* 3 Réunir en vue d'une action. *Mobiliser des capitaux.* ■ *vpr* Être prêt à agir.

mobilité *nf* 1 Caractère mobile. 2 Qualité de ce qui change d'aspect rapidement. *Mobilité de la physionomie.*

mobylette *nf* (n. déposé) Cyclomoteur.

mocassin *nm* Chaussure basse, très souple, sans lacets.

moche *a* fam 1 Laid, pas beau. 2 Désagréable, ennuyeux.

mocheté *nf* pop Personne très laide.

modal, ale, aux *a* GRAM, MUS Relatif aux modes.

modalité *nf* Forme particulière que revêt une chose, un acte, une pensée, etc. *Préciser les modalités de paiement.*

1. mode *nf* 1 Manière changeante selon l'époque ou le lieu d'agir, de penser. 2 Manière de s'habiller en usage à un moment, dans un pays, un milieu. 3 Industrie et commerce de l'habillement. Loc *À la mode :* au goût du moment. *Bœuf mode :* cuit avec des carottes.

2. mode *nm* 1 Forme, procédé. *Mode de vie.* 2 MUS Système d'organisation des sons, des rythmes et partic. des différentes gammes. 3 GRAM Série de formes verbales correspondant à la manière dont est conçue l'action exprimée (ex. : indicatif, impératif, subjonctif, etc.).

modelage *nm* Action de modeler une substance, un objet.

modèle *nm* 1 Ce qui est proposé à l'imitation. 2 Personne qui pose pour un peintre, un sculpteur. 3 Objet reproduit industriellement de nombreux exemplaires. *Voiture qui est un modèle ancien.* 4 Schéma d'un processus. Loc *Modèle réduit :* reproduction à petite échelle. ■ *a* Qui a les qualités idéales. *Un élève modèle.*

modelé *nm* Rendu des formes, en sculpture, en peinture, en dessin.

modeler *vt* [16] [16] 1 Façonner une matière molle pour en tirer une forme déterminée. *Modeler de la glaise.* 2 Façonner qqch en pétrissant, en déformant. *Modeler une statuette.* 3 Conformer à. *Modeler sa conduite sur celle de ses voisins.*

modélisation *nf* Action de modéliser.

modéliser *vt* Concevoir, établir le modèle, le schéma théorique de qqch.

modélisme *nm* Fabrication de modèles réduits.

modéliste *n* 1 Personne qui dessine, qui crée des modèles pour la mode. 2 Personne qui fabrique des modèles réduits.

modem *nm* Système électronique servant à connecter un terminal ou un ordinateur à une ligne de télécommunication.

modérantisme *nm* Opinion politique modérée.

modérateur, trice *n, a* Qui modère, qui tempère des opinions exaltées.

modération *nf* 1 Retenue qui porte à garder en toutes choses une certaine mesure. 2 Diminution. *Modération d'une taxe.*

moderato *av* MUS D'un mouvement modéré. **Var moderato**

modéré, ée *a* Qui n'est pas excessif. *Prix modéré.* ■ *a, n* Dont les opinions politiques sont éloignées des extrêmes.

modérément *av* Avec modération.

modérer *vt* [12] Diminuer, tempérer. *Modérer le zèle de qqn.* ■ *vpr* Se contenir.

modern dance *nf* Danse contemporaine, issue de la danse classique.

moderne *a, n* Actuel, de notre époque ou d'une époque récente. Loc *Histoire moderne :* histoire comprise entre la prise de Constantinople (1453) et la Révolution française (1789). ■ *nm* Ce qui est au goût du jour, contemporain.

modernisateur, trice *a, n* Qui modernise.

modernisation nf Action de moderniser.
moderniser vt Donner un caractère moderne à qqch. ■ vpr Devenir moderne.
modernisme nm Tendance à préférer ce qui est moderne.
moderniste a, n Partisan du modernisme.
modernité nf Caractère moderne.
modeste a 1 Exempt de vanité, d'orgueil. 2 Simple, sans faste, modéré.
modestement av De façon modeste.
modestie nf Caractère modeste.
modicité nf Caractère modique.
modifiable a Qui peut être modifié.
modificateur, trice a, n Qui a la capacité, le pouvoir de modifier.
modification nf Action de modifier ; changement, transformation.
modifier vt Changer une chose sans la transformer complètement. Modifier ses habitudes. ■ vpr Subir un changement.
modique a Peu considérable, de peu de valeur.
modiquement av De façon modique.
modiste nf Personne qui confectionne ou qui vend des chapeaux, des coiffures de femmes.
modulable a Qui peut être modulé.
modulaire a Relatif au module, constitué de modules. Construction modulaire.
modulateur nm Appareil qui sert à moduler le courant électrique.
modulation nf 1 Ensemble des variations du ton, de la voix, enchaînées sans heurt. 2 MUS Passage d'une tonalité à une autre. 3 Action de moduler, d'adapter. Loc Modulation de fréquence : procédé permettant une reproduction sonore d'excellente qualité, à la radio.
module nm 1 Élément combinable avec d'autres pour constituer un ensemble ; élément de base d'un équipement. 2 Élément d'un vaisseau spatial à fonctionnement autonome.
moduler vi MUS Passer d'une tonalité à une autre. ■ vt 1 Marquer d'inflexions. Moduler une complainte. 2 Adapter aux conditions du moment, aux circonstances.
modus vivendi [mɔdysvivɛ̃di] nm inv Accommodement entre deux parties en litige.
moelle [mwal] nf 1 Substance molle et graisseuse localisée dans les os. 2 BOT Tissu mou situé au centre de la tige de certains végétaux. Loc Moelle épinière : partie du système nerveux central contenue dans le canal rachidien.
moelleusement av De façon moelleuse.
moelleux, euse [mwa-] a Doux, agréable aux sens. Vin moelleux.
moellon [mwa-] nm CONSTR Pierre de petite dimension.
mœurs [mœʀ] ou [mœʀs] nfpl 1 Habitudes de vie d'une personne, d'une société, d'une espèce animale. Des mœurs casanières. Autres temps, autres mœurs. Les mœurs des éléphants. 2 Conduite morale. Des mœurs relâchées.
mofette nf 1 Émanation de gaz carbonique, dans certains terrains volcaniques. 2 V. moufette.
moghol, ole a De la dynastie des Moghols.
mohair nm Laine ou étoffe faite avec du poil de chèvre angora.
moi pr pers Forme tonique de la 1re personne du sing et des deux genres. Loc À moi ! : au secours ! De vous à moi : entre nous, en confidence. Pour

moi : à mon avis. ■ nm Ce qui constitue la pe sonnalité de l'individu.
moignon nm 1 Partie restante d'un membr amputé. 2 Membre rudimentaire. Moignon d'ail 3 Ce qui reste d'une grosse branche coupée o cassée.
moindre a Plus petit, moins important. L moindre valeur. La moindre erreur serait fatale
moindrement av Loc litt Pas le moindrement pas le moins du monde.
moine nm Religieux vivant en communauté.
moineau nm Petit oiseau brun et beige, très cou rant dans les villes.
moins av Exprime l'infériorité. Moins grand qu son frère. J'ai un an de moins que lui. Ce projet e le moins cher. Loc De moins en moins : en dim nuant peu à peu. Du moins, au moins : cependan en tout cas. Au moins : au minimum. Des moins très peu. À moins de : sauf dans le cas de. À moir que : sauf dans le cas où. ■ nm 1 Le minimum Le moins que l'on puisse dire. 2 MATH Signe de l soustraction (-). Loc Pour le moins : au minimum ■ prép Sert à soustraire. 8 moins 5 égale 3.
moins-disant nm DR Personne qui, dans un adjudication, fait l'offre la plus basse. Des moin disants.
moins-perçu nm DR Ce qui manque à la somm perçue. Des moins-perçus.
moins-value nf Perte de valeur ; déficit, manqu à gagner. Des moins-values.
moire nf Étoffe à reflets chatoyants.
moiré, ée a Qui a les reflets de la moire.
mois nm 1 Chacune des douze parties de l'a née. Le mois de janvier. 2 Espace d'environ tren jours. Il me faudra deux mois pour finir ce trava 3 Prix payé pour un mois de travail, de locatio Payer son mois à un employé. Loc Mois lunaire temps séparant deux conjonctions de la Lune ave le Soleil.
moïse nm Corbeille qui sert de berceau.
moisi nm Ce qui est moisi.
moisir vi 1 Se couvrir de moisissures. 2 fam S morfondre, attendre trop longtemps.
moisissure nf Ensemble des champignons minus cules se développant sur des matières organique humides ou en décomposition.
moisson nf 1 Action de récolter les céréales, blé. 2 La récolte elle-même. 3 Temps, époque o l'on fait la moisson. 4 Grande quantité de chose réunies. Une moisson de renseignements.
moissonner vt 1 Faire la moisson. 2 Remporte recueillir en abondance.
moissonneur, euse n Personne qui moissonn ■ nf Machine servant à moissonner.
moissonneuse-batteuse nf Machine qui bat grain et le sépare de la paille. Des moissonneuses batteuses.
moite a Légèrement humide.
moiteur nf Caractère moite.
moitié nf 1 Chacune des deux parties égale d'un tout. 2 Milieu. 3 fam Épouse. Loc À moitié à demi ; en partie. Faire les choses à moitié : n pas les faire convenablement. Être, se mettre o moitié avec qqn : partager également avec lui gain et la perte. fam Moitié-moitié : en partagea en deux parts égales ; d'une manière mitigée.
moka nm 1 Café renommé. 2 Gâteau garni d crème au beurre aromatisée au café.
mol. V. mou.

molaire nf Chacune des grosses dents servant à broyer.

molasse nf GEOL Grès tendre à ciment calcaire.

moldave a, n De Moldavie.

mole nf CHIM Unité de quantité de matière.

môle nm Jetée construite à l'entrée d'un port et faisant office de brise-lame.

moléculaire a De la molécule.

molécule nf Ensemble d'atomes liés les uns aux autres par des liaisons fortes.

molène nf BOT Syn. de bouillon-blanc.

moleskine nf Toile cirée imitant le cuir.

molester vt Malmener, brutaliser.

molette nf 1 Roulette garnie de pointes, à l'extrémité d'un éperon. 2 Roulette servant à couper, marquer, à frotter, etc. 3 Petit cylindre cannelé servant à actionner un mécanisme.

moliéresque a Qui évoque Molière.

mollah nm Docteur en droit religieux dans l'islam chiite.

mollasse a fam Mou, flasque, nonchalant.

mollasson, onne n, a fam Personne molle.

molle. V. mou.

mollement av Avec mollesse.

mollesse nf 1 Caractère mou. 2 Manque d'énergie dans le caractère, la conduite.

.mollet am Loc Œuf mollet : cuit dans sa coquille de manière que le blanc soit pris et le jaune onctueux.

.mollet nm Relief musculaire à la partie postérieure et inférieure de la jambe.

molletière nf, a Bande d'étoffe ou de cuir dont on entoure le mollet.

molleton nm Étoffe moelleuse de laine ou de coton cardé.

molletonné, ée a Doublé de molleton.

mollir vi 1 Devenir mou. 2 Perdre de sa force, faiblir.

mollo av fam Doucement, délicatement.

mollusque nm 1 Animal au corps mou, souvent pourvu d'une coquille calcaire (limace, huître, etc.). 2 fam Individu mou, sans énergie.

molosse nm Grand dogue.

molto av MUS Beaucoup, très.

molybdène nm CHIM Métal utilisé pour les aciers inoxydables.

môme n fam Enfant. ■ nf fam Jeune fille.

moment nm 1 Petite partie du temps. Il n'en a que pour un moment. 2 Laps de temps indéterminé. Attendre un long moment. 3 La période présente. 4 Circonstance, occasion. C'est le bon moment. Loc Dans un moment : bientôt. D'un moment à l'autre : incessamment. Par moments : de temps en temps. À tout (tous) moment(s) : sans cesse. En ce moment : à l'heure qu'il est. Au moment où : sur le point de. Au moment où : lorsque. Du moment que : puisque.

momentané, ée a Qui dure peu ; temporaire.

momentanément av De façon momentanée.

momie nf 1 Corps embaumé par les anciens Égyptiens. 2 fam Personne très maigre.

momification nf Action de momifier.

momifier vt Transformer en momie. ■ vpr Se fossiliser, se dessécher.

mon, ma, mes a poss Première personne du singulier ; de moi. Ma maison. Mon fils. Mes amis.

monacal, ale, aux a Des moines. Vie monacale.

monachisme nm Institution monastique.

monade nf PHILO Pour Leibniz, élément premier de toutes les choses.

monarchie nf 1 Forme de gouvernement d'un État dans laquelle le pouvoir est détenu par un seul chef. 2 État gouverné par un seul individu, spécialement par un roi.

monarchique a De la monarchie.

monarchisme nm Doctrine des monarchistes.

monarchiste n, a Partisan de la monarchie.

monarque nm Personne qui détient l'autorité souveraine dans une monarchie ; roi, empereur.

monastère nm Groupe de bâtiments habités par des moines ou des moniales.

monastique a Des moines, des moniales ou de leur genre de vie.

monaural, ale, aux a Qui concerne une seule oreille (audition).

monbazillac nm Vin blanc doux du Sud-Ouest.

monceau nm Tas, amas important.

mondain, aine a Qui concerne la haute société, ses divertissements. ■ a, n Qui fréquente, qui aime le monde, la haute société.

mondanité nf Goût pour les divertissements mondains. ■ pl Évènements, faits de la vie mondaine.

monde nm 1 Ensemble de tout ce qui existe, univers. 2 Système planétaire ; planète. 3 La Terre. Parcourir le monde. 4 Le genre humain, l'humanité. Ainsi va le monde. 5 Groupe social défini. Le monde scientifique. 6 La haute société, les classes aisées qui ont une vie facile et brillante. Sortir dans le monde. 7 La vie en société. Fuir le monde. 8 La vie laïque (par oppos. à la vie monastique). 9 Un grand nombre, ou un certain nombre de personnes. Il y a du monde dans les rues. Loc Le Nouveau Monde : l'Amérique par oppos. à l'Ancien Monde : Europe, Afrique et Asie. L'autre monde : le séjour des morts (par oppos. à ce monde, ce bas monde : le séjour des vivants). Se faire un monde d'une chose : se l'imaginer comme plus difficile, plus important qu'elle n'est. C'est un monde ! : c'est insensé, incroyable ! Venir au monde : naître. Mettre un enfant au monde : lui donner naissance. Pour rien au monde : en aucun cas. Du monde, au monde : renforcent certaines expressions. Tout le monde : tous, on.

monder vt Débarrasser un fruit, une substance de ses impuretés.

mondial, ale, aux a Qui intéresse, qui concerne le monde entier.

mondialement av De façon mondiale.

mondialisation nf Fait de mondialiser.

mondialiser vt Rendre mondial. ■ vpr Devenir mondial.

mondialisme nm 1 Unité politique de la communauté humaine. 2 Approche des problèmes politiques dans une optique mondiale.

mondialiste a Du mondialisme.

mondovision nf Transmission par satellites d'émissions de télévision dans le monde entier.

monégasque a, n De Monaco.

monétaire a Relatif à la monnaie, aux monnaies. Politique monétaire.

monétarisme nm Doctrine économique qui met au premier plan la politique monétaire.

monétariste a, n Du monétarisme.

monétique *nf* Ensemble des moyens informatiques et électroniques utilisés comme mode de paiement. ■ *a* De la monétique.

mongol, ole *a, n* De Mongolie. ■ *nm* Langue parlée par les Mongols.

mongolien, enne *n, a* Atteint de mongolisme.

mongoliose *nf* Maladie congénitale caractérisée par un aspect physique particulier et une débilité mentale.

mongoloïde *a* Qui rappelle le type mongol.

moniale *nf* Religieuse cloîtrée.

moniliose *nf* Pourrissement des fruits, dû à un champignon.

monisme *nm* PHILO Doctrine considérant le monde comme formé d'un seul principe, tel que la matière ou l'esprit.

moniteur, trice *n* Personne chargée d'enseigner certains sports, certaines techniques, de diriger des enfants. ■ *nm* 1 Écran associé à un micro-ordinateur. 2 Programme particulier assurant la gestion de l'ensemble des travaux à réaliser par un ordinateur. 3 Appareil de surveillance automatique des malades.

monitorage *nm* Système de surveillance électronique utilisé en médecine. **Var monitoring** [-rin̩].

monitorat *nf* Fonction de moniteur.

monnaie *nf* 1 Ensemble des pièces de métal ou des billets de papier ayant cours légal, qui servent de moyen d'échange. 2 Pièces ou billets de faible valeur. 3 Argent rendu à qqn qui a payé avec un billet ou une pièce d'une valeur supérieure à celle de son achat. Loc *C'est monnaie courante :* c'est fréquent. *Rendre à qqn la monnaie de sa pièce :* se venger.

monnaie-du-pape *nf* Plante dont les fruits évoquent des pièces de monnaie. Syn. lunaire. *Des monnaies-du-pape.*

monnayable *a* Qui peut être monnayé.

monnayer *vt* [20] 1 Transformer un métal en monnaie. 2 Tirer argent de. *Monnayer son aide.*

monnayeur *nm* Appareil qui fait la monnaie (sens 3).

monobloc *a inv, nm* Constitué d'un seul bloc.

monocamérisme *nm* Système politique fondé sur un Parlement à une chambre.

monocépage *a, nm* Se dit d'un vin issu d'un seul cépage.

monochrome *a* D'une seule couleur.

monocle *nm* Verre correcteur unique qu'on fait tenir dans l'arcade sourcilière.

monoclonal, ale, aux *a* BIOL Qui relève du même clone.

monocoque *nm* Voilier à coque unique.

monocorde *a* Dont les inflexions sont peu variées ; monotone.

monocotylédone *nf* BOT Plante dont l'embryon ne possède qu'un cotylédon.

monoculaire *a* D'un seul œil.

monoculture *nf* Culture d'une seule plante dans une région ou une exploitation.

monodie *nf* MUS Chant à une voix.

monogame *a, n* Qui pratique la monogamie.

monogamie *nf* Système dans lequel une personne ne peut avoir légalement qu'un seul conjoint.

monogamique *a* De la monogamie.

monogramme *nm* Chiffre formé des principales lettres, entrelacées, d'un nom.

monographie *nf* Ouvrage traitant d'un sujet précis de manière exhaustive.

monographique *a* De la monographie.

monoï [-noj] *nm* Huile parfumée tirée de la fleur d'un frangipanier.

monoïque *a* BOT Qui porte sur le même pied des fleurs mâles et des fleurs femelles.

monolingue *a, n* Qui ne parle, qui ne comprend qu'une seule langue.

monolinguisme [-gyism] *nm* Utilisation d'une seule langue.

monolithe *nm* Monument fait d'une seule pierre.

monolithique *a* 1 Fait d'un seul bloc. 2 D'une homogénéité rigide.

monolithisme *nm* Caractère monolithique.

monologue *nm* 1 Scène d'une pièce de théâtre où un personnage est seul et se parle à lui-même. 2 Discours de qqn qui ne laisse pas parler les autres.

monologuer *vi* Tenir un monologue.

monomanie *nf* PSYCHO Obsession, idée fixe.

monôme *nm* 1 Expression algébrique sans signe d'addition ni de soustraction. 2 Cortège joyeux d'étudiants.

monomère *a, nm* CHIM Constitué de molécules simples.

monométallisme *nm* Système monétaire n'admettant qu'un seul étalon (or ou argent).

monomoteur *am, nm* Qui n'a qu'un seul moteur (avion).

mononucléaire *a, nm* BIOL Se dit des globules blancs ne possédant qu'un noyau.

mononucléose *nf* MED Augmentation du nombre des mononucléaires dans le sang.

monoparental, ale, aux *a* Se dit d'une famille ne comportant qu'un seul parent.

monopartisme *nm* Régime de parti unique.

monophasé, ée *a* ELECTR Qui ne présente qu'une seule phase.

monophonie *nf* Procédé de reproduction de sons transmis par un seul canal.

monophonique *a* Propre à la monophonie.

monophysisme *nm* Hérésie du Ve s.

monoplace *a, n* Se dit d'un véhicule qui ne comporte qu'une seule place.

monoplan *nm* Avion qui n'a qu'un plan de sustentation.

monopole *nm* 1 Privilège exclusif de fabriquer, de vendre, de faire qqch. 2 Droit, privilège exclusif que l'on s'attribue.

monopoliser *vt* 1 Exercer le monopole de. 2 Accaparer pour soi seul.

monopoliste *a, n* Qui détient un monopole.

monopolistique *a* D'un monopole.

monopoly *nm* (n. déposé) Jeu de société sur le thème de la spéculation immobilière.

monorail *nm* Chemin de fer à rail unique.

monosémique *a* LING Qui a un seul sens.

monoski *nm* Sport consistant en évolutions sur un seul ski.

monospace *nm* (n. déposé) Automobile spacieuse dont la carrosserie est d'un seul tenant.

monosyllabe *nm* Mot d'une syllabe.

monosyllabique *a* 1 Qui n'a qu'une syllabe. LING Qui ne comporte que des monosyllabes.

monothéisme *nm* Religion n'admettant qu'un Dieu unique.

onothéiste *a, n* Qui relève du monothéisme.
onothérapie *nf* Thérapie recourant à un seul édicament.
onotone *a* 1 Qui est toujours ou presque toujours sur le même ton. 2 D'une uniformité fastidieuse. *Paysage monotone.*
onotonie *nf* Caractère monotone.
onotype *nm* Yacht dont les caractéristiques nt conformes à celles d'une série donnée.
onovalent, ente *a* CHIM Qui possède la valence Syn. univalent.
onoxyde *nm* Loc *Monoxyde d'azote* : gaz très xique.
onozygote *a* BIOL Se dit de jumeaux issus d'un ème œuf.
onseigneur *nm* Titre honorifique des archeques, des évêques, des princes. (Abrév. : Mgr).
onsieur [məsjø] *nm* 1 Titre donné par civilité un homme. 2 Homme d'une certaine condition ciale ou qui fait l'important. Au pl. *messieurs* brév. : M., MM).
onstre *nm* 1 Être fantastique des légendes des traditions populaires. 2 Animal de taille ceptionnelle. *Monstres marins.* 3 Être très difrme. *Monstre à deux têtes.* 4 Personne extrêment laide ou très méchante. Loc *Monstre sacré* : teur très célèbre. ■ *a* fam Exceptionnellement and, extraordinaire. *Banquet monstre.*
onstrueusement *av* De façon monstrueuse.
onstrueux, euse *a* 1 Qui a la conformation un monstre. 2 Gigantesque, colossal. 3 Horble, épouvantable.
onstruosité *nf* 1 Caractère monstrueux. 2 hose monstrueuse.
ont *nm* Élévation de terrain de quelque impornce. Loc *Aller par monts et par vaux* : voyager aucoup. *Mont de Vénus* : pénil.
ontage *nm* 1 Action d'assembler différentes rties pour former un tout. 2 Ensemble d'élénts montés, assemblés. 3 FIN Démarches suivies r une société pour se procurer des capitaux.
ontagnard, arde *a* De la montagne. *Vie mongnarde.* ■ *n* Personne qui habite la montagne.
ontagne *nf* 1 Relief important du sol s'élevant une grande hauteur. 2 Région d'altitude élevée. Grande quantité de choses amoncelées. Loc fam *faire une montagne de qqch* : s'en exagérer les fficultés. *Montagnes russes* : jeu forain, suite montées et de descentes parcourues par un hicule sur rails.
ontagneux, euse *a* Où il y a des montagnes ; nstitué de montagnes.
ontant, ante *a* Qui monte. ■ *nm* 1 Élément ng disposé verticalement. 2 Total d'un compte. *ontant des dépenses.*
ont-de-piété *nm* Établissement de prêt sur age. *Des monts-de-piété.*
ont-d'or *nm* Fromage du Jura français voisin vacherin. *Des monts-d'or.*
onte *nf* 1 Accouplement de certains animaux mestiques. 2 Action de monter un cheval.
onté, ée *a* Loc *Être monté* : en colère. *Coup* *onté* : préparé à l'avance.
onte-charge *nm* Appareil élévateur pour le ansport des objets. *Des monte-charges.*
ontée *nf* 1 Action de monter. 2 Pente, en tant 'elle conduit vers le haut. 3 Augmentation, éléition. Loc *Montée en puissance* : progrès spec-culaire de qqch.

monte-en-l'air *nm inv* fam Cambrioleur.
monténégrin, ine *a, n* Du Monténégro.
monte-plat *nm* Monte-charge entre la cuisine et la salle à manger. *Des monte-plats.*
monter *vi* [aux. *être* ou *avoir*] 1 Se transporter dans un lieu plus haut, s'élever. *Monter sur un escabeau.* 2 Prendre place dans un véhicule, sur une monture. 3 Passer à un degré supérieur. *Monter en grade.* 4 Augmenter de niveau, de volume, d'importance, de prix, etc. 5 Atteindre tel prix. *Les frais montent à 100 euros.* 6 S'élever en pente. *Rue qui monte en pente raide.* Loc *Monter à la tête* : enivrer. ■ *vt* 1 Gravir, franchir une élévation. *Monter un escalier.* 2 Porter dans un lieu élevé. *Monter les meubles dans une chambre.* 3 Chevaucher un animal. *Monter un cheval.* 4 Exciter qqn contre qqn ou qqch. 5 Ajuster, assembler différentes parties pour former un tout. *Monter une machine. Monter une tente.* 6 Préparer, organiser. *Monter une pièce de théâtre. Monter un coup.* Loc *Monter la gamme* : parcourir l'échelle des sons, du grave à l'aigu. *Monter la garde* : assurer le service de garde. ■ *vpr* 1 S'exalter, s'irriter. *Se monter contre qqn.* 2 Se pourvoir. *Se monter en linges.* 3 S'élever à tel total. *La dépense se monte à 1 000 euros.*
monteur, euse *n* Personne qui effectue des montages.
montgolfière *nf* Aérostat qui tire sa force ascensionnelle de l'air chaud.
monticule *nm* Petite élévation de terrain.
montmorency *nf inv* Cerise à goût acidulé.
montrable *a* Qu'on peut montrer.
montrachet *nm* Bourgogne blanc, très réputé.
montre *nf* Instrument portatif qui indique l'heure. Loc *Course contre la montre* : dans laquelle chaque coureur, partant seul, est classé selon le temps qu'il a mis à parcourir la distance fixée ; lutte contre le temps pour mener à bien une affaire, etc. *Faire montre de* : donner des marques, des preuves. *Montre en main* : en un temps précis.
montréalais, aise *a, n* De Montréal.
montre-bracelet *nf* Montre fixée au poignet. *Des montres-bracelets.*
montrer *vt* 1 Faire voir. *Montrer sa maison.* 2 Indiquer par un geste, un signe. *Montrer qqn du doigt.* 3 Faire ou laisser paraître ; manifester. *Montrer du courage.* 4 Démontrer. *Montrez-moi que j'ai tort.* ■ *vpr* Se révéler, s'avérer. *Se montrer généreux.*
montreur, euse *n* Personne qui montre un spectacle. *Montreur de marionnettes.*
monture *nf* 1 Animal de selle (cheval, âne, etc.). 2 Pièce qui sert de support ou d'armature. *Monture d'un diamant, de lunettes.*
monument *nm* 1 Bâtiment ou sculpture édifié pour conserver la mémoire de qqn ou de qqch. 2 Édifice, ouvrage considéré pour sa grandeur, sa valeur ou sa signification. 3 Œuvre considérable par ses dimensions ou ses qualités.
monumental, ale, aux *a* 1 Imposant de grandeur, de proportions, etc. 2 fam Énorme en son genre. *Un orgueil monumental.*
moquer (se) *vt* 1 Railler, tourner en ridicule. 2 Mépriser, braver, ne faire aucun cas de qqn ou qqch. *Se moquer du danger.*
moquerie *nf* 1 Action de se moquer. 2 Parole, action par laquelle on se moque.

moquette nf Tapis cloué ou collé qui recouvre uniformément le sol d'une pièce.

moquetter vt Recouvrir de moquette.

moqueur, euse a, n Qui se moque, porté à la moquerie. ■ a Qui exprime de la moquerie. *Regard moqueur.*

moraine nf Amas de débris rocheux arrachés et transportés par un glacier.

morainique a Propre aux moraines.

moral, ale, aux a 1 Qui concerne les mœurs, les règles de conduite en usage dans une société. *Jugement moral.* 2 Relatif au bien, au devoir, aux valeurs établies. *Conscience morale.* 3 Relatif à l'esprit. *Santé morale.* ■ nm Disposition d'esprit ; confiance. *Avoir bon moral.* ■ nf 1 Ensemble des principes de jugement et de conduite qui s'imposent à la conscience individuelle ou collective. 2 Tout ensemble de règles, d'obligations, de valeurs. *Morale rigoureuse.* 3 Enseignement moral, conclusion morale. *La morale d'une fable.* Loc *Faire la morale à qqn* : lui adresser des réprimandes.

moralement av 1 Conformément à la morale. 2 Du point de vue moral, en conscience.

moralisant, ante a Qui moralise.

moralisateur, trice a, n Qui fait la morale.

moralisation nf Action de moraliser.

moraliser vt Faire la morale, admonester. ■ vi Faire des réflexions morales.

moralisme nm Formalisme moral.

moraliste n 1 Auteur d'observations critiques sur les mœurs, la nature humaine. 2 Personne qui aime à faire la morale.

moralité nf 1 Conformité aux principes de la morale. 2 Sens moral d'une personne, manifesté par sa conduite. 3 Enseignement moral, leçon d'une histoire, d'un évènement.

morasse nf Dernière épreuve, avant l'impression, d'un journal mis en pages.

moratoire nm Décision de suspendre provisoirement l'exigibilité de certaines créances, la poursuite d'une action, d'une activité.

morbide a 1 Qui tient à la maladie. *État morbide.* 2 Malsain moralement. *Curiosité morbide.*

morbidité nf Caractère morbide.

morbier nm Fromage du Jura, au lait de vache.

morbleu ! interj Juron ancien.

morceau nm 1 Partie séparée d'une chose. *Morceau de pain, de bois, d'étoffe.* 2 Passage d'une œuvre musicale ou littéraire. Loc *Casser le morceau à qqn* : lui faire une révélation désagréable. fam *Manger, cracher le morceau* : faire des aveux.

morcelable a Qu'on peut morceler.

morceler vt [16] ou [18] Diviser en morceaux. Var **morcèlement**

morcellement nm Action de morceler ; état de ce qui est morcelé.

mordant, ante a 1 Corrosif. 2 Caustique dans la critique, la raillerie, etc. ■ nm 1 Substance dont on imprègne une matière pour qu'elle fixe les colorants. 2 Causticité, vivacité, énergie.

mordicus [-kys] av fam Avec opiniâtreté, obstinément.

mordiller vt, vi Mordre légèrement et à petits coups.

mordoré, ée a, nm D'un brun chaud, à reflets dorés.

mordre vt [5] 1 Saisir, serrer, entamer avec les dents. 2 Entamer, pénétrer en rongeant, en creu-

sant, etc. *Lime qui mord un métal.* ■ vti, v[
Prendre goût à qqch, réussir. *Un élève qui m[
bien au latin.* 2 Empiéter sur. *Un coureur [
mord sur la ligne de départ.* ■ vpr Loc fam
mordre les doigts de qqch : s'en repentir.

mordu, ue a, n fam Passionné. *Un mordu [
rugby.*

more, moresque. V. *maure, mauresque.*

morfil nm Petites aspérités qui adhèrent au tra[
chant d'une lame fraîchement affûtée.

morfler vi pop Subir une punition, des coups.

morfondre (se) vpr [5] S'ennuyer à attendre.

morganatique a Se dit du mariage d'un prin[
avec une femme de condition inférieure.

morgon nm Cru du Beaujolais.

morgue nf 1 Attitude hautaine et méprisante[
Salle froide où sont déposés provisoirement [
morts.

moribond, onde a, n Qui est près de mour[
agonisant.

moricaud, aude a, n fam Qui a la peau très brun[
■ n péjor Personne de couleur.

morigéner vt [12] Réprimander, tancer.

morille nf Champignon comestible, à chape[
alvéolé.

mormon, one n, a Membre d'un mouveme[
religieux fondé aux États-Unis vers 1830.

1. morne a Empreint d'une sombre tristesse. [
air morne.

2. morne nm Colline isolée, aux Antilles.

morose a D'humeur chagrine, triste, maussad[

morosité nf Caractère morose.

morphème nm LING Unité minimale exprimant [
rapport grammatical, par oppos. à *lexème*.

morphine nf Alcaloïde de l'opium, antalgi[
puissant mais toxique à fortes doses.

morphinomane a, n Qui se drogue à la m[
phine.

morphinomanie nf Toxicomanie à la morphir[

morphogenèse nf Développement des form[
du relief.

morphologie nf 1 Étude des formes extern[
des êtres vivants. 2 Forme, conformation ; aspe[
général. 3 LING Étude de la forme des mots. 4 S[
de *géomorphologie.*

morphologique a De la morphologie.

morphologiquement av Relativement à la mo[
phologie, aux formes.

morpion nm 1 pop Pou du pubis. 2 pop Enfa[
gamin. 3 Jeu qui se joue sur du papier quadrill[

mors [mɔʀ] nm 1 Pièce métallique que l'on pla[
dans la bouche d'un cheval, et qui permet de [
diriger. 2 Mâchoire d'un étau, d'une pince. L[
Prendre le mors aux dents : s'emballer, se laiss[
emporter par la passion, la colère.

morse nm 1 Grand mammifère marin des régio[
arctiques, aux canines supérieures développées [
défenses. 2 Code de télécommunication utilisa[
un alphabet constitué de points et de traits.

morsure nf Action de mordre ; marque ou pla[
qui en résulte.

1. mort nf 1 Fin de la vie, cessation définitive [
toutes les fonctions corporelles. 2 Extinction, f[
disparition de qqch. *C'est la mort de toutes n[
espérances.* Loc *À mort* : en entraînant la mo[
à fond, très fort. *À la vie, à la mort* : indéfec[
blement.

mort, morte *a, n* **1** Qui a cessé de vivre. **2** [pau]davre. ■ *a* Qui semble privé de vie ; sans acti[vit]é. *Être mort de peur. Ville morte.* **Loc** *Langue [mo]rte* : qu'on ne parle plus. *Angle mort* : par[tie] du champ de vision qui se trouve masquée. *[Na]ture morte* : peinture ne représentant pas de [per]sonnes ou d'animaux. *Temps mort* : moment [ine]mployé. ■ *nm* Au bridge, celui des quatre [jou]eurs qui étale ses cartes.

[m]ortadelle *nf* Gros saucisson d'Italie.

[m]ortaise *nf* Cavité pratiquée dans une pièce [po]ur recevoir un tenon.

[m]ortalité *nf* Nombre de morts rapporté à une [po]pulation et à une période.

[m]ort-aux-rats *nf inv* Poison destiné à la destruc[tio]n des rongeurs.

[m]orte-eau *nf* Marée d'amplitude faible. *Les [mo]rtes-eaux.*

[m]ortel, elle *a* **1** Sujet à la mort. **2** Qui cause ou [qu]i peut causer la mort. *Danger mortel.* **3** Insup[por]table, très pesant. *Ennui mortel.* **Loc** *Ennemi [mo]rtel* : implacable. *Péché mortel* : qui donne [la] mort à l'âme. ■ *n* Être humain. *Un heureux [mo]rtel.*

[m]ortellement *av* **1** À mort. *Blesser mortelle[me]nt.* **2** Extrêmement. *Mortellement inquiet.*

[m]orte-saison *nf* Période de l'année pendant [laq]uelle l'activité économique diminue. *Des [mo]rtes-saisons.*

[m]ortier *nm* **1** Mélange de ciment ou de chaux, de [sa]ble et d'eau utilisé en maçonnerie. **2** Récipient [où] l'on broie certaines substances. **3** Canon à tir [co]urbe.

[m]ortifère *a* fam Qui cause la mort.

[m]ortifiant, ante *a* Qui mortifie.

[m]ortification *nf* **1** RELIG Souffrance, privation que [l'o]n s'inflige par ascèse. **2** Blessure d'amour[pr]opre ; humiliation. **3** Altération et destruction [d'u]n tissu organique.

[m]ortifier *vt* Faire subir une mortification.

[m]ort-né, -née *a* Qui a mis sa mise au monde. [Un]e enfant mort-née. ■ *a* Qui ne reçoit même pas [un] début de réalisation. *Projets mort-nés.*

[m]ortuaire *a* Relatif à la mort, à une cérémonie [fun]èbre. *Couronne mortuaire.*

[m]orue *nf* Grand poisson des régions froides de [l'A]tlantique Nord.

[m]orula *nf* BIOL Premier stade de développement [de] l'embryon, résultat de la segmentation de [l'œ]uf.

[m]orutier, ère *a* De la morue. ■ *nm* Pêcheur ou [ba]teau qui fait la pêche à la morue.

[m]orvandiau, aux *a, n* Du Morvan. Var **mor[va]ndeau, elle, aux**.

[m]orve *nf* **1** Sécrétion visqueuse s'écoulant par le [ne]z. **2** Maladie des chevaux.

[m]orveux, euse *a* **1** Qui a la morve au nez. **2** [Ma]lade de la morve. **Loc** fam *Se sentir morveux* : [con]fus pour une erreur commise. ■ *n* fam Jeune [pré]tentieux.

[m]osaïque *nf* **1** Ouvrage décoratif composé de [pe]tites pièces de différentes couleurs, assemblées [jo]intoyées ; art de composer de tels ouvrages. [2] Juxtaposition d'éléments nombreux et divers. [*Mo*]*saïque d'États.*

[m]osaïque *a* Relatif à Moïse.

[m]osaïste *n* Artiste en mosaïques.

[m]oscovite *a, n* De Moscou.

[m]osquée *nf* Édifice cultuel musulman.

mot *nm* **1** Son ou groupe de sons d'une langue (ou leur notation graphique) auquel est associé un sens, et que l'on considère comme formant une unité particulière. **2** Bref énoncé, courte phrase, courte missive. *J'ai un mot à lui dire.* **3** Parole remarquable ou mémorable ; sentence. *Un recueil de mots historiques.* **Loc** *Grands mots* : trop solennels, qui dénotent l'emphase. *Gros mot* : grossier. *Le fin mot* : qui vient en dernier, et qui permet de comprendre le reste. *Jeu de mots* : équivoque plaisante jouant sur les ressemblances de mots ; calembour. *Mot à mot* : littéralement, sans dégager le sens général de l'expression. *Mot pour mot* : textuellement. *Avoir son mot à dire* : avoir le droit de donner son avis. *Avoir le dernier mot* : avoir le dessus, l'emporter dans une discussion. *C'est mon dernier mot* : ma dernière proposition. *Je n'ai pas dit mon dernier mot* : je n'ai pas renoncé à avoir le dessus. *Avoir des mots avec qqn* : se quereller avec lui. *Au bas mot* : au minimum. *Prendre qqn au mot* : le considérer comme engagé par ce qu'il vient de dire. *Mot d'ordre* : consigne d'action, résolution commune à un groupe. *Se donner le mot* : convenir par avance de qqch. *En un mot* : pour résumer. *Le mot de la fin* : l'expression qui conclut heureusement qqch. *Toucher un mot à qqn* : lui parler brièvement.

motard, arde *n* fam Motocycliste. ■ *nm* Motocycliste de la police, de la gendarmerie.

motel *nm* Hôtel aménagé, au bord des grands itinéraires routiers.

motet *nm* MUS Pièce vocale religieuse, chantée a cappella.

moteur, trice *a* **1** Qui produit ou communique le mouvement. *Muscles moteurs.* **2** Relatif aux organes du mouvement. *Troubles moteurs.* ■ *nm* **1** Appareil conçu pour la transformation d'une énergie quelconque en énergie mécanique. **2** Personne qui inspire, anime. **3** Cause, motif. *Le moteur de la croissance économique.*

motif *nm* **1** Raison qui détermine ou explique un acte. *Les motifs d'un refus.* **2** Sujet d'un tableau. **3** Dessin, ornement répété. *Motifs décoratifs.* **4** MUS Partie d'une ligne mélodique.

motilité *nf* BIOL Aptitude à effectuer des mouvements.

motion *nf* Proposition faite dans une assemblée délibérante.

motivant, ante *a* Qui incite à agir.

motivation *nf* **1** Action de motiver, de justifier. **2** Ce qui motive, pousse à agir.

motivé, ée *a* Stimulé par une motivation.

motiver *vt* **1** Expliquer, justifier par des motifs. *Motiver un choix.* **2** Être le motif de. **3** Déterminer les actes de qqn ; stimuler. *C'est l'intérêt financier qui le motive.*

moto *nf* Véhicule à deux roues équipé d'un moteur de plus de 125 cm^3.

motoball [-bol] *nm* Football pratiqué sur des motos.

motocross *nm inv* Course de motos sur parcours naturel fortement accidenté.

motoculteur *nm* Appareil automoteur conduit à la main, pour les petits travaux agricoles.

motoculture *nf* Utilisation dans l'agriculture de machines mues par des moteurs.

motocyclette *nf* vx Moto.

motocyclisme *nm* Pratique de la moto.

motocycliste *n* Personne qui monte une moto.

motonautisme *nm* Pratique sportive de la navigation sur de petits bateaux à moteur.

motoneige *nf* Petit véhicule à chenilles muni de skis à l'avant. **Var motoski**

motopompe *nf* 1 Pompe entraînée par un moteur. 2 Véhicule automobile équipé d'une motopompe, contre les incendies.

motorisation *nf* Action de motoriser.

motoriser *vt* Doter de véhicules, de machines automobiles. **Loc** *fam Être motorisé :* posséder une voiture, un cyclomoteur, etc.

motoriste *nm* Mécanicien spécialiste des moteurs.

motrice *nf* Voiture munie d'un moteur, destinée à la traction des rames, des convois.

motricité *nf* PHYSIOL Ensemble des fonctions permettant le mouvement.

motte *nf* 1 Petite masse de terre compacte. 2 Masse de beurre pour la vente au détail.

motus [-tys] *interj* fam Invite à garder le silence.

mot-valise *nm* Mot formé d'éléments d'autres mots (ex. : *franglais,* de *français* et *anglais*). *Des mots-valises.*

mou ou **mol, molle** *a* 1 Qui se déforme facilement, qui s'enfonce à la pression. *Oreiller mou.* 2 Qui manque d'énergie, de résolution, de vigueur morale. *Caractère mou.* ■ *n* Personne sans énergie. ■ *nm* Poumon de certains animaux de boucherie. *Mou de veau.* **Loc** *Donner du mou à un cordage :* le détendre. *fam Rentrer dans le mou de qqn :* l'attaquer violemment. ■ *av* pop Doucement. *Y aller mou.*

moucharabieh *nm* Grillage en bois pour voir dehors sans être vu, dans les pays arabes. **Var moucharabié**

mouchard, arde *n* Dénonciateur. ■ *nm* Appareil de contrôle et de surveillance.

mouchardage *nm* fam Action de moucharder.

moucharder *vt* fam Espionner et rapporter ce qu'on a vu, entendu.

mouche *nf* 1 Insecte de l'ordre des diptères, dont les espèces sont très nombreuses. 2 Point noir marquant le centre d'une cible. 3 En escrime, petite boule de protection fixée à la pointe d'un fleuret. 4 Rondelle de taffetas noir qu'on se collait sur le visage. **Loc** *fam Mourir, tomber comme des mouches :* en grand nombre. *Il ne ferait pas de mal à une mouche :* il n'est pas du tout violent. *La mouche du coche :* personne qui s'agite beaucoup, sans rendre service efficacement. *Quelle mouche le pique ? :* pourquoi s'emporte-t-il si brusquement ? *Prendre la mouche :* se vexer. *Faire mouche :* atteindre exactement son but. *Pattes de mouche :* écriture menue et mal formée, difficilement lisible. *Fine mouche :* personne fine et rusée. *Poids mouche :* en boxe, concurrent ne dépassant pas 51 kg.

moucher *vt* 1 Débarrasser le nez des mucosités qui l'encombrent. 2 Couper l'extrémité carbonisée d'une mèche. 3 fam Réprimander vertement. ■ *vpr* Débarrasser son nez en expirant fortement.

moucheron *nm* Petit insecte volant.

moucheté, ée *a* 1 Marqué de mouchetures. 2 Garni d'une mouche (fleuret, sabre).

mouchetis *nm* Crépi projeté sur un mur et qui présente de petites aspérités.

moucheture *nf* 1 Petite tache d'une autre couleur que le fond. 2 Tache naturelle du pelage de certains animaux.

mouchoir *nm* Pièce de tissu ou de papier servant à se moucher. **Loc** *Arriver dans un mouchoir :* être presque égaux dans une compétition.

mouclade *nf* Plat de moules à la crème.

moudjahidine *nm* Combattant musulman d'un mouvement de libération.

moudre *vt* [65] Broyer des grains avec une meule ou un moulin.

moue *nf* Grimace de dédain, de dépit, etc.

mouette *nf* Oiseau principalement marin voisin du goéland mais plus petit.

moufette *nf* Mammifère carnivore d'Amérique, qui projette une sécrétion malodorante lorsqu'il est attaqué. **Var mouffette** ou **mofette**

moufle *nf* 1 Gros gant sans séparations pour les doigts, excepté pour le pouce. 2 Appareil de levage fait d'un assemblage de poulies.

mouflet, ette *n* fam Jeune enfant.

mouflon *nm* Mouton sauvage des montagnes aux cornes recourbées.

moufter *vi* fam Protester.

mouillage *nm* 1 Action de mouiller, d'imbiber d'eau. 2 Action de mouiller l'ancre. 3 Endroit où un navire mouille.

mouillant, ante *a, nm* TECH Se dit de produits qui permettent à un liquide de mieux imprégner une surface, de s'y étaler plus uniformément.

mouiller *vt* 1 Tremper, rendre humide. 2 Étendre d'eau. *Mouiller du lait.* 3 Mettre à l'eau. *Mouiller des mines.* 4 fam Compromettre, impliquer qqn. *Mouiller qqn dans un scandale.* 5 PHON Prononcer une consonne en y adjoignant le son [j]. ■ *vi* Jeter l'ancre, faire escale. ■ *vpr* S'engager en prenant des risques.

mouillette *nf* fam Morceau de pain que l'on trempe dans les œufs à la coque.

mouilleur *nm* Instrument pour humecter le dos des étiquettes, des timbres, etc. **Loc** *Mouilleur de mines :* bâtiment spécialement équipé pour mouiller des mines.

mouillure *nf* 1 Action de mouiller. 2 Tache d'humidité.

mouise *nf* pop Misère.

moujik *nm* Paysan russe.

moukère *nf* pop Femme.

moulage *nm* 1 Action de mouler ou de moudre. 2 Reproduction moulée.

moulant, ante *a* Qui moule le corps.

1. moule *nm* 1 Corps solide creux et façonné destiné à recevoir une matière pâteuse pour lui donner une forme. 2 Type, modèle qui imprime sa marque sur le caractère, le comportement, etc.

2. moule *nf* 1 Mollusque marin, comestible, pourvu d'une coquille à deux valves, qui vit en colonies. 2 fam Personne molle, sans caractère.

moulé, ée *a* **Loc** *Bien moulé :* bien fait, harmonieux.

mouler *vt* 1 Fabriquer, reproduire au moyen d'un moule. 2 Prendre une empreinte pour qu'elle puisse servir de moule. 3 Ajuster à, épouser la forme de. *Robe qui moule le corps.* 4 Conformer. *Mouler son attitude sur celle de qqn.*

mouleur, euse *n* Qui exécute des moulages.

moulière *nf* Élevage de moules.

moulin *nm* 1 Machine à moudre les céréales ou broyer des graines. 2 Établissement où est install cette machine. **3** Petit appareil ménager pour oyer. *Moulin à légumes.* **4** fam Moteur de voi-e, d'avion. Loc *Apporter de l'eau au moulin* qqn : des arguments à l'appui de ce qu'il dit. *battre contre des moulins à vent* : contre des versaires imaginaires. fam *Moulin à paroles :* sonne très bavarde. fam *Entrer comme dans un ulin :* très facilement.

oulin-à-vent nm inv Cru du Beaujolais.

ouliner vt Passer au moulin à légumes.

oulinet nm **1** Petit tambour commandé par e manivelle, où s'enroule le fil d'une canne à che. **2** Mouvement d'une canne, d'une épée, ., que l'on fait tournoyer.

oulinette nf (n. déposé) Petit moulin à légumes.

ouloud nm inv Fête religieuse musulmane, mmémorant la naissance de Mahomet.

oult a indéf vx ou fam De nombreux, maint.

oulu, ue a **1** Broyé, réduit en poudre. **2** Brisé fatigue.

oulure nf **1** Ornement allongé d'architecture d'ébénisterie, creux ou saillant. **2** Baguette eusée de rainures destinées à recevoir des fils ctriques.

oulurer vt Orner de moulures.

oumoule nf fam **1** Coiffure postiche, perruque. Veste en peau de mouton.

ourant, ante a, n Qui se meurt ; agonisant, oribond. ■ a Qui va faiblissant.

ourir vi [33] [aux. *être*] **1** Cesser de vivre. ourir jeune. **2** Ressentir vivement les atteintes . *Mourir de faim, de peur.* **3** Cesser d'exister, sparaître progressivement. *Laisser mourir le* ... ■ vpr litt Être sur le point de disparaître.

ouroir nm Lieu, établissement où meurent aucoup de gens.

ouron nm fam Herbe de petites dimensions. Loc fam faire du mouron : du souci.

ousquet nm Ancienne arme à feu portative, à èche, en usage avant le fusil.

ousquetaire nm Gentilhomme d'une compa-ie montée de la garde du roi au XVIIᵉ s.

ousqueton nm **1** Fusil à canon court. **2** Boucle étallique fermée par un ergot.

oussaillon nm fam Petit mousse.

oussaka nf Gratin d'aubergines à la viande chée.

oussant, ante a Susceptible de produire de mousse.

mousse nm Jeune apprenti marin.

mousse nf **1** Plante rase des lieux humides, vant en touffes serrées. **2** Accumulation de lles à la surface d'un liquide. *Mousse de la* ère. **3** Mets de consistance légère. *Mousse au* ocolat. *Mousse de foie.* **4** Produit moussant. ousse à raser. *Mousse carbonique.* Loc *Caout-ouc mousse* : caoutchouc à alvéoles et de faible nsité. *Point mousse* : obtenu au tricot en faisant us les rangs à l'endroit.

mousse a Émoussé. *Pointe mousse.*

ousseline nf Toile très fine et transparente. a inv Loc *Purée mousseline* : de pommes de re, très légère.

ousser vi Produire de la mousse. Loc fam *Faire ousser qqn, qqch :* le présenter sous un jour trop vorable.

ousseron nm Champignon des prés, proche es agarics, comestible.

mousseux, euse a Qui mousse. ■ nm Vin qui mousse (à l'exception du champagne).

mousson nf Régime de vents dont la direction s'inverse brutalement d'une saison à l'autre, pro-duisant des variations climatiques importantes (sécheresse, pluie).

moussu, ue a Couvert de mousse végétale.

moustache nf Poils qu'on laisse pousser au-dessus de la lèvre supérieure. ■ pl Longs poils du museau de certains animaux.

moustachu, ue a, nm Qui porte la moustache.

moustérien, enne a, nm PRÉHIST Paléolithique moyen.

moustiquaire nf Rideau de tulle ou chassis garni de toile métallique disposés de façon à arrêter les insectes.

moustique nm Petit insecte ailé dont la piqûre cause de vives démangeaisons.

moût nm Jus de raisin, de pomme, de poire, etc., qui n'a pas encore fermenté. **Var** mout

moutard nm fam Petit garçon ; enfant.

moutarde nf **1** Nom courant de diverses cruci-fères. **2** Condiment à base de graines ou de farine d'une de ces plantes. Loc fam *La moutarde lui monte au nez :* la colère le gagne. ■ a inv Cou-leur jaune orangé tirant sur le vert.

moutardier nm **1** Petit pot dans lequel on pré-sente la moutarde. **2** Personne qui fabrique ou qui vend de la moutarde.

mouton nm **1** Mammifère ruminant à l'épaisse toison frisée, élevé pour sa laine, son lait et sa viande. **2** Personne trop soumise et dépourvue de sens critique. **3** pop Compagnon de cellule vendu à la police. Loc fam *Mouton noir* : personne qui, dans un groupe, est tenue à l'écart. *Mouton de Panurge* : qui imite stupidement les autres. *Mou-ton à cinq pattes* : phénomène très rare. ■ pl **1** Petites vagues au sommet couvert d'écume. **2** Petits nuages. **3** fam Petits flocons de poussière.

moutonné, ée a Loc *Ciel moutonné :* couvert de petits nuages floconneux.

moutonnement nm Fait de moutonner.

moutonner vi Se couvrir de vagues écumeuses (mer) ou de petits nuages blancs (ciel).

moutonneux, euse a Qui moutonne.

moutonnier, ère a Qui suit niaisement les autres.

mouture nf **1** Action de moudre le grain. **2** Pro-duit qui en résulte. **3** Version remaniée d'un sujet déjà traité.

mouvance nf Domaine, sphère d'influence.

mouvant, ante a **1** Changeant, instable. **2** Qui manque de consistance (sol).

mouvement nm **1** Changement de place, de position, déplacement. *Le mouvement des vagues. Surveiller les mouvements de l'ennemi.* **2** Action, manière de mouvoir son corps. *Mouvements de danse.* **3** Série de changements, de mutations dans un corps militaire ou civil. *Mouvement pré-fectoral.* **4** Circulation des biens, de la monnaie. *Mouvement de fonds.* **5** Variation en quantité. *Mouvement des prix.* **6** MUS Degré de vitesse ou de lenteur à donner à la mesure. **7** Partie d'une œuvre musicale. **8** Passage d'un état affectif à un autre. *Un mouvement de colère.* **9** Évolution sociale. *Le mouvement des idées, des mœurs.* **10** Action collective tendant à un changement social. **11** Groupe humain, association. *Mouvement sur-réaliste. Mouvements de jeunesse.* **12** Mécanisme servant à la mesure du temps. *Le mouvement d'une montre.* Loc fam *En deux temps, trois mouvements* : très rapidement. *Être dans le mouvement* : suivre le progrès. *Mouvement social* : ensemble constitué par les syndicats, les coordinations, les associations, etc. qui ne participent pas au pouvoir politique. *Mouvement de terrain* : éminence ou vallonnement du sol.

mouvementé, ée a Agité. *Interpellation mouvementée.*

mouvoir vt [42] **1** Faire changer de place, de position. **2** Faire agir qqn. *Être mû par l'ambition.* ■ vpr Se déplacer, bouger.

moxa nm Cautère utilisé dans la médecine chinoise.

1. moyen, enne a **1** Qui est également éloigné des deux extrêmes par la place, la quantité ou la qualité. *Le cours moyen de la Loire. Corpulence moyenne. Intelligence moyenne.* **2** Commun, ordinaire. *Français moyen.* **3** Obtenu, calculé en faisant la moyenne de plusieurs valeurs. Loc *Poids moyen* : catégorie de poids dans de nombreux sports (en boxe, entre 71 et 75 kg).

2. moyen nm Ce qu'on fait ou ce qu'on utilise pour parvenir à une fin. *Moyen honnête. Moyens de transport.* Loc *Au moyen de* : en se servant de, à l'aide de. *Par le moyen de* : par l'intermédiaire de, grâce à. *Il y a, il n'y a pas moyen de* : il est possible, il est impossible de. ■ pl **1** Capacités naturelles (physiques ou intellectuelles). *Écolier qui a peu de moyens.* **2** Ressources pécuniaires. *Vivre au-dessus de ses moyens.*

moyenâgeux, euse a Du Moyen Âge.

moyen-courrier nm Avion dont l'autonomie ne dépasse pas 4 000 km. *Des moyen-courriers.*

moyen-métrage nm Film qui dure entre vingt minutes et une heure. *Des moyens-métrages.*

moyennant prép Au moyen de. Loc *Moyennant finances* : en payant. *Moyennant quoi* : grâce à quoi.

moyenne nf **1** Ce qui tient le milieu entre les extrêmes. *Être plus riche que la moyenne.* **2** MATH Quotient de la somme de plusieurs valeurs par leur nombre. **3** Nombre de points égal à la moitié de la note maximale. *Avoir la moyenne à un devoir.* Loc *En moyenne* : selon une moyenne approximative.

moyennement av Modérément.

moyen-oriental, ale, aux a abusiv Syn. de *proche-oriental.*

moyeu nm Partie centrale de la roue d'un véhicule, traversée par l'essieu.

mozambicain, aine a, n Du Mozambique.

mozarabe n, a HIST Espagnol chrétien sous la domination maure en Espagne.

mozzarelle [modza-] nf Fromage italien de buffonne ou de vache.

MP3 nm INFORM Format de compression de données audio.

MST nf Maladie sexuellement transmissible.

mu nm Douzième lettre de l'alphabet grec correspondant à *m*.

mû, mue P.p. du v. *mouvoir.*

mucilage nm Substance végétale qui, en présence d'eau, forme une gelée.

mucilagineux, euse a Du mucilage.

mucosité nm Amas de mucus épais.

mucoviscidose nf Affection héréditaire, cara térisée par une trop grande viscosité des séc tions bronchiques et digestives.

mucus [-kys] nm Sécrétion visqueuse protectr des muqueuses.

mue nf **1** Changement de poil, de plumes, peau, de cornes, etc., chez certains animaux des périodes déterminées. **2** Dépouille d'un mal qui a mué. **3** Changement dans le timbre de voix, au moment de la puberté.

muer vi **1** Changer de pelage, de plumage (a mal). **2** Changer de ton (voix d'un adolescer ■ vpr litt Se transformer. *Son indifférence s' muée en hostilité.*

muesli [mysli] nm Mélange de céréales et fruits sur lequel on verse du lait.

muet, ette a, n Privé de l'usage de la parole. ■ **1** Qui se tait. **2** Qui n'est pas exprimé, pronon *Syllabe muette.*

muezzin [myɛdzin] nm Fonctionnaire musulm qui appelle à la prière du haut du minaret. V **muézine**

muffin nm Petit pain brioché.

mufle nm Extrémité nue du museau de certa mammifères. ■ n, a fam Individu mal élevé, gr sier.

muflerie nf fam Action, caractère d'un mufle.

muflier nm Plante ornementale aux fleurs de c leurs variées.

mufti nm Docteur de la loi musulmane.

muge nm Syn. de *mulet* (poisson).

mugir vi **1** Pousser son cri (bovidé). **2** Produire son analogue à un mugissement.

mugissant, ante a Qui mugit.

mugissement nm **1** Cri des bovins. **2** Son gra et prolongé rappelant ce cri.

muguet nm **1** Plante à fleurs blanches en for de clochettes. **2** Maladie des muqueuses bucc et pharyngienne.

muid nm Très grand tonneau.

mulard nm Canard hybride.

mulâtre, mulâtresse n, a Né d'un Noir et d'u Blanche, ou d'un Blanc et d'une Noire.

1. mule nf Hybride femelle de l'âne et de la jument. Loc *Tête de mule* : entêté.

2. mule nf Pantoufle.

mulet nm **1** Hybride mâle de l'âne et de la jume **2** Grand poisson côtier à la chair appréciée. **3** Voiture de remplacement dans une compéti automobile.

muléta [mulɛ-] nf Morceau d'étoffe rouge desti à exciter le taureau dans les corridas. Var **mule**

muletier, ère n Personne qui conduit des mule ■ a Loc *Chemin muletier* : sentier escarpé.

mulot nm Rat des bois et des champs.

multicarte a Qui représente plusieurs firm (représentant).

multicellulaire a BIOL Formé de nombreuses c lules.

multicolore a Qui a des couleurs variées.

multiconfessionnel, elle a Où coexistent pl sieurs religions.

multicoque nm Voilier à plusieurs coques.

multicouche a Formé de plusieurs couches.

multiculturel, elle a Où coexistent plusieu cultures.

multifenêtre *a* INFORM Qui permet de faire apparaître simultanément plusieurs fenêtres sur l'écran d'un microordinateur (logiciel).

multiforme *a* Qui a ou qui peut prendre des formes diverses.

multilatéral, ale, aux *a* Qui concerne, qui engage plusieurs États.

multimédia *a* 1 De plusieurs médias. 2 Qui utilise conjointement le son, l'image et le texte sous forme numérisée. ■ *nm* Équipement, technique, industrie multimédias.

multimètre *nm* Appareil de mesure d'une grandeur électrique.

multimillionnaire *a, n* Plusieurs fois millionnaire.

multimodal, ale, aux *a* Qui combine plusieurs modes de transport (rail, route, air, etc.).

multinational, ale, aux *a* Qui comprend, qui concerne plusieurs nations. ■ *nf* Grande firme active dans plusieurs États.

multipare *a, n* 1 Qui a plusieurs petits en une seule portée (animal). 2 Qui a accouché plusieurs fois (femme).

multipartisan, ane *a* POLIT Qui réunit plusieurs partis.

multipartisme *nm* Système parlementaire où existent plusieurs partis.

multipartite *a* Qui réunit plusieurs parties contractantes.

multiple *a* 1 Composé d'éléments différents ; complexe. 2 Qui existe en grand nombre. ■ *nm* Nombre égal au produit d'un nombre donné par un nombre entier.

multiplex *nm inv* Dispositif permettant de diffuser sur une seule voie des émissions provenant d'émetteurs différents reliés entre eux.

multiplexe *nm* Complexe comprenant une dizaine de salles de cinéma.

multiplicande *nm* MATH Nombre que multiplie un autre nombre.

multiplicateur *nm* MATH Nombre qui en multiplie un autre.

multiplicatif, ive *a* Qui multiplie.

multiplication *nf* 1 Augmentation en nombre. *Multiplication des espèces.* 2 MATH Opération consistant à additionner à lui-même un nombre (multiplicande), un nombre de fois égal à un autre nombre (multiplicateur).

multiplicité *nf* Grande quantité de choses.

multiplier *vt* 1 Augmenter le nombre, la quantité de. 2 MATH Faire la multiplication de. ■ *vpr* 1 Croître en nombre. 2 Se reproduire. *Animaux qui se multiplient.*

multipolaire *a* Qui a plus de deux pôles.

multiprise *nf* Prise de courant électrique qui permet de brancher plusieurs prises.

multipropriété *nf* Copropriété d'une résidence secondaire pour des séjours alternés.

multiracial, ale, aux *a* Où coexistent plusieurs ethnies.

multirisque *a* Qui couvre des risques de nature différente (assurance).

multisalle *nf* Cinéma qui comporte plusieurs salles.

multitude *nf* Très grand nombre.

munichois, oise [-kwa] *a, n* 1 De Munich. 2 HIST partisan des accords de Munich de 1938.

municipal, ale, aux *a* Relatif à une commune et son administration.

municipaliser *vt* Soumettre au contrôle d'une municipalité.

municipalité *nf* Corps d'élus qui administre une commune, comprenant le maire et les conseillers municipaux.

munificence *nf* litt Grande libéralité.

munir *vt* Pourvoir, équiper. ■ *vpr* Prendre avec soi. *Se munir d'un parapluie.*

munitions *nfpl* Approvisionnement pour les armes à feu (cartouches, obus, etc.).

munster [mœstɛʀ] *nm* Fromage de lait de vache fabriqué dans les Vosges.

muon *nm* PHYS Particule élémentaire dont la masse est 207 fois celle de l'électron.

muqueuse *nf* Membrane qui tapisse un organe et sécrète du mucus.

mur *nm* 1 Ouvrage de maçonnerie qui clôt un espace, qui sert de soutien. *Les quatre murs d'une maison. Accrocher un tableau au mur.* 2 Ce qui constitue un obstacle, une barrière. Loc fam *Mettre qqn au pied du mur* : le mettre en demeure de prendre une décision. fam *Faire le mur* : sortir sans permission d'une caserne, d'un internat. *Mur du son* : phénomènes qui se produisent lors du franchissement de la vitesse du son par un avion. ■ *pl* La ville, la maison, où l'on habite. *Il est dans nos murs.*

mûr, mûre *a* 1 Parvenu à un point de développement complet (fruit, graine). 2 Qui est prêt à être réalisé, à remplir une fonction, etc. 3 Qui a atteint son développement complet, physique ou intellectuel. *Homme mûr. Âge mûr.* 4 Qui a un jugement sage et réfléchi. Loc *Après mûre réflexion* : après avoir longuement réfléchi.

muraille *nf* 1 Mur épais et assez haut. 2 Paroi rocheuse verticale.

1. mural, ale, aux *a* Qui se fixe au mur.

2. mural *nm* BX-A Peinture occupant toute la surface d'un mur extérieur. *Des murals.*

muraliste *n, a* Peintre qui s'exprime par des murals.

mûre *nf* 1 Fruit comestible du mûrier. 2 Fruit comestible de la ronce. **Var mure**

mûrement *av* Avec beaucoup de réflexion. **Var murement**

murène *nf* Poisson au corps mince et long, très vorace.

murer *vt* Fermer, enfermer par une maçonnerie. *Murer une porte, un prisonnier.* ■ *vpr* S'enfermer pour s'isoler.

muret *nm* Petit mur. **Var murette** *nf*

murex *nm* Mollusque sécrétant la pourpre.

mûrier *nm* Arbre dont les feuilles servent de nourriture aux vers à soie. **Var murier**

mûrir *vi* 1 Devenir mûr. 2 Acquérir du jugement. *Esprit qui mûrit.* ■ *vt* 1 Rendre mûr. 2 Former qqn, lui donner du jugement. 3 Mettre au point peu à peu. **Var murir**

mûrissant, ante *a* Qui est en train de mûrir. **Var murissant, ante**

mûrissement *nm* Arrivée à maturation. **Var murissement**

mûrisserie *nf* Local où l'on fait mûrir des fruits. **Var murisserie**

murmel *nf* Fourrure de marmotte.

murmure *nm* 1 Bruit continu, sourd et confus, de voix humaines. 2 Bruit léger de l'eau qui coule, du vent, etc. 3 Plaintes, commentaires malveillants de personnes mécontentes.

murmurer vi 1 Émettre un murmure. 2 Protester sourdement, se plaindre. ■ vt Dire à voix basse. *Murmurer des excuses.*

mur-rideau nm Mur extérieur d'un bâtiment, non porteur et largement vitré. *Des murs-rideaux.*

musaraigne nf Petit mammifère insectivore au museau pointu.

musarder vi Flâner.

musc nm Parfum extrait des glandes de certains mammifères.

muscade nf 1 Graine du muscadier qui, réduite en poudre, est utilisée comme condiment. 2 Petite boule dont se servent les escamoteurs. Loc *Passez muscade !* : le tour est joué.

muscadelle nf Cépage blanc du Sud-Ouest.

muscadet nm Vin blanc de la Loire.

muscadier nm Arbuste tropical qui fournit la muscade.

muscadin nm HIST Jeune dandy qui, après le 9-Thermidor, arborait une élégance recherchée.

muscari nm Plante à petites fleurs violettes.

muscat nm, a 1 Variété de raisin, d'odeur musquée. 2 Vin fait avec ce raisin.

muscle nm 1 Organe contractile assurant le mouvement. 2 Énergie, vigueur.

musclé, ée a 1 Qui a les muscles volumineux. 2 Qui est fort, autoritaire ou même brutal. *Intervention musclée.*

muscler vt 1 Développer les muscles. 2 Donner de la vigueur, de la force à une entreprise.

muscovite nf GEOL Mica blanc.

musculaire a Des muscles.

musculation nf Ensemble d'exercices visant à développer la musculature.

musculature nf Ensemble des muscles du corps.

musculeux, euse a Très musclé.

musculosquelettique a Loc *Troubles musculosquelettiques* : troubles affectant les muscles et les os, souvent provoqués par des mouvements répétitifs.

muse nf litt Source d'inspiration poétique.

muséal, ale, aux a Du musée.

museau nm 1 Partie antérieure de la tête de certains animaux comprenant la gueule et le nez. *Museau de chien.* 2 fam Visage. 3 Préparation de charcuterie à base de museau de bœuf ou de porc.

musée nm Lieu public où sont rassemblées des collections d'objets d'art ou des pièces d'un intérêt historique, scientifique, technique. Loc *Ville musée* : riche en monuments historiques.

museler vt [16] ou [18] 1 Mettre une muselière à un animal. 2 Empêcher de s'exprimer.

muselière nf Appareil que l'on met au museau de certains animaux, pour les empêcher de mordre ou de manger.

musellement nm Action de museler. **Var musèlement**

muséographie nf Description des musées, de leurs collections.

muséologie nf Science de la conservation et de la présentation des collections des musées.

muser vi litt Flâner.

musette nf 1 Instrument ancien de musique populaire, sorte de cornemuse. 2 Sac de toile porté en bandoulière. Loc *Bal musette* : bal populaire.

muséum [myzeɔm] nm Musée consacré aux sciences naturelles.

musical, ale, aux a 1 Relatif à la musique. 2 Où on donne de la musique. *Soirée musicale.* 3 Harmonieux, chantant. *Phrase musicale.*

musicalement av 1 D'une façon harmonieuse. 2 Sur le plan de la musique.

musicalité nf Qualité musicale.

music-hall [myzikol] nm 1 Établissement où se donnent des spectacles de variétés. 2 Ce genre de spectacle. *Des music-halls.*

musicien, enne n, a Qui connaît, pratique l'art de la musique. ■ n Dont la profession est de composer ou de jouer de la musique.

musicographe n Celui, celle qui écrit sur la musique.

musicographie nf Travail du musicographe.

musicologie nf Science de la musique.

musicologue n Spécialiste de musicologie.

musique nf 1 Art de combiner les sons suivant certaines règles. 2 Ensemble des productions de cet art ; œuvre musicale. 3 Notation écrite des œuvres musicales. 4 Société de musiciens. 5 Harmonie d'une suite de sons. Loc fam *En avant la musique !* : allons-y ! fam *Connaître la musique* : savoir à quoi s'en tenir. *Réglé comme du papier à musique* : très méthodique ; inévitable.

musqué, ée a 1 Parfumé au musc. 2 Dont l'odeur rappelle le musc.

must [mœst] nm fam Ce qu'il faut faire ou avoir pour être à la mode.

mustang nm Cheval sauvage d'Amérique.

musulman, ane a, n De la religion islamique.

mutable a Qu'on peut changer, déplacer.

mutage nm Arrêt de la fermentation du jus de raisin par addition d'alcool.

mutagène a BIOL Qui produit une mutation.

mutant, ante n BIOL Être vivant qui subit ou qui a subi une ou plusieurs mutations.

mutation nf 1 Changement, évolution. 2 Changement d'affectation. 3 BIOL Modification du patrimoine héréditaire d'un être vivant. 4 DR Transmission de la propriété.

mutatis mutandis av En faisant les changements nécessaires.

muter vt Changer d'affectation.

mutilant, ante a Qui mutile.

mutilation nf Action de mutiler.

mutilé, ée n Personne qui a subi une mutilation.

mutiler vt 1 Amputer un membre, causer une blessure grave qui handicape. 2 Détériorer gravement, tronquer qqch.

mutin, ine a Espiègle, taquin. *Un air mutin.* ■ nm Personne qui s'est mutinée.

mutiner (se) vpr Refuser d'obéir au pouvoir hiérarchique ; se révolter.

mutinerie nf Action de se mutiner.

mutique a PSYCHIAT Atteint de mutisme.

mutisme nm 1 Refus de parler, attitude silencieuse. 2 PSYCHIAT Incapacité psychologique de parler.

mutité nf Incapacité physiologique de parler.

mutualisation nf Action de mutualiser.

mutualiser vt Faire passer qqch à la charge d'une collectivité solidaire.

mutualisme nm Syn. de *mutualité*.

mutualiste a, n Fondé sur les principes de mutualité. *Société mutualiste.* ■ n Membre d'une mutuelle.

mutualité nf 1 Système de solidarité sociale fondé sur l'entraide mutuelle des membres co[...]

...ts. Syn. mutualisme. **2** Ensemble des sociétés
...tualistes.
...tuel, elle *a* **1** Réciproque. *Haine mutuelle.*
...Fondé sur les principes de la mutualité. ■ *nf*
...ciété mutualiste.
...tuellement *av* Réciproquement.
...uzak *nf* fam Musique d'ambiance, sans origi-
...lité.
...yalgie *nf* MED Douleur musculaire.
...yasthénie *nf* MED Affaiblissement pathologique
...la force musculaire.
...ycélium [-ljom] *nm* Appareil végétatif des
...mpignons.
...ycénien, enne *a, n* HIST De Mycènes, de sa
...ilisation préhellénique.
...ycoderme *nm* BOT Levure qui se forme en voile
...a surface des liquides fermentés.
...ycologie *nf* Science des champignons.
...ycologue *n* Spécialiste de mycologie.
...ycoplasme *nm* BIOL Bactérie de petite taille,
...-fois pathogène pour l'homme.
...ycorhize *nm* Champignon associé aux racines
...une plante.
...ycose *nf* Maladie due à un champignon para-
...e.
...ydriase *nf* MED Dilatation de la pupille.
...ye *nf* Mollusque bivalve comestible.
...yéline *nf* Substance lipidique constituant la
...ne de certaines cellules nerveuses.
...yélite *nf* Inflammation de la moelle épinière.
...yélographie *nf* Radiographie de la moelle
...inière.
...yélome *nm* Tumeur médullaire maligne.
...yélopathie *nf* Affection de la moelle épinière.
...ygale *nf* Grosse araignée tropicale.
...yocarde *nm* ANAT Muscle du cœur.
...yocardiopathie *nf* Maladie du myocarde.
...yocardite *nf* Inflammation du myocarde.
...yographie *nf* Enregistrement des contractions
...sculaires.
...yopathe *n* Atteint de myopathie.
...yopathie *nf* Atrophie du tissu musculaire.
...yope *a, n* Atteint de myopie.
...yopie *nf* **1** Trouble de la vision des objets loin-
...ns. **2** Manque de discernement.
...yorelaxant, ante *a, nm* Médicament qui favo-
...e la relaxation musculaire.
...yosotis *nm* Petite plante à fleurs bleues, roses
...blanches.
...yriade *nf* Quantité immense et innombrable.
...yriapode *nm* ZOOL Arthropode terrestre ayant
...nombreux segments et de nombreuses paires
...pattes. Syn. mille-pattes.
...yrrhe *nf* Gomme résine aromatique produite
...r un arbre d'Arabie.
...yrte *nm* Arbuste méditerranéen toujours vert, à
...urs blanches odorantes.

myrtille *nf* Petit arbrisseau des forêts de montagne, aux baies noires comestibles.
mystère *nm* **1** ANTIQ Doctrine et pratique religieuses révélées aux seuls initiés. **2** THEOL Dogme
révélé du christianisme, inaccessible à la raison.
Le mystère de la Trinité. **3** Ce qui est inconnu,
incompréhensible, tenu secret. **4** LITTER Drame religieux du Moyen Âge. Loc *Ne pas faire mystère
de qqch :* ne pas s'en cacher.
mystérieusement *av* De façon mystérieuse.
mystérieux, euse *a* **1** Qui contient un mystère.
2 Sur qui ou sur quoi plane un mystère. *Personnage mystérieux.*
mysticisme *nm* **1** Doctrine philosophique, tour
d'esprit religieux qui suppose la possibilité d'une
communication intime de l'homme avec la divinité. **2** Attitude fortement marquée par le sentiment religieux.
mysticité *nf* Caractère mystique.
mystificateur, trice *a, n* Qui mystifie.
mystification *nf* **1** Acte, propos par lesquels on
mystifie. **2** Tromperie ou illusion collective.
mystifier *vt* Tromper qqn en abusant de sa crédulité.
mystique *a* **1** Relatif aux mystères d'une religion. **2** Empreint de mysticisme. ■ *a, n* **1** Prédisposé au mysticisme. **2** Dont le caractère est
exalté, les idées absolues. ■ *nf* **1** Ensemble des
pratiques et des connaissances liées au mysticisme. **2** Manière plus passionnelle que rationnelle d'envisager une idée, une doctrine.
mythe *nm* **1** Récit légendaire transmis par la
tradition, présentant les exploits d'êtres fabuleux
(héros, divinités, etc.), et de portée allégorique.
Le mythe d'Œdipe, de Prométhée. **2** Amplification due à l'imaginaire collectif, valorisant qqn
ou qqch. **3** Croyance largement répandue mais
peu fondée. **4** Allégorie philosophique de caractère didactique.
mythification *nf* Action de mythifier.
mythifier *vt* Conférer à qqn, à qqch une dimension mythique, quasi sacrée.
mythique *a* Relatif au mythe.
mythologie *nf* **1** Ensemble des mythes propres
à une civilisation, à un peuple, à une religion. **2**
Discipline ayant pour objet l'étude des mythes.
mythologique *a* De la mythologie.
mythologue *n* Spécialiste de mythologie.
mythomane *a, n* Atteint de mythomanie.
mythomanie *nf* Tendance pathologique à dire
des mensonges, à fabuler, à simuler.
mytiliculteur, trice *n* Personne qui élève des
moules.
mytiliculture *nf* Élevage des moules.
myxœdème *nm* Œdème généralisé dû à une
insuffisance de la thyroïde.
myxomatose *nf* Maladie infectieuse des lapins.
myxomycète *nm* BOT Champignon gélatineux.

n *nm* Quatorzième lettre (consonne) de l'alphabet.
nabab *nm* **1** HIST Dans l'Inde moghole, gouverneur, grand officier. **2** Homme très riche qui fait étalage de sa fortune.
nabi *nm* Peintre postimpressionniste de la fin du XIXe s.
nabot, ote *n* péjor De très petite taille, nain.
nacelle *nf* **1** litt Petite barque. **2** Panier fixé sous un aérostat, où se tiennent les aéronautes.
nacre *nf* Substance dure, brillante, irisée, qui recouvre la face interne de la coquille de certains mollusques.
nacré, ée *a* Qui a l'éclat de la nacre.
nacrer *vt* Donner l'aspect irisé de la nacre.
nadir *nm* ASTRO Point de la sphère céleste situé à la verticale de l'observateur. Ant. zénith.
nævocarcinome [ne-] *nm* Cancer consécutif à un nævus.
nævus [nevys] *nm* Tache colorée de la peau. **Var** névus
nage *nf* Action, manière de nager. **Loc** *À la nage* : en nageant ; cuit dans un court-bouillon. *Être en nage* : mouillé de sueur.
nageoire *nf* Organe locomoteur et stabilisateur, en forme de palette, d'animaux aquatiques.
nager *vi* [11] **1** Avancer sur l'eau, ou sous l'eau, par des mouvements adéquats. **2** Flotter. *La viande nage dans la sauce.* **3** Être pleinement dans un état. *Nager dans le bonheur.* **4** fam Être très au large dans un vêtement. **5** fam Se trouver très embarrassé. **6** MAR Ramer.
nageur, euse *n* Personne qui nage.
naguère *av* **1** Récemment. **2** abusiv Jadis.
naïade *nf* Nymphe des eaux courantes.
naïf, ïve *a, n* **1** D'un naturel candide, simple et ingénu. **2** D'une crédulité excessive. **3** Se dit d'artistes autodidactes au style primitif. ■ *a* Naturel, sans artifice.
nain, naine *a, n* De très petite taille.
naira *nf* Unité monétaire du Nigeria.
naissain *nm* Larves de moules ou d'huîtres.
naissance *nf* **1** Commencement de la vie indépendante. **2** Origine, commencement. *La naissance du jour, d'une idée.* **Loc** *De naissance* : de manière congénitale. *Contrôle des naissances* : limitation des naissances. *Prendre naissance* : commencer.
naissant, ante *a* Qui commence à se former.

naisseur *nm* Éleveur spécialisé dans la production d'animaux jeunes.
naître *vi* [66] [aux. *être*] **1** Venir au monde. **2** Commencer à exister. *La Ve République est née en 1958.* **Loc** *Naître de* : prendre son origine dans. *Faire naître* : provoquer, susciter. **Var** naitre
naïveté *nf* **1** Ingénuité. **2** Crédulité excessive. **3** Propos naïf. *Débiter des naïvetés.*
naja *nm* Nom scientifique du cobra.
namibien, enne *a, n* De Namibie.
nana *nf* fam Femme, fille.
nandou *nm* Sorte de petite autruche.
nanisme *nm* Anomalie caractérisée par une très petite taille.
nanomètre *nm* Unité de mesure valant un milliardième de mètre.
nanoscience *nf* Science qui opère à l'échelle du nanomètre.
nanotechnologie *nf* Technologie opérant à l'échelle du nanomètre.
nanti, ie *a, n* Riche.
nantir *vt* DR Fournir un gage en garantie d'une dette. **Loc** *Être nanti de* : être muni de.
nantissement *nm* DR Bien donné comme garantie.
naos *nm* Partie principale d'un temple grec.
napalm *nm* Essence gélifiée pour bombes incendiaires.
naphtalène *nm* Hydrocarbure constituant de la naphtaline.
naphtaline *nf* Produit antimite.
naphte *nm* Partie légère du pétrole distillé.
napoléon *nm* Pièce d'or de 20 francs.
napoléonien, enne *a* De Napoléon.
napolitain, aine *a, n* De Naples.
nappage *nm* Action de napper.
nappe *nf* **1** Linge destiné à couvrir une table. **2** Couche d'un corps fluide. *Nappe d'huile, de gaz, de brouillard.* **Loc** *Nappe d'eau* : grande étendue d'eau tranquille.
napper *vt* Recouvrir un mets d'une sauce, d'une crème.
napperon *nm* Petite nappe décorative.
narcisse *nm* **1** Plante bulbeuse à fleurs jaunes ou blanches. **2** litt Homme exclusivement attaché à sa propre personne.
narcissique *a* Du narcissisme.
narcissisme *nm* Admiration de soi-même.

narcoanalyse nf Procédé psychologique d'investigation fait au moyen d'un narcotique.

narcodollars nmpl Profits réalisés dans le trafic de la drogue.

narcolepsie nf MED Besoin irrésistible de dormir survenant par accès.

narcose nf Sommeil provoqué artificiellement.

narcotique nm Substance qui provoque l'engourdissement, l'assoupissement.

narguer vt Braver avec insolence.

narguilé nm Grande pipe, en usage au Moyen-Orient, où la fumée traverse un réservoir d'eau. Var **narghilé**

narine nf Chacun des deux orifices du nez.

narquois, oise a Goguenard. *Rire narquois.*

narrateur, trice n Personne qui raconte.

narratif, ive a Propre au récit.

narration nf 1 Récit ou relation d'un fait, d'un évènement. 2 Exercice scolaire de rédaction.

narrer vt litt Raconter.

narthex nm ARCHI Vestibule fermé de la nef des basiliques romanes.

narval nm Cétacé de l'Arctique, à longue défense torsadée. *Des narvals.*

nasal, ale, aux a Du nez. *Fosses nasales.* ■ a, nf PHON Caractérisé par la vibration de l'air dans les fosses nasales.

nasalisation nf Caractère d'un son nasalisé.

nasaliser vt Transformer en un son nasal.

nase nm pop Nez. ■ a fam En mauvais état.

naseau nm Narine de certains animaux.

nasillard, arde a Qui nasille.

nasillement nm Fait de nasiller.

nasiller vi Parler du nez.

nasique nm 1 Singe de Bornéo, au long nez mou. 2 Couleuvre d'Asie.

nasse nf 1 Engin de pêche de forme oblongue. 2 Filet pour capturer les petits oiseaux.

natal, ale, als a Où on est né. *Pays natal.*

nataliste a, n Qui favorise la natalité.

natalité nf Rapport du nombre des naissances à la population totale.

natation nf Activité consistant à nager.

natatoire a Qui sert à la nage. Loc *Vessie natatoire :* poche membraneuse remplie d'air chez de nombreux poissons.

natice nf Mollusque gastéropode marin qui ressemble à l'escargot.

natif, ive a, n Originaire de. *Natif de Paris.* ■ a litt Inné. *Grâce native.*

nation nf Communauté humaine caractérisée par la conscience de son identité historique ou culturelle et formant une entité politique.

national, ale, aux a De la nation. ■ nf Route dont l'entretien dépend de l'État. ■ nmpl Ceux qui ont telle nationalité.

nationalisation nf Transfert au domaine public de certains moyens de production.

nationaliser vt Procéder à la nationalisation de.

nationalisme nm 1 Doctrine politique revendiquant la primauté de la nation. 2 Attachement exclusif à la nation. 3 Prise de conscience, par une communauté, de son identité à former une nation.

nationaliste a, n Qui relève du nationalisme.

nationalité nf Appartenance de qqn à un État déterminé, à une communauté nationale.

national-socialisme nm Doctrine nationaliste et raciste de l'Allemagne hitlérienne.

national-socialiste a, n Qui relève du national-socialisme. *Des nationaux-socialistes.*

nativisme nm PHILO Théorie considérant certaines perceptions comme innées (espace et temps).

nativité nf 1 Fête anniversaire de la naissance du Christ, de la Vierge et de Jean-Baptiste. 2 (avec majusc.) Noël.

natte nf 1 Ouvrage fait de brins de paille, de jonc entrelacés. 2 Tresse de cheveux.

natter vt Tresser en natte.

naturalisation nf Action de naturaliser.

naturalisé, ée a, n Qui a obtenu sa naturalisation.

naturaliser vt 1 Accorder à un étranger telle nationalité. 2 Préparer un animal mort pour lui conserver l'aspect vivant.

naturalisme nm École littéraire et artistique visant à dépeindre objectivement la réalité.

naturaliste n 1 Spécialiste de sciences naturelles. 2 Personne qui prépare les animaux morts pour les conserver. ■ a, n Qui relève du naturalisme artistique ou littéraire.

nature nf 1 Caractère, propriété d'un être ou d'une chose. *La nature humaine.* 2 Tempérament. *Une nature violente.* 3 Principe actif d'organisation du monde. *Les lois de la nature.* 4 Le monde physique, biologique et ses lois. *Les sciences de la nature.* 5 Le monde non transformé par la présence humaine. *La protection de la nature.* 6 Modèle réel pour un artiste. *Peindre d'après nature.* Loc *De nature à :* susceptible de. *Nature morte :* tableau représentant un groupe d'objets. *Payer en nature :* en objets réels et non pas en argent. ■ a inv 1 Préparé tel quel, sans adjuvants. *Bœuf nature.* 2 fam Naturel, sans affectation. Loc *Grandeur nature :* en dimensions réelles.

naturel, elle a 1 Qui relève du monde physique et de ses lois. *Les phénomènes naturels.* 2 Qu'on trouve tel quel dans la nature. *Gaz naturel.* 3 Qui n'a pas été altéré, falsifié. *Produits alimentaires naturels.* 4 Normal. *Cela est tout naturel.* 5 Qui appartient à la nature physique de l'homme. *Fonctions naturelles.* 6 Inné. *Penchants naturels.* 7 Exempt d'affectation, de recherche. *Rester naturel.* Loc *Enfant naturel :* né en dehors du mariage. ■ nm 1 Tempérament, caractère. *Un naturel paisible.* 2 Manière d'être exempte de toute affectation. Loc *Au naturel :* sans préparation particulière. ■ n Habitant d'un lieu ; indigène, autochtone.

naturellement av 1 De façon naturelle. 2 Inévitablement. 3 Évidemment, bien sûr.

naturisme nm 1 Doctrine de ceux qui préconisent le retour à la nature. 2 Nudisme.

naturiste n, a Qui relève du naturisme.

naufrage nm 1 Perte d'un navire en mer. 2 li Grande perte, grand malheur. Loc *Faire nau frage :* couler ; subir un échec cuisant.

naufragé, ée a, n Qui a fait naufrage.

naufrageur, euse n HIST Pilleur d'épaves.

naupathie nf MED Mal de mer.

nauséabond, onde a Dégoûtant, répugnant.

nausée nf 1 Envie de vomir. 2 Dégoût, écœurement profond.

nauséeux, euse a 1 Qui provoque la nausée. Qui éprouve des nausées.

nautile nm Mollusque des mers chaudes.

nautique a Relatif à la navigation, aux sports su l'eau.

autisme nm Ensemble des sports nautiques.

avaja nm Long couteau espagnol.

aval, ale, als a Qui concerne les navires, la navigation, la marine militaire.

avarin nm Ragoût de mouton.

avel nf Variété d'orange.

avet nm 1 Plante potagère à racine comestible. fam Œuvre d'art sans valeur.

avette nf 1 Instrument d'un métier à tisser qui ait courir le fil de trame et le croise avec le fil e chaîne. 2 Véhicule qui effectue des allers et etours réguliers sur une courte distance. 3 Plante oisine du colza. Loc *Faire la navette* : faire des llers et retours répétés. *Navette spatiale* : véhiule spatial récupérable.

avicule nf Algue verte microscopique.

avigabilité nf 1 Capacité à naviguer pour un avire, un avion. 2 État d'une rivière navigable.

avigable a Où l'on peut naviguer.

avigant, ante a, n Se dit de l'équipage d'un avire, d'un avion, etc.

avigateur, trice n 1 Personne qui navigue, qui ait des voyages au long cours. 2 Personne qui étermine la position et le tracé de la route à suivre our un véhicule (avion, navire, etc.). ■ nm Logiiel de navigation dans un réseau télématique, un ocument multimédia.

avigation nf 1 Action de naviguer. 2 Technique e la conduite des navires, des avions, etc. 3 Cirulation, trafic maritime ou aérien.

aviguer vi 1 Voyager sur mer, sur l'eau. 2 Diriger la marche d'un navire, d'un avion, etc. 3 FORM Se déplacer dans un réseau télématique ou n document multimédia grâce à des hyperliens.

avire nm Bâtiment conçu pour la navigation en aute mer.

avire-citerne nm Navire équipé pour le transort des liquides. *Des navires-citernes.*

avire-hôpital nm Navire aménagé pour le ansport et les soins des malades et des blessés. *Des navires-hôpitaux.*

avire-usine nm Navire équipé pour le traitement du poisson pêché. *Des navires-usines.*

avrant, ante a Affligeant, regrettable.

avrer vt Affliger, désoler.

azaréen, enne a, n De Nazareth.

azi, ie a, n National-socialiste.

azisme nm National-socialisme.

I.B. Abrév. de *nota bene*, « remarquez bien ».

e av Marque la négation (seul, ou avec *pas*, *oint*, *plus*). Loc *Ne... que* : seulement.

é, née a 1 Issu de. 2 (en apposition) De naisance. *Un orateur-né*. Loc *Bien né* : de famille onorable.

éandertalien, enne a, n Primate fossile proche e l'homme.

éanmoins av Toutefois, cependant, pourtant.

éant nm 1 État de ce qui n'existe pas. 2 Absence e valeur. Loc *Réduire à néant* : anéantir. *Tirer u néant* : tirer d'un état obscur, misérable.

ébuleuse nf ASTRO Objet céleste diffus et vapoeux. 2 Amas confus et imprécis.

ébuleux, euse a 1 Obscurci par les nuages. 2 Confus, fumeux. *Projets nébuleux.*

ébuliser vt Projeter un liquide en gouttelettes.

ébuliseur nm Appareil servant à projeter un iquide en fines gouttelettes.

nébulosité nf 1 Partie du ciel couverte par les nuages. 2 Nuage léger.

nécessaire a 1 Indispensable pour qqch, qqn. 2 Inévitable, inéluctable. ■ nm 1 Ce qui est indispensable pour vivre. *Manquer du nécessaire.* 2 Ce qui est essentiel. *Faire le nécessaire.* 3 Coffret garni des objets destinés à un usage déterminé. *Nécessaire de couture.*

nécessairement av 1 Absolument. 2 Logiquement, inévitablement.

nécessité nf 1 Caractère nécessaire, obligation. 2 Besoin impérieux, exigence.

nécessiter vt Rendre indispensable ; exiger.

nécessiteux, euse a, n Indigent.

neck nm GEOL Piton de roches volcaniques.

nec plus ultra nm inv Ce qui constitue un état qui ne peut être dépassé, ce qu'il y a de mieux.

nécrologie nf 1 Notice biographique consacrée à un défunt. 2 Avis de décès. 3 Liste de personnes décédées pendant un laps de temps.

nécrologique a De la nécrologie.

nécromancie nf Science occulte qui évoque les morts pour révéler l'avenir.

nécromancien, enne n Personne qui s'occupe de nécromancie. Var **nécromant** nm

nécrophage a, n Qui se nourrit de cadavres.

nécrophilie nf PSYCHIAT Attirance morbide pour les cadavres.

nécropole nf 1 Vaste ensemble de sépultures antiques. 2 litt Vaste cimetière.

nécrose nf BIOL Mort de cellules ou de tissu organique.

nécroser vt Provoquer la nécrose.

nectar nm 1 MYTH Breuvage des dieux. 2 litt Breuvage délicieux. 3 Boisson aux fruits. 4 BOT Liquide sucré, sécrété par certaines plantes.

nectarine nf Hybride de pêche.

néerlandais, aise a, n Des Pays-Bas. ■ nm Langue germanique parlée au Pays-Bas.

nef nf 1 Partie d'une église du portail à la croisée du transept. 2 litt Navire.

néfaste a Malheureux, désastreux, nuisible.

nèfle nf Fruit du néflier. Loc pop *Des nèfles !* : rien du tout ! pas question !

néflier nm Arbuste épineux.

négateur, trice a, n litt Qui nie.

négatif, ive a 1 Qui marque un refus, une négation. 2 Qui n'est pas constructif. *Critique négative.* ■ nm Cliché photographique où les parties claires et sombres sont inversées. ■ nf Loc *Par la négative* : par un refus.

négation nf 1 Action de nier. 2 Mot, groupe de mots qui rend un énoncé négatif. Loc *Être la négation de* : en opposition totale avec qqch.

négativement av De façon négative.

négativisme nm Refus systématique de tout.

négativité nf Caractère négatif.

négligé, ée a Peu soigneux. ■ nm 1 Absence de recherche dans la tenue. 2 litt Vêtement d'intérieur. Syn. déshabillé.

négligeable a Sans importance.

négligemment av Avec négligence.

négligence nf 1 Défaut de soin, d'application, d'attention. 2 Faute, erreur légère.

négligent, ente a, n Qui fait preuve de négligence.

négliger vt [11] 1 Ne pas prendre soin de qqch, de qqn. 2 Délaisser qqn. 3 Ne pas mettre à profit.

Négliger une occasion. ■ *vpr* Ne pas prendre soin de sa personne.

négoce nm vx Commerce.

négociable a Qu'on peut négocier.

négociant, ante n Commerçant en gros.

négociateur, trice n Personne qui négocie, qui a pour mission de mener des négociations.

négociation nf 1 Action de négocier. 2 Démarche entreprise pour conclure un accord.

négocier vt 1 Discuter en vue de conclure un accord. 2 Monnayer une valeur. Loc *Négocier un virage* : le prendre le mieux possible. ■ vi Engager des pourparlers.

nègre, négresse n 1 Esclave noir employé autrefois dans les colonies. 2 Terme raciste désignant qqn de race noire. Loc *Travailler comme un nègre* : beaucoup, durement. ■ nm Personne qui prépare ou fait le travail d'un écrivain célèbre, d'une personne connue. ■ a De race noire. Loc *Nègre blanc* :

négrier nm 1 Personne qui se livrait à la traite des Noirs. 2 Navire servant à la traite des Noirs.

négrillon, onne n fam Enfant noir.

négritude nf Identité culturelle des Noirs.

négro-africain, aine a, n Des peuples d'Afrique noire. *Langues négro-africaines.*

négro-américain, aine a, n Des Noirs d'Amérique.

négroïde a, n Qui présente les caractéristiques morphologiques de la race noire.

negro-spiritual [-Ritwɔl] nm Chant religieux des Noirs chrétiens des États-Unis. *Des negro-spirituals.* Var **négrospiritual**

négus [-gys] nm HIST Empereur d'Éthiopie.

neige nf 1 Eau congelée qui tombe en flocons blancs et légers. 2 pop Cocaïne. Loc *Classe de neige* : enseignement hivernal en montagne. *Neige carbonique* : anhydride carbonique solide. *Œufs à la neige* : blancs d'œuf battus, cuits, servis sur une crème anglaise.

neiger v impers [11] Tomber (neige).

neigeux, euse a Qui concerne la neige.

nélombo nm Plante aquatique à grandes fleurs blanches, appelée aussi *lotus sacré.*

nem nm Petite crêpe de riz fourrée et frite.

nématode nm ZOOL Ver tel que l'ascaris, le filaire, la trichine.

nénette nf pop Jeune fille, jeune femme.

nénuphar nm Plante aquatique aux feuilles flottantes. Var **nénufar**

néo-calédonien, enne a, n De Nouvelle-Calédonie. Var **néocalédonien, enne**

néocapitalisme nm Forme moderne du capitalisme.

néoclassicisme nm Mouvement artistique de retour à l'Antiquité gréco-romaine ou au classicisme français.

néoclassique a, n Du néoclassicisme.

néocolonialisme nm Domination économique et culturelle sur d'anciennes colonies.

néocolonialiste a, n Du néocolonialisme.

néodyme nm Métal blanc qui s'oxyde à l'air.

néofascisme nm Tendance politique inspirée du fascisme.

néoformation nf BIOL Formation de tissu nouveau chez un être vivant.

néogène nm GÉOL Dernière période du tertiaire.

néo-guinéen, enne a, n De Nouvelle-Guinée. Var **néoguinéen, enne**

néo-impressionnisme nm Mouvement pictural du XIXᵉ s., fondé par Seurat.

néolibéralisme nm Forme moderne du libéralisme économique.

néolithique nm, a Dernière période de la préhistoire.

néologie nf LING Formation de mots nouveaux dans une langue.

néologique a De la néologie.

néologisme nm Mot, sens nouveau.

néomycine nf Antibiotique à large spectre.

néon nm Gaz rare de l'air, utilisé pour l'éclairage par tubes.

néonatal, ale, als a Du nouveau-né.

néonatalogie nf Étude et soins du nouveau-né.

néonazi, ie a, n D'une tendance politique inspirée du nazisme.

néophyte n, a Nouvellement converti à une doctrine, à une religion, etc.

néoplasie nf MED Tumeur maligne. Var **néoplasme** nm

néoplasique a De la néoplasie ; cancéreux.

néoplatonicien, enne a, n Du néoplatonisme.

néoplatonisme nm Doctrine mêlant le mysticisme et la philosophie de Platon.

néopositivisme nm Mouvement philosophique du XXᵉ s., renouvelant le positivisme.

néoprène nm (n. déposé) Caoutchouc synthétique résistant au froid.

néoréalisme nm Doctrine artistique marquée par le réalisme des situations sociales.

néoréaliste a, n Du néoréalisme.

néo-zélandais, aise a, n De Nouvelle-Zélande. Var **néozélandais, aise**

népalais, aise a, n Du Népal.

nèpe nf Punaise carnassière d'eau douce.

népenthès nm Plante carnivore tropicale.

néphrectomie nf CHIR Ablation du rein.

néphrétique a Loc *Colique néphrétique* : crise due à un calcul dans l'uretère.

néphrite nf Inflammation, maladie du rein.

néphrologie nf MED Étude du rein, de ses maladies.

néphrologue n Spécialiste de néphrologie.

néphron nm ANAT Unité fonctionnelle élémentaire du rein.

népotisme nm Favoritisme à l'égard des parents, des proches.

nerf [nɛʀ] nm 1 Filament blanchâtre qui transmet les commandes motrices, sensitives. 2 Vigueur. *Avoir du nerf.* 3 Cordelette au dos d'une reliure. Loc *Nerf de bœuf* : matraque faite d'une verge de bœuf. ■ pl Système nerveux. Loc *Crise de nerfs* : extériorisation soudaine, bruyante et désordonnée, d'une tension affective devenue insupportable (sous forme de pleurs, de cris, etc.). fam *Avoir les nerfs en boule, en pelote* : être très agacé. fam *Taper sur les nerfs* : agacer. fam *Paquet de nerfs* : personne très nerveuse. *Être sur les nerfs* : être très nerveux. *Être à bout de nerfs* : être épuisé. *Guerre des nerfs* : procédés de démoralisation de l'ennemi.

nerprun [-pʀœ̃] nm Arbuste dont les fruits noirs sont utilisés en teinture.

nervation nf BOT Nervures d'une feuille.

nerveusement av Avec nervosité.

nerveux, euse *a* 1 Relatif aux nerfs. *Système nerveux.* 2 Vigoureux, ferme. 3 Filandreux. *Viande nerveuse.* ■ *a, n* Excité, irritable.

nervi *nm* Homme de main.

nervosité *nf* Énervement, irritabilité.

nervure *nf* Saillie longue et fine à la surface des feuilles, des ailes des insectes, du dos d'un livre relié, etc.

nescafé *nm* (n. déposé) Café soluble.

n'est-ce pas *av* Sollicite l'approbation.

nestorianisme *nm* RELIG Hérésie de Nestorius, touchant la nature du Christ.

nestorien, enne *a, n* Du nestorianisme.

net, nette *a* 1 Propre. 2 Tous frais et charges déduits. *Bénéfice, prix, salaire nets.* 3 Ni brouillé ni flou. *Image nette.* 4 Clair, précis. *Une voix nette. Idées nettes.* Loc *En avoir le cœur net :* s'assurer de la vérité de qqch. fam *Ne pas être net :* être louche. *Faire place nette :* débarrasser de ce qui gêne. ■ *nm* Loc *Au net :* au propre. ■ *av* Clairement, sans ambiguïté. *Parler net.* 2 Tout d'un coup. *Casser net.*

nétéconomie *nf* Économie pratiquée grâce au réseau Internet.

nétiquette *nf* Règles de savoir-vivre à respecter sur Internet, partic. dans les forums.

netsuké *nm* Petite figurine japonaise servant d'attache.

nettement *av* 1 Avec netteté. 2 Tout à fait.

netteté *nf* 1 Propreté. 2 Clarté, précision.

nettoiement *nm* Action de nettoyer. *Service de nettoiement.* Var **nettoyage**

nettoyant *nm* Produit de nettoyage.

nettoyer *vt* [22] 1 Rendre propre. 2 Dégarnir, vider un lieu. 3 fam Harasser. ■ *vpr* Se laver.

1. neuf *a num inv* 1 Huit plus un (9). 2 Neuvième. ■ *nm inv* Nombre, chiffre neuf. Loc *Preuve par neuf :* irréfutable.

2. neuf, neuve *a* 1 Fait depuis peu, qui n'a pas encore servi. 2 Nouveau, original. *Des idées neuves.* 3 Novice. *Être neuf dans le métier.* ■ *nm* Ce qui est neuf. Loc *À neuf :* de manière à paraître neuf. *De neuf :* avec qqch de neuf.

neufchâtel *nm* Fromage de vache, à la pâte onctueuse.

neurasthénie *nf* Dépression, abattement.

neurasthénique *a, n* Déprimé.

neurobiologie *nf* Étude du fonctionnement des tissus nerveux.

neurochimie *nf* Étude du fonctionnement chimique du système nerveux.

neurochirurgie *nf* Chirurgie du système nerveux.

neurochirurgien, enne *n* Spécialiste de neurochirurgie.

neurodégénératif, ive *a* Marqué par la dégénérescence du système nerveux (maladie).

neurodépresseur *nm* Substance qui déprime le système nerveux central.

neuroendocrinologie *nf* Étude des hormones sécrétées par le système nerveux.

neurofibromatose *nf* Maladie héréditaire caractérisée par des tumeurs cutanées et fibreuses.

neuroleptique *a, nm* Qui exerce une action sédative sur le système nerveux.

neurolinguistique *nf* Étude des rapports entre le langage et les structures cérébrales.

neurologie *nf* Étude des affections du système nerveux.

neurologique *a* De la neurologie.

neurologue *n* Spécialiste de neurologie.

neuromédiateur *nm* Neurotransmetteur.

neuronal, ale, aux *a* Du neurone.

neurone *nm* ANAT Cellule nerveuse.

neuropathie *nf* Maladie nerveuse.

neurophysiologie *nf* Physiologie du système nerveux.

neuropsychiatre [-kja-] *n* Spécialiste de neuropsychiatrie.

neuropsychiatrie [-kja-] *nf* Médecine des maladies mentales.

neuropsychologie [-kɔ-] *nf* Étude des fonctions mentales supérieures.

neurosciences *nfpl* Ensemble des disciplines étudiant le système nerveux.

neurotoxine *nf* Toxine agissant sur le système nerveux central.

neurotoxique *a, nm* Substance toxique pour le système nerveux.

neurotransmetteur *nm* Molécule transportant l'information d'un neurone vers un autre.

neurotrope *a* BIOL Qui se fixe sur le système nerveux (virus, substance).

neurovégétatif, ive *a* PHYSIOL Se dit du système nerveux qui règle les fonctions végétatives de l'organisme.

neurula *nf* BIOL Stade embryonnaire des vertébrés correspondant à la formation du système nerveux.

neutralisation *nf* Action de neutraliser.

neutraliser *vt* 1 Donner le statut de neutre. 2 Supprimer ou amoindrir l'effet de qqch. 3 Maîtriser qqn. 4 CHIM Diminuer l'acidité par une base. ■ *vpr* S'annuler mutuellement.

neutralisme *nm* Refus de toute adhésion à une alliance militaire.

neutraliste *a, n* Qui relève du neutralisme.

neutralité *nf* 1 État de neutre, d'un État qui est neutre. 2 État de qqch qui reste neutre.

neutre *a* 1 Qui ne prend pas part à un conflit, à une alliance militaire, etc. 2 Qui n'a pas de caractère marqué. *Voix neutre. Couleur neutre.* 3 GRAM Qui n'est ni masculin ni féminin. ■ *nm* 1 Nation neutre. 2 Genre neutre.

neutrino *nm* PHYS Particule élémentaire dénuée de charge électrique.

neutron *nm* PHYS Particule fondamentale, constituant du noyau atomique.

neutronique *a* Du neutron.

neuvaine *nf* RELIG Actes de dévotion répétés pendant neuf jours.

neuvième *a num* Au rang, au degré neuf. ■ *a, nm* Contenu neuf fois dans le tout. ■ *nf* Seconde année du cours élémentaire.

neuvièmement *av* En neuvième lieu.

névé *nm* 1 Amas de neige qui donne naissance à un glacier. 2 Plaque de neige isolée, en montagne.

neveu *nm* Fils du frère ou de la sœur.

névralgie *nf* Douleur sur le trajet d'un nerf.

névralgique *a* De la névralgie. Loc *Point névralgique :* point critique d'une situation.

névrite *nf* Lésion inflammatoire des nerfs.

névroglie *nf* ANAT Ensemble de cellules nerveuses interstitielles.

névropathe *a, n* Malade mental.

névrose *nf* PSYCHIAT Troubles du comportement dont le sujet a conscience. Ant. psychose.

névrosé, ée *a, n* Atteint de névrose.

névrotique *a* De la névrose.

nævus *V. nævus.*

new-look [njuluk] *nm inv, a inv* Aspect, style nouveau. Var **newlook**

newsmagazine [niuz-] *nm* Hebdomadaire consacré à l'actualité. Var **news**

newton [njuton] *nm* PHYS Unité de mesure de force (symbole : n).

new-yorkais, aise [nju-] *a, n* De New York.

nez *nm* 1 Partie du visage faisant saillie entre la bouche et le front, organe de l'odorat. 2 Partie allongée formant l'avant de qqch. Loc *Parler du nez :* nasiller. fam *Sentir à plein nez :* très fort. *Mettre le nez dehors :* sortir. *Mener qqn par le bout du nez :* lui faire faire ce qu'on veut. *Passer sous le nez :* échapper à qqn. fam *Pendre au nez :* risquer d'arriver. *À vue de nez :* approximativement. *Pied de nez :* geste de moquerie. fam *Mettre le nez dans qqch :* l'examiner indiscrètement. *Montrer le bout du nez :* montrer ses intentions. fam *Se casser le nez :* trouver porte close. fam *Avoir un coup dans le nez :* être ivre. fam *Avoir qqn dans le nez :* le détester. *Nez à nez :* face à face. *Au nez de qqn :* en sa présence. *Avoir du nez, le nez fin, le nez creux :* avoir du flair.

ni *conj* Coordonne des propositions négatives.

niable *a* Qu'on peut nier.

niais, niaise *a* Sot et emprunté.

niaisement *av* De façon niaise.

niaiserie *nf* Caractère niais ; stupidité, fadaise.

niaouli *nm* Arbre de Nouvelle-Calédonie, fournissant une essence aromatique.

nicaraguayen, enne *a, n* Du Nicaragua.

niche *nf* 1 Enfoncement pratiqué dans l'épaisseur d'un mur. 2 Cabane d'un chien. 3 fam Malice, espièglerie.

nichée *nf* Petits oiseaux d'une même couvée encore dans le nid.

nicher *vi, vpr* Établir son nid.

nichoir *nm* Endroit où l'on fait nicher les oiseaux.

nichon *nm* pop Sein de femme.

nickel *nm* Métal blanc entrant dans de nombreux alliages. ■ *a inv* fam Très propre.

nickeler *vt* [16] ou [18] Recouvrir de nickel.

niçois, oise *a, n* De Nice.

nicotine *nf* Alcaloïde du tabac.

nid *nm* 1 Abri construit par les oiseaux pour pondre et couver leurs œufs. 2 Habitation de certains animaux. *Nid de souris. Nid de guêpes.* 3 litt Habitation de l'homme, repaire.

nidation *nf* BIOL Implantation dans l'utérus de l'œuf fécondé des mammifères.

nid-de-poule *nm* Trou dans une chaussée défoncée. *Des nids-de-poule.*

nidification *nf* Construction d'un nid.

nidifier *vi* Construire son nid (oiseaux).

nièce *nf* Fille du frère ou de la sœur.

nielle *nf* AGRIC Maladie des céréales.

nieller *vt* Gâter par la nielle.

nier *vt* Rejeter comme faux, comme inexistant.

nietzschéen, enne *a, n* Relatif à Nietzsche, à sa philosophie.

nigaud, aude *a, n* Sot, niais.

nigérian, ane *a, n* Du Nigeria.

nigérien, enne *a, n* Du Niger.

night-club [najtklœb] *nm* Boîte de nuit. *Des night-clubs.*

nihilisme *nm* PHILO Négation totale de toute hiérarchie des valeurs.

nihiliste *a, n* Qui relève du nihilisme.

nimbe *nm* Auréole autour de la tête de Dieu, des anges ou des saints.

nimber *vt* Auréoler.

nimbostratus [-tys] *nm* Nuage très étendu, dont la base sombre annonce la pluie.

niolo *nm* Fromage corse, au lait de brebis.

nipper *vt* fam Habiller.

nippes *nfpl* fam Vêtements.

nippon, one ou **onne** *a, n* Du Japon.

nique *nf* Loc fam *Faire la nique à qqn :* lui adresser un geste de mépris ou de moquerie.

nirvana *nm* Dans le bouddhisme, suprême félicité de qqn qui a renoncé à tout.

nitratation *nf* CHIM Transformation d'un azote organique en nitrate par l'action des bactéries.

nitrate *nm* CHIM Sel de l'acide nitrique, utilisé comme engrais.

nitreux, euse *a* CHIM Se dit des dérivés oxygénés de l'azote.

nitrière *nf* Lieu où l'on extrait des nitrates.

nitrification *nf* Fait de se nitrifier.

nitrifier (se) *vpr* Se transformer en nitrates.

nitrique *a* Loc *Acide nitrique :* acide utilisé dans l'industrie chimique et en gravure.

nitroglycérine *nf* Explosif puissant, résultant de l'action de l'acide nitrique sur la cellulose.

nival, ale, aux *a* Relatif à la neige.

nivéal, ale, aux *a* BOT Qui fleurit en hiver.

niveau *nm* 1 Instrument vérifiant l'horizontalité d'une surface. 2 Degré d'élévation d'un plan par rapport à un plan de référence. 3 Degré sur une échelle de valeurs. *Niveau des prix.* 4 Étage d'une construction. 5 Valeur de qqn. *Niveau intellectuel.* Loc *Au niveau de :* à la hauteur de. *Être au niveau :* à la hauteur d'une valeur de référence *Niveau de langue :* registre de l'utilisation d'une langue en fonction de la situation. *Niveau de vie :* conditions matérielles d'existence, revenus de qqn, d'un groupe social. *Courbe de niveau :* reliant les points situés à une même altitude.

niveler *vt* [16] ou [18] Rendre une surface horizontale ou plane. 2 Mettre au même niveau *Niveler les salaires.*

niveleuse *nf* Engin de terrassement servant à niveler un sol.

nivellement *nm* Action de niveler. Var **nivèlement**

nivoglaciaire *a* Alimenté par la fonte des neiges et des glaciers (cours d'eau).

nivopluvial, ale, aux *a* Alimenté par la fonte des neiges et les pluies (cours d'eau).

nivôse *nm* Quatrième mois du calendrier républicain (décembre-janvier).

nô *nm inv* Drame lyrique japonais.

nobélium [-ljɔm] *nm* Élément radioactif artificiel.

nobiliaire *a* De la noblesse. *Titre nobiliaire.*

noble *a, n* Qui appartient à la noblesse. ■ *a* Qui a des sentiments élevés, de la majesté.

noblement *av* De façon noble.

noblesse nf 1 Catégorie sociale dont les membres jouissaient de privilèges. 2 Grandeur d'âme.

nobliau nm Noble de petite noblesse.

noce nf Fête organisée lors d'un mariage ; personnes qui y assistent. Loc fam *Faire la noce :* faire la fête. ■ pl Mariage.

noceur, euse n fam Personne qui fait la noce.

nocher nm litt Personne qui conduit un bateau.

nocif, ive a Susceptible de nuire ; pernicieux.

nocivité nf Caractère nocif.

noctambule n, a Qui passe ses nuits à faire la fête.

noctiluque nf Organisme marin luminescent.

noctuelle nf Papillon de nuit.

nocturne a Qui a lieu pendant la nuit. ■ a, a ZOOL Dont la vie active a lieu la nuit. ■ nm MUS Morceau pour piano de caractère tendre et mélancolique. ■ nf 1 Match en soirée. 2 Ouverture d'un magasin le soir.

nocuité nf Caractère nocif.

nodal, ale, aux a didac Relatif à un nœud, à une nodosité.

nodosité nf 1 Petite tumeur indolore. 2 Nœud dans le bois.

nodule nm Petit nœud, petite sphère.

noduleux, euse a Qui présente des nodules, des nœuds. Var **nodulaire**

noël nm 1 (avec majusc.) Fête de la nativité de Jésus-Christ, célébrée le 25 décembre. 2 Chant du temps de Noël. Loc *Père Noël :* personnage censé apporter des jouets aux enfants.

nœud nm 1 Enlacement étroit d'une corde, d'un ruban, etc. 2 Ornement en forme de nœud. 3 Lien entre personnes. 4 Point essentiel. *Le nœud de l'affaire.* 5 Moment capital d'une pièce, d'un roman. 6 Croisement de voies de communication. *Nœud routier, ferroviaire.* 7 BOT Point de la tige d'une plante où s'insère une feuille. 8 MAR Unité de vitesse équivalant à 1 mille (1 852 m) par heure. Loc fam *Sac de nœuds :* affaire embrouillée.

noir, noire a 1 De la couleur la plus sombre. 2 Où il n'y a pas de lumière. *Nuit noire.* 3 Triste, pessimiste. *Idées noires.* 4 Mauvais. *Noirs desseins.* 5 Illégal et secret. *Marché noir.* 6 fam Ivre. Loc *Bête noire :* chose, personne détestée. *Roman, film noir :* fiction policière réaliste et violente. ■ a, n Qui appartient à la race humaine caractérisée par une pigmentation prononcée de la peau. ■ nm 1 Couleur noire. 2 Colorant noir. 3 Obscurité. Loc *Voir tout en noir, broyer du noir :* être pessimiste. fam *Un (petit) noir :* une tasse de café. ■ nf MUS Note valant le quart d'une ronde.

noirâtre a Tirant sur le noir.

noiraud, aude a, n Qui a le teint et les cheveux très bruns.

noirceur nf 1 Couleur noire. 2 litt Méchanceté, bassesse.

noircir vt 1 Rendre noir. 2 Présenter de façon pessimiste. ■ vi Devenir noir.

noircissement nm Action de noircir.

noircissure nf Tache de noir.

noise nf Loc litt *Chercher noise à qqn :* lui chercher querelle.

noisetier nm Arbuste dont le fruit est la noisette.

noisette nf 1 Fruit du noisetier. 2 Petit morceau de matière. ■ a inv Marron clair.

noix nf 1 Fruit du noyer ou de divers arbres. 2 Petit morceau de matière. 3 fam Imbécile. Loc

Noix de veau : morceau de choix placé dans le cuisseau. pop *À la noix :* mauvais.

noliser vt Louer un véhicule de transport.

nom nm 1 Mot désignant un être vivant, une chose. 2 Appellation. 3 Prénom. Loc *Nom propre :* désignant un être unique. *Nom commun :* désignant une chose, un être appartenant à une même catégorie. *Nom de famille :* patronyme. *Nom de guerre :* pseudonyme. *Appeler les choses par leur nom :* s'exprimer sans détour. *Au nom de :* de la part de ; en vertu de. *Se faire un nom :* devenir célèbre. ■ interj Introduit des jurons.

nomade a, n Qui n'a pas d'habitation fixe.

nomadiser vi Vivre en nomade.

nomadisme nm Vie de nomade.

no man's land [nomanslãd] nm Zone séparant deux armées ennemies.

nombre nm 1 Unité ou collection d'unités, de parties de l'unité. 2 Quantité indéterminée ou grande quantité. 3 GRAM Forme que prend un mot pour exprimer l'unité (singulier) ou la pluralité (pluriel). Loc *Dans le nombre :* dans la masse. *Sans nombre :* en quantité considérable. *En nombre :* en grande quantité. *Au nombre de :* parmi. *Nombre de, bon nombre de :* beaucoup. *Le grand nombre :* la majorité.

nombreux, euse a En grand nombre ; dont les éléments sont en nombre.

nombril [-bRi] ou [-bRil] nm Cicatrice du cordon ombilical.

nombrilisme nm fam Attitude de qqn obnubilé par ses propres problèmes.

nome nm Division administrative de l'Égypte ancienne et de la Grèce.

nomenclature nf 1 Ensemble des termes propres à une science, à une technique. 2 Ensemble des entrées d'un dictionnaire.

nomenklatura nf Groupe social aux prérogatives exceptionnelles.

nomenklaturiste n Membre d'une nomenklatura.

nominal, ale, aux a 1 Qui n'existe que de nom, et pas en réalité. *Pouvoir nominal.* 2 Qui relève du nom, par le nom. *Appel nominal.* 3 GRAM Du nom. *Forme nominale.* Loc *Valeur nominale :* celle qui est inscrite sur un billet de banque, un chèque.

nominalement av De façon nominale.

nominalisme nm PHILO Doctrine selon laquelle les idées ne réduisent à des mots.

nominatif, ive a Qui contient des noms. ■ nm Cas sujet dans les langues à déclinaison.

nomination nf Action de nommer à un emploi.

nominativement av Par son nom.

nominer vt abusiv Sélectionner des personnes, des œuvres en vue d'un prix.

nommé, ée a, n Qui a pour nom. *Un homme nommé Lebrun.* ■ a Cité, désigné. Loc *À point nommé :* fort à propos.

nommément av En désignant par le nom.

nommer vt 1 Donner un nom à. 2 Désigner qqn par son nom. 3 Désigner pour remplir une fonction. ■ vpr 1 Avoir pour nom. 2 Se faire connaître par son nom.

non av Marque la négation, le refus. Loc *Non plus :* équivaut à *aussi*, en phrase négative. *Non seulement :* pas seulement. ■ nm inv Refus absolu. Ant. oui.

non-accompli nm LING Forme verbale indiquant l'action dans son déroulement.

non-activité nf Situation d'un fonctionnaire temporairement sans fonction.

nonagénaire a, n Qui a entre quatre-vingt-dix et cent ans.

non-agression nf Fait ou intention de ne pas attaquer un pays.

non-aligné, ée n Personne qui pratique le non-alignement. Des non-alignés.

non-alignement nm Politique des pays qui ne s'alignent pas sur la politique d'autres pays.

nonante a num En Belgique et en Suisse romande, quatre-vingt-dix.

non-assistance nf Abstention volontaire de porter secours à qqn.

non-belligérance nf Position d'un État qui ne participe pas à un conflit.

non-belligérant, ante n Personne qui s'abstient de participer à un conflit. Des non-belligérants.

nonce nm Ambassadeur du Saint-Siège.

nonchalamment av Avec nonchalance.

nonchalance nf Manque d'ardeur.

nonchalant, ante a Qui manque d'ardeur.

nonciature nf Charge, résidence d'un nonce.

non-combattant, ante n Personne qui ne prend pas part au combat. Des non-combattants.

non-conducteur nm Corps qui n'est pas conducteur de l'électricité ou de la chaleur.

non-conformisme nm Attitude non conformiste.

non-conformiste n Personne qui ne se conforme pas aux usages. Des non-conformistes.

non-conformité nf Défaut de conformité.

non-contradiction nf PHILO Propriété logique d'une proposition qui ne peut être ni démontrée ni réfutée.

non-croyant, ante n Personne qui n'est adepte d'aucune religion. Des non-croyants.

non-directivité nf Attitude non directive.

non-dit nm Ce qu'on exprime pas, sous-entendu. Des non-dits.

non-droit nm Absence de législation sur un sujet, dans un domaine.

non-engagé, ée n Personne qui ne s'engage pas dans un conflit. Des non-engagés.

non-engagement nm Attitude des non-engagés.

non-exécution nf DR Défaut d'exécution d'un acte.

non-existence nf Fait de ne pas exister.

non-fumeur, euse n Personne qui ne fume pas. Des non-fumeurs.

non-ingérence nf Non-intervention dans les affaires intérieures d'un pays étranger.

non-initié, ée n Novice. Des non-initiés.

non-inscrit, ite n Personne qui n'est pas inscrite à un groupe parlementaire. Des non-inscrits.

non-intervention nf Attitude d'un gouvernement qui s'abstient d'intervenir dans les affaires d'autres pays.

non-interventionniste n Personne qui pratique la non-intervention. Des non-interventionnistes.

non-lieu nm DR Décision de ne pas poursuivre qqn en justice. Des non-lieux.

non-métal nm CHIM Tout corps simple qui n'est pas un métal. Des non-métaux.

nonne nf Religieuse.

nonobstant prép vx Malgré.

non-paiement nm Défaut de paiement.

non-prolifération nf Arrêt du développemen[t] des armes nucléaires.

non-recevoir nm inv Loc Fin de non-recevoir [:] refus catégorique.

non-résident, ente n Personne qui ne réside pas en permanence dans son pays. Des non-résidents[.]

non-retour nm Loc Point de non-retour : à parti[r] duquel on ne peut plus revenir en arrière.

non-salarié, ée n Personne non rétribuée par u[n] salaire (commerçants, professions libérales, etc.) Des non-salariés.

non-sens nm inv Absurdité ; absence de significication.

non-spécialiste n Personne qui n'est pas spécialiste dans un domaine. Des non-spécialistes.

non-stop [nonstɔp] a inv Sans interruption.

non-tissé nm Étoffe obtenue sans tissage. De[s] non-tissés.

non-violence nf Refus de tout recours à la violence.

non-violent, ente n Partisan de la non-violence. Des non-violents.

non-voyant, ante n Aveugle. Des non-voyants.

nopal nm Figuier de Barbarie. Des nopals.

noradrénaline nf BIOL Médiateur chimique de la synapse nerveuse.

nord nm inv 1 Un des quatre points cardinaux 2 Partie septentrionale d'une région. 3 Ensemble des pays industrialisés. Loc Ne pas perdre le nord : savoir se défendre. ■ a inv Situé au nord.

nord-africain, aine a, n D'Afrique du Nord.

nord-américain, aine a, n D'Amérique du Nord.

nord-coréen, enne a, n De Corée du Nord.

nord-est nm inv Point de l'horizon situé à égal[e] distance du nord et de l'est.

nordique a, n Du nord de l'Europe.

nordiste n, a 1 HIST Partisan des États du Nord, dans la guerre de Sécession, aux États-Unis. 2 Du département ou de la Région du Nord.

nord-ouest nm inv Point de l'horizon situé à égale distance du nord et de l'ouest.

noria nf 1 Machine à élever l'eau, constituée d'une roue ou d'une chaîne sans fin à godets. 2 Circulation sans fin.

normal, ale, aux a 1 Conforme à la règle [;] habituel, naturel. 2 Dont le comportement est conforme à la moyenne. ■ nf Loc La normale [:] état habituel, régulier.

normalement av Habituellement.

normalien, enne n Élève d'une école normale (qui formait les instituteurs) ou de l'École normale supérieure (qui forme des professeurs et des chercheurs).

normalisateur, trice a, n Qui normalise.

normalisation nf Action de normaliser.

normaliser vt 1 Rendre conforme à une norme [;] rationaliser. 2 Faire revenir à une situation normale.

normalité nf Caractère normal.

normand, ande a, n De Normandie.

normatif, ive a Qui a force de règle, qui pose une norme.

norme nf 1 Règle à laquelle on doit se conformer. 2 État habituel conforme à la moyenne des cas. 3 Prescriptions techniques d'un produit fabriqué.

normographe nm Instrument servant à dessiner des lettres, des chiffres, des symboles.

norois nm Vent de nord-ouest. **Var noroît** ou **noroit**

norvégien, enne a, n De Norvège. ■ nm Langue scandinave parlée en Norvège.

nos. V. notre.

nosocomial, ale, aux a MED Qui survient lors d'une hospitalisation (maladie).

nosoconiose nf MED Maladie due aux poussières.

nosographie nf Description ou classification des maladies. **Var nosologie**

nostalgie nf Mélancolie ; mal du pays.

nostalgique a Qui relève de la nostalgie. ■ a, n Atteint de nostalgie.

nostoc nm Algue bleue.

nota nm inv Note en marge d'un texte. **Var nota bene** [notabene]

notabilité nf Personne en vue.

notable a Qui mérite d'être noté. ■ nm Personnage important par sa situation sociale.

notablement av Beaucoup.

notaire nm Officier public qui reçoit les actes afin de les rendre authentiques.

notamment av Spécialement.

notarial, ale, aux a Du notaire.

notariat nm Charge de notaire.

notarié, ée a Passé devant notaire.

notation nf 1 Action, manière de représenter par des signes conventionnels. Notation musicale. 2 Brève remarque. 3 Action de donner une note, une appréciation.

note nf 1 Bref commentaire sur un texte. 2 Communication écrite. 3 Détail d'une somme à payer. 4 Appréciation chiffrée de qqn, d'un travail. 5 Signe musical représentant un son ; ce son. 6 Nuance. Une note originale. Loc Fausse note : note discordante. Donner la note : indiquer ce qu'il convient de faire. Être dans la note : en harmonie. Forcer la note : exagérer.

noter vt 1 Affecter d'une marque, d'une note. 2 Remarquer. Noter une amélioration. 3 Porter une appréciation chiffrée sur qqn, qqch. 4 Écrire la musique. Noter un air.

notice nf Indication écrite brève sur un sujet.

notification nf Action de notifier.

notifier vt Informer officiellement qqn de.

notion nf Concept, idée. ■ pl Connaissances élémentaires de qqch.

notionnel, elle a Relatif à une notion.

notoire a Public, manifeste.

notoirement av Manifestement.

notoriété nf Célébrité, réputation.

notre, nos a poss Forme de la 1ʳᵉ personne du pluriel ; de nous, à nous. Notre maison. Nos amis.

nôtre, nôtres a poss litt Qui est à nous. Cette terre est nôtre. ■ pr poss Ce qui est à nous. Leurs intérêts et les nôtres. ■ nmpl Nos proches, nos parents.

notule nf Brève annotation.

nouba nf Loc fam Faire la nouba : faire la fête.

nouer vt 1 Faire un nœud à un lien, une corde, un ruban, etc. 2 Serrer au moyen d'un nœud. 3 Former. Nouer une amitié.

noueux, euse a Qui a des nœuds ou des nodosités.

nougat nm Confiserie à base d'amandes, de sucre et de miel.

nougatine nf Confiserie faite de sucre caramélisé et d'amandes.

nouille nf 1 Pâte alimentaire en forme de lamelles. 2 fam Personne molle et indolente.

nounou nf fam Nourrice.

nourrice nf 1 Femme qui garde chez elle des enfants contre rétribution. 2 Bidon contenant une réserve de liquide.

nourricier, ère a Nutritif. Loc Père nourricier : père adoptif.

nourrir vt 1 Fournir des aliments à. 2 litt Entretenir. Nourrir des craintes. 3 litt Former l'esprit. ■ vpr Consommer un aliment, manger.

nourrissant, ante a Qui a une valeur nutritive.

nourrisseur nm Éleveur qui engraisse du bétail pour la boucherie.

nourrisson nm Enfant en bas âge.

nourriture nf 1 Ce dont on se nourrit ; aliments. 2 Ce qui forme, enrichit l'esprit.

nous pr pers Forme de la 1ʳᵉ personne du pluriel, sujet ou complément.

nouveau ou **nouvel, nouvelle** a 1 Qui n'existe que depuis peu ; apparu récemment. Vin nouveau. 2 Neuf, original. Un nouveau procédé. 3 Qui vient après, qui remplace. Un nouvel emploi. 4 Qui est tel depuis peu. Un nouveau riche. ■ n Personne qui vient d'entrer dans un groupe. ■ nm Ce qui est inattendu, imprévu, original. ■ av Loc De nouveau : encore une fois. À nouveau : une fois de plus.

nouveau-né, ée a, n Qui vient de naître. Des nouveau-nés. Des jumelles nouveau-nées.

nouveauté nf 1 Caractère nouveau. 2 Chose nouvelle ; produit nouveau.

nouvel. V. nouveau.

nouvelle nf 1 Annonce d'un évènement récent. 2 Bref récit, conte. ■ pl 1 Renseignements relatifs à la situation, à la santé de qqn. 2 Informations à la radio, dans les journaux.

nouvellement av Depuis peu.

nouvelliste n Auteur de nouvelles, de récits.

nova nf ASTRO Étoile dont l'éclat augmente brusquement.

novateur, trice n, a Qui fait des innovations.

novélisation nf Adaptation littéraire d'un succès du cinéma ou de la télévision.

novembre nm Onzième mois de l'année.

novice n RELIG Personne qui passe dans un couvent un temps d'épreuve avant de prononcer ses vœux. ■ a, n Encore peu expérimenté dans une activité, un métier.

noviciat nm RELIG État de novice.

novocaïne nf (n. déposé) Succédané de la cocaïne, utilisé comme anesthésique local.

noyade nf Action de noyer qqn, un animal.

noyau nm 1 Partie centrale dure de certains fruits. 2 Partie centrale, plus dense de qqch. 3 Groupe qui, dans un milieu, mène une action. Noyau de résistance. 4 BIOL Partie centrale d'une cellule. 5 GEOL Partie centrale de la sphère terrestre. 6 PHYS Partie centrale de l'atome. Loc Noyau dur : les plus déterminés d'un groupe.

noyautage nm Action de noyauter.

noyauter vt S'implanter dans un milieu pour y mener une action de subversion.

noyé, ée a, n Mort par noyade.

1. noyer vt [22] 1 Faire mourir par asphyxie dans un liquide. 2 Inonder, submerger, engloutir. 3

Faire disparaître dans une masse. Loc *Être noyé :* être incapable de surmonter les difficultés. ■ *vpr* 1 Mourir asphyxié par immersion. 2 Se perdre. *Se noyer dans les détails.*

2. noyer *nm* Arbre dont le fruit est la noix.

NTIC *nfpl* Nouvelles technologies de l'information et de la communication (informatique, téléphonie, audiovisuel, Internet, etc.).

1. nu *nm* Treizième lettre de l'alphabet grec, correspondant à *n*.

2. nu, nue *a* 1 Qui n'est couvert d'aucun vêtement. *Avoir la tête nue. Être nu-tête, nu-jambes, nu-pieds.* 2 Sans revêtement, sans ornement. Loc *À l'œil nu :* sans instrument d'optique. *La vérité toute nue :* telle quelle. ■ *nm* Humain dénudé représenté dans l'art. ■ *av* Loc *À nu :* à découvert ; sans rien cacher.

nuage *nm* 1 Amas de gouttelettes d'eau en suspension dans l'atmosphère. 2 Ce qui évoque un nuage par son aspect. *Nuage de poussière.* 3 Ce qui trouble la tranquillité. *Bonheur sans nuage.* Loc *Être dans les nuages :* rêver.

nuageux, euse *a* Couvert de nuages.

nuance *nf* 1 Chacun des degrés par lesquels peut passer une couleur. 2 Différence délicate, subtile.

nuancer *vt* [10] Introduire des nuances dans.

nuancier *nm* Carton présentant les nuances d'un produit coloré.

nubien, enne *a, n* De Nubie.

nubile *a* Pubère.

nubuck *nm* Cuir présentant un aspect velouté.

nucléaire *a* Du noyau de la cellule, de l'atome. Loc *Réaction nucléaire :* qui affecte les constituants du noyau de l'atome. *Énergie nucléaire :* dégagée par une réaction nucléaire. *Centrale nucléaire :* qui utilise l'énergie nucléaire pour produire de l'électricité. *Armes nucléaires :* utilisant l'énergie nucléaire. ■ *nm* Ensemble des utilisations de l'énergie nucléaire.

nucléariser *vt* Équiper d'armes nucléaires, de centrales nucléaires.

nucléique *a* Loc *Acide nucléique :* constituant fondamental de la cellule vivante.

nucléole *nm* BIOL Corpuscule nucléaire de la cellule.

nucléon *nm* PHYS Particule constitutive du noyau de l'atome.

nucléoprotéine *nf* BIOL Association d'une protéine et d'un acide nucléique.

nucléotide *nm* BIOL Élément des acides nucléiques.

nudisme *nm* Pratique de la vie au grand air dans un état de nudité complète.

nudiste *n, a* Adepte du nudisme.

nudité *nf* État de qqn, de qqch nu.

nuée *nf* 1 litt Nuage épais. 2 Multitude. *Nuée de sauterelles.* Loc *Nuée ardente :* nuage brûlant qui s'échappe d'un volcan en éruption.

nue-propriété *nf* Loc DR *Avoir la nue-propriété :* être possesseur sans en avoir la jouissance.

nues *nfpl* Loc *Tomber des nues :* éprouver une grande surprise. *Porter aux nues :* exalter.

nuire *vti* [67] Causer du tort, un dommage à qqn, qqch. *L'alcool nuit à la santé.*

nuisance *nf* Ensemble des facteurs qui nuisent à la qualité de la vie.

nuisette *nf* Chemise de nuit très courte.

nuisible *a* Qui nuit. ■ *nm* Animal nuisible.

nuit *nf* 1 Temps pendant lequel le Soleil reste au-dessous de l'horizon. 2 Obscurité. Loc *Passer une nuit blanche :* sans sommeil. *Nuit et jour :* sans cesse. *De nuit :* pendant la nuit.

nuitamment *av* litt De nuit.

nuitée *nf* Nuit à l'hôtel.

nul, nulle *a, pr indéf* Aucun, pas un. ■ *a* 1 Qui équivaut à rien. *Visibilité nulle.* 2 DR Entaché de nullité. *Testament nul.* 3 Sans aucune valeur, très mauvais. *Élève nul.*

nullard, arde *n* fam Personne sans aucune compétence.

nullement *av* Pas du tout.

nullité *nf* 1 Caractère nul de qqch, sans valeur. 2 Personne nulle, incapable.

numéraire *nm* Monnaie ayant cours légal.

numéral, ale, aux *a, nm* Qui désigne un nombre.

numérateur *nm* MATH Terme d'une fraction, qui indique combien celle-ci contient de divisions de l'unité.

numération *nf* Façon d'énoncer ou d'écrire les nombres.

numérique *a* 1 Relatif aux nombres. 2 INFORM Qui utilise des nombres. *Affichage numérique.* 3 Considéré du point de vue du nombre. *Supériorité numérique.*

numériquement *av* Quant au nombre.

numérisation *nf* Action de numériser.

numériser *vt* INFORM Représenter un signal sous forme numérique.

numéro *nm* 1 Chiffre, nombre servant au classement, à l'identification de qqch. 2 Chacune des livraisons d'un périodique. 3 Partie d'un spectacle. 4 fam Comportement déplacé de qqn. 5 Personne originale. Loc *Numéro un :* le plus important. *Numéro vert :* numéro de téléphone que l'on peut appeler gratuitement. *Tirer le bon numéro :* avoir de la chance. ■

numérologie *nf* Analyse numérique d'un nom propre, supposée fournir des informations sur son détenteur.

numérotage *nm* Action de numéroter. Var **numérotation** *nf*

numéroter *vt* Pourvoir d'un numéro. ■ *vi* Composer un numéro de téléphone.

numéroteur *nm* Appareil pour numéroter.

numerus clausus [nymerysklozys] *nm* Nombre limité de candidats admis à un concours, à une fonction. Var **numerus clausus**

numide *a, n* De Numidie.

numismate *n* Spécialiste de numismatique.

numismatique *nf* Étude des monnaies et des médailles. ■ *a* De la numismatique.

nunatak *nm* GEOGR Pointe rocheuse isolée perçant un glacier.

nunchaku [nunʃaku] *nm* Arme japonaise formée de deux bâtons reliés par une chaîne.

nunuche *a* fam Un peu niais.

nuoc-mâm *nm inv* Sauce vietnamienne à base de poisson fermenté.

nu-pieds *nm inv* Sandale légère.

nuptial, ale, aux *a* Du mariage.

nuptialité *nf* Taux de mariages.

nuque *nf* Partie inférieure du cou.

nurse [nœrs] *nf* vx Bonne d'enfants.

nursery [nœrsəri] *nf* 1 Pièce pour les nouveau-nés. 2 Élevage aquacole. Var **nurserie**

nursing [nœʀsiŋ] *nm* MED Soins donnés à un grabataire, un opéré, un comateux. **Var nursage**

nutriment *nm* BIOL Substance nutritive qui peut être assimilée directement par l'organisme.

nutritif, ive *a* 1 Qui nourrit. 2 De la nutrition.

nutrition *nf* Fonction digestive et assimilatrice des aliments.

nutritionnel, elle *a* De la nutrition.

nutritionniste *n* Spécialiste de diététique.

nyctalopie *nf* Faculté de voir dans l'obscurité.

nycthémère *nm* BIOL Durée de vingt-quatre heures correspondant à un cycle biologique.

nylon *nm* (n. déposé) Textile synthétique.

nymphe *nf* 1 Divinité des bois, des eaux, dans la mythologie gréco-romaine. 2 ZOOL Forme des insectes après l'état larvaire.

nymphéa *nm* Nénuphar blanc.

nymphette *nf* Adolescente aux manières provocantes.

nymphomane *a, nf* Atteinte de nymphomanie.

nymphomanie *nf* Exagération pathologique des désirs sexuels chez la femme.

nymphose *nf* ZOOL Transformation d'une larve d'insecte en nymphe.

o *nm* Quinzième lettre (voyelle) de l'alphabet.

ô *interj* Marque l'émotion, l'invocation.

oasien, enne *a, n* D'une oasis.

oasis [-zis] *nf* 1 Lieu qui, dans un désert, est couvert d'une végétation liée à la présence d'eau. 2 Lieu de tranquillité.

obédience *nf* Loc *D'obédience :* qui se rattache à telle autorité.

obéir *vti* 1 Se soumettre à qqn, à une autorité. *Obéir à ses parents. Sera-t-elle obéie ?* 2 Être soumis à une action. *La Terre obéit à la gravitation.*

obéissance *nf* Action d'obéir.

obéissant, ante *a* Qui obéit ; docile, soumis.

obélisque *nm* Monument quadrangulaire en forme d'aiguille.

obérer *vt* [12] vx Endetter.

obèse *a, n* D'un embonpoint excessif.

obésité *nf* État obèse.

obi *nf* Longue ceinture en soie du kimono.

obier *nm* Arbuste appelé aussi *boule-de-neige.*

objecter *vt* Opposer un argument à une affirmation. *Il n'a rien objecté.*

objecteur *nm* Loc *Objecteur de conscience :* qui refuse d'accomplir ses obligations militaires par scrupule de conscience.

objectif, ive *a* 1 Qui existe en dehors de l'esprit. 2 Qui n'est pas influencé par les préjugés. ■ *nm* 1 Système optique qui est tourné vers l'objet à observer. 2 But à atteindre. *Réaliser ses objectifs.*

objection *nf* Ce qu'on objecte.

objectivement *av* De façon objective, impartiale.

objectiver *vt* Rendre objectif, concret.

objectivisme *nm* Absence de parti pris.

objectivité *nf* Attitude objective, impartiale.

objet *nm* 1 Chose perceptible, concrète. 2 Chose maniable destinée à un usage particulier. 3 Matière, sujet, but. Loc GRAM *Complément d'objet :* complément du verbe transitif. *Sans objet :* sans fondement.

objurgation *nf* (surtout pl.) litt Prière pressante adressée à qqn.

obligataire *n* FIN Porteur d'obligations. ■ *a* Constitué d'obligations.

obligation *nf* 1 Contrainte, devoir imposés par la loi, la morale ou les circonstances. 2 FIN Titre négociable, qui donne droit à des intérêts.

obligatoire *a* Imposé, forcé, inévitable.

obligatoirement *av* Nécessairement.

obligé, ée *a* Nécessaire. Loc fam *C'est obligé :* cela ne peut pas être autrement. ■ *a, n* À qui on a rendu un service. *Je suis votre obligé.*

obligeamment *av* De façon obligeante.

obligeance *nf* Disposition à rendre service.

obligeant, ante *a* Qui aime rendre service.

obliger *vt* [11] 1 Contraindre, forcer à. 2 litt Faire plaisir, rendre service à qqn.

oblique *a* Qui s'écarte de la direction droite ou perpendiculaire. ■ *nf* Ligne oblique.

obliquement *av* En biais.

obliquer *vi* 1 Aller en oblique. 2 Prendre une direction différente.

obliquité *nf* Caractère oblique.

oblitération *nf* Action d'oblitérer.

oblitérer *vt* [12] 1 Annuler un timbre par l'apposition d'un cachet. 2 MED Obstruer une veine, une artère, etc. 3 litt Effacer peu à peu.

oblong, ongue *a* De forme allongée.

obnubilation *nf* État de confusion mentale.

obnubiler *vt* Obséder.

obole *nf* Petite somme d'argent.

obscène *a* Qui offense la pudeur.

obscénité *nf* Caractère obscène ; propos obscène. *Dire des obscénités.*

obscur, ure *a* 1 Privé de lumière. 2 Inintelligible. 3 Vague, confus. 4 Sans notoriété. *Né de parents obscurs.*

obscurantisme *nm* Hostilité systématique au progrès, à la raison.

obscurantiste *a, n* Qui relève de l'obscurantisme.

obscurcir *vt* Rendre obscur. ■ *vpr* Devenir obscur. *Le ciel s'obscurcit.*

obscurcissement *nm* Action d'obscurcir, fait de s'obscurcir.

obscurément *av* De façon obscure, confuse.

obscurité *nf* 1 Caractère, état obscur. 2 Absence de lumière.

obsédant, ante *a* Qui obsède.

obsédé, ée *n, a* Qui a une obsession. ■ *a, n* Qui souffre d'obsessions.

obséder *vt* [12] S'imposer continuellement, totalement à l'esprit.

obsèques *nfpl* Cérémonie accompagnant un enterrement.

obséquieux, euse *a* D'une politesse excessive, servile.

obséquiosité nf Caractère obséquieux.

observable a Qui peut être observé.

observance nf Exécution de ce que prescrit une règle religieuse.

observateur, trice n 1 Personne qui s'applique à observer scientifiquement un phénomène. 2 Personne qui observe qqch sans y participer. ■ a Porté à observer. *Esprit observateur.*

observation nf 1 Action d'étudier avec attention, de surveiller. 2 Réflexion, remarque. 3 Léger reproche, réprimande.

observatoire nm 1 Établissement destiné aux observations astronomiques ou météorologiques. 2 Point d'où on peut observer qqch. 3 Organisme de surveillance de certains faits économiques.

observer vt 1 Suivre ce qui est prescrit. *Observer le silence.* 2 Considérer, surveiller, épier. 3 Remarquer qqch, constater. ■ vpr Contrôler ses propres réactions.

obsession nf Pensée obsédante, idée fixe.

obsessionnel, elle a De l'obsession. ■ a, n Qui souffre d'obsessions.

obsidienne nf Roche volcanique vert sombre, très cassante.

obsolescence nf Fait de devenir obsolète.

obsolète a Périmé, désuet, dépassé.

obstacle nm 1 Ce qui s'oppose à la progression, ce à quoi on se heurte. 2 SPORT Difficulté placée sur une piste pour les courses de haies.

obstétrical, ale, aux a De l'obstétrique.

obstétricien, enne n Spécialiste d'obstétrique.

obstétrique nf Médecine relative à la grossesse et aux accouchements.

obstination nf Entêtement, opiniâtreté.

obstiné, ée a, n Entêté, opiniâtre.

obstinément av Avec obstination.

obstiner (s') vpr Persister avec opiniâtreté.

obstructif, ive a Qui fait obstruction.

obstruction nf 1 Engorgement d'un conduit organique. 2 Manœuvre entravant une action dans son déroulement.

obstructionnisme nm Obstruction systématique.

obstruer vt Boucher un conduit.

obtempérer vti [12] Obéir à un ordre.

obtenir vt [35] 1 Réussir à se faire accorder ce que l'on demande. 2 Parvenir à un résultat.

obtention nf Fait d'obtenir.

obturateur, trice a Qui sert à obturer. ■ nm Mécanisme servant à obturer.

obturation nf Action d'obturer.

obturer vt Boucher une cavité.

obtus, use a Sans finesse. *Esprit obtus.* Loc *Angle obtus* : plus grand que l'angle droit.

obus [oby] nm Projectile explosif, tiré par une pièce d'artillerie.

obusier nm Petite pièce d'artillerie.

obvier vti Remédier à un inconvénient.

oc av Loc *Langue d'oc* : dialectes parlés au sud de la Loire.

ocarina nm Petit instrument à vent de musique populaire.

occase nf fam Occasion.

occasion nf 1 Circonstance favorable. 2 Circonstance quelconque. 3 Achat conclu dans des conditions avantageuses. Loc *À l'occasion* : si une circonstance favorable se présente. *À l'occasion de* : à propos d'un évènement. *D'occasion* : qui n'est

pas neuf. *Les grandes occasions* : les moments importants de la vie.

occasionnel, elle a Fortuit, irrégulier.

occasionnellement av Par occasion.

occasionner vt Causer, provoquer.

occident nm 1 Côté où le soleil se couche ; ouest. 2 (avec majusc.) Ensemble des pays d'Europe et d'Amérique du Nord.

occidental, ale, aux a, n De l'occident ou de l'Occident.

occidentalisation nf Action d'occidentaliser.

occidentaliser vt Transformer en prenant comme modèle la civilisation occidentale.

occipital, ale, aux a ANAT De l'occiput. ■ nm Os postérieur du crâne.

occiput [-pyt] nm ANAT Partie postérieure de la tête, au-dessus de la nuque.

occire vt (seulement infinitif et participe passé *occis*) litt Tuer.

occitan, ane a De l'Occitanie. ■ nm Langue d'oc, provençal.

occlus, use a litt Fermé.

occlusion nf MED Fermeture d'un conduit naturel, d'un orifice organique.

occlusive nf Consonne produite par la fermeture momentanée de la bouche, comme [p], [t], [k].

occultation nf Action d'occulter.

occulte a Caché, clandestin, secret. Loc *Sciences occultes* : astrologie, alchimie, divination, etc.

occulter vt 1 litt Cacher ; dissimuler. 2 Rendre imperceptible un signal lumineux, radioélectrique, etc.

occultisme nm Pratique des sciences occultes.

occultiste a, n Qui relève de l'occultisme.

occupant, ante n, a Qui occupe un local, un lieu, un pays.

occupation nf 1 Action d'occuper. 2 Affaire, activité, emploi. *Avoir de multiples occupations.*

occupationnel, elle a PSYCHIAT Qui vise à soigner les malades mentaux par des activités (travaux, jeux).

occupé, ée a 1 Absorbé par un travail, une activité ; actif. 2 Placé sous l'autorité de troupes d'occupation. 3 Où qqn est déjà installé. *Appartement occupé.*

occuper vt 1 Se rendre maître d'un lieu. 2 Remplir un espace, le temps. *Le lit occupe la moitié de la pièce. Sa famille l'occupe entièrement.* 3 Habiter. 4 Remplir une fonction. *Il occupe un poste important.* ■ vpr Consacrer son temps, son attention à qqch, à qqn.

occurrence nf LING Apparition d'une unité linguistique dans un énoncé. Loc *En l'occurrence* : dans le cas envisagé.

océan nm 1 Vaste étendue d'eau salée baignant une grande partie de la Terre. 2 Grande étendue de qqch.

océanien, enne a, n De l'Océanie.

océanique a De l'océan. Loc *Climat océanique* : doux et humide.

océanographe n Spécialiste d'océanographie.

océanographie nf Étude des océans. Var **océanologie**

océanographique a De l'océanographie ou de l'océanologie. Var **océanologique**

ocelle nm ZOOL 1 Tache arrondie sur le pelage. 2 Œil simple de certains insectes.

ocellé, ée a Qui porte des ocelles.

ocelot nm Félin dont la fourrure tachetée est très recherchée.

ocre nf Argile jaune, rouge ou brune utilisée comme colorant. ■ a inv Brun tirant sur le jaune ou le rouge.

ocrer vt Colorer en ocre.

octaèdre nm GEOM Polyèdre à huit faces.

octal, ale, aux a MATH Se dit d'un système de numération à base huit.

octane nm Loc Indice d'octane : qui mesure le pouvoir de compression du carburant.

octante a num En Belgique et en Suisse romande, quatre-vingts.

octave nf MUS Huitième degré de l'échelle diatonique.

octet nm INFORM Groupe de huit bits.

octobre nm Dixième mois de l'année.

octogénaire n, a Qui a entre quatre-vingts et quatre-vingt-neuf ans.

octogonal, ale, aux a En forme d'octogone.

octogone nm Polygone qui a huit angles.

octopode nm ZOOL Mollusque céphalopode tel que poulpe.

octosyllabe nm Qui a huit syllabes. Var **octosyllabique** a

octroi nm 1 Action d'octroyer. 2 HIST Perception d'un droit d'entrée dans une ville ; bureau de cette perception.

octroyer vt [22] Concéder, accorder, allouer.

octuor nm Groupe de huit musiciens ou de huit chanteurs.

octuple a, nm Qui vaut huit fois autant.

octupler vt, vi (Se) multiplier par huit.

oculaire a De l'œil. Loc Témoin oculaire : qui a vu une chose de ses propres yeux. ■ nm Lentille qui, dans un instrument d'optique, est proche de l'œil (par oppos. à objectif).

oculiste n Spécialiste des troubles de la vision.

oculomoteur, trice a PHYSIOL Relatif aux mouvements des yeux.

oculus nm ARCHI Syn. de œil-de-bœuf.

odalisque nf litt Femme d'un harem.

ode nf Poème lyrique composé de strophes.

odeur nf Émanation perçue par l'odorat. Loc Ne pas être en odeur de sainteté : ne pas être estimé qq part.

odieusement av De façon odieuse.

odieux, euse a 1 Qui suscite l'aversion, l'indignation. 2 Méchant et grossier.

odontalgie nf MED Mal de dents.

odontologie nf Étude des dents et de leurs affections.

odontologiste n Spécialiste d'odontologie.

odontostomatologie nf Médecine de la bouche et des dents.

odorant, ante a Qui répand une bonne odeur.

odorat nm Sens par lequel on perçoit les odeurs.

odoriférant, ante a D'odeur agréable.

odyssée nf Voyage plein de péripéties.

œcuménique [e-] a RELIG Universel. Loc Concile œcuménique : de tous les évêques de l'Église catholique.

œcuménisme [e-] nm Mouvement visant à l'union de toutes les Églises chrétiennes.

œdémateux, euse [e-] a De l'œdème.

œdème [e-] nm MED Gonflement localisé ou diffus de certains tissus organiques.

œdipe [e-] nm PSYCHAN Conflit inconscient dans ses désirs à l'égard de ses parents. Syn. complexe d'Œdipe.

œdipien, enne [e-] a De l'œdipe.

œil, pl. **yeux** nm 1 Organe de la vue. 2 Bulle de graisse dans un bouillon. Loc Avoir bon pied, bon œil : être en bonne santé. fam Faire de l'œil à qqn : lui faire un signe, un clin d'œil. Faire les gros yeux à qqn : le regarder avec sévérité. Ouvrir l'œil : être très attentif. Ouvrir les yeux : voir la réalité. Fermer les yeux sur qqch : faire semblant de ne pas le voir. Jeter un œil sur qqch : l'examiner rapidement. Avoir l'œil sur : surveiller. Entre quatre yeux : en tête à tête. Cela saute aux yeux, crève les yeux : c'est d'une évidence certaine. Coup d'œil : regard rapide. À l'œil : gratuitement. D'un bon, d'un mauvais œil : favorablement, défavorablement. Mauvais œil : regard censé porter malheur. Œil de verre : œil artificiel. fam Pour les beaux yeux de qqn : sans but intéressé.

œil-de-bœuf nm Lucarne ronde ou ovale. Des œils-de-bœuf.

œil-de-chat nm Pierre fine. Des œils-de-chat.

œil-de-perdrix nm Cor entre deux orteils. Des œils-de-perdrix.

œillade nf Clin d'œil amoureux.

œillère nf 1 Pièce de la bride d'un cheval pour l'empêcher de voir sur les côtés. 2 Petit récipient pour les bains d'œil. Loc Avoir des œillères : être borné.

œillet nm 1 Petit trou rond, servant à passer un cordon, un lacet. 2 Plante ornementale, à fleurs de diverses couleurs.

œilleton nm 1 Petit viseur circulaire. 2 BOT Rejeton de certaines plantes.

œillette nf Pavot, dont on extrait une huile.

œnanthe [e-] nf Plante vénéneuse des lieux humides.

œnologie [e-] nf Science de la fabrication et de la conservation des vins.

œnologue [e-] n Spécialiste d'œnologie.

œnométrie [e-] nf Analyse du vin.

œnophile [e-] n Amateur de vin.

œsophage [e-] nm Segment du tube digestif qui relie le pharynx à l'estomac.

œsophagien, enne [e-] a De l'œsophage. Var **œsophagique**

œstradiol [ɛs-] nm Hormone œstrogène de l'ovaire.

œstral, ale, aux [e-] a De l'œstrus.

œstre [ɛstʀ] nm Mouche parasite des animaux domestiques.

œstrogène [ɛs-] a, nm BIOL Qui déclenche l'œstrus.

œstrus [ɛstʀys] nm PHYSIOL Phénomènes physiologiques accompagnant l'ovulation chez la femme et les femelles des mammifères.

œuf [œf], au pl. [ø] nm 1 Produit de la ponte des oiseaux comprenant une coquille, des membranes, des réserves ; produit de la ponte des reptiles, insectes, poissons. 2 Œuf de poule, en tant qu'aliment. 3 Cellule initiale d'un être vivant. Loc Marcher sur des œufs : se conduire avec une grande précaution. Dans l'œuf : dès l'origine. pop Va te faire cuire un œuf : va au diable.

œuvre nf 1 Ce qui est fait, produit. 2 Organisation charitable. ■ nm litt Ensemble des œuvres d'un artiste. Loc Gros œuvre : fondations d'un bâtiment. *À pied d'œuvre :* prêt à commencer. *Mettre en œuvre :* appliquer, employer. *Se mettre à l'œuvre :* commencer à travailler.

œuvrer *vi* Travailler, agir.

œuvrette *nf* Petite œuvre littéraire.

off *a inv* Se dit d'une voix dont la source n'est pas visible à l'écran.

offensant, ante *a* Blessant, insultant.

offense *nf* litt Injure, affront.

offensé, ée *a, n* Qui a reçu une offense.

offenser *vt* Blesser, froisser. ■ *vpr* Se vexer.

offenseur *nm* Personne qui offense.

offensif, ive *a* Qui sert à attaquer. ■ *nf* Attaque. *Reprendre l'offensive.*

offertoire *nm* Moment de la messe où le prêtre offre à Dieu le pain et le vin.

office *nm* 1 Fonction, charge. 2 Bureau, agence. *Office touristique.* 3 Établissement public. 4 Service religieux. 5 Pièce attenante à la cuisine. Loc *Faire office de :* servir de. *D'office :* par ordre supérieur. ■ *pl* Loc *Bons offices :* services, assistance.

officialisation *nf* Action d'officialiser.

officialiser *vt* Rendre officiel.

officiant *nm* Prêtre qui célèbre l'office.

officiel, elle *a* 1 Qui relève d'une autorité constituée. 2 Donné pour vrai par une autorité. ■ *nm* Personne qui a une fonction publique ; organisateur d'une épreuve sportive.

officiellement *av* De façon officielle.

1. officier *vi* Célébrer un office religieux.

2. officier *nm* 1 Personne qui remplit une charge civile. *Officier de police.* 2 Militaire qui exerce un commandement avec un grade au moins égal à celui de sous-lieutenant. 3 Titulaire d'un grade, dans un ordre honorifique.

officieusement *av* De façon officieuse.

officieux, euse *a* Sans caractère officiel.

officinal, ale, aux *a* Utilisé en pharmacie.

officine *nf* 1 Pharmacie. 2 Lieu louche où se trame qqch.

offrande *nf* litt Don, cadeau.

offrant *nm* Loc *Le plus offrant :* qui offre le prix le plus élevé.

offre *nf* Action d'offrir qqch ; ce qui est offert. Loc *Offre publique d'achat (OPA) :* offre publique faite par une société de racheter les actions d'une autre société.

offreur, euse *n* ÉCON Personne qui offre un bien, un service. Ant. demandeur.

offrir *vt* [31] 1 Proposer qqch à qqn. 2 Donner comme cadeau. 3 Présenter, comporter. *Ceci offre un avantage.*

offset [ɔfsɛt] *nm* Procédé d'impression au moyen d'un rouleau en caoutchouc. *Des offsets.*

offshore [ɔfʃɔʀ] *a inv* 1 Se dit de l'exploitation des gisements pétroliers sous-marins. 2 Se dit d'une banque établie à l'étranger. 3 Se dit de bateaux à moteur très puissants utilisés pour la compétition. ■ *nm* Bateau offshore ; sport pratiqué avec ce bateau. *Des offshores*

offusquer *vt* Choquer, froisser.

oflag *nm* HIST Camp d'officiers prisonniers de guerre en Allemagne (1940-1945).

ogival, ale, aux *a* En forme d'ogive.

ogive *nf* 1 Arc en diagonale sous une voûte pour la renforcer. 2 Objet dont le profil est en forme d'ogive. *Ogive nucléaire.*

OGM *nm* BIOL Organisme dont le matériel génétique a été modifié de façon artificielle.

ogre, ogresse *n* Personnage mythique avide de chair humaine.

oh ! *interj* Marque la surprise.

ohé ! *interj* Sert à appeler.

ohm *nm* Unité de résistance électrique.

oïdium [-djɔm] *nm* Maladie des plantes produite par un champignon parasite ; ce champignon.

oie *nf* Oiseau palmipède domestique. Loc *Pas de l'oie :* pas militaire de parade. *Oie blanche :* jeune fille candide et niaise.

oignon [ɔɲɔ̃] *nm* 1 Plante potagère dont le bulbe est comestible. 2 Bulbe de diverses plantes. 3 Induration de la peau. 4 Montre à verre bombé. Loc fam *Aux petits oignons :* très bien. fam *Ce ne sont pas tes oignons :* cela ne te concerne pas. *En rang d'oignons :* aligné sur une seule ligne. Var ognon

oignonade [ɔɲɔ-] *nf* Mets à base d'oignons. Var ognonade

oïl [ɔjl] *av* Loc *Langue d'oïl :* dialectes parlés au nord de la Loire.

oindre *vt* [62] 1 Frotter d'huile. 2 Procéder à l'onction religieuse.

oint, ointe *a, n* Consacré par l'onction.

oiseau *nm* Vertébré ovipare, couvert de plumes, qui a deux ailes et vole. Loc *À vol d'oiseau :* en ligne droite. fam *Drôle d'oiseau :* personne bizarre. fam *Oiseau rare :* personne exceptionnelle.

oiseau-lyre *nm* Ménure. *Des oiseaux-lyres.*

oiseau-mouche *nm* Autre nom du colibri. *Des oiseaux-mouches.*

oiseleur *nm* Personne qui capture des oiseaux.

oiselier, ère *n* Personne qui élève et vend des oiseaux.

oiselle *nf* vx Jeune fille niaise et naïve.

oisellerie *nf* Commerce de l'oiselier.

oiseux, euse *a* Inutile, vain. *Remarque oiseuse.*

oisif, ive *a* Inactif, désœuvré. *Vie oisive.* ■ *n* Sans profession.

oisillon *nm* Petit oiseau.

oisivement *av* De façon oisive.

oisiveté *nf* Désœuvrement.

oison *nm* Jeune oie.

OK *interj, a inv* fam D'accord.

okapi *nm* Ruminant africain, voisin de la girafe.

okoumé *nm* Arbre d'Afrique dont le bois est utilisé en ébénisterie.

olé ! *interj* Sert à encourager.

oléacée *nf* BOT Arbre d'une famille comprenant l'olivier, le frêne, le lilas, etc.

oléagineux, euse *a* Qui contient de l'huile. ■ *nm* Plante oléagineuse (arachide, olivier).

olécrane *nm* ANAT Saillie du coude.

oléicole *a* De l'oléiculture.

oléiculteur, trice *n* Personne qui pratique l'oléiculture.

oléiculture *nf* Culture des oliviers.

oléoduc *nm* Syn. de *pipeline.*

olé olé *a inv* fam Licencieux, osé.

olfactif, ive *a* Relatif à l'odorat.

olfaction *nf* PHYSIOL Sens de l'odorat.

olibrius *nm* fam Personnage ridicule.

olifant *nm* HIST Petit cor d'ivoire des chevaliers.

oligarchie *nf* Régime politique fondé sur le pouvoir de quelques personnes.

oligarchique *a* De l'oligarchie.

oligiste *nm* GÉOL Hématite rouge.

oligocène nm GEOL Période la plus ancienne du tertiaire.

oligochète [-kɛt] nm ZOOL Annélide tel que le ver de terre.

oligoclase nf GEOL Feldspath abondant dans les roches cristallines.

oligoélément nm BIOL Élément existant à l'état de traces et nécessaire à la vie de l'organisme.

oligopole nm ECON Marché détenu par un petit nombre de vendeurs.

oligothérapie nf Traitement par les oligoéléments.

olivaison nf Récolte des olives.

olivâtre a Vert olive.

olive nf 1 Fruit comestible de l'olivier, dont on tire de l'huile. 2 Objet en forme d'olive. ■ a inv Vert olive.

oliveraie nf Plantation d'oliviers. **Var olivaie**

olivet nm Fromage de l'Orléanais.

olivette nf Tomate oblongue.

olivier nm Arbre des régions méditerranéennes, dont le fruit est l'olive.

olivine nf GEOL Minéral vert des basaltes.

olographe a DR Se dit d'un testament écrit en entier de la main du testateur.

olympiade nf Espace de quatre ans entre deux jeux Olympiques. ■ pl Jeux Olympiques.

olympien, enne a 1 De l'Olympe. 2 litt Serein et majestueux. Calme olympien.

olympique a Qui concerne les épreuves sportives internationales organisées tous les quatre ans (jeux Olympiques).

olympisme nm Idéal olympique.

omanais, aise a, n Du sultanat d'Oman.

ombelle nf BOT Inflorescence.

ombellifère nf BOT Plante herbacée à fleurs en ombelle comme la carotte, le cerfeuil, la ciguë.

ombilic nm ANAT Nombril.

ombilical, ale, aux a De l'ombilic.

omble nm Grand salmonidé d'eau douce.

ombrage nm Ombre produite par les feuillages des arbres ; ces feuillages eux-mêmes. **Loc** litt Porter ombrage : vexer, inquiéter. litt Prendre ombrage de qqch : s'en offenser.

ombrager vt [11] Couvrir d'ombre.

ombrageux, euse a litt Susceptible.

1. ombre nf 1 Obscurité provoquée par l'interception de la lumière par un corps opaque. 2 Apparence, trace. Sans l'ombre d'un doute. **Loc** fam À l'ombre : à l'abri ; en prison. Rester dans l'ombre : être effacé, ignoré. Une ombre au tableau : un signe inquiétant. Faire de l'ombre à qqn : lui faire concurrence.

2. ombre nm Salmonidé d'eau douce.

ombrelle nf Petit parasol portatif.

ombrer vt Figurer les ombres sur un dessin.

ombreux, euse a litt Plein d'ombre.

ombrien, enne a, n De l'Ombrie.

oméga nm Vingt-quatrième et dernière lettre de l'alphabet grec, correspondant à o long.

omelette nf Œufs battus et cuits à la poêle.

omerta nf Loi du silence de la mafia.

omettre vt [64] S'abstenir volontairement de dire, de faire, d'agir.

omicron nm Quinzième lettre de l'alphabet grec, correspondant à o bref.

omission nf Action d'omettre ; chose omise.

omnibus [-bys] nm Train qui dessert toutes les stations.

omnidirectionnel, elle a Qui porte dans toutes les directions.

omnipotent, ente a Tout-puissant.

omnipraticien, enne n Médecin généraliste.

omniprésence nf Présence en tous lieux.

omniprésent, ente a Présent partout.

omniscient, ente a Qui sait tout.

omnisports a inv Qui concerne tous les sports. Salle omnisports.

omnivore a, nm Qui se nourrit indifféremment de végétaux et d'animaux.

omoplate nf Os plat de l'épaule.

on pr pers Forme indéfinie de la 3e personne, invariable, toujours sujet.

1. onagre nf Âne sauvage d'Iran et d'Inde.

2. onagre nf Plante à fleurs jaunes.

onanisme nm Masturbation.

1. once nf Ancienne unité de poids. **Loc** Une once de : une très petite quantité de.

2. once nf Grand félin d'Asie centrale.

onchocercose nf Maladie parasitaire de l'œil.

oncle nm Frère du père ou de la mère.

1. oncogène a Syn. de cancérigène.

2. oncogène nm Gène susceptible de provoquer un cancer.

oncologie nf Syn. de cancérologie.

onction nf 1 RELIG Fait d'oindre qqn avec les saintes huiles. 2 litt Douceur évoquant la piété.

onctueux, euse a De consistance fluide et douce ; moelleux. Crème onctueuse.

onctuosité nf Caractère onctueux.

ondatra nm Rongeur d'Amérique du Nord.

onde nf 1 Mouvement à la surface de l'eau qui se propage en rides successives. 2 Tout phénomène vibratoire qui se propage. Onde lumineuse. **Loc** fam Être sur la même longueur d'onde : se comprendre. ■ pl La radio.

ondée nf Pluie subite de courte durée.

ondemètre nm PHYS Appareil de mesure des longueurs d'ondes.

ondine nf litt Nageuse jeune et gracieuse.

on-dit nm inv Propos, bruit qui court.

ondoiement nm 1 Action d'ondoyer. 2 RELIG Baptême réduit à l'essentiel en cas d'urgence.

ondoyant, ante a litt Inconstant, variable.

ondoyer vi [22] Onduler. ■ vt Baptiser par ondoiement.

ondulation nf Mouvement régulier d'un liquide qui s'abaisse et s'élève alternativement ; tout mouvement qui l'évoque.

ondulatoire a Des ondes.

ondulé, ée a Qui présente des ondulations.

onduler vi Avoir un mouvement sinueux, ondulatoire.

onduleur nm PHYS Appareil qui transforme un courant continu en courant alternatif.

onduleux, euse a Qui ondule.

one man show [wanmanʃo] nm inv Spectacle de variété donné par un artiste seul en scène.

onéreux, euse a Qui occasionne des frais. **Loc** À titre onéreux : en payant.

ONG nf Sigle de organisation non gouvernementale, organisme voué à l'aide humanitaire.

ongle nm Lame cornée couvrant la dernière phalange des doigts. **Loc** Jusqu'au bout des ongles : parfaitement, à fond.

onglée *nf* Engourdissement douloureux du bout des doigts, causé par le froid.

onglet *nm* **1** Petite entaille dans le couvercle d'une boîte, la lame d'un canif, etc., pour donner prise à l'ongle. **2** Morceau de bœuf fournissant des biftecks. **3** Échancrure sur le bord des feuilles d'un livre pour signaler un chapitre.

onguent [-gɑ̃] *nm* Pommade.

onguiculé *a* ZOOL Mammifère dont les doigts sont terminés par des griffes ou des ongles.

ongulé *a* ZOOL Mammifère dont les doigts sont protégés par un sabot corné.

onguligrade *nm* ZOOL Quadrupède qui marche sur les sabots.

onirique *a* De la nature du rêve.

onirisme *nm* Délire aigu caractérisé par des hallucinations terrifiantes.

oniromancie *nf* Divination par les rêves.

onomastique *nf* Étude des noms propres.

onomatopée *nf* Mot dont le son suggère celui de la chose qu'il dénomme (par ex. : *glouglou*).

onomatopéique *a* De l'onomatopée.

ontogenèse *nf* BIOL Croissance et développement des individus, de l'œuf à l'âge adulte.

ontogénétique *a* De l'ontogenèse.

ontologie *nf* PHILO Connaissance de l'être.

ontologique *a* De l'ontologie.

onusien, enne *a, n* fam De l'ONU.

onychophagie [-ko-] *nf* MED Habitude de se ronger les ongles.

onyx *nm* Agate présentant des couches concentriques, de couleurs variées.

onyxis *nm* MED Inflammation de l'ongle.

onze *a num inv* **1** Dix plus un (11). **2** Onzième. *Chapitre onze.* ■ *nm inv* **1** Nombre onze. **2** Équipe de football (composée de onze joueurs).

onzième *a num* Au rang, au degré onze. ■ *a, nm* Contenu onze fois dans le tout. ■ *nf* Cours préparatoire.

onzièmement *av* En onzième lieu.

oocyte *nm* BIOL Gamète femelle non parvenu à maturité. **Var ovocyte**

oogone *nf* BIOL Organe femelle où se forment les oosphères.

oosphère *nf* BIOL Gamète femelle végétal.

OPA *nf* Sigle de *offre publique d'achat*.

opacification *nf* Action d'opacifier.

opacifier *vt* Rendre opaque.

opacité *nf* Propriété opaque.

opale *nf* Pierre fine, à reflets irisés.

opalescence *nf* litt Reflets rappelant l'opale.

opalescent, ente *a* litt D'aspect irisé.

opalin, ine *a* De teinte laiteuse, à reflets irisés. ■ *nf* Verre opalin.

opaliser *vt* Donner l'aspect opalin.

opaque *a* **1** Qui n'est pas transparent. **2** Impénétrable, incompréhensible.

op'art [ɔpaʀt] *nm* Mouvement d'art abstrait contemporain fondé sur les recherches visuelles.

opéable *a, nf* Qui peut faire l'objet d'une OPA (société).

open [ɔpɛn] *a inv, nm* Se dit d'une compétition réunissant professionnels et amateurs. **Loc** *Billet open* : billet d'avion non daté.

opéra *nm* **1** Œuvre dramatique mise en musique et dont les paroles sont chantées. **2** Théâtre où l'on joue des opéras.

opérable *a* Qu'on peut opérer.

opéra-comique *nm* Opéra contenant des parties dialoguées. *Des opéras-comiques.*

opérant, ante *a* Qui produit un effet.

opérateur, trice *n* **1** Chargé de la commande d'une machine. **2** Responsable de la prise de vues ou de la projection d'un film. **3** Personne qui fait des opérations boursières. ■ *nm* Symbole représentant une opération logique, mathématique, etc.

opération *nf* **1** Action d'opérer. **2** Suite d'actions mises en œuvre en vue de produire un résultat. **3** Intervention chirurgicale. **4** MATH Calcul d'une somme (addition), d'une différence (soustraction), d'un produit (multiplication) ou d'un quotient (division). **5** Mise en œuvre de troupes, combat. **6** Transaction financière ou boursière.

opérationnel, elle *a* **1** Prêt à être mis en service ; efficace. **2** Qui permet certaines opérations.

opératoire *a* **1** De l'opération chirurgicale. *Choc opératoire.* **2** Qui permet d'effectuer certaines opérations. *Techniques opératoires.*

opercule *nm* Pièce, membrane, lamelle, etc., fermant une ouverture, recouvrant une cavité.

opéré, ée *a, n* Qui vient de subir une intervention chirurgicale.

opérer *vt* [12] **1** Effectuer, réaliser qqch. **2** Pratiquer une intervention chirurgicale. ■ *vi* Produire un effet, agir. ■ *vpr* S'effectuer, s'accomplir, avoir lieu.

opérette *nf* Œuvre théâtrale légère où les parties chantées alternent avec les parties parlées. **Loc** *D'opérette* : peu sérieux.

ophidien *nm* ZOOL Reptile dépourvu de pattes.

ophioglosse *nm* Fougère des lieux humides.

ophiolite *nf* GEOL Roche éruptive océanique.

ophiolitique *a* Des ophiolites.

ophiologie *nf* Étude des serpents.

ophite *nm* Marbre vert foncé.

ophiure *nf* Échinoderme à bras rayonnants.

ophtalmie *nf* Maladie inflammatoire de l'œil.

ophtalmique *a* Des yeux.

ophtalmologie *nf* Médecine des affections des yeux.

ophtalmologique *a* De l'ophtalmologie.

ophtalmologiste *n* Spécialiste d'ophtalmologie.

opiacé, ée *a* Qui contient de l'opium.

opinel *nm* (n. déposé) Couteau de poche, dont le manche est en bois.

opiner *vi* litt Donner son avis. **Loc** *Opiner du bonnet* : marquer par un signe de tête son acquiescement.

opiniâtre *a* Tenace. *Travail opiniâtre.*

opiniâtreté *nf* Volonté tenace.

opinion *nf* **1** Jugement personnel. **2** Manière de penser la plus répandue au sein d'une collectivité. *Sondage d'opinion.* ■ *pl* Croyances, convictions.

opiomane *n, a* Toxicomane qui fume l'opium.

opium [ɔpjɔm] *nm* **1** Suc de pavot utilisé comme stupéfiant. **2** litt Ce qui assoupit insidieusement l'esprit.

oponce. V. opuntia.

opopanax *nm* BOT Ombellifère utilisée en parfumerie.

opossum [-sɔm] *nm* Marsupial d'Amérique au pelage recherché.

oppidum [-dɔm] *nm* ANTIQ Site fortifié romain.

opportun, une *a* Qui vient à propos.

opportunément *av* De façon opportune.

opportunisme *nm* Attitude consistant à agir selon les circonstances en faisant peu de cas des principes.

opportuniste *a, n* 1 Qui fait preuve d'opportunisme. 2 MED Qui survient dans un organisme immunodéprimé.

opportunité *nf* 1 Caractère opportun. 2 abusiv Occasion favorable. *Saisir une opportunité.*

opposable *a* Qui peut être opposé à.

opposant, ante *n, a* Qui s'oppose, qui appartient à une opposition.

opposé, ée *a* 1 Placé en vis-à-vis. *Rives opposées.* 2 Contraire, contradictoire, inverse. *Intérêts opposés.* 3 Hostile. *Partis opposés.* ■ *nm* Chose opposée, inverse. Loc *À l'opposé (de) :* au contraire (de).

opposer *vt* 1 Mettre comme obstacle. 2 Mettre en lutte, en rivalité. 3 Mettre en vis-à-vis. ■ *vpr* 1 Faire obstacle à qqch. 2 Former un contraste.

opposite (à l') *av* À l'opposé.

opposition *nf* 1 Position de choses en vis-à-vis ou qui s'opposent. 2 Résistance opposée par qqn, par un groupe. 3 Ensemble d'adversaires au gouvernement, au régime. 4 Obstacle légal à une décision de l'autorité.

oppositionnel, elle *a, n* Qui relève d'une opposition politique.

oppressant, ante *a* Qui oppresse.

oppresser *vt* 1 Gêner la respiration. 2 Angoisser, tourmenter.

oppresseur *nm* Personne qui opprime.

oppressif, ive *a* Qui vise à opprimer.

oppression *nf* 1 Sensation d'un poids sur la poitrine. 2 Contrainte tyrannique.

opprimé, ée *a, n* Soumis à une oppression.

opprimer *vt* Accabler par abus de pouvoir, par violence.

opprobre *nm* litt Honte extrême, déshonneur.

opsonine *nf* BIOL Anticorps rendant les bactéries vulnérables aux leucocytes.

optatif *nm* Mode verbal exprimant le souhait.

opter *vi* Choisir entre plusieurs choses.

opticien, enne *n* Personne qui fabrique ou vend des instruments d'optique, des lunettes.

optimal, ale, aux *a* Le meilleur possible.

optimisation *nf* Action d'optimiser. Var **optimalisation**

optimiser *vt* Rendre optimal. Var **optimaliser**

optimisme *nm* 1 Attitude consistant à voir le bon côté des choses. 2 Espérance confiante.

optimiste *a, n* Qui prend les choses du bon côté.

optimum [-mom] *nm* État le plus favorable de qqch. *Des optimums* ou *des optima.*

option *nf* 1 Faculté, action d'opter. 2 Droit de choisir entre plusieurs possibilités légales. 3 Promesse d'achat ou de vente.

optionnel, elle *a* Qui donne lieu à un choix.

optique *a* Relatif à la vision. ■ *nf* 1 Partie de la physique qui étudie les lois de la lumière et de la vision. 2 Système optique d'un instrument. 3 Manière de voir, de juger.

optoélectronique *nf* Technologie associant l'optique et l'électronique.

optométrie *nf* MED Étude de la vision.

optronique *nf* Optoélectronique militaire.

opulence *nf* 1 Abondance de biens. 2 Plénitude des formes.

opulent, ente *a* 1 Riche. 2 Qui présente des formes amples.

opuntia [ɔpɔsja] *nm* Plante grasse aux rameaux épineux. Syn. figuier de barbarie. Var **oponce**

opus *nm* Morceau numéroté de l'œuvre d'un musicien. (Abrév. : *op.*)

opuscule *nm* Petit ouvrage de science, de littérature, etc.

1. or *nm* 1 Métal précieux jaune. 2 Monnaie d'or. Loc *Être cousu d'or, rouler sur l'or :* être très riche. *À prix d'or :* très cher. *Valoir son pesant d'or :* valoir très cher. *De l'or en barre :* affaire très fructueuse. *L'or bleu :* la ressource en eau potable. *L'or noir :* le pétrole. *Règle d'or :* impérative. *Faire un pont d'or à qqn :* lui offrir une rétribution avantageuse.

2. or *conj* Sert à introduire les phases d'un récit, d'un discours.

oracle *nm* 1 ANTIQ Réponse d'une divinité à des consultants ; cette divinité. 2 Décision émanant d'une autorité ; cette autorité elle-même.

oraculaire *a* D'un oracle.

orage *nm* 1 Perturbation atmosphérique violente, accompagnée d'éclairs, de tonnerre, de pluie. 2 Trouble violent et soudain.

orageux, euse *a* 1 Qui caractérise l'orage. 2 Tumultueux. *Relations orageuses.*

oraison *nf* Prière. Loc *Oraison funèbre :* éloge solennel d'un mort.

oral, ale, aux *a* 1 Relatif à la bouche. 2 Transmis par la voix. ■ *nm* Épreuves orales d'un examen ou d'un concours.

oralement *av* De vive voix.

oralité *nf* Caractère oral.

orange *nf* Fruit comestible de l'oranger. ■ *a inv* De couleur jaune mêlée de rouge.

orangé, ée *a, nm* De couleur tirant sur l'orange.

orangeade *nf* Jus d'orange additionné d'eau et de sucre.

oranger *nm* Arbre des régions chaudes dont le fruit est l'orange.

orangeraie *nf* Terrain planté d'orangers.

orangerie *nf* Serre où on garde pendant l'hiver les orangers en caisse.

orang-outan [-ʀɑ̃-] *nm* Grand singe anthropomorphe d'Indonésie. *Des orangs-outans.*

orateur, trice *n* Personne qui prononce un discours.

oratoire *a* Relatif à l'éloquence. *Développement oratoire.* ■ *nm* Petite chapelle.

oratorien *nm* Religieux membre de l'Oratoire.

oratorio *nm* Drame lyrique à caractère religieux.

orbiculaire *a* didac Circulaire.

orbital, ale, aux *a* De l'orbite d'une planète, d'un satellite.

orbite *nf* 1 Cavité de l'œil. 2 Trajectoire d'un corps céleste, naturel ou artificiel, autour d'un autre. 3 Sphère d'influence.

orbiteur *nm* Élément principal d'une navette spatiale.

orchestral, ale, aux [-kɛs-] *a* De l'orchestre.

orchestrateur, trice [-kɛs-] *n* Personne qui conçoit une orchestration.

orchestration [-kɛs-] *nf* Action d'orchestrer.

orchestre [-kɛs-] *nm* 1 Dans une salle de spectacle, ensemble des places situées au niveau inférieur. 2 Espace réservé aux musiciens en contrebas de la scène. **3** Groupe de musiciens qui jouent habituellement ensemble.

orchestrer [-kɛs-] *vt* **1** Écrire une œuvre musicale en combinant les parties instrumentales. **2** Diriger une action concertée.

orchidacée [-ki-] *nf* BOT Plante monocotylédone, aux fleurs très décoratives.

orchidée [-ki-] *nf* Plante à fleurs ornementales.

orchite [-kit] *nf* MED Inflammation du testicule.

ordalie *nf* HIST Épreuve judiciaire médiévale qui faisait appel au jugement de Dieu.

ordinaire *a* **1** Habituel, courant. **2** De qualité moyenne ou médiocre. ■ *nm* **1** Ce qui est courant. **2** Ce qu'on sert habituellement aux repas. Loc *D'ordinaire :* d'habitude.

ordinairement *av* D'habitude.

ordinal, ale, aux *a* **1** Qui marque le rang, l'ordre. *Nombre ordinal.* **2** Qui concerne un ordre professionnel. *Instances ordinales.*

ordinateur *nm* Machine automatique de traitement de l'information.

ordination *nf* RELIG Cérémonie au cours de laquelle l'évêque confère le sacrement de l'ordre.

ordonnance *nf* **1** Disposition ordonnée des éléments d'un ensemble. **2** Ce qui est prescrit par une autorité. **3** Prescription écrite du médecin. **4** anc Militaire à la disposition personnelle d'un officier. Loc *Officier d'ordonnance :* aide de camp.

ordonnancement *nm* Action d'ordonnancer.

ordonnancer *vt* [10] Régler selon un ordre déterminé.

ordonnancier *nm* Registre officiel où le pharmacien doit transcrire certaines ordonnances.

ordonnateur, trice *n* Personne qui dispose, règle selon un ordre.

ordonné, ée *a* **1** En ordre, rangé. **2** Enclin à mettre de l'ordre. ■ *nf* MATH Coordonnée verticale définissant, avec l'abscisse, la position d'un point dans un espace.

ordonner *vt* **1** Mettre en ordre. **2** Commander, donner un ordre. **3** RELIG Conférer l'ordination.

ordre *nm* **1** Organisation d'un tout en ses parties. *Ordre chronologique.* **2** Bonne organisation, disposition régulière. **3** Tendance spontanée à ranger. **4** Stabilité des institutions ; paix civile. **5** Ensemble des lois naturelles. **6** HIST Chacune des trois grandes classes de la société sous l'Ancien Régime. **7** Corps élu de certaines professions libérales. **8** Société religieuse. **9** Société honorifique. *Ordre de la Légion d'honneur.* **10** Catégorie ; espèce. *Un travail d'ordre intellectuel.* **11** BIOL Unité systématique entre la classe et la famille. **12** Style architectural antique. **13** RELIG Sacrement conférant certaines fonctions ecclésiastiques (diaconat, prêtrise, épiscopat). **14** Degré. *De premier ordre.* **15** Commandement, prescription. *Obéir aux ordres.* Loc *De l'ordre de :* environ. *Mot d'ordre :* consigne. *Ordre du jour :* liste ordonnée des questions à débattre dans une assemblée. *Jusqu'à nouvel ordre :* jusqu'à ce que les dispositions actuelles aient été modifiées. ■ *pl* Loc *Entrer dans les ordres :* se faire prêtre, religieux, religieuse.

ordure *nf* **1** Parole, écrit infâme ou obscène. **2** fam Personne très méprisable. ■ *pl* Déchets. Loc *Boîte à ordures :* poubelle.

ordurier, ère *a* Obscène, grossier.

orée *nf* litt Lisière, bordure.

oreillard *nm* Chauve-souris à grandes oreilles.

oreille *nf* **1** Organe de l'ouïe. **2** Partie externe de cet organe. *Tirer les oreilles.* **3** Ouïe. *Avoir l'oreille fine.* **4** Ce qui rappelle l'oreille par sa forme. Loc *Parler à l'oreille de qqn :* de manière à n'être entendu que de lui. *Prêter l'oreille :* écouter attentivement. *Dur d'oreille :* un peu sourd. *Faire la sourde oreille :* feindre de ne pas entendre une demande. *Échauffer les oreilles :* impatienter vivement, mettre en colère. *Montrer le bout de l'oreille :* laisser entrevoir ses intentions cachées. *Venir aux oreilles de qqn :* à sa connaissance.

oreiller *nm* Coussin pour soutenir la tête d'une personne couchée.

oreillette *nf* ANAT Chacune des deux cavités supérieures du cœur.

oreillon *nm* Moitié d'abricot en conserve. ■ *pl* Infection virale qui se manifeste par la tuméfaction des parotides.

orémus [-mys] *nm* Mot dit par le prêtre durant la messe pour inviter les fidèles à prier.

ores *av* Loc *D'ores et déjà :* dès maintenant.

orfèvre *n* Personne qui fabrique ou qui vend des objets d'or ou d'argent. Loc *Être orfèvre en la matière :* avoir une connaissance parfaite d'un domaine.

orfèvrerie *nf* Art, commerce de l'orfèvre.

orfraie *nf* Aigle de grande taille.

organdi *nm* Mousseline légère.

organe *nm* **1** Partie d'un corps vivant remplissant une fonction utile à la vie. **2** Pièce d'une machine, d'un mécanisme, remplissant une fonction déterminée. **3** Voix. **4** Organe puissant. **4** Journal. *L'organe d'un parti.* **5** Ce qui sert d'intermédiaire, d'instrument, de moyen. *Organes du pouvoir.*

organelle *nf* BIOL Élément constitutif de la cellule. Var **organite**.

organicisme *nm* Théorie qui rattache toute maladie à une lésion organique.

organiciste *a, n* Partisan de l'organicisme.

organigramme *nm* Schéma de l'organisation d'une administration, d'une entreprise.

organique *a* **1** Relatif aux organes ou aux organismes vivants. **2** Inhérent à la structure de qqch. *Loi organique.* Loc *Chimie organique :* des composés du carbone.

organiquement *av* De façon organique.

organisateur, trice *a, n* Qui organise.

organisation *nf* **1** Manière dont qqch est organisé ; structure. **2** Action d'organiser. **3** Association, groupement. *Organisation politique, syndicale.*

organisationnel, elle *a* De l'organisation.

organisé, ée *a* **1** BIOL Pourvu d'organes. *Êtres organisés.* **2** Constitué, agencé pour telle fonction. *Groupe organisé.* **3** Ordonné, méthodique.

organiser *vt* Arranger, préparer en vue de tel usage ; régler, aménager. ■ *vpr* Prendre ses dispositions pour agir efficacement.

organisme *nm* **1** Ensemble des organes constituant un être vivant ; cet être vivant. **2** Ensemble des services ou bureaux affectés à une certaine tâche.

organiste *n* Personne qui joue de l'orgue.

organite. V. **organelle**.

organochloré, ée *a, nm* Dérivé organique du chlore (insecticide, fongicide).

organologie *nf* MUS Étude des instruments de musique.

organométallique *a, nm* CHIM Composé organique d'un métal et de carbone.

organophosphoré, ée *a, nm* Dérivé organique du phosphore (insecticide, fongicide).

orgasme *nm* Paroxysme du plaisir sexuel.

orgasmique *a* De l'orgasme.

orge *nf* Céréale annuelle à épi simple.

orgeat *nm* Sirop à base d'amandes.

orgelet *nm* Petit furoncle du bord de la paupière.

orgiaque *a* Propre à une orgie.

orgie *nf* **1** Débauche. **2** litt Profusion.

orgue *nm* (fém. au pl.) Grand instrument à vent composé de tuyaux et d'une soufflerie actionnée par un ou plusieurs claviers. ■ Loc *Orgue de Barbarie* : orgue mécanique portatif. MUS *Point d'orgue* : prolongation de la durée d'une note ou d'un silence ; interruption dans le déroulement d'un processus quelconque. ■ *nmpl* GEOL Colonnes naturelles de basalte. Loc *Orgues de Staline* : lance-roquette à tubes multiples.

orgueil *nm* **1** Opinion trop avantageuse de soi-même. **2** Sentiment élevé de sa valeur ; fierté.

orgueilleusement *av* Avec orgueil.

orgueilleux, euse *a, n* Qui a de l'orgueil.

oriel *nm* ARCHI Syn. de *bow-window*.

orient *nm* **1** Celui des quatre points cardinaux qui est du côté où le soleil se lève ; est, levant. **2** (avec majusc.) Ensemble des pays d'Asie.

orientable *a* Qu'on peut orienter.

oriental, ale, aux *a* Situé à l'est. ■ *a, n* De l'Orient.

orientalisme *nm* Étude de l'Orient, de ses peuples, de leurs civilisations, etc.

orientaliste *n* Spécialiste de l'Orient.

orientation *nf* **1** Détermination du lieu où on se trouve. **2** Action d'orienter qqch, de régler sa position par rapport aux points cardinaux. **3** Action de diriger qqn dans telle direction, vers tel débouché. **4** Tendance politique.

orienté, ée *a* **1** Qui a une position, une direction déterminée. **2** Qui manifeste une certaine tendance politique ou doctrinale.

orienter *vt* **1** Disposer une chose par rapport aux points cardinaux ou dans une direction déterminée. **2** Faire prendre telle direction à qqn. ■ *vpr* **1** Déterminer sa position par les points cardinaux. **2** Prendre telle direction.

orienteur, euse *n* Personne qui s'occupe d'orientation scolaire et professionnelle.

orifice *nm* Ouverture, trou.

oriflamme *nf* Bannière d'apparat.

origami *nm* Art japonais du papier plié.

origan *nm* Marjolaine.

originaire *a* Qui tire son origine de tel lieu.

originairement *av* À l'origine.

original, ale, aux *a* **1** De l'auteur même, qui constitue la source première. **2** D'une singularité neuve ou personnelle. ■ *a, n* Personne bizarre, excentrique. ■ *nm* Ouvrage, document, modèle primitif ou authentique.

originalement *av* De façon originale.

originalité *nf* **1** Caractère original. **2** Fantaisie, excentricité.

origine *nf* **1** Principe, commencement, source. **2** Provenance, milieu dont qqn, qqch est issu. Loc *À l'origine* : au commencement.

originel, elle *a* Qui remonte à l'origine.

originellement *av* Dès l'origine.

orignal *nm* Élan du Canada. *Des orignaux.*

oripeaux *nmpl* litt Vieux habits.

oriya *nm* Langue indienne de l'Orissa.

ORL *nf, n* Abrév. de *oto-rhino-laryngologie* et de *oto-rhino-laryngologiste*.

orléanisme *nm* HIST Doctrine des royalistes partisans de la maison d'Orléans.

orléaniste *a, n* Qui relève de l'orléanisme.

orme *nm* Arbre aux feuilles dentelées.

ormeau *nm* **1** Petit orme. **2** Mollusque marin comestible.

ornemaniste *n* Artiste, peintre d'ornements.

ornement *nm* Élément qui sert à orner, à embellir, à décorer.

ornemental, ale, aux *a* De l'ornement ; qui sert à orner, décoratif. *Plante ornementale.*

ornementation *nf* Action de décorer, d'orner.

ornementer *vt* Embellir par des ornements.

orner *vt* Embellir, décorer.

ornière *nf* Trace creusée par des roues de voitures dans un chemin. Loc *Sortir de l'ornière* : sortir de la routine ou d'une situation difficile.

ornithogale *nm* Petite plante bulbeuse à fleurs blanches.

ornithologie *nf* Étude des oiseaux.

ornithologique *a* De l'ornithologie.

ornithologiste *n* Spécialiste d'ornithologie. **Var** **ornithologue**

ornithorynque *nm* Mammifère ovipare d'Australie, au bec corné aplati.

orogenèse *nf* GEOL Formation des montagnes.

orogénique *a* GEOL De l'orogenèse.

orographie *nf* Description du relief terrestre.

oronge *nf* Champignon comestible au chapeau rouge-orange. Loc *Fausse oronge* : amanite tue-mouche.

orpaillage *nm* Travail de l'orpailleur.

orpailleur *nm* Chercheur de paillettes d'or dans les sables aurifères.

orphelin, ine *n, a* Enfant qui a perdu son père et sa mère, ou l'un des deux. ■ *a* MED **1** Se dit de médicaments trop peu rentables pour être développés par l'industrie. **2** Se dit des maladies concernées par ces médicaments.

orphelinat *nm* Établissement qui recueille les orphelins.

orphéon *nm* Fanfare.

orphie *nf* Poisson de mer au long bec fin.

orphique *a* De l'orphisme.

orphisme *nm* Courant religieux et mystique de la Grèce antique, rattaché à Orphée.

orque *nf* Cétacé très vorace.

orseille *nf* Lichen dont on tire un colorant.

orteil *nm* Doigt de pied.

orthèse *nf* Appareil palliant une déficience du système locomoteur.

orthodontie *nf* Traitement des anomalies de position des dents.

orthodontiste *n* Spécialiste d'orthodontie.

orthodoxe *a* Conforme à un dogme religieux, à une doctrine établie, à une tradition. ■ *a, n* Qui appartient à une Église d'Orient indépendante de Rome.

orthodoxie *nf* Caractère orthodoxe.

orthoépie *nf* Prononciation correcte des sons du langage.

orthogénie *nf* Contrôle des naissances.

orthogonal, ale, aux *a* À angle droit.

orthographe *nf* Manière correcte d'écrire les mots ; règles régissant cette écriture.

orthographier *vt* Écrire selon les règles de l'orthographe.

orthographique *a* De l'orthographe.

orthopédie *nf* Traitement des lésions des articulations et des tendons.

orthopédique *a* De l'orthopédie.

orthopédiste *n* Spécialiste d'orthopédie.

orthophonie *nf* Correction des troubles du langage parlé et écrit.

orthophoniste *n* Spécialiste d'orthophonie.

orthoptère *nm* ZOOL Insecte (sauterelle, criquet) dont les ailes postérieures se replient.

orthoptie [-si] *nf* MED Rééducation de l'œil.

orthoptiste *n* Spécialiste d'orthoptie.

ortie *nf* Plante herbacée aux feuilles irritantes.

ortolan *nm* Bruant à chair très estimée.

orvet *nm* Lézard sans pattes, à queue fragile.

orviétan *nm* vx Remède supposé tout guérir.

oryctérope *nm* Mammifère africain au museau en forme de groin et aux griffes puissantes.

oryx *nm* Antilope aux cornes fines et longues.

os [ɔs], au pl. [o] *nm* Élément dur et calcifié du corps de l'homme et des vertébrés dont l'ensemble constitue le squelette. Loc *Jusqu'aux os, jusqu'à la moelle des os* : entièrement. fam *Ne pas faire de vieux os* : mourir jeune. fam *Tomber sur un os* : rencontrer une difficulté.

OS [oɛs] *n* Sigle de *ouvrier spécialisé*.

oscar *nm* Récompense décernée par un jury à un film, à un produit, etc. *L'oscar de la mode.*

oscillant, ante [-silɑ̃] *a* Qui oscille.

oscillateur [-sila-] *nm* Dispositif générant des oscillations électriques.

oscillation [-sila-] *nf* 1 Mouvement d'un corps qui oscille. 2 Fluctuation, variation.

oscillatoire *a* Caractérisé par des oscillations.

osciller [-sile] *vi* 1 Se mouvoir alternativement en deux sens contraires autour d'un point fixe. 2 litt Hésiter. 3 Varier entre deux niveaux.

oscillogramme [-silo-] *nm* Courbe fournie par l'oscillographe.

oscillographe *nm* Appareil enregistrant les variations temporelles d'une grandeur physique. Var **oscilloscope**

osé, ée *a* 1 Audacieux. 2 Scabreux, licencieux.

oseille *nf* 1 Plante potagère à la saveur acide. 2 pop Argent.

oser *vt* Avoir l'audace, le courage de.

osier *nm* Rameau flexible de divers saules.

osmium [-mjɔm] *nm* Métal très lourd de couleur gris-bleu.

osmose *nf* 1 Diffusion entre deux fluides séparés par des parois semi-perméables. 2 Influence mutuelle, interpénétration profonde.

osmotique *a* De l'osmose.

ossature *nf* 1 Ensemble des os. 2 Armature, charpente. *L'ossature d'un roman.*

osselet *nm* Petit os. ■ *pl* Jeu consistant à lancer et à rattraper sur le dos de la main de petits objets en forme d'os.

ossements *nmpl* Os décharnés et desséchés.

osseux, euse *a* 1 Des os. *Maladie osseuse.* 2 Dont les os sont saillants.

ossification *nf* Formation du tissu osseux.

ossifier *vt* PHYSIOL Changer en tissu osseux les parties cartilagineuses.

osso-buco [ɔsobuko] *nm* Jarret de veau avec son os, cuit à l'étouffée, avec des tomates. Var **ossobuco**

ossuaire *nm* Lieu où on dépose des ossements humains.

ostéalgie *nf* MED Douleur osseuse.

ostéite *nf* MED Inflammation du tissu osseux.

ostensible *a* Qu'on laisse voir à dessein.

ostensiblement *av* De façon ostensible.

ostensoir *nm* RELIG Support d'or ou d'argent servant à exposer l'hostie consacrée.

ostentation *nf* Insistance excessive pour montrer un avantage.

ostentatoire *a* Qui témoigne de l'ostentation.

ostéodensitométrie *nf* MED Mesure de la densité des tissus osseux.

ostéolyse *nf* MED Destruction du tissu osseux.

ostéomyélite *nf* MED Inflammation du tissu osseux et de la moelle.

ostéopathe *n* Spécialiste d'ostéopathie.

ostéopathie *nf* 1 Maladie des os. 2 Manipulations thérapeutiques vertébrales et articulaires.

ostéoplastie *nf* CHIR Restauration d'un os avec des fragments osseux.

ostéoporose *nf* MED Raréfaction pathologique du tissu osseux.

ostéosarcome *nm* MED Tumeur des os.

ostéotomie *nf* CHIR Ablation partielle d'un os.

ostracisme *nm* Exclusion d'une personne d'un groupe.

ostréicole *a* De l'ostréiculture.

ostréiculteur, trice *n* Personne qui élève des huîtres.

ostréiculture *nf* Élevage des huîtres.

ostrogoth [-go] *nm* fam Individu bizarre.

otage *nm* Personne qu'on retient pour se garantir contre d'éventuelles représailles, ou pour obtenir ce qu'on exige.

otarie *nf* Mammifère marin voisin du phoque.

ôter *vt* 1 Enlever, quitter. *Ôter son manteau.* 2 Prendre, ravir à qqn. *Ôter la vie, l'honneur.* 3 Retrancher qqch de. *Ôter trois de dix.* 4 Faire disparaître. *Ôter une tache.*

otique *a* didac De l'oreille.

otite *nf* MED Inflammation de l'oreille.

otologie *nf* MED Étude de l'oreille, de ses maladies.

oto-rhino-laryngologie *nf* Traitement des maladies des oreilles, de la gorge et du nez (abrév. : ORL). Var **otorhinolaryngologie**

oto-rhino-laryngologiste *n* Spécialiste d'oto-rhino-laryngologie (abrév. : ORL ; oto-rhino). Var **otorhinolaryngologiste**

otorragie *nf* MED Hémorragie par l'oreille.

otorrhée *nf* MED Écoulement par l'oreille.

ottoman, ane *a, nf* Relatif à l'Empire turc. ■ *nf* Canapé à dossier enveloppant.

ou *conj* Marque l'alternative ou l'équivalence.

où *pr, av* Équivaut au pronom relatif et interrogatif *lequel* précédé d'une préposition et indiquant le lieu, le temps, la conséquence.

ouailles *nfpl* litt Chrétiens par rapport à leur curé, à leur pasteur.

ouais [we] *av* fam Oui.

ouate *nf* 1 Textile servant pour les doublures. 2 Coton soyeux pour les pansements. *De l'ouate ou de la ouate.*

ouaté, ée a Feutré, doux.

ouatine nf Étoffe utilisée pour des doublures.

oubli nm 1 Défaillance de la mémoire. 2 Manquement à ses obligations.

oublier vt 1 Perdre le souvenir de qqch, de qqn. 2 Pardonner. 3 Négliger. *Oublier ses devoirs.* 4 Laisser par inadvertance. *Oublier ses clés.* 5 Omettre par inattention. *Oublier un nom sur une liste.* ■ vpr 1 Disparaître de la mémoire. 2 Manquer à ce qu'on doit aux autres, à soi-même.

oubliette nf Cachot souterrain.

oublieux, euse a litt Sujet à oublier.

oued [wɛd] nm Cours d'eau saisonnier d'Afrique du Nord.

ouest nm 1 Point cardinal qui est au soleil couchant. 2 (avec majusc.) Partie occidentale d'une région, d'un pays, d'un continent. 3 (avec majusc.) L'Europe occidentale et l'Amérique du Nord. Ant. est.

ouf ! interj Exprime le soulagement.

ougandais, aise a, n D'Ouganda.

ouguiya nm Unité monétaire de la Mauritanie.

oui av, nm Indique l'affirmation, l'acquiescement. Ant. non.

ouï-dire nm inv Loc *Par ouï-dire :* par la rumeur publique.

ouïe nf Sens qui permet d'entendre. ■ pl Branchies des poissons.

ouille ! [uj] interj Exprime la douleur. **Var ouïe !**

ouïr vt [37] litt Entendre.

ouistiti nm Singe d'Amérique de très petite taille.

oukase. V. ukase.

ouléma. V. uléma.

ouolof. V. wolof.

ouragan nm 1 Tempête très violente. 2 Trouble violent, déchaînement. *Ouragan politique.*

ourdir vt 1 Préparer les fils de la chaîne avant de les monter sur le métier à tisser. 2 Machiner, préparer, tramer. *Ourdir un complot.*

ourdou. V. urdu.

ourler vt Faire un ourlet à.

ourlet nm Bord d'une étoffe replié et cousu.

ours, ourse n 1 Grand mammifère carnivore, au corps massif couvert d'une épaisse toison. 2 fam Personne peu sociable, bourru. 3 Liste des collaborateurs d'une publication.

oursin nm Animal marin comestible, hérissé de piquants.

ourson nm Petit de l'ours.

oust ! interj fam Marque le rejet rapide ou la hâte. **Var ouste !**

out [aut] av Au tennis, en dehors des limites du terrain.

outarde nf Oiseau échassier.

outil [uti] nm 1 Instrument manuel de travail. 2 Tout moyen servant d'aide dans le travail.

outillage nm Ensemble des outils et des machines utilisés pour une activité.

outiller vt Munir d'outils, de matériel ; équiper.

outlaw [autlo] nm vx Hors-la-loi, bandit.

outplacement [aut-] nm Technique de réinsertion des salariés licenciés.

outrage nm Injure grave.

outrageant, ante a Qui outrage ; insultant.

outrager vt [11] Offenser gravement.

outrageusement av Excessivement.

outrance nf Excès. Loc *À outrance :* exagérément.

outrancier, ère a Excessif.

1. outre nf Sac en peau de bouc pour contenir des liquides.

2. outre prép En plus de. Loc *Outre mesure :* plus qu'il ne convient. *Outre que :* en plus du fait que. ■ av Loc *Passer outre :* aller plus loin. *En outre :* en plus.

outré, ée a litt Excessif. *Critique outrée.*

outre-Atlantique av Aux États-Unis.

outrecuidance nf Impertinence.

outrecuidant, ante a Impertinent.

outre-Manche av En Grande-Bretagne.

outremer a inv, nm Bleu intense.

outre-mer av Situé au-delà des mers.

outrepasser vt Dépasser la limite de.

outre-Quiévrain av En Belgique.

outrer vt Indigner, révolter, scandaliser.

outre-Rhin av En Allemagne.

outre-tombe av Après la mort.

outsider [autsajdœr] nm Concurrent qui s'attaque au favori.

ouvert, erte a 1 Qui n'est pas fermé. 2 Franc, accueillant, tolérant. Loc *Guerre ouverte :* hostilité déclarée.

ouvertement av Franchement.

ouverture nf 1 Action d'ouvrir ce qui était fermé. 2 Espace vide, fente, trou. 3 Commencement. *Ouverture de la chasse.* 4 Première démarche d'une négociation. 5 Début d'une œuvre lyrique. Loc *Ouverture d'esprit :* facilité à admettre ce qui est nouveau.

ouvrable a Loc *Jour ouvrable :* où on travaille normalement. Ant. férié.

ouvrage nm 1 Besogne, travail. 2 Objet produit. 3 Livre. Loc *Boîte à ouvrage :* nécessaire de couture. *Ouvrage d'art :* viaduc, tunnel, etc.

ouvragé, ée a Minutieusement travaillé.

ouvrant, ante a Qui s'ouvre.

ouvré, ée a 1 Travaillé, façonné. Loc *Jour ouvré :* où on travaille effectivement.

ouvre-boîte nm Instrument coupant pour ouvrir les boîtes de conserve. *Des ouvre-boîtes.* **Var ouvre-boite**

ouvre-bouteille nm Petit instrument pour décapsuler les bouteilles. *Des ouvre-bouteilles.*

ouvrer vt Travailler, façonner.

ouvreur, euse n 1 Skieur qui ouvre une piste. 2 Personne chargée de placer le public dans une salle de spectacle.

ouvrier, ère n Salarié effectuant un travail manuel. Loc *Ouvrier spécialisé :* sans qualification professionnelle. ■ nf Femelle stérile chez les abeilles, les guêpes, les fourmis. ■ a Relatif aux ouvriers. *La classe ouvrière.*

ouvriérisme nm Tendance à privilégier le rôle des ouvriers dans le mouvement révolutionnaire.

ouvriériste a, n Qui relève de l'ouvriérisme.

ouvrir vt [31] 1 Faire communiquer l'extérieur et l'intérieur. 2 Déplier, décacheter. 3 Rendre libre un accès. 4 Commencer, entamer. *Ouvrir une négociation.* 5 Fonder, créer. *Ouvrir une boutique.* 6 Faire fonctionner. *Ouvrir la télévision.* Loc fam *L'ouvrir :* parler. ■ vi, vpr 1 Être, devenir ouvert. *La porte n'ouvre, ne s'ouvre plus.* 2 Commencer. *Le congrès ouvre, s'ouvre sur un* *discours.* **3** Donner accès. *La terrasse ouvre, s'ouvre sur le jardin.* ■ *vpr* Se confier à qqn.

ouvroir *nm* Lieu réservé aux travaux faits en commun, dans un couvent.

ouzbek *a, n* De l'Ouzbékistan.

ouzo *nm* Alcool grec parfumé à l'anis.

ovaire *nm* BIOL Organe reproducteur femelle où se forment les ovules.

ovale *a* Qui a la forme d'une courbe fermée et allongée. ■ *nm* Figure de cette forme.

ovaliser *vt* Rendre ovale.

ovariectomie *nf* CHIR Ablation d'un ovaire.

ovarien, enne *a* De l'ovaire.

ovarite *nf* MED Inflammation des ovaires.

ovation *nf* Acclamation.

ovationner *vt* Acclamer. *Ovationner l'orateur.*

overdose [ɔvœʀdoz] *nf* **1** Absorption d'une forte dose de drogue, pouvant être mortelle. **2** Quantité excessive de qqch.

ovibos *nm* Ruminant des régions boréales, appelé aussi *bœuf musqué.*

oviducte *nm* ZOOL Conduit où passe l'ovule chez les animaux.

ovin, ine *a* ZOOL Qui concerne les moutons, les brebis. ■ *nm* Animal de l'espèce ovine.

ovipare *a, n* ZOOL Qui pond des œufs.

oviposteur *nm* ZOOL Syn. de *tarière.* **Var oviscapte**

ovni *nm* Objet volant non identifié.

ovocyte. V. *oocyte.*

ovogenèse *nf* BIOL Formation des ovules, chez les animaux.

ovoïde *a* Qui a la forme d'un œuf.

ovovivipare *n, a* ZOOL Animal ovipare chez lequel l'incubation des œufs se fait dans les voies génitales.

ovulation *nf* BIOL Rupture du follicule, libérant l'ovule.

ovule *nm* **1** BIOL Gamète femelle. **2** Corpuscule médicamenteux.

ovuler *vi* Avoir une ovulation.

oxalique *a* Loc *Acide oxalique :* contenu dans l'oseille.

oxford *nm* Tissu de coton très solide.

oxhydrique *a* D'un mélange d'oxygène et d'hydrogène.

oxyacétylénique *a* D'un mélange d'oxygène et d'acétylène.

oxycarboné, ée *a* CHIM De l'oxyde de carbone.

oxydable *a* Qui peut s'oxyder.

oxydant, ante *a, nm* Qui oxyde.

oxydation *nf* Fixation d'oxygène sur un corps.

oxyde *nm* CHIM Corps résultant de la combinaison de l'oxygène avec un autre élément.

oxyder *vt* Convertir en oxyde. ■ *vpr* Être attaqué par l'oxydation.

oxygénation *nf* Action d'oxygéner.

oxygène *nm* **1** Gaz incolore, insipide et inodore contenu dans l'air. **2** Air pur. **3** Ce qui donne un nouveau dynamisme.

oxygéné, ée *a* Loc *Eau oxygénée :* solution utilisée comme antiseptique.

oxygéner *vt* [12] CHIM Combiner un corps avec l'oxygène. ■ *vpr* fam Respirer de l'air pur.

oxygénothérapie *nf* MED Administration thérapeutique d'oxygène.

oxyton *nm* LING Mot portant l'accent tonique sur la dernière syllabe.

oxyure *nm* Ver parasite de l'intestin de l'homme.

oyat *nm* Plante servant à fixer les dunes.

ozalid *nm* (n. déposé) IMPRIM Épreuve sur papier.

ozone *nm* Gaz proche de l'oxygène, à pouvoir très oxydant. Loc *Trou d'ozone :* diminution de l'ozone dans l'ozonosphère.

ozoniser *vt* Stériliser par l'ozone. **Var ozoner**

ozoniseur *nm* Appareil servant à produire de l'ozone. **Var ozonisateur**

ozonosphère *nf* Zone de la haute atmosphère terrestre riche en ozone.

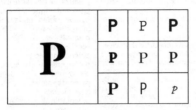

p *nm* Seizième lettre (consonne) de l'alphabet.

pacage *nm* Lieu où on fait paître les bestiaux.

pacemaker [pɛsmekœʀ] *nm* Stimulateur cardiaque. **Var pacemakeur**

pacha *nm* 1 Gouverneur de province, dans l'ancien Empire ottoman. 2 fam Surnom du commandant d'un navire de guerre.

pachtou *nm* Langue indo-européenne parlée en Afghanistan.

pachyderme *nm* 1 ZOOL Mammifère à peau épaisse comme l'éléphant, le rhinocéros, l'hippopotame, etc. 2 fam Personne très grosse.

pacificateur, trice *a, n* Qui pacifie.

pacification *nf* Action de pacifier.

pacifier *vt* 1 Rétablir la paix dans un pays. 2 Apaiser, calmer un esprit.

pacifique *a* 1 Attaché à la paix. 2 Exempt de violence. *Coexistence pacifique.*

pacifiquement *av* De façon pacifique.

pacifisme *nm* Recherche systématique de la paix en toute circonstance.

pacifiste *n, a* Partisan du pacifisme.

pack *nm* 1 Ensemble des huit avants, au rugby. 2 Emballage de bouteilles, de pots. 3 Banquise dérivante.

package [-kɛdʒ] *nm* Ensemble de choses vendu à un prix forfaitaire.

packaging [-kɛdʒiŋ] *nm* Technique et industrie de l'emballage.

pacotille *nf* Marchandise de peu de valeur.

PACS *nm* Pacte civil de solidarité, contrat légalisant la cohabitation de deux personnes.

pacsé, ée *a, n* Se dit d'une personne ayant conclu un PACS.

pacser (se) *vpr* Conclure un PACS.

pacson *nm* pop Paquet.

pacte *nm* Convention solennelle entre plusieurs États, partis, individus.

pactiser *vi* 1 Faire un pacte avec qqn. 2 Transiger avec qqn, qqch.

pactole *nm* litt Source de richesses.

paddock *nm* 1 Partie d'un champ de courses, où les chevaux sont promenés. 2 Stand de marque sur un circuit automobile. 3 pop Lit.

paddy *nm* Riz non décortiqué.

paella [paelja] *nf* Plat espagnol composé de riz au safran avec des moules, de la volaille, etc. **Var paélia**

1. paf *a* pop Ivre.

2. paf ! *interj* Exprime le bruit d'une chute.

pagaie [pagɛ] *nf* Rame courte, à large pelle.

pagaille *nf* fam Grand désordre. **Loc** *En pagaille :* en grande quantité.

paganisme *nm* Religion polythéiste, pour les chrétiens.

pagayer [-geje] *vi* [20] Ramer avec une pagaie.

pagayeur, euse [-gɛ-] *n* Personne qui pagaye.

1. page *nf* 1 Côté d'un feuillet de papier ; ce feuillet. 2 Texte écrit sur une page. 3 Contenu de ce texte. **Loc** *Tourner la page :* oublier le passé. fam *Être à la page :* au courant. *Page d'accueil :* première page d'un site Web.

2. page *nm* HIST Jeune noble au service d'un seigneur.

pagel *nm* Poisson de mer proche de la daurade. **Var pageot**

pageot *nm* pop Lit.

pagination *nf* Action de paginer.

paginer *vt* Numéroter les pages d'un livre, d'un cahier, etc.

pagne *nm* Morceau d'étoffe couvrant le corps de la ceinture au mollet.

pagode *nf* Temple bouddhique.

pagre *nm* Poisson voisin de la daurade.

pagure *nm* Bernard-l'ermite.

paie. *V.* **paye.**

paiement [pɛmã] *nm* 1 Action de payer. 2 Somme payée. *Des paiements réguliers.* **Var payement**

païen, enne *a, n* Qui relève du paganisme.

paierie *nf* Centre administratif chargé des paiements.

paillage *nm* Action de pailler.

paillard, arde *a, n* Grivois, licencieux.

paillardise *nf* Grivoiserie.

paillasse *nf* 1 Grand sac de paille servant de matelas. 2 Surface horizontale d'un évier.

paillasson *nm* Tapis-brosse.

paille *nf* 1 Tige creuse des céréales. 2 Petit tuyau servant à aspirer un liquide. 3 Défaut dans le métal. **Loc** fam *Être sur la paille :* dans la misère. *Tirer à la courte paille :* tirer au sort avec des brins de longueur inégale. *Paille de fer :* tampon de métal servant à récurer. fam *Une paille :* presque rien. ■ *a inv* D'un jaune brillant.

pailler *vt* Garnir de paille.

pailleté, ée *a* Semé de paillettes.

paillette *nf* **1** Parcelle d'or dans le sable de certaines rivières. **2** Mince lamelle brillante cousue sur un tissu.

paillon *nm* Manchon de paille dont on entoure une bouteille.

paillote *nf* Hutte de paille.

pain *nm* **1** Aliment fait de farine pétrie, fermentée et cuite au four. **2** Nom donné à certains gâteaux. **3** Matière moulée en forme de pain. **4** pop Coup. Loc *Manger son pain blanc* : avoir des débuts faciles. fam *Avoir du pain sur la planche* : beaucoup de travail à faire. pop *Faire passer à qqn le goût du pain* : le maltraiter ou le tuer. fam *Je ne mange pas de ce pain-là* : je n'emploie pas de tels procédés. *Pour une bouchée de pain* : pour un prix très bas. *Long comme un jour sans pain* : très long. *Ôter le pain de la bouche* : priver du nécessaire. *Gagner son pain* : gagner sa vie.

pair, paire *a* **1** Divisible par deux. **2** Double et symétrique. ■ *nm* **1** Personne qui est égale à une autre. **2** Taux normal d'une valeur, d'une monnaie. **3** FÉOD Grand vassal du roi. **4** En Grande-Bretagne, membre de la Chambre des lords. Loc *Au pair* : nourri et logé, mais non rémunéré. *De pair* : ensemble. *Hors pair* : sans égal. ■ *nf* **1** Groupe de deux objets allant ensemble. **2** Objet composé de deux pièces symétriques. Loc *Une paire de* : un ensemble de deux animaux de même espèce, de deux personnes. pop *Se faire la paire* : filer.

pairie *nf* Titre, dignité de pair.

paisible *a* Tranquille, pacifique, calme.

paisiblement *av* En paix.

paître *vt, vi* [66] (ni temps simple, ni temps composés) Brouter l'herbe. Loc fam *Envoyer paître* : renvoyer avec humeur. Var **paitre**

paix *nf* **1** Absence de conflit. *Vivre en paix.* **2** Traité de paix. *Signer la paix.* **3** Tranquillité, quiétude. Loc *Faire la paix* : se réconcilier.

pakistanais, aise *a,* Du Pakistan.

pal *nm* **1** Pieu dont une extrémité est aiguisée. **2** Bande traversant un blason.

palabre *nf* Discussion interminable.

palabrer *vi* Discuter interminablement.

palace *nm* Hôtel de luxe.

paladin *nm* Chevalier du Moyen Âge en quête de causes justes.

palafitte *nm* Habitat préhistorique sur pilotis.

1. palais *nm* **1** Résidence d'un chef d'État, d'un haut personnage. **2** Vaste édifice abritant un musée, un organisme d'État, etc. Loc *Palais de justice* : où siègent les cours et les tribunaux.

2. palais *nm* **1** Partie supérieure de la cavité buccale. **2** Goût. *Avoir le palais fin.*

palan *nm* Appareil de levage constitué par deux systèmes de poulies.

palangre *nf* Ligne munie d'hameçons.

palanquer *vt* Lever avec un palan.

palanquin *nm* Chaise ou litière portée à bras d'hommes ou installée sur le dos des éléphants.

palatal, ale, aux *a, nf* Se dit d'un phonème articulé vers le palais, comme le [k] et le [g].

palatalisation *nf* PHON Articulation d'une consonne vers le palais.

palatin, ine *a* ANAT Du palais. *Voûte palatine.*

pale *nf* **1** Partie plate d'un aviron, de la roue d'un bateau à vapeur. **2** Branche d'une hélice.

pâle *a* **1** Blême, blafard. **2** Se dit d'une couleur atténuée par du blanc. **3** Médiocre, terne. Loc pop *Se faire porter pâle* : malade.

palefrenier *nm* Chargé du soin des chevaux.

palefroi *nm* Cheval de parade au Moyen Âge.

paléobotanique *nf* Paléontologie végétale.

paléochrétien, enne *a* Se dit de l'art des premiers chrétiens (I\u1d49\u02b3 s.-VI\u1d49 s.).

paléoclimat *nm* Climat d'une région à une période géologique ancienne.

paléoclimatologie *nf* Science des paléoclimats.

paléogène *nm* GÉOL Début de l'ère tertiaire.

paléographe *n* Spécialiste de paléographie.

paléographie *nf* Science du déchiffrage des écritures anciennes.

paléolithique *nm* PRÉHIST Âge de la pierre taillée au quaternaire.

paléomagnétisme *nm* Magnétisme terrestre aux périodes géologiques.

paléontologie *nf* Science des fossiles.

paléontologiste *n* Spécialiste de paléontologie. Var **paléontologue**

paléosol *nm* GÉOL Sol fossile.

paléozoïque *nm, a* GÉOL Ère primaire.

paleron *nm* Partie charnue proche de l'omoplate du bœuf ou du porc.

palestinien, enne *a, n* De Palestine.

palestre *nf* ANTIQ Partie réservée aux exercices physiques dans le gymnase.

palet *nm* Disque qu'on lance vers un but, dans certains jeux.

paletot *nm* Veste qu'on porte par-dessus d'autres vêtements.

palette *nf* **1** Objet plat d'une certaine largeur. **2** Plaque percée d'un trou pour le pouce, sur laquelle les peintres travaillent leurs couleurs. **3** Ensemble des couleurs utilisées par un peintre. **4** Plateau servant à la manutention des marchandises. **5** Morceau de porc, de mouton provenant de l'omoplate.

palettisation *nf* Action de palettiser.

palettiser *vt* Charger des marchandises sur une palette.

palétuvier *nm* Arbre aux racines aériennes.

pâleur *nf* Aspect, teint pâle.

pali *nm* Ancienne langue de l'Inde.

pâlichon, onne *a* fam Pâlot.

palier *nm* **1** Plan horizontal dans un escalier servant d'accès à des locaux de même niveau. **2** Phase de stabilité. **3** TECH Pièce dans laquelle tourne un arbre de transmission. Loc *Par paliers* : progressivement.

palière *af* Loc *Porte palière* : qui s'ouvre sur un palier.

palimpseste *nm* Parchemin dont le texte primitif a été gratté et sur lequel un nouveau texte a été écrit.

palindrome *nm* Mot, phrase qu'on peut lire dans les deux sens (ex. : *un roc cornu*).

palinodie *nf* litt Rétractation, brusque changement d'opinion.

pâlir *vi* Devenir pâle. ■ *vt* litt Rendre pâle.

palis *nm* Pieu pointu d'une clôture.

palissade *nf* Clôture de pieux, de planches.

palissage *nm* Action de palisser.

palissandre *nm* Bois brun à reflets violacés.

pâlissant, ante *a* Qui pâlit.

palisser *vt* AGRIC Fixer à un support les branches d'une plante.

paliure *nm* Arbuste épineux méditerranéen.

palladium [-djom] *nm* Métal dur et ductile.

palliatif, ive *a* Dont l'efficacité n'est qu'apparente. **Loc** *Soins palliatifs :* destinés aux agonisants. ■ *nm* Mesure provisoire ; expédient. *Ce remède n'est qu'un palliatif.*

pallier *vt* Atténuer. *Pallier une difficulté.*

pallikare *nm* HIST Au XIXᵉ s., partisan grec combattant contre les occupants turcs.

palmaire *a* De la paume des mains.

palmarès *nm* 1 Liste des lauréats. *Le palmarès d'un concours.* 2 Liste des succès. *Le palmarès d'un champion.* 3 Syn. de *hit-parade.*

palme *nf* 1 Feuille du palmier. 2 Insigne d'une distinction honorifique. 3 Palette de caoutchouc adaptée au pied d'un nageur. **Loc** *Vin, huile de palme :* de palmier.

palmé, ée *a* 1 BOT Qui a la forme d'une main. 2 ZOOL Qui a une palmure.

palmeraie *nf* Plantation de palmiers.

palmette *nf* ARCHI Ornement en forme de feuille de palmier.

palmier *nm* 1 Arbre à tronc couronné de feuilles (cocotier, palmier-dattier). 2 Petit gâteau de pâte feuilletée.

palmipède *a* ZOOL Dont les pieds sont palmés. ■ *nm* Oiseau tel que l'oie, le canard, etc.

palmiste *nm* Palmier aux bourgeons comestibles.

palmure *nf* Membrane réunissant les doigts de divers vertébrés aquatiques (canard, grenouille).

palombe *nf* Pigeon ramier.

palonnier *nm* TECH Pièce transversale servant à équilibrer les efforts de traction.

pâlot, otte *a* fam Un peu pâle.

palourde *nf* Mollusque comestible qui vit enfoui dans le sable.

palpable *a* 1 Perceptible par le toucher. 2 Évident, patent. *Vérité palpable.*

palpation *nf* MED Examen par exploration manuelle.

palpébral, ale, aux *a* ANAT De la paupière.

palper *vt* 1 Examiner en tâtant. 2 fam Recevoir de l'argent.

palpeur *nm* Dispositif servant à contrôler et à réguler qqch.

palpitant, ante *a* 1 Qui palpite. 2 Qui passionne. *Récit palpitant.*

palpitations *nfpl* Battements accélérés du cœur.

palpiter *vi* Avoir des mouvements convulsifs (organe, cœur).

paltoquet *nm* vx Homme vaniteux.

paluche *nf* pop Main.

paludéen, enne *a* 1 Des marais. 2 MED Relatif au paludisme. ■ *n* Atteint de paludisme.

paludier, ère *n* Personne qui travaille dans les marais salants.

paludisme *nm* Maladie infectieuse due à un parasite transmis par les moustiques et se traduisant par une fièvre intermittente. Syn. malaria.

palustre *a* Qui vit dans les marais.

palynologie *nf* Étude des pollens.

pâmer (se) *vpr* litt Défaillir par suite d'une vive émotion.

pâmoison *nf* litt Évanouissement.

pampa *nf* Vaste plaine d'Amérique du Sud.

pamphlet *nm* Écrit satirique.

pamphlétaire *n* Auteur de pamphlets.

pamplemousse *nm* Fruit jaune du pamplemoussier, plus gros qu'une orange.

pamplemoussier *nm* Arbre produisant des pamplemousses.

pampre *nm* Branche de vigne avec ses feuilles et ses fruits.

1. pan *nm* 1 Partie tombante ou flottante d'un vêtement. 2 Partie plus ou moins large d'un mur. 3 GEOM Face d'un polyèdre. 4 Partie, morceau. *Un pan du ciel.*

2. pan ! *interj* Exprime un bruit de coup.

panacée *nf* Remède à tous les maux.

panachage *nm* Action de panacher.

panache *nm* 1 Faisceau de plumes flottantes. 2 Ce qui évoque un panache. *Panache de fumée.* 3 Ce qui a fière allure ; éclat.

panaché, ée *a* 1 Bigarré. *Tulipe panachée.* 2 Composé d'éléments divers. **Loc** *Demi panaché :* bière mélangée de limonade.

panacher *vt* 1 Composer de couleurs diverses, bigarrer. 2 Composer d'éléments divers. 3 Voter pour des candidats appartenant à des listes différentes.

panade *nf* **Loc** pop *Être dans la panade :* dans la misère.

panafricain, aine *a* 1 De l'ensemble du continent africain. 2 Du panafricanisme.

panafricanisme *nm* Mouvement politique et culturel de solidarité entre les peuples africains.

panais *nm* Plante potagère à racine charnue.

panama *nm* Chapeau de paille.

panaméen, enne *a, n* De Panama.

panaméricain, aine *a* De l'ensemble des pays d'Amérique.

panarabe *a* De l'ensemble des pays arabes.

panarabisme *nm* Mouvement politique et culturel visant à l'union des pays arabes.

panard *nm* pop Pied.

panaris [-ri] *nm* Inflammation aiguë d'un doigt ou d'un orteil.

panathénées *nfpl* ANTIQ Fêtes que l'on célébrait à Athènes en l'honneur de la déesse Athéna.

panax *nm* Arbre dont la racine fournit le ginseng.

pancarte *nf* Panneau portant une inscription.

panchen-lama *nm* Chef religieux tibétain, inférieur au dalaï-lama. *Des panchen-lamas.*

panchromatique *a* PHOTO Sensible à toutes les couleurs.

pancrace *nm* ANTIQ Combat combinant la lutte et le pugilat.

pancréas [-as] *nm* Glande abdominale qui sécrète un suc digestif et l'insuline.

pancréatique *a* Du pancréas.

pancréatite *nf* Inflammation du pancréas.

panda *nm* Mammifère d'Asie proche de l'ours.

pandémie *nf* Épidémie atteignant toute la population d'une région.

pandémonium [-njom] *nm* litt Lieu de désordre et d'agitation.

pandore *nm* vx Gendarme.

pané, ée *a* Enrobé de chapelure.

panégyrique *nm* Éloge sans réserve.

panégyriste *nm* Auteur d'un panégyrique.

panel *nm* Groupe de personnes interrogées pour l'étude de certaines questions.

paner *vt* Enrober une viande, un poisson, de chapelure.

panetière *nf* Coffre à pain.

paneton nm Petit panier où le boulanger met la pâte avant cuisson.

panettone nm Gâteau brioché italien fourré de fruits confits.

pangermanisme nm Doctrine visant à l'union de tous les peuples germaniques.

pangolin nm Mammifère édenté d'Afrique et d'Asie, au corps couvert d'écailles.

panhellénique a Qui concernait la Grèce tout entière.

panhellénisme nm Doctrine visant à réunir tous les Grecs.

panicaut nm Chardon bleu à feuilles épineuses des terrains incultes.

panicule nm BOT Inflorescence en grappe.

panier nm 1 Ustensile portatif servant au transport des denrées et autres objets ; contenu de cet ustensile. 2 SPORT Filet sans fond monté sur une armature circulaire, par lequel un joueur de basket-ball doit faire passer le ballon ; but ainsi marqué. Loc *Panier de crabes* : groupe de personnes se nuisant mutuellement. *Panier percé* : dépenser. *Le dessus du panier* : le meilleur. *Le fond du panier* : le rebut.

panière nf Grande corbeille à deux anses.

panier-repas nm Repas froid empaqueté pour un voyageur, un travailleur, etc. *Des paniers-repas.*

panifiable a Dont on peut faire du pain.

panification nf Action de panifier.

panifier vt Transformer de la farine en pain.

panini nm Sandwich à l'italienne, qui se consomme chaud.

paniquard, arde a, n fam Qui panique.

panique a Loc *Terreur panique* : peur incontrôlable et soudaine. ■ nf Frayeur collective subite.

paniquer vt fam Affoler, angoisser. ■ vi, vpr Céder à l'affolement.

panislamisme nm Doctrine visant à l'union de tous les peuples musulmans.

1. panne nf Tissu adipeux du cochon.

2. panne nf Arrêt accidentel de fonctionnement. Loc fam *Être en panne de qqch* : en manquer. *Panne sèche* : manque de carburant.

panneau nm 1 Élément plan de menuiserie. 2 Plaque de bois ou de métal servant de support à des indications. Loc fam *Tomber dans le panneau* : dans le piège.

panneton nm Partie de la clé qui fait mouvoir le mécanisme d'une serrure.

panonceau nm Petit panneau indicateur.

panoplie nf 1 Collection d'armes fixées sur un panneau. 2 Déguisement d'enfants présenté sur un carton. 3 Assortiment d'éléments de même nature ; ensemble de moyens d'action.

panorama nm 1 Vue circulaire découverte d'un point élevé. 2 Vue d'ensemble.

panoramique a Propre à un panorama. *Vision panoramique.* ■ nm Prise de vues effectuée par une rotation de la caméra.

pansage nm Action de panser un animal.

panse nf 1 ZOOL Première poche de l'estomac des ruminants. 2 fam Gros ventre. 3 Partie la plus renflée d'un objet.

pansement nm 1 Action de panser une plaie. 2 Bande, gaze, etc., appliquées sur une plaie.

panser vt 1 Appliquer un pansement. 2 Brosser un cheval.

panslavisme nm Doctrine tendant à favoriser l'union des peuples slaves.

pansu, ue a 1 Qui a un gros ventre. 2 Renflé.

pantagruélique a Se dit d'un appétit, d'un repas gigantesque.

pantalon nm Vêtement qui va de la ceinture aux pieds, enveloppant chaque jambe séparément.

pantalonnade nf Farce grotesque, hypocrite.

pantelant, ante a litt Haletant.

panteler vi [18] litt Haleter.

panthéisme nm Croyance identifiant Dieu et le monde.

panthéiste a, n Qui relève du panthéisme.

panthéon nm 1 Ensemble des dieux d'une religion. 2 Monument à la mémoire des grands hommes d'un pays.

panthère nf Grand félidé d'Afrique et d'Asie à la robe jaune tachetée de noir.

pantin nm 1 Jouet dont on fait bouger les membres au moyen d'un fil. 2 Fantoche.

pantographe nm 1 Instrument servant à reproduire un dessin. 2 Dispositif reliant une locomotive électrique à la caténaire.

pantois, oise a Stupéfait. *Rester pantois.*

pantomime nf 1 Art d'exprimer des sentiments par des gestes, sans paroles. 2 Pièce mimée.

pantouflard, arde a, n fam Casanier.

pantoufle nf Chaussure d'intérieur.

pantoufler vi fam Quitter la fonction publique pour entrer dans le secteur privé.

pantoum nm Poème romantique à forme fixe.

panure nf Chapelure.

PAO nf Publication assistée par ordinateur.

paon [pã] nm Oiseau galliforme au magnifique plumage vert et bleu. Loc *Vaniteux comme un paon* : très vaniteux. *Se parer des plumes du paon* : se vanter de ce qu'on ne possède pas.

paonne [pãn] nf Femelle du paon.

papa nm fam Père, dans le langage enfantin. Loc *À la papa* : sans se presser. *Fils à papa* : fils de famille profitant de la situation paternelle.

papal, ale, aux a Du pape.

paparazzi nm Photographe spécialisé dans la prise de clichés indiscrets de personnes connues.

papauté nf Dignité, pouvoir du pape.

papavéracée nf BOT Plante herbacée, à fruit en forme de capsule, telle que le pavot.

papaye [-paj] nf Fruit du papayer, semblable à un gros melon.

papayer nm Arbre d'Asie cultivé pour son fruit la papaye, et son latex.

pape nm 1 Chef suprême de l'Église catholique romaine. 2 fam Chef d'un mouvement.

papelard, arde a litt Hypocrite. ■ nm fam Papier.

paperasse nf Écrit sans valeur, inutile.

paperasserie nf Accumulation de paperasses.

paperassier, ère n Amateur de paperasse.

papesse nf Femme pape selon une légende.

papeterie [-petʀi] nf 1 Fabrication du papier. Magasin où l'on vend du papier, des fournitures de bureau. Var **papèterie**

papetier, ère n, a Qui fabrique du papier ou qui en vend.

papier nm 1 Matière faite d'une pâte de fibres végétales étalée en couche mince et séchée. 2 Feuille très mince de métal. 3 Feuille écrite ou imprimée, document, article de journal, etc. Loc *Papier d'émeri, de verre* : utilisés comme abrasifs.

fam *Être dans les petits papiers de qqn :* jouir de sa faveur. ■ *pl* Pièces d'identité.
papier-calque *nm* Papier permettant de recopier un dessin. *Des papiers-calques.*
papier-monnaie *nm* Monnaie de papier.
papilionacée *nf* BOT Légumineuse.
papille *nf* Petite éminence charnue à la surface de la peau, de la langue.
papillome *nm* Tumeur bénigne de la peau.
papillon *nm* **1** Insecte caractérisé par quatre grandes ailes diversement colorées. **2** Pièce pivotant autour d'un axe, qui sert à régler un débit. **3** Écrou à ailettes. **4** Petit feuillet de papier ; avis de contravention. Loc *Nœud papillon :* cravate courte nouée en forme de papillon. *Brasse papillon :* brasse où les deux bras sont ramenés au-dessus de l'eau.
papillonner *vi* Aller d'une chose, d'une personne à une autre sans s'arrêter à aucune.
papillote *nf* Morceau de papier servant à envelopper les cheveux, des aliments, etc.
papillotement *nm* Scintillement.
papilloter *vt* Envelopper dans des papillotes. ■ *vi* **1** Scintiller. **2** Clignoter.
papiste *n* péjor Catholique romain pour les protestants.
papivore *n* fam Grand lecteur.
papotage *nm* fam Conversation frivole.
papoter *vi* fam Faire des papotages ; bavarder.
papou, oue *a* Relatif aux Papous.
papouille *nf* fam Chatouille.
paprika *nm* Piment doux qu'on utilise broyé.
papule *nf* MED Petite saillie sur la peau.
papy *nm* **1** fam Grand-père. **2** pop Homme âgé.
papy-boom [papibum] *nm* Vieillissement accéléré d'une population. *Des papy-booms.* **Var** papyboom
papyrologie *nf* Étude des papyrus.
papyrologue *n* Spécialiste de papyrologie.
papyrus *nm* **1** Plante des bords du Nil. **2** Feuille tirée de cette plante. **3** Manuscrit égyptien écrit sur cette feuille.
pâque *nf* Fête annuelle des juifs en mémoire de leur sortie d'Égypte.
paquebot *nm* Grand navire de transport des passagers.
pâquerette *nf* Petite plante à fleur blanche.
Pâques *nm* Fête annuelle des chrétiens qui commémore la résurrection du Christ. ■ *nfpl* Loc *Faire ses pâques :* recevoir à Pâques la communion prescrite par l'Église aux catholiques.
paquet *nm* **1** Assemblage de plusieurs choses attachées ou enveloppées ensemble. **2** Produit dans son emballage. **3** Quantité, masse importante. *Paquet de mer.* Loc fam *Mettre le paquet :* y aller de toute sa force. *Risquer le paquet :* engager gros dans une affaire. *Faire ses paquets :* s'en aller.
paquetage *nm* Pièces d'habillement et d'équipement d'un soldat.
1. par *prép* Marque le lieu ou le temps traversé, la distribution, la manière.
2. par *nm* Au golf, nombre minimal de coups nécessaires pour effectuer un parcours.
para *nm* fam Parachutiste.
parabellum [-lɔm] *nm* Pistolet automatique.
parabole *nf* **1** Récit allégorique. **2** GEOM Courbe formant le lieu géométrique des points équidistants d'un point fixe et d'une droite fixe. **3** Antenne de télévision servant à capter les programmes transmis par satellite.
parabolique *a* Relatif à la parabole.
paracentèse [-sɛ-] *nf* CHIR Ponction pratiquée pour évacuer un liquide organique.
paracétamol *nm* Médicament analgésique et antipyrétique.
parachèvement *nm* Action de parachever.
parachever *vt* [15] Terminer avec le plus de perfection possible.
parachimie *nf* Partie de l'industrie chimique fournissant des produits dérivés tels que les encres, les peintures, la pharmacie.
parachutage *nm* Action de parachuter.
parachute *nm* Appareil destiné à ralentir la chute des corps tombant d'une grande hauteur.
parachuter *vt* **1** Larguer avec un parachute. **2** fam Désigner, nommer inopinément à un emploi.
parachutisme *nm* Pratique du saut en parachute.
parachutiste *n* Personne qui pratique le parachutisme.
parade *nf* **1** Action de parer un coup, une accusation, etc. **2** Défilé militaire. **3** Défilé des artistes d'un spectacle de music-hall. Loc *Faire parade de :* faire étalage de. *De parade :* destiné à servir d'ornement.
parader *vi* Se pavaner.
paradigmatique *a* D'un paradigme.
paradigme *nm* LING Ensemble des formes d'un mot, conjugaison d'un verbe.
paradis *nm* **1** Selon plusieurs religions, lieu où séjournent les bienheureux après leur mort. **2** Lieu enchanteur. **3** Galerie tout en haut d'une salle de spectacle. Loc *Paradis terrestre :* jardin habité par Adam et Ève, selon la Genèse. *Paradis fiscal :* pays où le régime fiscal est particulièrement avantageux. *Oiseau de paradis :* paradisier.
paradisiaque *a* Digne du paradis.
paradisier *nm* Oiseau de Nouvelle-Guinée et d'Australie, aux plumes magnifiques.
paradoxal, ale, aux *a* Qui tient du paradoxe ; singulier. *Situation paradoxale.* Loc *Sommeil paradoxal :* pendant lequel ont lieu les rêves.
paradoxalement *av* De façon paradoxale.
paradoxe *nm* Proposition contraire à l'opinion commune, à la logique.
parafe, parafer. V. *paraphe, parapher.*
paraffinage *nm* Action de paraffiner.
paraffine *nf* Solide gras blanchâtre.
paraffiner *vt* Enduire de paraffine.
parafiscal, ale, aux *a* De la parafiscalité.
parafiscalité *nf* Charges ou taxes hors des impôts de l'État.
parages *nmpl* MAR Étendue de mer proche des côtes. Loc *Dans les parages :* aux environs.
paragraphe *nm* Subdivision d'un texte en prose marquée par un alinéa.
paragrêle *nm* Dispositif pour dissiper les nuages de grêle.
paraguayen, enne *a, n* Du Paraguay.
paraître *vi* [55] [aux. *avoir* ou *être*] **1** Se montrer, être visible. **2** Être publié. **3** Sembler, avoir l'apparence de (suivi d'un attribut ou d'un inf.). *Il paraît satisfait.* **4** Briller, se faire remarquer. *Aimer paraître.* Loc *Il paraît que :* le bruit court que. **Var** paraître

parallaxe nf Loc *Erreur de parallaxe :* commise lorsqu'on lit obliquement une graduation.

parallèle a 1 Se dit d'une ligne, d'une surface, également distante d'une autre ligne, d'une autre surface. 2 Qui se déroule dans les conditions analogues ; semblable. 3 De même ordre, mais non officiel ou non légal. *Police parallèle.* ■ nf Ligne parallèle à une autre. ■ nm 1 Chacun des cercles de la sphère terrestre parallèles au plan de l'équateur. 2 Comparaison. *Établir un parallèle.*

parallèlement av De façon parallèle.

parallélépipède nm Prisme dont les six faces sont des parallélogrammes.

parallélisme nm 1 GEOM État de droites, de plans, d'objets parallèles. 2 Comparaison systématique entre des personnes, des choses.

parallélogramme nm Quadrilatère dont les côtés opposés sont parallèles.

paralysant, ante a Qui paralyse.

paralysé, ée a, n Atteint de paralysie.

paralyser vt 1 Frapper de paralysie. 2 Frapper d'inertie ; neutraliser.

paralysie nf 1 Perte ou déficience des mouvements volontaires dans une région du corps. 2 Arrêt du fonctionnement de l'activité. *Paralysie des transports.*

paralytique a, n Atteint de paralysie.

paramécie nf Protozoaire commun dans les eaux douces stagnantes.

paramédical, ale, aux a Relatif à la santé sans relever des attributions des médecins.

paramètre nm 1 Élément important dont il faut tenir compte pour juger d'une question. 2 MATH Dans une équation, grandeur à laquelle on peut attribuer des valeurs différentes. 3 INFORM Variable qui n'est précisée que lors de l'exécution du programme.

paramétrer vt [12] Définir les paramètres de.

paramilitaire a Organisé comme une armée.

parangon nm litt Modèle. *Parangon de vertu.*

paranoïa nf Psychose caractérisée par la surestimation du moi et un délire de persécution.

paranoïaque a, n Qui relève de la paranoïa.

paranormal, ale, aux a Hors de la normalité.

parapente nm Sport qui consiste à sauter en parachute en décollant d'un sol en pente.

parapet nm Mur à hauteur d'appui ; garde-fou.

parapharmacie nf Produits vendus en pharmacie sans être des médicaments (cosmétiques, dentifrices, etc.).

paraphe nm Signature abrégée ; trait soulignant une signature. **Var parafe**

parapher vt Apposer son paraphe sur un document. **Var parafer**

parapheur nm Dossier dans lequel le courrier est présenté pour être signé. **Var parafeur**

paraphrase nf Développement explicatif d'un texte ; synonyme d'un autre énoncé.

paraphraser vt Faire la paraphrase de.

paraphrastique a LING De la paraphrase.

paraphrénie nf Psychose délirante chronique.

paraplégie nf Paralysie des deux membres supérieurs ou inférieurs.

paraplégique a, n Atteint de paraplégie.

parapluie nm Objet portatif pour se protéger de la pluie.

parapolicier, ère a Qui agit à côté de la police officielle.

parapsychique a De la parapsychologie.

parapsychologie [-ko-] nf Étude des phénomènes psychiques paranormaux.

parapublic, ique a Qui est proche du secteur public.

parascolaire a Qui complète l'enseignement donné à l'école.

parasismique a Contre les effets des séismes.

parasitaire a 1 Relatif aux parasites. *Maladie parasitaire.* 2 Qui vit en parasite.

parasite nm, a Qui vit aux dépens d'autrui. ■ nm 1 BIOL Être vivant qui vit aux dépens de l'organisme d'un autre. 2 Perturbation dans la réception des signaux radioélectriques. ■ a Inutile, superflu, gênant. *Mots parasites.*

parasiter vt 1 Vivre aux dépens de. 2 Perturber par des bruits parasites.

parasitisme nm État de parasite.

parasitologie nf Étude des parasitoses.

parasitose nf Maladie due à un parasite.

parasol nm Grand parapluie pour se protéger du soleil.

parasympathique a, nm ANAT Se dit du système végétatif innervant le cœur, les poumons, le tube digestif et les organes génitaux.

parataxe nf LING Juxtaposition de phrases sans mot de liaison.

parathyroïde nf Chacune des quatre glandes situées sur la face postérieure de la thyroïde.

paratonnerre nm Appareil destiné à protéger les bâtiments de la foudre.

paratyphoïde nf Maladie infectieuse proche de la fièvre typhoïde.

paravalanche nm Construction destinée à protéger des avalanches.

paravent nm Panneaux verticaux articulés servant à isoler.

parbleu ! interj Juron marquant une évidence.

parc nm 1 Lieu clos où l'on enferme les animaux, qui sert d'entrepôt de marchandises, de stationnement des véhicules, etc. 2 Ensemble des véhicules, des biens d'équipement d'une entreprise, d'un pays. 3 Grande étendue close où on protège les espèces naturelles. 4 Grand jardin d'agrément privé ou grand jardin public.

parcage nm Action de parquer.

parcellaire a Divisé en parcelles.

parcelle nf 1 Petit fragment. 2 Portion de terrain de même culture ou de même utilisation.

parcellisation nf Division en parcelles. **Var parcellarisation**

parcelliser vt Diviser en parcelles, en éléments plus simples ; fragmenter. **Var parcellariser**

parce que conj Indique la cause.

parchemin nm Peau finement tannée, utilisée autrefois pour écrire et aujourd'hui pour relier un livre.

parcheminé, ée a Qui a l'aspect du parchemin.

parcimonie nf Loc *Avec parcimonie :* avec une économie mesquine.

parcimonieusement av De façon parcimonieuse.

parcimonieux, euse a Qui témoigne de parcimonie.

parcmètre nm Appareil mesurant la durée de stationnement payant des véhicules.

parcotrain nm Parking installé près d'une gare.

arcourir vt [25] **1** Visiter dans toute son étendue, aller d'un bout à l'autre de. **2** Effectuer un rajet. **3** Lire rapidement.

arcours nm **1** Action de parcourir. **2** Trajet, inéraire suivi pour aller d'un point à l'autre. oc *Incident de parcours :* difficulté imprévue. *arcours du combattant :* exercice militaire 'entraînement ; suite de difficultés pour accomplir qqch.

arc-relais nm Parking proche d'une station de nétro reliée au centre-ville. *Des parcs-relais.* 'ar **parc-relai**

ar-derrière. V. derrière.

ar-dessous. V. dessous.

ar-dessus. V. dessus.

ardessus nm Manteau d'homme.

ar-devant. V. devant.

ar-devers prép Loc litt *Par-devers moi (toi, soi, tc.) :* en ma (ta, sa, etc.) possession.

ardi ! interj Exclamation marquant une évidence. Var **pardieu !**

ardon nm **1** Action de pardonner. **2** Pèlerinage reton. **3** Formule de politesse pour s'excuser. oc *Grand Pardon :* Yom Kippour.

ardonnable a Qui peut être pardonné.

ardonner vt **1** Renoncer à punir une faute. **2** xcuser qqch. ■ vti Ne pas se venger de qqn pour ne faute commise. *Pardonner à un ennemi.* ■ vi oc *Ne pas pardonner :* être fatal.

are-balle nm Dispositif pour protéger des balles. *es pare-balles* Var **pare-balles** nm inv

are-brise nm Plaque de protection en verre à 'avant de l'habitacle d'un véhicule. *Des pare-rises* ou *pare-brise.*

are-choc nm Pièce de protection à l'avant et l'arrière d'un véhicule. *Des pare-chocs.* Var **are-chocs** nm inv

are-douche nm Écran qui est fixé sur une aignoire pour éviter les projections d'eau. *Des are-douches.* Var **pare-baignoire**

are-feu nm **1** Dispositif pour empêcher la propagation du feu. **2** INFORM Logiciel qui sert à protéger un ordinateur des intrusions provenant d'un éseau informatique, d'Internet. *Des pare-feux* ou *are-feu.*

arégorique a Loc *Élixir parégorique :* pour almer certaines diarrhées.

areil, eille a **1** Semblable, identique, analogue. Tel, de cette nature. *Vous n'allez pas sortir par n temps pareil !* ■ n Personne semblable à une utre. Loc *Sans pareil :* incomparable. pop *C'est u pareil au même :* exactement la même chose. *'avoir pas son pareil :* être sans égal. ■ nf Loc *endre la pareille à qqn :* lui faire subir le même raitement.

areillement av De la même manière, aussi.

arement nm **1** Bande d'étoffe ornant un vêtenent ; revers des manches. **2** Face visible d'un uvrage de maçonnerie.

arenchyme nm Tissu spongieux d'un orga-isme végétal ou d'un organe humain.

arent, ente n Personne avec laquelle il existe n lien de parenté. ■ pl **1** Le père et la mère. **2** 'ersonnes dont on descend. ■ a Comparable, nalogue. *Conceptions parentes.*

arental, ale, aux a Du père et de la mère.

arenté nf **1** Lien de consanguinité ou de nariage. **2** Ensemble des parents. **3** Affinité, ana-ogie, ressemblance.

parentèle nf vx Ensemble des parents.

parentéral, ale, aux a MED Se dit d'un médicament administré hors des voies digestives.

parenthèse nf **1** Développement accessoire inséré dans une phrase. **2** Signe double indiquant cette insertion. **3** Incident interrompant momentanément un processus. Loc *Entre parenthèses, par parenthèse :* incidemment.

paréo nm Pièce d'étoffe drapée autour du corps, couvrant le buste.

parer vt **1** litt Orner, embellir. **2** Préparer pour un usage déterminé. **3** Écarter, esquiver un coup. ■ vti Se garantir contre, remédier à. *Parer à toute éventualité.* ■ vpr litt Se vêtir avec soin.

pare-soleil nm Écran protégeant du soleil. *Des pare-soleils* ou *pare-soleil.*

paresse nf **1** Tendance à refuser tout effort. **2** MED Manque d'activité d'un organe.

paresser vi Se laisser aller à la paresse.

paresseusement av Avec paresse.

paresseux, euse a, n Qui évite le travail, l'effort. ■ nm Mammifère édenté aux mouvements très lents.

paresthésie nf MED Trouble de la sensibilité marqué par des fourmillements.

parfaire vt [9] Compléter, achever, mener à son terme.

parfait, aite a **1** Sans défaut. *Un travail parfait.* **2** Complet, total. *Une parfaite tranquillité. Un parfait imbécile.* ■ nm **1** LING Forme du verbe indiquant le résultat présent d'une action passée. **2** Crème glacée.

parfaitement av **1** De façon parfaite. **2** Certainement, assurément.

parfois av Quelquefois.

parfum [-fœ̃] nm **1** Odeur agréable qui s'exhale d'une substance. **2** Produit odorant de toilette. Loc pop *Être au parfum :* au courant.

parfumé, ée a Qui exhale un parfum.

parfumer vt **1** Remplir d'une bonne odeur. **2** Imprégner de parfum. **3** Aromatiser. *Parfumer une crème à la vanille.*

parfumerie nf Fabrication, commerce des parfums et des produits de beauté.

parfumeur, euse n Fabricant de parfums, commerçant de produits de beauté.

pari nm Action de parier ; somme pariée.

paria nm Personne méprisée, exclue.

parier vt **1** Convenir de payer à celui qui se trouvera avoir raison une certaine somme. **2** Engager une somme dans un jeu d'argent fondé sur une compétition. **3** Affirmer, soutenir avec assurance.

pariétaire nf Plante herbacée qui croît sur les murs.

pariétal, ale, aux a Loc *Os pariétal :* chaque côté de la voûte crânienne. *Peintures pariétales :* faites sur les parois rocheuses des grottes. ■ nm Os pariétal.

parieur, euse n Personne qui parie.

parigot, ote a, n fam Parisien.

parisianisme nm Manière d'être, expression propre aux Parisiens.

parisien, enne a, n De Paris.

parisyllabique a, nm GRAM Se dit des mots latins qui ont le même nombre de syllabes au nominatif et au génitif singulier.

paritaire a Formé d'un nombre égal de représentants de chaque partie. *Commission paritaire.*

paritarisme nm Recours à des organismes paritaires.

parité nf 1 Égalité, similitude. 2 Équivalence entre la valeur de deux monnaies.

parjure nm Faux serment. ■ n Personne qui viole son serment.

parjurer (se) vpr Violer son serment.

parka nm ou f Longue veste à capuchon, en tissu imperméable.

parking [-kiŋ] nm 1 Parc de stationnement automobile. 2 Place de stationnement dans un garage.

Parkinson (maladie de) nf Maladie nerveuse caractérisée par des tremblements et une rigidité musculaire.

parkinsonien, enne a, n Atteint de la maladie de Parkinson.

parlant, ante a 1 Expressif. 2 Évident, convaincant. 3 Accompagné de paroles (film).

parlé, ée a Exprimé par la parole.

parlement nm (avec majusc.) Ensemble des assemblées législatives d'un pays.

parlementaire a Du Parlement. Loc *Régime parlementaire :* dans lequel la prépondérance appartient au pouvoir législatif. ■ n 1 Membre d'un Parlement. 2 Délégué envoyé pour négocier avec l'ennemi.

parlementarisme nm Régime parlementaire.

parlementer vi 1 Entrer en négociation avec l'ennemi. 2 Discuter longuement.

parler vi 1 Prononcer des mots, articuler. 2 S'exprimer par des mots, des signes. 3 Faire des aveux. ■ vti 1 S'adresser à qqn. *Parler à son frère.* 2 Donner son avis, exprimer ses sentiments sur qqn ou qqch. *Parler d'amour.* Loc *Trouver à qui parler :* avoir un adversaire redoutable. *Faire parler de soi :* être connu (bien ou mal). ■ vt 1 S'exprimer dans une langue. *Parler le chinois.* 2 S'entretenir de qqch. *Parler affaires, peinture, politique.* ■ nm 1 Manière de parler. 2 Dialecte propre à une région.

parleur, euse n Loc *Beau parleur :* qui parle avec affectation.

parloir nm Salle pour recevoir les visiteurs dans certains établissements.

parlote nf fam Bavardage oiseux.

parme a inv, nm Violet pâle.

parmesan nm Fromage italien à pâte dure.

parmi prép 1 Au milieu de. 2 Au nombre de.

parnassien, enne n, a Poète du groupe du Parnasse.

parodie nf 1 Imitation burlesque d'une œuvre littéraire. 2 Imitation grotesque, cynique. *Parodie de procès.*

parodier vt 1 Faire la parodie de. 2 Contrefaire.

parodique a Propre à la parodie.

parodonte nm ANAT Tissus de soutien fixant la dent au maxillaire.

parodontologie nf Étude et soins du parodonte.

parodontose nf MED Affection du parodonte.

paroi nf 1 Surface interne ou latérale de qqch. 2 Cloison séparant deux pièces. 3 Versant montagneux abrupt.

paroisse nf Territoire sur lequel un curé, un pasteur exerce son ministère.

paroissial, ale, aux a D'une paroisse.

paroissien, enne n Fidèle d'une paroisse.

parole nf 1 Faculté de parler. 2 Discours, propo■ 3 Assurance, promesse verbale. *Donner sa parol■* Loc *Sur parole :* sur la foi d'une promesse. ■ ■ Texte d'une chanson, d'un opéra.

parolier, ère n Auteur du texte des chansons.

paronomase nf LING Rapprochement de par■ nymes dans une phrase (ex. : *qui se ressemb■ s'assemble*).

paronyme nm LING Mot ressemblant formell■ ment à un autre de sens différent (ex. : *avèneme■* et *évènement*).

paronymie nf Caractère des paronymes.

parotide nf ANAT Glande salivaire.

parotidite nf Inflammation de la parotide.

paroxysme nm Point culminant d'une douleu■ d'un sentiment.

paroxystique a Qui présente un paroxysme. Va■ **paroxysmique**

paroxyton nm LING Mot qui porte l'accent s■ l'avant-dernière syllabe.

parpaillot, ote n vx Protestant.

parpaing nm Aggloméré creux utilisé ■ construction.

parquer vt 1 Mettre dans un parc, une enceinte. ■ Garer un véhicule.

parquet nm 1 Revêtement de sol constitué ■ lames de bois assemblées. 2 Ensemble des magi■ trats composant le ministère public.

parqueter vt [17] ou [19] Revêtir d'un parquet.■

parqueteur nm Poseur de parquets.

parrain nm 1 Personne qui tient un enfant s■ les fonts baptismaux. 2 Personne qui introduit u■ nouveau membre dans une association. 3 fam Ch■ d'une mafia. 4 Sponsor.

parrainage nm 1 Qualité du parrain ou de la ma■ raine. 2 Caution donnée par qqn. 3 Sponsoring. ■ Soutien financier aux besoins d'un enfant défav■ risé, partic. d'un enfant du tiers-monde.

parrainer vt Accorder son parrainage à.

parricide nm Crime de celui qui tue un de s■ ascendants. ■ n Qui a commis un parricide.

parsec nm ASTRO Unité de distance entre les étoile■ valant 3,26 années-lumière.

parsemer vt [15] Éparpiller, disséminer.

parsi, ie n, a Fidèle à la religion de Zoroastre.

part nf Partie, fraction d'une chose. Loc *Faire ■ part des choses :* tenir compte des circonstance■ *Avoir part à :* bénéficier d'une partie de. *Prend■ part à :* participer. *Faire part de qqch :* informe■ *Prendre en bonne, en mauvaise part :* interpr■ ter en bien, en mal. *À part moi :* en moi-mêm■ *À part :* excepté ; séparément. *Quelque par■* dans un endroit quelconque. *Nulle part :* en aucu■ endroit. *De part et d'autre :* de deux côtés opp■ sés. *De toute(s) part(s) :* de tous côtés. *De part ■ part :* à travers. *D'une part... d'autre part :* d'u■ côté... de l'autre. *Pour ma part :* quant à mo■ *Pour une part :* dans une certaine mesure.

partage nm Division en plusieurs parts. Loc *Sa■ partage :* entièrement.

partager vt [11] 1 Diviser en plusieurs parts. ■ Avoir en commun avec qqn. *Partager la mêm■ chambre.* 3 Diviser un groupe en partis opp■ sés. Loc *Être partagé :* être animé de sentiment■ contradictoires.

partance nf Loc *En partance :* sur le point ■ partir.

artant, ante *n* Personne qui part. ■ *a* Loc fam *re partant pour :* être tout à fait disposé à. ■ *conj* litt Par conséquent.

artenaire *n* Associé avec qui on joue, avec qui a pratique certaines activités. ■ *pl* Loc *Parte-ires sociaux :* représentants du patronat et des lariés.

artenarial, ale, aux *a* Du partenariat.

artenariat *nm* Fait d'être partenaire.

arterre *nm* 1 Partie d'un jardin où l'on cultive es plantes d'agrément. 2 Partie d'une salle de éâtre située derrière les places d'orchestre.

arthénogenèse *nf* BIOL Reproduction à partir un ovule non fécondé.

arti *nm* 1 Groupe de personnes ayant les mêmes pinions, les mêmes intérêts. 2 Association de rsonnes organisée en vue d'une action poli-que. 3 Solution, résolution. *Prendre le parti e rester.* Loc *Parti pris :* opinion préconçue. *rendre parti :* se décider (pour ou contre). *aire un mauvais parti à qqn :* le maltraiter. *Tirer arti :* utiliser au mieux.

artial, ale, aux *a* Qui manifeste une préférence juste.

artialement *av* Avec partialité.

artialité *nf* Manque d'équité.

articipant, ante *a* Qui participe.

articipatif, ive *a* De la participation.

articipation *nf* 1 Action de prendre part à qqch. Fait d'être intéressé à un profit.

articipe *nm* GRAM Forme adjective du verbe.

articiper *vti* 1 Avoir droit à une part de. *Parti-per aux bénéfices.* 2 Prendre part à. *Participer à e manifestation.* 3 Payer une part de. *Participer un achat.*

articipial, ale, aux *a* GRAM Du participe.

articularisation *nf* Action de particulariser.

articulariser *vt* Différencier. ■ *vpr* Se singu-riser.

articularisme *nm* Attitude d'un groupe qui erche à préserver son originalité.

articulariste *a, n* Qui relève du particularisme.

articularité *nf* Caractère particulier, singulier.

articule *nf* 1 Minuscule partie d'un corps. 2 réposition précédant certains noms de famille. 3 AM Élément de composition invariable (préfixe, ffixe, etc.).

articulier, ère *a* 1 Propre à un individu, une hose, un groupe. 2 Qui n'est pas commun, cou-nt. ■ *n* Personne privée. ■ *nm* Détail caracté-stique. Loc *En particulier :* séparément, en tête tête ; notamment.

articulièrement *av* Spécialement.

artie *nf* 1 Élément, fraction d'un tout. 2 MUS Ce 'une voix, un instrument doit exécuter dans un orceau d'ensemble. 3 Profession, spécialité. 4 Chacune des personnes plaidant l'une contre autre. 5 Match, compétition, lutte. 6 Divertisse-ent collectif. *Partie de chasse.* Loc *En partie :* artiellement. *Faire partie de :* être un élément e. *Prendre à partie :* attaquer. *Avoir affaire à rte partie :* à un adversaire redoutable. ■ *pl* pop rganes génitaux masculins.

artiel, elle *a* Qui n'est qu'une partie d'un tout. *nm* Examen universitaire qui a lieu plusieurs ois par an.

artiellement *av* De façon partielle.

partir *vi* [29] [aux. *être*] 1 S'en aller. 2 Dispa-raître. 3 Commencer, avoir son point de départ depuis, avoir son origine dans. Loc *À partir de :* à dater de ; au-delà de ce point. fam *Être parti :* être un peu ivre.

partisan, ane *n* Combattant de troupes irrégu-lières. ■ *a* 1 Qui défend un avis. *Être partisan du changement.* 2 De parti pris. *Esprit partisan.*

partita *nf* MUS Pièce pour clavier ou pour orchestre de chambre.

partitif, ive *nm, am* GRAM Article désignant la partie d'un tout (*du, de la, des*).

partition *nf* 1 abusiv Division, partage d'un terri-toire. 2 MUS Partie jouée par un instrument.

partouse *nf* fam Partie de débauche collective. Var **partouze**

partout *av* En tout lieu.

parturiente *nf* MED Femme qui accouche.

parure *nf* 1 Ce qui sert à parer (vêtements, bijoux, etc.). 2 Ensemble de bijoux.

parution *nf* Publication d'un article, d'un ouvrage.

parvenir *vti* [35] [aux. *être*] Arriver à un point déterminé dans une progression ; arriver à des-tination.

parvenu, ue *n* péjor Personne qui, s'étant élevé au-dessus de sa condition, en a gardé les manières.

parvis *nm* Place devant la façade principale d'une église.

1. pas *nm* 1 Mouvement des jambes, des pieds pour marcher. 2 Façon de marcher. 3 Trace de pied. 4 Distance franchie d'une enjambée. Loc *Pas de deux :* exécuté par un couple de danseurs. *Pas d'une porte :* le seuil. *Pas de vis :* distance entre deux filets. *Pas à pas :* lentement. *De ce pas :* à l'instant. *Faire un faux pas :* trébucher. *Céder le pas à qqn :* le laisser passer. *Prendre le pas sur :* prendre le dessus, l'emporter sur. *Sauter le pas :* se décider.

2. pas *av* Marque la négation avec ou sans *ne*.

1. pascal, ale, als ou **aux** *a* Relatif à Pâques pour les chrétiens ou à la pâque juive.

2. pascal *nm* PHYS Unité de mesure de pression. *Des pascals.*

pas-de-porte *nm inv* Indemnité versée pour obtenir la location d'un local commercial.

pasionaria *nf* Militante politique passionnée.

paso doble *nm inv* Danse sur une musique à deux ou quatre temps. Var **pasodoble**

passable *a* De qualité moyenne.

passablement *av* Assez, moyennement.

passade *nf* Caprice, aventure passagère.

passage *nm* 1 Action, fait de passer. 2 Lieu où on passe. 3 Traversée d'un voyageur sur un navire. 4 Fragment d'une œuvre. 5 Transition, étape. 6 Galerie couverte réservée aux piétons. Loc *De passage :* qui ne reste que peu de temps. *Examen de passage :* subi par un élève pour être admis dans la classe supérieure. *Avoir un passage à vide :* avoir l'esprit vide, confus.

passager, ère *a* 1 Qui ne fait que passer. 2 Qui ne dure que peu de temps. ■ *n* Personne qui, sans en assurer la marche, voyage à bord d'un moyen de transport.

passagèrement *av* Pour très peu de temps.

passant, ante *a* Où il passe beaucoup de monde. *Rue passante.* ■ *n* Personne qui passe à pied dans une rue, dans un lieu. ■ *nm* Anneau aplati dans lequel passe une courroie.

passation nf DR Action de passer un acte, un contrat ou de transmettre les pouvoirs.

passavant nm Document douanier autorisant le transport de certaines marchandises.

passe nf 1 Chenal étroit. 2 Action de passer le ballon à un équipier. Loc *Être en passe de :* être sur le point de. *Être dans une bonne, une mauvaise passe :* dans une situation favorable, défavorable. *Mot de passe :* mot convenu de reconnaissance. *Maison, hôtel de passe :* de prostitution. *Passe d'armes :* vif échange verbal. ■ nm Syn. de *passe-partout*.

passé, ée a 1 Révolu. *Le temps passé.* 2 Défraîchi, terne. *Bleu passé.* ■ nm 1 Temps écoulé ; évènements de ce temps. 2 GRAM Temps du verbe indiquant une action ou un état révolu. Loc *Par le passé :* autrefois. ■ prép Après, au-delà. *Passé cinq heures, il sera trop tard.*

passe-crassane nf Poire d'hiver. *Des passe-crassanes.*

passe-droit nm Faveur accordée contre le droit. *Des passe-droits.*

passéisme nm Attachement exclusif aux valeurs du passé.

passéiste a, n Qui relève du passéisme.

passementerie nf Commerce, industrie des ganses, des galons, etc., destinés à l'ornement.

passe-montagne nm Bonnet qui enveloppe la tête et le cou. *Des passe-montagnes.*

passe-partout nm inv Clé pouvant ouvrir plusieurs serrures. Syn. **passe**. ■ a inv Qui convient à toute occasion. *Une réponse passe-partout.* Var **passepartout**

passe-passe nm inv Loc *Tour de passe-passe :* tour de prestidigitateurs ; tromperie adroite. Var **passepasse**

passe-plat nm Ouverture dans une cloison pour passer les plats. *Des passe-plats.*

passeport nm Document délivré à ses ressortissants par l'Administration d'un pays, pour leur permettre de circuler à l'étranger.

passer vi [aux. *avoir* ou *être*] 1 Se déplacer d'un lieu à un autre ; être dans un lieu au cours de ce déplacement. 2 Changer d'état, devenir. *Passer capitaine.* 3 Disparaître, finir, s'écouler. *L'heure est passée.* Loc *Passer pour :* être regardé comme. fam *Le sentir passer :* souffrir qqch de douloureux. *En passant :* incidemment. *Passer outre :* continuer. *Passer sur qqch :* ne pas le prendre en compte. *En passer par là :* subir les mêmes épreuves. *Y passer :* subir une épreuve ; mourir. ■ vt 1 Traverser un lieu. 2 Faire traverser qqch, filtrer, tamiser. 3 Dépasser, devancer. *Passer un concurrent.* 4 Employer un temps. *Passer une heure à rêver.* 5 Omettre. *Passer une ligne.* 6 Donner qqch à qqn. *Passer sa voiture à son fils.* 7 Mettre, enfiler. *Passer une veste.* Loc *Passer un film :* le projeter. *Passer qqn par les armes :* le fusiller. *Passer les bornes :* exagérer. ■ vpr 1 Avoir lieu. *La scène se passe à Paris.* 2 S'écouler. *Une heure s'est passée.* 3 Se priver de. *Se passer de fumer.*

passereau nm ZOOL Petit oiseau tel que le moineau, le merle, etc.

passerelle nf 1 Pont étroit réservé aux piétons. 2 Plan incliné entre un navire et le quai, un avion et le terrain. 3 Passage, communication.

passe-temps nm inv Occupation agréable. Var **passetemps**

passe-tous-grains nm inv Bourgogne roug[e] provenant d'un mélange de raisins.

passeur, euse n 1 Personne qui conduit u[n] bateau pour traverser un cours d'eau. 2 Personn[e] qui fait passer clandestinement les frontières.

passible a Loc *Être passible de :* qui encou[rt] telle peine.

passif, ive a 1 Qui subit sans agir ; qui n'agit pa[s] 2 GRAM Se dit des formes verbales qui indiquent qu[e] le sujet subit l'action. Loc *Défense passive :* pr[o]tection militaire des populations civiles. ■ nm Ensemble des dettes et des charges qui pèsent s[ur] un patrimoine. 2 GRAM Forme passive du verbe.

passiflore nf Liane tropicale ornementale pr[o]duisant le fruit de la Passion, ou grenadille.

passim av Çà et là dans un ouvrage.

passing-shot [-sinʃot] nm Au tennis, coup tend[u] destiné à déborder l'adversaire monté au filet. D[es] passing-shots.

passion nf 1 Affection très vive éprouvée po[ur] qqch. 2 Amour ardent. 3 Émotion violente irrationnelle. Loc *La Passion :* les souffrances d[e] Christ sur le chemin de la Croix et son supplic[e] *Fruit de la Passion :* fruit de la passiflore.

passionnant, ante a Qui passionne.

passionné, ée a, n Rempli de passion. *Un pa[s]sionné de musique.* ■ a Ardent, fervent.

passionnel, elle a Déterminé par la passi[on] amoureuse.

passionnellement av De façon passionnelle.

passionnément av De façon passionnée.

passionner vt 1 Inspirer un très vif intérêt à qq[n] 2 Rendre plus violent un débat. ■ vpr Prendre u[n] vif intérêt pour.

passivement av De façon passive.

passivité nf Caractère passif.

passoire nf Ustensile creux servant de filtre.

pastel nm 1 Bâtonnet fait d'une pâte color[ée] solidifiée. 2 Dessin, peinture au pastel. ■ a inv D[e] teinte douce et délicate.

pastelliste n Peintre de pastels.

pastenague nf Raie dont la queue porte u[n] aiguillon.

pastèque nf Plante cultivée pour ses gros frui[ts] gorgés d'eau.

pasteur nm 1 litt Berger. 2 Ministre du culte pr[o]testant. Loc *Le bon pasteur :* Jésus.

pasteurien, enne a, n Qui appartient à l'Instit[ut] Pasteur. Var **pastorien, enne**

pasteurisation nf Opération destinée à détrui[re] par la chaleur les germes pathogènes des produi[ts] alimentaires, afin de les conserver.

pasteuriser vt Soumettre à la pasteurisation.

pastiche nm Imitation du style d'un écrivai[n,] d'un artiste ; œuvre ainsi produite.

pasticher vt Faire un pastiche de.

pasticheur, euse n Auteur de pastiches.

pastille nf 1 Petit bonbon ou pilule médicame[n]teuse de forme ronde. 2 Motif décoratif ou peti[te] pièce en forme ronde.

pastis [pastis] nm Boisson alcoolisée parfum[ée] à l'anis.

pastoral, ale, aux a 1 litt Relatif à la vie rustiqu[e,] aux bergers. 2 Relatif aux pasteurs spirituel[s.] ■ nf Pièce de musique ou de théâtre de caractè[re] champêtre.

pastorien, enne V. **pasteurien.**

astoureau, elle n litt Petit berger, petite bergère.

at [pat] a, nm Aux échecs, coup entraînant une natch nul.

ataca nm Unité monétaire de Macao.

atachon nm Loc fam *Vie de patachon :* dissoue.

ataphysique nf Science des solutions imaginaires, d'après Alfred Jarry.

atapouf nm fam Enfant, homme gros et lourd.

ataquès [-kɛs] nm Faute de liaison.

atate nf 1 Tubercule sucré d'une plante tropicale. 2 Pomme de terre. 3 pop Personne stuide. Loc fam *En avoir gros sur la patate :* en voir gros sur le cœur.

atati, patata interj fam Suggère un long bavarage inutile.

atatras ! [-tra] interj Exprime le bruit d'un orps qui tombe avec fracas.

ataud, aude a, n fam Lourd, lent et maladroit.

ataugas nm (n. déposé) Chaussure de toile ontante pour les longues marches.

ataugeoire nf Bassin peu profond dans une scine, réservé aux petits enfants.

atauger vi [11] 1 Marcher sur un sol boueux. 2 'amuser dans peu d'eau. 3 fam S'empêtrer.

atch nm Timbre médicamenteux que l'on colle ar la peau.

atchouli nm Parfum extrait d'une plante d'Asie ¡ d'Océanie ; cette plante.

atchwork [-wœrk] nm 1 Pièce de tissu faite de orceaux de couleurs vives. 2 Assemblage disarate, contrasté.

âte nf 1 Farine détrempée et pétrie dont on fait *- pain, les gâteaux. 2 Substance de consistance nalogue. Loc *Mettre la main à la pâte :* particier à l'exécution de qqch. fam *Bonne pâte :* onne facile. ■ pl Produit alimentaire à base de emoule de blé dur.

âté nm 1 Préparation de viande ou de poisson aché, cuit dans une pâte ou dans une terrine. 2 ache d'encre faite sur du papier. 3 Tas de sable açonné par les enfants. Loc *Pâté de maisons :* roupe de maisons limité par des rues.

âtée nf Mélange épais d'aliments variés, dont n nourrit certains animaux.

, patelin nm fam Village, pays.

, patelin, ine a Doucereux, hypocrite.

atelle nf Mollusque à coquille conique. Syn. ernique.

atène nf Petite assiette pour l'hostie.

atenôtres nfpl litt Prières.

atent, ente a Évident, manifeste.

atente nf Impôt payé autrefois par les comerçants et les industriels et remplacé par la taxe rofessionnelle.

atenté, ée a 1 Assujetti à la patente. 2 Reconnu omme tel ; attitré.

ater nm inv Prière catholique commençant par *ater noster,* « Notre Père ».

atère nf Portemanteau fixé à un mur.

aternalisme nm Bienveillance condescendante ans l'exercice de l'autorité.

aternaliste a Qui relève du paternalisme.

aterne a litt Doucereux, hypocrite.

aternel, elle a 1 Du père, du côté du père. 2 ienveillant. ■ nm pop Père.

aternellement av De façon bienveillante.

paternité nf 1 État de père. 2 Qualité d'auteur, de créateur. *La paternité d'un roman.*

pâteux, euse a Qui a la consistance de la pâte. Loc *Bouche, langue pâteuse :* empâtée.

pathétique a, nm Qui émeut profondément.

pathétiquement av De façon pathétique.

pathogène a Qui cause une maladie.

pathogenèse nf Étude de l'origine des maladies.

pathologie nf 1 Étude des maladies. 2 Manifestation d'une maladie.

pathologique a 1 Qui a le caractère de la maladie. *Troubles pathologiques.* 2 De la pathologie.

pathologiste n, a Spécialiste de pathologie.

pathos nm inv litt Caractère pathétique exagéré.

patibulaire a Loc *Visage, mine patibulaire :* sinistre, louche.

patiemment av Avec patience.

patience nf 1 Qualité de qqn qui supporte qqch avec calme ; sang-froid. 2 Persévérance dans une longue tâche. 3 Combinaison de cartes à jouer ; réussite. Loc *Prendre son mal en patience :* sans se plaindre.

patient, ente a Qui fait preuve de patience. ■ n Qui subit une opération chirurgicale, un traitement médical.

patienter vi Attendre patiemment.

patin nm Pièce mobile dont le frottement contre une roue permet le freinage. Loc *Patin à glace :* semelle munie d'une lame, pour glisser sur la glace. *Patin à roulettes :* semelle munie de roulettes pour glisser sur le sol.

patinage nm 1 Fait de patiner. 2 Sport, pratique du patin à glace, à roulettes.

patine nf Teinte prise avec le temps par certaines matières.

patiner vi 1 Se déplacer avec des patins. 2 Glisser par manque d'adhérence (roues, disque d'embrayage). 3 Donner une patine à qqch. ■ vpr Prendre de la patine.

patinette nf Trottinette.

patineur, euse n Personne qui pratique le patinage.

patinoire nf Endroit aménagé pour le patinage.

patio [pasjo] nm Cour intérieure d'une maison.

pâtir vi litt Éprouver un dommage du fait de.

pâtisserie nf 1 Pâte sucrée cuite au four ; gâteau. 2 Commerce, magasin du pâtissier.

pâtissier, ère n Personne qui fabrique ou qui vend de la pâtisserie. ■ a Loc *Crème pâtissière :* avec laquelle on garnit divers gâteaux.

pâtisson nm Sorte de courge.

patois nm Parler régional.

patoisant, ante a, n Qui parle le patois.

patraque a fam Souffrant.

pâtre nm litt Berger.

patriarcal, ale, aux a Du patriarche ou du patriarcat. *Société patriarcale.*

patriarcat nm 1 Régime social dans lequel l'autorité du père est prépondérante. 2 Dignité de patriarche.

patriarche nm 1 Chef de certaines églises chrétiennes orthodoxes. 2 Vieillard vénérable chef d'une nombreuse famille.

patricien, enne n, a ANTIQ À Rome, qui appartenait à la classe noble.

patrie nf Pays dont on est originaire, nation dont on fait partie.

patrilinéaire *a* ETHNOL Qui relève de l'ascendance paternelle.

patrimoine *nm* 1 Biens de famille. 2 Ce qui constitue l'héritage commun d'un groupe, d'un pays. *Patrimoine artistique.*

patrimonial, ale, aux *a* Du patrimoine.

patriote *n, a* Qui aime sa patrie.

patriotique *a* Inspiré par le patriotisme.

patriotisme *nm* Amour de la patrie.

patristique *nf* Partie de la théologie qui étudie les Pères de l'Église. **Var patrologie**

patron, onne *n* 1 Chef d'une entreprise industrielle ou commerciale. 2 Supérieur hiérarchique. 3 Professeur dirigeant certains travaux. 4 Saint ou sainte dont on porte le nom, protecteur d'un groupe social. ■ *nm* Modèle à partir duquel sont exécutés des travaux artisanaux.

patronage *nm* 1 Soutien accordé par un personnage, une organisation. 2 Organisation de bienfaisance pour les jeunes.

patronal, ale *a* 1 Qui concerne le chef d'entreprise. 2 Relatif au saint du lieu.

patronat *nm* Ensemble des patrons.

patronner *vt* Appuyer de son crédit.

patronnesse *af* Loc *Dame patronnesse :* qui patronne une œuvre de bienfaisance.

patronyme *nm* Nom de famille.

patronymique *a* Loc *Nom patronymique :* nom de famille.

patrouille *nf* Détachement de soldats, de policiers, formation réduite d'avions, chargés d'une mission de surveillance ; cette mission.

patrouiller *vi* Effectuer une patrouille.

patrouilleur *nm* Militaire, avion, bâtiment de guerre chargés de patrouiller.

patte *nf* 1 Organe de locomotion des animaux. 2 fam Jambe ; main. 3 Pièce longue et plate servant à fixer, retenir, assembler, etc. 4 Courte bande d'étoffe, de cuir, etc., servant à fermer un vêtement. 5 Habileté particulière d'un artiste. Loc *À quatre pattes :* sur les genoux et sur les mains. *Montrer patte blanche :* se faire reconnaître pour franchir un contrôle. *Bas les pattes ! :* ne touchez pas à cela. ■ *pl* Favoris coupés court.

patte-d'oie *nf* 1 Embranchement d'une route. 2 Rides à l'angle externe de l'œil. *Des pattes-d'oie.*

pattemouille *nf* Linge mouillé pour repasser.

pattern *nm* Modèle simplifié représentant la structure d'un phénomène.

pâturage *nm* Prairie naturelle pour les bestiaux.

pâture *nf* Ce qui sert à la nourriture des animaux. Loc litt *Jeter en pâture :* livrer aux exigences de.

paturon *nm* Partie de la jambe du cheval entre le boulet et la couronne.

pauillac *nm* Bordeaux rouge, très estimé.

pauliste *a, n* De São Paulo.

paulownia [-lɔnja] *nm* Arbre ornemental aux fleurs mauves odorantes.

paume *nf* 1 Creux de la main. 2 Jeu de balle, ancêtre du tennis.

paumé, ée *a, n* pop Perdu, désorienté, inadapté.

paumelle *nf* Pièce métallique permettant le pivotement d'une porte, d'une fenêtre.

paumer *vt* pop Égarer. ■ *vpr* Se perdre.

paupérisation *nf* Appauvrissement d'un groupe social.

paupériser *vt* Appauvrir.

paupérisme *nm* Grande indigence d'un grou? humain.

paupière *nf* Membrane mobile qui recouv? l'œil.

paupiette *nf* Tranche de viande, roulée et farci?

pause *nf* 1 Suspension momentanée d'une act? vité. 2 MUS Silence de la durée d'une ronde.

pause-café *nf* Pause pour prendre un café. *D? pauses-café.*

pauvre *a, n* Qui manque de biens, d'argen? indigent. ■ *a* 1 Qui dénote le dénuement, q? manque de qqch. 3 Improductif, stérile. 3 Q? inspire la compassion. 4 Piteux, lamentable. *U? pauvre type.*

pauvrement *av* De façon pauvre.

pauvresse *nf* vx Mendiante.

pauvret, ette *a, n* fam Pitoyable.

pauvreté *nf* État de qqn ou de qqch pauvre.

pavage *nm* Revêtement de pavés, de dalles.

pavane *nf* Danse lente et grave.

pavaner (se) *vpr* Prendre des airs avantageux.

pavé *nm* 1 Morceau de pierre taillé servant a? revêtement d'un sol. 2 fam Épais volume imprim? 3 Gros morceau de forme régulière. 4 Encart? publicité dans un journal. Loc *Battre le pave? flâner. Être sur le pavé :* être sans emploi. *Ter? le haut du pavé :* être au premier rang, par le po? voir, la notoriété.

pavement *nm* Pavage.

paver *vt* Couvrir un sol de pavés, de dalles.

pavie *nf* Pêche jaune.

pavillon *nm* 1 Petite maison particulière. 2 Part? extérieure de l'oreille. 3 Extrémité évasée de ce? tains instruments à vent. 4 Drapeau.

pavillonnaire *a* Occupé par des pavillons d'hab? tation. ■ Habitant d'un pavillon.

pavois *nm* 1 HIST Grand bouclier ovale en usag? au Moyen Âge. 2 MAR Ensemble des pavillons d'u? navire.

pavoiser *vt* Décorer de drapeaux. ■ *vi* fam Mar? fester sa joie.

pavot *nm* Plante dont on extrait l'opium.

payable *a* Qui peut ou doit être payé.

payant, ante *a* 1 Qui paie. *Visiteurs payants.* ? Que l'on paie. *Entrée payante.* 3 fam Avantageu? *Opération payante.*

paye *nf* Action de payer un salaire, le salaire lu? même. Loc fam *Il y a une paye :* il y a longtemp? **Var paie**

payement *nm* V. paiement.

payer *vt* [20] 1 Acquitter une dette, un droit, etc? par un versement. 2 Remettre à qqn l'argent d? 3 Récompenser ; dédommager. *Payer qqn de s? efforts.* 4 Obtenir au prix de sacrifices. *Payer ch? sa réussite.* ■ *vi* Être profitable, rentable. L? *Payer de :* user de, faire preuve de. *Payer de ? personne :* s'exposer. ■ *vpr* Acheter pour soi.

payeur, euse *n* 1 Personne qui paie. 2 Chargé ? payer les traitements, les rentes, etc.

1. pays *nm* 1 Territoire d'un État ; État. 2 Patri? 3 Région géographique, administrative, etc. ? Population d'un État. Loc *Mal du pays :* nosta? gie. *Voir du pays :* voyager.

2. pays, payse *n* fam Compatriote.

paysage *nm* 1 Étendue de pays qui s'offre à ? vue. 2 Nature, aspect d'un pays. 3 Représentatio? picturale d'un site champêtre. 4 Aspect géné? d'une situation. *Le paysage politique.*

paysager, ère a Arrangé à la manière d'un paysage naturel. **Var paysagé, ée**

paysagiste n 1 Peintre de paysages. 2 Créateur, architecte de jardins, de parcs.

paysan, anne n Personne de la campagne, qui vit du travail de la terre. ■ a De la campagne.

paysannat nm ECON Classe paysanne.

paysannerie nf Ensemble des paysans.

pc nm Ordinateur personnel.

PC nm Poste de commandement.

P-DG n fam Président-directeur général.

péage nm 1 Droit à payer par les usagers d'un port, d'une voie de communication, d'un média ; lieu de perception de ce droit.

péagiste n Chargé d'un péage.

peau nf 1 Tissu résistant et souple qui recouvre le corps des vertébrés ; cuir. 2 Épiderme de l'homme. 3 Enveloppe d'un fruit. 4 Pellicule à la surface d'un liquide. Loc *N'avoir que la peau sur les os* : être très maigre. *Être bien, mal dans sa peau* : être à l'aise, mal à l'aise. *Faire peau neuve* : changer complètement. fam *La peau de qqn* : sa vie. *Se mettre dans la peau de qqn* : s'imaginer à sa place. pop *Peau de vache* : personne méchante. fam *Peau d'âne* : diplôme.

peaufinage nm fam Action de peaufiner.

peaufiner vt fam Peaufiner.

peausserie nf 1 Activité du peaussier. 2 Article de peau.

peaussier nm Artisan qui prépare les peaux.

pébroque nm pop Parapluie. **Var pébroc**

pécan nm Loc *Noix de pécan* : amande comestible d'un fruit d'Amérique.

pécari nm Mammifère d'Amérique, proche du cochon ; peau de cet animal.

peccadille nf Faute légère.

pechblende [pɛʃblɛ̃d] nf Minerai d'uranium.

1. pêche nf 1 Manière, action de pêcher. 2 Poissons pêchés.

2. pêche nf Fruit comestible du pêcher. Loc pop *Se fendre la pêche* : rire aux éclats. pop *Avoir la pêche* : être en pleine forme.

péché nm Transgression de la loi divine. Loc *Péché originel* : commis par Adam et Ève, et qui retombe sur toute leur postérité.

pécher vi [12] 1 Commettre un, des péchés. 2 Commettre une erreur contre. 3 Être insuffisant, en défaut. *Ce projet pèche sur un point.*

. pêcher vt 1 Prendre ou chercher à prendre du poisson. 2 fam Trouver, découvrir qqch de surprenant.

. pêcher nm Arbre dont le fruit est la pêche.

pêcherie nf Lieu de pêche.

pécheur, pécheresse n, a Qui commet des péchés, qui est en état de péché. **Var pécheresse**

pêcheur, euse n Personne qui pêche.

pécore nf fam Femme stupide et prétentieuse. ■ n pop, péjor Paysan, paysanne.

pecten [-tɛn] nm Coquille Saint-Jacques.

pectine nf BOT Gel contenu dans les fruits.

pectoral, ale, aux a 1 De la poitrine. 2 Utilisé contre la toux. *Sirop pectoral.* ■ nmpl Muscles de la poitrine.

pécule nm Somme d'argent économisée.

pécuniaire a Relatif à l'argent.

pécuniairement av Sur le plan pécuniaire.

pédagogie nf Science de l'éducation.

pédagogique a De la pédagogie.

pédagogiquement av Sur le plan pédagogique.

pédagogue n, a 1 Enseignant, éducateur. 2 Qui sait bien expliquer.

pédale nf Organe mécanique mû par le pied qui commande le fonctionnement d'un appareil. Loc fam *Perdre les pédales* : perdre son sang-froid. fam *Mettre la pédale douce* : ne pas insister.

pédaler vi Rouler à bicyclette.

pédalier nm Ensemble des pédales et du plateau d'une bicyclette.

pédalo nm (n. déposé) Petite embarcation mue par des pédales.

pédant, ante n, a Qui fait étalage de ses connaissances.

pédanterie nf Caractère pédant. **Var pédantisme**

pédantesque a litt Digne d'un pédant.

pédéraste nm Personne qui s'adonne à la pédérastie.

pédérastie nf 1 Attirance sexuelle ressentie par un homme pour les jeunes garçons. 2 abusiv Homosexualité masculine.

pédestre a Qui se fait à pied.

pédiatre n Spécialiste de pédiatrie.

pédiatrie nf Médecine des enfants.

pédiatrique a De la pédiatrie.

pédicelle nm BOT Petit pédoncule.

pédicule nm BOT Support allongé et grêle de certaines plantes.

pédiculose nf MED Contamination par les poux.

pédicure n Qui soigne les pieds.

pédicure nf Métier de pédicure.

pédigrée [pedigre] nm Généalogie d'un animal de race ; document qui l'atteste. **Var pedigree**

pédiment nm GEOGR Glacis d'érosion en zone aride.

pédodontie nf Chirurgie dentaire adaptée aux enfants.

pédogenèse nf GEOL Formation des sols.

pédologie nf Science des sols.

pédologue n Spécialiste de pédologie.

pédoncule nm BOT Ramification terminale de la tige portant la fleur.

pédonculé, ée a Porté par un pédoncule.

pédophile a, n Atteint de pédophilie.

pédophilie nf Attirance sexuelle pour les enfants.

pédopsychiatre n Spécialiste de pédopsychiatrie.

pédopsychiatrie nf Psychiatrie de l'enfant.

peeling [piliŋ] nm MED Traitement qui consiste à enlever la couche superficielle de l'épiderme.

PEGC n Professeur d'enseignement général de collège.

pègre nf Monde des voleurs, des escrocs.

peignage nm Action de peigner.

peigne nm 1 Instrument à dents qui sert à démêler ou à orner les cheveux. 2 Appareil à dents, servant à démêler des fibres textiles. Loc *Passer au peigne fin* : contrôler minutieusement.

peigné nm Étoffe de laine peignée.

peigne-cul nm pop Minable. *Des peigne-culs* ou *peigne-cul.*

peignée nf fam Volée de coups.

peigner vt 1 Démêler, arranger les cheveux. 2 Démêler des fibres textiles. ■ vpr Se coiffer.

peignoir nm 1 Vêtement que l'on porte au sortir du bain. 2 Vêtement d'intérieur long et ample.

peinard, arde a pop Tranquille. **Var pénard, arde**

peinardement av pop Tranquillement. **Var pénardement**

peindre vt [69] 1 Couvrir, recouvrir de peinture. 2 Représenter par des traits et des couleurs. 3 Décrire. ■ vpr Se manifester. *L'inquiétude se peint sur son visage.*

peine nf 1 Punition infligée par le pouvoir public à un individu coupable d'un crime. 2 Chagrin, souffrance morale. 3 Activité qui demande un effort. 4 Difficulté, embarras. Loc *À peine* : presque pas ; depuis peu de temps. *À grand-peine* : très difficilement. *Sous peine de* : sous risque de. *Sans peine* : aisément. *Homme de peine* : qui effectue les travaux pénibles. *Ne pas valoir la peine* : n'être pas nécessaire.

peiner vi Se fatiguer, éprouver des difficultés. *Peiner à monter.* ■ vt Attrister, affliger.

peintre nm 1 Professionnel de la peinture des murs, des plafonds. 2 Artiste qui peint des tableaux, exerce l'art de la peinture.

peinture nf 1 Art de peindre ; ouvrage d'un artiste peintre. 2 Action de recouvrir de matière colorante une surface ; couche de couleur couvrant une surface. 3 Matière servant à peindre. 4 Description évocatrice. *Peinture des mœurs.* Loc fam *Ne pas voir en peinture* : détester.

peinturlurer vt fam Barbouiller de tons voyants.

péjoratif, ive a Qui implique un jugement dépréciatif.

péjoration nf LING Ajout d'une valeur péjorative à un mot.

péjorativement av De façon péjorative.

pékan nm Martre du Canada.

pékinois, oise a, n De Pékin. ■ nm 1 Petit chien au poil long et à la tête ronde. 2 Dialecte chinois du nord de la Chine.

pelade nf Chute des poils ou des cheveux par plaques.

pelage nm Poils d'un mammifère.

pélagianisme nm RELIG Hérésie privilégiant l'effort personnel sur la grâce divine.

pélagique a De la haute mer.

pélamide nf Syn. de *bonite.*

pélargonium [-njɔm] nm Plante ornementale à belles fleurs.

pelé, ée a 1 Qui n'a plus de poils. 2 Dépourvu de végétation, aride.

pêle-mêle av Confusément, en désordre. **Var pêlemêle**

peler vt [16] Ôter la peau d'un fruit. ■ vi Perdre sa peau par morceaux. *Avoir le nez qui pèle.*

pèlerin nm Personne qui fait un voyage vers un lieu de dévotion.

pèlerinage nm Voyage fait pour des raisons religieuses, affectives, vers un lieu précis.

pèlerine nf Vêtement sans manches.

pélican nm Grand oiseau palmipède à bec en forme de poche.

pelisse nf Vêtement doublé de fourrure.

pellagre nf Maladie qui se manifeste par des lésions cutanées.

pelle nf Outil plat à manche, servant à déplacer la terre, le sable ou à d'autres usages. Loc fam *À la pelle* : en grande quantité. fam *Ramasser une pelle* : tomber.

pellet nm Comprimé médicamenteux.

pelletée nf Contenu d'une pelle.

pelleter vt [17] ou [19] Remuer ou déplacer à la pelle.

pelleterie nf 1 Travail des peaux et commerce des fourrures. 2 Peau travaillée, fourrure.

pelleteuse nf Engin qui sert à excaver un terrain et à déplacer les déblais.

pelletier, ère n Spécialiste de pelleterie.

pelliculaire a Qui forme une pellicule.

pellicule nf 1 Petite écaille du cuir chevelu. 2 Couche peu épaisse. *Pellicule de peinture.* 3 Feuille mince recouverte d'une matière sensible à la lumière destinée à la photo, au cinéma. 4 Feuille de plastique.

pelliculer vt Recouvrir d'une pellicule (sens 4).

pelotage nm fam Action de peloter.

pelotari nm Joueur de pelote basque.

pelote nf 1 Jeu de balle qui se pratique contre un mur ; balle servant à ce jeu. 2 Boule formée de fils. Loc fam *Avoir les nerfs en pelote* : être très énervé.

peloter vt fam Caresser sensuellement.

peloton nm 1 Petite pelote de fil. 2 Petite unité militaire. 3 Groupe de coureurs qui demeurent ensemble au cours d'une course.

pelotonnement nm Action de se pelotonner.

pelotonner vt Mettre en peloton du fil. ■ vpr Se ramasser en boule.

pelouse nf 1 Terrain couvert d'une herbe épaisse et courte. 2 Partie gazonnée d'un stade, d'un champ de courses.

peluche nf Étoffe à poils longs.

pelucher vi Perdre ses poils (étoffe).

pelucheux, euse a Qui peluche.

pelure nf Peau d'un fruit ou d'un légume.

pelvien, enne a ANAT Du bassin.

pelvis nm ANAT Bassin.

pénal, ale, aux a DR Qui concerne les crimes et les peines.

pénalement av Sur le plan pénal.

pénalisant, ante a Qui pénalise.

pénalisation nf 1 Action de pénaliser. 2 Sanction.

pénaliser vt 1 Désavantager un concurrent qui enfreint les règlements sportifs. 2 Sanctionner.

pénaliste n Spécialiste de droit pénal.

pénalité nf Peine, sanction.

penalty [penalti] nm Au football, sanction d'une faute grave commise tout près du but adverse. *Des penaltys* ou *pénalties.* **Var penalty**

pénard, pénardement. V. *peinard, peinardement.*

pénates nmpl fam Habitation, foyer.

penaud, aude a Confus, honteux.

pence. V. *penny.*

penchant nm Inclination, goût.

pencher vt Incliner qqch vers le bas ou de côté. ■ vi 1 S'écarter de la position verticale ; être incliné. 2 Avoir tendance à choisir telle chose. ■ vpr 1 S'incliner vers l'avant. 2 Examiner avec intérêt. *Se pencher sur un problème.*

pendable a Loc *Tour pendable* : farce de mauvais goût.

pendage nm GEOL Inclinaison d'une couche sédimentaire, d'un filon.

pendaison nf Action de se pendre, de pendre qqn.

endant, ante a Qui pend. Loc *Affaire pendante* : en suspens. ■ nm **1** Objet ou personne ayant symétrie avec un autre. **2** Pendeloque.

endant prép Durant.

deloque nf Ornement suspendu à un lustre, une boucle d'oreilles.

dentif nm Bijou suspendu à une chaîne.

derie nf Placard où on suspend les vêtements.

diller vi Être suspendu et se balancer.

douiller vi fam Pendre de façon ridicule.

dre vt [5] **1** Attacher qqn, qqch de façon à laisser libre la partie inférieure. **2** Mettre à mort en suspendant par le cou. Loc *Être pendu aux lèvres de qqn* : l'écouter passionnément. ■ vi **1** Être suspendu. **2** Descendre trop bas. Loc fam *Cela lui pend au nez* : il risque de lui arriver. ■ vpr **1** Se suspendre. **2** Se suicider par pendaison.

du, ue n Personne morte par pendaison.

dulaire a Du pendule. *Mouvement pendulaire*.

dule nm Masse suspendue à un point fixe et oscillant régulièrement. ■ nf Petite horloge d'appartement.

dulette nf Petite pendule.

ne nm Pièce d'une serrure qui pénètre dans la gâche.

néplaine nf GEOL Surface plane résultant de l'érosion d'une région plissée.

nétrable a Qu'on peut pénétrer, intelligible.

nétrant, ante a **1** Qui pénètre, traverse. **2** Perspicace. *Remarque pénétrante*.

nétration nf **1** Action, fait de pénétrer. **2** Sagacité.

nétré, ée a Rempli d'un sentiment ; convaincu d'une opinion.

nétrer vi [12] Entrer, s'introduire à l'intérieur de. *Pénétrer dans un appartement*. ■ vt **1** Percer, entrer dans. **2** Toucher intimement. **3** Parvenir à connaître ce qui était caché. ■ vpr S'imprégner d'une pensée, d'un sentiment.

nibilité nf Caractère pénible.

nible a **1** Qui se fait avec fatigue. **2** Qui cause un désagrément.

niblement av Avec peine, avec effort.

niche nf Grand bateau à fond plat qui sert au transport fluvial.

nicilline nf Antibiotique issu du pénicillium.

nicillinorésistant, ante a MED Qui résiste à l'action de la pénicilline.

nicillium [-ljom] nm Champignon se développant sous forme de moisissure verte.

nil nm ANAT Éminence en-devant du pubis de la femme. Syn. mont de Vénus.

ninsulaire a D'une péninsule.

ninsule nf Grande presqu'île.

nis nm Organe mâle de la copulation.

nitence nf Punition infligée pour avoir offensé Dieu.

nitencier nm anc Prison pour les condamnés à de longues peines.

nitent, ente a, n Qui confesse ses péchés au prêtre.

nitentiaire a Des prisons.

nne nf ZOOL Grande plume des oiseaux.

nné, ée a BOT Disposé comme les barbes d'une plume. *Feuille pennée*.

penny [peni] nm Monnaie anglaise, valant le centième de la livre. *Des pence*.

pénologie nf DR Étude des peines, de leurs modalités d'application.

pénombre nf Lumière faible et douce.

pensable a Qui peut être imaginé.

pensant, ante a Qui pense.

pense-bête nm fam Moyen employé pour ne pas oublier qqch. *Des pense-bêtes*.

pensée nf **1** Faculté de réfléchir, intelligence, esprit. **2** Idée, jugement, opinion. **3** Plante ornementale aux fleurs diversement colorées.

penser vi Concevoir des idées. ■ vt **1** Imaginer, avoir dans l'esprit. *Dire ce qu'on pense*. **2** Croire, juger. *Penser du bien de qqn*. **3** Envisager qqch. *Je pense partir*. ■ vti Réfléchir à qqch, y faire attention. *Pensez à ma proposition*.

penseur n Personne qui exerce sa pensée de manière profonde et originale.

pensif, ive a Plongé dans ses pensées.

pension nf **1** Établissement qui loge et nourrit qqn contre rétribution. **2** Pensionnat. **3** Allocation versée régulièrement à qqn.

pensionnaire n **1** Personne qui verse une pension pour être logée et nourrie. **2** Élève interne.

pensionnat nm Établissement scolaire dont les élèves sont pensionnaires.

pensionné, ée n, a Qui jouit d'une pension.

pensionner vt Verser une pension à qqn.

pensivement av De façon pensive.

pensum [pɛ̃som] nm litt Corvée.

pentagonal, ale, aux a D'un pentagone.

pentagone [pɛ̃-] nm Polygone à cinq côtés.

pentamètre [pɛ̃-] nm Vers grec ou latin de cinq pieds.

pentathlon [pɛ̃-] nm Épreuve olympique masculine, combinant l'escrime, l'équitation, le tir, la natation et le cross-country.

pentatonique a MUS Constitué de cinq tons.

pente nf Inclinaison d'un terrain, d'une surface. Loc *Être sur une mauvaise pente* : se laisser entraîner par de mauvais penchants.

Pentecôte nf **1** Fête juive commémorant la remise des tables de la Loi à Moïse, au Sinaï. **2** Fête chrétienne commémorant la descente du Saint-Esprit sur les apôtres.

pentrite nf Explosif très puissant.

pentu, ue a En pente. *Rue pentue*.

pénultième a, nf Avant-dernier.

pénurie nf Manque du nécessaire.

péon [peon] nm Ouvrier agricole, en Amérique du Sud.

pépé nm fam **1** Grand-père. **2** Vieillard.

pépée nf pop Jeune femme.

pépère a fam Calme, tranquille.

pépètes nfpl pop Argent.

pépie nf Loc fam *Avoir la pépie* : avoir très soif.

pépiement nm Cri des jeunes oiseaux.

pépier vi Crier (jeunes oiseaux).

pépin nm **1** Graine de certains fruits. **2** pop Difficulté, anicroche, ennui. **3** fam Parapluie.

pépinière nf **1** Terrain planté de jeunes arbres destinés à être transplantés. **2** Lieu où se forment des personnes destinées à une profession.

pépiniériste n Personne qui s'occupe d'une pépinière.

pépite nf Masse de métal pur, surtout d'or.

péplum [-plɔm] nm 1 ANTIQ Tunique de femme. 2 fam Film à grand spectacle s'inspirant de l'Antiquité.

peppermint nm Liqueur de menthe poivrée.

pepsine nf BIOL Enzyme gastrique.

peptide nm BIOL Protide formé par l'union d'acides aminés.

péquenaud, aude n pop, péjor Paysan. Var **péquenot, otte**

péquin nm pop, vx Civil.

perçage nm Action de percer.

percale nf Toile de coton fin.

percaline nf Toile de coton pour les doublures.

perçant, ante a 1 Fort, vif (froid). 2 Aigu (son). 3 D'une grande acuité (vue).

perce nf Loc Mettre un tonneau en perce : y faire une ouverture pour en tirer le vin.

percée nf 1 Action de rompre la ligne de défense de l'adversaire. 2 Ouverture, dégagement. 3 Avancée rapide. Percée commerciale.

percement nm Action de percer.

perce-neige nf Petite plante ornementale dont les fleurs blanches s'épanouissent à la fin de l'hiver. Des perce-neiges ou perce-neige.

perce-oreille nm Insecte dont l'abdomen se termine par une pince. Des perce-oreilles.

percepteur nm Agent du Trésor public chargé du recouvrement des impôts.

perceptible a Qui peut être perçu.

perceptiblement av De façon perceptible.

perceptif, ive a Relatif à la perception.

perception nf 1 Recouvrement des impôts ; local où le percepteur a sa caisse. 2 Représentation d'un objet à partir des sensations.

percer vt [10] 1 Faire un trou dans. 2 Pénétrer, traverser de part en part qqch, qqn. 3 Pratiquer une ouverture. 4 Découvrir. Percer un mystère. ■ vi 1 Commencer à apparaître. Le soleil perce. 2 Devenir célèbre.

perceur, euse n Personne qui perce. ■ nf Machine servant à percer.

percevoir vt [43] 1 Recueillir de l'argent, un impôt. 2 Connaître par les sens ou par l'esprit.

1. perche nf Poisson d'eau douce.

2. perche nf Pièce de bois, de métal, de fibre de verre, etc., longue et mince. Loc Tendre la perche à qqn : lui venir en aide. fam Une grande perche : qqn grand et maigre.

percher vt Placer qqch à un endroit élevé. ■ vi 1 Se poser sur une branche. 2 fam Habiter. ■ vpr Se jucher sur.

percheron, onne a, n Du Perche. ■ nm Grand cheval de trait, lourd et puissant.

perchiste n 1 Sauteur à la perche. 2 Technicien maniant une perche munie d'un micro.

perchoir nm Support sur lequel un oiseau se perche.

perclus, use a Paralytique, impotent.

percnoptère nm Petit vautour.

percolateur nm Grosse cafetière à vapeur.

percolation nf PHYS Circulation de l'eau à travers un milieu poreux.

percussion nf Choc d'un corps sur un autre. Loc Instruments à percussion : dont on joue en les frappant (tambour, cymbales).

percussionniste n Personne qui joue d'un instrument à percussion.

percutané, ée a Qui se fait à travers la peau.

percutant, ante a 1 Qui agit par percussion. 2 Qui fait beaucoup d'effet ; frappant.

percuter vt, vi Frapper, heurter violemment. La voiture a percuté le mur, contre le mur.

percuteur nm Dans une arme à feu, tige métallique dont le choc contre l'amorce fait partir le coup.

perdant, ante a, n Qui perd.

perdition nf Loc En perdition : en danger d'être perdu, de faire naufrage.

perdre vt [5] 1 Cesser d'avoir qqch. 2 Être quitté par qqn, être privé de lui. 3 Mal employer qqch. Perdre son temps. 4 N'avoir pas le dessus. Perdre une bataille, un procès. 5 Ruiner, discréditer. 6 Égarer. Perdre ses gants. Loc Perdre de vue : ne plus voir. Perdre la tête : s'affoler. Perdre la vie : mourir. fam Perdre sa chemise : faire d'importantes pertes d'argent. ■ vi Avoir le dessous ; faire une perte d'argent. ■ vpr 1 Disparaître. 2 S'égarer.

perdreau nm Jeune perdrix de l'année.

perdrix [-dri] nf Oiseau gris ou roux recherché comme gibier.

perdu, ue a 1 Égaré, oublié. 2 Employé inutilement. 3 Isolé, écarté. Village perdu. 4 Dont le cas est désespéré. Loc À corps perdu : impétueusement. À temps perdu : dans les moments de loisir. ■ n Loc fam Comme un perdu : de toutes ses forces.

perdurer vi litt Se prolonger, se perpétuer.

père nm 1 Homme qui a un ou plusieurs enfants. 2 Titre donné à un prêtre catholique. 3 Créateur d'une doctrine, d'une œuvre. Loc Pères de l'Église : docteurs des premiers siècles de l'Église chrétienne. Le Saint-Père : le pape. De père en fils : par transmission héréditaire. fam Gros père : enfant joufflu, replet. ■ pl litt Ancêtres, aïeux.

pérégrinations nfpl Nombreuses allées et venues.

péremption nf État de ce qui est périmé.

péremptoire a Décisif, contre quoi il n'y a rien à répliquer. Ton péremptoire.

péremptoirement av Catégoriquement.

pérennisation nf Fait de pérenniser.

pérenniser vt Rendre durable.

pérennité nf litt Continuité.

péréquation [-kwa-] nf Répartition équitable des ressources ou des charges.

pérestroïka [pe-] nf Restructuration de la société soviétique. Var **perestroïka**

perfectible a Susceptible d'être perfectionné.

perfectif nm LING Forme verbale présentant l'action comme achevée.

perfection nf 1 Qualité de qqch, de qqn de parfait. 2 Chose ou personne parfaite. Loc À la perfection : parfaitement.

perfectionnement nm Action de (se) perfectionner.

perfectionner vt Améliorer, faire tendre vers la perfection. ■ vpr Devenir meilleur.

perfectionnisme nm Souci excessif d'atteindre la perfection.

perfectionniste a, n Scrupuleux à l'excès.

perfide a, n litt Trompeur et dangereux.

perfidement av litt Avec perfidie.

perfidie nf litt Déloyauté.

perforant, ante a Qui perfore.

perforateur, trice a Qui sert à perforer. ■ nf Machine à perforer.

rforation nf Action de perforer.
rforer vt Percer de trous.
rformance nf 1 Résultat obtenu par un spor- un acteur, etc. 2 Exploit. 3 Résultat optimal enu par un matériel.
rformant, ante a Capable de performances vées ; compétitif.
rfusion nf MED Injection dans le sang de sérum de médicament.
rgélisol [-sol] nm Syn. de *permafrost*.
rgola nf Construction de jardin légère, recou- te de plantes grimpantes.
rianthe nm BOT Ensemble des enveloppes flo- es.
riarthrite nf Inflammation des tissus entourant e articulation.
ricarde nm ANAT Membrane qui enveloppe le ur.
ricardite nf Inflammation du péricarde.
ricarpe nm BOT Enveloppe d'une graine.
ricliter vi Décliner.
ridot nm MINER Silicate de magnésium.
ridotite nf Roche magmatique, constituant ncipal du manteau terrestre.
ridural, ale, aux a, nf MED Se dit d'une anesthé- locale du bassin et des membres inférieurs.
rigée nf ASTRO Point de l'orbite d'un astre le s rapproché de la Terre. Ant. apogée.
riglaciaire a Proche des glaciers.
rigourdin, ine a, n Du Périgord.
rihélie nm ASTRO Point de l'orbite d'une planète lus proche du Soleil. Ant. aphélie.
riinformatique nf Matériels annexes d'un tème informatique (imprimantes, terminaux,).
ril nm litt Risque, danger. Loc *À ses risques et ils* : en acceptant de courir tous les risques. *Au il de* : au risque de.
rilleux, euse a Qui présente du danger.
rimé, ée a Dépassé, qui n'a plus cours.
rimer (se) vpr Perdre sa validité.
rimètre nm 1 GEOM Contour d'une figure plane. space quelconque.
rinatal, ale, als a MED De la période qui pré- e et suit immédiatement la naissance.
rinatalogie nf Médecine périnatale.
rinée nm ANAT Région entre l'anus et les parties itales.
riode nf 1 Espace de temps ; phase, époque. 2 ase de prose organisée et harmonieuse.
riodicité nf Caractère périodique ; fréquence.
riodique a Qui se reproduit à des intervalles de ps réguliers. ■ nm Journal, magazine parais- t à intervalles réguliers.
riodiquement av De façon périodique.
rioste nm ANAT Membrane qui entoure les os.
ripatéticienne nf litt Prostituée.
ripétie [-si] nf Incident, circonstance impré- e. *Un voyage riche en péripéties.*
riphérie nf Quartiers d'une ville les plus éloi- és du centre.
riphérique a Situé à la périphérie. ■ nm 1 ie rapide entourant une ville. 2 Appareil relié n ordinateur.
riphrase nf Circonlocution équivalent à un t simple (ex. : *l'astre du jour* pour *le Soleil*).
riphrastique a De la périphrase.
riple nm Voyage touristique.

périr vi litt 1 Mourir. 2 Disparaître.
périscolaire a Qui coexiste avec l'enseignement scolaire (clubs sportifs, colonies de vacances).
périscope nm Appareil d'optique pour voir des objets hors du champ de vision.
périssable a Sujet à s'altérer.
périssodactyle nm ZOOL Mammifère ongulé du type rhinocéros, cheval.
périssoire nf Petite embarcation manœuvrée avec une pagaie.
péristaltique a Du péristaltisme.
péristaltisme nm PHYSIOL Mouvements du tube digestif.
péristyle nm ARCHI Colonnade qui entoure un édifice.
péritéléphonie nf Services et appareils associés au téléphone (répondeur par ex.).
péritélévision nf Appareils que l'on peut connecter à un téléviseur (magnétoscope, jeux vidéo).
péritoine nm ANAT Membrane qui recouvre les organes de la cavité abdominale.
péritonéal, ale, aux a Du péritoine.
péritonite nf Inflammation du péritoine.
périurbain, aine a Qui concerne les abords d'une ville.
perle nf 1 Concrétion brillante de nacre formée à l'intérieur de certains coquillages. 2 Petite boule percée en bois, en métal, en verre, etc. 3 Goutte de liquide. 4 Personne sans défaut. 5 fam Absur- dité burlesque.
perlé, ée a Nacré. Loc *Grève perlée* : avec alter- nance de travail et d'arrêt.
perler vi Former des gouttes.
perlier, ère a Relatif aux perles.
perlimpinpin nm Loc *Poudre de perlimpinpin* : remède inefficace.
perlingual, ale, aux [-gwal] a MED Qui se fait par la langue.
permafrost nm Couche du sol gelée en perma- nence. Syn. pergélisol.
permanence nf 1 Caractère constant, immuable. 2 Service permanent ; local où il fonctionne. 3 Salle d'études surveillée. Loc *En permanence* : sans interruption.
permanencier, ère n Personne qui assure une permanence.
permanent, ente a 1 Qui dure sans s'inter- rompre, ni changer. 2 Qui est établi à demeure. *Comité permanent.* ■ nm Membre rémunéré d'une organisation. ■ nf Traitement donnant aux cheveux une ondulation durable.
permanganate nm Sel d'un acide dérivé du manganèse, utilisé comme antiseptique.
perméabilité nf Caractère perméable.
perméable a 1 Qui peut être pénétré par. 2 Qui se laisse influencer par. *Perméable aux idées nouvelles.*
permettre vt [64] 1 Donner liberté, pouvoir de. *Permettez-moi de sortir.* 2 Rendre possible. *Cet horaire me permet d'arriver plus tôt.* 3 Autori- ser, tolérer qqch. ■ vpr Prendre la liberté de. *Elle s'est permis d'entrer sans frapper.*
permien nm GEOL Période de l'ère primaire.
permis nm Autorisation officielle pour certaines activités.
permissif, ive a Qui permet ou tolère.

permission nf 1 Autorisation. 2 Congé accordé à un militaire.

permissionnaire nm Soldat en permission.

permissivité nf Fait d'être permissif.

permutabilité nf Caractère permutable.

permutable a Qui peut être permuté.

permutation nf Action de permuter.

permuter vt, vi Échanger qqch avec qqn, intervertir des choses.

pernicieusement av De façon pernicieuse.

pernicieux, euse a Nuisible, dangereux.

péroné nm Os long de la jambe.

péronisme nm HIST Système politique du président Perón.

péronnelle nf vx Fille sotte et bavarde.

péroraison nf Conclusion d'un discours.

pérorer vi Parler longuement avec prétention.

peroxyde nm Oxyde à forte proportion d'oxygène.

perpendiculaire a, nf Qui forme un angle droit.

perpendiculairement av Selon une perpendiculaire.

perpète (à) av pop À perpétuité. **Var perpette (à)**

perpétration nf litt Action de perpétrer.

perpétrer vt [12] litt Commettre un crime.

perpétuation nf litt Action de perpétuer.

perpétuel, elle a 1 Qui ne cesse pas ; continuel. 2 Qui dure toute la vie. 3 Fréquent.

perpétuellement av Toujours.

perpétuer vt litt Faire durer. ■ vpr litt Durer.

perpétuité nf Loc À perpétuité : pour toujours.

perplexe a Irrésolu, hésitant.

perplexité nf Irrésolution, embarras.

perquisition nf Recherche opérée dans un lieu par la police.

perquisitionner vi, vt Faire une perquisition dans un lieu ; fouiller.

perron nm Escalier extérieur se terminant à l'entrée par un palier.

perroquet nm 1 Grand oiseau au plumage éclatant, capable d'imiter la parole humaine. 2 Personne qui répète sans comprendre. 3 MAR Voile carrée qui surmonte le mât de hune.

perruche nf 1 Petit perroquet. 2 MAR Voile qui surmonte le mât d'artimon.

perruque nf 1 Coiffure postiche. 2 pop Travail que l'ouvrier fait en fraude dans l'entreprise.

perruquier nm Fabricant de perruques.

pers, perse a litt Entre le bleu et le vert.

persan, ane a, n De Perse. ■ nm 1 Langue parlée en Iran. 2 Chat à poils longs et soyeux.

perse a, n De l'ancienne Perse. ■ nf Toile imprimée.

persécuté, ée a, n En butte à des persécutions.

persécuter vt 1 Faire souffrir par des traitements cruels. 2 Importuner, harceler.

persécuteur, trice a, n Qui persécute.

persécution nf Action de persécuter.

persévérance nf Constance dans l'effort.

persévérant, ante a Qui persévère.

persévérer vi [12] Persister dans une résolution, un sentiment, une action.

persienne nf Contrevent muni de lames pour arrêter les rayons du soleil.

persiflage nm Moquerie. **Var persifflage**

persifler vt Tourner en ridicule. **Var persiffler**

persifleur, euse n, a Moqueur. **Var persiffleu euse**

persil [-si] nm Plante odorante utilisée com condiment.

persillade nf Assaisonnement à base de persil

persillé, ée a Loc Viande persillée : parsem d'infiltrations graisseuses. ■ nm, a Fromage de la pâte contient des moisissures verdâtres.

persistance nf Action, fait de persister.

persistant, ante a Qui dure, qui ne faiblit p ou ne disparaît pas. Loc Feuillage persistar non caduc.

persister vi 1 S'obstiner, persévérer dans u résolution. 2 Durer. Toux qui persiste. Loc P siste et signe : indique que l'on maintient s opinion.

perso a inv, av fam Personnel ou personnali Un dossier perso. Loc Jouer perso : avoir u attitude individualiste dans la pratique d'un sp d'équipe.

persona grata a inv Agréé dans une foncti diplomatique auprès d'un État.

personnage nm 1 Personne importante, célèb 2 Personne fictive d'une œuvre littéraire ; r joué par un acteur. 3 Personne considérée da son comportement. Un curieux personnage.

personnalisation nf Action de personnaliser.

personnaliser vt Donner un caractère personn singulier, unique.

personnalisme nm Philosophie qui fait de personne humaine la valeur essentielle.

personnalité nf 1 Ce qui caractérise une p sonne, dans son unité, sa singularité. 2 Origi lité de caractère, de comportement. 3 Personna important. Une personnalité politique.

personne nf 1 Individu considéré comme ê humain, ou dans sa réalité psychologique, ph sique. 2 DR Individu ou être moral, collectif de de l'existence juridique. 3 GRAM Forme du ve selon les personnes qui parlent. Loc En personn soi-même. ■ pr indéf 1 (avec ne) Nul, aucun. P sonne n'est venu. 2 Qui que ce soit. Il joue mie que personne.

personnel, elle a 1 Propre à une personne, e en porte la marque. 2 GRAM Propre aux personn grammaticales. 3 Qui n'a pas l'esprit d'équi ■ nm Ensemble des personnes employées dans service, une entreprise.

personnellement av En personne.

personnification nf Action de personnifie type, incarnation.

personnifié, ée a En personne, incarné.

personnifier vt 1 Attribuer à qqch les traits d'u personne humaine. 2 Constituer en soi le mod de.

perspective nf 1 Art de représenter les objets trois dimensions sur une surface plane. 2 Asp que présentent un paysage, des objets, vus de lo 3 Idée qu'on se fait d'un évènement à ven point de vue. 4 Grande voie en ligne droite. I En perspective : dans l'avenir.

perspicace a Pénétrant, sagace, subtil.

perspicacité nf Caractère perspicace.

persuader vt Amener qqn à croire, à faire qq ■ vpr S'imaginer. Elle s'est persuadé(e) qu'on mentait.

persuasif, ive a Qui persuade.

persuasion nf Action ou manière de persuade conviction.

rte nf 1 Fait d'être privé de qqch qu'on avait ; t d'avoir égaré qqch. 2 Dommage pécuniaire ; mme perdue. 3 Mort de qqn. 4 Mauvais emploi, spillage. Loc À perte : à un prix inférieur au ix de revient. À perte de vue : aussi loin que rte la vue. En pure perte : sans résultat. Être perte de vitesse : perdre de son efficacité, être popularité.

rtinemment [-namã] av 1 De façon judi-euse. 2 Parfaitement.

rtinence nf Caractère pertinent.

rtinent, ente a Approprié ; judicieux.

rturbateur, trice a, n Qui cause du trouble.

rturbation nf Trouble, bouleversement.

rturber vt Troubler ; empêcher le déroule-ent ou le fonctionnement normal de.

ruvien, enne a, n Du Pérou.

rvenche nf 1 Plante rampante, aux fleurs eu-mauve. 2 Contractuelle de la police pari-enne. ■ a inv Bleu-mauve.

rvers, erse [-vɛʀ] a, n 1 litt Porté à faire le al. 2 Atteint de perversion sexuelle. ■ a Fait ec perversité. Loc Effet pervers : conséquence direte, inattendue et fâcheuse, d'une décision.

rversion nf 1 Déviation des tendances, des stincts, en particulier sur le plan sexuel. 2 Alté-ion, corruption de qqch.

rversité nf Tendance à faire le mal et à en rouver de la joie.

rvertir vt 1 Faire changer en mal ; corrompre. Dénaturer, altérer qqch.

rvertissement nm litt Action de pervertir.

sage nm 1 Action de peser. 2 Action de peser jockeys avant la course ; endroit où l'on pro-de à cette opération.

samment av Avec lourdeur.

sant, ante a 1 Lourd. 2 Sans vivacité ni esse. ■ nm Loc Valoir son pesant d'or : être un grand prix.

santeur nf 1 Caractère pesant, lourd. 2 Force i entraîne les corps vers le centre de la Terre. ol Résistance au changement ; immobilisme.

se-alcool nm Appareil pour mesurer le degré coolique. Des pèse-alcools.

se-bébé nm Balance pour peser les nourris-ns. Des pèse-bébés.

sée nf 1 Action de peser ; quantité pesée. 2 ession exercée sur qqch.

se-lettre nm Balance pour peser les lettres. s pèse-lettres.

se-personne nm Petite bascule pour se peser. s pèse-personnes.

ser vt [15] 1 Mesurer le poids de. 2 Évaluer, aminer attentivement. Loc Peser ses mots : rler avec circonspection. ■ vi Avoir un certain ids. Ce paquet pèse 3 kilos. ■ vti 1 Exercer une ession sur. Peser sur un levier. 2 Être pénible à pporter. L'oisiveté lui pèse.

séta [peze-] nf Anc. unité monétaire de l'Es-gne. Var peseta

so [peso] nm Unité monétaire de plusieurs ats d'Amérique du Sud et des Philippines. Var so

son nm Petite balance à levier ou à ressort.

ssah nf inv Nom hébreu de la pâque juive.

ssaire nm Membrane contraceptive en caout-ouc.

ssimisme nm Tendance à penser que tout va ira mal.

pessimiste a, n Enclin au pessimisme.

peste nf 1 Maladie infectieuse et épidémique. 2 Chose ou personne nuisible, dangereuse.

pester vi Manifester de la mauvaise humeur contre qqn, qqch.

pesteux, euse a De la peste.

pesticide nm Produit qui détruit les animaux ou les plantes nuisibles.

pestiféré, ée a, n Atteint de la peste.

pestilence nf Odeur infecte.

pestilentiel, elle a Qui dégage une odeur nau-séabonde.

pesto nm CUIS Sauce italienne à base de basilic haché et d'huile d'olive.

pet nm fam Gaz intestinal qui sort de l'anus avec bruit.

pétale nm Chacune des pièces de la corolle d'une fleur.

pétanque nf Jeu de boules.

pétant, ante a Loc fam À une heure pétante : à une heure très exactement.

pétaradant, ante a Qui pétarade.

pétarade nf Série de brèves détonations.

pétarader vi Faire entendre une pétarade.

pétard nm 1 Engin explosif. 2 pop Pistolet. 3 pop Derrière. Loc pop Être en pétard : en colère. Faire du pétard : du tapage.

pétaudière nf fam Lieu où il n'y a ni ordre ni autorité.

pet-de-nonne nm Beignet soufflé. Des pets-de-nonne.

péter vi [12] 1 fam Lâcher un pet. 2 fam Exploser, éclater. 3 fam Se casser. ■ vt fam Casser qqch. Loc Péter le feu : être très vif.

pète-sec n fam Personne autoritaire, au ton cas-sant. Des pète-secs ou pètes-sec. Var pètesec

péteux, euse n, a fam 1 Couard, poltron. 2 Pré-tentieux.

pétillant, ante a Qui pétille.

pétillement nm Bruit de ce qui pétille.

pétiller vi 1 Éclater avec de petits bruits secs et répétés. 2 Dégager des bulles de gaz. 3 Briller d'un vif éclat. Ses yeux pétillent de joie.

pétiole [-sjɔl] nm BOT Queue d'une feuille.

pétiolé, ée a BOT Pourvu d'un pétiole.

petiot, ote a, n fam Tout petit.

petit, ite a 1 De faibles dimensions. 2 De faible importance. 3 Étriqué, mesquin, borné. ■ a, n Qui n'a pas atteint l'âge adulte ; enfant, jeune. Loc Faire des petits : mettre bas. ■ av Loc En petit : en raccourci. Petit à petit : peu à peu.

petit-beurre nm Gâteau sec rectangulaire, au beurre. Des petits-beurres.

petit-bourgeois, petite-bourgeoise n Per-sonne qui appartient aux couches les moins aisées de la bourgeoisie. ■ a Qui dénote de l'étroitesse d'esprit. Des petits-bourgeois.

petit-déjeuner nm Premier repas pris le matin. Des petits-déjeuners. ■ vi Prendre le petit-déjeuner.

petitement av 1 À l'étroit. 2 Mesquinement.

petitesse nf 1 Caractère petit. 2 Caractère, acte mesquin.

petit-fils nm, **petite-fille** nf Fils, fille du fils ou de la fille par rapport au grand-père, à la grand-mère. Des petits-fils.

petit-gris nm 1 Écureuil d'Europe à la fourrure appréciée. 2 Escargot. Des petits-gris.

pétition nf Demande, plainte ou vœu écrits adressés à une autorité. Loc *Pétition de principe :* raisonnement consistant à tenir pour vrai ce qu'il s'agit de démontrer.

pétitionnaire n Personne qui signe ou présente une pétition.

pétitionner vi Adresser une pétition.

petit-lait nm Liquide qui se sépare du lait caillé. *Des petits-laits.*

petit-nègre nm inv fam Français incorrect à la grammaire rudimentaire.

petit-neveu nm, **petite-nièce** nf Fils, fille du neveu, de la nièce, par rapport au grand-oncle ou à la grand-tante. *Des petits-neveux. Des petites-nièces.*

petit pois nm Pois vert écossé. *Des petits pois.*

petits-enfants nmpl Enfants d'un fils ou d'une fille.

petit-suisse nm Petit cylindre de fromage frais. *Des petits-suisses.*

pétoche nf pop Peur.

pétoire nf fam Arme à feu désuète.

peton nm fam Petit pied.

pétoncle nm Mollusque comestible.

pétrel nm Oiseau marin au bec crochu.

pétrifiant, ante a Qui pétrifie.

pétrification nf Action de (se) pétrifier.

pétrifier vt 1 Recouvrir de calcaire, de silice. 2 Stupéfier, paralyser.

pétrin nm Appareil, coffre pour pétrir le pain. Loc fam *Être dans le pétrin :* dans l'embarras.

pétrir vt 1 Brasser, malaxer une pâte. 2 Presser avec force pour donner une forme. Loc *Être pétri de qqch :* en être plein.

pétrissage nm Action de pétrir.

pétrochimie nf Chimie des produits extraits du pétrole.

pétrochimique a De la pétrochimie.

pétrodollar nm Dollar provenant du commerce du pétrole.

pétrogenèse nf GÉOL Formation des roches.

pétroglyphe nm Gravure sur pierre.

pétrographie nf GÉOL Étude des roches et de leur formation. Var **pétrologie**

pétrole nm Huile minérale organique, composée d'hydrocarbures. ■ a inv Loc *Bleu pétrole :* bleu tirant sur le vert.

pétrolette nf fam Petite motocyclette.

pétroleuse nf HIST Femme qui aurait allumé des incendies pendant la Commune de 1871.

pétrolier, ère a Du pétrole. ■ nm Navire pour le transport du pétrole.

pétrolifère a Qui contient du pétrole.

pétrologie. V. pétrographie.

pétulance nf Vivacité, fougue.

pétulant, ante a Vif, impétueux.

pétunia nm Plante à fleurs colorées.

peu av En petite quantité, en quantité insuffisante. Loc *À peu près :* presque. *Peu à peu :* lentement. *De peu :* d'un rien. *Pour peu que :* pourvu que. *Sous peu, avant peu :* dans peu de temps. *Depuis peu :* récemment. ■ nm La petite quantité de. *Le peu (de temps) qu'il lui reste.* Loc *Pour un peu :* un peu plus.

peuh ! interj Marque le dédain, l'indifférence.

peul nm Langue d'Afrique. Var **peuhl**

peuplade nf Petit groupe humain dans une société archaïque.

peuple nm 1 Ensemble des gens appartenant à une communauté nationale ou culturelle. *Le peuple français.* 2 Ensemble des citoyens de condition modeste. *Sortir du peuple.* 3 fam Foule.

peuplé, ée a Où il y a des habitants.

peuplement nm Action de peupler ; fait d'être peuplé.

peupler vt 1 Faire occuper un endroit par des végétaux, des animaux. 2 Occuper un endroit, constituer la population. 3 Remplir l'esprit. *Peupler l'imagination.* ■ vpr Se remplir de monde, d'êtres vivants.

peuplier nm Grand arbre cultivé pour son bois blanc et léger.

peur nf Crainte plus ou moins violente. Loc *Avoir peur :* craindre. fam *Peur bleue :* grande peur. *De peur de, que :* par crainte de, que.

peureusement av De façon craintive.

peureux, euse a, n Craintif, sujet à la peur.

peut-être av Marque le doute, l'éventualité.

peyotl [pɛ-] nm Cactacée des montagnes mexicaines donnant la mescaline.

pèze nm pop Argent.

pfennig [pfe-] nm Centième partie du mark.

pH nm CHIM Coefficient caractérisant l'état acide ou basique d'une solution.

phacochère nm Sanglier africain.

phagocyte nm BIOL Leucocyte apte à la phagocytose.

phagocyter vt 1 BIOL Détruire par phagocytose. Faire disparaître en intégrant à soi.

phagocytose nf BIOL Ingestion par un leucocyte d'une particule étrangère.

phalange nf 1 ANTIQ Corps d'infanterie de l'armée grecque. 2 Segment articulé des doigts, des orteils. 3 HIST Groupement paramilitaire de type fasciste.

phalangette nf Dernière phalange du doigt.

phalangiste n HIST Membre d'une phalange.

phalanstère nm Communauté de travailleurs dans le système de Fourier.

phalène nf ou m Grand papillon nocturne.

phallique a Du phallus.

phallocrate n Homme qui s'estime supérieur à la femme.

phallocratie [-si] nf Attitude dominatrice de l'homme sur les femmes.

phallocratique a De la phallocratie.

phalloïde a Loc *Amanite phalloïde :* champignon mortel au chapeau jaunâtre ou verdâtre.

phallus nm Pénis en érection.

phanérogame nf BOT Plante à fleurs et à graines.

pharaon nm ANTIQ Souverain de l'Égypte.

pharaonique a 1 Des pharaons. 2 Marqué par le gigantisme, la démesure.

phare nm 1 Tour surmontée d'un foyer lumineux établie le long des côtes pour guider les navires. 2 Projecteur à l'avant d'un véhicule pour éclairer la route. 3 Ce qui guide, éclaire.

pharisaïsme nm litt Hypocrisie.

pharisien, enne n 1 Membre d'une secte juive contemporaine du Christ. 2 litt Hypocrite.

pharmaceutique a De la pharmacie.

pharmacie nf 1 Science de la préparation et la composition des médicaments. 2 Profession, commerce du pharmacien ; laboratoire, boutique du pharmacien. 3 Armoire à médicaments.

pharmacien, enne n Personne qui exerce la pharmacie.

armacocinétique nf Étude de l'action des dicaments à l'intérieur du corps.

armacodépendance nf Dépendance à gard d'un médicament.

armacodynamie nf Étude des effets orga-ues des médicaments.

armacologie nf Science des médicaments.

armacologique a De la pharmacologie.

armacologue n Spécialiste de pharmacolo-

armacopée nf Ensemble des médicaments ; rage naturel leurs effets.

armacovigilance nf MED Contrôle centralisé informations sur les effets des médicaments.

aryngé, ée a Du pharynx. **Var pharyngien,** ne

aryngite nf Inflammation du pharynx.

arynx nm ANAT Conduit qui va de la cavité buc-e à l'œsophage ; gosier.

ase nf 1 Chacune des périodes marquant olution d'un phénomène. 2 ASTRO Chacun des ects différents de la Lune. **Loc** fam Être en ase : en harmonie.

asme nm Insecte ayant l'aspect d'une brin-e.

énicien, enne a, n De la Phénicie.

énix nm 1 MYTH Oiseau fabuleux qui se brûlait même pour renaître de ses cendres. 2 litt Per-ne exceptionnelle.

énobarbital nm Barbiturique.

énol nm Composé dérivé du benzène, utilisé chimie, en pharmacie.

énoménal, ale, aux a Surprenant, extraor-aire.

énoménalement av Extraordinairement.

énomène nm 1 Tout fait extérieur ou intérieur sent à la conscience. 2 Chose remarquable, raordinaire. 3 fam Personne originale, bizarre.

énoménologie nf Philosophie visant à saisir la conscience l'essence des êtres.

éromone nf ZOOL Substance émise par un ani-l à destination de ses congénères.

i nm Lettre de l'alphabet grec correspondant h français.

ilanthrope n Personne qui agit avec généro-, désintéressement.

ilanthropie nf Bienfaisance, générosité.

ilanthropique a De la philanthropie.

ilatélie nf Collection des timbres-poste.

ilatélique a De la philatélie.

ilatéliste n Collectionneur de timbres-poste.

ilharmonie nf Société musicale.

ilharmonique a **Loc** Orchestre philharmo-ue : grand orchestre symphonique.

ilhellène n HIST Partisan de l'indépendance cque (XIXe s.).

ilippin, ine a, n Des îles Philippines.

ilippique nf litt Discours violent contre qqn.

ilistin nm litt Personne vulgaire et inculte.

ilo nf fam Philosophie.

ilodendron [-dē-] nm Arbuste aux feuilles oratives.

ilologie nf Étude d'une langue d'après les es écrits.

ilologique a De la philologie.

ilologue n Spécialiste de philologie.

philosophale af **Loc** Pierre philosophale : pierre qui, d'après les alchimistes, pouvait chan-ger les métaux en or.

philosophe n Spécialiste de philosophie. ■ a, n Qui supporte tout avec sérénité.

philosopher vi Argumenter, raisonner, discuter sur un sujet quelconque.

philosophie nf 1 Branche du savoir qui étudie les principes et les causes au niveau général. 2 Doctrine, système d'une école, d'un philosophe. 3 Fermeté, calme, courage.

philosophique a De la philosophie.

philosophiquement av De façon philoso-phique ; avec sérénité.

philtre nm litt Breuvage magique propre à inspi-rer l'amour.

phimosis nm MED Étroitesse du prépuce, qui empêche de découvrir le gland.

phlébite nf Thrombose veineuse des membres inférieurs.

phlébographie nf Radiographie des veines.

phlébologie nf Étude des veines et traitement de leurs affections.

phlébologue n Spécialiste de phlébologie.

phlébotomie nf CHIR Ablation d'une veine.

phlegmon nm Infiltration purulente aiguë du tissu sous-cutané.

phlyctène nf Bulle de sérosité sous l'épiderme.

pH-mètre nm Appareil de mesure du pH.

phobie nf Peur irraisonnée, angoissante et obsé-dante.

phobique a De la phobie. ■ a, n Atteint de pho-bie. Une peur phobique.

phocéen, enne a, n litt De Marseille.

pholiote nf Champignon à lamelles jaunes.

phonateur, trice a De la phonation. **Var pho-natoire**

phonation nf Production des sons par les organes vocaux.

phonème nm Son du langage.

phonéticien, enne n Spécialiste de phonétique.

phonétique a Relatif aux sons du langage. ■ nf Étude des sons de la parole.

phonétiquement av Sur le plan phonétique.

phonétisme nm LING Structures phonétiques d'une langue.

phoniatre n Spécialiste de phoniatrie.

phoniatrie nf Étude et traitement des troubles de la phonation.

phonique a Relatif aux sons ou à la voix.

phonogramme nm 1 LING Signe graphique représentant un son. 2 Enregistrement sonore sur disque, cassette, etc.

phonographe nm anc Appareil servant à repro-duire les sons. **Var phono**

phonographique a Relatif à l'enregistrement des sons sur disques.

phonolite nf Roche volcanique qui résonne quand on la frappe.

phonologie nf LING Description des caractéris-tiques linguistiques des sons du langage.

phonothèque nf Établissement où sont archivés des documents sonores.

phoque nm Mammifère des mers froides.

phosgène nm Gaz de combat dérivé du chlore.

phosphate nm Sel de l'acide phosphorique uti-lisé pour les engrais.

phosphaté, ée a Qui renferme du phosphate.

phosphore *nm* Corps simple présent dans les os, le système nerveux, etc.

phosphorer *vi* fam Réfléchir beaucoup.

phosphorescence *nf* Propriété de certains corps d'émettre de la lumière dans l'obscurité.

phosphorescent, ente *a* Qui émet une lueur dans l'obscurité.

phosphoreux, euse *a* CHIM Qui contient du phosphore.

phosphorique *a* Loc CHIM *Anhydride phosphorique :* obtenu par combustion du phosphore. *Acide phosphorique :* acide du phosphore.

photo *nf* Photographie. ■ *a inv* Photographique. *Appareil photo.*

photochimie *nf* Étude des réactions chimiques produites par la lumière.

photocomposer *vt* Composer par photocomposition.

photocomposeuse *nf* Appareil de photocomposition.

photocompositeur *nm* Professionnel de la photocomposition.

photocomposition *nf* Composition photographique des textes destinés à être imprimés.

photocopie *nf* Reproduction photographique d'un document.

photocopier *vt* Faire la photocopie de.

photocopieur *nm* Appareil de photocopie. **Var photocopieuse** *nf*

photodiode *nf* Diode déclenchée par un rayonnement lumineux.

photoélectrique *a* Loc *Cellule photoélectrique :* dispositif de mesure d'un flux lumineux.

photofinish *nf* Enregistrement photographique automatique de l'arrivée d'une course. **Var photo-finish** *nf*

photogénique *a* Qui est plus beau en photographie qu'au naturel.

photogrammétrie *nf* Technique permettant de déterminer la forme et les dimensions d'un objet à partir de photographies.

photographe *n* 1 Personne qui photographie en amateur ou en professionnel. 2 Personne qui développe les films photographiques, tire les clichés.

photographie *nf* 1 Art et technique visant à fixer l'image des objets par l'utilisation de l'action de la lumière sur une surface sensible. 2 Image ainsi obtenue. 3 Reproduction exacte d'une situation.

photographier *vt* 1 Obtenir une image par la photographie. 2 Décrire avec précision.

photographique *a* De la photographie.

photograveur *nm* Professionnel de la photogravure.

photogravure *nf* IMPRIM Obtention photographique de clichés d'impression.

photoluminescence *nf* Luminescence d'un corps renvoyant une radiation.

photolyse *nf* CHIM Décomposition chimique sous l'action de la lumière.

photomaton *nm* (n. déposé) Installation payante et automatique de photographie des visages.

photomécanique *a* Se dit de tout procédé photographique de reproduction permettant de créer des clichés.

photomètre *nm* Appareil de mesure de l'intensité lumineuse.

photométrie *nf* Mesure de l'intensité lumineuse.

photomontage *nm* Montage photographique.

photon *nm* PHYS Particule de masse et de cha nulles associée à un rayonnement lumineux.

photopériodisme *nm* BOT Réaction des plante la succession des jours et des nuits.

photophore *nm* Coupe en verre, destinée à re voir une bougie.

photopile *nf* Batterie ou pile solaire.

photoreportage *nm* Reportage photographiqu

photosensible *a* Sensible à la lumière.

photosphère *nf* La plus profonde des couch du Soleil.

photosynthèse *nf* BIOL Assimilation chloroph lienne.

photothèque *nf* Lieu où on archive des do ments photographiques.

phototropisme *nm* BIOL Tropisme commandé la lumière.

prototype *nm* Image photographique obten directement.

phragmite *nm* Roseau commun.

phrase *nf* 1 Assemblage de mots présentant sens complet. 2 Suite de notes présentant une c taine unité. Loc *Phrase toute faite :* cliché. ■ *Sans phrases :* sans détours.

phrasé *nm* MUS Façon de phraser.

phraséologie *nf* Manière de s'exprimer propr un milieu, à une époque.

phraser *vt* MUS Jouer un air en faisant sentir développement des phrases musicales.

phraseur, euse *n* Déclamateur prétentieux.

phrastique *a* LING De la phrase.

phratrie *nf* ETHNOL Groupe de clans au sein d't tribu.

phréatique *a* Loc *Nappe phréatique :* nap d'eau souterraine.

phrénologie *nf* anc Étude du caractère par forme du crâne.

phrygane *nf* Insecte dont les larves, aquatiqu se protègent par un fourreau fait de divers ma riaux.

phrygien, enne *a* Loc *Bonnet phrygien :* bon rouge des révolutionnaires de 1793.

phtisie *nf* vx Tuberculose.

phtisiologie *nf* Étude de la tuberculose.

phtisique *a, n* vx Tuberculeux.

phycomycète *nm* BOT Champignon primitif, s vent aquatique et parasite.

phylactère *nm* 1 Bulle des bandes dessinées Syn. de *tephillin.*

phyllie *nf* Insecte de Malaisie ressemblant à t feuille verte.

phylloxéra *nm* Insecte parasite de la vign maladie de la vigne.

phylogenèse *nf* BIOL Formation et évolution organismes vivants.

physalie *nf* Grande méduse urticante.

physalis *nm* Plante ornementale aux baies rou évoquant une lanterne vénitienne.

physicien, enne *n* Spécialiste de physique.

physicochimique *a* Qui relève de la physiq et de la chimie.

physiocrate *nm* Économiste du XVIIIe s. con dérant l'agriculture comme source principale la richesse d'un pays.

physiologie *nf* Science du fonctionnement organismes vivants.

physiologique *a* De la physiologie.

iologiste n Spécialiste de physiologie.
ionomie nf 1 Ensemble des traits du visage.
actère particulier de qqn, de qqch.
ionomiste a Se dit d'une personne qui a la
oire visages.
iopathologie nf Étude des troubles phy-
iques.
othérapie nf Utilisation thérapeutique des
s physiques (eau, lumière, chaleur).
ique a 1 Relatif à la nature, à la matière. 2
f au corps humain, aux sens. 3 Qui a une
nce dans la réalité, par oppos. à *virtuel.* 4
xige des qualités athlétiques. *Une course
hysique.* Loc *Culture physique :* gymnas-
■ nm Aspect extérieur de qqn ; sa consti-
. ■ nf Science des propriétés de la matière
lois qui la régissent.
iquement av Sur le plan physique.
ocide nm, a Produit susceptible de détruire
gétaux.
ogéographie nf Étude de la répartition des
aux.
ohormone nf Hormone végétale.
oparasite nm Parasite d'un végétal.
opathologie nf Étude des maladies des
s.
ophage a ZOOL Qui se nourrit de substances
ales.
oplancton nm Plancton végétal.
osanitaire a Relatif aux soins donnés aux
aux.
osociologie nf Étude des associations
ales.
othérapie nf Traitement des maladies des
antes.
otron nm Laboratoire où on étudie les
nismes de la vie végétale.
■ 1 Lettre de l'alphabet grec, correspondant
MATH Nombre de symbole π, égal au rapport
circonférence d'un cercle à son diamètre et
la valeur approche 3,1416.
am pop Moineau.
er vi 1 Frapper la terre avec les pieds de
at (cheval). 2 Manifester une nervosité
ement nm 1 Cris aigus d'un oiseau. 2 fam
lerie. Syn. *piaillement.*
er vi 1 Pousser de petits cris aigus (oiseau).
Crier continuellement.
erie nf Syn. de *piaillement.*
nm Maladie cutanée contagieuse des pays
aux.
ssimo av, nm MUS Très doucement.
ste n Personne qui joue du piano.
no nm Instrument de musique à clavier et
des frappées.
no av MUS Doucement.
o-bar nm Café dans lequel un piano crée un
musical. *Des pianos-bars.*
oforté nm Ancêtre du piano au XVIIIe s.
pianoforte [-forte]
oter vi 1 Jouer maladroitement du piano. 2
ter ses doigts sur un objet. 3 Taper sur
uches d'un clavier d'ordinateur, de minitel.
tre nf 1 Ancienne monnaie espagnole. 2 fam
du dollar au Canada.
le nf pop Chambre.
lement nm Cri d'un oiseau qui piaule.

piauler vi Crier (oiseau, poulet).
pic nm 1 Oiseau grimpeur doté d'un bec pointu.
2 Instrument fait d'un fer pointu pour creuser. 3
Montagne élevée, au sommet très pointu. Loc *À
pic :* verticalement. fam *Tomber, arriver à pic :* à
propos.
picador nm Cavalier qui, dans les courses de
taureaux, fatigue l'animal avec une pique.
picaillons nmpl pop Argent.
picard, arde a, n De Picardie. ■ nm Dialecte
parlé en Picardie.
picaresque a Se dit d'œuvres mettant en scène
des aventuriers, des brigands.
pichenette nf fam Chiquenaude.
pichet nm Petit broc.
pickles [pikœls] nmpl Condiments végétaux
confits dans du vinaigre.
pickpocket [pikpokɛt] nm Voleur à la tire.
pick-up [pikœp] nm inv 1 Électrophone. 2
Camionnette dont l'arrière est un plateau non
recouvert. Var **pickup**
picoler vi pop Boire de l'alcool, du vin.
picorer vi Chercher sa nourriture (oiseaux). ■ vt
Piquer çà et là.
picotement nm Impression de piqûres légères
et répétées.
picoter vt 1 Becqueter, picorer. 2 Causer des
picotements à.
picotin nm vx Ration d'avoine pour les chevaux.
picrate nm 1 CHIM Sel de l'acide picrique. 2 pop
Vin rouge.
picrique a Loc CHIM *Acide picrique :* acide dérivé
du phénol.
pictogramme nm 1 Symbole propre aux écritures pictographiques. 2 Dessin normalisé servant
à guider les usagers dans les lieux publics.
pictographique a Du pictogramme.
pictural, ale, aux a Relatif à la peinture.
pic-vert. V. *pivert.*
pidgin [pidʒin] nm LING Langue de relation
empruntant ses éléments à plusieurs langues.
1. pie nf 1 Oiseau noir et blanc à longue queue.
2 Personne très bavarde. ■ a inv Dont le poil est
de deux couleurs.
2. pie af Loc litt *Œuvre pie :* œuvre pieuse.
pièce nf 1 Chacune des parties d'un tout, d'un
assemblage, d'un mécanisme. 2 Morceau de tissu
pour réparer un vêtement. 3 Salle, chambre d'un
logement. 4 Morceau de métal servant de monnaie. 5 Document écrit servant à établir un droit,
une preuve. 6 Ouvrage dramatique ; composition musicale. Loc *Tout d'une pièce :* d'un seul
morceau ; d'un caractère entier. *Aux pièces :* en
proportion du travail. *De toutes pièces :* entièrement ; sans fondement. *Mettre en pièces :* démolir. *À la pièce :* au nombre d'objets fabriqués. litt
Faire pièce à qqn : s'opposer à lui.
piécette nf Petite pièce de monnaie.
pied nm 1 Extrémité du membre inférieur, qui
sert à la marche. 2 Partie inférieure d'un objet servant de support. 3 Partie basse d'une montagne.
4 Plant de certains végétaux. *Pied de salade.* 5
Ancienne unité de longueur (0,3248 m) ou mesure
anglo-saxonne (0,3048 m). 6 VERSIF Ensemble de
syllabes constituant une unité rythmique. Loc *À
pied :* en marchant ; sans véhicule. *À pied sec :*
sans se mouiller. *Pied à pied :* peu à peu. *Mettre le pied dehors :* sortir. *Mettre qqch sur pied :*
l'organiser. *Sur pied :* debout. *Mettre à pied :*

renvoyer. *Marcher sur les pieds :* empiéter sur le domaine de qqn. *Faire des pieds et des mains :* se démener. fam *Faire les pieds à qqn :* lui servir de leçon. *De pied ferme :* énergiquement. *Au pied levé :* sans préparation. *Avoir pied :* pouvoir toucher le fond de l'eau. *Prendre pied :* s'établir solidement. *Perdre pied :* ne plus pouvoir suivre. *À pied d'œuvre :* prêt à l'action. *Lâcher pied :* reculer. *Récolte sur pied :* non cueillie. *Au petit pied :* en petit. *Sur le pied de :* avec le train de vie de. *Au pied de la lettre :* littéralement. pop *Prendre son pied :* éprouver du plaisir.

pied-à-terre nm inv Logement qu'on n'occupe qu'en passant.

pied-bot nm Atteint d'un pied bot. *Des pieds-bots.*

pied-de-biche nm Outil servant de levier. *Des pieds-de-biche.*

pied-de-mouton nm Champignon comestible. *Des pieds-de-mouton.*

pied-de-poule nm Tissu aux motifs croisés. *Des pieds-de-poule.*

pied-droit nm ARCHI 1 Pilier qui soutient une voûte. 2 Jambage d'une porte, d'une fenêtre. *Des pieds-droits.* **Var piédroit**

piédestal, aux nm Socle d'une statue. Loc *Mettre sur un piédestal :* idéaliser.

pied-noir n, a fam Français d'Algérie jusqu'à l'indépendance de ce pays. *Des pieds-noirs.*

piège nm 1 Engin pour prendre des animaux. 2 Difficulté ou danger cachés.

piéger vt [13] 1 Prendre à l'aide de pièges. 2 Mettre qqn dans une situation difficile et sans issue. 3 Installer qq part un engin explosif. 4 Parvenir à fixer un phénomène physique. *Piéger des radiations.*

pie-grièche nf Passereau. *Des pies-grièches.*

pie-mère nf ANAT La plus interne des méninges. *Des pies-mères.*

piémont nm GEOGR Plaine alluviale au pied d'une chaîne de montagnes.

piémontais, aise a, n Du Piémont.

piercing nm 1 Pratique qui consiste à percer certaines parties du corps pour y placer un anneau, un bijou. 2 Cet anneau, ce bijou.

piéride nf Papillon aux ailes tachetées.

pierraille nf Petites pierres.

pierre nf 1 Matière minérale solide et dure. 2 Bloc de cette matière façonné ou non. *Casser des pierres.* Loc *La pierre :* l'immobilier. *Pierre précieuse :* minéral de grande valeur (diamant, rubis, émeraude, saphir). *Pierre fine :* topaze, améthyste, etc. *Pierre à feu, à fusil :* silex produisant des étincelles. *Pierre levée :* menhir. *Jeter la pierre à qqn :* le blâmer. *Pierre de taille :* utilisée pour la construction.

pierreries nfpl Pierres précieuses taillées.

pierreux, euse a De pierre.

pierrier nm Versant recouvert d'éboulis.

pierrot nm 1 Personnage de comédie vêtu de blanc au visage enfariné. 2 fam Moineau.

piéta nf Statue ou tableau de la Vierge portant sur ses genoux le corps du Christ.

piétaille nf Gens de fonction subalterne.

piété nf Dévotion religieuse. Loc *Piété filiale :* affection pour les parents.

piètement nm Ensemble des pieds d'un meuble et des traverses qui les relient. **Var piétement**

piétinement nm Action de piétiner.

piétiner vi 1 Remuer, frapper des pieds sur ▮ 2 Ne pas progresser. *Les tractations piét▮* ■ vt Fouler aux pieds.

piétisme nm Mouvement religieux luth▮ (XVIIᵉ s.).

piéton, onne n Personne qui va à pied. *Pa▮ pour piétons.* ■ a Piétonnier. *Rue piétonne.*

piétonnier, ère a Réservé aux piétons.

piètre a Médiocre, sans valeur.

piètrement av Médiocrement.

pieu nm 1 Pièce de bois pointue à un bout, ▮ née à être enfoncée en terre. 2 pop Lit.

pieusement av Avec piété.

pieuter (se) vpr pop Se mettre au lit.

pieuvre nf Mollusque céphalopode à huit ▮ cules munis de ventouses. Syn. poulpe.

pieux, pieuse a Qui a ou qui dénote de la p▮

piézoélectricité nf Apparition de charges ▮ triques sur certains cristaux comprimés.

piézoélectrique a De la piézoélectricité.

1. pif nm pop Nez. Loc pop *Au pif :* au pifomè▮

2. pif ! interj Loc *Pif ! Paf ! :* exprime un ▮ sec.

pifomètre nm fam Flair. Loc fam *Au pifom▮* approximativement, par intuition.

pige nf 1 Mode de rémunération d'un journ▮ payé à la tâche. 2 pop Année d'âge. Loc ▮ *la pige à qqn :* faire mieux que lui.

pigeon nm 1 Oiseau dont certaines es▮ (*pigeons voyageurs*) ont un sens de l'orient▮ très développé. 2 fam Personne qui se laisse ▮ lement duper.

pigeonne nf Femelle du pigeon.

pigeonneau nm Jeune pigeon.

pigeonner vt fam Duper.

pigeonnier nm 1 Petite construction destiné▮ pigeons domestiques. 2 fam Logement exigu.

piger vt [11] pop Comprendre.

pigiste n Journaliste payé à la pige.

pigment nm 1 Substance organique qui col▮ peau. 2 Matière colorante en poudre.

pigmentaire a De pigment.

pigmentation nf 1 Formation de pigment ▮ certains tissus. 2 Coloration par un ou des ▮ ments.

pigmenter vt Colorer par un pigment.

pigne nf Pomme de pin.

pignon nm 1 Partie supérieure triangulaire ▮ mur de maison. 2 Roue dentée d'engrena▮ Graine de pomme de pin. Loc fam *Avoir p▮ sur rue :* être dans une situation notoiremen▮ blie, aisée.

pignouf nm pop Individu sans éducation.

pilaf nm Plat épicé composé de riz mê▮ viande, de poissons, de coquillages, etc.

pilastre nm Pilier adossé à un mur.

pilchard nm Grosse sardine.

pile nf 1 Ensemble d'objets placés les uns s▮ autres. 2 Massif de maçonnerie servant de su▮ à un pont. 3 Appareil qui transforme l'én▮ chimique en courant électrique. 4 Côté ▮ pièce de monnaie opposé à la face. 5 fam V▮ de coups ; défaite écrasante. Loc *Jouer à p▮ face :* décider en s'en remettant au hasard. ▮ Loc fam *Tomber pile :* juste ou à point. *S'ar▮ pile :* tout d'un coup.

piler vt 1 Écraser, broyer en frappant. 2 fam B▮ vaincre qqn. ■ vi fam Freiner brusquement.

x, euse a Relatif aux poils, aux cheveux.

᠁ nm 1 Colonne de maçonnerie, de fer, de etc., soutenant une construction. **2** Personne ᠁entant assidûment un lieu. *Pilier de bar.* **3** ᠁nne ou chose sur laquelle s'appuie qqch.

᠁ge nm Action de piller.

᠁rd, arde a, n Qui pille.

᠁ vt 1 Dépouiller par la force, voler. *Piller ᠁ville. Piller des œuvres d'art.* **2** Plagier, ᠁r de façon éhontée.

᠁ur, euse n Personne qui pille. *Pilleur d'épa-*

᠁ nm 1 Instrument servant à écraser ou à tas-᠁ Cuisse d'une volaille cuite. **3** fam Jambe de ᠁ Loc *Mettre un livre au pilon :* en détruire ᠁ion ou les invendus.

᠁nage nm Action de pilonner.

᠁ner vt 1 Soumettre à un violent bombarde-᠁ **2** Mettre une publication au pilon.

᠁ nm Loc *Clouer au pilori :* désigner à l'in-᠁tion générale.

᠁sébacé, ée a De l'ensemble formé par le ᠁t la glande sébacée.

᠁elle nf Plante aux propriétés diurétiques.

᠁ité nf **1** Présence de poils. **2** Ensemble des

᠁age nm Action, art de piloter.

᠁e nm **1** Personne qui dirige un navire, un ᠁ef, une automobile, etc. **2** Petit poisson qui ᠁mpagne les requins, les navires. **3** Émission ᠁sée destinée à servir de modèle, de test. Loc ᠁ *automatique :* dispositif qui assure auto-᠁quement le maintien du cap d'un avion, d'un ᠁u. ■ a Qui s'engage dans une voie nouvelle, ᠁ expérimental. *Classe pilote.*

᠁er vt 1 Conduire en tant que pilote. **2** Guider ᠁dans des lieux qu'il ne connaît pas. **3** Mener ᠁ une opération.

᠁is nm Ensemble de pieux servant d'assise à ᠁vrage construit au-dessus de l'eau.

᠁ nm Tissu de coton pelucheux.

᠁e nf **1** Médicament de forme sphérique pour ᠁e orale. **2** Substance utilisée comme contra-᠁f. Loc *Dorer la pilule :* présenter favora-᠁ent une chose désagréable.

᠁ier nm Petite boîte destinée aux pilules.

᠁pêche nf fam Femme prétentieuse.

᠁ent nm **1** Fruit de diverses plantes à saveur ᠁ante, utilisé comme condiment. **2** Ce qui ᠁e du piquant à qqch. *Le piment d'un récit.*

᠁enter vt 1 Assaisonner de piment. **2** Donner ᠁quant à. *Pimenter ses propos.*

᠁pant, ante a Alerte et élégant.

᠁prenelle nf Plante à fleurs roses.

᠁m Conifère à aiguilles persistantes.

᠁cle nm Partie la plus haute d'un édifice. Loc ᠁er au pinacle :* couvrir d'éloges.

᠁cothèque nf Musée de peinture.

᠁illage nm fam Action de pinailler.

᠁iller vi fam Ergoter sur des riens.

᠁illeur, euse n, a fam Qui pinaille.

᠁rd nm pop Vin.

᠁sse nf Petit bateau de pêche.

᠁e nf **1** Outil ou accessoire à deux branches, ᠁ant à saisir ou à serrer. **2** Patte antérieure ᠁chue et articulée de certains crustacés. **3** pop ᠁ ou pied. **4** Pli cousu servant à ajuster un ᠁ment.

pincé, ée a Serré et mince. *Lèvres pincées.* Loc *Air pincé :* maniéré, distant.

pinceau nm **1** Instrument formé d'un faisceau de poils attaché au bout d'un manche, pour peindre, coller, etc. **2** Étroit faisceau de rayons lumineux. **3** pop Pied.

pincée nf Quantité de poudre, de graines, etc., que l'on peut prendre entre ses doigts.

pincement nm **1** Action de pincer. **2** Sensation vive et quelque peu douloureuse.

pince-monseigneur nf Levier qu'utilisent les cambrioleurs pour forcer les portes. *Des pinces-monseigneur.*

pince-nez nm inv Binocle fixé sur le nez par un ressort.

pincer vt [10] 1 Serrer étroitement avec les doigts, avec une pince, etc. **2** Produire une sen-sation vive, semblable à un pincement. *Le froid pince les joues.* **3** Resserrer, amincir. *Pincer les lèvres.* **4** Supprimer des bourgeons. **5** fam Prendre, surprendre qqn. *On l'a pincé la main dans le sac.* ■ vi Loc fam *Ça pince :* il fait froid. fam *En pincer pour :* être épris de.

pince-sans-rire nm inv Personne qui plaisante tout en restant impassible.

pincette nf Petite pince. ■ pl Longue pince en fer servant à saisir les tisons. Loc fam *N'être pas à prendre avec des pincettes :* être de très mauvaise humeur.

pinçon nm Trace d'un pincement sur la peau.

pinéal, ale, aux a Loc ANAT *Glande pinéale :* épiphyse.

pineau nm Vin charentais mêlé de cognac.

pinède nf Terrain planté de pins.

pingouin nm Oiseau noir et blanc marin des régions arctiques, aux ailes très courtes.

ping-pong [piŋ-] nm Tennis de table. *Raquette de ping-pong.* **Var pingpong**

pingre n, a Avare.

pingrerie nf Avarice mesquine.

pinnipède nm ZOOL Mammifère carnivore marin aux membres en forme de palettes natatoires (ota-ries, phoques, morses).

pinot nm Cépage rouge de Bourgogne.

pin's [pins] nm inv Badge qui se fixe grâce à une pointe. Syn. épinglette.

pinscher nm Doberman nain.

pinson nm Petit oiseau, bon chanteur. Loc *Gai comme un pinson :* très gai.

pintade nf Oiseau de basse-cour, au plumage gris perlé de blanc.

pintadeau nm Jeune pintade.

pinte nf Mesure de capacité anglo-saxonne.

pin-up [pincep] nf inv Fille jolie et sensuelle. **Var pinup**

pinyin [pinjin] nm Système de transcription du chinois en caractères latins.

piochage nm Action de piocher.

pioche nf Outil formé d'un fer allongé et courbe muni d'un manche, qui sert à creuser la terre. Loc fam *Tête de pioche :* têtu, obstiné.

piocher vt 1 Creuser avec une pioche. **2** fam Pré-parer avec ardeur, travailler beaucoup sur. ■ vi Puiser dans un tas.

piolet nm Courte pioche utilisée en alpinisme.

1. pion nm Chacune des huit plus petites pièces du jeu d'échecs ; chacune des pièces du jeu de dames.

2. pion, onne n pop Surveillant d'études.

pioncer vi [10] pop Dormir.

pionnier, ère n 1 Personne qui défriche des contrées inhabitées. 2 Personne qui ouvre une voie nouvelle.

pipa nm Gros crapaud américain.

pipe nf 1 Ustensile servant à fumer, composé d'un tuyau aboutissant à un fourneau contenant le tabac. 2 Élément de tuyauterie, conduit. Loc *Casser sa pipe* : mourir. fam *Par tête de pipe* : par personne.

pipeau nm Petite flûte à bec.

pipeauter vt fam Tromper qqn, ne pas le prendre au sérieux.

pipelet, ette n pop 1 Concierge. 2 Personne bavarde, commère.

pipeline [piplin] ou [pajplajn] nm Canalisation servant au transport du pétrole ou du gaz.

piper vt Loc *Piper des dés, des cartes* : les truquer pour tricher au jeu. fam *Ne pas piper (mot)* : ne pas broncher.

piperade [piperad] nf Omelette basque aux tomates et aux poivrons.

pipette nf Tube mince, généralement gradué, utilisé pour prélever des liquides.

pipi nm fam Urine. Loc fam *Faire pipi* : uriner.

pipistrelle nf Petite chauve-souris.

pipit [-pit] nm Petit passereau des prairies.

piquage nm Action de piquer.

piquant, ante a 1 Qui pique. 2 Qui produit une sensation vive. *Froid piquant.* 3 Qui plaît par sa finesse, sa vivacité ; plaisant. *Détail piquant.* ■ nm 1 Épine, aiguille. 2 Ce qui est plaisant. *Le piquant d'une aventure.*

pique nf 1 Arme ancienne, faite d'un fer aigu au bout d'une hampe. 2 Propos destiné à agacer, à vexer. *Envoyer des piques.* ■ nm Une des couleurs noires des jeux de cartes.

piqué, ée a 1 Cousu par un point de couture. 2 Parsemé de trous, de taches d'humidité, etc. 3 Aigri (vin). 4 fam Un peu fou. ■ nm 1 Vol descendant d'un avion, très fortement incliné. 2 Étoffe dont le tissage forme des dessins en relief.

pique-assiette n Qui cherche toujours à se faire inviter à la table d'autrui ; parasite. *Des pique-assiettes.*

pique-bœuf nm Oiseau d'Afrique accompagnant des troupeaux. *Des pique-bœufs.*

pique-feu nm Tisonnier. *Des pique-feux.*

pique-fleur nm Socle mis au fond d'un vase pour maintenir les tiges de fleurs. *Des pique-fleurs.*

pique-nique nm Repas pris en plein air au cours d'une sortie. *Des pique-niques.* Var **piquenique**

pique-niquer vi Faire un pique-nique. Var **piqueniquer**

piquer vt 1 Percer avec un objet pointu. 2 Produire une sensation de piqûre, de picotement, de brûlure sur. *La fumée pique les yeux.* 3 Ficher dans. *Piquer une épingle dans une planche.* 4 fam Faire une piqûre thérapeutique à. 5 Blesser avec son crochet, son dard, son aiguillon. 6 Fixer à l'aide d'une pointe. *Piquer une gravure au mur.* 7 Faire des points de couture dans. 8 Produire une vive impression sur, exciter. *Piquer la curiosité de qqn.* 9 fam Prendre, voler, saisir. 10 fam Manifester brusquement. *Piquer une colère.* Loc *Piquer qqn au vif* : le blesser dans son amour-propre. *Piquer un cent mètres* : courir soudain sur une courte distance. ■ vi 1 Effectuer un piqué en avion. 2

Commencer à aigrir (vin). Loc fam *Piquer du [nez]* : tomber en avant. *Piquer des deux* : s'élancer [rapi]dement. ■ vpr Loc *Se piquer au jeu* : s'obs[tiner] à venir à bout de qqch. *Se piquer de* : av[oir la] prétention de.

piquet nm 1 Petit pieu que l'on fiche en [terre]. *Piquet de tente.* 2 Punition consistant à mett[re un] élève tourné vers le mur. 3 Groupe de perso[nnes] affecté à un poste. *Piquet d'incendie. Piqu[et de] grève.* 4 Jeu de cartes.

piqueter vt [17] ou [19] Parsemer de point[s, de] petites taches.

piquette nf 1 Vin aigrelet. 2 fam Défaite [cuis]sante.

piqueur, euse n Qui pique des étoffes, [des] peaux, etc.

piqûre nf 1 Petite plaie faite par un instru[ment] aigu ou par le dard de certains animaux. 2 [Sen]sation produite par qqch de piquant. 3 Inje[ction] sous-cutanée. 4 Rang de points de couture. 5 [Trace] (trou, tache) de ce qui est piqué. Var **piqure**

piranha [pirana] nm Poisson carnivore, com[mun] dans les fleuves d'Amérique du Sud.

piratage nm Fait de reproduire une œuvre [sans] payer les droits d'auteur.

pirate nm 1 Aventurier courant les mers [pour] piller des navires. 2 Individu sans scrupule [qui] s'enrichit aux dépens des autres. Loc *Pira[te de] l'air* : qui détourne par la menace un avion [de sa] destination. ■ a Illicite, clandestin. *Enreg[istre]ment pirate.*

pirater vi Se livrer à la piraterie ou au pirata[ge].

piraterie nf Activité, acte de pirate.

pire a 1 Plus mauvais, plus méchant. ■ nm Ce [qu']il y a de plus mauvais. *Envisager le pire.*

piriforme a En forme de poire.

pirogue nf Embarcation longue et étroite.

piroguier nm Conducteur d'une pirogue.

pirojki nm Petit pâté.

piroplasmose nf Maladie parasitaire trans[mise] par les tiques à certains animaux.

pirouette nf 1 Tour complet que l'on fai[t en] pivotant sur soi-même. 2 Brusque change[ment] d'opinion.

pirouetter vi Faire une pirouette.

1. pis nm Mamelle d'un animal femelle.

2. pis av ou a Plus mal, plus mauvais, pire. Loc *Aller de mal en pis* : de plus en plus mal. *A[u pis] aller* : dans le cas le moins favorable. *Dire pi[s que] pendre de* : en dire beaucoup de mal.

pis-aller nm inv Ce dont on do[it se] contenter faute de mieux.

piscicole a De la pisciculture.

pisciculteur, trice n Personne qui pratiqu[e la] pisciculture.

pisciculture nf Élevage de poissons comesti[bles].

pisciforme a En forme de poisson.

piscine nf Bassin où l'on pratique la natatio[n].

piscivore a Qui se nourrit de poissons.

pisé nm Maçonnerie faite de terre argil[euse] mêlée de paille.

pissaladière nf Tarte en pâte à pain, ga[rnie] d'oignons, d'olives et d'anchois.

pissat nm Urine de certains animaux.

pisse nf pop Urine.

pisse-copie n fam Personne qui écrit beau[coup] sur n'importe quel sujet. *Des pisse-copies.*

pisse-froid nm fam Homme froid, ennuyeux. *Des pisse-froids.*

pissenlit nm Plante à feuilles dentelées, à fleurs jaunes, qu'on peut manger en salade.

pisser vi fam 1 Uriner. 2 Laisser s'échapper un liquide. Loc *Pisser de la copie :* rédiger beaucoup et mal.

pisseux, euse a 1 fam Imprégné d'urine. 2 D'une couleur jaunâtre.

pissotière nf pop Urinoir public.

pistache nf Graine du pistachier, utilisée en confiserie. ■ a inv D'un vert pâle.

pistachier nm Arbre des régions chaudes.

pistard, arde n Cycliste sur piste.

piste nf 1 Trace qu'un animal laisse de son passage. 2 Voie, indice qui conduit à découvrir qqn, qqch. 3 Emplacement servant de scène dans un cirque. 4 Chemin réservé aux cavaliers, aux cyclistes, aux skieurs. 5 Voie aménagée pour les atterrissages ou les décollages d'avions. 6 Route sommaire dans des régions désertiques sauvages. 7 Partie d'une bande magnétique où l'on enregistre des informations.

pister vt Suivre la piste de ; suivre, filer.

pisteur, euse n Personne qui entretient les pistes de ski.

pistil nm BOT Organe femelle de la fleur.

pistole nf Ancienne monnaie d'or.

pistolet nm 1 Arme à feu individuelle à canon court, qui se tient à la main. 2 Instrument servant à planter les clous, des rivets, etc. 3 Pulvérisateur de peinture. 4 Embout métallique d'un tuyau de distribution du carburant.

pistolet-mitrailleur nm Arme à feu automatique à tir par rafales. Syn. mitraillette. *Des pistolets-mitrailleurs.*

piston nm 1 Pièce cylindrique qui coulisse dans le cylindre d'un moteur, dans le corps d'une pompe. 2 Sur certains instruments à vent, dispositif qui règle la hauteur des notes. 3 fam Protection pour se faire attribuer une place, un avantage, etc.

pistonner vt fam Appuyer, recommander qqn.

pistou nm Soupe provençale à base de basilic et d'ail pilés.

pitance nf fam Nourriture.

pitchpin nm Pin américain utilisé en menuiserie.

piteusement av De façon piteuse.

piteux, euse a Qui inspire une pitié mêlée de mépris par son aspect minable.

pithécanthrope nm Hominien fossile.

pithiviers nm Gâteau feuilleté fourré de pâte d'amandes.

pitié nf 1 Sentiment de sympathie qu'inspire le spectacle des souffrances d'autrui. 2 Sentiment de dédain, de mépris.

piton nm 1 Clou ou vis dont la tête a la forme d'un anneau ou d'un crochet. 2 Pointe d'une montagne élevée.

pitonner vi En alpinisme, poser des pitons.

pitoyable a Digne de pitié ; lamentable.

pitoyablement av De façon lamentable.

pitre nm Bouffon.

pitrerie nf Facétie, clownerie.

pittoresque a 1 Qui frappe par sa beauté. *Un site pittoresque.* 2 Qui dépeint les choses de manière imagée. *Style pittoresque.*

pituite nf Sécrétion muqueuse de l'estomac provoquant des vomissements.

pivert nm Pic (oiseau) vert et jaune, à tête rouge. *Des piverts.* Var **pic-vert**.

pivoine nf Plante à grosses fleurs odorantes.

pivot nm 1 Axe fixe autour duquel peut tourner une pièce mobile. 2 Support d'une dent artificielle enfoncé dans une racine. 3 Ce qui sert d'appui, de base ; principe fondamental.

pivotant, ante a 1 Qui pivote. 2 BOT Qui s'enfonce verticalement dans le sol (racine).

pivotement nm Fait de pivoter.

pivoter vi Tourner sur un pivot ou comme sur un pivot.

pixel nm INFORM Point minimal d'une image, représenté sous forme numérique.

pizza [pidza] nf Mets italien fait de pâte à pain garnie de tomates, d'olives, etc.

pizzéria [pidzerja] nf Restaurant où l'on mange des pizzas. Var **pizzeria**.

pizzicato [pidzi-] nm MUS Manière de produire le son en pinçant les cordes d'un instrument.

placage nm 1 Action de plaquer. 2 Mince feuille de bois précieux, avec laquelle on recouvre des bois de moindre valeur. 3 Au rugby, action de plaquer un adversaire.

placard nm 1 Renfoncement dans un mur, fermé par une porte et servant de rangement. 2 Écrit ou imprimé affiché. 3 IMPRIM Épreuve servant aux corrections. Loc fam *Mettre qqn au placard :* le mettre à l'écart, le marginaliser.

placarder vt Afficher.

place nf 1 Dans une agglomération, espace découvert où aboutissent plusieurs rues. 2 Ville où se font les opérations financières ou commerciales. 3 Partie d'espace, endroit. 4 Siège, dans un véhicule, une salle de spectacle, etc. 5 Situation, condition, emploi de qqn. 6 Rang obtenu dans un classement. Loc *Place forte :* forteresse. *Entrer dans la place :* s'introduire dans un milieu fermé. *Se mettre à la place de qqn :* s'imaginer dans la situation où il est. *Remettre qqn à sa place :* le rappeler aux convenances. *À la place de :* au lieu de, en remplacement de. *Faire place à :* être remplacé par.

placé, ée a Se dit d'un cheval qui se classe dans les deux ou les trois premiers.

placébo nm MED Préparation inactive qu'on substitue à un médicament. Var **placebo**.

placement nm 1 Action de placer de l'argent ; l'argent ainsi placé. 2 Action de procurer une place, un emploi.

placenta [-sɛ̃-] nm 1 BIOL Organe qui assure, chez les mammifères, les échanges entre le fœtus et la mère, pendant la gestation. 2 BOT Partie de la paroi des carpelles où s'insèrent les ovules.

placentaire [-sɛ̃-] a Du placenta.

placer vt [10] 1 Mettre qqch ou qqn à une certaine place, dans une certaine situation. 2 Trouver preneur pour une marchandise. 3 Investir de l'argent. Loc fam *Ne pas en placer une :* ne pouvoir intervenir dans une discussion.

placeur, euse n Personne qui s'occupe de conduire les gens à leur place.

placide a litt Tranquille, paisible.

placidement av De façon placide.

placidité nf litt Caractère placide ; sérénité.

placier, ère n 1 Personne qui loue les places sur les marchés. 2 Représentant de commerce.

placoplâtre nm (n. déposé) Panneau de plâtre moulé dans du carton.

plafond nm 1 Surface horizontale formant intérieurement la partie supérieure d'une pièce. 2 Couche nuageuse. 3 Limite supérieure qu'on ne doit pas dépasser.

plafonnage nm Action de plafonner (sens 1).

plafonnement nm Fait de plafonner (vi).

plafonner vt 1 Pourvoir d'un plafond. 2 Assigner une limite à. *Plafonner les prix.* ■ vi Atteindre une limite maximale.

plafonnier nm Lustre fixé au plafond.

plage nf 1 Partie basse d'une côte ou de la rive d'un cours d'eau, d'un lac. 2 Partie dégagée du pont d'un navire. 3 Partie d'un disque correspondant à un enregistrement. 4 Tablette horizontale entre la vitre et la banquette arrière d'une automobile. 5 Ensemble de valeurs comprises entre deux limites. 6 Espace de temps compris dans un programme, un planning.

plagiaire n Personne qui plagie.

plagiat nm Action du plagiaire ; copie.

plagier vt S'approprier les idées de qqn ; copier une œuvre.

plagioclase nm Feldspath contenant du calcium et du sodium.

plagiste n Exploitant d'une plage payante.

plaid nm Couverture de voyage écossaise.

plaidable a Qui peut être plaidé, soutenu.

plaider vi 1 Défendre oralement une cause devant les juges. 2 Être un argument favorable à qqn. ■ vt 1 Défendre en justice. *Plaider une affaire.* 2 Invoquer. *Plaider la folie.*

plaider-coupable nm DR Procédure consistant à accepter de reconnaître les faits reprochés en échange d'une peine moins sévère négociée avec le juge.

plaideur, euse n Personne qui plaide.

plaidoirie nf Action de plaider ; plaidoyer.

plaidoyer nm 1 Discours prononcé à l'audience par un avocat. 2 Exposé en faveur d'une idée.

plaie nf 1 Coupure, déchirure, brûlure de la peau, des chairs. 2 Blessure affective. *Les plaies du cœur.* 3 Chose, personne nuisible ou pénible. Loc *Mettre le doigt sur la plaie :* indiquer précisément la cause du mal.

plaignant, ante n, a Qui dépose une plainte en justice.

plain-chant nm Musique liturgique vocale, monodique. *Des plains-chants.*

plaindre vt [57] Témoigner de la compassion à qqn. ■ vpr 1 Manifester sa souffrance, sa douleur. 2 Témoigner son mécontentement au sujet de qqn, de qqch.

plaine nf Grande étendue plate et unie.

plain-pied (de) av 1 Sur le même niveau. 2 Sur un pied d'égalité.

plainte 1 nf 1 Gémissement, cri de souffrance. 2 Récrimination. 3 Dénonciation, par la victime, d'une infraction pénale.

plaintif, ive a Qui a l'accent de la plainte.

plaintivement av D'un ton plaintif.

plaire vti, vi [68] Être agréable à, charmer. *Le besoin de plaire.* Loc *S'il vous (te) plaît :* formule de politesse employée pour une demande, un conseil, un ordre. litt *Plaise, plût à Dieu, au ciel que* (+ subj.) : formule marquant le souhait ou le regret de qqch. ■ vpr 1 Se trouver bien dans un lieu, une situation, une compagnie, etc. 2 Trouver du plaisir, de l'agrément à qqch. *Il se plaît à contredire son frère.*

plaisamment av De façon plaisante.

plaisance nf Navigation faite par des amateurs pour leur seul plaisir. Loc *De plaisance :* destiné au seul agrément.

plaisancier, ère n Personne qui pratique la navigation de plaisance.

plaisant, ante a 1 Qui plaît, agréable. 2 Qui fait rire, amusant. ■ nm Ce qui est plaisant. Loc *Mauvais plaisant :* qui fait des plaisanteries de mauvais goût.

plaisanter vi 1 Dire des choses destinées à faire rire, à amuser. *Plaisanter sur qqch.* 2 Dire ou faire qqch sans vouloir se faire prendre au sérieux, par jeu. Loc *Ne pas plaisanter avec :* être intransigeant quant à.

plaisanterie nf Propos destiné à faire rire, à amuser. Loc *C'est une plaisanterie :* c'est très facile ou c'est ridicule.

plaisantin nm 1 Dont les propos manquent de sérieux ; farceur. 2 Personne sur qui on ne peut compter.

plaisir nm 1 Sensation, sentiment agréable. 2 Jouissance sexuelle. 3 Ce qui procure du plaisir ; divertissement, distraction. Loc *Le bon plaisir de qqn :* sa volonté arbitraire. *À plaisir :* sans motif, sans raison valable. *Avec plaisir :* volontiers. *Au plaisir ! :* au revoir ! *Faire plaisir à qqn :* lui être agréable. *Se faire un plaisir de :* faire qqch bien volontiers.

1. plan nm 1 Surface plane. 2 GEOM Surface telle que toute droite qui y a deux de ses points y est entièrement contenue. 3 Chacune des parties d'une image définie par son éloignement de l'œil. *Au deuxième plan.* 4 Importance relative de qqn ou de qqch. *Personnage de premier plan.* 5 Représentation graphique d'une construction, d'un lieu, d'un appareil, d'une installation. *Tracer un plan.* 6 Disposition des parties d'un ouvrage littéraire. 7 Ensemble de dispositions en vue de l'exécution d'un projet. Loc *Plan comptable :* ensemble des règles pour la présentation des comptabilités. *En plan :* en suspens, en attente. *Plan d'eau :* étendue d'eau calme. *Sur le plan de :* du point de vue de. *Gros plan :* prise de vues rapprochée.

2. plan, plane a Qui ne présente aucune inégalité de niveau, aucune courbure ; plat et uni.

planant, ante a fam Qui fait planer, rend euphorique.

planche nf 1 Longue pièce de bois plate et peu épaisse. 2 Feuille contenant les illustrations, jointe à un ouvrage. 3 Petit espace de terre cultivée. Loc *Planche de salut :* ultime recours. *Faire la planche :* se laisser flotter sur le dos. *Planche à voile :* flotteur allongé muni d'une voile sur mât articulé. ■ pl La scène, le théâtre.

planche-contact nf Tirage par contact sur une feuille de papier de toutes les photos d'un film. *Des planches-contacts.*

planchéiage nm Action de planchéier.

planchéier vt Revêtir de planches, d'un plancher.

1. plancher nm 1 Séparation horizontale entre deux étages. 2 Partie supérieure de cette séparation, constituant le sol d'un appartement. 3 Niveau, seuil minimal. *Plancher des cotisations.* Loc fam *Le plancher des vaches :* la terre ferme (par oppos. à *la mer, aux airs*). fam *Débarrasser le plancher :* déguerpir.

2. plancher vi fam Faire un exposé.

planchette nf Petite planche.

planchiste n Personne qui pratique la planche à voile.

plancton nm Ensemble des êtres vivants, microscopiques en suspension dans l'eau.

plané am Loc *Vol plané* : vol d'un oiseau, d'un avion qui plane. fam *Faire un vol plané* : tomber.

planéité nf Caractère d'une surface plane.

planer vi 1 Évoluer dans l'air sans battre des ailes (oiseau), sans l'aide d'un moteur (avion, planeur). 2 Considérer qqch sans s'arrêter aux détails ; survoler, dominer. 3 fam Se sentir euphorique. 4 fam Ne pas avoir le sens du concret. 5 Peser comme une menace.

planétaire a 1 Relatif aux planètes. 2 Mondial.

planétarium [-rjɔm] nm Salle à coupole où sont représentés les astres et leurs mouvements.

planète nf Corps céleste gravitant autour du Soleil ou d'une étoile.

planétologie nf Étude des planètes.

planeur nm Avion sans moteur qu'on fait planer en tirant parti des vents.

planèze nf Plateau basaltique.

planifiable a Qu'on peut planifier.

planificateur, trice n, a Qui planifie.

planification nf 1 Action de planifier. 2 Organisation des moyens et des objectifs d'une politique économique.

planifier vt Organiser, prévoir selon un plan.

planimétrie nf Géométrie des surfaces planes.

planisphère nm Carte représentant les deux hémisphères de la sphère terrestre ou céleste en projection plane.

plan-masse nm Syn. de *plan de masse*. *Des plans-masses.*

planning [-niŋ] nm Programme qui échelonne les phases d'un travail à accomplir. Loc *Planning familial* : contrôle des naissances.

planque nf fam 1 Cachette. 2 Poste agréable, peu exposé.

planqué nm fam Qui a trouvé une planque.

planquer vt fam Cacher, mettre à l'abri.

plan-relief nm Maquette d'une ville, d'une place forte. *Des plans-reliefs.*

plan-séquence nm Séquence cinématographique constituée d'un seul plan. *Des plans-séquences.*

plant nm Jeune plante destinée à être transplantée ou repiquée.

plantain nm Plante herbacée dont la graine sert à nourrir les oiseaux.

plantaire a De la plante du pied.

plantation nf 1 Action de planter. 2 Ensemble des végétaux dont un terrain est planté. 3 Exploitation agricole dans les pays tropicaux.

plante nf Tout végétal enraciné au sol. Loc *Plante du pied* : sa face inférieure.

planter vt 1 Mettre en terre une plante pour qu'elle prenne racine. 2 Garnir de végétaux. *Une allée plantée d'arbres.* 3 Enfoncer, ficher, installer. *Planter un poteau.* Loc fam *Planter là* : abandonner brusquement. ■ vi, vpr fam Cesser de fonctionner à cause d'une erreur de logiciel, en parlant d'un ordinateur. ■ vpr 1 Se placer debout, immobile. 2 fam Percuter un obstacle. 3 fam Échouer, se tromper.

planteur nm Exploitant d'une plantation.

plantigrade a, nm ZOOL Qui pose toute la surface du pied sur le sol.

plantoir nm Outil servant à faire des trous dans le sol pour y mettre des graines.

planton nm Soldat ou employé affecté auprès d'un bureau, pour assurer les liaisons.

plantule nf BOT Embryon végétal.

plantureux, euse a 1 Copieux, abondant. *Un repas plantureux.* 2 Bien en chair.

plaquage. V. *placage.*

plaque nf 1 Morceau plat et de faible épaisseur d'une matière rigide. *Des plaques d'ardoise.* 2 Insigne de certaines fonctions ou dignités. 3 Tache superficielle apparaissant sur la peau ou les muqueuses. 4 GEOL Chacun des éléments mobiles constituant l'enveloppe externe de la Terre. Loc fam *Être à côté de la plaque* : se tromper. *Plaque tournante* : centre de rencontres, d'opérations, de décisions. *Plaque dentaire* : enduit qui se dépose sur les dents et qui favorise l'apparition de caries. *Plaque à vent* : couche de neige instable agglomérée par le vent.

plaqué nm 1 Métal commun recouvert d'une mince couche de métal précieux. 2 Bois recouvert de placage.

plaquemine nf Syn. de *kaki.*

plaqueminier nm Arbre des régions chaudes à bois très dur, fournissant le kaki.

plaquer vt 1 Appliquer une plaque, une feuille mince, une couche sur une surface. 2 Aplatir, maintenir contre qqch. 3 fam Quitter, abandonner. *Il a plaqué sa femme.* 4 Au rugby, saisir un adversaire aux jambes pour le faire tomber. Loc *Plaquer un accord* : frapper simultanément les notes qui le composent.

plaquette nf 1 Petite plaque. 2 Petit livre. 3 BIOL Élément du sang qui joue un rôle important dans la coagulation.

plaqueur nm Rugbyman chargé des plaquages.

plasma nm 1 PHYSIOL Partie liquide du sang où sont en suspension les hématies, les leucocytes, les plaquettes. 2 PHYS Gaz ionisé constituant le quatrième état de la matière.

plasmaphérèse nf MED Centrifugation du sang prélevé, pour en séparer les constituants.

plasmatique a Du plasma.

plasmide nm BIOL Dans une bactérie, fragment d'ADN indépendant du chromosome.

plasmodium [-djɔm] nm Protozoaire agent du paludisme.

plastic nm Explosif à la consistance de mastic.

plasticien, enne n Artiste qui se consacre aux arts plastiques.

plasticité nf Aptitude d'une matière à se laisser modeler.

plasticulture nf AGRIC Culture, sous abri, de matière plastique.

plastie nf Opération de chirurgie réparatrice.

plastifiant nm Produit qui augmente la plasticité d'un mélange.

plastification nf Action de plastifier.

plastifier vt Recouvrir d'une feuille ou d'un enduit en matière plastique.

plastiquage nm Action de plastiquer. **Var plasticage**

plastique a 1 Qu'on peut modeler. *Argile plastique.* 2 De forme harmonieuse. Loc *Arts plastiques* : la peinture, la sculpture, le modelage. *Chirurgie plastique* : qui corrige les déformations, les malformations, qui restaure les tissus. *Matière plastique* : syn. de *plastique* (nm). ■ nf 1

Formes d'un corps, d'une statue. **2** Art de modeler, de sculpter. ■ *nm* Produit obtenu par moulage de substances organiques ou synthétiques. *Un sac en plastique.*

plastiquer *vt* Faire sauter avec du plastic.

plastiqueur, euse *n* Auteur d'un plastiquage.

plastron *nm* Pièce d'étoffe appliquée sur le devant d'un corsage ou d'une chemise.

plastronner *vi* fam Se pavaner.

plasturgie *nf* Industrie des matières plastiques.

1. plat, plate *a* **1** Qui a une surface plane, unie. *Terrain plat.* **2** Peu profond, peu saillant. *Assiette plate.* **3** De peu d'épaisseur. *Poissons plats.* **4** Sans caractère, banal, insipide. *Style plat.* **5** Servile, obséquieux. Loc *À plat* : horizontalement, sur la face large ; épuisé, vidé. *À plat ventre* : couché le ventre contre le sol. *Mettre à plat* : considérer un problème dans toutes ses implications. *Tomber à plat* : échouer. *Calme plat* : absence d'agitation. *Eau plate* : non gazeuse. ■ *nm* Partie plane de qqch. *Le plat de la main.* Loc fam *Faire du plat à qqn* : le flatter, le courtiser.

2. plat *nm* **1** Pièce de vaisselle dans laquelle on sert les mets. **2** Mets d'un menu. Loc fam *Mettre les pieds dans le plat* : entrer dans le vif du sujet. *Plat de résistance* : plat principal d'un repas. fam *Faire (tout) un plat d'une chose* : lui donner une importance qu'elle n'a pas.

platane *nm* Grand arbre dont l'écorce se détache par larges plaques.

plat-bord *nm* Surface horizontale qui termine le bord d'un navire. *Des plats-bords.*

plateau *nm* **1** Plaque, tablette destinée à présenter qqch ou à servir de support. **2** Disque d'un frein, d'un embrayage. **3** Roue dentée d'un pédalier de bicyclette. **4** Scène d'un théâtre, d'un studio de télévision ; ensemble des personnes présentes sur cette scène. **5** Grande surface plane située en altitude. Loc *Plateau technique* : ensemble des équipements d'un hôpital.

plateau-repas *nm* Plateau divisé en compartiments servi dans un avion, un self-service, etc. *Des plateaux-repas.*

plate-bande *nf* Bande de terre entourant un parterre, plantée de fleurs, d'arbustes. Loc fam *Marcher sur les plates-bandes de qqn* : empiéter sur son domaine, sur ses droits. *Des plates-bandes.* Var **platebande**

platée *nf* Contenu d'un plat.

plateforme *nf* **1** Surface plane horizontale, généralement surélevée. **2** Support plat et surélevé équipé de différents matériels. **3** Structure destinée au forage ou à l'exploitation d'un puits de pétrole sous-marin. **4** Structure munie d'un équipement adéquat pour telle activité économique. **5** Support électronique d'un logiciel. **6** Programme servant de point de départ à une politique. Var **plate-forme**

platement *av* Sans originalité.

plathelminthe *nm* ZOOL Ver plat tel que le ténia, la douve, etc.

1. platine *nf* **1** Plaque qui soutient le mécanisme d'un mouvement d'horlogerie. **2** Ensemble constitué par le plateau et les organes moteurs d'un électrophone. **3** Plateau d'un microscope, sur lequel on place la préparation à examiner.

2. platine *nm* Métal précieux très ductile, de densité élevée.

platiné, ée *a* D'un blond très pâle. Loc *Vis platinée* : pastille de contact d'un système d'allumage de moteur automobile.

platinoïde *nm* CHIM Métal dont les propriétés sont analogues à celles du platine.

platitude *nf* Acte, propos plat ; banalité.

platonicien, enne *a, n* Relatif à la philosophie de Platon.

platonique *a* **1** Exempt de toute relation charnelle. *Amour platonique.* **2** Sans résultat pratique. *Vœu platonique.*

platoniquement *av* De façon platonique.

platonisme *nm* Doctrine de Platon.

plâtrage *nm* Action, façon de plâtrer.

plâtras *nm* Débris de plâtre, de ciment, etc.

plâtre *nm* **1** Poudre blanche provenant de la calcination du gypse qui, mélangée à de l'eau, forme une pâte plastique qui sert en construction. **2** Ouvrage moulé en plâtre. **3** MED Appareil utilisé pour le traitement d'une fracture. Loc *Essuyer les plâtres* : subir un premier les désavantages d'une situation nouvelle.

plâtrer *vt* **1** Couvrir, enduire de plâtre. **2** Mettre un membre fracturé dans un plâtre.

plâtreux, euse *a* **1** Qui contient du plâtre. **2** Qui a, évoque l'aspect du plâtre. *Teint plâtreux.*

plâtrier *nm* Personne qui travaille le plâtre ou qui vend du plâtre.

plâtrière *nf* Carrière de gypse.

platyrrhinien *nm* ZOOL Singe d'Amérique, tel que le ouistiti et le sajou.

plausible *a* Qui peut être considéré comme vrai. *Explication plausible.*

play-back [plɛbak] *nm* Technique qui consiste à chanter en synchronisme avec un enregistrement effectué préalablement. *Des play-backs.* Var **playback**

play-boy [plɛbɔj] *nm* Jeune homme au physique séduisant. *Des play-boys.* Var **playboy**

plèbe *nf* **1** ANTIQ À Rome, la classe populaire. **2** litt Bas peuple.

plébéien, enne *a, n* De la plèbe.

plébiscitaire *a* Relatif au plébiscite.

plébiscite *nm* Vote direct du peuple, par lequel il est appelé à investir une personne du pouvoir de diriger l'État.

plébisciter *vt* Élire, approuver à une très forte majorité.

plectre *nm* MUS Médiator.

pléiade *nf* litt Groupe de personnes ou de choses remarquables.

plein, pleine *a* **1** Qui contient tout ce qu'il peut contenir ; rempli. *Un verre plein.* **2** Qui contient une grande quantité de, qui a beaucoup de. *Une chemise pleine de taches.* **3** Qui porte des petits. *Femelle pleine.* **4** Dont la matière occupe la masse entière. *Brique pleine.* **5** Qui est complet, entier ; qui est à son maximum. *Un jour plein. La lune est pleine. La mer est pleine.* En plein(e) (+ n) : tout à fait dans, pendant, au milieu de. ■ *nm* **1** Ce qui est plein, rempli. **2** Partie grasse d'un caractère calligraphié. Loc *Faire le plein* : remplir un réservoir ; remplir un lieu au maximum ; obtenir le maximum. *Battre son plein* : être à son degré le plus intense. ■ *av* Loc fam *Plein de* : beaucoup de. *En plein* : exactement. *À plein* : entièrement, au maximum. ■ *prép* En abondance dans, sur. *De l'argent plein les poches.* Loc fam *En avoir plein le dos* : être écœuré ou épuisé.

n-air [plɛnɛr] nm inv Activités sportives d'un
issement scolaire pratiquées à l'extérieur.

nement av Totalement.

n-emploi nm Situation où toute la main-
uvre peut trouver un emploi.

n-temps nm Situation d'un travailleur
loyé pendant le temps normal de travail. Des
s-temps.

n-vent nm Arbre fruitier qui n'est pas en
lier. Des pleins-vents.

stocène nm GÉOL Début du quaternaire.

ier, ère a Où tous les membres d'un corps
convoqués.

ipotentiaire nm Agent diplomatique investi
leins pouvoirs.

itude nf litt Totalité, intégrité.

um [-nom] nm Réunion plénière d'une
mblée, d'un comité, etc.

onasme nm Emploi de mots renforçant l'idée
aisant double emploi (ex. : je l'ai vu de mes
, sortir dehors).

onastique a Du pléonasme.

siosaure nm GÉOL Grand reptile marin fossile
econdaire.

hore nf Abondance excessive.

horique a Surabondant.

r nm litt (surtout pl.) Larme.

rage nm Déformation d'un son enregistré
que, cassette).

ural, ale, aux a ANAT De la plèvre.

urard, arde a Plaintif, geignard.

rer vi 1 Verser des larmes. 2 Se lamenter,
orer qqch. Pleurer sur son sort. ■ vt S'affli-
de la disparition de qqn. Pleurer un ami.

résie nf Inflammation de la plèvre.

ureur, euse a Loc Saule pleureur : dont les
ches retombent. ■ nf Femme payée pour
rer le défunt, dans certaines civilisations.

urnicher vi 1 Pleurer sans raison précise. 2
ndre un ton larmoyant.

urnicherie nf Action de pleurnicher.

urnicheur, euse a, n Qui pleurniche. Var
rnichard, arde

urote nm Champignon comestible qui pousse
les troncs d'arbres.

utre nm, a litt Homme sans courage.

utrerie nf litt Poltronnerie, lâcheté.

uvasser v impers Pleuvoir à fines gouttes,
ner. Var pleuvoter ou pleuviner

uvoir v impers [38] Tomber (pluie). ■ vi
ber en grande quantité. Les obus pleuvent.
critiques pleuvent.

vre nm Membrane séreuse enveloppant les
mons.

xiglas [-glas] nm (n. déposé) Matière plas-
e transparente et rigide.

xus [plɛksys] nm ANAT Entrelacement de filets
eux ou de vaisseaux. Loc Plexus solaire :
tre neurovégétatif, situé dans l'abdomen.

nm 1 Rabat d'une étoffe, d'une feuille, etc,
elle-même. Jupe à plis. 2 Marque qui reste à
droit où une chose a été pliée. 3 Ondulation.
osité. Les plis du rideau. 4 GÉOL Ondulation
couches de terrain à la suite d'une contrainte
onique. Pli convexe (anticlinal), concave
clinal). 5 Bourrelet ou ride de la peau. 6
eloppe d'une lettre ; missive. 7 Levée, aux
es. 8 Habitude. Prendre le pli. Loc Mise en

plis : fait de donner une forme aux cheveux en
les séchant. fam Ça ne fait pas un pli : c'est sans
difficulté.

pliage nm Action de plier ; manière dont une
chose est pliée.

pliant, ante a Spécialement conçu pour être plié
en cas de besoin. Lit pliant. ■ nm Petit siège de
toile pliant.

plie nf Poisson plat, dit aussi carrelet.

plier vt 1 Rabattre sur lui-même un objet fait
d'une matière souple ou un objet articulé. Plier
un éventail. Plier une couverture. 2 Ployer,
courber une chose flexible. Plier une branche.
3 Assujettir. Plier qqn à sa volonté. ■ vi 1 Se
courber, ployer. 2 Céder, se soumettre. ■ vpr Se
conformer. Se plier aux coutumes.

plieuse nf Machine à plier le papier.

plinthe nf Bande en relief appliquée au bas d'un
mur.

pliocène nm GÉOL Dernier étage du tertiaire.

plissage nm Action de plisser.

plissé nm Aspect de ce qu'on a plissé.

plissement nm 1 Action de plisser. 2 Déformation de l'écorce terrestre.

plisser vt Marquer de plis. Plisser une jupe. Plisser le front. ■ vi Faire des faux plis.

pliure nf 1 Action de plier des feuilles de papier.
2 Endroit où se forme un pli.

plomb nm 1 Métal gris, lourd et très malléable.
2 Grain de ce métal garnissant une cartouche ou
lestant une ligne de pêche. 3 Fusible d'un circuit
électrique. 4 Petit sceau de ce métal. 5 Composition typographique. Loc À plomb : verticalement. De plomb : lourd, pesant. Soleil de plomb :
écrasant. fam N'avoir pas de plomb dans la tête :
être étourdi. fam Avoir du plomb dans l'aile : être
atteint dans sa santé ; être compromis (projet).

plombage nm 1 Action de plomber. 2 Amalgame qui plombe une dent.

plombagine nf Graphite dont on fait les mines
de crayons.

plombe nf pop Heure. À trois plombes du matin.

plombé, ée a Grisâtre. Ciel plombé.

plomber vt 1 Garnir de plomb. 2 Obturer une
dent avec un plombage. 3 Sceller avec un plomb.

plomberie nf 1 Métier du plombier (pose des
canalisations, des installations sanitaires). 2
Ensemble des canalisations domestiques.

plombier nm Ouvrier ou entrepreneur en plomberie.

plombières nf Glace aux fruits confits.

plombifère a Qui contient du plomb.

plonge nf Loc Faire la plonge : laver la vaisselle, dans un restaurant.

plongeant, ante a Dirigé de haut en bas.

plongée nf 1 Action de s'enfoncer dans l'eau et
d'y demeurer un certain temps. 2 Prise de vues
effectuée en dirigeant la caméra vers le bas.

plongeoir nm Tremplin d'où on plonge.

plongeon nm 1 Saut dans l'eau la tête la première. 2 Oiseau aquatique des régions septentrionales. Loc fam Faire le plongeon : subir un revers
financier important.

plonger vt [11] 1 Enfoncer dans un liquide. 2
Enfoncer profondément et d'un seul coup. Plonger un poignard dans la poitrine de qqn. 3 Jeter
dans telle situation, dans tel état. Cette nouvelle
l'a plongé dans le désespoir. ■ vi 1 S'immerger entièrement en faisant un plongeon ou une

plongée. **2** Suivre une direction de haut en bas. *D'ici, la vue plonge sur la vallée.* **3** S'enfoncer profondément. *Racine qui plonge dans la terre.* **4** Se jeter à terre. ■ *vpr* Se livrer tout entier à une occupation.

plongeur, euse *n* **1** Personne qui plonge, pratique la plongée. **2** Qui fait la plonge, dans un restaurant.

plot *nm* ELECTR Petite pièce métallique servant à établir un contact.

plouc *n, a* fam Personne fruste.

plouf ! *interj* Imite le bruit d'un objet qui tombe dans un liquide.

ploutocrate *nm* Homme riche et puissant.

ploutocratie *nf* Gouvernement des riches.

ployer *vt* [22] litt Courber. *Ployer une branche.* Loc *Ployer les genoux :* les plier. ■ *vi* Fléchir sous un poids, une pression.

PLU *nm* Abrév. de *plan local d'urbanisme,* qui remplace le *plan d'occupation des sols.*

pluches *nfpl* fam Épluchures.

pluie *nf* **1** Eau qui tombe en gouttes des nuages. **2** Chute d'objets nombreux. *Pluie de projectiles.* **3** Distribution en grand nombre. *Pluie de récompenses.* Loc *Faire la pluie et le beau temps :* être très influent.

plumage *nm* Plumes d'un oiseau.

plumard *nm* pop Lit.

plume *nf* **1** Tige creuse garnie de barbes qui couvre en grand nombre le corps d'un oiseau. **2** Petite pièce métallique servant à écrire. Loc *Poids plume :* boxeur pesant de 53 à 57 kg. *Prendre la plume :* écrire. *Vivre de sa plume :* faire profession d'écrivain. fam *Voler dans les plumes de qqn :* l'attaquer vivement.

plumeau *nm* Petite balayette garnie de plumes qu'on utilise pour l'époussetage.

plumer *vt* **1** Dépouiller un oiseau de ses plumes. **2** fam Voler, dépouiller qqn.

plumet *nm* Bouquet de plumes ornemental.

plumier *nm* Boîte allongée servant à ranger les plumes, les crayons, etc.

plumitif *nm* fam Écrivain médiocre.

plum-pudding [plumpudiɲ] *nm* Pudding. *Des plum-puddings.* **Var** **plumpudding**

plupart (la) *nf* Le plus grand nombre, la majorité. Loc *La plupart du temps :* le plus souvent.

plural, ale, aux *a* Qui renferme plusieurs éléments. Loc *Vote plural :* dans lequel certains votants disposent de plusieurs voix.

pluralisme *nm* Mode d'organisation de la vie collective qui admet la diversité des opinions.

pluraliste *a* Du pluralisme.

pluralité *nf* Fait de n'être pas unique.

pluriannuel, elle *a* Sur plusieurs années.

pluricellulaire *a* BIOL Formé de plusieurs cellules.

pluridimensionnel, elle *a* À plusieurs dimensions.

pluridisciplinaire *a* Qui concerne plusieurs sciences ou disciplines.

pluridisciplinarité *nf* Caractère pluridisciplinaire.

pluriel, elle *a* Qui indique la pluralité. ■ *nm* Catégorie grammaticale correspondant à l'expression de la pluralité.

pluriethnique *a* Constitué de plusieurs ethnies.

plurilatéral, ale, aux *a* Qui concerne plusieurs parties.

plurilingue *a, n* Qui utilise plusieurs langues.

plurinominal, ale, aux *a* Qui donne lieu à vote pour plusieurs candidats.

pluripartisme *nm* Existence simultanée de plusieurs partis politiques.

plurivalent, ente *a* Qui peut prendre plusieurs valeurs.

plurivoque *a* Qui a plusieurs sens.

1. plus [ply] ou [plys] ou [plyz] *av* **1** Indique supériorité en quantité, en degré. *Il y a plus de vingt ans. Ceci est plus grave. Sa maison est plus belle.* **2** Indique l'addition. *Trois plus quatre égale sept.* Loc *Plus d'un :* plusieurs. *plus :* au maximum. *Sans plus :* tout juste, à peine. *Tant et plus :* beaucoup, abondamment. *Plus ou moins :* à un degré incertain. *Ni plus ni moins :* exactement. ■ *nm* Supériorité, avantage. *La maîtrise de deux langues étrangères est un plus.*

2. plus [ply] ou [plyz] *av* Avec *ne,* indique la cessation de qqch. *Il ne pleut plus.*

plusieurs *a, pr* Plus d'un, plus d'une. *Plusieurs personnes sont là. Il a plusieurs maisons.*

plus-que-parfait *nm* Temps de l'indicatif et du subjonctif marquant le passé par rapport à un temps déjà passé (ex. : *j'avais prévu*).

plus-value *nf* Augmentation de la valeur d'un bien, majoration de prix. *Des plus-values.*

plutonigène *a* Qui produit du plutonium.

plutonique *a* GEOL Se dit d'une roche formée en profondeur.

plutonium [-njɔm] *nm* Élément radioactif artificiel, utilisé dans les bombes atomiques.

plutôt *av* **1** De préférence. **2** Assez, passablement.

pluvial, ale, aux *a* De la pluie.

pluvian *nm* Échassier d'Afrique tropicale.

pluvier *nm* Échassier nichant au bord des eaux.

pluvieux, euse *a* Caractérisé par la pluie.

pluviomètre *nm* Instrument de pluviométrie.

pluviométrie *nf* Mesure de la quantité d'eau de pluie tombée.

pluviôse *nm* HIST Cinquième mois du calendrier républicain (janvier-février).

pluviosité *nf* Quantité de pluie tombée dans une région pendant un temps donné.

p.m. Abrév. de *post meridiem :* après-midi.

PM *nm* Abrév. de *pistolet-mitrailleur.*

PME *nf* Sigle de *petite et moyenne entreprise.*

PNB *nm* Sigle de *produit national brut.*

pneu *nm* Bandage d'une roue, constitué de caoutchouc, qui enveloppe une chambre à air. *Des pneus.*

pneumatique *a* **1** Qui fonctionne à l'air comprimé. **2** Gonflable. ■ *nm* Pneu.

pneumoconiose *nf* Maladie pulmonaire causée par l'inhalation de poussières.

pneumocoque *nm* Bacille de la pneumonie.

pneumocystose *nf* Pneumopathie grave, intervenant souvent en phase terminale du sida.

pneumogastrique *a, nm* ANAT Chacun des deux nerfs crâniens qui innervent le larynx, le pharynx, le cœur, l'estomac, les intestins et le foie. Syn. nerf vague.

pneumologie *nf* Étude du poumon et de ses maladies.

pneumologue *n* Spécialiste de pneumologie.

pneumonie *nf* Inflammation aiguë du poumon due au pneumocoque.

pneumopathie *nf* MED Affection pulmonaire.

pneumothorax nm MED Épanchement d'air dans la cavité pleurale.

pochade nf 1 Peinture exécutée en quelques coups de pinceau. 2 Œuvre littéraire rapidement écrite.

pochard, arde n fam Ivrogne, ivrognesse.

poche nf 1 Partie d'un vêtement formant un petit sac pour contenir ce qu'on veut porter sur soi. 2 Partie séparée d'un sac, d'une valise, etc. 3 Sac. *Poche de papier.* 4 Cavité où une substance est accumulée. 5 Renflement, boursouflure. 6 Secteur limité où se manifeste qqch. *Poche de résistance.* Loc *De poche :* petit, aisément maniable. fam *C'est dans la poche :* c'est réussi. *Argent de poche :* pour les dépenses personnelles. *Livre de poche :* de format réduit. ■ nm Livre de poche.

pocher vt CUIS Plonger dans un liquide bouillant les œufs sans leur coquille, des fruits, etc. 2 Dessiner en quelques coups de pinceau. Loc fam *Pocher l'œil à qqn :* lui donner un coup qui occasionne une meurtrissure.

pochette nf 1 Petit mouchoir qui orne la poche de poitrine d'un veston. 2 Enveloppe, sachet. *Pochette de disque.*

pochette-surprise nf Cornet de papier dont le contenu est censé émerveiller les enfants. *Des pochettes-surprises.*

pochoir nm Plaque découpée permettant de peindre certaines lettres, des dessins.

pochoiriste n Personne qui dessine au pochoir.

pochon nm Petit sac qui se fixe à la ceinture.

pochothèque nf Librairie spécialisée dans les livres de poche.

podium [-djom] nm Estrade sur laquelle les sportifs vainqueurs reçoivent leur prix.

podologie nf MED Étude et soins du pied.

podologue n Spécialiste de podologie.

podomètre nm Appareil qui sert à enregistrer le nombre de pas d'un piéton.

podzol nm Sol acide des régions froides.

poêle [pwal] nm 1 Appareil de chauffage à foyer clos. 2 Drap dont on couvre le cercueil pendant un enterrement.

poêle [pwal] nf Ustensile de cuisine peu profond, pour les fritures.

poêlée [pwale] nf Contenu d'une poêle.

poêler [pwale] vt Cuire, passer à la poêle.

poêlon nm Casserole épaisse, à manche creux.

poème nm Ouvrage en vers ou en prose dont le style et l'inspiration relèvent de la poésie. Loc fam *C'est tout un poème :* d'un pittoresque hors du commun.

poésie nf 1 Forme d'expression littéraire caractérisée par une utilisation harmonieuse des sons, des rythmes du langage et par une grande richesse d'images. 2 Poème. *Un choix de poésies.* 3 Caractère poétique.

poète nm 1 Écrivain qui s'adonne à la poésie. 2 Personne qui a une vision poétique des choses. 3 Personne qui manque de réalisme.

poétesse nf Femme poète.

poétique a 1 De la poésie. *Style poétique.* 2 Qui suscite une émotion esthétique. *Paysage poétique.* ■ nf Technique de la poésie.

poétiquement av De façon poétique.

poétiser vt Rendre poétique, idéaliser.

pogne nf pop Main.

pognon nm pop Argent.

pogrom nm Émeute antisémite souvent accompagnée de massacres. **Var pogrome**

poids nm 1 Force qui s'exerce sur un corps du fait de l'attraction terrestre. 2 Masse de métal marquée servant à peser. 3 Masse pesante. *Horloge ancienne à poids.* 4 Ce qui accable, oppresse. 5 Importance, force de qqch ou de qqn. *Un argument de poids.* Loc fam *Faire le poids :* avoir l'autorité nécessaire.

poids lourd nm 1 Gros camion. 2 fam Personne ou entreprise qui compte dans son domaine. *Des poids lourds.*

poignant, ante a Qui cause une impression vive et pénible ; qui étreint le cœur.

poignard nm Couteau à lame courte et large.

poignarder vt Frapper avec un poignard.

poigne nf 1 Force du poignet, de la main. 2 fam Autorité, énergie pour se faire obéir.

poignée nf 1 Quantité que peut contenir la main fermée. 2 Petit nombre de personnes. 3 Partie d'un objet destinée à être tenue dans la main fermée. Loc *Poignée de main :* geste de salutation ou d'accord.

poignet nm 1 Articulation de l'avant-bras avec la main. 2 Extrémité de la manche d'un vêtement, près de la main.

poil nm 1 Production filamenteuse de la peau des mammifères. *Des poils de barbe. Un chien à poil ras.* 2 Filament de certaines plantes. 3 Partie velue d'une étoffe. Loc *De tout poil :* de toute nature, de toute espèce. fam *Un poil :* un peu. fam *Être de bon, de mauvais poil :* de bonne, de mauvaise humeur. pop *À poil :* tout nu. pop *Au poil :* très bon, parfait.

poil-de-carotte a inv fam Roux.

poiler (se) vpr pop Rire.

poilu, ue a Couvert de poils abondants. ■ nm fam Combattant français de la guerre de 1914-1918.

poinçon nm 1 Tige d'acier à extrémité pointue, qui sert à percer, à découper, à emboutir. 2 Instrument qui sert à marquer les objets soumis à un contrôle ; marque ainsi produite.

poinçonnage nm Action de poinçonner. **Var poinçonnement**

poinçonner vt 1 Marquer au poinçon. 2 Perforer, oblitérer un billet de train, un ticket, etc.

poinçonneur, euse n Personne qui poinçonne. ■ nf Machine à poinçonner les billets.

poindre vi [62] litt Commencer à apparaître (jour, planète, sentiment).

poing nm Main fermée. Loc *Dormir à poings fermés :* profondément.

1. point nm 1 Signe de ponctuation ou d'écriture. *Mettre un point à la fin d'une phrase. Point d'interrogation. Le point de i, de j.* 2 Endroit fixe, déterminé. *Point de ralliement.* 3 GEOM Lieu sans étendue, marquant une position dans un plan, dans l'espace. 4 Question, sujet traité ; division d'un discours. 5 Degré dans une évolution. *Point de congélation.* 6 Unité de notation d'un travail scolaire, d'une épreuve sportive. 7 Piqûre faite en cousant ; marque du fil entre deux piqûres. 8 Manière d'exécuter des travaux d'aiguille. 9 Douleur aiguë. *Point de côté.* Loc *Mettre les points sur les i :* expliquer qqch clairement pour lever toute ambiguïté. *Au point :* exactement réglé. *À point :* au moment ou au degré voulu. *En tout point :* exactement. *Faire le point :* déterminer la position d'un navire, d'un avion ; examiner clairement la situation. *Être sur le point de* : être prêt à, près de. *Marquer un point* : prendre un avantage. *Rendre des points à qqn* : lui être nettement supérieur. *Point du jour* : lever du jour. *Point mort* : position débrayée du changement de vitesses ; état d'une situation qui n'évolue plus ; niveau minimal d'une production assurant l'équilibre des comptes. *Mettre son point d'honneur à faire qqch* : s'en faire une obligation absolue. *Au point que* : à tel degré que.

2. point *av* vx Pas. *On ne l'aime point.*

pointage *nm* Action de pointer.

point de vue *nm* 1 Lieu d'où on voit bien un paysage. 2 Manière de voir, d'envisager qqch. *Exposer son point de vue.* Loc *Au* (ou *du*) *point de vue de* : relativement à. *Des points de vue.*

pointe *nf* 1 Bout piquant, aigu. *La pointe d'une aiguille.* 2 Extrémité effilée d'un objet. *Pointe d'asperge.* 3 Très petite quantité. *Une pointe d'ail.* 4 Clou cylindrique. 5 Petit châle triangulaire. 6 Accélération momentanée. *Pointe de vitesse.* 7 Moment de plus grande intensité d'un phénomène. *Une pointe d'activité économique.* Loc *Pointe sèche* : procédé de gravure utilisant un stylet d'acier ; ce stylet. litt *Pointe du jour* : première clarté du jour. *Être à la pointe de, en pointe de* : à l'avant-garde. *Pousser une pointe* : aller faire une reconnaissance. *Sur la pointe des pieds* : très discrètement, prudemment. ■ *pl* Attitude d'une danseuse dressée sur le bout des chaussons.

pointeau *nm* TECH Tige pointue pour régler le débit d'un fluide.

1. pointer *vt* 1 Marquer d'un point, d'un signe. 2 Contrôler. *Pointer les entrées.* 3 Diriger vers un point, un but ; braquer. 4 Dresser en pointe. *Pointer les oreilles.* 5 Signaler, dénoncer. *Pointer un abus.* ■ *vi* 1 Enregistrer son arrivée ou son départ sur une horloge pointeuse. 2 Commencer à paraître. *Le jour pointe.* 3 Se dresser en pointe. 4 Aux boules, lancer la boule le plus près possible du but. ■ *vpr* Arriver.

2. pointer [-tɛʀ] *nm* Chien d'arrêt anglais.

pointeur, euse *a, n* Qui effectue un contrôle. ■ *nf* Horloge enregistreuse.

pointillé *nm* Ligne formée d'une suite de petits points, de petits trous.

pointilleux, euse *a* Exigeant jusque dans les moindres détails ; minutieux.

pointillisme *nm* Technique picturale qui consiste à juxtaposer des touches très petites.

pointilliste *n, a* Adepte du pointillisme.

pointu, ue *a* 1 Qui se termine en pointe. 2 Hautement spécialisé. *Formation pointue.* 3 Très raffiné, très subtil. *Raisonnement pointu.*

pointure *nf* 1 Taille des chaussures, des gants, etc. 2 fam Personnage important.

point-virgule *nm* Signe de ponctuation (;) intermédiaire entre la virgule et le point. *Des points-virgules.*

poire *nf* 1 Fruit comestible du poirier. 2 Objet en forme de poire. 3 pop Tête, figure. 4 fam Qui se laisse exploiter. Loc fam *Garder une poire pour la soif* : se réserver des ressources pour les besoins à venir. fam *Couper la poire en deux* : se faire des concessions mutuelles.

poiré *nm* Jus de poire fermenté.

poireau *nm* Plante potagère. Loc fam *Faire le poireau* : attendre longtemps.

poireauter *vi* fam Faire le poireau. Var **poiroter**

poirier *nm* Arbre fruitier produisant des poires. Loc *Faire le poirier* : se tenir en équilibre, la tête et les mains appuyées sur le sol.

pois *nm* 1 Plante potagère dont les gousses et les graines (*petits pois*) fournissent un légume apprécié. 2 Petit rond décoratif sur un tissu, etc. *Cravate à pois.* Loc *Pois de senteur* : plante ornementale grimpante à fleurs odorantes.

poison *nm* 1 Substance qui peut tuer ou altérer les fonctions vitales. 2 litt Ce qui exerce une influence pernicieuse. ■ *n* fam Personne méchante insupportable.

poissard, arde *a* vx Qui utilise le langage de la populace. ■ *nf* vx Femme au langage grossier.

poisse *nf* pop Malchance, déveine.

poisser *vt* 1 Enduire de poix. 2 Salir avec une substance gluante. 3 pop Prendre, arrêter un malfaiteur, un voleur, etc.

poisseux, euse *a* Collant, gluant.

poisson *nm* Vertébré aquatique à branchies, possédant des nageoires. Loc *Être comme un poisson dans l'eau* : être parfaitement à l'aise dans une situation donnée. *Finir en queue de poisson* : s'arrêter soudain sans conclusion. *Faire une queue de poisson* : rabattre brusquement son véhicule juste devant celui qu'on vient de doubler. *Poisson d'avril* : farce que l'on fait le 1er avril.

poisson-chat *nm* Silure. *Des poissons-chats.*

poissonnerie *nf* Magasin où on vend du poisson, des crustacés, des coquillages, etc.

poissonneux, euse *a* Qui abonde en poisson.

poissonnier, ère *n* Commerçant qui vend du poisson. ■ *nf* Récipient allongé pour faire cuire le poisson.

poitevin, ine *a, n* De Poitiers, du Poitou.

poitrail *nm* Partie antérieure du corps des équidés, entre les épaules et la base du cou.

poitrinaire *a, n* vx Tuberculeux.

poitrine *nf* 1 Partie du tronc qui contient les poumons et le cœur. 2 Devant du thorax. 3 Partie antérieure des côtes d'un animal de boucherie. Seins de la femme. Loc *Voix de poitrine* : voix grave, au son plein.

poivrade *nf* 1 Sauce au poivre. 2 Petit artichaut violet.

poivre *nm* Fruit du poivrier ; épice de saveur piquante faite de ce fruit séché.

poivré, ée *a* fam Grivois.

poivrer *vt* Assaisonner avec du poivre. ■ *vpr* S'enivrer.

poivrier *nm* 1 Arbrisseau grimpant qui donne le poivre. 2 Petit récipient pour le poivre.

poivrière *nf* 1 Ustensile de table pour le poivre. 2 Plantation de poivriers. 3 ARCHI Guérite à toit conique à l'angle d'un bastion.

poivron *nm* Fruit du piment doux, vert, jaune ou rouge.

poivrot, ote *n* pop Ivrogne.

poix *nf* Matière résineuse ou bitumineuse à consistance visqueuse.

poker [pɔkɛʀ] *nm* Jeu de cartes. Loc *Poker d'as* : jeu de dés inspiré du poker. *Coup de poker* : opération hasardeuse.

polaire *a* 1 Relatif à un pôle, aux pôles, qui est près des pôles. 2 Glacial. *Froid polaire.* Loc *Cercle polaire* : cercle situé à 66° 34' de latitude qui marque la limite des régions polaires.

polar *nm* fam Roman ou film policier.

polard, arde *a, n* fam Obsédé par un seul problème, une unique spécialité.

polarisation *nf* 1 PHYS Phénomène par lequel les vibrations lumineuses s'orientent dans un plan. 2 ELECTR Phénomène interne à une pile, qui se traduit par une diminution du courant débité. 3 Action de polariser ; fait de se polariser. *Polarisation de la vie politique*.

polariser *vt* 1 ELECTR Provoquer la polarisation d'un appareil, d'un dispositif. 2 Orienter vers soi, attirer à soi. *Polariser l'intérêt général.* 3 Concentrer sur un ou sur deux points opposés. ■ *vpr* fam Se fixer, se concentrer.

polariseur *nm* PHYS Appareil qui polarise la lumière.

polarité *nf* État d'un système dans lequel on peut distinguer deux pôles opposés.

polaroïd *nm* (n. déposé) Appareil photographique à développement instantané.

polatouche *nm* Écureuil volant.

polder [-dɛʀ] *nm* Terre située en dessous du niveau de la mer, endiguée et asséchée.

poldérisation *nf* Transformation d'une région en polder.

pôle *nm* 1 ASTRO Chacun des points où l'axe imaginaire de rotation de la Terre rencontre la sphère céleste. 2 GEOGR Chacune des extrémités de l'axe de rotation de la Terre sur elle-même. 3 Région de la Terre située près d'un pôle. 4 Point qui attire l'attention, l'intérêt. 5 Zone, région. *Pôle de développement*. 6 Chacune des bornes (positive ou négative) d'un circuit électrique. *Pôles d'une pile*. Loc *Pôles magnétiques* : points du globe où l'inclinaison magnétique est de 90°.

polémique *a* Qui appartient à la dispute ; qui incite à la discussion par un ton agressif. ■ *nf* Querelle, débat plus ou moins violent.

polémiquer *vi* Faire de la polémique.

polémiste *n* Personne qui polémique.

polémologie *nf* Étude sociologique de la guerre.

polenta [-lɛnta] *nf* Bouillie de farine de maïs.

pole position *nf* Dans une course automobile, meilleure place de départ accordée au véhicule qui a réalisé les meilleurs temps aux essais.

poli, ie *a* 1 Qui respecte les règles de la politesse. 2 Lisse et luisant. ■ *nm* Lustre, éclat.

police *nf* 1 Maintien de l'ordre public et de la sécurité des citoyens. 2 Administration, ensemble des agents de la force publique. 3 Organisme privé chargé d'une mission de surveillance. 4 Contrat d'assurance. Loc *Tribunal de police* : qui juge les contraventions. *Salle de police* : où sont consignés les militaires punis.

policé, ée *a* litt Dont les mœurs sont adoucies ; civilisé.

polichinelle *nm* Personnage ridicule, grotesque ; personne sans caractère. Loc *Secret de Polichinelle* : chose qui est connue de tous.

policier, ère *a* 1 Relatif à la police. 2 Qui s'appuie sur la police. *État policier*. 3 Centré sur une enquête policière. *Roman policier*. ■ *nm* 1 Membre de la police. 2 Roman, film policier.

policlinique *nf* Établissement où les malades reçoivent des soins, mais ne sont pas hospitalisés.

poliment *av* Courtoisement.

polio *n* ou *nf* Abrév. de *poliomyélite* ou de *poliomyélitique*.

poliomyélite *nf* Maladie infectieuse aiguë qui provoque des paralysies locales.

poliomyélitique *a, n* Atteint de poliomyélite.

polir *vt* 1 Rendre lisse et luisant à force de frotter. 2 litt Corriger avec soin, parfaire.

polissage *nm* Opération qui consiste à donner un poli, un brillant poussé.

polisseur, euse *n* Personne qui polit les glaces, les métaux, etc.

polissoir *nm* Instrument servant à polir.

polisson, onne *n* fam Enfant dissipé, espiègle. ■ *a, n* Égrillard, licencieux.

polissonnerie *nf* Action, parole licencieuse.

politesse *nf* Règles de bienséance dans un groupe social ; comportement qui s'y conforme.

politicard, arde *nm, a* fam Politicien peu scrupuleux.

politicien, enne *n* Personne qui s'occupe professionnellement de politique. ■ *a* Qui relève de l'habileté politique. *Politique politicienne*.

politique *a* 1 Relatif au gouvernement d'un État, aux relations des divers États. *Homme politique. Milieu politique.* 2 Qui montre une prudence calculée. ■ *nf* 1 Science ou art de gouverner un État ; conduite des affaires politiques. 2 Ensemble des affaires publiques. 3 Manière de mener une affaire. 4 Conduite calculée pour atteindre un but précis. ■ *n* 1 Personne qui s'occupe des affaires publiques, fait de la politique. 2 Personne habile, avisée. 3 Prisonnier politique.

politiquement *av* 1 Du point de vue politique. 2 Adroitement.

politisation *nf* Action de politiser.

politiser *vt* Donner un caractère politique à.

politiste *n* Spécialiste de science politique.

politologie *nf* Étude des faits politiques.

politologue *n* Spécialiste de politologie.

poljé [pɔljɛ] *nm* GEOL Vaste dépression calcaire à fond plat des régions karstiques.

polka *nf* Ancienne danse, d'origine polonaise, à deux temps, d'un rythme vif.

pollen [pɔlɛn] *nm* Poussière colorée opérant la fécondation des fleurs.

pollinique *a* Relatif au pollen.

pollinisation *nf* BOT Transport du pollen depuis l'étamine jusqu'au stigmate de l'ovaire.

polluant, ante *a, nm* Qui pollue.

polluer *vt* Souiller, rendre malsain ou impropre à la vie. *Polluer l'atmosphère.*

pollueur, euse *a, n* Responsable de pollution.

pollution *nf* Souillure, infection contribuant à la dégradation d'un milieu vivant.

polo *nm* 1 Sport équestre d'équipe qui se joue avec une boule et des maillets. 2 Chemise en tricot à col rabattu.

polochon *nm* fam Traversin.

polonais, aise *a, n* De Pologne. ■ *nm* Langue slave parlée en Pologne. ■ *nf* 1 Danse de Pologne. 2 Air à trois temps de cette danse.

poltron, onne *a, n* Qui manque de courage.

poltronnerie *nf* Manque de courage, lâcheté.

polyamide *nm* Matière plastique synthétique.

polyandrie *nf* Situation d'une femme mariée à plusieurs hommes.

polyarthrite *nf* Inflammation portant sur plusieurs articulations.

polycentrisme *nm* Existence de plusieurs centres de pouvoir au sein d'une organisation.

polychrome _a_ Peint de plusieurs couleurs.

polychromie _nf_ Peinture polychrome.

polyclinique _nf_ Clinique de médecine générale.

polycopie _nf_ Reproduction d'un document, en particulier au moyen d'un stencil.

polycopié _nm_ Cours polycopié.

polycopier _vt_ Reproduire par polycopie.

polyculture _nf_ Pratique simultanée de plusieurs cultures dans une même exploitation.

polyèdre _nm_ GEOM Solide dont les faces sont des polygones.

polyester _nm_ Matière plastique synthétique.

polygame _a, n_ **1** Qui a simultanément plusieurs conjoints. **2** BOT Qui porte des fleurs hermaphrodites et des fleurs unisexuées.

polygamie _nf_ État de polygame.

polygamique _a_ De la polygamie.

polyglotte _a, n_ Qui connaît plusieurs langues.

polygonal, ale, aux _a_ GEOM **1** En forme de polygone. **2** Dont la base est un polygone.

polygone _nm_ GEOM Figure plane limitée par des segments de droite.

polygraphe _nm_ Auteur qui écrit sur des sujets variés sans en être un spécialiste.

polymère _a, nm_ CHIM Se dit d'un composé provenant d'une polymérisation.

polymérisation _nf_ Réaction chimique consistant en l'union de molécules d'un même composé en une seule molécule plus grosse.

polymorphe _a_ Qui peut se présenter sous plusieurs formes.

polymorphisme _nm_ Caractère polymorphe.

polynésien, enne _a, n_ De Polynésie.

polynévrite _nf_ Affection qui touche plusieurs nerfs périphériques.

polynôme _nm_ MATH Somme de monômes.

polynucléaire _a_ BIOL Qui comporte plusieurs noyaux. ■ _nm_ Globule blanc polynucléaire.

polype _nm_ **1** Animal marin tubulaire fixé à un support par sa base. **2** MED Excroissance molle de la muqueuse des cavités naturelles.

polypeptide _nm_ CHIM Molécule résultant de la condensation de plusieurs acides aminés.

polyphasé, ée _a_ ELECTR Qui comporte plusieurs phases.

polyphonie _nf_ MUS Ensemble de voix, d'instruments ordonnés en contrepoint.

polyphonique _a_ De la polyphonie.

polypier _nm_ ZOOL Squelette corné ou calcaire de corail, de madrépore.

polypode _nm_ BOT Fougère commune.

polypore _nm_ Champignon coriace poussant sur les troncs d'arbres.

polypropylène _nm_ Matière plastique issue du propylène.

polyptyque _nm_ Peinture exécutée sur plusieurs panneaux qui se rabattent ou restent fixes.

polysémie _nf_ Pluralité de sens d'un mot.

polysémique _a_ De la polysémie.

polystyrène _nm_ Matière plastique synthétique.

polysyllabe _a, nm_ Qui a plusieurs syllabes. **Var polysyllabique** _a_

polytechnicien, enne _n_ Élève de Polytechnique.

polytechnique _a_ Qui concerne plusieurs techniques. Loc _École polytechnique_ : établissement militaire qui forme des ingénieurs et des officiers.

polythéisme _nm_ Religion qui admet l'existence de plusieurs dieux.

polythéiste _a, n_ Qui relève du polythéisme.

polytransfusé, ée _a, n_ MED Qui a subi des transfusions répétées, de multiples donneurs.

polytraumatisé, ée _a, n_ MED Qui a subi plusieurs lésions graves.

polyuréthane _nm_ Matière plastique servant à fabriquer des produits de très faible densité.

polyurie _nf_ Émission excessive d'urine.

polyvalence _nf_ Caractère polyvalent.

polyvalent, ente _a_ Apte à plusieurs usages, à diverses fonctions. ■ _nm_ Agent du fisc chargé de vérifier les comptes des entreprises.

pomélo _nm_ Pamplemousse. **Var pomelo**

pomerol _nm_ Bordeaux rouge très réputé.

pomiculteur, trice _n_ Personne qui cultive des arbres produisant des fruits à pépins.

pommade _nf_ Pâte médicamenteuse grasse utilisée en onctions locales. Loc _fam Passer de la pommade à qqn_ : le flatter.

pommader _vt_ Enduire de pommade.

pommard _nm_ Bourgogne rouge très réputé.

pomme _nf_ **1** Fruit comestible du pommier. **2** Pomme de terre. **3** Ornement en forme de pomme, de boule. **4** pop Personne crédule ; dupe. Loc _Haut comme trois pommes_ : tout petit. _Pomme d'Adam_ : saillie du cartilage thyroïde, à la partie antérieure du cou de l'homme. _Pomme de pin_ : cône de pin, constitué d'écailles renfermant les graines. _Pomme d'arrosoir, de douche_ : pièce perforée de multiples trous qui disperse l'eau en pluie. _Pomme de discorde_ : sujet de dispute. fam _Tomber dans les pommes_ : perdre connaissance. pop _Aux pommes_ : très bien.

pommé, ée _a_ Rond et compact comme une pomme (chou, salade).

pommeau _nm_ **1** Boule servant de poignée à une canne, une épée, etc. **2** Partie antérieure de l'arçon d'une selle. **3** Boisson constituée d'un mélange de jus de pomme et de calvados.

pomme de terre _nf_ Plante à tubercules comestibles. _Des pommes de terre._

pommelé, ée _a_ **1** Dont la robe, à fond blanc, est couverte de taches grises (cheval). **2** Couvert de petits nuages (ciel).

pommer _vi_ Devenir pommé.

pommeraie _nf_ Plantation de pommiers.

pommette _nf_ Partie saillante de la joue, au-dessous de l'angle externe de l'œil.

pommier _nm_ Arbre qui produit la pomme.

pompage _nm_ Action de pomper.

1. pompe _nf_ litt **1** Cérémonial somptueux. **2** péjor Emphase, solennité affectée. Loc _En grande pompe_ : en grande cérémonie. ■ _pl_ Loc _Pompes funèbres_ : service chargé des enterrements.

2. pompe _nf_ **1** Appareil destiné à aspirer ou à refouler un liquide, un gaz. **2** pop Chaussure. Loc fam _Être à côté de ses pompes_ : être perturbé, dire n'importe quoi. _Coup de pompe_ : sensation de grande fatigue. _À toute pompe_ : à toute vitesse.

pomper _vt_ **1** Puiser, aspirer ou refouler avec une pompe. **2** Absorber un liquide. **3** fam Épuiser, lasser. **4** fam Copier. Loc fam _Il nous pompe l'air_ : il nous fatigue, il nous ennuie.

pompette _a_ fam Légèrement ivre.

pompeusement _av_ Avec emphase.

pompeux, euse _a_ Emphatique, d'une solennité ridicule.

1. pompier *nm* Personne qui fait partie d'un corps organisé pour combattre les incendies et les sinistres.

2. pompier, ère *a* Conventionnel et emphatique. *Style pompier.*

pompiérisme *nm* Style pompier.

pompiste *n* Personne qui distribue le carburant dans une station-service.

pompon *nm* Houppe ronde de brins de laine, de soie, qui sert d'ornement. Loc *Rose pompon* : variété de roses à petites fleurs globuleuses. *fam Avoir, tenir le pompon :* l'emporter sur les autres.

pomponner *vt* Parer avec beaucoup de soin.

ponant *nm* Vent d'ouest, dans le Midi.

ponçage *nm* Action, manière de poncer.

ponce *nf* Roche poreuse très légère, d'origine volcanique, appelée aussi *pierre ponce.*

ponceau *a inv* Rouge vif.

poncer *vt* [10] Décaper, polir au moyen d'un abrasif.

ponceur, euse *n* Personne qui opère le ponçage. ■ *nf* Machine à poncer.

poncho *nm* Manteau fait d'une couverture percée pour y passer la tête.

poncif *nm* Idée conventionnelle, rebattue ; lieu commun, cliché.

ponction *nf* 1 MED Prélèvement d'un liquide dans une cavité du corps, au moyen d'un trocart. 2 Prélèvement d'argent.

ponctionner *vt* Opérer une ponction.

ponctualité *nf* 1 Exactitude à faire les choses en temps voulu. 2 Habitude, fait d'être à l'heure.

ponctuation *nf* 1 Système de signes graphiques (point, virgule, guillemets, etc.) marquant les relations syntaxiques ou des faits d'intonation. 2 Action, manière de ponctuer.

ponctuel, elle *a* 1 Exact, régulier, qui fait à point nommé ce qu'il doit faire. 2 Qui porte sur un point, une partie seulement.

ponctuellement *av* Avec ponctualité.

ponctuer *vt* 1 Marquer de signes de ponctuation. 2 Accompagner, souligner ses paroles de gestes, de bruits.

pondaison *nf* ZOOL Époque de la ponte.

pondérable *a* Qui peut être pesé.

pondéral, ale, aux *a* Du poids. *Analyse pondérale.*

pondérateur, trice *a* Qui a une influence modératrice, qui atténue, tempère.

pondération *nf* 1 Action, fait de pondérer. 2 Calme, équilibre, modération.

pondéré, ée *a* Qui fait preuve de pondération.

pondérer *vt* [12] Équilibrer des forces, des tendances ; modérer, tempérer.

pondéreux, euse *a* Très pesant.

pondeuse *nf* Poule qui pond.

pondoir *nm* Endroit où pondent les poules.

pondre *vt* [5] 1 Expulser de son corps des œufs (oiseaux). 2 *fam* Produire un texte écrit.

poney *nm* Cheval de petite taille.

pongiste *n* Joueur de ping-pong.

pont *nm* 1 Construction permettant de franchir un cours d'eau, une route, une voie ferrée, etc. 2 Ce qui sert de lien entre deux choses. 3 Jour chômé entre deux jours fériés. 4 Ensemble des organes transmettant le mouvement de l'arbre aux roues arrière d'une automobile. 5 Plan horizontal fermant la coque d'un bateau. Loc *Pont aérien :* va-et-vient d'avions établissant une liaison d'urgence. *Tête de pont :* position conquise sur une côte ou une rive ennemie. *Couper les ponts :* cesser toutes relations. *Faire un pont d'or à qqn :* lui offrir beaucoup d'argent pour le décider à accepter une situation. ■ *pl* Loc *Ponts et Chaussées :* service public qui s'occupe de la construction et de l'entretien des ponts, des routes, etc.

pontage *nm* CHIR Réunion de deux artères à l'aide d'une prothèse.

1. ponte *nf* Action de pondre.

2. ponte *nm fam* Personnage important.

ponté, ée *a* MAR Qui a un ou plusieurs ponts.

pontet *nm* Demi-cercle d'acier qui protège la détente d'une arme à feu.

pontife *nm* 1 ANTIQ Gardien de la religion, à Rome. 2 Personne gonflée de son importance. Loc *Le souverain pontife :* le pape.

pontifiant, ante *a* Qui pontifie.

pontifical, ale, aux *a* Qui a rapport au pape.

pontificat *nm* Dignité de pontife, de pape ; durée de cette fonction.

pontifier *vi fam* Discourir de manière solennelle et emphatique.

pont-l'évêque *nm inv* Fromage de lait de vache à pâte molle.

pont-levis [-vi] *nm* Pont mobile qu'on pouvait abaisser ou relever au-dessus du fossé entourant un château fort. *Des ponts-levis.*

ponton *nm* 1 Plate-forme flottante reliée à la terre. 2 Navire désaffecté transformé en dépôt de matériel, en prison.

pontonnier *nm* Militaire du génie chargé des ponts mobiles.

pool [pul] *nm* 1 Groupement provisoire d'entreprises en vue d'une opération déterminée. 2 Équipe d'employés d'un même service.

pop *nf, a, inv* Abrév. de *pop music.*

pop'art [popart] *nm* Mouvement artistique contemporain s'inspirant des objets du quotidien.

pop-corn *nm inv* Friandise faite de grains de maïs soufflés à chaud. **Var popcorn**

pope *nm* Prêtre de l'Église orthodoxe.

popeline *nf* Tissu léger, de soie ou de coton.

pop music *nf* Musique d'origine anglo-américaine issue du rock and roll.

popote *nf fam* 1 Cuisine. *Faire la popote.* 2 Groupe de militaires qui prennent leur repas en commun. ■ *a inv fam* Excessivement attaché à son ménage ; casanier et terre à terre.

popotin *nm fam* Fesses, derrière.

populace *nf litt* Bas peuple.

populacier, ère *a litt* De la populace.

populage *nm* Herbe vivace à fleurs jaunes, des lieux humides.

populaire *a* 1 Qui fait partie du peuple. 2 Constitué, organisé par le peuple. *Gouvernement populaire.* 3 Propre au peuple. 4 Connu et aimé d'un large public. *Chanteur populaire.*

populairement *av* De façon populaire.

popularisation *nf* Action de populariser.

populariser *vt* Rendre populaire, connu.

popularité *nf* Fait d'être populaire, de plaire au plus grand nombre.

population *nf* 1 Ensemble des habitants d'un pays, d'une ville, etc. 2 Ensemble des membres d'une classe, d'une catégorie particulière.

populationniste *a, n* Favorable à l'accroissement de la population.

populeux, euse *a* Très peuplé.

populisme *nm* 1 Courant littéraire, pictural ou cinématographique qui s'attache à la représentation de la vie des petites gens. 2 Idéologie démagogique.

populiste *a, n* Qui relève du populisme.

populo *nm* pop Le peuple, les petites gens.

porc [pɔʀ] *nm* 1 Mammifère domestique omnivore (cochon), élevé pour sa chair et pour son cuir. 2 fam Homme malpropre ou grossier.

porcelaine *nf* 1 Produit céramique non coloré, fin et translucide, recouvert d'un enduit vitrifié. 2 Objet de cette matière.

porcelainier, ère *n* Fabricant, marchand de porcelaine.

porcelet *nm* Jeune porc.

porc-épic [pɔʀkepik] *nm* Rongeur dont le corps est couvert de longs piquants. *Des porcs-épics.*

porche *nm* Espace couvert donnant accès à la porte d'entrée d'un édifice.

porcher, ère *n* Gardien de porcs.

porcherie *nf* 1 Bâtiment dans lequel on loge, on élève les porcs. 2 Lieu très sale.

porcin, ine *a* 1 Relatif au porc. 2 Dont l'apparence évoque le porc. *Visage porcin.* ■ *nm* ZOOL Mammifère d'un groupe qui comprend les porcs, les hippopotames, les phacochères.

pore *nm* 1 Orifice microscopique à la surface de la peau. 2 Très petite cavité de certaines matières minérales.

poreux, euse *a* Qui a des pores.

porion *nm* Contremaître, dans une houillère.

porno *a* fam Pornographique. ■ *nm* fam Pornographie, genre pornographique.

pornographe *n* Auteur de livres, de films pornographiques.

pornographie *nf* Production de livres, de films, etc., à caractère obscène.

pornographique *a* De la pornographie.

porosité *nf* État poreux.

porphyre *nm* Roche volcanique présentant de grosses inclusions cristallines.

porridge *nm* Bouillie de flocons d'avoine.

1. port *nm* 1 Endroit aménagé pour recevoir les navires, charger ou décharger leur cargaison, etc. 2 Ville bâtie autour d'un port. 3 Col, dans les Pyrénées. Loc *Arriver à bon port :* sans incident.

2. port *nm* 1 Action, fait de porter sur soi. 2 Façon de se tenir, maintien. 3 Allure générale d'une plante, d'un arbre. 4 Prix du transport d'un colis, d'une lettre.

3. port *nm* INFORM Interface électronique entre une unité centrale et des périphériques.

portable *a* Qu'on peut porter. ■ *nm* 1 Microordinateur facile à transporter. 2 Téléphone portable.

portage *nm* Transport d'une charge à dos d'homme.

portail *nm* 1 Entrée monumentale d'un édifice, d'un parc, etc. 2 INFORM Site à partir duquel on commence sa navigation sur Internet et qui propose un ensemble de contenus et références.

portal, ale, aux *a* ANAT De la veine porte.

portance *nf* Force qui assure la sustentation d'un avion en vol.

portant, ante *a* Qui porte, qui soutient. *Mur portant.* Loc *Bien, mal portant :* en bonne, en mau-

vaise santé. ■ *nm* Châssis qui soutient les décors d'un théâtre.

portatif, ive *a* Qui peut être porté facilement.

1. porte *nf* 1 Ouverture pratiquée dans un mur, une clôture quelconque. 2 Panneau mobile qui ferme une ouverture. 3 Ouverture dans l'enceinte d'une ville fortifiée ; emplacement actuel de cette ancienne ouverture. 4 Chacun des couples de piquets marquant un passage, sur une piste de slalom. Loc *Mettre qqn à la porte :* le chasser, le renvoyer. *Prendre la porte :* sortir.

2. porte *a* Loc ANAT *Veine porte :* qui amène au foie le sang provenant des organes digestifs.

porté, ée *a* Loc *Être porté à :* avoir tendance à. *Être porté sur :* avoir un goût prononcé pour.

porte-à-faux *nm* inv Loc *En porte-à-faux :* en position instable, mal assurée.

porte-à-porte *nm* inv Méthode de vente qui consiste à proposer des produits à des particuliers à leur domicile.

porte-avion *nm* inv Navire aménagé pour transporter des avions de combat. *Des porte-avions.*

porte-bagage *nm* Filet, grillage, support, etc., destiné à recevoir les bagages dans ou sur un véhicule. *Des porte-bagages.*

porte-bébé *nm* Panier, siège ou sac qui sert à transporter un bébé. *Des porte-bébés.*

porte-billet *nm* Portefeuille où l'on range exclusivement ses billets de banque. *Des porte-billets.*

porte-bonheur *nm* Objet censé porter chance. *Des porte-bonheurs.*

porte-bouteille *nm* Casier destiné à ranger ou à transporter des bouteilles. *Des porte-bouteilles.*

porte-carte *nm* 1 Petit étui où l'on range les papiers que l'on a habituellement sur soi. 2 Étui de rangement de cartes géographiques, routières, etc. *Des porte-cartes.*

porte-cigarette *nm* Étui à cigarettes. *Des porte-cigarettes.*

porte-clé *nm* Anneau ou étui pour porter des clés. *Des porte-clés.* Var **porteclé, porte-clef**

porte-conteneur *nm* Navire aménagé pour le transport des conteneurs. *Des porte-conteneurs.*

porte-couteau *nm* Petit support destiné à empêcher la lame du couteau de salir la nappe. *Des porte-couteaux.*

porte-document *nm* Serviette plate qui sert à porter des papiers. *Des porte-documents.*

porte-drapeau *nm* 1 Celui qui porte le drapeau. 2 Chef de file d'un mouvement, d'une organisation. *Des porte-drapeaux.*

portée *nf* 1 Distance à laquelle une arme peut lancer un projectile, la voix peut se faire entendre. 2 Distance entre les points d'appui d'une pièce. *Portée d'un pont.* 3 Importance des effets de qqch. *Une découverte d'une portée considérable.* 4 ZOOL Ensemble des petits qu'une femelle a mis bas en une fois. 5 Ensemble des lignes parallèles utilisées pour noter la musique. Loc *À la portée de :* qui peut être atteint par qqn ; accessible à. *Hors de portée :* inaccessible. *Se mettre à la portée de qqn :* à son niveau de compréhension.

portefaix *nm* vx Porteur de fardeaux.

porte-fenêtre *nf* Porte vitrée donnant sur une terrasse, un balcon, etc. *Des portes-fenêtres.*

portefeuille *nm* 1 Étui à compartiments où l'on range des billets, des papiers. 2 Fonction de direction d'un département ministériel. 3 Ensemble de

eurs mobilières et d'effets de commerce
partenant à qqn.

rte-greffe nm Arbre sur lequel on fixe un ou
greffons. *Des porte-greffes.*

rte-hélicoptère nm Navire de guerre amé-
gé pour transporter les hélicoptères. *Des porte-*
icoptères.

rte-jarretelle nm Ceinture féminine à laquelle
t fixées les jarretelles. *Des porte-jarretelles.*

rte-malheur nm Objet censé porter malheur.
s porte-malheurs.

rtemanteau nm Applique murale ou support
pied portant des patères, pour suspendre les
ements. *Des portemanteaux.*

rtemine nm Tube contenant une mine et uti-
é comme crayon.

rte-monnaie nm Petite pochette, pour les
ces de monnaie. *Des porte-monnaies* ou
rte-monnaie.

rte-parapluie nm Petit meuble qui sert à ranger
parapluies, les cannes. *Des porte-parapluies.*

rte-parole nm Personne qui parle au nom
une autre, d'un groupe, etc. *Des porte-paroles.*

rte-plume nm Instrument au bout duquel on
e une plume à écrire. *Des porte-plumes.*

porter vt 1 Soutenir, maintenir. *Porter un*
ant sur ses épaules. 2 Transporter, apporter.
rter une robe chez le teinturier. 3 Avoir en
n sein, en gestation. *Une chienne qui porte ses*
its. 4 Produire des fruits. *Une vigne qui porte*
belles grappes. 5 Avoir sur soi. *Porter un*
nteau, une bague. Porter la barbe. 6 Inscrire,
acher par écrit. Porter son nom sur une liste. 7
nir de telle ou telle façon. *Porter la tête haute.*
Amener à un certain degré. *Porter un métal au*
uge. Cette mort porte à vingt le nombre des
times. 9 Inciter. *Porter qqn à l'indulgence.* 10
rouver un sentiment, un intérêt. *Porter de la*
mpathie à qqn. Porter attention à qqch. Loc
rter secours à qqn : le secourir. *Porter bon-*
ur, malheur : apporter la chance, la malchance.
rter préjudice, tort à qqn : lui nuire. *Porter*
moignage : fournir ou être un témoignage. *Por-*
un jugement : l'exprimer. *Porter la main sur*
n : le frapper. *Porter un nom* : l'avoir. ■ vti 1
oir pour point d'appui, pour fondement. *Le*
timent porte sur des colonnes. 2 Avoir pour
jet, concerner. Ma remarque porte sur deux
ints. Loc *Porter sur les nerfs* : irriter, exaspérer.
vi 1 Avoir telle ou telle portée. 2 Atteindre son
t. *Cette critique a porté.* Loc *Porter à faux* : ne
s reposer d'aplomb. ■ vpr 1 Aller, se rendre. *Se*
rter au-devant de qqn. 2 Se présenter comme.
porter candidat. 3 Être en tel ou tel état de
nté. *Il se porte bien.*

porter [-tɛʀ] nm Bière anglaise brune et forte.
rte-savon nm Support destiné à recevoir le
von. *Des porte-savons.*

rte-serviette nm Support destiné à recevoir
s serviettes de toilette. *Des porte-serviettes.*

rteur, euse n Dont le métier est de porter
s fardeaux. ■ nm Possesseur d'un titre, d'une
leur mobilière. *Bon payable au porteur.* ■ a
Qui porte. 2 Se dit d'un marché qui offre des
bouchés.

rte-voix nm inv Instrument portatif destiné à
re entendre la voix à distance. **Var portevoix**
rtfolio [pɔʀtfɔljo] nm BX-A Emboîtage de photo-
aphies, d'estampes, à tirage limité.

portier, ère n Employé qui garde l'entrée de certains établissements.

portière nf 1 Tenture qui masque une porte. 2
Porte d'automobile, de voiture de chemin de fer.

portillon nm Porte à battant généralement bas,
qui ferme un passage public.

portion nf 1 Partie d'un tout divisé. *Une portion*
de droite. 2 Quantité d'un mets destinée à un
convive, dans un repas.

portique nm 1 Galerie à l'air libre dont le plafond est soutenu par des colonnes. 2 Support
constitué de deux éléments verticaux reliés par un
élément horizontal. 3 Dans un aéroport, dispositif
électronique de sécurité, détectant les métaux.

porto nm Vin liquoreux du Portugal.

portoricain, aine a, n De Porto Rico.

portrait nm 1 Représentation de qqn par le dessin, la peinture, la photographie. 2 Description de
qqn, de qqch.

portraitiste n Artiste spécialisé dans le portrait.

portrait-robot nm Portrait d'un individu recherché, réalisé d'après les indications fournies par
les témoins. *Des portraits-robots.*

portraiturer vt litt Faire le portrait de qqn.

port-salut nm inv (n. déposé) Fromage jaunâtre,
au lait de vache.

portuaire a Relatif à un port.

portugais, aise a Du Portugal. ■ nm Langue
romane parlée au Portugal et au Brésil. ■ nf
Variété d'huître.

portulan nm HIST Carte marine des premiers navigateurs (XIIIe-XVIe s.).

pose nf 1 Action de poser ; mise en place. *Pose*
d'un lavabo. 2 Attitude que prend un modèle
devant un artiste. 3 Attitude, maintien du corps. 4
Attitude affectée. 5 PHOTO Durée d'une exposition
à la lumière.

posé, ée a Sérieux, calme, pondéré.

posément av De façon posée, sans hâte.

posemètre nm PHOTO Appareil servant à déterminer le meilleur temps de pose.

poser vt 1 Placer, mettre ; déposer. *Poser un*
vase sur un meuble. 2 Disposer, installer. *Poser*
une moquette. 3 Apposer par écrit. *Poser une*
multiplication. 4 Établir. *Poser un principe.* 5
Formuler. *Poser une question.* 6 Conférer de
l'importance à qqn. Loc *Poser un problème* : être
cause de difficultés. ■ vi 1 Être appuyé, porter
sur qqch. 2 Prendre une attitude. *Poser pour un*
photographe. 3 Prendre des airs affectés. ■ vpr 1
Atterrir ; se percher. *L'avion, l'oiseau s'est posé.*
2 S'ériger, se constituer. *Se poser en arbitre.* 3
Requérir une réponse, une solution. *La question,*
le problème se pose. Loc fam *Se poser là* : être
remarquable en son genre.

poseur, euse n Personne qui pose, qui met en
place. ■ n, a Prétentieux, affecté.

posidonie nf Plante aquatique vivant près des
côtes, en vastes herbiers.

positif, ive a 1 Qui exprime une affirmation. *Sa*
réponse a été positive. Ant. négatif. 2 Certain,
assuré, fondé sur l'expérience. 3 Réaliste, pratique. *Esprit positif.* 4 Favorable, propre à amener un progrès. *Bilan positif.* 5 Qui confirme la
présence d'un élément recherché dans une analyse. *Test positif.* Loc *Droit positif* : ensemble
de règles juridiques institutionnelles (par oppos.
au *droit naturel*). *Électricité positive* : celle qui
est acquise par le verre frotté avec une étoffe.

Épreuve positive : photographie obtenue par tirage à partir d'un cliché négatif. *Nombre positif :* nombre supérieur à zéro. ■ *nm* **1** Ce qui est établi, positif. **2** GRAM Degré de l'adjectif ou de l'adverbe sans idée de comparaison.

position *nf* **1** Situation en un lieu. **2** Zone de terrain où un corps de troupes a pour mission de défendre. **3** Attitude, posture. **4** Ensemble des circonstances dans lesquelles on se trouve, situation. **5** Condition sociale, fonction que l'on remplit. **6** Place dans un ordre, une série, un rang. *Elle occupe la première position.* **7** Option, attitude adoptée. *Quelle est votre position sur cette question ?* **8** Situation débitrice ou créditrice d'un compte bancaire. Loc *Rester sur ses positions :* refuser toute concession.

positionnement *nm* Action de positionner.

positionner *vt* **1** Amener à la position voulue. **2** Déterminer exactement la position de. **3** ÉCON Définir la place d'un produit sur le marché. ■ *vpr* Prendre position, se situer.

positivement *av* **1** De façon positive. **2** Véritablement, tout à fait.

positivisme *nm* Système philosophique d'Auguste Comte, selon lequel la vérification des connaissances par l'expérience est l'unique critère de vérité.

positiviste *a, n* Qui relève du positivisme.

positon *nm* PHYS Électron positif, antiparticule de l'électron. **Var positron**

posologie *nf* Quantité d'un médicament à administrer à un malade.

possédant, ante *n* Personne qui possède des biens.

possédé, ée *a, n* Habité par une puissance diabolique.

posséder *vt* [12] **1** Avoir en sa possession ou à sa disposition ; détenir. **2** Avoir une qualité, une propriété. *Cette situation possède un avantage.* **3** Connaître bien, maîtriser. *Posséder une langue étrangère.* **4** fam Tromper, duper.

possesseur *nm* Personne qui possède.

possessif, ive *a, nm* GRAM Qui indique la possession, l'appartenance. *Adjectif possessif.* ■ *a* Qui a des sentiments de possession, de domination envers les autres. *Mère possessive.*

possession *nf* **1** Fait de détenir qqch, d'en disposer. **2** État d'une personne dominée par une puissance diabolique. **3** Chose possédée ; territoire possédé, colonie.

possibilité *nf* **1** Caractère possible. **2** Chose possible. ■ *pl* Ressources, moyens dont on dispose. *Cet achat dépasse mes possibilités.*

possible *a* Qui peut être, qui peut exister ; qui peut se faire. *Un échec est possible. Il est possible qu'il soit absent.* ■ *av* Renforce un superlatif. Loc *Le plus..., le moins... possible :* le plus..., le moins... qu'il se peut. ■ *nm* Ce qui est possible. Loc *Faire son possible pour :* s'efforcer de. *Au possible :* extrêmement.

possiblement *av* Peut-être.

postage *nm* Action de poster le courrier.

postal, ale, aux *a* De la poste.

postclassique *a* Postérieur au classicisme.

postcure *nf* Séjour de convalescence sous surveillance médicale.

postdater *vt* Dater d'une date postérieure à la date réelle.

1. poste *nf* **1** Administration publique charg[ée] d'acheminer le courrier, d'assurer les télécomm[u]nications, etc. **2** Bureau de l'administration [des] Postes ouvert au public. Loc *Poste restante :* s[er]vice permettant le retrait du courrier à un bure[au] de poste.

2. poste *nm* **1** Fonction à laquelle on est nomm[é,] lieu où on exerce. **2** Lieu d'affectation d'un s[ol]dat, d'une unité militaire. **3** Corps de garde [où] des agents de police assurent une permanen[ce.] **4** Endroit, local affecté à un service. *Po[ste] d'aiguillage. Poste de pilotage d'un avion. Po[ste] d'essence.* **5** Chapitre d'un budget. **6** Appareil radio, de télévision, de téléphone.

posté, ée *a* Loc *Travail posté :* organisé avec [un] système d'équipes qui se relaient.

1. poster *vt* Mettre à la poste. *Poster le courri[er.]*

2. poster *vt* Mettre à un poste. *Poster un garde[.]*

3. poster [pɔstɛʀ] *nm* Affiche décorative ou ph[o]tographie de grand format.

postérieur, eure *a* **1** Qui suit, qui vient ap[rès] dans le temps. *Ce testament est postérieur à s[on] mariage.* **2** Qui est derrière. *Partie postérieure [du] corps.* ■ *nm* fam Fesses d'une personne.

postérieurement *av* Après, plus tard.

postériorité *nf* État postérieur.

postérité *nf* **1** Suite des descendants d'une mê[me] origine. **2** Les générations futures.

postface *nf* Commentaire placé à la fin d'[un] ouvrage.

posthite *nf* Inflammation du prépuce.

posthume *a* **1** Né après la mort de son père. [2] Publié après la mort de son auteur. **3** Qui se pr[o]duit après la mort. *Gloire posthume.*

postiche *a* **1** Fait et ajouté après coup. **2** Facti[ce.] *Barbe postiche.* ■ *nm* Faux cheveux.

postier, ère *n* Employé de la Poste.

postillon *nm* **1** Homme qui conduisait les ch[e]vaux d'une voiture de poste. **2** fam Gouttelette [de] salive projetée en parlant.

postillonner *vi* fam Projeter des postillons.

postimpressionnisme *nm* Courant pictural is[su] de l'impressionnisme.

postindustriel, elle *a* Se dit d'une société [qui] succéderait à la société industrielle.

postmodernisme *nm* Mouvement de la fin [du] XXᵉ siècle, caractérisé par l'éclectisme, la fant[ai]sie, le rejet des tabous et des règles.

postnatal, ale, als *a* Qui suit immédiatement [la] naissance.

postopératoire *a* CHIR Qui suit une opération.

postposer *vt* GRAM Placer un mot après un autr[e.]

postprandial, ale, aux *a* MED Qui suit un repas.

postscriptum [-tɔm] *nm* Ce que l'on ajoute [à] une lettre après la signature (abrév. : P-S). V[ar] **post-scriptum** *nm inv*

postsynchronisation *nf* Sonorisation d'un fi[lm] après son tournage.

postsynchroniser *vt* Effectuer la postsynchr[o]nisation.

postulant, ante *n* Personne qui postule [un] emploi.

postulat *nm* Proposition que l'on demande d'a[d]mettre comme vraie sans démonstration.

postuler *vt, vti* Se porter candidat à un poste, [à] un emploi. ■ *vt* Poser comme point de départ d'[un] raisonnement.

postural, ale, aux *a* MED De la posture.

...sture nf **1** Position, attitude du corps. **2** Situa-...n. *Être en mauvaise posture.*

...t nm **1** Récipient à usage domestique. *Pot à* ... *Pot de yaourt. Pot de fleurs.* **2** fam Rafraîchis-...ment, boisson. *On va prendre un pot ?* **3** fam ...union où l'on boit. *Être invité à un pot.* **4** fam ...ance. *Avoir du pot.* **5** Totalité des enjeux misés ... les joueurs à certains jeux. Loc *Pot d'échap-...ment :* dispositif d'évacuation des gaz brûlés ...n moteur à explosion. fam *Recevoir à la fortune ... pot :* en toute simplicité. fam *Tourner autour du ... :* ne pas aborder franchement le sujet dont on ...sire parler ; tergiverser. *Découvrir le pot aux ...es :* découvrir le secret d'une affaire. *Payer les ...s cassés :* réparer les dommages causés.

...tabiliser vt Rendre l'eau potable.

...table a **1** Qu'on peut boire sans danger. *Eau ...table.* **2** fam Passable. *Film potable.*

...tache nm fam Collégien ou lycéen.

...tage nm **1** Aliment liquide fait de légumes ...uillis, de suc de viande, etc.

...tager, ère a Se dit des plantes utilisées ...mme légumes. ■ nm Jardin réservé à la culture ...s légumes.

...tamochère nm Porc sauvage d'Afrique.

...tasse nf Composé du potassium, utilisé en ...nchissage, comme engrais, etc.

...tasser vt fam Étudier un sujet avec ardeur.

...tassique a De la potasse ou du potassium.

...tassium [-sjɔm] nm Métal alcalin dont les ...mposés sont abondants dans la nature.

...t-au-feu [potofø] nm inv **1** Plat de viande de ...uf bouillie avec des légumes. **2** Morceau de ...uf avec lequel on prépare ce plat. **3** Marmite ... sert à le faire cuire. ■ a inv fam Terre à terre ...casanier.

...t-de-vin nm Somme d'argent donnée en sous-...ain à qqn, permettant d'enlever un marché, de ...nclure une affaire. *Des pots-de-vin.*

...te nm fam Camarade, ami.

...teau nm Longue pièce de bois, de métal, de ...ment, etc., fichée verticalement en terre. *Poteau ...égraphique.* Loc *Coiffer au poteau :* dépasser ...moment de l'arrivée.

...tée nf Plat composé de viande bouillie avec ...s légumes.

...telé, ée a Dodu. *Enfant potelé.*

...telet nm Obstacle érigé sur les trottoirs pour y ...pêcher le stationnement abusif.

...tence nf **1** Assemblage de pièces en équerre, ...rvant de support. **2** Instrument servant au sup-...ce de la pendaison.

...tentat nm Homme qui exerce un pouvoir des-...tique ; tyran.

...tentialiser vt Augmenter l'effet de qqch.

...tentialité nf Caractère potentiel ou virtuel.

...tentiel, elle a Qui a une possibilité d'ac-...n, qui existe en puissance ; virtuel. ■ nm **1** ...Ensemble des ressources dont dispose une ...llectivité ; capacité. *Potentiel industriel.* **2** ...M Forme verbale exprimant une action future ...pendant une condition. Loc ELECTR *Différence ... potentiel :* quotient de la puissance absorbée ...tre deux points d'un circuit et de l'intensité du ...urant. Syn. tension.

...tentiellement av En puissance, virtuelle-...ent.

...tentille nf Plante ornementale à fleurs pâles.

potentiomètre nm **1** Appareil servant à mesurer les différences de potentiel électrique. **2** Résistance réglable, rhéostat.

poterie nf **1** Fabrication d'objets en terre cuite. **2** Objet ainsi fabriqué.

poterne nf Porte dérobée percée dans la muraille d'une fortification.

potiche nf **1** Grand vase de porcelaine, de faïence, etc. **2** Personne qui joue un rôle de représentation, sans pouvoir réel.

potier, ère n Personne qui fabrique ou qui vend des poteries.

potimarron nm Courge à goût musqué.

potin nm **1** fam Commérage, cancan. **2** fam Grand bruit, tapage.

potiner vi fam Faire des commérages.

potion nf Médicament à boire.

potiron nm Grosse courge à chair jaune.

potlatch nm ETHNOL Échange rituel de cadeaux entre deux groupes sociaux.

pot-pourri nm **1** Ouvrage littéraire ou musical composé de morceaux disparates, d'airs connus. **2** Assemblage composite. *Des pots-pourris.* **Var** potpourri

potron-minet nm Loc vx *Dès potron-minet :* dès le lever du jour.

pou nm Insecte parasite externe de l'homme et de divers animaux. Loc fam *Chercher des poux dans la tête de qqn :* lui chercher querelle.

pouah ! interj Exprime le dégoût.

poubelle nf Récipient à couvercle destiné à recevoir les ordures ménagères.

pouce nm **1** Le plus court des doigts de la main, opposable aux autres. **2** Le gros orteil. **3** Ancienne mesure de longueur de 27 mm. **4** Très petite quantité. Loc *Manger sur le pouce :* à la hâte. *Donner un coup de pouce :* intervenir discrètement pour faire aboutir une affaire, avantager qqn, etc. fam *Se tourner les pouces :* rester oisif. *Mettre les pouces :* se rendre, céder.

pouce-pied nm Anatife. *Des pouces-pieds.*

pouding. V. pudding.

poudingue nm GEOL Conglomérat de galets et de graviers.

poudrage nm Action de poudrer.

poudre nf **1** Substance solide réduite en petits grains, en corpuscules. *Poudre d'or.* **2** Explosif pulvérulent. **3** Substance pulvérulente utilisée pour le maquillage féminin. Loc *Jeter de la poudre aux yeux :* chercher à éblouir par un éclat trompeur. *Mettre le feu aux poudres :* déclencher un conflit, une manifestation de violence. fam *N'avoir pas inventé la poudre :* ne pas être très intelligent. *Se répandre comme une traînée de poudre :* se propager très vite.

poudrer vt Couvrir de poudre.

poudrerie nf Fabrique d'explosifs.

poudreux, euse a Qui a l'aspect, la consistance de la poudre. ■ nf **1** Neige poudreuse. **2** Machine agricole pour répandre des produits en poudre (insecticides, engrais).

poudrier nm Petit boîtier plat qui renferme de la poudre pour le maquillage.

poudrière nf **1** Entrepôt où l'on gardait des explosifs. **2** Région où le moindre incident peut dégénérer en conflagration générale.

poudroiement nm litt Fait de poudroyer ; aspect de ce qui poudroie.

poudroyer vi [22] Produire de la poussière ; s'élever en poussière.

pouf ! interj Évoque le bruit sourd d'une chute. ■ nm Gros coussin qui sert de siège.

pouffer vi Éclater de rire comme en étouffant son rire.

pouffiasse nf pop Femme grosse et vulgaire.

pouillerie nf fam Apparence miséreuse, sordide.

pouilleux, euse a, n 1 Qui a des poux. 2 fam Miséreux.

pouilly nm 1 Vin blanc sec de la Loire. 2 Bourgogne blanc du Mâconnais.

poujadisme nm Attitude revendicatrice étroitement corporatiste.

poulailler nm 1 Abri, enclos pour les volailles. 2 fam Galerie supérieure d'un théâtre.

poulain nm 1 Petit de la jument, ayant moins de dix-huit mois. 2 Jeune talent, jeune espoir patronné par une personnalité. 3 TECH Rampe constituée de deux longues pièces parallèles, servant à la manutention des grosses charges.

poularde nf Jeune poule engraissée.

1. poule nf 1 Femelle du coq domestique que l'on élève pour sa chair et pour ses œufs. 2 fam Terme d'affection. Ma poule. 3 fam Maîtresse, épouse. Loc Poule faisane : femelle du faisan. Poule d'eau : oiseau aquatique. Mère poule : mère très attentionnée. fam Poule mouillée : personne timorée. Tuer la poule aux œufs d'or : tarir la source des bénéfices en voulant les réaliser trop vite. fam Quand les poules auront des dents : jamais.

2. poule nf Épreuve sportive dans laquelle chacun des concurrents rencontre successivement chacun de ses adversaires.

poulet, ette n 1 Jeune coq, jeune poule. 2 fam Terme d'affection. Mon poulet. ■ nm pop Policier.

pouliche nf Jeune jument de plus de dix-huit mois et de moins de trois ans.

poulie nf Roue tournant autour d'un axe sur le pourtour de laquelle passe une courroie, un câble, etc.

pouliner vi Mettre bas (jument).

poulinière a, nf Loc Jument poulinière : destinée à la reproduction.

poulpe nm Syn. de pieuvre.

pouls [pu] nm Pulsation du sang dans les artères. Loc Tâter le pouls : s'informer discrètement des intentions de qqn, de l'état d'une situation.

poumon nm Chacun des deux organes thoraciques qui assurent les échanges respiratoires.

poupe nf Partie arrière d'un navire. Loc Avoir le vent en poupe : être favorisé par les circonstances.

poupée nf 1 Figurine représentant un être humain et servant de jouet, de décor. 2 Jeune femme, jeune fille d'une grâce mièvre et affectée. 3 fam Pansement entourant un doigt.

poupin, ine a Qui a un visage rond, des traits enfantins.

poupon nm 1 Bébé. 2 Poupée figurant un bébé.

pouponner vt, vi fam Dorloter un petit enfant.

pouponnière nf Établissement où on garde les bébés.

pour prép Exprime le but, la destination, l'intérêt, la substitution, le remplacement, l'échange, la durée ou le terme d'une durée, la cause, le point de vue, la conséquence. Loc Pour que (+ subj.) : de manière à, afin de, dans l'intention de. ■ nm

Loc Le pour et le contre : les avantages et inconvénients.

pourboire nm Gratification qu'un client laisse [au] personnel.

pourceau nm litt Porc.

pour-cent nm inv Taux d'intérêt, commissi[on] calculés au pourcentage.

pourcentage nm 1 Rapport exprimé en ce[n-] tièmes d'une quantité à une autre. 2 Taux d'[un] intérêt ou d'une commission.

pourchasser vt Poursuivre sans relâche, av[ec] opiniâtreté, ténacité.

pourfendeur, euse n litt Personne qui pourfen[d.]

pourfendre vt [5] litt Attaquer vigoureuseme[nt,] batailler contre.

pourlécher (se) vpr [12] Se passer la langue s[ur] les lèvres avec gourmandise.

pourparlers nmpl Conférence, discussion visa[nt] à régler une affaire, négociation.

pourpier nm Plante à feuilles épaisses qui [se] mangent en salade.

pourpoint nm anc Vêtement masculin qui co[u]-vrait le buste.

pourpre nf 1 Matière colorante d'un rouge for[t] que les Anciens tiraient d'un mollusque. 2 Éto[ffe] teinte avec cette matière. 3 Dignité de cardina[l.] ■ a, nm Rouge foncé tirant sur le violet.

pourpré, ée a litt De couleur pourpre.

pourquoi av Pour quelle cause, quel motif. [À] part sans dire pourquoi. Loc C'est pourquo[i :] c'est la raison pour laquelle. ■ nm inv Cause, r[ai-] son. Savoir le pourquoi d'une affaire.

pourri, ie a 1 Altéré par la décompositio[n.] Pomme pourrie. 2 Très humide (temps). 3 Gâ[té,] corrompu moralement. 4 fam Qui a qqch en abo[n-] dance. Un garçon pourri de qualités. 5 fam Ma[u-] vais, abîmé, malsain. Un quartier pourri. ■ [n] Ce qui est pourri. Une odeur de pourri. ■ n [p] Individu corrompu, méprisable.

pourriel nm Message publicitaire envoyé [en] nombre sur des sites Internet sélectionnés.

pourrir vi 1 Tomber en décomposition, en putr[é-] faction. Laisser des fruits pourrir. 2 Se détério[-] rer. Laisser pourrir une situation. 3 Demeur[er] longtemps en un lieu. Pourrir en prison. ■ v[t 1] Attaquer en provoquant la décomposition [de.] L'eau pourrit le bois. 2 Gâter par excès de soi[ns.] Ils pourrissent le petit.

pourrissant, ante a Qui pourrit.

pourrissement nm Dégradation, détérioratio[n.] Le pourrissement d'une situation.

pourriture nf 1 État de ce qui est pourri. 2 Par[tie] pourrie. 3 Décadence morale, corruption. 4 [pop] Ignoble individu.

poursuite nf 1 Action de poursuivre, de cou[rir] après qqch, qqn. 2 (souvent pl.) DR Action en ju[s-] tice engagée contre qqn.

poursuiteur, euse n Cycliste spécialiste d[es] courses de poursuite.

poursuivant, ante n, a Qui poursuit.

poursuivre vt [73] 1 Suivre rapidement po[ur] atteindre. Animal qui poursuit sa proie. 2 Ten[ter] d'obtenir. Poursuivre les honneurs. 3 Harcele[r,] ne pas laisser en paix. Le remords le poursu[it.] 4 DR Intenter une action en justice contre qqn. [5] Continuer ce qu'on a commencé. Poursuivre s[es] études. ■ vpr Continuer. Les recherches se pou[r-] suivent.

pourtant av Cependant, néanmoins.

pourtour nm Ligne, partie qui fait le tour d'un objet, d'une surface.

pourvoi nm DR Acte par lequel on demande à une autorité supérieure l'annulation d'une décision judiciaire.

pourvoir vti [39] Fournir ce qui est nécessaire. *Il pourvoit à tous nos besoins.* ■ vt Munir, équiper, doter. ■ vpr DR Intenter un pourvoi.

pourvoyeur, euse n Personne qui fournit, procure.

pourvu que conj 1 À condition que. 2 Exprime un souhait. *Pourvu qu'il vienne !*

poussah nm Homme gros et gras.

pousse nf 1 Fait de pousser, de croître. *La pousse des cheveux.* 2 Partie jeune d'un végétal.

poussé, ée a Approfondi, minutieux. *Étude poussée.*

pousse-café nm fam Petit verre d'alcool que l'on prend après le café. *Des pousse-cafés.*

poussée nf 1 Action de pousser ; son résultat. 2 Manifestation subite, accès. *Une poussée de fièvre.* 3 Pression exercée par une force, un corps.

pousse-pousse nm inv Voiture légère qui est tirée par un homme, en Extrême-Orient. **Var poussepousse** nm

pousser vt 1 Peser sur, peser contre, pour déplacer, pour faire avancer. *Pousser un meuble.* 2 Faire avancer, engager, soutenir qqn dans une entreprise, une carrière. *Son père l'a poussé dans ses études.* 3 Étendre, porter plus loin. *Pousser ses conquêtes jusqu'à la mer.* 4 Amener qqn dans un certain état. *Pousser qqn à bout.* 5 Inciter à, faire agir. 6 Proférer, exhaler un cri, un soupir, etc. 7 Produire, faire sortir de soi (être vivant). *Bébé qui pousse ses dents.* ■ vi 1 Croître, se développer. *Les feuilles poussent.* 2 Continuer son chemin. *Ils poussèrent jusqu'à la ville.* 3 fam Exagérer. ■ vpr Chercher à s'élever socialement.

poussette nf 1 Petite voiture d'enfant. 2 fam Action d'aider un coureur cycliste en le poussant dans une côte.

pousseur nm Bateau à moteur utilisé pour propulser des barges.

poussier nm Poussière de charbon.

poussière nf Poudre très fine de terre ou de quelque autre matière broyée, usée, etc. *Des meubles couverts de poussière.* Loc fam *Et des poussières :* et un peu plus. *Mordre la poussière :* tomber ; subir un échec.

poussiéreux, euse a Couvert de poussière.

poussif, ive a 1 Qui manque de souffle, qui perd facilement haleine. 2 fam Se dit d'une automobile qui avance difficilement.

poussin nm Poulet qui vient d'éclore.

poussivement av De façon poussive.

poussoir nm Bouton qu'on presse pour agir sur un mécanisme.

poutargue nf Œufs de poisson salés et pressés.

poutre nf 1 Élément de charpente allongé et de forte section. *Poutre en bois, en béton, en acier.* 2 Appareil de gymnastique constitué par une barre de bois horizontale.

poutrelle nf Petite poutre.

pouvoir vt [48] 1 Avoir la faculté, la possibilité de. *Le blessé ne peut pas marcher.* 2 Avoir le droit, l'autorisation de. *Puis-je m'asseoir ?* 3 Avoir le front, l'audace de. *Comment pouvez-vous mentir ainsi ?* 4 Exprime une éventualité, une possibilité. *Je peux me tromper.* 5 litt Au sub-

jonctif, exprime un souhait. *Puissiez-vous avoir raison !* Loc *N'en pouvoir plus :* être à bout de forces. ■ vpr Être possible. *Cela ne se peut pas. Il se peut que j'aie tort.* Loc *Autant que faire se peut :* autant qu'il est possible. ■ nm 1 Puissance, possibilité. *Avoir un grand pouvoir.* 2 Acte par lequel qqn donne la faculté d'agir à sa place ; procuration. 3 Empire, ascendant exercé sur qqn ; influence. 4 Aptitude, propriété de qqch. *Pouvoir blanchissant d'une lessive.* 5 Autorité. *Pouvoir législatif.* 6 Gouvernement d'un État. ■ pl Loc *Les pouvoirs publics :* les autorités constituées.

pouzzolane [pudzo-] nf Cendre volcanique claire et friable, utilisée en construction.

practice nm Installation pour s'entraîner au golf.

pragmatique a Qui considère la valeur pratique, concrète des choses.

pragmatisme nm 1 PHILO Doctrine qui considère l'utilité pratique d'une idée comme le critère de sa vérité. 2 Attitude de qqn qui recherche des résultats pratiques, qui s'adapte avec réalisme.

pragois oise a, n De Prague. **Var praguois, oise**

praire nf Mollusque comestible à coquille bivalve striée.

prairial nm Neuvième mois du calendrier républicain (mai-juin).

prairie nf Terrain couvert d'herbes propres à la pâture et à la production de fourrage.

prâkrit nm Langue commune de l'Inde ancienne, apparentée au sanskrit.

pralin nm 1 Préparation à base de pralines pilées. 2 AGRIC Mélange fertilisant de boue et d'engrais.

praline nf Friandise faite d'une amande enrobée de sucre.

praliné nm Mélange de pralin et de chocolat.

praliner vt 1 Préparer avec du pralin. 2 AGRIC Enrober de pralin des graines, des racines.

prame nf Petite embarcation à fond plat.

prao nm Voilier multicoque d'origine malaise.

praticable a 1 Qu'on peut pratiquer, mettre à exécution. 2 Où on peut passer. *Gué praticable.* ■ nm 1 Plate-forme amovible où on place les caméras, les projecteurs. 2 Élément de décor où les acteurs peuvent se tenir, évoluer.

praticien, enne n Médecin, dentiste, vétérinaire.

pratiquant, ante a, n Qui observe les pratiques d'une religion, qui pratique un sport.

pratique nf 1 Application des règles et des principes d'un art, d'une science, d'une technique. *La pratique de l'architecture.* 2 Fait de pratiquer une activité, de s'y adonner habituellement. *La pratique d'un sport.* 3 Expérience, habitude acquise par cet exercice régulier. *Avoir la pratique des affaires.* 4 Observance des devoirs d'une religion. 5 Usage, coutume. *C'est la pratique du pays.* Loc *En pratique :* en fait, en réalité. *Mettre en pratique :* appliquer. ■ a 1 Qui a trait à l'action, à la réalisation concrète. Ant. théorique. 2 Qui vise à l'utile, qui a le sens des réalités. *Un esprit pratique.* 3 Commode, bien adapté à sa fonction. *Un outil pratique.* Loc *Travaux pratiques :* exercices d'application, par oppos. aux cours théoriques. (abrév. : TP).

pratiquement av 1 Dans la pratique ; en fait. 2 abusiv À peu près ; presque. *Il est pratiquement ruiné.*

pratiquer vt 1 Mettre en pratique, exercer. *Pratiquer un métier, un art.* 2 Faire, réaliser. *Pratiquer une ouverture.* Loc *Pratiquer une langue :* l'utiliser, la parler. ■ vt, vi Accomplir fidèlement les actes commandés par une religion. ■ vpr Être en usage.

praxis nf PHILO Activité humaine susceptible de modifier les rapports sociaux.

pré nm Petite prairie. Loc *Pré carré :* domaine réservé.

préaccord nm Accord qui précède et prépare un accord définitif.

préadolescent, ente a Jeune à l'entrée de l'adolescence.

préaffranchi, ie a Se dit d'une enveloppe ou d'un emballage de paquet vendu par la Poste avec l'affranchissement approprié.

préalable a Qui doit être examiné, réglé, réalisé avant autre chose. *Condition préalable à un accord.* ■ nm Ce qui est mis comme condition à la conclusion d'un accord, à l'ouverture de négociations, etc. Loc *Au préalable :* préalablement, auparavant.

préalablement av Auparavant.

préalpin, ine a Des Préalpes.

préambule nm 1 Avant-propos, introduction, exorde. 2 Ce qui précède qqch et l'annonce.

préamplificateur nm ELECTR Amplificateur de tension précédant un amplificateur de puissance (abrév. : préampli).

préau nm 1 Cour d'un cloître, d'une prison. 2 Partie couverte d'une cour d'école.

préavis nm Avis, notification préalable.

prébende nf 1 Autrefois, revenu attaché à certains titres ecclésiastiques. 2 litt Revenu tiré d'une charge lucrative.

précaire a Qui est incertain, provisoire, sans base assurée. *Situation précaire.*

précambrien nm Ère géologique la plus ancienne.

précampagne nf Phase initiale d'une campagne de publicité.

précancéreux, euse a Susceptible de devenir cancéreux.

précariser vt Rendre précaire.

précarité nf Caractère précaire.

précaution nf 1 Disposition prise par prévoyance. 2 Circonspection, prudence.

précautionneusement av Avec précaution.

précautionneux, euse a Prévoyant et circonspect.

précédemment av Auparavant.

précédent, ente a Qui précède. ■ nm Fait, évènement, qui peut servir d'exemple.

précéder vt [12] 1 Se produire avant ; être placé avant, devant. 2 Arriver, se trouver qq part avant qqn. 3 Aller, marcher devant.

précepte nm Règle de conduite.

précepteur, trice n Chargé de l'éducation et de l'instruction d'un enfant à domicile.

préceptorat nm Fonction de précepteur.

préchauffage nm Chauffage préalable.

préchauffer vt Pratiquer un préchauffage.

prêche nm Sermon, discours moralisateur.

prêcher vt 1 Enseigner la parole divine. *Prêcher l'Évangile.* 2 Engager, exhorter à une qualité, à une vertu. *Prêcher la patience.* ■ vi Faire un sermon.

prêcheur, euse n, a Qui moralise, sermonne. Loc *Frère prêcheur :* dominicain.

prêchi-prêcha nm inv fam Sermon ennuyeux. Var **prêchiprêcha**

précieusement av Avec grand soin.

précieux, euse a 1 De grand prix. *Métaux précieux.* 2 D'une haute importance, d'une grande utilité. *Perdre un temps précieux.* ■ a, n Qui a des manières affectées. ■ nf Femme du monde qui, au XVIIe s., cherchait à se distinguer par un langage, des manières affectés.

préciosité nf 1 Recherche ou affectation dans le langage, les manières. 2 HIST Mode culturelle du XVIIe s., illustrée par les précieuses.

précipice nm Ravin, gouffre.

précipitamment av Avec précipitation.

précipitation nf 1 Grande hâte, excès de hâte. *Agir sans précipitation.* 2 CHIM Passage à l'état solide d'un corps dissous qui se sépare de son solvant. 3 Phénomène atmosphérique tel que la pluie, la grêle, la neige, le brouillard.

précipité, ée a Qui se fait dans la précipitation. *Départ précipité.* ■ nm CHIM Substance solide qui se forme par précipitation.

précipiter vt 1 Jeter d'un lieu élevé. *Précipiter qqn d'un balcon.* 2 Hâter, accélérer. *Précipiter ses pas.* 3 Faire tomber dans une situation désastreuse. ■ vi CHIM Se former par précipitation. ■ vpr 1 Se jeter de haut en bas. 2 Se jeter, s'élancer. *Se précipiter sur son adversaire.* 3 Prendre un cours accéléré (évènement).

précis, ise a 1 Nettement défini, déterminé, sans équivoque. 2 Qui procède avec exactitude, sûreté. *Des gestes précis.* 3 Exact, juste. *Mesure précise.* ■ nm Livre d'enseignement contenant l'essentiel d'une matière.

précisément av 1 Avec précision. 2 Justement. *On a fait précisément ce qu'il fallait éviter.*

préciser vt Exprimer de façon précise ou plus précise. *Préciser une date.*

précision nf 1 Caractère précis, exactitude. 2 Donnée précise ; éclaircissement.

précité, ée a Cité précédemment.

préclassique a Qui précède le classicisme.

précoce a 1 Qui se développe avant le temps habituel. *Fruit précoce. Talent précoce.* 2 Prématuré. *Printemps précoce.*

précocement av De façon précoce.

précocité nf Caractère précoce.

précolombien, enne a, n Qui, en Amérique, a précédé l'arrivée de Colomb (1492).

précompte nm Calcul préalable des sommes à déduire.

préconçu, ue a Loc *Idée préconçue :* adoptée avant tout examen critique ; préjugé.

préconisation nf Action de préconiser.

préconiser vt Recommander vivement, conseiller d'adopter, de prendre qqch.

précontraint, ainte a, nm Loc *Béton précontraint :* soumis à des contraintes préalables de compression, afin d'accroître sa résistance.

précuit, cuite a Soumis à une cuisson avant conditionnement (aliment).

précurseur nm Personne dont l'action, l'œuvre, les idées ont ouvert la voie à une autre personne, à un mouvement, etc. ■ am Qui précède et annonce ; avant-coureur.

prédateur, trice a, n Qui vit de proies, des produits de la chasse et de la pêche.

prélèvement

prédation *nf* Façon dont les prédateurs assurent leur subsistance.

prédécesseur *nm* Personne qui a précédé qqn dans un emploi, un domaine d'activité, une dignité.

prédécoupé, ée *a* Découpé à l'avance.

prédélinquant, ante *n* Jeune exposé, par son milieu, ses conditions de vie, à tomber dans la délinquance.

prédelle *nf* BX-A Soubassement d'un retable.

prédestination *nf* 1 THEOL Volonté de Dieu qui destinerait chacune de ses créatures à être sauvée ou damnée. 2 litt Détermination apparemment fatale des évènements.

prédestiné, ée *a, n* Soumis à la prédestination.

prédestiner *vt* Destiner par avance à qqch.

prédéterminer *vt* Déterminer d'avance.

prédicat *nm* 1 LOG Attribut, affirmé ou nié, d'un sujet. 2 LING Ce qui, dans un énoncé, est dit de l'objet dont on parle (sujet). Ex. : *Jean* (sujet) *travaille* (prédicat).

prédicateur *nm* Personne qui prêche.

prédicatif, ive *a* Du prédicat.

prédication *nf* Action de prêcher ; sermon.

prédictible *a* Qu'on peut prédire.

prédictif, ive *a* Qui vise à prédire un processus, une évolution.

prédiction *nf* 1 Action de prédire. 2 Ce qui est prédit. *Des prédictions aventureuses.*

prédilection *nf* Préférence d'affection, d'amitié, de goût.

prédire *vt* [60] Annoncer ce qui doit arriver.

prédisposer *vt* Mettre par avance dans des conditions favorables à ; préparer à.

prédisposition *nf* Disposition marquée, aptitude naturelle.

prédominance *nf* Fait de prédominer.

prédominant, ante *a* Qui prédomine.

prédominer *vi* Être le plus important ou le plus fréquent ; prévaloir.

préélectoral, ale, aux *a* Qui précède les élections.

préemballé, ée *a* Vendu sous emballage.

prééminence *nf* Supériorité de droit, de rang, d'influence.

prééminent, ente *a* Qui a la prééminence.

préemption *nf* Loc DR *Droit de préemption :* droit prioritaire d'acquisition.

préencollé, ée *a* Encollé à l'avance.

préenregistré, ée *a* Enregistré à l'avance.

préétablir *vt* Établir, fixer par avance.

préexistant, ante *a* Qui existe avant.

préexistence *nf* Fait d'exister avant.

préexister *vi, vti* Exister avant.

préfabrication *nf* Construction au moyen d'éléments préfabriqués.

préfabriqué, ée *a* 1 Se dit d'un élément de construction fabriqué avant sa mise sur le chantier. 2 Formé uniquement d'éléments préfabriqués. *Maison préfabriquée.* ■ *nm* Ce qui est préfabriqué.

préface *nf* Texte de présentation placé en tête d'un livre.

préfacer *vt* [10] Présenter par une préface.

préfacier *nm* Auteur d'une préface.

préfectoral, ale, aux *a* Du préfet.

préfecture *nf* 1 Charge, fonctions d'un préfet ; durée de ces fonctions. 2 Étendue de territoire administrée par un préfet. 3 Ville où réside un préfet. 4 Bâtiment, ensemble des bureaux où sont installés les services préfectoraux.

préférable *a* Qui mérite d'être préféré.

préféré, ée *a, n* Qu'on préfère.

préférence *nf* 1 Fait de préférer. 2 Ce qu'on préfère. Loc *De préférence :* plutôt.

préférentiel, elle *a* Qui crée une préférence, un avantage. *Tarif préférentiel.*

préférentiellement *av* De préférence.

préférer *vt* [12] Aimer mieux. *Nous préférons partir. Je préfère ma voiture à la vôtre.*

préfet *nm* 1 ANTIQ Administrateur d'une province de l'Empire romain. 2 Haut fonctionnaire qui représente le gouvernement dans le département, la région qu'il administre. Loc *Préfet de police :* haut fonctionnaire chargé de la direction de la police à Paris.

préfète *nf* 1 Femme d'un préfet. 2 abusiv Femme préfet.

préfiguration *nf* Fait de préfigurer ; ce qui préfigure qqch.

préfigurer *vt* Figurer, être d'avance la représentation de qqch.

préfinancement *nm* Action de préfinancer.

préfinancer *vt* Doter de crédits pour financer une opération future.

préfixal, ale, aux *a* Qui concerne les préfixes.

préfixation *nf* Adjonction d'un préfixe.

préfixe *nm* 1 Élément qui précède le radical et en modifie le sens (ex. : *in* dans *incomplet*). 2 Premiers chiffres d'un numéro de téléphone.

préfixer *vt* 1 LING Adjoindre un préfixe à un radical. 2 DR Fixer par avance un délai.

préformation *nf* Formation préalable.

préglaciaire *a* GÉOL Antérieur à une glaciation.

prégnant, ante *a* litt Qui s'impose à l'esprit.

préhensile *a* ZOOL Qui a la faculté de saisir. *Les pieds préhensiles des singes.*

préhension *nf* didac Action de saisir.

préhistoire *nf* Période de la vie de l'humanité antérieure à l'apparition de l'écriture.

préhistorien, enne *n* Spécialiste de la préhistoire.

préhistorique *a* Relatif à la préhistoire.

préhominien *nm* Primate fossile de la lignée humaine.

préindustriel, elle *a* Antérieur à l'industrialisation.

préjudice *nm* Tort, dommage causé à qqn. Loc *Sans préjudice de :* sans renoncer à.

préjudiciable *a* Qui cause un préjudice.

préjugé *nm* Opinion, idée préconçue, adoptée sans examen.

préjuger *vt, vti* [11] Juger sans examen, se faire une opinion hâtive. *Sans rien préjuger. Peut-on préjuger du résultat ?*

prélasser (se) *vpr* Se délasser en adoptant une pose nonchalante.

prélat *nm* Dignitaire ecclésiastique.

prélature *nf* Dignité de prélat.

prélavage *nm* Lavage préliminaire du linge ou de la vaisselle, à la machine.

prêle *nf* Plante des lieux humides, à rhizome traçant. *Var* prèle

prélèvement *nm* Action de prélever ; ce qui est prélevé. Loc *Prélèvements obligatoires :* les impôts et les cotisations sociales.

prélever vt [15] Soustraire d'un ensemble, prendre une partie d'un tout. *Prélever des échantillons, du sang. Prélever un pourcentage sur les bénéfices.*

préliminaire a, av 1 Qui précède et prépare la chose principale. ■ *nmpl* Ensemble de discussions, de démarches préparant un accord.

prélogique a PSYCHO Antérieur au stade de la pensée logique.

prélude nm 1 Introduction musicale précédant un morceau. 2 Composition musicale libre, constituant un morceau autonome. 3 Ce qui précède, annonce un fait, un évènement.

préluder vti Annoncer en précédant. *Des escarmouches préludèrent à la bataille.*

prématuré, ée a 1 Qui a lieu avant le temps normal. *Accouchement prématuré.* 2 Qui se manifeste trop tôt. *Réjouissances prématurées.* ■ a, n Enfant né vivant avant terme.

prématurément av Avant le temps normal.

prématurité nf Caractère d'une naissance prématurée.

prémédication nf Administration de médicaments avant une opération chirurgicale.

préméditation nf Action de préméditer.

préméditer vt Mûrir un projet ; calculer, combiner à l'avance. *Préméditer un mauvais coup.*

prémices nfpl litt Début, commencement.

premier, ère a, n Qui précède les autres dans le temps, l'espace, un classement. *La première rue à droite. Au premier siècle de notre ère. Être reçu premier à un concours.* ■ a 1 Qui forme la base, le rudiment de qqch. *Les premières notions d'une science.* 2 Qui est dans son état originel. *Un ressort qui reprend sa forme première.* ■ n Loc *Jeune premier, jeune première :* acteurs qui jouent un rôle d'amoureux. *Le premier venu :* n'importe qui. ■ nm 1 Premier étage. 2 Premier arrondissement d'une ville. 3 Premier jour du mois. Loc *En premier :* pour commencer. ■ nf 1 Classe qui précède la terminale. 2 Première représentation d'une pièce. 3 Première vitesse d'un véhicule. 4 Première ascension. 5 Exploit inédit. Loc fam *De première :* excellent.

premièrement av En premier lieu.

premier-né, première-née n Premier enfant d'une famille. *Des premier(e)s-né(e)s.*

prémisse nf 1 PHILO Chacune des deux premières propositions d'un syllogisme. 2 Argument dont découle un raisonnement.

prémolaire nf Dent implantée entre les canines et les molaires.

prémonition nf Avertissement perçu mystérieusement ; pressentiment.

prémonitoire a De la prémonition.

prémunir vt Préserver, garantir d'un mal, d'un danger. ■ vpr Se protéger contre.

prenable a Qui peut être pris.

prenant, ante a 1 Qui prend. 2 Qui saisit l'esprit, qui captive. *Lecture prenante.* 3 Qui occupe. *Travail prenant.* Loc *Être partie prenante :* avoir des intérêts dans une affaire.

prénatal, ale, als a Qui précède la naissance.

prendre vt [70] 1 Saisir, s'emparer de, attraper. *Prendre une assiette dans le buffet. Prendre un papillon.* 2 Emporter, emmener avec soi. *Prendre son parapluie. Je passerai vous prendre.* 3 Tirer, enlever, extraire qqch. *Prendre de l'eau à la rivière.* 4 Surprendre. *Prendre qqn au dépourvu.* 5 Demander, exiger. *Ce travail prend du temps.*

6 Manger, boire, absorber. *Je n'ai rien pris de la journée.* 7 Se comporter de telle ou telle façon avec qqn, à l'égard de qqch. *Il faut le prendre par la douceur. Il a mal pris la plaisanterie.* 8 Obtenir, se procurer. *Prendre un billet d'avion. Prendre un interprète.* 9 Recueillir. *Prendre des notes, des mesures.* 10 Contracter, attraper. *Prendre un rhume.* 11 Faire usage de, utiliser, emprunter. *Prendre des précautions. Prendre l'avion. Prendre le chemin.* 12 Acquérir un certain aspect. *Projet qui prend forme. Prendre de l'âge.* 13 Éprouver tel sentiment, telle impression. *Prendre intérêt, plaisir à faire qqch.* Loc *Prendre pour :* considérer comme. ■ vi 1 Devenir consistant ; faire sa prise. *Le ciment a pris.* 2 S'allumer, s'embraser. *Le feu a pris tout seul.* 3 S'enraciner. *Cette bouture a bien pris.* 4 Réussir. *Le vaccin a pris.* Loc *Prendre sur soi :* se dominer. *Prendre sur soi de :* prendre l'initiative de. ■ vpr Loc *S'en prendre à qqn :* l'attaquer, le provoquer. litt *Se prendre à :* se mettre à. *S'y prendre bien, mal :* faire preuve d'adresse, de maladresse.

preneur, euse n Personne qui achète ; acquéreur. Loc *Preneur de son :* opérateur de prise de son.

prénom nm Nom particulier joint au patronyme.

prénommé, ée a, n Qui a tel prénom. *Le prénommé Jean.*

prénommer vt Donner tel prénom à. ■ vpr Avoir tel prénom.

prénuptial, ale, aux a Qui précède le mariage.

préoccupant, ante a Qui préoccupe.

préoccupation nf Souci, inquiétude.

préoccuper vt Occuper fortement l'esprit de qqn ; inquiéter, tourmenter. *Cette affaire le préoccupe.* ■ vpr Se soucier de.

préolympique a Qui précède les jeux Olympiques.

préopératoire a CHIR Qui précède une opération.

prépa nf fam Classe préparatoire.

préparateur, trice n Personne qui prépare. Loc *Préparateur en pharmacie :* employé chargé de faire des préparations, des analyses, etc.

préparatif nm (surtout pl.) Dispositions qu'on prend pour préparer une action.

préparation nf 1 Action de préparer, de se préparer. *Préparation d'un repas. Préparation à un examen.* 2 Chose préparée. *Préparation pharmaceutique.*

préparatoire a Qui prépare. Loc *Cours préparatoire :* première année de l'enseignement primaire. *Classes préparatoires :* qui préparent aux grandes écoles.

préparer vt 1 Apprêter, disposer ; mettre en état. *Préparer un repas. Préparer une chambre pour ses invités.* 2 Combiner par avance. *Préparer ses vacances.* 3 Ménager, réserver pour l'avenir. *Cela nous prépare de grands malheurs.* 4 Mettre qqn en mesure de supporter ou de faire qqch. *Préparer un élève à un examen.* 5 Mettre qqn dans un certain état d'esprit. *Préparer qqn à une mauvaise nouvelle.* 6 S'entraîner pour réussir. *Préparer un concours.* ■ vpr 1 Se mettre en état de. *Se préparer pour sortir.* 2 Être sur le point de. 3 Être imminent. *Un orage se prépare.*

prépayer vt [20] Payer à l'avance.

prépondérance nf Supériorité, domination.

prépondérant, ante a Qui domine par le poids, l'autorité, le prestige.

posé, ée n 1 Chargé d'un service particulier. acteur.

poser vt Placer à un poste.

positif, ive a GRAM De la préposition. **Var positionnel, elle**

position GRAM Mot invariable reliant un ment de la phrase à un autre élément.

programmé, ée a INFORM Programmé à vance.

puce nm ANAT Repli cutané qui recouvre le nd de la verge.

raphaélisme nm Mouvement pictural glais de la fin du XIXᵉ s., inspiré par la Renais-ce italienne.

raphaélite a, n Du préraphaélisme.

rasage nm Produit destiné à nettoyer et à parer la peau avant le rasage.

réglage nm Réglage préalable sur des sta-ns données, d'un poste de radio ou de télévi-n.

réglé, ée a Qui a subi le préréglage.

rempli, ie a Se dit d'un formulaire rempli à vance. *Déclaration d'impôts préremplie.*

rentrée nf Rentrée des enseignants, précé-nt la rentrée des élèves.

retraite nf Retraite anticipée.

retraité, ée n Personne qui bénéficie d'une retraite.

rogative nf Avantage, privilège attaché à une ction, à un état.

romantique a, n Du préromantisme.

romantisme nm Période qui a préparé le mantisme.

es av Non loin, à une courte distance. *La ville tout près.* Loc *De près :* d'une courte dis-ce, à un faible intervalle. *À... près :* indique e évaluation par approximation. *À peu près :* viron. *À beaucoup près :* il s'en faut de beau-up. ■ *prép* Marque la proximité dans l'espace dans le temps. *Venez près de moi.*

sage nm 1 Signe interprété comme favorable défavorable pour l'avenir. 2 Conjecture que n tire de quch.

sager vt [11] Annoncer une chose à venir.

salaire nm Allocation d'études.

s-salé nm Mouton qui a pâturé l'herbe de prai-s voisines de la mer. *Des prés-salés.*

esbyte a, n Atteint de presbytie.

esbytère nm Habitation du curé, du pasteur, ns une paroisse.

esbytérianisme nm Doctrine et Église des esbytériens, unissant ecclésiastiques et laïcs ns la direction des affaires religieuses.

esbytérien, enne a, n Qui relève du presby-rianisme.

esbytie [-si] nf Difficulté à voir nettement de s.

escience nf Connaissance du futur.

escolaire a Qui précède la scolarité.

escripteur n Personne qui conseille ou pres-t l'achat d'un produit.

escriptible a Qu'on peut prescrire.

escription nf 1 Action de prescrire. 2 Ce qui prescrit ; ordre ; précepte. 3 DR Délai au terme quel on ne peut plus, soit contester la propriété n possesseur, soit poursuivre la répression une infraction.

prescrire vt [61] 1 Commander, ordonner qqch. 2 Préconiser un traitement, un régime, etc. 3 DR Acquérir qqch, se libérer d'une obligation par prescription.

préséance nf Supériorité, priorité selon l'usage, l'étiquette.

présélection nf Sélection préalable.

présélectionner vt Effectuer une présélection.

présence nf 1 Fait d'être dans un lieu déter-miné. 2 Personnalité, tempérament. *Avoir de la présence.* Loc *En présence :* face à face, en vue. *En présence de :* devant, en face de. *Présence d'esprit :* vivacité, à-propos.

1. présent, ente a 1 Qui est dans le lieu dont on parle (par oppos. à *absent*). *Étiez-vous présent à la réunion d'hier ?* 2 Dont il est question en ce moment. *La présente lettre.* 3 Qui existe actuelle-ment (par oppos. à *futur*). *Dans la minute présente.* ■ nm 1 Partie du temps qui est en train de passer actuellement. 2 Temps du verbe situant ce qui est énoncé au moment actuel. Loc *À pré-sent :* maintenant, actuellement, en ce moment. ■ nf Loc *La présente :* la lettre que voici.

2. présent nm litt Don, cadeau.

présentable a Qui a bon aspect ; convenable.

présentateur, trice n 1 Personne qui propose une marchandise, un appareil, etc. ; démonstra-teur. 2 Personne qui présente un spectacle, une émission.

présentation nf 1 Action de présenter, de se pré-senter. 2 Maintien, manières ; aspect physique.

présentement av Maintenant.

présenter vt 1 Disposer devant qqn, proposer, offrir. *Présenter une chaise à qqn.* 2 Montrer, exposer. *Présenter ses papiers. Présenter les faits avec objectivité.* 3 Formuler, adresser. *Pré-senter ses excuses.* 4 Introduire qqn auprès d'une personne, la faire connaître par son nom. *Je vous présente M. Durand.* ■ vpr 1 Paraître devant qqn, se montrer. 2 Énoncer son nom, dire qui l'on est. 3 Se proposer, être candidat. *Se présenter pour un poste.* 4 Apparaître, survenir. *Quand l'occasion s'en présente.*

présentoir nm Support destiné à mettre en valeur les produits dans un magasin.

présérie nf Fabrication d'une première série de produits avant le lancement de la fabrication.

préservatif nm Capuchon en caoutchouc destiné à être adapté au pénis avant un rapport sexuel.

préservation nf Action de préserver.

préserver vt Garantir de qqch de nuisible ; pro-téger.

présidence nf 1 Fonction, dignité de président. 2 Temps pendant lequel qqn exerce cette fonction. 3 Résidence d'un président. 4 Bureaux et services placés sous l'autorité d'un président.

président, ente n 1 Personne qui préside une assemblée, qui dirige ses débats. 2 Personne, généralement élue, qui dirige, administre. ■ nf Épouse d'un président.

présidentiable a, n Susceptible d'accéder à la fonction de président.

présidentialisation nf Évolution vers le prési-dentialisme.

présidentialisme nm Régime présidentiel.

présidentiel, elle a D'un président et spéciale-ment du président de la République. Loc *Régime présidentiel :* où le pouvoir exécutif relève du seul président. ■ *nfpl* Élections pour la désignation du président de la République.

présider *vt* Diriger une assemblée, ses débats. ■ *vti* Veiller sur, diriger. *Présider aux destinées du pays.*

présocratique *a, n* Se dit des philosophes grecs antérieurs à Socrate.

présomptif, ive *a* Loc *Héritier présomptif :* appelé à hériter de qqn ou à lui succéder.

présomption *nf* 1 Conjecture, opinion fondée sur de simples indices. *Juger sur des présomptions.* 2 Opinion trop avantageuse que qqn a de lui-même ; prétention, suffisance.

présomptueux, euse *a, n* Qui se surestime ; prétentieux, suffisant.

présonorisation *nf* Syn. de *play-back*.

presque *av* Pas tout à fait.

presqu'île *nf* Promontoire relié au continent par une étroite bande de terre. **Var presqu'ile**

pressage *nm* Action de presser.

pressant, ante *a* 1 Insistant. *Recommandation pressante.* 2 Urgent. *Un besoin pressant.*

pressbook [pʀɛsbuk] *nm* Dossier constitué par des coupures de presse.

presse *nf* 1 Dispositif, machine destinée à comprimer ou à déformer des objets. 2 Machine à imprimer. 3 Ensemble des journaux ; journalisme. 4 Nécessité de hâter le travail. Loc *Avoir bonne, mauvaise presse :* avoir bonne, mauvaise réputation. *Sous presse :* en cours d'impression.

pressé, ée *a* 1 Contraint de se hâter. *Faites vite, je suis pressé.* 2 Urgent. *Affaire pressée.* ■ *nm* Loc *Aller au plus pressé :* s'occuper d'abord de ce qui est le plus urgent.

presse-bouton *a inv* Se dit d'une action extrêmement automatisée. *Guerre presse-bouton.*

presse-citron *nm* Ustensile servant à extraire par pression le jus des agrumes. *Des presse-citrons.*

presse-fruit *nm* Ustensile pour presser les fruits. *Des presse-fruits.*

pressentiment *nm* Sentiment instinctif d'un évènement à venir.

pressentir *vt* [29] 1 Prévoir confusément. *Pressentir un malheur.* 2 Sonder les dispositions, les sentiments de qqn.

presse-papier *nm* Objet pesant servant à maintenir des papiers sur un bureau. *Des presse-papiers.*

presse-purée *nm* Ustensile servant à faire des purées de légumes. *Des presse-purées.*

presser *vt* 1 Serrer avec plus ou moins de force, comprimer. 2 Appuyer sur. *Presser un bouton.* 3 Poursuivre sans relâche. *Presser l'ennemi.* 4 Hâter, précipiter. *Presser son départ.* 5 Engager vivement à. *On me presse de conclure.* ■ *vi* Être urgent. *Dépêchez-vous, ça presse.* ■ *vpr* 1 Se serrer, se tasser. 2 Se hâter.

presse-raquette *nm* Dispositif servant à maintenir la rigidité d'une raquette de tennis. *Des presse-raquettes.*

pressing [-siŋ] *nm* 1 Magasin où l'on fait nettoyer et repasser ses vêtements. 2 SPORT Attaque insistante. *Faire le pressing.*

pression *nf* 1 Action de presser ; force exercée par ce qui presse. 2 Influence plus ou moins contraignante qui s'exerce sur qqn. Loc *Pression artérielle :* pression du sang sur les parois des artères. *Pression atmosphérique :* poids de la masse d'air au niveau du sol. *Groupe de pression :* qui cherche à influencer les décideurs ou le public en vue de satisfaire ses intérêts. Syn. lob... fam *Être sous pression :* tendu, éprouvé. *Press fiscale :* charge des impôts.

pressoir *nm* Presse utilisée pour exprimer le ou l'huile ; bâtiment où elle se trouve.

pressurage *nm* Action de pressurer.

pressurer *vt* 1 Écraser au moyen du pressoir Accabler par de continuelles extorsions d'arge ■ *vpr* Loc fam *Se pressurer le cerveau :* faire intense effort intellectuel.

pressurisation *nf* Action de pressuriser.

pressuriser *vt* Maintenir une enceinte, un tallation, etc., à la pression atmosphérique n male.

prestance *nf* Maintien plein d'élégance.

prestataire *n* Personne qui fournit une pres tion ; qui vend des services à une clientèle.

prestation *nf* 1 Service fourni. 2 (souvent Allocation versée par un organisme officiel. *Pr tations de la Sécurité sociale.* 3 abusiv Specta que donne un artiste, un sportif qui se prod en public. Loc *Prestation de serment :* action prêter serment.

preste *a* Prompt et agile.

prestement *av* Vivement, promptement.

prestidigitateur, trice *n* Artiste qui fait des to de prestidigitation.

prestidigitation *nf* Art de produire des illusi au moyen de trucages, de manipulations.

prestige *nm* Séduction, attrait qui inspire l' miration.

prestigieux, euse *a* Qui a du prestige.

prestissimo *av, nm* MUS Très rapidement.

presto *av, nm* MUS Rapidement.

présumé, ée *a* Cru par supposition, cen réputé. *Rendement présumé d'une machine.*

présumer *vt* Juger par conjecture, croire, s poser. *Je présume qu'il a raison.* ■ *vti* Avoir u opinion trop avantageuse de. *Présumer de . forces.*

présupposé *nm* Point préalablement admis, s examen.

présupposer *vt* Supposer préalablement.

présupposition *nf* Supposition préalable.

présure *nf* Matière utilisée pour faire cailler lait.

1. prêt *nm* Action de prêter ; chose prêtée.

2. prêt, prête *a* Disposé, préparé. *Le dîner prêt. Être prêt à partir.*

prêt-à-porter *nm* Vêtements de confection.

prêté *nm* Loc *C'est un prêté pour un rendu :* dit de justes représailles.

prétendant, ante *n* Personne qui prétend av des droits à un trône. ■ *nm* Homme qui esp épouser une femme.

prétendre *vt* [5] 1 Demander à, revendiquer *Il prétend commander ici.* 2 Affirmer, soute qqch de contestable. ■ *Il prétend que j'ai men ■ *vti* litt Aspirer à ; revendiquer. *Prétendre à u indemnité.*

prétendu, ue *a* Faux ou douteux.

prétendument *av* Faussement, à tort.

prête-nom *nm* Dont le nom apparaît dans un a à la place de celui du véritable contractant. *L prête-noms.*

prétentaine *nf* Loc fam, vx *Courir la prétentain* vagabonder, multiplier les aventures galant **Var prétantaine**

étentieusement *av* De façon prétentieuse.

étentieux, euse *a, n* Qui a une trop haute opi-
-n de soi-même ; vaniteux.

étention *nf* 1 Revendication, exigence.
..battre de ses prétentions. 2 Caractère préten-
-ux. Loc *Sans prétention :* simple.

éter *vt* 1 Mettre provisoirement à la disposition
qqn. *Il lui a prêté sa bicyclette.* 2 Attribuer. *Il
prête des qualités qu'il n'a pas. Loc *Prêter
main à qqn :* l'aider. *Prêter l'oreille :* écouter.
..ter le flanc : s'exposer à. *Prêter attention :*
e attentif. Prêter serment : jurer. ■ *vti* Donner
se, donner matière à. *Prêter à la critique, à la
..sure, à rire. ■ *vpr* 1 Accepter, consentir à.
..êtez-vous à cet accord. 2 Aller bien, convenir
Une région qui se prête à la vigne.

étérit *nm* GRAM Forme verbale qui exprime le
*..ssé dans certaines langues.

étérition *nf* RHET Figure de style qui consiste à
*e qqch en déclarant qu'on se gardera bien de
*..ffirmer (ex. : *inutile de vous dire que...*).

éteur *nm* ANTIQ Magistrat romain de rang infé-
*..ur à celui de consul.

êteur, euse *n, a* Qui prête.

étexte *nm* Raison alléguée pour cacher le véri-
*..ble motif. Loc *Sous prétexte de :* en donnant
*..mme prétexte.

étexter *vt* Donner comme prétexte.

étoire *nm* 1 ANTIQ Tribunal du préteur. 2 Salle
*..udience d'un tribunal.

étorien, enne *a* ANTIQ Du préteur. ■ *nm* Soldat
*..la garde impériale.

étraité, ée *a* Soumis à un traitement préalable.
*..moule prétraitée.

être *nm* 1 Personne qui exerce un ministère
*..cré, qui préside aux cérémonies d'un culte. 2
*..lui a reçu le sacrement de l'ordre, dans l'Église
*..tholique.

êtresse *nf* Femme célébrant le culte d'une
*..vinité.

êtrise *nf* Dignité de prêtre.

éture *nf* ANTIQ Fonction de préteur.

euve *nf* 1 Ce qui établit la vérité, l'exactitude,
*..xistence de qqch. 2 Marque, signe. *Preuve
..euves de bonne volonté. Loc *Faire preuve de :*
..ontrer. Faire ses preuves : montrer ses capa-
*..és.

eux *am, nm* litt Brave et vaillant.

évalence *nf* MED Rapport du nombre de cas
*..une maladie à l'effectif d'une population.

évaloir *vi* [44] Être supérieur, s'imposer. *Sa
..lution a prévalu. ■ *vpr* Tirer vanité. *Se préva-
*..ir de ses relations.

évaricateur, trice *a, n* DR Coupable de préva-
*..ation.

évarication *nf* DR Acte d'un responsable qui
*..anque aux devoirs de sa charge.

évenance *nf* Fait de prévenir les désirs de
*..n ; délicatesse, attention.

évenant, ante *a* Plein de prévenance.

évenir *vt* [35] 1 Informer, avertir. *Prévenir les
..mpiers. 2 Prendre des précautions pour empê-
*..er. *Prévenir une attaque ennemie.* 3 Satisfaire
*..r avance, aller au-devant de. *Prévenir les désirs
.. ses chefs. 4 Disposer qqn défavorablement à
*..égard de qqn.

éventif, ive *a* Qui a pour but de prévenir,
*..empêcher. Loc *Détention préventive :* incarcé-
*..ation avant un jugement.

---

prévention *nf* 1 Ensemble de mesures destinées
à prévenir certains risques. *Prévention routière.*
2 Idée préconçue. *Avoir des préventions contre
qqn.* 3 DR Temps passé en prison avant un jugement.

préventivement *av* À titre préventif.

préventologie *nf* Étude scientifique de la prévention des maladies, des accidents.

préventorium [-Rjɔm] *nm* Établissement où on
traite les personnes atteintes de primo-infection
tuberculeuse.

prévenu, ue *n* DR Personne qui comparaît devant
un tribunal pour répondre d'un délit.

prévisibilité *nf* Caractère prévisible.

prévisible *a* Qui peut être prévu ; conjecture.

prévision *nf* 1 Action de prévoir. 2 Ce qui est
prévu ; conjecture.

prévisionnel, elle *a* Fait par prévision.

prévisionniste *n* Spécialiste de la prévision
économique.

prévoir *vt* [41] 1 Se représenter ce qui doit arriver. *Qui pouvait prévoir les évènements actuels ?*
2 Envisager. *Il prévoit de rentrer le 15 août.* 3
Prendre des dispositions en vue de qqch. *Les
juristes n'ont pas prévu cette éventualité.*

prévôt *nm* 1 HIST Titre de certains magistrats. 2
Officier de gendarmerie en fonction dans une
prévôté. 3 Surveillant de prison choisi parmi les
détenus.

prévôté *nf* 1 HIST Circonscription du prévôt sous
l'Ancien Régime. 2 Formation de gendarmerie
qui joue le rôle de police militaire.

prévoyance *nf* Qualité de qqn qui prévoit.

prévoyant, ante *a* Qui fait preuve de prévoyance.

prie-Dieu *nm inv* Siège bas sur lequel on s'age-
nouille pour prier.

prier *vt* 1 S'adresser à Dieu, à une divinité, à
un être surnaturel pour l'adorer, lui demander
une grâce. 2 Demander à qqn. *Je vous prie de
m'écouter.* 3 Ordonner. *Il le pria de se taire.* Loc
Se faire prier : faire des manières pour accepter
qqch.

prière *nf* 1 Fait de prier Dieu, une divinité. 2
Texte qu'on récite pour prier. 3 Demande faite
instamment.

prieur, eure *n* Religieux(euse) qui dirige certains monastères.

prieuré *nm* Établissement religieux dirigé par un
prieur ou une prieure.

prima donna *nf* Principale cantatrice d'un opéra.
Des prima donnas. Var **primadonna**

primaire *a* 1 Se dit de l'enseignement du premier
degré. 2 Simpliste, borné. *Antiparlementarisme
primaire.* Loc *Élection primaire :* élection servant
à désigner les candidats à l'élection réelle. *Ère
primaire :* la plus ancienne des ères géologiques.
ECON *Secteur primaire :* activités qui produisent
des matières premières (agriculture, mines).
■ *nm* 1 Enseignement primaire. 2 Ère primaire. 3
Secteur primaire. ■ *nf* Élection primaire.

primat *nm* 1 litt Supériorité, primauté. 2 Titre
donné à certains archevêques.

primate *nm* 1 Mammifère tel que les singes et
l'homme. 2 fam Homme grossier.

primatologie *nf* Étude scientifique des primates.

primature *nf* Services du Premier ministre.

primauté *nf* Prééminence, premier rang.

1. prime *a* Se dit d'une lettre affectée d'un signe : A' (A prime). Loc *De prime abord :* à première vue. *La prime jeunesse :* le plus jeune âge.

2. prime *nf* **1** Cadeau offert à un acheteur. **2** Somme accordée à titre d'encouragement ou d'indemnité. **3** Somme due par l'assuré à sa compagnie d'assurances. Loc *Faire prime :* être très recherché.

1. prime *vt, vti* Être plus important que, prévaloir sur. *L'intérêt général prime (sur) les intérêts particuliers.*

2. prime *vt* Accorder une récompense à. *Taureau primé au concours agricole.*

primerose *nf* Syn. de *rose trémière.*

primesautier, ère *a* litt [-so-] Spontané.

prime time [prajmtajm] *nm* À la télévision, heure de grande écoute.

primeur *nf* Faveur d'être le premier à connaître qqch. *Réserver à qqn la primeur d'une information.* Loc *Vin de primeur :* vin de l'année vendu dès la fin de la fermentation. ■ *pl* Fruits, légumes vendus avant la saison normale.

primevère *nf* Plante herbacée à floraison précoce.

primipare *a, nf* Qui accouche ou met bas pour la première fois.

primitif, ive *a* **1** Le plus ancien, le premier, le plus près de l'origine. **2** Se dit des sociétés qui ne connaissent pas l'écriture et ne pratiquent ni culture ni élevage. **3** Peu élaboré, fruste. ■ *nm* Artiste qui a précédé la Renaissance.

primitivement *av* À l'origine.

primitivisme *nm* Caractère primitif d'une société, d'un art.

primo *av* Premièrement.

primoaccédant, ante *n* Personne qui devient pour la première fois propriétaire d'un bien immobilier.

primoarrivant, ante *a, n* **1** Se dit d'un réfugié qui fait une première demande d'asile. **2** Se dit d'un immigré qui vient d'arriver dans le pays d'accueil. *Des primo-arrivant(e)s.*

primodélinquant, ante *n* Délinquant appréhendé pour la première fois.

primo-infection *nf* Première infection par un germe. *Des primo-infections.*

primordial, ale, aux *a* Essentiel.

prince *nm* **1** Souverain ou membre d'une famille souveraine. **2** Haut titre de noblesse. Loc *Prince du sang :* membre de la famille royale. litt *Le prince des ténèbres :* le diable. fam *Être bon prince :* généreux. *Le fait du prince :* acte arbitraire du gouvernement.

prince-de-galles *nm inv* Tissu écossais, aux teintes discrètes.

princeps *a* Loc *Édition princeps :* originale. **2** PHARM Se dit d'un médicament original par rapport aux génériques.

princesse *nf* Femme ou fille de prince, de roi. Loc *Aux frais de la princesse :* tous frais payés.

princier, ère *a* **1** De prince. **2** Somptueux. *Repas princier.*

princièrement *av* De façon princière.

principal, ale, aux *a, nm* Le plus important. *C'est la raison principale. Le principal, c'est que vous veniez.* Loc GRAM *Proposition principale :* proposition dont dépendent des subordonnées. ■ *nm* **1** Ce qui constitue l'objet essentiel d'une

action en justice. **2** Capital d'une dette (par opp aux *intérêts*). ■ *n* Personne qui dirige un collè

principalement *av* Particulièrement.

principauté *nf* État gouverné par un prince.

principe *nm* **1** Origine, cause première. **2** | générale, non démontrée, mais vérifiée expérim talement. **3** Fondement théorique du fonction ment d'une chose. **4** Règle de conduite. *Princ de morale.* Loc *En principe :* théoriquement. *I principe :* en vertu d'une décision a priori. ■ *p* Premiers rudiments d'une science. **2** Convictic morales. *Être fidèle à ses principes.*

printanier, ère *a* De printemps.

printemps *nm* **1** La première des quatre saiso **2** litt Année. *Avoir seize printemps.* Loc litt *Au pr temps de :* au début de.

prion *nm* Particule protéique infectieuse.

prioritaire *a* Qui a la priorité.

prioritairement *av* En priorité.

priorité *nf* **1** Préférence. *Donner la priorité* Droit de passer avant les autres. *Respecter la pr rité à droite.* Loc *En priorité :* d'abord.

pris, prise *a* Retenu par ses occupations. *É pris toute la journée.* Loc *Pris de boisson :* ivr

prise *nf* **1** Action de prendre, de s'emparer **2** Ce dont on s'est emparé. *Une bonne prise* Moyen, manière de prendre, de saisir. *On n'a p prise. Prise de judo.* **4** Durcissement. *Cimen prise rapide.* **5** Pincée de tabac à priser. **6** D positif de branchement électrique relié au rése Loc *Avoir prise sur :* avoir le moyen d'influenc un processus. *Donner prise :* fournir l'occasi de. *Être aux prises avec :* lutter contre. *Pr d'eau :* robinet. *Prise de vue(s) :* action de film *Prise de son :* action d'enregistrer le son. *Pr de sang :* prélèvement sanguin. *Prise d'arme* parade, revue militaire. *Prise de conscienc* fait de devenir conscient de qqch. *Prise de têt* souci, inquiétude, obsession.

1. priser *vt* Aspirer du tabac par le nez.

2. priser *vt* litt Estimer.

prismatique *a* En forme de prisme.

prisme *nm* Corps présentant deux faces plan ayant une arête commune.

prison *nf* **1** Lieu de détention. **2** Peine d'emp sonnement. **3** Ce qui enferme, retient.

prisonnier, ère *n* Détenu. ■ *a* Aliéné par qqc *Prisonnier de ses préjugés.*

privatif, ive *a* **1** GRAM Qui marque la suppressi *Préfixe privatif.* **2** DR Qui prive. *Peine privati de liberté.* **3** Dont on jouit sans être propriétai *Jardin privatif.*

privation *nf* Perte, suppression. ■ *pl* Besoins n satisfaits, pénurie.

privatisation *nf* Action de privatiser.

privatiser *vt* Transférer une entreprise du secte public au secteur privé.

privautés *nfpl* Familiarités déplacées.

privé, ée *a, nm* **1** Réservé, non ouvert au publ *Club privé.* **2** Personnel. *Vie privée.* **3** Qui app tient à qqn. *Propriété privée.* **4** Où l'État n'inte vient pas. *Secteur privé.* Ant. public. Loc *En priv à titre privé :* comme simple particulier. *Détecti privé :* détective chargé d'enquêtes policiè privées.

priver *vt* Refuser, ôter qqch à qqn. *Priver enfant de dessert.* ■ *vpr* **1** S'abstenir de. *Il ne prive pas de critiquer.* **2** Faire des sacrifices. *prive pour élever ses enfants.*

privilège nm 1 Droit exceptionnel ou exclusif de faire qqch, de jouir d'un avantage. 2 Caractère, qualité unique. *La raison est le privilège de l'être humain.*

privilégié, ée a Qui bénéficie de privilèges.

privilégier vt 1 Accorder un privilège à qqch, à qqn. 2 Avantager.

prix nm 1 Valeur de qqch exprimée en monnaie. *Prix élevé.* 2 Récompense, distinction. *Prix Nobel.* 3 Ouvrage qui a obtenu un prix. 4 Compétition qui donne lieu à un prix. *Grand prix automobile.* 5 Valeur, importance de qqch. *Le prix de la liberté.* Loc *Au prix de :* moyennant. *À tout prix :* coûte que coûte.

pro n, a fam Professionnel.

probabilisme nm Théorie selon laquelle il n'y a pas de certitudes mais seulement des opinions probables.

probabiliste a, n Qui relève du probabilisme, du calcul des probabilités.

probabilité nf Caractère probable, vraisemblable. Loc *Calcul des probabilités :* science visant à déterminer la vraisemblance d'un évènement.

probable a 1 Qui a une apparence de vérité. 2 Qui a des chances de se produire.

probablement av Vraisemblablement.

probant, ante a Concluant.

probation nf DR Mise à l'épreuve d'un délinquant.

probatoire a Destiné à tester qqn.

probe a litt Qui a de la probité.

probité nf Droiture, intégrité.

problématique a Douteux. *Résultat problématique.* ■ nf Ensemble des problèmes concernant un sujet.

problématiquement av De façon problématique.

problème nm 1 Question à résoudre dans une science. *Problème de physique théorique.* 2 Exercice scolaire consistant à résoudre une question posée. 3 Ennui, difficulté ; situation compliquée. Loc fam *Pas de problème ! :* c'est facile, évident.

proboscidien nm ZOOL Mammifère à trompe, tel l'éléphant.

procédé nm 1 Méthode d'exécution. *Procédé de fabrication.* 2 Manière d'agir. *Des procédés inadmissibles.* 3 Rondelle de cuir collée à la pointe d'une queue de billard.

procéder vi [12] Agir. *Procéder avec méthode.* ■ vti 1 Exécuter en se conformant aux règles. *Procéder à l'arrestation d'un voleur.* 2 litt Provenir, découler de.

procédural, ale, aux a DR De la procédure.

procédure nf 1 Ensemble de consignes à appliquer. *Procédure d'atterrissage.* 2 DR Manière de procéder en justice ; partie du droit qui étudie ces manières. 3 Ensemble des règles suivant lesquelles un procès est instruit.

procédurier, ère a, n Qui aime la chicane.

procès nm Instance devant un tribunal sur un différend entre deux ou plusieurs parties.

processeur nm INFORM Organe d'un ordinateur destiné à exécuter une série d'instructions.

procession nf 1 Cortège religieux. 2 Défilé.

processionnaire nf Chenille qui se déplace avec d'autres en file régulière.

processus [-sys] nm Enchaînement de phénomènes, suite d'opérations. *Processus de fabrication.*

procès-verbal nm 1 DR Acte par lequel une autorité compétente constate un fait, un délit. 2 Compte rendu écrit d'une délibération. *Des procès-verbaux.*

prochain, aine a Qui est près d'arriver ; suivant. *Le mois prochain. Le prochain village.* ■ nm Être humain considéré dans ses rapports moraux avec autrui. ■ nf Loc fam *À la prochaine :* à la station suivante ; à une autre fois.

prochainement av Bientôt.

proche a 1 Voisin. *La proche banlieue.* 2 Qui est près d'arriver. *Noël est proche.* 3 Qui a une relation étroite avec. Loc *De proche en proche :* progressivement. ■ nm Parent. *Très aimé de ses proches.*

proche-oriental, ale, aux a, n Du Proche-Orient.

proclamation nf 1 Action de proclamer. 2 Écrit, discours proclamé ; appel solennel, public.

proclamer vt 1 Annoncer avec solennité. *Proclamer sa foi.* 2 Reconnaître publiquement. *Proclamer la république.*

proclitique a, nm GRAM Mot monosyllabique inaccentué qui s'appuie sur le mot suivant.

proconsul nm ANTIQ Consul sortant de charge qui recevait une prolongation de ses pouvoirs.

proconsulaire a Du proconsul.

proconsulat nm Fonction de proconsul.

procréateur, trice a Qui procrée.

procréation nf Action de procréer.

procréatique nf Étude de la procréation artificielle (fécondation in vitro, insémination).

procréer vt Engendrer un être humain.

proctologie nf Partie de la médecine qui traite du rectum et de l'anus.

proctologue n Spécialiste de proctologie.

procuration nf Pouvoir donné à qqn d'agir au nom de son mandant.

procurer vt 1 Faire avoir, fournir qqch à qqn. 2 Être la cause de. *Cela procure des avantages.*

procureur nm Loc *Procureur de la République :* magistrat qui dirige le parquet dans un tribunal de grande instance. *Procureur général :* chef du parquet de la Cour de cassation.

prodigalité nf litt Caractère prodigue. ■ pl Dépenses exagérées.

prodige nm 1 Phénomène surprenant auquel on prête un caractère surnaturel. 2 Action, personne extraordinaire. *Les prodiges de la médecine.*

prodigieusement av De façon prodigieuse.

prodigieux, euse a Extraordinaire.

prodigue a, n litt Qui fait des dépenses excessives pour ses moyens. ■ a litt Qui donne abondamment. *Être prodigue de promesses.* Loc litt *Enfant prodigue :* qui revient, repentant, chez ses parents.

prodiguer vt Donner à profusion. *Prodiguer des conseils.*

pro domo av, a inv Pour sa propre cause. *Plaidoyer pro domo.*

prodrome nm MED Signe précurseur, symptômes qui annoncent une maladie.

producteur, trice n, a 1 Qui produit des biens, des services. 2 Qui finance une œuvre de l'industrie du spectacle.

productif, ive a Qui produit une richesse, un profit ; rentable.

production *nf* **1** Action de produire des biens ; les biens produits. **2** Action de produire un film, une émission ; le film, l'émission. **3** Fait de se produire. *Production d'une réaction chimique.*

productique *nf* Technique informatique d'amélioration de la productivité.

productivisme *nm* Recherche systématique de la productivité.

productivité *nf* **1** Capacité de produire. **2** Rapport entre la quantité de biens produits et les moyens utilisés.

produire *vt* [67] **1** Créer des richesses économiques. *Terre qui produit du blé.* **2** Créer une œuvre. *Cet écrivain produit des romans.* **3** Assurer l'organisation matérielle et le financement (film, émission, disque, etc.). **4** Rapporter. *Capital qui produit des intérêts.* **5** Causer, déterminer. *Produire des résultats inattendus.* **6** Montrer, présenter. *Produire ses papiers.* ■ *vpr* Avoir lieu. *Cela s'est bien produit.* **2** Apparaître en public. *Chanteur qui se produit au cabaret.*

produit *nm* **1** Ce que rapporte une charge, une activité, un impôt, etc. *Le produit d'une opération commerciale.* **2** Ce qui est créé par la nature ou par l'homme. *Les produits de la terre. Produits finis.* **3** Résultat. *Un pur produit de son imagination.* **4** MATH Résultat d'une multiplication. Loc *Produit national brut* ou *PNB* : résultat de l'activité économique d'un pays.

proéminence *nf* litt État proéminent ; saillie.

proéminent, ente *a* Qui fait saillie ; en relief.

prof *n* fam Professeur.

profanateur, trice *n, a* litt Qui profane qqch.

profanation *nf* Action de profaner.

profane *a, n* **1** Qui n'a pas un caractère religieux, sacré. **2** Qui ignore tout d'un art, d'une science.

profaner *vt* Violer le caractère sacré de. *Profaner une tombe.*

proférer *vt* [12] Prononcer, dire à haute voix. *Proférer des menaces.*

professer *vt* **1** Déclarer, manifester ouvertement (opinion, sentiment, etc.). ■ *vi* Enseigner. *Il professe à l'université.*

professeur *nm* **1** Personne qui a pour métier d'enseigner. *Professeur de chant.* **2** Enseignant du secondaire ou du supérieur.

profession *nf* **1** Activité rémunératrice exercée par qqn. **2** Corps constitué par tous ceux qui pratiquent le même métier. Loc *Faire profession de* : professer. *Profession de foi* : déclaration publique de ses convictions.

professionnaliser *vt* Adapter un enseignement à une pratique professionnelle.

professionnalisme *nm* Caractère professionnel d'un travail.

professionnel, elle *a* D'une profession. *Obligations professionnelles.* ■ *n, a* **1** Qui pratique une activité, un sport comme métier rétribué. Ant. amateur. **2** Qui est expérimenté, compétent dans une activité.

professionnellement *av* En professionnel.

professoral, ale, aux *a* De professeur.

professorat *nm* Métier de professeur.

profil *nm* **1** Contour d'un visage vu de côté. **2** Forme ou représentation d'une chose vue de côté. **3** Ensemble des caractéristiques psychologiques et professionnelles d'un individu. *Un profil de gagneur.* **4** Configuration générale de qqch (situation, évolution). *Le profil de la crise monétaire.*

Loc fam *Adopter un profil bas :* une attitude modérée.

profilé *nm* TECH Pièce laminée de section uniforme.

profiler *vt* **1** Donner un profil à un objet. **2** Déterminer le profil psychologique de qqn. ■ *vpr* Se dessiner, s'ébaucher, apparaître. *Une solution se profile.*

profit *nm* **1** Gain, bénéfice. **2** Avantage matériel ou moral. Loc *Mettre qqch à profit :* l'utiliser au mieux. fam *Faire du profit :* être d'un usage économique. *Au profit de :* à l'avantage de.

profitable *a* Qui offre un avantage.

profiter *vti* **1** Tirer profit de. *Profiter de l'occasion.* **2** Être utile à. *Cette expérience lui a profité.* ■ *vi* fam Croître, se fortifier.

profiterole *nf* Chou garni de glace à la vanille, nappé de chocolat chaud.

profiteur, euse *n* Personne qui tire profit de tout, de façon peu scrupuleuse.

profond, onde *a* **1** Dont le fond est éloigné de la surface, du bord. *Puits profond.* **2** Situé très bas par rapport à la surface. **3** Qui s'enfonce très avant. *Racine profonde.* **4** Se dit d'une voix grave. **5** Caché. *Le sens profond d'un symbole.* **6** Qui ne s'arrête pas aux apparences. *Esprit profond.* **7** Très grand, intense. *Profond chagrin.*

profondément *av* **1** De façon profonde. **2** À un haut degré. *Il est profondément ému.*

profondeur *nf* **1** Distance de la surface, du bord jusqu'au fond. **2** Qualité de qqn qui approfondit les choses.

pro forma *a inv* Loc *Facture pro forma :* établie à titre indicatif avant la livraison.

profusion *nf* Abondance extrême.

progéniture *nf* Enfants, descendance.

progestatif, ive *a, nm* Qui possède la même action que la progestérone.

progestérone *nf* Hormone sexuelle femelle.

progiciel *nm* INFORM Programme conçu pour différents utilisateurs et destiné à un même type d'applications.

prognathe *a, n* Dont les mâchoires sont proéminentes.

prognathisme *nm* Caractère prognathe.

programmable *a* Qu'on peut programmer.

programmateur, trice *n* Chargé d'établir un programme de radio, de télévision, etc. ■ *nm* Dispositif commandant les opérations de fonctionnement d'un appareil.

programmation *nf* Établissement d'un programme.

programmatique *a* D'un programme. *Textes programmatiques d'un parti.*

programme *nm* **1** Texte indiquant ce qui est prévu pour une représentation, une fête ; liste des émissions, des films, etc., à venir. **2** Ensemble des matières et des sujets sur lesquels doit porter un enseignement. **3** Exposé des vues d'un parti, d'un candidat. **4** Ensemble de ce que l'on prévoit de faire. **5** INFORM Suite d'instructions utilisées par l'ordinateur pour effectuer un traitement déterminé.

programmer *vt* **1** Mettre un film, une émission dans un programme. **2** INFORM Écrire un programme. **3** Prévoir. *Programmer un achat.*

programmeur, euse *n* INFORM Spécialiste de la programmation.

progrès nm 1 Avance, développement, extension. *Les progrès d'un feu de forêt.* 2 Amélioration. *Faire des progrès.* 3 Évolution de la société. *Croire au progrès.*

progresser vi 1 Avancer, se développer. 2 Faire des progrès. *Élève qui progresse.*

progressif, ive a 1 Qui croît selon une progression. *Impôt progressif.* 2 Qui se fait graduellement. *Évolution progressive.*

progression nf 1 Action d'avancer ; propagation. *La progression du feu.* 2 Fait de se développer. *La progression de la criminalité.* 3 MATH Suite de nombres tels que chacun d'eux s'obtient en ajoutant au précédent (*progression arithmétique*) ou en le multipliant (*progression géométrique*) par un nombre constant.

progressiste a, n Partisan des réformes, du progrès social.

progressivement av De façon progressive.

progressivité nf Caractère progressif.

prohiber vt DR Interdire par voie légale.

prohibitif, ive a 1 Qui prohibe. 2 Exorbitant.

prohibition nf 1 Action de prohiber. 2 HIST Interdiction des boissons alcooliques aux États-Unis de 1919 à 1933.

proie nf 1 Être vivant dont un animal s'empare pour en faire sa nourriture. 2 Personne, chose dont on s'empare. *Être en proie à* : tourmenté par. *Être la proie de* : être dévasté par. *Oiseau de proie* : rapace.

projecteur nm 1 Appareil qui envoie un faisceau lumineux. 2 Appareil de projection de diapositives, de films. 3 Ce qui dirige l'attention du public sur qqn ou qqch.

projectile nm Toute chose lancée avec force, en particulier avec une arme.

projection nf 1 Action de projeter ; matières projetées. 2 Action de former une image sur un écran. 3 GEOM Transformation par laquelle on fait correspondre à tout point d'une surface donnée un point d'une autre surface.

projectionniste n Dont le métier est de projeter des films.

projet nm 1 Ce qu'on se propose de faire. 2 Première rédaction d'un texte. 3 Indications avec dessins et devis d'une construction, d'une machine. Loc *Projet de loi* : texte du gouvernement soumis au vote du Parlement.

projeter vt [19] 1 Lancer. *Projeter de la boue.* 2 Émettre une lumière ; produire une image sur une surface. *Projeter une ombre.* 3 Faire passer un film. 4 GEOM Représenter un corps par sa projection sur un plan. 5 Former le projet de. *Projeter un achat.*

projeteur nm Technicien qui établit des projets.

prolapsus nm MED Déplacement pathologique d'un organe vers le bas.

prolégomènes nmpl didac 1 Longue introduction. 2 Notions préliminaires à une science.

prolepse nf Figure de style consistant à réfuter par avance une objection éventuelle.

prolétaire n Personne qui ne vit que du produit d'une activité salariée et dont le niveau de vie est en général bas.

prolétariat nm Classe des prolétaires.

prolétarien, enne a Du prolétariat.

prolétarisation nf Fait d'être prolétarisé.

prolétariser vt Réduire à l'état de prolétaire. ■ vpr Devenir prolétaire.

prolifération nf 1 BIOL Multiplication d'une cellule. 2 Multiplication excessive et rapide. 3 POLIT Fait pour des armes de destruction massive de devenir accessibles à un plus grand nombre d'États.

proliférer vi [12] 1 Se reproduire, se multiplier. *Cellules qui prolifèrent.* 2 Se multiplier rapidement, foisonner.

prolificité nf Caractère prolifique.

prolifique a 1 Qui se reproduit rapidement. *Espèces prolifiques.* 2 Qui produit en abondance. *Écrivain prolifique.*

prolixe a litt Bavard, trop long. *Orateur prolixe.*

prolixité nf litt Caractère prolixe.

prolo n fam Prolétaire.

prologue nm 1 Première partie d'une œuvre littéraire ou dramatique. 2 Préface, introduction, avant-propos.

prolongateur nm Rallonge électrique.

prolongation nf Action de prolonger dans le temps ; temps ajouté.

prolongement nm 1 Action de prolonger. *Le prolongement d'une route.* 2 Ce qui prolonge. 3 (souvent pl.) Suite, conséquence.

prolonger vt [11] 1 Continuer dans l'espace ou le temps. ■ vpr Continuer au-delà du temps prévu.

promenade nf 1 Action de se promener. 2 Voie, allée où l'on se promène. Loc fam *Promenade de santé* : opération sans difficulté, sans risque.

promener vt [15] 1 Faire sortir pour l'agrément ou la santé. *Promener un animal.* 2 Faire passer, déplacer çà et là. *Promener le doigt sur la page.* ■ vpr Faire une promenade d'agrément. Loc fam *Envoyer promener* : rejeter avec impatience.

promeneur, euse n Personne qui se promène.

promenoir nm Lieu couvert destiné à la promenade.

promesse nf 1 Action de promettre, engagement. 2 Espérance. *Jeune plein de promesses.*

prometteur, euse a Plein de promesses.

promettre vt [64] 1 S'engager à faire qqch. *Il m'a promis de venir.* 2 Annoncer comme sûr, prédire. 3 Laisser espérer. *Ce ciel promet du beau temps.* ■ vi Donner, laisser de grands espoirs. *Un jeune homme qui promet.* ■ vpr Prendre une résolution. *Elle s'est promis de ne plus le voir.*

promis, ise a 1 Dont on a fait la promesse. 2 Voué à. *Jeune promis à un grand avenir.* ■ n vx Fiancé(e).

promiscuité nf Voisinage fâcheux qui empêche l'intimité.

promo nf fam Promotion.

promontoire nm Pointe de terre élevée qui s'avance dans la mer.

promoteur, trice n 1 litt Personne qui donne la première impulsion à qqch. *Le promoteur d'une mode.* 2 Homme d'affaires qui construit des immeubles pour les vendre ou les louer.

promotion nf 1 Admission simultanée de candidats à une grande école ; ensemble des candidats admis. 2 Nomination à un emploi, à un grade supérieur. 3 Technique utilisée pour améliorer les ventes. Loc *Promotion immobilière* : activité du promoteur. *Article en promotion* : en réclame.

promotionnel, elle a Destiné à améliorer les ventes. *Prix promotionnel.*

promouvoir vt [42] 1 Élever à une dignité, à un grade supérieur. 2 Favoriser le développement de. 3 Accroître la vente d'un produit.

prompt, prompte [prõ, prõt] *a* litt **1** Qui s'effectue rapidement. **2** Qui réagit vite. *Avoir l'esprit prompt.*

promptement *av* litt Sans tarder ; vivement.

prompteur *nm* Appareil sur lequel défile le texte lu par le présentateur de télévision.

promptitude *nf* litt Rapidité, vivacité.

promu, ue *a, n* Qui a reçu une promotion.

promulgation *nf* Action de promulguer.

promulguer *vt* Publier une loi dans les formes requises pour la rendre exécutoire.

prône *nm* Recommandation, annonces du prêtre au cours de la messe.

prôner *vt* Vanter, louer, recommander.

pronom *nm* Mot grammatical qui, en général, représente un nom. (On distingue les *pronoms personnels, possessifs, démonstratifs, relatifs, interrogatifs* et *indéfinis*.)

pronominal, ale, aux *a* Relatif au pronom. Loc *Verbe pronominal :* qui se conjugue avec deux pronoms de la même personne (ex. : *je me suis évanoui*). ■ *nm* Verbe pronominal.

pronominalement *av* En fonction de pronom ou de verbe pronominal.

prononçable *a* Qui peut se prononcer.

prononcé, ée *a* Marqué. *Traits prononcés.* ■ *nm* DR Énoncé d'un jugement.

prononcer *vt* [10] **1** Articuler les sons qui composent les mots. **2** Dire, énoncer. *Prononcer un discours.* **3** Déclarer en vertu de son autorité. *Prononcer un arrêt.* ■ *vpr* **1** Se dessiner nettement. *Une amélioration se prononce.* **2** Formuler son avis.

prononciation *nf* Manière de prononcer les sons d'une langue.

pronostic *nm* **1** Prévision, estimation de ce qui doit arriver. *Pronostic des courses.* **2** Jugement porté par un médecin sur l'évolution de la maladie.

pronostique *a* MED Du pronostic.

pronostiquer *vt* Laisser prévoir, annoncer.

pronostiqueur, euse *n* Personne qui fait des pronostics en matière de courses.

pronunciamiento [-nun-] *nm* Coup d'État militaire en Espagne et en Amérique du Sud.

propagande *nf* Activité tendant à propager des idées.

propagandiste *n* Personne qui fait de la propagande.

propagateur, trice *a, n* Qui propage.

propagation *nf* **1** Action de se propager, de se répandre ; extension, progrès. *La propagation du feu.* **2** PHYS Déplacement dans l'espace d'un phénomène vibratoire.

propager *vt* [11] **1** Multiplier, reproduire. *Propager une espèce.* **2** Répandre, faire connaître. ■ *vpr* Se répandre, gagner. *Le feu s'est propagé aux immeubles voisins.*

propane *nm* Hydrocarbure gazeux utilisé comme combustible.

propanier *nm* Navire transporteur de propane liquéfié.

propension *nf* Tendance naturelle.

propergol *nm* Carburant des moteurs-fusées.

prophète *nm* **1** Chez les Hébreux, personne qui parle au nom de Dieu. **2** Personne qui annonce l'avenir, ce qui doit arriver. *Vous avez été bon prophète.* Loc *Le Prophète :* Mahomet.

prophétesse *nf* Femme inspirée interprète de la divinité.

prophétie [-si] *nf* Prédiction.

prophétique *a* Du prophète ou de la prophétie. *Rêve prophétique.*

prophétiser *vt* **1** Annoncer l'avenir par inspiration surnaturelle. **2** Prédire, prévoir.

prophylactique *a* De la prophylaxie.

prophylaxie *nf* Mesures qui ont pour objet de prévenir les maladies.

propice *a* Qui convient bien, opportun. *Arriver au moment propice.*

propitiatoire *a* Loc RELIG *Sacrifice propitiatoire :* destiné à rendre les dieux favorables.

proportion *nf* **1** Rapport de grandeur entre les différentes parties d'un tout. **2** Rapport quantitatif, pourcentage. Loc *Hors de proportion :* trop grand. ■ *pl* Dimensions. *Des proportions importantes.*

proportionnalité *nf* Caractère proportionnel.

proportionné, ée *a* Dans un rapport convenable, harmonieux.

proportionnel, elle *a* Qualifie une quantité en proportion avec une autre. Loc *Représentation proportionnelle :* système électoral accordant aux divers partis une représentation suivant le pourcentage des suffrages obtenus. ■ *nf* Représentation proportionnelle.

proportionnellement *av* En proportion.

proportionner *vt* Établir une juste proportion entre deux choses.

propos *nm* litt Intention, dessein. *Mon propos n'est pas de vous condamner.* Loc *À propos de :* au sujet de. *À tout propos :* à chaque instant. *À propos :* au fait. *Mal à propos :* inopportun. ■ *pl* Paroles, discours. *Des propos désobligeants.*

proposer *vt* Offrir au choix, soumettre à l'avis d'autrui. ■ *vpr* **1** Offrir ses services. *Elle s'est proposée pour aider.* **2** Avoir comme but. *Se proposer de partir.*

proposition *nf* **1** Action de proposer ; chose proposée. *Proposition de mariage.* **2** Structure grammaticale élémentaire autour du verbe. *Proposition principale, subordonnée.*

propre *a* **1** Qui appartient à, qui caractérise. *Facultés propres à l'homme.* Syn. particulier. **2** Qui convient parfaitement. *Eau propre à la consommation.* Syn. approprié, adéquat. **3** (après un possessif) Marque avec emphase la possession. *Ce sont ses propres termes.* **4** Net, sans taches. *Vêtements propres.* Ant. sale. **5** Soigné, bien ordonné. *Un jardin propre. Un travail propre.* **6** Qui contrôle ses fonctions naturelles. *Cet enfant ira à l'école quand il sera propre.* **7** De moralité incontestable. *Des gens propres en affaires.* Ant. douteux. **8** fam Qui ne prend pas de drogues, de produits dopants. Loc *Sens propre :* littéral, originel (par oppos. au *sens figuré*). ■ *nm* Qualité, caractère particulier. *Le rire est le propre de l'homme.* Loc *En propre :* en propriété exclusive. fam *C'est du propre :* c'est malhonnête. *Recopier au propre :* définitivement.

propre-à-rien *n* fam Personne qui ne sait rien faire. *Des propres-à-rien.*

proprement *av* **1** De façon soignée. *Travailler proprement.* **2** Honnêtement. *Il s'est conduit proprement.* **3** Précisément, exactement. **4** Comme il faut. *Il l'a proprement remis en place.*

propret, ette *a* Coquet, simple et propre.

·reté nf 1 État de ce qui est propre. *La pro- d'une maison.* 2 Qualité d'une personne ·euse.

·riétaire n, a 1 À qui qqch appartient en pro- ·. 2 À qui appartient un immeuble donné en ·ion.

·riété nf 1 Droit de jouir ou de disposer de qu'on possède en propre. 2 La chose même ·ait l'objet du droit de propriété. 3 Domaine. ·*propriété de 50 hectares.* 4 Caractère, qua- ·ropre à qqch. *Les propriétés physiques des* ·s. 5 Exactitude d'un terme employé.

·rio n fam Propriétaire.

·ulser vt 1 Faire avancer. *Le moteur qui pro- · une fusée.* 2 fam Pousser en avant.

·ulseur nm Dispositif de propulsion (hélice, ·eur, gaz, etc.).

·ulsif, ive a Qui exerce une propulsion.

·ulsion nf Action, mouvement qui pousse en ·t. *Propulsion à réaction.*

·ylée nm ANTIQ Porte monumentale d'un ·le grec.

·ylène nm Hydrocarbure dérivé du propane.

·ata nm inv Loc *Au prorata de :* proportion- ·ment à.

·ogatif, ive a Qui proroge.

·ogation nf Délai, prolongation.

·oger vt [11] Prolonger le délai fixé, la durée. ·*ger un traité.*

·aïque a Exempt de poésie ; terre à terre.

·aïquement av De façon prosaïque.

·aïsme nm Caractère prosaïque.

·ateur nm Auteur qui écrit en prose.

·cription nf Action de proscrire.

·crire vt [61] 1 Bannir, chasser qqn d'un ·, d'une communauté. 2 Interdire, défendre ·formellement.

·crit, ite a, n Frappé de proscription.

·e nf 1 Discours écrit qui n'est pas formel- ·nt de la poésie. 2 fam Lettre, écrit. *J'ai reçu · prose.*

·élyte nm Nouvellement converti à une reli- ·à une doctrine.

·élytisme nm Zèle déployé pour faire de ·eaux adeptes.

·odie nf Étude des règles relatives à la ·que, particulièrement étude de la durée et de ·nsité des sons.

·odique a De la prosodie.

·opopée nf Figure de style qui consiste à ·parler un mort, une chose personnifiée.

·pect nm 1 Distance minimale autorisée · deux bâtiments. 2 Client potentiel d'une ·prise.

·pecter vt 1 Explorer un terrain en vue d'y ·uvrir des gisements. 2 Rechercher une clien-

·pecteur, trice n Personne qui prospecte.

·pectif, ive a Qui concerne le futur. *Étude ·ective.* ■ nf Ensemble des recherches qui ·our objet l'évolution des sociétés dans un ·r prévisible.

·pection nf Action de prospecter.

·pectus [-tys] nm Feuille volante, brochure ·citaire distribuée au public.

·père a Qui connaît le succès.

prospérer vi [12] 1 Avoir des succès, se déve- lopper. *Ses affaires prospèrent.* 2 Proliférer. *L'olivier prospère en Italie.*

prospérité nf Situation prospère.

prostaglandine nf Hormone intervenant dans la reproduction.

prostate nf Glande de l'appareil génital mascu- lin, située sous la vessie.

prostatectomie nf Ablation de la prostate.

prostatique a De la prostate.

prostatite nf Inflammation de la prostate.

prosternation nf Action, fait de se prosterner. Var **prosternement** nm

prosterner (se) vpr S'incliner très bas en signe de respect profond.

prostitué, ée n Personne qui se prostitue.

prostituer vt 1 Livrer qqn à la prostitution. 2 litt Avilir par intérêt. *Prostituer son talent.* ■ vpr Se livrer à la prostitution.

prostitution nf Activité professionnelle qui consiste à avoir des rapports sexuels payés.

prostration nf Abattement profond.

prostré, ée a Profondément abattu.

protagoniste nm Personne qui joue un rôle important dans une affaire, une entreprise, un récit.

prote nm Chef typographe.

protéagineux, euse nm, a Plante riche en pro- téines (pois, lentilles, soja).

protecteur, trice n, a Qui protège. ■ a Plein de condescendance. *Prendre un air protecteur.*

protection nf 1 Action de protéger ; ensemble de mesures prises pour protéger les personnes et les biens. 2 Personne ou chose qui protège. *Une protection efficace.*

protectionnisme nm Mesures visant à limiter l'entrée des produits étrangers afin de protéger les intérêts économiques nationaux.

protectionniste a, n Du protectionnisme.

protectorat nm Régime juridique international instituant la protection d'un État faible par un État fort ; l'État dépendant.

protégé, ée n Personne qui est favorisée. *Le protégé du patron.*

protège-cahier nm Couverture souple pour cahier d'écolier. *Des protège-cahiers.*

protège-cheveu nm Accessoire destiné à proté- ger les cheveux de contaminations. *Des protège- cheveux.* Var **protège-cheveux** nm inv

protège-dent nm Appareil de protection des dents (boxe, rugby). *Des protège-dents.*

protège-poignet nm Accessoire destiné à pro- téger les poignets dans la pratique de certains sports. *Des protège-poignets.*

protéger vt [13] 1 Assister, prêter secours à qqn. 2 Garantir. *Protéger la liberté du culte.* 3 Préser- ver. *Protéger son visage du soleil.* 4 Favoriser. *Protéger les arts.*

protège-tibia nm Dispositif rembourré qui pro- tège le tibia (rugby, football, etc.). *Des protège- tibias.*

protéiforme a litt Qui change fréquemment de forme.

protéine nf Composé d'acides aminés présent dans tous les tissus de l'organisme.

protéinémie nf Taux sanguin de protéines.

protéinurie nf Présence de protéines dans l'urine.

protéique a Des protéines. **Var protéinique.**

protestant, ante n, a Qui appartient à l'une des Églises réformées.

protestantisme nm Doctrine et culte de la religion réformée ; ensemble des Églises protestantes.

protestataire a, n Qui proteste ; contestataire.

protestation nf Action de protester.

protester vti litt Affirmer avec force. *Protester de son innocence.* ■ vi S'élever avec force contre qqch, déclarer son opposition.

protêt nm DR Acte dressé par un huissier constatant le refus de payer un chèque.

prothèse nf Remplacement d'un membre ou d'un organe par un appareillage approprié ; cet appareillage.

prothésiste n Fabricant de prothèses.

prothrombine nf BIOL Globuline favorisant la coagulation sanguine.

protide nm vx Syn. de *protéine*.

protiste nm BIOL Organisme unicellulaire.

protocolaire a Conforme au protocole.

protocole nm 1 Formulaire contenant les modèles des actes publics. 2 Usages qui régissent les cérémonies et les relations officielles. 3 Procès-verbal de déclarations d'une conférence, d'une assemblée. *Signer un protocole d'accord.* 4 Déroulement d'une expérience scientifique, d'un test.

protohistoire nf Période intermédiaire entre la préhistoire et l'histoire.

protohistorique a De la protohistoire.

proton nm PHYS Particule constitutive du noyau de l'atome, dont la charge, positive, est égale à celle de l'électron.

protoplasme nm BIOL Matière de la cellule vivante. **Var protoplasma**

protoplasmique a Du protoplasme.

prototype nm 1 Original, modèle. 2 Premier exemplaire d'un produit industriel.

protoxyde nm Loc *Protoxyde d'azote :* gaz utilisé en anesthésie.

protozoaire nm ZOOL Animal unicellulaire.

protubérance nf Bosse, excroissance.

protubérant, ante a Qui fait saillie.

prou av Loc litt *Peu ou prou :* plus ou moins.

proue nf Avant d'un navire.

prouesse nf Exploit. *Prouesse sportive.*

prouvable a Qui peut être prouvé.

prouver vt 1 Établir la vérité, la réalité de qqch par le raisonnement, ou par des pièces à conviction. 2 Indiquer avec certitude. *Cet exposé prouve une bonne connaissance du sujet.*

provenance nf Origine, source.

provençal, ale, aux a, n De la Provence et des régions avoisinantes. ■ nm Parler occitan.

provende nf litt Vivres, provisions.

provenir vi [35] [aux. être] 1 Venir d'un lieu. *Ces oranges proviennent de Corse.* 2 Avoir son origine, résulter. *Je sais d'où provient sa haine.*

proverbe nm Formule figée exprimant une vérité d'expérience, un conseil (ex. : *qui ne dit mot consent*).

proverbial, ale, aux a 1 Du proverbe. *Phrase proverbiale.* 2 Célèbre ; digne d'être cité en modèle. *Une honnêteté proverbiale.*

proverbialement av De façon proverbiale.

providence nf 1 (avec majusc.) Volonté di 2 Ce qui aide, secourt comme par miracle. *providence.*

providentiel, elle a 1 Dû à la Providence. 2 un hasard heureux.

providentiellement av De façon providenti

province nf 1 Division administrative d'un 2 Région, partie d'un pays. 3 Les régions du (par oppos. à la *capitale*, à *Paris*).

provincial, ale, aux a 1 D'une province. *coutume provinciale.* 2 De la province. *Pr la vie provinciale.* ■ n Personne qui habi province.

provincialisme nm 1 Locution propre à province. 2 péjor Comportement gauche prêté provinciaux.

provirus nm BIOL État d'un virus intégré dar chromosome.

proviseur nm Fonctionnaire chargé de la d tion d'un lycée.

provision nf 1 Réserve de choses nécessaire utiles. *Provision de charbon.* 2 DR Ce qu'on a préalablement à l'une des parties, en atter le jugement définitif. *Provision alimentai* Somme déposée comme acompte ou pour as le paiement d'un titre bancaire. ■ pl Vivres. *Aller aux provisions :* au ravitaillement.

provisionnel, elle a Qui se fait en attenda règlement. *Acompte provisionnel.*

provisionner vt Créditer un compte d somme suffisante.

provisoire a Transitoire, temporaire. *Gouve ment provisoire.* ■ nm Tout ce qui est cens pas durer.

provisoirement av En attendant.

provocant, ante a 1 Agressif. *Ton provoca* Excitant. *Une femme provocante.*

provocateur, trice a Qui incite à la viol ■ nm Chargé de provoquer des troubles pour tifier leur répression.

provocation nf 1 Action de provoquer. 2 DR tation à commettre qqch d'illégal.

provoquer vt 1 Pousser qqn à qqch en le dé 2 Défier qqn, l'inciter à se battre. 3 Cherc susciter le désir sensuel, aguicher. 4 Être la c de qqch, à son origine. *Un court-circuit a pr qué l'incendie.*

proxénète n Personne qui se livre au prox tisme.

proxénétisme nm Délit qui consiste à tirer de la prostitution d'autrui.

proximal, ale, aux a ANAT Qui est le plus pr d'un centre, d'un axe.

proximité nf Caractère proche, dans l'espac dans le temps. Loc *À proximité :* près.

prude a, nf litt Qui affecte une pudeur outrée

prudemment av Avec prudence.

prudence nf Refus de courir des risques inu

prudent, ente a, n Qui se comporte avec dence. ■ a Déterminé par la prudence. *Rép prudente.*

pruderie nf litt Comportement prude.

prud'homal, ale, aux a Du conseil prud'hommes. **Var prudhommal, ale**

prud'homie nf Juridiction des prud'hom Var **prudhommie**

prud'homme nm Loc *Conseil de prud'homm* juridiction paritaire qui juge les conflits employeurs et employés.

ne nf Fruit du prunier, sucré et juteux. Loc
Pour des prunes : pour rien. ■ *a inv* Violet
bre tirant sur le rouge.

neau nm 1 Prune séchée. 2 pop Balle de fusil,
evolver.

nelle nf 1 Petit fruit noir du prunellier. 2
ille de l'œil. Loc *Tenir à qqch comme à la
elle de ses yeux :* y tenir énormément.

nellier nm Prunier sauvage, épineux. Var
nelier

nier nm Arbre qui produit les prunes. Loc fam
uer comme un prunier : avec force.

nus nm Prunier ornemental.

rigineux, euse a Qui provoque le prurit.

rigo nm Dermatose se manifestant par des
ns et des démangeaisons.

rit [-Rit] nm MED Forte démangeaison.

ssien, enne a, n De Prusse.

ssique a Loc *Acide prussique :* poison très
ent.

anée nm Établissement militaire d'ensei-
nent.

nm Abrév. de *post-scriptum.*

lliote nf Champignon comestible à lames
es et à anneau.

lmodie nf Chant ou déclamation monotone.

lmodier vi Chanter les psaumes sans
xion de voix. ■ vt Dire, énoncer de manière
otone. *Psalmodier des plaintes.*

ume nm Chant sacré jouant un rôle dans les
es juif et chrétien.

utier nm Recueil de psaumes.

hent [pskɛnt] nm Tiare des pharaons.

udonyme nm Nom d'emprunt choisi par un
te, un écrivain, pour signer ses œuvres.

udopode nm BIOL Prolongement du cyto-
me, qu'émettent certaines cellules.

nm Lettre de l'alphabet grec, notant *ps.*

ocybe nm Champignon hallucinogène.

t ! interj Sert à attirer l'attention.

tacisme nm PSYCHO Répétition mécanique de
s et de phrases.

tacose nf Maladie infectieuse des perro-
s, transmissible à l'homme.

riasis nm Dermatose formant des écailles
genoux, aux coudes, au cuir chevelu.

chanalyse [-ka-] nf Méthode de psychothé-
e fondée sur les théories de Freud.

chanalyser vt Traiter par la psychanalyse.

chanalyste n Spécialiste de psychanalyse.

chanalytique a De la psychanalyse.

chasthénie [-kas-] nf PSYCHIAT Névrose carac-
ée par l'aboulie, l'obsession, le doute.

chasthénique a, n Atteint de psychasthé-

ché [-ʃe] nf Grand miroir mobile qu'on
ne à volonté.

chédélique [-ke-] a Qui résulte de l'absorp-
de drogues hallucinogènes.

chiatre n Spécialiste de psychiatrie.

chiatrie [-kja-] nf Étude et traitement des
adies mentales.

chiatrique a De la psychiatrie.

chiatriser vt Soumettre abusivement qqn à
raitement psychiatrique.

chique a Qui concerne l'esprit, la pensée.
tivité psychique.

chisme nm La vie psychique.

psychoactif, ive a, nm Se dit d'une substance
qui exerce une action sur le psychisme (alcool,
cannabis, etc.).

psychoaffectif, ive [-ko-] a Se dit d'un fait
mental qui concerne l'affectivité.

psychodrame [-ko-] nm 1 Jeu dramatique
improvisé à but thérapeutique. 2 Conflit spectaculaire au sein d'un groupe.

psycholinguistique [-ko-] nf, a Étude psychologique des comportements linguistiques.

psychologie [-ko-] nf 1 Étude scientifique des
faits psychiques. 2 Connaissance empirique des
sentiments d'autrui, intuition. *Manquer de psychologie.* 3 Mentalité, état d'esprit. *Une psychologie très fruste.*

psychologique a De la psychologie.

psychologiquement av Du point de vue de la
psychologie.

psychologisme nm Tendance à faire prévaloir
le point de vue psychologique.

psychologue n Spécialiste de psychologie.
■ a Qui comprend intuitivement les sentiments
d'autrui.

psychomoteur, trice a Qui a trait à la fois aux
fonctions psychiques et motrices.

psychopathe n Malade mental.

psychopathologie nf Étude des troubles mentaux en général.

psychopédagogie nf Psychologie appliquée à
la pédagogie.

psychopharmacologie nf Science qui étudie
l'effet des médicaments sur le psychisme.

psychophysiologie nf Étude des rapports entre
le psychisme et l'activité physiologique.

psychose [-koz] nf 1 Maladie mentale caractérisée par la perte du contact avec le réel. 2
Obsession, angoisse collective. *La psychose du
terrorisme.*

psychosocial, ale, aux a De la psychologie
individuelle dans ses rapports à la société.

psychosociologie nf Étude des rapports entre
faits sociaux et faits psychiques.

psychosomatique a Se dit des troubles physiques d'origine psychique.

psychostimulant, ante a, nm Psychotonique.

psychotechnique a Destiné à mesurer l'aptitude professionnelle (test).

psychothérapeute n Personne qui pratique la
psychothérapie.

psychothérapie nf Toute thérapie par des
moyens psychologiques.

psychotique a De la psychose. ■ a, n Atteint
de psychose.

psychotonique nm, a Substance qui stimule
l'activité psychique.

psychotrope [-ko-] a, nm Toute substance qui
agit sur le psychisme.

ptéranodon nm Reptile fossile volant du secondaire.

ptérodactyle nm Reptile volant fossile du jurassique.

ptôse nf MED Descente d'organe, due au relâchement des muscles.

puant, ante a 1 Qui sent mauvais. 2 fam Prétentieux, impudent.

puanteur nf Odeur infecte, fétide.

1. pub [pœb] nf En Angleterre, établissement qui
sert des boissons alcoolisées.

2. pub *nf* fam Abrév. de *publicité*.

pubalgie *nf* Inflammation des tendons de la région pubienne.

pubère *a, n* Qui a atteint l'âge de la puberté.

pubertaire *a* De la puberté.

puberté *nf* Ensemble des modifications morphologiques, physiologiques et psychologiques chez l'être humain au moment du passage de l'enfance à l'adolescence.

pubescent, ente *a* BOT Couvert d'un fin duvet.

pubien, enne *a* Du pubis.

pubis *nm* Région inférieure du bas-ventre.

publiable *a* Qui peut être publié.

public, ique *a* 1 Qui appartient à la nation, à l'État. *Le Trésor public. Édifices publics.* 2 Commun, à l'usage de tous. *Voie publique.* 3 Manifeste, connu de tous. *De notoriété publique.* 4 Où tout le monde est admis. *Audience publique.* ■ *nm* 1 Les gens en général. *L'intérêt du public.* 2 Personnes réunies pour assister à un spectacle. *Un public de connaisseurs.* Loc *En public* : en présence d'un certain nombre de personnes. *Être bon public* : apprécier sans façons tous les spectacles.

publication *nf* 1 Action de publier. 2 Ouvrage publié.

publiciste *n* 1 vx Journaliste. 2 Spécialiste de droit public. 3 abusiv Publicitaire.

publicitaire *a* De la publicité. *Message publicitaire.* ■ *n* Personne qui s'occupe de publicité.

publicité *nf* 1 Caractère public. *La publicité des débats parlementaires.* 2 Activité ayant pour but d'inciter les consommateurs à acheter un produit, à utiliser les services d'une entreprise, etc. 3 Annonce, affiche, film publicitaire. Loc *Publicité rédactionnelle* : qui se présente comme un article de journal.

publier *vt* 1 Rendre public. *Publier des bans.* 2 Faire paraître un écrit. 3 Divulguer une nouvelle.

publiphone *nm* (n. déposé) Téléphone public.

publipostage *nm* Syn. de *mailing*.

publiquement *av* En public.

publireportage *nm* Reportage qui est, en fait, un article de publicité rédactionnelle.

puce *nf* 1 Insecte dépourvu d'ailes, brun, sauteur, parasite des mammifères. 2 Plaquette de silicium sur laquelle est gravé un micro-processeur. Loc fam *Mettre la puce à l'oreille* : inspirer de la méfiance. fam *Secouer les puces à qqn* : le réprimander. *Marché aux puces* : marché de brocante et d'objets d'occasion. ■ *a inv* Brun-rouge foncé.

puceau *nm* fam Garçon vierge.

pucelage *nm* fam Virginité.

pucelle *nf* fam Fille vierge.

puceron *nm* Insecte qui suce la sève des plantes.

pucier *nm* pop Lit.

pudding [pudiŋ] *nm* Gâteau anglais parfumé au rhum. Syn. plum-pudding. **Var pouding**

pudeur *nf* 1 Gêne, honte devant ce qui touche à la sexualité. 2 Retenue, réserve.

pudibond, onde *a* Exagérément pudique.

pudibonderie *nf* Affectation de pudeur.

pudique *a* Plein de pudeur.

pudiquement *av* De façon pudique.

puer *vi, vt* Exhaler une odeur désagréable ; sentir mauvais.

puéricultrice *nf* Spécialiste en puériculture.

puériculture *nf* Ensemble des méthodes propres à assurer le développement des petits enfants.

puéril, ile *a* Enfantin, qui ne convient pas [à un] adulte. *Discussion puérile.*

puérilement *av* De façon puérile.

puérilité *nf* Caractère puéril, futile.

puerpéral, ale, aux *a* MED Relatif aux femme[s en] couches.

puffin *nm* Oiseau marin migrateur.

pugilat *nm* Combat, rixe à coups de poing.

pugiliste *nm* litt Boxeur.

pugilistique *a* Relatif à la boxe.

pugnace [-gnas] *a* litt Qui aime la lutte ; c[om]batif.

pugnacité [-gna-] *nf* litt Combativité.

puîné, ée *a, n* Né après un frère ou une sœur.

puiné, ée

puis *av* Ensuite, après. Loc *Et puis* : d'aille[urs,] en outre, en plus.

puisage *nm* Action de puiser.

puisard *nm* Excavation pratiquée dans le [sol] pour évacuer les eaux de pluie.

puisatier *nm* Personne qui creuse ou qui ré[pare] les puits.

puiser *vt* 1 Prendre du liquide au moyen [d'un] récipient. *Puiser de l'eau dans une riviè[re].* 2 Prendre. *Puiser dans la caisse.* Loc *Puiser [aux] sources* : consulter les originaux.

puisque *conj* Du moment que, étant donné [que]. *Puisqu'il pleut, je reste ici.*

puissamment *av* Fortement. *Région puiss[am]ment défendue.*

puissance *nf* 1 Pouvoir, autorité. *La puiss[ance] royale.* 2 Pouvoir dans la société. *Asseoir sa p[uis]sance sur l'argent.* 3 PHYS Travail fourni par u[nité] de temps. *La puissance s'exprime en wat[ts.]* Pouvoir d'action d'un appareil, d'un mécani[sme.] *Puissance d'un moteur.* 5 MATH Nombre mult[iplié] n fois par lui-même. 6 État souverain. *Les gra[ndes] puissances.* 7 Ensemble d'individus, d'entrepr[ises] jouissant d'une grande influence. *Les puissa[nces] d'argent.* Loc litt *Les puissances des ténèbres* : [les] démons. *En puissance* : éventuel, virtuel.

puissant, ante *a* 1 Capable de grands ef[fets.] *Un remède puissant.* 2 Qui peut développer [une] grande énergie. *Moteur puissant.* 3 Fort. 4 [Qui] a un grand pouvoir. *Un roi puissant.* ■ *nm* [Per]sonne influente.

puits *nm* 1 Profonde excavation creusée da[ns le] sol pour recueillir les eaux d'infiltration. 2 E[xca]vation destinée à l'exploitation d'un gisem[ent.] *Puits de pétrole.*

pullman *nm* Autocar très confortable.

pull-over [pylovɛr] *nm* Tricot qu'on enfile p[ar la] tête. *Des pull-overs.* **Var pull** ou **pullover**

pullulement *nm* Fait de pulluler ; multitude.

pullulation *nf*

pulluler *vi* 1 Se multiplier rapidement et a[bon]damment. 2 Être en abondance, foisonner.

pulmonaire *a* Du poumon.

pulpe *nf* 1 Tissu charnu des fruits. 2 T[issu] conjonctif de la cavité dentaire.

pulpeux, euse *a* 1 Qui contient de la pulpe. [2] Qui a des formes sensuelles.

pulqué [pylke] *nm* Boisson mexicaine obtenu[e en] faisant fermenter du suc d'agave. **Var pulqu[e]**

pulsar *nm* ASTRO Étoile à neutrons dont les im[pul]sions sont régulièrement espacées.

pulsation *nf* Battement du cœur, des artères.

pulsé *am* Loc *Air pulsé* : qui circule sous pression.

pulser *vt* Envoyer par pression.

pulsion *nf* PSYCHO Manifestation de l'inconscient qui pousse à certaines actions.

pulsionnel, elle *a* Des pulsions.

pulvérisateur *nm* Instrument pour projeter de fines gouttelettes, une poudre.

pulvérisation *nf* Action de pulvériser.

pulvériser *vt* 1 Réduire en poudre. *Pulvériser du sucre.* 2 Projeter en fines gouttelettes. *Pulvériser un parfum.* 3 Détruire, anéantir. Loc *Pulvériser un record* : le battre très nettement.

pulvériseur *nm* Machine agricole destinée à ameublir la terre.

pulvérulence *nf* État pulvérulent.

pulvérulent, ente *a* Sous forme de poudre ; réduit en poudre.

puma *nm* Félin américain carnassier.

punaise *nf* 1 Petit insecte malodorant, qui pique l'homme pour se nourrir de son sang. 2 Petit clou à large tête plate à pointe fine et courte. Loc fam *Punaise de sacristie* : bigote.

punaiser *vt* Fixer au moyen de punaises.

1. punch [pɔ̃ʃ] *nm* Boisson alcoolisée à base de rhum, citron, sucre et cannelle. *Des punchs.* Var **ponch**

2. punch [pœnʃ] *nm* 1 Puissance de frappe, pour un boxeur. 2 fam Énergie, vitalité.

puncheur [pœnʃ-] *nm* Boxeur qui a du punch.

punching-ball [pœnʃinbɔl] *nm* Ballon fixé par des liens élastiques sur lequel les boxeurs s'entraînent. *Des punching-balls.*

puni, ie *a, n* Frappé d'une punition.

punique *a, n* HIST Relatif aux Carthaginois.

punir *vt* Infliger un châtiment à qqn. *Punir qqn de prison.* 2 Sanctionner par une peine. *Punir un crime.*

punissable *a* Qui mérite punition.

punitif, ive *a* Dont le but est de punir. *Expédition punitive.*

punition *nf* 1 Action de punir. 2 Châtiment infligé.

punk [pœk] *a inv* Se dit d'un mouvement culturel et musical né en Grande-Bretagne, vers 1975, en réaction contre la société. ■ *n* Personne qui appartient à ce mouvement.

pupe *nf* ZOOL Nymphe des diptères.

1. pupille [-pij] ou [-pil] *n* Orphelin mineur qui est sous l'autorité d'un tuteur.

2. pupille [-pij] ou [-pil] *nf* Orifice circulaire au centre de l'iris de l'œil.

pupitre *nm* 1 Petit meuble en plan incliné pour poser les livres, les partitions. 2 Tableau de commande d'un ordinateur.

pupitreur, euse *n* Personne qui travaille au pupitre d'un ordinateur.

pur, pure *a* 1 Qui n'est pas mélangé. *Or pur.* 2 Exempt de toute souillure morale. *Une conscience pure.* 3 Sans fioritures. *Style pur.* 4 Théorique. *Mathématiques pures.* Ant. appliqué. 5 Qui est bien tel (et non autre). *Agir par pure bêtise.* Loc *Pur et simple* : sans restriction. fam *Pur et dur* : rigoureux. ■ *n* Orthodoxe rigoureux d'un parti ; qui se conforme à ses principes.

purée *nf* 1 Préparation de légumes cuits dans l'eau et écrasés. 2 pop Misère, situation fâcheuse.

purement *av* Uniquement, exclusivement.

pureté *nf* 1 Caractère pur, sans mélange. *Pureté de l'eau.* 2 Qualité de ce qui est pur sur un plan moral. *Pureté des intentions.* 3 Dépouillement. *Pureté des formes.*

purgatif, ive *a, nm* Se dit d'un médicament qui stimule l'évacuation des excréments.

purgation *nf* Action de purger.

purgatoire *nm* 1 Lieu où les âmes des justes expient leurs fautes avant d'accéder au Paradis. 2 Période difficile.

purge *nf* 1 Action d'évacuer d'une canalisation ou d'un récipient un fluide indésirable (air pur un chauffage à eau chaude). 2 Médicament purgatif. 3 Épuration politique.

purger *vt* [11] 1 Soigner au moyen d'un purgatif. 2 Effectuer la purge d'une canalisation. 3 Débarrasser une société d'individus indésirables. Loc *Purger une peine* : la subir. *Purger les hypothèques* : libérer un bien des hypothèques qui le grèvent.

purgeur *nm* Robinet de purge.

purificateur, trice *a, nm* Qui sert à purifier.

purification *nf* Action de purifier.

purificatoire *a* litt Qui purifie.

purifier *vt* 1 Rendre pur. 2 Débarrasser de ce qui altère. *Purifier l'eau.*

purin *nm* Liquide s'égouttant du fumier.

purique *a* Loc BIOL *Base purique* : substance azotée, constituant des acides nucléiques.

purisme *nm* 1 Respect excessif de la correction du langage. 2 Perfectionnisme.

puriste *n, a* Qui relève du purisme.

puritain, aine *n, a* Qui a un respect sévère et intransigeant des principes moraux.

puritanisme *nm* Attitude puritaine.

purpura *nm* MED Épanchement de sang, faisant apparaître des taches rouges sous la peau.

purpurin, ine *a* litt De couleur pourpre.

pur-sang *nm inv* Cheval de course de race pure, définie par des standards rigoureux.

purulence *nf* État purulent.

purulent, ente *a* Qui a la nature ou l'aspect du pus ; qui produit du pus.

pus [py] *nm* Liquide pathologique opaque, jaunâtre, résultant d'une infection.

pusillanime [-zila-] *a* litt Qui manque de courage, de caractère.

pusillanimité *nf* litt Caractère pusillanime.

pustule *nf* Lésion cutanée de l'épiderme contenant du pus.

pustuleux, euse *a* Couvert de pustules.

putain *nf* pop Prostituée. Loc pop *Putain !* : exclamation marquant la surprise, l'indignation. Var **pute**

putatif, ive *a* DR Qui juridiquement est réputé être ce qu'il n'est pas en réalité.

putois *nm* Mammifère carnivore brun tacheté de blanc, à l'odeur désagréable.

putréfaction *nf* Décomposition des organismes privés de vie.

putréfier *vt* Corrompre, pourrir.

putrescible *a* Qui peut se putréfier.

putride *a* En putréfaction.

putridité *nf* litt État putride.

putsch [putʃ] *nm* Coup de force effectué par un groupe armé en vue d'une prise de pouvoir. *Des putschs.*

putschiste *n* Personne qui participe à un putsch.

putt [pœt] *nm* Au golf, coup joué sur le green pour amener la balle dans le trou.

putter [pœtœʀ] *nm* Club spécial pour jouer les putts. **Var putteur**

puzzle [pœzl] *nm* **1** Jeu de patience formé de petites pièces à assembler pour former une image. **2** Situation compliquée, confuse.

p-v *nm* fam Procès-verbal.

PVC [pevese] *nm* Polychlorure de vinyle, matière plastique très répandue.

pygargue *nm* Grand oiseau rapace diurne.

pyjama *nm* Vêtement de nuit composé d'une veste et d'un pantalon amples.

pylône *nm* Construction métallique ou en béton servant de support à des câbles aériens, à une antenne de radio, etc.

pylore *nm* ANAT Orifice intérieur de l'estomac.

pyorrhée *nf* MED Écoulement de pus.

pyrale *nm* Chenille nuisible pour les cultures.

pyralène *nm* Composé utilisé en isolation et dont la décomposition accidentelle provoque des émanations très polluantes.

pyramidal, ale, aux *a* En forme de pyramide.

pyramide *nf* **1** Solide qui a pour base un polygone et pour faces latérales des triangles dont les sommets se réunissent en un même point. **2** Monument en forme de pyramide. **3** Entassement en forme de pyramide.

pyrénéen, enne *a, n* Des Pyrénées.

pyrèthre *nm* Chrysanthème sauvage.

pyréthrinoïde *nm* Insecticide extrait du pyrèthre.

pyrex *nm* (n. déposé) Verre résistant aux chocs thermiques et aux agents chimiques.

pyrite *nf* Sulfure de fer.

pyroclastique *a* GEOL Qui concerne les projections volcaniques.

pyrogravure *nf* Dessin sur bois ou cuir avec une pointe chauffée.

pyrolyse *nf* CHIM Décomposition par la chaleur.

pyromane *n* Atteint de pyromanie.

pyromanie *nf* Impulsion qui pousse à allumer des incendies.

pyrotechnie [-tɛk-] *nf* Technique des feux d'artifice et des mélanges fusants.

pyrotechnique *a* De la pyrotechnie.

pyroxène *nm* Minéral des roches basaltiques et métamorphiques.

pythagoricien, enne *a, n* Adepte de Pythagore.

pythie *nf* ANTIQ Prêtresse d'Apollon, qui rendait les oracles à Delphes.

python *nm* Serpent non venimeux de grande taille qui étouffe ses proies.

pythonisse *nf* ANTIQ Prophétesse.

pyurie *nf* MED Présence de pus dans les urines.

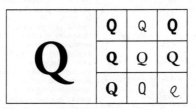

q *nm* Dix-septième lettre (consonne) de l'alphabet.

qatari, ie *a, n* Du Qatar.

QCM *nm* Questionnaire à choix multiple, utilisé pour certains examens scolaires.

QG *nm* Quartier général.

QHS *nm* Quartier de haute sécurité.

QI *nm* Quotient intellectuel.

QSR *nm* Quartier de sécurité renforcée.

quad *nm* Moto tout-terrain à quatre roues.

quadragénaire [kwa-] *a, n* Qui a entre quarante et quarante-neuf ans.

quadrangulaire [kwa-] *a* Qui a quatre angles.

quadrant *nm* Quart de la circonférence.

quadrature [kwa-] *nf* Réduction d'une figure quelconque à un carré de surface égale. Loc *Quadrature du cercle* : question insoluble.

quadrichromie [kwa-] *nf* Impression en quatre couleurs (rouge, jaune, bleu, noir).

quadriennal, ale, aux [kwa-] *a* Qui dure quatre ans ou revient tous les quatre ans.

quadrige *nm* ANTIQ Char à deux roues, attelé de quatre chevaux de front.

quadrijumeaux [kwa-] *ampl* Loc *Tubercules quadrijumeaux* : petites masses nerveuses en avant du bulbe, relais des voies optiques et auditives.

quadrilatéral, ale, aux [kwa-] ou [ka-] *a* Qui a quatre côtés.

quadrilatère [kwa-] ou [ka-] *nm* Polygone à quatre côtés.

quadrillage *nm* 1 Disposition en carrés ou en rectangles. 2 Opération militaire ou policière pour contrôler une zone, une région.

quadrille *nm* 1 Ancienne danse exécutée par quatre couples de danseurs. 2 Troupe de cavaliers dans un carrousel.

quadriller *vt* 1 Tracer un quadrillage sur du papier. 2 Opérer le quadrillage d'une zone.

quadrimoteur *nm* Avion à quatre moteurs.

quadripartite [kwa-] ou [ka-] *a* Où sont impliquées quatre parties.

quadriphonie [kwa-] *nf* Enregistrement et restitution des sons utilisant quatre canaux.

quadriréacteur [kwa-] ou [ka-] *nm* Avion à quatre réacteurs.

quadrisyllabe [kwa-] ou [ka-] *a, nm* Qui a quatre syllabes.

quadrithérapie *nf* MED Prescription conjointe de quatre antirétroviraux dans le traitement du sida.

quadrumane [kwa-] ou [ka-] *a, nm* ZOOL Qui a quatre mains.

quadrupède [kwa-] ou [ka-] *a, nm* Qui a quatre pattes.

quadruple [kwa-] ou [ka-] *a, nm* Qui vaut quatre fois autant.

quadrupler *vt, vi* (Se) multiplier par quatre.

quadruplés, ées *npl* Enfants nés au nombre de quatre d'un même accouchement.

quadruplet *nm* MATH Séquence de quatre éléments.

quai *nm* 1 Ouvrage de maçonnerie élevé le long d'un cours d'eau pour éviter qu'il ne déborde. 2 Voie carrossable longeant un cours d'eau. 3 Ouvrage dans un port pour le chargement et le déchargement des navires. 4 Plate-forme le long de la voie ferrée, dans une gare.

quaker, quakeresse [kwe-] *n* Membre d'un mouvement religieux protestant.

qualifiable *a* Qui peut être qualifié.

qualifiant, ante *a* Qui donne une qualification, une compétence.

qualificatif, ive *a* Qui qualifie. *Test qualificatif.* Loc *Adjectif qualificatif* : qui exprime une qualité. ■ *nm* Mot qui sert à qualifier qqn, qqch. *Un qualificatif injurieux.*

qualification *nf* 1 Attribution d'un titre, d'un nom. 2 Niveau de capacité reconnu à un ouvrier, à un employé. 3 Pour un sportif, fait d'être qualifié.

qualifié, ée *a* Loc *Ouvrier qualifié* : ouvrier professionnel spécialisé. *Vol qualifié* : avec circonstances aggravantes.

qualifier *vt* 1 Caractériser qqn, qqch. 2 Conférer une qualité, une compétence à. *Son expérience le qualifie pour ce travail.* 3 Donner à un concurrent, à une équipe le droit de participer à une épreuve sportive. ■ *vpr* Obtenir ce droit. *Se qualifier pour la finale.*

qualitatif, ive *a* Relatif à la qualité, à la nature des choses. *Changement qualitatif.*

qualitativement *av* Au point de vue qualitatif.

qualité *nf* 1 Manière d'être, propriété bonne ou mauvaise de qqch. 2 Supériorité de qqch. *Des produits de qualité.* 3 Aptitude, disposition heureuse de qqn. *Un garçon plein de qualités.* 4 Condition sociale, civile. *Décliner ses nom, prénom et qualité.* Loc *En qualité de* : à titre de.

Cercle de qualité : constitué dans une entreprise pour obtenir des produits sans défauts.
quand *conj* **1** Exprime le temps ; lorsque. **2** Exprime l'opposition (avec le conditionnel) ; quoique. *Loc Quand même :* malgré tout. ■ *av interrog* À quelle époque. *Quand venez-vous ?*
quanta. *V. quantum.*
quant à *prép* En ce qui concerne.
quant-à-soi *nm inv* Réserve plus ou moins affectée.
quantième *nm* Numéro d'ordre du jour (dans le mois).
quantifiable *a* Qu'on peut quantifier.
quantificateur *nm* LOG Symbole logique liant une variable à une quantité.
quantification *nf* Action de quantifier.
quantifier *vt* Déterminer la quantité de, chiffrer. *Quantifier les dépenses.*
quantique [kwā-] ou [kā-] *a* PHYS Des quanta.
quantitatif, ive *a* Relatif à la quantité.
quantitativement *av* De façon quantitative. *Étude quantitative.*
quantité *nf* **1** Multitude, grand nombre, abondance de. **2** Propriété d'être mesurable, comptable. *Loc En quantité :* en grand nombre.
quantum [kwātɔm] ou [kā-] *nm* **1** Quantité déterminée. **2** PHYS Plus petite quantité d'une grandeur physique susceptible d'être échangée. *Des quanta* ou *quantums.*
quarantaine *nf* **1** Nombre de quarante ou environ. **2** Âge de quarante ans. **3** Isolement sanitaire des personnes, animaux et marchandises provenant d'un pays où sévit une maladie contagieuse. *Loc Mettre en quarantaine :* à l'écart du groupe.
quarante *a num* **1** Quatre fois dix. **2** Quarantième. *La page quarante.* ■ *nm inv* Nombre, numéro quarante.
quarante-huitard, arde *a, n* HIST Relatif aux révolutionnaires de 1848.
quarantenaire *a* **1** Qui dure quarante ans. **2** De la quarantaine sanitaire. ■ *n* abusiv Quadragénaire.
quarantième *a num* Au rang, au degré quarante. ■ *a, nm* Contenu quarante fois dans le tout.
quart *nm* **1** Chaque partie d'un tout divisé en quatre parties égales. **2** Gobelet d'environ un quart de litre. **3** Période pendant laquelle une partie de l'équipage du navire est de service, à son tour. *Loc Quart d'heure :* quinze minutes. fam *Passer un mauvais quart d'heure :* un moment désagréable. *Le dernier quart d'heure :* le moment décisif. *Les trois quarts du temps :* presque toujours. *Aux trois quarts :* en grande partie. *Quart de finale :* épreuve éliminatoire opposant deux à deux huit équipes.
quart-de-rond *nm* Moulure ayant le profil d'un quart de cercle. *Des quarts-de-rond.*
quarte [kwa-] *nf* MUS Intervalle de quatre degrés.
quarté [kar-] *nm* Pari sur quatre chevaux.
1. quarteron *nm* **1** fam, péjor Petit nombre de personnes. **2** vx Quart d'un cent.
2. quarteron, onne *n* Métis né d'un(e) mulâtre et d'une Blanche ou d'un Blanc.
quartette [kwa-] *nm* Formation de jazz comprenant quatre musiciens.
quartier *nm* **1** Quart environ d'une chose ; portion, morceau. **2** Chacune des phases de la Lune. **3** Division, partie d'une ville. **4** Cantonnement d'un corps de troupe. *Loc Quartier général (QG) :* poste de commandement. *Quartier de haute*

sécurité (QHS) ou *quartier de sécurité renforcée (QSR) :* partie d'une prison réservée aux détenus réputés dangereux. *Avoir quartier libre :* avoir liberté de sortir, de faire ce qu'on veut. *Ne pas faire de quartier :* n'épargner personne. *Quartier de noblesse :* ascendance noble.
quartier-maître *nm* Grade au-dessus de matelot. *Des quartiers-maîtres.* **Var quartier-maître**
quart-monde *nm* Les classes les plus défavorisées de la population. *Des quarts-mondes.*
quarto [kwa-] *av* Quatrièmement.
quartz [kwarts] *nm* Silice cristallisée.
quartzifère [kwa-] *a* Qui contient du quartz.
quartzite *nm* Roche constituée essentiellement de quartz.
quasar *nm* Astre d'une grande luminosité hors de la galaxie.
1. quasi *nm* Partie de la cuisse du veau.
2. quasi *av* Presque. (Devant un nom, forme un mot composé, avec trait d'union. *Un quasi-délit.*) **Var quasiment**
quasimodo *nf* Premier dimanche après Pâques.
quater [kwater] *av* Pour la quatrième fois.
quaternaire [kwa-] *nm, a* Ère géologique récente, marquée par l'apparition de l'homme.
quatorze *a num* **1** Dix plus quatre. **2** Quatorzième. *Louis XIV.* ■ *nm inv* Nombre, numéro quatorze.
quatorzième *a num* Au rang, au degré quatorze. ■ *a, nm* Contenu quatorze fois dans un tout.
quatorzièmement *av* En quatorzième lieu.
quatrain *nm* Poème ou strophe de quatre vers.
quatre *a num* **1** Trois plus un (4). **2** Quatrième. *Henri IV.* *Loc Monter quatre à quatre :* précipitamment. *Se mettre en quatre :* faire de grands efforts pour obliger qqn. *Comme quatre :* beaucoup. ■ *nm inv* Nombre, numéro quatre.
quatre-feuilles *nm inv* ARCHI Ornement à quatre lobes.
quatre-heures *nm inv* fam Goûter.
quatre-mâts *nm inv* Voilier à quatre mâts.
quatre-quarts *nm inv* Gâteau dans lequel il entre un poids égal de beurre, de farine, de sucre et d'œufs.
quatre-quatre *nm inv* Véhicule à quatre roues motrices.
quatre-saisons *nf inv* *Loc* vx *Marchand(e) des quatre-saisons :* marchand(e) qui vend sur une voiture à bras, dans la rue, des légumes de saison.
quatre-vingt(s) *a num* **1** (prend un *s* quand il n'est suivi d'aucun autre adjectif numéral.) Huit fois dix. **2** Quatre-vingtième. *Page quatre-vingt.* ■ *nm* Nombre, numéro quatre-vingts.
quatre-vingt-dix *a num* **1** Neuf fois dix. **2** Quatre-vingt-dixième. *Page quatre-vingt-dix.* ■ *nm inv* Nombre, numéro quatre-vingt-dix.
quatre-vingt-dixième *a num* Au rang, au degré quatre-vingt-dix. ■ *a, nm* Contenu quatre-vingt-dix fois dans un tout.
quatre-vingtième *a num* Au rang, au degré quatre-vingt. ■ *a, nm* Contenu quatre-vingts fois dans un tout.
quatrième *a num* Au rang, au degré quatre. ■ *a, nm* Contenu quatre fois dans un tout. ■ *nf* Troisième classe de l'enseignement secondaire.
quatrièmement *av* En quatrième lieu.
quatrillion *nm* Un million de trillions (10^{24}).

ocento [kwatʀotʃɛnto] nm Quinzième siècle

or [kwa-] nm 1 Morceau de musique à ... parties. 2 Formation de quatre musiciens.

rel Désigne qqn, qqch. *L'homme que vous* ...u. *Le livre qu'elle vous donne.* ■ *pr inter-* ...nterroge sur qqch. *Que mangeons-nous ?*

v 1 Introduit une complétive ou forme, avec ...verbe, une conjonctive (*afin que,* ...que, etc.). *Je dis qu'il fait beau. Avant que* ...partes. 2 Indique un ordre. *Qu'il rentre.* ...Combien. *Qu'il est laid.* Loc *Ne... que :* ...nent.

écisme nm Expression propre au français ...ébec.

écois, oise a, n Du Québec.

aua [ketʃwa] nm, a Langue amérindienne ...ou et de Bolivie. **Var quechua**

quelle a 1 Interrogation sur la nature ...ch, de qqn. *Quel temps fait-il ?* 2 Avec une ...exclamative. *Quelle merveille !* ■ a indéf ...uel que, quelle que : de quelque nature que. ...s que soient vos intentions.

onque a indéf N'importe lequel. *Un* ...*te quelconque.* ■ a Ordinaire, commun, ...cre. *Une personne très quelconque.*

ue a indéf Indique un nombre ou une quan- ...déterminée. *Il a quelque difficulté à agir.* ...ues artistes. Loc *Quelque... que :* marque ...cession. *Quelques efforts que vous fassiez.* ...tt 1 Environ. *Ils étaient quelque deux cents.* ...quelque degré que. *Quelque riches qu'ils*

ue chose pr indéf Indique une chose de ...re indéterminée.

uefois av Parfois, de temps en temps.

ue part av Indique un lieu quelconque.

ues-uns, quelques-unes pr indéf pl Un ...ombre de.

u'un pr indéf 1 Une personne. *Quelqu'un* ...u. 2 Personne importante. *Se prendre pour* ...'un.

ander vt Demander humblement et avec ...nce.

andeur, euse a Qui quémande.

-dira-t-on nm inv Opinion des gens.

elle nf Rouleau de viande ou de poisson ...lié à l'œuf.

otte nf fam Petite dent.

ouille nf Tige servant autrefois à fixer le ... à filer.

uette nf fam Pénis.

lle nf Contestation, dispute.

ller vt Réprimander. ■ vpr Se disputer.

lleur, euse a, n Qui cherche querelle.

vt [34] Loc litt *Envoyer, aller, etc., quérir :* ...er, aller chercher.

eur nm 1 ANTIQ Magistrat romain chargé ...gestion des fonds publics. 2 Membre d'une ...blée parlementaire responsable de l'admi- ...ion intérieure et du budget.

ion nf 1 Interrogation, demande. 2 Pro- ...sujet à discussion. 3 HIST Torture judiciaire. ...*tre en question :* être en cause. *Faire ques-* ...être discutable. fam *Question de :* rapport à. ...*on de principe :* règle de base.

ionnaire nm Série de questions pour une

ionnement nm Ensemble de questions.

questionner vt Interroger ; poser des questions. *On l'a questionné sur ses relations.*

questionneur, euse n Personne qui questionne.

questure nf ANTIQ Charge de questeur. 2 Bureau du questeur au Parlement.

quête nf Action de recueillir des aumônes pour des œuvres, collecte. Loc *En quête de :* à la recherche de.

quêter vt Rechercher, solliciter. *Quêter des louanges.* ■ vi Faire la quête.

quêteur, euse n Personne qui fait la quête.

quetsche [kwetʃ] nf Prune allongée, à peau violacée.

quetzal [kɛtzal] nm 1 Oiseau d'Amérique centrale. 2 Unité monétaire du Guatemala. *Des quetzals.*

queue nf 1 Prolongement flexible de la colonne vertébrale de nombreux mammifères. 2 Extrémité postérieure du corps de certains animaux. *Queue d'un lézard, d'un poisson.* 3 Traîne d'une robe ; pan d'un vêtement. 4 BOT Pétiole ou pédoncule. 5 Partie allongée qui sert à saisir certains objets. 6 Empennage d'un avion. 7 Bout, extrémité, fin de qqch. 8 File d'attente. 9 Au billard, bâton dont on se sert pour propulser les billes. Loc *Être à la queue :* au dernier rang d'un classement. *À la queue leu leu :* l'un derrière l'autre. fam *Sans queue ni tête :* incohérent. *De queue :* en bout. *En queue de poisson :* piteusement.

queue-de-cheval nf Coiffure aux cheveux tirés vers l'arrière et retombant sur la nuque. *Des queues-de-cheval.*

queue-de-pie nf Habit de cérémonie à longues basques. *Des queues-de-pie.*

queue-de-poisson nf Manœuvre dangereuse d'un automobiliste qui se rabat trop vite après un dépassement. *Des queues-de-poisson.*

queux nm Loc vx *Maître queux :* cuisinier.

qui pr rel 1 Désigne qqn, qqch ; lequel (avec antécédent). *L'homme qui travaille. Tout ce qui me plaît.* 2 Celui qui (sans antécédent). Loc fam *Comme qui dirait :* pour ainsi dire. *Qui, que* (+ subj.) : quelque personne qui. ■ pr interrog Interroge sur qqn. *Qui est là ?*

quia (à) [akɥija] av Loc litt *Mettre à quia :* réduire à ne pouvoir répondre.

quiche nf Tarte salée garnie de crème, d'œufs et de lardons.

quiconque pr rel Qui que ce soit, toute personne qui. *Quiconque l'a vu.* ■ pr indéf N'importe qui. *C'est à la portée de quiconque.*

quid [kwid] av Sert à interroger.

quidam [kidam] nm Individu quelconque.

quiet, quiète a litt Tranquille, calme.

quiétisme nm HIST Doctrine selon laquelle la perfection chrétienne consiste dans la contemplation passive.

quiétude nf litt Calme, repos.

quignon nm Morceau de pain.

quille nf 1 Pièce oblongue placée verticalement qu'on doit abattre avec une boule. 2 pop Jambe. 3 fam Fin du service militaire. 4 Partie inférieure de la coque d'un navire.

quincaillerie nf Commerce des ustensiles de ménage en métal, clous, serrurerie pour les bâtiments, etc. ; ces articles eux-mêmes.

quincaillier, ère n Qui vend ou fabrique de la quincaillerie. **Var quincailler, ère**

quinconce [kɛ̃kɔ̃s] *nm* Loc *En quinconce :* disposé par cinq, quatre aux angles d'un quadrilatère et un au milieu.

quinine *nf* Alcaloïde de l'écorce du quinquina, utilisé contre le paludisme.

quinquagénaire *a, n* Qui a entre cinquante et soixante ans.

quinquennal, ale, aux *a* Qui dure cinq ans ou se produit tous les cinq ans.

quinquennat *nm* Durée d'une fonction de cinq ans.

quinquet *nm* anc Lampe à huile.

quinquina *nm* **1** Arbre cultivé pour son écorce qui fournit la quinine. **2** Vin préparé avec cette écorce.

quintal, aux *nm* Unité de mesure valant 100 kilogrammes.

quinte *nf* **1** MUS Intervalle de cinq degrés. **2** Série de cinq cartes qui se suivent dans la même couleur. **3** Accès de toux.

quintessence *nf* litt Ce qu'il y a de plus raffiné, de plus précieux.

quintette *nm* **1** Morceau de musique à cinq parties. **2** Formation comprenant cinq musiciens ou cinq chanteurs.

quintillion *nm* Un million de quatrillions.

quintuple *a, nm* Qui vaut cinq fois autant.

quintupler *vt, vi* (Se) multiplier par cinq.

quintuplés, ées *npl* Enfants nés au nombre de cinq d'un même accouchement.

quinzaine *nf* **1** Ensemble de quinze éléments. **2** Deux semaines.

quinze *a num* **1** Dix plus cinq (15). **2** Quinzième. *Chapitre quinze.* ■ *nm inv* **1** Le nombre, le numéro quinze. **2** Équipe de rugby.

quinzième *a num* Au rang, au degré quinze. ■ *a, nm* Qui se trouve quinze fois dans un tout.

quinzièmement *av* En quinzième lieu.

quinziste *nm* Joueur de rugby à quinze.

quinzomadaire *a, nm* fam Bimensuel. *Un quinzomadaire présentant les programmes de télévision.*

quiproquo *nm* Méprise qui fait prendr[e] [une] chose pour une autre.

quittance *nf* Document par lequel un cré[ancier] atteste qu'un débiteur s'est acquitté de sa d[ette].

quitte *a* Libéré d'une obligation. Loc *E[n] quitte pour :* n'avoir à supporter comme [incon]vénient que. *Quitte à* (+ inf.) : au risque de. [Jouer] *à quitte ou double :* risquer tout.

quitter *vt* **1** Abandonner un lieu, une activ[ité, un] métier. *Quitter Paris.* **2** Ôter un vêtement[.] **3** [Se] séparer de qqn. *Son mari l'a quittée.* Loc *N[e pas] quitter des yeux :* avoir les yeux fixés sur.

quitus [-tys] *nm inv* Loc *Donner quitus à* [qqn :] reconnaître exacte sa gestion.

qui-vive *nm inv* Loc *Sur le qui-vive :* s[ur ses] gardes.

quiz [kwiz] *nm* Jeu par questions et réponses[.]

quôc-ngu *nm inv* Alphabet vietnamien.

quoi *pr interrog* Quelle chose ? *À quoi p[enses]-tu ?* ■ *pr rel* Loc *Avoir de quoi :* être aisé[. Il n'] a pas de quoi : il n'y a pas de raison pour[. Quoi] *que :* quelque chose que. *Quoi qu'il en so[it :]* tout état de cause. *Sans quoi :* sinon.

quoique *conj* Exprime l'opposition, la c[onces]sion ; bien que.

quolibet *nm* Raillerie.

quorum [kɔʀɔm] ou [kwɔʀɔm] *nm* Nombre [mini]mum de votants d'une assemblée pour qu'u[n vote] soit valable.

quota [kɔ-] ou [kwɔ-] *nm* Pourcentage, c[ontin]gent fixé. *Des quotas d'importation.*

quote-part *nf* Part que chacun doit payer o[u rece]voir dans une répartition. *Des quotes-par[ts.]*

quotepart

quotidien, enne *a, nm* Qui a lieu chaqu[e jour.] ■ *nm* Journal qui paraît chaque jour.

quotidiennement *av* Tous les jours.

quotidienneté *nf* litt Caractère quotidien.

quotient *nm* MATH Résultat de la division [d'un] nombre par un autre. Loc *Quotient intel[lectuel] (QI) :* indice déterminé par des tests et ser[vant à] évaluer l'âge mental d'un sujet.

quotité *nf* Montant d'une quote-part.

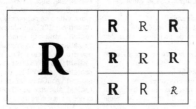

Dix-huitième lettre (consonne) de l'alphabet.
...sseyé. R roulé.

...m fam Rabiot.

...chage nm Redites fastidieuses.

...cher vt Répéter de façon fastidieuse.

...cheur, euse n, a Qui rabâche.

...s nm Diminution de la valeur primitive de

...ssement nm Action de rabaisser.

...sser vt 1 Mettre plus bas. 2 Diminuer,
...cier. ■ vpr S'humilier.

...ne nf Tissu en fibres de raphia.

...t nm 1 Cravate portée par les magistrats en
... 2 Partie d'un objet souple qui se rabat sur
...utre.

...-joie n, a inv Qui par son humeur chagrine
...de la joie d'autrui. Des rabat-joies ou rabat-

...ttage nm Action de rabattre le gibier.

...ttement nm Action de rabattre.

...tteur, euse n Personne qui rabat le gibier.

...ttre vt [77] 1 Rabaisser, faire descendre
... bas. 2 Aplatir, replier, refermer. Rabattre
...uvercle. 3 Débusquer le gibier vers le lieu
...nt les chasseurs. 4 Retrancher une partie du
...e vente. ■ vti Loc fam En rabattre : diminuer
...xigences. ■ vpr 1 Changer brusquement de
...ion vers le côté. 2 En venir à choisir qqch,
...faute de mieux. Se rabattre sur une voiture
...asion.

...in nm Chef spirituel d'une communauté

...inat nm Dignité, fonction de rabbin.

...inique a Relatif aux rabbins.

...aisien, enne a Qui rappelle la truculence
...belais.

...ocher vt fam 1 Raccommoder. 2 Réconci-

...t nm fam Ce qui est donné, fait ou imposé de
...us ; supplément.

...ter vt fam S'approprier indûment ou par sur-

...ue a De la rage.

... nm Partie du lièvre, du lapin allant du bas
...ôtes à la queue.

..., ée a Trapu et musclé.

...t Outil de menuisier pour aplanir ou
...ner le bois.

...age nm Action de raboter.

raboter vt Rendre uni, aplanir au rabot.

raboteuse nf Machine-outil servant à raboter le
bois, le métal.

raboteux, euse a Noueux, inégal.

rabougri, ie a Chétif, malingre.

rabougrir (se) vpr Se recroqueviller en raison de
la sécheresse, de l'âge.

rabouter vt Assembler bout à bout.

rabrouer vt Traiter, repousser durement.

racaille nf Rebut de la population.

raccommodage nm Action de raccommoder.

raccommodement nm Réconciliation.

raccommoder vt 1 Réparer un vêtement, du
linge. 2 Réconcilier.

raccompagner vt Reconduire qqn chez lui.

raccord nm 1 Liaison, ajustement entre deux parties d'un ouvrage. 2 Pièce de raccordement.

raccordement nm Jonction de deux conduits, de
deux voies ferrées, etc.

raccorder vt 1 Relier deux choses séparées. 2
Mettre en communication avec un réseau.

raccourci nm 1 Chemin plus court. 2 Abrégé,
résumé. Un raccourci évocateur.

raccourcir vt Rendre plus court. ■ vi Devenir
plus court. Les jours raccourcissent.

raccourcissement nm Fait de raccourcir.

raccroc nm Loc Par raccroc : par chance.

raccrocher vt 1 Accrocher de nouveau. 2 Rattraper ce qui semblait perdu. 3 Arrêter qqn au
passage. ■ vi 1 Interrompre une conversation
téléphonique. 2 fam Cesser définitivement une
activité. ■ vpr Se retenir à qqch. Se raccrocher
à des prétextes.

raccrocheur, euse a fam Qui cherche à retenir
l'attention.

race nf 1 Division de l'espèce humaine, fondée
sur certains caractères physiques, héréditaires
et physiologiques. 2 Subdivision d'une espèce
animale. 3 litt Ascendants et descendants d'une
famille. 4 Catégorie de personnes ayant un même
comportement. La race des pédants.

racé, ée a 1 Qui a les qualités propres à sa race. 2
Qui a une distinction naturelle.

rachat nm Action de racheter.

racheter vt [17] 1 Acheter de nouveau ou acheter
ce qu'on a vendu. 2 Se libérer d'une obligation
moyennant une somme. 3 Obtenir le pardon de
ses péchés, faire oublier ses fautes. 4 Compenser.
■ vpr Se réhabiliter.

rachianesthésie nf MED Anesthésie partielle par injection d'un anesthésique dans le canal rachidien.

rachidien, enne a Du rachis.

rachis [ʁaʃis] nm ANAT Colonne vertébrale.

rachitique a, n Atteint de rachitisme. ■ a Peu développé, maigre.

rachitisme nm Maladie de la croissance affectant le squelette.

racial, ale, aux a Relatif à la race.

racinaire a didac Qui concerne une racine.

racine nf 1 Partie des végétaux qui les fixe au sol et par où ils se nourrissent. 2 Lien, attache solide qui fonde la stabilité de qqch, de qqn. *Chercher à retrouver ses racines.* 3 Cause profonde, principe. *Prendre le mal à sa racine.* 4 Partie par laquelle est implanté un organe. *Racine des cheveux, des dents. Racine d'un nerf.* 5 GRAM Élément irréductible de tous les mots de même famille morphologique. Loc MATH *Racine carrée, cubique d'un nombre A* : nombre dont le carré, le cube est égal au nombre A. *Prendre racine* : s'installer définitivement.

racinien, enne a Propre à l'œuvre de Racine.

racisme nm Théorie fondée sur l'idée de la supériorité de certaines races sur les autres ; comportement d'exclusion qui en résulte.

raciste a, n Qui relève du racisme.

rack nm Meuble de rangement pour appareils hifi, aux dimensions normalisées.

racket [ʁakɛt] nm Extorsion de fonds par intimidation, terreur ou chantage.

racketter vt Soumettre à un racket.

racketteur, euse n Personne qui pratique le racket.

raclage nm Action de racler.

raclée nf fam Volée de coups ; écrasante défaite.

raclement nm Bruit de raclage.

racler vt Frotter en grattant. Loc *Racler la gorge* : produire un goût âpre. fam *Racler les fonds de tiroir* : rassembler ses dernières économies. *Racler du violon* : en jouer mal.

raclette nf 1 Fondue faite avec du fromage dont on racle la surface amollie à la flamme ; fromage servant à faire ce mets. 2 Racloir.

racloir nm Instrument pour racler.

raclure nf Petite parcelle enlevée en raclant.

racolage nm Action de racoler.

racoler vt 1 Recruter plus ou moins honnêtement. 2 Solliciter un client, en parlant d'un(e) prostitué(e).

racoleur, euse a, n Qui racole.

racontable a Qui peut être raconté.

racontar nm Médisance, commérage.

raconter vt Faire le récit de.

racornir vt Rendre dur et coriace. ■ vpr Devenir dur et se ratatiner.

racornissement nm Fait de se racornir.

radar nm Dispositif permettant de déterminer la direction et la distance d'un objet par réflexion d'ondes électromagnétiques.

radariste n Spécialiste des radars.

rade nf Vaste bassin naturel ayant une libre issue vers la mer. Loc fam *Laisser, rester en rade* : abandonner, être abandonné.

radeau nm 1 Assemblage de pièces de bois formant une plate-forme flottante. 2 Embarcation pneumatique insubmersible.

radiaire a didac Disposé en rayons.

radial, ale, aux a 1 ANAT Du radius. 2 Rela[tif au] rayon d'un cercle. ■ nf Voie joignant le c[entre] d'une ville à un périphérique.

radian nm GEOM Unité de mesure d'angle.

radiant, ante a Qui émet un rayonnement.

radiateur nm 1 Appareil de chauffage. 2 O[rgane] de refroidissement des moteurs.

radiatif, ive a PHYS Des radiations.

radiation nf 1 PHYS Flux de particules. 2 Acti[on de] radier d'une liste, d'un compte, etc.

radical, ale, aux a 1 BOT Relatif aux racines. [2 Qui] concerne la nature de qqch. *Un changement [radi]cal.* 3 Intransigeant, résolu. *Un refus radi[cal].* Efficace, énergique. *Des moyens radicaux.* ■ [a, n] Qui appartient à un parti radical, au radica[lisme.] ■ nm 1 GRAM Partie du mot indépendante des [dési]nences. 2 PHYS Groupement d'atomes suscep[tibles] d'être séparés d'une molécule. 3 MATH Symbo[le] notant l'extraction d'une racine.

radicalement av De façon radicale.

radicalisation nf Action de radicaliser.

radicaliser vt Durcir une position politique[.]

radicalisme nm 1 Doctrine préconisan[t la] réforme des institutions. 2 Attitude int[ransi]geante.

radical-socialisme nm Doctrine politiqu[e de] centre gauche en France.

radical-socialiste a, n Du radical-social[isme.] *Des radicaux-socialistes.*

radicelle nf BOT Racine secondaire.

radiculaire a didac D'une racine ou d'un rad[icule.]

radicule nf BOT Partie inférieure de la plantu[le qui] deviendra la racine.

radiculite nf MED Lésion de la racine d'un ne[rf.]

1. radier nm Dalle épaisse qui recouvre le [fond] d'un canal, d'une fosse.

2. radier vt 1 Rayer d'une liste. 2 Exclure [...] d'un corps.

radiesthésie nf Sensibilité prétendue aux [radia]tions qu'émettraient différents corps ; procé[dé de] détection de cette sensibilité.

radiesthésiste n Personne qui pratique la r[adiesthé]thésie.

radieux, euse a 1 D'une luminosité éclata[nte.] 2 Rayonnant de joie, de bonheur.

radifère a CHIM Qui contient du radium.

radin, ine n, a fam Avare.

radiner vi pop Arriver, venir. Var se radine[r.]

radinerie nf fam Avarice.

radio nf 1 Station émettrice d'émissions [radio]phoniques. 2 Abrév. de *radiodiffusion, ra[dioré]cepteur, radiographie.* ■ n Abrév. de *radio[navi]gant, radiotélégraphiste.*

radioactif, ive a Doué de radioactivité.

radioactivité nf Émission, par certains élé[ments] chimiques, de rayonnements divers, résulta[nt de] réactions nucléaires.

radioalignement nm Dispositif radiopho[nique] de guidage d'un avion ou d'un navire.

radioamateur nm Personne qui émet ou [reçoit,] sur un appareil lui appartenant, des émis[sions] radiophoniques.

radioastronomie nf Étude des ondes radi[oélec]triques émises par les astres.

radiobalisage nm Utilisation de radiobalis[es.]

radiobalise nf Émetteur guidant les navire[s, les] avions.

radiobiologie nf Étude de l'action des radiations sur les êtres vivants.

radiocarbone nm Isotope radioactif du carbone, utilisé pour les datations.

radiocassette nf Appareil combinant un récepteur de radio et un lecteur de cassettes.

radiocommande nf Commande radioélectrique à distance.

radiocommunication nf Télécommunication par ondes radioélectriques.

radiocompas nm Appareil guidant l'avion ou le navire par rapport à un émetteur radio.

radiodermite nf Affection de la peau causée par des radiations.

radiodiagnostic [-gnos-] nm MED Diagnostic reposant sur l'examen d'images radiologiques.

radiodiffuser vt Diffuser par la radio.

radiodiffusion nf Transmission de programmes par les ondes hertziennes.

radioélectricité nf Transmission de signaux par des ondes électromagnétiques.

radioélectrique a Propre à la radioélectricité.

radioélément nm PHYS Élément radioactif.

radiofréquence nf Fréquence d'une onde radioélectrique.

radiogalaxie nf Galaxie émettant un rayonnement radioélectrique.

radiogoniomètre nm Appareil de radiogoniométrie.

radiogoniométrie nf Détermination de la position d'émetteurs radioélectriques.

radiogramme nm Message transmis par radiotélégraphie.

radiographie nf 1 Obtention sur une surface sensible de l'image d'un objet exposé aux rayons X. 2 Description en profondeur d'un phénomène, d'une situation.

radiographier vt Effectuer une radiographie.

radiographique a De la radiographie.

radioguidage nm Guidage à distance d'un avion, d'un navire, d'un engin, etc.

radioguider vt Diriger par radioguidage.

radio-isotope nm PHYS Isotope radioactif d'un élément. *Des radio-isotopes.*

radiolaire nm ZOOL Protozoaire marin à squelette siliceux.

radiolarite nf Roche constituée de squelettes de radiolaires.

radiologie nf Utilisation médicale des rayonnements, des ultrasons.

radiologique a De la radiologie.

radiologue n Spécialiste de radiologie. **Var radiologiste**

radiolyse nf Décomposition d'une substance par des rayonnements ionisants.

radiomessagerie nf Messagerie électronique.

radiomètre nm PHYS Appareil servant à mesurer des rayonnements.

radionavigant nm Chargé de la radio dans un navire, un avion. **Var radionavigateur**

radionavigation nf Technique de navigation par guidage radioélectrique.

radionécrose nf MED Nécrose d'un tissu due aux rayons X ou à la radioactivité.

radiophonie nf Transmission des sons au moyen d'ondes radioélectriques.

radiophonique a De la radiophonie et de la radiodiffusion.

radioprotection nf Protection contre les rayonnements.

radiorécepteur nm Récepteur de radiodiffusion.

radioreportage nm Reportage radiodiffusé.

radioreporter [-tɛʀ] nm Journaliste faisant des radioreportages.

radioréveil nm Appareil combinant un récepteur radio et un réveil.

radioscopie nf Observation de l'image d'un corps traversé par les rayons X.

radiosonde nf Ballon-sonde transmettant des renseignements météorologiques.

radiosource nf Objet céleste connu par son émission d'ondes radioélectriques.

radio-taxi nm Taxi équipé d'un émetteur-récepteur radio. *Des radio-taxis.* **Var radiotaxi**

radiotechnique [-tɛk-] nf Utilisation des rayonnements radioélectriques.

radiotélégramme nm Radiogramme.

radiotélégraphie nf Télégraphie sans fil.

radiotélégraphiste nm Opérateur de radiotélégraphie.

radiotéléphone nm Téléphone sans fil.

radiotélescope nm Appareil captant les ondes émises par les astres.

radiotélévisé, ée a Diffusé par radio et télévision.

radiotélévision nf Diffusion de programmes par la radio et la télévision.

radiothérapie nf Traitement par des radiations ionisantes.

radiotoxique a, nm Qui émet des rayonnements nocifs pour l'organisme.

radis nm Plante potagère cultivée pour sa racine que l'on mange crue. Loc fam *Pas un radis :* pas un sou.

radium [-djɔm] nm Métal radioactif.

radius [-djys] nm Os de l'avant-bras.

radja. *V. rajah.*

radôme nm Vaste dôme abritant un radar.

radon nm Élément gazeux radioactif.

radotage nm Action de radoter.

radoter vi Tenir des propos débiles ; rabâcher.

radoteur, euse n Personne qui radote.

radoub nm Loc *Bassin de radoub :* destiné aux réparations des navires.

radouber vt MAR Réparer un navire.

radoucir vt Rendre plus doux. ■ vpr Devenir plus doux.

radoucissement nm Fait de se radoucir.

rafale nf 1 Coup de vent violent. 2 Suite de coups de feu.

raffermir vt Rendre plus ferme, plus dur. ■ vpr Devenir plus ferme.

raffermissement nm Fait de se raffermir.

raffinage nm Action de raffiner un produit.

raffiné, ée a 1 Rendu plus pur. *Sucre raffiné.* 2 Fin, subtil. *Goûts raffinés.* ■ a, n D'esprit très délicat ; très recherché dans ses sentiments.

raffinement nm 1 Extrême délicatesse, subtilité. 2 Recherche excessive.

raffiner vt 1 Épurer une matière brute. *Raffiner du pétrole.* 2 litt Rendre plus fin, plus délicat. ■ vi Rechercher une subtilité excessive.

raffinerie nf Lieu où on raffine un produit.

raffineur, euse n Personne qui raffine un produit.

rafflésie nf Plante tropicale à grandes fleurs.

raffoler *vti* Aimer beaucoup, se passionner pour. *Il raffole d'opéra.*

raffut *nm fam* Tapage.

rafiot *nm fam* Mauvais bateau.

rafistolage *nm fam* Réparation grossière.

rafistoler *vt fam* Réparer sans grand soin.

rafle *nf* 1 Action de rafler. 2 Arrestation en masse faite à l'improviste par la police. 3 BOT Axe central d'une grappe de raisin, d'un épi de maïs. Syn. râpe.

rafler *vt fam* Prendre promptement tout ce qu'on trouve.

rafraîchir *vt* 1 Rendre frais. 2 Remettre en état. *Rafraîchir un tableau.* Loc *fam Rafraîchir la mémoire :* rappeler à qqn ce qu'il prétend avoir oublié. *Rafraîchir les cheveux :* les couper légèrement. ■ *vi* Devenir plus frais. ■ *vpr* Se désaltérer. Var **rafraichir**

rafraîchissant, ante *a* Qui rafraîchit. Var **rafraichissant, ante**

rafraîchissement *nm* 1 Fait de se rafraîchir. 2 Boisson fraîche. Var **rafraichissement**

raft *nm* Bateau conçu pour descendre les torrents.

rafting [-tiŋ] *nm* Descente sportive d'un torrent sur un raft.

raga *nm inv* Pièce mélodique de la musique indienne.

ragaillardir *vt* Redonner des forces, de la gaieté.

rage *nf* 1 Maladie virale de certains animaux, transmissible par morsure. 2 Colère violente. 3 Passion excessive. Loc *Faire rage :* être à son paroxysme. *Rage de dents :* violent mal aux dents.

rageant, ante *a fam* Qui fait enrager.

rager *vi* [11] *fam* Être très irrité.

rageur, euse *a* 1 Porté à des colères violentes. 2 Qui dénote la colère.

rageusement *av* Avec rage, avec hargne.

raglan *nm* Pardessus ample à manches droites remontant jusqu'au col.

ragondin *nm* Gros rongeur amphibie.

ragot *nm fam* Commérage malveillant.

ragoût *nm* Plat de viande et de légumes, coupés en morceaux et cuits dans une sauce. Var **ragout**

ragoûtant, ante *a* Loc *Peu ragoûtant :* peu appétissant. Var **ragoutant, ante**

ragtime [-tajm] *nm* Style de musique pour piano, qui fut une source du jazz.

rahat-loukoum *nm* Confiserie orientale faite d'une pâte sucrée et parfumée. *Des rahat-loukoums.* Var **loukoum**

rai *nm litt* Rayon de lumière.

raï [Raj] *nm* Musique populaire algérienne.

raid *nm* 1 Rapide opération menée chez l'ennemi. 2 Mission de bombardement aérien. 3 Épreuve sportive d'endurance sur une grande distance.

raide *a* 1 Tendu, rigide, qui ne plie pas. 2 Sans souplesse. *Attitude raide.* 3 Abrupt. *Pente raide.* 4 *fam* Étonnant, difficile à croire. 5 Fortement alcoolisé (boisson). Loc *pop Être raide :* n'avoir plus d'argent. ■ *av* Subitement. *Tomber raide.*

raider [RɛdɛR] *nm* Personne qui, par des opérations financières, prend le contrôle d'une entreprise.

raideur *nf* Caractère raide, rigide.

raidillon *nm* Chemin en pente raide.

raidir *vt* Rendre raide ; tendre. ■ *vi, vpr* Devenir raide. ■ *vpr* Résister avec fermeté.

raidissement *nm* Fait de se raidir.

1. raie *nf* 1 Trait, ligne, bande. 2 Ligne de séparation des cheveux. 3 AGRIC Sillon d'un champ.

2. raie *nf* Poisson cartilagineux au corps aplati.

raifort *nm* Plante dont la racine sert comme condiment.

rail *nm* 1 Bande d'acier servant de support et de guide pour les trains. 2 Bordure métallique le long d'une route. 3 Transport ferroviaire.

railler *vt* Tourner en dérision ; se moquer de.

raillerie *nf* Moquerie.

railleur, euse *a* Qui raille.

rail-route *a inv* Loc *Transport rail-route :* ferroutage.

rainette *nf* Petite grenouille arboricole.

rainurage *nm* Action de rainurer.

rainure *nf* Entaille longue et étroite.

rainurer *vt* Creuser de rainures.

raiponce *nf* Campanule que mange en salade.

raïs *nm* Chef d'État en Égypte.

raisin *nm* 1 Fruit de la vigne. 2 Format de papier (50 x 65 cm).

raisiné *nm* 1 Confiture de raisin. 2 POP Sang.

raison *nf* 1 Faculté de connaître, de juger. 2 Cause, motif. *Il a des raisons de protester.* 3 MATH Rapport de deux quantités. Loc *À raison de :* à proportion de. *En raison de :* à cause de. *Avoir raison :* être dans la vérité. *Avoir raison de qqn :* triompher de lui. *Perdre la raison :* devenir fou. *Raison de plus :* par un motif d'autant plus fort. *Raison d'État :* intérêt supérieur de la nation. *Se faire une raison :* se résigner. *Se rendre aux raisons de qqn :* se laisser persuader. *Comme de raison :* comme de juste. *Faire entendre raison à qqn :* l'amener à être raisonnable. *Raison sociale :* désignation d'une société.

raisonnable *a* 1 Doué de raison. 2 Qui agit avec sagesse ; modéré. *Un enfant raisonnable.* 3 Convenable. *Prix raisonnable.*

raisonnablement *av* Modérément, sagement.

raisonné, ée *a* Fondé sur le raisonnement.

raisonnement *nm* Enchaînement des arguments préparant une conclusion.

raisonner *vi* 1 Se servir de sa raison pour juger, démontrer. 2 Alléguer des raisons, des excuses. ■ *vt* Chercher à amener qqn à la raison.

raisonneur, euse *a, n* Qui réplique, discute les ordres.

rajah *nm inv* Prince en Inde. Var **radjah**

rajeunir *vt* 1 Rendre la jeunesse à ; faire paraître plus jeune. 2 Attribuer à qqn un âge moindre. 3 Donner un aspect nouveau à qqch. ■ *vi* Redevenir jeune.

rajeunissement *nm* Fait de rajeunir.

rajout *nm* Chose rajoutée.

rajouter *vt* Ajouter encore. Loc *fam En rajouter :* exagérer.

rajustement *nm* Fait de rajuster. Var **réajustement**

rajuster *vt* 1 Ajuster de nouveau ; remettre en ordre. 2 Remettre à son juste niveau. Var **réajuster**

raki *nm* Eau-de-vie parfumée à l'anis.

raku [Raku] *nm* Poterie japonaise destinée à la cérémonie du thé.

râle *nm* 1 Bruit anormal perçu à l'auscultation. 2 Respiration bruyante des moribonds. 3 Oiseau échassier.

ralenti nm 1 Bas régime d'un moteur. 2 Procédé de prise de vues faisant paraître les mouvements plus lents que dans la réalité. Loc *Au ralenti* : à faible vitesse.

ralentir vt Rendre plus lent. ■ vi Réduire sa vitesse.

ralentissement nm Diminution de vitesse, d'activité.

ralentisseur nm Dispositif aménagé pour obliger les automobilistes à ralentir.

râler vi 1 Faire entendre un râle d'agonisant. 2 fam Protester, récriminer.

râleur, euse n, a fam Qui se plaint à tout propos. *Un vieux râleur.*

ralingue nf MAR Cordage cousu le long d'une voile pour la renforcer.

ralliement nm Action de rallier, de se rallier. Loc *Point de ralliement* : lieu de rassemblement.

rallier vt 1 Rassembler des personnes dispersées. 2 Gagner à un parti, à une opinion, une cause. 3 Rejoindre un lieu. ■ vpr Adhérer à une opinion. *Se rallier à l'avis de la majorité.*

rallonge nf 1 Ce qui sert à rallonger. 2 Planche à coulisse qui permet d'augmenter la longueur d'une table. 3 fam Supplément de temps, d'argent, etc.

rallongement nm Action de rallonger.

rallonger vt [11] Rendre plus long. ■ vi Devenir plus long. *Les jours rallongent.*

rallumer vt 1 Allumer de nouveau. 2 Raviver. *Rallumer un conflit.* ■ vpr Être de nouveau allumé.

rallye nm 1 Épreuve sportive où les concurrents doivent rallier un point déterminé après plusieurs étapes. 2 Cycle de surprises-parties, chez les gens huppés.

ramadan nm Neuvième mois de l'année lunaire musulmane, pendant lequel le jeûne est prescrit du lever du coucher du soleil.

ramage nm litt Chant des oiseaux. ■ pl Dessins de rameaux feuillus et fleuris.

ramassage nm Action de ramasser. Loc *Ramassage scolaire* : transport, par autocar, des élèves habitant loin des établissements scolaires.

ramasse-miette nm Instrument qui sert à ramasser les miettes sur une table. *Des ramasse-miettes.*

ramasser vt 1 Prendre à terre. 2 fam Attraper. *Ramasser une gifle.* 3 Rassembler ce qui est épars. 4 Collecter, réunir, recueillir. ■ vpr fam Tomber. Loc fam *Se faire ramasser* : subir un échec.

ramasseur, euse n Personne qui ramasse des balles au tennis, des champignons, etc.

ramassis nm Ensemble de choses, de personnes sans valeur.

rambarde nf Garde-fou, parapet.

ramboutan nm Variété de litchi.

ramdam [ramdam] nm pop Tapage, vacarme.

rame nf 1 Branche plantée en terre pour servir d'appui à une plante grimpante. 2 File de wagons attelés. 3 Ensemble de cinq cents feuilles de papier. 4 Longue pièce de bois aplatie à l'une des extrémités servant à propulser une embarcation. Loc fam *Ne pas en fiche une rame* : ne rien faire.

rameau nm 1 Petite branche d'arbre. 2 Subdivision d'un nerf, d'un vaisseau. 3 Subdivision d'un système. *Rameau d'un arbre généalogique.* ■ pl (avec majusc.) Dernier dimanche avant Pâques.

ramée nf litt Branches d'un arbre, couvertes de leurs feuilles.

ramener vt [15] 1 Amener de nouveau. 2 Reconduire qqn, un animal. 3 Rétablir dans son état initial. Loc pop *La ramener* : faire l'important. ■ vpr 1 Se réduire à. 2 pop Arriver, venir.

ramequin nm Petit récipient allant au four.

ramer vt Soutenir par des rames des plantes grimpantes. ■ vi 1 Manœuvrer les rames pour faire avancer une embarcation. 2 fam Faire des efforts pour surmonter des obstacles.

ramette nf Rame de papier, de petit format.

rameur, euse n Personne qui rame.

rameuter vt Regrouper. *Rameuter la population.*

rami nm Jeu de cartes.

ramier nm Grand pigeon des champs.

ramification nf 1 Division d'un végétal, d'un nerf, d'un vaisseau. 2 Subdivision d'une science, d'une organisation, etc.

ramifier (se) vpr Se subdiviser en rameaux, en ramifications.

ramilles nfpl BOT Les plus petits rameaux.

ramolli, ie a, n fam Déficient intellectuellement.

ramollir vt Rendre plus mou. ■ vpr 1 Devenir plus mou. 2 Perdre ses forces.

ramollissant, ante a Qui ramollit.

ramollissement nm Fait de se ramollir ; état ramolli.

ramollo a, n pop Gâteux.

ramonage nm Action de ramoner.

ramoner vt Nettoyer une cheminée.

ramoneur nm Personne qui ramone les cheminées.

rampant, ante a 1 Qui rampe. 2 Obséquieux, servile. 3 Difficile à percevoir. *Inflation rampante.* 4 ARCHI Incliné, en pente. ■ nm fam Membre du personnel au sol dans l'aviation.

rampe nf 1 Plan incliné destiné à permettre le passage entre deux niveaux. 2 Barre, à hauteur d'appui, suivant un escalier. 3 Rangée de lumières au bord d'une scène de théâtre. Loc *Rampe de lancement* : dispositif assurant le guidage d'une fusée lors de son lancement. *Passer la rampe* : toucher le public.

ramper vi 1 Progresser par ondulations du corps (animaux dépourvus de membres). 2 Progresser en s'aplatissant à terre, ventre contre la terre (personnes). 3 S'abaisser, s'humilier devant.

ramponneau nm pop Coup, bourrade.

ramure nf 1 Ensemble des branches, des ramifications. 2 Bois d'un cerf, d'un daim.

rancard nm pop 1 Rendez-vous. 2 Renseignement. Var **rencard**

rancarder vt pop 1 Donner un rendez-vous à. 2 Renseigner. Var **rencarder**

rancart nm Loc fam *Mettre au rancart* : au rebut. Var **rencart**

rance a Qui a pris en vieillissant une saveur et une odeur âcre (corps gras). ■ nm Odeur, saveur rance.

ranch [rɑ̃ʃ] ou [rɑ̃tʃ] nm Aux États-Unis, exploitation agricole dans la Prairie. *Des ranchs.*

rancher [-ʃœr] nm Personne qui exploite un ranch. Var **rancheur**

rancir vi Devenir rance.

rancœur nf Amertume tenace.

rançon *nf* 1 Somme d'argent exigée pour la liberté d'un captif, d'un otage. 2 Contrepartie pénible de qqch d'agréable. *La rançon du succès.*

rançonner *vt* Exiger qqch de qqn sous la menace.

rancune *nf* Ressentiment profond.

rancunier, ère *a, n* Qui garde facilement de la rancune.

rand *nm* Unité monétaire de l'Afrique du Sud.

randomiser *vt* STATIS Valider un résultat à partir d'un échantillon choisi au hasard.

randonnée *nf* Grande promenade.

randonneur, euse *n* Personne qui fait une randonnée.

rang *nm* 1 Série de personnes, de choses, disposées en ligne. 2 Position dans une hiérarchie, une échelle de valeurs. Loc *Prendre rang parmi :* se mettre au nombre de. *Être sur les rangs :* en compétition avec d'autres. *Rentrer dans le rang :* renoncer à ses prérogatives. *Serrer les rangs :* se rapprocher pour s'entraider. *Venir grossir les rangs de :* augmenter le nombre de.

rangé, ée *a* Qui mène une existence tranquille, sérieuse. Loc *Bataille rangée :* rixe violente.

rangée *nf* Suite de choses ou de personnes placées sur une même ligne.

rangement *nm* 1 Action de ranger. 2 Lieu où on range ; placard.

1. ranger *vt* [11] 1 Mettre en rangs ou en files. 2 Disposer en bon ordre. *Ranger ses papiers.* 3 Faire figurer parmi. *Ranger un poète parmi les classiques.* 4 Garer. *Ranger un camion.* ■ *vpr* 1 Se mettre en rangs. 2 S'écarter pour laisser le passage. 3 fam S'assagir. 4 Se rallier à un avis, à une autorité.

2. ranger [ʀɑ̃dʒœʀ] *nm* 1 Soldat d'un corps d'élite de l'armée de terre américaine. 2 Brodequin muni d'une guêtre.

ranidé *nm* ZOOL Amphibien anoure (grenouille).

ranimer *vt* 1 Faire revenir à la conscience, à la vie. 2 Redonner de la vivacité. ■ *vpr* 1 Reprendre conscience. 2 Retrouver une activité nouvelle.

raout [ʀaut] *nm* vx Réunion mondaine.

rap *nm* Style musical accompagnant un rythme martelé de paroles improvisées.

rapace *nm* Oiseau carnivore. ■ *a* Avide de gain, cupide.

rapacité *nf* Avidité, cupidité.

rapatrié, ée *n* Ramené dans sa patrie.

rapatriement *nm* Action de rapatrier.

rapatrier *vt* Ramener dans son pays.

râpe *nf* 1 Lime à grosses aspérités. 2 Ustensile de cuisine pour réduire certaines substances en poudre ou en fragments. 3 BOT Syn. de *rafle.*

râpé, ée *a* Usé jusqu'à la corde (tissu). Loc fam *C'est râpé :* il ne faut pas y compter. ■ *nm* Fromage passé à la râpe.

râper *vt* 1 Réduire en poudre, en fragments avec une râpe. *Râper du fromage.* 2 User la surface d'un corps avec une râpe.

rapetasser *vt* fam Raccommoder grossièrement.

rapetissement *nm* Fait de rapetisser.

rapetisser *vt* 1 Rendre plus petit. 2 Diminuer la valeur, le mérite. ■ *vi, vpr* Devenir plus petit, plus court. *Les jours rapetissent.*

râpeux, euse *a* 1 Rugueux, âpre au toucher. 2 Âpre au goût, à l'oreille. *Voix râpeuse.*

raphia *nm* Palmier dont on tire une fibre souple et résistante.

rapiat, ate *a, n* fam Pingre, cupide.

rapide *a* 1 Qui va très vite. *Voiture rapide.* 2 Qui se fait à une vitesse élevée. *Course rapide.* 3 Qui comprend, qui agit vite. 4 De forte déclivité. *Pente rapide.* ■ *nm* 1 Portion d'une rivière où le courant devient rapide et tourbillonnant. 2 Train qui ne s'arrête que dans les villes importantes.

rapidement *av* De façon rapide ; vite.

rapidité *nf* Grande vitesse, célérité.

rapiéçage *nm* Action de rapiécer. Var **rapiècement**

rapiécer *vt* [12] Raccommoder en posant des pièces.

rapière *nf* anc Épée à longue lame.

rapin *nm* Peintre médiocre.

rapine *nf* litt Larcin, pillage.

raplapla *a inv* fam Très fatigué.

raplatir *vt* Aplatir de nouveau ou davantage.

rappareiller *vt* Réassortir.

rapparier *vt* Réunir en une paire.

rappel *nm* 1 Action de rappeler, de faire revenir. 2 Nouvelle administration de vaccin. 3 Paiement rétroactif d'appointements restés en suspens. 4 Manœuvre de descente d'une paroi verticale à l'aide d'une corde double. Loc *Battre le rappel :* rassembler les personnes nécessaires. *Rappel à l'ordre :* réprimande.

rappelé, ée *a, n* Appelé de nouveau sous les drapeaux.

rappeler *vt* [18] 1 Appeler de nouveau (partic., par téléphone). 2 Faire revenir. 3 Remettre en mémoire. *Rappeler une promesse à qqn.* 4 Faire penser par ressemblance. Loc *Rappeler à l'ordre :* avertir ; réprimander. *Rappeler à la vie :* ranimer. ■ *vpr* Se souvenir. *Se rappeler un fait. Il se le rappelle.*

rappeur, euse *n* Chanteur, musicien de rap.

rappliquer *vi* pop Revenir, arriver.

rapport *nm* 1 Revenu, produit. *Vigne d'un bon rapport.* 2 Compte rendu du vacataire. 3 Relation entre plusieurs choses. *Faire le rapport entre deux incidents.* 4 Analogie, accord, conformité. Loc *Par rapport à :* relativement à, en fonction de. fam *Sous le rapport de :* du point de vue de. *Sous tous (les) rapports :* à tous égards. *Mettre en rapport avec :* en relation avec. *Rapport sexuel :* coït. ■ *pl* Relations entre des personnes, des États.

rapporté, ée *a* Ajouté à un ensemble par assemblage. Loc fam *Pièce rapportée :* membre par alliance d'une famille.

rapporter *vt* 1 Apporter de nouveau. 2 Apporter en revenant d'un lieu. *Rapporter un masque d'Afrique.* 3 Donner un revenu, un profit. *Ces plantations ne rapportent rien.* 4 DR Abroger, annuler. *Rapporter un arrêté.* 5 Faire le récit de. *Rapporter un fait.* 6 Répéter par indiscrétion, légèreté ou malice. 7 Rattacher un fait à un autre, à une cause. ■ *vpr* Avoir rapport, se rattacher à. Loc *S'en rapporter à qqn :* lui faire confiance pour cela.

rapporteur, euse *n, a* Qui rapporte, répète ; mouchard. ■ *nm* 1 Chargé d'un rapport, d'un compte rendu. 2 Demi-cercle gradué, qui sert à mesurer les angles.

rapprendre. V. *réapprendre.*

rapproché, ée *a* Voisin, proche.

pprochement nm 1 Action de rapprocher. Établissement de relations plus étroites. 3 onfrontation, comparaison.

pprocher vt 1 Mettre plus près. 2 Réconcilier. Comparer, confronter. ■ vpr 1 Venir plus près. Devenir plus proche. 3 Être plus ou moins comarable, conforme à qqn, qqch.

approvisionner. V. réapprovisionner.

psode, rapsodie. V. rhapsode, rhapsodie.

pt nm Enlèvement illégal ou crapuleux.

quer vt pop Payer.

quette nf 1 Instrument garni de cordes ou une matière élastique qui sert à renvoyer la alle, à différents jeux. 2 Large semelle pour archer sur la neige. 3 Au basket-ball, zone tuée à proximité immédiate du panier. 4 Tige latie du nopal, portant les épines.

are a 1 Qui n'est pas commun. Perle rare. 2 Qui est peu fréquent. Incident rare. 3 Exceptionnel, marquable. Une rare intelligence. 4 Peu dense, airsemé. Cheveux rares.

aréfaction nf Fait de se raréfier.

aréfier vt Rendre rare. ■ vpr Devenir rare.

arement av Peu souvent.

areté nf Caractère rare ; chose rare.

arissime a Très rare.

ras [ʀas] nm Chef éthiopien.

ras, rase a 1 Dont les poils, les brins sont coués au plus court. Loc En rase campagne : en rrain découvert. ■ nm Loc À ras de, au ras de : resque au niveau du sol. Au ras du sol, au ras des âquerettes : à un niveau très bas ; sommaire, rossier. ■ av De très près. Couper ras. Loc fam n avoir ras le bol : être excédé, dégoûté.

asade nf Contenu d'un verre plein à ras bord.

asage nm Action de raser.

ascasse nf Poisson de la Méditerranée, hérissé e piquants.

as-du-cou nm inv Vêtement, pull dont l'encore s'arrête au niveau du cou.

ase-motte nm Vol très près du sol. Des rase-ottes.

aser vt 1 Couper très court les poils, les cheeux, la barbe. 2 Abattre un édifice. 3 Passer tout rès. Une balle l'a rasé. 4 fam Ennuyer. ■ vpr 1 Se ouper la barbe. 2 fam S'ennuyer.

aseur, euse n fam Personne ennuyeuse.

asibus [-bys] av pop À ras ; tout près.

as-le-bol nm inv fam Exaspération.

asoir nm Instrument qui sert à se raser. ■ a inv n Ennuyeux. Un discours rasoir.

assasiement nm Fait d'être rassasié.

assasier vt 1 Apaiser complètement la faim de. Satisfaire totalement.

assemblement nm 1 Action de rassembler. 2 ttroupement. 3 Groupement politique.

assembler vt 1 Réunir, regrouper des peronnes. 2 Mettre ensemble des choses. 3 Concener. Rassembler son courage. ■ vpr Se réunir, se rouper.

assembleur, euse a, n Qui rassemble.

asseoir vt [40] Asseoir de nouveau. ■ vpr S'aseoir après s'être levé. **Var rassoir**

asséréner vt [12] litt Faire redevenir serein, alme. ■ vpr Retrouver sa sérénité.

assis am Loc Pain rassis : qui n'est plus frais. sprit rassis : calme, posé.

rassortiment, rassortir. V. réassortiment, réassortir.

rassurant, ante a Qui rassure.

rassurer vt Redonner la confiance. ■ vpr Reprendre confiance.

rasta n, a Adepte d'un mouvement culturel d'origine jamaïcaine. **Var rastafari**

rastaquouère nm fam Étranger, aux ressources douteuses.

rat nm Rongeur très prolifique. Loc Être fait comme un rat : être pris, attrapé. Rat de bibliothèque : qui fréquente assidûment les bibliothèques. Rat d'hôtel : voleur qui opère dans les hôtels. Petit rat de l'Opéra : jeune élève de la classe de danse de l'Opéra. Rat de cave : mince bougie enroulée sur elle-même. ■ a fam Avare.

rata nm pop Ragoût médiocre.

ratafia nm Liqueur à base d'eau-de-vie sucrée.

ratage nm Fait de rater ; échec.

ratatiné, ée a Ridé, flétri.

ratatiner vt fam 1 Exterminer, massacrer, démolir. 2 Battre à plate couture. ■ vpr Se déformer en se plissant, se tasser.

ratatouille nf 1 fam Ragoût peu appétissant. 2 Plat provençal fait d'aubergines, de tomates, de courgettes, etc., cuites dans l'huile d'olive.

1. rate nf Femelle du rat.

2. rate nf Glande située entre l'estomac et les fausses côtes. Loc fam Se dilater la rate : rire.

raté, ée n, a Qui n'a pas réussi dans sa carrière, dans sa vie. ■ nm 1 Fait de rater ; dysfonctionnement. 2 Bruit produit par un moteur à explosion dont l'allumage est défectueux.

râteau nm Instrument à dents, qui sert à ramasser.

râteler vt [18] Ramasser avec un râteau.

râtelier nm 1 Claie fixée au mur d'une étable et destinée à recevoir le fourrage. 2 fam Dentier. Loc fam Manger à tous les râteliers : tirer profit de plusieurs sources, même opposées.

rater vi 1 Ne pas partir (arme à feu). 2 Échouer. L'affaire a raté. ■ vt 1 Ne pas atteindre, manquer. 2 Ne pas réussir. Rater un plat.

ratiboiser vt fam Ruiner, rafler tout.

raticide nm Produit contre les rats.

ratier nm Chien qui chasse les rats.

ratière nf Piège à rats.

ratification nf Action de ratifier.

ratifier vt Approuver, confirmer dans la forme requise ce qui a été fait ou promis.

ratine nf Étoffe de laine au poil tiré et frisé.

rating [ʀetiŋ] nm Indice servant à classer les voiliers en vue d'une course.

ratio [-sjo] nm didac Rapport entre deux grandeurs économiques ou financières.

ratiocination nf litt Raisonnement oiseux.

ratiociner [-sjo-] vi litt Faire des raisonnements oiseux.

ration nf 1 Quantité de nourriture donnée aux hommes, aux animaux pour une durée déterminée. 2 Part, dose, lot donné par le sort et considéré comme suffisant.

rationalisation nf Action de rationaliser.

rationaliser vt 1 Rendre rationnel. 2 Organiser une activité selon des principes rationnels pour la rendre plus rentable, plus efficace.

rationalisme nm PHILO Doctrine selon laquelle tout ce qui existe est intelligible par la raison humaine.

rationaliste a, n Qui relève du rationalisme.

rationalité nf Caractère rationnel.

rationnel, elle a 1 Fondé sur la raison. 2 Conforme au sens commun ; bien conçu, pratique. *Rangement rationnel.*

rationnellement av De façon rationnelle.

rationnement nm Action de rationner.

rationner vt Restreindre, limiter, contingenter la consommation de qqch.

ratissage nm Action de ratisser.

ratisser vt 1 Nettoyer avec un râteau. 2 Explorer minutieusement une zone au cours d'une opération militaire ou de police. 3 fam Ruiner qqn. ■ vi Loc fam *Ratisser large* : rassembler le plus grand nombre de personnes sans souci des principes.

ratite nf ZOOL Oiseau coureur, telle l'autruche.

raton nm 1 Petit du rat. 2 pop Terme raciste désignant un Nord-Africain. Loc *Raton laveur* : mammifère carnivore d'Amérique.

ratonnade nf pop Violences racistes exercées contre des Nord-Africains.

rattachement nm Action de rattacher.

rattacher vt 1 Attacher de nouveau. *Rattacher ses lacets.* 2 Relier des choses, des personnes. *Rattacher un problème à un autre.* ■ vpr Être lié à.

rattrapage nm Action de rattraper.

rattraper vt 1 Attraper de nouveau. 2 Rejoindre qqn, qqch qui a pris de l'avance. 3 Regagner, recouvrer le temps ou l'argent perdu. 4 Compenser les inconvénients de qqch. ■ vpr 1 Se retenir. *Se rattraper à une branche.* 2 Profiter de ce dont on a été longtemps privé.

rature nf Trait pour annuler ce qui est écrit.

raturer vt Annuler par des ratures.

raucité nf Caractère rauque de la voix.

rauque a Rude, âpre (voix).

rauwolfia nm Arbuste tropical dont on extrait la réserpine.

ravage nm Grands dommages, désastres causés par l'homme, les fléaux de la nature, des produits nocifs. Loc fam *Faire des ravages* : susciter des passions amoureuses.

ravagé, ée a fam Fou, inconscient.

ravager vt [11] Dévaster, détériorer gravement.

ravageur, euse a, n Qui ravage.

ravalement nm Nettoyage et restauration de la façade d'un immeuble.

ravaler vt 1 Avaler de nouveau. *Ravaler sa salive.* 2 Déprécier, rabaisser. *Ravaler qqn, ses mérites.* 3 Retenir. *Ravaler son indignation.* 4 Faire le ravalement d'une façade.

ravaleur nm Personne qui ravale une façade.

ravaudage nm vx Raccommodage.

ravauder vt vx Raccommoder.

ravaudeur, euse n vx Personne qui ravaude.

1. rave nf Plante potagère à racine comestible.

2. rave [REV] nf Réunion dansante des amateurs de musique techno.

ravénala nm Plante tropicale voisine du bananier. Var **ravenala**

ravenelle nf Moutarde sauvage.

ravi, ie a Enchanté, très content.

ravier nm Petit plat pour les hors-d'œuvre.

ravigotant, ante a fam Qui ravigote.

ravigote nf Vinaigrette relevée d'échalotes.

ravigoter vt fam Redonner de la vigueur.

ravin nm 1 Lit creusé par un torrent. 2 Vallée pr fonde et encaissée.

ravine nf Lit creusé par un ruisseau.

ravinement nm Action de raviner.

raviner vt Creuser le sol de ravines.

raviole nf Petit carré de pâte farci de fromage.

ravioli nm Petit carré de pâte farci d'un hachis c viande. *Des raviolis.*

ravir vt 1 litt Enlever de force. 2 Charmer, tran porter d'admiration. *Cette musique m'a ravi* Loc *À ravir* : admirablement.

raviser (se) vpr Changer d'avis.

ravissant, ante a Très joli.

ravissement nm Transport de joie, d'admir tion.

ravisseur, euse n Personne qui a commis u rapt.

ravitaillement nm 1 Action de ravitailler. 2 De rées nécessaires à la consommation.

ravitailler vt Fournir en vivres, en munitions, e carburant.

ravitailleur nm Navire, avion équipé pour rav tailler les bateaux en mer, les avions en vol.

ravivage nm Action de redonner à une couleu un éclat plus vif.

raviver vt 1 Rendre plus vif. 2 Ranimer, fair revivre. *Raviver un souvenir.*

ravoir vt (seulement inf.) 1 Recouvrer. 2 fa Redonner à un objet son aspect initial.

rayé, ée a Qui porte des raies, des éraflures c des cannelures.

rayer vt [20] 1 Faire des raies sur. *Rayer un feuille.* 2 Faire des éraflures sur. 3 Annuler, su primer, exclure. *Rayer un nom.*

rayon nm 1 Émanation de lumière. *Un rayo de soleil.* 2 Pièce qui unit le moyeu d'une rou à sa jante. 3 Ligne reliant le centre d'un cercl à un point quelconque de sa circonférence. 4 C qui répand la joie. *Rayon d'espoir.* 5 Gâteau c cire fait par les abeilles. 6 Étagère servant a rangement. 7 Secteur d'un magasin où on ven des produits de même nature. Loc *Dans un rayo de* : à une distance à la ronde. *Rayon d'action* zone d'action. fam *En connaître un rayon* : bie connaître la question. ■ pl Rayonnement. *Rayor cosmiques.*

rayonnage nm Ensemble d'étagères.

rayonnant, ante a 1 Qui rayonne. 2 Radieux.

rayonne nf Fibre textile artificielle.

rayonné, ée a Disposé en rayons.

rayonnement nm 1 Fait de rayonner ; éclat c ce qui rayonne. 2 PHYS Propagation d'énergie sou forme de particules ou de vibrations. 3 Influenc bienfaisante. *Rayonnement d'une culture.*

rayonner vi 1 Émettre des rayons lumineux de l'énergie. 2 Faire sentir au loin son action. Laisser paraître un bonheur intense. *Rayonner c joie.* 4 Partir d'un même point dans des direction diverses.

rayure nf 1 Ligne, bande étroite sur un fond c couleur différente. 2 Trace, éraflure laissée par u corps pointu ou coupant.

raz de marée [RG-] nm inv 1 Très haute vagu d'origine sismique qui pénètre dans les terres. Bouleversement important.

razzia nf Fait de tout emporter par violence o par surprise.

zzier vt Piller.

⟩S nm Remboursement de la dette sociale, contribution de 0,5% sur les revenus, destinée à renflouer la Sécurité sociale.

⟩ nm Deuxième note de la gamme.

a nm TECH Roue à gorge d'une poulie.

abonnement nm Action de (se) réabonner.

abonner vt Abonner de nouveau. ■ vpr renouveler son abonnement.

ac a, n fam Abrév. de réactionnaire.

accoutumer vt litt Habituer de nouveau. ■ vpr Se réhabituer à.

acteur nm Moteur à réaction. Loc *Réacteur nucléaire :* appareil qui produit de l'énergie à partir des réactions de fission nucléaire.

actif, ive a Qui réagit. ■ nm CHIM Substance utilisée en raison de la réaction qu'elle produit.

action nf 1 Comportement, acte de qqn en réponse à un évènement, à une action, à un stimulus. 2 Courant de pensée opposé aux innovations, défavorable au rétablissement des institutions du passé. 3 PHYS Force qui résulte de l'action exercée par un corps sur un autre corps qui agit en retour. *Avion à réaction.* 4 CHIM Transformation de corps chimiques en contact. Loc *Réaction nucléaire :* qui met en jeu les constituants du noyau de l'atome.

actionnaire a, n Qui s'oppose au progrès.

actionnel, elle a didac Relatif à une réaction physique, chimique, psychologique.

activation nf Action de réactiver.

activer vt Activer de nouveau ; redonner une nouvelle activité.

activité nf Aptitude à réagir.

actualiser vt Remettre à jour ; moderniser.

adaptation nf Fait de (se) réadapter.

adapter vt Adapter de nouveau. ■ vpr S'adapter à de nouvelles conditions.

admettre vt [64] Admettre de nouveau.

admission nf Nouvelle admission.

ady-made [redimed] nm BX-A Objet manufacturé promu objet artistique. *Des ready-mades.*

affirmer vt Affirmer de nouveau, avec plus de fermeté.

agir vti, vi 1 Exercer une action en sens contraire ou en retour sur un corps ou sur qqn. 2 manifester un changement d'attitude en réponse à un évènement. *Réagir à une provocation.* 3 S'opposer, résister à. *Réagir contre une influence.* 4 CHIM Entrer en réaction (espèces chimiques).

ajustement, réajuster. V. rajustement, rajuster.

al nm Unité monétaire du Brésil.

algar nm Minerai d'arsenic.

alignement nm ECON Fixation d'un nouveau taux de change d'une monnaie.

aligner vt Procéder à un réalignement monétaire.

alisable a Qu'on peut réaliser.

alisateur, trice a, n 1 Qui réalise, qui a des aptitudes pour réaliser. 2 Qui dirige la réalisation d'un film, d'une émission.

alisation nf 1 Action de réaliser. 2 Chose réalisée. 3 Conversion d'un bien en espèces. 4 Mise en scène d'un film ou d'une émission.

aliser vt 1 Effectuer, accomplir. *Réaliser un projet, un barrage, des prouesses.* 2 Convertir en espèces, en capitaux. 3 Comprendre, saisir, se

représenter clairement. ■ vpr 1 Devenir effectif, réel. *Ses espoirs se réalisent.* 2 S'accomplir en tant que personne. *Se réaliser dans son métier.*

réalisme nm 1 Courant littéraire et artistique visant à représenter le monde, les hommes tels qu'ils sont. 2 Aptitude à tenir compte de la réalité. *Faire preuve de réalisme.*

réaliste a, n 1 Adepte du réalisme en art, en littérature. 2 Qui a le sens des réalités.

réalité nf 1 Caractère de ce qui a une existence réelle. 2 Chose réelle. *Rêve qui devient réalité.* Loc *En réalité :* effectivement, réellement.

realpolitik [Real-] nf Stratégie politique qui ne s'embarrasse pas de considérations morales.

réaménagement nm Action de réaménager.

réaménager vt [11] Aménager sur de nouvelles bases.

réanimateur, trice n Spécialiste de la réanimation.

réanimation nf Technique médicale employée pour rétablir les grandes fonctions vitales.

réanimer vt Faire revenir à la vie par la réanimation.

réapparaître vt [55] [aux. *être* ou *avoir*] Apparaître de nouveau. Var réapparaitre

réapparition nf Nouvelle apparition.

réapprendre vt [70] Apprendre de nouveau. Var rapprendre

réapprovisionner vt Approvisionner de nouveau. Var rapprovisionner

réarmement nm Action de réarmer.

réarmer vt Armer de nouveau. ■ vi S'armer de nouveau.

réassort nm Marchandises destinées à réapprovisionner un commerçant.

réassortiment nm Action de réassortir. Var rassortiment

réassortir vt Assortir de nouveau. Var rassortir

réassurance nf Assurance par laquelle un assureur se fait garantir ses propres risques par une autre compagnie.

réassurer vt Garantir par une réassurance.

rebaptiser vt Donner un nouveau nom.

rébarbatif, ive a Qui rebute par son aspect peu avenant. *Visage rébarbatif.*

rebâtir vt Bâtir de nouveau.

rebattre vt [77] Battre de nouveau. Loc *Rebattre les oreilles :* répéter en lassant.

rebattu, ue a Qui a perdu tout intérêt à force d'être répété.

rebec nm Instrument de musique médiéval à trois cordes et à archet.

rebelle a, n Qui refuse de se soumettre à une autorité, se révolte. ■ a 1 Qui refuse de se plier à. 2 Qui résiste au traitement. *Maladie rebelle.*

rebeller (se) vpr Se révolter contre.

rébellion nf Révolte ; ensemble des rebelles.

rebelote nf fam Se dit quand une situation se reproduit à l'identique.

rebiffer (se) vpr fam Regimber, refuser vivement une contrainte.

rebiquer vi fam Se redresser.

reblochon nm Fromage savoyard au lait de vache, à pâte grasse.

reboire vi, vt [52] Boire de nouveau.

reboisement nm Action de reboiser.

reboiser vt Planter d'arbres un terrain déboisé.

rebond nm Fait de faire un nouveau bond.

rebondi, ie a Rond et charnu. *Des joues rebondies.*

rebondir vi 1 Faire un ou plusieurs bonds après un heurt. 2 Connaître des développements nouveaux. *L'affaire rebondit.* 3 Retrouver un nouvel élan après une période difficile.

rebondissement nm 1 Action de rebondir. 2 Épisode nouveau et inattendu.

rebord nm Bord en saillie ou replié.

reboucher vt Boucher de nouveau.

rebours (à) av En sens contraire, au contraire de ce qu'il faut. Loc *Compte à rebours :* horaire minuté précédant une opération.

rebouter vt INFORM Faire redémarrer un système informatique. **Var rebooter**

rebouteux, euse n fam Personne qui, sans être médecin, s'emploie à guérir les fractures, les luxations.

reboutonner vt Boutonner de nouveau.

rebroder vt Garnir un tissu, un vêtement d'une broderie après sa fabrication.

rebrousse-poil (à) av 1 À l'opposé du sens naturel des poils. 2 Avec maladresse.

rebrousser vt Relever dans un sens contraire à la direction naturelle. Loc *Rebrousser chemin :* faire demi-tour.

rebuffade nf Mauvais accueil, refus brutal.

rébus [-bys] nm 1 Suite de lettres, de dessins, représentant le mot ou la phrase qu'on veut faire deviner. 2 Chose malaisée à comprendre, énigme.

rebut [-by] nm Ce qu'on a rejeté, ce qu'il y a de plus mauvais. Loc *Mettre au rebut :* rejeter comme sans valeur.

rebutant, ante a Qui rebute, déplaît.

rebuter vt Décourager, dégoûter.

recalcification nf Augmentation du calcaire dans l'organisme.

recalcifier vt Enrichir en calcium.

récalcitrant, ante a, n Qui résiste avec opiniâtreté.

recalculer vt Calculer de nouveau.

recalé, ée a, n fam Candidat refusé.

recaler vt fam Refuser à un examen.

recapitaliser vt ECON Augmenter le capital d'une entreprise.

récapitulatif, ive a, nm Qui récapitule. *Tableau récapitulatif. Établir un récapitulatif.*

récapitulation nf Action de récapituler.

récapituler vt Résumer, reprendre sommairement.

recaser vt fam Caser, établir de nouveau.

recel nm Action de receler.

receler vt [16] 1 Détenir et cacher qqch illégalement. 2 Contenir, renfermer. *L'épave recèle un trésor.* **Var recéler** [12]

receleur, euse n Coupable de recel. **Var recéleur, euse**

récemment av À une époque récente.

recensement nm 1 Action de recenser. 2 Dénombrement officiel des habitants d'une ville, d'un État, etc.

recenser vt Dénombrer, inventorier.

recenseur nm Personne qui recense.

recension nf Compte rendu critique d'un ouvrage dans une revue.

récent, ente a Qui existe depuis peu.

recentrage nm Action de recentrer.

recentrer vt Déplacer vers le centre ; remettre centre. *Recentrer un parti politique.*

récépissé nm Écrit attestant qu'on a reçu qqch

réceptacle nm 1 Ce qui reçoit des choses de pr venances diverses. 2 BOT Extrémité du pédoncu de la fleur.

récepteur, trice a Qui reçoit, dont la foncti est de recevoir. ■ nm 1 Appareil recevant d signaux électriques et les transformant en imag ou en sons. 2 PHYSIOL Structure organique receva des signaux extérieurs et les transformant influx nerveux.

réceptif, ive a Susceptible de recevoir facileme des impressions ; sensible à.

réception nf 1 Action, fait de recevoir qqch, qq 2 Service d'accueil d'un hôtel ou d'une entrepris *S'adresser à la réception.* 3 Réunion mondaine Action de recevoir le ballon. 5 Manière de se rec voir au sol après un saut.

réceptionnaire n, a Qui reçoit une marchandis

réceptionner vt Accepter une livraison apr vérification.

réceptionniste n Chargé de la réception d clients d'un hôtel.

réceptivité nf Caractère réceptif.

récessif, ive a BIOL Se dit d'un gène, d'un cara tère héréditaire ne se manifestant qu'en l'absen du caractère opposé.

récession nf Ralentissement de l'activité éc nomique.

récessivité nf Caractère récessif.

recette nf 1 Ce qui est reçu, perçu en argent. Bureau où on perçoit les taxes. 3 Indications q permettent de confectionner un mets. *Recette de gâteau.* 4 Moyen, procédé pour réussir qqch. L *Faire recette :* rapporter de l'argent ; avoir succès.

recevabilité nf Caractère recevable.

recevable a Qu'on peut recevoir, admettre.

receveur, euse n 1 Fonctionnaire, employ recevant les deniers publics, un paiement. 2 Pe sonne qui reçoit du sang, un organe, dans u transfusion, une greffe.

recevoir vt [43] 1 Se voir donner, envoyer, adre ser qqch. *Recevoir une lettre.* 2 Prendre sur s subir. *Recevoir des coups, une averse.* 3 Laiss entrer ; recueillir. *Cette pièce reçoit le soleil.* Accueillir ; faire un certain accueil à. *Il nous bien reçus.* 5 Admettre à un examen, dans un société. ■ vpr Retomber d'une certaine manièr après un saut.

réchampir vt TECH Détacher un ornement sur u fond. **Var rechampir**

rechange nm Loc *De rechange :* qui peut rem placer qqch.

rechanter vt, vi Chanter de nouveau.

rechapage nm Action de rechaper.

rechaper vt Appliquer une nouvelle couche d gomme sur un pneu usé.

réchapper vti [aux. avoir ou être] Se tirer d'u grand danger. *Réchapper à un (ou d'un) acc dent.*

recharge nf 1 Action de recharger. 2 Ce qui se à recharger. *Recharge de briquet.*

rechargeable a Qui peut être rechargé.

rechargement nm Action de recharger.

recharger vt [11] Charger de nouveau.

réchaud nm Petit fourneau portatif.

chauffage nm Action de réchauffer.

chauffé, ée a, nm Vieux et trop connu. *Cette ...toire, c'est du réchauffé.*

chauffement nm Fait de se réchauffer.

chauffer vt 1 Chauffer ce qui était froid ou ...roidi. 2 Ranimer, réconforter. ■ vpr Devenir ...s chaud.

chausser vt Chausser de nouveau.

che a 1 Rude au toucher. 2 Peu aimable.

cherche nf 1 Action de rechercher. 2 Travail ...entifique. *Recherches sur le cancer.* 3 Soin, ...finement. *Recherche dans la toilette.*

cherché, ée a 1 Peu commun, rare. 2 Qui ...oigne du raffinement. *Élégance recherchée.*

cherche-développement nf Processus éco...mique qui s'étend de la conception d'un nou...au produit à sa mise sur le marché.

chercher vt 1 Chercher avec soin pour décou...r, connaître. 2 Tâcher d'obtenir. *Rechercher ...s honneurs.*

chigner vti Témoigner de la répugnance pour. *...chigner au travail.*

christianiser vt Ramener une population à la ...i chrétienne.

chute nf Fait de retomber dans une maladie, ...e toxicomanie, une mauvaise habitude.

chuter vi Faire une rechute.

cidivant, ante a MED Qui récidive.

cidive nf 1 MED Réapparition d'une maladie, ...un mal. 2 DR Action de refaire la même faute, de ...mmettre une nouvelle infraction.

cidiver vi 1 Réapparaître (maladie). 2 Refaire ...à même faute, commettre une nouvelle infrac...on.

cidiviste n Personne qui commet une récidive.

cif nm Rocher ou ensemble de rochers à fleur ...eau.

cipiendaire n Personne reçue dans un corps, ...e compagnie avec cérémonie.

cipient nm Ustensile destiné à contenir une ...bstance quelconque.

ciprocité nf Caractère réciproque.

ciproque a Mutuel. *Amour, influence réci...oque.* Loc GRAM *Verbes réciproques :* verbes ...onominaux où les sujets exercent l'action les ...s sur les autres (ex. : *ils se battent*). ■ nf La ...reille. *Rendre la réciproque.*

ciproquement av Mutuellement.

cit nm Narration de faits réels ou imaginaires. *...cit d'aventures.*

cital nm Concert donné par un seul artiste ou ...nsacré à un seul genre. *Des récitals.*

citant, ante n 1 Personne qui dit un texte. 2 ...rsonne qui chante un récitatif.

citatif nm Partie narrative déclamée dans un ...éra.

citation nf Texte de poésie qu'un écolier doit ...prendre par cœur.

citer vt Dire par cœur. *Réciter une leçon.*

clamation nf Action de réclamer.

clame nf vx Publicité commerciale. Loc *En ...clame :* à prix réduit.

clamer vt 1 Demander de façon pressante ce ...nt on a besoin ou ce à quoi on a droit. 2 Néces...er. *Ceci réclame des précautions.* ■ vpr Se ...évaloir de qqn, de qqch.

classement nm Action de reclasser.

reclasser vt 1 Classer de nouveau. 2 Affecter qqn qui ne peut plus exercer son emploi dans un secteur différent. 3 Réajuster le traitement d'une catégorie d'employés, de fonctionnaires.

reclus, use a, n Enfermé, isolé du monde.

réclusion nf 1 litt État de qqn reclus. 2 DR Peine privative de liberté, avec obligation de travailler.

récognition nf PHILO Reconnaissance par la mémoire.

recoiffer vt Coiffer de nouveau. ■ vpr 1 Arranger ses cheveux. 2 Remettre son chapeau.

recoin nm Coin bien caché.

recollage nm Action de recoller.

recoller vt Coller de nouveau.

récoltant, ante a, n Qui fait sa récolte.

récolte nf 1 Action de recueillir des produits de la terre ; produits recueillis. 2 Ce que l'on rassemble au prix d'un certain effort. *Récolte de renseignements.*

récolter vt 1 Faire une récolte de. *Récolter des céréales.* 2 Recueillir, obtenir. *Récolter des mauvaises notes.*

recommandable a Digne d'être recommandé, estimé. *Personne peu recommandable.*

recommandation nf 1 Conseil. 2 Action de recommander qqn. 3 Formalité par laquelle on recommande une lettre, un colis.

recommandé, ée a, nm À quoi s'applique la recommandation postale.

recommander vt 1 Indiquer, conseiller qqch à qqn ; exhorter. *Recommander la prudence.* 2 Demander à qqn d'être favorable à. *Recommander un élève.* 3 S'assurer, en payant une taxe, qu'un envoi postal sera remis en main propre au destinataire. ■ vpr Se prévaloir de l'appui de qqn.

recommencement nm Fait de recommencer.

recommencer vt, vi [10] Commencer de nouveau ; refaire.

récompense nf Ce qu'on donne à qqn pour un service rendu, un mérite particulier.

récompenser vt Donner une récompense à qqn.

recomposé, ée a Se dit d'une famille où un couple cohabite avec des enfants nés d'une union précédente.

recomposer vt Reconstituer.

recomposition nf Action de recomposer.

recompter vt Compter de nouveau.

réconciliation nf Action de se réconcilier.

réconcilier vt 1 Remettre d'accord des personnes brouillées. 2 Faire revenir sur une opinion défavorable. ■ vpr Se remettre d'accord avec qqn.

recondamner vt Condamner une nouvelle fois.

reconductible a Qu'on peut reconduire, renouveler.

reconduction nf Action de reconduire, de renouveler.

reconduire vt [67] 1 Accompagner qqn qui s'en va. 2 Renouveler, proroger. *Reconduire un contrat.*

reconduite nf Loc *Reconduite à la frontière :* expulsion d'un étranger en situation irrégulière.

réconfort nm Consolation, appui.

réconfortant, ante a Qui réconforte.

réconforter vt Redonner la force physique ou morale à qqn.

reconnaissable a Qu'on peut reconnaître.

reconnaissance nf 1 Action de reconnaître qqn, qqch. 2 Fait d'admettre pour tel ou de reconnaître la légitimité de. 3 Acte écrit par lequel on reconnaît une obligation. *Reconnaissance de dette.* 4 MILIT Exploration d'un lieu. *Vol de reconnaissance.* 5 Sentiment qui porte à témoigner qu'on est redevable d'un bienfait reçu ; gratitude.

reconnaissant, ante a Qui éprouve de la reconnaissance.

reconnaître vt [55] 1 Identifier qqn, qqch. *Reconnaître une odeur.* 2 Admettre comme vrai, certain ; avouer. 3 Explorer un lieu. Loc *Reconnaître un enfant :* déclarer officiellement qu'on en est le père ou la mère. *Reconnaître un gouvernement :* admettre sa légitimité. ■ vpr 1 Retrouver son image dans. 2 S'avouer comme tel. *Se reconnaître coupable.* Var **reconnaître**

reconnu, ue a Dont la valeur n'est pas mise en doute. *Un musicien reconnu.*

reconquérir vt [34] Conquérir de nouveau.

reconquête nf Action de reconquérir.

reconsidérer vt [12] Réexaminer.

reconstituant, ante a, nm Se dit d'un aliment, d'un médicament qui redonne des forces.

reconstituer vt 1 Constituer, créer de nouveau. 2 Rétablir un fait tel qu'il s'est produit. *Reconstituer un crime.*

reconstitution nf Action de reconstituer.

reconstruction nf Action de reconstruire.

reconstruire vt [67] Construire de nouveau ce qui a été détruit ; rebâtir.

reconversion nf 1 Adaptation de l'économie, d'une entreprise à de nouvelles conditions. 2 Changement de métier d'un travailleur par une nouvelle qualification.

reconvertir vt Pratiquer, assurer la reconversion de qqch, qqn. ■ vpr Changer de métier.

recopier vt Copier un texte ; le mettre au propre.

record nm Exploit, performance surpassant ce qui a été fait jusqu'alors. ■ a inv Jamais atteint auparavant. *Températures record.*

recorder vt Munir de nouvelles cordes.

recordman [ʀəkɔʀdman] nm, **recordwoman** [-wuman] nf Celui, celle qui détient un record sportif. *Des recordmen, recordwomen* ou *recordmans, recordwomans.*

recorriger vt [11] Corriger de nouveau.

recoucher vt Coucher de nouveau. ■ vpr Se remettre au lit.

recoudre vt [56] Coudre une étoffe décousue ou déchirée.

recoupement nm Vérification d'un fait, d'une information par d'autres sources.

recouper vt 1 Couper de nouveau. 2 Apporter une confirmation par d'autres sources. ■ vi Couper une seconde fois les cartes.

recourber vt Courber une nouvelle fois ou à son extrémité.

recourir vi, vt [25] Courir de nouveau. ■ vti Faire appel à qqn, à qqch. *Recourir au médecin.*

recours nm 1 Action de faire appel à qqn, à qqch ; ce à quoi on recourt. 2 DR Action qu'on fait contre qqn pour être indemnisé ou garanti. 3 DR Pourvoi. *Recours en grâce.*

recouvrable a Qu'on peut recouvrer.

recouvrement nm 1 Action de recouvrer ce qui était perdu. 2 Perception de sommes dues. *Le recouvrement des impôts.* 3 Fait de recouvrir. *Recouvrement d'un toit.*

recouvrer vt 1 Rentrer en possession de. *Reco[u]vrer la vue.* 2 Percevoir des sommes dues.

recouvrir vt [31] 1 Couvrir de nouveau ou co[m]plètement. 2 Masquer, cacher. 3 Inclure da[ns], coïncider avec.

recracher vt Rejeter ce que l'on a mis dans [la] bouche.

récréatif, ive a Divertissant.

recréation nf Nouvelle création.

récréation nf 1 Délassement, détente. 2 Tem[ps] accordé à des élèves pour se détendre entre [les] heures de classe. (Abrév. fam : récré.)

recréer vt Créer à nouveau ; reconstituer.

récréer vt litt Divertir, détendre.

recrépir vt Crépir de nouveau.

récrier (se) vpr S'exclamer d'indignation [ou] d'admiration.

récriminateur, trice a Qui récrimine.

récrimination nf Plainte, protestation acerb[e ;] revendication.

récriminer vi Protester, critiquer amèrement.

récrire vt [61] 1 Écrire de nouveau. 2 Rédige[r de] nouveau, en modifiant. Var **réécrire**

recristallisation nf GÉOL Modification en profo[n]deur des constituants d'une roche.

récriture nf Action de rédiger en modifiant. V[ar] **réécriture**

recroqueviller (se) vpr 1 Se replier en sécha[nt ;] se rétracter. 2 Se ramasser sur soi.

recru, ue a Loc litt *Recru de fatigue :* harassé.

recrudescence nf Réapparition avec une au[g]mentation d'intensité.

recrudescent, ente a Qui s'intensifie.

recrue nf 1 Soldat nouvellement incorporé. [2] Nouveau membre d'un groupement.

recrutement nm Action de recruter.

recruter vt 1 Appeler des recrues. *Recruter u[ne]* troupe. 2 Engager du personnel. 3 Attirer dans [un] groupe, un parti. *Recruter des partisans.*

recruteur, euse n Qui recrute.

recta av fam Exactement.

rectal, ale, aux a ANAT Du rectum.

rectangle nm Quadrilatère dont les angles so[nt] droits et les côtés opposés égaux. ■ a Loc *Triang[le] rectangle :* qui a un angle droit.

rectangulaire a 1 En forme de rectangle. 2 Q[ui] forme un angle droit.

recteur nm Fonctionnaire de l'Éducation nati[o]nale responsable d'une académie.

rectificatif, ive a Qui sert à rectifier une erreu[r.] ■ nm Document apportant une rectification.

rectification nf Action de corriger ce qui e[st] inexact ; mise au point.

rectifier vt Rendre correct, exact ; redresse[r,] corriger.

rectifieur, euse n Personne qui rectifie une piè[ce] usinée. ■ nf Machine-outil servant à rectifier u[ne] pièce.

rectiligne a En ligne droite.

rectite nf Inflammation du rectum.

rectitude nf 1 Qualité de ce qui est droit. *Rec[ti]tude d'une ligne.* 2 Qualité juste, conforme à [la] raison ; rigueur morale.

recto nm Première page d'un feuillet (par oppo[sé] à *verso*).

rectocolite nf Inflammation du rectum et [du] côlon.

rectoral, ale, aux a Du recteur.

ctorat nm Charge, dignité de recteur d'académie ; bureaux du recteur.

ctoscopie nf Examen du rectum à l'endoscope.

ctrice nf Plume de la queue des oiseaux.

ctum [-tom] nm Segment terminal du gros estin.

çu, ue a Loc Idée reçue : toute faite, banale, uvent fausse. ■ a, n Admis à un examen, un ncours. ■ nm Écrit par lequel on reconnaît oir reçu une somme d'argent, un objet.

cueil nm Volume réunissant des écrits de pronances diverses.

cueillement nm État d'esprit d'une personne i se recueille.

cueilli, ie a Qui se recueille ; qui manifeste le cueillement.

cueillir vt [26] 1 Rassembler, collecter. 2 Remrter, obtenir. Il a recueilli tous les suffrages. OR Recevoir par héritage. 4 Recevoir chez soi, berger. ■ vpr 1 Se livrer à de pieuses méditans. 2 Réfléchir, méditer.

cuire vt, vi [67] Cuire de nouveau.

cuit nm TECH Chauffage d'un métal, d'un verre ur en améliorer la qualité.

cul nm 1 Mouvement de ce qui recule. 2 gression, diminution. Recul de la production. Distance prise pour juger un évènement. Maner de recul pour juger.

culade nf Dérobade.

culé, ée a Éloigné. Époque reculée.

culer vi 1 Aller en arrière. 2 Hésiter ou renonr à agir. Loc Ne reculer devant rien : n'avoir cun scrupule. ■ vt 1 Tirer ou repousser en rière. Reculer sa chaise. 2 Retarder, différer. culer la date du départ.

culons (à) av En reculant.

cupérable a Qu'on peut récupérer.

cupérateur, trice a, n Qui récupère des aties ou de l'énergie.

cupération nf Action de récupérer.

cupérer vt [12] 1 Recouvrer, rentrer en posssion de ce qu'on avait perdu. 2 Recueillir les chets pour les utiliser. 3 Compenser par des ures de travail les moments perdus. 4 Détourr à son profit un mouvement de contestation en dénaturant. ■ vi Recouvrer ses forces.

curage nm Action de récurer.

curer vt Nettoyer en frottant.

currence nf didac Caractère récurrent.

current, ente a didac Qui revient par intermitnce, répétitif.

cursif, ive a didac Qui peut être répété un ombre infini de fois.

cursivité nf Caractère récursif.

cusable a Qu'on peut récuser.

cusation nf Action de récuser.

cuser vt 1 DR Refuser en tant que juré, expert, moin. 2 Contester, n'accorder aucune valeur à qch, aucune autorité à qqn. ■ vpr Refuser de endre une responsabilité.

cyclable a Qu'on peut recycler.

cyclage nm 1 Réutilisation de produits indusiels usagés. 2 Formation donnée à qqn pour adapter à un nouveau travail.

cycler vt Soumettre à un recyclage. ■ vpr cquérir une nouvelle formation.

rédacteur, trice n Personne qui a pour profession de rédiger des textes destinés à la diffusion.

rédaction nf 1 Action de rédiger. 2 Narration, composition française. 3 Ensemble des rédacteurs d'un journal, d'un livre ; lieu où ils travaillent.

rédactionnel, elle a De la rédaction.

reddition nf Capitulation.

redécoupage nm Division d'une région en nouvelles circonscriptions électorales.

redécouper vt Faire un redécoupage.

redécouvrir vt [31] Découvrir de nouveau.

redéfinir vt Définir à nouveau.

redéfinition nf Action de redéfinir.

redemander vt Demander de nouveau.

redémarrage nm Action de redémarrer.

redémarrer vi Prendre un nouveau départ.

rédempteur, trice a, nm litt Qui rachète les péchés.

rédemption nf RELIG 1 Rachat des péchés. 2 (avec majusc.) Rachat du genre humain par la mort du Christ.

redéploiement nm Action de redéployer.

redéployer vt [22] 1 Réorganiser un dispositif de combat. 2 Réorganiser une activité industrielle en multipliant les points d'échange, de production.

redescendre vi, vt [5] (aux. être pour le vi) Descendre une nouvelle fois.

redevable a Qui doit qqch à qqn.

redevance nf Taxe due à échéances déterminées.

redevenir vi [35] [aux. être] Devenir de nouveau.

rédhibitoire a Qui constitue un empêchement absolu. Loc DR Vice rédhibitoire : défaut caché qui constitue un motif d'annulation de la vente.

rediffuser vt Diffuser une nouvelle fois.

rediffusion nf Action de rediffuser ; émission rediffusée.

rédiger vt [11] Exprimer par écrit.

redingote nf 1 anc Manteau d'homme à longues basques. 2 Manteau de femme cintré à la taille.

redire vt [60] Répéter. Loc Trouver, avoir à redire : critiquer.

rediscuter vt Discuter de nouveau.

redistribuer vt Distribuer de nouveau, différemment.

redistribution nf Action de redistribuer.

redite nf Répétition inutile.

redondance nf Répétition superflue, redite.

redondant, ante a 1 Superflu. 2 Qui comporte des redondances, des redites. 3 INFORM Qui emploie plus de symboles que nécessaire pour la transmission d'une information.

redonner vt 1 Donner de nouveau. 2 Rendre ce qui a été perdu, restituer.

redorer vt Dorer de nouveau.

redoublant, ante n Personne qui redouble une classe.

redoublé, ée a Répété. Loc À coups redoublés : violemment.

redoublement nm Action de redoubler.

redoubler vt 1 Doubler, répéter. 2 Renouveler avec insistance. Redoubler ses prières. 3 Recommencer une classe. ■ vti Agir avec encore plus de. Redoubler de vigilance. ■ vi Augmenter, s'accroître. La pluie redouble.

redoutable a Dangereux, terrible.

redoutablement av Terriblement, très.

redoute *nf anc* Ouvrage de fortification isolé.

redouter *vt* Avoir peur de, craindre.

redoux *nm* Radoucissement de la température après une période de froid.

redresse (à la) *a pop* Qui se fait respecter.

redressement *nm* Action de (se) redresser. **Loc** *Redressement fiscal :* rectification de l'impôt après une déclaration erronée.

redresser *vt* 1 Remettre dans une position verticale ; rendre une forme droite. 2 Remettre en bon ordre, dans un état satisfaisant. ■ *vpr* 1 Se remettre debout, droit. 2 Retrouver sa puissance, son développement.

redresseur, euse *a* 1 Qui réduit. 2 Qui simplifie abusivement. *Analyse réductrice.*

réductible *a* Qu'on peut réduire.

réduction *nf* 1 Action de rendre plus petit ; diminution. *Réduction d'impôt.* 2 Fait de ramener une chose complexe à une autre plus simple. 3 Remise en place des os fracturés.

réductionnisme *nm* Tendance à simplifier exagérément un phénomène.

réductionniste *a, n* Du réductionnisme.

réduire *vt* [67] 1 Restreindre, diminuer, rendre plus petit. 2 Reproduire avec des dimensions plus petites. 3 Transformer par broyage, trituration, pulvérisation, etc. 4 Amener à une forme plus simple. *Réduire une fraction.* 5 Remettre à leur place des os fracturés. 6 Rendre plus concentré par une longue cuisson. *Réduire une sauce.* 7 Obliger à. *Réduire qqn au silence.* 8 Soumettre, mater. *Réduire la résistance.* ■ *vi* Diminuer de volume. *La sauce a réduit.* ■ *vpr* Se limiter à.

réduit *nm* Petit local sombre.

réduplication *nf* LING Redoublement de mots, de syllabes.

rééchelonnement *nm* Action de rééchelonner.

rééchelonner *vt* Étaler sur une période plus longue le remboursement d'une dette.

réécouter *vt* Écouter de nouveau.

réécrire, réécriture. *V. récrire, récriture.*

rééditer *vt* 1 Éditer de nouveau. 2 Répéter, refaire. *Rééditer un exploit.*

réédition *nf* Action de rééditer.

rééducation *nf* Action de rééduquer.

rééduquer *vt* 1 Appliquer un traitement visant à recouvrer une fonction organique lésée. 2 Réadapter socialement.

réel, réelle *a* 1 Qui existe effectivement. *Personnage réel.* 2 Véritable, authentique. *Améliorations réelles.* ■ *nm* Les choses, les faits qui existent effectivement.

réélection *nf* Action de réélire.

rééligible *a* Légalement apte à être réélu.

réélire *vt* [63] Élire de nouveau.

réellement *av* En réalité, effectivement.

réémetteur *nm* Émetteur retransmettant les signaux d'un émetteur principal.

réemploi *nm* Nouvel emploi. **Var remploi.**

réemployer *vt* [22] Employer de nouveau. **Var remployer**

réemprunter *vt* Emprunter de nouveau. **Var remprunter**

réengagement, réengager. *V. rengagement, rengager.*

rééquilibrage *nm* Fait de rééquilibrer.

rééquilibrer *vt* Rétablir l'équilibre.

réescompte *nm* Escompte consenti à une banq[ue] par un autre établissement, sur des effets de com[merce] déjà escomptés.

réessayer *vt* [20] Essayer de nouveau. **Var re[es]sayer**

réétudier *vt* Étudier de nouveau.

réévaluation *nf* Action de réévaluer.

réévaluer *vt* 1 Évaluer sur des bases nouvelles[.] Augmenter le taux de change d'une monnaie.

réexamen *nm* Fait de réexaminer.

réexaminer *vt* Examiner de nouveau.

réexpédier *vt* Expédier de nouveau.

réexpédition *nf* Action de réexpédier.

réexportation *nf* Action de réexporter.

réexporter *vt* Exporter des marchandises impor[tées.

refaçonner *vt* Façonner de nouveau.

refaire *vt* [9] 1 Faire de nouveau ce qui a été fa[it]. 2 Remettre en état, réparer. 3 fam Duper, tromp[er] qqn. ■ *vpr* fam Rétablir ses finances.

réfection *nf* Action de remettre en état.

réfectoire *nm* Lieu où les membres d'une colle[c]tivité prennent ensemble des repas.

refend *nm* **Loc** *Bois de refend :* scié en long. *M[ur] de refend :* mur de soutien intérieur.

refendre *vt* [5] Fendre ou scier en long.

référé *nm* DR Procédure rapide pour juger u[ne] affaire urgente.

référé-liberté *nm* DR Procédure de suspensi[on] d'une mise en détention estimée abusive. *D[es] référés-libertés.*

référence *nf* 1 Action de se référer à qqch ; [ce] à quoi l'on se réfère. 2 Indication précise d'[un] ouvrages auxquels on renvoie le lecteur. 3 Indi[ca]tion, portée en tête d'une lettre, qui désigne l'a[ffaire concernée. ■ *pl* Attestation d'un employe[ur] servant de recommandation.

référencer *vt* [10] Indiquer la référence de qqc[h]. *Référencer des marchandises.*

référendaire *a* Du référendum. **Loc** *Conseill[er] référendaire :* magistrat chargé de vérifier [la] comptabilité publique.

référendum [-dɔm] *nm* 1 Vote direct par lequ[el] les citoyens se prononcent sur une propositio[n] législative ou constitutionnelle. 2 Consultati[on] des membres d'un groupe.

référent *nm* LING Ce à quoi se réfère un signe li[n]guistique.

référentiel, elle *a* LING Du référent.

référer *vti* [12] En appeler à. *En référer à [un] supérieur.* ■ *vpr* Se rapporter à qqn ou qqch.

refermer *vt* Fermer ce qui s'était ouvert ou qu'[on] avait ouvert.

refiler *vt* fam Donner qqch à qqn.

refinancement *nm* Action de se refinancer.

refinancer (se) *vpr* [10] ECON Se procurer de no[u]velles ressources sur le marché financier.

réfléchi, ie *a* 1 Fait ou dit avec réflexion. [2] Qui agit avec réflexion. **Loc** GRAM *Verbe, pron[om] réfléchi :* indique que l'action est réalisée par [le] sujet sur lui-même.

réfléchir *vt* [10] Renvoyer par réflexion dans une no[u]velle direction. *Miroir qui réfléchit une imag[e].* ■ *vi, vti* Penser mûrement. *Réfléchis avant [de] parler. Réfléchir à un problème.* ■ *vpr* Donn[er] une image par réflexion.

réfléchissant, ante *a* Qui réfléchit la lumière.

réflecteur nm Appareil destiné à réfléchir des rayonnements.

réflectorisé, ée a Muni de réflecteurs. *Panneau indicateur réflectorisé.*

reflet nm 1 Lumière renvoyée par la surface d'un corps ; image réfléchie. 2 Reproduction affaiblie.

refléter vt [12] 1 Renvoyer de manière affaiblie la lumière, une image. 2 Indiquer, traduire, exprimer. ■ vpr Se réfléchir.

refleurir vi, vt Fleurir de nouveau.

réflex nm Appareil photographique dont le viseur présente, grâce à un miroir, une image cadrée exactement. Var **reflex** [RE-]

réflexe nm 1 Réaction organique, immédiate, involontaire et prévisible à un stimulus donné. 2 Réaction rapide à une situation imprévue. ■ a Qui relève du réflexe. *Mouvement réflexe.*

réflexion nf 1 PHYS Changement de direction d'une onde lumineuse, acoustique, radioélectrique causé par un obstacle. 2 Fait de réfléchir, de penser mûrement à qqch ; pensée exprimée. 3 Critique désobligeante. Loc *Réflexion faite :* après avoir réfléchi.

refluer vi 1 Se mettre à couler en sens inverse. 2 Reculer vers son point de départ.

reflux [-fly] nm 1 Mouvement de la mer se retirant du rivage. Syn. jusant. 2 Mouvement de ce qui reflue. *Le reflux de la foule.*

refondre vt [5] 1 Fondre de nouveau un métal. 2 Refaire complètement. *Refondre un livre.*

refonte nf Action de refondre.

reforestation nf Syn. de *reboisement*.

réformable a Qu'on peut réformer.

réformateur, trice n, a Qui vise à réformer, propose des réformes.

réforme nf Changement en vue d'améliorer. *Réforme fiscale, agraire.*

réformé, ée a, n 1 Qui relève du protestantisme. 2 Reconnu impropre au service militaire.

reformer vt Former de nouveau, refaire.

réformer vt 1 Corriger en supprimant ce qui est nuisible. 2 MILIT Retirer du service, reconnaître comme inapte.

réformette nf fam Réforme sans portée.

réformisme nm Doctrine politique des partisans de la transformation progressive et légale de la société.

réformiste n, a Qui relève du réformisme.

refoulé, ée a, n Qui réprime l'expression de ses sentiments, de sa sexualité.

refoulement nm 1 Action de refouler, de faire reculer. 2 PSYCHAN Action de s'interdire d'exprimer un sentiment qui subsistent de façon inconsciente.

refouler vt 1 Faire reculer, refluer. *Refouler des manifestants.* 2 S'interdire l'expression d'un sentiment, d'un désir. *Refouler ses larmes, sa colère.* 3 PSYCHAN Rejeter dans son inconscient.

réfractaire a, n 1 Qui refuse de se soumettre, d'obéir. 2 HIST Sous la Révolution, prêtre qui avait refusé de prêter serment. ■ a 1 Inaccessible, insensible à qqch. 2 Qui résiste à de très hautes températures. *Brique réfractaire.*

réfracter vt PHYS Produire la réfraction de.

réfraction nf PHYS Déviation d'un rayon lumineux qui passe d'un milieu dans un autre.

refrain nm 1 Reprise de quelques phrases à la fin de chaque couplet d'une chanson. 2 Paroles qui reviennent sans cesse.

réfréner vt [12] Réprimer. *Réfréner sa colère.*

réfrigérant, ante a 1 Qui sert à produire du froid. 2 Glacial. *Accueil réfrigérant.*

réfrigérateur nm Appareil destiné à conserver les aliments par le froid.

réfrigération nf Abaissement de la température par des moyens artificiels.

réfrigérer vt [12] Refroidir par réfrigération. Loc fam *Être réfrigéré :* avoir très froid.

réfringence nf PHYS Propriété de réfracter la lumière.

réfringent, ente a PHYS Qui a la propriété de réfracter les rayons lumineux.

refroidir vt 1 Rendre froid, plus froid. 2 Diminuer l'ardeur, le courage. 3 pop Assassiner. ■ vi, vpr Devenir froid ou moins chaud. ■ vpr 1 Attraper froid. 2 Devenir plus frais.

refroidissement nm 1 Abaissement de la température. 2 Indisposition causée par une baisse de la température. 3 Diminution de l'enthousiasme, de l'affection.

refuge nm 1 Lieu où on se retire pour être en sûreté. 2 Abri destiné aux alpinistes en montagne. 3 Emplacement au milieu d'une voie pour être à l'abri de la circulation.

réfugié, ée a, n Qui a dû quitter son pays, sa région pour fuir un danger.

réfugier (se) vpr Se retirer en un lieu pour se mettre à l'abri.

refus nm Action de refuser. Loc fam *Ce n'est pas de refus :* volontiers.

refusé, ée a, n Qui n'a pas été admis à un examen ou à un concours.

refuser vt 1 Ne pas accepter. *Refuser une invitation.* 2 Ne pas accorder. *Refuser une autorisation.* 3 Ne pas consentir. *Refuser d'obéir.* 4 Ne pas reconnaître une qualité à qqn. 5 Ne pas recevoir à un examen. *Refuser plus d'entrer. On refuse du monde.* ■ vpr 1 Se priver de. *Il ne se refuse rien !* 2 Ne pas accepter. *Se refuser à travailler dans ces conditions.*

réfutable a Qu'on peut réfuter.

réfutation nf Action de réfuter ; discours par lequel on réfute.

réfuter vt Démontrer la fausseté de qqch.

reg nm Plateau caillouteux des déserts.

regagner vt 1 Gagner de nouveau. *Regagner le temps perdu.* 2 Retourner à un endroit.

regain nm 1 AGRIC Herbe qui repousse après la première fauchaison. 2 Retour de ce qui paraissait perdu, fini. *Un regain de jeunesse.*

régal, als nm 1 Mets délicieux. 2 Grand plaisir causé par qqch. *Un régal pour les yeux.*

régalade nf Loc *Boire à la régalade :* boire en faisant couler la boisson dans la bouche sans que le récipient touche les lèvres.

régaler vt Offrir un bon repas à qqn. ■ vpr 1 Prendre un grand plaisir à déguster un mets. 2 Éprouver un vif plaisir.

régalien, enne a Propre au roi, au chef de l'État. *Décision régalienne.*

regard nm 1 Action de regarder, d'observer. 2 Expression des yeux de qqn. *Un regard intelligent.* 3 TECH Ouverture pour permettre la visite et le nettoyage d'un conduit. Loc *Droit de regard :*

possibilité d'exercer un contrôle. *Au regard de :* par rapport à. *En regard :* vis-à-vis.

regardant, ante *a* fam Qui regarde trop à la dépense.

regarder *vt* 1 Porter les yeux, la vue sur. 2 Considérer. *Regarder les choses d'un bon œil.* 3 Concerner. *Ceci me regarde.* 4 Être tourné vers. *Maison qui regarde la mer.* ■ *vti* Loc *Regarder à la dépense :* hésiter à dépenser. *Y regarder à deux fois :* se méfier. *Y regarder de près :* examiner les choses soigneusement. ■ *vpr* 1 Regarder sa propre image. *Se regarder dans un miroir.* 2 Porter ses regards l'un sur l'autre.

regarnir *vt* Garnir de nouveau.

régate *nf* Course de voiliers.

régater *vi* Participer à une régate ; lutter de vitesse avec un autre voilier.

régatier *nm* Personne qui participe à une régate.

regel *nm* Retour du gel.

regeler *vi, v* [16] Geler de nouveau.

régence *nf* Direction d'un État par un régent ; fonction de régent. ■ *a* Propre à l'époque de la régence de Philippe d'Orléans au XVIIIe s.

régénérateur, trice *a* Qui régénère.

régénération *nf* Fait de (se) régénérer.

régénérer *vt* [12] 1 BIOL Reconstituer ce qui était détruit. 2 litt Renouveler moralement.

régent, ente *n* Personne qui gouverne l'État pendant la minorité ou l'absence du souverain.

régenter *vt* Diriger de façon autoritaire.

reggae [Rege] *nm* Musique des Noirs jamaïquains.

régicide *n, a* Assassin d'un roi. ■ *nm* Assassinat d'un roi.

régie *nf* 1 Entreprise d'intérêt public gérée par l'Administration. 2 Direction d'un théâtre, d'une production de cinéma, de télévision. 3 Local à partir duquel le réalisateur dirige les prises de vues ou de son.

regimber *vi* 1 Refuser d'avancer, en ruant (cheval, âne). 2 Résister en refusant d'obéir. *Regimber contre un ordre.* **Var se regimber** *vpr*

régime *nm* 1 Ordre, constitution, forme d'un État. *Régime parlementaire.* 2 Dispositions règlementaires ou légales qui régissent certaines institutions. *Le régime des hôpitaux. Régimes matrimoniaux.* 3 Prescriptions, règles concernant l'alimentation. *Suivre un régime.* 4 Vitesse de rotation d'un moteur. 5 Mode d'évolution de certains processus hydrologiques et météorologiques. *Régime des pluies.* 6 LING Mot régi par un autre, dans la phrase. 7 Grosse grappe de bananiers.

régiment *nm* 1 Corps militaire composé de plusieurs unités. 2 fam Multitude.

régimentaire *a* D'un régiment.

région *nf* 1 Grande étendue de pays aux caractéristiques qui en font l'unité. *Les régions polaires.* 2 Étendue de pays autour d'une ville. 3 (avec majusc.) Division administrative française englobant plusieurs départements. 4 Partie déterminée du corps. *Région lombaire.*

régional, ale, aux *a* Relatif à une région.

régionalisation *nf* Action de régionaliser.

régionaliser *vt* Décentraliser au profit des régions.

régionalisme *nm* 1 Système politique tendant à assurer une certaine autonomie aux régions. 2 Locution, mot propre à une région.

régionaliste *a, n* 1 Partisan du régionalisme. 2 Dont l'œuvre littéraire relève de la spécificité d'une région.

régir *vt* Déterminer, commander, gouverner (loi, règle, etc.).

régisseur, euse *n* 1 Personne qui administre une propriété. 2 Personne qui a la charge de l'organisation matérielle d'un spectacle.

registre *nm* 1 Livre sur lequel on consigne les actes, les affaires de chaque jour. *Les registres de l'état civil.* 2 Étendue totale de l'échelle vocale ou musicale. 3 Tonalité propre d'une œuvre, d'un discours. 4 INFORM Mémoire qui sert à stocker une information élémentaire.

réglable *a* Qu'on peut régler.

réglage *nm* Action de régler un mécanisme, manière dont un mécanisme est réglé.

règle *nf* 1 Instrument qui sert à tracer des lignes. 2 Principe de conduite. *Les règles de la morale.* 3 Conventions propres à un jeu, à une discipline ou à une technique. 4 Statuts d'un ordre religieux. Loc *Dans les règles (de l'art) :* comme il se doit. *En règle générale :* habituellement. *En règle :* conforme à l'usage, aux prescriptions légales. *Être de règle :* obligatoire. ■ *pl* Écoulement menstruel.

réglé, ée *a* 1 Rayé. *Papier réglé.* 2 Discipliné, ordonné. ■ *af* Qui a ses règles (femme).

règlement *nm* 1 Acte législatif qui émane d'une autre autorité que le Parlement. *Règlement de police.* 2 Prescriptions propres à un groupe, à une assemblée. 3 Action de régler une affaire, de régler un conflit. 4 Fait d'acquitter une somme due. Loc *Règlement de comptes :* action de faire justice soi-même.

règlementaire *a* Propre à un règlement, fixé par un règlement. **Var réglementaire**

règlementairement *av* Selon le règlement. **Var réglementairement**

règlementarisme *nm* Tendance à vouloir tout règlementer. **Var réglementarisme**

règlementation *nf* Action de règlementer ; ensemble des règlements. **Var réglementation**

règlementer *vt* Soumettre à des règlements. **Var réglementer**

régler *vt* [12] 1 Couvrir de lignes droites parallèles. 2 Fixer, déterminer. *Régler l'ordre d'une cérémonie.* 3 Résoudre qqch définitivement. *Régler un conflit.* 4 Payer une dette, un fournisseur. 5 Mettre au point un mécanisme, un appareil. Loc *Régler son compte à qqn :* le tuer, le punir sévèrement. ■ *vpr* Prendre modèle sur qqn.

réglette *nf* Petite règle.

régleur, euse *n* Chargé du réglage des appareils, des machines.

réglisse *nf* Plante dont la racine a des propriétés médicinales.

réglo *a inv* fam Correct, régulier, loyal.

régnant, ante *a* 1 Qui règne. *Dynastie régnante.* 2 Dominant. *Morale régnante.*

règne *nm* 1 Gouvernement d'un souverain ; durée de ce gouvernement. 2 Domination, influence prédominante. *Le règne de la justice.* 3 Chacune des grandes divisions dans la nature. *Règne minéral, végétal et animal.*

régner *vi* [12] 1 Exercer le pouvoir monarchique. 2 Dominer, s'imposer. *Le silence règne.* 3 Exister, prédominer. *Le mauvais temps qui règne actuellement.*

égnié nm Cru du Beaujolais.

égolite nf GEOL Manteau de débris, issu de l'altération de la roche sous-jacente.

egonflage nm Action de regonfler.

egonfler vt, vi Gonfler de nouveau.

egorger vti [11] Avoir en grande abondance. *Le ays regorge de blé.*

egreffer vt Greffer de nouveau.

égresser vi Diminuer, reculer ; revenir en rrière.

égressif, ive a Qui constitue une régression.

égression nf 1 Retour à un état antérieur. 2 Recul, diminution en force, en intensité ou en ombre.

egret nm Chagrin causé par le fait d'avoir ou de e pas avoir fait qqch, par l'absence de qqn ou de qqch. Loc *À regret :* malgré soi.

egrettable a Déplorable, fâcheux.

egretter vt Éprouver de la peine, au souvenir e ce qui n'est plus, éprouver du mécontentement 'avoir ou de ne pas avoir fait qqch, de voir ce qui 'oppose à son désir.

egrimper vi, vt Grimper de nouveau.

egrossir vi, vt Grossir de nouveau.

egroupement nm Action de regrouper.

egrouper vt Rassembler en un même lieu ou à ne même fin.

égularisation nf Action de régulariser.

égulariser vt 1 Rendre conforme aux lois, aux èglements. *Régulariser sa situation.* 2 Rendre égulier. *Régulariser un mouvement.*

égularité nf 1 Caractère régulier, légal. 2 Caractère uniforme, constant.

égulateur, trice a Qui régularise. ■ nm Disositif qui règle la température, la pression, la itesse, l'intensité électrique, etc.

égulation nf Action de régler un mouvement, n débit, un mécanisme.

éguler vt Assurer la régulation de.

égulier, ère a 1 Conforme aux règles, à la orme, à la loi, aux conventions. 2 Qui a lieu à les intervalles égaux ; périodique. 3 Exact, poncuel. 4 Harmonieux, bien proportionné. *Visage égulier.* Loc *Clergé régulier :* ordres religieux. ■ nf pop Épouse ; maîtresse.

égulièrement av De façon régulière.

égurgitation nf Retour dans la bouche d'alinents non digérés.

égurgiter vt Rendre par régurgitation.

éhabilitation nf Action de réhabiliter.

éhabiliter vt 1 Rétablir qqn dans ses droits. 2 Faire recouvrer l'estime d'autrui à. 3 Remettre en tat un immeuble, un quartier délabré. 4 Réintégrer dans la société. *Réhabiliter un toxicomane.*

éhabituer vt Habituer de nouveau.

ehaussement nm Action de rehausser.

ehausser vt 1 Hausser davantage. 2 Faire valoir, mettre en relief.

éhydratation nf Action de réhydrater.

éhydrater vt Hydrater ce qui est desséché.

éimplantation nf Action de réimplanter.

éimplanter vt Remettre en place qqch.

éimportation nf Action de réimporter ; marhandise réimportée.

éimporter vt Importer de nouveau.

éimpression nf Action de réimprimer.

éimprimer vt Imprimer de nouveau.

rein nm Organe qui sécrète l'urine. Loc *Rein artificiel :* appareil qui assure l'épuration du sang en cas d'insuffisance rénale. ■ pl Lombes, partie inférieure du dos. Loc fam *Avoir les reins solides :* être fort, résistant. fam *Casser les reins à qqn :* le briser, l'écraser.

réincarcération nf Action de réincarcérer.

réincarcérer vt [12] Incarcérer de nouveau.

réincarnation nf Nouvelle incarnation.

réincarner (se) vpr Revivre sous une autre forme.

reine nf 1 Épouse d'un roi. 2 Souveraine d'un royaume. 3 Femme qui l'emporte sur toutes les autres dans une circonstance particulière. 4 Pièce du jeu d'échecs qui a la marche la plus étendue. 5 Femelle pondeuse, chez certains insectes (abeilles, fourmis).

reine-claude nf Prune ronde et verte. *Des reines-claudes.*

reine-des-prés nf Plante des lieux humides, aux fleurs blanches. *Des reines-des-prés.*

reine-marguerite nf Plante proche de la marguerite. *Des reines-marguerites.*

reinette nf Pomme à peau grisâtre ou tachetée de rouge (*reine des reinettes*).

réinscription nf Nouvelle inscription.

réinscrire vt [61] Inscrire à nouveau.

réinsérer vt [12] Assurer une nouvelle insertion sociale à qqn.

réinsertion nf Fait de réinsérer.

réinstallation nf Action de réinstaller.

réinstaller vt Installer une nouvelle fois.

réintégration nf Action de réintégrer.

réintégrer vt [12] 1 DR Rétablir qqn dans la possession de ce dont il avait été dépouillé. 2 Rentrer dans. *Réintégrer son domicile.*

réintroduction nf Action de réintroduire.

réintroduire vt [67] Introduire de nouveau.

réinventer vt Imaginer de nouveau.

réinvestir vt Investir de nouveau.

réinviter vt Inviter de nouveau.

réitération nf litt Action de réitérer.

réitérer vt [12] litt Répéter, recommencer.

reître nm litt Soudard, brute. **Var** reitre

rejaillir vi 1 Jaillir avec force. 2 Retomber sur qqn. *Le scandale rejaillit sur lui.*

rejaillissement nm Fait de rejaillir.

rejet nm 1 Action de rejeter. 2 LITTER Enjambement. 3 MED Réaction immunitaire aboutissant à l'élimination d'un greffon par l'organisme. 4 BOT Nouvelle pousse d'une plante.

rejeter vt [19] 1 Jeter en retour ; renvoyer. 2 Jeter hors de soi, restituer. 3 Faire supporter par qqn d'autre. *Rejeter la faute sur son associé.* 4 Refuser, écarter, repousser. *Rejeter une candidature.* ■ vpr Loc *Se rejeter en arrière :* reculer brusquement.

rejeton nm 1 BOT Nouvelle pousse d'une plante. 2 fam Enfant.

rejoindre vt [62] 1 Aller retrouver des gens. 2 Rattraper qqn. 3 Avoir des points communs avec. *Vos affirmations rejoignent les siennes.* ■ vpr Se réunir.

rejouer vi, vt Jouer de nouveau.

réjoui, ie a Qui exprime la joie.

réjouir vt Apporter de la joie, faire plaisir à qqn. ■ vpr Être content. *Je me réjouis de le revoir.*

réjouissance nf Joie collective. ■ nfpl Fête publique.

réjouissant, ante a Qui réjouit.

rejuger vt [11] Juger de nouveau.

relâche nf 1 Interruption d'un travail ; pause, détente. 2 Escale. 3 Suspension momentanée des représentations, dans une salle de spectacle. Loc Sans relâche : sans interruption.

relâché, ée a Qui manque de rigueur.

relâchement nm Diminution d'ardeur, d'activité, de zèle.

relâcher vt 1 Desserrer, détendre. Relâcher une courroie. 2 Rendre moins rigoureuse. Relâcher la discipline. 3 Libérer, élargir. Relâcher un prisonnier. ■ vpr Devenir moins tendu, moins serré. 2 Perdre de sa rigueur, de sa fermeté. ■ vi MAR Faire escale.

relais nm 1 Dispositif destiné à relayer des signaux radioélectriques. 2 Intermédiaire, étape. Loc Course de relais : opposant des équipes de coureurs ou de nageurs qui se succèdent. Prendre le relais : assurer la continuité. **Var relai**

relance nf 1 Nouvel élan donné à qqch. 2 Nouvelle sollicitation. 3 Action de surenchérir, à certains jeux de cartes.

relancer vt [10] 1 Lancer de nouveau ou en sens inverse. 2 Solliciter qqn avec insistance. Relancer un débiteur. 3 Donner un nouvel élan. Relancer l'économie.

relaps, apse a, n RELIG De nouveau tombé dans l'hérésie.

relater vt Raconter, rapporter.

relatif, ive a 1 Qui n'a pas de valeur en soi, mais seulement par rapport à autre chose. 2 Moyen, incomplet, insuffisant. Une tranquillité très relative. 3 Qui a rapport à. Les lois relatives au divorce. 4 GRAM Se dit des termes reliant le nom ou le pronom qu'ils représentent (antécédent) à une proposition (proposition relative). ■ nm Pronom ou adjectif relatif. ■ nf Proposition relative.

relation nf 1 Narration, récit. 2 Rapport entre des choses. Relation de cause à effet. 3 Rapport entre des personnes. 4 Personne avec qui on est en rapport. ■ pl Loc Avoir des relations : connaître des gens influents. Relations publiques : moyens d'information du public par une entreprise privée ou publique.

relationnel, elle a Qui concerne une relation. ■ nm Aptitude à avoir de bonnes relations avec autrui.

relativement av 1 De façon relative, non absolue. 2 Passablement. C'est relativement facile. Loc Relativement à : quant à, par rapport à.

relativiser vt Considérer par rapport à d'autres choses comparables.

relativisme nm Doctrine selon laquelle la connaissance humaine ou la morale ne peut être que relative.

relativiste a, n Qui relève du relativisme.

relativité nf 1 Caractère relatif. 2 PHYS Théorie d'Einstein remettant en question les notions d'espace et de temps.

relaver vt Laver de nouveau.

relax a fam Détendu. **Var relaxe**

relaxant, ante a Qui relaxe.

relaxation nf Relâchement musculaire destiné à provoquer une détente physique.

relaxe nf DR Décision judiciaire abandonnant l'action contre un prévenu.

relaxer vt 1 DR Remettre en liberté un prévenu reconnu non coupable. 2 MED Détendre, décontracter. ■ vpr fam Se détendre.

relayer vt [20] 1 Remplacer qqn dans un travail. Retransmettre une émission en utilisant un relais hertzien, un satellite.

relayeur, euse n Personne qui court un relais.

relecture nf Nouvelle lecture.

relégation nf Action de reléguer.

reléguer vt [12] Mettre qqch ou qqn à l'écart.

relent nm 1 Mauvaise odeur. 2 Trace. Un relent de mauvaise foi.

relève nf Remplacement de qqn, d'un groupe dans une tâche ; ce groupe. Loc Prendre la relève : relayer.

relevé, ée a Épicé. Sauce relevée. ■ nm 1 État, liste. Relevé d'identité bancaire. 2 Établissement du plan d'un bâtiment.

relèvement nm 1 Action de relever, de remettre debout. 2 Hausse, majoration.

relever vt [15] 1 Remettre qqn debout, qqch à la verticale. 2 Ramasser. Relever des copies. 3 Noter, constater. Relever une erreur. 4 Redresser. Relever la tête. 5 Augmenter. Relever les salaires. 6 Donner plus de relief, plus d'éclat à. Remplacer qqn dans une occupation. Relever une sentinelle. 8 Libérer d'une obligation. Relever un religieux de ses vœux. 9 Révoquer qqn. ■ vi 1 Se rétablir de. Relever de maladie. 2 Dépendre de. Cette affaire relève de la justice. ■ vpr 1 Se remettre debout. 2 Sortir de nouveau du lit.

releveur, euse a, n Qui relève.

relief nm 1 Saillie que présente une surface. 2 Ensemble des inégalités de la surface terrestre. 3 Sculpture en saillie sur un fond. 4 Caractère marqué de qqch résultant du contraste avec autre chose. Loc Donner du relief à : donner de l'éclat. Mettre en relief : en évidence. ■ pl litt Restes d'un repas.

relier vt 1 Assembler les feuillets d'un livre, et les munir d'une couverture rigide. 2 Rattacher, joindre. Ligne qui relie deux points. 3 Établir un lien, un rapport entre. Relier des idées. 4 Faire communiquer. Pont qui relie deux berges.

relieur, euse n Personne qui relie des livres.

religieusement av 1 De façon religieuse. 2 Scrupuleusement. Écouter religieusement.

religieux, euse a 1 Relatif à la religion ; conforme aux rites d'une religion. 2 Pieux, croyant. 3 Respectueux, scrupuleux. ■ n Membre d'un ordre ou d'une congrégation obéissant à certaines règles approuvées par l'Église. ■ nf Pâtisserie fourrée de crème.

religion nf 1 Croyances et pratiques culturelles, constituant les rapports de l'homme avec la divinité ou le sacré. 2 Vénération profonde pour qqch. Avoir la religion du progrès. Loc Entrer en religion : dans les ordres.

religiosité nf Disposition d'esprit religieuse.

reliquaire nm Boîte, coffret où l'on conserve des reliques.

reliquat [-ka] nm Ce qui reste d'une somme due, d'un compte arrêté.

relique nf 1 Ce qui reste du corps d'un saint et qui est l'objet d'une vénération. 2 fam Vieil objet que l'on garde soigneusement.

relire vt [63] Lire de nouveau, pour corriger.

reliure nf 1 Art du relieur. 2 Couverture rigide d'un livre.

relogement *nm* Action de reloger.

reloger *vt* [11] Procurer un nouveau logement à.

relooker [Rəluke] *vt* fam Donner un nouveau look, une nouvelle allure.

reluire *vi* [67] Briller.

reluisant, ante *a* Qui reluit. **Loc** *Peu reluisant :* médiocre.

reluquer *vt* fam Lorgner avec curiosité ou convoitise.

rem *nm* Unité caractérisant l'effet biologique d'une irradiation.

remâcher *vt* 1 Mâcher de nouveau. 2 Repasser dans son esprit, ressasser, ruminer.

remaillage, remailler. V. **remmaillage, remmailler.**

remake [Rimɛk] *nm* Reprise d'un sujet, d'un thème, d'un film déjà traité.

rémanence *nf* Persistance d'un phénomène, d'une sensation.

rémanent, ente *a* Qui persiste.

remanger *vt, vi* [11] Manger de nouveau.

remaniement *nm* Action de remanier.

remanier *vt* Retoucher, modifier.

remaquiller *vt* Maquiller de nouveau.

remariage *nm* Nouveau mariage.

remarier (se) *vpr* Se marier de nouveau.

remarquable *a* Éminent, extraordinaire.

remarquablement *av* De façon remarquable.

remarque *nf* Observation orale ou écrite.

remarqué, ée *a* Qui a attiré l'attention.

remarquer *vt* 1 Constater, noter qqch ; observer.
* Distinguer parmi d'autres. **Loc** *Se faire remarquer :* se singulariser.

remballage *nm* Action de remballer.

remballer *vt* Emballer de nouveau.

rembarquement *nm* Fait de rembarquer.

rembarquer *vt, vi* Embarquer de nouveau.

rembarrer *vt* fam Repousser vivement qqn par des paroles désobligeantes.

remblai *nm* Masse de matériaux rapportés pour élever un terrain, combler un creux.

remblaiement *nm* Dépôt d'alluvions.

remblayage *nm* Action de remblayer.

remblayer *vt* [20] Combler par un remblai.

rembobiner *vt* Embobiner de nouveau.

remboîtage *nm* Action de remboîter. **Var remboîtage, remboîtement** ou **remboîtement**

remboîter *vt* Remettre en place ce qui était déboîté. **Var remboîter**

rembourrage *nm* Action de rembourrer ; matière servant à rembourrer.

rembourrer *vt* Garnir de bourre, de crin, etc.

remboursable *a* Qui peut être remboursé.

remboursement *nm* Action de rembourser.

rembourser *vt* Rendre à qqn l'argent qu'il a déboursé ou avancé.

rembrunir (se) *vpr* Prendre un air soucieux.

remède *nm* 1 vx Médicament. 2 Ce qui sert à prévenir, à apaiser, à faire cesser un mal.

remédiable *a* À quoi on peut remédier.

remédier *vti* Porter remède à.

remembrement *nm* Opération consistant à regrouper des propriétés rurales morcelées.

remembrer *vt* Opérer un remembrement.

remémorer *vt* litt Remettre en mémoire.

remerciement *nm* Action de remercier.

remercier *vt* 1 Exprimer sa gratitude à. *Remercier qqn de (pour) son hospitalité.* 2 fam Congédier. **Loc** *Je vous remercie :* refus poli.

réméré *nm* DR Clause de rachat.

remettre *vt* [64] 1 Mettre qqch à sa place. 2 Rétablir dans son état antérieur. *Remettre un dossier en ordre.* 3 Rétablir la santé de qqn. 4 Mettre de nouveau un vêtement. 5 Mettre de nouveau, en plus. *Remettre de l'eau dans la carafe.* 6 Livrer, confier qqch à qqn. 7 Pardonner, faire grâce de qqch. 8 Ajourner, différer. *Remettre qqch au lendemain.* **Loc** fam *Remettre ça :* recommencer. fam *En remettre :* exagérer. *Remettre en mémoire :* rappeler. ■ *vpr* 1 Recommencer. *Se remettre à boire.* 2 Recouvrer la santé. 3 Retrouver son calme, ses esprits. *Se remettre d'une émotion.* **Loc** *S'en remettre à qqn :* lui faire confiance.

remeubler *vt* Meubler de nouveau.

rémige *nf* ZOOL Grande plume rigide des ailes des oiseaux.

remilitarisation *nf* Action de remilitariser.

remilitariser *vt* Militariser de nouveau.

réminiscence *nf* Souvenir vague et confus.

remise *nf* 1 Action de remettre, de livrer, de donner. *Remise des prix.* 2 Réduction consentie par un commerçant. 3 Renvoi à plus tard. 4 Local destiné à abriter des véhicules, à ranger des outils, etc. **Loc** *Remise de peine :* grâce partielle accordée à un condamné.

remiser *vt* 1 Placer dans une remise. 2 Ranger.

remisier *nm* Intermédiaire en Bourse.

rémission *nf* 1 RELIG Pardon des péchés. 2 MED Diminution temporaire d'une maladie. **Loc** *Sans rémission :* sans délai.

rémittent, ente *a* MED Sujet à des rémissions.

remixer *vt* Arranger informatiquement une musique de variétés.

remmaillage *nm* Action de remmailler. **Var remaillage**

remmailler *vt* Relever, réparer les mailles usées ou rompues. **Var remailler**

remmancher *vt* Emmancher de nouveau.

remmener *vt* [15] Emmener après avoir amené.

remnographie *nf* MED Image obtenue par résonance magnétique nucléaire (RMN).

remodelage *nm* Action de remodeler.

remodeler *vt* [15] Modifier plus ou moins profondément pour adapter.

rémois, oise *a, n* De Reims.

remontage *nm* Action de remonter qqch.

remontant, ante *a* AGRIC Qui redonne des fleurs ou des fruits à l'arrière-saison. ■ *nm* Boisson, médicament qui redonne des forces.

remonte *nf* Action de remonter un cours d'eau (poissons).

remontée *nf* Action, fait de remonter. *Remontée d'une rivière à la nage.* **Loc** *Remontée mécanique :* tout dispositif qui permet de remonter des skieurs en haut d'une pente.

remonte-pente *nm* Remontée mécanique à câble mobile muni de perches. **Syn** téléski. *Des remonte-pentes.*

remonter *vi* [aux. *avoir* ou *être*] 1 Monter de nouveau. *Remonter à son appartement.* 2 S'élever de nouveau. *Le soleil remonte à l'horizon.* 3 S'accroître de nouveau. *Les actions remontent.* 4 Aller vers l'origine. *Remonter au commencement d'une affaire.* ■ *vt* 1 Monter de nouveau. *Remonter l'escalier.* 2 Aller contre le cours de.

Remonter une rivière. **3** Retendre le ressort de. **4** Remettre ensemble les pièces de ce qui était démonté. **5** Redonner de l'énergie à qqn. ■ *vpr* Reprendre de la vigueur.

remonte-vitre *nm* Dispositif électrique servant à remonter les vitres d'une voiture. *Des remonte-vitres.*

remontoir *nm* Organe qui permet de remonter un mécanisme.

remontrance *nf* Observation, reproche.

remontrer *vt* Montrer de nouveau. *Loc En remontrer à qqn :* lui faire la leçon ; montrer une compétence supérieure.

rémora *nm* Poisson des mers chaudes ayant sur la tête un disque formant ventouse.

remords *nm* Malaise moral dû au sentiment d'avoir mal agi.

remorquage *nm* Action de remorquer.

remorque *nf* **1** Câble qui sert au remorquage. **2** Véhicule sans moteur tiré par un autre. *Loc Être à la remorque de qqn :* se laisser diriger par lui. *Prendre en remorque :* remorquer.

remorquer *vt* Traîner derrière soi.

remorqueur *nm* Navire spécialement construit pour le remorquage.

rémoulade *nf* Sauce piquante à base de mayonnaise additionnée de moutarde.

rémouleur *nm* Personne qui aiguise les couteaux, les outils tranchants.

remous *nm* **1** Tourbillon dû à un obstacle qui s'oppose à l'écoulement d'un fluide. **2** Agitation confuse.

rempaillage *nm* Action de rempailler.

rempailler *vt* Garnir un siège d'une nouvelle paille.

rempailleur, euse *n* Personne qui rempaille les sièges.

rempaqueter *vt* [17] ou [19] Remballer.

rempart *nm* **1** Muraille entourant et protégeant une place fortifiée. **2** litt Ce qui sert de défense.

rempiler *vi* fam Signer un nouvel engagement dans l'armée.

remplaçable *a* Qu'on peut remplacer.

remplaçant, ante *n* Personne qui remplace une autre personne dans ses fonctions.

remplacement *nm* Action de remplacer.

remplacer *vt* [10] **1** Mettre à la place de. **2** Prendre la place de qqn, lui succéder, le relayer.

remplir *vt* **1** Rendre plein un récipient, un espace, un temps vide. **2** Occuper entièrement, combler. *Cette nouvelle l'a rempli de joie.* **3** Compléter. *Remplir un questionnaire.* **4** Accomplir, exécuter. *Remplir son devoir.* **5** Exercer. *Remplir un emploi.* **6** Satisfaire à. *Remplir une condition.*

remplissage *nm* **1** Action de remplir. **2** Développement inutile.

remploi, remployer. V. *réemploi, réemployer.*

remplumer (se) *vpr* **1** Se couvrir de plumes nouvelles (oiseaux). **2** fam Reprendre du poids.

rempocher *vt* fam Remettre dans sa poche.

remporter *vt* **1** Repartir avec ce qu'on avait apporté. **2** Obtenir. *Remporter la victoire.*

rempotage *nm* Action de rempoter.

rempoter *vt* Changer une plante de pot.

remprunter. V. *réemprunter.*

remuant, ante *a* Qui s'agite sans cesse.

remue-ménage *nm* **1** Bruit accompagnant une agitation désordonnée. **2** Trouble, agitation. *Des remue-ménages* ou *remue-ménage.*

remue-méninge *nm* Brainstorming. *Des remue-méninges.* Var **remue-méninges** *nm inv*

remuer *vt* **1** Faire changer de place. *Remuer des meubles.* **2** Faire bouger une partie du corps. . **3** Secouer, agiter. *Remuer la salade.* **4** Émouvoir. *Loc Remuer ciel et terre :* employer toutes sortes de moyens. ■ *vi, vpr* Bouger. ■ *vpr* fam Se donner de la peine pour.

remugle *nm* litt Odeur de renfermé.

rémunérateur, trice *a* Qui procure de l'argent.

rémunération *nf* Paiement, rétribution.

rémunérer *vt* [12] Payer, rétribuer pour un travail.

renâcler *vi* Renifler avec bruit (animal). ■ *vti* fam Témoigner de la répugnance, rechigner. *Renâcler à obéir.*

renaissance *nf* Nouvel essor, renouveau.

renaissant, ante *a* **1** Qui renaît. **2** De la Renaissance. *L'architecture renaissante.*

renaître *vi* [66] **1** Naître de nouveau, repousser. *Les fleurs renaissent au printemps.* **2** Reparaître. *L'espoir renaît.* ■ *vti* litt Recouvrer la santé, le bonheur. *Renaître à la vie.* Var **renaitre**

rénal, ale, aux *a* Des reins.

renard *nm* **1** Mammifère carnivore au museau pointu, à la queue longue. **2** Fourrure de cet animal. **3** Homme rusé.

renarde *nf* Femelle du renard.

renardeau *nm* Jeune renard.

renardière *nf* Tanière du renard.

rencaisser *vt* Remettre dans une caisse.

rencard, rencarder. V. *rancard, rancarder.*

rencart. V. *rancart.*

renchérir *vi* **1** Augmenter de prix. **2** Faire une enchère supérieure. **3** Dire ou faire plus qu'un autre.

renchérissement *nm* Hausse de prix.

renchérisseur, euse *n* Personne qui renchérit, poursuit l'enchère.

rencontre *nf* **1** Fait de se rencontrer. **2** Compétition sportive. *Loc Aller à la rencontre de qqn :* au-devant de lui. *De rencontre :* de hasard.

rencontrer *vt* **1** Se trouver en présence de ; entrer en relation avec qqn. **2** Affronter dans un match. ■ *vpr* **1** Se trouver en présence l'un de l'autre. **2** Se toucher, se heurter. **3** Exister, se trouver. *Cela peut se rencontrer.*

rendement *nm* **1** Produit, gain obtenu, rentabilité de capitaux. **2** Rapport entre le temps passé à faire un travail et le résultat obtenu.

rendez-vous *nm inv* **1** Rencontre ménagée à l'avance entre des personnes. **2** Lieu où on se retrouve habituellement.

rendormir *vt* [29] Faire dormir de nouveau. ■ *vpr* S'endormir à nouveau.

rendosser *vt* Endosser de nouveau.

rendre *vt* [5] **1** Remettre, redonner, restituer à qqn. **2** Donner en contrepartie. *Rendre une invitation.* **3** Vomir. **4** Produire. *Rendre un son harmonieux.* **5** Exprimer. *Ces mots rendent bien ma pensée.* **6** Faire devenir. *Le chagrin l'a rendu fou. Loc Rendre justice à qqn :* reconnaître son droit. ■ *vi* Avoir un certain rendement. ■ *vpr* **1** Aller, se diriger vers. *Se rendre à son travail.* **2** Se soumettre. *Se rendre à l'évidence.* **3** S'avouer vaincu. **4** Devenir tel. *Se rendre odieux.*

rendu, ue *a* **1** Arrivé. *Vous voilà rendus.* **2** vx
Exténué. ■ *nm* Représentation artistique exacte
de la réalité. Loc *Un prêté pour un rendu :* mauvais tour joué à qqn pour lui rendre la pareille.

rêne *nf* Courroie fixée au mors d'un cheval et
par laquelle on le conduit. Loc litt *Tenir les rênes :*
diriger.

renégat, ate *n* Personne qui a renié sa religion,
trahi son parti ou sa patrie.

renégociation *nf* Action de renégocier.

renégocier *vt* Négocier de nouveau.

reneiger *vi* [11] Neiger de nouveau.

renfermé, ée *a* Qui n'est pas ouvert, communicatif. *Un garçon renfermé.* ■ *nm* Mauvaise odeur
d'un local non aéré.

renfermer *vt* **1** Enfermer de nouveau. **2** Contenir. ■ *vpr* Ne pas s'extérioriser.

renfiler *vt* Enfiler de nouveau. Var **réenfiler**

renflé, ée *a* Dont le diamètre est plus grand à
certains endroits.

renflement *nm* État renflé ; partie renflée.

renflouage *nm* Action de renflouer. Var **renflouement**

renflouer *vt* **1** Remettre à flot. **2** Procurer des
fonds à qqn, à une entreprise, pour rétablir sa
situation.

renfoncement *nm* Partie en retrait.

renforcement *nm* Action de renforcer.

renforcer *vt* [10] Accroître la force, le nombre,
la solidité, l'intensité de.

renfort *nm* **1** Effectif, matériel qui vient renforcer
un groupe, une armée. **2** Pièce servant à augmenter la solidité d'une autre. Loc *À grand renfort
de :* en se servant d'une grande quantité de.

renfrogner (se) *vpr* Prendre une expression de
mécontentement.

rengagé, ée *n* Militaire qui a rengagé.

rengagement *nm* Action de se rengager. Var
réengagement

rengager *vt* [11] Engager de nouveau. ■ *vi, vpr*
Renouveler son engagement dans l'armée. Var
réengager

rengaine *nf* **1** Banalité répétée de façon lassante.
2 Chanson qu'on entend sans cesse.

rengainer *vt* **1** Remettre dans la gaine, dans le
fourreau. **2** fam Ne pas achever ce qu'on allait dire.
Rengainer un compliment.

rengorger (se) *vpr* [11] Prendre des airs avantageux.

reniement *nm* Action de renier.

renier *vt* **1** Refuser de reconnaître comme sien.
2 Abjurer. *Renier ses origines.* **2** Abjurer. *Renier ses opinions.*

reniflement *nm* Action de renifler.

renifler *vi, vt* Aspirer par le nez avec bruit. ■ *vt*
fam Pressentir, flairer.

réniforme *a* didac En forme de rein.

rénine *nf* BIOL Enzyme sécrétée par le rein.

renne *nm* Cervidé des régions arctiques.

renom *nm* Réputation, célébrité.

renommé, ée *a* De grande réputation. *Un musicien renommé.* ■ *nf* Renom.

renommer *vt* Nommer de nouveau.

renoncement *nm* Action de renoncer.

renoncer *vt* [10] Abandonner un bien, un pouvoir, un droit, une action entreprise. *Renoncer à
une succession, à un projet.* **2** Cesser de vouloir,
d'envisager. *Renoncer à punir qqn.*

renonciation *nf* Action de renoncer à un droit.

renonculacée *nf* BOT Plante aux pièces florales
disposées en spirale.

renoncule *nf* Plante dite aussi *bouton d'or.*

renouer *vt* **1** Nouer qqch de dénoué. **2** Reprendre
ce qui a été interrompu. **2** vti Entrer de nouveau
en relation avec. *Renouer avec de vieux amis.*

renouveau *nm* litt **1** Printemps. **2** Renaissance.

renouvelable *a* Qui peut être renouvelé.

renouveler *vt* [16] ou [18] **1** Rendre nouveau en
remplaçant qqn, qqch. *Renouveler l'armement.
Renouveler une équipe.* **2** Donner un caractère nouveau à. *Renouveler son style.* **3** Faire de nouveau.
Renouveler une erreur. **4** Reconduire. *Renouveler
un bail.* ■ *vpr* **1** Changer. *Artiste qui se renouvelle.* **2** Se répéter. *Fait qui se renouvelle.*

renouvellement *nm* Action de renouveler, fait
de se renouveler. Var **renouvèlement**

rénovateur, trice *n, a* Qui rénove.

rénovation *nf* Transformation, modernisation.

rénover *vt* **1** Donner une forme nouvelle. *Rénover la pédagogie.* **2** Remettre à neuf. *Rénover un
immeuble.*

renseignement *nm* **1** Ce qu'on fait connaître à
qqn ; information, éclaircissement. **2** Information
d'intérêt militaire ou politique. *Service de renseignements.*

renseigner *vt* Fournir à qqn des indications, des
précisions sur qqn, qqch. ■ *vpr* Prendre des renseignements, s'informer.

rentabilisable *a* Qu'on peut rentabiliser.

rentabilisation *nf* Fait de rentabiliser.

rentabiliser *vt* Assurer la bonne rentabilité
d'une opération, d'une entreprise.

rentabilité *nf* Caractère rentable.

rentable *a* Qui produit un bénéfice.

rente *nf* **1** Revenu régulier qu'on tire d'un bien,
d'un capital. **2** Paiement annuel résultant d'un
contrat. **3** Emprunt de l'État qui donne droit à
un intérêt. Loc *Rente de situation :* avantage
procuré par le seul fait d'occuper une situation
bien placée.

rentier, ère *n* Personne qui vit de ses rentes.

rentoilage *nm* Action de rentoiler.

rentoiler *vt* Coller la toile d'un tableau sur une
toile neuve.

rentrant, ante *a* Loc *Angle rentrant :* dont le
sommet est tourné vers l'intérieur d'une figure.

rentré, ée *a* Qu'on n'extériorise pas. *Colère
rentrée.* ■ *nm* Repli de tissu maintenu vers l'intérieur par une couture.

rentrée *nf* **1** Action de rentrer dans un lieu. **2**
Reprise des activités après les vacances ; époque
où elle a lieu. **3** Somme recouvrée.

rentrer *vi* **1** Entrer, revenir dans un lieu après en
être sorti. **2** Reprendre ses fonctions. **3** Être compris dans qqch. *Cela rentre dans vos attributions.*
4 Pénétrer, s'emboîter. *La valise ne rentre pas
dans le coffre.* **5** Entrer violemment en contact
avec. *La voiture est rentrée dans un camion.* **6**
abusiv Entrer. *Rentrer dans sa boutique.* Loc
Rentrer dans ses frais : être remboursé. *Rentrer
en soi-même :* méditer sur soi-même. ■ *vt* **1**
Amener, transporter à l'intérieur, mettre à l'abri.
2 Introduire qqch dans. **3** Rétracter. *Rentrer ses
griffes.*

renversant, ante *a* fam Très étonnant.

renverse *nf* Loc *À la renverse :* sur le dos.

renversé, ée a Inversé par rapport à la position habituelle.

renversement nm Action de renverser.

renverser vt **1** Retourner qqch de façon que ce qui était en haut soit en bas ou faire aller en sens inverse ; inverser. **2** Jeter à terre, faire tomber. *Renverser de l'eau.* **3** Provoquer la chute. *Renverser un régime.* **4** Éliminer, supprimer. *Renverser les obstacles.* **5** Stupéfier. ■ vpr **1** Se retourner. **2** Pencher le corps en arrière.

renvoi nm **1** Action de renvoyer. **2** Licenciement, exclusion. **3** Marque renvoyant le lecteur à d'autres passages. **4** Remise, ajournement. *Renvoi d'un procès.* **5** Éructation, rot.

renvoyer vt **1** Faire retourner. *Renvoyer un malade à l'hôpital.* **2** Congédier, licencier. **3** Faire reporter à qqn. *Renvoyer un objet oublié.* **4** Lancer en retour. *Renvoyer une balle.* **5** Réfléchir les ondes. *L'écho renvoie les sons.* **6** Adresser à. *Renvoyer une affaire à une commission.* **7** Remettre à plus tard, ajourner.

réoccupation nf Action de réoccuper.

réoccuper vt Occuper de nouveau.

réopérer vt [12] Opérer de nouveau.

réorchestrer vt Orchestrer de nouveau.

réorganisateur, trice a, n Qui réorganise.

réorganisation nf Action de réorganiser.

réorganiser vt Organiser autrement.

réorientation nf Action de réorienter.

réorienter vt Donner une nouvelle orientation.

réouverture nf Action de rouvrir.

repaire nm Lieu où s'abritent des animaux sauvages, des bandits ; tanière.

repaître vt [55] litt Rassasier. ■ vpr litt Se nourrir, se rassasier. **Var repaitre**

répandre vt [5] **1** Verser. *Répandre des larmes, des graviers.* **2** Dégager, émettre. *Répandre de la chaleur, une odeur.* **3** Distribuer généreusement. **4** Faire connaître à un vaste public. *Répandre une nouvelle.* ■ vpr **1** S'écouler en s'étalant. **2** Se disperser en occupant un lieu. *Les invités se répandent dans le jardin.* **3** Se propager. *Mode qui se répand.* **Loc** *Se répandre en paroles, en invectives :* parler, invectiver longuement.

répandu, ue a Communément admis.

réparable a Que l'on peut réparer.

reparaître vi [55] [aux. avoir ou être] Paraître de nouveau. **Var reparaitre**

réparateur, trice n, a Qui répare. **Loc** *Chirurgie réparatrice :* Syn. de *chirurgie plastique.*

réparation nf Action de réparer.

réparer vt **1** Remettre en bon état, en état de fonctionnement. **2** Faire disparaître les effets d'une faute, d'un dommage. *Réparer une maladresse.*

reparler vi, vti Parler de nouveau.

repartager vt [11] Partager de nouveau.

repartie [ʀə-] ou [ʀe-] nf Vive réplique. **Var répartie**

1. repartir [ʀə-] ou [ʀe-] vi [29] [aux. avoir] litt Répliquer. **Var répartir**

2. repartir vi [29] [aux. être] Partir de nouveau.

répartir vt Partager, distribuer, échelonner. *Répartir les paiements sur cinq ans.*

répartiteur nm Personne qui assure une répartition.

répartition nf Partage, division, distribution.

reparution nf Fait de reparaître.

repas nm Nourriture que l'on prend chaque jour à des heures régulières.

repassage nm Action de repasser des couteaux, du linge.

repasser vi [aux. être ou avoir] Passer de nouveau qq part. ■ vt **1** Traverser de nouveau. **2** Faire passer de nouveau. *Repasser un disque.* **3** Revenir sur ce qu'on a étudié, appris. *Repasser sa leçon.* **4** Aiguiser. **5** Défroisser du linge avec un fer chaud.

repasseuse nf Personne ou machine qui repasse le linge.

repaver vt Paver de nouveau.

repayer vt [20] Payer de nouveau.

repêchage nm Action de repêcher.

repêcher vt **1** Retirer de l'eau ce qui y est tombé. **2** fam Donner une nouvelle chance à un candidat, à un concurrent.

repeindre vt [69] Peindre de nouveau.

repenser vt, vti Penser, réfléchir de nouveau.

repentant, ante a Qui se repent.

repenti, ie a, n Qui s'est repenti.

repentir (se) vpr [29] Regretter vivement. ■ nm **1** Vif regret. **2** Correction effectuée par l'artiste sur un tableau.

repérable a Qu'on peut repérer.

repérage nm Action de repérer.

repercer vt [10] Percer de nouveau.

répercussion nf Suite, contrecoup.

répercuter vt **1** Renvoyer un son. *Cri répercuté par l'écho.* **2** Faire payer une charge à d'autres. *Répercuter une augmentation.* **3** Transmettre à qqn d'autre. *Répercuter des directives.* ■ vpr Avoir des conséquences par contrecoup.

reperdre vt [5] Perdre de nouveau.

repère nm **1** Marque, signe pour retrouver une place, une distance, un niveau, etc. **Loc** *Point de repère :* ce qui sert à se retrouver, à situer qqch dans l'espace, dans le temps.

repérer vt [12] **1** Déterminer la position ; localiser. *Repérer un avion à l'aide de radars.* **2** Découvrir, remarquer. *Repérer un individu bizarre.* ■ vpr Se retrouver grâce à des repères.

répertoire nm **1** Recueil où les matières sont rangées dans un certain ordre. **2** Liste des pièces jouées habituellement dans un théâtre. **3** Œuvres qu'un comédien, un chanteur, etc., interprète habituellement.

répertorier vt Inventorier.

répéter vt [12] **1** Dire ce qui a été déjà dit. **2** Refaire, recommencer. **3** Participer à la répétition d'une pièce, d'un morceau de musique. **4** Reproduire qqch. *Répéter des signaux.* ■ vpr **1** Redire inutilement les mêmes choses ; rabâcher. *Romancier qui se répète.* **2** Se produire à plusieurs reprises.

répéteur nm Amplificateur installé sur un câble de télécommunications.

répétiteur, trice n anc Personne qui donne des leçons particulières à un élève.

répétitif, ive a Qui se répète.

répétition nf **1** Action de (se) répéter ; redite. **2** Action de reproduire ; réitération. **3** Séance de mise au point d'une représentation, d'un spectacle. **4** vx Leçon particulière.

répétitivité nf Caractère répétitif.

repeuplement nm Action de repeupler.

repeupler vt Peupler de nouveau.

repiquage nm Action de repiquer.

repiquer vt 1 Piquer de nouveau. 2 Transplanter un jeune plant issu d'un semis. *Repiquer des salades.* 3 Enregistrer sur un nouveau support. *Repiquer un disque.*

répit nm Arrêt de qqch de pénible ; détente, repos. Loc *Sans répit :* sans arrêt, sans relâche.

replacement nm Action de replacer.

replacer vt [10] Remettre en place ou placer ailleurs.

replanter vt Planter de nouveau.

replat nm Partie plate en terrasse au flanc d'un versant.

replâtrage nm Réparation sommaire ; arrangement précaire.

replâtrer vt 1 Plâtrer de nouveau. 2 Arranger sommairement, grossièrement.

replet, ète a Gras, dodu.

repleuvoir vi [38] Pleuvoir de nouveau.

repli nm 1 Rebord plié. 2 Régression, recul. 3 Retraite sur ordre, d'une troupe. Loc *Repli de terrain :* ondulation. ■ *pl* litt Ce qui est caché, secret. *Les replis de l'âme humaine.*

repliable a Qu'on peut replier.

réplication nf BIOL Duplication d'une molécule d'acide nucléique.

repliement nm Action de (se) replier.

replier vt 1 Plier ce qui avait été déplié. 2 Faire reculer sur ordre une troupe. ■ *vpr* Reculer, faire retraite. Loc *Se replier sur soi-même :* se fermer, s'isoler.

réplique nf 1 Réponse, repartie. 2 Ce qu'un acteur répond à un autre. 3 Copie, double d'une œuvre d'art.

répliquer vt Répondre vivement.

replonger vt [11] Plonger de nouveau.

répondant, ante n Caution, garant. Loc fam *Avoir du répondant :* avoir de l'argent en réserve ; fig avoir le sens de la répartie.

répondeur nm Appareil automatique, relié au téléphone, qui peut enregistrer le message du correspondant.

répondre vt, vi [5] Faire réponse à ce qui a été dit, demandé. ■ vt 1 Dire, écrire en réponse à. *Je réponds à votre lettre.* 2 Correspondre à. *Le résultat répond à ses efforts.* 3 Donner en retour à. *Répondre à l'affection des siens.* 4 Réagir à l'action de. *Les freins ne répondent plus (à la pédale).* 5 Servir de garant, de caution à. *Je réponds entièrement de lui.*

répons [-pɔ̃] nm Chant liturgique exécuté tour à tour par une voix et par le chœur.

réponse nf 1 Ce qui est dit ou écrit en retour à une question, à une lettre. 2 Solution, explication. *Réponse à un problème.* 3 PHYSIOL Réaction à un stimulus. Loc *Droit de réponse :* droit que possède une personne mise en cause, de répondre par le média responsable.

repopulation nf Retour à l'accroissement de la population.

report nm 1 Action de reporter. 2 Renvoi à plus tard. Loc *Report des voix :* transfert des voix d'un candidat sur un autre au second tour d'une élection.

reportage nm Article d'un journaliste à partir d'informations recueillies sur place.

1. reporter vt 1 Porter une chose là où elle se trouvait auparavant. 2 Transporter par la pensée à une époque antérieure. 3 Transcrire ailleurs. 4 Différer, ajourner. 5 Porter sur une autre destination. *Reporter son affection sur son fils.* ■ *vpr* Se référer. *Se reporter à la préface.*

2. reporter [-tɛʀ] nm Journaliste qui fait des reportages.

repos nm 1 Immobilité. 2 Fait de se délasser. *Prendre du repos.* 3 Congé. *Jour de repos.* 4 Position du soldat qui abandonne la garde-à-vous. Loc *De tout repos :* qui donne une totale tranquillité. litt *Repos éternel :* mort.

reposant, ante a Qui délasse.

repose nf Action de remettre en place.

reposé, ée a Qui n'est plus fatigué. Loc *À tête reposée :* en réfléchissant à loisir.

repose-pied nm Support pour le pied. *Des repose-pieds.*

reposer vt 1 Poser de nouveau. *Reposer une vitre, une question.* 2 Appuyer. *Reposer sa tête sur un oreiller.* 3 Délasser. *Cela repose l'esprit.* ■ vi 1 litt Dormir. 2 Être enterré. Loc *Laisser reposer :* laisser se décanter, laisser sans être agité. ■ vti Être fondé sur. *Ceci repose sur une hypothèse.* ■ vpr Se délasser. Loc *Se reposer sur qqn :* lui faire confiance ; lui laisser la responsabilité d'une affaire.

repose-tête nm Appui pour la tête. *Des repose-têtes.*

repositionnement nm Fait de repositionner.

repositionner vt Positionner de nouveau.

reposoir nm 1 Autel élevé sur le parcours d'une procession. 2 Local d'un hôpital, où est exposé le corps des défunts.

repoussage nm TECH Façonnage à froid à l'aide d'un marteau.

repoussant, ante a Qui inspire de l'aversion, du dégoût.

repousse nf Nouvelle pousse.

repousser vt 1 Faire reculer, pousser en arrière. 2 Travailler le métal, le cuir, par repoussage. 3 Rejeter. *Repousser une demande.* 4 Ajourner, différer. *Repousser un délai de livraison.* ■ vi Pousser, croître de nouveau.

repoussoir nm 1 Chose ou personne qui en fait valoir une autre par contraste. 2 Personne très laide.

répréhensible a Digne de blâme.

reprendre vi [70] 1 Augmenter, croître de nouveau. *L'arbre reprend. Les affaires reprennent.* 2 Recommencer. *Le froid a repris.* ■ vt 1 Prendre de nouveau. *Reprendre une ville. Reprendre du pain.* 2 Retrouver. *Reprendre courage.* 3 Prendre ce qu'on avait donné, retirer. *Reprendre sa parole.* 4 Continuer après une interruption. *Reprendre son travail.* 5 Redire, répéter. *Reprendre un refrain.* 6 Améliorer en modifiant. *Reprendre les détails d'un projet.* 7 Réprimander. ■ *vpr* 1 Rectifier ce que l'on a dit. 2 Retrouver ses esprits.

repreneur nm ECON Personne qui prend le contrôle d'une entreprise en difficulté.

représailles nfpl Violences qu'on fait subir à qqn pour se venger.

représentant, ante n 1 Personne qui représente qqn, un groupe, qui peut agir en son nom. 2 Commis voyageur, courtier.

représentatif, ive a 1 Qui représente bien qqn, un groupe. *Gouvernement représentatif.* 2 Caractéristique ; considéré comme typique. *Il est représentatif de son milieu.*

représentation nf 1 Fait de représenter qqch par une image, un symbole ; image, symbole qui représente. 2 Train de vie imposé par une grosse situation. 3 Métier de représentant de commerce. 4 Spectacle donné devant un public. Loc *Représentation nationale* : pouvoir législatif des élus du peuple.

représentativité nf Caractère représentatif.

représenter vt 1 Présenter de nouveau. 2 Rendre présent à l'esprit, à la vue. 3 Jouer une pièce en public. 4 Personnifier, symboliser. 5 Faire observer. *Représenter les difficultés du projet.* 6 Tenir la place de qqn, d'un groupe ; avoir mandat pour parler, décider en son nom. *Ce député représente telle circonscription.* 7 Équivaloir à. *Cette dépense représente un mois de salaire.* ■ vpr 1 Se présenter de nouveau. 2 Imaginer qqch.

répressif, ive a Qui réprime.

répression nf Action de réprimer.

réprimande nf Blâme.

réprimander vt Blâmer, admonester.

réprimer vt 1 Contenir, dominer. *Réprimer sa colère.* 2 Empêcher qqch jugé dangereux de se développer. *Réprimer une révolte.*

reprint [-pʁint] nm Réimpression en fac-similé d'un ouvrage épuisé.

repris de justice nm inv Personne qui a subi une ou plusieurs condamnations pénales.

reprise nf 1 Action de reprendre. *La reprise des hostilités.* 2 Regain d'activité. *La reprise économique s'amorce.* 3 MUS Fragment d'un morceau qu'on doit rejouer. 4 Réparation d'une étoffe à l'aiguille. 5 Chacune des parties d'un combat de boxe, d'un assaut d'escrime. 6 Accélération rapide d'un moteur. 7 Somme payée par un locataire pour des aménagements rétrocédés par l'occupant précédent. 8 Fait de rejouer un film, une pièce. 9 Leçon d'équitation. ■ pl Loc *À plusieurs reprises* : de nombreuses fois.

repriser vt Raccommoder.

réprobateur, trice a Qui réprouve.

réprobation nf Blâme sévère, désapprobation.

reproche nm Blâme adressé à qqn sur sa conduite. Loc *Sans reproche(s)* : parfait.

reprocher vt Blâmer, critiquer qqn au sujet de qqch. *Reprocher à qqn son ingratitude.* ■ vpr Se considérer comme coupable de.

reproducteur, trice a Qui reproduit. ■ nm Animal destiné à la reproduction.

reproductibilité nf Caractère reproductible.

reproductible a Qui peut être reproduit.

reproductif, ive a De la reproduction.

reproduction nf 1 Processus par lequel un être vivant produit d'autres êtres de même espèce. 2 Action de reproduire, d'imiter. 3 Copie, réplique. *Une reproduction de la Joconde ».*

reproduire vt [67] 1 Répéter, copier, représenter exactement ; restituer fidèlement. ■ vpr 1 Donner naissance à des individus de même espèce. 2 Se produire de nouveau. *Les mêmes évènements se sont reproduits.*

reprogrammer vt Mettre de nouveau au programme.

reprographie nf Ensemble des techniques de reproduction des documents écrits.

reprographier vt Reproduire par reprographie.

réprouvé, ée n Damné, rejeté.

réprouver vt 1 Rejeter, blâmer, condamner. 2 THÉOL Exclure du nombre des élus.

reps nm Tissu d'ameublement à côtes.

reptation nf Action de ramper.

reptile nm Vertébré rampant, comme les serpents, les lézards, les tortues.

reptilien, enne a ZOOL Propre aux reptiles.

repu, ue a Rassasié.

républicain, aine a De la république. ■ a, n Partisan de la république.

républicanisme nm Attachement à la république.

république nf Forme de gouvernement où des représentants élus par le peuple sont responsables devant la nation.

répudiation nf Action de répudier.

répudier vt 1 Dans certains pays, renvoyer son épouse selon les formes légales. 2 Rejeter, abandonner une opinion, un sentiment.

répugnance nf Répulsion, dégoût.

répugnant, ante a Dégoûtant, infect.

répugner vti 1 Éprouver du dégoût, de l'aversion à. *Répugner à la violence.* 2 Dégoûter. *Son aspect me répugne.*

répulsif, ive a Qui provoque de la répulsion.

répulsion nf Aversion, dégoût, répugnance.

réputation nf 1 Opinion commune sur qqch, sur qqn. *Mauvaise réputation.* 2 Considération dont jouit qqn. *Tenir à sa réputation.*

réputé, ée a 1 De grand renom. *Vin réputé.* 2 Considéré comme. *Elle est réputée compétente.*

requérant, ante a, n DR Qui requiert.

requérir vt [34] 1 Réclamer. *Requérir la force armée.* 2 DR Demander en justice. 3 Exiger. *Cela requiert tous vos soins.*

requête nf 1 Demande verbale ou écrite ; supplique. 2 DR Demande adressée à un magistrat ayant pouvoir de décision. Loc *Sur la requête de* : à la demande de. *Maître des requêtes* : titre de certains membres du Conseil d'État.

requiem [ʁekɥijɛm] nm inv Prière, messe, chant religieux pour le repos des morts.

requin nm 1 Poisson marin cartilagineux au museau pointu, parfois dangereux pour l'homme. 2 Homme d'affaires sans scrupule.

requinquer vt fam Redonner de l'énergie, de la vitalité. ■ vpr fam Se rétablir (santé).

requis, ise a Demandé, exigé. ■ nm Mobilisé par l'autorité civile pour effectuer un travail.

réquisition nf 1 Fait, pour une autorité, d'imposer à qqn ou à une collectivité une prestation de services ou la remise de certains biens. ■ pl DR Réquisitoire.

réquisitionner vt 1 Se faire remettre un bien, user des services de qqn par voie de réquisition. 2 fam Faire appel à qqn.

réquisitoire nm 1 DR Discours prononcé à l'audience par le ministère public pour demander l'application de la loi à l'accusé. 2 Violente accusation contre qqn, qqch.

resaler vt Saler de nouveau.

resalir vt Salir de nouveau.

rescapé, ée a, n Sorti vivant d'une catastrophe, d'un accident.

rescousse nf Loc *À la rescousse* : au secours.

réseau nm 1 Entrelacement de fils, de lignes, etc. 2 Ensemble de voies, de canalisations, de conducteurs reliés les uns aux autres. 3 Personnes, organismes, établissements, etc., qui sont en relation pour agir ensemble.

résection nf CHIR Opération consistant à enlever un fragment d'un organe.

réséda nm Plante aux petites fleurs très parfumées.

réséquer vt [12] CHIR Opérer la résection. Var **reséquer**

réserpine nf Alcaloïde du rauwolfia, utilisé comme hypotenseur.

réservataire a, nm DR Qui ne peut être écarté de la succession.

réservation nf Action de réserver une place, une chambre, etc.

réserve nf 1 Quantité de choses accumulées en cas de besoin. 2 Quantité de richesses minérales qu'on peut tirer de la terre. 3 Ensemble des citoyens mobilisables en cas de besoin pour renforcer l'armée active. 4 Local où sont stockées des marchandises. 5 Territoire où les plantes et les animaux sont protégés. 6 Territoire assigné à des indigènes. 7 Restriction nuançant ou réfutant par une appréciation. 8 Discrétion, retenue, prudence. *Garder une prudente réserve.* 9 DR Part d'un patrimoine réservée par la loi aux héritiers réservataires. Loc *Sans réserve* : sans restriction. *Sous toutes réserves* : sans garantie.

réservé, ée a 1 Destiné exclusivement à un usage. *Chasse réservée.* 2 Discret, circonspect.

réserver vt 1 Mettre de côté. 2 Retenir à l'avance une place, une chambre, etc. 3 Destiner qqch à qqn en particulier. ■ vpr 1 Mettre de côté pour soi. 2 Attendre le moment opportun pour faire qqch. *Je me réserve d'intervenir plus tard.*

réserviste nm Personne qui fait partie de la réserve de l'armée.

réservoir nm Cavité, bassin, récipient pour garder un liquide ou un gaz.

résidant, ante a, n Qui réside en un lieu.

résidence nf 1 Fait de résider dans un lieu ; ce lieu. 2 Séjour obligatoire dans le lieu où on exerce ses fonctions. 3 Bâtiment d'habitation très confortable. Loc *Résidence mobile* : Syn. de *mobile-home. Résidence secondaire* : maison de vacances ou de week-end.

résident, ente n 1 Personne qui réside ailleurs que dans son pays d'origine. 2 Titre de certains agents diplomatiques. 3 Habitant d'une résidence.

résidentiel, elle a Se dit des zones urbaines où dominent les maisons d'habitation.

résider vi 1 Demeurer, habiter dans tel endroit. 2 Se trouver, exister dans. *Là réside la difficulté.*

résidu nm Déchet, détritus.

résiduaire a Qui forme un résidu.

résiduel, elle a Qui constitue un résidu.

résignation nf 1 DR Abandon de qqch en faveur de qqn. 2 État d'esprit de qqn qui se résigne.

résigné, ée a, n Qui a renoncé à lutter.

résigner vt DR Abandonner volontairement une charge. ■ vpr Accepter, se soumettre sans révolte à qqch. *Se résigner à son sort.*

résiliable a Qu'on peut résilier.

résiliation nf DR Action de résilier.

résilier vt DR Mettre fin à un contrat.

résille nf Filet qui enveloppe les cheveux. Loc *Bas résille* : à mailles peu serrées.

résine nf 1 Substance visqueuse sécrétée par divers végétaux. 2 Substance chimique servant à la fabrication d'une matière plastique. 3 Substance végétale fossile, comme l'ambre.

résiné nm Vin qui contient de la résine.

résiner vt Enduire de résine.

résineux, euse a Qui produit de la résine. ■ nm Arbre riche en résine, tels les conifères.

résinier, ère a Relatif à la résine. ■ n Personne qui récolte la résine des pins.

résipiscence nf RELIG Reconnaissance de sa faute, suivie d'amendement.

résistance nf 1 Action ou propriété d'un corps qui résiste à une action. 2 ÉLECTR Grandeur (exprimée en ohms) mesurant l'aptitude d'un corps à s'opposer au passage d'un courant ; conducteur utilisé en particulier pour produire de la chaleur. 3 Aptitude à supporter la fatigue, les privations, etc. 4 Action de résister physiquement ou moralement à qqn, à une autorité, à une occupation étrangère. Loc *Plat de résistance* : plat principal d'un repas.

résistant, ante a Qui résiste à la fatigue, à la maladie ; robuste, solide. ■ n Personne qui s'oppose à une occupation étrangère ; en particulier personne ayant pris part à la Résistance.

résister vti 1 Ne pas céder sous l'action de. 2 Avoir les forces nécessaires pour supporter qqch. *Résister à la maladie.* 3 Tenir ferme contre qqn, qqch. *Résister à une impulsion.*

resocialisation nf Action de resocialiser.

resocialiser vt Réinsérer dans la vie sociale.

résolu, ue a Déterminé, hardi.

résoluble a Qu'on peut annuler.

résolument av Avec détermination.

résolutif, ive a, nm MÉD Qui fait disparaître une inflammation.

résolution nf 1 Fait de résoudre un problème. 2 Fait, pour un corps, de se résoudre. 3 DR Annulation d'un contrat pour inexécution des conditions. 4 Décision fermement arrêtée. 5 Motion adoptée par une assemblée. 6 MÉD Disparition d'une inflammation. 7 INFORM Mesure de la précision d'une image numérique, donnée en pixels.

résolutoire a DR Qui annule un acte.

résonance nf 1 Propriété qu'ont certains objets ou lieux, de résonner ; son qu'ils provoquent. 2 litt Effet produit sur l'esprit. Loc *Résonance magnétique nucléaire (RMN)* : technique utilisée en imagerie médicale.

résonateur nm PHYS Appareil qui vibre par résonance.

résonnant, ante a Qui résonne. Var **résonant, ante**

résonner vi 1 Réfléchir le son en le renforçant ou en le prolongeant. 2 Rendre un son vibrant.

résorber vt Faire disparaître peu à peu un mal, une gêne, etc. ■ vpr Disparaître.

résorption nf Fait de (se) résorber.

résoudre vt [51] 1 Donner une solution à. *Résoudre un problème.* 2 Dissocier un corps en ses éléments. 3 Faire disparaître, résorber. 4 Décider. *Il résolut d'attendre.* 5 DR Annuler. ■ vpr 1 Se décider à. *Se résoudre à partir.* 2 Être transformé en.

respect [-pɛ] nm 1 Considération qu'on a pour qqn manifestée par une attitude déférente envers lui. 2 Souci de ne pas porter atteinte à. *Le respect des lois.* Loc *Respect humain* : crainte du jugement d'autrui. *Sauf votre respect* : sans vous offenser. *Tenir qqn en respect* : le menacer d'une arme.

respectabiliser vt Rendre respectable.

respectabilité nf Caractère respectable.

respectable *a* **1** Qui mérite du respect. **2** Important. *Un nombre respectable de gens.*

respecter *vt* **1** Éprouver du respect pour qqn. **2** Observer une prescription, un usage, une règle. ■ *vpr* Se conduire de manière à garder l'estime de soi.

respectif, ive *a* Qui concerne chaque chose, chaque personne par rapport aux autres.

respectivement *av* Chacun en ce qui le concerne. *Ils ont respectivement 15 et 20 ans.*

respectueusement *av* Avec respect.

respectueux, euse *a* Qui témoigne du respect. Loc *À distance respectueuse :* assez loin.

respirable *a* Qu'on peut respirer.

respirateur *nm* MED Appareil destiné à la ventilation pulmonaire d'un sujet.

respiration *nf* **1** Fait de respirer. **2** PHYSIOL Fonction qui préside aux échanges gazeux entre un être vivant et le milieu extérieur.

respiratoire *a* De la respiration.

respirer *vi* **1** Absorber de l'oxygène et rejeter du gaz carbonique. **2** Être vivant. **3** Avoir un moment de répit. ■ *vt* **1** Aspirer par les organes respiratoires. *Respirer un air vicié.* **2** Donner des signes extérieurs de. *Respirer l'honnêteté.*

resplendir *vi* Briller avec éclat.

resplendissant, ante *a* Qui resplendit.

responsabilisation *nf* Action de responsabiliser.

responsabiliser *vt* Rendre qqn responsable, conscient de ses responsabilités.

responsabilité *nf* **1** Fait d'être responsable. **2** Capacité, pouvoir de prendre des décisions.

responsable *a* **1** Tenu de répondre de ses actes ou, dans certains cas, de ceux d'autrui. **2** Qui est réfléchi. *Agir en homme responsable.* ■ *a, n* **1** Qui est la cause, coupable de. *Retrouver le responsable d'un accident.* **2** Qui a le pouvoir de prendre des décisions.

resquille *nf* fam Action de resquiller. **Var resquillage** *nm*

resquiller *vt, vi* fam Profiter de qqch, sans y avoir droit, sans le payer.

resquilleur, euse *n, a* fam Qui resquille.

ressac [Rə-] *nm* Retour des vagues sur elles-mêmes après avoir frappé un obstacle.

ressaisir (se) *vt* Saisir de nouveau. ■ *vpr* Redevenir maître de soi.

ressasser *vt* Répéter à satiété.

ressaut *nm* Saillie d'un mur, d'une paroi.

ressayer. V. *réessayer.*

ressemblance *nf* Fait de ressembler ou de se ressembler.

ressemblant, ante *a* Qui ressemble à.

ressembler *vti* Avoir avec qqn, qqch des traits communs. ■ *vpr* Présenter une ressemblance mutuelle.

ressemelage *nm* Action de ressemeler.

ressemeler *vt* [16] ou [18] Mettre une nouvelle semelle à une chaussure.

ressentiment *nm* Souvenir gardé d'offenses qu'on n'a pas pardonnées.

ressentir *vt* [29] Éprouver. *Ressentir une douleur, de l'affection pour qqn.* ■ *vpr* Subir les conséquences de. *Se ressentir d'une maladie.*

resserre *nf* Remise pour les outils, les objets de jardin, etc.

resserré, ée *a* Contenu étroitement dans.

resserrement *nm* Action de resserrer.

resserrer *vt* **1** Serrer davantage. **2** Rendre plus étroit. *Resserrer l'amitié.* ■ *vpr* Devenir plus serré, plus étroit.

resservir *vi, vt* [29] Servir de nouveau.

1. ressort *nm* **1** Pièce élastique qui reprend sa forme initiale après avoir été comprimée. **2** Force, énergie. **3** litt Cause, motif. *L'argent est le ressort de la guerre.*

2. ressort *nm* DR Étendue d'une juridiction ; limite de compétence. Loc *En dernier ressort :* en définitive.

1. ressortir *vi* [29] [aux. *être*] **1** Sortir après être entré. **2** Se distinguer nettement par contraste. Loc *Faire ressortir qqch :* le mettre en relief. ■ *v impers* Résulter. *Il ressort de tout ceci que…* ■ *vt* **1** Sortir de nouveau. *J'ai ressorti mon vieux manteau.* **2** fam Répéter.

2. ressortir *vti* [2] [aux. *être*] DR Être de la compétence de. *Cette affaire ressortit au juge.*

ressortissant, ante *n* Personne qui dépend de la législation d'un pays, du fait de sa nationalité.

ressouder *vt* Souder de nouveau.

ressource *nf* Moyen employé pour se tirer d'embarras. ■ *pl* **1** Moyens pécuniaires ; richesses d'un pays. **2** Moyens d'action. Loc *Ressources humaines :* personnel d'une entreprise.

ressourcer (se) *vpr* [10] litt Revenir à ses racines.

ressouvenir (se) *vpr* [35] litt Se souvenir de nouveau.

ressurgir. V. *resurgir.*

ressusciter *vi* [aux. *avoir* ou *être*] Renaître, se ranimer. ■ *vt* **1** Ramener qqn de la mort à la vie. **2** Faire revivre qqch.

ressuyer *vt* [21] Essuyer de nouveau.

restant, ante *a* Qui reste. ■ *nm* Ce qui reste.

restaurant *nm* Établissement public où on sert des repas moyennant paiement.

restaurateur, trice *n* **1** Spécialiste en restauration d'objets. **2** Personne qui tient un restaurant.

restauration *nf* **1** Action de réparer. **2** Métier de qui tient un restaurant ; ensemble des restaurants. **3** Rétablissement dans son état premier, dans sa fonction. Loc *Restauration rapide :* fast food.

restaurer *vt* **1** Réparer, remettre en son état premier. **2** Donner à manger. ■ *vpr* Prendre un repas, de la nourriture.

reste *nm* **1** Ce qui demeure d'un tout relativement à la partie retranchée. **2** Ce qu'il y a encore à faire, à dire. **3** Petite quantité. *Un reste de jour, d'espoir.* **4** MATH Différence de deux nombres dans une soustraction. Loc *Au reste, du reste :* d'ailleurs. *Et (tout) le reste :* et cætera. *Être en reste avec qqn :* demeurer son débiteur. *Ne pas demander son reste :* s'en aller sans insister. ■ *pl* **1** Ce qui subsiste d'un tout. *Les restes d'un repas.* **2** Ossements, cadavre.

rester *vi* [aux. *être*] **1** Continuer d'être à tel endroit, dans tel état. *Rester chez soi. Rester calme.* **2** Subsister. *Ce qui reste à faire.* Loc *En rester à :* s'en tenir à. *Il reste que :* il est néanmoins vrai que.

restituable *a* Qu'on doit restituer.

restituer *vt* **1** Rendre ce qui est possédé indûment ou ce qui a été accumulé. **2** Rétablir dans son état premier. *Restituer un texte.* **3** Reproduire un son enregistré.

restitution *nf* Action de restituer.

restoroute nm (n. déposé) Restaurant sur une autoroute ou une route à grande circulation.

restreindre vt [69] Réduire, limiter. ■ vpr Réduire sa dépense, sa consommation.

restrictif, ive a Qui restreint.

restriction nf 1 Condition qui restreint ; réserve. 2 Réduction de la quantité, de l'importance. Loc *Restriction mentale :* réserve faite en soi-même pour tromper l'interlocuteur. ■ pl Rationnement, limitation de la consommation.

restructuration nf Action de restructurer.

restructurer vt Réorganiser.

resucée nf fam Reprise, répétition sans intérêt.

résultante nf Effet découlant de plusieurs causes convergentes ; résultat.

résultat nm Ce qui résulte d'une action, d'un fait, d'un calcul. ■ pl 1 Succès ou échec à un examen, à un concours. 2 Bénéfices ou pertes d'une entreprise.

résulter vi [aux. *être* ou *avoir*] S'ensuivre ; être la conséquence de ; découler de.

résumé nm Précis, abrégé. Loc *En résumé :* en bref.

résumer vt Exprimer en moins de mots. ■ vpr 1 Reprendre brièvement ce que l'on a dit, écrit. 2 Consister essentiellement en. *Cela se résume à une capitulation.*

résurgence nf Réapparition. *Résurgence d'une nappe d'eau souterraine.*

résurgent, ente a Qui réapparaît après un trajet souterrain (eau, rivière).

resurgir vi Surgir de nouveau. **Var ressurgir**

résurrection nf 1 Retour de la mort à la vie. 2 (avec majusc.) Retour à la vie du Christ ; fête qui la célèbre. 3 Réapparition ; nouvel essor.

retable nm Panneau vertical derrière un autel, peint et richement orné.

rétablir vt 1 Remettre en son premier état, en bon état, en fonctionnement. 2 Redonner la santé à qqn. ■ vpr Recouvrer la santé.

rétablissement nm 1 Action de rétablir. 2 Retour à la santé. 3 Mouvement qui consiste à se redresser après traction sur les bras tendus.

retailler vt Tailler de nouveau.

rétamage nm Action de rétamer.

rétamer vt 1 Étamer de nouveau. 2 fam Épuiser. Loc fam *Se faire rétamer :* se faire battre à un jeu ; échouer à un examen.

rétameur nm Ouvrier qui rétame.

retapage nm fam Action de retaper.

retape nf pop 1 Racolage (prostituée). 2 Publicité outrancière.

retaper vt fam 1 Remettre sommairement en état. 2 Rétablir les forces, la santé de qqn.

retard nm 1 Fait d'arriver, de se produire, après le moment fixé. *Être en retard.* 2 Différence négative entre l'heure marquée par une horloge et l'heure réelle. 3 Moindre avancement, moindre développement de qqn, d'un pays, d'une industrie.

retardataire a, n Qui a du retard.

retardateur, trice a Qui provoque un ralentissement. *Action retardatrice.*

retardé, ée a, n fam En retard dans son développement intellectuel.

retardement nm Loc *À retardement :* après coup ; de manière différée.

retarder vt 1 Mettre qqn en retard. 2 Faire indiquer à une montre une heure moins avancée. 3 Différer. *Retarder son départ.* ■ vi 1 Aller trop lentement, indiquer une heure déjà passée. 2 fam Avoir une attitude rétrograde ; être en retard sur une information.

reteindre vt [69] Teindre de nouveau.

retendre vt [5] Tendre de nouveau.

retenir vt [35] 1 Garder qqch par devers soi. 2 Garder dans sa mémoire. *Retenir sa leçon.* 3 Réserver. *Retenir une place d'avion.* 4 Déduire d'une somme ; prélever. 5 Considérer favorablement ; agréer. *Retenir une candidature.* 6 Faire demeurer en un lieu. *Retenir qqn à dîner.* 7 Maintenir en place, contenir, empêcher d'aller. *La prudence l'a retenu.* ■ vpr 1 Saisir qqch pour ne pas tomber. 2 Réprimer l'envie de faire. *Se retenir de rire.*

retenter vt Tenter de nouveau.

rétention nf 1 Action de retenir, de conserver. 2 MED Accumulation d'une substance destinée à être évacuée.

retentir vi 1 Faire entendre, renvoyer un son puissant, éclatant. 2 Avoir des répercussions sur. *La fatigue retentit sur le caractère.*

retentissant, ante a Qui retentit.

retentissement nm Répercussion.

retenue nf 1 Prélèvement fait sur la rémunération d'un salarié. 2 Punition scolaire consistant en une privation de sortie. 3 Discrétion, réserve. *Manquer de retenue.* 4 Masse d'eau retenue par un barrage. 5 Chiffre que l'on reporte, dans une opération arithmétique.

réticence nf 1 Omission volontaire de qqch qu'on devrait dire. 2 abusiv Attitude de réserve, de désapprobation.

réticent, ente a Qui manifeste de la réticence.

réticulaire a En forme de réseau.

réticule nm 1 Petit sac à main. 2 PHYS Système de fils croisés définissant l'axe de visée d'un instrument d'optique.

réticulé, ée a Qui figure un réseau.

réticuloendothélial, ale, aux a ANAT Se dit d'un tissu disséminé dans l'organisme et jouant un important rôle immunitaire.

réticulosarcome nm Cancer du tissu réticuloendothélial.

réticulose nf Affection du tissu réticuloendothélial.

réticulum [-ɔm] nm ANAT Réseau de fibres ou de vaisseaux.

rétif, ive a 1 Se dit d'une monture qui refuse d'obéir. 2 Récalcitrant.

rétine nf Membrane du fond de l'œil sensible à la lumière.

rétinien, enne a ANAT De la rétine.

rétinite nf Inflammation de la rétine.

retirage nm Nouveau tirage d'un livre, d'une photo, d'une gravure.

retiré, ée a 1 Situé à l'écart, peu fréquenté. 2 Qui a abandonné ses occupations professionnelles.

retirer vt 1 Tirer en arrière. *Retirer sa main.* 2 Ne pas maintenir ce qu'on avait dit. *Retirer une plainte.* 3 Reprendre qqch à qqn. *On lui a retiré son permis.* 4 Faire sortir qqch, qqn du lieu où il se trouvait. 5 Enlever, ôter un vêtement. 6 Recueillir un profit. 7 Refaire le tirage d'un livre, d'une photo, etc. 8 Tirer de nouveau un coup de feu. ■ vpr 1 Partir, prendre congé. 2 Reculer, s'éloigner. **3** Quitter une activité, une profession. **4** Refluer (mer).

retombées nfpl **1** Ce qui retombe. *Des retombées radioactives.* **2** Effets à plus ou moins long terme.

retomber vi [aux. *être*] **1** Faire une nouvelle chute. **2** Revenir à la situation antérieure. *Tout est retombé dans l'ordre.* **3** fam Rencontrer, trouver qqch par hasard, une nouvelle fois. *Retomber sur une bonne occasion.* **4** Atteindre le sol après un saut, un rebond, après s'être élevé. **5** Devenir moins intense, moins soutenu. **6** Pendre en restant maintenu par le haut, s'abaisser. **7** Peser sur, incomber à qqn. *Toute la responsabilité retombera sur vous.*

retordage nm TECH Action de retordre des fils. Var **retordement**

retordre vt [5] Tordre de nouveau. Loc *Donner du fil à retordre à qqn* : lui résister.

rétorquer vt Répondre, répliquer.

retors, orse a **1** TECH Retordu. *Fil retors.* **2** Rusé, artificieux. *Adversaire retors.*

rétorsion nf Loc *Mesure de rétorsion* : représailles.

retouche nf Rectification, correction.

retoucher vt Corriger, modifier. *Retoucher une photo, un vêtement.*

retoucheur, euse n Personne qui effectue des retouches en photographie, en couture.

retour nm **1** Action de revenir à son point de départ, de repartir en arrière. **2** Fait de revenir à un état, à un stade antérieur. **3** Réapparition périodique de qqch. **4** Changement, revirement. *Retour de fortune.* **5** Action de renvoyer qqch à qqn. Loc *En retour* : en échange. *Être sur le retour* : commencer à vieillir. *Retour d'âge* : ménopause. *Sans retour* : pour toujours. *Retour sur soi-même* : réflexion sur sa conduite. *Retour de manivelle* : choc en retour malheureux. *Retour en arrière* : évocation de faits passés.

retournement nm Revirement, volte-face.

retourner vt **1** Mettre à l'envers. **2** Renvoyer. *Retourner une lettre.* **3** Examiner sous tous les angles. **4** Troubler, émouvoir qqn fortement. ■ vi [aux. *être*] Revenir, rentrer. *Il est retourné chez lui.* ■ vti **1** Être rendu à qqn. *Ces biens retournent à leur possesseur.* **2** Revenir à un état antérieur. *Retourner à l'état sauvage.* ■ vpr **1** Se tourner d'un autre côté ; tourner la tête, le regard en arrière. **2** Adopter une autre manière d'agir. Loc *S'en retourner* : repartir, rentrer. *Se retourner contre* : s'opposer à. ■ v impers Loc fam *De quoi il retourne* : de quoi il s'agit.

retracer vt [10] **1** Tracer de nouveau. **2** Raconter, décrire.

rétractable a Qui peut se rétracter.

rétractation nf Action de se rétracter.

rétracter vt **1** Nier, désavouer. **2** Retirer, faire rentrer dedans. *Rétracter ses griffes.* ■ vpr **1** Déclarer faux ce qu'on avait affirmé précédemment. **2** Se contracter.

rétractile a Qui peut se contracter.

rétractilité nf Caractère rétractile.

rétraction nf Raccourcissement.

retraduire vt [67] Traduire de nouveau.

retrait nm **1** Action de se retirer. *Retrait des troupes.* **2** Action de reprendre, de retirer. *Retrait d'un projet.* **3** TECH Contraction d'un matériau qui sèche ou refroidit. Loc *En retrait* : en arrière.

retraite nf **1** Repli effectué par des troupes. **2** Éloignement de la vie active pour une méditation religieuse. **3** Cessation d'activité professionnelle ; pension reçue pour cette cessation. **4** Lieu où on se retire.

retraité, ée a, n Qui est à la retraite.

retraitement nm Action de retraiter.

retraiter vt Traiter un combustible nucléaire irradié, un produit polluant pour le rendre inoffensif.

retranchement nm **1** Action de retrancher, de supprimer. **2** Obstacle utilisé pour se protéger des attaques ennemies. Loc *Pousser qqn dans ses derniers retranchements* : réfuter tous ses arguments.

retrancher vt Enlever, supprimer d'un tout. ■ vpr Se mettre à l'abri.

retranscription nf Nouvelle transcription.

retranscrire vt [61] Transcrire de nouveau.

retransmettre vt [64] **1** Transmettre de nouveau. **2** Diffuser une émission de radio, de télévision.

retransmission nf **1** Action de retransmettre. **2** Émission retransmise.

retravailler vi, vt Travailler de nouveau.

retraverser vt Traverser de nouveau.

rétrécir vt Rendre plus étroit. ■ vi, vpr Devenir plus étroit.

rétrécissement nm Fait de rétrécir.

retremper vt **1** Plonger de nouveau dans un liquide. **2** Donner une nouvelle trempe ; durcir. ■ vpr Se replonger dans une activité, un état.

rétribuer vt Payer qqn pour un travail.

rétribution nf Salaire, rémunération reçus pour un travail.

rétro a inv, nm Qui fait référence aux modes, au style d'un passé récent.

rétroactif, ive a Qui exerce une action sur ce qui est passé.

rétroaction nf Effet rétroactif. Syn. feedback.

rétroactivement av De façon rétroactive.

rétroactivité nf Caractère rétroactif.

rétroagir vi Produire un effet rétroactif.

rétrocéder vt [12] Céder, vendre à qqn ce qu'on avait acheté pour soi.

rétrocession nf Action de rétrocéder.

rétroéclairage nm Éclairage interne d'un écran d'ordinateur, d'un téléviseur.

rétrofusée nf Fusée qui sert à ralentir un engin spatial.

rétrogradation nf **1** Action de rétrograder. **2** Mesure disciplinaire consistant à redescendre qqn à un échelon inférieur.

rétrograde a **1** Qui va en arrière. **2** Opposé à toute innovation, à tout progrès.

rétrograder vi **1** Revenir, retourner en arrière. **2** Régresser. **3** Passer à la vitesse inférieure. ■ vt Frapper qqn de rétrogradation.

rétroprojecteur nm Projecteur permettant de projeter sur un écran un texte, une image.

rétropropulsion nf Freinage par rétrofusée.

rétrospectif, ive a **1** Qui concerne le passé. **2** Éprouvé après coup. *Peur rétrospective.* ■ nf Exposition réunissant les œuvres d'un artiste ou d'une période.

rétrospectivement av Après coup.

retroussé, ée a Relevé. *Manches retroussées.*

retrousser vt Ramener vers le haut.

retrouvailles nfpl fam Fait de se retrouver après une séparation.

retrouver vt 1 Trouver de nouveau ; trouver ce qui était perdu, ce qu'on cherchait. 2 Rejoindre qqn. ■ vpr 1 Être à nouveau réunis, se revoir. 2 Retrouver son chemin, s'orienter. 3 Être subitement dans telle situation. *Se retrouver seul.* **Loc** fam *S'y retrouver* : rentrer dans ses frais ; faire un bénéfice.

rétroviral, ale, aux a D'un rétrovirus.

rétrovirologie nf Science des rétrovirus.

rétrovirus nm Virus, tel que le VIH, agent du sida.

rétroviseur nm Miroir qui permet au conducteur de voir la route derrière lui.

rets [RE] nm litt Piège, filets.

retsina nm Vin grec résiné.

réunification nf Action de réunifier.

réunifier vt Restaurer l'unité d'un pays, d'un parti.

réunion nf 1 Action de réunir, de joindre, de rassembler. 2 Groupe de personnes rassemblées. 3 Temps pendant lequel se tient une assemblée.

réunionnais, aise a, n De la Réunion.

réunionnite nf fam Manie de faire des réunions.

réunir vt 1 Rassembler, grouper des choses, des gens. 2 Joindre qqch à une autre chose. 3 Convoquer des gens. 4 Comporter, avoir plusieurs choses en soi. *Il réunit les qualités requises.* ■ vpr Se rassembler, tenir une assemblée.

réussi, ie a Exécuté avec succès.

réussir vi 1 Avoir une issue satisfaisante, heureuse. 2 Avoir du succès dans ce qu'on entreprend. ■ vti 1 Parvenir à. *J'ai réussi à le rencontrer.* 2 Être favorable à qqn. *Tout lui réussit.* ■ vt Mener à bien, faire avec succès. *Réussir un plat.*

réussite nf 1 Résultat favorable. 2 Fait de réussir dans la vie. 3 Jeu de cartes solitaire. **Syn.** patience.

réutilisable a Qui peut être réutilisé.

réutilisation nf Action de réutiliser.

réutiliser vt Utiliser de nouveau.

revacciner vt Vacciner de nouveau.

revaloir vt [44] Rendre la pareille à qqn, en bien ou en mal. *Je vous revaudrai cela.*

revalorisation nf Action de revaloriser.

revaloriser vt Rendre à qqch sa valeur ou une valeur plus grande.

revanchard, arde a, n fam Qui nourrit un désir de revanche.

revanche nf 1 Fait de rendre la pareille pour le mal reçu. 2 Nouvelle partie permettant au perdant de tenter de nouveau sa chance. **Loc** *À charge de revanche* : sous condition de rendre la pareille. *En revanche* : en retour, au contraire.

revanchisme nm En politique, volonté de revanche.

rêvasser vi S'abandonner à la rêverie.

rêvasserie nf Action de rêvasser.

rêve nm 1 Combinaison d'images résultant de l'activité psychique pendant le sommeil. 2 Production de l'imagination. *Poursuivre un rêve.* **Loc** *De rêve* : idéal.

rêvé, ée a Idéal, parfait. *La vie rêvée.*

revêche a Rude, rébarbatif.

réveil nm 1 Passage du sommeil à l'état de veille. 2 Retour à l'activité. *Réveil de l'économie.* 3 Petite pendule dont la sonnerie se déclenche à une heure réglée à l'avance.

réveille-matin nm **Syn.** de réveil (sens 3). *Des réveille-matins* ou *réveille-matin.*

réveiller vt 1 Tirer qqn du sommeil. 2 Ranimer, faire renaître. *Réveiller des souvenirs.* ■ vpr 1 Cesser de dormir. 2 Se ranimer, renaître.

réveillon nm Souper de fête des nuits de Noël et du nouvel an.

réveillonner vi Faire un réveillon.

révélateur, trice a Qui révèle. *Lapsus révélateur.* ■ nm 1 Ce qui révèle, fait apparaître une situation. 2 **PHOTO** Composition chimique qui rend visible l'image latente.

révélation nf 1 Action de révéler ; ce qui est révélé. 2 Manifestation de Dieu, faisant connaître des vérités inaccessibles à la raison. 3 Découverte soudaine de qqch qu'on avait jusque-là ignoré. 4 Personne dont les dons se révèlent subitement.

révéler vt [12] 1 Faire connaître ce qui était inconnu ou secret. 2 Laisser apparaître, montrer. *Ce tableau révèle la maîtrise du peintre.* 3 **PHOTO** Faire apparaître l'image latente sur un film. ■ vpr Apparaître, devenir manifeste. *Se révéler exact.*

revenant, ante n fam Personne qui revient après une longue absence. ■ nm Esprit d'un mort supposé revenir.

revendeur, euse n Personne qui achète pour revendre.

revendicateur, trice a, n Qui revendique.

revendicatif, ive a Qui exprime une revendication.

revendication nf Action de revendiquer ; ce qu'on revendique.

revendiquer vt 1 Réclamer ce que l'on considère comme son droit, son bien, son dû. 2 Assumer. *Revendiquer une responsabilité.*

revendre vt [5] Vendre ce qu'on a acheté ; vendre de nouveau. **Loc** fam *À revendre* : en abondance.

revenez-y nm inv **Loc** fam *Un goût de revenez-y* : qui donne envie de reprendre de qqch.

revenir vi, vti [35] [aux. être] 1 Venir de nouveau. 2 Rentrer, retourner au lieu d'où on est parti. 3 Se produire de nouveau, reparaître. 4 Se présenter de nouveau à l'esprit de qqn, à sa mémoire. *Cela me revient.* 5 Équivaloir à. *Cela revient à céder.* 6 Coûter. *Cela revient cher.* 7 Inspirer confiance. *Sa tête ne me revient pas.* 8 Annuler. *Revenir sur sa promesse.* 9 Être dévolu à. *Cette part lui revient.* 10 Quitter tel état, s'en débarrasser. *Revenir d'une maladie, d'une erreur.* **Loc** fam *Ne pas en revenir* : être étonné. *Revenir à soi* : reprendre conscience. *Revenir de loin* : avoir échappé à un grand péril. *Revenir de tout* : être blasé. *Faire revenir un aliment* : le dorer dans une matière grasse.

revente nf Action de revendre.

revenu nm Ce que perçoit qqn au titre de son activité ou de ses biens (rentes, loyers, etc.). **Loc** *Revenu minimum d'insertion* ou *RMI* : allocation accordée aux plus démunis. *Revenu national* : valeur de la production nationale annuelle des biens et des services.

rêver vi 1 Faire un rêve. 2 Laisser aller son imagination. ■ vti 1 Voir qqn, qqch en rêve. *J'ai rêvé de vous.* 2 Songer à qqch. *À quoi rêvez-vous ?* ■ vt Concevoir, imaginer, voir en rêve. *J'ai rêvé cela il y a longtemps.*

réverbération nf Réflexion de la lumière, de la chaleur, du son.

réverbère nm Appareil d'éclairage de la voie publique.

réverbérer vt [12] Renvoyer, réfléchir la lumière, la chaleur.

reverchon nm Variété précoce de bigarreau.

reverdir vt Rendre vert. ■ vi Redevenir vert.

révérence nf 1 Salut respectueux en penchant le buste. 2 litt Respect profond. Loc fam *Tirer sa révérence à qqn* : s'en aller.

révérencieux, euse a litt Respectueux.

révérend, ende a, n 1 Titre d'honneur donné à un religieux ou à une religieuse. 2 Titre donné aux pasteurs des Églises réformées.

révérer vt [12] Honorer, traiter avec respect.

rêverie nf État de l'esprit qui s'abandonne à ses pensées vagues.

revernir vt Vernir de nouveau.

revers nm 1 Côté opposé au côté principal ; envers. 2 Côté d'une monnaie opposé à celui qui porte la figure (avers). 3 Partie d'un vêtement repliée en dehors. 4 Au tennis, renvoi de la balle avec la raquette tenue dos de la main en avant. 5 Échec. *Essuyer des revers.* Loc *Prendre à revers* : par derrière. *Revers de la main* : côté opposé à la paume. *Revers de la médaille* : mauvais côté de qqch.

reversement nm Action de reverser.

reverser vt 1 Verser de nouveau. 2 Reporter. *Reverser une somme sur un compte.*

réversibilité nf Caractère réversible.

réversible a 1 Qui peut s'effectuer en sens inverse. 2 Se dit d'un vêtement utilisable à l'envers comme à l'endroit.

réversion nf Loc *Pension de réversion* : versée, après la mort d'un pensionné, d'un retraité, à son conjoint.

revêtement nm Ce dont on recouvre qqch pour l'orner, le protéger, le consolider.

revêtir vt [32] 1 Mettre un vêtement à qqn, mettre un habit sur soi. 2 Garnir d'un revêtement. *Revêtir une piste de bitume.* 3 Pourvoir de qqch. *Revêtir d'une signature.* 4 Prendre tel aspect. *Revêtir un caractère politique.*

rêveur, euse a, n Porté à la rêverie. ■ a Loc *Être, laisser rêveur* : perplexe.

rêveusement av De façon rêveuse.

revient nm Loc *Prix de revient* : dépenses faites pour élaborer et distribuer un produit.

revigorer vt Redonner de la vigueur à.

revirement nm Changement brusque et complet, volte-face.

révisable a Qu'on peut réviser.

réviser vt 1 Examiner de nouveau pour mettre au point. 2 Remettre en bon état de marche. *Réviser une machine.* 3 Relire pour se remettre en mémoire. *Réviser un examen.*

réviseur nm Personne qui révise ; correcteur.

révision nf Action de réviser. *Révision de la Constitution.* Loc *Conseil de révision* : chargé d'examiner l'aptitude des conscrits.

révisionnel, elle a D'une révision.

révisionnisme nm Position de ceux qui remettent en cause les bases fondamentales d'une doctrine, d'un jugement, de certains aspects de l'histoire.

révisionniste n, a Qui relève du révisionnisme.

revisiter vt Donner d'une œuvre une interprétation radicalement nouvelle.

revisser vt Visser de nouveau.

revitalisant, ante a, nm Qui revitalise.

revitaliser vt Redonner de la vitalité à.

revival nm Renouveau d'une idée, d'une mode, d'un mouvement. *Des revivals.*

revivifier vt litt Vivifier de nouveau.

reviviscence nf 1 litt Fait de reprendre vie. 2 BIOL Propriété de certains organismes qui reprennent vie après avoir été privés d'eau lorsqu'ils se trouvent en présence d'eau.

reviviscent, ente a Doué de reviviscence.

revivre vi [76] 1 Revenir à la vie. 2 Reprendre des forces. 3 Renaître, se renouveler. ■ vt Éprouver de nouveau. *Revivre une angoisse.*

révocabilité nf Caractère révocable.

révocable a Qui peut être révoqué.

révocation nf Action de révoquer.

revoici, revoilà prép fam Voici, voilà de nouveau.

revoir vt [45] 1 Voir de nouveau. 2 Revenir, retourner dans un lieu. 3 Voir de nouveau en esprit, se représenter. *Je le revois enfant.* 4 Examiner de nouveau, réviser. *Ce texte est à revoir.* ■ nm Loc *Au revoir* : formule pour prendre congé.

revoler vi Voler de nouveau.

révoltant, ante a Qui révolte, indigne.

révolte nf 1 Soulèvement contre l'autorité établie. 2 Refus indigné de ce qui est éprouvé comme intolérable.

révolté, ée a, n Qui est en révolte.

révolter vt Indigner, choquer. ■ vpr 1 Se soulever contre une autorité. 2 S'indigner.

révolu, ue a 1 Achevé, accompli. *Avoir trente ans révolus.* 2 Passé. *Époque révolue.*

révolution nf 1 Mouvement d'un corps autour de son axe ou d'un corps central. 2 Changement brutal d'ordre scientifique, social, industriel, etc. 3 Bouleversement d'un régime politique consécutif à une action violente. 4 fam Agitation, effervescence. Loc *Révolution de palais* : bouleversement politique limité à un changement de dirigeants.

révolutionnaire a 1 Relatif à une révolution. 2 Qui apporte des changements radicaux. *Méthode révolutionnaire.* ■ a, n Partisan, acteur d'une révolution.

révolutionner vt 1 Agiter, troubler vivement qqn. 2 Transformer profondément qqch.

révolver [REVOLVER] nm Arme de poing à répétition, dont le magasin est un barillet. **Var revolver**

revolving [-viŋ] a inv Loc *Crédit révolving* : à moyen terme et à taux révisable. **Var revolving**

révoquer vt 1 Destituer d'une fonction. 2 DR Annuler. *Révoquer un arrêt.*

revoter vt, vi Voter de nouveau.

revoyure nf Loc pop *À la revoyure* : au revoir.

revue nf 1 Examen détaillé. 2 Parade militaire. 3 Publication périodique. 4 Spectacle de variétés ou de music-hall.

révulsé, ée a Retourné, bouleversé.

révulser vt 1 Retourner, bouleverser le visage, les yeux. 2 Dégoûter, écœurer.

révulsif, ive a, nm PHARM Qui produit une révulsion.

révulsion nf MED Afflux sanguin provoqué pour faire cesser une congestion.

rewriter [RəRajte] vt Récrire un texte.

rewriteur, euse n Personne qui rewrite.

rewriting [RəRajtiŋ] nm Action de rewriter.

rez-de-chaussée nm inv Partie d'une habitation qui est au niveau du sol.

rez-de-jardin nm inv Partie d'une construction de plain-pied avec un jardin.

rhabillage nm Action de (se) rhabiller.

rhabiller vt 1 Remettre en état. *Rhabiller une montre.* 2 Habiller de nouveau. ■ vpr Remettre ses vêtements.

rhapsode nm ANTIQ Chanteur qui récitait des extraits de poèmes épiques. Var rapsode

rhapsodie nf Composition musicale de forme libre. Var rapsodie

rhénan, ane a Du Rhin, de la Rhénanie.

rhénium [-njɔm] nm Métal rare, dense.

rhéologie nf PHYS Science de la viscosité, de la plasticité et de l'élasticité de la matière.

rhéostat nm Appareil qui, intercalé dans un circuit électrique, permet de régler l'intensité du courant.

rhésus [-zys] nm Singe de l'Inde et de la Chine. Loc *Facteur rhésus :* antigène des globules rouges créant une incompatibilité sanguine envers ceux qui en sont dépourvus.

rhéteur nm 1 ANTIQ Maître de rhétorique. 2 litt Phraseur.

rhétoricien, enne n Spécialiste de rhétorique.

rhétorique nf 1 Art de bien parler. 2 fam Emphase. 3 anc Classe de première des lycées. Loc LITTER *Grands rhétoriqueurs :* nom que se donnaient au XVᵉ s. et au XVIᵉ s. certains poètes au style raffiné.

rhétoroman, ane a, nm Dialecte roman parlé en Suisse orientale.

rhinencéphale nm ANAT Partie la plus ancienne du cortex cérébral.

rhinite nf Inflammation de la muqueuse nasale.

rhinocéros nm Grand mammifère, aux formes massives, à une ou deux cornes.

rhinopharyngite nf Inflammation du rhinopharynx.

rhinopharynx nm ANAT Partie haute du pharynx, en arrière des fosses nasales.

rhizome nm BOT Tige souterraine de certaines plantes.

rhô nm Lettre grecque, correspondant à r. Var rho

rhodanien, enne a Du Rhône.

rhodium [-djɔm] nm Métal rare, utilisé dans les alliages.

rhododendron [-dɛ̃-] nm Plante arbustive, ornementale, des montagnes.

rhodoïd nm (n. déposé) Matière plastique à base d'acétate de cellulose.

rhomboèdre nm GEOM Parallélépipède dont les faces sont des losanges.

rhomboïde nm ANAT Muscle dorsal, élévateur de l'omoplate, en forme de losange.

rhônalpin, ine a, n De la Région Rhône-Alpes.

rhovyl nm (n. déposé) Tissu synthétique.

rhubarbe nf Plante potagère aux larges feuilles vertes et à tige comestible.

rhum [ʀɔm] nm Eau-de-vie de canne à sucre.

rhumatisant, ante a, n Atteint de rhumatismes.

rhumatismal, ale, aux a Du rhumatisme.

rhumatisme nm Affection articulaire douloureuse.

rhumatoïde a D'apparence rhumatismale.

rhumatologie nf Partie de la médecine qui traite des rhumatismes.

rhumatologue n Spécialiste en rhumatologie.

rhume nm Inflammation aiguë des muqueuses des voies respiratoires. Loc *Rhume de cerveau :* coryza.

rhumerie [ʀɔmʀi] nf Distillerie de rhum.

rhyolite nf Roche volcanique acide.

ria nf Vallée fluviale envahie par la mer.

rial nm Unité monétaire d'Oman, de l'Iran et du Yémen. *Des rials.*

riant, riante a 1 Qui montre de la joie, de la gaieté. 2 Plaisant, engageant.

ribambelle nf fam Longue suite de personnes ou de choses.

riboflavine nf Vitamine B2.

ribonucléique a Loc *Acide ribonucléique :* acide nucléique qui assure la synthèse des protéines. Syn. ARN

ribosome nm BIOL Organite cellulaire, qui décode les séquences d'ARN

ribouldingue nf Loc pop *Faire la ribouldingue :* faire la fête, la noce.

ribozyme nm BIOL Fragment d'ARN du ribosome.

ricain, aine a, n pop Des États-Unis.

ricanant, ante a Qui ricane.

ricanement nm Action de ricaner.

ricaner vi Rire à demi, avec une intention moqueuse.

ricaneur, euse a, n Qui ricane.

richard, arde n fam Personne très riche.

riche a, n Qui a de l'argent, des biens en abondance. Loc *Nouveau riche :* parvenu. ■ a 1 Abondant, fertile, fécond. *Région riche.* 2 Qui renferme qqch en abondance. *Sol riche en or.* Loc *Rimes riches :* à trois éléments (consonne ou voyelle) communs.

richement av Avec richesse.

richesse nf 1 Abondance de biens, opulence, fortune. 2 Caractère riche. *Richesse d'un gisement, de l'imagination.* 3 Magnificence, somptuosité. ■ pl 1 Choses précieuses. *Les richesses d'un musée.* 2 Ressources naturelles. *Richesses minières.*

richissime a fam Extrêmement riche.

ricin nm Plante à fleurs en grappes, originaire d'Asie. Loc *Huile de ricin :* purgatif tiré des graines de cette plante.

rickettsie nf Bactérie responsable de maladies contagieuses (typhus).

rickettsiose nf Maladie causée par des rickettsies.

ricocher vi Faire ricochet, rebondir.

ricochet nm Rebond d'un objet plat lancé obliquement sur l'eau, ou d'un projectile rebondissant sur une surface dure.

ricotta nf Fromage italien au lait de vache.

ric-rac av 1 fam Avec une exactitude rigoureuse. 2 Tout juste, de justesse. *Il est passé ric-rac.* Var ricrac

rictus [-tys] nm Contraction des lèvres produisant un sourire forcé et grimaçant.

ride nf 1 Pli sur la peau du visage et du cou, sous l'effet de l'âge. 2 Ondulation, strie.

rideau nm 1 Pièce d'étoffe destinée à intercepter la lumière, à masquer qqch ou à décorer. 2 Draperie placée devant la scène ou l'écran d'une salle de spectacle. **3** Ce qui forme écran. *Un rideau d'arbres.* Loc *Rideau de fer :* frontière entre les États socialistes et les démocraties occidentales, de 1946 à 1990. fam *En rideau :* en panne.

ridelle *nf* Chacun des deux côtés d'un camion, servant à maintenir le chargement.

rider *vt* **1** Faire, causer des rides à. **2** Dessiner des ondulations sur. *Le vent ride l'étang.*

ridicule *a* **1** Digne de risée, de moquerie. **2** Très petit, insignifiant. *Une somme ridicule.* ■ *nm* Ce qui est ridicule. Loc *Tourner en ridicule :* se moquer de.

ridiculement *av* De façon ridicule.

ridiculiser *vt* Rendre ridicule.

ridule *nf* Petite ride.

riel *nm* Unité monétaire du Cambodge.

rien *pr indéf* **1** Nulle chose, néant (avec *ne*). *Je ne veux rien.* **2** Quelque chose, quoi que ce soit (sans négation). *Est-il rien de si beau ?* Loc fam *Ce n'est pas rien :* c'est important, difficile. *Comme si de rien n'était :* comme s'il ne s'était rien passé. *Rien que... :* seulement. *De rien (du tout) :* insignifiant, sans valeur. *Ça ne me dit rien :* je n'en ai pas envie. *En moins que rien :* en très peu de temps. *Pour rien :* gratuitement ; inutilement. ■ *nm* **1** Peu de chose. *Un rien le fâche.* **2** Petite quantité. *Ajoutez un rien de sel.* **3** Chose sans importance, sans valeur. *S'amuser à des riens.* Loc *Un moins que rien :* qqn sans importance, sans valeur. fam *Comme un rien :* très facilement.

riesling [rislin] *nm* Cépage blanc d'Alsace.

rieur, rieuse *a, n* Qui rit ou aime rire.

riff *nm* En jazz, courte phrase mélodique servant à rythmer un morceau.

rififi *nm* pop Dispute violente, bagarre.

riflard *nm* **1** Grand rabot, grosse lime à métaux servant à dégrossir. **2** Couteau de plâtrier.

rifle *nm* Carabine de petit calibre.

rift *nm* GEOL Fossé d'effondrement.

rigaudon *nm* Danse animée, à la mode aux XVIIe et XVIIIe s. Var **rigodon**.

rigide *a* **1** D'une sévérité inflexible. *Morale rigide.* **2** Raide, peu flexible. *Une barre rigide.*

rigidement *av* Avec rigidité.

rigidifier *vt* Rendre rigide.

rigidité *nf* Caractère rigide ; raideur.

rigolade *nf* fam **1** Plaisanterie, amusement. **2** Chose sans gravité, sans importance.

rigolard, arde *a* fam Qui rigole.

rigole *nf* **1** Petit fossé étroit pour l'écoulement des eaux. **2** Filet d'eau de ruisselement.

rigoler *vi* fam **1** Rire, se divertir. **2** Plaisanter, ne pas parler sérieusement.

rigolo, ote *a* fam Qui fait rigoler, amusant. ■ *n* fam **1** Boute-en-train. **2** Personne peu sérieuse.

rigorisme *nm* Austérité extrême en matière de religion ou de morale.

rigoriste *a, n* Qui fait preuve de rigorisme.

rigoureusement *av* **1** Avec rigueur. **2** Incontestablement. *C'est rigoureusement faux.*

rigoureux, euse *a* **1** Dur à supporter. *Hiver rigoureux.* **2** Rigide, inflexible. *Juges rigoureux.* **3** Strict, précis. *Raisonnement rigoureux.*

rigueur *nf* **1** Sévérité, dureté. **2** Grande exactitude. **3** Dureté du climat. Loc *À la rigueur :* au pis aller. *De rigueur :* exigé par les règlements, imposé. *Tenir rigueur :* garder rancune.

rikiki. V. **riquiqui**.

rillettes *nfpl* Viande de porc ou d'oie, découpée et cuite dans sa graisse.

rillons *nmpl* Cubes de chair de porc cuits dans la graisse.

rilsan *nm* (n. déposé) Fibre textile synthétique.

rimailler *vi* vx Faire de mauvais vers.

rimailleur, euse *n* vx Poète sans talent.

rimaye *nf* GEOGR Crevasse qui sépare un glacier de son névé.

rime *nf* Retour des mêmes sons à la fin de deux vers. Loc *Sans rime ni raison :* d'une manière dénuée de sens.

rimer *vi* Constituer une rime. Loc *Ne rimer à rien :* n'avoir aucun sens. ■ *vt* Mettre en vers.

rimmel *nm* (n. déposé) Fard à cils.

rinçage *nm* Action de rincer.

rinceau *nm* ARCHI Ornement en forme de branchages entrelacés.

rince-bouteille *nm* Appareil servant à rincer les bouteilles. *Des rince-bouteilles.*

rince-doigt *nm* Petit récipient d'eau tiède, pour se rincer les doigts à table. *Des rince-doigts.*

rincer *vt* [10] **1** Nettoyer, laver à l'eau. **2** Passer à l'eau claire pour éliminer un produit de lavage. **3** pop Ruiner. Loc fam *Se faire rincer :* mouiller par la pluie. ■ *vpr* Loc fam *Se rincer l'œil :* regarder en vue d'un plaisir érotique. fam *Se rincer le gosier :* boire.

rincette *nf* fam Eau-de-vie qu'on boit dans la tasse après le café.

ring [riŋ] *nm* Estrade entourée de cordes pour les combats de boxe et de catch.

ringard, arde *n* fam **1** Acteur sans talent. **2** Médiocre, sans capacités. ■ *a* fam Démodé, de mauvaise qualité.

ringgit *nm* Unité monétaire de la Malaisie.

rioja [Rjoxa] *nm* Vin rouge espagnol.

ripaille *nf* fam Débauche de table.

ripaton *nm* pop Pied.

riper *vt* Déplacer un fardeau en le faisant glisser. ■ *vi* Glisser, déraper.

riposte *nf* **1** Prompte repartie. **2** Contre-attaque vigoureuse.

riposter *vi* **1** Répondre avec vivacité à. **2** Contre-attaquer.

ripou *a, nm* fam Policier corrompu. *Des ripoux.*

riquiqui *a inv* fam Très petit, étriqué. Var **rikiki**

rire *vi* [72] **1** Marquer la gaieté par un mouvement de la bouche, accompagné de sons saccadés. **2** Se divertir, se réjouir. **3** Ne pas parler, ne pas agir sérieusement. ■ *vti* Se moquer de. *Les gens rient de lui.* ■ *vpr* Triompher aisément de. *Se rire des difficultés.* ■ *nm* Action de rire. *Éclater de rire.* Loc *Fou rire :* rire incoercible.

1. ris *nm* MAR Partie d'une voile qu'on peut serrer pour diminuer l'emprise du vent.

2. ris *nm* Thymus comestible du veau, de l'agneau.

risée *nf* **1** Moquerie collective. **2** MAR Augmentation passagère de la force du vent. Loc *Être la risée de :* être un objet de moquerie.

risette *nf* fam Sourire d'un petit enfant.

risible *a* Digne de moquerie.

risotto *nm* Plat italien à base de riz.

risque *nm* **1** Danger, inconvénient. **2** Perte, préjudice éventuels garantis par une assurance. Loc *À ses risques et périls :* en prenant sur soi tous les risques. *Au risque de :* en s'exposant au danger de.

risqué, ée *a* 1 Hasardeux, dangereux. 2 Osé, trop libre. *Plaisanterie risquée.*

risquer *vt* 1 Mettre en danger. *Risquer sa vie.* 2 Essayer, sans être assuré du résultat. *Risquer le coup.* 3 S'exposer à un danger, à une peine. *Il risque la mort, une forte amende. Risquer de tout perdre.* ■ *vpr* Se hasarder.

risque-tout *n inv* fam Audacieux, imprudent. **Var risquetout**

rissole *nf* Petit pâté de viande ou de poisson, cuit dans la friture.

rissoler *vt, vi* Cuire en donnant une couleur dorée.

ristourne *nf* Remise faite par un commerçant à un client.

ristourner *vt* Accorder comme ristourne.

rital, ale, als *n, a* pop Italien.

rite *nm* 1 Ensemble des règles qui régissent la pratique d'un culte. 2 Pratique habituelle, coutume, usage.

ritournelle *nf* 1 Courte phrase instrumentale jouée à la fin de chaque couplet d'une chanson. 2 Propos rabâché, rebattu.

ritualiser *vt* Rendre rituel, codifier.

ritualisme *nm* Respect strict des rites.

ritualiste *a* Qui relève du ritualisme.

rituel, elle *a* 1 Qui constitue un rite. *Prières rituelles.* 2 Habituel. *Promenade rituelle.* ■ *nm* 1 Ensemble des rites. 2 Livre liturgique contenant les rites catholiques.

rituellement *av* Selon un rite.

rivage *nm* Bande de terre qui limite une étendue d'eau marine.

rival, ale, aux *n* Personne qui dispute qqch à une autre, qui prétend au même succès qu'un autre concurrent. ■ *a* Concurrent. *Entreprises rivales.*

rivaliser *vi* S'efforcer de surpasser qqn. *Rivaliser d'adresse avec qqn.*

rivalité *nf* Concurrence, antagonisme.

rive *nf* 1 Bord d'un cours d'eau, d'un lac. 2 Bord rectiligne d'une pièce de bois, de métal. Loc *Rive droite, gauche :* quartier d'une ville bordant un fleuve.

river *vt* 1 Assujettir une pièce métallique. 2 Rabattre la pointe d'un clou. 3 Immobiliser qqn. *La maladie l'a rivé au lit.* Loc fam *River son clou à qqn :* le réduire au silence.

riverain, aine *a, n* Qui habite, qui est situé le long d'un cours d'eau, d'un lac, etc.

rivesaltes *nm* Vin doux naturel du Roussillon.

rivet *nm* Courte tige en métal destinée à être rivée.

riveter *vt* [17] ou [19] Fixer au moyen de rivets.

riveteuse *nf* Machine à poser des rivets.

rivière *nf* Cours d'eau qui se jette dans un autre cours d'eau. Loc *Rivière de diamants :* collier de diamants.

rixe *nf* Querelle violente accompagnée de coups ; bagarre.

riyal *nm* Unité monétaire de l'Arabie Saoudite et du Qatar. *Des riyals.*

riz *nm* 1 Graminée céréalière des régions chaudes et humides. 2 Grain comestible de cette plante. Loc *Poudre de riz :* cosmétique fait de fécule de riz.

rizerie *nf* Usine de traitement du riz.

rizicole *a* De la riziculture.

riziculteur, trice *n* Cultivateur de riz.

riziculture *nf* Culture du riz.

rizière *nf* Terrain où on cultive le riz.

RMA *nm* Revenu minimum d'activité, contrat de travail à temps partiel rémunéré sur la base du SMIC horaire, pour ceux qui touchent le RMI depuis deux ans.

RMI *nm* Revenu minimum d'insertion.

RMiste *n* Bénéficiaire du RMI.

robe *nf* 1 Vêtement féminin fait d'un corsage et d'une jupe d'un seul tenant. 2 Vêtement long des juges, des avocats dans l'exercice de leurs fonctions. 3 Enveloppe de certains légumes ou fruits. 4 Pelage du cheval, du bœuf, etc. 5 Couleur d'un vin. 6 Feuille de tabac enveloppant un cigare. Loc *Robe de chambre :* vêtement d'intérieur long et ample. *Pommes de terre en robe de chambre* ou *des champs :* cuites avec leur peau.

robinet *nm* Dispositif qui permet de régler l'écoulement d'un fluide dans une canalisation.

robinetterie *nf* 1 Industrie, commerce des robinets. 2 Ensemble de robinets.

robinier *nm* Arbre aux fleurs blanches en grappes, appelé aussi *faux acacia.*

robinson *nm* litt Personne qui vit seule dans la nature.

roboratif, ive *a* litt Fortifiant.

robot *nm* 1 Machine automatique, capable de se substituer à l'homme pour effectuer certains travaux. 2 Qui agit comme un automate.

robotique *nf* Science des robots.

robotisation *nf* Action de robotiser.

robotiser *vt* 1 Transformer qqn en robot. 2 Équiper de robots, automatiser.

robusta *nm* Variété de café.

robuste *a* Fort, solide, résistant.

robustesse *nf* Qualité robuste ; force.

roc *nm* 1 Masse de pierre très dure. 2 litt Symbole de solidité.

rocade *nf* Voie routière de dérivation, qui évite le centre d'une ville.

rocaille *nf* 1 Étendue jonchée de pierres, de cailloux ; pierraille. 2 Ouvrage fait de pierres cimentées ou brutes, incrustées de coquillages. ■ *a inv, nm* Se dit d'un style décoratif en vogue sous Louis XV.

rocailleux, euse *a* 1 Pierreux, caillouteux. 2 Dur, heurté ; rauque. *Voix rocailleuse.*

rocamadour *nm* Petit fromage rond du Quercy, au lait de brebis.

rocambolesque *a* Extravagant.

roche *nf* Matière formée de minéraux et constituant l'écorce terrestre ; bloc ou morceau de cette matière. Loc *Clair comme de l'eau de roche :* évident.

rocher *nm* 1 Masse de pierre, souvent escarpée. 2 ANAT Pièce osseuse qui forme la partie interne de l'os temporal. 3 Pâtisserie ayant l'aspect d'un rocher.

rocheux, euse *a* Couvert, formé de roches.

rock [ROk] *nm* Musique d'origine américaine, très rythmée. **Var rock and roll** [ROkɛnROl]

rocker [-kœR] *nm* 1 Musicien de rock. 2 Jeune amateur de rock. **Var rockeur, euse** *n*

rocking-chair [ROkiŋtʃɛR] *nm* Fauteuil à bascule. *Des rocking-chairs.*

rococo *a inv, nm* Se dit d'un style rocaille très surchargé, en vogue au XVIIIᵉ s. ■ *a inv* Passé de mode.

rocou *nm* Colorant végétal rouge.

rodage *nm* Action de roder qqch.

rôdailler *vi* fam Rôder çà et là.

rodé, ée *a* Expérimenté.

rodéo *nm* **1** Fête donnée à l'occasion du marquage du bétail aux États-Unis. **2** fam Course, poursuite bruyante de voitures, de motos.

roder *vt* **1** User par frottement une pièce pour qu'elle s'adapte à une autre. **2** Faire fonctionner à vitesse réduite un moteur pour permettre un ajustage progressif. **3** Mettre au point progressivement. *Roder une organisation.*

rôder *vi* Aller et venir çà et là, parfois avec des intentions suspectes.

rôdeur, euse *n* Individu qui rôde à la recherche d'un mauvais coup.

rodomontade *nf* litt Fanfaronnade.

rogations *nfpl* RELIG Prières publiques et processions, destinées à attirer la bénédiction divine sur les récoltes.

rogatoire *a* DR Relatif à une demande. Loc *Commission rogatoire :* délégation judiciaire donnée par un juge pour l'accomplissement d'un acte qu'il ne peut accomplir lui-même.

rogatons *nmpl* fam Restes de nourriture.

rognage *nm* Action de rogner.

rogne *nf* fam Mauvaise humeur, colère.

rogner *vt* **1** Couper sur les bords. *Rogner les pages d'un livre.* **2** Diminuer partiellement. *Ces dépenses ont rogné mes économies.* Loc *Rogner les ailes à qqn :* diminuer son pouvoir. ■ *vti* Prendre sur. *Rogner sur ses vacances.*

rognon *nm* **1** Rein comestible de certains animaux. **2** GEOL Concrétion rocheuse.

rognure *nf* Déchet restant après un rognage.

rogomme *nm* Loc fam *Voix de rogomme :* enrouée par l'alcool.

rogue *a* Arrogant, plein de morgue.

roi *nm* **1** Chef d'État qui exerce le pouvoir souverain, en vertu d'un droit héréditaire. **2** Celui qui domine, qui a la prépondérance dans un domaine. *Les rois du pétrole.* **3** Pièce du jeu d'échecs. **4** Carte figurant un roi. Loc *Morceau de roi :* mets délicieux. *Travailler pour le roi de Prusse :* sans profit. *Fête des Rois :* Épiphanie. *Tirer les rois :* manger la galette contenant la fève lors de l'Épiphanie. ■ *a inv* Loc *Bleu roi :* très vif, outremer.

roide *a* Forme ancienne de *raide.*

roitelet *nm* **1** Roi d'un très petit État. **2** Passereau de très petite taille.

rôle *nm* **1** DR Feuillet sur lequel sont transcrits certains actes juridiques. **2** Registre officiel comportant la liste des contribuables d'une commune et le montant de leurs impôts. **3** Ensemble des répliques d'un acteur dans une pièce de théâtre, un film. **4** Personnage joué par l'acteur. **5** Conduite apparente de qqn. **6** Fonction, emploi. *Le rôle du médecin.* **7** Action, influence. *Le rôle de l'argent dans la politique.* **8** Liste officielle des membres de l'équipage d'un navire. Loc *À tour de rôle :* chacun à son tour. *Avoir le beau rôle :* avoir la tâche facile. *Jeu de rôles :* psychodrame.

rôle-titre *nm* Rôle du personnage qui donne son nom à l'œuvre interprétée. *Des rôles-titres.*

roller [ʀɔlœʀ] *nm* **1** Patin à roulettes alignées ; sport pratiqué avec ces patins. **2** Crayon à bille.

rollmops *nm inv* Petit hareng roulé conservé dans du vin blanc.

roll on-roll off *nm inv* Manutention par roulage.

rollot *nm* Fromage picard au lait de vache.

romain, aine *a, n* **1** De l'ancienne Rome. **2** De la ville de Rome. ■ *a, nm* Caractère d'imprimerie dont les jambages sont perpendiculaires à la ligne ; écriture dans ces caractères. ■ *a* Loc *Chiffres romains :* I, V, X, L, C, D, M, correspondant aux chiffres arabes 1, 5, 10, 50, 100, 500, 1000. *Église romaine :* catholique. ■ *nf* **1** Balance composée d'un fléau aux bras inégaux, dont le plus long, gradué, est muni d'un poids mobile. **2** Laitue à feuilles croquantes. Loc fam *Être bon comme la romaine :* dans la position de victime.

1. roman, ane *a, nm* **1** Se dit des langues issues du latin populaire parlé dans les pays romanisés (français, italien, espagnol, portugais, roumain, catalan, provençal, etc.). **2** Se dit de l'art répandu dans les pays d'Europe occidentale, avant l'apparition du gothique.

2. roman *nm* **1** Récit médiéval écrit en langue romane. **2** Récit de fiction en prose relativement long. **3** Suite d'aventures extraordinaires. *Sa vie est un roman.* **4** Histoire mensongère ; fable.

romance *nf* Chanson sentimentale.

romancer *vt* [10] Présenter comme un roman.

romancéro *nm* Recueil de poèmes épiques espagnols. Var **romancero** [-SERO]

romanche *nm* Parler roman en usage dans les Grisons, quatrième langue de la Suisse.

romancier, ère *n* Auteur de romans.

romand, ande *a, n* Se dit de la Suisse francophone et de ses habitants.

romanée *nm* Bourgogne rouge, très réputé.

romanesque *a* **1** Qui tient du roman. **2** Imaginatif, rêveur.

roman-feuilleton *nm* Roman avec de multiples péripéties, publié en feuilleton. *Des romans-feuilletons.*

romani *nm* Langue des Tsiganes.

romanichel, elle *n* vx **1** Tsigane nomade. **2** Vagabond.

romanisation *nf* Action de romaniser.

romaniser *vt* **1** Rendre romain. **2** Transcrire en caractères latins.

romaniste *n* Spécialiste des langues romanes.

roman-photo *nm* Histoire romanesque racontée avec des photos accompagnées de textes. *Des romans-photos.*

romantique *a, n* **1** Qui relève du romantisme. **2** Qui a un caractère sentimental et passionné.

romantisme *nm* **1** Mouvement artistique et littéraire du XIXᵉ s., qui fit prévaloir les sentiments sur la raison. **2** Sensibilité, esprit, caractère passionné, sentimental.

romarin *nm* Arbrisseau odorant.

rombière *nf* pop Femme âgée prétentieuse et ennuyeuse.

rompre *vt* [78] **1** litt Briser, casser, faire céder. **2** Faire cesser, mettre fin à. *Rompre un marché, ses fiançailles.* **3** Défaire, déranger. *Rompre la monotonie, le rythme.* Loc *À tout rompre :* très fort. ■ *vi, vpr* Se casser, se briser, céder. ■ *vi* **1** Cesser d'avoir des relations avec qqn. **2** Renoncer à une habitude.

rompu, ue *a* Loc *Être rompu (de fatigue) :* extrêmement fatigué. *Être rompu à qqch :* y être parfaitement exercé.

romsteck [ʀɔm-] *nm* Morceau du bœuf fournissant des biftecks. **Var rumsteck**

ronce *nf* 1 Plante épineuse dont le fruit est la mûre. 2 Bois recherché en ébénisterie, présentant des irrégularités dans ses veines.

ronceraie *nf* Lieu couvert de ronces.

ronchon, onne *a, n* fam Qui ronchonne sans cesse. **Var ronchonneur, euse**

ronchonnement *nm* fam Grommellement.

ronchonner *vi* fam Manifester de la mauvaise humeur en maugréant.

roncier *nm* Buisson de ronces. **Var roncière** *nf*

rond, ronde *a* 1 De forme circulaire, sphérique, courbe ou arrondie. 2 Petit et gros. 3 Sans détours, franc. *Être rond en affaires.* 4 fam Ivre. 5 Qui ne comporte pas de décimales. *Chiffre, compte rond.* ■ *av* Loc *Tourner rond* : fonctionner sans à-coups. fam *Ne pas tourner rond* : aller mal. ■ *nm* 1 Figure circulaire. 2 Objet de forme circulaire. 3 pop Argent. *N'avoir pas le rond.* Loc *En rond* : en cercle. *Rester comme deux ronds de flan* : stupéfait. fam *En baver des ronds de chapeau* : être soumis à rude traitement. *Tourner en rond* : ne pas progresser. *Rond de jambe* : pas chorégraphique en demi-cercle. *Faire des ronds de jambe* : des amabilités affectées.

rond-de-cuir *nm* fam Employé de bureau. *Des ronds-de-cuir.*

ronde *nf* 1 Danse dans laquelle plusieurs personnes tournent en se tenant par la main ; chanson de cette danse. 2 Inspection, surveillance, pour s'assurer que tout est en ordre. 3 Note de musique valant deux blanches. Loc *À la ronde* : alentour ; tour à tour.

rondeau *nm* Poème médiéval à deux rimes.

ronde-bosse *nf* Sculpture représentant le sujet sous ses trois dimensions. *Des rondes-bosses.*

rondelet, ette *a* 1 Qui a un peu d'embonpoint. 2 fam Assez important. *Une somme rondelette.*

rondelle *nf* 1 Petit disque. 2 Petite tranche mince et ronde. *Rondelle de saucisson.*

rondement *av* Avec vivacité, décision.

rondeur *nf* 1 Caractère rond, sphérique. 2 Chose, forme ronde, arrondie. 3 Bonhomie.

rondin *nm* 1 Morceau cylindrique de bois à brûler. 2 Tronc de bois utilisé en construction.

rondo *nm* Pièce musicale caractérisée par l'alternance d'un refrain et de couplets.

rondouillard, arde *a* fam Grassouillet.

rond-point *nm* Carrefour circulaire. *Des ronds-points.* **Var rondpoint**

ronéo *nf* (n. déposé) Machine à reproduire les textes au moyen de stencils.

ronflant, ante *a* 1 Qui produit un bruit sourd et continu. 2 fam Emphatique, grandiloquent.

ronflement *nm* 1 Bruit produit par qqn qui ronfle. 2 Bruit sourd et continu.

ronfler *vi* 1 Faire un bruit particulier de la gorge en respirant pendant le sommeil. 2 fam Dormir. 3 Faire un bruit sourd et continu.

ronfleur, euse *n* Personne qui ronfle. ■ *nm* Avertisseur à lame vibrante, qui produit une sonnerie sourde.

ronger *vt* [11] 1 Entamer, user peu à peu à coups de dents. 2 Détruire par une action lente, progressive ; miner. Loc *Ronger son frein* : contenir difficilement son impatience. ■ *vpr* Loc fam *Se ronger les sangs* : se faire beaucoup de souci.

rongeur, euse *a* Qui ronge. ■ *nm* ZOOL Mammifère à longues incisives tranchantes (rat, lièvre, écureuil).

ronin *nm* HIST Samouraï sans maître.

ronron *nm* 1 Petit grondement régulier du chat. 2 fam Bourdonnement continu, sourd et régulier. 3 fam Routine, monotonie. **Var ronronnement**

ronronner *vi* 1 Faire entendre des ronrons (chat). 2 Produire un bourdonnement sourd.

röntgen [ʀœntgɛn] *nm* Unité de dose de rayonnement ionisant.

roof. V. rouf.

roque *nm* Aux échecs, coup consistant à déplacer simultanément le roi et une tour.

roquefort *nm* Fromage de lait de brebis, ensemencé d'une moisissure spéciale.

roquer *vi* Aux échecs, effectuer un roque.

roquet *nm* 1 Petit chien hargneux. 2 fam Personne hargneuse.

roquette *nf* 1 Projectile autopropulsé. 2 Plante qui se mange en salade. Syn. rouquette.

rorqual *nm* Cétacé voisin des baleines. *Des rorquals.*

rosace *nf* 1 Ornement circulaire en forme de rose. 2 Grand vitrail rond.

rosacée *nf* 1 BOT Plante dicotylédone, tels le rosier et de nombreux arbres fruitiers. 2 MED Couperose.

rosaire *nm* RELIG 1 Grand chapelet comportant quinze dizaines de petits grains. 2 Récitation de ce chapelet.

rosâtre *a* D'un rose indécis ou sale.

rosbif *nm* Morceau de bœuf à rôtir.

rose *nf* 1 Fleur du rosier. 2 Grande baie ornée de vitraux des églises gothiques. Loc *À l'eau de rose* : mièvre. fam *Ne pas sentir la rose* : sentir mauvais. fam *Envoyer qqn sur les roses* : le rembarrer. *Rose des sables* : concrétion siliceuse des déserts sableux. *Rose des vents* : étoile dont les branches donnent les points cardinaux et intermédiaires. *Bois de rose* : bois précieux de plusieurs arbres d'Amérique du Sud. ■ *a* Entre rouge et blanc. Loc *Ce n'est pas rose* : ce n'est pas réjouissant. ■ *nm* Couleur rose. Loc *Voir la vie en rose* : être très optimiste.

rosé, ée *a* Teinté de rose ou de rouge clair. ■ *nm* Vin de couleur rouge clair.

roseau *nm* Plante croissant au bord des eaux.

rosé-des-prés *nm* Champignon comestible à lames roses. *Des rosés-des-prés.*

rosée *nf* Condensation de la vapeur d'eau de l'atmosphère.

roséole *nf* MED Éruption de taches rose pâle.

roser *vt* litt Donner une teinte rose à.

roseraie *nf* Terrain planté de rosiers.

rosette *nf* 1 Nœud, ornement en forme de rose. 2 Insigne de certains ordres.

roseval *nf* Pomme de terre à pulpe rose. *Des rosevals.*

Rosh ha-Shana *nm* Nouvel an juif.

rosier *nm* Arbrisseau épineux, aux fleurs odoriférantes.

rosière *nf* VX Jeune fille vertueuse récompensée solennellement.

rosir *vi* Prendre une teinte rose. ■ *vt* Rendre rose.

rosse nf fam **1** Mauvais cheval. **2** Personne sévère jusqu'à la méchanceté. ■ *a* fam **1** Mordant, caustique. **2** Dur, sévère.

rossée nf fam Volée de coups.

rosser vt fam Battre qqn violemment.

rosserie nf fam Méchanceté.

rossignol nm **1** Oiseau au chant mélodieux. **2** Instrument pour forcer les serrures. **3** fam Objet démodé ; marchandise invendable.

rossinante nf litt Cheval maigre.

rösti [røfti] nmpl Minces tranches de pommes de terre rissolées.

rostre nm **1** ANTIQ Éperon qui armait la proue des navires de guerre. **2** Appendice effilé de divers animaux. *Le rostre de l'espadon.* **3** Partie de la carapace de certains crustacés, qui fait saillie entre les yeux. **4** Pièces buccales, allongées en stylet, de certains insectes.

rot nm pop Émission bruyante, par la bouche, de gaz stomacaux.

rotang nm Palmier qui fournit le rotin.

rotateur, trice a, nm Qui fait tourner.

rotatif, ive a Qui agit en tournant.

rotation nf **1** Mouvement de ce qui pivote, de ce qui tourne autour d'un axe. **2** Renouvellement ; roulement. *Rotation du stock.* **3** Succession, alternance cyclique d'opérations.

rotative nf Presse cylindrique pour l'impression des journaux.

rotatoire a Qui tourne, circulaire.

rote nf RELIG Tribunal du Saint-Siège, qui instruit les demandes d'annulation de mariage.

roter vi pop Faire un, des rots.

rôti, ie a Cuit à feu vif ou au four. *Poulet rôti.* ■ nm Pièce de viande rôtie. ■ nf Tranche de pain grillé.

rotin nm **1** Tige du rotang utilisée pour le cannage des sièges. **2** pop Sou.

rôtir vt Faire cuire une viande à feu vif ou au four. ■ vi Cuire à feu vif ou au four. ■ vi, vpr Être exposé à une chaleur très vive. *Se rôtir au soleil.*

rôtisserie nf **1** Restaurant servant des viandes rôties. **2** Boutique vendant de la viande rôtie.

rôtisseur, euse n Personne qui tient une rôtisserie.

rôtissoire nf Ustensile pour rôtir la viande.

rotonde nf Édifice de forme circulaire.

rotondité nf Caractère sphérique.

rotor nm Partie mobile d'une machine électrique, d'une turbine.

rotule nf **1** ANAT Petit os du genou. **2** TECH Articulation formée d'une pièce sphérique tournant dans un logement.

rotulien, enne a De la rotule.

roture nf État de roturier.

roturier, ère a, n Qui ne fait pas partie de la noblesse.

rouage nm **1** Chacune des pièces circulaires tournantes d'un mécanisme. **2** Chacun des éléments nécessaires au bon fonctionnement d'une organisation.

roubignoles nfpl pop Testicules.

roublard, arde a, n fam Rusé.

roublardise nf fam Ruse, rouerie.

rouble nm Unité monétaire de la Russie.

rouchi nm Dialecte picard.

roucoulement nm **1** Cri du pigeon et de la tourterelle. **2** Paroles tendres et langoureuses. **Var** **roucoulade** nf.

roucouler vi Émettre des roucoulements.

roue nf **1** Pièce rigide, circulaire, qui tourne autour d'un axe. **2** HIST Supplice qui consistait à briser les membres d'un condamné attaché à une roue. **Loc** *Pousser à la roue :* aider qqn à réussir. *Faire la roue :* déployer sa queue en éventail (paon) ; se pavaner. fam *En roue libre :* sans prolonger ses efforts. *Grande roue :* attraction foraine.

roué, ée a, n Rusé, sans scrupule. ■ a Rompu. *Être roué de fatigue.* ■ nm HIST Compagnon de débauche de Philippe d'Orléans (au XVIIIe s.).

rouelle nf Partie de la cuisse de veau, coupée en travers.

rouer vt Faire subir le supplice de la roue. **Loc** *Rouer de coups :* frapper violemment.

rouerie nf litt Fourberie, ruse.

rouet nm Roue actionnée par une pédale servant à filer.

rouf nm MAR Superstructure élevée sur le pont supérieur d'un navire. **Var** **roof**

rouflaquette nf fam Accroche-cœur, favori.

rouge a **1** De la couleur du sang. **2** Qui a le visage coloré par un afflux de sang. *Être rouge de colère.* **3** Qui a pris la couleur du feu par la chaleur. ■ a, n Qui a des opinions d'extrême gauche ; révolutionnaire. ■ av **Loc** *Se fâcher tout rouge, voir rouge :* entrer dans une violente colère. ■ nm **1** Couleur rouge. **2** Fard rouge. **3** fam Vin rouge. **4** Coloration rouge du visage. **5** Couleur des signaux d'arrêt, d'interdiction. **Loc** *Être dans le rouge :* dans une situation financière difficile ou déficitaire.

rougeâtre a Qui tire sur le rouge.

rougeaud, aude a, n Rubicond.

rouge-gorge nm Passereau à la gorge rouge sombre. *Des rouges-gorges.*

rougeoiement nm Fait de rougeoyer.

rougeole nf Maladie virale aiguë, très contagieuse, caractérisée par des taches rouges.

rougeoyant, ante a Qui rougeoie.

rougeoyer vi [22] Avoir des reflets rouges et changeants.

rouget nm Nom de divers poissons comestibles (*rouget grondin* et *rouget barbet*).

rougeur nf **1** Teinte rouge. **2** Coloration rouge du visage, due à une émotion. **3** Tache rouge qui apparaît sur la peau.

rough [rœf] nm Syn. de *crayonné*.

rougir vt Donner une couleur rouge à. ■ vi **1** Devenir rouge. **2** Avoir honte, être confus.

rougissant, ante a Qui rougit.

rougissement nm Fait de rougir.

rouille nf **1** Oxyde de fer dont se couvrent le fer et l'acier corrodés par l'humidité. **2** BOT Maladie cryptogamique des céréales. **3** Aïoli au piment rouge. ■ a inv Brun orangé.

rouillé, ée a **1** Attaqué, rongé par la rouille. *Clé rouillée.* **2** Qui a perdu une partie de ses capacités par manque d'exercice.

rouiller vt Rendre rouillé. ■ vi, vpr Devenir rouillé. *Se rouiller à ne rien faire.*

rouir vt TECH Faire tremper dans l'eau du lin, du chanvre afin que les fibres textiles se séparent de la partie ligneuse.

rouissage nm Action de rouir.

oulade nf 1 Suite de notes légères chantées sur une seule syllabe. 2 Tranche de viande roulée et farcie. 3 Syn. de roulé-boulé.

oulage nm 1 Action de rouler qqch. 2 Transport des marchandises sur les camions qui embarquent à bord d'un navire.

oulant, ante a 1 Qui peut rouler ; monté sur roues, sur roulettes. Table roulante. 2 fam Très amusant. Loc Feu roulant : tir continu d'armes à feu. Personnel roulant : employé à bord d'un train, d'un autobus, etc.

oulé, ée a Dont on a fait un rouleau. Couverture roulée. Loc fam Femme bien roulée : bien faite. ■ nm Gâteau dont la pâte est enroulée.

ouleau nm 1 Objet cylindrique. 2 Cylindre destiné à presser, à aplatir. 3 Ustensile de peintre en bâtiment, servant à étaler la peinture. 4 Bigoudi. 5 Lame qui brise près d'une plage. 6 Saut en hauteur consistant à faire tourner horizontalement le corps au-dessus de la barre. Loc fam Être au bout du rouleau : à bout de forces.

oulé-boulé nm Action de se ramasser sur soi-même et de se laisser rouler à terre. Syn. roulade. Des roulés-boulés.

oulement nm 1 Mouvement de ce qui roule. 2 Mécanisme utilisant ce mouvement et servant à réduire les frottements. 3 Bruit sourd et continu produit par qqch qui roule ou qui évoque ce mouvement. 4 Alternance de personnes qui se remplacent pour certains travaux. 5 Circulation d'argent. Fonds de roulement.

ouler vt 1 Pousser qqch en le faisant tourner sur lui-même. Rouler un tonneau. 2 Déplacer un objet comportant des roues. 3 Enrouler qqch. Rouler une couverture. 4 Aplanir au rouleau. Rouler la pâte. 5 fam Duper. Se faire rouler. 6 Tourner et retourner dans son esprit. Rouler des projets. Loc fam Rouler sa bosse : avoir une existence vagabonde. Rouler les épaules, les hanches : les balancer en marchant. Rouler les yeux : leur donner un mouvement circulaire ; être ahuri. fam Rouler les mécaniques : faire le fier-à-bras. ■ vi 1 Avancer, se déplacer en tournant sur soi-même. 2 Avancer tout en roulant. Train qui roule à grande vitesse. 3 MAR Être balancé par le roulis. 4 Circuler (argent). 5 Porter sur tel sujet. La négociation roule sur un problème. Loc Rouler sur l'or : être très riche. fam Ça roule : tout va bien. ■ vpr 1 Se tourner de côté et d'autre, étant couché. S'envelopper de qqch. 3 Se mettre en boule. Loc fam Se rouler les pouces, se les rouler : ne rien faire.

oulette nf 1 Petite roue. 2 Jeu de hasard. 3 fam Fraise de dentiste. Loc fam Cela marche comme sur des roulettes : sans aucune difficulté.

ouleur nm Cycliste particulièrement doué dans les courses sur le plat.

oulier nm Navire aménagé pour le roulage.

oulis nm Oscillation d'un navire, d'un véhicule d'un bord sur l'autre sous l'effet de la houle.

oulottage nm Vol à la roulotte.

oulotte nf Voiture des forains, des nomades. Loc Vol à la roulotte : dans les véhicules en stationnement.

oulotté nm COUT Ourlet constitué d'un rouleau très fin. Var roulotté

oulotter vt COUT Faire un roulotté. Var rouloter

oulure nf pop Prostituée.

oumain, aine a, n De la Roumanie. ■ nm Langue romane parlée en Roumanie.

roumi n Européen, pour les musulmans.

round nm À la boxe, reprise lors d'un combat.

roupie nf Unité monétaire de l'Inde, du Sri Lanka, du Népal, de l'Indonésie, du Pakistan, de l'île Maurice, etc. Loc fam Roupie de sansonnet : chose sans importance, sans valeur.

roupiller vi fam Dormir.

roupillon nm pop Petit somme.

rouquette nf Syn. de roquette.

rouquin, ine a, n fam Qui a les cheveux roux.

rouscailler vi pop Protester.

rouspétance nf fam Protestation.

rouspéter vi [12] fam Protester, réclamer.

rouspéteur, euse a, n fam Qui rouspète.

roussâtre a Qui tire sur le roux.

rousserolle nf Passereau proche de la fauvette. Var rousserole

roussette nf 1 Grande chauve-souris d'Afrique et d'Asie. 2 Petit requin. Syn. chien de mer.

rousseur nf Couleur rousse. Loc Tache de rousseur : petite tache pigmentaire brun clair.

roussi nm Odeur de ce qui a commencé à brûler. Loc fam Sentir le roussi : devenir dangereux, se gâter.

roussir vt, vi Brûler superficiellement.

roussissement nm Fait de roussir. Var roussissure nf

rouste nf pop Volée de coups.

routage nm Action de router.

routard, arde n fam Voyageur qui prend la route à pied ou en auto-stop.

route nf 1 Voie terrestre carrossable ; moyen de communication utilisant ces voies. 2 Direction à prendre ; itinéraire. 3 Ligne de conduite, chemin suivi dans la vie. Loc Faire route : voyager. Faire fausse route : se tromper. Mettre en route : faire démarrer.

router vt 1 Grouper par destination des imprimés, des journaux. 2 Déterminer la route que doit suivre un bateau.

routeur nm Personne qui effectue un routage.

routier, ère a Des routes. Trafic routier. ■ nm 1 Chauffeur de poids lourds. 2 Cycliste spécialisé dans les épreuves sur route. 3 HIST Soldat pillard au Moyen Âge. Loc Vieux routier : très expérimenté. ■ nf Automobile conçue pour faire de longs parcours sur route.

routine nf 1 Habitude d'agir et de penser toujours de la même manière. 2 INFORM Séquence d'instructions réalisant une fonction particulière. Loc De routine : ordinaire, habituel.

routinier, ère n, a Qui agit par routine. ■ a Qui se fait par routine.

rouvre nm Chêne commun en France.

rouvrir vt, vi [31] Ouvrir de nouveau.

roux, rousse a D'une couleur entre le jaune orangé et le rouge. ■ a, n Qui a les cheveux roux. ■ nm 1 Couleur rousse. 2 CUIS Mélange de farine et de beurre roussi, servant à lier une sauce.

royal, ale, aux a 1 Du roi. 2 Digne d'un roi ; magnifique. 3 Se dit d'espèces remarquables par leur beauté. Tigre royal. Loc Voie royale : moyen direct et glorieux d'accomplir qqch.

royalement av De façon royale.

royalisme nm Attachement à la royauté.

royaliste a, n Partisan du roi, de la royauté.

royalties [-tiz] *nfpl* Redevance payée à un inventeur, à un auteur, à un propriétaire de gisement de pétrole, etc.

royaume *nm* État gouverné par un roi. Loc *Le royaume de Dieu* : le paradis.

royauté *nf* 1 Dignité de roi. 2 Régime monarchique.

RTT *nf* Réduction du temps de travail.

ru *nm* vx Ruisseau.

ruade *nf* Mouvement d'une bête qui rue.

ruandais. V. rwandais.

ruban *nm* 1 COUT Bandelette de tissu, mince et étroite. 2 Petit morceau de tissu servant de décoration. 3 TECH Bande étroite de métal. *Scie à ruban*.

rubéfaction *nf* Irritation, rougeur de la peau.

rubéfier *vt* Irriter la peau.

rubéole *nf* Maladie infectieuse et contagieuse.

rubescent, ente *a* Qui devient rouge.

rubiacée *nf* BOT Plante gamopétale, tels le caféier, le quinquina.

rubicond, onde *a* Très rouge de teint.

rubidium [-djɔm] *nm* Métal blanc, brillant qui se rapproche du potassium.

rubigineux, euse *a* Couvert de rouille.

rubis *nm* 1 Pierre précieuse rouge. 2 Pivot en pierre dure, dans un rouage d'horlogerie. Loc *Payer rubis sur l'ongle* : payer comptant tout ce qu'on doit.

rubrique *nf* 1 Article publié régulièrement par un périodique et traitant d'un même domaine. 2 Titre, indication de la matière, de la classe, de la catégorie.

rubriquer *vt* Donner une rubrique à qqch.

ruche *nf* 1 Habitation des abeilles ; essaim qui y habite. 2 litt Lieu où règne une activité intense. 3 COUT Bande plissée de tulle, de dentelles.

rucher *nm* Ensemble de ruches.

rude *a* 1 Dont le contact est dur. 2 Difficile à supporter, pénible. *Hiver rude. Une rude épreuve*. 3 Dur, sévère, brutal. 4 fam Considérable, remarquable. *Une rude chance*.

rudement *av* 1 De façon rude. *Parler rudement*. 2 fam Très. *J'ai rudement faim*.

rudéral, ale, aux *a* BOT Qui pousse dans les décombres.

rudesse *nf* Caractère rude, pénible.

rudiment *nm* Forme ébauchée ou atrophiée d'un organe. ■ *pl* Premières notions d'une science, d'un art.

rudimentaire *a* Sommaire, peu développé.

rudoiement *nm* litt Action de rudoyer.

rudoyer *vt* [22] Traiter rudement qqn.

rue *nf* 1 Voie bordée de maisons, dans une agglomération. Loc *Être à la rue* : sans domicile. *L'homme de la rue* : le citoyen ordinaire.

ruée *nf* Fait de se précipiter en grand nombre vers un même lieu.

ruelle *nf* 1 Petite rue étroite. 2 Espace laissé entre un lit et un mur.

ruer *vi* Lancer en l'air avec force les pieds de derrière (cheval, âne). Loc fam *Ruer dans les brancards* : se rebeller. ■ *vpr* Se lancer vivement, impétueusement. *Se ruer vers la sortie*.

ruffian *nm* vx Aventurier sans scrupules.

rugby *nm* Sport qui oppose deux équipes et qui se joue avec un ballon ovale à la main et au pied.

rugbyman [-man] *nm* Joueur de rugby. *Des rugbymen* ou *rugbymans*.

rugir *vi* Pousser un rugissement (lion). ■ *vi*, Hurler, vociférer.

rugissant, ante *a* Qui rugit.

rugissement *nm* 1 Cri du lion, de bêtes féroces 2 Hurlement de qqn.

rugosité *nf* 1 Aspérité sur une surface. 2 Carac tère d'une surface rugueuse.

rugueux, euse *a* Rude au toucher.

ruine *nf* 1 Dégradation, écroulement d'un édifice *Tomber en ruine*. 2 Effondrement, destruction. *L ruine d'un État*. 3 Perte des biens, de la fortune. Personne dégradée physiquement ou moralement ■ *pl* Débris d'une ville, d'un édifice détruits.

ruiner *vt* 1 Causer la ruine, la perte, la destruction de qqch ou qqn. 2 Infirmer. *Ruiner une hypothèse* ■ *vpr* 1 Perdre sa fortune. 2 Dépenser trop. *Se rui ner en cadeaux*.

ruineux, euse *a* Qui entraîne à des dépense excessives.

ruiniforme *a* Qui a un aspect de ruine, du fa de l'érosion.

ruisseau *nm* 1 Petit cours d'eau. 2 litt Flot d liquide qui coule, s'épanche. *Des ruisseaux d larmes*. 3 Caniveau.

ruisselant, ante *a* Qui ruisselle.

ruisseler *vi* [16] ou [18] 1 Couler en filets d'eau 2 Être inondé de. *Ruisseler de sueur*.

ruisselet *nm* Petit ruisseau.

ruissellement *nm* Fait de ruisseler. Var **ruisse lement**

rumba [Rum-] *nf* Danse cubaine.

rumen [-mɛn] *nm* ZOOL Panse.

rumeur *nf* 1 Bruit confus de voix. 2 Bruit, nou velle qui court dans la public.

ruminant, ante *a* Qui rumine. ■ *nm* ZOOL Mam mifère pourvu d'un appareil digestif propre à l rumination (bovidés, cervidés, etc.).

rumination *nf* Fait de ruminer.

ruminer *vt* 1 ZOOL Ramener les aliments de l panse dans la bouche pour les remâcher. 2 Res sasser, repenser à qqch. *Ruminer un projet*.

rumsteck. V. romsteck.

runabout [Rœnabawt] *nm* Canot de course.

rune *nf* Signe des anciens alphabets germaniqu et scandinave.

runique *a* Relatif aux runes.

ruolz *nm* Alliage blanc, composé de cuivre, d nickel et d'argent.

rupestre *a* 1 BOT Qui croît sur les rochers. 2 Exé cuté sur les parois des cavernes.

rupiah *nf* Unité monétaire de l'Indonésie.

rupicole *nm* Coq de roche.

rupin, ine *a, n* pop Riche.

rupteur *nm* ÉLECTR Appareil d'ouverture et de fer meture du circuit.

rupture *nf* 1 Action de rompre, fait de se rompre 2 Séparation de personnes qui étaient liées. Lo *Rupture de stock* : stock insuffisant pour satisfair les commandes. *Rupture de pente* : modificatio brutale d'une pente.

rural, ale, aux *a* De la campagne. *Le mond rural*. ■ *nmpl* Paysans.

ruralisme *nm* Idéalisation de la vie à la cam pagne.

rurbain, aine *a, n* De la rurbanisation.

rurbanisation *nf* SOCIOL Peuplement des village proches des villes par des personnes qui tra vaillent dans celles-ci.

ruse nf 1 Stratagème pour tromper. 2 Habileté à tromper, à feindre. *Vaincre par la ruse.*

rusé, ée a, n Qui a de la ruse.

ruser vi Agir avec ruse.

rush [ʀœʃ] nm 1 Ruée d'un groupe de joueurs. 2 Effort final d'un concurrent. 3 Ruée, afflux. *Le rush des vacanciers. Des rushs.* ■ pl Au cinéma, à la télévision, prises de vue avant montage.

russe a, n De la Russie. ■ nm Langue slave parlée en Russie.

russification nf Action de russifier.

russifier vt Faire adopter les institutions, la langue russes à.

russophone a, n De langue russe.

russule nf Champignon des bois, à lames.

rustaud, aude a, n Gauche, grossier, pataud.

rusticité nf Caractère rustique.

rustine nf (n. déposé) Rondelle adhésive de caoutchouc qui sert à réparer les chambres à air.

rustique a 1 Simple et traditionnel. *Vie rustique.* 2 Qui s'adapte à toutes les conditions climatiques. *Plante rustique.*

rustre a, n Grossier, sans éducation.

rut nm État physiologique des mammifères, qui les pousse à l'accouplement.

rutabaga nm Navet à racine comestible.

rutacée nf BOT Plante dicotylédone, comme l'oranger, le citronnier.

ruthénium [-njɔm] nm Métal du groupe du platine.

rutilant, ante a Qui brille d'un vif éclat.

rutiler vi Briller d'un vif éclat.

rwandais aise a, n Du Rwanda. **Var ruandais, aise**

rythme nm 1 Retour périodique des temps forts et des temps faibles dans une phrase musicale, un vers, etc. 2 Alternance régulière. *Le rythme des saisons.* 3 Mouvement périodique ou cadencé. *Rythme cardiaque.* 4 Allure d'un processus quelconque. *Vivre au rythme de son temps.*

rythmé, ée a Qui a un rythme.

rythmer vt Donner du rythme à.

rythmique a Relatif au rythme. ■ nf 1 Danse, gymnastique faite selon un rythme. 2 Science des rythmes en prose et en poésie.

s *nm* Dix-neuvième lettre (consonne) de l'alphabet.

sa. V. *son 1*.

SA *nf* Société anonyme.

sabayon *nm* Crème à base de vin, d'œufs, de sucre et d'aromates.

sabbat *nm* 1 Repos consacré au culte observé par les juifs le samedi. Syn. shabbat. 2 Assemblée nocturne de sorciers et de sorcières.

sabbatique *a* Du sabbat. Loc *Année sabbatique :* année de congé.

sabir *nm* 1 Langue mixte d'arabe et de langues romanes. 2 Charabia.

sablage *nm* Action de sabler.

sable *nm* 1 Roche détritique meuble composée de petits grains. 2 HERALD Couleur noire avec hachures verticales et horizontales croisées. Loc *Sables mouvants :* sable où l'on risque de s'enliser. *Bâtir sur le sable :* entreprendre sur des bases très fragiles. fam *Être sur le sable :* être sans argent. ■ *a inv* Beige clair.

sablé, ée *a* Couvert de sable. Loc *Pâte sablée :* pâte friable, à forte proportion de beurre. ■ *nm* Petit gâteau sec à pâte sablée.

sabler *vt* Couvrir de sable. *Sabler une allée.* Loc *Sabler le champagne :* boire du champagne pour fêter un évènement.

sableux, euse *a* Qui contient du sable. ■ *nf* 1 Machine qui projette un jet de sable pour décaper. 2 Machine pour sabler les chaussées.

sablier *nm* Appareil pour mesurer le temps par l'écoulement du sable d'une ampoule dans une autre.

sablière *nf* 1 Poutre horizontale sur laquelle s'appuie la charpente. 2 Carrière de sable.

sablon *nm* Sable très fin.

sablonneux, euse *a* Où le sable abonde.

sabord *nm* Ouverture quadrangulaire dans la muraille d'un navire.

sabordage *nm* Action de saborder. Var **sabordement**

saborder *vt* 1 Percer un navire sous la flottaison pour le couler. 2 Mettre volontairement fin à l'existence de qqch, de qqn.

sabot *nm* 1 Chaussure de bois. 2 Enveloppe cornée du pied de certains animaux (ongulés). 3 Pièce du frein, qui s'applique contre le bandage d'une roue. 4 fam Instrument qui ne vaut rien. Loc *Sabot de Denver :* grosse pince utilisée par la police pour bloquer la roue d'un véhicule en stationnement illicite. *Baignoire sabot :* petite baignoire dans laquelle on se tient assis.

sabotage *nm* Action de saboter.

saboter *vt* 1 Faire vite et mal. *Saboter un travail.* 2 Détruire, détériorer une machine, une installation, un organisme.

saboteur, euse *n* Personne qui sabote.

sabotier, ère *n* Personne qui fabrique des sabots.

sabra *n* Juif né en Israël.

sabre *nm* Arme blanche, tranchante d'un seul côté. Loc *Le sabre et le goupillon :* l'armée et l'Église.

sabrer *vt* 1 Frapper à coups de sabre. 2 fam Biffer, amputer largement un texte. 3 fam Congédier qqn, le refuser à un examen. 4 fam Faire vite et mal un travail.

sabreur *nm* Personne qui se bat au sabre.

sac *nm* 1 Poche en toile, en papier, en cuir, etc., ouverte seulement par le haut et servant de contenant ; son contenu. 2 ANAT Cavité, enveloppe organique. 3 Pillage. Loc fam *Mettre dans le même sac :* confondre dans la même réprobation. fam *Prendre la main dans le sac :* en flagrant délit. fam *Avoir plus d'un tour dans son sac :* être très retors. *Sac à main :* servant à contenir les papiers, les fards, etc. *Sac de couchage :* dans lequel on se glisse pour dormir, utilisé par les campeurs. fam *L'affaire est dans le sac :* le succès est assuré. fam *Vider son sac :* dire tout ce qu'on a sur le cœur. *Mettre à sac :* piller. fam *Sac à vin :* ivrogne.

saccade *nf* Mouvement brusque et irrégulier ; secousse.

saccadé, ée *a* Irrégulier et brusque.

saccage *nm* Pillage, dévastation.

saccager *vt* 1 Dévaster. *Saccager un pays.* 2 Bouleverser. *Saccager un appartement.*

saccharifère *a* Qui renferme du sucre. Var **saccarifère**

saccharifier *vt* CHIM Transformer en sucre. Var **saccarifier**

saccharine [-ka-] *nf* Succédané du sucre. Var **saccarine**

saccharose [-ka-] *nm* Sucre alimentaire, constitué de glucose et de fructose. Var **saccarose**

sacerdoce *nm* 1 Dignité et fonction du ministre d'un culte. 2 Toute fonction qui requiert de l'ab-, négation.

sacerdotal, ale, aux *a* Du sacerdoce, du prêtre.

sachem nm Vieillard faisant partie du conseil de la tribu, chez les Indiens d'Amérique.

sachet nm Petit sac.

sacoche nf Sac de cuir, de toile, etc.

sac-poubelle nm Sac de plastique pour les ordures ménagères. *Des sacs-poubelle.*

sacquer vt fam **1** Congédier, renvoyer. **2** Punir sévèrement. **Var saquer**

sacral, ale, aux a Devenu sacré.

sacralisation nf Fait de sacraliser.

sacraliser vt Rendre sacré.

sacramentel, elle a Rituel, solennel.

1. sacre nm Cérémonie religieuse par laquelle on consacre un souverain, un évêque.

2. sacre nm Grand faucon.

1. sacré, ée a **1** Qui concerne la religion, le culte. Ant. profane. **2** Qui appelle un respect absolu. *Devoir sacré.* **3** fam (nom nom) Renforce un terme injurieux ou admiratif. *Une sacrée chance.* Loc *Le Sacré Collège :* ensemble des cardinaux de l'Église romaine. ■ nm Ce qui est sacré. *Le sacré et le profane.*

2. sacré, ée a ANAT Relatif au sacrum.

sacrebleu ! interj Juron.

Sacré-Cœur nm inv Cœur de Jésus-Christ, symbole de son amour pour l'humanité.

sacrement nm Signe concret et efficace de la grâce, institué par le Christ pour sanctifier les hommes. Loc *Le saint sacrement :* l'eucharistie.

sacrément av fam Extrêmement.

sacrer vt **1** Conférer, par une cérémonie religieuse, un caractère sacré à qqn, à qqch. **2** Déclarer solennellement tel. *Elle fut sacrée meilleure actrice de sa génération.*

sacrificateur, trice n ANTIQ Prêtre, prêtresse qui offrait les sacrifices.

sacrifice nm **1** Offrande faite à une divinité. **2** Renoncement, privation volontaire ou forcée.

sacrificiel, elle a Du sacrifice religieux.

sacrifié, ée a, n Qui se sacrifie pour autrui.

sacrifier vt **1** Offrir, immoler en sacrifice à une divinité. **2** Renoncer à qqch, abandonner au profit de qqn, de qqch. *Sacrifier sa famille à son travail.* **3** fam Céder à bas prix des marchandises. ■ vti Se conformer à qqch. *Sacrifier à la mode.* ■ vpr Se dévouer sans réserve.

sacrilège nm **1** Profanation impie de ce qui est sacré. **2** Outrage à qqn, à qqch particulièrement digne de respect. ■ a, n Qui commet un sacrilège. ■ a Propre à un sacrilège. *Paroles sacrilèges.*

sacripant nm fam Mauvais sujet.

sacristain nm Employé qui a la charge de la sacristie et de l'entretien d'une église.

sacristie nf Salle, attenante à une église, où on range les objets du culte.

sacro-iliaque a Du sacrum et de l'os iliaque.

sacro-saint, sacro-sainte a Qui fait l'objet d'un respect absolu. *Des principes sacro-saints.* **Var sacrosaint, sacrosainte**

sacrum [-KROM] nm ANAT Os situé au bas de la colonne vertébrale.

sadique a, n Qui relève du sadisme.

sadique-anal, ale, aux a PSYCHAN *Stade sadique-anal :* phase où l'enfant fait l'apprentissage de la maîtrise anale.

sadiquement av De façon sadique.

sadisme nm Goût à faire ou à voir souffrir autrui.

sadomasochisme nm PSYCHO Association de sadisme et de masochisme chez le même individu.

sadomasochiste a, n Qui relève du sadomasochisme.

safari nm Expédition de chasse en Afrique.

safari-photo nm Excursion au cours de laquelle on photographie les bêtes sauvages. *Des safaris photos.*

1. safran nm **1** Crocus. **2** Poudre faite avec les stigmates floraux du crocus, servant de colorant ou de condiment. ■ a inv Jaune.

2. safran nm MAR Partie plate du gouvernail.

safrané, ée a Assaisonné ou coloré avec du safran.

saga nf **1** Conte ou légende du Moyen Âge scandinave. **2** Cycle romanesque racontant l'épopée d'une famille.

sagace a Doué de sagacité.

sagacité nf Pénétration, finesse d'esprit.

sagaie nf Javelot utilisé par divers peuples.

sage a, n Modéré, prudent, raisonnable. ■ **1** Tranquille, obéissant. *Enfant sage.* **2** Qui évite les excès ; chaste. *Une mode sage.* ■ nm **1** Que son art de vivre met à l'abri des passions, de l'agitation. **2** Expert chargé d'étudier une question politique ou économique.

sage-femme n Auxiliaire médical(e) diplômé(e) qui assiste les femmes lors de l'accouchement. *Des sages-femmes.* **Var sagefemme**

sagement av De façon sage, prudente.

sagesse nf **1** Modération, prudence, circonspection. **2** Réserve dans la conduite. **3** Tranquillité docilité. **4** Philosophie du sage.

sagittaire nf Plante monocotylédone aquatique à feuilles en forme de flèches.

sagittal, ale, aux a ANAT Médian et suivant le plan de symétrie. *coupe sagittale.*

sagouin, ouine n fam Homme, enfant malpropre, grossier. ■ nm Petit singe.

saharien, enne a, n Du Sahara. ■ nf Veste de toile légère.

sahélien, enne a Du Sahel.

sahib n En Inde, Monsieur (titre de respect).

sahraoui, ie a, n Du Sahara occidental.

saï nm Petit singe d'Amérique du Sud.

saignant, ante a Qui saigne. Loc *Viande saignante :* très peu cuite.

saignée nf **1** Opération visant à tirer des veines une certaine quantité de sang. **2** Pli formé par le bras et l'avant-bras. **3** Prélèvement abondant. *Saignée fiscale.* **4** litt Grande perte d'hommes. **5** TECH Rigole pour un drainage, une irrigation. **6** Longue entaille, rainure sur une pièce.

saignement nm Épanchement de sang.

saigner vi Perdre du sang. *Saigner du nez. Blessure qui saigne.* ■ vt **1** Tirer du sang à qqn en ouvrant une veine. **2** Vider un animal de son sang pour le tuer. **3** Épuiser en soutirant toutes les ressources. ■ vpr Faire pour qqn tous les sacrifices possibles. Loc *Se saigner aux quatre veines :* se priver de tout pour qqn, qqch.

saillant, ante a **1** Qui fait saillie. **2** Qui appelle l'attention, marquant. ■ nm Partie qui fait saillie.

saillie nf **1** Partie qui avance ; saillant. **2** Accouplement des animaux domestiques. **3** litt Trait d'esprit.

saillir vi [27] Être en saillie, former un relief. ■ vt [2] Couvrir la femelle.

sain, saine a 1 En bonne santé. 2 Qui n'est pas abîmé, gâté. *Fruit sain.* 3 Juste, sensé, conforme à la raison. *Jugement sain.* 4 Favorable à la santé. *Alimentation saine.* 5 Qui ne comporte pas de vices cachés. *Une affaire saine.* Loc *Sain et sauf :* sans dommage ; indemne.

sainbois nm Syn. de *garou.*

saindoux nm Graisse de porc fondue.

sainement av De façon saine.

sainfoin nm Plante cultivée comme fourrage.

saint, sainte a, n 1 Qui, ayant porté à un degré exemplaire la pratique des vertus chrétiennes, a été canonisé par l'Église catholique. 2 Qui mène une vie exemplaire. Loc *Ne pas savoir à quel saint se vouer :* à quel moyen recourir. ■ a 1 Conforme aux lois de la religion. 2 Consacré. *La sainte table.* 3 fam Extrême. *Avoir une sainte horreur de l'eau.* Loc *Le lundi (mardi, etc.) saint :* chacun des jours qui précède Pâques. fam *Toute la sainte journée :* sans arrêt. ■ nm Loc *Le saint des saints :* lieu secret.

saint-amour nm inv Cru du Beaujolais.

saint-bernard nm inv Chien alpestre de grande taille.

saint-cyrien nm Élève de l'École militaire de Saint-Cyr. *Des saint-cyriens.*

sainte-maure nm inv Fromage de chèvre cylindrique, fabriqué en Touraine.

saintement av De façon sainte.

saint-émilion nm inv Bordeaux rouge réputé.

sainte-nitouche nf fam Personne qui affecte des airs d'innocence ou de pruderie. *Des saintes-nitouches.*

Saint-Esprit nm Troisième personne de la Sainte-Trinité.

sainteté nf Caractère saint. Loc *Sa Sainteté :* titre donné au pape.

saint-florentin nm inv Fromage bourguignon de lait de vache à pâte molle.

saint-frusquin nm inv fam Effets personnels. Loc fam *Et tout le saint-frusquin :* et tout le reste.

saint-glinglin (à la) av fam Jamais.

saint-honoré nm inv Gâteau garni de crème chantilly.

saint-marcellin nm inv Petit fromage rond du Dauphiné, au lait de vache.

saint-nectaire nm inv Fromage d'Auvergne, au lait de vache à pâte pressée.

saint-paulin nm inv Fromage de vache à pâte ferme non cuite.

Saint-Père nm Le pape.

saint-pierre nm inv Poisson plat des mers tempérées.

saint-simonien, enne n, a Qui relève du saint-simonisme. *Des saint-simoniens.*

saint-simonisme nm Doctrine sociale de Claude de Saint-Simon et de ses disciples.

saisie nf 1 DR Acte par lequel un créancier frappe l'indisponibilité, dans les formes légales, des biens de son débiteur. 2 Prise de possession de qch par voie administrative ou judiciaire. 3 INFORM Enregistrement de données par un ordinateur en vue de leur traitement.

saisie-arrêt nm DR Saisie effectuée par un créancier sur des sommes dues à son débiteur par un tiers. *Des saisies-arrêts.*

saisine nf DR Formalité par laquelle une juridiction est amenée à connaître d'une affaire.

saisir vt 1 Prendre, attraper vivement. *Saisir qqn à bras le corps.* 2 Mettre immédiatement à profit. *Saisir l'occasion.* 3 Prendre, attraper un objet. 4 Comprendre, sentir. *Saisir les intentions de qqn.* 5 litt S'emparer de qqn. *La fièvre l'a saisi. Être saisi d'admiration.* 6 Exposer peu de temps à un feu vif un aliment. *Saisir une viande.* 7 DR Opérer la saisie de. *Saisir des meubles.* 8 DR Porter une affaire devant un tribunal. 9 INFORM Effectuer une saisie. ■ vpr S'emparer, se rendre maître de.

saisissable a Qui peut être saisi, perçu.

saisissant, ante a Qui fait une vive impression. *Spectacle saisissant.*

saisissement nm Émotion soudaine.

saison nf 1 Période de l'année caractérisée par certaines conditions climatiques et par l'état de la végétation. 2 Période de l'année où une activité bat son plein. *La saison touristique.* Loc *Être de saison :* être approprié aux circonstances. *Hors de saison :* mal à propos, déplacé.

saisonnier, ère a 1 Propre à une saison. 2 Qui ne dure que l'espace d'une saison. ■ nm Ouvrier qui fait du travail saisonnier.

sajou. V. *sapajou.*

saké nm Boisson alcoolique japonaise, obtenue par fermentation du riz.

saki nm Petit singe d'Amérique du Sud.

salace a litt Lubrique, licencieux.

salacité nf litt Caractère salace.

salade nf 1 Mets composé d'herbes potagères crues, assaisonnées de vinaigrette. 2 Plante potagère (laitue, endive, pissenlit, mâche, etc.). 3 fam Discours mensonger (surtout pl.). Loc *Salade de fruits :* mélange de fruits coupés en morceaux servis avec du sirop. *Salade russe :* macédoine de légumes.

saladier nm Récipient dans lequel on sert la salade.

salage nm Action de saler.

salaire nm 1 Rémunération d'un travail payée régulièrement par un employeur à ses employés en vertu d'un contrat de travail. 2 litt Récompense ou punition méritée pour une action.

salaison nf Action de saler des aliments pour les conserver ; aliment ainsi conservé.

salaisonnerie nf Industrie de la salaison, des produits de charcuterie.

salamalecs nmpl fam Politesses exagérées.

salamandre nf Petit amphibien terrestre.

salami nm Gros saucisson sec.

salangane nf Martinet de l'Extrême-Orient dont les nids, faits de salive et d'algues, sont consommés dans la cuisine chinoise.

salant am Loc *Marais salant :* bassin en bord de mer, où on recueille le sel, après évaporation de l'eau. ■ nm rég Prés salés.

salarial, ale, aux a Du salaire. Loc *Masse salariale :* montant global des salaires dans une entreprise, un pays.

salariat nm Mode de rémunération du travail par le salaire.

salarié, ée a, n Qui reçoit un salaire.

salarier vt Rétribuer par un salaire.

salaud nm, am pop Homme moralement méprisable (injure).

sale a 1 Malpropre, dont la pureté est altérée. *Eau sale.* 2 Mal lavé, crasseux. 3 Désagréable ou dangereux. *Une sale affaire. Sale temps.* 4 fam (avant le nom) Méprisable, détestable. *Un sale type.*

salé, ée *a* **1** Qui contient du sel, conservé dans du sel. **2** Licencieux, grivois. *Plaisanterie salée.* **3** fam Exagéré, excessif. *Addition salée.* ■ *nm* Viande de porc salée. Loc *Petit salé* : morceau de porc légèrement salé.

salement *av* **1** De façon sale. **2** pop Grandement, très.

saler *vt* **1** Assaisonner avec du sel. **2** Imprégner de sel, pour conserver. **3** fam Demander un prix exagéré. **4** fam Punir sévèrement.

salers *nm* Cantal de fabrication artisanale.

saleté *nf* **1** État de ce qui est sale. **2** Chose sale. *Balayer les saletés.* **3** Obscénité. *Dire des saletés.* **4** Action méprisable, malhonnête.

salicaire *nf* Plante herbacée des lieux humides.

salicole *a* De la saliculture.

salicorne *nf* Plante des zones littorales, qui pousse sur les vases salées.

saliculture *nf* Exploitation des marais salants.

salicylique *a* Loc *Acide salicylique* : antiseptique et antiinflammatoire (aspirine).

salière *nf* **1** Petit récipient destiné à contenir du sel. **2** Creux en arrière de la clavicule, chez les personnes maigres.

saligaud, aude *n* fam Personne ignoble, moralement répugnante.

salin, ine *a* Qui contient du sel. ■ *nm* Marais salant. ■ *nf* Entreprise industrielle de production de sel (gemme ou marin).

salinité *nf* CHIM Proportion de sel dans une solution.

salique *a* HIST Relatif aux Francs Saliens.

salir *vt* **1** Souiller, maculer. **2** Avilir, déshonorer.

salissant, ante *a* **1** Qui salit. **2** Qui se salit facilement.

salissure *nf* Saleté, souillure.

salivaire *a* De la salive. *Sécrétion salivaire.*

salivation *nf* Production de salive.

salive *nf* Liquide sécrété par les glandes salivaires. Loc *Perdre sa salive* : parler en vain.

saliver *vi* Sécréter de la salive.

salle *nf* **1** Pièce d'un appartement, d'une maison, destinée à un usage particulier. *Salle à manger. Salle de bains.* **2** Local affecté à un usage collectif. *Salle d'attente.* **3** Public de la salle. Loc *Salle obscure* : cinéma. *Salle des pas perdus* : grand hall. *Salle de marché* : dans une banque, lieu où on traite les opérations portant sur les devises, les titres.

salmigondis *nm* fam Mélange de choses disparates.

salmis *nm* Ragoût de pièces de gibier préalablement cuites.

salmonelle *nf* Bacille agent des salmonelloses.

salmonellose *nf* MED Infection due à une salmonelle (typhoïde, intoxications).

salmoniculture *nf* Élevage du saumon.

salmonidé *nm* ZOOL Poisson osseux, tels les saumons, les truites, les ombles.

saloir *nm* Récipient pour saler les denrées.

salon *nm* **1** Pièce de réception d'un appartement, d'une maison privée. **2** Réception mondaine ; société qui fréquente ces réceptions. **3** Local où on reçoit la clientèle dans certains commerces. *Salon de coiffure.* **4** (avec majusc.) Exposition périodique d'œuvres d'art, de produits de l'industrie. *Le Salon de l'automobile.*

salonnard, arde *n* fam Habitué des salons mondains.

saloon [-lun] *nm* Bar du Far West américain.

salopard *nm* pop Salaud.

salope *nf* pop **1** Femme malfaisante, méprisable ; garce. **2** Individu infâme, abject.

saloper *vt* pop **1** Effectuer sans soin un travail. **2** Salir, endommager.

saloperie *nf* fam **1** Grande malpropreté. **2** Propos orduriers. **3** Mauvais procédé, vilénie. **4** Objet de mauvaise qualité.

salopette *nf* Vêtement composé d'un pantalon et d'un plastron à bretelles.

salpêtre *nm* Nitrate de potassium.

salpêtrer *vt* Couvrir de salpêtre.

salpingite *nf* Inflammation des trompes utérines.

salsa *nf* Danse et musique des Caraïbes.

salsepareille *nf* Arbrisseau à racines dépuratives.

salsifis *nm* Plante potagère à racines comestibles.

saltimbanque *n* Jongleur, bateleur qui fait des tours d'adresse en public.

salto *nm* SPORT Saut périlleux.

salubre *a* Favorable à la santé.

salubrité *nf* Caractère salubre. *Mesures de salubrité publique.*

saluer *vt* **1** Donner une marque extérieure de civilité, de respect à qqn. **2** Rendre hommage à qqch. *Saluer le courage de qqn.* **3** Accueillir par des manifestations de joie, de mépris, etc.

salure *nf* Teneur en sel.

salut *nm* **1** Action de saluer ; geste ou parole de civilité. **2** Fait d'échapper à un danger, de se sauver ou d'être sauvé. **3** RELIG Félicité éternelle. ■ *interj* fam Bonjour ou au revoir.

salutaire *a* Bienfaisant, profitable.

salutation *nf* litt Action de saluer avec des marques ostentatoires de respect. ■ *pl* Formule de politesse pour terminer une lettre.

salutiste *n* Personne qui fait partie de l'Armée du salut.

salvadorien, enne *a, n* Du Salvador.

salvateur, trice *a* litt Qui sauve.

salve *nf* Décharge simultanée de plusieurs armes à feu. Loc *Salve d'applaudissements* : applaudissements simultanés.

samaritain, aine *a, n* HIST De Samarie. Loc *Faire le bon Samaritain* : secourir autrui.

samba *nf* Danse populaire brésilienne.

samedi *nm* Sixième jour de la semaine.

samizdat [-dat] *nm* HIST Édition et diffusion clandestines, en URSS.

samoan, ane *a, n* Des Samoa.

samossa *nm* Petit feuilleté de viande ou de légumes.

samouraï *nm* Guerrier dans le Japon féodal.

samovar *nm* Ustensile russe destiné à la préparation du thé.

sampan *nm* Bateau chinois non ponté.

sampling *nm* Collage électronique de morceaux de musique par le disc-jockey.

SAMU *nm* Acronyme de *service d'aide médical d'urgence.* Loc *SAMU social* : service d'aide mobile aux sans-abris.

sanatorium [-rjom] *nm* Établissement destiné au traitement de la tuberculose. Var **sana**.

sancerre *nm* Vin de Loire.

sanctifiant, ante *a, n* RELIG Qui sanctifie. Var **sanctificateur, trice**

anctification nf RELIG Action de sanctifier.

anctifier vt RELIG 1 Rendre saint. *La grâce qui anctifie les âmes.* 2 Honorer comme saint. 3 élébrer comme le veut l'Église. *Sanctifier le anche.*

anction nf 1 Approbation, ratification. 2 Conséence naturelle. *Ses difficultés sont la sanction son imprévoyance.* 3 Peine impliquée par la . *Sanction pénale.* 4 Mesure répressive.

anctionner vt 1 Approuver, confirmer. 2 Réprir, punir.

anctuaire nm 1 Édifice sacré ; endroit où l'on èbre un culte. 2 Lieu inviolable, asile, refuge. MILIT Territoire rendu inaccessible aux coups de nnemi.

anctuariser vt MILIT Transformer un territoire en nctuaire.

andale nf Chaussure formée d'une semelle qui attache au pied par des lanières.

andalette nf Sandale légère.

andiniste n, a HIST Qui relève d'un mouvement volutionnaire nicaraguayen.

andow [-do] nm (n. déposé) Cordon élastique i sert à fixer des colis sur un support.

andre nm Poisson d'eau douce, voisin de la rche.

andwich [sãdwitʃ] nm 1 Tranches de pain entre squelles on a placé des aliments froids. 2 TECH atériau composite constitué d'une couche prise tre deux plaques minces. Loc *fam En sandwich :* incé entre deux objets, deux personnes.

andwicherie nf Établissement qui vend des ndwichs à emporter.

ang nm 1 Liquide rouge, visqueux, qui circule ns l'organisme par un système de vaisseaux. ace, famille. *Liens du sang. Être de sang royal.* oc fam *Coup de sang :* congestion, accès de lère. *Jusqu'au sang :* au point de faire saigner. oir le sang chaud : être dynamique, coléreux. oir du sang dans les veines :* être courageux. ouetter le sang :* stimuler. fam *Se faire du mau- is sang, un sang d'encre, se ronger les sangs :* nquiéter. *Avoir qqch dans le sang :* avoir cette alité innée. *Verser, répandre, faire couler le ng :* commettre un meurtre. *Apport de sang uis :* d'éléments plus jeunes, plus dynamiques ; port de capitaux.

ang-froid nm inv Maîtrise de soi, calme. Loc e *sang-froid :* froidement, consciemment.

anglant, ante a 1 Couvert, souillé de sang. 2 ui fait couler beaucoup de sang. *Combat san- ant.* 3 Offensant. *Reproches sanglants.*

angle nf Bande plate et large qui sert à ceindre, serrer.

angler vt Serrer fortement avec une sangle.

anglier nm Porc sauvage.

anglot nm Spasme bruyant de qqn qui pleure.

angloter vi Pleurer avec des sanglots.

ang-mêlé n inv Métis, métisse.

angria nf Boisson espagnole faite de vin rouge cré dans lequel on a fait macérer des fruits.

angsue [sãsy] nf 1 Ver des eaux stagnantes, i se fixe par une ventouse à la peau. 2 fam Per- nne avide, accaparante.

anguin, ine a Du sang. *Transfusion sanguine.* nm Personne impulsive, coléreuse.

anguinaire a Qui se plaît à répandre le sang ; uel.

sanguine nf 1 Dessin exécuté avec un crayon d'ocre rouge. 2 Orange à pulpe rouge.

sanguinolent, ente a Mêlé de sang, teinté de sang.

sanhédrin nm HIST Tribunal civil et religieux des Juifs de l'Antiquité.

sanie nf MED Pus mêlé de sang.

sanisette nf (n. déposé) Toilettes publiques payantes.

sanitaire a Relatif à la santé et à l'hygiène. ■ nmpl Ensemble des appareils et locaux de pro- preté (lavabos, W.-C, etc.).

sans prép Marque l'absence, la privation, l'ex- clusion. Loc *Non sans :* avec. *Sans que* (+ subj.) : de telle manière que qqch ne se fasse pas. *Sans quoi, sans ça :* sinon.

sans-abri n Personne qui n'a plus de logement. *Des sans-abris* ou *sans-abri.*

sans-cœur a, n fam Dur, insensible. *Des sans- cœurs* ou *sans-cœur.*

sanscrit. V. sanskrit.

sans-culotte nm HIST Révolutionnaire sous la Convention. *Des sans-culottes.*

sans-emploi n Chômeur, chômeuse. *Des sans- emplois* ou *sans-emploi.*

sans-faute nm Épreuve accomplie sans erreur. *Des sans-fautes* ou *sans-faute.*

sans-gêne nm Désinvolture inconvenante. ■ a, n Qui agit sans se préoccuper des autres ; grossier, impoli. *Des sans-gênes* ou *sans-gêne.*

sans-grade n fam Subordonné, subalterne. *Des sans-grades* ou *sans-grade.*

sanskrit nm Ancienne langue sacrée de l'Inde. Var **sanscrit**

sans-le-sou n inv fam Personne qui n'a pas d'ar- gent.

sans-logis n Sans domicile.

sansonnet nm Étourneau.

sans-papier n Personne dépourvue de papiers d'identité et en situation irrégulière. *Des sans- papiers.* Var **sans-papiers** n inv

sans-parti n Personne qui n'est inscrit à aucun parti. *Des sans-partis* ou *sans-parti.*

sans-permis n inv Personne qui conduit sans permis.

sans-voix n inv Personne qui ne peut pas se faire entendre par le biais des médias.

santal nm Arbre d'Asie tropicale cultivé pour son bois odorant. *Des santals.*

santé nf 1 État de qqn chez qui le fonctionne- ment de tous les organes est régulier ; bon état physiologique. 2 Équilibre mental. 3 État de l'organisme. *Avoir bonne, mauvaise santé.* 4 État sanitaire d'une collectivité. Loc *À la santé de :* en l'honneur de.

santiag nf Botte à bout pointu.

santon nm Figurine de terre cuite qui orne la crèche de Noël, en Provence.

saoudien, enne a, n D'Arabie Saoudite.

saoul, saouler. V. soûl, soûler.

sapajou nm Petit singe d'Amérique du Sud, à longue queue préhensile. Var **sajou**

sape nf Tranchée, boyau, galerie creusée sous une construction pour la faire écrouler. Loc *Tra- vail de sape :* intrigue souterraine.

sapé, ée a Habillé. *Être bien sapé.*

saper vt 1 Détruire les fondements d'une construction pour la faire tomber. 2 Travailler à détruire, miner. *Saper le moral.* ■ *vpr* pop S'habiller.

sapeur *nm* Soldat du génie.

sapeur-pompier *nm* Pompier. *Des sapeurs-pompiers.*

saphène *nf* ANAT Veine du membre inférieur.

saphique *a* Du saphisme.

saphir *nm* **1** Pierre précieuse bleue. **2** Petite pointe, constituant principal d'une tête de lecture d'électrophone.

saphisme *nm* Homosexualité féminine.

sapide *a* Qui a de la saveur. Ant. insipide.

sapidité *nf* Qualité sapide.

sapin *nm* Résineux aux feuilles persistantes en aiguilles. Loc fam *Sentir le sapin :* n'avoir plus longtemps à vivre.

sapinette *nf* Épicéa.

sapinière *nf* Plantation de sapins.

saponacé, ée *a* Qui a les caractères du savon.

saponaire *nf* Plante à fleurs roses.

saponification *nf* Action de saponifier.

saponifier *vt* Transformer un corps gras en savon.

sapotille *nf* Fruit du sapotillier.

sapotillier *nm* Arbre des Antilles, aux fruits comestibles. Var **sapotiller**

sapristi ! *interj* fam Exprime l'étonnement.

saprophage *a, nm* ZOOL Qui se nourrit de matières organiques en décomposition.

saprophyte *a, nm* **1** BOT Végétal vivant sur des matières organiques en décomposition. **2** MED Microbe non pathogène.

saquer. V. *sacquer.*

sarabande *nf* **1** Danse en vogue du XVIe s. au XVIIIe s. **2** fam Agitation vive, bruyante.

sarbacane *nf* Tuyau avec lequel on lance, par la force du souffle, des projectiles légers.

sarcasme *nm* Raillerie acerbe, insultante.

sarcastique *a* Ironique et méchant.

sarcelle *nf* Petit canard sauvage.

sarclage *nm* Action de sarcler.

sarcler *vt* Arracher les mauvaises herbes.

sarcloir *nm* Outil à sarcler.

sarcomateux, euse *a* Du sarcome.

sarcome *nm* Tumeur maligne.

sarcophage *nm* ANTIQ Cercueil.

sarcopte *nm* Acarien occasionnant la gale.

sardane *nf* Danse catalane.

sarde *a, n* De la Sardaigne. ■ *nm* Langue romane parlée en Sardaigne.

sardine *nf* **1** Poisson des eaux tempérées qui se déplace par bancs. **2** fam Galon de sous-officier.

sardinelle *nf* Petit poisson apparenté à la sardine.

sardinerie *nf* Usine où on met les sardines en boîtes.

sardinier, ère *a* Relatif à la sardine. ■ *n* Personne qui travaille dans une sardinerie. ■ *nm* **1** Bateau pour la pêche à la sardine. **2** Pêcheur de sardines.

sardoine *nf* Calcédoine brune ou rouge.

sardonique *a* Méchant, sarcastique.

sardoniquement *av* De façon sardonique.

sargasse *nf* Algue brune, fixée ou libre.

sari *nm* Costume féminin de l'Inde, fait d'une longue pièce d'étoffe drapée.

sarigue *nf* Mammifère d'Amérique, de la famille des marsupiaux.

SARL *nf* Société à responsabilité limitée.

sarment *nm* **1** Branche de vigne de l'année. Tige ou branche ligneuse et grimpante.

sarong [-rɔ̃g] *nm* Long pagne d'Asie du Sud.

saroual *nm* Pantalon de toile, très large. D[e] sarouals.

sarrasin *nm* Céréale appelée aussi *blé noir.*

sarrau *nm* Blouse courte et ample. *Des sarrau[s]*

sarriette *nf* Herbe aux feuilles très odorantes.

sarrois, oise *a, n* De la Sarre.

sas [sas] ou [sɑ] *nm* **1** Tamis. **2** Bassin co[m]pris entre les deux portes d'une écluse. **3** Co[m]partiment étanche qui permet de passer dans d[es] milieux de pression différente.

sashimi *nm* CUIS Poisson cru en lamelles.

sassafras [-fʀa] *nm* Arbre d'Amérique a[ux] feuilles employées comme condiment.

satané, ée *a* fam Sacré, maudit. *Un satané var[ie]teux.*

satanique *a* Diabolique.

satanisme *nm* Culte rendu à Satan.

satellisation *nf* Action de satelliser.

satelliser *vt* **1** Mettre sur orbite autour d'[un] corps céleste, de la Terre. **2** Rendre dépenda[nt] assujettir.

satellitaire *a* D'un satellite.

satellite *nm* **1** Astre qui gravite autour d'u[ne] planète. **2** Engin mis en orbite autour de la Te[rre] ou d'une autre planète. **3** Dans une aérogar[e] bâtiment servant à l'embarquement et au déba[r]quement des passagers. ■ *a, nm* Qui est sous [la] dépendance d'un autre, plus puissant.

satiété [-sje-] *nf* État de qqn complètement rass[a]sié. Loc *À satiété :* jusqu'au dégoût.

satin *nm* Étoffe fine, douce et lisse.

satiné, ée *a* Qui a le poli, le brillant du satin.

satiner *vt* Donner l'aspect lustré du satin à.

satinette *nf* Étoffe de coton imitant le satin.

satire *nf* Écrit ou discours piquant qui raille [ou] critique qqn, qqch.

satirique *a* **1** Qui appartient à la satire. **2** Cau[s]tique, médisant.

satiriste *n* Auteur de satires.

satisfaction *nf* **1** Contentement, plaisir. **2** Fa[it] d'accorder à qqn ce qu'il demande.

satisfaire *vt* [9] Contenter. ■ *vti* Faire ce q[ui] est exigé par qqch. *Satisfaire aux clauses d'[un] contrat.* ■ *vpr* Se contenter de qqch.

satisfaisant, ante [-fǝ-] *a* Acceptable.

satisfait, aite *a* Dont les désirs sont comblé[s] content. *Vous serez satisfait ou remboursé.*

satisfécit *nm* litt Témoignage de satisfaction. V. **satisfecit** [-fesit]

satrape *nm* **1** ANTIQ Gouverneur d'une satrapie. litt Despote menant une vie fastueuse.

satrapie *nf* ANTIQ Province de l'Empire perse.

saturant, ante *a* CHIM Qui sature.

saturateur *nm* Récipient contenant de l'ea[u] pour humidifier l'atmosphère.

saturation *nf* Action de saturer ; état saturé.

saturer *vt* **1** CHIM Dissoudre un corps dans u[n] liquide jusqu'à concentration maximale. **2** Rass[a]sier jusqu'au dégoût. **3** Remplir de façon exce[s]sive.

saturnales *nfpl* ANTIQ Fêtes célébrées en l'ho[n]neur de Saturne au cours desquelles les esclav[es] prenaient la place de leurs maîtres.

saturnien, enne *a* De Saturne.

saturnin, ine *a* CHIM Du plomb.

saturnisme nm Intoxication par le plomb.

satyre nm 1 ANTIQ Demi-dieu champêtre de la suite de Dionysos. 2 Homme lubrique ; exhibitionniste, voyeur.

sauce nf 1 Assaisonnement liquide accompagnant certains mets. 2 fam Accompagnement inutile. Loc *Mettre à toutes les sauces :* traiter de toutes les façons.

saucée nf fam Averse.

saucer vt [10] 1 Débarrasser la sauce avec un morceau de pain. 2 Tremper dans la sauce. Loc fam *Se faire saucer :* se faire mouiller par la pluie.

saucier nm 1 Cuisinier spécialisé dans les sauces. 2 Appareil ménager pour faire les sauces.

saucière nf Récipient pour servir les sauces.

sauciflard nm fam Saucisson.

saucisse nf Boyau rempli de viande hachée et assaisonnée.

saucisson nm Grosse saucisse, crue ou cuite.

saucissonnage nm fam Action de saucissonner.

saucissonner vi fam Se restaurer sommairement. ■ vt fam 1 Serrer, ficeler étroitement. 2 Découper en tranches.

1. sauf, sauve a Hors de danger, d'atteinte. *Sain et sauf. Avoir la vie sauve.*

2. sauf prép Hormis, excepté. *Sauf erreur ou omission.* Loc *Sauf que* (+ ind.) : en écartant le fait que.

sauf-conduit nm Pièce délivrée par l'autorité, permettant d'aller ou de séjourner qq part, librement. *Des sauf-conduits.* **Var saufconduit**

sauge nf Plante médicinale et aromatique.

saugrenu, ue a Absurde, bizarre, déroutant.

saule nm Arbre des lieux humides.

saumâtre a Qui a le goût salé de l'eau de mer. Loc fam *La trouver saumâtre :* trouver qqch difficilement acceptable.

saumon nm Poisson à la chair rose très estimée. ■ a inv Rose orangé.

saumoné, ée a À chair rose comme celle du saumon.

saumoneau nm Jeune saumon.

saumure nf Solution salée pour conserver des aliments.

saumurer vt Conserver dans la saumure.

sauna nm Établissement où l'on prend des bains de vapeur sèche ; ce bain lui-même.

saunier, ère nm Personne qui travaille à l'extraction du sel ou qui en vend.

saupiquet nm CUIS Sauce piquante.

saupoudrage nm Action de saupoudrer.

saupoudrer vt 1 Recouvrir qqch d'une matière en poudre. 2 Parsemer en dispersant.

saupoudreuse nf Flacon pour saupoudrer.

saur am Loc *Hareng saur :* salé et fumé.

saurien nm ZOOL Reptile, tels le lézard, l'orvet, le caméléon. Syn. lacertilien.

saut nm 1 Mouvement brusque d'extension en haut, en avant par lequel on quitte le sol. 2 Fait de se laisser tomber d'un endroit élevé. 3 Mouvement brusque et discontinu. *Sa pensée procède par sauts.* 4 Chute d'eau. Loc *Au saut du lit :* au sortir du lit. *Saut périlleux :* au cours duquel le corps fait un tour complet sur lui-même. fam *Faire un saut qq part :* y passer un court instant. *Faire le saut :* se déterminer à une action risquée.

saut-de-lit nm Peignoir féminin léger. *Des sauts-de-lit.*

saute nf Changement subit. *Saute d'humeur.*

sauté nm CUIS Viande cuite à feu vif.

saute-mouton nm Jeu dans lequel on saute successivement par-dessus tous ses partenaires. *Des saute-moutons.*

sauter vi 1 Faire un saut, des sauts. 2 Se jeter dans le vide. 3 S'élancer sur qqn, qqch. *Le chien lui a sauté dessus.* 4 Passer sans transition d'une chose à une autre. *Sauter à la page 3.* 5 Exploser, voler en éclats. 6 Être omis. *La ligne a sauté.* 7 fam Être congédié. Loc *Sauter aux yeux :* être manifeste. *Faire sauter la cervelle à qqn :* lui briser la tête d'un coup de feu. fam *Et que ça saute ! :* vite ! *Faire sauter de la viande, des légumes :* les faire revenir à feu vif, avec un corps gras. ■ vt 1 Franchir d'un saut. 2 Omettre, passer. *Sauter une ligne.* 3 pop Posséder sexuellement. Loc pop *La sauter :* avoir faim. *Sauter le pas :* prendre une décision.

sauterelle nf 1 Insecte qui se déplace en sautant. 2 fam Femme maigre et dégingandée.

sauterie nf fam Petite soirée dansante.

sauternes nm Bordeaux blanc liquoreux.

saute-ruisseau nm vx Garçon de courses. *Des saute-ruisseaux.*

sauteur, euse n Athlète qui pratique le saut. ■ a Se dit des animaux qui se déplacent par sauts. ■ nf Casserole large et plate.

sautillant, ante a Qui sautille.

sautillement nm Action de sautiller.

sautiller vi Effectuer des petits sauts.

sautoir nm 1 Long collier ou longue chaîne. 2 Endroit où les athlètes s'exercent au saut. Loc *En sautoir :* en tombant sur la poitrine à la manière d'un collier.

sauvage a 1 Qui n'est pas domestiqué (animal). 2 Qui croît naturellement sans être cultivé (végétal). 3 Inculte, inhabitée (région). 4 Qui se fait spontanément. *Grève sauvage.* ■ a, n 1 Qui recherche la solitude. 2 Brutal, féroce. 3 vx Qui vit en dehors de la civilisation (peuple).

sauvagement av De façon cruelle.

sauvageon, onne n Enfant au caractère sauvage. ■ nm Jeune arbre non greffé.

sauvagerie nf Caractère sauvage, féroce, cruel.

sauvagine nf Gibier d'eau.

sauvegarde nf 1 Protection accordée par une autorité. 2 Ce qui sert de garantie, de défense contre un danger. 3 INFORM Copie des données faite par sécurité.

sauvegarder vt 1 Défendre, protéger. 2 INFORM Effectuer une sauvegarde.

sauve-qui-peut nm inv Panique générale.

sauver vt 1 Tirer qqn du danger. 2 Préserver qqch de la destruction. 3 RELIG Procurer le salut éternel. ■ vpr 1 S'enfuir devant un danger. 2 fam S'en aller rapidement.

sauvetage nm Action de sauver qqn d'un danger, qqch de la destruction. Loc *De sauvetage :* destiné à secourir.

sauveteur nm Personne qui participe à un sauvetage.

sauvette (à la) av Avec précipitation, en cachette. Loc *Vente à la sauvette :* vente sur la voie publique, sans autorisation.

sauveur nm Celui qui sauve. Loc *Le Sauveur :* Jésus-Christ.

sauvignon nm Cépage blanc très répandu.

savamment av De façon savante.

savane *nf* Plaine herbeuse, aux arbres rares, des régions tropicales.

savant, ante *a, n* Qui sait beaucoup de choses, qui possède une grande érudition. ■ *a* 1 Se dit d'un animal dressé. 2 Qui suppose des connaissances, difficile. *Un raisonnement savant.* 3 Habile, bien calculé. *Une manœuvre savante.* ■ *n* Personne qui a une notoriété scientifique.

savarin *nm* Grand baba en forme de couronne.

savate *nf* 1 Vieille pantoufle, vieux soulier très usé. 2 Sport de combat associant les poings aux coups de pied. Syn. boxe française.

savetier *nm* vx Cordonnier.

saveur *nf* 1 Impression produite par un corps sur l'organe du goût. 2 Charme, agrément.

savoir *vt* [46] 1 Connaître, être informé de. *Tu sais la nouvelle ? On ne savait pas qui était son père.* 2 Avoir présent dans la mémoire. *Il sait sa leçon par cœur.* 3 Avoir une bonne connaissance de. *Elle croit tout savoir.* 4 Être capable de. *Un ami qui sait écouter.* 5 Avoir conscience de. *Il ne savait plus ce qu'il faisait.* Loc *À savoir* ou *savoir* : c'est-à-dire. *Que je sache* : pour autant que je puisse en juger. *Ne rien vouloir savoir* : se refuser à faire qqch. *Un je ne sais quoi* : qqch d'indéfinissable. ■ *nm* Connaissances acquises.

savoir-faire *nm inv* Habileté, compétence.

savoir-vivre *nm inv* Connaissance des règles de politesse, des usages.

savon *nm* 1 Produit obtenu par action d'un agent alcalin sur des corps gras. 2 Morceau de ce produit servant au nettoyage. 3 fam Réprimande, semonce.

savonnage *nm* Action de savonner.

savonner *vt* Laver au savon.

savonnerie *nf* Usine de savon.

savonnette *nf* Petit savon pour la toilette.

savonneux, euse *a* Qui contient du savon.

savourer *vt* 1 Déguster. *Savourer un vin.* 2 Jouir avec délectation de qqch. *Savourer une vengeance.*

savoureusement *av* De façon savoureuse.

savoureux, euse *a* 1 Qui a une saveur, un goût agréable. 2 Qui stimule agréablement l'intérêt. *Un récit savoureux.*

savoyard, arde *a, n* De la Savoie.

saxe *nm* Porcelaine de Saxe.

saxhorn *nm* Instrument à vent en cuivre, à embouchure et à pistons.

saxifrage *nf* Plante herbacée ornementale.

saxo *nm* Saxophone. ■ *n* Saxophoniste.

saxon, onne *a, n* De la Saxe.

saxophone *nm* Instrument de musique à vent en cuivre, à clés et à bec de clarinette.

saxophoniste *n* Joueur de saxophone.

saynète *nf* Courte comédie.

sbire *nm* litt Homme de main.

sbrinz *nm* Variété suisse de gruyère.

scabieuse *nf* Plante à fleurs violettes, roses ou blanches, groupées en capitules.

scabreux, euse *a* 1 Qui comporte des risques. 2 Indécent. *Plaisanterie scabreuse.*

scalaire *nm* Poisson au corps très aplati.

scalde *nm* HIST Ancien poète scandinave.

scalène *a* Loc GEOM *Triangle scalène* : dont les trois côtés sont inégaux.

scalp *nm* Chevelure d'un ennemi conservée comme trophée.

scalpel *nm* Bistouri utilisé pour la dissection.

scalper *vt* Découper la peau du crâne et l'arracher avec sa chevelure.

scampi *nm* Grosse crevette frite. *Des scampis.*

scandale *nm* 1 Effet, indignation que suscite un acte qui choque la morale. 2 Évènement, fait révoltant. 3 Affaire malhonnête qui arrive à la connaissance du public. 4 Bruit, désordre. *Scandale sur la voie publique.*

scandaleusement *av* De façon scandaleuse.

scandaleux, euse *a* Honteux, révoltant.

scandaliser *vt* Provoquer le scandale ; révolter, choquer. ■ *vpr* S'indigner.

scander *vt* 1 Marquer la mesure d'un vers. 2 Prononcer en appuyant sur chaque syllabe.

scandinave *a, n* De la Scandinavie ; nordique.

scandium [-djom] *nm* CHIM Élément métallique très léger, proche des terres rares.

1. scanner [-nɛʀ] *nm* 1 Appareil qui analyse par rayon lumineux, point par point, le document à reproduire. 2 Syn. de *scanographe*.

2. scanner [-ne] *vt* Numériser une image, un texte avec un scanner.

scanographe *nm* MED Appareil de radiographie par rayons X permettant d'obtenir des séries d'images traitées par ordinateur.

scanographie *nf* Technique du scanographe.

scansion *nf* Manière de scander un vers.

scaphandre *nm* Équipement isolant individuel des plongeurs, des astronautes, etc.

scaphandrier *nm* Plongeur équipé d'un scaphandre.

scaphoïde *nm* ANAT Petit os du carpe et du tarse.

scapulaire *nm* 1 Vêtement à capuchon porté par certains religieux. 2 Objet de dévotion qui s'attache autour du cou. ■ *a* ANAT De l'épaule.

scarabée *nm* Coléoptère aux élytres colorés.

scarificateur *nm* Appareil pour scarifier.

scarification *nf* Action de scarifier.

scarifier *vt* 1 MED Faire des incisions peu profondes (pour vacciner par ex.). 2 Labourer légèrement pour ameublir la terre.

scarlatine *nf* Maladie infectieuse avec fièvre et rougeurs.

scarole *nf* Chicorée aux longues feuilles que l'on mange en salade.

scat *nm* Style de jazz vocal rempli d'onomatopées.

scatologie *nf* Propos, écrits portant sur les excréments.

scatologique *a* De la scatologie.

sceau *nm* 1 Cachet fait sur des actes pour les rendre authentiques ou les clore. 2 litt Marque, signe. *Le sceau du génie.* Loc *Le garde des Sceaux* : ministre de la Justice en France. *Sous le sceau du secret* : à condition de garder le secret.

sceau-de-Salomon *nm* Plante des bois à fleurs blanchâtres. *Des sceaux-de-Salomon.*

scélérat, ate *a, n* litt Criminel, bandit. ■ *a* Infâme. *Loi scélérate.*

scélératesse *nf* litt Perfidie, méchanceté.

scellement *nm* Action de sceller, de fixer dans un trou.

sceller *vt* 1 Appliquer un sceau sur un acte. 2 Mettre les scellés sur un meuble, sur une porte, etc. 3 Cacheter une lettre, fermer hermétiquement. 4 Confirmer, ratifier. *Sceller un accord.*

scellés nmpl Bande de papier et cachet de cire apposés par autorité de justice pour empêcher d'ouvrir un meuble ou un local.

scénario nm 1 Description détaillée des différentes scènes d'un film, d'une bande dessinée. 2 Déroulement préétabli, concerté d'une action. *Des scénarios.*

scénariste n Auteur d'un scénario.

scène nf 1 Partie du théâtre où jouent les acteurs. *Entrer en scène.* 2 Art du théâtre. 3 Lieu où se passe l'action ; décor. *La scène est à Paris.* 4 Partie d'un acte dans une pièce de théâtre. 5 Action, évènement remarquable, émouvant, drôle, etc. 6 fam Querelle. Loc *Mettre en scène* : assurer la réalisation d'un film, d'une pièce.

scénique a De la scène, du théâtre.

scéniquement av Sur le plan scénique.

scénographe n Spécialiste de scénographie.

scénographie nf Technique des aménagements intérieurs des théâtres, de la scène.

scénographique a De la scénographie.

scepticisme nm 1 PHILO Doctrine philosophique qui érige le doute en système. 2 Incrédulité, doute.

sceptique a, n 1 PHILO Qui doute de toute connaissance non évidente. 2 Incrédule, non convaincu de qqch.

sceptiquement av Avec scepticisme.

sceptre nm Bâton, symbole de l'autorité monarchique.

schah nm Souverain d'Iran. **Var shah** ou **chah**

schako. V. shako.

scheikh. V. cheik.

schelem. V. chelem.

schéma nm Représentation simplifiée d'un objet, d'un organisme, d'un projet, d'un ouvrage ; plan sommaire.

schématique a 1 Qui constitue un schéma. 2 Sommaire, rudimentaire.

schématiquement av De façon schématique.

schématisation nf Action de schématiser.

schématiser vt Représenter de façon schématique, sommaire.

schématisme nm Simplification excessive.

schème nm PHILO Disposition, forme, structure.

scherzo [skɛrdzo] nm, av MUS Morceau de caractère vif, léger.

schiedam [ʃidam] nm Eau-de-vie parfumée au genièvre.

schilling nm Anc. unité monétaire de l'Autriche.

schismatique a, n Qui adhère à un schisme.

schisme nm 1 Séparation, rupture au sein d'une religion. 2 Division dans un parti.

schiste nm Roche sédimentaire feuilletée.

schisteux, euse a Du schiste.

schistosité nf Structure feuilletée d'une roche.

schizoïde [ski-] a, n De tendance schizophrénique.

schizophrène n Atteint de schizophrénie.

schizophrénie [ski-] nf Psychose caractérisée par une perte de contact avec la réalité et un repli sur soi.

schizophrénique a De la schizophrénie.

schlague nf Punition corporelle en usage dans les anciennes armées allemandes. Loc *À la schlague* : de façon brutale, autoritaire.

schlass a inv pop Ivre.

schlitte nf Traîneau vosgien pour descendre le bois abattu, dans les vallées.

schnaps nm fam Eau-de-vie.

schnock a inv, nm fam Imbécile, fou.

schnouf nf pop Drogue.

schuss [ʃus] nm Au ski, descente directe suivant la ligne de la plus grande pente.

sciage nm Action de scier.

scialytique nm (n. déposé) Appareil d'éclairage à miroirs éliminant les ombres.

sciant, ante a fam Surprenant.

sciatique a ANAT De la hanche. Loc *Nerf sciatique* : qui innerve le bassin, la fesse et la cuisse. ■ nf Affection douloureuse due à l'irritation du nerf sciatique.

scie nf 1 Lame d'acier munie de dents pour couper les matières dures. 2 fam Chanson, refrain dont la répétition fatigue ; rengaine.

sciemment [sjamɑ̃] av De propos délibéré, volontairement.

science nf 1 Savoir, ensemble de connaissances acquises par l'étude. 2 Activité humaine tendant à découvrir les lois régissant les phénomènes. 3 Savoir-faire, compétence, habileté. ■ pl 1 Branche du savoir. *Les sciences naturelles.* 2 Corps de connaissances constituées sur le calcul et l'expérimentation ou l'observation.

science-fiction nf Récit qui cherche à décrire une réalité à venir, en extrapolant les données scientifiques du présent.

sciène nf Grand poisson de l'Atlantique, à chair estimée. Syn. maigre.

scientificité nf Caractère scientifique.

scientifique a 1 Relatif à la science. 2 Conforme aux procédés rigoureux des sciences. ■ n Spécialiste d'une ou des sciences.

scientifiquement av De façon scientifique.

scientisme nm Attitude de ceux qui pensent que tout phénomène relève de la connaissance scientifique.

scientiste a, n Qui relève du scientisme.

scier vt 1 Fendre, couper avec une scie. 2 fam Surprendre, étonner fortement.

scierie nf Usine où on scie le bois.

scieur nm Ouvrier qui scie le bois.

scille nf Plante bulbeuse à propriétés diurétiques.

scinder vt Couper, diviser, fractionner qqch, un groupe. ■ vpr Se diviser.

scintigraphie nf MED Diagnostic fondé sur le cheminement dans l'organisme d'un isotope radioactif.

scintillant, ante a Qui scintille.

scintillement nm Fait de scintiller ; éclat de ce qui scintille. **Var scintillation** nf

scintiller vi 1 Briller d'un éclat irrégulier et tremblotant. 2 Briller en jetant des éclats de lumière. *Ce diamant scintille.*

scion nm Jeune rameau mince et flexible.

scission nf Division dans un groupe, un parti.

scissionniste a, n Qui provoque une scission.

scissipare a BIOL Qui se reproduit par scissiparité.

scissiparité nf BIOL Mode de reproduction asexuée par division en deux.

scissure nf ANAT Sillon à la surface d'un organe.

sciure nf Poussière résultant du sciage.

sciuridé nm ZOOL Famille de mammifères rongeurs, tels la marmotte, l'écureuil, etc.

scléreux, euse a MED Atteint de sclérose.

sclérosant, ante a Qui sclérose.

sclérose nf 1 MED Durcissement pathologique d'un organe ou d'un tissu. 2 Perte de facultés d'adaptation, d'évolution. Loc *Sclérose en plaques* : maladie caractérisée par la dégradation progressive de la myéline du système nerveux.

sclérosé, ée a Atteint de sclérose.

scléroser vt Provoquer une sclérose ; figer, durcir. ■ vpr Perdre toute faculté d'évoluer.

sclérotique nf ANAT Membrane blanche formant l'enveloppe du globe oculaire.

scolaire a 1 Relatif à l'école, à l'enseignement. 2 péjor Laborieux et conventionnel. Loc *Âge scolaire* : âge légal où l'enfant est tenu d'aller à l'école. ■ n Enfant d'âge scolaire.

scolarisable a Qui peut être scolarisé.

scolarisation nf Action de scolariser.

scolariser vt Mettre, envoyer à l'école.

scolarité nf Fait de fréquenter l'école ; études suivies à l'école ; durée de ces études.

scolastique nf Enseignement de la philosophie et de la théologie donné dans les universités médiévales. ■ a 1 De la scolastique. 2 péjor D'un formalisme étroit.

scoliose nf Déviation latérale de la colonne vertébrale.

scoliotique n, a Atteint de scoliose.

scolopendre nf 1 Fougère de grande taille. 2 Mille-pattes carnassier.

scolyte nm Coléoptère nuisible pour les arbres.

sconse [skɔ̃s] nm Fourrure de la mouette. Var **sconce** ou **skunks**.

scoop [skup] nm Information donnée en exclusivité par un média.

scooter [skutœʀ] nm Motocycle léger qu'on conduit assis. Var **scooteur**

scorbut [-byt] nm Maladie provoquée par une carence en vitamine C (hémorragies, déchaussement des dents, anémie).

scorbutique a Du scorbut.

score nm Décompte des points marqués par chacune des équipes au cours d'un match ; nombre de voix à une élection.

scoriacé, ée a Propre aux scories.

scorie nf Résidu solide résultant de la fusion des minerais, de l'affinage de métaux.

scorpène nf Rascasse.

scorpion nm Arachnide dont l'abdomen est terminé par un aiguillon venimeux recourbé.

scorsonère nf Salsifis noir.

1. scotch nm Whisky écossais. *Des scotchs.*

2. scotch nm (n. déposé) Ruban adhésif.

scotcher vt Fixer avec du ruban adhésif.

scotome nm MED Lacune dans le champ visuel.

scotomiser vt Éliminer une réalité de sa conscience.

scottish-terrier nm Terrier d'Écosse, au poil dru et rude. *Des scottish-terriers.*

scoumoune nf pop Malchance.

scout, e n Garçon ou fille qui adhère à un mouvement de scoutisme. ■ a Propre au scoutisme.

scoutisme nm Mouvement éducatif qui a pour but le développement des qualités morales et physiques des jeunes gens par la vie en commun et les activités de plein air.

scrabble nm (n. déposé) Jeu de société consistant à former des mots sur une grille, à l'aide de jetons portant une lettre.

scrabbleur, euse n Celui, celle qui joue au scrabble.

scraper [-pœʀ] nm Engin de terrassement servant à décaper les sols. Var **scrapeur**

scribe nm 1 ANTIQ Lettré qui rédigeait ou copiait les actes publics. 2 Employé de bureau.

scribouillard, arde n fam Employé(e) de bureau.

script nm 1 Écriture manuscrite proche des caractères d'imprimerie. 2 Scénario écrit comportant le découpage et les dialogues.

scripte n Assistant du réalisateur chargé de noter les détails des prises de vues.

scripteur nm LING Personne qui écrit un texte (par oppos. à *locuteur*).

scripturaire a De l'Écriture sainte.

scriptural, ale, aux a Loc *Monnaie scripturale* : moyen de paiement fondé sur des écritures (comptes en banque, effets de commerce).

scrofulaire nf Plante médicinale, appelée aussi *herbe aux écrouelles*.

scrofule nf Écrouelles, inflammation des ganglions lymphatiques.

scrotum [-tɔm] nm ANAT Enveloppe cutanée des testicules.

scrupule nm 1 Doute, hésitation d'ordre moral. *Avoir des scrupules.* 2 Souci extrême du devoir, grande délicatesse morale.

scrupuleusement av De façon scrupuleuse.

scrupuleux, euse a, n Sujet à avoir des scrupules. ■ a D'une grande minutie.

scrutateur, trice a Qui scrute. *Regard scrutateur.* ■ n Chargé du dépouillement, de la vérification d'un scrutin.

scruter vt Examiner très attentivement.

scrutin nm 1 Vote émis au moyen de bulletins déposés dans une urne. 2 Opération par laquelle sont désignés des représentants élus.

sculpter [skylte] vt Travailler une matière dure pour obtenir une figure, un ornement.

sculpteur, trice n Artiste qui pratique la sculpture.

sculptural, ale, aux a 1 Relatif à la sculpture. litt D'une grande beauté plastique.

sculpture nf Art de sculpter ; pièce sculptée.

sdf [ɛsdeɛf] n Personne sans domicile fixe vagabond, clochard.

se pr pers Complément réfléchi de la 3e personne des deux genres et des deux nombres.

séance nf 1 Réunion d'une assemblée pour délibérer ; durée d'une telle réunion. 2 Temps passé à une activité déterminée. *Séance de pose chez un peintre.* 3 Représentation d'un spectacle à un horaire déterminé. Loc *Séance tenante* : immédiatement.

séant, ante a litt Convenable, décent. ■ nm Le litt *Sur son séant* : assis.

seau nm Récipient pour puiser ou transporter des liquides, des matières pulvérulentes, etc.

sébacé, ée a ANAT Du sébum. Loc *Glande sébacée* : qui sécrète le sébum à la base des poils.

sébile nf Petit récipient rond et creux.

sebkha nf GEOGR En Afrique du Nord, lac salé temporaire.

séborrhée nf Augmentation pathologique de sécrétion des glandes sébacées.

bum [-bɔm] nm Substance grasse des glandes bacées, protégeant la peau.

c, sèche a 1 Qui est peu ou qui n'est pas mide ; aride. 2 Qui a séché. *Fossé sec.* 3 Qui est plus imprégné de liquide. *Avoir la gorge che.* 4 Peu sensible. *Un cœur sec.* 5 Sans douur. *Ton sec.* 6 Dénué de charme, d'agrément. *le sec.* 7 Brusque. *Réponse sèche. Coup sec.* c *Régime sec* : sans boisson alcoolique. ■ nm Ce qui est sans midité. *À conserver au sec.* Loc *À sec* : sans a ; sans réserves. ■ av Avec rudesse. Loc fam *ssi sec* : immédiatement. fam *En cinq sec* : rapiment. fam *L'avoir sec* : être dépité. fam *Rester* c : sans pouvoir répondre.

cable a Qui peut être coupé, divisé.

cant, ante a GEOM Qui coupe une courbe ou e surface. ■ nf Droite sécante.

cateur nm Outil de jardinier pour couper des ustes, des rameaux, etc.

cession nf Fait de se séparer d'une collecti-é, d'un groupe, d'un pays.

cessionnisme nm Volonté de sécession.

cessionniste a, n Qui fait sécession.

chage nm Action de sécher.

che nf pop Cigarette.

che-cheveu nm Appareil électrique pour cher les cheveux. *Des sèche-cheveux.* Var **che-cheveux** nm inv

che-linge nm Appareil pour sécher le linge. s sèche-linges ou sèche-linge.

che-main nm Appareil à air pulsé pour sécher mains. *Des sèche-mains.*

chement av Avec dureté, froideur, brutalité. pondre sèchement.

cher vt [12] 1 Rendre sec, éliminer un liquide r absorption ou évaporation. *Sécher l'encre ec un buvard.* 2 fam Ne pas assister volontaire-nt à un cours. Loc *Sécher ses larmes* : arrêter pleurer. ■ vi 1 Devenir sec. 2 fam Ne pas savoir ondre.

cheresse nf 1 État de ce qui est sec. 2 Temps s sec. 3 Froideur, dureté. *Sècheresse de cœur.* ar **sécheresse**

choir nm Dispositif ou appareil pour le hage.

cond, onde [səgɔ̃] a, n Qui vient après le pre-er. ■ a Autre, nouveau. *C'est un second César.* c *État second* : état de qqn qui agit sans avoir nscience de ce qu'il fait. ■ nm 1 Second étage ne maison. 2 Adjoint, collaborateur immédiat. Officier de marine qui vient immédiatement ès le commandant. Loc *En second* : après ce i est important. ■ nf 1 Classe qui précède la mière. 2 Seconde classe, dans les transports commun. 3 Seconde vitesse d'une automo-e. 4 Soixantième partie de la minute. 5 Temps s court. *Attendez une seconde.* 6 MATH Unité de sure d'angle.

condaire a 1 Qui n'est pas de première portance. 2 Se dit de l'enseignement du ond degré, après l'enseignement primaire et nt le supérieur. Loc *Ère secondaire* : période ologique succédant au primaire. ECON *Secteur ondaire* : activité de la transformation des tières premières. ■ nm 1 Enseignement secon-re. 2 Ère secondaire. 3 Secteur secondaire.

condairement av De façon secondaire.

condement av En second lieu.

seconder vt Aider qqn dans ses activités ; être son collaborateur.

secouer vt 1 Remuer, agiter fortement. *Secouer un arbre.* 2 Éliminer par des mouvements vifs. *Secouer la poussière.* 3 Ébranler physiquement ou moralement. *Cet accident l'a secoué.* ■ vpr fam Réagir contre la paresse, la fatigue, l'inertie. *Secouez-vous un peu !*

secourable a Qui porte secours à autrui.

secourir vt [25] Aider qqn dans une situation critique.

secourisme nm Assistance de premier secours aux blessés, aux malades.

secouriste n Personne qui pratique le secou-risme.

secours nm 1 Aide, assistance à qqn dans le besoin, en danger. *Porter secours à qqn.* 2 Ren-fort en hommes ou en matériel. Loc *De secours* : qui sert en cas de défaillance, de nécessité. ■ pl Soins donnés rapidement à un blessé, à un malade ; aide matérielle apportée à qqn, à un groupe en difficulté.

secousse nf 1 Mouvement qui secoue. 2 Trem-blement de terre. 3 Choc émotif.

secret, ète a 1 Qui n'est pas ou qui ne doit pas être connu d'autrui. 2 Dissimulé au regard, dérobé. *Tiroir secret.* 3 Non extériorisé, caché. *Des sentiments secrets.* 4 Qui ne se livre pas faci-lement. *Un garçon très secret.* ■ nm 1 Ce qui doit rester caché. *Garder un secret.* 2 Silence que l'on doit observer sur une information. *Secret profes-sionnel.* 3 Moyen particulier en vue d'un résul-tat. *Le secret de la réussite.* 4 Mécanisme connu seulement de quelques-uns. *Serrure à secret.* Loc *Secret d'État* : chose tenue secrète dans l'intérêt de l'État. *Être dans le secret* : être au courant d'une confidence. *Au secret* : dans l'impossibi-lité de communiquer avec quiconque. *En secret* : sans témoin.

secrétaire n 1 Employé(e) chargé(e) de rédi-ger, de classer le courrier de qqn, de répondre au téléphone. 2 Cadre, employé chargé de certaines tâches administratives. Loc *Secrétaire d'État* : en France, membre du gouvernement qui a la charge d'un département ministériel ; aux États-Unis, ministre des Affaires étrangères. ■ nm Meuble à tiroirs comportant un abattant pour écrire.

secrétariat nm 1 Fonction de secrétaire. 2 Bureau où travaillent les secrétaires ; ensemble des secrétaires.

secrètement av En secret.

sécréter vt [12] Produire par sécrétion. Var **sécréter**

sécréteur, trice a Qui produit une sécrétion.

sécrétion nf Phénomène par lequel certains tis-sus produisent une matière déversée dans le sang ou évacuée ; cette substance.

sécrétoire a PHYSIOL D'une sécrétion.

sectaire n, a Qui fait preuve d'intolérance.

sectarisme nm Attitude sectaire.

sectateur, trice n Membre d'une secte.

secte nf 1 Groupe de personnes qui professent les mêmes opinions religieuses. 2 Groupe idéo-logique ou politique vivant en communauté sous l'influence d'un guide spirituel.

secteur nm 1 GEOM Portion de plan comprise entre un arc de cercle et les deux rayons qui le déli-mitent. 2 MILIT Partie du front de bataille occupée par une unité. 3 Subdivision d'une zone urbaine, d'une région. **4** Ensemble d'activités économiques de même nature. *Secteur tertiaire. Secteur public.* **5** fam Endroit, lieu. *Il n'y a personne dans le secteur.*

section *nf* **1** Action de couper ; endroit de la coupure. **2** Représentation de qqch selon un plan transversal ; coupe. **3** GEOM Lieu de l'espace où deux lignes, deux surfaces se coupent. **4** Division dans une organisation. *Section syndicale. Section de vote.* **5** MILIT Subdivision d'une compagnie, d'une section. **6** Portion d'une route, d'un parcours. **7** Subdivision d'un ouvrage.

sectionnement *nm* Action de sectionner.

sectionner *vt* **1** Couper net, trancher. **2** Diviser en sections.

sectoriel, elle *a* Qui concerne particulièrement un secteur. *Chômage sectoriel.*

sectorisation *nf* Division en secteurs.

sectoriser *vt* Répartir, diviser en secteurs.

séculaire *a* Qui existe depuis un ou plusieurs siècles ; très ancien. *Coutume séculaire.*

sécularisation *nf* Action de séculariser.

séculariser *vt* Faire passer du domaine ecclésiastique au domaine laïc.

séculier, ère *a* **1** HIST Qui appartenait au monde laïque, et non à l'Église. **2** Se dit des ecclésiastiques qui n'appartiennent pas à un ordre religieux. Loc *Bras séculier :* autorité temporelle.

secundo [-gɔ-] *av* En second lieu.

sécurisant, ante *a* Qui sécurise.

sécurisation *nf* Action de sécuriser.

sécuriser *vt* **1** Donner un sentiment de sécurité, rassurer. **2** Rendre qqch plus sûr, le mettre à l'abri des accidents.

sécuritaire *a* Qui concerne la sécurité publique.

sécurité *nf* Situation dans laquelle aucun danger n'est à redouter ; absence d'inquiétude résultant de cette situation. Loc *Sécurité routière :* mesures visant à assurer la sécurité des usagers de la route. *Sécurité sociale :* organisation officielle visant à assurer la sécurité matérielle des travailleurs et de leur famille contre certains risques. *De sécurité :* qui assure la sécurité.

sédatif, ive *a, nm* MED Calmant.

sédentaire *a, n* **1** Qui sort rarement de chez soi. **2** Qui n'est pas nomade ; dont l'habitat est fixe. ■ *a* Qui ne nécessite pas de déplacements. *Emploi sédentaire.*

sédentarisation *nf* Fait de sédentariser.

sédentariser *vt* Rendre sédentaire, fixer. ■ *vpr* Devenir sédentaire.

sédentarité *nf* État sédentaire.

sédiment *nm* GEOL Dépôt abandonné par les eaux, les glaces ou le vent.

sédimentaire *a* De la nature du sédiment.

sédimentation *nf* GEOL Formation de sédiments.

sédimentologie *nf* GEOL Étude des sédiments, des roches sédimentaires.

séditieux, euse *a* litt Qui incite à une sédition.

sédition *nf* litt Révolte, soulèvement concertés.

séducteur, trice *n, a* Qui sait plaire, charmer.

séduction *nf* Action de séduire ; charme, attrait.

séduire *vt* [67] **1** Plaire à qqn et obtenir amour ou faveurs. **2** Conquérir l'admiration, l'estime, la confiance de qqn ; captiver, charmer.

séduisant, ante *a* Qui séduit, attire, plaît.

séfarade *n, a* Juif originaire d'Afrique du Nord (par oppos. à *ashkénaze*).

segment *nm* Partie séparée d'un tout, d'[un] ensemble. Loc GEOM *Segment de droite :* porti[on] de droite entre deux points. *Segment de cercle* surface entre un arc de cercle et sa corde. *Segme[nt] de frein :* pièce qui s'applique contre le tamb[our] du frein.

segmentaire *a* Formé de segments.

segmentation *nf* Action de segmenter ; di[vi]sion.

segmenter *vt* Diviser en segments ; couper.

ségrégatif, ive *a* Qui établit une ségrégation.

ségrégation *nf* Action de mettre à part, de sé[pa]rer. Loc *Ségrégation raciale :* discriminat[ion] organisée entre les groupes raciaux.

ségrégationnisme *nm* Politique de ségrégat[ion] raciale.

ségrégationniste *n, a* Du ségrégationnisme.

séguedille *nf* Danse espagnole, à rythme rapi[de]

seiche *nf* Mollusque marin qui, menacé, reje[tte] de sa poche ventrale une encre noire.

séide [seid] *nm* litt Fanatique qui obéit aveug[lé]ment à un chef.

seigle *nm* Céréale poussant sur les terrains pa[uv]vres.

seigneur *nm* **1** FEOD Possesseur d'un fief, d'u[ne] terre. **2** Titre honorifique donné autrefois à d[es] personnes de haut rang. Loc *Le Seigneur :* Di[eu] *En grand seigneur :* avec magnificence.

seigneurial, ale, aux *a* Du seigneur.

seigneurie *nf* **1** FEOD Autorité du seigneur. **2** Te[rre] seigneuriale. **3** Titre honorifique des membres [de] la Chambre des lords de Grande-Bretagne.

sein *nm* **1** Chacune des deux mamelles de [la] femme. **2** litt Poitrine humaine. *Presser sur s[on] sein.* **3** litt Ventre de la femme. *Porter un enf[ant] dans son sein.* Loc *Au sein de :* au milieu [de] dans.

seine. V. **senne.**

seing *nm* DR Signature qui rend un acte valab[le] Loc *Seing privé :* signature d'un acte qui n['a] pas été reçu par un officier public (par oppos[.] *authentique*).

séisme *nm* **1** Tremblement de terre. **2** Boulev[er]sement important. *Séisme politique.*

séismicité, séismique. V. **sismicité, sismique**

seize *a num* **1** Dix plus six (16). **2** Seizième. *Ch[a]pitre seize.* ■ *nm inv* Nombre, numéro seize.

seizième *a num* Au rang, au degré seize. ■ *a, n[m]* Contenu seize fois dans le tout.

seizièmement *av* En seizième lieu.

séjour *nm* Fait de séjourner ; durée pend[ant] laquelle on séjourne ; lieu où l'on séjour[ne] Loc *Permis de séjour :* autorisation officielle [de] séjourner dans un pays pour une période déter[mi]née. *(Salle de) séjour :* pièce principale, living[.]

séjourner *vi* Demeurer quelque temps dans [un] lieu. *Séjourner à la montagne.*

sel *nm* **1** Chlorure de sodium utilisé pour ass[ai]sonner ou conserver les aliments. **2** litt Ce qu'il [y a] de piquant, de spirituel dans une situation, un p[ro]pos. **3** CHIM Composé provenant du remplaceme[nt] de l'hydrogène d'un acide par un métal. ■ *pl* [Ce] qu'on donnait à respirer à qqn pour le ranim[er.]

sélacien *nm* ZOOL Poisson marin cartilagine[ux] tels le requin, la raie, etc.

sélect, ecte *a* fam Élégant, distingué.

sélecteur *nm* TECH Dispositif de sélection ; co[m]mutateur.

sélectif, ive *a* Qui opère une sélection, un choix. *Classement sélectif.*

sélection *nf* **1** Choix entre des personnes en fonction de critères déterminés ; personnes ou choses ainsi retenues. **2** Choix des types reproducteurs pour la perpétuation d'une espèce animale ou végétale. Loc *Sélection naturelle :* survivance des espèces les mieux adaptées.

sélectionné, ée *n* Sportif choisi pour représenter son club, son pays.

sélectionner *vt* Choisir par sélection.

sélectionneur, euse *n* Personne qui procède à une sélection, en particulier en sport.

sélectivement *av* De façon sélective.

sélectivité *nf* Caractère sélectif.

sélénium [-njom] *nm* Corps simple de la famille du soufre, possédant des propriétés photoélectriques.

sélénologie *nf* Étude de la Lune.

self-control *nm* Contrôle, maîtrise de soi. *Des self-controls.*

self-induction *nf* PHYS Induction d'un courant électrique sur lui-même. *Des self-inductions.*

self-made-man [selfmedman] *nm* Homme qui se doit qu'à lui-même sa situation sociale. *Des self-made-men ou self-made-mans.*

self-service *nm* Libre-service. *Des self-services.*

ar self

elle *nf* **1** Petit siège qu'on sangle sur un cheval pour le monter. **2** Siège d'une bicyclette, d'une motocyclette. **3** Partie du mouton entre les côtes et le gigot. Loc *Aller à la selle :* expulser des excréments. ■ *pl* Matières fécales.

eller *vt* Munir d'une monture de selle.

ellerie *nf* Art, industrie, commerce du sellier.

ellette *nf* Petit siège. Loc *Être sur la sellette :* être mis en cause. *Mettre sur la sellette :* presser de questions.

ellier *nm* Personne qui fabrique ou vend des selles, des articles de harnachement, etc.

elon *prép* Suivant, conformément à, d'après. Loc *fam C'est selon :* cela dépend des circonstances. *Selon que* (+ ind.) : eu égard au fait que.

emailles *nfpl* Action de semer ; époque où l'on sème.

emaine *nf* **1** Période de sept jours consécutifs. Cette période, envisagée relativement au temps de travail, aux jours ouvrables. Loc *En semaine :* un jour ouvrable de la semaine. *fam À la petite semaine :* au jour le jour. *Fin de semaine :* week-end.

emainier *nm* **1** Agenda de bureau. **2** Commode à sept tiroirs.

emanticien, enne *n* Spécialiste de sémantique.

emantique *nf* LING Étude du sens des mots. ■ *a* Relatif au sens des mots.

emantisme *nm* LING Contenu sémantique d'un mot.

emaphore *nm* Appareil utilisé pour transmettre des informations par signaux optiques.

emblable *a* **1** De même apparence, pareil. *Une chose semblable aux autres.* **2** Tel, de cette nature. *Pourquoi tenir de semblables propos ?* ■ **1** Personne, chose comparable. *Il n'a pas son semblable.* **2** Être humain, considéré par rapport aux autres. *Secourir ses semblables.*

emblant *nm* Apparence. *Un semblant de vérité.* Loc *Faire semblant de :* feindre de, avoir l'air

de. *Ne faire semblant de rien :* feindre l'indifférence.

sembler *vi* Avoir l'air, paraître ; donner l'impression de. *Ce fruit me semble mûr.* ■ *v impers* Il apparaît, on dirait. *Il semble que tout va bien, que tout aille bien.* Loc *Il me semble que :* je crois que. *Si bon me semble :* s'il me plaît.

sème *nm* LING Unité minimale de signification.

semelle *nf* **1** Pièce constituant le dessous de la chaussure. **2** Pièce découpée à la forme du pied que l'on met à l'intérieur de la chaussure. **3** Dessous du ski. **4** fam Viande coriace. Loc *Ne pas reculer d'une semelle :* tenir ferme en place. *Ne pas quitter qqn d'une semelle :* le suivre partout.

semence *nf* **1** Organe végétal qui se sème (graines, noyaux, pépins, etc.). **2** Sperme. **3** Clou à tête large et à tige courte.

semencier *nm* Entreprise qui produit et commercialise les semences.

semer *vt* [15] **1** Mettre en terre des graines. *Semer du blé.* **2** litt Répandre çà et là. **3** fam Se débarrasser de qqn en lui faussant compagnie.

semestre *nm* Période de six mois consécutifs.

semestriel, elle *a* Qui se fait, qui a lieu, qui paraît chaque semestre.

semestriellement *av* Tous les six mois.

semeur, euse *n* Personne qui sème.

semi-aride *a* Qui est très sec sans être complètement aride. *Des régions semi-arides.*

semi-automatique *a* Non entièrement automatique. *Des systèmes semi-automatiques.*

semi-auxiliaire *nm* GRAM Verbe qui joue le rôle d'un auxiliaire devant un infinitif (ex. : *aller* dans *je vais partir*). *Des semi-auxiliaires.*

semi-circulaire *a* En forme de demi-cercle.

semi-conducteur *nm* ELECTR Matériau dont la résistivité varie sous l'influence de la température, de l'éclairement, du champ électrique. *Des semi-conducteurs.*

semi-conserve *nf* Conserve alimentaire qui doit être gardée au frais. *Des semi-conserves.*

semi-consonne *nf* Syn. de *semi-voyelle. Des semi-consonnes.*

semi-fini, ie *a* Qui doit subir d'autres transformations avant d'être livré sur le marché. *Des produits semi-finis.*

semi-grossiste *n* Commerçant qui vend en demi-gros. *Des semi-grossistes.*

semi-liberté *nf* DR Régime pénitentiaire permettant à un condamné de quitter temporairement la prison.

sémillant, ante *a* Pétulant, plein de vivacité.

sémillon *nm* Cépage blanc du Bordelais.

séminaire *nm* **1** Établissement préparant des jeunes gens à l'état ecclésiastique. **2** Groupe de spécialistes réunis pour étudier certaines questions particulières.

séminal, ale, aux *a* Relatif au sperme.

séminariste *nm* Élève d'un séminaire.

séminifère *a* ANAT Qui conduit le sperme.

semi-nomade *a, n* Qui pratique le semi-nomadisme. *Des semi-nomades.*

semi-nomadisme *nm* Genre de vie combinant élevage nomade et agriculture.

séminome *nm* Tumeur maligne du testicule.

semi-officiel, elle *a* Qui n'a pas de caractère officiel, tout en étant inspiré par les autorités.

sémiologie *nf* 1 MED Étude des signes des maladies. 2 LING Science qui étudie les systèmes de signes au sein de la vie sociale.

sémiologique *a* De la sémiologie.

sémioticien, enne *n* Spécialiste de sémiotique.

sémiotique *nf* LING Théorie générale des signes et des systèmes de signes, linguistiques et non linguistiques. ■ *a* De la sémiotique.

semi-précieuse *af* Se dit, en bijouterie, d'une pierre fine. *Des pierres semi-précieuses.*

semi-produit *nm* Matière première ayant subi une transformation. *Des semi-produits.*

semi-public, ique *a* Qui relève à la fois du droit privé et du droit public.

sémique *a* Relatif aux sèmes.

semi-remorque *nf* Remorque pour le transport routier, dont l'avant, dépourvu de roues, repose sur la sellette d'attelage d'un tracteur. ■ *nm* Ensemble constitué par la semi-remorque et son tracteur. *Des semi-remorques.*

semis *nm* 1 Action de semer. 2 Ensemble de graines qui lèvent. 3 Terrain où poussent ces graines.

sémite *a, n* Se dit des peuples qui parlent les langues sémitiques.

sémitique *a* Se dit de langues d'Asie occidentale et d'Afrique du Nord (hébreu, arabe).

semi-voyelle *nf* Phonème intermédiaire entre la consonne et la voyelle, ainsi le [j] de [pje] *(pied)*, le [ɥ] de [tɥe] *(tuer)*, le [w] de [fwɛ] *(fouet)*. Syn. semi-consonne. *Des semi-voyelles.*

semnopithèque *nm* Grand singe de l'Inde.

semoir *nm* Machine agricole destinée à semer les graines.

semonce *nf* Avertissement, réprimande. Loc *Coup de semonce :* avertissement brutal avant une action violente.

semoule *nf* Farine granulée de blé dur. Loc *Sucre semoule :* sucre en poudre à gros grains.

semoulerie *nf* Fabrication de la semoule.

sempiternel, elle *a* litt Continuel, perpétuel.

sénat *nm* 1 HIST Assemblée politique importante dans différents États, à diverses époques. 2 (avec majusc.) En France, une des deux assemblées délibérantes constituant le Parlement. 3 Édifice où siège cette assemblée.

sénateur *nm* Membre d'un sénat.

sénatorial, ale, aux *a* De sénateur.

sénatus-consulte *nm* HIST Décision du sénat dans la Rome antique, sous le Consulat, l'Empire. *Des sénatus-consultes.*

séné *nm* Plante dont on extrait un laxatif.

sénéchal, aux *nm* HIST Officier royal ayant des attributions judiciaires et financières.

sénéchaussée *nf* HIST Tribunal d'un sénéchal.

sèneçon *nm* Plante à petites fleurs jaunes. Var **séneçon**

sénégalais, aise *a, n* Du Sénégal.

sénescence *nf* Vieillissement des tissus et de l'organisme.

sénescent, ente *a* Atteint de sénescence.

senestre *a, nf* vx Côté gauche.

sénevé *nm* Moutarde sauvage. Var **sénevé**

sénile *a* Atteint de sénilité.

sénilité *nf* État d'une personne âgée dont les capacités intellectuelles sont très diminuées.

senior [se-] *n* 1 Sportif de la catégorie intermédiaire entre celle des juniors et celle des vétérans. 2 Personne âgée ; retraité. Var **sénior**

senne *nf* Long filet qu'on traîne sur les fonds sableux. Var **seine**

sens *nm* 1 Faculté d'éprouver des sensations visuelles, auditives, tactiles, olfactives, gustatives. *Les organes des sens.* 2 Connaissance spontanée, intuitive. *Avoir le sens des nuances.* 3 Manière de juger, opinion. *Abonder dans le sens de qqn.* 4 Signification. *Préciser le sens d'un mot.* 5 Orientation, direction. *Scier une planche dans le sens de la longueur. Courir dans tous les sens.* Loc *Bon sens, sens commun :* faculté de bien juger. *Sens pratique :* habileté à résoudre les problèmes de la vie quotidienne. *Sixième sens :* intuition. *Sens dessus dessous :* de façon que ce qui devrait être dessus se trouve dessous ; dans le plus grand désordre. *Tomber sous le sens :* être évident. ■ *p* Sexualité. *Les plaisirs des sens.*

sensass *a inv* fam Sensationnel.

sensation *nf* 1 Ce qu'on ressent physiquement. *Une sensation de froid.* 2 Émotion, impression. *Une sensation de solitude.* Loc *À sensation :* destiné à attirer l'attention. *Faire sensation :* produire une vive impression sur le public, dans un assemblée, etc.

sensationnalisme *nm* Goût du sensationnel.

sensationnel, elle *a, nm* Qui fait sensation. *Une nouvelle sensationnelle.* ■ *a* fam Extraordinaire, remarquable.

sensé, ée *a* Qui a un sens ou dénote du bon sens.

sensément *av* De façon sensée.

sensibilisateur, trice *a* Qui provoque une sensibilisation.

sensibilisation *nf* Action de sensibiliser.

sensibiliser *vt* 1 Rendre sensible. 2 Rendre attentif, susceptible de réaction à qqch. *Sensibiliser l'opinion aux questions d'écologie.*

sensibilité *nf* 1 Caractère d'un être, d'un organisme sensible physiquement. *Sensibilité à la douleur.* 2 Caractère sensible, au point de vue affectif, esthétique, moral. 3 Propriété d'une chose sensible. *Sensibilité d'une balance.*

sensible *a* 1 Qui éprouve des sensations. 2 Qui a la propriété de réagir à certains agents extérieurs. 3 Qui devient facilement douloureux. *Point sensible.* 4 Qui ressent vivement certaines impressions morales, esthétiques. *Être sensible à la misère.* 5 Qui réagit à de faibles variations (instruments, appareils). *Balance sensible.* 6 Ph Qui peut être perçu par les sens (par oppos. à intelligible). *Le monde sensible.* 7 Perceptible, appréciable, notable. *Faire des progrès sensibles.* 8 Qui pose des problèmes de sécurité publique. *Dossier sensible.* Loc *Note sensible :* placée à un demi-au-dessous de la tonique.

sensiblement *av* 1 De façon appréciable. 2 À peu près. *Ils sont sensiblement du même âge.*

sensiblerie *nf* Sensibilité puérile, outrée.

sensitif, ive *a* Qui transmet les sensations (nerf). ■ *a, n* Qui est d'une sensibilité extrême.

sensoriel, elle *a* Relatif aux organes des sens.

sensorimoteur, trice *a* Qui concerne la sensibilité et la motricité.

sensualisme *nm* PHILO Doctrine selon laquelle toute connaissance dérive de la sensation.

sensualiste *a, n* Adepte du sensualisme.

sensualité *nf* Caractère sensuel.

sensuel, elle *a* Agréable aux sens. ■ *a, n* Attaché aux plaisirs des sens et spécialement aux plaisirs sexuels.

sente *nf* litt Sentier.

sentence *nf* **1** Décision, verdict. **2** litt Maxime, précepte.

sentencieusement *av* litt De façon sentencieuse.

sentencieux, euse *a* D'une gravité affectée ; solennel. *Ton sentencieux.*

senteur *nf* litt Odeur, parfum.

senti, ie *a* Loc *Bien senti :* exprimé avec force et conviction.

sentier *nm* Chemin étroit.

sentiment *nm* **1** Tendance affective liée à des émotions, des représentations, des sensations ; état qui en résulte (désir, joie, peur, etc.). **2** État affectif d'origine morale. *Avoir le sentiment de l'honneur.* **3** Conscience, connaissance intuitive. *Avoir le sentiment de son infériorité.* **4** litt Opinion, avis. *Quel est votre sentiment sur sa conduite ?* Loc fam *Faire du sentiment :* manifester une sentimentalité hors de propos.

sentimental, ale, aux *a* Relatif aux sentiments et spécialement à l'amour. *La vie sentimentale de qqn.* ■ *a, n* Qui a une sensibilité romanesque, souvent un peu naïve.

sentimentalement *av* De façon sentimentale.

sentimentalisme *nm* Tendance à manifester une sentimentalité excessive dans sa conduite.

sentimentalité *nf* **1** Fait d'être sentimental. **2** Caractère sentimental.

sentinelle *nf* **1** Soldat armé qui est en faction. **2** Personne qui guette, qui surveille.

sentir *vt* [29] **1** Éprouver une sensation physique. *Sentir une douleur. Sentir l'odeur des foins.* **2** Respirer volontairement l'odeur de. *Sentez cette rose !* **3** Révéler, trahir. *Ce texte sent l'effort.* **4** Être sensible à, percevoir intuitivement. *Sentir le ridicule de la situation.* Loc *Ne pas pouvoir sentir qqn :* avoir de l'antipathie pour lui. *Faire sentir qqch à qqn :* lui en faire prendre conscience. *Se faire sentir :* se manifester. ■ *vt* **1** Exhaler une odeur. *Cela sent le brûlé.* **2** Avoir une odeur désagréable. *Cette viande commence à sentir.* ■ *vpr* Éprouver telle sensation, tel sentiment. *Se sentir en pleine forme.* Loc fam *Ne plus se sentir :* ne plus pouvoir se contrôler.

seoir *vi* [40] litt Aller bien à, être convenable pour. *Cette robe vous sied.* ■ *v impers* Loc litt *Il sied de :* il est convenable, opportun de.

sep *nm* Partie de la charrue qui porte le soc.

sépale *nm* BOT Pièce du calice d'une fleur.

séparable *a* Qui peut être séparé.

séparateur, trice *a, nm* Qui a la propriété de séparer. Loc PHYS *Pouvoir séparateur :* capacité d'un instrument d'optique à donner des images séparées d'objets très rapprochés.

séparation *nf* **1** Action de séparer, de se séparer. **2** Chose qui sépare un espace, un objet d'un autre. Loc DR *Séparation de corps :* suppression, par décision judiciaire, du devoir de cohabitation des époux. *Séparation de biens :* régime matrimonial permettant à chaque époux d'administrer ses biens.

séparatisme *nm* Opinion de ceux qui souhaitent une sécession politique entre leur région et l'État.

séparatiste *a, n* Qui relève du séparatisme.

séparé, ée *a* **1** Différent, distinct. **2** Se dit de personnes qui ne vivent plus ensemble.

séparément *av* À part l'un de l'autre.

séparer *vt* **1** Mettre à part, isoler d'un autre élément ou d'un ensemble. *Séparer une phrase de son contexte. Séparer des combattants.* **2** Diviser. *Séparer un appartement en deux.* **3** Être interposé entre deux choses. *Un mur qui sépare deux propriétés.* ■ *vpr* **1** S'éloigner de l'autre, diverger. *Nos routes se séparent.* **2** Cesser de vivre ensemble.

sépia *nf* **1** Matière colorante d'un brun chaud. **2** Dessin, lavis exécuté avec la sépia. ■ *a inv* Qui est de cette couleur.

sépiole *nf* Petite seiche.

sépiolite *nf* Écume de mer.

sept [sɛt] *a num* **1** Six plus un (7). **2** Septième. ■ *nm inv* Chiffre sept, nombre sept.

septante *a num* Soixante-dix (Belgique, Suisse).

septembre *nm* Neuvième mois de l'année.

septennal, ale, aux *a* **1** Qui dure sept ans. **2** Qui se produit tous les sept ans.

septennat *nm* Durée de sept ans d'une fonction.

septentrion *nm* litt Nord.

septentrional, ale, aux *a* Du nord.

septicémie *nf* Infection générale due à la dissémination dans le sang de germes pathogènes.

septicité *nf* MED Caractère septique.

septième [sɛtjɛm] *a num* Au rang, au degré sept. *Il est arrivé septième.* ■ *a, nm* Contenu sept fois dans le tout. ■ *nf* Dernière classe de l'enseignement du premier degré.

septièmement [sɛt-] *av* En septième lieu.

septique *a* MED Qui provoque ou peut provoquer l'infection. Loc *Fosse septique :* fosse d'aisances dans laquelle les matières organiques se décomposent par fermentation.

septuagénaire *a, n* Qui a entre soixante-dix et quatre-vingts ans.

septum [-tɔm] *nm* BIOL Cloison entre deux cavités, deux parties d'un organe.

septuor *nm* **1** Composition pour sept voix ou sept instruments. **2** Ensemble de sept exécutants.

septuple *a, nm* Qui vaut sept fois autant.

septupler *vt, vi* (Se) multiplier par sept.

sépulcral, ale, aux *a* litt Du sépulcre. Loc *Voix sépulcrale :* caverneuse.

sépulcre *nm* litt Tombeau.

sépulture *nf* Lieu où s'enterre un mort.

séquelle *nf* Trouble qui persiste après une maladie, un accident, un évènement, etc.

séquençage *nm* BIOL Ordre de quatre composants de l'ADN.

séquence *nf* **1** Suite ordonnée d'éléments, d'opérations. **2** Suite de plans constituant une des divisions du récit cinématographique.

séquentiel, elle *a* D'une séquence. *Déroulement séquentiel.*

séquestration *nf* Action de séquestrer.

séquestre *nm* DR Remise d'une chose litigieuse à un tiers jusqu'au règlement de la contestation.

séquestrer *vt* **1** DR Mettre sous séquestre. **2** Tenir qqn enfermé arbitrairement et illégalement.

sequin *nm* Ancienne monnaie d'or de Venise.

séquoia *nm* Grand conifère de Californie.

sérac *nm* Bloc ou amas de blocs de glace dû à la fragmentation d'un glacier.

sérail nm 1 HIST Palais, harem d'un prince turc. 2 Milieu fermé des personnes proches du pouvoir.

séraphin nm RELIG Ange céleste.

séraphique a litt Angélique, éthéré.

serbe a, n De Serbie.

serbo-croate nm Langue slave parlée en Serbie et en Croatie.

serein, eine a 1 Pur et calme. *Ciel serein.* 2 Exempt d'inquiétude. *Un esprit serein.*

sereinement av De façon sereine.

sérénade nf 1 Concert donné la nuit sous les fenêtres de qqn. 2 Composition instrumentale ou vocale en plusieurs mouvements. 3 fam Tapage, réprimande.

sérénissime a Titre honorifique donné à certains princes.

sérénité nf Caractère serein, tranquille.

séreux, euse a Qui a les caractères de la sérosité. ■ nf Membrane qui tapisse les cavités de l'organisme.

serf, serve n, a FÉOD Attaché à une terre et vivant dans la dépendance d'un seigneur.

serfouette nf Outil de jardinage dont le fer forme une houe d'un côté et deux dents de l'autre.

serfouir vt Sarcler avec une serfouette.

serge nf Tissu de laine sec et serré.

sergé nm Tissage à côtes obliques.

sergent nm Sous-officier du grade le plus bas (infanterie, génie, aviation, etc.).

sergent-chef nm Sous-officier d'un grade intermédiaire entre ceux de sergent et d'adjudant. *Des sergents-chefs.*

sérial [se-] nm Film à épisodes. *Des sérials.* Var **serial**

séricicole a De la sériciculture.

sériciculteur, trice n Spécialiste de sériciculture.

sériciculture nf Élevage des vers à soie.

série nf 1 Suite, succession de choses analogues et constituant une série. 2 Catégorie ; groupe correspondant à une division ou à une sélection dans un classement. Loc *Série noire* : suite de malheurs, de revers. *Série télévisée* : téléfilm à épisodes. *De série* : fabriqué à de nombreux exemplaires ; de qualité médiocre. *Fabrication en série* : fabrication normalisée et en grand nombre d'un produit. *Hors série* : d'exception.

sériel, elle a D'une série. *Ordre sériel.* Loc *Musique sérielle* : variante de la musique dodécaphonique.

sérier vt Classer par séries, ordonner.

sérieusement av 1 De façon sérieuse. 2 Réellement, vraiment. *Il en a sérieusement besoin.*

sérieux, euse a 1 Réfléchi, digne de confiance. *Un garçon sérieux.* 2 Qui ne manifeste pas de gaieté ; grave. *Une mine sérieuse.* 3 Important, digne de considération. *Un incident sérieux.* ■ nm Qualité d'une personne ou d'une chose sérieuse. *Plaisanter en gardant son sérieux. Le sérieux d'une maladie.* Loc *Prendre au sérieux* : prendre en considération. *Se prendre au sérieux* : se croire important.

sérigraphie nf Procédé d'impression utilisant des écrans en tissu à mailles quadrillées.

serin nm 1 Petit oiseau à plumage jaune ou vert. 2 fam Niais, nigaud.

seriner vt Répéter sans cesse qqch à qqn.

seringa nm Arbrisseau à fleurs blanches odorantes. Var **seringat**

seringue nf Petite pompe servant à injecter des liquides dans l'organisme, ou à en extraire, à en prélever.

serment nm Déclaration, promesse solennelle. *Prêter serment de dire toute la vérité.*

sermon nm 1 Discours religieux destiné à instruire et à exhorter les fidèles. 2 Discours ennuyeux et moralisateur.

sermonner vt Adresser des remontrances à.

sermonneur, euse n, a Qui sermonne.

sérodiagnostic nm MÉD Méthode de diagnostic fondée sur l'examen du sérum.

sérologie nf MÉD Étude des sérums, de leurs propriétés.

sérologique a De la sérologie.

séronégatif, ive a Chez qui le sérodiagnostic donne un résultat négatif.

séropositif, ive a, n Chez qui le sérodiagnostic donne un résultat positif, spécialement pour le virus du sida.

séropositivité nf Caractère séropositif.

sérosité nf MÉD Liquide analogue au sérum sanguin, qui se forme dans les séreuses.

sérothérapie nf MÉD Emploi thérapeutique d'un sérum.

sérotonine nf BIOL Médiateur chimique du système nerveux.

serpe nf Outil tranchant à large lame recourbée.

serpent nm Reptile au corps allongé, sans membres, qui se déplace par reptation. Loc fam *Serpent de mer* : sujet de conversation qui revient de temps à autre. *Langue de serpent* : personne médisante.

serpentaire nm Oiseau d'Afrique qui se nourrit de serpents.

serpenteau nm Jeune serpent.

serpenter vi Former des sinuosités. *Un sentier qui serpente.*

serpentin nm 1 Tuyauterie sinueuse ou en hélice. 2 Petit rouleau étroit de papier, qui se déroule quand on le lance.

serpentine nf MINER Roche métamorphique vert sombre.

serpette nf Petite serpe.

serpillière [-jɛʀ] nf Torchon fait de grosse toile utilisé pour laver les sols. Var **serpilière**

serpolet nm Thym sauvage.

serpule nf Ver marin vivant dans un tube calcaire.

serrage nm Action de serrer.

serran nm Poisson marin très vorace.

serre nf 1 Abri clos à parois translucides destiné à protéger les végétaux du froid. 2 Griffe puissante des rapaces. Loc *Effet de serre* : réchauffement de l'atmosphère, augmenté par certains gaz.

serré, ée a 1 Dont les éléments sont étroitement rapprochés. *Un gazon dru et serré.* 2 Qui dénote la rigueur. *Raisonnement serré.* 3 Gêné par des difficultés financières. Loc *Café serré* : café fort. ■ av Avec vigilance. *Jouer serré.*

serre-file nm Gradé placé en queue de colonne d'une troupe en marche. *Des serre-files.*

serre-fil nm ÉLECTR Pièce servant à connecter deux fils électriques par serrage. *Des serre-fils.* Var **serre-fils** nm inv

rre-joint nm Instrument assurant le serrage de ces de bois. *Des serre-joints.*

rre-livre nm Chacun des deux objets lourds re lesquels on maintient des livres. *Des serre-es.*

rrement nm Loc *Serrement de main :* poi-ée de main. *Serrement de cœur :* émotion triste.

rrer vt 1 Tenir en exerçant une pression, eindre. *Serrer la main de qqn.* 2 Gainer p étroitement. *Col qui serre le cou.* 3 Tirer, nœuver, pousser de façon à comprimer. *Ser-un nœud. Serrer un écrou. Serrer les rangs.* Longer de très près. *Serrer le trottoir.* Loc fam *rrer la vis à qqn :* se montrer rigoureux, sévère on égard. *Serrer le cœur :* attrister profondé-nt. *Serrer les dents :* s'efforcer de résister à ch de pénible. fam *Serrer les boulons :* être très ict sur la discipline, les dépenses.

rre-tête nm Bandeau rigide qui retient la che-lure. *Des serre-têtes.*

rriste n Personne qui cultive en serres.

rrure nf Dispositif qui permet de bloquer en sition fermée au moyen d'une clé.

rrurerie nf Art, métier du serrurier.

rrurier nm Personne qui fabrique, pose, vend s serrures.

rtão [sɛRtã] nm GEOGR Au Brésil, zone semi-de où l'on pratique l'élevage extensif.

rtir vt 1 Enchâsser une pierre dans un chaton. 2 sujettir une pièce métallique.

rtissage nm Action de sertir.

rtisseur, euse n Dont le métier est de ser-■ nm Appareil pour sertir des boîtes de nserve.

rtissure nf Manière dont une pierre précieuse sertie.

rum [-ROM] nm 1 Partie liquide du sang, asma débarrassé de la fibrine et de certains ents de la coagulation. 2 Produit tiré du sérum an animal immunisé, que l'on injecte comme ccin. Loc *Sérum physiologique :* solution à ‰ de chlorure de sodium. *Sérum de vérité :* mposé barbiturique employé dans un but d'in-stigation psychologique.

rvage nm 1 HIST État de serf. 2 Servitude, pendance.

rval nm Petit félidé africain. *Des servals.*

rvant am Loc *Cavalier, chevalier servant :* mpagnon empressé d'une femme. ■ nm Artil-r chargé d'approvisionner une pièce pendant tir.

rvante nf Femme, jeune fille employée comme mestique.

rveur, euse n 1 Personne qui sert les repas ou s consommations, dans un restaurant, un café. Personne qui met la balle en jeu au tennis, au lley-ball, etc. ■ nm INFORM Système de consulta-n à distance de banques de données.

rviabilité nf Caractère serviable.

rviable a Qui rend volontiers service.

rvice nm 1 Fonction de qqn qui sert une per-nne, une clientèle, son pays, une cause, etc. a chauffeur au service du directeur. Faire son *rvice militaire.* 2 Pourcentage d'une note d'hô-, de restaurant, destiné au personnel. *Service mpris.* 3 Activité professionnelle. *Prendre son rvice à 8 heures.* 4 Branche d'activité d'une treprise, d'une administration. *Le service de*

cardiologie d'un hôpital. 5 Ce qu'on fait béné-volement pour être utile à qqn. *Rendre service à un voisin.* 6 Envoi, fourniture. *Faire le service d'un journal à qqn.* 7 Action de servir au tennis, au volley-ball, etc. 8 Assortiment de vaisselle, de linge de table. Loc *En service, hors service :* en état, hors d'état de fonctionner. *Service reli-gieux :* célébration d'un office religieux. *Service d'ordre :* ensemble de personnes chargées du maintien de l'ordre. *Service funèbre :* cérémonie pour un mort. *Service public :* activité d'intérêt général assurée par un organisme ; cet orga-nisme. *Prendre son service :* commencer à tra-vailler. ■ pl 1 Travail rémunéré. *Être satisfait des services de qqn.* 2 Activités économiques qui ne produisent pas directement des biens matériels.

serviette nf 1 Linge qu'on utilise à table ou pour la toilette. 2 Sac rectangulaire à rabat dans lequel on transporte des livres, des documents, etc. Loc *Serviette hygiénique :* portée par les femmes pen-dant leurs règles.

serviette-éponge nf Serviette de toilette en tissu-éponge. *Des serviettes-éponges.*

servile a 1 Qui s'abaisse de façon dégradante ; obséquieux. 2 Qui ne prend pas assez de liberté à l'égard d'un modèle.

servilement av litt De façon servile.

servilité nf litt Caractère, attitude servile.

servir vt [29] 1 Consacrer son activité à qqn, à qqch. *Servir ses amis. Servir son pays.* 2 Fournir un client. *Ce boucher nous sert bien.* 3 Présenter un mets, une boisson. *Servir un plat bien chaud. Servir les invités.* 4 Payer régulièrement. *Servir une rente.* 5 Mettre une pièce d'artillerie en état de fonctionner. Loc *Servir la messe :* assister le prêtre durant la messe. ■ vti, vi 1 Être utile à qqn. *Ce conseil lui a servi.* 2 Être propre, utile à qqch. *Cet outil sert à creuser. Ce tissu peut encore ser-vir.* 3 Faire office de. *Ce bâton lui sert de canne.* ■ vi 1 Être militaire. 2 Mettre la balle en jeu au tennis, au volley-ball, etc. ■ vpr 1 Prendre soi-même ce qui est disponible. 2 Utiliser. *Se servir d'un couteau.*

serviteur nm Personne qui est au service de qqn, d'une collectivité. *Les serviteurs de l'État.* Loc *Votre serviteur :* moi qui vous parle.

servitude nf 1 État d'une personne ou d'un peuple privés de leur indépendance ; esclavage. 2 Contrainte, assujettissement.

servocommande nf Mécanisme qui fournit l'énergie nécessaire à l'action d'une commande.

servofrein nm Servocommande agissant sur les organes de freinage.

servomécanisme nm TECH Dispositif automa-tique de régulation d'un système.

servomoteur nm Moteur actionnant un système à régulation.

ses. V. *son 1.*

sésame nm 1 Plante dont les graines fournissent une huile alimentaire. 2 Ce qui permet de sur-monter les obstacles, comme par enchantement.

sessile a BOT Inséré directement sur un organe, sans pédoncule.

session nf Temps pendant lequel siège une assemblée, un tribunal, un jury d'examen.

sesterce nm ANTIQ Monnaie romaine.

set nm Manche d'une partie de tennis, de tennis de table, de volley-ball. Loc *Set de table :* nappe-ron que l'on place sous les assiettes.

setter [sɛtɛʀ] *nm* Grand chien d'arrêt à longs poils.

seuil *nm* 1 Entrée d'une maison, d'une pièce ; commencement d'un lieu. 2 GEOGR Élévation d'un terrain. 3 Valeur à partir de laquelle un phénomène se produit ; point critique. *Seuil de rentabilité.* Loc *Au seuil de :* au début de. *Seuil de pauvreté :* niveau de revenu à partir duquel les besoins essentiels ne sont pas couverts.

seul, seule *a* 1 Momentanément sans compagnie. *Se promener seul, tout seul.* 2 Généralement isolé, qui vit sans amis. *Il est seul au monde.* 3 Unique. *Le seul bien qui lui reste.* 4 Seulement. *Spectacle que seuls les enfants apprécient.* Loc *Seul à seul :* en tête à tête.

seulement *av* 1 Sans rien de plus. *Ils sont seulement trois dans la secret.* 2 Pas avant. *Il arrive seulement demain.* 3 À l'instant, tout récemment. *Il vient seulement de partir.* 4 Toutefois, mais. *Il le savait, seulement il n'a rien dit.* Loc *Pas seulement :* pas même. *Sans seulement :* sans même. *Si seulement :* si au moins.

seulet, ette *a* litt Seul.

sève *nf* 1 Liquide nourricier des végétaux. 2 litt Force, vigueur, énergie.

sévère *a* 1 Dépourvu d'indulgence. *Un juge sévère.* 2 Dur, rigoureux. *Ton, air sévère.* 3 litt Sans ornements, austère. *Un style sévère.* 4 Important, grave. *Des pertes sévères.*

sévèrement *av* De façon sévère.

sévérité *nf* Caractère sévère.

sévices *nmpl* Violences corporelles, mauvais traitements.

sévir *vi* 1 Punir, réprimer avec rigueur. 2 Causer de gros dégâts, exercer une action néfaste.

sevrage *nm* 1 Remplacement progressif de l'allaitement par une alimentation plus solide. 2 Action de priver un toxicomane de drogue.

sevrer *vt* [15] 1 Procéder au sevrage. 2 litt Priver d'un plaisir.

sèvres *nm* Porcelaine fabriquée à la manufacture nationale de Sèvres.

sexagénaire *a, n* Qui a entre soixante et soixante-dix ans.

sexagésimal, ale, aux *a* De la numération à base sexante.

sex-appeal [sɛksapɛl] *nm* Attrait sexuel qu'exerce une femme. *Des sex-appeals.*

sexe *nm* 1 Caractéristiques physiques qui permettent de différencier le mâle de la femelle, l'homme de la femme. 2 Ensemble des individus du même sexe. 3 Sexualité. 4 Organes génitaux externes. Loc *Le sexe fort :* les hommes. *Le sexe faible, le beau sexe :* les femmes.

sexisme *nm* Attitude de discrimination à l'encontre des femmes.

sexiste *a, n* Qui fait preuve de sexisme.

sexologie *nf* Étude de la sexualité humaine.

sexologue *n* Spécialiste de sexologie.

sex-ratio *nm inv* Rapport entre les naissances de sexe masculin et celles de sexe féminin.

sex-shop *nm* Magasin spécialisé dans la vente de publications et d'objets pornographiques. *Des sex-shops.*

sex-symbol *nm* Vedette symbolisant l'idéal sensuel. *Des sex-symbols.*

sextant *nm* Instrument de navigation utilisé pour mesurer des distances angulaires et des hauteurs d'astres au-dessus de l'horizon.

sextuor *nm* 1 Morceau écrit pour six voix pour six instruments. 2 Ensemble formé de interprètes.

sextuple *a,* nm Qui vaut six fois autant.

sextupler *vt, vi* (Se) multiplier par six.

sexualité *nf* Ensemble des caractères et des co portements liés au sexe, à l'instinct sexuel.

sexué, ée *a* Pourvu d'organes sexuels. I *Reproduction sexuée :* par conjonction des de sexes.

sexuel, elle *a* Relatif au sexe, à la sexualité.

sexuellement *av* D'un point de vue sexuel.

sexy *a inv* fam Qui a du sex-appeal.

seyant, ante *a* Qui va bien à qqn.

seychellois, oise *a, n* Des Seychelles.

sézigue *pr* pop Soi, lui.

sforzando *av* MUS En renforçant le son.

SGBD *nm* INFORM Sigle de *système de gesti de bases de données,* logiciel de traitement fichiers.

shabbat [-bat] *nm* Syn. de *sabbat.*

Shabouot [-buɔt] *nm* Fête juive commémoran séjour de Moïse sur le mont Sinaï.

shah. *V. schah.*

shaker [ʃekœʀ] *nm* Récipient dans lequel agite pour les mélanger les ingrédients d'un co tail. Var **shakeur**

shakespearien, enne [ʃekspi-] *a* Qui rappe les tragédies de Shakespeare.

shako *nm* Coiffure militaire rigide, à visière, forme tronconique. Var **schako**

shampoing [ʃãpwɛ̃] *nm* 1 Lavage des cheve 2 Produit utilisé pour ce lavage. 3 Produit de n toyage pour moquettes. Var **shampooing**

shampouiner [ʃãpwine] *vt* Faire un shampoi à. Var **shampooiner**

shampouineur, euse [ʃãpwi-] *n* Employé d'un salon de coiffure qui fait les shampoin ■ *nf* Appareil servant à nettoyer les moquett Var **shampooineur, euse**

shantung [ʃãtuŋ] *nm* Tissu de soie léger d'asp irrégulier. Var **chantoung**

shekel *nm* Unité monétaire d'Israël.

shérif *nm* 1 Aux États-Unis, chef de la poli d'un comté. 2 fam Policier aux manières expé tives.

sherpa *nm* Porteur, guide de montagne, da l'Himalaya.

sherry *nm* Nom anglais du Xérès.

shetland [ʃetlãd] *nm* 1 Laine d'Écosse. 2 Tric fait avec cette laine.

shiatsu [ʃiatsu] *nm* Syn. de *digitoponcture.*

shiitake [-ke] *nm inv* Champignon comestible chair ferme, originaire d'Extrême-Orient.

shilling [ʃiliŋ] *nm* 1 Ancienne division (1/20) la livre sterling. 2 Unité monétaire du Kenya, l'Ouganda, de la Tanzanie et de la Somalie.

shilom *nm* Petite pipe utilisée pour fumer le ha chich ou l'opium.

shimmy *nm* Vibration ou flottement dans le tra avant d'une automobile.

shinto [ʃin-] *nm* Religion propre au Japon. V **shintoïsme**

shintoïste *a, n* Qui relève du shinto.

shogoun *nm* HIST Chef militaire et civil du Japo de 1192 à 1868.

shogounal, ale, aux *a* HIST Du shogoun.

hoot [ʃut] nm Au football, coup de pied sec et puissant donné dans le ballon.

hooter [ʃute] vi Faire un shoot, au football. ■ vpr pop S'injecter des stupéfiants.

hopping [ʃopiŋ] nm Loc Faire du shopping : courir les magasins.

hort [ʃɔrt] nm Culotte courte portée pour faire du sport, en vacances, etc.

hosha nf Société de commerce japonaise.

how [ʃo] nm Spectacle de variétés. Des shows.

how-business [ʃobiznɛs] nm inv Industrie du spectacle. Var showbiz [ʃobiz]

how-room [ʃorum] nm Stand d'exposition ouvert par un industriel. Des show-rooms.

hunt [ʃœt] nm ELECTR Résistance placée en dérivation entre les bornes d'une portion de circuit.

hunter [ʃœte] vt ELECTR Monter en dérivation.

si conj 1 Au cas où, en admettant que. Si la pluie cesse, j'irai me promener. Si c'était vrai, on le saurait. 2 Bien que, sans doute... (mais...). Si c'est difficile, ce n'est quand même pas impossible. 3 Exprime une suggestion, un souhait. Si on allait ? Si cela pouvait être vrai ! 4 Dans l'interrogation indirecte. Je ne sais pas si elle viendra. Loc Si ce n'est (que) : sauf (que), excepté (que). Si tant est que : même en admettant que. ■ av 1 Exprime l'affirmation en réponse à une phrase négative. Ça ne t'intéresse pas ? - Si ! 2 Tellement. Il était si fatigué qu'il s'est endormi. 3 Aussi, à ce point. Je n'avais jamais rien vu de si beau. Loc Si bien que : de sorte que.

si nm inv Septième note de la gamme.

siamois, oise a, n Du Siam. Loc Chat siamois : chat aux yeux bleus et au pelage beige et brun. Frères siamois, sœurs siamoises : jumeaux, jumelles attachés l'un à l'autre par une partie du corps.

sibérien, enne a, n De Sibérie.

sibilant, ante a MED Qui produit un sifflement.

sibylle nf ANTIQ Femme qui passait pour avoir reçu d'Apollon le don de prédire l'avenir.

sibyllin, ine a litt Énigmatique, ambigu.

sic av Se met entre parenthèses à la suite d'un passage pour indiquer qu'il a été cité textuellement.

sicaire nm litt Assassin à gages.

sicav nf inv Société d'investissement à capital variable gérant un portefeuille de valeurs mobilières.

siccatif, ive a, nm Qui facilite le séchage d'une peinture.

sicilien, enne a, n De Sicile. ■ nf Danse en vogue au XVIIIe s.

sida nm État pathologique dû à un effondrement des défenses immunitaires, causé par un agent viral transmissible par voie sanguine ou sexuelle.

side-car nm Véhicule composé d'une petite nacelle munie d'une roue, fixée sur le côté d'une motocyclette. Des side-cars. Var sidecar

sidéen, enne a, n Atteint du sida.

sidéral, ale, aux a Relatif aux astres.

sidérant, ante a fam Stupéfiant.

sidérer vt [12] fam Stupéfier, étonner fortement.

sidérose nf Affection résultant de l'inhalation prolongée de poussières de fer.

sidérurgie nf Métallurgie du fer ; production de la fonte et de l'acier.

sidérurgique a De la sidérurgie.

sidérurgiste n Personne qui travaille dans la sidérurgie.

sidologue n Spécialiste du sida.

siècle nm 1 Durée de cent ans. 2 Durée de cent ans comptée à partir du début d'une ère. Le troisième siècle après Jésus-Christ. 3 Période historique marquée par tel évènement, tel personnage. Le siècle de Louis XIV. 4 fam Très longue période.

siège nm 1 Meuble fait pour s'asseoir. 2 Place, fonction dans une assemblée d'élus. 3 Fesses. Bain de siège. 4 Lieu où réside une autorité, une administration. Siège d'un tribunal. Siège social d'une société. 5 Endroit d'où part, où se fait sentir un phénomène. Le siège d'une douleur. 6 Opération militaire visant à prendre une place forte. Loc État de siège : régime exceptionnel sous lequel l'armée assume le maintien de l'ordre. Siège social : domicile légal d'une société.

siéger vi [13] 1 Tenir séance. 2 Avoir un siège dans une assemblée. 3 Se situer, se localiser.

siemens [simɛns] nm Unité de mesure de la conductance électrique.

sien, sienne a poss litt Qui est à lui, à elle. Un sien cousin. ■ pr poss Ce qui lui appartient. Ce livre, c'est le sien. ■ n Loc Y mettre du sien : faire des efforts. fam Faire des siennes : des sottises. ■ nmpl Les membres de sa famille, ses amis.

sierra nf GEOGR Chaîne de montagnes.

sierra-léonais, aise a, n De la Sierra Leone.

sieste nf Repos pris après le repas de midi.

sieur nm DR Monsieur. Le sieur X.

sievert [sivœrt] nm Unité de mesure de radioactivité.

sifflant, ante a Qui produit un sifflement.

sifflement nm Son produit par qqn ou par qqch qui siffle.

siffler vi Produire un son aigu, en chassant l'air par une ouverture étroite (dents, lèvres, sifflet, etc.). ■ vt 1 Moduler un air en sifflant. 2 Appeler en sifflant. 3 Conspuer, huer par des sifflets. 4 Indiquer par un coup de sifflet. 5 fam Avaler d'un trait.

sifflet nm 1 Petit instrument avec lequel on siffle. 2 Marque de désapprobation faite en sifflant. Loc fam Couper le sifflet à qqn : l'interloquer. TECH En sifflet : obliquement.

siffleur, euse a, n Qui siffle.

sifflotement nm Action de siffloter.

siffloter vi, vt Siffler doucement.

sigillé, ée a Marqué d'un sceau.

sigillographie nf Science des sceaux.

siglaison nf Formation des sigles.

sigle nm Ensemble de lettres initiales servant d'abréviation (ex. : BD, pour bande dessinée).

sigma nm Lettre de l'alphabet grec, correspondant à s.

signal, aux nm 1 Signe convenu utilisé pour servir d'avertissement, provoquer un comportement, transmettre une information. Au signal, les coureurs s'élancent. Les signaux du code de la route. 2 Fait qui annonce une chose ou la détermine. Loc Donner le signal de : déclencher.

signalé, ée a litt Remarquable.

signalement nm Description des caractères physiques de qqn.

signaler vt 1 Annoncer par un signal, par des signaux. 2 Appeler l'attention sur, faire remarquer. 3 Mentionner, indiquer. ■ vpr Se faire remarquer par sa conduite.

signalétique a Qui donne un signalement. *Fiche signalétique.* ■ nf Ensemble des moyens de signalisation équipant un lieu.

signalisation nf 1 Utilisation de signaux. 2 Ensemble des signaux par lesquels la circulation est réglée.

signaliser vt Pourvoir d'une signalisation.

signataire n Personne qui a signé qqch.

signature nf 1 Nom d'une personne, écrit de sa main, comme témoignage d'authenticité, de responsabilité. 2 Action de signer. *La signature d'un traité.*

signe nm 1 Chose qui est l'indice d'une autre. *La fièvre est le signe d'une infection.* 2 Ce qui permet de reconnaître, de distinguer. 3 Geste, expression qui permet de faire connaître qqch à qqn. 4 Ce qui est utilisé conventionnellement pour représenter, noter. *Signes de ponctuation.* Loc *Ne pas donner signe de vie* : ne donner aucune nouvelle. *Être sous le signe de* : être marqué par. *Les signes du zodiaque* : les douze divisions du zodiaque.

signer vt Revêtir de sa signature, authentifier de son nom. *Signer une lettre. Signer un roman.* ■ vpr Faire le signe de la croix.

signet nm Petit ruban fixé au dos d'un livre, qui sert à marquer une page.

signifiant, ante a Chargé de sens. ■ nm LING Forme concrète du signe linguistique.

significatif, ive a 1 Qui exprime qqch nettement, précisément ; révélateur. 2 Important, marquant. *Jouer un rôle significatif.*

signification nf 1 Ce que signifie une chose, un mot. 2 DR Notification d'un acte, d'un jugement à qqn, par les voies légales.

significativement av De façon significative.

signifié nm LING Contenu du signe linguistique, manifesté concrètement par le signifiant.

signifier vt 1 Avoir pour sens, vouloir dire. 2 Notifier qqch à qqn de façon expresse ou par voie de droit. *Signifier son congé à qqn.*

sikh, sikhe a, n Adepte du sikhisme.

sikhisme nm Secte religieuse indienne.

silence nm 1 Fait de se taire, de s'abstenir de parler. 2 Absence de bruit. *Le silence de la nuit.* 3 MUS Interruption du son d'une durée déterminée ; signe graphique qui indique cette interruption. Loc *Passer qqch sous silence* : ne pas en parler.

silencieusement av De façon silencieuse.

silencieux, euse a 1 Où l'on n'entend aucun bruit. *Un endroit très silencieux.* 2 Qui a lieu, qui se fait sans bruit ; qui fonctionne sans bruit. *Moteur silencieux.* 3 Qui garde le silence, qui s'abstient de parler. ■ nm Dispositif conçu pour amortir le bruit d'une arme à feu, d'un moteur à explosion.

silène nm 1 Plante herbacée ornementale au calice en forme d'outre. 2 Nom d'un papillon.

silex nm Roche siliceuse très dure.

silhouette nf 1 Dessin au trait réduit à un contour. 2 Aspect général que la corpulence et le maintien donnent au corps. 3 Forme vague de qqn, de qqch.

silicate nm Minéral constituant essentiel des roches magmatiques et métamorphiques.

silice nf Oxyde de silicium présent dans de très nombreux minéraux.

siliceux, euse a Formé de silice.

silicicole a BOT Qui pousse sur les terrains siliceux.

silicium [-sjɔm] nm Corps simple utilisé notamment dans des alliages et en électronique.

silicone nf Matière plastique dérivée du silicium.

silicose nf Maladie professionnelle due à l'inhalation de poussières de silice.

silicosé, ée a, n Atteint de silicose.

silique nf BOT Fruit sec des crucifères, qui s'ouvre à maturité.

sillage nm Trace qu'un navire en marche laisse derrière lui à la surface de l'eau. Loc *Marcher dans le sillage de qqn* : suivre son exemple.

sillet nm MUS Petit morceau de bois ou d'ivoire qui supporte les cordes des instruments à cordes.

sillon nm 1 Longue tranchée tracée par le soc de la charrue. 2 Rainure. 3 Piste d'un disque.

sillonner vt Parcourir en tous sens. *Des patrouilles sillonnent la région.*

silo nm 1 Réservoir servant à conserver des produits agricoles. 2 Construction souterraine abritant des missiles.

silotage nm Syn. de *ensilage.*

silure nm Poisson dont la tête porte de longs barbillons. Syn. poisson-chat.

silurien nm GEOL Période de l'ère primaire.

simagrées nfpl Manières affectées.

simien, enne a Qui concerne le singe. ■ nm ZOOL Mammifère primate, tel que le singe.

simiesque a Qui rappelle le singe.

similaire a Semblable, analogue.

similarité nf Caractère similaire.

simili nm Imitation d'une matière.

similigravure nf Procédé de photogravure.

similitude nf Rapport qui unit des choses semblables ; analogie.

simonie nf RELIG Trafic de biens spirituels (sacrements, dignités, etc.).

simoun nm Vent brûlant du désert.

simple a 1 Qui n'est pas composé de parties d'éléments divers. 2 Qui est seulement cela. *Une simple lettre vous suffira.* 3 Facile à comprendre à employer, à exécuter. *Un appareil très simple* 4 Qui est dénué d'ornements, de fioritures, sans luxe. *Une maison toute simple.* 5 Qui agit sans vanité, sans ostentation. *Il est resté très simple.* 6 Naïf, crédule, qui se laisse facilement abuser Loc fam *Simple comme bonjour* : extrêmement simple. *Simple particulier* : personne quelconque sans fonction officielle. ■ n Loc *Simple d'esprit* : dont l'intelligence est débile. ■ nm Loc *Du simple au double* : dans la proportion de 1 à 2. ■ pl BOT Plantes médicinales.

simplement av De façon simple. Loc *Purement et simplement* : sans réserve et sans condition.

simplet, ette a fam D'une simplicité niaise.

simplicité nf Caractère simple.

simplificateur, trice a Qui simplifie.

simplification nf Action de simplifier.

simplifier vt Rendre plus simple ; faciliter.

simplisme nm Caractère simpliste.

simpliste a, n Qui simplifie à l'excès.

simulacre nm Apparence qui se donne pour une réalité ; action simulée.

simulateur, trice *n* Personne qui simule. ■ *nm* Appareil, installation qui permet de simuler une situation, un phénomène.

simulation *nf* 1 Action de simuler. 2 Établissement d'un modèle mathématique destiné à l'étude d'un système.

simuler *vt* 1 Faire paraître comme réelle une chose qui ne l'est pas. *Simuler la folie.* 2 TECH Procéder à la simulation de. *Simuler un vol spatial.*

simulie *nf* Moustique tropical, vecteur de graves maladies parasitaires.

simultané, ée *a* Qui se produit en même temps. *L'arrivée simultanée de deux bateaux.*

simultanéité *nf* Caractère simultané ; existence simultanée de plusieurs choses.

simultanément *av* En même temps.

sinanthrope *nm* PALÉONT Fossile hominien, appelé aussi *homme de Pékin.*

sinapisme *nm* MÉD Cataplasme à base de farine de moutarde.

sincère *a* 1 Qui exprime ses pensées, ses sentiments sans les déguiser. 2 Réellement pensé ou senti. *Sentiments, paroles sincères.*

sincèrement *av* De façon sincère.

sincérité *nf* Caractère sincère.

sinécure *nf* Place qui procure des ressources sans exiger beaucoup de travail. Loc fam *Ce n'est pas une sinécure* : ce n'est pas facile.

sine die [sinedje] *av* Sans fixer de date.

sine qua non [sinekwanɔn] *a inv* Loc *Condition sine qua non* : obligatoire, indispensable.

singapourien, enne *a, n* De Singapour.

singe *nm* 1 Mammifère primate anthropoïde à la face glabre, aux pieds et aux mains préhensiles. 2 Personne qui imite les gestes, les mimiques, les attitudes d'une autre. 3 pop Patron. Loc *Payer en monnaie de singe* : en paroles creuses.

singer *vt* [11] Imiter, contrefaire.

singerie *nf* 1 Grimace, tour de malice. 2 Cage des singes, dans une ménagerie.

single [siŋɡœl] *nm* 1 Cabine, chambre, compartiment occupés par une seule personne. 2 Disque ne comportant qu'un seul morceau par face.

singleton *nm* Au bridge, carte seule de sa couleur dans la main d'un joueur.

singulariser *vt* Rendre singulier, extraordinaire. ■ *vpr* Se faire remarquer.

singularité *nf* 1 Fait d'être singulier, unique, irremplaçable. 2 Chose, manière singulière.

singulier, ère *a* 1 Individuel, qui distingue des autres. 2 Bizarre, étonnant. *Un détail singulier.* Loc *Combat singulier* : qui oppose un seul adversaire à un seul autre. ■ *nm* Catégorie grammaticale qui exprime l'unité. Ant. pluriel.

singulièrement *av* 1 Particulièrement, principalement. 2 Beaucoup, extrêmement. *Il est singulièrement déçu.*

sinisant, ante *a, n* Sinologue.

sinisation *nf* Action de siniser.

siniser *vt* Faire adopter la civilisation, la langue, les mœurs chinoises à.

sinistre *a* 1 Qui fait craindre quelque malheur. *Un sinistre présage.* 2 Lugubre ; très ennuyeux. *Un quartier sinistre. Une soirée sinistre.* ■ *nm* 1 Catastrophe qui cause des pertes considérables. 2 Tout dommage qui entraîne une indemnisation. *Règlement d'un sinistre.*

sinistré, ée *a, n* Victime d'un sinistre.

sinistrose *nf* fam Pessimisme excessif.

sinologie *nf* Étude de la langue, de la culture et de l'histoire de la Chine.

sinologue *n* Spécialiste de sinologie.

sinon *conj* 1 Autrement, sans quoi. *N'insistez pas, sinon il se fâchera.* 2 Si ce n'est ; sauf. *Il ne lit rien, sinon son journal.* 3 Peut-être même. *Il était l'un des rares, sinon le seul, à savoir cela.*

sinoque *a, n* fam Fou.

sinueux, euse *a* 1 Qui forme des courbes nombreuses. *Sentier sinueux.* 2 Qui procède par détours, tortueux. *Une approche sinueuse.*

sinuosité *nf* Chacune des courbes d'une ligne sinueuse.

sinus [sinys] *nm* 1 ANAT Cavité irrégulière à l'intérieur de certains os du crâne et de la face. 2 MATH Valeur d'un angle d'un triangle rectangle définie par le rapport entre le côté opposé à cet angle et l'hypoténuse.

sinusite *nf* Atteinte inflammatoire ou infectieuse des muqueuses des sinus de la face.

sinusoïdal, ale, aux *a* GÉOM En forme de sinusoïde.

sinusoïde *nf* GÉOM Ligne continue constituée par des courbes régulièrement inversées.

sionisme *nm* Mouvement de restauration d'un État juif indépendant en Palestine.

sioniste *a, n* Qui relève du sionisme.

siphon *nm* 1 Tube recourbé permettant de transvaser un liquide d'un niveau donné à un niveau inférieur. 2 Dispositif intercalé entre un appareil sanitaire et son tuyau de vidange. 3 En spéléologie, galerie ou boyau inondé. 4 Bouteille munie d'un bouchon mécanique à levier et contenant de l'eau gazéifiée sous pression.

siphonné, ée *a* fam Un peu fou.

siphonner *vt* Transvaser un liquide au moyen d'un siphon.

sire *nm* Titre que l'on donne à un souverain lorsqu'on s'adresse à lui. Loc fam *Un triste sire* : un individu peu estimable.

sirène *nf* 1 Être mythique constitué d'un buste de femme et d'une queue de poisson. 2 Appareil de signalisation sonore.

sirénien *nm* ZOOL Mammifère aquatique, tel que le dugong, le lamantin.

sirocco *nm* Vent chaud et sec, qui souffle du Sahara sur l'Algérie, la Tunisie, la Sicile. **Var** siroco

sirop *nm* Solution concentrée de sucre et additionnée ou non de substances aromatiques ou médicamenteuses.

siroter *vt, vi* fam Boire à petites gorgées, en prenant son temps.

sirupeux, euse *a* 1 Qui a la consistance du sirop ; visqueux. 2 D'une douceur mièvre.

sis, sise *a* DR ou litt Situé. *Hôtel sis à Lyon.*

sisal *nm* 1 Agave fournissant une fibre textile. 2 Cette fibre elle-même.

sismicité *nf* GÉOL Fréquence et intensité des séismes dans une région donnée.

sismique *a* Relatif aux séismes.

sismogramme *nm* Courbe fournie par un sismographe.

sismographe *nm* Appareil enregistrant les mouvements sismiques.

sismologie *nf* GÉOL Étude des séismes.

sismologue *n* Spécialiste de sismologie.

sismothérapie nf MED Syn. de *électrochoc*.

sistre nm Instrument de musique constitué d'un cadre supportant des tiges qui s'entrechoquent.

sitar nm Instrument de musique à cordes pincées, originaire du nord de l'Inde.

sitcom nm Téléfilm inspiré de situations tirées de la vie quotidienne.

site nm 1 Lieu, tel qu'il s'offre aux yeux de l'observateur ; paysage pittoresque. 2 Emplacement affecté à tel usage. *Site industriel.*

sit-in [sitin] nm inv Manifestation non violente dans laquelle les participants occupent un endroit public en s'asseyant par terre.

sitôt av Aussitôt. *Sitôt dit, sitôt fait. Sitôt qu'il partira.* Loc *Pas de sitôt* : pas avant longtemps.

situation nf 1 Position, emplacement d'une ville, d'une maison, d'un terrain. 2 Ensemble des conditions dans lesquelles se trouve qqn à un moment donné. *Situation pécuniaire, familiale.* 3 Emploi, profession. 4 État des affaires ; conjoncture. *La situation politique.* 5 Moment important de l'action, dans une œuvre littéraire. Loc *En situation* : dans des conditions proches de la réalité.

situé, ée a Placé à tel endroit, de telle façon. *Une maison mal située.*

situer vt Déterminer la place de qqch, de qqn, dans l'espace, dans le temps, dans un ensemble. *Où situez-vous cette ville ?*

sivaïsme nm Secte hindouiste vénérant le dieu Siva. Var **shivaïsme**.

six a num 1 Cinq plus un (6). 2 Sixième. *Louis VI.* ■ nm inv Chiffre, nombre six.

six-huit nm inv MUS Mesure à deux temps ayant la noire pointée pour unité de temps.

sixième a num Au rang, au degré six. ■ a, nm Contenu six fois dans le tout. ■ nf Première classe de l'enseignement secondaire.

sixièmement av En sixième lieu.

six-quatre-deux (à la) av fam Sans soin.

sixte nf MUS Intervalle de six degrés.

sizain nm LITTER Strophe de six vers construite sur deux ou trois rimes.

skaï [skaj] nm (n. déposé) Matière synthétique imitant le cuir.

skateboard [skɛtbɔrd] nm Planche à roulettes. *Des skateboards.*

skating [skɛtiŋ] nm Patinage à roulettes.

sketch nm Petite scène, généralement gaie. *Des sketchs.*

ski nm 1 Long patin de bois, de fibre de verre, etc., utilisé pour glisser sur la neige, sur l'eau. 2 Sport pratiqué sur skis. *Faire du ski.*

skiable a Où on peut skier.

skier vi Aller à skis, pratiquer le ski.

skieur, euse n Personne qui pratique le ski.

skiff nm Bateau de course, long et très étroit, pour un seul rameur. Var **skif**.

skinhead [skined] nm Marginal agressif et xénophobe, au crâne rasé. Var **skin**.

skipper [skipœr] nm 1 Chef de bord d'un yacht. 2 Barreur d'un bateau à voile de régate. Var **skippeur, euse**.

skunks. V. sconce.

slalom [-lɔm] nm 1 Descente à skis sur un parcours sinueux jalonné de piquets. 2 Tout parcours sinueux.

slalomer vi Faire un slalom.

slalomeur, euse n Personne qui pratique le slalom.

slang nm Argot anglais.

slave a, n Qui appartient aux peuples de même famille linguistique habitant l'Europe centrale et orientale. ■ nm Langue indoeuropéenne qui s'est diversifiée en plusieurs langues (russe, polonais, ukrainien, tchèque, bulgare, serbo-croate, etc.).

slavisant, ante n Spécialiste des langues slaves.

slavon nm Langue liturgique des Slaves orthodoxes.

slavophile a, n HIST En Russie, partisan de la tradition.

slip nm Culotte très courte et ajustée servant de sous-vêtement ou pour le bain.

slogan nm Formule brève et frappante utilisée dans la publicité, la propagande politique, etc.

sloop [slup] nm Bateau à voiles à un mât, avec un seul foc à l'avant.

slot [slot] nm Créneau d'atterrissage et de décollage sur un aéroport.

sloughi nm Lévrier d'Afrique à poil ras.

slovaque a, n De Slovaquie. ■ nm Langue slave de Slovaquie.

slovène a, n De Slovénie. ■ nm Langue slave de Slovénie.

slow [slo] nm Danse sur une musique lente.

smala nf 1 HIST Ensemble des personnes et du matériel suivant un chef arabe. 2 fam Famille nombreuse.

smash [smaʃ] nm Coup violent qui rabat au sol une balle haute (tennis, volley-ball). *Des smashs.*

smasher [smaʃe] vi Faire un smash.

SMIC nm Salaire minimum interprofessionnel de croissance.

smicard, arde n fam Payé au SMIC.

smocks nmpl COUT Fronces à plusieurs rangs rebrodées sur l'endroit.

smog nm Brouillard épais et mêlé de fumée.

smoking [-kiŋ] nm Costume habillé d'homme, comportant une veste à revers de soie.

SMS nm Message court laissé sur la messagerie d'un mobile.

snack-bar nm Café-restaurant à service rapide. *Des snack-bars.* Var **snackbar** ou **snack**.

sniffer vt pop Priser un stupéfiant en poudre. Var **snifer**.

snob n, a Qui affecte ostensiblement des manières jugées distinguées, à la mode.

snober vt Traiter de haut, avec mépris.

snobinard, arde n, a fam Snob.

snobisme nm Attitude d'un snob.

snow-boot [snobut] nm Chaussure de caoutchouc qu'on peut mettre par-dessus ses chaussures. *Des snow-boots.* Var **snowboot**.

soap-opéra [sopopera] nm Feuilleton télévisé à épisodes multiples. *Des soap-operas.* Var **soap-opera**.

sobre a 1 Tempérant dans le boire et le manger. 2 litt Qui fait preuve de discrétion, de retenue. 3 Sans fioritures ; dépouillé.

sobrement av Avec sobriété.

sobriété nf 1 Frugalité, tempérance, discrétion. 2 Modération.

sobriquet nm Surnom familier.

soc nm Fer d'une charrue, qui creuse un sillon.

sociabilité nf Caractère sociable.

sociable a Ouvert et accommodant.

social, ale, aux *a* **1** Qui vit en société. *Insectes sociaux.* **2** Qui concerne la vie en société, son organisation. *Morale sociale. Classes sociales.* **3** Relatif au monde du travail. *Conflits sociaux.* **4** Qui vise à l'amélioration des conditions de vie. *Logements sociaux.* **5** Relatif à une société commerciale. *Raison sociale.* Loc *Sciences sociales* : sociologie, droit, économie, etc. *Travailleurs sociaux* : chargés de venir en aide aux membres d'une collectivité.

social-démocrate *a, n* Qui relève de la social-démocratie. *Des sociaux-démocrates.*

social-démocratie *nf* Courant politique partisan d'un socialisme réformiste. *Des social-démocraties.*

socialement *av* Du point de vue social.

socialisant, ante *a* De tendance socialiste.

socialisation *nf* **1** Apprentissage de la vie de groupe par l'enfant. **2** Appropriation des moyens de production par la collectivité.

socialiser *vt* Réaliser la socialisation de.

socialisme *nm* **1** Doctrine économique et politique préconisant la disparition de la propriété privée des moyens de production et l'appropriation de ceux-ci par la collectivité. **2** Ensemble des doctrines, des partis de la gauche non marxiste.

socialiste *a, n* Qui relève du socialisme.

sociétaire *a, n* Qui fait partie de certaines sociétés ou associations.

société *nf* **1** État des êtres qui vivent en groupe organisé. *La vie en société.* **2** Ensemble d'individus unis au sein d'un même groupe par des institutions, une culture, etc. **3** Réunion de personnes qui s'assemblent pour le plaisir, la conversation, le jeu. **4** Groupe, régi par des statuts, de personnes réunies par des intérêts communs d'ordre économique, culturel, etc.

socioculturel, elle *a* Qui concerne une société et la culture qui lui est propre.

sociodrame *nm* Psychodrame collectif.

socioéconomique *a* Qui concerne le domaine social et le domaine économique.

socioéducatif, ive *a* Des phénomènes sociaux en relation avec l'enseignement.

sociolinguistique [-gɥis-] *nf* Étude de la langue dans ses relations avec la société.

sociologie *nf* Étude des phénomènes sociaux.

sociologique *a* De la sociologie.

sociologisme *nm* Tendance à faire prévaloir le point de vue sociologique.

sociologue *n* Spécialiste de sociologie.

sociométrie *nf* Étude et mesure des relations entre les membres d'un groupe social.

sociopathe *n* Malade mental.

socioprofessionnel, elle *a* Qui concerne le groupe professionnel dans la société. ■ *a, n* Élu ou responsable dans un syndicat, une chambre de métiers, etc.

sociothérapie *nf* Thérapie de groupe.

socle *nm* Base sur laquelle repose un édifice, une colonne, une statue, etc.

socque *nm* Chaussure à semelle de bois.

socquette *nf* Chaussette très courte.

socratique *a* Relatif à Socrate, à sa pensée.

soda *nm* Boisson gazeuse ordinairement aromatisée aux fruits.

sodé, ée *a* Qui contient de la soude ou du sodium.

sodique *a* De la soude ou du sodium.

sodium [-djɔm] *nm* Métal blanc, abondant dans la nature sous forme de chlorure.

sodomie *nf* Pratique du coït anal.

sodomiser *vt* Se livrer à la sodomie sur qqn.

sodomite *nm* Personne qui pratique la sodomie.

sœur *nf* **1** Celle qui est née de même père et de même mère qu'une autre personne. **2** Titre donné aux religieuses dans certains ordres. Loc fam *Bonne sœur* : religieuse.

sœurette *nf* Petite sœur (terme d'affection).

sofa *nm* Lit de repos à trois appuis pouvant être utilisé comme siège.

software [sɔftwɛr] *nm* En informatique et en audiovisuel, industrie des programmes. Ant. hardware. Var **soft**.

soi *pr pers* Pronom des deux genres et des deux nombres, représentant le plus souvent un sujet indéterminé. *Chacun pense à soi.* Loc *À part soi* : dans son for intérieur. *Chez soi* : dans sa demeure. *Sur soi* : sur sa personne. *En soi* : en ne considérant que la chose elle-même.

soi-disant *av inv* Qui se dit tel ou telle. *De soi-disant savants.* ■ *av* Prétendument. *Il est venu, soi-disant pour la distraire.*

soie *nf* **1** Substance sécrétée et filée par les chenilles du bombyx du mûrier, dites *vers à soie.* **2** Fibre textile souple et brillante tirée de cette substance. **3** Poil long et rude de certains mammifères (porc, sanglier). Loc *Papier de soie* : papier mince, translucide et brillant.

soierie *nf* **1** Étoffe de soie. **2** Industrie, commerce de la soie.

soif *nf* **1** Désir de boire. **2** Désir avide. *La soif des honneurs.* Loc fam *Jusqu'à plus soif* : à satiété.

soiffard, arde *n* pop Personne qui a toujours envie de boire de l'alcool.

soignant, ante *a, n* Qui soigne. *Personnel soignant d'un hôpital.*

soigner *vt* **1** Exécuter, traiter avec soin, application. *Soigner son style.* **2** Administrer des soins médicaux à, traiter. *Soigner un malade.*

soigneur *nm* Personne qui soigne, masse un athlète, un sportif.

soigneusement *av* Avec soin.

soigneux, euse *a* **1** Qui apporte soin et attention à ce qu'il fait ; attentif. **2** Fait avec soin, précision.

soin *nm* **1** Attention, application que l'on met à faire qqch. *Travailler avec soin.* **2** Charge, devoir de s'occuper de qqch ou de qqn. *Il lui a laissé le soin de ses affaires.* Loc *Prendre, avoir soin de* : être attentif à, bien veiller à, sur. ■ *pl* Actions, moyens visant à l'entretien du corps et de la santé, ou au rétablissement de celle-ci. Loc *Être aux petits soins pour qqn* : avoir pour lui des attentions délicates. *Aux bons soins de* : formule utilisée pour que la personne mentionnée transmette la lettre au destinataire.

soir *nm* Dernières heures du jour ; tombée de la nuit. Loc litt *Le soir de la vie* : la vieillesse.

soirée *nf* **1** Espace de temps compris entre le déclin du jour et le moment où l'on se couche. **2** Assemblée, réunion qui a lieu le soir. **3** Séance de spectacle donnée le soir.

soit *conj* **1** À savoir, c'est-à-dire. *Trois objets à 10 euros, soit 30 euros.* **2** Exprime une supposition, une hypothèse. *Soit un triangle rectangle.* **3** Exprime une alternative. *Soit l'un, soit l'autre.*

■ *av* Bien, admettons. *Vous partez ? Soit, mais soyez prudents.*

soixantaine *nf* **1** Nombre de soixante ou environ. **2** Âge de soixante ans.

soixante *a num* **1** Six fois dix (60). **2** Soixantième. *La page soixante.* ■ *nm inv* Nombre soixante.

soixante-dix *a num* **1** Sept fois dix (70). **2** Soixante-dixième. ■ *nm* Nombre soixante-dix.

soixante-dixième *a num* Au rang, au degré soixante-dix. ■ *a, nm* Contenu soixante-dix fois dans le tout.

soixante-huitard, arde *a, n* Qui a participé aux évènements de mai 1968.

soixantième *a num* Au rang, au degré soixante. ■ *a, nm* Contenu soixante fois dans le tout.

soja *nm* Plante grimpante originaire d'Extrême-Orient, à graine oléagineuse.

1. sol *nm inv* Cinquième note de la gamme.

2. sol *nm* **1** Surface sur laquelle on se tient, on marche, on bâtit, etc. *Coucher sur le sol.* **2** Terrain considéré quant à sa nature ou à ses qualités productives.

3. sol *nm* Unité monétaire du Pérou.

solaire *a* **1** Relatif au Soleil. **2** Qui est dû au Soleil, à ses rayonnements. *Chaleur solaire.* **3** Qui protège du soleil. *Crème solaire.*

solanacée *nf* BOT Plante dicotylédone, telle que la pomme de terre, la tomate. **Var solanée**

solarium [-Rjɔm] *nm* Lieu où on prend des bains de soleil.

soldat *nm* **1** Homme qui sert dans une armée ; militaire. **2** Militaire non gradé des armées de terre et de l'air ; homme de troupe.

soldatesque *nf* litt Soldats brutaux et indisciplinés.

1. solde *nf* Rémunération versée aux militaires. **Loc** *Être à la solde de qqn :* être payé et dirigé par lui.

2. solde *nm* **1** Différence entre le débit et le crédit d'un compte. *Solde débiteur, créditeur.* **2** Ce qui reste à payer. ■ *pl* Articles vendus au rabais.

solder *vt* **1** Acquitter entièrement un compte en payant ce qui reste dû. **2** Vendre en solde. ■ *vpr* Avoir pour résultat final. *La campagne se solda par un échec.*

solderie *nf* Magasin spécialisé dans la vente de marchandises soldées.

soldeur, euse *n* Personne qui fait commerce d'articles en solde.

1. sole *nf* **1** ZOOL Partie cornée formant le dessous du sabot des ongulés. **2** Pièce de bois ou charpente, posée à plat et servant d'appui. **3** Partie réfractaire d'un four. **4** Partie d'un domaine cultivé soumise à l'assolement.

2. sole *nf* Poisson de forme aplatie, à chair très estimée.

solécisme *nm* GRAM Faute de syntaxe.

soleil *nm* **1** (avec majuscule.) Astre qui produit la lumière du jour. **2** Rayonnement, chaleur, lumière du Soleil. *Il fait soleil. S'exposer au soleil.* **3** Grande fleur à pétales jaune d'or, appelée aussi *hélianthe.* **4** Grand tour exécuté le corps droit et les bras tendus, à la barre fixe. **5** Pièce d'artifice tournante. **Loc** *Coup de soleil :* brûlure causée par les rayons du soleil. *Avoir du bien au soleil :* posséder des propriétés.

solennel, elle [sɔlanɛl] *a* **1** Célébré par des cérémonies publiques, avec apparat. *Fête solennelle.* **2** Empreint de gravité. *Paroles solennelles.*

solennellement [-la-] *av* De façon solennelle.

solenniser [-la-] *vt* Rendre solennel.

solennité [-la-] *nf* **1** Fête solennelle. **2** Caractère solennel, gravité.

solénoïde *nm* ELECTR Conducteur enroulé sur un cylindre, et qui produit un champ magnétique lorsqu'il est parcouru par un courant.

solfatare *nf* Terrain volcanique d'où sortent des fumerolles sulfureuses chaudes.

solfège *nm* **1** Étude des premiers éléments de la théorie musicale. **2** Manuel servant à cette étude.

solfier *vt* Chanter un morceau de musique en nommant les notes.

solidaire *a* **1** Se dit de personnes liées entre elles par une obligation commune ou une dépendance mutuelle d'intérêts. **2** Se dit de choses qui sont associées, qui dépendent les unes des autres.

solidairement *av* De façon solidaire.

solidariser *vt* Rendre solidaire. ■ *vpr* Se déclarer solidaire de qqn.

solidarité *nf* **1** Situation de personnes solidaires. **2** Lien qui porte des personnes à s'entraider.

solide *a* **1** Qui présente une consistance ferme, qui n'est pas fluide. **2** Qui résiste à l'effort, aux chocs, à l'usure. **3** Vigoureux, robuste. *Un solide gaillard.* **4** Stable, ferme, durable. *Une solide amitié.* **5** fam Considérable, fort. *Une solide réputation d'avarice.* ■ *nm* Corps solide (par oppos. à liquide, à gaz).

solidement *av* De façon solide.

solidification *nf* Fait de se solidifier.

solidifier *vt* Rendre solide, consistant.

solidité *nf* Caractère solide.

soliflore *nm* Vase pour une seule fleur.

soliloque *nm* Discours que qqn se tient à lui-même.

soliloquer *vi* Se parler à soi-même.

solipsisme *nm* PHILO Attitude d'un sujet ne reconnaissant d'autre réalité que lui-même.

soliste *n, a* MUS Qui exécute un solo.

solitaire *a, n* **1** Qui est seul, isolé ; qui aime vivre seul. **2** Que l'on ait seul, qui a lieu dans la solitude. *Une randonnée solitaire.* **Loc** *Ver solitaire :* ténia. ■ *nm* **1** Vieux sanglier mâle vivant seul. **2** Diamant monté seul. **3** Jeu de combinaisons auquel on joue seul.

solitairement *av* De façon solitaire.

solitude *nf* **1** Fait d'être solitaire. **2** Caractère d'un lieu solitaire, désert.

solive *nf* Pièce de charpente horizontale supportant un plancher.

soliveau *nm* Petite solive.

sollicitation *nf* Action de solliciter qqn.

solliciter *vt* **1** Prier instamment qqn en vue d'obtenir qqch. *Solliciter des clients à domicile.* **2** Prier d'accorder qqch. *Solliciter une faveur.* **3** Attirer l'attention, la curiosité, l'intérêt, etc. *Spectacle qui sollicite le regard.*

solliciteur, euse *n* Personne qui sollicite un emploi, une faveur.

sollicitude *nf* Prévenance qu'on a pour qqn ; soins attentifs dont on l'entoure.

solo *nm* MUS Morceau ou passage exécuté par un seul. *Des solos.* ■ *a* Qui joue seul.

solognot, ote *a, n* De la Sologne.

solstice nm ASTRO Époque de l'année à laquelle la hauteur du Soleil au-dessus du plan équatorial est maximale (*solstice d'été*, vers le 21 juin) ou minimale (*solstice d'hiver*, vers le 21 décembre).

solsticial, ale, aux a ASTRO Du solstice.

solubilisation nf Action de solubiliser.

solubiliser vt Rendre soluble une substance.

solubilité nf Propriété de ce qui est soluble.

soluble a 1 Qui peut se dissoudre dans un liquide, un solvant. 2 Qui peut être résolu.

soluté nm Liquide contenant un médicament dissous.

solution nf 1 Réponse à un problème, règlement d'une difficulté ; dénouement. *La solution d'une énigme. La solution d'un conflit.* 2 Liquide contenant un corps dissous. Loc *Solution de continuité* : rupture de la continuité entre des choses. *Solution finale* : plan d'extermination des Juifs, élaboré par les nazis.

solutionner vt abusiv Apporter une solution à, résoudre une difficulté.

solutréen nm PREHIST Période du paléolithique supérieur.

solvabilité nf Caractère solvable.

solvable a Qui a de quoi payer ce qu'il doit.

solvant nm Liquide dans lequel des substances peuvent être dissoutes.

somali, ie a, n De Somalie. ■ nm Langue parlée en Somalie. **Var somalien, enne**

somatique a Qui concerne le corps (par oppos. à *psychique*).

somatisation nf Fait de somatiser.

somatiser vt Convertir des troubles psychiques en symptômes somatiques.

somatotrophine nf BIOL Hormone agissant sur la croissance.

sombre a 1 Où il y a peu de lumière. *Une pièce sombre.* 2 Tirant sur le noir. *Un tissu sombre.* 3 Triste, marqué d'inquiétude. *Humeur sombre. Une sombre journée.*

sombrer vi 1 S'engloutir, couler (navire). 2 Disparaître, se perdre. *Sombrer dans le désespoir.*

sombréro [sɔbrero] nm Chapeau à larges bords porté dans certains pays hispaniques. **Var sombrero**

somesthésie nf MED Ensemble des sensibilités cutanées et internes (non spécialisées).

sommaire a 1 Abrégé, peu développé. *Exposé sommaire.* 2 Expéditif, rapide, sans jugement. *Exécution sommaire.* ■ nm 1 Résumé d'un livre, d'un chapitre. 2 Liste des chapitres.

sommairement av De façon sommaire.

sommation nf 1 Action de sommer qqn de faire qch. 2 Avertissement, appel solennel préalable au recours à la force. 3 MATH Calcul d'une somme, addition.

1. somme nf 1 Résultat d'une addition. 2 Quantité d'argent. *Dépenser de grosses sommes.* 3 Ensemble de choses rassemblées. *La somme de nos efforts.* Loc *En somme, somme toute* : en conclusion, en résumé, tout compte fait.

2. somme nf Loc *Bête de somme* : animal employé à porter des fardeaux (par oppos. à *bête à trait*).

3. somme nm Sommeil de courte durée.

sommeil nm 1 Suspension périodique et naturelle de la vie consciente de qqn qui dort. *Avoir sommeil.* 2 Besoin de dormir. *Avoir sommeil.* 3 État provi-

soire d'inactivité, d'inertie. *Industrie en sommeil.* Loc litt *Le sommeil éternel* : la mort.

sommeiller vi 1 Dormir d'un sommeil léger. 2 Exister de façon potentielle, latente.

sommelier, ère n Chargé du service des vins et des liqueurs dans un restaurant.

sommer vt 1 Intimer à qqn, dans les formes établies, l'ordre de faire qch. *Sommer qqn de payer.* 2 Adresser une injonction à qqn. 3 MATH Calculer une somme.

sommet nm 1 Partie la plus élevée de certaines choses, cime. 2 Plus haut degré. *Le sommet de la gloire.* Loc *(Conférence au) sommet* : à laquelle ne participent que des chefs d'État ou de gouvernement. GEOM *Sommet d'un angle* : point où se coupent ses deux côtés.

sommier nm 1 Partie d'un lit sur laquelle repose le matelas. 2 ARCHI Pierre qui reçoit la retombée d'une voûte ou d'un arc ; pièce de charpente servant de linteau. 3 Gros registre ; fichier des condamnations.

sommital, ale, aux a Du sommet.

sommité nf 1 Personne qui se distingue particulièrement. *Les sommités de la science.* 2 didac Extrémité d'une tige, d'une branche.

somnambule n, a Qui agit, marche pendant son sommeil.

somnambulique a Du somnambulisme.

somnambulisme nm État d'une personne somnambule.

somnifère a, nm Qui provoque le sommeil.

somnolence nf État somnolent.

somnolent, ente a 1 Qui dort à moitié. 2 Engourdi, peu actif. *Volonté somnolente.*

somnoler vi Être assoupi.

somptuaire a abusiv Se dit d'une dépense excessive faite par goût du luxe.

somptueusement av Avec somptuosité.

somptueux, euse a Luxueux, magnifique, superbe.

somptuosité nf Caractère somptueux ; magnificence, luxe coûteux.

1. son, sa, ses a poss Troisième personne du singulier ; de lui, d'elle, de soi. *Son visage. Sa barbe. Ses yeux.*

2. son nm 1 Sensation auditive engendrée par une vibration acoustique ; cette vibration elle-même. *Son grave, aigu.* 2 Ensemble des procédés et des moyens d'enregistrement et de diffusion des sons. *Un ingénieur du son.* 3 Musique traditionnelle des campagnes cubaines.

3. son nm Déchet de la mouture du blé, des céréales, formé par les enveloppes des graines.

sonagraphe nm Appareil permettant la représentation des composantes de la voix.

sonar nm Appareil de détection sous-marine par émission d'ondes sonores.

sonate nf Pièce de musique comportant trois ou quatre mouvements.

sonatine nf Petite sonate.

sondage nm 1 Action de sonder. 2 Enquête menée auprès de personnes considérées comme représentatives d'un ensemble social en vue d'obtenir des renseignements statistiques sur une question.

sonde nf 1 Instrument servant à mesurer la profondeur de l'eau et à déterminer la nature du fond. 2 Instrument destiné à pénétrer dans un conduit, à des fins diagnostiques ou thérapeutiques. 3 Instrument servant à prélever un échantillon d'un produit. Loc *Sonde spatiale* : véhicule spatial non habité.

sondé, ée *a, n* Interrogé lors d'un sondage.

sonder *vt* 1 Explorer, reconnaître au moyen d'une sonde. *Sonder une rivière. Sonder un terrain.* 2 Chercher à pénétrer, à connaître. *Sonder les intentions de qqn.* 3 Soumettre à un sondage d'opinion. Loc *Sonder le terrain* : examiner avec soin une affaire avant de s'engager.

sondeur, euse *n* Personne qui effectue des sondages. ■ *nm* ou *nf* Appareil servant à déterminer la profondeur de l'eau, la nature du fond.

songe *nm* litt 1 Rêve. 2 Chimère, illusion.

songe-creux *nm inv* Personne qui nourrit son esprit de projets chimériques.

songer *vti* [11] 1 Penser. *Songer à l'avenir. Songez que c'est très grave.* 2 Envisager, projeter. *Il songe à démissionner.*

songerie *nf* Rêverie.

songeur, euse *a* Absorbé dans une rêverie, pensif, perplexe.

sonique *a* Qui concerne la vitesse du son.

sonnaille *nf* Clochette attachée au cou des bêtes qui paissent ou voyagent. ■ *pl* Son produit par des cloches.

sonnant, ante *a* 1 Qui sonne. 2 Se dit d'une heure précise. *À six heures sonnantes.*

sonné, ée *a* 1 Annoncé par une cloche, une sonnerie. 2 fam Assommé par les coups. 3 fam Fou. 4 fam Révolu. *À cinquante ans sonnés.*

sonner *vi* 1 Rendre un son, retentir sous l'effet de chocs. *Le réveil sonne. Le clairon sonne.* 2 Être annoncé par une sonnerie. *Huit heures ont sonné.* 3 Être prononcé clairement. *Faire sonner une consonne.* 4 Actionner une sonnette, une sonnerie. *Le facteur a sonné.* Loc *Sonner bien, mal* : être harmonieux, agréable à l'oreille ou non. fam *Se faire sonner les cloches* : être vivement réprimandé. ■ *vt* 1 Faire rendre des sons à un instrument, une cloche. *Sonner les cloches.* 2 Annoncer, indiquer par une sonnerie. *Sonner la charge. L'horloge sonne minuit.* 3 Appeler qqn avec une sonnette. 4 fam Assommer, abrutir.

sonnerie *nf* 1 Son produit par des cloches ou par un timbre. 2 Air joué par un instrument de cuivre à embouchure.

sonnet *nm* Pièce de quatorze vers en deux quatrains et deux tercets.

sonnette *nf* Clochette pour avertir, pour appeler. Loc *Serpent à sonnette* : crotale.

sonneur *nm* Personne qui sonne les cloches, joue de la trompe, du cor.

sono *nf* fam Sonorisation (sens 2).

sonomètre *nm* Appareil servant à la mesure des niveaux d'intensité des bruits.

sonore *a* 1 Qui produit un son. 2 Dont le son est puissant, éclatant. 3 Qui résonne, où le son retentit. 4 Relatif au son. *Ondes sonores.*

sonorisation *nf* 1 Action d'équiper un lieu d'appareils servant à amplifier les sons (paroles, musique). 2 Ensemble des appareils utilisés pour cela. 3 Opération consistant à reporter l'enregistrement du son sur la bande d'un film.

sonoriser *vt* Effectuer la sonorisation d'un lieu, d'un film.

sonorité *nf* 1 Caractère de ce qui est sonore. 2 Qualité du son d'un instrument de musique, d'un

appareil électroacoustique. ■ *pl* Sons d'une voix. *Une voix aux sonorités rauques.*

sonothèque *nf* Établissement où l'on conserve des enregistrements sonores.

sophisme *nm* Raisonnement valide en apparence, mais dont un des éléments est fautif.

sophiste *n* 1 ANTIQ Maître de philosophie, de rhétorique. 2 Personne qui use de sophismes.

sophistication *nf* Caractère sophistiqué.

sophistique *a* De la nature du sophisme ; spécieux.

sophistiqué, ée *a* 1 Extrêmement recherché, qui laisse peu de place au naturel. 2 Extrêmement perfectionné ; d'une technologie très élaborée. *Matériel sophistiqué.*

sophistiquer *vt* Rendre sophistiqué.

sophora *nm* Grand arbre originaire d'Asie.

sophrologie *nf* Pratique destinée à dominer les sensations douloureuses par des moyens psychologiques.

soporifique *a* 1 Qui fait naître le sommeil. 2 Ennuyeux. ■ *nm* Substance somnifère.

soprano *nm* 1 La plus haute des voix (femme ou jeune garçon). ■ *n* Chanteur, chanteuse qui a cette voix. *Des sopranos.*

sorbe *nm* Fruit du sorbier, sorte de petite poire.

sorbet *nm* Glace aux fruits, sans crème.

sorbetière *nf* Appareil pour préparer les glaces, les sorbets.

sorbier *nm* Arbre aux feuilles composées, cultivé pour ses fruits (sorbes) et son bois dur.

sorbitol *nm* Produit employé en pharmacie et comme édulcorant.

sorbonnard, arde *n* vx Enseignant ou étudiant de la Sorbonne.

sorcellerie *nf* 1 Pratiques occultes des sorciers. 2 fam Phénomène extraordinaire, mystérieux.

sorcier, ère *n* Personne qui est censé agir mystérieusement sur les êtres et les choses au moyen de pratiques occultes. Loc *Chasse aux sorcières* : poursuite systématique des opposants. ■ *am* Loc fam *Ce n'est pas sorcier* : ce n'est pas compliqué.

sordide *a* 1 Sale, miséreux. *Quartier sordide.* 2 Méprisable, ignoble. *Des calculs sordides.*

sordidement *av* De façon sordide.

sorgho *nm* Plante alimentaire et fourragère des régions chaudes. Var **sorgo**

sornette *nf* fam (surtout pl.) Propos frivole, bagatelle, bêtise.

sororal, ale, aux *a* De la sœur.

sort *nm* 1 Hasard, destin. *Les caprices du sort.* 2 Situation d'une personne, destinée. *Être satisfait de son sort.* 3 Maléfice. *Jeter un sort à qqn.* Loc *Tirer au sort* : s'en remettre au hasard pour un choix. *Le sort en est jeté* : la décision est prise, irrévocablement. *Faire un sort à qqch* : en faire usage ; le mettre en valeur.

sortable *a* fam Que l'on peut montrer en public ; présentable ; bien élevé.

sortant, ante *a, n* 1 Qui sort d'un lieu. 2 Dont le mandat vient d'expirer (député, etc.). ■ *a* Tiré par hasard. *Numéro sortant.*

sorte *nf* Espèce, genre. *Diverses sortes d'animaux. Cette sorte d'affaires.* Loc *De la sorte* : de cette manière. *Une sorte de* : une espèce de qqch comme. *Toutes sortes de* : beaucoup de. *En quelque sorte* : presque, pour ainsi dire. *Faire en sorte de, que* : agir de manière à, que. *De sor-*

que, en sorte que : de telle façon que, si bien que.

sortie *nf* 1 Action de sortir. 2 Porte, issue. *Sortie de secours.* 3 Somme dépensée. *Les entrées et les sorties.* 4 Mise en vente, présentation au public. *La sortie d'un roman.* 5 Brusque emportement contre qqn. *Faire une sortie.*

sortie-de-bain *nf* Peignoir. *Des sorties-de-bain.*

sortilège *nm* Maléfice ; action magique.

sortir *vi* [29] [aux. *être*] 1 Passer du dedans au dehors. *Sortir de chez soi.* 2 Commencer à paraître, pousser. *Les bourgeons sortent.* 3 Dépasser à l'extérieur. *Le rocher sort de l'eau.* 4 S'échapper, s'exhaler. *La fumée sort de la cheminée.* 5 Paraître, être présenté au public. *Ce film sort le mois prochain.* 6 Être désigné par le hasard, dans un tirage au sort. 7 Cesser d'être dans telle situation. *Sortir de maladie.* 8 Être issu de, provenir. *Sortir d'une famille paysanne.* ■ *vt* 1 Conduire dehors qqn. *Sortir les enfants.* 2 Mettre dehors. *Sortir sa voiture du garage.* 3 Tirer. *Sortir qqn d'un mauvais pas.* 4 Faire paraître, rendre public. *Sortir un roman.* 5 fam Dire. *Il en sort de bonnes.* ■ *vpr* Se tirer de. *Se sortir d'un mauvais pas.* ■ *nm* Loc *Au sortir de :* à l'issue, à la fin de.

S.O.S. *nm* 1 Signal de détresse envoyé par radio. 2 Appel à l'aide.

sosie *nm* Personne qui ressemble parfaitement à une autre.

sot, sotte *a, n* Sans intelligence ni jugement. ■ *a* Qui dénote la sottise. *Une sotte idée.*

sotie *nf* Farce satirique, aux XIVᵉ et XVᵉ s. Var **sottie**

sot-l'y-laisse *nm inv* Morceau d'une saveur délicate, au-dessus du croupion des volailles.

sottement *av* D'une manière sotte.

sottise *nf* 1 Caractère sot. 2 Parole ou action sotte. 3 Action répréhensible d'un enfant.

sottisier *nm* Recueil de sottises.

sou *nm* Autrefois pièce de cinq centimes. Loc *Appareil, machine à sous :* jeu de hasard où l'on gagne des pièces de monnaie. *N'avoir pas le sou, être sans le sou :* ne pas avoir d'argent. *Propre comme un sou neuf :* très propre. ■ *pl* fam Argent. Loc fam *Être près de ses sous :* avare. fam *De quatre sous :* sans valeur. fam *À cent sous de l'heure :* énormément. fam *Question de gros sous :* affaire d'argent.

souahéli. V. *swahili.*

soubassement *nm* Partie inférieure d'un édifice, reposant sur les fondations.

soubresaut [-so] *nm* Mouvement brusque et inopiné.

soubrette *nf* Servante de comédie.

souche *nf* 1 Partie d'un arbre (bas du tronc et racines) qui reste en terre après l'abattage. 2 Personne dont descend une famille. 3 Origine, source de qqch. 4 Partie d'un carnet, d'un registre, qui reste quand on en a détaché les feuilles, et qui permet d'éventuels contrôles. Loc *Dormir, rester comme une souche :* dormir profondément, rester tout à fait immobile.

souchong *nm* Thé noir de Chine.

souci *nm* 1 Préoccupation, contrariété. 2 Ce qui contrarie, préoccupe. 3 Plante ornementale aux fleurs jaunes ou orange. Loc *Souci d'eau :* populage.

soucier (se) *vpr* Se préoccuper de. *Ne vous souciez de rien.*

soucieusement *av* De façon soucieuse.

soucieux, euse *a* 1 Inquiet, préoccupé. 2 Attentif à. *Être soucieux de sa réputation.*

soucoupe *nf* Petite assiette qui se place sous une tasse.

soudage *nm* Action de souder.

soudain, aine *a* Subit, brusque. *Départ soudain.* ■ *av* Tout à coup. *Soudain il s'enfuit.*

soudainement *av* Subitement ; soudain.

soudaineté *nf* Caractère soudain.

soudanais, aise *a, n* Du Soudan.

soudard *nm* Soldat grossier et brutal.

soude *nf* Carbonate de sodium, base très forte et caustique.

souder *vt* 1 Joindre à chaud des pièces de métal, de manière à former un tout solidaire. 2 Unir étroitement, joindre.

soudeur, euse *n* Personne qui soude.

soudière *nf* Usine de soude.

soudoyer *vt* [22] S'assurer à prix d'argent le secours, la complaisance de qqn.

soudure *nf* 1 Composition métallique utilisée pour souder. 2 Partie soudée ; assemblage fait en soudant. 3 Union, adhérence étroite. *Soudure des os du crâne.* Loc *Faire la soudure :* assurer l'approvisionnement entre deux livraisons.

soufflage *nm* Action de souffler le verre.

soufflant, ante *a* fam Stupéfiant.

souffle *nm* 1 Mouvement de l'air que l'on expulse par la bouche ou par le nez. *Avoir le souffle coupé.* 2 Inspiration. *Le souffle du génie.* 3 Agitation de l'air causée par le vent ou par une explosion. 4 MED Bruit anormal perçu à l'auscultation. Loc *Second souffle :* regain d'activité. *Manquer de souffle :* de force. *À bout de souffle :* épuisé. fam *Couper le souffle :* stupéfier.

soufflé *nm* Mets dont la pâte gonfle beaucoup à la cuisson.

souffler *vi* 1 Expulser de l'air par la bouche ou le nez volontairement. 2 Respirer avec effort. *Souffler comme un bœuf.* 3 Reprendre haleine, se reposer. *Souffler un moment.* 4 Agiter l'air. *La bise souffle.* ■ *vt* 1 Envoyer un courant d'air sur qqch. *Souffler une bougie.* 2 fam Subtiliser, voler. *On lui a soufflé son invention.* 3 Dire tout bas ; suggérer. *Souffler qqch à l'oreille de qqn.* 4 Détruire par effet de souffle. *L'explosion a soufflé les vitres.* 5 fam Étonner fortement. *Son aplomb m'a toujours soufflé.* Loc *Ne pas souffler mot :* ne rien dire. *Souffler du verre :* façonner le verre en fusion en y insufflant de l'air.

soufflerie *nf* Appareillage destiné à souffler de l'air, un gaz. *Soufflerie d'un orgue.*

soufflet *nm* 1 Instrument destiné à souffler de l'air sur un foyer. 2 Partie garnie de cuir ou de tissu à plis. *Soufflets entre deux wagons de chemin de fer.* 3 litt Gifle.

souffleter *vt* [17] ou [19] litt Gifler qqn.

souffleur, euse *n* 1 Personne qui souffle le verre. 2 Au théâtre, personne qui souffle leur texte aux comédiens si besoin est.

souffrance *nf* Fait de souffrir, physiquement ou moralement. Loc *En souffrance :* en attente.

souffrant, ante *a* Légèrement malade.

souffre-douleur *nm* En butte au mépris et aux mauvais traitements des autres. *Des souffre-douleurs* ou *souffre-douleur.*

souffreteux, euse *a* De constitution débile, maladive.

souffrir *vi* [31] **1** Éprouver une sensation douloureuse ou pénible. *Souffrir du froid, de la solitude.* **2** Éprouver un dommage. *Les vignes ont souffert de la gelée.* ■ *vt* **1** Endurer, éprouver. *Souffrir le martyre.* **2** litt Tolérer, admettre. Loc *Ne pas pouvoir souffrir qqn, qqch* : ne pas pouvoir le supporter, l'exécrer.

soufi, ie *a, n* Adepte du soufisme.

soufisme *nm* Doctrine mystique de l'islam.

soufrage *nm* Action de soufrer.

soufre *nm* Corps simple solide, jaune et cassant. Loc *Sentir le soufre* : être suspect d'hérésie.

soufrer *vt* **1** Enduire de soufre. **2** Saupoudrer des végétaux de soufre pulvérulent.

soufreur, euse *n* Personne qui soufre les végétaux. ■ *nf* Appareil utilisé pour soufrer les végétaux.

soufrière *nf* Carrière de soufre.

souhait *nm* Désir d'obtenir ou de voir se réaliser qqch. Loc *À vos souhaits* : formule adressée à qqn qui éternue. *À souhait* : parfaitement.

souhaitable *a* Qui est à souhaiter.

souhaiter *vt* Désirer, former des vœux pour. *Souhaiter à qqn un bon voyage.*

souillard *nm* Trou dans un mur, pour l'écoulement des eaux pluviales.

souiller *vt* litt **1** Salir. *Souiller ses chaussures.* **2** Avilir. *Souiller la mémoire de qqn.*

souillon *n* fam Personne peu soigneuse, sale.

souillure *nf* litt Flétrissure morale.

souïmanga *nm* Passereau d'Afrique, aux couleurs éclatantes.

souk *nm* **1** Marché, dans les pays arabes. **2** fam Grand désordre.

Soukkot *nm* Fête juive des tabernacles, commémorant le séjour des Hébreux dans le désert.

soûl, soûle [su, sul] *a* **1** Ivre. **2** litt Rassasié. *Soûl de compliments.* ■ *nm* Loc *Tout son soûl* : à satiété. Var **saoul, saoule** ou **soul, soule**

soulagement *nm* **1** Fait de soulager, d'être soulagé. **2** Ce qui soulage.

soulager *vt* [11] **1** Débarrasser d'un fardeau, d'une charge, de ce qui est pénible. *Soulager une poutre. Soulager des malheureux.* **2** Rendre qqch moins pénible à supporter. *Cette piqûre doit soulager ses douleurs.* ■ *vpr* fam Faire ses besoins.

soûlant, ante *a* fam Fatigant, assommant. Var **soulant, ante**

soûlard, arde *n* fam Ivrogne, ivrognesse. Var **soûlaud, soulaud, aude** ou **soûlot, soulot, ote**

soûler *vt* fam **1** Enivrer, griser. **2** Ennuyer, fatiguer. *Tu nous soûles !* ■ *vpr* S'enivrer, se griser. Var **saouler** ou **souler**

soûlerie *nf* fam Ivresse, beuverie. Var **soulerie**

soulèvement *nm* **1** Fait de soulever, d'être soulevé. *Soulèvement de terrain.* **2** Vaste mouvement de révolte.

soulever *vt* [15] **1** Lever à une faible hauteur. *Soulever un meuble pour le déplacer.* **2** Relever. *Soulever un voile.* **3** Exciter, provoquer. *Ces propos soulèvent l'indignation.* **4** Pousser à la révolte. *Soulever les travailleurs.* **5** Susciter, provoquer. *Soulever un problème, une question.* ■ *vpr* **1** S'élever légèrement. **2** Se révolter. *L'armée s'est soulevée.*

soulier *nm* Chaussure couvrant le pied et, éventuellement, la cheville. Loc fam *Être dans ses petits*

souliers : se sentir dans une situation embarrassante.

soulignage *nm* Action de souligner ; trait dont on souligne. Var **soulignement**

souligner *vt* **1** Tirer un trait sous un mot, une phrase, etc. **2** Faire ressortir, faire remarquer.

soûlographe *n* fam Ivrogne. Var **soulographe**

soûlographie *nf* fam Ivrognerie. Var **soulographie**

soûlot, ote. V. *soûlard.*

soulte *nf* DR Somme versée comme compensation dans un partage, un échange.

soumaintrain *nm* Fromage de l'Yonne, au lait de vache.

soumettre *vt* [64] **1** Amener ou ramener à l'obéissance. *Soumettre des rebelles.* **2** Assujettir à une loi, à un règlement. *Soumettre les revenus à l'impôt.* **3** Faire subir qqch à qqn. *Le médecin l'a soumis à un régime sévère.* **4** Proposer à l'examen, au jugement de. *Le problème a été soumis à la commission.* ■ *vpr* Revenir à l'obéissance ; se rendre.

soumis, ise *a* Obéissant, docile.

soumission *nf* **1** Disposition à obéir. **2** Fait de se soumettre, d'être soumis. **3** DR Acte écrit par lequel un entrepreneur se propose pour conclure un marché par adjudication.

soumissionnaire *n* DR Personne qui soumissionne.

soumissionner *vt* DR Faire une soumission.

soupape *nf* Obturateur mobile destiné à empêcher ou à régler la circulation d'un fluide. Loc *Soupape de sûreté* : appareil disposé sur la chaudière pour empêcher une explosion ; ce qui sert d'exutoire.

soupçon *nm* **1** Présomption de culpabilité, sans preuves précises. **2** Supposition, conjecture. **3** Très petite quantité. *Un soupçon de sel.*

soupçonnable *a* Qui peut être soupçonné.

soupçonner *vt* **1** Avoir des soupçons sur qqn. **2** Pressentir qqch d'après certaines apparences.

soupçonneux, euse *a* Enclin aux soupçons.

soupe *nf* **1** Potage fait de bouillon et de légumes, de pain, de pâtes, etc. **2** fam Repas. **3** fam Neige fondante. Loc fam *Trempé comme une soupe* : complètement mouillé. BIOL *Soupe primitive* : milieu liquide qui aurait permis l'apparition de la vie.

soupente *nf* Réduit pratiqué dans la hauteur d'une pièce ou sous un escalier.

souper *vi* Faire un souper. Loc fam *En avoir soupé d'une chose* : en être excédé. ■ *nm* Repas qu'on prend à une heure avancée de la nuit.

soupeser *vt* [15] **1** Tenir dans la main pour juger approximativement du poids. **2** Évaluer. *Soupeser un argument.*

soupière *nf* Récipient pour la soupe, le potage.

soupir *nm* **1** Expiration bruyante et prolongée. **2** MUS Silence d'une durée égale à celle d'une noire. Loc litt *Rendre le dernier soupir* : mourir.

soupirail, aux *nm* Ouverture pratiquée pour donner de l'air ou du jour à une cave.

soupirant *nm* Personne qui courtise une femme.

soupirer *vi* Pousser des soupirs. Loc litt *Soupirer après qqch* : le désirer.

souple *a* **1** Qui se courbe ou se plie aisément. *Un plastique souple.* **2** Qui se mouvoir avec aisance ; agile. *Avoir le poignet souple.* **3** Capable de s'adapter, accommodant. *Caractère, qualité souple. Règlement souple.*

souplement *av* De façon souple.

souplesse *nf* Caractère, qualité souple. Loc *En souplesse :* avec aisance, facilité.

souquer *vt* MAR Serrer très fort un nœud, un amarrage. ■ *vi* Tirer fort sur les avirons.

sourate. V. *surate*.

source *nf* 1 Eau qui sort du sol. 2 Origine d'un cours d'eau. 3 Point de départ, origine de qqch. *La source d'un malentendu, d'une information. Citer ses sources.* 4 Système qui produit des ondes lumineuses, électriques, sonores, etc.

sourcier, ère *n* À qui on attribue le talent de découvrir des sources.

sourcil [-si] *nm* Éminence arquée, garnie de poils, au-dessus de l'orbite de l'œil. Loc *Froncer les sourcils :* prendre une expression de mécontentement.

sourcilier, ère *a* Des sourcils.

sourciller *vi* Loc *Ne pas sourciller :* ne pas laisser paraître son trouble, son mécontentement.

sourcilleux, euse *a* litt Sévère, pointilleux.

sourd, sourde *a, n* Qui n'entend pas les sons ou les perçoit mal. Loc *Crier comme un sourd :* à toute force. *Dialogue de sourds :* où chacun reste sur ses positions. ■ *a* 1 Qui manque de sonorité. *Un bruit sourd.* 2 Qui ne se manifeste pas nettement. *Douleur sourde. Lutte sourde.* 3 Indifférent, insensible. *Rester sourd aux prières de qqn.* Loc *Faire la sourde oreille :* faire semblant de ne pas entendre.

sourdement *av* litt 1 Avec un bruit sourd. 2 De façon sourde, cachée.

sourdine *nf* Appareil que l'on adapte à certains instruments de musique pour assourdir leur son. Loc *En sourdine :* très doucement. *Mettre une sourdine à :* modérer.

sourdingue *a, n* fam Sourd.

sourd-muet, sourde-muette *n, a* Atteint à la fois de surdité et de mutité. *Des sourds-muets. Des sourdes-muettes.*

sourdre *vi* [5] litt 1 Jaillir, sortir de terre (eau). 2 Naître, commencer à se développer.

souriant, ante *a* Qui sourit.

souriceau *nm* Petit de la souris.

souricière *nf* 1 Piège à souris. 2 Piège tendu par la police.

sourire *vi* [72] Prendre une expression rieuse par un léger mouvement de la bouche et des yeux. ■ *vti* 1 Être agréable à qqn. *Cette idée ne lui sourit guère.* 2 litt Être favorable. *La chance lui sourit.* ■ *nm* Action de sourire ; expression d'un visage qui sourit. *Garder le sourire.*

souris *nf* 1 Petit mammifère rongeur de la même famille que le rat. 2 Muscle charnu à l'extrémité de l'os du gigot. 3 INFORM Dispositif mobile, permettant de repérer un point sur l'écran.

sournois, oise *a, n* Qui dissimule ses véritables sentiments ou intentions ; hypocrite.

sournoisement *av* De façon sournoise.

sournoiserie *nf* litt 1 Caractère sournois. 2 Action faite sournoisement.

sous *prép* Marque la position de ce qui est plus bas, l'infériorité, la dépendance, le délai, la cause, le moyen, la manière, etc.

sous-administration *nf* Administration insuffisante.

sous-alimentation *nf* Insuffisance alimentaire.

sous-alimenté, ée *a* Insuffisamment nourri.

sous-bois *nm inv* Végétation qui pousse sous les arbres d'un bois.

sous-chef *nm* Personne qui vient immédiatement après le chef. *Des sous-chefs.*

sous-classe *nf* SC NAT Division de la classe. *Des sous-classes.*

sous-comité *nm* Subdivision d'un comité. *Des sous-comités.*

sous-commission *nf* Subdivision d'une commission. *Des sous-commissions.*

sous-consommation *nf* Insuffisance de la consommation.

sous-continent *nm* Vaste partie, délimitée, d'un continent. *Le sous-continent indien. Des sous-continents.*

sous-couche *nf* Première couche de peinture. *Des sous-couches.*

souscripteur, trice *n* 1 Personne qui souscrit un effet de commerce. 2 Personne qui prend part à une souscription.

souscription *nf* Action de souscrire à un emprunt ; somme versée par le souscripteur.

souscrire *vt* [61] Signer un acte pour l'approuver. *Souscrire un contrat.* ■ *vti* Adhérer à, se déclarer d'accord avec. *Souscrire à une décision.* Loc *Souscrire à un emprunt :* en acquérir des titres au moment de son émission. ■ *vti, vi* S'engager à donner une somme pour une dépense commune, une publication, etc.

sous-cutané, ée *a* Situé ou pratiqué sous la peau. Syn. hypodermique.

sous-développé, ée *a* Se dit d'un pays dont l'économie est insuffisamment développée (on dit aussi *en voie de développement*).

sous-développement *nm* État d'un pays sous-développé. *Des sous-développements.*

sous-directeur, trice *n* Personne qui dirige en second. *Des sous-directeurs, -directrices.*

sous-effectif *nm* Effectif, personnel en nombre insuffisant.

sous-emploi *nm* Emploi d'une partie seulement des travailleurs. *Des sous-emplois.*

sous-employer *vt* [22] Employer au-dessous de ses capacités.

sous-ensemble *nm* MATH Ensemble contenu dans un autre ensemble. *Des sous-ensembles.*

sous-entendre *vt* [71] Laisser comprendre qqch sans l'exprimer explicitement.

sous-entendu, ue *a* Implicite. ■ *nm* Ce qui est sous-entendu. *Des sous-entendus.*

sous-équipé, ée *a* Dont l'équipement industriel est insuffisant. *Les pays sous-équipés.*

sous-équipement *nm* Fait d'être sous-équipé. *Des sous-équipements.*

sous-estimation *nf* Action de sous-estimer. *Des sous-estimations.*

sous-estimer *vt* Estimer au-dessous de sa valeur, de son importance.

sous-évaluation *nf* Action de sous-évaluer. *Des sous-évaluations.*

sous-évaluer *vt* Évaluer au-dessous de sa valeur marchande.

sous-exploitation *nf* Exploitation insuffisante. *Des sous-exploitations.*

sous-exploiter *vt* Exploiter insuffisamment.

sous-exposer *vt* Soumettre une pellicule, un film à un temps de pose insuffisant.

sous-exposition nf Action de sous-exposer. *Des sous-expositions.*

sous-famille nf SC NAT Subdivision de la famille. *Des sous-familles.*

sous-fifre nm fam Personne qui occupe une situation très subalterne. *Des sous-fifres.*

sous-groupe nm Subdivision d'un groupe. *Des sous-groupes.*

sous-homme nm Homme jugé inférieur. *Des sous-hommes.*

sous-jacent, ente a 1 Situé au-dessous. *Couche sous-jacente.* 2 Qui n'est pas clairement manifesté. *Motivations sous-jacentes.*

sous-lieutenant nm Officier du grade le moins élevé dans les armées de terre et de l'air. *Des sous-lieutenants.*

sous-locataire n Personne qui occupe un local sous-loué. *Des sous-locataires.*

sous-location nf Action de sous-louer. *Des sous-locations.*

sous-louer vt 1 Donner à loyer tout ou partie de ce dont on est soi-même locataire. 2 Être locataire en second d'une maison, d'une terre.

sous-main nm Support posé sur un bureau, et sur lequel on écrit. *Des sous-mains.* Loc *En sous-main* : en secret, clandestinement.

sous-marin, ine a 1 Qui est dans ou sous la mer. *Relief sous-marin.* 2 Qui a lieu sous la mer. *Navigation sous-marine.* ■ nm 1 Navire capable de naviguer en plongée. Syn. submersible. 2 fam Personne qui s'introduit dans un groupe pour l'espionner. *Des sous-marins.*

sous-marinier nm Membre de l'équipage d'un sous-marin. *Des sous-mariniers.*

sous-marque nf Produit fabriqué par une entreprise qui dépend d'une autre plus connue. *Des sous-marques.*

sous-médicalisé, ée a Qui a un nombre de médecins, d'hôpitaux insuffisant.

sous-multiple nm MATH Quantité contenue un nombre entier de fois dans une autre. *Trois est un des sous-multiples de douze.*

sous-œuvre nm Fondement d'une construction. *Des sous-œuvres.*

sous-off nm fam Sous-officier. *Des sous-offs.*

sous-officier nm Militaire d'un grade inférieur à ceux des officiers. *Des sous-officiers.*

sous-ordre nm 1 SC NAT Division de l'ordre. 2 Employé subalterne. *Des sous-ordres.*

sous-payer vt [20] Payer au-dessous de la normale, payer trop peu. *Sous-payer des ouvriers.*

sous-peuplé, ée a Trop peu peuplé.

sous-peuplement nm État d'une région sous-peuplée. *Des sous-peuplements.*

sous-préfecture nf 1 Ville où réside un sous-préfet. 2 Bâtiment où sont les bureaux du sous-préfet. *Des sous-préfectures.*

sous-préfet nm Fonctionnaire subordonné au préfet. *Des sous-préfets.*

sous-préfète nf 1 Femme d'un sous-préfet. 2 abusiv Femme sous-préfet. *Des sous-préfètes.*

sous-produit nm Produit tiré d'un autre. *Des sous-produits.*

sous-prolétariat nm Partie la plus défavorisée du prolétariat. *Des sous-prolétariats.*

sous-pull nm Pull-over fin à col roulé, qui se porte sous un autre. *Des sous-pulls.*

soussigné, ée a, n Dont la signature est apposée ci-dessous. *Je, soussigné Untel, déclare...*

sous-sol nm 1 Ce qui est au-dessous de la couche arable. 2 Étage d'un bâtiment inférieur au niveau du sol. *Des sous-sols.*

sous-tasse nf Soucoupe. *Des sous-tasses.*

sous-tendre vt [5] Constituer les fondements, les bases d'un raisonnement.

sous-tension nf ELECTR Tension inférieure à la normale. *Des sous-tensions.*

sous-titrage nm Action de sous-titrer un film. *Des sous-titrages.*

sous-titre nm 1 Titre secondaire d'une œuvre littéraire, d'un article de journal. 2 Dans un film en version originale, traduction du dialogue au bas de l'image. *Des sous-titres.*

sous-titrer vt Doter de sous-titres.

soustractif, ive a Relatif à la soustraction.

soustraction nf 1 Action de dérober qqch. 2 MATH Opération consistant à retrancher un nombre d'un autre.

soustraire vt [74] 1 Dérober, subtiliser. 2 Faire échapper qqn à. *Soustraire qqn à une influence.* 3 MATH Retirer par soustraction. ■ vpr Se dérober à qqch. *Se soustraire à une corvée.*

sous-traitance nf Travail, marché confié à un sous-traitant. *Des sous-traitances.*

sous-traitant, ante nm, a Qui exécute un travail pour le compte de l'entrepreneur principal. *Des sous-traitants.*

sous-traiter vt Prendre en charge comme sous-traitant ou confier à un sous-traitant.

sous-utiliser vt Utiliser de façon insuffisante.

sous-ventrière nf Courroie qui passe sous le ventre du cheval. *Des sous-ventrières.*

sous-verre nm Gravure, photographie placée entre une plaque de verre et un carton. *Des sous-verres.*

sous-vêtement nm Vêtement de dessous. *Des sous-vêtements.*

sous-virer vi Ne pas répondre suffisamment à la manœuvre de virage (automobile).

soutane nf Longue robe noire boutonnée par-devant portée naguère par la plupart des prêtres catholiques.

soute nf Magasin, dépôt situé dans le fond d'un navire, dans un avion.

soutenable a 1 Qui peut être soutenu par des raisons valables. 2 Supportable.

soutenance nf Action de soutenir une thèse de doctorat.

soutènement nm Dispositif destiné à soutenir ; contrefort, appui.

souteneur nm Proxénète.

soutenir vt [35] 1 Tenir par-dessous, pour supporter, pour servir d'appui. *Les colonnes qui soutiennent la voûte.* 2 Réconforter, encourager, aider. *Je l'ai soutenu dans son épreuve. Soutenir un candidat.* 3 Faire valoir, défendre un point de vue. *Soutenir une opinion.* 4 Affirmer, prétendre que. *Je soutiens qu'il a tort.* 5 Maintenir, faire durer. *Soutenir son effort.* 6 Subir sans fléchir. *Soutenir un siège.* Loc *Soutenir une thèse* : l'exposer devant le jury.

soutenu, ue a 1 Qui ne se relâche pas, qui ne faiblit pas. 2 Accentué, prononcé. *Couleur soutenue.* 3 Recherché (style, langage).

souterrain, aine a 1 Qui est sous terre. *Conduit souterrain.* 2 Caché, secret. *Menées souterraines.* ■ nm Galerie creusée sous le sol.

soutien nm 1 Chose ou personne qui soutient, supporte. 2 Action de soutenir, d'aider ; appui. *Vous pouvez compter sur notre soutien.*

soutien-gorge nm Sous-vêtement féminin soutenant la poitrine. *Des soutiens-gorge.*

soutier nm Personne qui travaille dans les soutes.

soutirage nm Action de soutirer.

soutirer vt 1 Transvaser un liquide d'un récipient dans un autre. 2 Obtenir par tromperie. *Soutirer de l'argent à qqn.*

soutra. V. sutra.

souvenance nf litt Souvenir.

1. souvenir (se) vpr [35] Avoir de nouveau à l'esprit, se rappeler. *Se souvenir de son enfance.*

2. souvenir nm 1 Mémoire. *Cela s'était effacé de son souvenir.* 2 Image, idée, représentation que la mémoire conserve. *Souvenirs d'enfance.* 3 (dans les formules de politesse) Pensée amicale. *Mon meilleur souvenir à vos parents.* 4 Ce qui rappelle qqn, qqch. *Cette photo est un souvenir de lui.*

souvent av 1 Fréquemment, plusieurs fois. 2 D'ordinaire, en général.

souverain, aine a 1 Suprême. *Le souverain bien.* 2 De la plus grande efficacité. *Un remède souverain.* 3 Qui possède l'autorité suprême ; totalement indépendant. *Puissance souveraine.* ■ n Monarque. ■ nm Ancienne monnaie d'or anglaise.

souverainement av 1 Suprêmement. 2 DR Sans appel. *Juger souverainement.*

souveraineté nf 1 Autorité suprême. 2 Caractère d'un État souverain, indépendant.

soviet [-vjɛt] nm HIST Assemblée de représentants élus, en URSS.

soviétique a, n HIST De l'URSS.

soviétiser vt HIST Soumettre à l'influence politique de l'URSS.

sovkhoze nm HIST Grande ferme d'État, en URSS.

soyeux, euse a Doux et fin comme de la soie. ■ nm Fabricant de soieries, à Lyon.

spacieusement av De façon spacieuse.

spacieux, euse a Grand, vaste.

spadassin nm litt Assassin à gages.

spaghetti nm Pâte alimentaire en forme de longue baguette fine. *Des spaghettis.*

spahi nm anc Cavalier servant dans l'armée française en Algérie.

spam nm Message publicitaire envoyé par spamming. Syn. pourriel.

spammeur, euse n Personne, entreprise qui envoie des spams, des pourriels.

spamming nm TELECOM Envoi massif de messages publicitaires sur des sites Internet sélectionnés.

sparadrap nm Bande adhésive servant à fixer un pansement.

spart nm BOT Nom de diverses plantes, notamment le genêt et l'alfa. **Var sparte**

spartakisme nm HIST Mouvement révolutionnaire allemand, entre 1914 et 1918.

spartakiste n, a HIST Du spartakisme.

sparterie nf 1 Confection d'objets en fibres végétales. 2 Objet ainsi confectionné.

spartiate a, n 1 De Sparte. 2 D'une austérité stoïque. ■ nf Sandale à lanières.

spasme nm Contraction musculaire involontaire, intense et passagère.

spasmodique a Accompagné de spasmes.

spasmophile a, n Atteint de spasmophilie.

spasmophilie nf MED Excitabilité neuromusculaire excessive.

spath nm Calcite cristallisée, très pure.

spatial, ale, aux [-sjal] a Relatif à l'espace, en particulier à l'espace interplanétaire. *Vaisseau spatial.*

spatialiser vt PHYSIOL Percevoir dans l'espace les rapports de positions, de distances, etc.

spatialité nf Caractère spatial.

spationaute n Astronaute, cosmonaute.

spatiotemporel, elle a Relatif à la fois à l'espace et au temps.

spatule nf 1 Lame plate et souple, qui sert à remuer, à étendre une matière pâteuse. 2 Extrémité antérieure d'un ski. 3 Oiseau des marais au bec aplati et élargi à son extrémité.

speaker [spikœʀ] nm, **speakerine** [spikʀin] nf Personne qui fait les annonces, donne des informations, à la radio et à la télévision. **Var speakeur** nm

spécial, ale, aux a 1 Propre à une chose, à une personne. *Lessive spéciale pour les lainages.* 2 Exceptionnel, qui sort de l'ordinaire. *Édition spéciale.* 3 Particulier dans son genre ; déconcertant. *Une musique très spéciale.* ■ nf 1 Huître grasse. 2 Épreuve d'un rallye automobile courue sur un parcours imposé.

spécialement av Particulièrement.

spécialisation nf Action de (se) spécialiser.

spécialisé, ée a Qui est consacré à un domaine déterminé. **Loc** *Ouvrier spécialisé (OS) :* sans qualification professionnelle.

spécialiser vt Affecter à une spécialité. ■ vpr Se consacrer à un domaine particulier.

spécialiste n Personne qui a acquis une compétence particulière dans un domaine. Ant. généraliste.

spécialité nf 1 Domaine dans lequel qqn est spécialisé. 2 fam Habitude, comportement fréquent. *Les gaffes, c'est sa spécialité.* 3 Produit particulier à une région, à un fabricant.

spéciation nf BIOL Apparition d'une nouvelle espèce par différenciation au sein d'une population.

spécieux, euse a Qui est trompeur sous une apparence de vérité. *Raisonnement spécieux.*

spécification nf 1 Fait de spécifier. 2 Désignation précise des caractères essentiels requis pour un matériel, une installation, etc.

spécificité nf Caractère spécifique.

spécifier vt Exprimer, indiquer de façon précise. *Spécifier les conditions de rémunération.*

spécifique a Propre à une espèce, à une chose.

spécifiquement av De façon spécifique.

spécimen [-mɛn] nm 1 Être ou objet représentatif de son espèce ; échantillon. 2 Exemplaire d'un livre, d'une revue donné gratuitement.

spectacle nm 1 Ce qui s'offre au regard. 2 Représentation donnée au public (pièce de théâtre, film, ballet, etc.). **Loc** *Se donner en spectacle :* se faire remarquer. *Pièce, film à grand spectacle :* à la mise en scène fastueuse.

spectaculaire a Qui surprend, frappe l'imagination de ceux qui en sont témoins.

spectaculairement av De façon spectaculaire.

spectateur, trice n 1 Témoin oculaire d'un évènement, d'une action. 2 Qui assiste à un spectacle théâtral, cinématographique, etc.

spectral, ale, aux a 1 litt Qui tient du spectre, du fantôme. 2 PHYS Relatif à un spectre lumineux, solaire, magnétique, etc.

spectre nm 1 Fantôme. 2 Perspective effrayante. *Le spectre de la famine.* 3 PHYS Succession de raies colorées résultant de la décomposition d'un rayonnement lumineux.

spectrogramme nm PHYS Image donnée par un spectrographe.

spectrographe nm PHYS Appareil servant à enregistrer le spectre d'un rayonnement. **Var spectromètre**

spectrographie nf PHYS Enregistrement et étude des spectres des rayonnements. **Var spectrométrie**

spectrohéliographe nm PHYS Spectrographe servant à l'étude du rayonnement solaire.

spéculaire a Qui a rapport au miroir. ■ nf Plante à fleurs violettes.

spéculateur, trice n Personne qui fait des spéculations financières.

spéculatif, ive a De la spéculation (philosophique ou financière).

spéculation nf 1 PHILO Étude, recherche purement théorique. 2 Opération financière ou commerciale par laquelle on joue sur les fluctuations des cours du marché.

spéculer vi 1 Réfléchir, méditer profondément. *Spéculer sur l'origine de la vie.* 2 Faire des spéculations financières. *Spéculer sur l'or.* 3 Tabler sur qqch pour parvenir à ses fins. *Spéculer sur la crédulité de qqn.*

spéculos [-los] nm Biscuit sec très sucré.

spéculum [-lom] nm MED Instrument destiné à écarter une cavité du corps. *Des spéculums.*

speech [spitʃ] nm fam Brève allocution. *Des speechs.*

spéléologie nf Exploration des cavités naturelles (grottes, gouffres) et des cours d'eau souterrains.

spéléologue n Spécialiste de spéléologie.

spencer [spɛnsœʀ] nm Veste s'arrêtant à la ceinture.

spermaceti nm Substance huileuse contenue dans la tête du cachalot.

spermatique a Du sperme.

spermatogenèse nf BIOL Formation des spermatozoïdes.

spermatozoïde nm BIOL Cellule reproductrice mâle.

sperme nm Liquide émis par le mâle lors de l'accouplement et qui contient des spermatozoïdes.

spermicide a, nm Se dit d'un produit contraceptif qui détruit les spermatozoïdes.

spermogramme nm MED Examen du sperme.

sphénoïde nm ANAT Os de la tête qui forme le plancher central de la boîte crânienne.

sphère nf 1 MATH Ensemble des points situés à égale distance d'un point appelé centre (dans un espace à 3 dimensions). 2 Corps sphérique. 3 Étendue, domaine du pouvoir, de l'activité de qqn, de qqch. *Les hautes sphères de la finance.*

sphérique a En forme de sphère ; relatif à la sphère.

sphéroïde nm GEOM Solide dont la forme est proche de celle d'une sphère.

sphincter [sfɛktɛʀ] nm Muscle contrôlant l'ouverture d'un orifice naturel. *Sphincter anal.*

sphinx nm 1 Monstre ayant l'aspect d'un lion ailé à buste et à tête de femme. 2 Personnage énigmatique, impénétrable. 3 Papillon nocturne ou crépusculaire.

sphygmomanomètre nm Appareil servant à mesurer la tension artérielle.

spin [spin] nm PHYS Mouvement de rotation des particules élémentaires sur elles-mêmes.

spinal, ale, aux a ANAT Du rachis ou de la moelle épinière.

spinnaker [spinekœʀ] nm Voile triangulaire d'avant, de grande surface, utilisée sur les yachts. Var **spi**

spiral, ale, aux a En forme de spirale. ■ nm Ressort qui assure les oscillations du balancier d'une montre. ■ nf 1 Courbe qui s'éloigne de plus en plus d'un point central à mesure qu'elle tourne autour de lui. 2 Courbe en forme d'hélice. *Escalier en spirale.* 3 Évolution d'un phénomène qui s'amplifie sans cesse. *Spirale inflationniste.*

spiralé, ée a Enroulé en spirale.

spire nf Tour d'enroulement d'une spirale, d'une hélice, d'une coquille.

spirée nf Syn. de *reine-des-prés.*

spirille nm Bactérie en forme de spirale.

spirite a Du spiritisme. ■ n Adepte du spiritisme.

spiritisme nm Doctrine qui admet la possibilité de communication entre les vivants et les esprits des défunts.

spiritualiser vt litt Donner un caractère de spiritualité à.

spiritualisme nm PHILO Doctrine qui considère comme distinctes la matière et l'esprit et proclame la supériorité de celui-ci.

spiritualiste a, n Adepte du spiritualisme.

spiritualité nf 1 Qualité de ce qui est de l'ordre de l'esprit. 2 Ce qui a trait à la vie spirituelle.

spirituel, elle a 1 De la nature de l'esprit, qui est esprit. 2 Relatif à la vie de l'âme. 3 Qui regarde la religion, l'Église. *Pouvoir temporel et pouvoir spirituel.* 4 D'un esprit vif et fin, plein de drôlerie.

spirituellement av De façon spirituelle.

spiritueux, euse a Qui contient de l'alcool. ■ nm Boisson riche en alcool.

spirographe nm Ver marin à fines branchies en panache sortant d'un tube membraneux.

spiroïdal, ale, aux a En spirale.

spiromètre nm Instrument servant à mesurer la capacité respiratoire des poumons.

spiruline nf Algue bleue des mers tropicales.

spleen [splin] nm litt Ennui que rien ne paraît justifier, mélancolie.

splendeur nf 1 Beauté d'un grand éclat, magnificence. 2 Chose splendide.

splendide a 1 Très beau, d'une beauté éclatante. 2 Somptueux, luxueux.

splendidement av Avec splendeur.

splénectomie nf Ablation de la rate.

splénique a ANAT De la rate.

spoiler [spɔjlœʀ] nm Accessoire fixé sous le pare-choc d'une automobile pour améliorer l'aérodynamisme.

spoliateur, trice a, n Qui spolie.

spoliation nf Action de spolier.

spolier vt litt Dépouiller, déposséder.

spondée *nm* VERSIF Pied d'un vers composé de deux syllabes longues.

spondylarthrite *nf* MED Rhumatisme chronique de la colonne vertébrale.

spongiaire *nm* ZOOL Animal primitif d'un embranchement comprenant les éponges.

spongieux, euse *a* **1** Qui rappelle l'éponge. **2** Qui s'imbibe d'eau. *Sol spongieux.*

sponsor *nm* Personne qui pratique le mécénat d'entreprise. Syn. commanditaire, parrain.

sponsoring [-Riŋ] *nm* Activité d'un sponsor ; parrainage, commandite. Var **sponsorat**

sponsoriser *vt* Parrainer et financer à des fins publicitaires un sportif, une équipe, etc.

spontané, ée *a* **1** Qu'on fait librement, sans y être contraint. *Aveu spontané.* **2** Qui agit, parle sans calcul ni arrière-pensée. *Un enfant spontané.* **3** Qui pousse naturellement, sans intervention de l'homme.

spontanéisme *nm* Doctrine privilégiant la spontanéité révolutionnaire des masses.

spontanéiste *a, n* Adepte du spontanéisme.

spontanéité *nf* Caractère spontané.

spontanément *av* De façon spontanée.

sporadique *a* **1** Se dit d'une maladie qui touche quelques individus isolément (par oppos. à *épidémique*, à *endémique*). **2** Qui apparaît, se produit irrégulièrement.

sporadiquement *av* De façon sporadique.

sporange *nm* BOT Organe des végétaux cryptogames, où se forment les spores.

spore *nf* BOT Élément reproducteur de certains végétaux (algues, champignons, mousses, etc.).

sport *nm* **1** Activité physique, qui a pour but la compétition, l'hygiène ou la simple distraction. **2** fam Chose, entreprise difficile, qui demande une grande dépense de forces. Loc *Sports d'hiver* : activités sportives sur la neige ou la glace. ■ *a inv* Se dit d'un style de vêtements confortables. Loc *Être sport* : se montrer beau joueur.

sportif, ive *a* **1** Relatif au sport, à un sport. **2** Loyal, beau joueur. ■ *a, n* Qui aime, qui pratique le sport.

sportivement *av* Avec un esprit sportif.

sportivité *nf* Esprit sportif.

sporuler *vi* BOT Produire des spores.

spot [spɔt] *nm* **1** Appareil d'éclairage à faisceau lumineux de faible ouverture. **2** Court message publicitaire.

sprat [spʀat] *nm* Petit poisson proche du hareng.

spray [spʀɛ] *nm* **1** Nuage ou jet de liquide vaporisé en fines gouttelettes. **2** Atomiseur.

springbok *nm* Antilope d'Afrique du Sud.

sprinkler [spʀiŋklœʀ] *nm* Système d'arrosage tournant. Var **sprinkleur**

sprint [spʀint] *nm* **1** Accélération de l'allure à la fin d'une course. **2** Course de vitesse sur une petite distance.

1. sprinter [spʀintœʀ] *nm* Coureur de sprint. Var **sprinteur, euse**

2. sprinter [spʀinte] *vi* Effectuer un sprint.

spumeux, euse *a* Qui a l'aspect de l'écume.

squale [skwal] *nm* Requin.

squame [skwam] *nf* Lamelle qui se détache de la peau.

squameux, euse [skwa-] *a* Caractérisé par la présence de squames.

square [skwaʀ] *nm* Jardin public.

squash [skwaʃ] *nm* Sport pratiqué en salle avec une balle qui rebondit contre les murs.

squat [skwat] *nm* Immeuble ou maison occupés par des squatters.

squatter [skwa-] *vt* Occuper illégalement un logement vacant. Var **squattériser**

squatteur, euse *n* Personne qui occupe illégalement un logement vacant. Var **squatter**

squaw [skwo] *nf* Femme mariée, chez les Indiens d'Amérique du Nord.

squeezer [skwize] *vt* **1** Au bridge, obliger l'adversaire à se défausser. **2** fam Contraindre, coincer qqn par une habile manœuvre.

squelette *nm* **1** Ensemble des os qui constituent la charpente du corps. **2** fam Personne très maigre. **3** Armature, charpente, carcasse.

squelettique *a* **1** Du squelette. **2** Très maigre, décharné. **3** D'une concision excessive.

SRAS *nm* Syndrome respiratoire aigu sévère, pneumonie atypique d'origine incertaine.

sri-lankais, aise *a, n* Du Sri Lanka.

stabilisateur, trice *a* Qui stabilise. ■ *nm* Dispositif tendant à maintenir l'équilibre.

stabilisation *nf* Action de (se) stabiliser.

stabiliser *vt* Rendre stable. ■ *vpr* Devenir stable.

stabilité *nf* Caractère stable.

stable *a* **1** Qui a une base ferme, solide, qui ne vacille pas. **2** Qui est et demeure dans le même état. *Valeurs stables.* **3** Constant, équilibré. *Un garçon très stable.*

stabulation *nf* Séjour des animaux à l'étable.

staccato *av, nm* MUS À jouer en détachant les notes.

stade *nm* **1** ANTIQ Mesure de longueur valant environ 180 m. **2** Terrain spécialement aménagé pour la pratique des sports. **3** Période, phase d'une évolution. *Les stades d'une maladie, d'une carrière.*

stadier, ère *n* Personne chargée de l'assistance et de la sécurité des spectateurs dans un stade.

1. staff *nm* Matériau fait de plâtre et d'une matière fibreuse, servant à réaliser des décors.

2. staff *nm* **1** Ensemble des dirigeants d'une entreprise. **2** Équipe, service.

staffeur, euse *n* Personne qui pose un décor de staff.

stage *nm* **1** Période d'activité dans une entreprise ou un service, dans un but de formation ou de perfectionnement. **2** Période d'entraînement à une discipline, à un art.

stagflation *nf* ECON Situation où coexistent la stagnation et l'inflation.

stagiaire *a, n* Qui fait un stage.

stagnant, ante [stagnã] *a* Qui stagne.

stagnation [stagna-] *nf* État d'inertie, d'inactivité, d'immobilité de ce qui stagne.

stagner [stagne] *vi* **1** Ne pas s'écouler (fluide). *Eaux qui stagnent.* **2** Ne marquer aucune évolution. *Les affaires stagnent.*

stakhanovisme *nm* HIST En URSS, méthode d'incitation au rendement dans le travail.

stakhanoviste *a, n* HIST Qui relève du stakhanovisme.

stalactite *nf* Concrétion calcaire pendante.

stalag *nm* HIST Camp de prisonniers de guerre en Allemagne (1939-1945).

stalagmite *nf* Concrétion calcaire dressée, qui se forme sous une stalactite.

stalinien, enne *a*, *n* Qui relève de Staline, du stalinisme.

stalinisme *nm* HIST Mode de gouvernement despotique pratiqué en URSS sous Staline.

stalle *nf* **1** Chacun des sièges de bois disposés de chaque côté du chœur de certaines églises. **2** Compartiment assigné à un cheval, dans une écurie.

staminé, ée *a* BOT Se dit d'une fleur pourvue d'étamines.

stance *nf* LITTER Strophe. ■ *pl* Ensemble de strophes lyriques.

stand *nm* **1** Lieu aménagé pour le tir à la cible. **2** Dans une exposition, espace réservé à un exposant. **3** Dans un circuit automobile, emplacement réservé pour le ravitaillement et les réparations.

standard *nm* **1** Modèle, type, norme de fabrication. **2** Niveau de vie. **3** Dispositif assurant la répartition des communications téléphoniques d'une installation intérieure. **4** En jazz, morceau classique sur lequel on improvise. ■ *a* **1** Qui fait partie d'une production d'éléments normalisés. *Modèle standard.* **2** Ordinaire, courant. *Un visage standard.*

standardisation *nf* Action de standardiser.

standardiser *vt* Rendre conforme à un standard, à une norme ; uniformiser, normaliser.

standardiste *n* Employé assurant le service d'un standard téléphonique.

stand-by [stãdbaj] *nm* Situation, position d'attente d'un passager qui n'a pas de réservation sur un avion.

standing [stãdiŋ] *nm* **1** Position sociale. *Améliorer son standing.* **2** Confort, luxe. *Immeuble de grand standing.*

stannifère *a* Qui contient de l'étain.

staphylin *nm* Coléoptère aux élytres courts.

staphylocoque *nm* Bactérie agent de diverses infections.

star *nf* Vedette de cinéma.

starking *nf* Variété de pomme rouge.

starlette *nf* Jeune actrice de cinéma.

star-système *nm* Système fondé sur la notoriété de certaines vedettes. **Var star-system**

starter [-tɛʀ] *nm* **1** Personne qui donne le signal du départ dans une course. **2** Dispositif qui facilite le démarrage d'un moteur.

starting-block [-tiŋ-] *nm* Appareil servant d'appui aux pieds d'un coureur, au départ des courses. *Des starting-blocks.*

starting-gate [startiŋgɛt] *nm* Dispositif qui libère les chevaux au départ d'une course. *Des starting-gates.*

start-up [startœp] *nf inv* ECON Entreprise qui se lance dans un secteur de pointe, soutenue par le capital-risque. Syn. recommandé *jeune pousse.*

stase *nf* MED Ralentissement ou arrêt de la circulation d'un liquide dans l'organisme.

stathouder *nm* HIST Dans les Provinces-Unies, chef du pouvoir exécutif.

statice *nm* Plante à fleurs roses ou violacées.

statif *nm* Socle lourd et stable servant de support à des accessoires.

station *nf* **1** Fait de s'arrêter qq part. **2** Fait de se tenir de telle façon. *La station debout.* **3** Lieu aménagé pour l'arrêt des véhicules. *Station d'autobus.* **4** Lieu de villégiature, de vacances. *Station thermale.* **5** Installation destinée à effec-

tuer des observations. *Station météorologique.* **6** Ensemble d'installations émettrices. *Station de radio.* Loc *Station spatiale* ou *orbitale* : vaste infrastructure pouvant assurer le séjour d'humains dans l'espace.

stationnaire *a* **1** Qui reste un certain temps à la même place. **2** Qui ne change pas, n'évolue pas. *L'état du blessé reste stationnaire.*

stationnement *nm* Action, fait de stationner.

stationner *vi* S'arrêter et demeurer à un endroit.

station-service *nf* Poste de distribution d'essence assurant des travaux d'entretien courant. *Des stations-service.*

statique *a* **1** PHYS Relatif à l'équilibre des forces. **2** Qui demeure dans le même état. Ant. *dynamique.* ■ *nf* PHYS Partie de la mécanique qui étudie les conditions d'équilibre des corps.

statisticien, enne *n* Spécialiste de statistique.

statistique *nf* **1** Science qui a pour objet l'étude mathématique de phénomènes relatifs à des groupes de gens ou d'objets. **2** Données numériques concernant l'état ou l'évolution d'un phénomène. *Les statistiques de la natalité.* ■ *a* De la statistique. *Évaluations statistiques.*

statistiquement *av* Sur le plan statistique.

stator *nm* Partie fixe de certaines machines (par oppos. au *rotor*).

statuaire *a* Relatif aux statues. ■ *nf* Art de faire des statues. ■ *nm* Sculpteur qui fait des statues.

statue *nf* Figure sculptée ou moulée représentant en entier un être vivant.

statuer *vi* Prendre une décision. *Statuer sur un cas particulier.*

statuette *nf* Statue de petite taille.

statufier *vt* Représenter qqn par une statue.

statu quo [-kwo] *nm inv* Situation actuelle, état actuel des choses. **Var statuquo**

stature *nf* **1** Taille de qqn. **2** Importance, notoriété de qqn.

statut *nm* **1** Situation résultant de l'appartenance à un groupe régi par des dispositions juridiques. *Le statut de la fonction publique.* **2** Situation personnelle au sein d'un groupe. *Avoir un statut privilégié.* ■ *pl* Textes qui régissent le fonctionnement d'une société, d'une association.

statutaire *a* Conforme aux statuts.

statutairement *av* Conformément aux statuts.

steak [stɛk] *nm* Syn. de *bifteck.*

steamer [stimœʀ] *nm* vx Bateau à vapeur. **Var steameur**

stéarine *nf* Solide blanc et translucide constitué d'acide stéarique et de paraffine.

stéarinerie *nf* Fabrique de stéarine.

stéarique *a* Loc *Acide stéarique* : abondant dans le suif et servant à fabriquer des bougies.

stéatite *nf* Roche compacte traité de talc.

stéatopyge *a* Qui a de très grosses fesses.

steeple-chase [stipəlʃɛz] *nm* Course d'obstacles pour chevaux. Loc *Trois mille mètres steeple* : course à pied de 3 000 m, avec divers obstacles. *Des steeple-chases* ou *des steeples.* **Var steeple**

stégomyie *nf* Moustique vecteur de la fièvre jaune.

stégosaure *nm* Dinosaure qui portait des plaques osseuses dressées sur le dos.

steinbock *nm* Petite antilope d'Afrique du Sud.

stèle *nf* Monument monolithe dressé, portant une inscription ou une sculpture.

stellaire *a* Relatif aux étoiles. ■ *nf* Plante herbacée à fleurs blanches.

stem *nm* Technique de virage à skis. Var **stemm**

stencil [stɛn-] *nm* Papier paraffiné utilisé pour la reproduction d'un texte par un appareil de duplication.

sténo *nf* ou *n* Abrév. de sténographie et de sténodactylo.

sténodactylo *n* Personne qui pratique la sténodactylographie.

sténodactylographie *nf* Emploi combiné de la sténographie et de la dactylographie.

sténographe *n* Personne qui pratique la sténographie.

sténographie *nf* Procédé d'écriture rapide au moyen de signes conventionnels.

sténographier *vt* Écrire en sténographie.

sténographique *a* De la sténographie.

sténose *nf* MED Rétrécissement pathologique d'un conduit, d'un orifice, d'un organe.

sténotype *nf* Machine à clavier qui permet de noter très rapidement la parole.

sténotypie *nf* Technique de la notation de la parole au moyen d'une sténotype.

sténotypiste *n* Personne qui pratique la sténotypie.

stentor [stɑ̃tɔʀ] *nm* Loc *Voix de stentor :* forte, retentissante.

steppe *nf* Formation végétale des zones semiarides, constituée par une couverture discontinue d'herbes courtes.

steppique *a* De la steppe.

stercoraire *nm* Gros oiseau des régions polaires. ■ *a* BIOL Qui vit ou croît sur des excréments.

stère *nm* Unité valant 1 mètre cube de bois.

stéréo *nf* ou *a* Abrév. de stéréophonie, stéréophonique.

stéréochimie *nf* Étude de la disposition spatiale des atomes dans les molécules.

stéréogramme *nm* Image obtenue par stéréographie ou stéréoscopie.

stéréographie *nf* Représentation des solides par leurs projections sur des plans.

stéréométrie *nf* Branche de la géométrie qui a pour objet la mesure des solides.

stéréophonie *nf* Procédé de reproduction des sons restituant un relief sonore.

stéréophonique *a* De la stéréophonie.

stéréoscope *nm* Instrument d'optique qui restitue l'impression du relief à partir de deux images planes fusionnées à un même sujet.

stéréoscopie *nf* Procédé qui restitue l'impression du relief par le stéréoscope.

stéréoscopique *a* De la stéréoscopie.

stéréotaxie *nf* CHIR Localisation d'une structure nerveuse cérébrale à partir de repères osseux.

stéréotomie *nf* Art de la coupe des pierres, des matériaux de construction.

stéréotype *nm* Idée toute faite, banalité.

stéréotypé, ée *a* Qui a le caractère convenu d'un stéréotype ; banal, sans originalité.

stéréotypie *nf* MED Exagération de l'automatisme observée chez certains malades mentaux.

stérile *a* 1 Qui n'est pas apte à la reproduction. 2 Exempt de tout germe. *Pansement stérile.* 3 Qui ne produit rien, ne rapporte rien. *Une terre*

stérile. 4 Qui n'aboutit à rien. *Discussion stérile.* ■ *nmpl* Déblais d'une exploitation minière.

stérilement *av* De façon stérile.

stérilet *nm* Dispositif anticonceptionnel intra-utérin.

stérilisant, ante *a* Qui stérilise.

stérilisation *nf* Action de stériliser.

stériliser *vt* 1 Rendre inapte à la reproduction. 2 Rendre exempt de germes. *Stériliser du lait.*

stérilité *nf* État stérile.

sterlet *nm* Esturgeon.

sterling [-liŋ] *a inv* Loc *Livre sterling :* monnaie de compte de Grande-Bretagne.

sterne *nf* Oiseau proche des mouettes. Syn. hirondelle de mer.

sternum [-nɔm] *nm* Os plat de la poitrine sur lequel s'articulent les côtes et les clavicules.

stéroïde *nm* BIOL Hormone dérivée d'un stérol et sécrétée par les glandes endocrines.

stéroïdien, enne *a* D'un stéroïde.

stérol *nm* BIOL Alcool constituant l'essentiel des hormones génitales et surrénales.

stéthoscope *nm* Instrument permettant l'auscultation des bruits à travers les parois du corps.

stetson [-sɔn] *nm* Chapeau texan à larges bords.

steward [stiwaʀd] ou [-waʀt] *nm* Garçon de service à bord des paquebots, des avions.

stibine *nf* Minerai d'antimoine.

stick *nm* 1 Canne mince et flexible. 2 Groupe de parachutistes largués d'un même avion. 3 Produit conditionné sous forme de bâtonnet.

stigmate *nm* 1 litt Marque que laisse une plaie ; cicatrice. 2 litt Marque, trace honteuse. ■ *pl* Marques des cinq plaies du Christ visibles sur le corps de certains mystiques.

stigmatiser *vt* Blâmer, flétrir publiquement.

stilton [-tɔn] *nm* Fromage anglais au lait de vache, à moisissures internes.

stimulant, ante *a, nm* Qui stimule.

stimulateur *nm* Loc *Stimulateur cardiaque :* appareil électrique remédiant à certaines insuffisances cardiaques. Syn. pacemaker.

stimulation *nf* Action de stimuler.

stimuler *vt* 1 Inciter à l'action, encourager, motiver. 2 Exciter, réveiller une activité. *Stimuler la digestion.*

stimulus *nm* Facteur déclenchant une réaction physiologique ou psychologique.

stipe *nm* BOT Tige des palmiers et des fougères.

stipendier *vt* litt Payer qqn pour l'exécution de mauvais desseins.

stipulation *nf* Clause d'un contrat.

stipule *nf* BOT Petit appendice à la base du pétiole de certaines feuilles.

stipuler *vt* 1 Formuler comme condition dans un contrat. 2 Spécifier expressément.

stochastique [-kas-] *a* MATH Qui relève du calcul des probabilités.

stock *nm* 1 Quantité de marchandises en réserve. 2 Quantité de choses qu'on possède.

stockage *nm* Mise en stock.

stock-car *nm* Vieille automobile utilisée dans des courses où collisions et chocs volontaires sont autorisés. *Des stock-cars.*

stocker *vt* Mettre en stock, emmagasiner.

stockfish [-fiʃ] *nm* 1 Poisson salé et séché. 2 Morue séchée à l'air et non salée.

stock-option nf Rémunération des dirigeants d'entreprise par l'octroi d'actions de la société. *Des stock-options.*

stoïcien, enne a, n Qui relève du stoïcisme.

stoïcisme nm 1 Doctrine du philosophe grec Zénon. 2 Fermeté d'âme devant la douleur ou l'adversité.

stoïque a, n Qui supporte sans faiblir la douleur, l'adversité.

stoïquement av Courageusement.

stolon nm BOT Tige rampante qui développe des racines et des feuilles, formant un nouveau pied.

stomacal, ale, aux a De l'estomac.

stomachique a, nm Qui facilite la digestion.

stomate nm BOT Organe épidermique des végétaux.

stomatite nf MED Inflammation de la muqueuse buccale.

stomatologie nf Étude et traitement des affections de la bouche et des dents.

stomatologiste n Spécialiste de stomatologie. Var **stomatologue**

stop interj Marque un ordre, un signal d'arrêt. ■ nm 1 Signal lumineux à l'arrière des véhicules, commandé par le frein. 2 Signal routier ordonnant l'arrêt absolu. 3 fam Auto-stop. *Faire du stop.*

stoppage nm Action de raccommoder en stoppant.

stopper vt 1 Faire cesser d'avancer, de fonctionner un véhicule, une machine. 2 Arrêter le mouvement, la progression de qqn, de qqch. 3 Raccommoder une étoffe déchirée fil par fil. ■ vi S'arrêter. *Stopper au feu rouge.*

stoppeur, euse n Personne qui fait de l'auto-stop.

store nm Rideau souple placé devant une ouverture et qui se lève ou s'abaisse.

story-board [-bɔʀd] nm Découpage du scénario d'un film en une suite de dessins. *Des story-boards.*

stoupa. V. stupa.

stout [staut] nf Bière anglaise forte.

strabisme nm Anomalie de la vision due à un défaut de parallélisme des yeux.

stradivarius nm Violon, alto ou violoncelle fabriqué par Stradivarius.

strangulation nf Action d'étrangler.

strapontin nm 1 Siège qu'on peut relever ou abaisser dans certains véhicules, dans les salles de spectacle, etc. 2 Place, fonction d'importance secondaire.

strass nm Verre coloré très réfringent, utilisé pour imiter les pierres précieuses.

stratagème nm Ruse, tromperie habile.

strate nf 1 GEOL Chacune des couches qui constituent un terrain. 2 didac Chacun des niveaux d'un ensemble.

stratège nm 1 Personne compétente en matière de stratégie. 2 ANTIQ Magistrat grec qui commandait l'armée.

stratégie nf 1 Organisation de l'ensemble des opérations d'une guerre, de la défense d'un pays. 2 Art de combiner des opérations pour atteindre un objectif. *Stratégie électorale.*

stratégique a De la stratégie.

stratification nf Disposition en strates.

stratifié nm Matériau constitué de couches d'une matière souple imprégnées de résines artificielles.

stratifier vt Disposer en couches superposées.

stratigraphie nf GEOL Étude des strates des terrains, des couches de l'écorce terrestre.

stratocratie nf SOCIOL Système politique dominé par l'armée.

stratocumulus nm Nuages gris situés entre 1 000 et 2 000 m. Var **cumulostratus** [-tys]

stratosphère nf Couche de l'atmosphère située entre 10 et 50 km d'altitude.

stratosphérique a De la stratosphère.

stratus [-tys] nm Nuage bas en couche grise assez uniforme.

streptocoque nm Bactérie de forme arrondie, agent de nombreuses infections.

streptomycine nf Antibiotique très actif.

stress nm Perturbation provoquée par des agents agresseurs variés (émotion, froid).

stressant, ante a Qui provoque le stress.

stresser vt Perturber par un stress.

stretch nm (n. déposé) Type de tissu élastique.

stretching [-ʃiŋ] nm Méthode de gymnastique.

strict, stricte a 1 Qui doit être rigoureusement observé. *Consignes strictes.* 2 D'une exactitude au d'une valeur absolue. *La stricte vérité.* 3 Intransigeant, sévère. 4 D'une sobriété un peu sévère. *Tailleur strict.*

strictement av De façon stricte.

striction nf didac Resserrement.

stricto sensu av Au sens étroit.

stridence nf litt Caractère strident, perçant.

strident, ente a Aigu et perçant (sons).

stridulation nf ZOOL Bruit aigu des cigales, des criquets, etc.

strie nf Ligne fine, en creux ou en relief, parallèle, sur une surface, à d'autres lignes.

strié, ée a Qui présente des stries.

strier vt Marquer, orner de stries.

string [stʀiŋ] nm Cache-sexe maintenu par un cordon passant entre les fesses.

stripping [-piŋ] nm Traitement chirurgical des varices.

strip-tease [-tiz] nm Déshabillage progressif et suggestif d'une femme au cours d'un spectacle de cabaret. *Des strip-teases.* Var **striptease**

strip-teaser euse nf Personne exécutant des strip-teases. Var **stripteaseur, euse**

striure nf Strie ou ensemble de stries.

stroboscope nm Appareil d'observation des mouvements périodiques rapides.

strontium [-sjɔm] nm Métal blanc très oxydable.

strophaire nm Champignon à chapeau visqueux.

strophe nf Groupe de vers formant un système de rimes complet dans une œuvre poétique.

structural, ale, aux a D'une structure ou du structuralisme. *Analyse structurale.*

structuralisme nm Théorie et méthode d'analyse privilégiant les relations entre les faits à l'intérieur d'une structure.

structuraliste a, n Qui relève du structuralisme.

structurant, ante a Qui permet de structurer.

structuration nf Action de (se) structurer.

structure nf 1 Agencement, disposition des différents éléments d'un tout concret ou abstrait ; constitution, contexture. 2 Ce qui soutient qqch, lui donne forme et rigidité ; ossature. 3 Système, ensemble solidaire dont les éléments sont unis par un rapport de dépendance.

structuré, ée *a* Qui possède une structure.

structurel, elle *a* **1** Structural. **2** Qui relève des structures économiques. *Chômage structurel.* Ant. conjoncturel.

structurellement *av* Sur le plan structurel.

structurer *vt* Donner une structure à. ■ *vpr* Acquérir une structure.

strudel [ʃtʀudɛl] *nm* Gâteau fourré aux pommes et aux raisins secs.

strychnine [stʀik-] *nf* Alcaloïde très toxique extrait de la noix vomique.

stuc *nm* Matériau imitant le marbre.

stucage *nm* Application de stuc.

stud-book [stœdbuk] *nm* Registre contenant les performances des chevaux pur-sang. *Des stud-books.*

studieusement *av* De façon studieuse.

studieux, euse *a* **1** Qui aime l'étude. *Élève studieux.* **2** Consacré à l'étude. *Vacances studieuses.*

studio *nm* **1** Logement constitué d'une seule pièce principale. **2** Endroit aménagé pour le tournage de films, d'émissions de télévision, etc. **3** Atelier d'artiste, de photographe.

stupa [stupa] *nm* Monument funéraire bouddhique. **Var stoupa**

stupéfaction *nf* Étonnement extrême.

stupéfait, aite *a* Très étonné.

stupéfiant, ante *a* Qui stupéfie. ■ *nm* Substance analgésique ou euphorisante dont l'usage peut entraîner une dépendance et des troubles graves.

stupéfier *vt* Causer un grand étonnement.

stupeur *nf* Étonnement profond.

stupide *a* Qui manque d'intelligence, de jugement ; idiot.

stupidement *av* De façon stupide.

stupidité *nf* **1** Caractère stupide. **2** Parole, action stupide.

stupre *nm* litt Débauche avilissante ; luxure.

stuquer *vt* Enduire de stuc.

style *nm* **1** Manière d'utiliser les moyens d'expression du langage. *Style clair. Style administratif.* **2** Ensemble des traits caractéristiques des œuvres d'un artiste, d'une époque. *Une décoration de style Régence.* **3** Ensemble des comportements habituels de qqn, manière d'agir. *Adopter un certain style de vie.* **4** BOT Partie du pistil qui surmonte l'ovaire. Loc *De style :* d'un style particulier, propre à une époque ancienne. *De grand style :* qui a de l'ampleur, du brio.

stylé, ée *a* Se dit d'un employé qui accomplit son service dans les règles, avec élégance.

stylet *nm* Poignard à petite lame aiguë.

stylisation *nf* Action de styliser.

styliser *vt* Représenter en simplifiant les formes, dans un but décoratif.

stylisme *nm* Profession de styliste.

styliste *n* **1** Écrivain très soigneux de son style. **2** Personne dont le métier est de définir le style d'un produit industriel, de créer des modèles pour la mode, l'ameublement.

stylistique *a* Relatif au style, à la stylistique. ■ *nf* Étude de la mise en œuvre des moyens d'expression d'une langue.

stylo *nm* Porte-plume à réservoir d'encre.

stylo-feutre *nm* Stylo ayant une pointe en feutre ou en nylon. *Des stylos-feutres.*

styrax *nm* Arbrisseau fournissant le benjoin.

styrène *nm* Composé utilisé comme matière première dans l'industrie des plastiques. **Var styrol** ou **styrolène**

su *nm* Loc *Au vu et au su de tout le monde :* sans rien cacher.

suaire *nm* litt Linceul.

suant, ante *a* fam Ennuyeux.

suave *a* litt D'une douceur agréable.

suavement *av* Avec suavité.

suavité *nf* Caractère suave.

subaigu, uë *a* MED Proche de l'état aigu. **Var subaigu, üe**

subalpin, ine *a* Situé en bordure des Alpes.

subalterne *a, n* Dont la position est inférieure, subordonnée.

subaquatique [-kwa-] *a* Sous l'eau.

subatomique *a* PHYS Inférieur à l'atome.

subconscient, ente *a, nm* Se dit d'un état psychique dont on n'a pas conscience.

subdéléguer *vt* [12] Déléguer qqn dans une fonction dont on a été chargé.

subdésertique *a* Dont le climat est proche de celui des déserts.

subdiviser *vt* Soumettre à une nouvelle division. *Subdiviser un paragraphe.*

subdivision *nf* **1** Action de subdiviser. **2** Partie d'un tout divisé.

subduction *nf* GEOL Glissement des plaques océaniques sous les plaques voisines.

subéreux, euse *a* BOT De la nature du liège.

subir *vt* **1** Supporter ce qui est imposé. **2** Se soumettre ou être soumis à. *Subir une opération.* **3** Être l'objet de. *La Bourse subit une baisse.*

subit, ite *a* Soudain et imprévu.

subitement *av* De façon subite ; soudain.

subito *av* fam Subitement.

subjectif, ive *a* **1** PHILO Qui a rapport au sujet pensant. **2** Qui dépend de la personnalité, des goûts de chacun ; individuel, partial. *Jugement subjectif.* Ant. objectif.

subjectile *nm* TECH Surface qui reçoit une couche de peinture.

subjectivement *av* De façon subjective.

subjectivisme *nm* Propension à tenir compte de ses seules certitudes personnelles.

subjectiviste *a, n* Qui relève du subjectivisme.

subjectivité *nf* Caractère subjectif (par oppos. à *objectivité*).

subjonctif *nm* GRAM Mode personnel du verbe, employé dans certaines subordonnées ou pour exprimer le doute, l'éventualité.

subjuguer *vt* Exercer un ascendant absolu sur qqn.

sublimation *nf* **1** CHIM Passage direct de l'état solide à l'état gazeux. **2** Action d'élever, de purifier un sentiment, un acte.

sublime *a, nm* Très haut placé dans l'échelle des valeurs esthétiques ou morales ; admirable.

sublimé *nm* CHIM Produit obtenu par sublimation.

sublimer *vt* **1** CHIM Faire subir la sublimation. **2** Purifier une tendance en l'idéalisant.

subliminal, ale, aux *a* PSYCHO Qui ne dépasse pas le seuil de la conscience.

sublimité *nf* litt Caractère sublime.

sublingual, ale, aux [-gwal] *a* Situé sous la langue.

submerger *vt* [11] **1** Couvrir complètement d'eau, de liquide ; inonder. **2** Envahir, déborder. *Être submergé de travail.*

submersible *a* Qui peut être submergé. *Région submersible.* ■ *nm* Sous-marin.

submersion *nf* Action de submerger.

subodorer *vt* Pressentir, deviner, flairer.

subordination *nf* **1** Dépendance à l'égard d'un autre. **2** GRAM Rapport syntaxique entre une proposition et une autre à laquelle elle est subordonnée.

subordonnant *nm* GRAM Élément qui établit une subordination (conjonction, relatif).

subordonné, ée *a, n* Qui est sous la dépendance de qqch, sous l'autorité de qqn. ■ *nf* GRAM Proposition qui se trouve dans une relation syntaxique de dépendance par rapport à une autre proposition (dite *principale*).

subordonner *vt* **1** Mettre qqn dans une situation hiérarchiquement inférieure à un autre. **2** Faire dépendre une chose d'une autre. *Il subordonne son départ à la réussite de ses affaires.*

subornation *nf* Fait de suborner un témoin.

suborner *vt* DR Corrompre un témoin.

suborneur, euse *n* DR Personne qui suborne, qui dévoie. ■ *nm* litt Personne qui séduit une femme.

subreptice *a* litt Qui est fait furtivement.

subrepticement *av* En se cachant.

subrogation *nf* DR Acte par lequel on subroge.

subrogatoire *a* DR De la subrogation.

subrogé, ée *a* Loc DR *Subrogé tuteur :* choisi pour surveiller le tuteur ou le suppléer.

subroger *vt* [11] DR Désigner à la place de qqn.

subséquemment *av* DR Ensuite.

subséquent, ente *a* DR Qui suit.

subside *nm* Aide financière.

subsidence *nf* GEOL Lent mouvement d'affaissement.

subsidiaire *a* Qui s'ajoute au principal pour le renforcer, le compléter. *Moyens subsidiaires.* Loc *Question subsidiaire :* question qui sert à départager les concurrents ex aequo.

subsidiairement *av* Accessoirement.

subsistance *nf* **1** Fait de subsister. **2** Nourriture et entretien d'une personne. *Pourvoir à la subsistance de qqn.*

subsistant, ante *a* Qui subsiste.

subsister *vi* **1** Exister encore. *Cette coutume subsiste.* **2** Subvenir à ses besoins essentiels.

subsonique *a* Inférieur à la vitesse du son.

substance *nf* **1** Matière, corps. *Substance minérale, liquide.* **2** Ce qu'il y a d'essentiel dans un discours, un écrit. *La substance d'un livre.* Loc *En substance :* en se bornant à l'essentiel, en résumé.

substantiel, elle *a* **1** Nourrissant. *Un plat substantiel.* **2** Important, non négligeable. *Des avantages substantiels.*

substantiellement *av* De façon substantielle.

substantif *nm* GRAM Syn. de *nom.*

substantivement *av* En qualité de substantif.

substantiver *vt* Transformer en substantif.

substituable *a* Qui peut être substitué.

substituer *vt* Mettre une personne, une chose à la place d'une autre. ■ *vpr* Remplacer qqn, qqch, prendre leur place.

substitut *nm* **1** DR Magistrat qui supplée le procureur. **2** Ce qui peut remplacer qqch ; succédané. *Chercher un substitut au tabac.*

substitutif, ive *a* Qui peut remplacer qqch.

substitution *nf* Action de substituer.

substrat *nm* Ce qui sert de base, qui est sous-jacent ; infrastructure.

subterfuge *nm* Moyen détourné, ruse.

subtil, ile *a* **1** Qui a une finesse, une ingéniosité remarquable. **2** Difficile à saisir pour l'esprit, les sens. *Nuance subtile.*

subtilement *av* De façon subtile.

subtilisation *nf* Action de subtiliser.

subtiliser *vt* Voler habilement qqch.

subtilité *nf* **1** Caractère subtil. **2** Raisonnement subtil.

subtropical, ale, aux *a* Situé sous les tropiques. *Climat subtropical.*

suburbain, aine *a* Situé près d'une ville.

subvenir *vti* [35] Pourvoir à des besoins matériels, financiers.

subvention *nf* Somme versée par l'État, un organisme, etc., pour permettre d'entreprendre une activité d'intérêt général.

subventionner *vt* Aider par des subventions.

subversif, ive *a* Qui tend à provoquer la subversion. *Propos subversifs.*

subversion *nf* Action visant au renversement de l'ordre politique existant.

suc *nm* Liquide organique susceptible d'être extrait d'un tissu animal ou végétal.

succédané *nm* **1** Produit qu'on peut substituer à un autre. *Les succédanés du café.* Syn. ersatz. **2** Ce qui remplace qqch en ayant une valeur moindre.

succéder *vti* [12] **1** Venir après qqn et le remplacer dans une charge, un emploi. **2** Venir après qqch dans le temps ou l'espace. **3** DR Recueillir l'héritage de qqn. ■ *vpr* Venir l'un après l'autre. *Ils se sont succédé à ce poste.*

succès *nm* **1** Heureuse issue d'une opération, d'une entreprise. **2** Bon résultat obtenu par qqn. **3** Fait de gagner la faveur du public. *Film qui a du succès.*

successeur *nm* Personne qui succède à une autre dans ses fonctions, ses biens.

successif, ive *a* Qui se succèdent. *Les locataires successifs de cet appartement.*

succession *nf* **1** Fait de succéder à qqn. **2** Ensemble de personnes ou de choses qui se succèdent. *Une succession de catastrophes.* **3** DR Transmission par voie légale des biens d'une personne décédée ; biens dévolus aux successeurs.

successivement *av* L'un après l'autre.

successoral, ale, aux *a* DR Relatif aux successions.

succinct, incte [syksɛ̃, ɛ̃t] *a* **1** Bref, concis. *Description succincte.* **2** fam Peu copieux. *Un repas succinct.*

succinctement *av* De façon succincte.

succion [sysjɔ̃] *nf* Action de sucer.

succomber *vi* **1** Fléchir, avoir le dessous. *Succomber sous la charge, sous le nombre.* **2** Mourir. *Le blessé a succombé.* ■ *vti* Céder à qqch. *Succomber à la tentation.*

succube *nm* Démon d'apparence féminine.

succulence *nf* litt Caractère succulent.

succulent, ente *a* Très savoureux.

succursale nf Établissement commercial ou financier subordonné à un autre.

succursalisme nm Forme de commerce fondée sur un réseau de petits magasins.

sucer vt [10] 1 Attirer un liquide dans sa bouche en aspirant. 2 Presser avec les lèvres et la langue en aspirant.

sucette nf 1 Bonbon fixé au bout d'un bâtonnet. 2 Petite tétine pour les bébés.

suceur, euse a Qui suce.

suçoir nm 1 ZOOL Trompe aspirante de certains insectes. 2 BOT Organe par lequel s'alimentent certains végétaux parasites.

suçon nm Marque laissée sur la peau par une succion longue et forte.

suçoter vt fam Sucer à petits coups.

sucrage nm Action de sucrer.

sucrant, ante a Qui sucre.

1. sucre nm 1 Substance alimentaire de saveur douce que l'on tire principalement de la betterave et de la canne à sucre. 2 Morceau de sucre. 3 CHIM Glucide. **Loc** *Sucre d'orge* : sucre parfumé roulé en bâton. fam *Casser du sucre sur le dos de qqn* : dire du mal de lui.

2. sucre nm Unité monétaire de l'Équateur.

sucré, ée a Qui contient du sucre, qui a le goût du sucre. *Boisson sucrée*. ■ a, n Doucereux, mielleux. *Prendre un ton sucré. Faire la sucrée.*

sucrer vt 1 Mettre du sucre dans. *Sucrer son café.* 2 fam Supprimer qqch. *Sucrer une permission à un soldat.* ■ vpr 1 Additionner ses aliments de sucre. 2 fam S'octroyer une bonne part de bénéfices, d'avantages matériels, etc.

sucrerie nf 1 Établissement où on fabrique le sucre. 2 Produit de confiserie.

sucrier, ère a Qui fournit du sucre. ■ nm 1 Pièce de vaisselle dans laquelle on sert le sucre. 2 Propriétaire d'une sucrerie.

sud nm 1 L'un des quatre points cardinaux (opposé au *nord*). 2 (avec majusc.) Partie du globe terrestre, d'un pays, etc., qui s'étend vers le sud. 3 Ensemble des pays sous-développés. ■ a inv Situé au sud. *Le pôle Sud.*

sud-africain, aine a, n De la République d'Afrique du Sud.

sud-américain, aine a, n De l'Amérique du Sud.

sudation nf PHYSIOL Forte transpiration.

sudatoire a De la sudation.

sud-coréen, enne a, n De la Corée du Sud.

sud-est nm 1 Point de l'horizon situé à égale distance entre le sud et l'est. 2 (avec majusc.) Partie d'un pays, d'une région, qui s'étend vers le sud-est. ■ a inv Situé au sud-est.

sudiste n, a HIST Partisan des États esclavagistes du sud des États-Unis, pendant la guerre de Sécession.

sudoral, ale, aux a Relatif à la sueur.

sudorifique a Qui provoque la sudation.

sudoripare a Qui sécrète la sueur.

sud-ouest nm 1 Point de l'horizon situé entre le sud et l'ouest. 2 (avec majusc.) Partie d'un pays située au sud-ouest. ■ a inv Situé au sud-ouest.

suède nm Peau dont le côté chair est à l'extérieur.

suédé, ée a Qui a l'aspect du suède.

suédine nf Tissu qui imite le suède.

suédois, oise a, n De Suède. ■ nm Langue nordique parlée en Suède.

suée nf fam Transpiration abondante.

suer vi 1 Rejeter de la sueur par les pores. 2 fam Se donner beaucoup de peine pour faire qqch. **Loc** fam *Faire suer qqn* : l'ennuyer, l'impatienter. fam *Se faire suer* : s'ennuyer. ■ vt Dégager une impression de, exhaler. *Suer l'ennui, la peur.* **Loc** fam *Suer sang et eau* : peiner extrêmement.

sueur nf Liquide salé de la transpiration cutanée. **Loc** *Avoir des sueurs froides* : avoir une grande peur. *Gagner son pain à la sueur de son front* : à force de travail.

suffète nm HIST Magistrat suprême de Carthage.

suffire vti [79] 1 Être en quantité satisfaisante, avoir les qualités requises pour. *Cette somme suffit à nos besoins. Votre parole me suffit.* 2 Pouvoir satisfaire à soi seul aux exigences de qqch, qqn. *Il ne suffit pas à la tâche.* ■ v imp Il faut seulement. *Il suffit d'y aller. Il suffit que vous le désiriez.* **Loc** *Cela suffit* : c'est assez. ■ vpr Ne pas avoir besoin des autres pour ses besoins propres.

suffisamment av Assez.

suffisance nf Caractère d'une personne suffisante. *Un air plein de suffisance.* **Loc** *En suffisance* : en quantité suffisante.

suffisant, ante a 1 Qui suffit. 2 Trop sûr de soi. *Je le trouve très suffisant.*

suffixal, ale, aux a Du suffixe.

suffixation nf Dérivation à l'aide de suffixes.

suffixe nm Élément placé après le radical d'un mot et lui conférant une signification particulière (ex. : *-ment* dans *fortement*).

suffixé, ée a Comportant un suffixe.

suffocant, ante a Qui suffoque.

suffocation nf Fait de suffoquer.

suffoquer vt 1 Gêner la respiration au point d'étouffer. 2 fam Stupéfier. *Son aplomb m'a suffoqué.* ■ vi Respirer avec peine ; étouffer.

suffrage nm 1 Avis exprimé dans une élection, une délibération ; voix, vote. 2 Opinion, jugement favorable. *Cette pièce a mérité tous les suffrages.*

suffragette nf Citoyenne britannique qui militait pour le droit de vote des femmes.

suggérer [syg-] vt [12] Faire venir à l'esprit.

suggestif, ive a Qui suggère des idées, des sentiments (érotiques en particulier).

suggestion [syggɛsjɔ̃] nf 1 Action de suggérer. 2 Chose suggérée. 3 Influence psychique exercée sur qqn.

suggestionner vt Inspirer des idées, des actes à qqn par suggestion.

suicidaire a Qui mène au suicide. ■ a, n Psychiquement disposé au suicide.

suicidant, ante a, n Qui a fait une tentative de suicide.

suicide nm 1 Action de se donner volontairement la mort. 2 Fait de s'exposer dangereusement.

suicidé, ée a, n Qui s'est donné volontairement la mort.

suicider (se) vpr Se tuer volontairement.

suidé nm ZOOL Animal de la famille du porc.

suie nf Matière noirâtre que la fumée dépose dans les conduits de cheminée.

suif nm Graisse des ruminants.

sui generis [sɥiʒeneʁis] a inv Caractéristique d'une espèce, d'une chose.

suint nm Matière grasse sécrétée par les animaux à laine et qui imprègne leurs poils.

suintement nm Fait de suinter.

suinter vi 1 S'écouler presque imperceptiblement. *Sang qui suinte d'une plaie.* 2 Laisser couler très lentement. *Vase poreux qui suinte.*

suisse a De Suisse. ■ n Citoyen(enne) de la Suisse. ■ nm vx Employé d'église en uniforme. Loc fam *Boire en suisse* : sans inviter les autres.

Suissesse nf vieilli Citoyenne de la Suisse.

suite nf 1 Ensemble de ceux qui suivent un haut personnage dans ses déplacements. 2 Ce qui vient après, ce qui continue qqch. *Attendre la suite d'un récit.* 3 Ensemble de personnes ou de choses qui se suivent. *Une suite de maisons.* 4 Appartement loué dans un hôtel de luxe. 5 MUS Composition se développant en plusieurs morceaux. 6 Conséquence d'un évènement. *Mourir des suites d'un accident.* 7 Enchaînement logique, cohérent. Loc *Faire suite à* : succéder à. *À la suite de* : derrière, après ; en conséquence de. *De suite* : successivement. *Ainsi de suite* : en continuant de la même façon. *Tout de suite* : immédiatement. *Par la suite* : plus tard. *Par suite de* : en conséquence de. *Avoir de la suite dans les idées, avoir l'esprit de suite* : être persévérant. *Sans suite* : incohérent. *Donner suite à* : poursuivre la réalisation de.

suivant, ante a 1 Qui vient tout de suite après un autre. *Le client, le mois suivant. Au suivant !* ■ prép Conformément à, selon. *Suivant les circonstances.*

suiveur, euse n 1 Personne qui fait partie de l'escorte d'une course cycliste. 2 Personne qui se borne à suivre à faire comme tout le monde.

suivi, ie a 1 Qui intéresse de nombreuses personnes. *Une émission très suivie.* 2 Continu, sans interruption. *Un travail suivi.* 3 Dont les parties sont liées de façon cohérente. *Raisonnement suivi.* ■ nm Continuité contrôlée. *Assurer le suivi d'une fabrication.*

suivisme nm Attitude de ceux qui suivent aveuglément une autorité, une mode, etc.

suiviste a, n Qui relève du suivisme.

suivre vt [73] 1 Marcher, aller derrière. *Suivre qqn à la trace.* 2 Accompagner qqn dans ses déplacements. 3 Être, venir après dans l'espace, dans le temps, dans une série. *Le nom qui suit le mien sur la liste.* 4 Parcourir ; longer. *Suivre un chemin. La route qui suit la voie ferrée.* 5 Se laisser conduire par, se conformer à. *Suivre la mode.* 6 Se soumettre à, fréquenter. *Suivre un traitement. Suivre des cours.* 7 Porter un intérêt soutenu à. *Suivre l'actualité.* 8 Comprendre qqch dans sa logique. *Suivre un raisonnement.* ■ vpr Se succéder ; s'enchaîner. *Les jours se suivent sans se ressembler.*

1. sujet, ette a Exposé, enclin à, susceptible de. *Être sujet aux rhumes.* Loc *Sujet à caution* : dont il vaut mieux se méfier. ■ n Personne soumise à une autorité ; ressortissant.

2. sujet nm 1 Ce qui est en question, matière, centre d'intérêt. *Un sujet de discussion.* 2 Motif, raison. *Un sujet de querelle.* 3 GRAM Terme d'une proposition qui confère ses marques (personne, nombre) au verbe. 4 Être vivant sur lequel portent les observations, les expériences. *Sujet guéri.* Loc *Bon, mauvais sujet* : qui a une bonne, une mauvaise conduite. *Brillant sujet* : élève très doué. *Au sujet de* : à propos de, sur.

sujétion nf 1 Assujettissement, asservissement, dépendance. 2 Contrainte imposée par qqch.

sulfamide nm Substance utilisée pour ses propriétés antibiotiques.

sulfatage nm Action de sulfater.

sulfate nm Sel de l'acide sulfurique.

sulfater vt Vaporiser sur des cultures une solution de sulfate de cuivre.

sulfateuse nf 1 Machine à sulfater. 2 fam Mitraillette.

sulfhydrique a Loc *Acide sulfhydrique* : gaz à odeur d'œuf pourri, très toxique.

sulfite nm Sel de l'acide sulfureux.

sulfure nm 1 CHIM Combinaison de soufre avec un autre élément. 2 Morceau de cristal décoré dans la masse.

sulfuré, ée a CHIM 1 À l'état de sulfure. 2 Combiné avec le soufre.

sulfureux, euse a 1 CHIM Relatif au soufre. 2 Lié à l'enfer ; démoniaque. *Un charme sulfureux.*

sulfurique a Loc *Acide sulfurique* : dérivé du soufre, corrosif, très employé dans l'industrie.

sulfurisé, ée a Se dit d'un papier imperméable, utilisé pour l'emballage des produits alimentaires.

sulky nm Voiture légère à deux roues pour les courses de trot. *Des sulkys.*

sulpicien, enne a Se dit d'un art religieux conventionnel et fade.

sultan nm HIST 1 Souverain de l'Empire ottoman. 2 Titre de certains princes musulmans.

sultanat nm 1 Dignité de sultan. 2 État gouverné par un sultan.

sultane nf Épouse du sultan.

sumac nm Petit arbre dont on tire des vernis, des colorants, des laques.

sumérien, enne a, n De Sumer. ■ nm Langue des Sumériens écrite en cunéiformes.

summum [sɔmɔm] nm Plus haut point, plus haut degré.

sumo nm inv Lutte japonaise traditionnelle.

sunlight [sœnlajt] nm Puissant projecteur utilisé pour les prises de vues cinématographiques.

sunna nf Tradition de l'islam représentant l'orthodoxie musulmane.

sunnisme nm Courant majoritaire de l'islam, s'appuyant sur la sunna.

sunnite a, n Qui se conforme à la sunna.

super a inv fam Extraordinaire, admirable. ■ nm fam Supercarburant.

superbe a D'une grande beauté, magnifique. *Une femme superbe. Un temps superbe.* ■ nf litt Maintien orgueilleux.

superbement av De façon superbe.

supercarburant nm Carburant d'un rendement supérieur à celui de l'essence ordinaire.

supercherie nf Tromperie, fraude.

supérette nf Petit supermarché.

superfétatoire a litt Superflu, inutile.

superficialité nf Caractère superficiel.

superficie nf Étendue, aire, surface.

superficiel, elle a 1 Qui est à la surface. *Plaie superficielle.* 2 Futile, sans profondeur. *Sentiments superficiels.*

superficiellement av De façon superficielle.

superflu, ue a, nm Qui est en trop, inutile. *Ornements superflus. Se passer du superflu.*

supergrand nm Superpuissance.

supérieur, eure *a* **1** Situé au-dessus, en haut. *La mâchoire supérieure.* **2** Plus élevé en degré, en valeur, en grade. *Un poids supérieur à trois tonnes. Les officiers supérieurs.* **3** Hautain, arrogant. *Prendre un air supérieur.* ■ *n* **1** Personne de qui on dépend hiérarchiquement. **2** Personne qui dirige une communauté religieuse.

supérieurement *av* De façon supérieure.

supériorité *nf* Fait d'être supérieur ; caractère supérieur. *Supériorité numérique.*

superlatif *nm* **1** GRAM Degré de l'adjectif ou de l'adverbe qui exprime le niveau extrême (ex. : *très beau, le moins grand*). **2** Terme emphatique, hyperbolique.

superman [-man] *nm* fam Homme supérieur ; surhomme. *Des supermen* ou *supermans.*

supermarché *nm* Magasin en libre-service, de grande surface.

supernova *nf* Explosion d'une étoile massive à un stade avancé de son évolution.

superpétrolier *nm* Navire pétrolier de très grande capacité.

superphosphate *nm* Engrais constitué essentiellement de phosphate calcique.

superposable *a* Qu'on peut superposer.

superposer *vt* Poser des choses les unes sur les autres ; mettre par-dessus.

superposition *nf* Action de superposer ; état de choses superposées.

superproduction *nf* Film à grand spectacle, tourné avec de gros moyens financiers.

superpuissance *nf* État dont l'importance politique, militaire, économique est dominante.

supersonique *a* D'une vitesse supérieure à celle du son. ■ *nm* Avion supersonique.

superstar *nf* Vedette très célèbre.

superstitieusement *av* De façon superstitieuse.

superstitieux, euse *a, n* Qui est inspiré, influencé par la superstition. *Un geste superstitieux. Un homme superstitieux.*

superstition *nf* Croyance à la manifestation de forces mystérieuses liées à des actes, à des objets, à des phénomènes. *Toucher du bois par superstition pour conjurer le mauvais sort.*

superstructure *nf* **1** Partie d'une construction située au-dessus du sol. **2** Construction édifiée au-dessus du pont supérieur d'un navire. **3** Ensemble formé par les idées et les institutions. Ant. infrastructure.

supertanker *nm* Grand navire-citerne.

superviser *vt* Contrôler, vérifier un travail dans ses grandes lignes.

superviseur *nm* Personne qui supervise.

supervision *nf* Action de superviser.

superwelter *nm* Boxeur professionnel pesant entre 67 et 71 kg.

supin *nm* Forme nominale du verbe latin.

supplanter *vt* Prendre la place de, évincer.

suppléance *nf* Fait de suppléer qqn ou qqch.

suppléant, ante *n, a* Qui remplace qqn d'autre dans ses fonctions.

suppléer *vt* Remplacer. *Un adjoint supplée le maire.* ■ *vti* Compenser une insuffisance. *Son jugement supplée à son inexpérience.*

supplément *nm* Ce qui vient en plus, ce qui est ajouté. *Un supplément de prix.*

supplémentaire *a* Qui vient en supplément, en plus. *Train supplémentaire.* Loc *Heures supplémentaires :* heures de travail accomplies en plus de l'horaire légal. GEOM *Angles supplémentaires :* dont la somme égale 180 degrés.

supplémenter *vt* Enrichir un aliment. *Lait supplémenté en vitamines.*

supplétif, ive *a, nm* Se dit de soldats constituant temporairement une force d'appoint.

suppliant, ante *a, n* Qui supplie.

supplication *nf* Prière instante et soumise.

supplice *nm* **1** HIST Punition corporelle grave, entraînant souvent la mort, ordonnée par une autorité. **2** Ce qui cause une vive souffrance physique ou morale.

supplicié, ée *n* Personne qui subit ou qui a subi un supplice.

supplicier *vt* Soumettre à un supplice.

supplier *vt* **1** Prier avec instance et soumission. **2** Prier de façon pressante.

supplique *nf* Requête par laquelle on demande une grâce à une autorité officielle.

support *nm* Ce sur quoi porte le poids de qqch ; soutien. Loc *Support publicitaire :* affiche, radio, etc., servant à diffuser un message publicitaire.

supportable *a* Qu'on peut supporter.

1. supporter *vt* **1** Servir de support à, soutenir. *Les poutres qui supportent le toit.* **2** Subir, endurer sans faiblir. *Supporter le froid.* **3** Tolérer un comportement désagréable, pénible. *Il faut supporter sa mauvaise humeur.* **4** Résister à une action. *Poterie qui supporte le feu.* **5** Avoir la charge. *Supporter de gros frais.* **6** abusiv Encourager un sportif, une équipe. ■ *vpr* Se tolérer mutuellement.

2. supporter [-tɛʀ] *n* Personne qui encourage un concurrent, une équipe sportive, un candidat, qui lui apporte son appui. Var **supporteur, trice**

supposé, ée *a* **1** Admis par supposition. **2** Qui n'est pas authentique. *Nom supposé.* Loc *Supposé que :* en admettant que.

supposer *vt* **1** Poser, imaginer comme établi. *Supposons deux droites parallèles.* **2** Tenir pour probable. *On suppose qu'il est mort.* **3** Impliquer comme condition. *La bonne entente suppose le respect.*

supposition *nf* Hypothèse, opinion reposant sur de simples probabilités.

suppositoire *nm* Médicament à administrer par voie rectale.

suppôt *nm* litt Auxiliaire de qqn de malfaisant.

suppression *nf* Action de supprimer.

supprimer *vt* **1** Faire disparaître, ôter, retrancher. *Supprimer un paragraphe.* **2** Assassiner. ■ *vpr* Se suicider.

suppurant, ante *a* Qui suppure.

suppuration *nf* Formation de pus.

suppurer *vi* Produire, laisser écouler du pus.

supputation *nf* litt Évaluation, estimation.

supputer *vt* litt Évaluer à partir de certains éléments, de certains indices.

supra *av* Ci-dessus, dans un passage antérieur.

supraconducteur, trice *a* PHYS Qui présente le phénomène de supraconductivité.

supraconductivité *nf* PHYS Conductivité très élevée de certains corps aux températures voisines du zéro absolu. Var **supraconduction**

supranational, ale, aux *a* Qui a autorité sur les souverainetés nationales.

supranationalité *nf* Caractère supranational.

suprématie [-si] *nf* Supériorité de puissance ; prééminence. *Suprématie économique.*

suprême *a* 1 Au-dessus de tous, de tout. *Le pouvoir suprême.* 2 Très grand. *Une habileté suprême.* 3 Dernier, ultime. *Faire une suprême tentative.* Loc *litt L'heure suprême :* la mort. *Honneurs suprêmes :* funérailles. ■ *nm* CUIS Filets de volaille ou de poisson nappés de sauce à la crème.

suprêmement *av* Extrêmement.

1. sur *prép* Marque la position de ce qui est plus haut, la supériorité, la direction, l'approximation, la cause, le moyen, la manière, la proportion, etc. Loc *Sur ce :* après cela, ensuite.

2. sur, sure *a* Légèrement acide, aigre.

sûr, sûre *a* 1 Qui ne présente aucun risque ; sans danger. *Mettre qqn, qqch en lieu sûr.* 2 Digne de confiance ; sur qui ou sur quoi l'on peut s'appuyer. *Un ami sûr. Un matériel très sûr.* 3 Ferme, assuré, rigoureux. *Un geste sûr.* 4 Qu'on ne peut mettre en question, incontestable. *Je pars demain, c'est sûr.* 5 Convaincu, certain, assuré. *Il est sûr de réussir.* Loc *Bien sûr ! :* évidemment, bien entendu. *Sûr de soi :* qui a confiance en ses capacités. Var **sûr, sure**

surabondamment *av* Plus que nécessaire.

surabondance *nf* Très grande abondance.

surabondant, ante *a* Qui surabonde.

surabonder *vi* Être plus abondant qu'il n'est nécessaire.

suractivé, ée *a* Dont l'activité est accrue par un traitement spécial.

suraigu, uë *a* Très aigu. Var **suraigu, üe**

surajouter *vt* Faire un nouvel ajout à.

suralimentation *nf* Fait de suralimenter.

suralimenter *vt* Fournir une alimentation plus abondante ou plus riche que la normale.

suranné, ée *a* Démodé, désuet, vieillot.

surarmement *nm* Armement trop important.

surarmer *vt* Armer au-delà du besoin.

surate *nf* Chapitre du Coran. Var **sourate**

surbaissé, ée *a* Qui est plus abaissé que la moyenne. *Voûte surbaissée.*

surcharge *nf* 1 Charge ajoutée à la charge normale. 2 Fait d'être trop chargé, trop abondant. *La surcharge des programmes scolaires.* 3 Mot écrit au-dessus d'un autre pour le remplacer. Loc *Surcharge pondérale :* obésité.

surcharger *vt* [11] Charger de façon excessive. *Surcharger un camion.*

surchauffe *nf* 1 Action de surchauffer un liquide, de la vapeur. 2 ÉCON Inflation provenant d'une expansion mal maîtrisée.

surchauffer *vt* Chauffer excessivement.

surchoix *a inv, nm* De toute première qualité.

surclasser *vt* Dominer très nettement par ses performances, sa qualité.

surcomposé, ée *a* GRAM Se dit d'un temps verbal formé d'un auxiliaire à un temps composé et du participe passé (ex. : *quand j'ai eu terminé...*).

surconsommation *nf* Consommation supérieure aux besoins.

surcontre *nm* Au bridge, maintien d'une annonce contrée.

surcontrer *vt* Déclarer un surcontre.

surcoupe *nf* Action de surcouper.

surcouper *vt* Aux cartes, couper avec un atout plus fort que celui qui vient d'être mis.

surcoût *nm* Coût supplémentaire. Var **surcout**

surcroît *nm* Ce qui vient s'ajouter à qqch. *Surcroît de travail.* Loc *De* ou *par surcroît :* de plus, en outre. Var **surcroit**

surdétermination *nf* didac Caractère de ce qui est déterminé par plusieurs causes à la fois.

surdéterminer *vt* Effectuer une surdétermination.

surdéveloppé, ée *a* Qui a un développement économique trop important.

surdimensionné, ée *a* Trop grand.

surdimutité *nf* État du sourd-muet. Var **surdi-mutité**

surdité *nf* Affaiblissement ou disparition du sens de l'ouïe, fait d'être sourd.

surdosage *nm* Dosage excessif.

surdose *nf* Syn. de *overdose.*

surdoué, ée *a, n* Qui présente un développement intellectuel exceptionnel.

sureau *nm* Arbuste dont le bois renferme un large canal de moelle.

sureffectif *nm* Effectif trop nombreux.

surélévation *nf* Action de surélever, fait d'être surélevé ; son résultat.

surélever *vt* [15] Donner plus de hauteur à. *Surélever un bâtiment de deux étages.*

sûrement *av* 1 Avec régularité et constance, sans faillir. *Progresser lentement mais sûrement.* 2 Certainement, selon toute probabilité. Var **surement**

surenchère *nf* 1 Enchère supérieure à la précédente. 2 Promesse faite pour renchérir sur celle d'un autre.

surenchérir *vi* Faire une surenchère.

surenchérissement *nm* Augmentation des prix.

surendettement *nm* Endettement excessif.

surendetter *vt* Mettre en état de surendettement.

surentraînement *nm* Entraînement trop poussé d'un sportif. Var **surentrainement**

surentraîner *vt* Soumettre au surentraînement. Var **surentrainer**

suréquipement *nm* Action de suréquiper.

suréquiper *vt* Équiper plus qu'il n'est nécessaire.

surestimation *nf* Fait de surestimer.

surestimer *vt* Estimer au-dessus de sa valeur.

suret, ette *a* Légèrement sur, acidulé.

sûreté *nf* 1 Fait d'être sûr ; caractère d'un lieu où l'on ne risque rien. 2 Fermeté, rigueur, justesse des gestes, des raisonnements, etc. Loc *Attentat, crime contre la sûreté de l'État :* infractions menées contre l'autorité de l'État ou l'intégrité du territoire. *De sûreté :* spécialement conçu pour assurer la sécurité. *En sûreté :* à l'abri. Var **sureté**

surévaluation *nf* Fait de surévaluer.

surévaluer *vt* Évaluer qqch au-delà de sa valeur.

surexcitable *a* Qui est facilement surexcité.

surexcitation *nf* Très grand énervement.

surexciter *vt* Exciter au plus haut point.

surexploiter *vt* Exploiter de façon excessive.

surexposer *vt* PHOTO Exposer trop longtemps à la lumière.

surexposition *nf* PHOTO Fait de surexposer.

surf [sœrf] *nm* Sport nautique qui consiste à se laisser porter sur les vagues par les rouleaux, en se maintenant en équilibre sur une planche.

surfaçage *nm* Action de surfacer.

surface *nf* **1** Partie extérieure d'un corps, limitant son volume. *La surface de la Terre.* **2** Aire, superficie. *Une surface de 100 m².* **3** Aspect extérieur. **4** fam Situation sociale importante. Loc *Grande surface :* magasin en libre-service dont la surface de vente est supérieure à 400 m². *Faire surface :* émerger.

surfacer *vt* [10] TECH Donner un aspect régulier à une surface.

surfaceuse *nf* Machine à surfacer.

surfacique *a* MATH De la surface.

surfait, aite *a* Trop vanté, qui n'est pas à la hauteur de sa réputation.

surfer [sœrfe] *vi* **1** Pratiquer le surf. **2** fam Être porté sur un phénomène puissant. **3** Naviguer sur un réseau informatique.

surfeur, euse [sœR-] *n* Personne qui pratique le surf.

surfil *nm* COUT Surjet fait en surfilant.

surfiler *vt* COUT Passer un fil sur les bords d'un tissu pour éviter qu'il ne s'effiloche.

surfin, ine *a* D'une très grande qualité.

surgélation *nf* Action de surgeler.

surgelé, ée *a, nm* Qui a subi la surgélation.

surgeler *vt* [16] Congeler rapidement une denrée périssable.

surgénérateur *nm* Réacteur nucléaire qui produit plus de matière fissile qu'il n'en a consommé.

surgeon *nm* Rejeton qui naît de la souche d'un arbre.

surgir *vi* Apparaître brusquement.

surgissement *nm* litt Action de surgir.

surgras, asse *a* Très riche en corps gras. *Savon surgras.*

surhausser *vt* Exhausser, surélever.

surhomme *nm* Homme qui dépasse la mesure normale de la nature humaine.

surhumain, aine *a* Au-dessus des forces, des qualités et des aptitudes normales de l'homme.

surimi *nm* Chair de poisson aromatisée.

surimposer *vt* Frapper d'une majoration d'impôt ou d'un impôt excessif.

surimposition *nf* Imposition supplémentaire ou excessive.

surimpression *nf* Opération qui consiste à superposer sur un même support deux ou plusieurs images.

surin *nm* pop Couteau, poignard.

suriner *vt* pop Frapper d'un coup de couteau.

surinfection *nf* Infection survenant chez un sujet présentant déjà une maladie infectieuse.

surinformation *nf* Surabondance d'information.

surintendance *nf* HIST Charge de surintendant.

surintendant *nm* HIST Nom de divers officiers chargés de la surveillance d'une administration, sous l'Ancien Régime.

surintensité *nf* ÉLECTR Intensité supérieure à l'intensité maximale tolérée.

surir *vi* Devenir sur, aigre.

surjet *nm* COUT Point de couture à cheval sur le bord du tissu.

sur-le-champ *av* Immédiatement.

surlendemain *nm* Jour qui suit le lendemain.

surligner *vt* Marquer un texte avec un surligneur.

surligneur *nm* Feutre à encre lumineuse servant à mettre qqch en valeur.

surmédicaliser *vt* Pratiquer un excès de soins médicaux sur qqn, sur une population.

surmenage *nm* Fait d'être surmené.

surmener *vt* [15] Fatiguer par un excès de travail.

surmoi *nm inv* PSYCHAN Élément du psychisme qui exerce un rôle de contrôle et de censure.

surmontable *a* Qui peut être surmonté.

surmonter *vt* **1** Être placé au-dessus de. **2** Venir à bout de. *Surmonter une difficulté.* **3** Dominer, maîtriser une sensation, un sentiment, une émotion. *Surmonter sa douleur.*

surmortalité *nf* Mortalité plus importante dans un groupe donné par rapport à un autre.

surmulet *nm* Rouget de roche.

surmulot *nm* Rat d'égout.

surmultiplier *vt* Donner à l'arbre de transmission d'une voiture une vitesse supérieure à celle du moteur.

surnager *vi* [11] **1** Se maintenir à la surface d'un liquide. **2** Subsister, persister.

surnatalité *nf* Natalité excessive.

surnaturel, elle *a, nm* **1** Qui semble échapper aux lois de la nature. **2** Qui ne paraît pas naturel, qui tient du prodige ; extraordinaire.

surnom *nm* Nom donné à qqn en plus de son nom véritable ; sobriquet.

surnombre *nm* Loc *En surnombre :* en excédent, en surplus.

surnommer *vt* Donner un surnom à qqn.

surnuméraire *a, n* En surnombre.

suroît *nm* MAR **1** Vent de sud-ouest. **2** Chapeau imperméable qui descend bas sur la nuque. Var **suroit**

surpassement *nm* litt Fait de se surpasser.

surpasser *vt* Être supérieur à, l'emporter sur. ■ *vpr* Faire mieux qu'à l'ordinaire.

surpâturage *nm* Exploitation excessive d'un pâturage.

surpayer *vt* [20] Payer, acheter trop cher.

surpêche *nf* Exploitation excessive des fonds.

surpeuplé, ée *a* Où la population est trop nombreuse.

surpeuplement *nm* État d'une région surpeuplée.

surpiqûre *nf* Piqûre apparente sur un tissu. Var **surpiqure**

surplace *nm* Loc *Faire du surplace :* ne pas avancer.

surplis *nm* Tunique blanche plissée, portée par les prêtres et les enfants de chœur.

surplomb *nm* Partie d'un bâtiment qui est en saillie par rapport à la base. Loc *En surplomb :* dont le haut forme une saillie.

surplomber *vi* Former un surplomb. ■ *vt* Dominer en formant une saillie au-dessus de. *La falaise surplombe la plage.*

surplus *nm* **1** Ce qui dépasse une quantité fixée. **2** Stock de produits invendus cédés à bas prix. Loc *Au surplus :* au reste, d'ailleurs.

surpopulation *nf* Population excessive relativement aux possibilités économiques.

surprenant, ante *a* Étonnant.

surprendre *vt* [70] **1** Prendre qqn sur le fait. *Surprendre un voleur.* **2** Arriver sur qqn inopinément. *L'orage les a surpris.* **3** Étonner. *Tu* *me surprends en disant cela.* Loc *Surprendre un secret :* le découvrir. litt *Surprendre la bonne foi de qqn :* le tromper.

surpression *nf* Pression plus élevée que la normale.

surprime *nf* Prime supplémentaire demandée par une assurance.

surprise *nf* 1 Étonnement. 2 Chose qui surprend ; cadeau, plaisir inattendu. Loc *Par surprise :* en prenant au dépourvu.

surprise-partie *nf* Réunion dansante privée pour jeunes gens. *Des surprises-parties.*

surproduction *nf* Production trop forte par rapport aux besoins.

surproduire *vt* [67] Produire en excès.

surprotéger *vt* [13] PSYCHO Protéger qqn de façon excessive.

surréalisme *nm* Mouvement littéraire et artistique du début du XXe s. visant à libérer l'expression poétique de la logique et des valeurs morales et sociales de l'époque.

surréaliste *a, n* Qui relève du surréalisme. ■ *a* Qui évoque le surréalisme par son caractère bizarre, incongru.

surréel, elle *a* litt Qui se situe au-delà du réel.

surremise *nf* Remise supplémentaire accordée en cas d'achats importants.

surrénal, ale, aux *a, f* ANAT Se dit des glandes endocrines qui coiffent les reins et sécrètent l'adrénaline.

sursalaire *nm* Supplément au salaire.

sursaturation *nf* PHYS État sursaturé.

sursaturer *vt* PHYS Saturer au-delà de la normale.

sursaut *nm* 1 Mouvement brusque du corps. 2 Nouvel élan qui survient brusquement. *Un sursaut d'énergie.* Loc *En sursaut :* avec une soudaineté brutale.

sursauter *vi* Avoir un sursaut, tressaillir violemment.

surseoir *vti* [40] DR Remettre à plus tard, différer. *Surseoir à une exécution.* Var **sursoir**

sursis *nm* 1 DR Suspension de l'exécution d'une peine. 2 Délai à l'exécution d'une obligation ; ajournement d'une décision.

sursitaire *a, n* Qui a obtenu un sursis.

surtaxe *nf* Taxe supplémentaire.

surtaxer *vt* Frapper d'une surtaxe.

surtension *nf* ÉLECTR Tension trop élevée.

surtitre *nm* Dans un journal, titre complémentaire placé au-dessus du titre d'un article.

surtout *av* Principalement, plus que toute autre chose. Loc fam *Surtout que :* d'autant plus que.

surveillance *nf* Action de surveiller ; fait d'être surveillé.

surveillant, ante *n* Personne qui a pour fonction de surveiller.

surveiller *vt* 1 Observer attentivement pour contrôler, vérifier, éviter les dangers, les agressions. 2 Veiller à ce qu'on fait, ce qu'on dit. *Surveiller ses paroles, sa conduite.*

survenir *vi* [35] [aux. *être*] Arriver de façon imprévue, brusquement.

survenue *nf* litt Fait de survenir.

survêtement *nm* Vêtement chaud qu'on met par-dessus une tenue de sport.

survie *nf* Fait de survivre.

survirage *nm* Action de survirer.

survirer *vi* Déraper des roues arrière dans un virage.

survitaminé, ée *a* fam Se dit d'un moteur, d'un véhicule très puissant.

survitrage *nm* Vitre supplémentaire isolant du bruit ou du froid.

survivance *nf* Persistance de ce que l'évolution aurait pu faire disparaître.

survivant, ante *n, a* Qui survit.

survivre *vti* [76] 1 Demeurer en vie après la mort de qqn, après la fin de qqch. *Survivre à ses enfants.* 2 Continuer d'exister. *Ses œuvres lui survivront longtemps.* ■ *vti, vi* Rester en vie après un danger. *Survivre à un accident.*

survol *nm* Fait de survoler.

survoler *vt* 1 Voler au-dessus de. *L'appareil survole Madrid.* 2 Voir superficiellement. *Survoler un problème.*

survoltage *nm* Fait d'être survolté.

survolter *vt* 1 ÉLECTR Soumettre à une tension supérieure à la normale. 2 Surexciter.

sus *av* Loc *En sus (de) :* en plus (de). litt *Courir sus à qqn :* le poursuivre avec violence.

susceptibilité *nf* Caractère de qqn qui s'offense facilement.

susceptible *a* 1 Qui se froisse, s'offense facilement. 2 Qui peut présenter certaines qualités. *Une affirmation susceptible de plusieurs interprétations.* 3 Éventuellement capable de. *Est-il susceptible de vous remplacer ?*

susciter *vt* Faire naître, provoquer. *Susciter l'enthousiasme. Susciter un scandale.*

suscription *nf* Adresse écrite sur l'enveloppe d'une lettre.

susdit, ite *a, n* Indiqué, cité ci-dessus.

sushi [suʃi] *nm* Boulette de riz couronnée de poisson cru.

susmentionné, ée *a* Mentionné ci-dessus.

susnommé, ée *a, n* Nommé plus haut.

suspect, ecte [syspɛ, ɛkt] *a, n* 1 Qui inspire la méfiance, éveille les soupçons. 2 Qui est soupçonné de. *Être suspect de trahison.* 3 D'une qualité douteuse. *Une viande suspecte.*

suspecter *vt* Soupçonner, tenir pour suspect.

suspendre *vt* [5] 1 Attacher de manière à laisser pendre. *Suspendre une lampe au plafond.* 2 Interrompre momentanément le cours de ; remettre à plus tard. *Suspendre des travaux, une séance.* 3 Interdire momentanément l'usage, l'exercice, l'action de. *Suspendre une loi, un permis de conduire.* 4 Démettre momentanément qqn d'une fonction.

suspendu, ue *a* Loc *Pont suspendu :* dont le tablier ne repose pas sur des piles. *Voiture bien, mal suspendue :* dont la suspension est bonne, mauvaise.

suspens (en) [-pã] *av* 1 Qui n'a pas encore été réglé. 2 Dans l'indécision.

suspense [-pɛns] *nm* Dans un film, un roman, passage agencé en vue de tenir l'esprit dans une attente anxieuse.

suspensif, ive *a* DR Qui interrompt le cours d'une décision de justice.

suspension *nf* 1 Action de suspendre ; état d'une chose suspendue. 2 Appareil d'éclairage suspendu au plafond. 3 CHIM Dispersion de fines particules dans un liquide. 4 Dispositif situé entre le châssis et les roues d'un véhicule pour atténuer les trépidations. 5 Interruption. *Suspension de* séance. **6** Fait de retirer ses fonctions à un fonctionnaire.

suspente nf Chacun des cordages réunissant la nacelle d'un ballon au filet, ou la voilure d'un parachute au harnais.

suspicieux, euse a litt Rempli de suspicion.

suspicion nf Fait de tenir pour suspect ; défiance. Loc DR *Suspicion légitime :* demande de renvoi d'un procès devant un autre tribunal, en invoquant la partialité.

sustentation nf Fait pour un appareil de se maintenir en l'air.

sustenter (se) vpr Se nourrir.

susurrement nm Murmure.

susurrer vi, vt Dire doucement, à voix basse.

susvisé, ée a DR Visé ci-dessus.

sutra nm Recueil de préceptes, concernant les règles de la morale, du rituel, etc., du bouddhisme ou le brahmanisme. Var **soutra**

suture nf CHIR Réunion à l'aide de fils des lèvres d'une plaie.

suturer vt CHIR Réunir par une suture.

suzerain, aine n FÉOD Seigneur dont dépendaient des vassaux.

suzeraineté nf **1** FÉOD Qualité de suzerain ; pouvoir de suzerain. **2** Autorité d'un État sur un autre.

svastika nm Croix gammée, symbole sacré de l'Inde.

svelte a Qui a un aspect mince, élancé.

sveltesse nf Caractère svelte.

SVP Abrév. de *s'il vous plaît.*

swahili, ie a, nm Langue bantoue parlée en Afrique orientale. Var **souahéli, ie**

swap nm FIN Échange de monnaie entre deux banques.

sweater [swɛtœʀ] nm Veste de jersey. Var **sweateur**

sweat-shirt [swɛtʃœʀt] nm Pull-over en jersey molletonné, ras du cou. Des *sweat-shirts.*

sweepstake [swipstɛk] nm Loterie combinée à une course de chevaux.

swing [swiŋ] nm **1** À la boxe, coup de poing porté latéralement. **2** Au golf, balancement du tronc qui accompagne la frappe de la balle. **3** Balancement rythmique caractéristique du jazz.

sybarite a, n litt Qui mène une vie voluptueuse.

sycomore nm Érable à fleurs pendantes.

sycophante nm ANTIQ Dénonciateur patenté.

syénite nf Roche magmatique grenue.

syllabaire nm **1** Livre destiné à l'apprentissage de la lecture. **2** LING Système d'écriture où chaque signe note une syllabe.

syllabation nf Lecture des mots en les divisant par syllabes.

syllabe nf Unité phonétique qui se prononce d'une seule émission de voix.

syllabique a De la syllabe. Loc *Écriture syllabique :* dans laquelle chaque syllabe est représentée par un caractère.

syllabisme nm Écriture syllabique.

syllepse nf GRAM Accord d'un mot selon le sens plutôt que selon les règles grammaticales.

syllogisme nm Déduction formelle entre trois propositions logiquement impliquées (ex. : *tous les hommes sont mortels ; or, Socrate est un homme ; donc Socrate est mortel*).

syllogistique a Du syllogisme.

sylphe nm MYTH Génie de l'air.

sylphide nf **1** MYTH Sylphe féminin. **2** litt Femme très gracieuse.

sylvaner nm Cépage blanc d'Alsace.

sylve nf Forêt dense équatoriale.

sylvestre a litt Relatif aux bois, aux forêts.

sylvicole a De la sylviculture.

sylviculteur nm Personne qui pratique la sylviculture.

sylviculture nf Exploitation des forêts, culture des arbres.

symbiose nf **1** BIOL Association de deux êtres vivants d'espèces différentes. **2** Union étroite.

symbiotique a BIOL De la symbiose.

symbole nm **1** Représentation figurée, imagée, concrète d'une notion abstraite. **2** Signe conventionnel abréviatif. *Symbole chimique, mathématique.*

symbolique a **1** Qui constitue un symbole. **2** Qui n'a pas de valeur en soi. *Geste symbolique.* ■ nf Ensemble des symboles propres à une culture, une époque, etc.

symboliquement av De façon symbolique.

symbolisation nf Action de symboliser.

symboliser vt **1** Représenter par des symboles. **2** Être le symbole de.

symbolisme nm **1** Système de symboles destinés à rappeler des faits ou à exprimer des croyances. **2** Mouvement littéraire et artistique de la fin du XIXᵉ s.

symboliste a, n Qui relève du symbolisme littéraire ou artistique.

symétrie nf **1** Régularité et harmonie dans l'ordonnance des parties d'un tout. **2** GÉOM Similitude des deux moitiés d'un espace de part et d'autre d'un axe.

symétrique a, nm Qui présente une certaine symétrie avec qqch de semblable et d'opposé.

symétriquement av Avec symétrie.

sympa a fam Sympathique.

sympathectomie nf CHIR Section de nerfs ou de ganglions sympathiques.

sympathie nf **1** Part qu'on prend aux peines et aux plaisirs d'autrui. **2** Sentiment spontané d'attraction à l'égard de qqn. *Éprouver une vive sympathie pour qqn.*

sympathique a **1** Qui inspire la sympathie. **2** Très agréable. *Endroit sympathique.* ■ nm, a ANAT Partie du système nerveux dont les fonctions sont végétatives.

sympathisant, ante a, n Qui, sans adhérer à un parti, en partage les idées.

sympathiser vi Éprouver une sympathie pour qqn, s'entendre avec lui.

sympatholytique a, nm MÉD Qui inhibe le système nerveux sympathique.

sympathomimétique a, nm MÉD Qui stimule le système nerveux sympathique.

symphonie nf **1** MUS Composition pour un grand orchestre. **2** Ensemble harmonieux. *Symphonie de couleurs.*

symphonique a MUS Relatif à une symphonie.

symphoniste n MUS Exécutant, compositeur d'une symphonie.

symphyse nf ANAT Articulation fibreuse peu mobile réunissant deux os.

symposium [-zjɔm] nm Réunion de spécialistes sur un sujet précis.

symptomatique *a* **1** MED Qui est le symptôme d'une maladie. **2** Qui est l'indice de qqch.

symptomatologie *nf* MED Étude des symptômes des maladies.

symptôme *nm* **1** Phénomène physiologique qui révèle un état pathologique. **2** Indice, présage, signe. *Les symptômes d'une révolution.*

synagogue *nf* Lieu de culte israélite.

synapse *nf* ANAT Zone de contact entre deux neurones.

synaptique *a* D'une synapse.

synarchie *nf* Autorité détenue par plusieurs personnes à la fois.

synchrone *a* Qui se fait dans le même temps.

synchronie *nf* **1** Ensemble des faits de langue à une époque précise (par oppos. à *diachronie*). **2** Simultanéité d'évènements.

synchronique *a* Qui a lieu dans le même temps, à la même époque.

synchroniquement *av* De façon synchronique.

synchronisation *nf* Fait de synchroniser, d'être synchronisé.

synchroniser *vt* **1** Rendre synchrones deux phénomènes. **2** Mettre en concordance les images et les sons dans un film.

synchroniseur *nm* Appareil servant à synchroniser.

synchronisme *nm* **1** Caractère synchrone. **2** Caractère synchronique.

synchrotron *nm* PHYS Accélérateur de particules.

synclinal, aux *nm* GEOL Partie concave d'un pli simple. Ant. anticlinal.

syncope *nf* **1** Suspension subite des battements du cœur, avec perte de connaissance. **2** MUS Élément sonore accentué sur un temps faible, et prolongé sur un temps fort.

syncopé, ée *a* MUS Qui comporte de fréquentes syncopes.

syncrétique *a* Du syncrétisme.

syncrétisme *nm* Combinaison de plusieurs systèmes de pensée, de plusieurs doctrines.

syndic *nm* DR Mandataire chargé de représenter les intérêts d'un groupe, en particulier de copropriétaires.

syndical, ale, aux *a* D'un syndicat ou du syndicalisme.

syndicalisation *nf* Action de syndicaliser.

syndicaliser *vt* Organiser des travailleurs en un syndicat.

syndicalisme *nm* Activité des syndicats de salariés ; fait de militer dans un syndicat.

syndicaliste *n* Personne qui milite dans un syndicat.

syndicat *nm* Association de personnes ayant pour but la défense d'intérêts communs, spécialement dans le domaine professionnel. Loc *Syndicat d'initiative :* organisme chargé du tourisme dans une commune ou une région.

syndicataire *n* Membre d'un syndicat de propriétaires.

syndication *nf* Groupement de banques pour une opération financière.

syndiqué, ée *a, n* Qui appartient à un syndicat de salariés.

syndiquer *vt* Organiser en syndicat. ■ *vpr* S'inscrire à un syndicat.

syndrome *nm* Ensemble de symptômes caractérisant un état pathologique.

synecdoque *nf* Figure de style consistant à prendre la partie pour le tout (ex. : *un toit* pour *une maison*), le contenant pour le contenu (ex. : *boire un verre*), etc.

synergie *nf* Action d'éléments qui concourent au même résultat en se renforçant les uns les autres.

synergique *a* D'une synergie.

syngnathe *nm* Poisson marin au museau allongé.

synodal, ale, aux *a* D'un synode.

synode *nm* Assemblée ecclésiastique.

synodique *a* Loc ASTRO *Révolution synodique :* durée comprise entre deux passages consécutifs d'une planète à un même point.

synonyme *a, nm* Qui a un sens identique ou très voisin (par ex. : *captif* et *prisonnier*).

synonymie *nf* LING Relation qui existe entre deux synonymes.

synopsis [-psis] *nm* Récit bref constituant le schéma d'un scénario.

synoptique *a* Qui permet de saisir d'un seul coup d'œil les diverses parties d'un ensemble. *Tableau synoptique.*

synovial, ale, aux *a* ANAT De la synovie. ■ *nf* Membrane des cavités articulaires sécrétant la synovie.

synovie *nf* ANAT Liquide organique jouant un rôle de lubrifiant dans les articulations.

synovite *nf* Inflammation d'une synoviale.

syntacticien, enne *n* Spécialiste de syntaxe.

syntagme *nm* LING Groupe de mots formant une unité fonctionnelle dans une phrase. *Syntagme verbal, nominal.*

syntaxe *nf* Partie de la grammaire qui étudie les règles régissant les relations entre les mots ou les syntagmes à l'intérieur d'une phrase.

syntaxique *a* De la syntaxe.

synthèse *nf* **1** Méthode qui consiste à regrouper des faits épars et à les structurer en un tout. **2** Exposé méthodique. *Faire une rapide synthèse de la situation.* **3** CHIM Action de combiner des corps pour obtenir des corps plus complexes. **4** Reconstitution des sons à partir de leurs constituants (fréquence, durée). **5** PHILO Troisième temps et conclusion du raisonnement dialectique (thèse, antithèse, synthèse).

synthétique *a* Qui réalise une synthèse. ■ *a, nm* Obtenu par synthèse de composés chimiques. *Le nylon, fibre textile synthétique.*

synthétiser *vt* Réunir, obtenir par synthèse.

synthétiseur *nm* Appareil électronique réalisant la synthèse des sons.

syphilis *nf* Maladie vénérienne contagieuse.

syphilitique *a, n* Atteint de syphilis.

syrah *nf* Cépage rouge du sud de la France.

syriaque *nm, a* Langue sémitique ancienne.

syrien, enne *a, n* De Syrie.

syrinx *nf* ZOOL Organe du chant chez les oiseaux.

systématique *a* **1** Méthodique et rigoureux. **2** Qui dénote un esprit de système. *Opposition systématique.* ■ *nf* **1** Science de la classification des êtres vivants. **2** Ensemble de faits organisés selon un système.

systématiquement *av* De façon systématique.

systématisation *nf* Action de systématiser.

systématiser *vt* Organiser des éléments en système.

système *nm* **1** Ensemble cohérent de notions, de principes liés logiquement. **2** Ensemble organisé de règles, de moyens tendant à une même fin. *Système économique. Système pénitentiaire.* **3** Mode de gouvernement. *Système républicain.* **4** Organisation sociale considérée comme aliénante. *Être prisonnier du système.* **5** fam Moyen ingénieux. **6** Ensemble d'éléments remplissant une même fonction. *Système de transmission.* **Loc** fam *Porter, taper sur le système :* agacer, irriter. *Esprit de système :* parti pris, idées préconçues. *Système d'exploitation :* programme assurant la gestion d'un ordinateur et de ses périphériques.

systémique *a* didac D'un système considéré dans son ensemble.

systole *nf* Phase de contraction du cœur. *Systole auriculaire.*

systolique *a* De la systole.

syzygie *nf* ASTRO Conjonction ou opposition de la Lune avec le Soleil.

t *nm* Vingtième lettre (consonne) de l'alphabet.

ta. *V.* ton.

tabac [-ba] *nm* **1** Plante dont on fume les feuilles séchées, riches en nicotine. **2** Commerce où on vend des cigarettes, des cigares, du tabac. Loc fam *Passer qqn à tabac :* le rouer de coups. *Coup de tabac :* grain, tempête. fam *Faire un tabac :* remporter un grand succès. fam *C'est le même tabac :* la même chose.

tabagie *nf* Lieu rempli de fumée de tabac.

tabagisme *nm* Intoxication chronique due à l'abus de tabac.

tabassage *nm* fam Action de tabasser.

tabasser *vt* fam Frapper qqn à coups violents.

tabatière *nf* Petite boîte pour le tabac à priser. Loc *Fenêtre à tabatière :* qui pivote autour de son montant supérieur sur un toit.

tabellion *nm* vx Notaire.

tabernacle *nm* RELIG Petit coffre placé sur l'autel et abritant les hosties consacrées.

tabès *nm* MED Manifestation neurologique de la syphilis (ataxie, douleurs violentes).

tabla *nm* Petit tambour indien.

tablature *nf* MUS Notation de la musique propre à certains instruments.

table *nf* **1** Meuble formé d'une surface plane posée sur un ou plusieurs pieds. **2** Meuble de ce type destiné à prendre les repas. **3** Mets servi au cours d'un repas. **4** Surface plane de marbre, de métal ; partie plate d'une machine. **5** Tableau, panneau présentant des données ; recueil de données. *Table des matières. Table de multiplication.* Loc *Table ronde :* réunion de négociation. *Tour de table :* réunion d'investisseurs. *Faire table rase de qqch :* le rejeter totalement.

tableau *nm* **1** Ouvrage de peinture exécuté sur un panneau de bois, sur une toile, etc. **2** Spectacle qui attire le regard. *Un charmant tableau.* **3** Représentation, évocation par un récit. **4** Au théâtre, subdivision d'un acte correspondant à un changement de décor. **5** Panneau sur lequel on écrit à la craie, dans une classe. **6** Panneau servant à afficher des renseignements. **7** Panneau où sont regroupés des appareils de mesure. *Tableau de bord d'un véhicule.* **8** Liste des personnes composant un corps. **9** Ensemble de renseignements rangés méthodiquement. *Tableau chronologique.* Loc *Tableau de chasse :* ensemble des animaux abattus.

tableautin *nm* Petit tableau.

tablée *nf* Réunion de personnes assises autour d'une table pour un repas.

tabler *vti* Compter, faire fond sur qqch.

tablette *nf* **1** Petite planche, petite plaque disposée pour recevoir des objets. **2** Aliment présenté sous la forme d'une plaquette. *Une tablette de chocolat.* ■ *pl* Loc *Mettre sur ses tablettes :* noter. *Rayer de ses tablettes :* exclure.

tabletterie *nf* Petits objets d'ivoire, de bois.

tableur *nm* INFORM Logiciel permettant une partition de l'écran pour l'affichage de calculs.

tablier *nm* **1** Vêtement pour préserver ses vêtements en travaillant. *Tablier de forgeron.* **2** Rideau métallique qui ferme l'ouverture d'une cheminée. **3** Partie horizontale d'un pont. Loc fam *Rendre son tablier :* démissionner.

tabloïd *nm* Format de journal plus petit que le format habituel, souvent utilisé pour la presse populaire.

tabou, oue *a, nm* **1** Frappé d'un interdit religieux ou rituel. **2** Dont on ne doit pas parler. *Un sujet tabou.*

taboulé *nm* Hors-d'œuvre à base de blé concassé et de légumes hachés.

tabouret *nm* Petit siège à pieds sans bras ni dossier.

tabulaire *a* En forme de table ; plat.

tabulateur *nm* Dispositif d'une machine de bureau, d'un logiciel de traitement de textes, qui permet d'aligner des caractères sur une même colonne.

tac *nm* Loc *Répondre du tac au tac :* rendre aussitôt la pareille.

tache *nf* **1** Salissure, marque qui salit. **2** Ce qui souille l'honneur de qqn. *Une réputation sans tache.* **3** Marque sur la peau, le poil ou le plumage d'un être vivant. **4** Marque quelconque de couleur ou de lumière. Loc *Faire tache d'huile :* se répandre.

tâche *nf* **1** Ouvrage qui doit être exécuté dans un temps donné. **2** Obligation à remplir par devoir. Loc *À la tâche :* en fonction du travail accompli.

tacher *vt* Faire une tache sur qqch. *Tacher sa robe.* ■ *vpr* Se salir.

tâcher *vti, vt* Faire des efforts pour, faire en sorte que. *Tâcher de donner satisfaction. Tâchez qu'il réussisse.*

tâcheron *nm* Personne qui exécute sur commande des tâches ingrates.

tacheter *vt* [17] ou [19] Marquer de multiples petites taches.

tachisme *nm* Mouvement pictural non figuratif des années 1950.

tachycardie [-ki-] *nf* MED Accélération du rythme cardiaque.

tachygraphe [-ki-] *nm* Enregistreur de vitesse. Var **tachymètre**

tacite *a* Non formellement exprimé ; sous-entendu.

tacitement *av* De façon tacite.

taciturne *a* De nature ou d'humeur à parler peu.

tacle *nm* Au football, manière de bloquer l'adversaire avec le pied.

tacot *nm* fam Vieille voiture.

tact *nm* 1 PHYSIOL Sens du toucher. 2 Délicatesse dans les rapports avec autrui.

tacticien, enne *n* Personne qui manœuvre habilement.

tactile *a* PHYSIOL Du toucher.

tactique *nf* 1 MILIT Art de conduire une opération militaire limitée. 2 Moyens qu'on emploie pour atteindre un objectif. ■ *a* De la tactique. *Opération tactique.*

tactiquement *av* Sur le plan tactique.

tadjik *a, n* Du Tadjikistan. ■ *nm* Forme du persan parlée au Tadjikistan.

tadorne *nm* Sorte de canard migrateur.

taekwondo *nm* Sport de combat coréen.

tael [tael] *nm* Ancienne monnaie chinoise.

taffetas *nm* Étoffe de soie mince.

tafia *nm* Eau-de-vie de canne à sucre.

tag *nm* Graffiti figurant une signature.

tagalog *nm* Langue des Philippines. Var **tagal**

tagine. V. *tajine*.

tagliatelle [talja-] *nf* Pâte alimentaire en forme de lamelles longues et minces. Var **taliatelle**

tagueur *nm* Personne qui peint des tags sur les murs.

tahitien, enne *a, n* De Tahiti.

taïchi *nm inv* Gymnastique chinoise. Var **taï-chi-chuan**

taie *nf* 1 Enveloppe de tissu d'un oreiller. 2 MED Tache sur la cornée.

taïga *nf* Forêt de conifères des régions froides.

taillable *a* HIST Sujet à l'impôt de la taille.

taillader *vt* Faire des entailles à, sur.

taillanderie *nf* vx Industrie du taillandier.

taillandier, ère *n* vx Fabricant d'outils pour couper, tailler.

taille *nf* 1 Action de couper, de tailler ; manière d'être taillé, incision. *Taille d'une pierre.* 2 Dimensions, hauteur du corps de l'homme ou des animaux ; stature. 3 Dimensions d'un objet, d'un vêtement ; format. *Des grêlons de la taille d'un œuf.* 4 Partie du corps humain située à la jonction de l'abdomen et du thorax ; partie du vêtement qui marque cette partie. 5 HIST Impôt direct sur les roturiers. Loc *Être de taille à :* capable de. *De taille :* important. *Pierre de taille :* préparée pour la construction.

taillé, ée *a* Qui a une certaine stature. *Être taillé en hercule.* Loc *Taillé pour :* fait pour, capable de.

taille-crayon *nm* Petit instrument pour tailler les crayons. *Des taille-crayons.*

taille-douce *nf* Gravure faite au burin sur une plaque en cuivre. *Des tailles-douces.*

tailler *vt* 1 Couper, retrancher qqch d'une pièce, d'un objet pour lui donner une certaine forme. 2 Couper dans l'étoffe les morceaux qui formeront un vêtement. Loc *Tailler en pièces :* anéantir, vaincre. ■ *vpr* 1 Prendre, obtenir pour soi. *Il s'est taillé un vif succès.* 2 fam Partir rapidement.

taillerie *nf* Art de tailler les cristaux et les pierres précieuses.

tailleur *nm* 1 Personne qui taille un objet, un matériau. *Tailleur de pierre.* 2 Personne qui confectionne des costumes masculins sur mesure. 3 Costume féminin, composé d'une jupe et d'une veste du même tissu. Loc *Assis en tailleur :* les jambes repliées et les genoux écartés.

taillis *nm* Très jeunes arbres poussés après une taille dans un bois.

tailloir *nm* ARCHI Partie supérieure du chapiteau d'une colonne.

tain *nm* Amalgame d'étain dont on revêt l'envers d'une glace pour qu'elle réfléchisse la lumière.

taire *vt* [68] Ne pas dire, ne pas exprimer. ■ *vpr* 1 Garder le silence. 2 Cesser de se faire entendre. *Les canons se sont tus.* Loc *Faire taire :* imposer le silence, empêcher de se manifester.

taiwanais, aise [taj-] *a, n* De Taiwan.

tajine *nm* Ragoût de mouton cuit à l'étouffée. Var **tagine**

talc *nm* Poudre blanche issue d'un minéral et utilisée pour les soins de la peau.

talent *nm* 1 Disposition, aptitude naturelle ou acquise. 2 Aptitude remarquable. *Avoir du talent.* 3 Personne qui excelle en son genre.

talentueux, euse *a* Qui a beaucoup de talent.

taler *vt* Meurtrir un fruit.

taleth *nm* Châle dont les juifs se couvrent les épaules pour la prière.

taliatelle. V. *tagliatelle*.

talion *nm* Loc *Loi du talion :* code exigeant un châtiment égal au tort subi.

talisman *nm* Objet marqué de signes consacrés auquel on attribue des vertus magiques.

talitre *nm* Puce de mer.

talkie-walkie [tokiwoki] *nm* Émetteur et récepteur portatif, de faible portée. *Des talkies-walkies.*

talk-show [tokʃo] *nm* Émission télévisée rassemblant des personnalités venues discuter d'un sujet déterminé. *Des talk-shows.* Var **talkshow**

talle *nf* BOT Tige adventive au pied d'une tige principale.

taloche *nf* 1 Planchette utilisée pour l'exécution des enduits. 2 fam Gifle.

talon *nm* 1 Partie postérieure du pied. 2 Partie d'une chaussure, d'un bas dans laquelle se loge le talon. 3 Partie inamovible d'un chéquier, d'un carnet à souches. 4 Ce qui reste d'une chose entamée. *Un talon de saucisson.* 5 Ce qui reste de cartes après la distribution à chaque joueur. Loc *Sur les talons de qqn :* très près. *Tourner les talons :* s'enfuir. *Talon d'Achille :* côté faible, vulnérable de qqn. fam *Avoir l'estomac dans les talons :* avoir très faim.

talonnade *nf* Action de frapper le ballon avec son talon.

talonnement *nm* Harcèlement.

talonner vt 1 Suivre, poursuivre qqn de très près. 2 Presser sans répit, harceler. 3 Au rugby, sortir le ballon d'une mêlée à coups de talon. ■ vi MAR Heurter le fond (bateau).

talonnette nf 1 Petite plaque de liège dans une chaussure. 2 Ruban de tissu cousu au bas d'un pantalon.

talonneur nm Au rugby, avant chargé de talonner le ballon.

talquer vt Enduire de talc.

talus nm 1 Terrain en pente formant le côté d'un fossé, etc. 2 Pente donnée à des élévations de terre.

talweg [-vɛg] nm GEOGR Ligne qui joint les points les plus bas d'une vallée.

tamanoir nm Fourmilier d'Amérique du Sud.

tamarin nm 1 Petit singe à longue queue. 2 Fruit laxatif du tamarinier.

tamarinier nm Grand arbre cultivé dans les régions chaudes pour ses fruits.

tamaris [-ʀis] nm Arbuste ornemental à petites fleurs roses.

tamazight nm Langue berbère parlée en Algérie et au Maroc. **Var tamazirt**

tambouille nf fam Cuisine, repas.

tambour nm 1 Instrument formé d'une caisse tendue de deux peaux qu'on fait résonner avec des baguettes. 2 Personne qui bat du tambour. 3 Pièce de forme cylindrique. *Tambour d'un treuil.* 4 Portes vitrées tournant autour d'un même axe. Loc *Tambour battant* : avec vivacité. *Frein à tambour* : dans lequel les garnitures s'appliquent contre une partie cylindrique, solidaire de la roue.

tambourin nm Tambour allongé qu'on bat d'une seule baguette.

tambourinage nm Action de tambouriner.

tambourinaire n Joueur de tambourin.

tambourinement nm Roulement de tambour.

tambouriner vi Frapper sur qqch à coups répétés. ■ vt Annoncer à grand bruit.

tambourineur, euse n Personne qui joue du tambour, du tam-tam.

tambour-major nm Sous-officier, chef des tambours d'un régiment. *Des tambours-majors.*

tamil. V. tamoul.

tamis nm 1 Instrument pour trier des matières pulvérulentes ou passer des liquides épais. *Passer de la farine au tamis.* 2 Cordage d'une raquette de tennis.

tamisage nm Action de tamiser.

tamiser vt 1 Faire passer dans un tamis. *Tamiser du sable.* 2 Laisser passer en adoucissant. *Tamiser la lumière.*

tamoul, oule a, n Des Tamouls. ■ nm Langue dravidienne du sud de l'Inde et du Sri Lanka. **Var tamil, ile**

tamouré nm Danse de Polynésie.

tampon nm 1 Masse de matière souple comprimée, servant à boucher. 2 Morceau d'ouate, de gaze pour étancher le sang. 3 Plaque de caoutchouc gravée, qui, imprégnée d'encre, sert à imprimer un timbre administratif, un cachet ; ce timbre lui-même. 4 Pièce de bois placées dans le trou d'un mur pour y enfoncer une vis. 5 Disque métallique placé à l'avant et à l'arrière d'une voiture de chemin de fer pour amortir les chocs. Loc *État tampon* : placé entre deux États en conflit.

Servir de tampon : chercher à éviter l'affrontement de deux adversaires.

tamponnage nm Action de tamponner un trou, une plaie, etc.

tamponnement nm Heurt violent entre véhicules.

tamponner vt 1 Boucher avec un tampon. 2 Placer un tampon dans un mur. 3 Heurter violemment. 4 Étancher avec un tampon d'ouate. 5 Apposer un cachet sur. *Tamponner une carte.* ■ vpr Se heurter violemment (véhicules). Loc pop *S'en tamponner* : s'en moquer.

tamponneur, euse a Loc Autos tamponneuses : petites voitures de fête foraine, qui se heurtent sur une piste.

tamponnoir nm Pointe d'acier servant à percer les murs, pour y loger une cheville.

tam-tam [tamtam] nm 1 Gong chinois. 2 Tambour africain. 3 fam Bruit, tapage, publicité tapageuse. *Des tam-tams.* **Var tamtam**

tan nm Écorce de chêne séchée et pulvérisée, employée pour le tannage.

tanagra nm ou nf Statuette de terre cuite représentant une jeune femme.

tancer vt [10] litt Réprimander.

tanche nf Poisson d'eau douce.

tandem nm 1 Bicyclette à deux places. 2 Association de deux personnes travaillant ensemble.

tandis que [-di] conj 1 Pendant le temps que. 2 Au lieu que.

tandoori [-duʀi] nm CUIS Morceaux de viande marinés et rôtis dans un four spécial.

tangage nm Oscillation d'un navire d'avant arrière. Ant. roulis.

tangélo nm Hybride du pomelo et de la mandarine. **Var tangelo**

tangence nf GEOM Position de ce qui est tangent.

tangent, ente a 1 GEOM Qui n'a qu'un point de contact avec une ligne, une surface. 2 fam Qui se produit de justesse. ■ nf 1 MATH Quotient du sinus d'un arc par son cosinus. 2 fam Surveillant d'un examen. Loc fam *Prendre la tangente* : s'esquiver habilement.

tangentiel, elle a GEOM De la tangente.

tangerine nf Hybride du mandarinier et du citronnier.

tangible a 1 Qui peut être perçu par le toucher. 2 Évident, manifeste.

tango nm Danse argentine, sur un rythme à deux temps. ■ a inv Rouge orangé vif.

tangram nm Puzzle chinois.

tanguer vi Être animé d'un mouvement de tangage.

tanière nf Abri d'une bête carnivore.

tanin nm Substance astringente, abondante dans l'écorce de certains arbres, utilisée pour rendre les peaux imputrescibles. **Var tannin**

tank nm 1 Grand réservoir. 2 Char de combat.

tanka nm Au Tibet, bannière peinte à représentation religieuse.

tanker [-kœʀ] nm Pétrolier.

tankiste nm Membre de l'équipage d'un tank.

tannage nm Transformation des peaux en cuir.

tannant, ante a fam Qui ennuie, importune.

tanné, ée a 1 Qui a été tanné. *Peaux tannées.* 2 Brun clair ; hâlé. *Visage tanné.* ■ nf pop Volée de coups.

tanner vt 1 Préparer les peaux avec du tanin. 2 fam Lasser, agacer.

tannerie nf Lieu où on tanne les peaux.

tanneur, euse n Personne qui tanne ou vend des cuirs.

tannin. V. tanin.

tannique a Qui contient du tanin.

tansad nm Deuxième siège d'une motocyclette, derrière la selle.

tant av 1 Tellement. Il a tant mangé ! Il a tant de peine. 2 Quantité non précisée. Son bien se monte à tant. Loc Tant que... : autant que. fam Tant que ça : tellement. fam Tant qu'à (+ inf.) : puisqu'il est nécessaire de. Tant mieux, tant pis : marque la satisfaction ; le regret, le dépit. Tant bien que mal : ni bien ni mal. Tant soit peu : si peu que ce soit. Tant s'en faut que (+ subj.) : il est très peu probable. Si tant est que : à supposer que. En tant que : dans la mesure où ; en qualité de.

tantale nm Métal lourd, peu fusible.

tante nf 1 Sœur du père ou de la mère, femme de l'oncle. 2 pop Homosexuel.

tantième nm Part proportionnelle sur une quantité déterminée.

tantinet nm Loc fam Un tantinet : un peu.

tantôt av fam Cet après-midi. Loc Tantôt... tantôt : marque une alternance.

tantra nm Texte sacré des hindous.

tantrisme nm Croyances issues de l'hindouisme et du bouddhisme.

tanzanien, enne a, n De la Tanzanie.

taoïsme nm Religion de la Chine.

taoïste a, n Qui relève du taoïsme.

taon [tɑ̃] nm Insecte dont la femelle pique les mammifères pour sucer leur sang.

tapage nm 1 Bruit accompagné de désordre. 2 Scandale, éclat.

tapageur, euse a 1 Qui fait du tapage. 2 Qui cherche l'éclat, le scandale ; provocant.

tapageusement av De façon tapageuse.

tapant, ante a Loc fam À deux heures tapant(es) : juste à cette heure-là.

tapas [-pas] nmpl En Espagne, amuse-gueule.

tape nf Coup donné avec la main ouverte.

tape-à-l'œil a inv, nm inv Qui cherche à éblouir par son caractère ostentatoire.

tapecul nm fam Voiture dont la suspension est mauvaise.

tapée nf fam Grand nombre, grande quantité.

tapenade nf Purée d'olives noires et d'anchois.

taper vt 1 Frapper, cogner. 2 Produire un son en frappant. 3 Dactylographier. 4 fam Emprunter de l'argent à qqn. ■ vi Donner un, des coups. Taper avec un marteau. Taper du pied. Loc fam Taper dans l'œil : séduire. fam Taper dans : prélever sur. Soleil qui tape : qui chauffe beaucoup. ■ vpr 1 fam S'offrir qqch d'agréable. 2 pop Avoir des relations sexuelles avec. 3 fam Faire qqch de pénible. Se taper une corvée. Loc fam S'en taper : s'en moquer.

tapette nf 1 Petite tape. 2 Petite palette servant à battre les tapis, à tuer les mouches, etc. 3 fam Bavard(e). 4 pop Homosexuel.

tapeur, euse n fam Personne qui emprunte fréquemment de l'argent.

tapin nm Loc pop Faire le tapin : racoler, faire le trottoir.

tapiner vi pop Faire le tapin.

tapineuse nf pop Prostituée.

tapinois (en) av En cachette.

tapioca nm Fécule de manioc.

1. tapir nm Mammifère tropical, au museau allongé en une courte trompe.

2. tapir (se) vpr Se cacher en se blottissant.

tapis nm 1 Pièce d'étoffe destinée à être étendue sur le sol d'un local, sur un parquet, etc. 2 Ce qui recouvre une surface. Un tapis de fleurs. Loc fam Marchand de tapis : qui marchande avec mesquinerie. fam Rester au tapis : hors d'état de réagir. Envoyer au tapis : envoyer au sol, dans un match de boxe. Mettre sur le tapis : amener à discussion ; proposer. Revenir sur le tapis : être de nouveau en discussion. Amuser le tapis : distraire une assemblée.

tapis-brosse nm Paillasson. Des tapis-brosses.

tapisser vt 1 Revêtir les murs d'une pièce de papier peint. 2 Couvrir une surface. Affiches qui tapissent une chambre.

tapisserie nf 1 Pièce d'étoffe, papier peint utilisé comme décoration murale. 2 Ouvrage tissé au métier à main, destiné à parer une muraille ; ouvrage à l'aiguille fait sur un canevas. 3 Art de la fabrication de tels ouvrages. Loc Faire tapisserie : dans un bal, ne pas être invitée à danser.

tapissier, ère n Personne qui vend ou pose les tentures, les papiers peints, recouvre les fauteuils.

tapotement nm Action de tapoter.

tapoter vt Frapper à petits coups répétés.

tapuscrit nm Texte dactylographié.

taquet nm 1 Petite pièce en bois, en métal servant de cale, de butoir, etc. 2 MAR Pièce utilisée pour amarrer des cordages.

taquin, ine a, n Qui se plaît à taquiner.

taquiner vt S'amuser à agacer qqn par de petites moqueries sans gravité. Loc fam Taquiner le goujon : pêcher à la ligne.

taquinerie nf Action, parole d'un taquin.

tarabiscoté, ée a Surchargé à l'extrême.

tarabuster vt fam Tracasser, importuner.

tarama nm Hors-d'œuvre à base d'œufs de cabillaud et d'huile émulsionnés.

tarare nm Appareil servant à vanner les grains.

tarasque nf Animal fabuleux, dragon amphibie des légendes provençales.

taraud nm TECH Outil servant à fileter.

taraudage nm Action de tarauder.

tarauder vt 1 TECH Fileter au moyen d'un taraud. 2 litt Tourmenter, torturer.

tarbouche nm Coiffure orientale en feutre rouge, ornée d'un gland de soie.

tard av 1 Après le temps déterminé, voulu ou habituel. 2 Vers la fin de la journée ou de la nuit. ■ nm Loc Sur le tard : vers la fin de la soirée ; vers la fin de la vie.

tarder vti Différer de faire qqch. Tarder à partir. ■ vi Mettre du temps à venir, se faire attendre. Sa réponse n'a pas tardé. ■ v impers Loc Il me tarde de (+ inf.) : j'ai hâte de.

tardif, ive a 1 Qui vient tard. Repentir tardif. 2 Qui a lieu tard dans la journée. Heure tardive. 3 Qui mûrissent le plus tard (légumes, fruits).

tardigrade nm Animal aquatique minuscule qui se maintient en état de vie ralentie en cas de sècheresse.

tardivement av De façon tardive.

are nf 1 Poids de l'emballage d'une marchandise. 2 Poids mis dans l'un des plateaux d'une balance pour équilibrer la charge de l'autre. 3 Défectuosité physique ou psychique. *Tares héréditaires.* 4 Imperfection majeure dans l'ordre des choses.

aré, ée a, n 1 Qui présente une tare. 2 fam Fou, ridicule, stupide.

arentelle nf Danse populaire d'Italie.

arentule nf Grosse araignée.

arer vt Peser un emballage.

argette nf Petit verrou plat.

arguer (se) vpr litt Se faire fort de. *Il se targue de tenir la distance.*

arière nf 1 Grande vrille pour forer le bois. 2 ZOOL Organe des insectes servant à déposer leurs œufs.

arif nm Tableau des prix de certaines marchandises ou de certains services ; montant de ces prix.

arifaire a Qui concerne un tarif.

arifer vt Fixer le prix, le tarif de.

arification nf Fait de tarifer.

arin nm 1 Petit passereau. 2 pop Nez.

arir vt Mettre à sec. *La sécheresse a tari la source.* ■ vi, vpr Cesser de couler. *Cette source tari, s'est tarie.* Loc *Ne pas tarir sur :* parler sans cesse de qqch.

arissement nm Assèchement.

arlatane nf Étoffe de coton, au tissage lâche.

armac nm Partie de l'aérodrome réservée au stationnement et à la circulation des avions.

aro nm Plante comestible des pays tropicaux.

arot nm Jeu de soixante-dix-huit cartes de grand format, comportant des figures différentes de celles des jeux de cartes ordinaires, utilisé aussi en cartomancie.

arse nm 1 ANAT Partie postérieure du pied, formée de sept os. 2 ZOOL Dernier segment de la patte des insectes.

arsien, enne a Du tarse.

arsier nm Petit primate aux pattes postérieures adaptées au saut.

artan nm 1 Tissu écossais à larges carreaux. 2 n. déposé) Revêtement de sol très résistant, à base de résine.

artane nf Petit voilier de la Méditerranée.

artare a, n Se disait des tribus mongoles. ■ a Loc *Sauce tartare :* mayonnaise avec oignons verts et ciboulette. *Steak tartare :* viande hachée crue et relevée, mêlée d'un jaune d'œuf.

arte nf 1 Gâteau de pâte brisée ou feuilletée garni de fruits. 2 pop Gifle. Loc *Tarte à la crème :* idée banale, rebattue. fam *C'est pas de la tarte :* c'est difficile. ■ a fam Niais et ridicule.

artelette nf Petite tarte.

artempion nm fam Untel. **Var tartignole**

artignole a pop Minable. **Var tartignolle**

artine nf 1 Tranche de pain sur laquelle on a étalé du beurre, de la confiture, etc. 2 fam Texte, discours long de peu d'intérêt.

artiner vt 1 Étaler du beurre, de la confiture, etc., sur une tranche de pain. 2 fam Écrire des tartines.

artrazine nf Colorant jaune.

artre nm 1 Dépôt calcaire sur les parois des chaudières, des bouilloires, etc. 2 Dépôt produit par le vin dans un récipient. 3 Sédiment qui se forme sur les dents.

tartrique a Loc *Acide tartrique :* contenu dans le tartre et les lies du vin.

tartufe nm Hypocrite. **Var tartuffe**

tartuferie nf Hypocrisie. **Var tartufferie**

tas nm 1 Accumulation de choses mises les unes sur les autres ; amas, monceau. 2 Grande quantité. *Il a un tas d'amis.* Loc *Dans le tas :* parmi tous. fam *Sur le tas :* sur le lieu de travail. fam *Tas de boue :* voiture en piteux état.

tasmanien, enne a, n De Tasmanie.

tasse nf Petit récipient muni d'une anse. Loc fam *Boire la tasse :* avaler de l'eau sans le vouloir, en nageant.

tasseau nm Petite pièce de bois servant de cale ou de support.

tassement nm Affaissement.

tasser vt Diminuer le volume de qqch en pressant ; serrer. Loc fam *Bien tassé :* servi avec peu d'eau, fort. ■ vpr 1 S'affaisser sur soi-même. 2 Se serrer les uns contre les autres. 3 fam S'arranger. *Ça finira par se tasser.*

tassili nm Plateau gréseux, au Sahara.

taste-vin nm Petite coupe en métal pour déguster le vin. *Des taste-vins.* **Var tâte-vin**

tata nf fam Tante (pour les enfants).

tatami nm Tapis de paille de riz utilisé dans les arts martiaux.

tatane nf pop Chaussure.

tâter vt 1 Toucher avec les doigts, évaluer par le tact. *Tâter le pouls.* 2 Essayer de connaître les capacités, les intentions de qqn. *Tâter l'ennemi.* Loc *Tâter le terrain :* faire une étude discrète avant d'entreprendre qqch. ■ vti Faire l'expérience de. *Tâter d'un métier.* ■ vpr fam Hésiter.

tatillon, onne a, n fam Trop minutieux.

tâtonnant, ante a Qui tâtonne.

tâtonnement nm Fait de tâtonner.

tâtonner vi 1 Chercher en tâtant les objets autour de soi. 2 Procéder par essais successifs.

tâtons (à) av En tâtonnant.

tatou nm Mammifère d'Amérique tropicale, fouisseur, pourvu d'une carapace cornée.

tatouage nm Action de tatouer ; dessin ainsi fait.

tatouer vt Tracer sur le corps un dessin indélébile.

tatoueur, euse n Personne qui fait des tatouages.

tau nm 1 Lettre de l'alphabet grec correspondant à *t.* 2 Figure héraldique en forme de T.

taudis nm Logement misérable, insalubre.

taulard, arde n pop Personne qui fait de la prison. **Var tôlard, arde**

taule nf pop 1 Prison. 2 Chambre. **Var tôle**

taulier, ère n pop Patron d'un hôtel. **Var tôlier, ière**

taupe nf 1 Petit mammifère qui vit dans des galeries sous terre ; fourrure de cet animal. 2 Engin de terrassement pour creuser les tunnels. 3 fam Classe de mathématiques préparant aux grandes écoles. 4 fam Agent secret infiltré dans un organisme de son pays.

taupin nm fam Élève d'une taupe.

taupinière nf Petit monticule de terre élevé par une taupe.

taureau nm Mâle de la vache. Loc *Prendre le taureau par les cornes :* affronter une difficulté.

taurillon nm Jeune taureau.

taurin, ine a Du taureau.

tauromachie nf Art de combattre les taureaux dans l'arène.

tauromachique a De la tauromachie.

tautologie nf Répétition d'une même idée sous une autre forme ; redondance.

tautologique a De la tautologie.

taux nm 1 Prix officiel de certains biens ou services. 2 Pourcentage annuel auquel les intérêts d'une somme placée sont réglés. 3 Rapport quantitatif, proportion, pourcentage. *Taux d'albumine dans le sang. Taux de natalité.*

tavel nm Vin rosé des Côtes-du-Rhône.

taveler vt [16] ou [18] Parsemer de petites taches.

tavelure nf 1 État de ce qui est tavelé. 2 Maladie des arbres, dont les fruits se tachent et se crevassent.

taverne nf Café, restaurant au décor évocateur.

taxable a Qu'on peut taxer.

taxation nf Action de taxer.

taxe nf Contribution, impôt. Loc *Taxe à la valeur ajoutée (TVA)* : impôt indirect sur les biens de consommation. *Taxe professionnelle* : nouveau nom de la patente.

taxer vt 1 Faire payer un impôt, une taxe. 2 Accuser qqn de. *On le taxe d'orgueil.*

taxi nm Automobile de location à taximètre. Loc *Société taxi* : société fournissant des fausses factures destinées à frauder le fisc.

taxidermie nf Art d'empailler les animaux morts.

taxidermiste n Empailleur.

taxi-girl [-gœʀl] nf Entraîneuse de cabaret. *Des taxi-girls.*

taximètre nm Compteur indiquant la somme à payer pour un trajet en taxi.

taxinomie nf 1 Science de la classification. 2 Classification, liste concernant une science, un domaine.

taxinomique a De la taxinomie.

taxiphone nm (n. déposé) Téléphone public.

taxiway nm Dans un aéroport, voie pour la circulation au sol des avions.

taxon nm didac Élément d'une taxinomie.

taylorisation nf Application du taylorisme.

taylorisme nm Méthode d'organisation du travail industriel fondée sur la mesure des temps d'exécution.

tchadien, enne a, n Du Tchad.

tchador nm En Iran, voile noir des femmes musulmanes.

tchatche nf fam Volubilité, bagou.

tchécoslovaque a, n De la Tchécoslovaquie.

tchèque a, n De la Bohême et de la Moravie ; de la République tchèque. ■ nm Langue slave de ces régions.

tchernoziom nm GEOGR Sol noir fertile des plaines d'Europe orientale.

tchin-tchin ! [tʃintʃin] interj Mots que l'on prononce lorsqu'on trinque. **Var tchintchin**

te pr Forme complément du pronom personnel de la 2ᵉ personne du singulier des deux genres, placé avant le verbe.

té nm Règle plate en forme de T.

teasing [tiziŋ] nm Message publicitaire volontairement énigmatique.

technicien, enne [tɛk-] n Personne qui connaî une technique déterminée. ■ a Qui concerne l technique. *Civilisation technicienne.*

technicité [tɛk-] nf Caractère technique.

technico-commercial, ale, aux [tɛk-] a, n Qu a des compétences techniques sur les produi qu'il vend.

technicolor [tɛk-] nm (n. déposé) Procédé d films en couleurs.

technique [tɛk-] nf Moyens, procédés mis e œuvre dans un métier, un art, une activité. ■ Relatif à la technique, à une technique. *Mot tech nique. Enseignement technique.*

techniquement av Sur le plan technique.

techno [tɛk-] nf Musique électronique dansant née à la fin des années 1980.

technocrate n Personne qui exerce par se compétences techniques un pouvoir politique social.

technocratie [tɛk-] nf Organisation politique sociale dans laquelle les techniciens et les fonc tionnaires exercent une influence prépondérante.

technocratique a De la technocratie.

technocratisme nm Tendance à la technocrati

technologie [tɛk-] nf Étude des technique industrielles ; ensemble de ces techniques.

technologique [tɛk-] a De la technologie.

technopole [tɛk-] nf Ville regroupant des entre prises et des organismes de recherche.

technostructure [tɛk-] nf Pouvoir des techn ciens dans la société moderne.

teck nm Arbre tropical au bois très dur. **Var tek**

teckel nm Basset d'origine allemande.

tectonique nf GEOL Étude des mouvements d l'écorce terrestre et de leurs conséquences géolo giques. ■ a De la tectonique.

tectrice nf Plume couvrant l'aile des oiseaux.

Te Deum [tedeɔm] nm inv Cantique catholiqu d'action de grâces.

teenager [tinɛdʒœʀ] n fam Adolescent.

tee-shirt [tiʃœʀt] nm Maillot de coton à manche courtes. *Des tee-shirts.* **Var teeshirt** ou **T-shirt**

téflon nm (n. déposé) Matière plastique résista à la chaleur.

tégénaire nf Grande araignée des maisons.

tégument nm ANAT Tissu formant l'enveloppe d corps d'un animal.

tégumentaire a D'un tégument.

teigne nf 1 Petit papillon à la chenille très nu sible. 2 Maladie du cuir chevelu. 3 fam Personn méchante.

teigneux, euse a, n 1 Atteint de la teigne. 2 fa Hargneux, méchant.

teille nf Écorce de la tige du chanvre.

teindre vt [69] Imprégner d'une matière colo rante ; colorer.

teint nm 1 Couleur donnée à une étoffe. 2 Cou leur du visage. *Teint bronzé.*

teinte nf 1 Nuance d'une couleur. 2 Légère app rence, trace. *Une teinte de mélancolie.*

teinter vt 1 Colorer légèrement. 2 Nuancer. *Tei ter ses propos d'ironie.*

teinture nf 1 Action de teindre ; couleur pris 2 Matière colorante. 3 litt Connaissance super cielle. 4 Solution d'un produit actif dans l'alcoo *Teinture d'iode.*

teinturerie nf Boutique de teinturier.

inturier, ère *n* Personne qui se charge du nettoyage des vêtements.

k. V. teck.

knival *nm* Fête techno clandestine qui rassemble des milliers de personnes. *Des teknivals.*

l, telle *a* 1 De cette sorte. *Une telle conduite us honore.* 2 Si grand. *Avec un tel enthousiasme.* Loc *En tant que tel :* dans sa nature opre. *Tel quel :* sans modification. *Tel que :* mme. *De telle sorte (manière) que :* marque une nséquence.

lamon *nm* Syn. de *atlante*.

lé *nf fam* Abrév. de *télévision* ou de *téléviseur*.

léachat *nm* Achat d'articles proposés à la télé-ion.

léacteur, trice *n* Personne qui travaille au oyen d'un téléphone (vente, enquêtes).

léaste *n* Réalisateur d'émissions télévisées.

lébenne *nf* Téléphérique à un seul câble avec petites cabines. **Var télécabine**

léboutique *nf* Établissement à partir duquel on ut téléphoner à moindre coût à l'étranger.

lécarte *nf* (n. déposé) Carte à mémoire pour éphoner d'une cabine publique.

léchargement *nm* INFORM Action de télécharger.

lécharger *vt* **[11]** INFORM Copier dans la émoire d'un ordinateur des données obtenues un réseau.

lécommande *nf* Commande à distance d'un pareil.

lécommander *vt* 1 Actionner par télécomande. 2 Influencer qqn à distance.

lécommunications *nfpl* Procédés de communi-ation à distance.

léconférence *nf* Conférence par les télécom-unications.

léconseiller, ère *n* Employé d'un centre d'ap-el chargé de donner par téléphone des informa-ns sur un produit.

lécopie *nf* Reproduction de documents par les élécommunications.

lécopier *vt* Syn. de *faxer*.

lécopieur *nm* Appareil de télécopie.

lédétection *nf* Étude de la surface terrestre par lection depuis l'espace.

lédiagnostic *nm* Diagnostic effectué à dis-ce par télécommunications.

lédiffuser *vt* Diffuser par la télévision.

lédiffusion *nf* Diffusion par la télévision.

lédistribution *nf* Diffusion par câbles d'émis-ns de télévision.

léenquêteur, trice *n* Personne chargée de re des enquêtes d'opinion par téléphone.

léenseignement *nm* Enseignement par la io et la télévision.

léfax *nm* (n. déposé) Système de télécopie.

léfilm *nm* Film réalisé pour la télévision.

légénique *a* Qui passe bien à la télévision.

légramme *nm* Message télégraphique.

légraphe *nm* Système de transmission à dis-ce de messages.

légraphie *nf* Transmission par télégraphe.

légraphier *vt* Transmettre par télégramme.

légraphique *a* 1 Du télégraphe. 2 Transmis télégraphe. Loc *Style télégraphique :* réduit x termes essentiels.

légraphiste *n* Employé du service des télé-mmes.

téléguidage *nm* Guidage à distance.

téléguider *vt* 1 Commander à distance les mou-vements d'un mobile. 2 Manipuler, inspirer par un pouvoir éloigné.

téléimprimeur *nm* Appareil permettant d'impri-mer directement à distance des textes.

télématique *nf* Technique associant les télé-communications et l'informatique. ■ *a* De la télématique.

télématiser *vt* Équiper de moyens télématiques.

télémessagerie *nf* Messagerie électronique.

télémesure *nf* Transmission à distance des résultats de mesures.

télémètre *nm* Appareil pour mesurer la distance d'un point éloigné.

téléobjectif *nm* Objectif pour photographier des objets éloignés.

téléologie *nf* PHILO Étude de la finalité du monde.

téléologique *a* De la téléologie.

téléostéen *a* ZOOL Poisson osseux au squelette entièrement ossifié.

télépathe *n, a* Qui pratique la télépathie.

télépathie *nf* Transmission de la pensée à dis-tance, par des voies inconnues.

télépathique *a* De la télépathie.

téléphérique *nm* Moyen de transport par cabine suspendue à un câble aérien.

téléphone *nm* 1 Dispositif pour transmettre la parole à longue distance. 2 Appareil, poste per-mettant cette transmission. Loc *fam Téléphone arabe :* transmission d'informations de bouche à oreille.

téléphoner *vt* Transmettre par téléphone. ■ *vi, vti* Parler au téléphone.

téléphonie *nf* Transmission des sons à distance.

téléphonique *a* Du téléphone.

téléphoniste *n* Standardiste.

téléport *nm* Site industriel bien équipé en moyens de télécommunications.

téléréalité *nf* Émission de télévision présentant des individus aux prises avec une réalité particu-lière (milieu hostile, clos, etc.).

téléreporter *n* Reporter de télévision.

télescopage *nm* Fait de (se) télescoper.

télescope *nm* Instrument d'optique pour obser-ver les objets éloignés, les astres.

télescoper *vt* Heurter violemment, enfoncer.

télescopique *a* 1 Qui se fait avec le télescope. 2 Dont les éléments s'insèrent les uns dans les autres.

téléscripteur *nm* Syn. de *téléimprimeur*.

télésiège *nm* Remontée mécanique faite d'un câble, auquel sont suspendus des sièges.

téléski *nm* Remonte-pente.

téléspectateur, trice *n* Personne qui regarde la télévision.

télésurveillance *nf* Surveillance à l'aide d'une caméra vidéo.

télétex *nm* (n. déposé) Transmission de textes sur réseaux publics par des machines communi-quant entre elles.

télétraitement *nm* Traitement à distance de don-nées informatiques.

télétransmission *nf* Action de transmettre à distance des informations.

télétravail *nm* Organisation télématique du tra-vail.

télétype *nm* (n. déposé) Téléimprimeur.

télévente nf Vente d'articles proposés à la télévision.

téléviser vt Transmettre par télévision.

téléviseur nm Récepteur de télévision.

télévision nf 1 Transmission à distance des images. 2 Organisme qui diffuse des émissions par télévision. 3 fam Téléviseur.

télévisuel, elle a De la télévision.

télex nm Système permettant la transmission de messages par téléimprimeurs.

télexer vt Transmettre par télex.

tell nm Colline artificielle formée par les ruines d'une ville ancienne.

tellement av Marque l'intensité ; très, beaucoup. Loc *Tellement... que* : marque la conséquence.

tellure nm CHIM Corps simple proche du soufre.

tellurique a De la Terre. *Mouvements telluriques.* Var **tellurien, enne**

télougou nm Langue dravidienne de l'Inde du Sud. Var **telugu**

téméraire a, n Hardi jusqu'à l'imprudence. Loc *Jugement téméraire* : avancé sans preuves.

témérairement av De façon téméraire.

témérité nf Hardiesse imprudente.

témoignage nm 1 Action de témoigner. 2 Preuve, marque. *Témoignage de sympathie.* Loc *Faux témoignage* : déposition mensongère.

témoigner vi Porter témoignage devant la justice. ■ vti Constituer la preuve de. *Ce choix témoigne de son discernement.* ■ vt 1 Marquer, manifester. *Témoigner sa joie.* 2 Certifier la réalité de. *Elle a témoigné l'avoir entendu.*

témoin nm 1 Personne qui voit, entend qqch et peut le rapporter. 2 Personne appelée à faire connaître en justice ce qu'elle sait d'une affaire. 3 Personne qui sert de garant à l'authenticité d'un acte. 4 Bâton que se passent les coureurs dans une course de relais. 5 Œuvre ou artiste représentatifs de leur époque. Loc *Prendre qqn à témoin* : invoquer son témoignage. ■ a Qui sert de contrôle, de repère. *Lampe témoin.*

tempe nf Région latérale de la tête.

tempérament nm Constitution physiologique ou psychologique d'un individu. Loc *Avoir du tempérament* : une forte personnalité. *Vente à tempérament* : à crédit.

tempérance nf Modération dans l'usage des aliments et de l'alcool.

tempérant, ante a Sobre.

température nf 1 Degré de chaleur ou de froid dans un lieu. 2 Degré de chaleur d'un organisme animal ou humain. 3 Fièvre.

tempéré, ée a Ni très chaud ni très froid.

tempérer vt [12] litt Modérer, atténuer.

tempête nf 1 Violente perturbation atmosphérique. 2 Manifestation soudaine et violente, explosion. *Une tempête d'injures.*

tempêter vi Exprimer bruyamment son mécontentement.

tempétueux, euse a litt Agité, tumultueux.

temple nm 1 Édifice consacré au culte d'une divinité. 2 Édifice consacré au culte protestant.

tempo [tempo] ou [tɛ̃po] nm 1 MUS Mouvement dans lequel doit être joué un morceau. 2 Rapidité plus ou moins grande d'une action.

temporaire a De durée limitée.

temporairement av De façon temporaire.

temporal, ale, aux a ANAT De la tempe. ■ nm • du crâne dans la région de la tempe.

temporalité nf Caractère de ce qui existe da• le temps.

temporel, elle a RELIG Qui concerne les chos• matérielles. *Les biens temporels.* 2 GRAM Relatif • temps. *Subordonnée temporelle.* 3 Qui se dérou• dans le temps.

temporisateur, trice n, a Qui temporise.

temporisation nf Action de temporiser.

temporiser vi Retarder le moment d'agir da• l'attente d'une occasion favorable.

temps nm 1 Durée dans laquelle se succède• les évènements, les actions, les jours et les nuit• cette durée mesurable. 2 Moment d'une actio• période de l'année, de l'histoire. 3 Moment pr• pice ; occasion. 4 État de l'atmosphère. *Un tem• orageux.* 5 MUS Division de la mesure servan• régler le rythme. 6 GRAM Série des formes du ver• marquant les temps (présent, passé ou futur). L• *À temps* : au moment convenable, voulu. É• *de son temps* : se conformer aux usages de s• époque. *En même temps* : simultanément. • *tout temps* : depuis toujours. *Tout le temps* : sa• cesse. *De temps en temps* : quelquefois. *Gr• temps* : tempête. *De mon temps* : dans ma je• nesse. *Perdre son temps* : ne rien faire. *Gagner• temps* : temporiser. *N'avoir qu'un temps* : être • courte durée. *Avoir fait son temps* : être dépass•

tenable a Supportable.

tenace a 1 Qui adhère fortement. 2 Difficile • faire disparaître. *Une migraine tenace.* 3 O• niâtre, qui ne renonce pas.

ténacité nf Caractère tenace.

tenaille nf (au sing. ou au pl.) Pince servant à s• sir et à serrer divers objets.

tenaillement nm litt Souffrance, tourment.

tenailler vt Faire souffrir, causer une vive de• leur, tourmenter.

tenancier, ère n Personne qui gère un hôtel, • café.

tenant, ante a Loc *Séance tenante* : aussitôt. ■ • Personne qui soutient, défend une opinion. L• *Tenant du titre* : qui détient un titre sportif. ■ • Loc *D'un seul tenant* : d'un seul morceau.

tendance nf 1 Prédisposition naturelle. *Tendar• à la rêverie.* 2 Orientation politique, intellectue• artistique, etc. 3 Évolution, orientation. *Tendar• à la hausse.* Loc *Avoir tendance à* : être enclin •

tendanciel, elle a Qui marque une tendance da• une évolution.

tendancieusement av De parti pris.

tendancieux, euse a Qui manifeste du pa• pris. *Compte rendu tendancieux.* Ant. objectif.

tendeur nm Cordon élastique servant à fixer • colis.

tendineux, euse a Qui contient des tendons, • fibres.

tendinite nf Inflammation d'un tendon.

tendon nm Extrémité d'un muscle. Loc *Tend• d'Achille* : tendon du talon.

1. tendre a 1 Qui peut être facilement entar• coupé. 2 Clair et délicat (couleurs). ■ • Affectueux ; facile à émouvoir. Loc *Ne pas ê• tendre* : être sévère.

2. tendre vt [5] 1 Tirer en écartant les extrémi• d'une pièce afin de la maintenir rigide. 2 Prépar• disposer un piège. 3 Étendre une tapisserie s• 4 Présenter qqch en l'avançant. *Tendre un ob•

qqn. Loc *Tendre son esprit :* se concentrer qqch. *Tendre l'oreille :* écouter attentivent. ■ *vti* Avoir pour objectif, avoir tendance *Tendre* à *la perfection. Déficit qui tend* à *se orber.* ■ *vpr* Devenir difficile. *Leurs relations endent.*

ndrement *av* Avec tendresse.

ndresse *nf* Caractère tendre, affectueux de ; amour.

ndreté *nf* Qualité d'une viande tendre.

ndron *nm* **1** Partie cartilagineuse de la viande. *m* Très jeune fille.

ndu, ue *a* **1** Difficile, critique. *Situation tene.* **2** Préoccupé, nerveux.

èbres *nfpl* Obscurité épaisse.

ébreux, euse *a* Difficile à débrouiller. *Une ébreuse affaire.*

ébrion *nm* Coléoptère noir dont les larves ttaquent aux farines.

eur *nf* **1** Contenu d'un écrit, d'un discours. **2** oportion d'une substance dans un corps, dans mélange.

ia *nm* Ver parasite de l'intestin de l'homme les vertébrés.

ir *vt* [35] **1** Avoir à la main, maintenir ferme. *air un objet.* **2** Avoir, garder en son pouvoir, *s* son contrôle. *Tenir le coupable.* **3** Avoir, *evoir qqch de qqn. Tenir la nouvelle d'un me informé.* **4** Maintenir dans un état ; gar. *Tenir les yeux baissés.* **5** Contenir. *Le réserr tient 20 litres.* **6** Considérer comme. *Tenir ch pour vrai.* Loc *Tenir sa langue :* se taire. *air un discours :* s'exprimer. *Tenir sa parole :* specter un engagement. *Tenir compte de :* ndre en considération. fam *Tenir le coup, tenir :hoc :* résister. *Tenir la route :* bien s'adhérer tomobile) ; être convaincant (argument). *air tête* à : affronter, résister. ■ *vi* **1** Être fixé. *clou tient.* **2** Subsister, durer ; être valable. *Ses uments tiennent. Son amitié tient bon.* **3** Être npris dans un espace. *On ne peut pas tenir s ici.* ■ *vti* **1** Adhérer, être attaché. *Tenir au r avec de la colle.* **2** Dépendre de. *Son erreur at* à *son inexpérience.* **3** Désirer. *On tient à r.* **4** Ressembler à. *Cet enfant tient de sa mère.* *c* fam *En tenir pour :* être passionné de. ■ *vpr* **1** meurer dans un certain état. *Se tenir droit.* **2** oir lieu. *Le conseil se tient dans cette salle.* **3** ccrocher à. *Se tenir à une branche.* Loc *S'en ir* à : rester dans la limite de. *Se tenir pour :* se insidérer comme.

nis *nm* **1** Sport pratiqué par deux ou quatre eurs qui se renvoient une balle avec des uettes, sur un terrain séparé en deux camps un filet. **2** Chaussure de toile, à semelle de utchouc. Loc *Tennis de table :* ping-pong.

nisman [-man] *nm* Joueur de tennis. *Des nismen* ou *tennismans.*

nistique *a* Du tennis.

on *nm* Partie d'un assemblage, destinée à être oncée dans une partie creuse.

or *nm* **1** Voix d'homme la plus haute ; chanr qui a cette voix. **2** Personne tenant le premier *e* dans une activité. *Les ténors du barreau.*

iseur *am, nm* ANAT Qui sert à tendre. *Muscle seur.*

isioactif, ive *a* CHIM Qui modifie la tension n liquide.

isiomètre *nm* Syn. de sphygmomanomètre.

tension *nf* **1** Action de tendre ; état de ce qui est tendu. **2** Pression du sang dans les artères. **3** ÉLECTR Différence de potentiel. *Haute, basse tension.* **4** Forte concentration de l'esprit. **5** Discorde, hostilité. *Tension diplomatique.*

tentaculaire *a* Qui cherche à étendre son emprise de tous côtés.

tentacule *nm* Appendice allongé et mobile de certains mollusques.

tentant, ante *a* Qui provoque l'envie, le désir.

tentateur, trice *a, n* Qui tente, sollicite le désir.

tentation *nf* **1** Attrait vers une chose défendue. **2** Envie, désir de qqch ; ce qui suscite le désir.

tentative *nf* Action par laquelle on cherche à atteindre un but ; fait d'essayer.

tente *nf* Abri provisoire qu'on peut transporter et dresser facilement. Loc *Se retirer sous sa tente :* ne plus vouloir soutenir une cause.

tenter *vt* **1** Entreprendre qqch avec le désir de réussir. *Tenter une ascension. Tenter de prouver qqch.* **2** Faire naître, provoquer l'envie de qqch. *Cette offre me tente.* Loc *Être tenté de :* éprouver l'envie de. *Tenter sa chance :* prendre un risque pour réussir.

tenture *nf* Tapisserie, garniture murale en tissu, en papier.

tenu, ue *a* Loc *Bien (mal) tenu :* dont l'entretien, la propreté sont satisfaisants (insatisfaisants). ■ *nm* Faute commise par un joueur qui conserve irrégulièrement le ballon.

ténu, ue *a* Très mince, très fin. *Fil ténu.*

tenue *nf* **1** Temps pendant lequel certaines assemblées se tiennent. **2** Manière de se conduire, de se présenter. *Avoir une mauvaise tenue.* **3** Manière de s'habiller. *Tenue de soirée.* **4** Action de tenir en ordre. Loc *Tenue de route :* qualité de bonne routière d'une voiture. *En petite tenue :* habillé très légèrement. *En tenue :* en uniforme.

ténuité *nf* litt Caractère ténu.

téphillin [-lin] *nm* Petit étui contenant des versets de la Bible et servant au culte hébraïque. Syn. phylactère. **Var tephillin**

téquila [te-] *nf* Alcool d'agave du Mexique. **Var tequila**

ter *av* Pour la troisième fois.

tératogène *a* MED Qui provoque des malformations congénitales.

tératologie *nf* Étude des anomalies et monstruosités chez les êtres vivants.

tercet *nm* Strophe de trois vers.

térébenthine *nf* Loc *Essence de térébenthine :* liquide extrait de certaines résines et utilisé pour les vernis.

térébrant, ante *a* ZOOL Qui perce, qui perfore.

tergal, als *nm* (n. déposé) Fibre synthétique.

tergiversation *nf* Hésitation, faux-fuyant.

tergiverser *vi* litt User de détours ; atermoyer, hésiter.

terme *nm* **1** Limite, fin dans le temps. *Le terme de la vie.* **2** Moment de l'accouchement. *Enfant né avant terme.* **3** Temps fixé pour le paiement d'un loyer ; montant du loyer. **4** Mot, tournure, expression. *Terme technique.* **5** MATH Chacun des éléments appartenant à un rapport. *Termes d'une fraction.* Loc *Mener* à *terme :* accomplir. *Vente* à *terme :* avec un délai de paiement. À *court (long) terme :* après une brève (longue) période. À *terme :* en fin de compte. ■ *pl* Loc *Être en bons (mauvais) termes avec qqn :* avoir de bonnes (mauvaises) relations avec lui. *Aux termes de :* selon ce qui est stipulé. *En d'autres termes :* avec d'autres mots.

terminaison *nf* **1** Fin ou extrémité de qqch. **2** GRAM Désinence variable d'un mot.

terminal, ale, aux *a* Qui termine qqch. *La phase terminale.* Loc *Classe terminale :* classe de fin du cycle secondaire des lycées. ■ *nm* **1** Aérogare d'un centre urbain, terminus des liaisons avec les aéroports. **2** INFORM Organe périphérique d'entrée-sortie relié à un ordinateur central. **3** Installations à l'extrémité d'un pipe-line. **4** Point où aboutit une ligne de transport. ■ *nf* Classe terminale.

terminer *vt* **1** Marquer la fin de. *Citation qui termine un discours.* **2** Achever, finir. *Terminer un travail.* ■ *vpr* S'achever, finir.

terminologie *nf* Ensemble des termes techniques propres à une activité particulière.

terminologique *a* De la terminologie.

terminus [-nys] *nm* Dernière station d'une ligne de chemin de fer, d'autobus.

termite *nm* Insecte qui creuse ses galeries dans le bois.

termitière *nf* Nid de termites.

ternaire *a* Formé de trois éléments.

terne *a* **1** Qui manque de luminosité, d'éclat. **2** Qui manque d'originalité ; médiocre.

ternir *vt* **1** Faire perdre son éclat à qqch. **2** Porter moralement atteinte à. *Ce scandale a terni sa réputation.* ■ *vpr* Devenir terne.

terpène *nm* Hydrocarbure d'origine végétale.

terrain *nm* **1** Espace de terre déterminé. *Terrain de sport.* **2** Endroit où se déroule une activité, un affrontement. **3** Sol. *Terrain caillouteux.* **4** Domaine, sujet, matière. *Un terrain d'entente.* Loc *Homme de terrain :* qui garde le contact avec les tâches concrètes, avec les gens. *Céder du terrain :* reculer. *Gagner du terrain :* avancer. *Ménager le terrain :* agir prudemment. *Tout terrain :* qui peut rouler partout (véhicule).

terrasse *nf* **1** Levée de terre soutenue par de la maçonnerie. **2** Plate-forme formant une toiture horizontale ou grand balcon. **3** Partie du trottoir devant un café, où sont disposées des tables et des chaises.

terrassement *nm* Travail de déblaiement et de remblai effectué sur un terrain.

terrasser *vt* **1** Renverser, jeter à terre qqn. **2** Abattre physiquement ou moralement. *La nouvelle, la fièvre l'a terrassé.*

terrassier *nm* Ouvrier travaillant à des travaux de terrassement.

terre *nf* **1** (avec majusc.) Planète du système solaire, habitée par l'espèce humaine. **2** Surface du globe qui n'est pas recouverte par les eaux marines. **3** litt Région, pays. *La terre de France.* Sol. *Tremblement de terre.* **5** Matière qui constitue le sol. *Terre végétale.* **6** Domaine rural ; terre cultivée. *Vendre une terre.* Loc fam *Avoir les pieds sur terre :* avoir le sens des réalités concrètes. *À terre, par terre :* sur le sol. *Être sur terre :* exister. *Terre à terre :* commun, prosaïque. *Porter, mettre en terre :* enterrer qqn. *Toute la terre :* l'ensemble des hommes. *Terre cuite :* argile façonnée et durcie par le feu. *Terre ferme :* continent (par oppos. à *la mer*). CHIM *Terres rares :* oxydes métalliques constituant des éléments chimiques.

terreau *nm* Terre riche en matières organiques.

terre-neuvas *nm inv* **1** Bateau armé pour pêche à la morue sur les bancs de Terre-Neuve Marin qui fait cette pêche.

terre-neuve *nm inv* Gros chien, à la tête forte large, souvent dressé au sauvetage.

terre-plein *nm* **1** Surface plane et unie d'u levée de terre. **2** Bande, surface qui sépare de chaussées d'une route. *Des terre-pleins.* V **terreplein**

terrer (se) *vpr* Se cacher pour se mettre à l'ab

terrestre *a* **1** De la Terre. *La surface terres* **2** Qui vit sur la terre ferme. *Animal terrestre* Qui se fait sur le sol (par oppos. à *aérien* o *maritime*). *Transport terrestre.* **3** litt Qui n'est ● de nature spirituelle.

terreur *nf* **1** Sentiment de peur incontrôlée Mesures violentes par lesquelles un État, groupe établissent leur autorité. **3** fam Personne inspire la peur.

terreux, euse *a* **1** De la nature de la terre, m de terre. **2** Grisâtre, pâle.

terrible *a* **1** Qui inspire la terreur ; épouvanta● **2** Fort, violent, intense. *Une chaleur terrible* fam Extraordinaire, très étonnant. *Un type terri●* Loc *Enfant terrible :* insupportable.

terriblement *av* Extrêmement.

terrien, enne *a* Qui possède des terres. ■ *a* De la Terre.

terrier *nm* **1** Trou dans la terre creusé par un a mal. **2** Chien de chasse.

terrifiant, ante *a* Qui terrifie ; épouvantable.

terrifier *vt* Épouvanter.

terrigène *a* Loc GEOL *Dépôts terrigènes :* appor à la mer par les fleuves.

terril *nm* Éminence formée par les déblais d' mine. Var **terri**

terrine *nf* **1** Récipient en terre, en porcelaine Pâté cuit dans une terrine.

territoire *nm* **1** Étendue de terre qui dépend d● État, d'une juridiction, qu'occupe un gro humain. **2** Zone où vit un animal, qu'il interd ses rivaux potentiels.

territorial, ale, aux *a* D'un territoire.

territorialité *nf* Caractère juridique de ce ● appartient à un territoire.

terroir *nm* **1** Région, du point de vue de la p● duction agricole. **2** La campagne, les régi● rurales.

terrorisant, ante *a* Qui terrorise.

terroriser *vt* **1** Épouvanter. **2** Soumettre ● population à un régime de terreur.

terrorisme *nm* Recours à la violence pour im● ser ses idées politiques ou son autorité.

terroriste *n, a* Qui relève du terrorisme.

tertiaire [-sjɛR] *a* Loc GEOL *Ère tertiaire :* péri● marquée par le plissement alpin. ECON *Secr● tertiaire :* secteur comportant les activités de ● vices (commerce, administration, etc.). ■ *nm* ● Ère tertiaire. **2** Secteur tertiaire.

tertiairisation *nf* SOCIOL Prédominance du sect● tertiaire. Var **tertiarisation**

tertio [-sjo] *av* Troisièmement.

tertre *nm* Monticule.

tes. *V. ton.*

tesla *nm* PHYS Unité de mesure du champ mag● tique.

tessiture *nf* MUS Étendue de l'échelle des s● couverte par la voix d'un chanteur.

tesson nm Débris de bouteille, de poterie.

test nm 1 Épreuve servant à évaluer les caractéristiques intellectuelles ou physiques des individus. 2 Épreuve, expérience en général servant à juger qqch, à établir un diagnostic médical, etc. 3 ZOOL Enveloppe dure qui protège l'organisme de certains animaux (oursins, crustacés).

testament nm 1 Acte par lequel une personne fait connaître ses dernières volontés. 2 Ultime expression d'un artiste, d'un homme politique.

testamentaire a D'un testament.

testateur, trice n Personne qui fait un testament.

tester vt 1 Faire subir un test à qqn. 2 Soumettre qqch à des essais. ■ vi Faire son testament.

testeur, euse n Personne qui fait passer des tests.

testiculaire a Du testicule.

testicule nm Glande génitale mâle.

testimonial, ale, aux a DR Fondé sur des témoignages. **Var têtébesh**

testostérone nf BIOL Hormone sexuelle sécrétée par le testicule.

tétanie nf MED Contracture pathologique des muscles.

tétanique a Du tétanos.

tétaniser vt 1 MED Provoquer des tétanies. 2 Étonner qqn au point de le paralyser.

tétanos nm Maladie infectieuse aiguë caractérisée par des contractures musculaires intenses.

têtard nm Larve des batraciens.

tête nf 1 Partie supérieure du corps humain, comprenant la face et le crâne ; boîte crânienne. 2 Visage, physionomie. Faire une drôle de tête. 3 Facultés intellectuelles ; esprit. Avoir une idée en tête. Avoir la tête dure. 4 Individu, personne. Un repas à tant par tête. 5 Personne qui commande, qui dirige. 6 Partie supérieure ou terminale de qqch. Une tête d'épingle. 7 Partie qui vient en premier ; début. La tête du train. Tête de liste. Loc Tenir tête à : résister, s'opposer. Faire la tête : bouder. fam En avoir par-dessus la tête de : être excédé. Se mettre en tête de : projeter. Garder la tête froide : rester maître de soi. Se mettre en tête : vouloir absolument. Monter à la tête : enivrer. Prendre la tête à qn : être pour lui une obsession, lui causer du souci, de l'angoisse. Tourner la tête : troubler. De tête : de mémoire. Coup de tête : décision irréfléchie. Forte tête : personne obstinée. À la tête de : au rang de chef ; en possession de. En tête : à l'avant. Perdre la tête : s'affoler. En tête à tête avec qqn : seul avec lui. Voix de tête : voix de fausset. fam Être tombé sur la tête : être fou. fam Avoir la grosse tête : avoir des prétentions ridicules. Tête de série : sportif que ses performances antérieures placent d'avori dans une épreuve éliminatoire.

tête-à-queue nm inv Demi-tour complet d'un véhicule sur lui-même.

tête-à-tête nm inv Situation de deux personnes seules l'une avec l'autre.

tête-bêche av Côte à côte et en sens inverse l'un de l'autre.

tête-de-loup nf Long balai pour nettoyer les plafonds. Des têtes-de-loup.

tête-de-Maure nf Fromage de Hollande. Des têtes-de-Maure.

tête-de-moine nf Variété de gruyère suisse. Des têtes-de-moine.

tête-de-nègre a inv Marron très foncé.

tétée nf 1 Action de téter. 2 Quantité de lait prise par un nourrisson en une fois.

téter vt [12] Sucer en aspirant la mamelle ou le sein, un biberon pour en tirer le lait ; tirer le lait par succion.

têtière nf Partie de la bride qui passe derrière les oreilles du cheval.

tétine nf 1 Mamelle des mammifères. 2 Capuchon en caoutchouc qui s'adapte au biberon et que tète le nourrisson.

téton nm fam Sein.

tétrachlorure nm Loc Tétrachlorure de carbone : liquide inflammable employé comme détachant.

tétraèdre nm GEOM Solide à quatre faces triangulaires.

tétragone nf Plante proche de l'épinard.

tétralogie nf Ensemble de quatre œuvres musicales, littéraires, picturales, etc., présentant une certaine unité.

tétraplégie nf Paralysie des quatre membres.

tétraplégique a, n Souffrant de tétraplégie.

tétrapode a, nm ZOOL Qui a quatre membres.

tétras [-tra] nm Coq de bruyère.

tétrasyllabe a Groupe de quatre syllabes.

tétrasyllabique a Formé de quatre syllabes.

têtu, ue a Opiniâtre, obstiné.

teuton, onne a, n 1 HIST De l'ancienne Germanie. 2 fam Allemand.

teutonique a HIST Germanique.

texan, ane a, n Du Texas.

texte nm 1 Ensemble des mots, des phrases qui constituent un écrit ; cet écrit imprimé ou manuscrit. 2 Œuvre littéraire ou fragment d'une œuvre littéraire. 3 Sujet d'un exercice scolaire. Loc Dans le texte : dans la langue originelle.

textile a Relatif à la fabrication des tissus. ■ nm 1 Tissu, étoffe, matière textile. 2 Industrie textile.

textuel, elle a Conforme au texte ; du texte. Citation textuelle.

textuellement av De façon textuelle.

texture nf 1 Disposition, arrangement des parties d'une substance. Texture d'une roche. 2 Agencement des différentes parties d'un tout.

TGV nm (n. déposé) Train à grande vitesse de la SNCF.

thaï, thaïe [taj] a Des Thaïs. ■ nm Groupe de langues de l'Asie du Sud-Est.

thaïlandais, aise a, n De Thaïlande.

thalamus nm ANAT Noyaux de substance grise situés à la base du cerveau.

thalassémie nf MED Anémie due à une anomalie génétique de l'hémoglobine.

thalassocratie nf Grande puissance maritime.

thalassothérapie nf MED Traitement, cure par les bains de mer.

thalle nm BOT Appareil végétatif des champignons, algues et lichens.

thallium [-ljom] nm Métal mou et gris, ressemblant au plomb.

thanatologie nf Étude scientifique de la mort.

thanatopraxie nf Embaumement des cadavres.

thaumaturge nm Personne qui fait ou prétend faire des miracles.

thaumaturgie nf Pouvoir du thaumaturge.

thé nm 1 Feuilles séchées du théier. 2 Infusion préparée avec ces feuilles. 3 Réception donnée l'après-midi.

théâtral, ale, aux a 1 Du théâtre. 2 Exagéré, emphatique. *Ton théâtral.*

théâtralement av Avec emphase.

théâtraliser vt Rendre spectaculaire par une recherche d'effets.

théâtralité nf Qualité théâtrale.

théâtre nm 1 Édifice où on représente des œuvres dramatiques, où on donne des spectacles. 2 Genre littéraire concernant les œuvres destinées à être jouées par des acteurs. 3 Art de la représentation de ces œuvres. 4 Ensemble des œuvres dramatiques d'un pays, d'un auteur. 5 Lieu où se passe tel évènement. *Le théâtre des opérations.* Loc *Coup de théâtre :* évènement brutal et inattendu.

théâtreux, euse n Comédien sans talent.

thébaïde nf litt Retraite solitaire.

théier nm Arbrisseau à fleurs blanches d'Asie tropicale, cultivé pour ses feuilles (thé).

théière nf Récipient pour infuser le thé.

théine nf Alcaloïde du thé.

théisme nm Doctrine selon laquelle le principe de l'Univers est un Dieu.

théiste a, n Qui professe le théisme.

thématique a Propre à un ou à des thèmes. ■ nf Ensemble organisé de thèmes.

thématiser vt Classer par thèmes des mots, des informations.

thème nm 1 Sujet, matière d'un ouvrage, d'un discours. 2 MUS Mélodie, motif mélodique. 3 Exercice de traduction de sa langue maternelle dans une autre langue. 4 LING Partie invariable d'un mot, à laquelle s'ajoutent les désinences. Loc fam *Fort en thème :* très bon élève.

théocratie nf Gouvernement dans laquelle l'autorité est exercée par la caste sacerdotale.

théocratique a De la théocratie.

théodolite nm Instrument servant à effectuer des levés de terrains.

théogonie nf Généalogie des dieux ; ensemble des divinités d'une mythologie.

théologal, ale, aux a De la théologie. Loc *Les trois vertus théologales :* la foi, l'espérance et la charité.

théologie nf Étude de la religion, des textes religieux.

théologien, enne n Spécialiste de théologie.

théologique a De la théologie.

théophanie nf THEOL Manifestation de la divinité.

théorème nm Proposition démontrable qui découle de propositions précédentes.

théoricien, enne n 1 Personne qui connaît la théorie d'une science, d'un art. Ant. praticien. 2 Auteur d'une théorie, d'un système conceptuel.

théorie nf 1 Ensemble d'opinions, d'idées sur un sujet particulier. 2 Connaissance abstraite, spéculative. 3 Système conceptuel élaboré pour expliquer un certain ordre de phénomènes. 4 litt Long défilé de personnes, de véhicules. Loc *En théorie :* dans l'abstrait.

théorique a 1 De la théorie. 2 Qui n'existe qu'abstraitement ; hypothétique.

théoriquement av De façon théorique.

théorisation nf Action de théoriser.

théoriser vt Mettre en théorie.

thérapeute n Médecin ; psychothérapeute.

thérapeutique a Relatif au traitement des maladies. ■ nf Traitement de telle ou telle maladie.

thérapie nf Traitement d'une maladie mentale.

thermal, ale, aux a Se dit des eaux minérales chaudes aux propriétés médicinales.

thermalisme nm Usage et exploitation des eaux thermales.

thermes nmpl 1 ANTIQ Établissement de bains publics. 2 Établissement thermal.

thermicien, enne n Spécialiste de la thermique et de ses applications.

thermicité nf PHYS Échange de chaleur entre un système et son milieu.

thermidor nm Onzième mois du calendrier républicain (juillet-août).

thermidorien, enne a, n HIST Se dit des conventionnels qui renversèrent Robespierre le 9 Thermidor.

thermie nf PHYS Unité de quantité de chaleur.

thermique a De la chaleur. Loc *Centrale thermique :* produisant de l'électricité à partir du charbon, du gaz ou du pétrole. ■ nf PHYS Étude de la production et de l'utilisation de la chaleur.

thermocautère nm Instrument qui sert à faire des pointes de feu.

thermochimie nf Étude de la chaleur émise par des réactions chimiques.

thermocopie nf Procédé thermique de reprographie.

thermodurcissable a Se dit de plastiques qui durcissent à partir d'une certaine température.

thermodynamique nf Étude des transformations de l'énergie calorifique en énergie mécanique. ■ a De la thermodynamique.

thermoélectricité nf Électricité produite par la conversion de l'énergie thermique.

thermoélectrique a De la thermoélectricité.

thermogène a Qui produit de la chaleur.

thermomètre nm 1 Instrument de mesure de la température. 2 Ce qui permet d'évaluer les variations de qqch.

thermométrie nf Mesure des températures.

thermonucléaire a Relatif à la fusion des noyaux atomiques. Loc *Arme thermonucléaire* qui, par la fusion de noyaux d'atomes, dégage une énergie considérable.

thermoplastique a Syn. de thermodurcissable.

thermorégulation nf ZOOL Régulation de la température interne du corps.

thermorésistant, ante a Qui résiste à la chaleur.

thermos [-mos] nm ou nf (n. déposé) Bouteille isolante qui conserve un liquide à la même température.

thermosphère nf Région de l'atmosphère, située au-delà de 80 km, dans laquelle la température croît régulièrement avec l'altitude.

thermostat nm Dispositif destiné à maintenir une température constante.

thésard, arde n fam Personne qui prépare une thèse universitaire.

thésaurisation nf Action de thésauriser.

thésauriser vi, vt Amasser de l'argent sans dépenser.

thésaurus nm inv Recueil alphabétique de termes scientifiques, techniques, etc.

thèse nf 1 Proposition qu'on s'attache à soutenir, à défendre. 2 Ouvrage présenté devant un jury universitaire pour l'obtention d'un titre

ctorat. **3** PHILO Premier temps du raisonnement
lectique (thèse, antithèse, synthèse).

êta *nm* Huitième lettre de l'alphabet grec cor-
pondant à *th*.

amine *nf* Vitamine B1.

baude *nf* Molleton placé entre le sol et une
quette.

omisme *nm* Doctrine théologique et philoso-
que de saint Thomas d'Aquin.

omiste *a, n* Qui relève du thomisme.

on *nm* Grand poisson marin, comestible.

onier *nm* Bateau armé pour la pêche au thon.

oracique *a* Du thorax.

oracotomie *nf* Ouverture chirurgicale du tho-

orax *nm* Partie supérieure du tronc, limitée par
côtes et le diaphragme.

orium [-Rjɔm] *nm* Métal radioactif.

iller [sRilœR] *nm* Film, roman policier à sus-
nse. **Var thriller**

ombine *nf* BIOL Enzyme qui provoque la coa-
ation du sang.

ombolyse *nf* MED Résorption d'un caillot dans
vaisseau sanguin.

ombose *nf* **1** MED Formation d'un caillot dans
vaisseau sanguin. **2** fam Arrêt de la circulation,
bouteillage.

S *nm* MED Traitement hormonal substitutif, des-
é à combattre les trouble liés à la ménopause.

une *nf* fam Argent.

riféraire *nm* litt Flatteur, adulateur.

uya *nm* Conifère ornemental.

rm [tɛ̃] *nm* Petite plante aromatique.

mus *nm* ANAT Glande endocrine à la base du

roïde *nf* ANAT Glande endocrine située en
nt du larynx.

roïdectomie *nf* CHIR Ablation de la thyroïde.

roïdien, enne *a* De la thyroïde.

roïdite *nf* Inflammation de la thyroïde.

roxine *nf* Principale hormone thyroïdienne.

sanoure *nm* ZOOL Petit insecte vivant dans les
roits humides.

re *nf* Haute coiffure à triple couronne que por-
le pape.

é *nm* Plante de Polynésie à fleurs très parfu-
es utilisées en cosmétique.

étain, aine *a, n* Du Tibet. ■ *nm* Langue par-
au Tibet.

ia *nm* Le plus gros des deux os de la jambe,
mant la partie interne de celle-ci.

nm **1** Mouvement convulsif, répété automati-
ment. **2** Habitude, manie.

ket *nm* **1** Billet d'acquittement d'un droit
ntrée, de transport, etc. **2** Équipe formée par
deux candidats d'un même parti pour les élec-
s présidentielles aux États-Unis.

tac *nm inv* Bruit cadencé d'un mécanisme.
r tictac

break [tajbRɛk] *nm* Au tennis, jeu décisif à
sue d'une manche où les joueurs sont à 6 jeux
out. *Des tie-breaks.* **Var tiebreak**

dasse *a* Désagréablement tiède.

de *a* Légèrement chaud. ■ *a, n* Qui manque de
eur ou de conviction. ■ *av* Loc *Boire tiède :*
boissons tièdes.

deur *nf* **1** État de ce qui est tiède. **2** Manque
rdeur, de zèle.

tiédir *vi* Devenir tiède. ■ *vt* Chauffer légèrement.
Tiédir du lait.

tiédissement *nm* Action, fait de tiédir.

tien, tienne *a poss* litt Qui est à toi, qui t'appartient. *Ce livre est tien.* ■ *pr poss* Ce qui est
à toi. *J'ai mes soucis, tu as les tiens.* ■ *nm* Loc
Mets-y du tien : fais des concessions. ■ *nmpl* Tes
parents, tes amis.

tierce *nf* **1** MUS Intervalle de trois degrés. **2** Suite
de trois cartes de la même couleur.

tiercé *nm* Pari dans lequel il faut désigner les
trois premiers chevaux d'une course.

tiers, tierce *a* Loc *Une tierce personne :* une
troisième personne. HIST *Tiers état* ou *tiers :* sous
l'Ancien Régime, fraction de la population n'appartenant ni à la noblesse ni au clergé. ■ *nm* **1**
Troisième personne. *N'en parlez pas devant un
tiers !* **2** Partie d'un tout divisé en trois parties
égales.

tiers-monde *nm* Ensemble des pays en voie de
développement.

tiers-mondisme *nm* Solidarité avec le tiers-
monde.

tiers-mondiste *a, n* Solidaire du tiers-monde.
Des tiers-mondistes.

tif *nm* fam Cheveu.

tige *nf* **1** Partie aérienne des végétaux, qui porte
les feuilles, les bourgeons et les branches. **2** Pièce
longue et mince, souvent cylindrique. **3** Partie
d'une botte, qui enveloppe la cheville, la jambe.

tigelle *nf* BOT Tige de la plantule.

tignasse *nf* fam Chevelure touffue, mal peignée.

tigre, esse *n* Félin, le plus grand et le plus puissant d'Asie, au pelage jaune rayé de noir. Loc
Tigre de papier : adversaire menaçant mais sans
consistance réelle. ■ *nf* Femme très jalouse et
agressive.

tigré, ée *a* Rayé comme un tigre.

tigron *nm* Hybride d'un tigre et d'une lionne.
Var tiglon

tilbury *nm* anc Cabriolet léger.

tilde [-d] ou [-de] *nm* En espagnol, signe mis
au-dessus de la lettre *n* pour lui donner le son
mouillé (ñ).

tillandsia *nf* Plante d'Amérique tropicale.

tilleul *nm* **1** Arbre aux fleurs jaunes odorantes. **2**
Infusion préparée avec ces fleurs séchées.

tilt *nm* Loc fam *Faire tilt :* provoquer l'intuition de
qqch ; faire comprendre brusquement.

timbale *nf* **1** Instrument à percussion constitué d'un bassin en cuivre couvert d'une peau.
2 Gobelet en métal. **3** Moule de cuisine haut et
rond ; sorte de pâté en croûte cuit dans ce moule.
Loc fam *Décrocher la timbale :* réussir.

timbalier, ière *n* MUS Joueur de timbales.

timbrage *nm* Action de timbrer.

timbre *nm* **1** Caractère, qualité sonore d'une
voix, d'un instrument. **2** Marque d'une administration, d'une maison de commerce. **3** Instrument
servant à apposer une marque. **4** Marque de la
poste indiquant sur une lettre le lieu et la date de
départ. **5** Timbre-poste ; timbre-quittance.

timbré, ée *a* **1** Qui a tel timbre, qui résonne. **2**
fam Fou. Loc *Papier timbré :* portant un timbre
fiscal.

timbre-poste *nm* Vignette servant à affranchir
les lettres et les paquets postaux. *Des timbres-
poste.*

timbre-quittance *nm* Vignette fiscale apposée sur des actes officiels. *Des timbres-quittances.*

timbrer *vt* Coller un timbre-poste sur ; affranchir. *Timbrer une lettre.*

timide *a, n* Qui manque de hardiesse, d'assurance ; timoré.

timidement *av* Avec timidité.

timidité *nf* Manque d'assurance, de hardiesse.

timing [tajmiŋ] *nm* Minutage précis.

timon *nm* Pièce du train d'une voiture hippomobile pour l'attelage des chevaux.

timonerie *nf* Partie couverte de la passerelle de navigation d'un navire.

timonier *nm* MAR Homme de barre, qui seconde sur la passerelle l'officier de quart. Loc *fam Grand timonier :* chef incontesté.

timoré, ée *a, n* Craintif, méfiant, timide.

tin *nm* MAR Pièce de bois qui soutient la quille d'un bâtiment en construction ou en réparation.

tinctorial, ale, aux *a* Qui sert à teindre.

tinette *nf* Grand récipient mobile servant de fosse d'aisances.

tintamarre *nm* Vacarme.

tintement *nm* Son clair, musical que rendent une cloche qui tinte, des objets qu'on frappe. Loc *Tintement d'oreilles :* bourdonnement d'oreilles.

tinter *vi* Sonner lentement par coups espacés (cloche). ■ *vt* Faire sonner une cloche.

tintin *nm* Loc *pop Faire tintin :* être privé de qqch.

tintinnabuler *vi* litt Résonner comme un grelot.

tintouin *nm* fam 1 Vacarme. 2 Embarras, souci.

tipi *nm* Tente conique des Indiens d'Amérique.

tipule *nf* Grand moustique qui vit sur les fleurs.

tique *nf* Insecte parasite de la peau du chien.

tiquer *vi* fam Avoir un bref mouvement d'étonnement, de contrariété.

tir *nm* 1 Action, manière de tirer avec une arme, de lancer un projectile ; la trajectoire elle-même. 2 Action d'envoyer avec force le ballon.

tirade *nf* 1 Développement, longue phrase sur un sujet. 2 Au théâtre, suite de phrases qu'un acteur dit sans interruption.

tirage *nm* 1 Action, fait de tirer une loterie, de prendre au hasard. 2 Ensemble d'exemplaires imprimés, de disques pressés en une seule fois. 3 Exemplaire positif d'un cliché photographique. 4 Action d'émettre un chèque, une traite. 5 Mouvement ascensionnel des gaz chauds dans un conduit de fumée. Loc *fam Il y a du tirage :* des difficultés.

tiraillement *nm* 1 Sensation interne pénible de contraction. 2 Contestation, conflit.

tirailler *vt* 1 Tirer par petits coups, à diverses reprises. 2 Entraîner dans des sens différents. *Être tiraillé entre ses obligations et son intérêt.* ■ *vi* Tirer des coups répétés avec une arme à feu.

tirailleur *nm* Soldat d'infanterie légère. Loc *En tirailleur :* en ordre dispersé.

tirant *nm* Pièce destinée à exercer un effort de traction. *Les tirants d'une botte.* Loc *Tirant d'eau :* distance entre la ligne de flottaison d'un navire et le bas de sa quille.

tire *nf* pop Voiture. Loc *Vol à la tire :* consistant à voler le contenu des poches, d'un sac.

tiré, ée *a* Fatigué, amaigri. *Traits tirés.* Loc *Tiré à quatre épingles :* très élégant. ■ *nm* Taillis aménagé pour la chasse. Loc *Tiré à part :* tirage indépendant d'un article extrait d'une revue.

tire-au-flanc *nm inv* fam Personne qui s'arran[ge] pour éviter des corvées, un travail.

tire-botte *nm* Crochet qui sert à chausser u[ne] botte. *Des tire-bottes.*

tire-bouchon *nm* Instrument servant à déb[ou]cher les bouteilles. Loc *En tire-bouchon :* [en] forme de spirale, d'hélice. *Des tire-boucho[ns].* Var **tirebouchon**

tire-bouchonner *vi, vpr* Se rouler en ti[re-]bouchon, faire des plis. Var **tirebouchonner**

tire-clou *nm* Outil servant à arracher les clo[us]. *Des tire-clous.*

tire-d'aile (à) *av* Très rapidement.

tire-fesse *nm* fam Remonte-pente. *Des tire-fess[es].* Var **tire-fesses** *nm inv*

tire-fond *nm* 1 Anneau fixé au plafond pou[r] suspendre un lustre. 2 Vis à bois de grand diam[è]tre, à tête carrée. *Des tire-fonds* ou *tire-fond.*

tire-lait *nm inv* Appareil servant à aspirer le [lait] du sein. *Des tire-laits* ou *tire-lait.*

tire-larigot (à) *av* fam Beaucoup. Var **tirelari[got] (à)**

tire-ligne *nm* Petit instrument pour tracer [des] lignes. *Des tire-lignes.*

tirelire *nf* 1 Boîte qui comporte une fente [par] laquelle on glisse l'argent qu'on veut économis[er]. 2 pop Tête, visage.

tire-nerf *nm* CHIR Petit instrument utilisé pour l[a] traction des nerfs dentaires. *Des tire-nerfs.*

tirer *vt* 1 Faire mouvoir, amener vers soi, traî[ner] derrière soi. *Tirer un tiroir. Tirer un traîneau[.]* Mouvoir en faisant glisser, coulisser. *Tirer le v[er]rou.* 3 Faire un effort pour tendre, allonger. *T[irer] ses bas. Tirer la langue.* 4 Attirer. *Tirer l'[œil,] le regard.* 5 Ôter d'un endroit, d'une situati[on.] *Tirer de l'eau d'un puits. Tirer qqn de pris[on.]* 6 Prendre au hasard. *Tirer une carte.* 7 Extra[ire,] exprimer. *Substance qu'on tire des plantes[.] 8* Emprunter. *Les mots que le français tire du g[rec.]* 9 Déduire, conclure. *Qu'est-ce que tu tires [de] cela ?* 10 Imprimer. *Tirer un ouvrage.* 11 R[éali]ser une épreuve photographique. 12 Émettre [un] chèque, une lettre de change. Loc *Tirer qqch [au] clair :* l'éclaircir. *Tirer son origine de :* être [issu] de. *Tirer parti de :* utiliser. *Tirer bénéfice :* bé[né]ficier, profiter. *Tirer un plan, des plans :* proje[ter.] ■ *vt, vi, vti* Lancer un projectile, faire feu. *T[irer] un lapin. Tirer au revolver. Tirer sur un liè[vre].* ■ *vti* 1 Tendre vers. *Vert qui tire sur le ble[u.]* 2 Exercer une traction sur. *Tirer sur une corde.* [Loc] *Tirer à sa fin :* être près de finir. *Tirer à con[sé]quence :* avoir des conséquences. ■ *vi* 1 [Être] imprimé à tant d'exemplaires. 2 Avoir du tir[age] (cheminée). Loc *Tirer en longueur :* se prolon[ger.] ■ *vpr* fam S'en aller. Loc *S'en tirer :* sortir d'[une] difficulté, d'une maladie.

tiret *nm* Petit trait horizontal dans un texte.

tirette *nf* 1 Dispositif de commande manuell[e.] Tablette horizontale coulissante d'un meuble.

tireur, euse *n* 1 Personne qui se sert d'une arm[e à] feu. 2 Personne qui émet un chèque, une lettre [de] change. 3 Personne qui tire une balle, une b[alle] vers le but. 4 Escrimeur. 5 fam Voleur à la tire. [Loc] *Tireuse de cartes :* cartomancienne.

tiroir *nm* Casier coulissant, s'emboîtant dans [un] meuble. Loc *À tiroirs :* fait de plusieurs par[ties] successives, emboîtées.

tiroir-caisse *nm* Tiroir contenant la caisse d'[un] commerçant. *Des tiroirs-caisses.*

tisane *nf* Infusion ou décoction de plantes médicinales.

tisanière *nf* Pot à infusion.

tison *nm* Reste encore brûlant d'un morceau de bois à moitié consumé.

tisonner *vt* Remuer les tisons pour ranimer le feu.

tisonnier *nm* Tige de fer qui sert à tisonner.

tissage *nm* Action, art de tisser un textile.

tisser *vt* 1 Fabriquer un tissu en entrecroisant les fils. 2 Former qqch par un assemblage d'éléments. *Tisser une intrigue.*

tisserand, ande *n* Personne qui tisse sur un métier des étoffes, des tapis.

tisserin *nm* Passereau dont les nids sont faits d'herbes entrelacées.

tisseur, euse *n* Dont le métier est de tisser.

tissu *nm* 1 Étoffe obtenue par l'entrelacement régulier de fils textiles. 2 ANAT Ensemble de cellules concourant à une même fonction. *Tissu conjonctif, musculaire.* 3 Enchevêtrement. *Un tissu de mensonges.* 4 Ensemble d'éléments constituant une structure homogène. *Tissu urbain, industriel.*

tissu-éponge *nm* Étoffe spongieuse. *Des tissus-éponges.*

tissulaire *a* ANAT Qui concerne les tissus.

titan *nm* litt Géant.

titane *nm* Métal blanc, dur, utilisé dans les alliages.

titanesque *a* litt Gigantesque. Var **titanique**

titi *nm* fam Gamin gouailleur et malicieux.

titiller *vt* 1 litt Chatouiller légèrement. 2 fam Taquiner, agacer.

titisme *nm* Socialisme tel que le conçut Tito.

titrage *nm* Détermination de la quantité de corps dissous dans une solution.

titre *nm* 1 Énoncé servant à nommer un texte, un article de journal et qui en évoque le contenu. 2 Dignité, qualification honorifique ou qualification sociale. *Le titre de duc. Le titre de père, d'avocat, de champion.* 3 Diplôme. *Titres universitaires.* 4 Reconnaissance écrit établissant un droit. *Titres de propriété.* 5 Ce qui permet de prétendre à qqch. *Un titre de gloire.* 6 CHIM Proportion d'un métal précieux dans un alliage, d'une substance dissoute dans un corps. Loc *À titre de* : en tant que. *À juste titre* : avec raison. *En titre* : en tant que titulaire de la fonction.

titré, ée *a* Qui a un titre de noblesse.

titrer *vt* 1 Donner un titre. 2 CHIM Déterminer par dosage la quantité de corps dissous dans une solution. 3 Mettre comme titre d'un article.

titrisation *nf* FIN Transformation de créances en titres négociables.

titubant, ante *a* Qui titube.

tituber *vi* Marcher en chancelant.

titulaire *a, n* 1 Possesseur d'une fonction garantie par un titre. ■ *a* Qui possède qqch selon le droit. *Titulaire d'un passeport.*

titularisation *nf* Action de titulariser.

titulariser *vt* Nommer qqn titulaire d'une fonction.

tmèse *nf* GRAM Séparation des éléments d'un mot par l'intercalation d'autres mots (ex. : *lors donc que*).

TNT *nm* Sigle de *trinitrotoluène*.

2. TNT *nf* Télévision numérique terrestre, transmission de programmes de télévision par signaux numériques à partir d'émetteurs au sol.

toast [tost] *nm* 1 Tranche de pain de mie grillée. Loc *Porter un toast* : boire à la santé de qqn, à la réussite d'une entreprise, etc.

toasteur [tos-] *nm* Grille-pain.

toboggan *nm* 1 Piste en forme de gouttière, utilisée comme jeu. 2 Dispositif destiné à la manutention des marchandises d'un étage à l'autre. 3 Viaduc routier démontable.

1. toc *nm* fam Imitation, souvent de mauvais goût, d'une chose de prix.

2. toc *nm* Trouble obsessionnel compulsif.

tocante *nf* pop Montre. Var **toquante**

tocard, arde *a* fam Laid, médiocre. ■ *nm* fam 1 Mauvais cheval. 2 Individu incapable. Var **toquard, ade**

toccata *nf* MUS Composition écrite pour un instrument à clavier.

tocsin *nm* Sonnerie redoublée d'une cloche pour donner l'alarme.

toge *nf* 1 ANTIQ Vêtement ample que les Romains portaient sur la tunique. 2 Robe que portent les avocats, les magistrats, etc., dans l'exercice de leurs fonctions.

togolais, aise *a, n* Du Togo.

tohu-bohu *nm* fam Confusion, désordre bruyant. *Des tohu-bohus.* Var **tohubohu**

toi *pr pers* Forme tonique de la 2e personne du singulier des deux genres.

toile *nf* 1 Tissu de lin, de chanvre, de coton, etc. 2 Tissu tendu sur un cadre de bois pour être peint ; tableau peint. 3 Voilure d'un navire. Loc *Toile d'araignée* : réseau tissé par les araignées. *Toile de fond* : panneau formant le fond d'une scène de théâtre et sur lequel est peint un décor ; contexte, cadre général des évènements.

toilerie *nf* Fabrique de toile.

toilettage *nm* 1 Soins de propreté donnés à un chien, à un chat, etc. 2 fam Retouche légère.

toilette *nf* 1 Action de se laver, de se coiffer, de s'habiller. 2 Soins de propreté donnés au corps. 3 Vêtement, costume féminins. Loc *Faire la toilette de qqch* : le nettoyer ou le retoucher. ■ *pl* Cabinets, W.-C.

toiletter *vt* Procéder à un toilettage.

toise *nf* Règle verticale graduée pour mesurer la taille de qqn.

toiser *vt* Regarder avec dédain, mépris.

toison *nf* 1 Poil épais et laineux de certains animaux, en particulier du mouton. 2 Chevelure, poils abondants.

toit *nm* 1 Couverture d'un bâtiment, d'un véhicule. 2 Maison, logement. Loc *Crier qqch sur les toits* : le faire savoir à tous.

toiture *nf* Toit d'une construction.

tokamak *nm* PHYS Appareil que l'on utilise dans les recherches sur la fusion nucléaire contrôlée.

tokay [tokɛ] *nm* 1 Vin blanc hongrois. 2 Cépage blanc d'Alsace, dit aussi *pinot gris.* Var **tokaï** [tokaj]

tokharien *nm* Langue indo-européenne ancienne du Turkestan.

tokyoïte *a, n* De Tokyo.

tôlard. V. taulard.

1. tôle *nf* Métal laminé en plaques minces.

2. tôle. V. taule.

tôlé, ée a Loc Neige tôlée : présentant une croûte de glace superficielle.

tolérable a Supportable.

tolérance nf 1 Fait d'accepter les opinions ou les pratiques religieuses, politiques, etc., d'autrui, même si on ne les partage pas. 2 Différence tolérée au regard d'une norme. 3 Fait, pour l'organisme, de bien supporter une substance donnée. Loc Maison de tolérance : établissement de prostitution.

tolérant, ante a Qui fait preuve de tolérance.

tolérer vt [12] 1 Accepter sans autoriser formellement. 2 Supporter par indulgence. 3 Bien supporter un médicament, un traitement, etc.

tôlerie nf Industrie, commerce ou atelier du tôlier.

tolet nm MAR Cheville servant de point d'appui à l'aviron.

1. tôlier nm Personne qui travaille la tôle.

2. tôlier. V. taulier.

tolite nf Syn. de trinitrotoluène.

tollé nm Cri collectif de protestation.

toluène nm Hydrocarbure extrait du benzol, utilisé pour la fabrication d'explosifs, de parfums, etc.

tom nm Tambour cylindrique utilisé dans la batterie de jazz.

tomahawk [-ok] nm Hache de guerre des Indiens d'Amérique du Nord.

tomaison nf Indication du tome d'un ouvrage en plusieurs livres.

tomate nf Plante cultivée pour ses fruits ; fruit rouge de cette plante.

tombal, ale, als a De la tombe.

tombant, ante a Qui s'abaisse, tend vers le bas. Loc À la nuit tombante : au crépuscule.

tombe nf Lieu où est enterré un mort ; fosse couverte d'un monument. Loc Avoir un pied dans la tombe : être près de mourir. Muet comme une tombe : totalement silencieux. Il se retournerait dans sa tombe : il serait horrifié par la situation actuelle.

tombeau nm Sépulture monumentale d'un mort ou de plusieurs. Loc fam À tombeau ouvert : à toute allure.

tombée nf Loc À la tombée de la nuit, du jour : au crépuscule.

tomber vi [aux. être] 1 Être entraîné subitement de haut en bas ; faire une chute. 2 Cesser, perdre de sa force, disparaître. Son enthousiasme tombe. 3 Perdre le pouvoir, être renversé. Le gouvernement est tombé. 4 Arriver d'un lieu plus élevé. Le brouillard tombe. 5 Devenir plus bas, plus faible. Les cours tombent. 6 Déchoir, dégénérer. Il est tombé bien bas. 7 Pendre. Ses cheveux tombent sur les épaules. 8 (suivi d'un adjectif) Devenir. Tomber malade. 9 Survenir. Tomber bien, mal. Le 1er mai tombe un lundi. ■ vti Attaquer. Tomber sur qqn. ■ vt Loc Tomber une femme : la séduire. fam Tomber la veste : l'enlever.

tombereau nm Véhicule à caisse basculante utilisé pour le transport des matériaux.

tombeur nm fam Séducteur.

tombola nf Loterie où le gagnant reçoit un lot en nature.

tome nm Division d'un ouvrage contenant plusieurs volumes.

tomenteux, euse a BOT Couvert de poils fins.

tomme nf Fromage à pâte pressée.

tommette nf Briquette plate pour le revêtement des sols.

tommy nm fam Soldat anglais.

tomodensitomètre nm Syn. de scanographe.

tomographie nf Procédé radiologique permettant de prendre des clichés d'un organe par plans.

1. ton, ta, tes a poss Deuxième personne du singulier ; de toi. Ton bras. Ta jambe.

2. ton nm 1 Degré de hauteur, intensité ou timbre de la voix. Ton sourd. 2 Inflexion expressive de la voix. Ton assuré. 3 Manière d'exprimer sa pensée, de se conduire en société. 4 MUS Hauteur des sons produits par la voix ou par un instrument. 5 Couleur, considérée dans son éclat. Loc De bon ton : qui convient. Donner le ton : servir de modèle.

tonal, ale, als a Relatif au ton, à la tonalité.

tonalité nf 1 Organisation des sons musicaux. 2 Caractère des sons produits par la voix ou par un instrument. 3 Son continu qu'on entend en décrochant le téléphone. 4 Couleur dominante ; impression qu'elle dégage.

tondaison nf Action de tondre.

tondeur, euse n Personne qui tond. ■ nf 1 Machine utilisée pour tondre le gazon. 2 Instrument utilisé pour tondre les cheveux ou le poil.

tondre vt [5] 1 Couper ras les cheveux, l'herbe, etc. 2 fam Dépouiller qqn de son argent. Tondre le client.

tondu, ue a, n Qui a les cheveux ras.

toner [tɔnœR] nm Encre pulvérulente pour imprimantes, photocopieurs, etc.

tong nf Chaussure constituée d'une semelle et d'une bride qui s'insère entre les orteils.

tonicardiaque a, nm Qui stimule le cœur.

tonicité nf Qualité, caractère tonique.

tonifiant, ante a, nm Qui fortifie.

tonifier vt Fortifier, stimuler.

tonique a, nm Qui augmente la vigueur de l'organisme ; fortifiant. ■ a 1 Qui a ou procure du tonus ; stimulant. Promenade tonique. 3 LING Qui reçoit l'accent d'intensité ou de hauteur. ■ nf MU? Première note de la gamme du ton dans lequel ur morceau est composé.

tonitruant, ante a Qui fait un bruit énorme.

tonitruer vi litt Parler d'une voix très forte.

tonnage nm 1 MAR Syn. de jauge. 2 Quantité de marchandises transportées.

tonnant, ante a Qui tonne.

tonne nf 1 Grand tonneau. 2 Unité de masse valant 1 000 kilogrammes. Loc fam Des tonnes : une grande quantité.

tonneau nm 1 Grand récipient de bois fait de douves assemblées par des cerceaux. Syn. barrique, fût. 2 Figure de voltige aérienne. 3 Tour complet d'une voiture sur elle-même. 4 MAR Unité de jauge d'un navire (2,83 m³). Loc fam Du mêm tonneau : du même acabit.

tonnelet nm Petit tonneau.

tonnelier nm Personne qui fabrique les tonneau

tonnelle nf Treillage couvert de verdure.

tonnellerie nf 1 Industrie du tonnelier. Ensemble de tonneaux.

tonner v impers Se faire entendre (tonnerre). ■ 1 Faire un bruit comparable au tonnerre. Le cand tonne. 2 Parler avec emportement. Tonner cont les escupilleurs.

tonnerre nm 1 Grondement qui accompagne foudre. 2 Bruit violent et prolongé. Un tonner

applaudissements. *Loc De tonnerre :* bruyant.
Du tonnerre : extraordinaire, enthousiasmant.
nsure *nf* Petite portion circulaire rasée au
mmet de la tête des ecclésiastiques.
nte *nf* **1** Action de tondre les moutons, le
zon. **2** Laine qui a été tondue.
ntine *nf* Association d'épargnants constituant
fonds qui est remis à tour de rôle à chacun
s associés.
nton *nm* fam Oncle.
nus *nm* **1** Énergie, entrain, dynamisme. **2** MED
ension des muscles à l'état de repos.
p *nm* **1** Bref signal sonore. **2** fam L'apogée, le
mmet de son succès.
paze *nf* Pierre fine jaune.
per *vi* Taper dans la main du partenaire pour
gnifier un accord.
piaire *nf* Art de tailler les arbres pour leur don-
r des formes originales.
pinambour *nm* Plante cultivée pour ses tuber-
les.
pique *a, nm* Médicament qui agit à l'endroit
il est appliqué.
pless *a* Qui a les seins nus.
p-modèle *nm* Mannequin de haute couture.
es top-modèles.
p-niveau *nm* fam Premier rang, sommet d'une
érarchie. *Des top-niveaux.*
po *nm* fam Exposé d'une question.
pographe *n* Spécialiste de topographie.
pographie *nf* **1** Représentation graphique
un lieu, avec indication de son relief. **2** Relief,
nfiguration d'un lieu.
pographique *a* De la topographie.
poguide *nm* Guide pour la randonnée.
pologie *nf* MATH Étude des propriétés de l'es-
ace.
pologique *a* MATH De la topologie.
ponyme *nm* LING Nom de lieu.
ponymie *nf* LING Étude des noms de lieux.
ponymique *a* De la toponymie.
p-secret *a inv* fam Totalement secret.
quade *nf* fam Engouement passager, caprice.
quante, quante. *V. tocante, tocard.*
que *nf* Coiffure ronde et sans bords.
qué, ée *a, n* fam Qui a le cerveau dérangé.
quer (se) *vpr* S'éprendre de, avoir un
gouement pour qqn, qqch.
rche *nf* **1** Flambeau grossier fait d'un bâton
duit de résine. **2** Lampe électrique portative.
rcher *vt* fam **1** Essuyer. *Torcher le nez d'un
fant.* **2** Exécuter vite et mal.
rchère *nf* **1** Grand candélabre destiné à rece-
ir des flambeaux. **2** Canalisation verticale ser-
ant à brûler les résidus gazeux d'une raffinerie.
rchis *nm* Matériau fait d'argile et de paille.
rchon *nm* **1** Pièce de toile pour essuyer la vais-
lle. **2** fam Écrit mal soigné. **3** fam Journal mal écrit.
able. *Loc* fam *Coup de torchon :* épuration vio-
nte. *Le torchon brûle :* il y a une vive dispute.
rdage *nm* Action de tordre des fils.
rdant, ante *a* fam Très amusant.
rd-boyau *nm* fam Eau-de-vie très forte. *Des
rd-boyaux.*
rdeuse *nf* Chenille de papillon qui s'enroule
ans les feuilles.
rdre *vt* [5] **1** Tourner en sens inverse les deux
trémités d'un corps ; plier. **2** Tourner violem-

ment en forçant ou de travers. *Tordre le bras à
qqn. Loc Tordre le cou :* tuer, étrangler. ■ *vpr* **1**
Se plier en deux sous l'effet d'une sensation ou
d'une émotion vive. *Se tordre de douleur.* **2** fam
Rire fort.
tordu, ue *a* Recourbé, déformé. *Loc Avoir l'esprit tordu :* compliqué, bizarre. fam *Coup tordu :*
acte malveillant. ■ *n* fam Fou.
tore *nm* **1** Moulure épaisse au bas d'une colonne.
2 GEOM Anneau à section circulaire.
toréador *nm* vx Syn. de *toréro.*
toréer *vi* Combattre le taureau dans l'arène.
toréro *nm* Personne qui torée. *Var torero* [-ʀe-]
torgnole *nf* fam Coup, gifle.
toril [-ʀil] *nm* Annexe de l'arène où sont enfer-
més les taureaux avant le combat.
torique *a* En forme de tore.
tornade *nf* Tourbillon de vent très violent.
toron *nm* Réunion de fils tordus ensemble.
torpédo *nf* anc Automobile de forme allongée, à
capote repliable.
torpeur *nf* **1** Engourdissement profond. **2** Ralentissement de l'activité ; apathie.
torpide *a* Caractérisé par la torpeur.
torpillage *nm* Action de torpiller.
torpille *nf* **1** Poisson ayant un organe dont la
décharge immobilise les proies. **2** Engin autopropulsé, destiné à la destruction de navires ennemis. **3** Bombe aérienne munie d'ailettes.
torpiller *vt* **1** Détruire à la torpille. **2** Faire
échouer. *Torpiller des négociations.*
torpilleur *nm* **1** Bâtiment de guerre qui lance
des torpilles. **2** Marin chargé du lancement des
torpilles.
torque *nm* Collier de métal rigide.
torréfacteur *nm* Personne qui torréfie le café.
torréfaction *nf* Action de torréfier.
torréfier *vt* Soumettre à sec à l'action du feu.
Torréfier du café.
torrent *nm* **1** Cours d'eau de montagne, à débit
rapide. **2** Flot, écoulement violent et abondant.
Des torrents d'injures. Loc À torrents : abondamment.
torrentiel, elle *a* Qui s'écoule avec violence.
torrentueux, euse *a* litt Impétueux comme un
torrent.
torride *a* Excessivement chaud (air, climat).
tors, torse *a* **1** Tordu, difforme. *Jambes torses.*
2 Contourné en hélice. *Colonne torse.*
torsade *nf* Assemblage de fils, de cordons, de
cheveux, etc., enroulés en hélice.
torsader *vt* Mettre en torsade.
torse *nm* **1** Thorax d'un être humain. **2** Corps
humain représenté du cou à la ceinture, sans tête
et sans membres.
torsion *nf* Action de tordre ; déformation.
tort *nm* **1** Action, comportement, pensée contraire
à la justice ou à la raison. **2** Dommage, préjudice
causé à qqn. *Loc Avoir tort :* n'avoir pas pour
soi le droit. *Donner tort à qqn :* condamner sa
conduite. *Être dans son tort :* être coupable d'une
action blâmable. *À tort :* injustement. *À tort ou à
raison :* avec ou sans motif. *À tort et à travers :*
sans discernement.
torticolis *nm* Raidissement musculaire douloureux du cou.
tortillard *nm* fam Train lent qui fait de nombreux
détours.

tortillement nm Action de (se) tortiller. **Var tortillage**

tortiller vt Tourner et retourner. ■ vi Loc *Tortiller des hanches* : marcher en se balançant. Fam *Il n'y a pas à tortiller* : à chercher des détours. ■ vpr S'agiter en tous sens.

tortillon nm 1 Chose tortillée. 2 Bourrelet sur la tête pour porter un fardeau.

tortionnaire nm Personne qui torture.

tortue nf Reptile à carapace dorsale et à marche lente. Loc *À pas de tortue* : très lentement.

tortueusement av De façon tortueuse.

tortueux, euse a 1 Qui fait des tours et des détours. 2 Dépourvu de droiture.

torturant, ante a Qui torture.

torture nf 1 Souffrance grave, sévices qu'on fait subir volontairement à qqn. 2 litt Souffrance morale intolérable.

torturer vt 1 Soumettre qqn à la torture. 2 litt Causer une vive douleur morale.

torve a Loc *Œil torve* : en coin et menaçant.

tory n, a HIST Membre du parti conservateur anglais. *Des torys* ou *tories*.

toscan, ane a, n De la Toscane. ■ nm Dialecte de Toscane, base de l'italien courant.

tosser vi MAR Cogner sous l'effet du ressac (bateau).

tôt av 1 À un moment antérieur au moment habituel. 2 De bonne heure. Loc *Tôt ou tard* : un jour ou l'autre. *Pas de si tôt* : dans un lointain avenir.

total, ale, aux a Complet, entier. ■ nm Résultat d'une addition ou d'un ensemble d'opérations équivalentes. Loc *Au total* : en somme, en définitive.

totalement av Complètement.

totalisateur nm Appareil qui additionne des valeurs. **Var totaliseur**

totalisation nf Action de totaliser.

totaliser vt 1 Réunir en un total, additionner. *Totaliser des quantités.* 2 Avoir au total.

totalitaire a Se dit d'un régime dans lequel la totalité des pouvoirs appartient à un parti unique qui ne tolère aucune opposition.

totalitarisme nm Système politique totalitaire.

totalité nf Réunion de tous les éléments d'un ensemble. Loc *En totalité* : totalement, sans aucune exception.

totem [-tɛm] nm Animal, végétal représentant, dans de nombreuses tribus, l'ancêtre d'un clan ; cet emblème.

totémique a Relatif au totem.

totémisme nm Culte du totem.

toton nm Petite toupie.

touareg, ègue a Relatif aux Touaregs. ■ nm Langue berbère parlée par les Touaregs.

toubib nm fam Médecin.

toucan nm Oiseau d'Amérique du Sud au bec énorme.

touchant, ante a Attendrissant, émouvant.

touche nf 1 Fait, pour un poisson, de mordre à l'hameçon. 2 Coup qui atteint l'adversaire, à l'escrime. 3 Manière personnelle de peindre, d'écrire. 4 fam Allure, aspect de qqn. 5 Au rugby, au football, etc., ligne de démarcation latérale du terrain. 6 Chacune des tablettes qui forment le clavier d'un orgue, d'un piano, etc. Loc *Pierre de touche* : épreuve décisive. fam *Être sur la touche* :

être tenu à l'écart. fam *Avoir une touche avec qqn* : lui plaire.

touche-à-tout nm inv Personne qui s'occupe d[e] beaucoup de choses sans s'y consacrer à fond.

toucher vt 1 Mettre la main sur, entrer en conta[ct] avec. 2 Atteindre, avec une arme, un projectil[e]. *Il a été touché au bras.* 3 Recevoir une somm[e] d'argent. *Toucher ses appointements.* 4 Émou[-] voir, attendrir qqn. *La remarque l'a touché au vi[f].* 5 Concerner. *Ce qui touche cette affaire m'inte[-] resse.* ■ vti 1 Mettre la main en contact avec. *C[et] enfant touche à tout.* 2 Apporter un changeme[nt] à. *Toucher à un texte.* 3 Être presque arrivé [à] aborder, parvenir, etc. *Toucher au port. Touche[r] à l'essentiel.* 4 Être contigu à. *Sa maison touc[he] à la mienne.* ■ vpr Être au contact. ■ nm 1 Se[ns] par lequel nous percevons, par contact ou palp[a-] tion, certaines propriétés des corps. 2 Manière d[e] prendre contact, d'explorer avec la main.

touche-touche (à) av fam Très près, en se tou[-] chant presque.

touffe nf Assemblage de choses qui pousse[nt] naturellement serrées.

touffeur nf litt Chaleur lourde, étouffante.

touffu, ue a 1 Épais. *Bois touffu.* 2 Trop dens[e] embrouillé. *Discours touffu.*

touiller vt fam Remuer pour mélanger.

toujours av 1 Pendant la totalité d'une durée. De façon invariable. *Il gagne toujours.* 3 Encor[e] *Je l'aime toujours.* Loc *Depuis toujours* : depu[is] très longtemps. *Comme toujours* : comme da[ns] tous les autres cas. *Presque toujours* : très sou[-] vent. *Toujours est-il que* : ce qu'il y a de sûr, c'e[st] que.

toulonnais, aise a, n De Toulon.

touloupe nf Manteau en peau de mouton.

toulousain, aine a, n De Toulouse.

toundra nf GÉOGR Plaine des régions froides à [la] végétation discontinue (mousses, lichens).

toungouse nm Langue de Sibérie orientale.

toupaye [-paj] nm Mammifère proche des sing[es] à l'allure d'un écureuil.

toupet nm 1 Touffe de cheveux. 2 fam Hardies[se] effrontée, aplomb.

toupie nf 1 Jouet de forme arrondie, muni d'u[ne] pointe sur laquelle on le fait tourner. 2 Machin[e] pour travailler le bois.

toupiller vi Travailler le bois avec une toupie.

touque nf Récipient de fer-blanc.

1.tour nm 1 Mouvement de rotation. *Tour a[u] vis, de clé.* 2 Courbe limitant un corps, un lie[u] *Tour de taille.* 3 Parcours plus ou moins circula[ire] autour d'un lieu. *Tour de piste.* 4 Action exigea[nt] de l'adresse ou de la ruse. *Tour de prestidigit[a-] tion.* 5 Manière dont se présente qqch. *Affai[re] qui prend un tour dramatique.* 6 Façon d'exp[ri-] mer sa pensée. *Un tour familier.* 7 Rang, ord[re] des actions. *Parler à son tour.* 8 Machine-ou[til] servant à façonner des pièces métalliques. Loc *En un tour de main* : rapidement. *Faire le to[ur] d'un problème* : l'examiner sous tous les angle[s] *Faire un tour* : une promenade. *Tour de chan[t]* : programme d'un chanteur dans un spectacle. *To[ur] à tour* : alternativement. *Tour de reins* : lumbag[o] *À tour de bras* : de toutes ses forces.

2.tour nf 1 Immeuble de grande hauteur. 2 Bâtiment élevé de forme ronde ou carrée. 3 A[ux] jeu d'échecs, pièce se déplaçant sur la vertica[le] ou l'horizontale. 4 INFORM Unité centrale d'u[n] microordinateur, distincte du moniteur. Loc *Tour de lancement :* ouvrage servant au lancement d'un engin spatial. *Tour d'ivoire :* retraite intellectuelle à l'écart du monde. *Tour de forage :* derrick.

touraine nm Vin récolté en Indre-et-Loire.

tourangeau, elle a, n De la Touraine ou de Tours.

tourbe nf Combustible noirâtre de qualité médiocre.

tourbeux, euse a Qui contient de la tourbe.

tourbière nf Gisement de tourbe.

tourbillon nm 1 Mouvement impétueux de l'air, d'un gaz. 2 Masse d'eau tournant avec violence. 3 Agitation tumultueuse.

tourbillonnaire a En forme de tourbillon.

tourbillonnant, ante a Qui tourbillonne.

tourbillonnement nm Mouvement en tourbillon.

tourbillonner vi 1 Tournoyer rapidement. 2 S'agiter confusément.

tourelle nf 1 Petite tour. 2 Abri blindé d'un char, d'un avion, d'un navire de guerre. 3 TECH Dispositif mobile autour d'un axe.

touret nm Petit tour servant à polir ou à graver.

tourillon nm Axe ou pivot pour assujettir.

tourin nm Potage à l'ail, du Sud-Ouest.

tourisme nm 1 Activité de loisir qui consiste à voyager pour son agrément. 2 Services et activités liés à cette activité.

touriste n Personne qui voyage pour son agrément. Loc *Classe touriste :* classe à tarif économique sur les paquebots, les avions.

touristique a 1 Relatif au tourisme. 2 Fréquenté par les touristes.

tourmaline nf Pierre fine de couleurs variées.

tourment nm litt Grande inquiétude, grande souffrance morale.

tourmente nf litt 1 Bourrasque, tempête violente. Troubles graves. *Tourmente révolutionnaire.*

tourmenté, ée a litt 1 En proie à un tourment. *Âme tourmentée.* 2 Très irrégulier. *Relief tourmenté.* 3 Agité. *Mer tourmentée.* 4 Qui manque de simplicité. *Style tourmenté.*

tourmenter vt litt 1 Faire souffrir. *Cet enfant est tourmenté par ses dents.* 2 Importuner, préoccuper vivement. ■ vpr S'inquiéter vivement.

tournage nm 1 Action de façonner au tour. 2 Action de tourner un film.

tournant, ante a 1 Qui tourne, pivote. *Pont tournant.* 2 Qui contourne. *Mouvement tournant.* Loc *Grève tournante :* qui implique divers services successivement. ■ nm 1 Sinuosité de la route. 2 Moment où le cours des évènements change de direction. Loc fam *Attendre qqn au tournant :* se venger à la première occasion. ■ nf Viol au minion.

tourné, ée a 1 Qui a une certaine tournure. *Lettre bien tournée.* 2 Aigri. *Lait tourné.* Loc *Esprit mal tourné :* qui voit le mal partout.

tournebouler vt fam Bouleverser.

tournebroche nm Dispositif pour faire tourner une broche à rôtir.

tourne-disque nm Appareil sur lequel on passe des disques. *Des tourne-disques.*

tournedos nm Tranche de filet de bœuf.

tournée nf 1 Voyage professionnel effectué selon un itinéraire fixé. 2 fam Consommations offertes par qqn à tous ceux qui sont avec lui. 3 pop Volée de coups.

tournemain (en un) av vx En un instant.

tourner vt 1 Imprimer un mouvement de rotation à. *Tourner la tête.* 2 Présenter sous une autre face ; retourner. *Tourner les pages.* 3 Diriger. *Tourner les yeux vers le ciel.* 4 Éluder, éviter. *Tourner une difficulté.* 5 Transformer. *Tourner les choses à son profit.* 6 Composer, arranger d'une certaine manière. *Tourner un compliment.* Loc *Tourner un film :* réaliser un film. *Tourner la page :* oublier le passé. *Tourner la tête :* troubler. *Tourner les talons :* s'en aller. ■ vi 1 Se mouvoir en décrivant une courbe. *La Terre tourne autour du Soleil.* 2 Pivoter autour d'un axe. 3 Fonctionner. *Machine qui tourne.* 4 Changer de direction, virer. *Tourner à gauche, à droite.* 5 Se transformer en, tendre, évoluer vers. *Affaire qui tourne à la catastrophe.* 6 S'altérer, devenir aigre. *Le lait a tourné.* 7 Être acteur dans un film. Loc *Tourner autour de qqch :* l'avoir pour centre d'intérêt. *Tourner autour de qqn :* lui faire la cour. *Tourner court :* finir brusquement. fam *Tourner de l'œil :* s'évanouir. ■ vpr 1 Changer de position. *Se tourner vers la gauche.* 2 Se diriger. *Les regards se tournent vers lui.*

tournesol nm Plante dont la fleur est tournée vers l'est (soleil levant) et dont les graines fournissent une huile.

tourneur, euse n Personne qui façonne des ouvrages au tour. ■ a Qui tourne sur lui-même.

tournevis nm Outil pour serrer ou desserrer les vis.

tournicoter vi fam Tourner sur place, dans tous les sens. Var **tourniquer**.

tourniquet nm 1 Dispositif de fermeture, qui ne peut être franchi que par une personne à la fois. 2 Appareil d'arrosage tournant autour d'un axe. 3 Présentoir rotatif, dans un magasin.

tournis nm 1 Sensation de vertige. 2 Maladie des moutons provoquée par le cénure.

tournoi nm 1 Au Moyen Âge, combat de chevaliers. 2 Compétition comprenant plusieurs séries de rencontres.

tournoiement nm Action de tournoyer.

tournoyer vi [22] Tourbillonner.

tournure nf 1 Aspect que présente qqn, qqch ; allure. *Prendre une mauvaise tournure.* 2 Agencement des mots dans une phrase. Loc *Tournure d'esprit :* manière de voir les choses.

touron nm Pâte d'amande parfumée.

tour-opérateur nm Syn. de *voyagiste.* *Des tour-opérateurs.*

tourte nf Tarte ronde, recouverte de pâte, garnie de préparations salées.

tourteau nm 1 Résidus d'oléagineux constituant un aliment pour le bétail. 2 Gros crabe comestible.

tourtereau nm Jeune tourterelle. ■ pl Jeunes gens qui s'aiment tendrement.

tourterelle nf Oiseau plus petit que le pigeon dont il est voisin.

tourtière nf Ustensile pour faire les tartes et les tourtes.

Toussaint nf Fête de tous les saints, le 1er novembre.

tousser vi 1 Être pris d'un accès de toux. 2 Faire un bruit comparable à celui de la toux. *Moteur qui tousse.*

toussotement nm Action de toussoter.

toussoter vi Tousser légèrement.

tout, toute, tous, toutes a 1 Entier, complet. *Tout l'univers. Veiller toute la nuit.* 2 Chaque, n'importe lequel. *À tout moment.* 3 Unique, seul. *Pour toute nourriture.* ■ pl L'ensemble, sans exception. *Tous les hommes.* ■ pr indéf Toutes les parties d'une chose ou chaque chose. *Tout est bon dans cet ouvrage.* Loc *À tout prendre* : tout bien considéré. *C'est tout ou rien* : il n'y a pas de milieu. *Avoir tout de qqch, qqn* : toutes ses caractéristiques. *Comme tout* : sert de superlatif. *En tout* : pour l'ensemble. *En tout et pour tout* : au total. *Après tout* : en définitive. ■ pl Tout le monde. *Tous sont là.* ■ nm 1 Chose dans son entier. *Former un tout.* 2 L'essentiel. *Ce n'est pas le tout de s'amuser.* Loc *Du tout* : en aucune façon, nullement. *Du tout au tout* : complètement. ■ av (variable devant un féminin commençant par une consonne ou un h aspiré) 1 Entièrement, complètement. *La ville tout entière. Elle est toute contente.* 2 Très. *De toutes jeunes filles. Parler tout haut.* Loc fam *C'est tout comme* : cela revient au même. *Tout au plus* : à peine. *Tout en* (+ gérondif) : indique la simultanéité. *Tout... que* : indique la concession. *Tout à coup* : soudain. *Tout d'un coup* : d'un seul coup. *Tout à fait* : complètement. *Tout à l'heure* : dans peu de temps. *Tout de même* : cependant. *Tout de suite* : immédiatement. *Tout fait plein* : beaucoup, très.

tout-à-l'égout nm inv Système d'évacuation dans les égouts des eaux usées.

tout-chemin a, nm Se dit d'une bicyclette adaptée aux rues des villes et aux chemins de campagne. *Des tout-chemins.*

toutefois av Néanmoins, cependant, mais.

toute-puissance nf inv Puissance absolue.

toutou nm fam Chien.

Tout-Paris nm inv Les Parisiens les plus en vue dans la vie mondaine.

tout-petit nm Bébé. *Des tout-petits.*

tout-puissant, toute-puissante a Dont le pouvoir est sans bornes. ■ nm Loc *Le Tout-Puissant* : Dieu.

tout-terrain a, nm Se dit d'un véhicule qui peut rouler sur tous types de terrains. *Des tout-terrains.* ■ nm Sport pratiqué avec ces véhicules. *Faire du tout-terrain.*

tout-venant nm inv Choses ou personnes ordinaires, courantes.

toux nf Expiration bruyante, brusque, saccadée visant à dégager les voies respiratoires.

township [taunʃip] nm Ville où vit la population noire en Afrique du Sud.

toxémie nf MED Intoxication due au passage des toxines dans le sang.

toxicité nf Caractère toxique.

toxico n fam Toxicomane.

toxicologie nf Étude des toxiques, des poisons.

toxicologique a De la toxicologie.

toxicologue n Spécialiste de toxicologie.

toxicomane n Personne atteinte de toxicomanie.

toxicomaniaque a De la toxicomanie.

toxicomanie nf Intoxication causée par la consommation de substances toxiques et entraînant un état de dépendance.

toxicomanogène a Qui provoque une toxicomanie.

toxicose nf Maladie grave et brutale du nourrisson.

toxiinfection nf Maladie infectieuse provoquée par des toxines.

toxine nf Substance toxique élaborée par un organisme vivant (champignon, serpent, etc.).

toxique a, nm Se dit d'une substance nocive pour l'organisme.

toxoplasmose nf Maladie due à un parasite ayant de graves conséquences sur un fœtus.

TP nm fam Séance de travaux pratiques.

traboule nf À Lyon, passage étroit à travers un pâté de maisons.

trac nm Angoisse ressentie au moment de se produire en public, de subir une épreuve, etc.

trac (tout à) av vx Sans réfléchir.

traçage nm Action de tracer. Var **tracement**

traçant, ante a Loc *Balle traçante* : qui laisse derrière elle une trace lumineuse. *Table traçante* syn. de *traceur.*

tracas nm Souci d'ordre matériel.

tracasser vt Inquiéter, soucier. ■ vpr Se tourmenter.

tracasserie nf Ennui causé à qqn pour des choses insignifiantes.

tracassier, ère a Qui se plaît à faire des tracasseries.

tracassin nm fam, vx Inquiétude, souci.

trace nf 1 Marque, empreinte laissée par le passage de qqn, d'un animal, de qqch. 2 Marque laissée par une action, par un évènement passé. Quantité infime. *Traces d'albumine dans l'urine*

tracé nm 1 Ensemble de lignes représentant qqch. 2 Ligne continue effectivement suivie. *Le tracé d'un fleuve.*

tracement. V. traçage.

tracer vt [10] 1 Dessiner schématiquement à l'aide de traits. *Tracer le plan d'une maison.* Dépeindre, décrire. 3 Indiquer une direction. *Tracer sa conduite à qqn.* ■ vi fam Se déplacer très vite, courir.

traceur nm 1 INFORM Appareil relié à un ordinateur qui trace des courbes, des diagrammes. Syn. table traçante. 2 didac Isotope radioactif permettant de suivre l'évolution d'un phénomène, d'une réaction. Syn. marqueur.

trachéal, ale, aux [-keal] a De la trachée.

trachée [traʃe] nf ANAT Conduit qui fait suite au pharynx et donne naissance aux bronches.

trachée-artère nf ANAT vx Syn. de *trachée*. *Des trachées-artères.*

trachéide [-keid] nf BOT Tube discontinu, élément conducteur de la sève.

trachéite [-keit] nf Inflammation de la trachée.

trachéoscopie [-ke-] nf MED Exploration de la trachée.

trachéotomie [-ke-] nf chir Ouverture de la trachée au niveau du cou pour permettre une respiration assistée.

trachome [-kom] nf ANAT Atteinte oculaire virale cause fréquente de cécité.

trachyte [-kit] nf Roche volcanique riche en feldspath.

tract nm Feuille ou brochure de propagande.

tractation nf (surtout au pl.) Négociation, marchandage laborieux.

tracter vt Remorquer à l'aide d'un véhicule ou par un procédé mécanique.

tracteur, trice *a* Capable de tracter. ■ *nm* Véhicule automobile utilisé pour remorquer plusieurs véhicules ou des instruments agricoles.

traction *nf* 1 Action de tirer pour tendre, allonger, déplacer. 2 Exercice où on tire sur les bras pour soulever le corps. Loc *Traction avant :* automobile qui tire par ses roues avant motrices.

tractopelle *nf* Engin de travaux publics servant à pelleter.

tractoriste *n* Personne qui conduit un tracteur.

trader [tʀɛdœʀ] *n* Spécialiste des transactions financières. **Var tradeur, euse**

tradescantia [-kɑ̃sja] *nf* Plante ornementale aux tiges retombantes. Syn. misère.

trade-union [tʀɛdynjɔn] *nm* Au Royaume-Uni, syndicat ouvrier. *Des trade-unions.*

tradition *nf* 1 Transmission de doctrines, d'opinions religieuses, politiques, morales de génération en génération ; ces opinions elles-mêmes. 2 Manière de penser, d'agir habituelle dans une collectivité.

traditionalisme *nm* Attachement aux valeurs transmises par la tradition.

traditionaliste *a, n* Qui relève du traditionalisme.

traditionnel, elle *a* Fondé sur la tradition ; passé dans les usages.

traditionnellement *av* De façon traditionnelle ; selon la tradition.

traducteur, trice *n* Auteur d'une traduction.

traduction *nf* 1 Action de traduire. 2 Version traduite d'un ouvrage.

traduire *vt* [67] 1 Faire passer d'une langue dans une autre. *Cet ouvrage a été traduit en anglais.* 2 Exprimer par des moyens divers. Loc *Traduire qqn en justice :* le faire passer devant un tribunal. ■ *vpr* Se manifester. *Sa nervosité se traduit par le tremblement de ses mains.*

traduisible *a* Qu'on peut traduire.

trafic *nm* 1 Commerce clandestin, illicite. *Trafic de drogue.* 2 Fam Activité compliquée et mystérieuse. 3 Fréquence des trains, des avions, des navires, des voitures sur un itinéraire, une voie. Loc *Trafic d'influence :* infraction de qqn qui reçoit de l'argent pour obtenir ou donner un avantage.

traficoter *vi* fam Trafiquer médiocrement.

trafiquant, ante *n* Personne qui fait du trafic (sens 1).

trafiquer *vi* Faire du trafic, commercer illégalement. ■ *vti* litt Tirer profit de. *Trafiquer de son influence.* ■ *vt* 1 Falsifier un produit. *Trafiquer du vin.* 2 fam Manigancer.

tragédie *nf* 1 LITTER Œuvre dramatique de caractère héroïque et passionnel, propre à exciter la terreur ou la pitié. 2 Évènement funeste, terrible.

tragédien, enne *n* Personne qui est spécialisée dans les rôles de tragédie.

tragicomédie *nf* 1 LITTER Tragédie mêlée d'incidents comiques. 2 Situation où alternent des évènements tragiques et comiques. *Des tragi-comédies.* **Var tragi-comédie**

tragicomique *a* À la fois tragique et comique. **Var tragi-comique**

tragique *a* 1 De la tragédie. 2 Funeste, terrible, effroyable. ■ *nm* 1 Auteur de tragédies. 2 Le genre dramatique de la tragédie. 3 Caractère tragique. *Le tragique de la situation.*

tragiquement *av* De façon tragique.

trahir *vt* 1 Livrer par perfidie. *Trahir son pays.* 2 Être infidèle à l'égard de ; tromper. *Trahir un ami.* 3 Exprimer peu fidèlement. *Mes paroles ont trahi ma pensée.* 4 Révéler. *Son attitude trahissait son trouble.* 5 Abandonner. *Ses forces l'ont trahi.* ■ *vpr* Révéler ses sentiments cachés.

trahison *nf* 1 Intelligence avec l'ennemi. 2 Acte déloyal.

trail [tʀɛj] *nm* Moto tout-terrain.

train *nm* 1 File de véhicules attachés les uns aux autres. *Train de péniches.* 2 Rame de wagons tirés par une locomotive ; chemin de fer. 3 Ensemble d'organes qui fonctionnent conjointement. *Train de pneus.* 4 Série de mesures. *Un train de lois.* 5 Partie portante d'un véhicule. *Train avant.* 6 Partie antérieure, postérieure d'un quadrupède. 7 pop Derrière, fessier. *Se faire botter le train.* 8 Allure, vitesse. *Aller bon train.* Loc *À fond de train :* à toute vitesse. *Train de vie :* manière de vivre par rapport aux revenus. *Mener grand train :* vivre de façon fastueuse. *En train :* en marche. *Être en train :* bien disposé, de bonne humeur. *Être en train de :* exprime le déroulement d'une action. *Mener le train :* être en tête d'une course. *Prendre le train en marche :* participer à une action déjà commencée. *Train à grande vitesse (TGV) :* qui roule à environ 260 km/h.

trainage *nm* Action de traîner par traîneaux. **Var traînage**

traînailler. V. **traînasser.**

traînant, ante *a* 1 Qui traîne par terre. 2 Se dit d'une voix lente. **Var trainant, ante**

traînard, arde *n* Personne qui reste à la traîne, en arrière d'un groupe. **Var trainard, arde**

traînasser *vi* Traîner paresseusement ; lambiner. **Var trainasser** ou **traînailler, trainailler**

traîne *nf* Partie d'un vêtement qui traîne par terre ; queue. Loc fam *Être à la traîne :* en retard. **Var traine**

traîneau *nm* Véhicule muni de patins, pour se déplacer sur la neige ou la glace. **Var traineau**

traînée *nf* 1 Longue trace laissée sur une surface ou dans l'espace par une substance répandue, par un corps en mouvement. 2 pop Prostituée. Loc *Comme une traînée de poudre :* très rapidement. **Var trainée**

traîner *vt* 1 Tirer derrière soi en faisant glisser. 2 Emmener qqn de force, péniblement. 3 Supporter avec peine un état qui dure. ■ *vi* 1 Pendre jusqu'à terre. *Votre robe traîne.* 2 S'attarder, être trop lent ; flâner. 3 Durer trop longtemps. *Sa maladie traîne.* 4 Être laissé n'importe comment. *Tes affaires traînent dans ta chambre.* ■ *vpr* 1 Marcher avec peine. 2 Être languissant. *L'action se traîne.* 3 Se déplacer en rampant. **Var trainer**

traîne-savate *n* fam Oisif sans ressources. *Des traîne-savates.* **Var traîne-savates** *n inv* ou **traine-savate**

training [-niŋ] *nm* Syn. de survêtement. Loc *Training autogène :* méthode de relaxation.

traintrain *nm inv* fam Routine. **Var train-train**

traire *vt* [74] Tirer le lait des mamelles d'une vache, d'une chèvre.

trait *nm* 1 Ligne tracée avec un crayon, une plume, etc. 2 Manière d'exprimer, de dépeindre. *S'exprimer en traits nets et précis.* 3 litt Plaisanterie acerbe, blessante. *Un trait mordant.* 4 Élément auquel on reconnaît clairement qqn ou qqch. *Trait de caractère.* 5 Manifestation remarquable. *Trait* de bravoure. **6** litt Projectile, flèche. **Loc** *Trait de lumière* : rayon ; idée lumineuse. *Avoir trait à* : avoir un rapport avec. *D'un trait* : en une fois. *Tirer un trait sur* : renoncer à. *À grands traits* : rapidement, grossièrement. *Bête de trait* : propre à tirer une charge. *Trait pour trait* : parfaitement ressemblant. ■ *pl* Lignes caractéristiques du visage. **Loc** *Sous les traits de* : sous l'aspect de.

traitant, ante *a* Qui soigne. **Loc** *Médecin traitant* : qui soigne habituellement. *Officier traitant* : qui est en contact avec un espion.

trait d'union *nm* Signe de ponctuation qui joint des mots. *Des traits d'union.*

traite *nf* **1** Trafic, commerce de personnes. *Traite des Noirs.* **2** Lettre de change, effet de commerce. **3** Action de traire. **Loc** *D'une traite* : sans s'interrompre.

traité *nm* **1** Ouvrage traitant d'un sujet déterminé. **2** Convention entre des États.

traitement *nm* **1** Comportement, manière d'agir envers qqn. **2** Moyens mis en œuvre pour soigner une maladie, un malade. **3** Opérations destinées à transformer une substance. **4** Manière de traiter une question, un problème. **5** Appointements d'un fonctionnaire. **Loc** *Traitement de texte* : opérations informatiques pour saisir, modifier et stocker des documents. *Mauvais traitements* : violences.

traiter *vt* **1** Agir, se conduire envers qqn d'une certaine manière. *Traiter qqn en ami.* **2** Qualifier qqn de. *Traiter qqn de menteur.* **3** Exposer un sujet oralement ou par écrit, disserter sur. *Traiter un problème.* **4** Représenter, exprimer. *Artiste qui traite un sujet.* **5** Négocier. *Traiter une affaire.* **6** Soigner. *Traiter un malade.* **7** Soumettre à un traitement pour modifier. *Traiter un minerai.* **8** Recevoir à sa table. ■ *vti* **1** Avoir pour sujet. *Ouvrage qui traite d'astronomie.* **2** Négocier avec qqn.

traiteur *nm* Commerçant qui prépare des plats cuisinés.

traître, traîtresse *a, n* Qui trahit. **Loc** *En traître* : traîtreusement. ■ *a* Plus dangereux qu'il ne le paraît. *Un vin traître.* **Loc** *Ne pas dire un traître mot* : rester silencieux. **Var** traître, traîtresse

traîtreusement *av* Perfidement. **Var** traîtreusement

traîtrise *nf* **1** Caractère traître de qqn, de qqch. **2** Piège imprévisible. **Var** traîtrise

trajectoire *nf* **1** Courbe décrite par un mobile, un projectile. **2** Cheminement. *Trajectoire professionnelle.*

trajet *nm* **1** Espace à parcourir d'un point à un autre. **2** Action de parcourir cet espace ; temps nécessaire pour l'accomplir.

tralala *nm* fam Faste et affectation.

tram *nm* Abrév. courante de *tramway.*

trame *nf* **1** Ensemble des fils passés au travers des fils de chaîne pour former un tissu. **2** Ce qui constitue le fond des évènements, d'un ouvrage. **3** Lignes constituant l'image de télévision.

tramer *vt* **1** Tisser en passant la trame entre les fils de chaîne. **2** Élaborer une intrigue, un complot. ■ *vpr* Se préparer (intrigue, complot).

traminer [-nɛʀ] *nm* Cépage blanc d'Alsace.

traminot *nm* Personne qui conduit un tramway.

tramontane *nf* Vent du nord du Languedoc.

trampoline *nm* Tremplin très souple sur lequel on exécute des sauts.

tramway [tʀamwɛ] *nm* Transport urbain électrifié, sur rails (abrév. tram).

tranchage *nm* Action de débiter des troncs d'arbres.

tranchant, ante *a* **1** Qui coupe bien. **2** Péremptoire, impérieux. *Ton tranchant.* ■ *nm* Fil d'une lame, d'un instrument tranchant. **Loc** *À double tranchant* : qui peut se retourner contre celui qui utilise ce moyen.

tranche *nf* **1** Morceau mince coupé sur toute la largeur. *Tranche de jambon.* **2** Fraction d'un tout. *Tranche de vie. Les tranches de l'impôt sur le revenu.* **3** Bord, côté d'un objet. *Tranche d'une pièce de monnaie.* **4** En boucherie, partie moyenne de la cuisse du bœuf. **Loc** *Tranche horaire* : partie du temps, d'un programme de télévision, de radio. pop *S'en payer une tranche* : rire beaucoup.

tranché, ée *a* **1** Net, bien marqué. *Couleurs tranchées.* **2** Catégorique. *Opinion tranchée.*

tranchée *nf* **1** Excavation pratiquée dans le sol pour asseoir les fondations, placer des conduites, etc. **2** MILIT Fossé aménagé pour servir de couvert et de position de tir. ■ *pl* MED Coliques violentes.

trancher *vt* **1** Séparer en coupant. *Trancher une amarre.* **2** Résoudre définitivement. *Il faut trancher cette difficulté.* ■ *vti* **1** Décider de façon catégorique. *Il tranche sur tout.* **2** Contraster, ressortir sur. *Ces couleurs tranchent sur le fond.*

tranchoir *nm* **1** Planche pour couper la viande. **2** Couteau servant à trancher.

tranquille *a* **1** Qui n'est pas agité. *Mer tranquille. Un enfant tranquille.* **2** En paix, sans inquiétude.

tranquillement *av* Calmement.

tranquillisant *nm* Médicament qui a un effet sédatif (neuroleptique) et dissipe l'anxiété.

tranquilliser *vt* Rassurer qqn. ■ *vpr* Cesser de se soucier, de s'inquiéter.

tranquillité *nf* **1** État de ce qui est calme. **2** État de qqn sans inquiétude, sans peine.

transaction *nf* **1** DR Accord entre les parties moyennant des concessions réciproques. **2** Opération boursière ou commerciale.

transactionnel, elle *a* Propre à une transaction.

transalpin, ine *a* Au-delà des Alpes.

transaméricain, aine *a* Qui traverse l'Amérique.

transaminase *nf* Enzyme dont le taux s'élève en cas d'infarctus.

transandin, ine *a* Qui traverse les Andes.

transat [-zat] *nm* fam Chaise longue pliante. ■ *nf* Course en solitaire, à bord d'un voilier, à travers l'Atlantique.

transatlantique *a* Qui traverse l'Atlantique. ■ *nm* Paquebot assurant la liaison régulière entre l'Europe et l'Amérique.

transbahuter *vt* fam Transporter.

transbordement *nm* Action de transborder.

transborder *vt* Faire passer des voyageurs, des marchandises d'un navire à un autre, d'un avion, d'un train à un autre.

transbordeur *nm, am* Appareil servant à transborder. Syn. ferry-boat.

transcanadien, enne *a* Qui traverse le Canada.

transcendance *nf* Caractère transcendant.

transcendant, ante *a* **1** Qui excelle en son genre, supérieur. **2** PHILO Qui dépasse un certain ordre de réalité.

transcendantal, ale, aux *a* PHILO Qui est une condition a priori de l'expérience.

transcender vt 1 Dépasser, en étant supérieur. 2 PHILO Dépasser les possibilités de l'entendement. ■ vpr Se dépasser.

transcodage nm Action de transcoder.

transcoder vt Traduire dans un autre code.

transcodeur nm Appareil servant à transcoder.

transcontinental, ale, aux a Qui traverse un continent.

transcripteur, trice n Personne qui transcrit.

transcription nf 1 Action de transcrire un écrit, une œuvre musicale. 2 DR Reproduction d'un acte juridique sur les registres publics.

transcrire vt [61] 1 Copier, reporter fidèlement un écrit sur un autre support. 2 Transposer un énoncé d'un code dans un autre. *Transcrire un mot grec en caractères latins.* 3 MUS Arranger un morceau pour un instrument autre que celui pour lequel il a été écrit.

transculturel, elle a Propre aux relations entre cultures différentes.

transdermique a PHARM Qui agit en traversant la peau (médicament). **Var transcutané, ée**

transe nf Loc Être, entrer en transe : perdre tout contrôle de soi, être surexcité. ■ pl Loc Être dans les transes : très anxieux.

transept [-sept] nm Nef transversale d'une église formant une croix avec la nef principale.

transfèrement nm DR Transfert d'un détenu.

transférer vt [12] 1 Faire passer qqn, qqch d'un lieu, d'un emploi dans un autre. 2 Céder, transmettre légalement qqch à qqn.

transfert nm 1 Action de transférer qqn ou qqch. 2 ECON Redistribution des revenus par l'État, la Sécurité sociale, etc. 3 PSYCHAN Report d'un état affectif sur une autre personne que celle qui l'a provoqué.

transfiguration nf Action de transfigurer.

transfigurer vt Transformer en rendant beau, radieux.

transfo nm fam Transformateur.

transformable a Qu'on peut transformer.

transformateur, trice a Qui transforme. ■ nm Appareil qui transfère une énergie électrique d'un circuit à un autre après en avoir modifié la tension.

transformation nf Action de transformer ; modification, changement.

transformer vt 1 Donner à qqn, qqch une autre forme, un autre aspect. 2 Changer le caractère de qqn. *Cette épreuve l'a transformé.* ■ vpr Prendre un aspect, un caractère différent.

transformisme nm Théorie de l'évolution des êtres vivants selon laquelle les organismes se transforment progressivement en d'autres.

transformiste n, a Qui relève du transformisme.

transfrontalier, ère a Qui concerne les relations de deux pays limitrophes.

transfuge nm Militaire qui passe à l'ennemi. ■ n Personne qui abandonne son parti, ses opinions pour un parti, des opinions adverses.

transfusé, ée a, n Qui a subi une transfusion.

transfuser vt Injecter du sang à qqn par une transfusion.

transfuseur nm Personne qui pratique des transfusions sanguines.

transfusion nf MED Opération consistant à injecter du sang dans les veines de qqn.

transfusionnel, elle a De la transfusion.

transgenèse nf BIOL Modification génétique d'un organisme.

transgénique a BIOL Se dit d'un organisme dans lequel on a inséré des gènes étrangers.

transgresser vt Contrevenir à un ordre, à une loi ; enfreindre.

transgression nf Action de transgresser.

transhumance nf Fait de transhumer.

transhumant, ante a Qui transhume.

transhumer vt Mener les troupeaux dans les alpages pour l'été et les en faire redescendre avant l'hiver. ■ vi Changer de pâturages selon les saisons (troupeaux).

transi, ie a Pénétré, saisi de froid.

transiger vi [11] 1 Faire des concessions réciproques. 2 Être peu exigeant, manquer de fermeté. *Transiger avec sa conscience.*

transir vt litt Pénétrer, engourdir de froid.

transistor nm 1 Composant électronique pour amplifier des signaux. 2 Radiorécepteur portatif muni de transistors.

transistoriser vt Équiper de transistors.

transit [-zit] nm 1 Passage de marchandises, de voyageurs, à travers un lieu situé sur leur itinéraire. 2 PHYSIOL Progression du bol alimentaire dans le tube digestif.

transitaire a Du transit. ■ nm Commissionnaire qui transite les marchandises.

transiter vt Faire passer en transit. ■ vi Voyager en transit.

transitif, ive a, nm GRAM Se dit d'un verbe qui admet un complément d'objet direct ou indirect (ex. : *manger un sandwich ; ressembler à son père*).

transition nf 1 Manière de passer d'une partie d'un discours à une autre, de lier des idées. 2 Passage graduel d'un état, d'un ordre à un autre. Loc *De transition* : transitoire. *Sans transition* : brutalement.

transitionnel, elle a D'une transition.

transitivement av GRAM De façon transitive.

transitivité nf GRAM Caractère transitif.

transitoire a 1 Qui ne dure pas longtemps. 2 Qui forme une transition entre deux états.

translatif, ive a DR Qui opère une translation.

translation nf 1 DR Action de transmettre une propriété, un droit. 2 MATH Transformation dans laquelle toutes les parties d'un corps gardent une direction constante.

translittération nf LING Transcription lettre pour lettre des mots d'une langue dans un autre alphabet.

translucide a Qui laisse passer la lumière sans être totalement transparent.

transmetteur, trice a, nm Qui transmet des sons, des signaux.

transmettre vt [64] 1 Mettre en possession de qqn d'autre. *Transmettre un héritage.* 2 Communiquer qqch à qqn. *Transmettre une maladie.* 3 Faire passer d'un organe à un autre. *Dispositif qui transmet le mouvement.* ■ vpr Se propager. *Le sida se transmet par le sang.*

transmigration nf Métempsycose.

transmigrer vi RELIG Passer d'un corps dans un autre (âmes).

transmissibilité nf Caractère transmissible.

transmissible a Qui peut être transmis.

transmission *nf* 1 Action de transmettre. 2 TECH Organe qui transmet un mouvement. *Transmission de pensée* : télépathie. ■ *pl* Moyens qui permettent aux troupes et aux états-majors de communiquer.

transmuer *vt* Transformer un corps en un autre de nature différente. **Var transmuter**

Loc *Transmission de pensée* : télépathie.

transmutation *nf* Action de transmuer.

transnational, ale, aux *a* Qui dépasse le cadre national.

transocéanique *a* 1 Situé au-delà de l'océan. 2 Qui traverse l'océan.

transparaître *vi* [55] 1 Paraître à travers qqch de transparent, de translucide. 2 Devenir visible. *Son émotion transparaît.* ■ **Var transparaitre**

transparence *nf* Propriété de ce qui est transparent.

transparent, ente *a* 1 Qui laisse passer la lumière et au travers de quoi on voit distinctement. 2 Qui se laisse deviner. *Des intentions transparentes.* 3 Qui ne dissimule pas ses activités, ses revenus. ■ *nm* Surface de matière transparente permettant certaines images.

transpercer *vt* [10] 1 Percer de part en part. 2 Pénétrer à travers. *La pluie a transpercé son manteau.*

transpiration *nf* Excrétion de la sueur par les pores de la peau.

transpirer *vi* 1 Suer. 2 Commencer à être connu. *Le secret avait transpiré.*

transplant *nm* CHIR Organe, tissu transplanté.

transplantable *a* Qui peut être transplanté.

transplantation *nf* Action de transplanter.

transplanté, ée *a, n* Qui a subi une transplantation d'organe.

transplanter *vt* 1 Sortir une plante de terre pour la replanter dans un autre endroit. 2 CHIR Greffer sur qqn (receveur) un organe prélevé sur un autre individu (donneur). 3 Faire passer d'un pays ou d'un milieu dans un autre.

transport *nm* 1 Action de transporter qqn, qqch dans un autre lieu. 2 Navire, avion destiné à transporter des troupes, du matériel. **Loc** *litt Transport de joie* : grande joie. ■ *pl* Moyens permettant le déplacement des personnes ou des marchandises.

transportable *a* Qu'on peut transporter.

transporter *vt* 1 Porter d'un lieu dans un autre. 2 Faire passer dans un autre domaine. *Transporter des faits réels dans un roman.* 3 Mettre qqn hors de soi-même. *Être transporté d'admiration.* ■ *vpr* Se rendre en un lieu.

transporteur *nm* 1 Personne qui transporte des marchandises ou des personnes. 2 Engin destiné au transport continu de matériaux.

transposable *a* Qu'on peut transposer.

transposer *vt* 1 Présenter sous une autre forme ou dans un autre contexte. 2 Intervertir des objets ; permuter. 3 MUS Transcrire ou exécuter dans un autre ton que celui dans lequel le morceau a été écrit.

transposition *nf* Action de transposer.

transpyrénéen, enne *a* Qui traverse les Pyrénées.

transsaharien, enne *a* Qui traverse le Sahara.

transsexualité *nf* Caractère transsexuel.

transsexuel, elle *a, n* Qui est convaincu d'appartenir à l'autre sexe et qui se conforme à cette conviction.

transsibérien, enne *a* Qui traverse la Sibérie.

transsonique *a* PHYS Se dit d'une vitesse voisine de celle du son.

transsubstantiation *nf* RELIG Mystère de l'eucharistie.

transuranien *nm* CHIM Élément produit dans les réacteurs nucléaires (par ex., le plutonium).

transvasement *nm* Action de transvaser.

transvaser *vt* Faire passer un liquide d'un récipient dans un autre.

transversal, ale, aux *a* 1 Qui coupe qqch en travers, perpendiculairement à l'axe principal. *Route transversale.* 2 Qui recoupe plusieurs domaines de la connaissance. ■ *nf* Ligne, droite, route transversale.

transversalement *av* En travers.

transverse *a* ANAT En travers de l'axe du corps.

trapèze *nm* 1 GEOM Quadrilatère comportant deux côtés parallèles et inégaux. 2 Appareil composé d'une barre de bois horizontale suspendue par ses extrémités à deux cordes. 3 ANAT Muscle du cou et de l'épaule.

trapéziste *n* Acrobate qui fait du trapèze.

trapézoïdal, ale, aux *a* En forme de trapèze.

trappe *nf* 1 Piège formé d'un trou recouvert par des branchages. 2 Ouverture munie d'un abattant, ménagée dans un plancher, un plafond, une paroi. **Loc** *fam Passer à la trappe* : être escamoté, tomber dans l'oubli.

trappeur *nm* Chasseur de bêtes à fourrure, en Amérique du Nord.

trappiste *nm* **trappistine** *nf* Religieux, religieuse de l'ordre de la Trappe.

trapu, ue *a* 1 Large et court, donnant une impression de force et de solidité. 2 pop Très fort, savant.

traque *nf* fam Action de traquer.

traquenard *nm* 1 Piège pour prendre les animaux nuisibles. 2 Piège tendu à qqn.

traquer *vt* 1 Pourchasser du gibier en le rabattant vers les chasseurs. 2 Serrer de près, poursuivre qqn avec acharnement.

trattoria *nf* Petit restaurant italien.

trauma *nm* MED 1 Lésion produite par un impact. 2 Violent choc émotif.

traumatique *a* MED D'un trauma ou d'un traumatisme. *Choc traumatique.*

traumatisant, ante *a* Qui traumatise.

traumatiser *vt* Infliger un traumatisme à qqn.

traumatisme *nm* 1 Perturbation provoquée par un trauma. 2 Violent choc émotionnel.

traumatologie *nf* MED Traitement des traumatismes.

travail, aux *nm* 1 Effort long et pénible. *Ces lignes sentent le travail.* 2 MED Période de l'accouchement où se produisent les contractions utérines. 3 Altération ou déformation d'une matière. *Le travail du bois sous l'action de l'humidité.* 4 Activité, action de qqch. *Le travail d'une machine, de l'imagination.* 5 Activité économique des hommes, d'un pays ; la population active. *La division du travail. Le monde du travail.* 6 Manière dont est façonnée une matière ; l'ouvrage obtenu. *Travail très soigné.* 7 Activité rémunérée ; lieu de cette activité *Perdre son travail.* **Loc** *Travail d'intérêt général* : travail imposé à un délinquant comme substitution de peine. ■ *pl* 1 Opérations propres à une activité. *Travaux ménagers.* 2 Discussions, débats d'une assemblée. 3 Recherches dans le domaine intellectuel ; ouvrage. **Loc** *Travaux publics* : ouvrages d'art, d'équipement, etc., exécutés pou e compte de l'État ou des collectivités locales. *Travaux forcés :* peine que le condamné exécutait dans un bagne.

travaillé, ée *a* Exécuté avec soin, où on sent le travail. *Un bijou très travaillé.*

travailler *vi* 1 Avoir une activité professionnelle. 2 Se consacrer à une tâche. 3 Fonctionner, produire. *Usine qui travaille pour l'exportation. Faire travailler son argent.* 4 Se déformer, se modifier sous l'effet d'un agent extérieur. *Bois qui a travaillé.* ■ *vt* 1 Façonner. *Travailler le bois, la pâte.* 2 Soigner, perfectionner. *Travailler son style.* 3 Étudier. *Travailler le piano.* 4 Tourmenter, préoccuper. *Ce problème le travaille.* 5 Manipuler, chercher à influencer. *Travailler l'opinion.* ■ *vti* Se donner de la peine pour. *Travailler à un livre, à redresser la situation.*

travailleur, euse *n* 1 Personne qui travaille, se consacre à une tâche. *Travailleur manuel.* 2 Personne qui exerce une activité rémunérée. Loc *Travailleurs sociaux :* chargés de porter assistance aux personnes en difficulté. ■ *a, n* Qui aime le travail, est très actif.

travaillisme *nm* Doctrine, mouvement socialiste du Labour Party (parti du Travail), en Grande-Bretagne.

travailliste *n, a* Partisan du travaillisme.

travée *nf* 1 Espace compris entre deux points d'appui d'une voûte, d'une charpente, etc. 2 Rangée de tables, de bancs.

traveller's chèque *nm* Chèque de voyage. *Des raveller's chèques.*

travelling [-liŋ] *nm* Mouvement de déplacement de l'une caméra ; scène ainsi filmée.

travelo *nm* pop Travesti (sens 2).

travers *nm* Petit défaut ou bizarrerie de l'esprit. Loc *À travers qqch :* en traversant. *Au travers (de) :* en traversant de part en part. *En travers (de) :* dans une position transversale. *Se mettre en travers :* s'opposer à. *De travers :* obliquement, de façon anormale ; mal, autrement qu'il ne faudrait. *Regarder de travers :* avec malveillance. *À tort et à travers :* inconsidérément. *Travers de porc :* haut de côtes.

traverse *nf* 1 Pièce d'appui mise en travers dans certains ouvrages. 2 Pièce qui supporte les rails et maintient leur écartement. Loc *Chemin de traverse :* raccourci.

traversée *nf* Action de traverser la mer, un pays ; trajet ainsi fait. Loc *Traversée du désert :* éclipse dans la carrière d'un homme public.

traverser *vt* 1 Passer à travers, d'un côté à l'autre. *Traverser une rue.* 2 Couper. *La route nationale traverse la voie ferrée.* 3 Pénétrer. *La pluie a traversé son manteau.* 4 Vivre, passer par. *Elle a traversé des moments difficiles.* Loc *Traverser l'esprit :* se présenter fugitivement à l'esprit.

traversière *af* Loc *Flûte traversière :* qu'on tient parallèlement à la bouche.

traversin *nm* Coussin qui s'étend sur toute la largeur du lit.

travertin *nm* Roche calcaire formée par les dépôts d'une source.

travesti, ie *a, n* Qui porte un déguisement. ■ *a* Où on est déguisé. *Bal travesti.* ■ *nm* 1 Déguisement. 2 Homosexuel qui s'habille en femme.

travestir *vt* 1 Déguiser. 2 Donner une apparence trompeuse ; falsifier. *Travestir la vérité.* ■ *vpr* Revêtir un déguisement.

travestisme *nm* Adoption par qqn des vêtements et des comportements de l'autre sexe.

travestissement *nm* 1 Déguisement. 2 Falsification.

traviole (de) *av* fam De travers.

trayeuse *nf* Machine à traire.

trayon *nm* Extrémité du pis d'une vache, d'une chèvre, etc.

trébuchant, ante *a* Qui trébuche, hésite. Loc *Espèces sonnantes et trébuchantes :* argent liquide.

trébucher *vi* 1 Faire un faux pas, perdre l'équilibre. *Trébucher sur, contre une pierre.* 2 Buter sur une difficulté.

trébuchet *nm* 1 Piège pour petits oiseaux. 2 Petite balance pour peser des corps légers.

tréfilage *nm* Action de tréfiler.

tréfiler *vt* TECH Faire passer un métal à travers une filière pour l'étirer en fil.

tréfilerie *nf* Usine de tréfilage.

trèfle *nm* 1 Plante aux feuilles composées de trois folioles et qui fournit du fourrage. 2 Une des couleurs noires du jeu de cartes.

tréfonds *nm* litt Ce qu'il y a de plus profond, de plus secret. *Au tréfonds de son âme.*

treillage *nm* Assemblage de lattes pour faire des palissades, des espaliers, etc.

treille *nf* Vigne grimpant le long d'un mur, d'un arbre, disposée sur un châssis, etc.

treillis *nm* 1 Réseau à claire-voie plus ou moins serré. *Jardin clos par un treillis.* 2 Tenue de combat des militaires.

treize *a num* 1 Dix plus trois (13). 2 Treizième. *Chapitre treize.* ■ *nm inv* Nombre, numéro treize. Loc *Jeu à treize :* rugby qui se joue avec treize joueurs.

treizième *a num* Au rang, au degré treize. ■ *a, nm* Contenu treize fois dans un tout.

treizièmement *av* En treizième lieu.

treiziste *nm* Joueur de rugby à treize.

trekking [trekiŋ] *nm* Randonnée pédestre dans des sites difficiles d'accès.

tréma *nm* Signe graphique (¨) mis sur les voyelles *e, i, u* pour indiquer qu'on doit prononcer séparément la voyelle qui les précède (ex. : *aiguë, naïf*).

trématode *nm* ZOOL Ver plat parasite.

tremblant, ante *a* Qui tremble. *Voix tremblante.* ■ *nf* Maladie virale du mouton.

tremble *nm* Peuplier aux feuilles très mobiles.

tremblé, ée *a* 1 Tracé par une main tremblante. 2 Dont l'intensité varie. *Son tremblé.*

tremblement *nm* 1 Agitation rapide et involontaire du corps. 2 Oscillations, secousses agitant qqch. 3 Variations d'intensité. *Avoir des tremblements dans la voix.* Loc *Tremblement de terre :* séisme, ébranlement de la croûte terrestre. fam *Et tout le tremblement :* et tout le reste.

trembler *vi* 1 Être pris de tremblements. *Trembler de froid.* 2 Éprouver une grande crainte ; avoir peur. 3 Être ébranlé, agité de secousses. *La terre a tremblé.* 4 Subir des variations d'intensité. *Avoir la voix qui tremble.*

trembleur *nm* Dispositif électrique animé d'un mouvement oscillatoire.

tremblotant, ante *a* Qui tremblote.

tremblote *nf* Loc *fam Avoir la tremblote :* trembler de froid ou de peur.

tremblotement *nm* Tremblement léger.

trembloter *vi* Trembler légèrement.

trémie *nf* Grand récipient en forme de pyramide renversée, pour le stockage de produits en vrac.

trémière *af* Loc *Rose trémière :* plante ornementale aux grandes fleurs colorées.

trémolo *nm* 1 Effet de vibration obtenu en battant une note plusieurs fois d'un même coup d'archet. 2 Tremblement de la voix.

trémoussement *nm* Mouvement vif du corps.

trémousser (se) *vpr* S'agiter avec des mouvements vifs et irréguliers.

trempage *nm* Action de tremper qqch dans un liquide. *Trempage du linge.*

trempe *nf* 1 TECH Refroidissement brusque par immersion d'une pièce métallique portée à haute température pour en augmenter la dureté. 2 Qualité, vigueur du caractère. 3 pop Volée de coups.

trempé, ée *a* Loc *Bien trempé :* énergique.

tremper *vt* 1 Mouiller complètement. *Se faire tremper.* 2 Plonger dans un liquide. *Tremper son pain dans son café.* 3 Faire subir la trempe à une pièce métallique. ■ *vi* 1 Demeurer dans un liquide. *Mettre du linge à tremper.* 2 Prendre part à une action répréhensible. *Tremper dans un hold-up.*

trempette *nf* Loc *fam Faire trempette :* se baigner rapidement ou dans peu d'eau.

tremplin *nm* 1 Planche élastique sur laquelle court et rebondit un sauteur ou un plongeur. 2 Ce qui lance qqn, l'aide à parvenir à une situation sociale élevée.

trémulation *nf* MED Tremblement.

trench-coat [tʀɛnʃkot] *nm* Manteau imperméable. *Des trench-coats.*

trentaine *nf* 1 Nombre de trente ou environ. 2 Âge de trente ans.

trente *a num* 1 Trois fois dix (30). 2 Trentième. *Page trente.* ■ *nm inv* Nombre trente. Loc *fam Se mettre sur son trente et un :* mettre ses vêtements les plus élégants.

trente-et-quarante *nm inv* Jeu de cartes de casino.

trentenaire *a* Qui dure trente ans. ■ *a, n* Qui a entre trente et quarante ans.

trente-six *a num* Nombre important indéterminé. *Voir trente-six chandelles.*

trentième *a num* Au rang, au degré trente. ■ *a, nm* Contenu trente fois dans un tout.

trépan *nm* 1 CHIR Instrument servant à percer les os du crâne. 2 TECH Instrument de forage.

trépanation *nf* CHIR Action de trépaner.

trépaner *vt* CHIR Perforer les os du crâne.

trépas *nm* litt Décès, mort.

trépassé, ée *n, a* litt Personne décédée.

trépasser *vi* [aux. *être* ou *avoir*] litt Mourir.

trépidant, ante *a* 1 Qui trépide. 2 Agité, fébrile. *Vie trépidante.*

trépidation *nf* Fait de trépider.

trépider *vi* Être agité, trembler par petites secousses rapides.

trépied *nm* Meuble, support à trois pieds.

trépignement *nm* Action de trépigner.

trépigner *vi* Frapper des pieds contre terre, à coups rapides et renouvelés.

trépointe *nf* TECH Bande de cuir servant à renforcer une couture.

tréponème *nm* Bactérie dont une espèce est l'agent de la syphilis.

très *av* Indique un degré élevé devant un adjectif un adverbe.

trésor *nm* 1 Amas d'or, d'argent, d'objets précieux mis en réserve. 2 Bien particulièrement précieux. *Trésors artistiques.* 3 Personne très aimée Loc *Le Trésor public* ou *le Trésor :* service de l'État assurant la rentrée des recettes et le règlement des dépenses publiques. ■ *pl* Abondance *Dépenser des trésors de patience.*

trésorerie *nf* 1 Bureau d'un trésorier-payeur général. 2 Ressources immédiatement disponibles d'une entreprise ou d'un particulier.

trésorier, ère *n* Personne qui gère les finances d'une association, d'une société.

trésorier-payeur *nm* Loc *Trésorier-payeur général :* fonctionnaire assumant la gestion des finances publiques dans un département. *Des trésoriers-payeurs.*

tressage *nm* Action de tresser.

tressaillement *nm* Fait de tressaillir.

tressaillir *vi* [27] Avoir une brusque secousse involontaire sous l'effet d'une émotion, d'une douleur.

tressautement *nm* Fait de tressauter.

tressauter *vi* 1 Sursauter sous l'effet de la surprise. 2 Être secoué par des cahots.

tresse *nf* 1 Natte de cheveux entrelacés. 2 Cordon, galon fait de brins entrelacés.

tresser *vt* Mettre, arranger en tresse.

tréteau *nm* Pièce de bois soutenant une table, une estrade. ■ *pl* vx Théâtre.

treuil *nm* Tambour cylindrique sur lequel s'enroule un câble pour lever ou tirer une charge.

treuillage *nm* Action de treuiller.

treuiller *vt* Lever des charges avec un treuil.

trêve *nf* 1 Suspension temporaire des hostilités d'un conflit. 2 Relâche, répit, repos. *Travailler sans trêve.* Loc *Trêve de :* assez de. *Trêve des confiseurs :* période de calme social et politique entre Noël et le jour de l'an.

trévise *nf* Salade rouge à feuilles allongées.

tri *nm* Action de trier.

triade *nf* 1 Groupe de trois unités, de trois personnes. 2 En Chine, société secrète, mafia.

triage *nm* Action de trier.

trial *nm* Compétition de motos tout terrain. ■ *nm* Moto spécialement conçue pour ce sport. *Des trials.*

triangle *nm* 1 Polygone qui a trois côtés. 2 MUS Instrument fait d'une baguette métallique en triangle frappée avec une tige d'acier.

triangulaire *a* 1 En forme de triangle. 2 Dont la base est un triangle. 3 Qui oppose trois éléments, trois groupes. *Élection triangulaire.*

triangulation *nf* Établissement d'une carte en divisant le terrain en un réseau de triangles.

trias [-as] *nm* Période géologique la plus ancienne du secondaire.

triathlon *nm* Compétition comprenant trois épreuves (fond, course cycliste et natation).

triathlonien, enne *n* Personne qui pratique le triathlon. **Var triathlète**

tribal, ale, aux *a* Propre à la tribu.

tribalisme *nm* Organisation en tribus.

boélectricité *nf* Électricité produite par frottement.

boélectrique *a* De la triboélectricité.

bologie *nf* PHYS Étude des frottements.

bométrie *nf* PHYS Mesure des frottements.

bord *nm* Côté droit d'un navire lorsqu'on garde vers l'avant.

bu *nf* 1 Groupe humain présentant une unité turelle, dont les membres sous l'autorité d'un ef vivent sur un même territoire. 2 *fam* Famille mbreuse.

bulations *nfpl* Aventures, mésaventures.

bun *nm* 1 ANTIQ Magistrat chargé de défendre plébéiens. 2 Orateur populaire éloquent.

bunal, aux *nm* 1 Lieu où la justice est rendue ; palais de justice. 2 Juridiction d'un ou de usieurs magistrats ; ces magistrats. 3 *litt* Ce qui ge. *Le tribunal de l'histoire.*

bunat *nm* ANTIQ Charge de tribun.

bune *nf* 1 Emplacement surélevé, réservé au blic ou à quelques personnes dans des salles, s églises. *Tribune officielle.* 2 Dans un stade, champ de courses, etc., gradins réservés aux ectateurs. 3 Estrade d'où parle un orateur. *onter à la tribune.* 4 Rubrique d'un journal.

but *nm* *litt* Contribution, impôt. Loc *Payer un rd tribut à* : subir de graves dommages pour.

butaire *a* Dépendant de. *Être tributaire de l'étranger pour l'électronique.* Loc *Fleuve tributaire d'une mer* : qui s'y jette.

card, arde *a* *pop* Interdit de séjour.

centenaire *nm* Troisième centenaire.

céphale *a* Qui a trois têtes.

ceps *nm* ANAT Muscle ayant trois groupes de sceaux musculaires.

che *nf* *fam* Action de tricher, de tromper.

cher *vi* Agir d'une manière déloyale pour gner, réussir. *Tricher au jeu. Tricher à un exa- n.* ■ *vti* 1 Tromper, mentir. *Tricher sur son e.* 2 Dissimuler habilement un défaut.

cherie *nf* Tromperie.

cheur, euse *n* Personne qui triche.

chine [-kin] *nf* Petit ver qui se développe dans ntestin de l'homme et du porc.

chinose [-kinoz] *nf* Maladie parasitaire due à e trichine.

chloréthylène *nm* Composé chloré utilisé ur le nettoyage à sec.

cholome [-kolom] *nm* Petit champignon à nelles.

chomonas [-komonas] *nm* Protozoaire para- e de l'intestin ou du vagin.

chrome *a* Obtenu par trichromie.

chromie *nf* Reproduction en couleurs à partir s trois couleurs primaires.

colore *a* De trois couleurs. ■ *a, n* Qui porte s couleurs (bleu, blanc, rouge) de la France.

corne *nf* Chapeau à trois cornes.

cot *nm* 1 Action de tricoter, d'exécuter avec s aiguilles spéciales un tissu en mailles. 2 Tissu mailles, fait à la main ou au métier. 3 Vête- ent (veste, chandail, maillot de corps) couvrant haut du corps.

coter *vt, vi* Confectionner au tricot.

coteur, euse *n* Personne qui tricote. ■ *nf* achine à tricoter.

ctrac *nm* Jeu de dés, ancêtre du jacquet.

cycle *nm* Cycle à trois roues.

tridacne *nm* Mollusque du Pacifique. Syn. bénitier.

tridactyle *a* Qui a trois doigts.

trident *nm* Fourche à trois dents.

tridimensionnel, elle *a* À trois dimensions.

trièdre *a, nm* Qui a trois faces.

triennal, ale, aux *a* 1 Qui dure trois ans. 2 Qui a lieu tous les trois ans.

trier *vt* 1 Choisir parmi plusieurs éléments en laissant de côté ce qui ne convient pas. *Trier des lentilles.* 2 Séparer pour répartir et regrouper. *Trier du courrier.*

trière *nf* ANTIQ Vaisseau de guerre à trois rangs de rameurs superposés. **Var trirème**

trieur, euse *n* Personne qui effectue un triage. ■ *nf* Machine utilisée pour trier.

trifouiller *vi* *fam* Fouiller en tous sens.

triglycéride *nf* Lipide présent dans le sang.

trigone *a, nm* Qui a trois angles.

trigonocéphale *nm* Serpent très venimeux voisin du crotale.

trigonométrie *nf* Étude des relations entre les angles et les côtés d'un triangle.

trigonométrique *a* De la trigonométrie.

trigramme *nm* 1 Mot de trois lettres. 2 Sigle ou figure constitués de trois éléments.

trijumeau *nm* Nerf crânien divisé en trois branches (œil et maxillaires).

trilatéral, ale, aux *a* Qui a trois côtés.

trilingue *a* En trois langues. ■ *a, n* Qui parle trois langues.

trille *nm* MUS Ornement consistant en une alternance rapide entre deux notes voisines.

trillion *nm* Un milliard de milliards (10^{18}).

trilobé, ée *a* À trois lobes.

trilobite *nm* Arthropode fossile du primaire.

trilogie *nf* Ensemble de trois œuvres dont les sujets se font suite.

trimaran *nm* Voilier comportant une coque reliée par des bras à deux flotteurs latéraux.

trimardeur *nm* *pop* Vagabond.

trimbaler *vt* *fam* Traîner, porter partout avec soi. ■ *vpr* *fam* Aller et venir. **Var trimballer**

trimer *vi* *fam* Travailler dur.

trimestre *nm* 1 Période de trois mois. 2 Division de l'année scolaire. 3 Somme payée ou reçue tous les trois mois.

trimestriel, elle *a* Qui a lieu tous les trois mois, qui dure trois mois.

trimestriellement *av* Tous les trimestres.

trimoteur *nm* Avion à trois moteurs.

tringle *nf* Tige métallique servant à soutenir un rideau, des cintres, etc.

trinidadien, enne *a, n* De Trinité-et-Tobago.

trinité *nf* (avec majusc.) Dans la doctrine chrétienne, union de trois personnes distinctes qui ne forment qu'un seul Dieu : le Père, le Fils et l'Esprit-Saint. Loc *fam À Pâques ou à la Trinité* : jamais.

trinitrotoluène *nm* Explosif de grande puissance (sigle : TNT).

trinôme *nm* MATH Polynôme à trois termes.

trinquer *vi* 1 Boire à la santé de qqn en choquant son verre. 2 *fam* Subir de graves préjudices.

trinquet *nm* Salle où l'on joue à la pelote basque.

trio *nm* 1 Groupe de trois personnes. 2 Formation de trois musiciens. 3 Morceau de musique pour trois voix ou instruments.

triode nf Tube électronique à trois électrodes pour amplifier un signal.

triolet nm Petit poème de huit vers, sur deux rimes.

triomphal, ale, aux a 1 Qui constitue une réussite éclatante. *Élection triomphale.* 2 Enthousiaste. *Accueil triomphal.*

triomphalement av De façon triomphale.

triomphalisme nm Attitude de confiance excessive dans les succès remportés.

triomphaliste a, n Qui relève du triomphalisme.

triomphant, ante a 1 Victorieux. 2 Qui marque une intense satisfaction après un succès.

triomphateur, trice n Personne qui remporte un éclatant succès.

triomphe nm 1 Grande victoire, succès éclatant. 2 Manifestation la plus éclatante de. *Le triomphe de la médiocrité.* Loc *Porter qqn en triomphe :* porter au-dessus de la foule pour lui faire honneur.

triompher vti L'emporter sur un adversaire, se rendre maître d'une force contraire. *Triompher d'une difficulté.* ■ vi 1 Remporter un grand succès. 2 S'imposer avec éclat. *La vérité triomphera.* 3 Manifester, avec vanité, une grande joie.

trip nm fam État hallucinatoire dû à la prise d'une drogue.

tripaille nf fam Amas de tripes.

triparti, ie a 1 Partagé en trois. 2 Qui réunit trois parties contractantes. Var **tripartite**

tripartisme nm Gouvernement où le pouvoir est exercé par trois partis.

tripartition nf Division en trois parties.

tripatouillage nm fam Action de tripatouiller.

tripatouiller vt fam 1 Faire subir des modifications malhonnêtes à qqch. *Tripatouiller des comptes.* 2 Manier sans précaution.

tripes nfpl 1 Estomac des ruminants préparé et cuisiné. 2 pop Entrailles, viscères. 3 fam Ce qu'il y a de plus intime chez qqn.

triperie nf Commerce du tripier.

tripette nf Loc fam *Ça ne vaut pas tripette :* ça ne vaut rien.

triphasé, ée a ELECTR Se dit d'un système à trois phases.

triphtongue nf PHON Séquence de trois voyelles réunies dans une même articulation.

tripier, ère n Personne qui vend des tripes et des abats.

triple a 1 Qui comporte trois éléments. *Un triple nœud.* 2 fam Marque un degré élevé. *Un triple idiot.* ■ a, nm Trois fois plus grand. *Une triple dose. Demander le triple.*

triplé, ée n Chacun des trois enfants nés d'un même accouchement. ■ nm Série de trois victoires.

1. triplement av Trois fois autant.

2. triplement nm Fait de tripler.

tripler vt, vi (Se) multiplier par trois.

triplet nm didac Ensemble de trois éléments.

triplette nf Équipe de trois joueurs, aux boules, à la pétanque.

triplex nm 1 Appartement sur trois niveaux. 2 (n. déposé) Verre de sécurité.

triporteur nm Tricycle muni d'une caisse à l'avant pour les marchandises.

tripot nm Maison de jeu.

tripotage nm pop 1 Fait de tripoter, de toucher, manier. 2 Opération louche.

tripotée nf pop 1 Volée de coups. 2 Gra nombre.

tripoter vt pop Toucher, manier sans cesse. ■ pop Se livrer à des opérations louches.

tripoteur, euse n pop Personne qui tripote.

tripoux nmpl Plat auvergnat composé de tripes de pieds de mouton.

triptyque nm 1 Triple panneau peint ou scul à deux volets repliables sur le panneau cent 2 Œuvre littéraire, musicale en trois parties. Document douanier en trois feuillets. 4 Projet comporte trois parties.

trique nf Gros bâton court.

trirème. V. *trière*.

trisaïeul, eule n Père, mère de l'arrière-gran père, de l'arrière-grand-mère.

trisannuel, elle a 1 Qui a lieu tous les trois a 2 Qui dure trois ans.

trisomie nf Anomalie génétique due à la préser de trois chromosomes au lieu d'une paire. I *Trisomie 21 :* mongolisme.

trisomique a, n Mongolien.

trisser (se) vpr pop Courir très vite.

triste a 1 Qui éprouve du chagrin, de la dépr sion, de la mélancolie. Ant. gai. 2 Qui dénote chagrin, la peine. 3 Affligeant, pénible. *Il a eu triste fin.* 4 (devant un nom) Méprisable. *Un tr individu.* Loc *Faire triste mine à qqn :* lui fa mauvais accueil.

tristement av 1 Avec tristesse. 2 De faç navrante.

tristesse nf 1 Chagrin, mélancolie. 2 Caracte triste. *La tristesse d'un paysage.*

tristounet, ette a fam Un peu triste.

trisyllabe nm Groupe de trois syllabes.

trisyllabique a De trois syllabes.

trithérapie nf Prescription conjointe de trois ar viraux dans le traitement du sida.

triticale nm Hybride du blé et du seigle.

tritium [-tjɔm] nm Isotope radioactif de l'hydr gène.

triton nm 1 Amphibien qui vit près des eaux s gnantes. 2 Mollusque à la coquille (conque) util sée comme trompette de guerre.

triturateur nm Machine à triturer ; broyeur.

trituration nf Action de triturer.

triturer vt 1 Broyer pour réduire en éléments p petits. 2 Manier en tordant. Loc fam *Se triturer méninges :* se creuser la tête.

triumvir [trijɔm-] nm ANTIQ Membre d'un collè de trois magistrats.

triumvirat [trijɔm-] nm 1 ANTIQ Charge d'un tr mvir. 2 Union de trois personnes pour exercer pouvoir.

trivalent, ente a CHIM Qui a une valence triple.

trivial, ale, aux a 1 D'une simplicité très grand très courant. *Notion triviale.* 2 Grossier, malséa vulgaire. *Mot trivial.*

trivialement av De façon triviale.

trivialité nf 1 litt Banalité. 2 Caractère choqua vulgaire ; grossièreté.

troc nm Échange d'objets, sans l'intermédiaire la monnaie.

trocart nm CHIR Instrument pour pratiquer (ponctions.

trochaïque [-kaik] a Composé de trochées.

trochanter [-kɑ̃tɛʀ] *nm* ANAT Apophyse de la partie supérieure du fémur.

trochée *nm* Pied de la métrique grecque ou latine composé d'une longue et d'une brève.

troène *nm* Arbuste ornemental taillé en haie, à fleurs blanches odorantes.

troglodyte *nm* 1 Personne qui vit dans une grotte. 2 Passereau marchant la queue relevée.

troglodytique *a* Des troglodytes.

trogne *nf* fam Visage plein et rubicond.

trognon *nm* Partie centrale, non comestible, d'un fruit à pépins ou d'un légume. Loc pop *Jusqu'au trognon :* jusqu'au bout. ■ *a inv* fam Charmant, gentil.

troïka *nf* Traîneau russe tiré par trois chevaux.

trois *a num* 1 Deux plus un (3). 2 Troisième. *Page trois.* Loc *Règle de trois :* opération arithmétique permettant de calculer l'un des quatre termes d'une proportion dont on connaît les trois autres. ■ *nm inv* Le nombre, le chiffre ou le numéro trois.

trois-D *nf* Reproduction d'un objet en trois dimensions grâce à des images de synthèse créées informatiquement.

trois-étoiles *nm inv* Hôtel, restaurant de grande qualité.

trois-huit *nmpl* Système de travail dans lequel trois équipes se relaient toutes les huit heures.

troisième *a num* Au rang, au degré trois. ■ *a, nm* Contenu trois fois dans un tout. ■ *nf* 1 Quatrième classe de l'enseignement secondaire. 2 Troisième vitesse.

troisièmement *av* En troisième lieu.

trois-mâts *nm inv* Voilier à trois mâts.

trois-quarts *nm inv* 1 Manteau court. 2 Joueur de rugby situé entre les demis et l'arrière.

troll *nm* Lutin des légendes scandinaves.

trolleybus *nm* Autobus électrique alimenté par une ligne aérienne. **Var trolley**

trombe *nf* 1 Cyclone caractérisé par une colonne de nuages tourbillonnante et aspirante. Loc *Trombe d'eau :* averse très violente. *En trombe :* très vite et brusquement.

trombidion *nm* Acarien dont les larves (aoûtats) piquent l'homme.

trombine *nf* fam Visage, tête.

trombinoscope *nm* fam Document rassemblant les portraits des membres d'un groupe.

tromblon *nm* Vieux fusil au canon évasé.

trombone *nm* 1 Agrafe servant à assembler des papiers. 2 Instrument à vent à embouchure et à pistons. Loc *Trombone à coulisse :* instrument à vent formé de deux tubes en U qui glissent l'un dans l'autre.

trompe *nf* 1 Appendice plus ou moins développé chez le tapir, l'éléphant, chez certains insectes. 2 Instrument à vent, en cuivre et recourbé. Loc ANAT *Trompe d'Eustache :* conduit qui unit l'oreille au pharynx. *Trompe utérine* ou *trompe de Fallope :* conduit qui va de l'utérus à l'un des deux ovaires.

trompe-l'œil *nm inv* 1 Peinture donnant l'illusion d'un véritable relief. 2 Ce qui fait illusion.

tromper *vt* 1 Induire volontairement qqn en erreur. 2 Être infidèle en amour. 3 Mettre en défaut. *Tromper la vigilance de qqn.* 4 Faire diversion à. *Tromper son ennui.* ■ *vpr* 1 Commettre une erreur. 2 Prendre une chose pour une autre. *Vous vous trompez de numéro.*

tromperie *nf* Action de tromper.

trompette *nf* Instrument de musique à vent à embouchure, de la famille des cuivres. Loc fam *Partir sans tambour ni trompette :* sans se faire remarquer. *Nez en trompette :* relevé. ■ *nm* Trompettiste.

trompette-de-la-mort *nf* Champignon comestible noir. Syn. craterelle. *Des trompettes-de-la-mort.* **Var trompette-des-morts**

trompettiste *n* Joueur de trompette.

trompeur, euse *a, n* Qui induit en erreur.

trompeusement *av* De façon trompeuse.

tronc *nm* 1 Partie de l'arbre, depuis les racines jusqu'aux branches. 2 Partie centrale du corps sur laquelle s'attachent la tête et les membres. 3 Partie la plus grosse d'un vaisseau ou d'un nerf d'où partent des branches. 4 Boîte pour recevoir les offrandes dans une église. 5 GEOM Solide compris entre la base et une section plane parallèle. *Tronc de cône.* Loc *Tronc commun :* partie commune dans une formation, un enseignement.

troncation *nf* LING Abrègement d'un mot.

tronche *nf* pop Visage, tête.

tronçon *nm* 1 Morceau coupé d'un objet long. 2 Partie d'une route.

tronconique *a* En forme de tronc de cône.

tronçonnage *nm* Action de tronçonner. **Var tronçonnement**

tronçonner *vt* Couper, débiter en tronçons.

tronçonneuse *nf* Machine pour tronçonner le bois.

trône *nm* 1 Siège élevé où les souverains, le pape prennent place dans des cérémonies. 2 litt Pouvoir souverain.

trôner *vi* 1 Être assis avec solennité à une place d'honneur. 2 Être placé bien en vue. *Ses diplômes trônaient sur la cheminée.*

tronqué, ée *a* Loc *Colonne tronquée :* fût de colonne brisé dans sa partie supérieure. *Pyramide tronquée :* qui ne comporte pas de partie supérieure.

tronquer *vt* Effectuer des suppressions importantes dans un texte.

trop *av* À un degré excessif, en quantité excessive. *Il est trop jeune. Elle a trop de travail.* Loc *C'en est trop :* cela dépasse la mesure. *De trop, en trop :* au-delà du nécessaire. litt *Par trop :* réellement trop.

trope *nm* RHET Figure de style ; emploi des mots hors de leur usage habituel.

trophée *nm* Objet qui témoigne d'une victoire, d'un succès.

trophique *a* BIOL De la nutrition d'un être vivant, d'un tissu organique.

tropical, ale, aux *a* 1 Des tropiques. 2 Très chaud. *Température tropicale.*

tropicaliser *vt* TECH Adapter un matériau, un matériel au climat tropical.

tropique *nm* Chacun des deux parallèles distants de l'équateur de 23° 27'. Loc *Tropique du Cancer :* de l'hémisphère Nord. *Tropique du Capricorne :* de l'hémisphère Sud. ■ *pl* Région comprise entre les deux tropiques.

tropisme *nm* BIOL Mouvement par lequel un organisme s'oriente par rapport à une excitation extérieure.

tropopause *nf* Limite entre la troposphère et la stratosphère.

troposphère nf Partie de l'atmosphère située entre le sol et 10 km environ.

trop-perçu nm Somme perçue en trop. *Des trop-perçus.*

trop-plein nm 1 Ce qui excède la capacité d'un récipient. 2 Ce qui est en excès. *Un trop-plein d'énergie.* 3 Dispositif qui sert à évacuer un liquide en excès. *Des trop-pleins.*

troquer vt Échanger une chose contre une autre.

troquet nm fam Petit café, bar.

trot nm Allure du cheval intermédiaire entre le pas et le galop. Loc fam *Au trot :* vivement et sans délai.

trotskisme nm Doctrine politique de Trotski, selon laquelle la révolution doit être permanente et mondiale.

trotskiste n, a Qui relève du trotskisme.

trotte nf fam Distance assez longue à parcourir à pied.

trotter vi 1 Aller au trot. 2 Marcher à petits pas et rapidement. 3 Aller et venir. *Cette idée lui trotte dans la tête.*

trotteur nm Cheval dressé aux courses de trot.

trotteuse nf Petite aiguille d'une montre, qui marque les secondes.

trottinement nm Action de trottiner.

trottiner vi Marcher à petits pas pressés.

trottinette nf Jouet d'enfant formé d'une planchette montée sur deux petites roues et munie d'une tige de direction.

trottoir nm Chemin surélevé, de chaque côté d'une rue, aménagé pour les piétons. Loc fam *Faire le trottoir :* se prostituer.

trou nm 1 Ouverture naturelle ou artificielle dans le sol, dans un corps. 2 Déficit dans un compte ; somme manquante. 3 fam Petite localité retirée. Loc *Trou d'air :* courant atmosphérique descendant qui fait perdre brusquement de l'altitude à un avion. *Trou noir :* astre dont le champ de gravitation est si intense qu'aucun rayonnement ne peut s'en échapper. *Trou normand :* eau-de-vie prise au milieu d'un repas copieux. *Trou de mémoire :* absence, oubli. pop *Être au trou :* en prison. fam *Faire son trou :* se faire une situation qq part.

troubadour nm HIST Poète courtois des pays de langue d'oc au Moyen Âge.

troublant, ante a Qui inquiète ou déconcerte.

trouble a 1 Qui manque de limpidité, de transparence. *Vin trouble.* 2 Flou, qui n'est pas net. *Image trouble.* 3 Équivoque, louche, suspect. *Conduite trouble.* ■ nm 1 Confusion, agitation désordonnée. *Semer le trouble.* 2 Inquiétude, désarroi. *Laisser voir son trouble.* Loc *Trouble obsessionnel compulsif :* acte révélateur d'une névrose obsessionnelle. ■ pl 1 Désordre, anomalie dans le fonctionnement d'un organe. *Troubles respiratoires.* 2 Agitation politique ou sociale ; soulèvement.

trouble-fête n Importun qui interrompt une réjouissance. *Des trouble-fêtes.*

troubler vt 1 Rendre trouble, moins limpide, moins transparent. 2 Interrompre, perturber le déroulement, le fonctionnement de. *Troubler le sommeil.* 3 Susciter l'inquiétude chez qqn ; intimider. 4 Interrompre le cours d'une action. *Troubler une réunion.* ■ vpr 1 Devenir trouble. 2 Perdre la maîtrise de soi ; se déconcentrer.

trouée nf 1 Ouverture naturelle ou artificielle dans. 2 Rupture dans le front de l'ennemi.

trouer vt Percer, faire un trou, des trous dans qqch.

troufion nm fam Simple soldat.

trouillard, arde a, n fam Poltron, peureux.

trouille nf fam Peur.

troupe nf 1 Groupe de personnes ou d'animaux. 2 Groupe de comédiens, d'artistes de théâtre, de music-hall, etc. 3 Unité régulière de soldats. Loc *Homme de troupe :* simple soldat.

troupeau nm 1 Troupe d'animaux domestiques de même espèce, élevés ensemble. 2 Groupe de personnes qui suit aveuglément qqn, qqch.

troupier nm fam Militaire. ■ am Loc *Comique troupier :* comique grivois à base d'histoires de caserne.

trousse nf Petite sacoche à compartiments pour ranger des instruments, divers objets usuels. Loc *Trousse de toilette :* qui contient des objets de toilette. ■ pl Loc fam *Aux trousses de :* à la poursuite de.

trousseau nm Linge, vêtements, donnés à une jeune fille qui se marie, à un enfant qui entre en pension. Loc *Trousseau de clés :* clés réunies par un anneau, un porte-clés.

trousser vt vx Retrousser. Loc *Trousser un compliment :* le faire avec rapidité et élégance. *Trousser une volaille :* lier près du corps ses ailes et ses cuisses pour la faire cuire.

trouvaille nf Découverte heureuse, opportune.

trouvé, ée a Loc *Bien trouvé :* original. *Tout trouvé :* trouvé avant d'avoir été recherché. *Enfant trouvé :* né de parents inconnus.

trouver vt 1 Rencontrer, découvrir qqn, qqch qu'on cherchait ou par hasard. *Vous le trouverez chez lui. Trouver un parapluie dans l'autobus.* 2 Découvrir, inventer. *Trouver la solution d'un problème.* 3 Disposer de. *Trouver le temps de faire qqch.* 4 Éprouver, ressentir. *Trouver une consolation dans l'amitié.* 5 Voir, constater tel état. *Je l'ai trouvé malade.* 6 Estimer, juger. *Il trouve ce livre passionnant.* Loc *Trouver à redire :* critiquer, blâmer. ■ vpr 1 Être présent en un lieu, en une occasion. 2 Être situé. *Le livre se trouve sur le bureau.* 3 Être dans tel ou tel état. *Se trouver dans l'embarras.* Loc *Se trouver mal :* avoir un malaise. ■ v impers Loc *Il se trouve que :* il se révèle que. fam *Si ça se trouve :* éventuellement.

trouvère nm HIST Jongleur et poète de langue d'oïl au Moyen Âge.

troyen, enne a, n De l'ancienne ville de Troie ou de Troyes.

truand, ande n fam Malfaiteur, homme du milieu.

truander vt fam Voler, escroquer.

trublion nm Fauteur de troubles.

truc nm 1 fam Procédé habile permettant de réussir qqch. *Les trucs du métier.* 2 Procédé destiné créer une illusion. 3 fam Mot par lequel on désign une chose sans la nommer.

trucage. V. truquage.

truchement nm vx Interprète. Loc litt *Par le tru chement de :* par l'intermédiaire de.

trucider vt fam Tuer.

trucmuche nm fam Personne quelconque qu'o ne nomme pas.

truculence nf Caractère truculent.

truculent, ente a Haut en couleur, pittoresque.

truelle nf Outil pour appliquer le plâtre, le mo tier.

truffe nf 1 Champignon comestible apprécié se développant dans le sol. 2 Confiserie au chocolat. 3 Nez du chien.

truffer vt 1 Garnir un mets de truffes. 2 Bourrer. *Il truffe ses discours de citations.*

trufficulture nf Production de truffes.

truffier, ère a Relatif aux truffes. ■ nf Terrain où poussent les truffes.

truie nf Femelle du porc.

truisme nm Vérité aussi évidente que banale.

truite nf Poisson comestible, voisin du saumon, mais plus petit.

truité, ée a Marqué de petites taches rougeâtres et noires.

trumeau nm Glace, panneau disposé au-dessus d'une cheminée ou entre deux fenêtres.

truquage nm 1 Fait de truquer. 2 Procédé technique utilisé pour créer une illusion, au théâtre, au cinéma. **Var trucage**

truquer vt Modifier frauduleusement. *Truquer un dossier.*

truqueur, euse n Personne qui truque, falsifie.

trust [trœst] nm Réunion de plusieurs entreprises exerçant un monopole sur un produit ou un secteur.

truster [trœste] vt fam Accaparer, monopoliser.

trypanosome nm Parasite du sang, agent de diverses maladies, en particulier la maladie du sommeil.

trypanosomiase nf Maladie parasitaire due à un trypanosome.

trypsine nf BIOL Enzyme du pancréas.

tryptophane nm BIOL Acide aminé indispensable à l'organisme.

tsar nm Titre des empereurs de Russie et de Bulgarie.

tsarévitch nm Fils aîné du tsar de Russie.

tsarine nf Femme du tsar.

tsarisme nm HIST Régime politique de la Russie avant 1917.

tsariste a, n Qui relève du tsarisme.

tsé-tsé nf inv Loc *Mouche tsé-tsé :* mouche africaine qui propage la maladie du sommeil. **Var tsétsé**

TSF [teɛsɛf] nf vx Radio.

T-shirt. V. tee-shirt.

tsigane a Qui concerne les Tsiganes. ■ nm Langue parlée par les Tsiganes. **Var tzigane**

tsunami nm Raz de marée sur les côtes du Pacifique.

TTC Sigle de *toutes taxes comprises.*

tu pr pers Deuxième personne du singulier des deux genres, ayant la fonction de sujet. Loc *Être à tu et à toi avec qqn :* être intime avec lui.

tuant, ante a fam Très fatigant, épuisant.

tuba nm 1 Instrument à vent utilisé comme basse de trombones. 2 Tube respiratoire pour nager la tête sous l'eau.

tubage nm MED Introduction dans l'estomac, les bronches, d'un tube souple à des fins thérapeutiques.

tubaire a MED De la trompe d'Eustache ou de la trompe de Fallope.

tubard, arde n pop Tuberculeux.

tube nm 1 Conduit généralement rigide, à section circulaire et d'un petit diamètre. 2 Conduit naturel. *Tube digestif.* 3 fam Chanson, disque à succès. 4 Emballage cylindrique. *Tube d'aspi-*

rine. Loc fam *À pleins tubes :* à pleine puissance. *Tube à essai :* en verre, fermé à un bout, utilisé en chimie.

tubercule nm BOT Excroissance d'une racine, d'un rhizome où s'accumulent les réserves nutritives de la plante.

tuberculeux, euse a, n Atteint de tuberculose.

tuberculine nf Substance extraite de la culture de bacilles tuberculeux, provoquant chez les sujets déjà sensibilisés une cuti-réaction.

tuberculose nf Maladie infectieuse contagieuse due au bacille de Koch.

tubéreuse nf Plante vivace bulbeuse aux fleurs en grappes très parfumées.

tubérosité nf ANAT Éminence arrondie, protubérance.

tubulaire a 1 En forme de tube. *Conduit tubulaire.* 2 Formé de tubes.

tubulure nf 1 Orifice destiné à recevoir un tube. 2 Ensemble des tubes.

tudesque a vx Allemand.

tué, ée a, n Victime (accident, guerre, etc.).

tue-mouche nm Loc *Papier tue-mouche :* recouvert d'une substance gluante et nocive pour tuer les mouches.

tuer vt 1 Faire mourir de manière violente ; causer la mort de. 2 fam Exténuer, éreinter physiquement ou moralement. Loc *Tuer dans l'œuf :* écraser qqch avant tout développement. *Tuer le temps :* l'occuper pour ne pas s'ennuyer. ■ vpr 1 Se suicider. 2 Mourir dans un accident. 3 Ruiner sa santé. 4 Se donner beaucoup de peine à faire qqch.

tuerie nf Carnage, massacre.

tue-tête (à) av Loc *Crier, chanter à tue-tête :* de toutes ses forces.

tueur, euse n Personne qui tue ; assassin. ■ nm Personne chargée de l'abattage des animaux de boucherie.

tuf nm Roche poreuse volcanique ou calcaire.

tuffeau nm Variété de tuf calcaire.

tuile nf 1 Plaque de terre cuite servant à couvrir les toits. 2 fam Évènement imprévu et fâcheux. 3 Petit four aux amandes.

tuilerie nf Fabrique de tuiles.

tuilier, ère a De la fabrication des tuiles.

tularémie nf Maladie épidémique du lapin et du lièvre, transmissible à l'homme.

tulipe nf Plante bulbeuse ornementale de couleur variable.

tulipier nm Arbre ornemental d'Amérique du Nord.

tulle nm Tissu léger et transparent.

tuméfaction nf Gonflement pathologique d'un organe ou d'un tissu.

tuméfier vt Causer une tuméfaction. ■ vpr S'enfler anormalement.

tumescent, ente a MED Qui gonfle, se boursoufle.

tumeur nf Prolifération pathologique des cellules d'un tissu organique.

tumoral, ale, aux a D'une tumeur.

tumulte nm Agitation bruyante et désordonnée.

tumultueusement av En tumulte.

tumultueux, euse a Agité, désordonné.

tumulus [-lys] nm Grand amas de terre ou de pierres, élevé jadis au-dessus des sépultures.

tuner [tynɛʀ] nm Récepteur radio dans une chaîne haute-fidélité.

tungstène [toekstɛn] *nm* Métal gris, lourd, utilisé pour les filaments des lampes.

tunicier *nm* ZOOL Animal marin, comme les ascidies, le plancton.

tuning [tynin] *nm* Transformation d'un véhicule ou d'un appareil pour le personnaliser.

tunique *nf* 1 Vêtement de dessous à Rome. 2 Veste d'uniforme à col droit, serrée à la taille. 3 Vêtement couvrant le buste, porté par-dessus une jupe, un pantalon. 4 ANAT, BOT Enveloppe de certains organes.

tunisien, enne *a, n* De Tunisie.

tunisois, oise *a, n* De Tunis.

tunnel *nm* 1 Galerie souterraine livrant passage à une voie de communication. *Tunnel ferroviaire, routier.* 2 Abri de matière plastique utilisé pour la production de primeurs. Loc *Voir le bout du tunnel* : la fin de ses épreuves.

tunnelier *nm* Engin de travaux publics servant à creuser des tunnels.

tupi *nm* Langue amérindienne du Paraguay et du Brésil.

tupi-guarani [-gwa-] *a inv* Famille de langues indiennes d'Amérique du Sud.

turban *nm* Coiffure faite d'une longue pièce d'étoffe enroulée autour de la tête.

turbidité *nf* 1 État d'un liquide trouble. 2 Teneur d'un cours d'eau en particules en suspension.

turbin *nm* pop Travail.

turbine *nf* Moteur dont l'élément essentiel est une roue munie d'ailettes ou d'aubes et mise en rotation par un fluide.

turbiner *vi* pop Travailler dur.

turbo *nm* Abrév. de *turbocompresseur* ou de *turbomoteur.* Loc *Moteur turbo* : suralimenté par un turbocompresseur.

turboalternateur *nm* Alternateur électrique mû par une turbine.

turbocompresseur *nm* Compresseur entraîné par une turbine.

turbomachine *nf* Toute machine agissant sur un fluide par l'intermédiaire d'une turbine.

turbomoteur *nm* Moteur à turbine.

turbopropulseur *nm* Turbine à gaz entraînant une ou plusieurs hélices.

turboréacteur *nm* Moteur à réaction à turbine à gaz.

turbot *nm* Poisson plat, comestible estimé.

turbotin *nm* Jeune turbot.

turbotrain *nm* Train très rapide, dont la motrice est une turbine à gaz.

turbulence *nf* 1 Caractère turbulent. 2 Agitation, désordre bruyant.

turbulent, ente *a* Porté à faire du bruit, à s'agiter ; remuant.

turc, turque *a, n* De Turquie. Loc *Bain turc* : bain de vapeur. *Café turc* : café noir servi avec le marc. *Fort comme un Turc* : très fort. ■ *nm* Langue parlée en Turquie et en Asie centrale.

turcique *a* Loc ANAT *Selle turcique* : cavité où est logée l'hypophyse.

turcophone *a, n* De langue turque.

turf [toerf] *nm* Sport des courses de chevaux.

turfiste [toerfist] *n* Personne habituée aux champs de courses.

turgescence *nf* MED Augmentation du volume d'un organe ; gonflement.

turgescent, ente *a* MED Se dit d'un organe gonflé, enflé.

turkmène *a, n* Du Turkménistan. ■ *nm* Langue turque parlée au Turkménistan.

turlupiner *vt* fam Tracasser, tourmenter.

turne *nf* pop Chambre.

turnover [toernovœr] *nm* 1 ECON Rotation de la main-d'œuvre dans une entreprise. 2 Renouvellement de l'effectif d'un groupe.

turpitude *nf* litt Ignominie.

turquerie *nf* Œuvre artistique dans le goût turc.

turquoise *nf* Pierre fine bleue. ■ *a inv, nm* Couleur bleu vert.

tursan *nm* Vin rouge du Sud-Ouest.

tussilage *nm* Plante à propriétés pectorales.

tussor *nm* Étoffe de soie légère.

tutélaire *a* 1 DR Qui concerne la tutelle. 2 litt Qui protège. *Ange tutélaire.*

tutelle *nf* 1 DR Mandat conféré à qqn de se charger de la personne et des biens d'un mineur ou d'un incapable majeur. 2 Contrôle d'une institution, du gouvernement sur une collectivité. *Autorité de tutelle.* 3 litt Protection, soutien. *Une pesante tutelle.*

tuteur, trice *n* 1 DR Personne chargée d'une tutelle. 2 Personne qui protège ou soutient qqn. ■ *nm* Piquet destiné à soutenir une plante.

tutoiement *nm* Action de tutoyer.

tutorat *nm* Fonction de tuteur.

tutoyer *vt* [22] User de la deuxième personne du singulier en s'adressant à qqn.

tutti quanti [tutikwãti] *av* Et toutes les autres personnes de cette espèce.

tutu *nm* Tenue de scène des danseuses de ballet, faite de jupes courtes de tulle.

tuyau [tɥijo] *nm* 1 Conduit cylindrique servant à l'écoulement d'un liquide, d'un gaz. 2 fam Renseignement confidentiel. Loc fam *Dans le tuyau de l'oreille* : à voix basse.

tuyauter [tɥi-] *vt* fam Fournir des renseignements à qqn.

tuyauterie [tɥi-] *nf* Tuyaux, canalisations d'une installation.

tuyère [tɥijɛr] *nf* Organe d'éjection des gaz d'un moteur à réaction.

TVA [tevea] *nf* Taxe à la valeur ajoutée.

tweed [twid] *nm* Étoffe de laine cardée.

tweeter [twitœr] *nm* Haut-parleur d'aigus.

twin-set *nm* Ensemble constitué d'un cardigan et d'un pull-over assortis. *Des twin-sets.*

twist *nm* Danse du milieu des années 1960.

tympan *nm* 1 ARCHI Espace triangulaire délimité par les corniches d'un fronton. 2 ANAT Cavité de l'oreille moyenne fermée par une membrane ; cette membrane elle-même.

type *nm* 1 Modèle idéal représentant les caractères essentiels d'une espèce déterminée ; catégorie spécifique. 2 fam Individu quelconque. 3 Caractère d'imprimerie. *L'avare type.*

typé, ée *a* Qui correspond parfaitement au modèle du genre.

typer *vt* Représenter de façon caractéristique.

typhique *a, n* Atteint du typhus ou de la fièvre typhoïde.

typhoïde *a, nf* Loc *Fièvre typhoïde* : maladie infectieuse contagieuse, caractérisée par une température élevée et des troubles digestifs.

typhon *nm* Cyclone des mers d'Extrême-Orient.

typhus *nm* Maladie infectieuse contagieuse, caractérisée par une fièvre élevée.

typique *a* Caractéristique. *Cas typique.*

typiquement *av* De façon caractéristique.

typo *n* Abrév. de *typographe* et de *typographie.*

typographe *n* Professionnel de la typographie.

typographie *nf* Composition d'un texte à l'aide de caractères mobiles ; manière dont ce texte est imprimé (abrév. fam : typo).

typographique *a* De la typographie.

typologie *nf* Classification par types ; science des classifications.

typologique *a* De la typologie.

tyran *nm* **1** Celui qui, à la tête d'un État, exerce un pouvoir absolu après un coup de force. **2** Personne qui exerce durement son autorité ou en abuse.

tyranneau *nm* litt Petit tyran.

tyrannicide *n* litt Personne qui a tué un tyran. ■ *nm* Meurtre d'un tyran.

tyrannie *nf* **1** Autorité exercée de manière absolue, oppressive. **2** Gouvernement despotique.

tyrannique *a* De la tyrannie, autoritaire.

tyranniquement *av* De façon tyrannique.

tyranniser *vt* Traiter avec tyrannie. *Tyranniser un peuple.*

tyrannosaure *nm* Reptile carnassier fossile.

tyrolien, enne *a, n* Du Tyrol. ■ *nf* Chant à sauts brusques en passant de la voix de poitrine à la voix de tête.

tyrosine *nf* BIOL Acide aminé fournissant la mélanine.

tzigane. *V. tsigane.*

U	ᴜ	U
U	U	U
U	U	*u*

u *nm* Vingt et unième lettre (voyelle) de l'alphabet.

ubac *nm* Côté exposé à l'ombre dans les montagnes. Ant. adret.

ubiquité [-kчi-] *nf* Loc *Avoir le don d'ubiquité :* être partout à la fois.

ubuesque *a* litt D'une absurdité énorme.

uhlan *nm* HIST Lancier (cavalier).

ukase *nm* 1 HIST Édit du tsar. 2 Ordre impératif et arbitraire. Var oukase.

ukiyo-e *nm inv* BX-A Estampe japonaise.

ukrainien, enne *a, n* De l'Ukraine. ■ *nm* Langue slave parlée en Ukraine.

ukulélé [juku-] *nm* Petite guitare d'Hawaii.

ulcération *nf* Formation d'un ulcère.

ulcère *nm* Lésion de la peau ou d'une muqueuse qui ne se cicatrise pas et suppure.

ulcérer *vt* [12] 1 MED Produire un ulcère. 2 Provoquer un profond ressentiment chez qqn.

ulcéreux, euse *a* Propre à l'ulcère. ■ *n* Personne atteinte d'un ulcère gastro-intestinal.

uléma *nm* Docteur de la loi chez les musulmans. Var **ouléma**.

ULM [yɛlɛm] *nm inv* Engin volant ultraléger motorisé.

ultérieur, eure *a* Qui vient après, dans le temps. Syn. postérieur. Ant. antérieur.

ultérieurement *av* Plus tard.

ultimatum [-tɔm] *nm* 1 Proposition ultime adressée par un pays à un autre, et dont le rejet entraîne la guerre. 2 Mise en demeure impérative.

ultime *a* 1 litt Dernier, dans le temps. 2 Se dit d'un déchet qui ne peut être traité et qui doit être stocké en décharge.

ultra *n, a* Extrémiste.

ultralibéral, ale, aux *a* De l'ultralibéralisme.

ultralibéralisme *nm* ECON Libéralisme extrême.

ultramarin, ine *a, n* De la France d'outre-mer.

ultramicroscope *nm* Microscope très puissant.

ultramoderne *a* Très moderne.

ultramontain, aine *a, n* HIST Partisan de l'extension maximale des pouvoirs du pape.

ultramontanisme *nm* HIST Position des ultramontains.

ultrasensible *a* Extrêmement sensible.

ultrason *nm* PHYS Vibration acoustique de fréquence très élevée, inaudible.

ultrasonore *a* Qui concerne les ultrasons.

ultraviolet, ette *a, nm* PHYS Se dit de radiations invisibles dont la longueur d'onde est au-delà du violet.

ululement, ululer. V. hululement, hululer.

umlaut [umlaut] *nm* GRAM En allemand, modification du timbre d'une voyelle, indiquée par un tréma.

un, une *a num* 1 Nombre exprimant l'unité. 2 Premier. *Il était une heure.* Loc *Pas un :* aucun, nul. *Un à un, un par un :* à tour de rôle. *Ne faire qu'un avec :* se confondre avec. *C'est tout un :* c'est la même chose. ■ *nm* Chiffre, numéro qui indique l'unité. ■ *nf* Loc *La une :* la première page d'un journal. fam *Ne faire ni une ni deux :* ne pas hésiter. ■ *a* Simple, qui n'admet pas de division. *La vérité est une.* ■ *art indéf* (pl. : *des*) Désigne qqn, qqch de façon indéterminée. ■ *pr indéf* Une personne, une chose par rapport à une autre. Loc *L'un l'autre :* mutuellement. *Ni l'un ni l'autre :* aucun des deux. *L'un dans l'autre :* tout compte fait.

unanime *a* Qui exprime un accord collectif. ■ *pl* Qui sont tous du même avis.

unanimement *av* D'un commun accord.

unanimisme *nm* 1 Accord général, consensus universel. 2 Doctrine littéraire qui insiste sur la psychologie collective.

unanimité *nf* Caractère unanime, accord complet des opinions.

unau *nm* Mammifère arboricole d'Amérique. Syn. paresseux. *Des unaus.*

underground [œndœrgraund] *a, n* Réalisé et diffusé en dehors des circuits commerciaux traditionnels, en parlant d'œuvres d'avant-garde.

unguéal, ale, aux [ɔ̃geal] *a* De l'ongle.

uni, ie *a* 1 Sans inégalité, parfaitement lisse. *Surface unie.* 2 D'une seule couleur. *Costume uni.* ■ *nm* Étoffe unie.

uniate *a, n* Se dit des Églises orientales, qui reconnaissent l'autorité du pape, mais conservent leurs rites.

unicellulaire *a* BIOL Formé d'une seule cellule.

unicité *nf* Caractère unique.

unidimensionnel, elle *a* Qui a une seule dimension.

unidirectionnel, elle *a* Qui s'exerce dans une seule direction.

unième *a num* Seulement en composition après la dizaine, la centaine. *Trente et unième.*

unièmement *av* Seulement en composition, correspond à unième. *Vingt et unièmement.*

unificateur, trice *a, n* Qui unifie.

unification *nf* Action d'unifier.

unifier *vt* 1 Rassembler pour faire un tout. 2 Donner une certaine unité à. *Unifier un parti politique.* ■ *vpr* Être amené à s'unir.

uniforme *a* 1 Qui conserve la même forme, le même aspect. *Plaine uniforme.* 2 Qui ressemble en tout point aux autres. *Des avis uniformes.* ■ *nm* Costume imposé aux militaires, aux membres d'un groupe social déterminé.

uniformément *av* De façon uniforme.

uniformisation *nf* Action d'uniformiser.

uniformiser *vt* Rendre uniforme. ■ *vpr* Devenir uniforme.

uniformité *nf* Caractère uniforme.

unijambiste *n, a* Amputé d'une jambe.

unilatéral, ale, aux *a* 1 Qui se trouve, qui se fait d'un seul côté. *Stationnement unilatéral.* 2 Qui émane d'une seule des parties. *Décision unilatérale.*

unilatéralisme *nm* POLIT Caractère unilatéral, tendance à décider seul, sans consulter ses partenaires.

unilatéralement *av* De façon unilatérale.

unilingue *a* En une seule langue.

uniment *av* litt Uniformément.

uninominal, ale, aux *a* Se dit d'un scrutin par lequel on élit un seul candidat.

union *nf* 1 Fait de constituer un tout. *Union de l'esprit et du corps.* 2 Entente entre des personnes, résultant d'intérêts communs ou de liens affectifs. 3 Association, groupement de partis, de syndicats. 4 Mariage. Loc *Union libre :* concubinage.

unipersonnel, elle *a* ECON Se dit d'une société qui a un seul actionnaire.

unique *a* 1 Seul de son espèce. *Fils unique.* 2 Incomparable, exceptionnel. *Fait unique dans l'histoire.* 3 Le même pour plusieurs choses. *Commandement unique.*

uniquement *av* Exclusivement, seulement.

unir *vt* 1 Joindre de façon à former un tout. *Unir un territoire à un autre.* 2 Établir une liaison entre. *Canal qui unit deux mers.* 3 Créer un lien d'affection, d'intérêt. *C'est l'amitié qui les unit.* 4 Marier. ■ *vpr* S'associer, se marier.

unisexe *a* Qui convient indifféremment aux hommes ou aux femmes (vêtement, coiffure).

unisson *nm* MUS Accord de plusieurs voix ou instruments qui émettent au même moment des sons de même hauteur. Loc *À l'unisson :* en complète harmonie.

unitaire *a* 1 Qui manifeste une unité syndicale ou politique. 2 De chaque unité. *Le prix unitaire des tuiles.*

unité *nf* 1 Chacun des éléments semblables composant un nombre. 2 Le nombre un. *Nombre supérieur à l'unité.* 3 Élément d'un ensemble ; ce qui forme un tout. 4 INFORM Élément d'un ordinateur, qui remplit certaines fonctions. 5 Grandeur choisie pour mesurer les grandeurs de même espèce. *Le mètre est l'unité de longueur.* 6 Caractère de ce qui forme un tout cohérent. *Cette œuvre manque d'unité.* 7 Formation militaire. Loc INFORM *Unité centrale :* élément d'un ordinateur dans lequel sont exécutées les instructions des programmes à traiter. *Unité de valeur :* élément de base de l'enseignement universitaire. *Unité de forma-*

tion et de recherche : département universitaire spécialisé. LITTER *Les trois unités :* dans le théâtre classique, règle d'un lieu, d'un temps et d'une action uniques.

univalent, ente *a* CHIM Syn. de *monovalent.*

univers *nm* 1 (avec majusc.) Ensemble de tous les corps célestes et de l'espace où ils se meuvent. 2 Le monde habité ; l'humanité. 3 Milieu, monde particulier. *L'univers de la folie.*

universalisation *nf* Action d'universaliser.

universaliser *vt* Rendre universel, généraliser.

universalisme *nm* Doctrine préconisant la recherche du consentement universel.

universaliste *a, n* Qui relève de l'universalisme.

universalité *nf* Caractère universel.

universaux *nmpl* PHILO Concepts généraux communs à tous les hommes ou à toutes les langues.

universel, elle *a* 1 Qui se rapporte, qui s'étend à l'Univers, au monde entier, à l'humanité tout entière, à l'ensemble des choses considérées. 2 Qui a des connaissances dans tous les domaines. Loc *Suffrage universel :* droit de vote donné à tous les citoyens.

universellement *av* De façon universelle.

universitaire *a* De l'université ou des universités. ■ *n* Enseignant, dans une université.

université *nf* Établissement public d'enseignement supérieur.

univitellin, ine *a* BIOL Qualifie les jumeaux issus d'un même œuf (vrais jumeaux).

univocité *nf* didac Caractère univoque.

univoque *a* Qui a un seul sens. Ant. équivoque.

Untel, Unetelle *n* Personne que l'on ne veut pas nommer.

upérisation *nf* Stérilisation du lait à la chaleur.

uppercut [-kyt] *nm* En boxe, coup de poing donné de bas en haut au menton.

upsilon [-lɔn] *nm* Lettre de l'alphabet grec équivalent au *u* français.

uraète *nm* Grand aigle australien.

uranie *nf* Grand papillon aux couleurs vives.

uranifère *a* CHIM Qui contient de l'uranium.

uranium [-njɔm] *nm* Métal lourd, utilisé comme combustible nucléaire.

uranoscope *nm* Poisson méditerranéen appelé aussi *rascasse blanche.*

urbain, aine *a* De la ville. *Population urbaine.*

urbanisation *nf* Action d'urbaniser.

urbaniser *vt* Transformer un espace rural en zone urbaine. ■ *vpr* Devenir une ville.

urbanisme *nm* Science de l'aménagement de villes, des agglomérations.

urbaniste *n* Spécialiste de l'urbanisme.

urbanistique *a* De l'urbanisme.

urbanité *nf* litt Politesse raffinée.

urbi et orbi *av* litt Partout, au monde entier.

urdu [uʀdu] *nm* Langue officielle du Pakistan. Var **ourdou**

urée *nf* BIOL Déchet azoté des acides aminés présent dans le sang et les urines.

urémie *nf* Accumulation d'urée dans le sang.

uretère *nm* ANAT Chacun des deux canaux qui conduisent l'urine du rein à la vessie.

urètre *nm* ANAT Canal membraneux qui sert à l'évacuation de l'urine de la vessie.

urgence nf 1 Caractère urgent. 2 Cas nécessitant des soins à pratiquer sans délai. **Loc** *D'urgence :* immédiatement.

urgent, ente a Pressant, qui ne souffre aucun retard.

urgentiste n Médecin spécialiste des urgences.

urger vi fam Devenir urgent ; presser.

uricémie nf Taux d'acide urique dans le sang.

urinaire a De l'urine. *Voies urinaires.*

urinal, aux nm Récipient permettant aux hommes alités d'uriner.

urine nf Liquide organique sécrété par les reins.

uriner vi, vt Évacuer l'urine.

urinoir nm Endroit, édicule aménagé pour uriner, à l'usage des hommes.

urique a **Loc** *Acide urique :* produit de la dégradation des acides nucléiques, éliminé par les urines.

urne nf 1 Vase qui contient les cendres d'un mort. 2 Boîte dans laquelle on dépose un bulletin de vote.

urogénital, ale, aux a ANAT Qui concerne l'appareil urinaire et l'appareil génital.

urographie nf Radiographie de l'appareil urinaire.

urologie nf Étude et thérapeutique des affections de l'appareil urinaire et de l'appareil génito-urinaire masculin.

urologue n Spécialiste d'urologie.

urticaire nf Éruption subite de papules rouges causant de vives démangeaisons.

urticant, ante a Dont le contact produit des démangeaisons.

urubu nm Petit vautour d'Amérique.

uruguayen, enne a, n De l'Uruguay.

us [ys] nmpl **Loc** *Les us et coutumes :* les habitudes traditionnelles.

usage nm 1 Fait d'utiliser, de se servir d'un objet, d'un procédé, d'une faculté ; fonction, emploi. 2 Habitude traditionnelle, coutume. *Un usage qui se perd.* **Loc** *À usage (de) :* prévu pour telle utilisation. *À l'usage de :* destiné spécialement à. *Hors d'usage :* dont on ne peut plus se servir. *Bon usage :* utilisation correcte de la langue. *Orthographe d'usage :* celle des mots du lexique.

usagé, ée a Qui a beaucoup servi ; usé.

usager nm Personne qui utilise un service public.

usant, ante a fam Très fatigant.

USB. V. clé.

usé, ée a 1 Marqué par l'usure. *Chaussures usées.* 2 Affaibli. *Un homme usé.* 3 Rebattu, banal. *Plaisanterie usée.*

user vti Se servir de, avoir recours à. *User de persuasion, de termes savants.* ■ vt 1 Utiliser, consommer. *Cet appareil use peu d'électricité.* 2 Détériorer qqch à force de s'en servir. *Il use trois paires de chaussures par an.* 3 Diminuer, affaiblir. *User sa santé.* ■ vpr Se détériorer, se détruire progressivement, s'affaiblir.

usinage nm Action d'usiner.

usine nf Établissement industriel de transformation des matières premières en produits finis, ou de production d'énergie.

usiner vt Façonner une pièce avec une machine-outil.

usité, ée a En usage dans la langue.

usnée nf Lichen très ramifié, appelé aussi *barbe-de-capucin.*

ustensile nm Objet, outil simple, d'usage quotidien. *Ustensile de cuisine.*

usuel, elle a Dont on se sert couramment. ■ nm Volume de consultation courante dans une bibliothèque.

usuellement av De façon usuelle.

usufruit nm DR Jouissance d'un bien dont la nue-propriété appartient à un autre.

usufruitier, ère n DR Personne qui jouit d'un usufruit.

usuraire a Supérieur au taux légal des prêts.

usure nf 1 Détérioration due à l'usage. 2 Affaiblissement des forces. 3 Intérêt supérieur au taux légal, exigé par un prêteur. **Loc** fam *Avoir à l'usure :* amener qqn à céder à force d'insister.

usurier, ère n Personne qui prête de l'argent avec usure.

usurpateur, trice n, a Qui s'arroge indûment un pouvoir souverain.

usurpation nf Action d'usurper.

usurpatoire a Qui a le caractère d'une usurpation.

usurper vt S'emparer indûment d'un bien, d'une dignité, d'un pouvoir auxquels on n'a pas droit.

ut nm MUS Syn. de *do.*

utérin, ine a 1 Qui concerne l'utérus. 2 Né de la même mère mais de père différent.

utérus nm Chez la femme ou les femelles de mammifères supérieurs, organe de la gestation.

utile a Propre à satisfaire un besoin ; qui rend service. **Loc** *En temps utile :* au moment opportun.

utilement av De façon utile.

utilisable a Qui peut être utilisé.

utilisateur, trice n Personne qui utilise qqch.

utilisation nf Action, manière d'utiliser.

utiliser vt 1 Se servir de, employer. *Utiliser un produit.* 2 Tirer profit de qqn, de qqch.

utilitaire a 1 Qui vise l'utilité pratique. *Véhicule utilitaire.* 2 Qui s'attache à l'aspect matériel des choses. *Calcul utilitaire.* ■ nm Véhicule utilitaire (camion, bus, etc.).

utilitarisme nm Doctrine selon laquelle l'utilité est la source des toutes les valeurs.

utilitariste a, n Qui relève de l'utilitarisme.

utilité nf Caractère utile. ■ pl Petit rôle. *Acteur qui joue les utilités.*

utopie nf Idéologie, projet considéré comme chimérique.

utopique a Chimérique.

utopisme nm Attitude de l'utopiste.

utopiste a, n De ou à des idées utopiques.

utriculaire nf Plante carnivore d'eau douce.

utricule nm 1 ANAT Petite vésicule de l'oreille interne. 2 BOT Organe en forme de petite outre.

uval, ale, aux a Relatif au raisin.

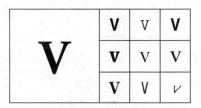

v *nm* **1** Vingt-deuxième lettre (consonne) de l'alphabet. **2** V : chiffre romain qui vaut 5.

va ! *interj* Accompagne une approbation, un encouragement ou une menace. Loc *Va donc :* accompagne une injure. *Va pour :* j'accepte.

vacance *nf* État d'une charge vacante. ■ *pl* **1** Période de l'année pendant laquelle une activité donnée est interrompue. *Les vacances scolaires.* **2** Période de congé annuel des travailleurs.

vacancier, ère *n* Personne qui est en vacances dans un lieu de villégiature.

vacant, ante *a* **1** Qui n'est pas occupé ; libre. *Appartement vacant.* **2** Non occupé par un titulaire. *Poste, emploi vacant.*

vacarme *nm* Tapage, tumulte.

vacataire *n* Personne qui occupe un emploi sans en être titulaire.

vacation *nf* Temps pendant lequel qqn est affecté, à titre d'auxiliaire, à une tâche précise ; rémunération de cette activité.

vaccin [vaksɛ̃] *nm* Substance dont l'inoculation dans un organisme provoque une immunité à l'égard d'une maladie déterminée.

vaccinal, ale, aux *a* Du vaccin, de la vaccination. *Contre-indication vaccinale.*

vaccination *nf* Action de vacciner.

vaccine *nf* Maladie infectieuse des bovins et du cheval, due à un virus.

vacciner *vt* **1** Immuniser par un vaccin. **2** fam Préserver qqn d'un désagrément, d'un danger. *Cet accident l'a vacciné contre l'imprudence.*

vaccinologie *nf* Étude des vaccins.

vaccinostyle *nm* MED Lancette servant à vacciner par scarification.

vache *nf* Femelle de l'espèce bovine. Loc fam *Manger de la vache enragée :* endurer de nombreuses privations. fam *Période de vaches maigres, de vaches grasses :* de privations, de prospérité. fam *Vache à lait :* qqn dont on tire profit. fam *Vache sacrée :* personne inutile mais intouchable. *Vache à eau :* récipient en toile pour conserver l'eau. ■ *a, nf* fam Méchant, impitoyable. Loc *Coup en vache :* donné par traîtrise. *La vache !* : expression qui marque le dépit ou l'admiration. ■ *a* pop Dur, pénible.

vachement *av* fam Beaucoup, très.

vacher, ère *n* Personne qui s'occupe des vaches.

vacherie *nf* fam Méchanceté.

vacherin *nm* **1** Fromage suisse au lait de vache, à pâte molle et onctueuse. **2** Gâteau fait de meringue et de crème glacée.

vachette *nf* Jeune vache ; son cuir.

vacillant, ante *a* Qui vacille.

vacillation *nf* Mouvement de ce qui vacille. **Var vacillement** *nm*

vaciller *vi* **1** Chanceler, perdre l'équilibre. **2** Trembler. *La flamme vacillait.* **3** Perdre sa fermeté. *Sa raison vacille.*

vacuité *nf* Fait d'être vide ; caractère vide.

vacuolaire *a* Des vacuoles.

vacuole *nf* BIOL Petite cavité du cytoplasme dans laquelle se trouvent diverses substances.

vade-mecum [vademekɔm] *nm* inv litt Agenda qu'on garde sur soi. **Var vadémécum** *nm*

vadrouille *nf* fam Promenade sans but précis.

vadrouiller *vi* fam Se promener sans but précis.

vadrouilleur, euse *n* fam Personne qui vadrouille.

va-et-vient *nm* inv **1** Allées et venues incessantes. **2** Mouvement qui s'effectue régulièrement dans un sens, puis dans l'autre ; dispositif qui le permet. **3** Branchement électrique qui permet de commander un circuit à partir de deux interrupteurs.

vagabond, onde *a* litt Qui change constamment. *Humeur vagabonde.* ■ *n* Sans domicile fixe.

vagabondage *nm* **1** Fait d'être un vagabond. **2** litt Rêverie.

vagabonder *vi* **1** Se déplacer çà et là. **2** litt Aller d'un sujet à un autre, sans suite (pensées, imagination).

vagin *nm* Conduit qui relie le col utérin à la vulve chez la femme.

vaginal, ale, aux *a* Du vagin.

vaginisme *nm* Contraction douloureuse des muscles du vagin.

vaginite *nf* Inflammation du vagin.

vagir *vi* Pousser des vagissements.

vagissant, ante *a* Qui vagit.

vagissement *nm* Cri d'un enfant nouveau-né ou du lièvre, du crocodile.

vagolytique *a* MED Qui inhibe le nerf pneumogastrique.

1. vague *nf* **1** Soulèvement de la surface de l'eau dû au vent, aux courants. **2** Flux important. *Une vague de touristes.* Loc *Une vague de froid :* arrivée subite du froid. *La nouvelle vague :* la génération d'avant-garde. fam *Faire des vagues* : provoquer des protestations.

2. vague *a* **1** Qui manque de précision, de netteté, mal défini. *Des explications trop vagues.* **2** Évasif. *Rester vague sur une question.* **3** Quelconque, insignifiant. *Il a un vague diplôme d'une école inconnue.* Loc *Nerf vague* : pneumogastrique. *Terrain vague* : ni planté ni construit, dans une ville ou à proximité. ■ *nm* Loc *Rester dans le vague* : rester évasif. *Vague à l'âme* : mélancolie.

vaguelette *nf* Petite vague.

vaguement *av* **1** De façon vague, peu distincte. **2** Faiblement. *Vaguement ému.*

vaguemestre *nm* Sous-officier chargé du service postal.

vaguer *vi* litt Errer.

vahiné *nf* Femme tahitienne.

vaillamment *av* litt Avec courage.

vaillance *nf* litt Courage.

vaillant, ante *a* **1** litt Brave. **2** En bonne santé. Loc *N'avoir pas un sou vaillant* : n'avoir pas d'argent.

vain, vaine *a* **1** Illusoire, vide. *Vain espoir.* **2** Sans effet. *Démarche vaine.* Loc *En vain* : inutilement.

vaincre *vt* [75] **1** Remporter une victoire. **2** Surmonter, venir à bout de. *Vaincre l'obstination de qqn, sa propre colère.*

vaincu, ue *a, n* Qui a subi une défaite.

vainement *av* En vain.

vainqueur *nm* Personne qui a remporté une victoire, qui a pris l'avantage sur qqn. ■ *am* Triomphant, victorieux. *Air vainqueur.*

vair *nm* Fourrure de l'écureuil de Russie.

1. vairon *am* Loc *Yeux vairons* : qui ne sont pas de la même couleur.

2. vairon *nm* Petit poisson de rivière.

vaisseau *nm* **1** Canal dans lequel circule le sang ou la lymphe. **2** BOT Élément conducteur de la sève. **3** Bâtiment de guerre. Loc *Vaisseau spatial* : engin spatial de grandes dimensions.

vaisselier *nm* Meuble pour ranger la vaisselle.

vaisselle *nf* Ensemble des récipients dont on se sert à table et qu'il faut nettoyer après le repas. Loc *Faire la vaisselle* : nettoyer les récipients qui ont servi à table.

val *nm* Large vallée. Loc *Par monts et par vaux* : partout. *Des vals* ou *des vaux.*

valable *a* **1** Fondé, admissible, acceptable. *Cette excuse n'est pas valable.* **2** abusiv Qui a les qualités, la compétence, la valeur requises. *Un interlocuteur valable.*

valablement *av* De façon valable.

valaisan, anne *a, n* Du Valais.

valdinguer *vi* fam Tomber violemment.

valdotain, aine *a, n* Du Val d'Aoste (Italie).

valence *nf* CHIM Nombre de liaisons chimiques engagées par un atome dans une combinaison chimique.

valériane *nf* Plante médicinale à fleurs roses, dite aussi *herbe aux chats.*

valet *nm* **1** Domestique masculin. **2** Homme servile. **3** Carte à jouer figurant un valet. Loc *Valet de nuit* : cintre sur pied sur lequel on dispose ses vêtements avant de se coucher.

valetaille *nf* vx Ensemble des domestiques.

valétudinaire *a* vx Maladif.

valeur *nf* **1** Ce que vaut qqch. *Valeur d'un terrain.* **2** Mérite de qqn. *Avoir conscience de sa valeur.* **3** Titre négociable (action, lettre de change). **4** Importance, intérêt attaché à qqch. *Un conseil sans valeur.* **5** Mesure précise ou quantité approximative. *La valeur de deux cuillerées.* **6** MUS Durée d'une note. **7** Mesure conventionnelle. *La valeur d'une carte, d'un pion.* **8** Qualité d'une couleur, d'un mot. **9** Principe idéal de référence d'une collectivité. *Les valeurs morales.* Loc *De valeur* : dont le mérite est grand. *Mettre en valeur* : faire paraître plus avantageux. *Jugement de valeur* : qui énonce une appréciation.

valeureusement *av* litt Courageusement.

valeureux, euse *a* litt Brave, courageux.

validation *nf* Action de valider.

valide *a* **1** En bonne santé, capable de marcher. **2** Qui a les conditions requises pour avoir son effet ; valable. *Cet acte n'est pas valide.*

valider *vt* Rendre, déclarer valable.

valideuse *nf* Machine servant à valider qqch.

validité *nf* Caractère valide, valable.

valise *nf* Bagage de forme rectangulaire. Loc *Faire ses valises* : se préparer à partir. *Valise diplomatique* : paquet contenant le courrier diplomatique, dispensé du contrôle douanier.

vallée *nf* Dépression plus ou moins large creusée par un cours d'eau ou par un glacier.

valleuse *nf* GÉOGR Vallée sèche se terminant en abrupt sur la falaise.

vallon *nm* Petite vallée.

vallonné, ée *a* Qui présente des vallons.

vallonnement *nm* Relief vallonné.

valoche *nf* pop Valise.

valoir *vi* [44] **1** Avoir une certaine qualité, un certain mérite, un certain intérêt. *Ce poète, cette poésie ne vaut rien.* **2** Avoir, être estimé un certain prix. *Tableau qui vaut très cher.* **3** Être égal en valeur ou en utilité à. *Cent centimes valent un euro.* Loc *À valoir* : versé en acompte. *Vaille que vaille* : tant bien que mal. *Se faire valoir* : se mettre en vedette. *Faire valoir* : mettre en valeur, faire fructifier ; donner à considérer. *Valoir mieux* : être préférable. ■ *vt* **1** Procurer qqch à qqn. *Cela lui vaut des ennuis.* **2** Justifier. *Cela vaut le détour. Ça ne vaut pas la peine.* ■ *vpr* Avoir la même valeur.

valorisant, ante *a* Qui valorise qqn.

valorisation *nf* Action de valoriser.

valoriser *vt* **1** Donner une valeur plus grande à qqch. **2** Augmenter le mérite, l'importance de qqn.

valse *nf* **1** Danse tournante à trois temps ; air de cette danse. **2** fam Changement fréquent. *Valse des prix.*

valse-hésitation *nf* Attitude hésitante devant les responsabilités. *Des valses-hésitations.*

valser *vi* **1** Danser la valse. **2** fam Changer fréquemment. Loc fam *Faire, envoyer valser* : projeter violemment. fam *Faire valser qqn* : le renvoyer.

valseur, euse *n* Personne qui danse la valse.

valve *nf* **1** Moitié de la coquille des mollusques, d'un fruit sec. **2** Appareil servant à réguler un liquide ou un gaz dans une canalisation ; soupape à clapet.

valvulaire *a* De la valvule. *Prothèse valvulaire.*

valvule *nf* Repli de la paroi du cœur ou d'un vaisseau, empêchant leur contenu de refluer.

vamp nf fam Femme fatale.

vampire nm **1** Mort qui, selon certaines croyances, sort de son tombeau pour aller aspirer le sang des vivants. **2** Chauve-souris d'Amérique du Sud qui se repaît du sang des mammifères. **3** Celui qui s'enrichit sur le dos des autres.

vampirique a De vampire.

vampiriser vt Retirer à qqn sa volonté ; l'exploiter.

vampirisme nm **1** Croyance aux vampires. **2** Avidité de qqn qui exploite les autres.

van nm **1** Panier plat servant à vanner le grain. **2** Fourgon pour le transport des chevaux de course. **3** Minibus.

vanadium [-djɔm] nm Métal blanc, léger.

vanda nf Orchidée à fleurs splendides.

vandale n Personne qui détruit, qui détériore par bêtise ou malveillance.

vandaliser vt Détériorer par vandalisme.

vandalisme nm Comportement, acte d'un vandale.

vanesse nf Papillon diurne aux ailes de couleurs vives.

vanille nf Fruit du vanillier ; substance aromatique extraite de ce fruit.

vanillé, ée a Parfumé à la vanille.

vanillier nm Orchidée grimpante tropicale, cultivée pour son fruit, la vanille. **Var vaniller**

vanilline [-nilin] nf Principe odorant de la vanille.

vanité nf **1** litt Caractère futile, vain. **2** Orgueil, désir de produire un certain effet sur les autres. **Loc** Tirer vanité de : s'enorgueillir de.

vaniteux, euse a, n Plein de vanité.

vannage nm Action de vanner les grains.

vanne nf **1** Dispositif permettant de régler l'écoulement d'un fluide. **2** fam Plaisanterie désobligeante.

vanneau nm Oiseau de la taille d'un pigeon, avec une huppe noire.

vanner vt **1** Nettoyer les grains en les secouant dans un van. **2** fam Causer une fatigue extrême.

vannerie nf Confection d'objets tressés avec des brins d'osier, de rotin ; objets ainsi faits.

vannier, ère n Personne qui fabrique de la vannerie.

vantail, aux nm Partie mobile d'une porte, d'une fenêtre. **Var ventail**

vantard, arde a, n Qui se vante.

vantardise nf Caractère de vantard ; propos, acte de vantard.

vanter vt Louer exagérément. ■ vpr **1** Mentir par vanité. **2** Se glorifier, tirer vanité de. **3** Se faire fort de. Il se vante d'en venir à bout.

va-nu-pieds n inv fam Personne qui vit misérablement. **Var vanupied** nm

vapes nfpl **Loc** pop Être, tomber dans les vapes : être à demi-conscient ; s'évanouir.

vapeur nf **1** Exhalaison se dégageant de liquides, de corps humides. **2** Phase gazeuse d'un corps habituellement solide ou liquide. Vapeur d'essence. **3** Masse gazeuse se dégageant de l'eau en ébullition. **Loc** fam À toute vapeur : à toute vitesse. ■ pl vx Malaise passager. ■ nm anc Bateau à vapeur.

vaporeux, euse a **1** litt Estompé par une brume légère. Ciel vaporeux. **2** Fin, léger, flou et transparent. Robe vaporeuse.

vaporisateur nm Appareil servant à projeter un liquide en fines gouttelettes.

vaporisation nf Action de vaporiser.

vaporiser vt **1** Projeter un liquide en fines gouttelettes. **2** Faire passer un liquide à l'état gazeux.

vaquer vi Interrompre ses activités pour quelque temps. ■ vti Se consacrer à une activité. Vaquer à ses occupations.

varan nm Reptile carnivore d'Asie et d'Afrique.

varangue nf MAR Pièce courbe fixée perpendiculairement à la quille d'un navire.

varappe nf Escalade de parois rocheuses.

varappeur, euse n Personne qui fait de la varappe.

varech [-rɛk] nm Algues rejetées par la mer et utilisées comme engrais.

vareuse nf **1** Veste de certains uniformes. **2** Veste ample.

variabilité nf Caractère variable.

variable a **1** Sujet à varier ; qui varie. Temps variable. **2** Qu'on peut faire varier. Hélice à pas variable. **3** GRAM Se dit d'un mot dont la terminaison varie. ■ nf MATH Quantité susceptible de changer de valeur.

variante nf **1** Version d'un texte différente de celle habituellement adoptée. **2** Forme différente ou modifiée d'une même chose. Les variantes d'une recette. Les variantes régionales d'un mot.

variateur nm Dispositif permettant de faire varier l'intensité d'un éclairage.

variation nf **1** Fait de varier ; changement qui en résulte. Variation de température. **2** MUS Composition sur un thème donné.

varice nf Dilatation permanente d'une veine des membres inférieurs.

varicelle nf Maladie infectieuse, caractérisée par une éruption de vésicules.

varié, ée a Qui présente de la diversité. Nourriture variée. ■ pl Se dit de choses différentes entre elles. Hors-d'œuvre variés.

varier vt Apporter divers changements à qqch ; rendre divers. ■ vi **1** Changer, se modifier. Son humeur varie. Les prix varient. **2** Changer d'opinion, de comportement.

variétal, ale, aux a BOT Qui concerne une variété de plante.

variété nf **1** Caractère varié ; diversité. **2** BIOL Unité de classification plus petite que l'espèce. ■ pl Spectacle combinant numéros musicaux et attractions diverses.

variole nf Maladie infectieuse grave, éruptive et contagieuse.

varioleux, euse a, n Atteint de la variole.

variolique a De la variole.

variomètre nm ELECTR Appareil de mesure des inductances.

variqueux, euse a MED Des varices.

varlope nf Long rabot à poignée.

varroa nm Acarien parasite de l'abeille.

varron nm Larve d'un insecte qui provoque des lésions de l'hypoderme des bovins.

vasculaire a ANAT Des vaisseaux sanguins.

vascularisation nf ANAT Disposition des vaisseaux dans un organe.

vascularisé, ée a ANAT Pourvu de vaisseaux.

1. vase nf Mélange de terre et de matières organiques formant un dépôt au fond des eaux.

2. vase nm Récipient de forme et de matière variables. Loc *Vase de nuit* : pot de chambre. *Vases communicants* : récipients réunis par un tube et dans lesquels le liquide se trouve toujours à la même hauteur.

vasectomie nf MED Section du canal excréteur de sperme, destinée à provoquer la stérilité masculine.

vasectomiser vt Pratiquer une vasectomie sur qqn.

vaseline nf Graisse minérale utilisée en pharmacie.

vaseux, euse a 1 Formé de vase. 2 fam Qui éprouve un malaise vague. 3 fam Confus, embrouillé.

vasière nf Étendue côtière couverte de vase.

vasistas [-tɑs] nm Petite ouverture dans une porte ou une fenêtre, munie d'un vantail.

vasoconstricteur, trice a, nm Qui réduit le calibre des vaisseaux sanguins.

vasoconstriction nf Réduction du calibre des vaisseaux sanguins.

vasodilatateur, trice a, nm Qui augmente le calibre des vaisseaux sanguins.

vasodilatation nf Dilatation des vaisseaux.

vasomoteur, trice a, nm Qui modifie le calibre des vaisseaux sanguins.

vasomotricité nf Variation du calibre des vaisseaux sanguins.

vasopressine nf Hormone qui augmente la tonicité des vaisseaux sanguins.

vasouillard, arde a fam Qui vasouille.

vasouiller vi fam S'empêtrer dans une explication, une action, etc.

vasque nf 1 Bassin en forme de coupe recevant l'eau d'une fontaine ornementale. 2 Coupe large et peu profonde, pour décorer une table.

vassal, ale, aux n HIST Lié à un suzerain par l'hommage et qui lui doit divers services. ■ a, n Dépendant d'un autre État, d'une autre personne.

vassalisation nf Action de vassaliser.

vassaliser vt Mettre qqn sous sa dépendance ; asservir.

vassalité nf 1 HIST État, condition du vassal. 2 Assujettissement, soumission.

vaste a 1 De très grande étendue, de grandes dimensions. *Un vaste domaine.* 2 De grande ampleur, de grande portée. *De vastes desseins.*

va-t-en-guerre a inv, n inv fam Belliciste.

vaticination nf litt Discours prophétique délirant.

vaticiner vi litt Tenir des discours délirants d'allure prophétique.

va-tout nm inv Loc *Jouer son va-tout* : jouer le tout pour le tout. Var **vatout** nm

vauclusien, enne a, n Du Vaucluse. Loc *Source vauclusienne* : résurgence d'eaux d'infiltration.

vaudeville nm Comédie légère dont l'intrigue repose sur des quiproquos.

vaudevillesque a Qui tient du vaudeville.

vaudevilliste n Auteur de vaudevilles.

vaudois, oise a, n 1 Membre d'une secte chrétienne du XIIᵉ s., n'admettant comme source de foi que les Écritures. 2 Du canton de Vaud, en Suisse.

vaudou nm, a inv Culte animiste, mélange de sorcellerie, de magie et d'éléments du rituel chrétien, répandu aux Antilles.

vau-l'eau (à). V. *à vau-l'eau.*

vaurien, enne n Personne sans scrupules, voyou. ■ nm (n. déposé) Petit voilier gréé en sloop.

vautour nm 1 Grand oiseau à la tête dénudée, charognard. 2 Homme impitoyable ou rapace.

vautrer (se) vpr S'étaler, se rouler dans, sur qqch.

va-vite (à la) av fam De façon hâtive.

veau nm 1 Petit de la vache, âgé de moins d'un an ; sa chair ; son cuir. 2 fam Personne lourde et sans ressort. 3 fam Voiture peu nerveuse. Loc *Veau marin* : phoque.

vecteur nm 1 MATH Segment orienté comportant une origine et une extrémité. 2 Engin, avion capable de transporter une arme vers un objectif. 3 Animal, plante qui transmet un virus, un parasite. 4 Ce qui véhicule une information, un message.

vectoriel, elle a MATH Des vecteurs.

vécu, ue a Qui s'est passé ou aurait pu se passer réellement. *Un roman vécu.* ■ nm L'expérience vécue.

vedettariat nm Condition de vedette.

vedette nf 1 Petite embarcation rapide à moteur. 2 Acteur, actrice en renom. 3 Personnalité en vue. Loc *Avoir la vedette* : avoir le premier rôle, être en tête de programme. *Mettre en vedette* : mettre au premier plan. *Vedette américaine* : qui passe au music-hall juste après la vedette principale.

vedettiser vt Transformer qqn en vedette.

védique nm Sanskrit archaïque.

végétal, ale, aux a 1 Des plantes, des végétaux. *Cellule végétale.* 2 Qui provient des végétaux. *Huile végétale.* ■ nm Arbre, plante en général (surtout pl.).

végétarien, enne a, n Qui pratique le végétarisme.

végétarisme nm Régime alimentaire excluant la viande.

végétatif, ive a 1 Relatif à la croissance, à la nutrition des plantes. 2 MED Qui concerne l'activité du système circulatoire, des viscères, du métabolisme. 3 Qui, par son inaction, rappelle la vie des plantes. *Vie végétative.*

végétation nf Ensemble des végétaux qui croissent en un lieu. ■ pl MED Excroissances charnues apparaissant sur les muqueuses et obstruant les fosses nasales.

végéter vi [12] 1 Croître avec difficulté. *Une plante qui végète.* 2 Avoir une activité réduite, médiocre. *Cette affaire végète.*

véhémence nf litt Impétuosité, violence.

véhément, ente a litt Ardent, impétueux.

véhémentement av litt Avec véhémence.

véhiculaire a Loc *Langue véhiculaire* : qui sert à la communication entre les communautés de langues différentes.

véhicule nm 1 Ce qui sert à communiquer. *La télévision est un véhicule de l'information.* 2 Moyen de transport par terre ou par air.

véhiculer vt 1 Servir de véhicule à qqch. *Les médias véhiculent l'information.* 2 Transporter par véhicule.

veille nf 1 Absence de sommeil. 2 Surveillance, garde effectuée pendant la nuit. 3 Jour qui en précède un autre. *La veille de Pâques.* Loc *À la veille de* : peu avant ; sur le point de. fam *C'est pas demain la veille* : ce n'est pas pour bientôt.

veillée nf 1 Réunion familiale ou amicale le soir jusqu'au coucher. 2 Action de veiller un malade ou un mort. Loc *Veillée d'armes :* soirée qui précède une action difficile.

veiller *vi* 1 S'abstenir volontairement de dormir. 2 Être de garde pendant la nuit. ■ *vt* Rester la nuit auprès d'un malade, d'un mort. ■ *vti* 1 Prendre garde à qqch. *Veiller à ce qu'il n'arrive rien.* 2 Faire en sorte qu'il n'arrive rien de fâcheux à qqn. *Veiller sur ses enfants.*

veilleur *nm* Loc *Veilleur de nuit :* chargé de faire des rondes pour surveiller un établissement la nuit.

veilleuse *nf* 1 Petite lampe éclairant peu et qu'on laisse allumée pendant le sommeil. 2 Petit bec brûlant en permanence, dans une chaudière à gaz ou à mazout, un chauffe-eau, etc. Loc *Mettre en veilleuse :* diminuer l'intensité, l'activité de qqch. ■ *pl* Feux de position d'une automobile.

veinard, arde *a, n* fam Qui a de la chance.

veine *nf* 1 Vaisseau qui ramène le sang au cœur. 2 Filon de minerai. 3 Dessin long et étroit qui sinue dans les pierres dures, le bois. 4 Nervure saillante de certaines feuilles. 5 Inspiration. *Une œuvre de la même veine.* 6 fam Heureux hasard, chance. Loc *Être en veine de :* être disposé à. *Avoir du sang dans les veines :* avoir du courage. *S'ouvrir les veines :* se suicider en se tranchant les veines du poignet.

veiné, ée *a* Qui présente des veines apparentes. *Roche veinée.*

veiner *vt* Orner une surface en imitant les veines du bois ou du marbre.

veineux, euse *a* 1 Des veines. *Sang veineux.* 2 Qui présente de nombreuses veines. *Marbre veineux.*

veinosité *nf* Petite veine superficielle.

veinule *nf* Petite veine.

veinure *nf* Veines du bois, du marbre, etc.

vêlage *nm* Action de vêler. **Var vêlement**

vélaire *a* PHON Phonème articulé à la hauteur du voile du palais.

velcro *nm inv* (n. déposé) Système de fermeture de vêtements constitué par deux bandes dont les surfaces s'agrippent.

vêler *vi* Mettre bas (vache).

vélin *nm* 1 Peau de veau fournissant un très fin parchemin. 2 Papier très blanc de qualité supérieure.

véliplanchiste *n* Personne qui fait de la planche à voile.

vélivole *n* Personne qui pratique le vol à voile.

velléitaire *a, n* Qui n'a que des velléités.

velléité *nf* Intention peu ferme, que ne suit aucune action.

vélo *nm* fam Bicyclette.

véloce *a* litt Rapide.

vélocipède *nm* Ancêtre de la bicyclette.

vélocité *nf* litt Rapidité.

vélocross *nm* Vélo tout-terrain.

vélodrome *nm* Piste aménagée pour les courses cyclistes.

vélomoteur *nm* Motocyclette d'une cylindrée n'excédant pas 125 cm³.

velours *nm* 1 Étoffe dont l'endroit offre un poil court et serré et dont l'envers est ras. 2 Ce qui est doux au toucher. Loc *Chat qui fait patte de velours :* qui rentre ses griffes. *Jouer sur du velours :* ne prendre aucun risque dans une action.

velouté, ée *a* 1 Doux au toucher, au goût. 2 Qui a l'aspect du velours. ■ *nm* 1 Douceur, aspect de ce qui est velouté. 2 Potage onctueux.

velouteux, euse *a* Très doux au toucher.

velu, ue *a* Abondamment couvert de poils.

vélum [-lɔm] *nm* Grande pièce de toile abritant un espace ou simulant un plafond.

vélux *nm* (n. déposé) Fenêtre de toit de la marque de ce nom. **Var velux**

venaison *nf* Chair du gros gibier.

vénal, ale, aux *a* Qui agit seulement pour de l'argent ; qui se laisse acheter. Loc *Valeur vénale :* valeur d'une marchandise estimée en argent.

vénalité *nf* Caractère vénal.

venant *nm* Loc *À tout venant :* à n'importe qui, à tout propos.

vendable *a* Facile à vendre.

vendange *nf* Fait de récolter le raisin mûr destiné à faire du vin ; période où se fait cette récolte.

vendanger *vt* [11] Récolter le raisin.

vendangeur, euse *n* Personne qui vendange. ■ *nf* Machine à vendanger.

vendéen, enne *a, n* De la Vendée.

vendémiaire *nm* Premier mois du calendrier républicain (septembre-octobre).

vendetta *nf* Coutume corse qui consiste, pour tous les membres d'une famille, à poursuivre la vengeance de l'un des leurs.

vendeur, euse *n* 1 Personne qui vend ou qui a vendu un bien quelconque (nf. *venderesse* en droit). 2 Dont la profession est de vendre. *Vendeur de journaux.* 3 Employé(e) préposé(e) à la vente. ■ *a* 1 Qui vend une marchandise. *Pays vendeur.* 2 Qui fait vendre. *Argument vendeur.*

vendre *vt* [5] 1 Échanger qqch contre de l'argent. 2 Exercer le commerce de. 3 Accorder, abandonner qqch pour de l'argent ou contre un avantage. *Vendre son suffrage.* 4 Trahir, dénoncer qqn par intérêt. ■ *vpr* 1 Être vendu. 2 Faire un commerce honteux de sa personne.

vendredi *nm* Cinquième jour de la semaine. Loc *Le vendredi saint :* le vendredi précédant Pâques, anniversaire de la mort de Jésus-Christ.

vendu, ue *a, n* Corrompu pour de l'argent.

venelle *nf* litt Petite rue étroite.

vénéneux, euse *a* Se dit d'une plante qui renferme des substances toxiques.

vénérable *a* Digne de vénération, de respect. ■ *nm* Président d'une loge maçonnique.

vénération *nf* 1 Respect voué aux choses sacrées. 2 Profond respect éprouvé pour qqn.

vénérer *vt* [12] Avoir de la vénération, du respect, de l'admiration pour qqn, qqch.

vénerie *nf* Art de chasser avec des chiens courants. **Var vénérie**

vénérien, enne *a* Loc *Maladie vénérienne :* transmise par contact sexuel ; maladie sexuellement transmissible (MST).

vénérologie *nf* Étude et traitement des maladies vénériennes.

veneur *nm* Celui qui chasse à courre.

vénézuélien, enne *a, n* Du Venezuela.

vengeance *nf* Action de se venger ; acte par lequel on se venge.

venger *vt* [11] Réparer un mal fait à qqn en châtiant son auteur. *Venger un affront. Venger un mort.* ■ *vpr* 1 Se faire justice en punissant qqn pour le mal qu'il vous a fait. *Se venger d'un ennemi.* **2** Réparer moralement un affront, un acte nuisible en châtiant son auteur. *Se venger d'une humiliation.*

vengeur, eresse *a, n* Qui venge.

véniel, elle *a* Sans gravité. *Faute vénielle.* Loc *Péché véniel* : péché léger, qui ne fait pas perdre la grâce divine.

venimeux, euse *a* **1** Se dit des animaux à venin. **2** litt Haineux, malveillant.

venin *nm* **1** Substance toxique sécrétée par certains animaux et qu'ils injectent par piqûre ou morsure. **2** litt Haine, malveillance.

venir *vi* [35] [aux. *être*] **1** Gagner le lieu où se trouve qqn. **2** Arriver, se produire. *L'orage est venu brusquement.* **3** Provenir, découler de. *Son erreur vient de là. Ce mot vient du grec.* **4** Apparaître à qqn. *Un doute me vient.* **5** Suivi de l'infinitif, marque un passé récent. *Il vient de sortir.* Loc *En venir à* : en arriver à un point. *En venir aux mains* : finir par se battre. *À venir* : futur. *Voir venir* : s'abstenir d'agir avant de savoir à quoi s'en tenir. *Y venir* : s'y résoudre. *Venir à bout de* : terminer.

vénitien, ienne *a, n* De Venise. Loc *Store vénitien* : à lamelles mobiles.

vent *nm* **1** Mouvement naturel d'une masse d'air qui se déplace. *Vent du nord, du sud.* **2** Agitation de l'air due à une cause quelconque. *Sentir le vent du boulet.* **3** Gaz intestinal. **4** Tendance, mouvement. *Un vent de panique.* Loc *N'être que du vent* : être sans consistance, vain. *En plein vent* : dans un lieu non abrité. *Avoir vent de* : être informé de. *En coup de vent* : très rapidement. *Être dans le vent* : être à la mode. *Instrument à vent* : instrument de musique qui résonne sous l'effet d'un air sous pression ou du souffle.

ventail. V. *vantail.*

vente *nf* **1** Action de vendre. *Achat et vente de livres.* **2** Réunion au cours de laquelle certains biens sont vendus publiquement. *Salle des ventes.* Loc *Vente de charité* : au bénéfice d'une œuvre. *En vente* : destiné à être vendu. *Point de vente* : magasin.

venté, ée *a* Exposé au vent.

venter *v impers* litt Faire du vent.

venteux, euse *a* Où le vent souffle souvent.

ventilateur *nm* Dispositif destiné à créer un courant d'air pour refroidir ou pour aérer.

ventilation *nf* **1** Action de ventiler, d'aérer. **2** Répartition. *Ventilation des fonds disponibles.*

ventiler *vt* **1** Aérer en produisant un courant d'air. **2** Répartir, distribuer des objets, de l'argent, des personnes selon différentes affectations.

ventôse *nm* Sixième mois du calendrier républicain (février-mars).

ventouse *nf* **1** Petite cloche de verre qu'on appliquait sur la peau après y avoir créé un vide, de façon à provoquer une congestion superficielle. **2** Pièce concave de caoutchouc qui adhère par pression sur les surfaces planes. **3** Organe de succion et de fixation de la pieuvre, du ténia.

ventral, ale, aux *a* Du ventre ; situé sur le ventre. *Parachute ventral.*

ventre *nm* **1** Partie antérieure et inférieure du tronc renfermant les intestins. **2** Partie inférieure du corps de certains animaux. **3** Renflement, partie convexe. *Le ventre d'un vase.* Loc fam *Avoir qqch dans le ventre* : avoir du caractère. *Avoir mal au*

ventre : être gros de l'abdomen. *À plat ventre* : étendu par terre. fam *Passer sur le ventre de qqn* : le dominer par tous les moyens. fam *Taper sur le ventre de qqn* : être très familier avec lui. *Ventre à terre* : très rapidement.

ventrée *nf* fam Grande quantité de nourriture.

ventriculaire *a* D'un ventricule.

ventricule *nm* ANAT Chacune des deux cavités de la partie inférieure du cœur. Loc *Ventricule cérébral* : chacune des quatre cavités du cerveau.

ventriculographie *nf* Radiographie des ventricules cérébraux.

ventrière *nf* Sangle sous le ventre du cheval.

ventriloque *n, a* Personne capable d'émettre des sons sans remuer les lèvres.

ventripotent, ente *a* fam Qui a un gros ventre.

ventru, ue *a* **1** Qui a un gros ventre. **2** Renflé. *Vase ventru.*

venu, ue *a* Loc *Bien (mal) venu* : bien (mal) à propos. *Être mal venu à, de* : ne pas être moralement en droit de. ■ *n* Loc *Nouveau venu, nouvelle venue* : qui vient d'arriver. *Le premier venu* : pris au hasard. ■ *nf* **1** Arrivée. *J'ai appris sa venue. La venue des premiers froids.* **2** Manière de se développer. *Arbre de belle venue.*

vénus *nf* **1** Mollusque dont une espèce est la praire. **2** litt Femme d'une grande beauté.

vénusien, enne *a, n* De la planète Vénus.

vêpres *nfpl* Office catholique célébré l'après-midi.

ver *nm* **1** Petit animal invertébré, de forme allongée, au corps mou dépourvu de pattes. **2** Larve de certains insectes. *Ver à soie.* Loc *Ver blanc* : larve du hanneton. *Ver luisant* : luciole. *Ver de terre* : lombric. *Ver solitaire* : ténia. fam *Tirer les vers du nez à qqn* : l'amener à faire des révélations.

véracité *nf* litt Caractère véridique, dépourvu d'erreur ou de mensonge.

véranda *nf* Galerie ou balcon couvert et clos par un vitrage.

verbal, ale, aux *a* **1** De vive voix ; oral. *Promesse verbale.* **2** Propre à la parole. *Délire verbal.* **3** GRAM Du verbe. *Forme verbale.*

verbalement *av* De vive voix.

verbalisation *nf* Action de verbaliser.

verbaliser *vi, vt* **1** Dresser un procès-verbal. **2** Exprimer par le langage, par des mots.

verbalisme *nm* Excès de paroles ; paroles vides.

verbe *nm* **1** litt Parole. **2** GRAM Mot exprimant une action, un état et variant en personne, en nombre en temps, en mode et en voix. Loc *Avoir le verbe haut* : parler avec morgue ; parler fort.

verbeux, euse *a* Trop prolixe, diffus.

verbiage *nm* Abondance de paroles vides de sens ; bavardage lassant.

verbosité *nf* Fait d'être verbeux.

verdâtre *a* Qui tire sur le vert.

verdelet, ette *a* Loc *Vin verdelet* : acidulé.

verdeur *nf* **1** Acidité d'un fruit vert, d'un vi[n] jeune. **2** Vigueur chez qqn qui n'est plus jeune. [3] Crudité de langage.

verdict *nm* **1** Réponse du jury aux question[s] posées en cour d'assises sur la culpabilité d'u[n] accusé. **2** Avis, jugement quelconque.

verdir *vt* Rendre vert. ■ *vi* Devenir vert.

verdissement *nm* Fait de verdir.

verdoiement *nm* Fait de verdoyer.

verdoyant, ante *a* Qui verdoie.

verdoyer *vi* [22] Être de couleur verte, se couvrir de verdure.

verdure *nf* 1 Couleur verte des végétaux ; herbe, feuillage vert. 2 Plante potagère verte (salade, etc.) ; crudités.

véreux, euse *a* 1 Qui contient des vers. 2 Malhonnête. *Avocat véreux.*

verge *nf* 1 Baguette ou tige en bois ou en métal. 2 Organe de la miction et de la copulation, chez l'homme et les mammifères mâles.

vergé, ée *a* Loc *Étoffe vergée* : qui a des fils plus gros ou plus foncés que le reste. *Papier vergé* : qui présente en filigrane des lignes parallèles rapprochées.

vergence *nf* PHYS Inverse de la distance focale d'un système optique centré.

vergeoise *nf* Sucre roux.

verger *nm* Terrain planté d'arbres fruitiers.

vergeté, ée *a* Marqué de petites raies (peau).

vergeture *nf* MED Petite strie cutanée sillonnant une peau distendue.

vergeure [-ʒyʀ] *nf* TECH Marque en filigrane laissée sur le papier vergé. **Var vergeüre**

verglacé, ée *a* Couvert de verglas.

verglas *nm* Mince couche de glace qui se forme quand une pluie, dont la température est légèrement inférieure à 0° C, atteint le sol.

vergogne *nf* Loc *Sans vergogne* : sans scrupule ; effrontément.

vergue *nf* MAR Longue pièce de bois disposée en travers des mâts et servant à fixer les voiles.

véridique *a* 1 litt Qui dit la vérité. *Témoin véridique.* 2 Conforme à la vérité.

vérifiable *a* Qu'on peut vérifier.

vérificateur, trice *n* Personne qui contrôle l'exactitude de qqch.

vérification *nf* Action de vérifier.

vérifier *vt* 1 Contrôler l'exactitude ou la véracité de. *Vérifier un calcul, les déclarations d'un témoin.* 2 Confirmer. *Vérifier un pronostic.*

vérin *nm* Appareil utilisé pour soulever des charges très pesantes.

vérisme *nm* École littéraire et artistique italienne de la fin du XIXe s., inspirée par le naturalisme.

véritable *a* 1 Conforme à la vérité. 2 Vrai, réel (par oppos. à *faux, imité*). *De la soie véritable.* 3 Digne de son nom. *Une véritable œuvre d'art.* 4 Vrai (renforce l'exactitude d'une comparaison). *Cet exploit est un véritable tour de force.*

véritablement *av* Vraiment, effectivement.

vérité *nf* 1 Caractère conforme à la réalité. 2 Proposition dont l'énoncé exprime la conformité d'une idée avec son objet. *Les vérités mathématiques.* 3 Conformité d'un récit, d'une relation avec un fait. *Trahir la vérité.* 4 Sincérité, bonne foi. Loc *En vérité* : assurément. *À la vérité* : en fait. *Dire à qqn ses (quatre) vérités* : lui dire sans détours ce qu'on pense de lui. *Vérités premières* : banalités.

verjus *nm* Jus acide de raisins verts.

verlan *nm* Argot consistant à inverser les syllabes des mots.

vermeil, eille *a* Rouge vif. ■ *nm* Argent doré.

vermicelle *nm* Pâte à potage en fils très minces.

vermicide *a, nm* Qui détruit les vers parasites.

vermiculaire *a* Qui a l'aspect d'un ver.

vermiforme *a* Qui a la forme d'un ver.

vermifuge *nm* Médicament qui provoque l'expulsion des vers intestinaux.

vermillon *nm, a inv* Couleur rouge vif tirant sur l'orangé.

vermine *nf* 1 Insectes nuisibles, parasites de l'homme et des animaux (poux, puces, punaises, etc.). 2 litt Gens vils et nuisibles.

vermis *nm* ANAT Région centrale du cervelet.

vermisseau *nm* Petit ver.

vermivore *a* ZOOL Qui se nourrit de vers.

vermoulu, ue *a* 1 Rongé par des larves d'insectes (bois). 2 litt Usé, caduc. *Des institutions vermoulues.* 3 fam Courbaturé.

vermoulure *nf* Trace, dégâts causés à un bois par des larves d'insectes.

vermouth [-mut] *nm* Apéritif à base de vin aromatisé avec des plantes amères et toniques.

vernaculaire *a* Loc *Langue vernaculaire* : propre à un pays, à une population.

vernalisation *nf* AGRIC Traitement des graines par le froid.

verni, ie *a* 1 Recouvert d'un vernis. *Bois verni.* 2 fam Chanceux.

vernier *nm* Instrument de précision pour mesurer les longueurs.

vernir *vt* Recouvrir, enduire d'un vernis.

vernis *nm* 1 Enduit solide, lisse et brillant, destiné à protéger ou à décorer. 2 Apparence brillante mais superficielle. *Un vernis de science.*

vernissage *nm* 1 Action de vernir ou de vernisser. 2 Réception pour l'inauguration d'une exposition.

vernissé, ée *a* Couvert d'un vernis.

vernisser *vt* Recouvrir d'un vernis une poterie, une faïence, etc.

vérole *nf* pop Syphilis. Loc vx *Petite vérole* : variole.

vérolé, ée *a, n* pop Syphilitique.

véronique *nf* 1 Plante aux fleurs roses ou bleues. 2 Passe au cours de laquelle le toréro, avec sa cape, amène le taureau près de lui.

verranne *nf* Fibre de verre, très utilisée dans les composites.

verrat *nm* Porc mâle non castré.

verre *nm* 1 Matière transparente, dure, cassante, fabriquée à partir de la fusion de sable mêlé de potasse ou de soude. 2 Plaque, lame de verre. 3 Lentille de verre, pour corriger la vue. 4 Récipient à boire, fait de verre ; son contenu. Loc *Laine de verre* : isolant de fibres de verre. *Papier de verre* : abrasif de poudre de verre.

verrerie *nf* 1 Fabrication du verre ; usine où on le fabrique. 2 Objets en verre.

verrier *nm* Personne qui fabrique du verre, des ouvrages de verre ou de cristal.

verrière *nf* Grand vitrage ou grande ouverture munie de vitraux.

verroterie *nf* Petites pièces de verre coloré ; pacotille.

verrou *nm* 1 Dispositif de fermeture constitué d'une barre métallique coulissant dans une gâche. 2 Pièce destinée à immobiliser la culasse d'une arme à feu. 3 Ce qui constitue un barrage, un obstacle. Loc *Être sous les verrous* : en prison.

verrouillage *nm* Action de verrouiller.

verrouiller *vt* 1 Fermer au verrou. *Verrouiller une porte.* 2 Bloquer, barrer, interdire un passage.

Verrouiller une brèche. **3** Empêcher une évolution. ■ *vpr* S'enfermer.

verrue *nf* Excroissance de la peau.

verruqueux, euse *a* Relatif aux verrues.

1. vers *prép* Marque la direction, le but ou l'approximation. *Vers l'ouest. Vers le soir.*

2. vers *nm* Suite de mots mesurée et cadencée selon certaines règles, et constituant une unité rythmique. **Loc** *Vers libres :* non soumis aux règles classiques de la versification.

versaillais, aise *a, n* **1** De Versailles. **2** HIST Du gouvernement de Versailles, qui réprima la Commune de Paris en 1871.

versant *nm* **1** Chacune des pentes d'une montagne. **2** Chacun des aspects différents d'une situation.

versatile *a* Qui change fréquemment d'opinion ; inconstant.

versatilité *nf* Caractère versatile.

verse (à) *av* Abondamment (pluie). *Il pleut à verse.*

versé, ée *a* Qui a une grande connaissance, une grande expérience en matière de. *Il est très versé dans les sciences.*

versement *nm* Action de verser de l'argent ; somme versée.

verser *vi* **1** Tomber sur le côté, se coucher. *La voiture a versé dans le fossé.* **2** Qui a un défaut, un travers. *Verser dans la facilité.* ■ *vt* **1** Faire couler un liquide, une matière pulvérulente, etc., d'un récipient dans un autre. **2** Donner, apporter, remettre de l'argent à qqn. **3** Déposer, mettre. *Pièce à verser au dossier.* **4** Affecter qqn à un poste. **Loc** *Verser à boire :* servir une boisson. *Verser des larmes :* pleurer. litt *Verser son sang pour :* mourir pour.

verset *nm* Petit paragraphe numéroté dans un livre sacré.

verseur, euse *a* Qui sert à verser. *Bec verseur.* ■ *nf* Cafetière à manche horizontal.

versicolore *a* Qui présente des couleurs variées.

versificateur, trice *n* Écrivain qui fait des vers sans inspiration.

versification *nf* Technique de la composition des vers.

versifier *vi* Faire des vers. ■ *vt* Mettre en vers.

version *nf* **1** Exercice scolaire consistant à traduire un texte d'une langue étrangère dans sa propre langue. Ant. thème. **2** Façon de raconter un fait ; relation. *Version tendancieuse.* **3** État d'un texte. *La première version d'un roman.* **Loc** *Version originale (VO) :* film avec la bande sonore originale, sans doublage.

vers-libriste *n* Poète qui compose des vers libres. *Des vers-libristes.*

verso *nm* Revers d'un feuillet. Ant. recto.

versoir *nm* Pièce de la charrue retournant sur le côté la terre détachée par le soc.

verste *nf* anc Mesure russe de distance valant environ 1 000 mètres.

vert, verte *a* **1** De la couleur résultant de la combinaison du jaune et du bleu. **2** Qui n'est pas arrivé à maturité. *Fruit vert.* **3** Très pâle ; blême. *Vert de peur.* **4** Resté vigoureux, alerte. *Vieillard vert.* **5** Rude, sévère. *Verte semonce.* **6** De l'agriculture, du monde rural. *L'Europe verte.* **7** De l'écologie, de la défense de l'environnement. **Loc** *Feu vert :* signal qui indique la voie libre. *Langue verte :* argot. *Roche verte :* ophiolite.

■ *nm* **1** Couleur verte. **2** Matière colorante verte. **3** Écologiste. **Loc** *Se mettre au vert :* se reposer à la campagne. ■ *nfpl* **Loc** fam *En voir, en dire des vertes et des pas mûres :* des choses choquantes ou extraordinaires.

vert-de-gris *nm inv* Carbonate de cuivre qui se forme sur la surface de ce métal exposé à l'air humide. ■ *a inv* verdâtre.

vert-de-grisé, ée *a* Couvert de vert-de-gris.

vertébral, ale, aux *a* Des vertèbres.

vertèbre *nf* Chacun des os dont la superposition forme la colonne vertébrale.

vertébré, ée *a* Qui a des vertèbres. ■ *nm* ZOOL Animal évolué, pourvu de vertèbres (poissons, reptiles, oiseaux, mammifères, amphibiens).

vertébrothérapie *nf* Traitement des douleurs dorsales par manipulation des vertèbres.

vertement *av* Avec vivacité, avec rudesse.

vertical, ale, aux *a* Perpendiculaire au plan horizontal ; droit, dressé. ■ *nf* Position verticale ; ligne verticale.

verticalement *av* Selon la verticale.

verticalité *nf* didac Caractère vertical.

verticille *nm* BOT Groupe de feuilles, de pétales inséré sur une tige.

vertige *nm* **1** Sensation de perte d'équilibre éprouvée à la vue du vide. **2** Toute sensation d'étourdissement. **Loc** *Donner le vertige :* impressionner fortement.

vertigineusement *av* À en avoir le vertige.

vertigineux, euse *a* **1** Qui donne le vertige. **2** Très grand. *Des sommes vertigineuses.*

vertu *nf* **1** litt Disposition à faire le bien. **2** litt Chasteté féminine. **3** Qualité qui rend qqch propre à produire un certain effet. *Les vertus sédatives du tilleul.* **Loc** *En vertu de :* par le pouvoir de.

vertueusement *av* De façon vertueuse.

vertueux, euse *a* Qui manifeste des qualités morales ; inspiré par le bien.

vertugadin *nm* anc Bourrelet porté par les femmes sous leur jupe pour la faire bouffer.

verve *nf* Brio, imagination, fantaisie, qui se manifeste dans la parole.

verveine *nf* Plante médicinale dont on tire une tisane sédative.

vesce [vɛs] *nf* Plante fourragère.

vésicant, ante *a* MED Qui cause des ampoules sur la peau.

vésiculaire *a* En forme de vésicule.

vésicule *nf* **1** ANAT Petit sac membraneux ou petite cavité glandulaire. **2** MED Boursouflure de la peau pleine de sérosité ou de pus.

vespasienne *nf* Urinoir public pour hommes.

vespéral, ale, aux *a* litt Du soir.

vespertilion *nm* Chauve-souris insectivore.

vesse *nf* pop Gaz intestinal malodorant.

vesse-de-loup *nf* Champignon (lycoperdon) *Des vesses-de-loup.*

vessie *nf* Réservoir abdominal dans lequel s'accumule l'urine, entre les mictions. **Loc** *Vessie natatoire :* poche abdominale chez certains poissons, intervenant dans leur équilibre. fam *Prendre des vessies pour des lanternes :* se tromper gros sièrement.

vestale *nf* **1** Prêtresse de Vesta, à Rome. **2** li Femme très chaste.

veste *nf* Vêtement de dessus à manches, couvran le buste et boutonné devant. **Loc** fam *Retourner s*

veste : changer d'opinion, de parti. fam *Ramasser, prendre une veste* : essuyer une défaite.

vestiaire nm Lieu où on dépose son manteau, son parapluie, etc., à l'entrée de certains lieux publics ; vêtements et objets déposés.

vestibule nm Pièce d'entrée d'une maison, d'un appartement, etc.

vestige nm Reste de ce qui a été détruit.

vestimentaire a Des vêtements.

veston nm Veste d'un costume d'homme.

vêtement nm Ce qui sert à vêtir le corps ; toute pièce de l'habillement, à l'exception des chaussures.

vétéran nm 1 Ancien combattant. 2 Qui a une longue pratique dans un métier, une activité.

vétérinaire a Qui concerne la médecine animale. ■ n Spécialiste de la médecine animale.

vétille nf Chose insignifiante ; bagatelle.

vétilleux, euse a litt Qui s'arrête à des vétilles ; pointilleux et mesquin.

vêtir vt [32] litt Habiller qqn. ■ vpr S'habiller.

vétiver [-ver] nm Plante indienne cultivée pour son parfum ; ce parfum.

véto [ve-] nm inv 1 Droit conféré à une autorité de s'opposer à la promulgation d'une loi, à l'adoption d'une résolution. 2 Opposition, refus. *Mettre son véto à une transaction.* Var veto

vétuste a Vieux, détérioré par le temps.

vétusté nf État vétuste.

veuf, veuve a, n Dont le conjoint est mort, et qui n'est pas remarié. ■ nf 1 Passereau africain au plumage noir et blanc. 2 Araignée noire, dont la piqûre est dangereuse.

veule [vøl] a litt Sans vigueur morale, sans volonté ; mou et faible.

veulerie nf litt Caractère veule.

veuvage nm Fait d'être veuf ou veuve.

vexant, ante a Contrariant, blessant. *Soupçons vexants.*

vexation nf Blessure d'amour-propre.

vexatoire a Qui vise à vexer, à humilier.

vexer vt Piquer, blesser qqn dans son amour-propre. ■ vpr Se froisser.

via prép En passant par tel lieu.

viabiliser vt Équiper un terrain des aménagements (voirie, adductions, etc.) propres à le rendre habitable.

viabilité nf 1 Aptitude à vivre. 2 Bon état d'une route. 3 État d'un terrain viabilisé.

viable a 1 Apte à vivre (fœtus, nouveau-né). 2 Qui peut durer, aboutir. *Projet viable.*

viaduc nm Pont très élevé permettant le franchissement d'une vallée par une voie ferrée ou par une route.

via ferrata nf ALPIN Itinéraire aménagé (échelles, mains courantes) pour l'escalade. *Des vias ferratas.*

viager, ère a Dont on jouit sa vie durant. *Rente viagère.* ■ nm Rente à vie. Loc *En viager* : en échange d'une rente viagère.

viande nf Chair des animaux en tant qu'aliment. Loc *Viande rouge* : bœuf, cheval, mouton. *Viande blanche* : veau, lapin, volaille. *Viande noire* : gibier. fam *Sac à viande* : drap isolant du sac de couchage.

viatique nm 1 litt Soutien, secours. 2 RELIG Sacrement de l'eucharistie administré à un chrétien en danger de mort.

vibrant, ante a 1 Qui produit des vibrations. *Lame vibrante.* 2 Qui retentit. *Voix vibrante.* 3 Émouvant. *Appel vibrant.*

vibraphone nm Instrument à percussion comportant des lamelles métalliques qu'on frappe avec des baguettes.

vibrateur nm Appareil produisant des vibrations.

vibratile a Susceptible de vibrer.

vibration nf 1 PHYS Oscillation périodique de tout ou partie d'un système. *Vibrations du diapason.* 2 Mouvement de ce qui vibre ; impression (sonore, visuelle) de tremblement. *Vibration d'une voix.*

vibrato nm Variation rapide du son émis par un instrument de musique ou par la voix.

vibratoire a Composé de vibrations.

vibrer vi 1 Produire des vibrations ; entrer en vibration. 2 Être animé d'un tremblement sonore. *Voix qui vibre.* 3 Réagir par un tremblement intérieur à une émotion intense. *Vibrer d'enthousiasme.*

vibreur nm Appareil constitué d'une lame mise en vibration par un courant électrique.

vibrion nm Bactérie mobile de forme incurvée.

vibrionner vi fam S'agiter continuellement.

vibrisse nf 1 Poil de l'intérieur des narines. 2 Poil tactile de certains mammifères (chat).

vibromasseur nm Appareil électrique de massage par vibrations.

vicaire nm Prêtre qui assiste le curé d'une paroisse. Loc *Vicaire de Jésus-Christ* : le pape.

vicariat nm Fonction du vicaire.

vice nm 1 Penchant que la morale sociale réprouve (en matière sexuelle, notamment). 2 Défaut, imperfection graves. *Vice de construction.* Loc *Vice de forme* : défaut qui rend nul un acte juridique.

vice-amiral nm Officier général de marine inférieur à l'amiral. *Des vice-amiraux.*

vice-consul nm Personne qui tient lieu de consul. *Des vice-consuls.*

vicennal, ale, aux a Qui dure vingt ans.

vice-présidence nf Fonction de vice-président. *Des vice-présidences.*

vice-président, ente n Personne qui supplée le président. *Des vice-présidents, -présidentes.*

vice-roi nm Gouverneur d'un royaume qui dépend d'un autre État. *Des vice-rois.*

vicésimal, ale, aux a MATH Qui a pour base le nombre vingt.

vice versa av Réciproquement, inversement.

vichy nm 1 Eau minérale de Vichy. 2 Toile de coton à carreaux.

vichyste a, n HIST Du gouvernement de Vichy. Var vichyssois, oise

vicié, ée a 1 Pollué. *Air vicié.* 2 Entaché d'erreur. *Raisonnement vicié.*

vicier vt 1 DR Rendre défectueux ou nul. 2 Gâter, corrompre, altérer.

vicieusement av De façon vicieuse.

vicieux, euse a, n 1 Qui comporte un défaut ; incorrect. *Locution vicieuse.* 2 Qui a de mauvais penchants. Se dit d'un animal rétif, ombrageux. 4 Fait pour tromper. *Une balle vicieuse.* ■ a, n Qui a des goûts dépravés, pervers.

vicinal, ale, aux a Loc *Chemin vicinal* : qui relie les villages.

vicissitudes *nfpl* Évènements heureux et, plus souvent, malheureux qui se succèdent dans la vie humaine.

vicomte *nm* Titre de noblesse inférieur à celui de comte.

vicomté *nf* Domaine d'un vicomte.

vicomtesse *nf* Femme d'un vicomte.

victime *nf* 1 Personne qui subit un préjudice par la faute de qqn ou par sa propre faute. *Les victimes d'un escroc.* 2 Tué ou blessé dans une guerre, un accident, etc. 3 Être vivant offert en sacrifice à une divinité.

victoire *nf* 1 Succès remporté dans une guerre. 2 Avantage, succès remporté sur un concurrent. *Loc Crier, chanter victoire :* se glorifier d'un succès. *Victoire à la Pyrrhus :* trop chèrement acquise.

victoria *nf* 1 Plante aquatique ornementale aux larges feuilles flottantes. 2 *anc* Voiture hippomobile découverte.

victorien, enne *a* Relatif à la reine Victoria.

victorieusement *av* De façon victorieuse.

victorieux, euse *a* 1 Qui a remporté une victoire. 2 Qui exprime la victoire.

victuailles *nfpl* Vivres, nourriture.

vidage *nm* Action de vider.

vidange *nf* 1 Opération consistant à vider pour nettoyer, curer. 2 Dispositif d'évacuation des eaux usées. *Vidange d'une machine à laver.* ■ *pl* Matières retirées d'une fosse d'aisances.

vidanger *vt* [11] Vider, faire la vidange de.

vidangeur *nm* Personne qui fait la vidange des fosses d'aisances.

vide *a* 1 Qui ne contient rien. *Espace vide.* 2 Dépourvu de son contenu habituel. *Avoir l'estomac vide.* 3 Où il n'y a personne ; qui n'a pas d'occupant. *Place, fauteuil vides.* 4 Qui n'a pas d'intérêt ; creux, insignifiant. *Mener une existence vide.* *Loc Vide de :* dépourvu de. ■ *nm* 1 Milieu où la densité de la matière est très faible. 2 Étendue, espace vide. *Se jeter dans le vide.* 3 Sentiment de manque, de privation. *Sa mort laisse un grand vide.* 4 *litt* Néant. *Le vide des grandeurs humaines.* *Loc À vide :* sans rien contenir ; sans produire d'effet. *Passage à vide :* chute du dynamisme. *Faire le vide autour de qqn :* l'isoler, l'éloigner de son entourage. *Parler dans le vide :* sans que personne écoute.

vidéaste *n* Réalisateur de films vidéo.

vide-grenier *nm* Braderie villageoise. *Des vides-greniers.*

vidéo *a inv* Se dit des signaux servant à la transmission d'images, ainsi que des appareils, des installations de télévision qui utilisent ces signaux. *Caméras vidéo.* ■ *nf* Technique utilisant des signaux vidéo.

vidéocassette *nf* Cassette contenant une bande magnétique qu'on peut reproduire sur un téléviseur au moyen d'un magnétoscope.

vidéoclip *nm* Court-métrage vidéo illustrant une chanson.

vidéoclub [-klœb] *nm* Magasin de location et de vente de cassettes vidéo enregistrées.

vidéocommunication *nf* Communication par vidéo.

vidéoconférence. *V.* visioconférence.

vidéodisque *nm* Disque sur lequel sont enregistrés des images et des sons qu'on peut reproduire sur un téléviseur au moyen d'un lecteur.

vidéogramme *nm* Dispositif permettant la conservation et la reproduction d'un programme audiovisuel.

vidéographie *nf* Transmission de textes qui sont visualisés sur un écran de télévision.

vidéolecteur *nm* Lecteur de vidéodisques.

vidéophone *nm* Appareil associant le téléphone et la télévision.

vide-ordure *nm* Conduit d'évacuation des ordures ménagères dans un immeuble. *Des vide-ordures.*

vidéoprojecteur *nm* Projecteur vidéo.

vidéotex *nm* Procédé de transmission visuelle d'informations par télécommunication.

vidéothèque *nf* Collection de vidéocassettes.

vidéotransmission *nf* Diffusion par la vidéo.

vide-poche *nm* Coupe, boîte, corbeille, où l'on dépose de menus objets. *Des vide-poches.*

vide-pomme *nm* Ustensile pour ôter le cœur des pommes. *Des vide-pommes.*

vider *vt* 1 Rendre vide, en ôtant le contenu. 2 Boire le contenu. *Vider son verre.* 3 Évacuer d'un lieu. *Vider les eaux usées.* 4 *pop* Renvoyer, congédier ; obliger à sortir. 5 *fam* Épuiser. *Ce travail m'a vidé.* *Loc fam Vider les lieux :* sortir. *litt Vider une querelle :* la régler définitivement. *Vider une volaille, un poisson :* en retirer les entrailles. ■ *vpr* Devenir vide.

videur *nm* Dans un lieu public, personne chargée de mettre dehors les indésirables.

vidoir *nm* Trappe d'introduction des ordures dans un vide-ordure.

viduité *nf DR* État de veuf, de veuve.

vie *nf* 1 Phénomènes assurant l'évolution des organismes animaux et végétaux depuis la naissance jusqu'à la mort. 2 Existence humaine. *Donner la vie. Perdre la vie.* 3 Cours de l'existence, évènements qui la remplissent. *Mener une vie tranquille.* 4 Biographie, histoire de qqn. 5 Durée de l'existence de qqn, de qqch. *Sa vie a été trop courte.* 6 Coût de la subsistance, de l'entretien. *La vie est de plus en plus chère.* 7 Vitalité, entrain. *Un enfant plein de vie.* 8 Animation. *La vie du quartier.* *Loc À vie, pour la vie :* pour toujours. *fam Jamais de la vie :* en aucune façon.

vieil. *V. vieux.*

vieillard *nm* Homme âgé. ■ *pl* Personnes du troisième âge.

1. vieille. *V. vieux.*

2. vieille *nf* Syn. de *labre.*

vieillerie *nf* 1 Objet ancien, usagé. 2 Idée rebattue ; conception surannée.

vieillesse *nf* 1 Période ultime de la vie ; fait d'être vieux. 2 Les personnes âgées.

vieilli, ie *a* 1 Marqué par l'âge. *Visage vieilli.* 2 Suranné, désuet, hors d'usage. *Idées vieillies.*

vieillir *vi* 1 Devenir vieux. *Il commence à vieillir.* 2 Perdre de sa force, de son actualité. *Ce roman a vieilli.* ■ *vt* Rendre vieux ; faire paraître plus vieux. *Cette coiffure la vieillit.*

vieillissant, ante *a* Qui vieillit.

vieillissement *nm* Fait de vieillir.

vieillot, otte *a* Démodé, suranné.

vielle *nf* Instrument de musique à cordes frottées par une roue qu'on fait tourner au moyen d'une manivelle.

vielleur euse *n* Joueur de vielle. *Var* **vielleux, euse**

viennois, oise *a, n* De Vienne.

viennoiserie *nf* Produits de boulangerie, en dehors du pain (croissants, brioches, etc.).

vierge *a* **1** Qui n'a jamais eu de rapports sexuels. **2** Qui n'a jamais été utilisé ; intact. *Feuille de papier vierge.* **3** Qui n'a jamais été cultivé, exploité. *Sol vierge.* Loc *Forêt vierge :* forêt équatoriale impénétrable. *Huile vierge :* extraite d'olives écrasées à froid. ∎ *nf* litt Fille qui n'a jamais eu de rapports sexuels.

vietnamien, enne *a, n* Du Viêt-nam. ∎ *nm* Langue parlée au Viêt-nam.

vieux ou **vieil** (devant voyelle ou *h* muet), **vieille** *a* **1** Âgé. *Une vieille dame. Un vieil homme.* **2** Ancien, qui existe de longue date. *Une vieille maison de famille.* **3** Tel depuis longtemps. *Un vieil ami.* **4** Détérioré par le temps ; usagé. *Une vieille paire de chaussures.* Loc *Vieux jours :* vieillesse. *Vieux jeu :* démodé. *Vieux garçon, vieille fille :* célibataire qui n'est plus jeune. ∎ *n* **1** Personne âgée. **2** pop Père, mère, parents. *Ma vieille. Mes vieux.* Loc fam *Un vieux de la vieille :* personne expérimentée. ∎ *nm* Ce qui est vieux. Loc fam *Coup de vieux :* vieillissement subit.

vif, vive *a* **1** Actif, alerte. *Esprit très vif.* **2** Aigu, intense. *Vif plaisir.* **3** Éclatant, brillant. *Bleu vif.* **4** Brusque, coléreux, emporté. *Un geste vif.* Loc *Brûlé vif :* vivant. *Plus mort que vif :* très effrayé. *Air vif :* vivifiant. *Eau vive :* qui court. *Haie vive :* en pleine végétation. *Chaux vive :* non mouillée. *De vive voix :* oralement. ∎ *nm* DR Personne vivante. *Donation entre vifs.* Loc *Dans le vif du sujet :* en plein dans la question. *Être atteint, blessé, piqué, touché au vif :* au point sensible. *À vif :* dont la chair est à nu. *Sur le vif :* d'après nature.

vif-argent *nm inv* vx Mercure.

vigie *nf* Marin placé en observation, sur un navire.

vigilance *nf* Attention, surveillance active.

vigilant, ante *a* Attentif.

1. vigile *nf* Veille de grande fête religieuse.

2. vigile *nm* Garde, dans des lieux publics, dans de grands ensembles d'habitation.

vigne *nf* **1** Arbrisseau cultivé pour son fruit, le raisin. **2** Terrain planté de vignes ; vignoble. Loc litt *Être dans les vignes du Seigneur :* ivre. *Vigne vierge :* plante grimpante ornementale.

vigneau *nm* Bigorneau. **Var vignot**

vigneron, onne *n* Personne qui cultive la vigne et fait le vin.

vignette *nf* **1** Ornement sur la page de titre d'un livre ou au commencement et à la fin des chapitres. **2** Étiquette constatant le paiement de certains droits, ou sur un médicament servant au remboursement de la Sécurité sociale.

vignoble *nm* **1** Terre plantée de vignes. **2** Ensemble des vignes d'un pays, d'une région.

vigogne *nf* Lama recherché pour sa laine.

vigoureusement *av* Avec vigueur.

vigoureux, euse *a* **1** Plein de vigueur, de force. **2** Actif, puissant, intense.

vigueur *nf* **1** Force physique, énergie. **2** Fermeté morale ou psychologique. **3** Puissance. *Vigueur du style.* Loc *En vigueur :* en usage.

viguier *nm* HIST Juge dans le midi de la France, sous l'Ancien Régime.

VIH *nm* Sigle de *virus d'immunodéficience humaine,* nom français de l'agent du sida.

vil, vile *a* litt Bas, abject, méprisable. Loc *À vil prix :* à prix très bas.

vilain, aine *a* **1** Méprisable. *Une vilaine action.* **2** Laid. *De vilaines mains.* **3** Mauvais. *Vilain temps.* **4** Indocile, turbulent (enfant). **5** Dangereux, inquiétant. *Une vilaine blessure.* ∎ *av* Loc *Il fait vilain :* il fait mauvais temps. ∎ *nm* HIST Paysan libre au Moyen Âge. Loc *Du vilain :* des choses désagréables, des disputes, du scandale.

vilainement *av* De vilaine façon.

vilebrequin *nm* **1** Outil à main pour le perçage du bois. **2** Arbre coudé qui transforme le mouvement alternatif des pistons d'un moteur en mouvement rotatif.

vilénie *nf* litt Action vile, basse. **Var vilenie**

vilipender *vt* litt Dénoncer comme méprisable.

villa *nf* Maison individuelle avec un jardin.

village *nm* Petite agglomération rurale.

villageois, oise *n* Habitant d'un village. ∎ *a* De village. *Fête villageoise.*

villanelle *nf* Poésie ou chanson pastorale ; danse qu'elle accompagnait.

ville *nf* Agglomération dont les habitants exercent des activités non agricoles (commerce, industrie, administration). Loc *À la ville, en ville :* au-dehors de chez soi. *Ville nouvelle :* créée de toutes pièces pour favoriser la décentralisation. *Ville ouverte :* non défendue en temps de guerre.

villégiature *nf* **1** Séjour de vacances à la campagne, au bord de la mer, etc. **2** Endroit de ce séjour.

villosité *nf* didac État d'une surface velue.

vin *nm* **1** Boisson alcoolique obtenue par fermentation du jus de raisin. **2** Boisson alcoolique obtenue par fermentation d'un produit végétal. *Vin de palme.* Loc *Vin de table :* de consommation courante. *Vin d'honneur :* offert pour honorer qqn, qqch. *Entre deux vins :* à moitié ivre. *Cuver son vin :* dormir après s'être enivré. *Avoir le vin gai, triste :* être gai, triste lorsqu'on a bu. fam *Mettre de l'eau dans son vin :* se modérer. *Tache de vin :* angiome.

vinage *nm* Addition d'alcool à un vin.

vinaigre *nm* Liquide riche en acide acétique obtenu par fermentation du vin ou d'autres liquides alcoolisés et employé comme condiment. Loc fam *Tourner au vinaigre :* tourner mal. fam *Faire vinaigre :* se dépêcher.

vinaigrer *vt* Assaisonner avec du vinaigre.

vinaigrerie *nf* **1** Fabrique de vinaigre. **2** Industrie, commerce du vinaigre.

vinaigrette *nf* Sauce à base de vinaigre et d'huile.

vinaigrier *nm* **1** Flacon destiné à contenir du vinaigre. **2** Récipient servant à fabriquer du vinaigre.

vinaire *a* Qui concerne le vin.

vinasse *nf* fam Mauvais vin.

vindicatif, ive *a* Enclin à la vengeance.

vindicativement *av* De façon vindicative.

vindicte *nf* Loc litt *Désigner qqn à la vindicte publique :* l'accuser publiquement.

viner *vt* Effectuer le vinage.

vineux, euse *a* Qui a la couleur du vin. Loc *Vin vineux :* riche en alcool.

vingt *a num* **1** (prend un *s* quand il est précédé d'un numéral, reste invariable quand il est suivi d'un numéral ou au sens de *vingtième*) Deux foix dix (20). *Vingt mois.* 2 Vingtième. *Page vingt.* ■ *nm inv* Nombre ou numéro vingt.

vingtaine *nf* Nombre de vingt ou environ.

vingt-deux *a num* Loc *fam Vingt-deux !* : attention à un danger immédiat.

vingtième *a num* Au rang, au degré vingt. ■ *a, nm* Contenu vingt fois dans le tout.

vingtièmement *av* En vingtième lieu.

vingt-quatre *a num* Loc *Vingt-quatre heures :* un jour plein.

vinicole *a* Relatif à la production du vin.

viniculture *nf* Ensemble des activités concernant le vin.

vinification *nf* Opération qui transforme le moût en vin.

vinifier *vt* Opérer la vinification de.

vinosité *nf* Caractère d'un vin vineux.

vinyle *nm* Matière plastique utilisée pour fabriquer les disques microsillons.

vinylique *a* Se dit des résines obtenues à partir de l'acétylène.

viol *nm* 1 Acte de violence par lequel une personne est contrainte à des relations sexuelles. 2 Action d'enfreindre. *Viol des lois.* Loc *litt Viol des consciences :* fait de forcer leur secret.

violacé, ée *a* Qui tire sur le violet.

violacer *vt* [10] Rendre violet.

violateur, trice *n* Coupable d'un viol de domicile ou de loi, d'une sépulture.

violation *nf* Action de violer un domicile, une loi, une sépulture.

viole *nf* Instrument de musique à archet, ancêtre du violon et du violoncelle. Loc *Viole de gambe :* jouée tenue entre les genoux.

violemment *av* Avec violence.

violence *nf* 1 Force brutale exercée contre qqn. 2 Brutalité du caractère, de l'expression. 3 Intensité, force brutale d'un phénomène naturel, d'un sentiment, etc. Loc *Se faire violence :* se contraindre à faire qqch. *Se faire une douce violence :* accepter qqch d'agréable jusque-là refusé. ■ *pl* Actes violents.

violent, ente *a, n* Brutal, emporté, irascible. ■ *a* 1 D'une grande force, d'une grande intensité. *Une violente explosion.* 2 Qui nécessite de la force. *Un effort violent.* Loc *Mort violente :* causée par violence ou accident.

violenter *vt* Commettre un viol sur qqn.

violer *vt* 1 Enfreindre, agir contre. *Violer la loi.* 2 Pénétrer dans un lieu sacré ou interdit ; profaner. 3 Contraindre par la violence à un rapport sexuel. Loc *Violer un secret :* le trahir. *litt Violer les consciences :* forcer leur secret.

violet, ette *a, nm* D'une couleur résultant d'un mélange de bleu et de rouge ; mauve.

violette *nf* Plante à fleurs violettes, au parfum pénétrant.

violeur, euse *n* Personne qui commet, qui a commis un viol sur qqn.

violine *a* D'une couleur violet pourpre.

violiste *n* Personne qui joue de la viole.

violon *nm* 1 Instrument de musique à quatre cordes et à archet. 2 Violoniste. 3 *fam* Prison d'un poste de police. Loc *fam Accorder ses violons :* s'accorder, harmoniser des discours, des projets, etc. *Violon d'Ingres :* activité d'amateur, en dehors de son métier.

violoncelle *nm* Instrument à cordes et à archet, plus grand que le violon.

violoncelliste *n* Personne qui joue du violoncelle.

violoneux *nm fam* Mauvais violoniste.

violoniste *n* Personne qui joue du violon.

viorne *nf* Arbrisseau grimpant à fleurs blanches.

VIP *n inv fam* Personnage important.

vipère *nf* 1 Serpent venimeux à tête triangulaire. 2 Personne malfaisante, sournoise. Loc *Langue de vipère :* personne très médisante.

vipereau *nm* Petit d'une vipère.

vipérin, ine *a* De la vipère. ■ *nf* Couleuvre aquatique ressemblant à la vipère.

virage *nm* 1 Mouvement tournant d'un véhicule. 2 Portion courbe d'une route. 3 Changement d'orientation. *Virage politique.*

virago *nf fam* Femme d'allure masculine.

viral, ale, aux *a* Dû à un virus.

vire *nf* Étroite corniche sur une paroi rocheuse.

virée *nf fam* Promenade, court voyage.

virelai *nm* Poème du Moyen Âge, sur deux rimes et quatre strophes.

virement *nm* 1 Transfert de fonds d'un compte à un autre. 2 MAR Action de virer de bord.

virer *vt* 1 Faire passer d'un compte à un autre. *Virer une somme.* 2 *fam* Renvoyer, congédier, expulser qqn ; enlever qqch d'un lieu. ■ *vti* Passer à un autre état, à une autre couleur. *Virer à l'aigre, au bleu.* ■ *vi* 1 Tourner sur soi ou tourner en rond. 2 Changer de direction ; prendre un virage. 3 Changer de teinte. *Couleur qui vire.* Loc *Virer de bord :* faire demi-tour, tourner sur un bateau ; changer de parti, d'opinion.

virevolte *nf* Tour et retour rapides sur soi-même.

virevolter *vi* Tourner rapidement sur soi.

virginal, ale, aux *a* 1 D'une vierge. 2 *litt* Pur, immaculé.

virginité *nf* 1 État d'une personne vierge. 2 *litt* Pureté.

virgule *nf* Signe de ponctuation (,) qui sépare des subordonnées non coordonnées, isole des membres d'une phrase, etc.

viril, ile *a* 1 Propre aux humains adultes du sexe masculin. 2 Résolu, ferme, énergique.

virilement *av* De façon virile.

virilisant, ante *a, nm* MED Qui virilise.

viriliser *vt* Rendre viril.

virilisme *nm* MED Troubles apparaissant chez la femme souffrant d'une hypersécrétion d'hormones androgènes.

virilité *nf* 1 Caractéristiques physiques de l'homme adulte de sexe masculin. 2 Puissance sexuelle chez l'homme. 3 Énergie, fermeté.

virole *nf* Petit cercle de métal.

virologie *nf* Étude des virus.

virologiste *n* Spécialiste de virologie. **Var viro-logue**.

virose *nf* Maladie due à un virus.

virtualité *nf litt* Caractère virtuel.

virtuel, elle *a* 1 Qui existe en puissance seulement, sans effet actuel ; potentiel. 2 INFORM Se dit d'un objet ou d'un environnement reproduit en trois-D.

virtuellement *av* 1 De façon virtuelle. 2 À peu de chose près, pratiquement.

virtuose *n, a* Doué d'une grande habileté dans un art, une activité, et, en particulier, dans la technique musicale.

virtuosité nf Talent de virtuose.

virucide a, nm MED Qui détruit les virus. **Var virulicide**

virulence nf Caractère virulent.

virulent, ente a 1 MED Doué d'un pouvoir pathogène intense. 2 Âpre, dur, violent.

virus [-RYS] nm 1 Microorganisme infectieux. 2 Goût, passion pour qqch. *Il a le virus du jazz.* 3 Programme conçu pour perturber le fonctionnement des ordinateurs.

vis [vis] nf Tige métallique cannelée en hélice destinée à s'enfoncer en tournant. Loc *Escalier à vis* : en colimaçon, tournant autour d'un noyau central. *Pas de vis* : spire d'une vis. fam *Serrer la vis* : adopter une attitude sévère. *Vis sans fin* : qui entraîne une roue dentée.

visa nm 1 Formule, sceau qu'on appose sur un acte pour le valider, le légaliser. 2 Cachet apposé sur un passeport, valant autorisation de séjour.

visage nm 1 Face de l'être humain, partie antérieure de la tête. 2 Expression, mine, physionomie. *Visage ouvert, triste.* 3 Aspect de qqch. *Le vrai visage de ce pouvoir.* Loc *Faire bon (mauvais) visage à qqn* : être avenant (désagréable) avec lui. *À visage découvert* : franchement.

visagisme nm Soins apportés au visage pour mettre en valeur sa beauté.

visagiste n Spécialiste du visagisme.

vis-à-vis [vizavi] prép En face de, en comparaison de, envers. ■ nm inv 1 Personne ou chose placée en face d'une autre. *J'ai demandé du feu à mon vis-à-vis.* 2 Petit fauteuil à deux places, en forme de S.

viscache [-kaʃ] nf Rongeur américain, proche du chinchilla.

viscéral, ale, aux a 1 Relatif aux viscères. 2 Qui vient du plus profond de soi. *Un attachement viscéral.*

viscéralement av Profondément.

viscère nm Chacun des organes contenus dans les cavités crânienne, thoracique et abdominale.

viscoélastique a TECH Qui est à la fois élastique et visqueux.

viscoplastique a TECH Qui est à la fois plastique et visqueux.

viscose nf Cellulose transformée, utilisée pour la préparation de la rayonne, de la fibranne et de la cellophane.

viscosité nf État visqueux.

visée nf 1 Action de diriger le regard, une arme, un instrument d'optique, un appareil photographique, etc., vers un point donné. 2 (surtout pl.) But à atteindre, dessein, désir. *Avoir des visées sur qqch, qqn.*

viser vt 1 Regarder attentivement le but, la cible, en dirigeant sur eux une arme, un projectile. 2 Chercher à atteindre. 3 Concerner. *Ce reproche nous vise.* 4 pop Regarder. ■ vti 1 Pointer une arme, un objet vers. *Il a visé au cœur.* 2 Chercher à atteindre, avoir en vue. *Cette équipe vise au succès, à remporter la victoire.* ■ vi Loc *Viser trop haut, trop bas* : avoir de trop grandes, de trop modestes ambitions.

viser vt Revêtir un acte, un passeport d'un cachet, d'un visa qui le rend valide.

viseur nm Dispositif optique de visée.

visibilité nf 1 Fait d'être visible. 2 Possibilité de voir plus ou moins loin. *La brume réduit la visibilité.*

visible a 1 Qu'on peut voir. *Éclipse visible à Paris.* 2 Évident, manifeste. *Il est visible qu'il a tort.* 3 Prêt à recevoir une visite. *Le directeur est-il visible ?*

visiblement av Manifestement.

visière nf Partie d'une casquette, d'un képi qui abrite le front et les yeux.

visioconférence nf Téléconférence visuelle et auditive entre des participants éloignés. **Var vidéoconférence**

vision nf 1 Perception du monde extérieur par les organes de la vue. 2 Façon de voir ; conception. *Une curieuse vision de l'esprit.* 3 Hallucination visuelle ; apparition surnaturelle. Loc fam *Avoir des visions* : déraisonner.

visionnage nm Action de visionner.

visionnaire a, n 1 Qui a, qui croit avoir des visions surnaturelles. 2 Qui a l'intuition juste de l'avenir.

visionner vt Examiner un film, des diapositives, etc., du point de vue technique.

visionneuse nf Appareil permettant l'examen des films, des diapositives, des microfilms.

Visitation nf Fête religieuse en mémoire de la visite de la Vierge Marie à sainte Élisabeth.

visite nf 1 Fait d'aller dans un lieu pour l'inspecter. 2 Fait d'examiner, de contrôler qqch. 3 Fait d'aller dans un lieu pour son propre plaisir. 4 Fait d'aller voir qqn chez lui. *Rendre visite à un ami.* 5 Consultation donnée par un médecin au domicile du patient ; examen médical sur le lieu du travail, à l'école. 6 Visiteur, visiteuse. *J'ai reçu une visite.*

visiter vt 1 Examiner complètement, en détail. 2 Parcourir, aller voir par curiosité, pour son plaisir. 3 Aller voir qqn chez lui.

visiteur, euse n 1 Personne qui visite un lieu pour son plaisir. 2 Personne qui rend visite à qqn chez lui. Loc *Visiteur de prison* : qui rencontre bénévolement des prisonniers. *Visiteur médical* : représentant d'un laboratoire pharmaceutique auprès des médecins.

vison nm Petit mammifère carnivore élevé pour sa fourrure ; cette fourrure.

visqueux, euse a 1 Poisseux, collant. *Liquide épais et visqueux.* 2 Dont la surface est gluante. *Peau visqueuse.*

vissage nm Action de visser.

visser vt 1 Fixer, assembler au moyen de vis. 2 Fermer, serrer une chose munie d'un pas de vis. *Visser le capuchon de son stylo.* 3 fam Exercer sur qqn une contrainte sévère.

visualisation nf Fait de visualiser.

visualiser vt 1 Faire percevoir par la vue, par un moyen matériel. 2 Présenter des données sur un écran, en informatique.

visuel, elle a De la vue. Loc *Mémoire visuelle* : mémoire des images, des choses vues. ■ nm 1 INFORM Dispositif permettant de visualiser des données. 2 Aspect visuel d'une affiche, d'une publicité.

visuellement av Par la vue.

vital, ale, aux a 1 Indispensable à la vie. 2 Fondamental ; d'une importance capitale. *Question vitale.* Loc *Minimum vital* : nécessaire à la subsistance et à l'entretien de qqn, d'une famille.

vitalité nf Ardeur, dynamisme, vigueur.

vitamine nf Substance azotée indispensable à l'organisme en doses infinitésimales.

vitaminé, ée a Qui contient des vitamines.

vitaminique a Des vitamines.

vitaminothérapie nf Emploi thérapeutique des vitamines.

vite av 1 Avec rapidité. *Marcher vite.* 2 Bientôt, sous peu. *Il sera vite guéri.* Loc *Au plus vite :* dans le plus bref délai.

vitellin, ine a Du vitellus.

vitellus nm BIOL Substances de réserve contenues dans l'ovule des animaux.

vitesse nf 1 Rapidité à se déplacer ou à agir. 2 Rapport d'une distance au temps mis pour la parcourir. 3 Chacune des combinaisons d'engrenages de la traction d'une voiture. Loc *En vitesse :* rapidement. fam *En quatrième vitesse :* très rapidement. *À deux vitesses :* inégalitaire.

viticole a De la viticulture.

viticulteur, trice n Personne qui cultive la vigne.

viticulture nf Culture de la vigne.

vitivinicole a Qui concerne à la fois la viticulture et la viniculture.

vitrage nm 1 Châssis garni de vitres. 2 Rideau transparent appliqué contre ce châssis.

vitrail, aux nm Panneau fait de verres peints ou colorés dans la masse et assemblés au moyen de plomb.

vitre nf Plaque de verre dont on garnit une ouverture (porte, fenêtre, glace d'une voiture).

vitré, ée a Garni de vitres.

vitrer vt Garnir de vitres.

vitrerie nf 1 Fabrication, commerce et pose des vitres. 2 Ensemble de vitres, de vitraux.

vitreux, euse a Qui a l'aspect du verre. Loc *Œil, regard vitreux :* sans éclat, sans vie.

vitrier nm Personne qui vend, pose les vitres.

vitrification nf Action de vitrifier.

vitrifier vt 1 Transformer en verre par fusion. 2 Recouvrir une surface d'un produit transparent et imperméable pour protéger.

vitrine nf 1 Devanture vitrée d'un magasin. 2 Meuble vitré où sont exposés des objets de collection. 3 Ce qui sert à présenter qqch sous un jour favorable.

vitriol nm Acide sulfurique concentré, très corrosif.

vitrioler vt Arroser qqn avec du vitriol dans un but criminel.

vitrocéramique nf Céramique obtenue par une technique identique à celle du verre.

vitrophanie nf Étiquette qui se colle sur une vitre et qu'on peut lire par transparence.

vitupération nf litt Action de vitupérer.

vitupérer vt, vti [12] litt Blâmer violemment. *Vitupérer qqn* ou (abusiv) *contre qqn.*

vivable a 1 Où on peut vivre. *Un appartement vivable.* 2 D'humeur accommodante.

1. vivace a Qui dure, tenace. *Préjugés vivaces.* Loc *Plante vivace :* qui vit plusieurs années.

2. vivace [vivatʃe] a inv MUS Vif, rapide.

vivacité nf 1 Fait d'être vif, d'avoir de l'allant. 2 Rapidité à comprendre, à réagir. 3 Intensité, éclat. *Vivacité des couleurs.*

vivandier, ère n HIST Personne qui vendait aux soldats des vivres et des boissons.

vivant, ante a 1 Qui est en vie (par oppos. à *mort*). 2 Doué de vie (par oppos. à *inanimé*). *La matière vivante.* 3 Qui manifeste de la vitalité ; dynamique. 4 Où il y a de l'activité, de l'ani-

mation. *Quartier très vivant.* 5 Qui rappelle □ de façon frappante. *C'est le vivant portrait* □ *son père.* 6 Qui restitue la vie. *Une descript* □ *vivante.* 7 Qui continue à vivre dans la mémoi □ Loc *Langue vivante :* encore parlée. ■ nm P □ sonne qui est en vie. Loc *Un bon vivant :* □ apprécie les plaisirs de la vie. *Du vivant de qq* □ pendant qu'il était en vie.

vivarium [-ʁjɔm] nm Établissement où on conse □ de petits animaux dans leur milieu naturel.

vivat [viva] interj, nm Acclamation enthousias □

1. vive nf Poisson marin comestible, à la nage □ dorsale armée d'épines venimeuses.

2. vive !, vivent ! interj Pour acclamer. *Vive* □ *République ! Vive(nt) les vacances ! Vive* □ *vive ? :* cri poussé par un factionnaire qui voit □ entend qqch de suspect.

vivement av 1 Avec emportement ou rapid □ 2 Intensément. *Ressentir vivement une pe* □ ■ interj Marque une attente impatiente. *Vivem* □ *les vacances !*

viveur, euse n Personne qui fait la fête, qui □ songe qu'aux plaisirs.

vivier nm 1 Bassin dans lequel on élève poiss □ et crustacés. 2 Réserve de gens compétents.

vivifiant, ante a Qui vivifie ; tonique.

vivifier vt Augmenter la vigueur de qqn.

vivipare a, nm ZOOL Animal qui donne naissanc □ des petits déjà vivants. Ant. ovipare.

viviparité nf ZOOL Mode de reproduction des a □ maux vivipares.

vivisection nf Opération pratiquée sur un anir □ vivant.

vivoter vi fam 1 Vivre médiocrement, végéter □ Fonctionner au ralenti.

vivre vi [76] 1 Être, rester en vie. 2 Exister, co □ nuer d'exister dans les esprits. *Sa mémoire vi* □ *longtemps.* 3 Jouir de la vie. *Vivre pleinemen* □ Subvenir à ses propres besoins. *Vivre largeme* □ 5 Se nourrir ou tirer sa subsistance de. *Vivre* □ *pain et de lait, de son travail.* 6 Passer sa vi □ une époque, dans un lieu. *Vivre loin de son pa* □ 7 Passer sa vie d'une certaine façon. *Vivre seu* □ Connaître les usages. *Savoir vivre. Apprendr* □ *vivre.* ■ vt 1 Passer une période bonne ou m □ vaise. *Vivre des heures troublées.* 2 Éprouv □ ressentir profondément. *Vivre une expérien* □ *exaltante.* Loc *Vivre sa vie :* mener sa vie com □ on l'entend. ■ nm Loc *Le vivre et le couvert* □ nourriture et le vin. ■ pl Aliments. *Manquer* □ *vivres.* Loc *Couper les vivres :* ôter toute □ financière.

vivrier, ère a Dont les produits sont destiné □ l'alimentation. *Cultures vivrières.*

vizir nm HIST Ministre du sultan.

vlan ! interj Exprime un bruit, un coup brusqu □ violent.

VO [veo] nf Sigle de *version originale.*

vocable nm Mot, terme.

vocabulaire nm 1 Dictionnaire abrégé. □ Ensemble des mots d'une langue. 3 Ensem □ des termes que connaît qqn.

vocal, ale, aux a De la voix. Loc *Music* □ *vocale :* musique pour le chant.

vocalement av Au moyen de la voix.

vocalique a Relatif aux voyelles.

vocalisation nf 1 Changement d'une conson □ en voyelle. 2 MUS Action de vocaliser.

vocalise *nf* Exercice vocal consistant à exécuter une échelle de sons sur une voyelle.

vocaliser *vt* Transformer une consonne en voyelle. ■ *vi* MUS Exécuter des vocalises.

vocalisme *nm* LING Système des voyelles d'une langue.

vocatif *nm* LING Dans les langues à déclinaison, cas de l'interpellation.

vocation *nf* **1** Vive inclination, penchant pour un état, une profession. **2** Ce à quoi qqch semble être destiné. *Région à vocation agricole.* Loc *Avoir vocation à :* se trouver naturellement désigné, qualifié pour.

vocifération *nf* Cris de qqn qui vocifère.

vociférer *vi, vt* [12] Crier avec colère.

vodka *nf* Alcool de grain russe ou polonais.

vœu *nm* **1** Promesse par laquelle on s'engage envers Dieu. *Vœux de pauvreté des religieux.* **2** litt Résolution fermement prise. *Faire vœu de ne plus fumer.* **3** Volonté, désir exprimé. *Le vœu de la nation. Vœu pieux :* irréaliste. ■ *pl* **1** Engagement solennel dans l'état religieux. *Prononcer ses vœux.* **2** Souhait. *Faire des vœux pour sa réussite. Présenter ses vœux.*

vogue *nf* Succès passager auprès du public. Loc *En vogue :* à la mode.

voguer *vi* litt Naviguer.

voici *prép* Indique ce qui est le plus proche, ce qui va arriver.

voie *nf* **1** Chemin pour aller d'un lieu à un autre ; route, rue. *Voies de communication. Voie ferrée.* **3** Mode de transport. *Par voie aérienne.* **4** Partie d'une route pour une seule file de voiture. *Route à trois voies.* **5** Moyen employé. *Par la voie hiérarchique.* **6** ANAT Conduit assurant une fonction. *Voies urinaires.* Loc *Voie d'eau :* ouverture accidentelle dans la coque d'un navire. *Être en bonne voie :* aller vers le succès. *Être en voie de :* sur le point de. *Mettre sur la voie :* orienter dans la bonne direction. *Voies de fait :* actes de violence contre qqn.

voilà *prép* Indique l'éloignement ou renvoie à ce qui vient d'être énoncé. Loc fam *En veux-tu, en voilà :* en quantité considérable.

voilage *nm* Rideau léger et transparent.

1. voile *nm* **1** Pièce d'étoffe destinée à cacher qqch. **2** Coiffure féminine faite d'une pièce d'étoffe. *Voile de mariée.* **3** Tissu fin et léger. **4** Ce qui dissimule à la vue. *Un voile de fumée légère.* **5** PHOTO Obscurcissement d'une épreuve surexposée. **6** Gauchissement d'une pièce de bois, de métal. Loc *Prendre le voile :* entrer en religion. *Sous le voile de :* sous le couvert de. MED *Voile au poumon :* opacité anormale et modérée d'une partie du poumon. ANAT *Voile du palais :* séparation entre les fosses nasales et la cavité buccale.

2. voile *nf* **1** Pièce d'étoffe résistante destinée à recevoir l'action du vent et à assurer la propulsion d'un navire. **2** Sport consistant à naviguer à la voile. Loc *Faire voile :* naviguer. *Mettre à la voile :* appareiller. fam *Mettre les voiles :* partir, fuir.

voilé, ée *a* **1** Sans éclat, obscurci. *Ciel voilé. Regard voilé.* **2** Atténué, indirect. *Reproche voilé.* **3** Gauchi, déformé. *Roue voilée.*

voiler *vt* **1** Couvrir. *Voiler son visage.* **2** Cacher, dissimuler. *Voiler son trouble.* **3** Gauchir, défor-

mer une roue, une planche. **4** Provoquer un voile sur une épreuve photographique. ■ *vpr* Se couvrir d'un voile. *Le ciel se voile.*

voilerie *nf* Atelier de fabrication ou de réparation des voiles de bateaux.

voilette *nf* Petit voile transparent fixé sur un chapeau de femme et qui s'abaisse sur le visage.

voilier *nm* Bateau à voiles.

voilure *nf* **1** Voiles d'un navire. **2** Surfaces assurant la sustentation d'un avion (ailes et empennage).

voir *vt, vi* [45] Percevoir avec les yeux, par la vue. *Je l'ai vu comme je vous vois. Il ne voit plus.* ■ *vt* **1** Regarder, visiter. *Nous avons vu ses exploits.* **2** Rencontrer qqn. *Aller voir un ami.* **3** Consulter. *Voir le médecin.* **4** Considérer attentivement, examiner, étudier. *Voir un dossier en détail.* **5** Avoir l'image mentale de. *Je vois la scène comme si j'y étais.* **6** Se faire une idée de, concevoir. *Ce n'est pas ma façon de voir. Je ne vois pas la difficulté.* Loc *Voir le jour :* naître. fam *On aura tout vu :* rien ne nous sera épargné. *N'avoir rien à voir avec, dans :* n'avoir aucun rapport avec. ■ *vti* Veiller à. *Voyez à faire le nécessaire.* ■ *vpr* **1** Avoir de soi-même telle image. *Je ne me vois pas du tout dans ce rôle.* **2** Prendre conscience d'être. *Se voir perdu.* **3** Arriver, se produire. *Cela se voit encore.*

voire *av* litt Et même. *Il est économe, voire avare.* (La loc. *voire même* est pléonastique.)

voirie *nf* **1** Ensemble des voies de communication. **2** Administration chargée de ces voies. **3** Décharge où on jette les ordures.

voisé, ée *a* PHON Caractérisé par le voisement.

voisement *nm* PHON Vibration des cordes vocales dans la réalisation d'un son du langage.

voisin, ine *a* **1** Proche dans l'espace. *Maisons voisines.* **2** Peu éloigné dans le temps. *Date voisine de Noël.* **3** Analogue, comparable. *Expressions voisines.* ■ *n* Personne qui habite, qui se trouve à proximité d'une autre.

voisinage *nm* **1** Proximité de qqn, d'un lieu ; alentours. *Le voisinage de la forêt.* **2** Ensemble des voisins. Loc *Bon voisinage :* bonnes relations entre voisins.

voisiner *vi* Être voisin de.

voiture *nf* **1** Véhicule à roues, destiné au transport. **2** Automobile de tourisme. **3** Partie d'un train, d'un métro, destinée au transport des voyageurs.

voiturette *nf* Petite voiture que l'on peut conduire sans permis.

voiturier *nm* Personne qui range la voiture des clients d'un hôtel, d'un restaurant.

voix *nf* **1** Ensemble des sons émis par les êtres humains. **2** Cri de certains animaux. **3** Sons émis en chantant ; voix d'un chanteur. *Une voix juste. Voix de basse.* **4** Appel, avertissement intérieur. *La voix de la conscience.* **5** Avis exprimé par un vote. **6** GRAM Formes verbales selon la relation entre sujet et verbe (actif, passif). Loc *De vive voix :* verbalement. *Être sans voix :* muet d'étonnement. *Avoir voix au chapitre :* pouvoir donner son avis.

1. vol *nm* **1** Locomotion aérienne des oiseaux, des insectes, de certains animaux. **2** Distance parcourue par un oiseau d'une seule traite. **3** Ensemble d'oiseaux volant en groupe. *Un vol de canards.* **4** Déplacement dans l'air d'un avion, d'un engin. **5**

Trajet effectué par ce déplacement. **6** Mouvement rapide d'un objet dans l'air. *Attraper une balle au vol.* Loc *Prendre son vol :* s'envoler. *De haut vol :* de grande envergure. *Vol à voile :* pratiqué avec un planeur.

2. vol nm Action de s'approprier le bien d'autrui de façon illicite ; chose dérobée.

volage a Inconstant, infidèle en amour.

volaille nf **1** Ensemble des oiseaux de basse-cour. **2** Oiseau élevé en basse-cour ; sa viande. *Plumer une volaille.*

volailler, ère n Marchand de volaille. Var **volailleur, euse**

volant, ante a **1** Qui vole. *Poissons volants.* **2** Que l'on peut déplacer. *Pont volant.* Loc *Feuille volante :* feuille de papier détachée d'un bloc. ■ nm **1** Jeu de raquette dans lequel les joueurs se renvoient une balle garnie de plumes. **2** Organe circulaire qui permet de diriger un véhicule automobile. **3** TECH Roue pesante destinée à régulariser la vitesse de rotation de l'arbre dont elle est solidaire. **4** Bande d'étoffe cousue au bord d'un vêtement, d'un rideau.

volapük nm Langue artificielle (fin du XIXᵉ s.). Var **volapuk**

volatil, ile a **1** CHIM Qui se transforme facilement en vapeur, en gaz. **2** Incertain, fluctuant. *Électorat volatil. Taux d'intérêt volatil.*

volatile nm Oiseau.

volatiliser vt **1** Faire passer un corps solide ou liquide à l'état gazeux. **2** Dérober, voler, faire disparaître. ■ vpr **1** Passer à l'état gazeux. **2** Disparaître. *Son argent s'est volatilisé.*

volatilité nf Caractère volatil.

vol-au-vent nm inv Moule de pâte feuilletée garni de viande ou de poisson en sauce.

volcan nm Relief construit avec des matériaux provenant des couches profondes de l'écorce terrestre. Loc *Être sur un volcan :* dans une situation dangereuse.

volcanique a **1** Relatif à un volcan. **2** litt Ardent, fougueux.

volcanisme nm GEOL Ensemble des manifestations volcaniques.

volcanologie nf Étude des volcans.

volcanologue n Spécialiste de volcanologie.

volée nf **1** Action de voler, pour un oiseau ; envol, essor. **2** Bande d'oiseaux volant ensemble. *Volée de moineaux.* **3** Mouvement d'un projectile lancé avec force. *Volée de pierres.* **4** Série de coups donnés à qqn. *Une volée de coups de bâton.* **5** Partie d'un escalier entre deux paliers. **6** Frappe de la balle ou du ballon avant qu'ils aient touché terre. Loc *À la volée, à toute volée :* en lançant vigoureusement. *De haute volée :* de grande envergure. fam *Volée de bois vert :* violentes remontrances.

1. voler vi **1** Se mouvoir ou se soutenir en l'air au moyen d'ailes. **2** Se déplacer par voie aérienne. *Voler de New York à Paris.* **3** Être lancé dans l'air. *Les flèches volaient.* **4** Aller à une grande vitesse. Loc *Voler en éclats :* être brisé, anéanti.

2. voler vt **1** S'approprier le bien d'autrui de façon illicite. **2** Prendre indûment. *Voler une idée.* **3** Manquer d'honnêteté à l'égard de qqn. *Marchand qui vole ses clients.* Loc fam *Ne pas l'avoir volé :* l'avoir bien mérité.

volet nm **1** Panneau de bois, de métal, etc., destiné à clore une baie. **2** Partie mobile d'un objet qui se rabat sur celle à laquelle elle est fixée.

Volets d'un triptyque. **3** Partie d'un ensemble. *Le deuxième volet de l'enquête.* Loc *Trié sur le volet :* choisi avec soin.

voleter vi [17] ou [19] Voler à petits coups d'ailes.

voleur, euse n, a Coupable d'un vol.

volière nf Grande cage à oiseaux.

volige nf Planche mince sur laquelle sont fixées les ardoises ou les tuiles d'une toiture.

volition nf PHILO Acte de volonté.

volley-ball [vɔlɛbol] nm Sport opposant deux équipes de six joueurs, qui se renvoient un ballon au-dessus d'un filet. Var **volleyball** ou **volley**

volleyer vi Au tennis, jouer à la volée.

volleyeur, euse n **1** Joueur, joueuse de volley-ball. **2** Au tennis, spécialiste de la volée.

volnay nm Bourgogne rouge très réputé.

volontaire a **1** Qui se fait délibérément. **2** Qui ne résulte pas d'une contrainte. *Contribution volontaire.* **3** Entêté, obstiné, persévérant. ■ n Personne qui s'offre à accomplir une mission.

volontairement av **1** Intentionnellement, exprès. **2** Sans être contraint.

volontariat nm Fait d'être volontaire.

volontarisme nm Attitude qui consiste à mettre tout en œuvre pour soumettre le réel à une volonté définie.

volontariste a, n Qui relève du volontarisme.

volonté nf **1** Faculté de se déterminer soi-même vis-à-vis d'une décision à prendre, d'une action. **2** Détermination, fermeté. *Avoir de la volonté.* **3** Décision prise, désir. *Imposer sa volonté.* Loc *Les dernières volontés de qqn :* souhaits exprimés avant sa mort. *Faire les quatre volontés de qqn :* lui passer tous ses caprices. *À volonté :* quand on veut ou autant qu'on veut. *Bonne volonté :* disposition à faire une chose de bon gré. *Mauvaise volonté :* tendance à refuser une obligation.

volontiers av De bon gré ; avec plaisir.

volt nm Unité servant à mesurer la différence de potentiel entre deux points d'un conducteur électrique.

voltage nm Tension électrique.

voltaïque a Relatif à la pile de Volta.

voltaire nm Large fauteuil au dossier élevé.

voltairien, enne a Propre à Voltaire. ■ a, n v Incrédule.

voltamètre nm Appareil servant à faire une électrolyse.

volte nf Mouvement d'un cheval que son cavalier mène en rond.

volte-face nf inv **1** Action de se retourner pour faire face. **2** Brusque changement d'opinion. Var **volteface**

voltige nf **1** Acrobatie au trapèze volant, sur un cheval ou avec un avion. **2** Façon de procéder exigeant une grande habileté.

voltiger vi [11] **1** Voler à fréquentes reprises, çà et là. **2** Flotter au gré du vent.

voltigeur nm **1** Acrobate qui fait des voltiges. **2** MILIT Fantassin d'élite.

voltmètre nm Appareil servant à mesurer les différences de potentiel.

volubile a **1** Qui parle beaucoup et rapidement. **2** BOT Qui s'enroule autour d'un support.

volubilis nm Plante ornementale à fleurs en forme d'entonnoir.

volubilité nf Abondance et rapidité de paroles.

volume nm 1 Livre broché ou relié. 2 Espace occupé par un corps ; grandeur qui mesure cet espace. 3 Encombrement d'un objet. 4 Masse d'eau que débite un cours d'eau. 5 Quantité globale. *Le volume des échanges.* 6 Intensité des sons produits par la voix, la musique.

volumétrie nf Mesure des volumes.

volumétrique a De la volumétrie.

volumineux, euse a Dont l'encombrement est important.

volumique a Loc PHYS *Masse, poids volumique :* masse, poids par unité de volume.

volupté nf 1 Jouissance profonde, sensuelle ou intellectuelle. 2 Plaisir sexuel.

voluptueusement av Avec volupté.

voluptueux, euse a, n Qui recherche la volupté sensuelle. ■ a Qui exprime ou procure la volupté.

volute nf 1 Ornement en spirale. 2 Ce qui est en forme de spirale. *Volutes de fumée.*

volvaire nf Champignon comestible à lamelles, à grande volve.

volve nf Membrane qui enveloppe le chapeau et le pied de divers champignons.

vomi nm fam Vomissure.

vomique a Loc *Noix vomique :* graine vénéneuse du vomiquier, riche en strychnine.

vomiquier nm Arbre d'Asie donnant la noix vomique.

vomir vt 1 Rejeter brutalement par la bouche le contenu de l'estomac. 2 Projeter violemment à l'extérieur. *Volcan qui vomit des flammes.* 3 litt Proférer des paroles violentes. 4 Éprouver du dégoût pour qqn.

vomissement nm Action de vomir.

vomissure nf Matières vomies.

vomitif, ive a, nm MÉD Qui fait vomir.

vorace a 1 Qui mange avec avidité. 2 Avide d'argent.

voracement av Avec voracité.

voracité nf Avidité à manger, à gagner de l'argent.

vortex nm PHYS Tourbillon creux dans un fluide qui s'écoule.

vos. V. *votre.*

vosgien, enne a, n Des Vosges.

votant, ante n Personne qui a le droit de voter ou qui prend part à un vote.

vote nm Suffrage exprimé dans une élection, une délibération.

voter vi Donner son avis par un vote. ■ vt Approuver, décider par un vote. *Voter une loi.*

vote-sanction nm POLIT Élection dont le résultat manifeste un fort mécontentement contre le pouvoir en place. *Des votes-sanctions.*

votif, ive a Offert à la suite d'un vœu et témoignant de son accomplissement.

votre, vos a poss Deuxième personne du pluriel ; de vous, à vous. *Votre maison. Vos biens.*

vôtre a poss litt Qui est à vous. *Considérez mes biens comme vôtres.* ■ pr poss Ce qui est à vous. Loc *À la vôtre :* à votre santé. *Vous y avez mis du vôtre :* de la bonne volonté. ■ nmpl Vos proches, vos parents.

vouer vt 1 Consacrer son existence, son énergie à. *Vouer sa vie à la science.* 2 Porter à qqn un sentiment durable. *Vouer de l'amitié à qqn.* 3 Destiner à un sort déterminé. *Être voué à une déchéance certaine.* ■ vpr Se consacrer à.

vouloir vt [47] 1 Être fermement déterminé à, ou désireux de. *Il veut partir. Je veux qu'il vienne.* 2 Aspirer à obtenir qqch de qqn. *Vouloir la paix. Vouloir une explication de qqn.* 3 Pouvoir. *Ce bois ne veut pas brûler.* 4 Demander, exiger. *La loi veut que...* Loc *Vouloir dire :* signifier. *Vouloir bien :* accepter. *Sans le vouloir :* involontairement. ■ vti Accepter qqch, qqn. *Je ne veux pas de ton cadeau, de cet employé.* Loc fam *En vouloir :* avoir une grande volonté de gagner, de s'imposer. *En vouloir à qqn :* avoir de la rancune contre lui. ■ vpr Loc *S'en vouloir :* regretter de. ■ nm Loc litt *Bon, mauvais vouloir :* bonnes, mauvaises dispositions.

voulu, ue a 1 Exigé, requis. *En temps voulu.* 2 Fait à dessein. *Ces erreurs sont voulues.*

vous pr pers Sujet ou complément de la 2e personne du pluriel, ou du singulier quand on vouvoie. Loc *De vous à moi :* en confidence.

voussure nf 1 ARCHI Cintre, courbe d'une voûte. 2 Convexité excessive du thorax ou du rachis.

voûte nf 1 Ouvrage de maçonnerie cintré dont les pierres sont disposées de manière à s'appuyer les unes dans les autres. 2 Partie supérieure courbe. *Voûte d'une caverne.* Loc litt *Voûte céleste :* ciel. *Voûte du palais :* cloison supérieure de la bouche. Var voute

voûté, ée a 1 Qui comporte une voûte. *Crypte voûtée.* 2 Anormalement courbé. *Dos voûté.* Var vouté, ée

voûter vt Couvrir d'une voûte. ■ vpr Se courber. Var vouter

vouvoiement nm Action de vouvoyer.

vouvoyer vt [22] Employer le pronom *vous* pour s'adresser à une seule personne.

vouvray nm Touraine blanc réputé.

vox populi nm litt Opinion du plus grand nombre.

voyage nm 1 Fait d'aller dans un lieu assez éloigné de celui où on réside. 2 Allées et venues, trajet de qqn pour transporter qqch. Loc *Les gens du voyage :* les artistes de cirque ; tsiganes.

voyager vi [11] 1 Faire un voyage, des voyages. *Voyager en Italie.* 2 Être transporté. *Denrées qui ne peuvent voyager.*

voyageur, euse n Personne qui est en voyage ou qui voyage beaucoup. Loc *Voyageur de commerce :* qui se déplace pour le compte d'une maison de commerce. ■ a Loc *Pigeon voyageur :* dressé à porter des messages.

voyagiste n Organisateur de voyages.

voyance nf Don de ceux qui prétendent voir l'avenir ou le passé.

voyant, ante a Qui attire l'œil. *Couleurs voyantes.* ■ a, n Qui jouit du sens de la vue (par oppos. à *aveugle*). ■ nf Personne qui prétend voir le futur ou le passé. ■ nm Signal lumineux d'avertissement sur un tableau de contrôle.

voyelle nf Son du langage produit par la voix qui résonne dans la cavité buccale ; lettre qui note un tel son.

voyeur, euse n 1 Personne qui se plaît à assister à des scènes érotiques. 2 Personne qui observe autrui, mû par une curiosité malsaine.

voyeurisme nm Comportement de voyeur.

voyou nm Individu louche, vivant en marge des lois ; membre du milieu.

vrac (en) *av* **1** Qui n'est pas emballé, conditionné. **2** Sans ordre.

vrai, vraie *a* **1** Conforme à la vérité. Ant. faux. **2** Qui est réellement ce dont il a les apparences. *Un vrai diamant.* **3** Réel et non pas imaginaire. *La vraie cause d'un évènement.* **4** Qui seul convient. *Le vrai moyen d'en sortir.* **5** Sincère. *Sentiments vrais.* ■ *nm* Loc *Être dans le vrai* : ne pas se tromper. fam *Pour de vrai* : réellement. ■ *av* Loc *À vrai dire, à dire vrai* : pour parler sincèrement.

vrai-faux, vraie-fausse *a* **1** Se dit de faux papiers établis par une autorité compétente. **2** fam Fallacieux, trompeur.

vraiment *av* Véritablement, effectivement.

vraisemblable *a* Qui a l'apparence de la vérité. Ant. invraisemblable.

vraisemblablement *av* De façon vraisemblable, probablement.

vraisemblance *nf* Caractère vraisemblable.

vraquier *nm* Navire transportant des marchandises en vrac.

vrille *nf* **1** BOT Tige en hélice autour d'un support permettant à certaines plantes grimpantes de s'élever. **2** Mèche servant à faire de petits trous dans le bois. **3** Figure de voltige aérienne. Loc *En vrille* : en tournoyant.

vrillé, ée *a* **1** BOT Qui a des vrilles. **2** Enroulé, tordu sur lui-même.

vriller *vi* S'élever ou descendre en tournoyant.

vrillette *nf* Coléoptère dont la larve creuse des galeries dans le bois.

vrombir *vi* Faire entendre un son vibrant résultant d'un mouvement de rotation rapide.

vrombissement *nm* Bruit de ce qui vrombit.

VRP [veɛʀpe] *nm* Sigle de *voyageur, représentant* (de commerce), *placier.*

VTC *nm* Vélo tout-chemin, bicyclette adaptée à la randonnée et aux déplacements urbains.

VTT *nm* **1** Vélo tout-terrain, bicyclette adaptée aux terrains accidentés. **2** Sport pratiqué avec cette bicyclette.

vu, vue *a* Loc *Ni vu ni connu* : à l'insu de tous. *C'est tout vu* : il n'y a pas à revenir là-dessus. *Être bien, mal vu* : jouir, ne pas jouir de la considération d'autrui. ■ *nm* Loc *Au vu et au su de tous* : ouvertement. *Sur le vu de* : après examen direct de. ■ *prép* Loc *Vu (que)* : étant donné (que).

vue *nf* **1** Sens dont l'organe est l'œil et par lequel nous percevons la lumière, les couleurs, les formes et les distances. **2** Manière, action de regarder, de voir. *Détourner la vue.* **3** Ce qu'on peut voir de

qq part. *Avoir une belle vue sur la mer.* **4** Dessin, tableau représentant un lieu. **5** Faculté de connaître par l'esprit ; idée, aperçu, conception. Loc *En mettre plein la vue* : susciter une admiration éblouie. *Connaître qqn de vue* : l'avoir vu sans jamais lui avoir parlé. *À première vue* : au premier coup d'œil. *À vue d'œil* : très rapidement. fam *À vue de nez* : approximativement. *À la vue de* : en voyant. *En vue* : de premier plan. *Seconde vue, double vue* : prétendue faculté de voir mentalement des choses absentes. *Vue de l'esprit* : conception théorique. *Avoir qqch en vue* : espérer l'obtenir. *En vue de* : afin de. ■ *pl* Projets, buts. Loc *Avoir des vues sur qqn* : projeter de l'employer ou de l'épouser.

vulcain *nm* Papillon noir marqué de taches blanches et rouges.

vulcanisation *nf* Addition de soufre au caoutchouc pour le rendre plus résistant.

vulcaniser *vt* Soumettre le caoutchouc à la vulcanisation.

vulgaire *a* **1** litt Commun, répandu. *L'opinion vulgaire.* **2** (avant le n.) Qui n'est réellement que ce qu'il est. *Un vulgaire chat de gouttière.* **3** Grossier, inélégant. *Langage vulgaire.* Loc *Nom vulgaire d'une plante, d'un animal* : nom courant, non scientifique.

vulgairement *av* **1** Dans le langage courant, communément. **2** De façon grossière.

vulgarisateur, trice *a, n* Qui vulgarise.

vulgarisation *nf* Action de vulgariser.

vulgariser *vt* Mettre des connaissances à la portée de tous. *Vulgariser une science.*

vulgarisme *nm* Terme de la langue vulgaire.

vulgarité *nf* Caractère grossier, vulgaire.

vulgum pecus [vylgɔmpekys] *nm* fam Commun des mortels, masse ignorante.

vulnérabilité *nf* Caractère vulnérable.

vulnérable *a* **1** Qui peut être blessé, atteint physiquement. **2** Qui résiste mal psychologiquement aux attaques.

vulnéraire *nf* Plante à fleurs jaune d'or. ■ *nm* anc Substance guérissant les blessures.

vulpin *nm* Plante des prairies.

vulvaire *a* ANAT De la vulve. ■ *nf* Plante à odeur fétide.

vulve *nf* ANAT Organes génitaux externes, chez la femme et les femelles des mammifères.

vulvite *nf* Inflammation de la vulve.

vumètre *nm* Dispositif de contrôle d'un signal électroacoustique.

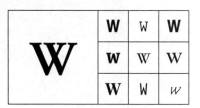

w *nm* Vingt-troisième lettre (consonne) de l'alphabet.

wagnérien, enne [va-] *a* De Wagner.

wagon [va-] *nm* Véhicule ferroviaire tracté, servant au transport des marchandises, des animaux.

wagon-citerne *nm* Wagon servant au transport des liquides. *Des wagons-citernes.*

wagon-lit *nm* Voiture de chemin de fer équipée de couchettes. *Des wagons-lits.*

wagonnet *nm* Petit wagon à caisse basculante.

wagon-restaurant *nm* Voiture de chemin de fer aménagée en restaurant. *Des wagons-restaurants.*

wali [wa-] *nm* En Algérie, fonctionnaire qui est à la tête d'une wilaya.

walkman [wokman] *nm* (n. déposé) Baladeur.

walkyrie *nf* Divinité féminine de la mythologie scandinave.

wallaby [wa-] *nm* Petit kangourou. *Des wallabies* ou *wallabys.*

wallon, onne [wa-] *a, n* De Wallonie. ■ *nm* Parler roman de Wallonie.

wallonisme *nm* Locution propre au wallon.

wapiti [wa-] *nm* Grand cerf d'Amérique du Nord.

wargame [waʀgɛm] *nm* Jeu de société simulant une bataille.

warrant [wa-] *nm* Récépissé de marchandises déposées dans un magasin par un commerçant, lui permettant de les négocier.

warranter [wa-] *vt* Garantir par un warrant.

water-closet [watɛʀklozɛt] *nm* Lieux d'aisances, cabinets. *Des water-closets* (abrév. : w-c). **Var waters** *nmpl*

water-polo [watɛʀ-] *nm* Jeu de ballon qui se joue dans l'eau. **Var waterpolo**

waterproof [watɛʀpʀuf] *a inv* Étanche.

watt [wat] *nm* Unité de puissance du flux énergétique.

wax [waks] *nm* Tissu de coton imprimé.

w-c [dublɘvese] ou [vese] *nmpl* Water-closets.

webcam *nf* Petite caméra transmettant des images sur le Web.

webmestre *n* Administrateur de site Internet. **Var webmaster**

week-end [wikɛnd] *nm* Congé de fin de semaine. *Des week-ends.* **Var weekend**

welter [wɛltɛʀ] *nm* Syn. de *mi-moyen.*

western [wɛstɛʀn] *nm* Film d'aventures dont l'action se déroule dans l'Ouest des États-Unis au temps des pionniers.

wharf [waʀf] *nm* MAR Long appontement perpendiculaire au rivage.

whig [wig] *nm, a* HIST Membre du parti libéral en Grande-Bretagne.

whisky [wiski] *nm* Eau-de-vie de grain fabriquée dans les pays anglo-saxons ; un verre de cette eau-de-vie. *Des whiskies* ou *whiskys.*

whist *nm* Jeu de cartes, ancêtre du bridge.

white spirit [wajtspiʀit] *nm* Solvant à peintures. *Des white spirits.*

wigwam [wigwam] *nm* Hutte des Indiens d'Amérique du Nord.

wilaya [vi-] *nf* Division administrative de l'Algérie.

williams [wi-] *nf* Poire juteuse et parfumée.

winch [winʃ] *nm* MAR Petit cabestan utilisé sur les yachts.

winchester [win-] *nf* Carabine à répétition.

wishbone [wiʃbon] *nm* Arceau servant à la manœuvre d'une voile.

wolfram [vɔ-] *nm* Minerai de tungstène.

wok [wɔk] *nm* Poêle chinoise à fond semi-sphérique.

wolof *nm* Langue du Sénégal. **Var ouolof**

won [wɔn] *nm* Unité monétaire de la Corée.

x *nm* **1** Vingt-quatrième lettre (consonne) de l'alphabet. **2** X : chiffre romain qui vaut 10. **3** Objet formé de deux éléments croisés. **4** MATH Symbole utilisé pour désigner une inconnue. **5** Remplace le nom de qqn ou de qqch qu'on ne peut ou ne veut mentionner. **Loc** *Film classé X :* pornographique. *L'X :* l'École polytechnique. *Rayons X :* radiations électromagnétiques à faible longueur d'onde, très pénétrantes.

xénarthre *nm* ZOOL Mammifère américain, tel que le tatou, le fourmilier, le paresseux.

xénon *nm* Gaz rare de l'air.

xénophobe *a, n* Hostile aux étrangers.

xénophobie *nf* Hostilité aux étrangers.

xérès *nm* Vin blanc d'Espagne. **Var jerez**

xérographie *nf* Procédé de reprographie.

xérophile *a* BOT Adapté à la sècheresse.

xi *nm* Lettre de l'alphabet grec, représentant *ks.* **Var ksi**

xiphophore *nm* Petit poisson multicolore élevé en aquarium, à nageoire caudale pointue.

xylocope *nm* Abeille solitaire qui creuse son nid dans le bois.

xylographie *nf* Gravure sur bois.

xylophage *a, nm* ZOOL Qui se nourrit de bois.

xylophène *nm* (n déposé) Produit contre les insectes xylophages.

xylophone *nm* Instrument de musique composé de lamelles de bois sur lesquelles on frappe avec des baguettes.

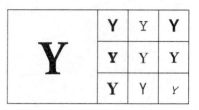

1. y nm I grec, vingt-cinquième lettre (voyelle) de l'alphabet. **Loc** *Chromosome Y :* présent seulement chez l'homme.

2. y av Dans cet endroit. *J'y reste. Vas-y.* **Loc** *Il y a :* il est, il existe. *Il y va de :* telle chose se trouve en cause. *Y être pour qqch, n'y être pour rien :* avoir, ou n'avoir pas, sa part de responsabilité. ■ pr À cela. *Je n'y comprends rien.*

yacht [jɔt] nm Navire de plaisance à voiles ou à moteur.

yacht-club [jɔtklœb] nm Société, club de yachting. *Des yacht-clubs.*

yachting [jɔtiŋ] nm Navigation de plaisance.

yachtman [jɔtman] nm Qui pratique le yachting.

yack nm Bovin du Tibet. **Var yak**

yakusa nm Au Japon, membre de la mafia.

yang. V. yin.

yankee [jãki] n, a Des États-Unis.

yaourt nm Lait caillé par l'effet d'un ferment lactique. **Var yoghourt** ou **yogourt**

yaourtière nf Appareil pour fabriquer des yaourts.

yard [jaʀd] nm Unité de mesure de longueur anglo-saxonne, valant 0.914 m.

yatagan nm Sabre incurvé au tranchant en courbe rentrante, en usage autrefois en Turquie.

yearling [jœʀliŋ] nm Poulain pur-sang âgé d'un an.

yéménite a, n Du Yémen.

yen [jɛn] nm Unité monétaire du Japon.

yeshiva nf École talmudique.

yéti nm Hominien légendaire de l'Himalaya. **Var yeti**

yeuse nf Chêne vert.

yeux. V. œil.

yé-yé a, n inv fam Style de musique en vogue vers 1960. **Var yéyé** a, n

yiddish nm, a inv Langue germanique des communautés juives d'Europe centrale et orientale. **Var yidiche**

yin nm **Loc** *Le yin et le yang :* les deux principes fondamentaux, opposés et complémentaires, selon le taoïsme.

ylang-ylang nm Arbre d'Asie tropicale. *Des ylangs-ylangs.* **Var ilang-ilang**

yod nm PHON Semi-voyelle [j], transcrite *i* ou *y.*

yoga nm Technique de maîtrise des fonctions corporelles originaire de l'Inde.

yoghourt, yogourt. V. yaourt.

yogi [-gi] n Qui pratique le yoga.

yole nf Embarcation légère propulsée à l'aviron.

Yom Kippour nm Fête juive marquée par le jeûne et la prière, dite aussi *Grand Pardon.* **Var Kippour**

yougoslave a, n De Yougoslavie.

youpi ! interj Marque l'enthousiasme.

youpin, ine a, n pop Terme raciste et injurieux désignant un Juif.

yourte nf Tente mongole. **Var iourte**

1. youyou nm Petite embarcation.

2. youyou nm Cri modulé des femmes musulmanes lors de certaines cérémonies.

yo-yo nm inv (n. déposé) Jouet formé d'une roulette à gorge qu'on fait monter et descendre le long d'un fil. **Var yoyo** nm

ypérite nf Gaz de combat.

yttrium [itʀijɔm] nm Métal du groupe des terres rares.

yuan nm Unité monétaire de la Chine.

yucca nm Plante ligneuse d'Amérique tropicale.

yuppie [jupi] n fam Jeune cadre ambitieux.

z *nm* Vingt-sixième et dernière lettre (consonne) de l'alphabet.

zaïbatsu [-su] *nm* ECON Trust japonais.

zaïre *nm* Unité monétaire du Zaïre.

zaïrois, oise *a, n* Du Zaïre.

zakouski *nm* Hors-d'œuvre variés russes.

zambien, enne *a, n* De Zambie.

zapper *vi* **1** Passer d'une chaîne de télévision à l'autre avec la télécommande. **2** fam Changer d'occupation, d'opinion.

zapping [-piŋ] *nm* Action de zapper.

zazou *n, a* fam Jeune excentrique, vers 1940.

zèbre *nm* **1** Équidé sauvage d'Afrique à robe claire rayée. **2** pop Individu, type.

zébrer *vt* [12] Marquer de raies, de rayures.

zébrure *nf* Raie, marque sur la peau ou une surface quelconque.

zébu *nm* Bœuf africain domestiqué, ayant une bosse graisseuse au niveau du garrot.

zef *nm* pop Vent.

zélateur, trice *n* litt Partisan ardent, zélé.

zèle *nm* Empressement, application pleine d'ardeur. Loc *Faire du zèle :* faire par affectation plus qu'il n'est demandé. *Grève du zèle :* application à la lettre des consignes pour ralentir une activité.

zélé, ée *a* Plein de zèle.

zen *nm* Mouvement bouddhiste du Japon. ■ *a inv* Relatif au zen. *Cérémonie zen.*

zénith *nm* **1** Point où la verticale d'un lieu rencontre la sphère céleste, au-dessus de l'horizon. **2** Point culminant.

zénithal, ale, aux *a* Du zénith.

zéolite *nf* Minéral de certaines roches volcaniques, très utilisé dans l'industrie.

zéphyr *nm* litt Vent tiède et léger.

zeppelin *nm* HIST Grand ballon dirigeable allemand, qui emportait des passagers.

zéro *nm* **1** Symbole numéral de valeur nulle, qui, placé à la droite d'un nombre, le multiplie par 10. Valeur nulle dans une cotation ; quantité nulle. fam Personne nulle, sans valeur. ■ *a* **1** Aucun. *Faire zéro faute.* **2** De valeur nulle. *Degré zéro.*

zeste *nm* Écorce de l'orange, du citron.

zêta *nm* Sixième lettre de l'alphabet grec, correspondant à *dz.*

zeugma *nm* RHET Coordination d'éléments qui ne sont pas sur le même plan syntaxique.

zézaiement *nm* Vice de prononciation de qqn qui zézaie.

zézayer *vi* [20] Prononcer le son [z] pour [ʒ] et le son [s] pour [ʃ].

zibeline *nf* Mammifère au pelage noir ou brun ; sa fourrure.

zieuter *vi, vt* pop Regarder.

zig *nm* pop Individu, type. **Var zigue**

ziggourat *nf* ANTIQ Tour à étages élevée en Mésopotamie auprès du temple d'un dieu.

zigoto *nm* pop Individu. **Var zigoteau**

zigouiller *vt* pop Tuer.

zigzag *nm* Ligne brisée.

zigzagant, ante *a* Qui zigzague.

zigzaguer *vi* Décrire des zigzags.

zimbabwéen, enne *a, n* Du Zimbabwe.

zinc *nm* **1** Corps simple métallique, blanchâtre. **2** fam Comptoir d'un café. **3** fam Avion.

zingueur *nm* Ouvrier spécialisé dans les travaux de couverture en zinc.

zinnia *nm* Plante ornementale.

zinzin *a inv* fam Bizarre, un peu fou. ■ *nm* fam Organisme semi-public effectuant des placements en Bourse.

zinzolin, ine *nm, a* Rouge violacé.

zip *nm* (n. déposé) Fermeture à glissière.

zippé, ée *a* Qui comporte un zip.

zircon *nm* Minéral très dur, employé en joaillerie.

zirconium [-njɔm] *nm* Métal proche du titane.

zizanie *nf* Discorde, désunion.

zizi *nm* fam Pénis.

zloty *nm* Unité monétaire de la Pologne.

zodiac *nm* (n. déposé) Type de canot pneumatique.

zodiacal, ale, aux *a* Du zodiaque.

zodiaque *nm* Bande de la sphère céleste à l'intérieur de laquelle s'effectuent les mouvements apparents du Soleil, de la Lune et des planètes. Loc *Signes du zodiaque :* les douze parties du zodiaque (le Bélier, le Taureau, les Gémeaux, le Cancer, le Lion, la Vierge, la Balance, le Scorpion, le Sagittaire, le Capricorne, le Verseau, les Poissons).

zombie *nm* **1** Revenant, selon certaines croyances vaudou des Antilles. **2** fam Personne apathique, sans volonté. **Var zombi**

zona *nm* Affection virale caractérisée par une éruption de vésicules cutanées.

zonage *nm* nf Découpage d'un espace en zones. **Var zonation**

zonal, ale, aux *a* D'une zone du globe terrestre.

zonard, arde *n, a* pop Jeune marginal, loubard.
zone *nf* 1 Étendue déterminée de terrain, portion de territoire. 2 Domaine. *Zone d'influence.* 3 Quartier misérable à la périphérie d'une ville. 4 GEOM Surface délimitée sur une sphère par deux plans parallèles coupant cette sphère. 5 GEOGR Chacune des divisions du globe terrestre déterminées par les cercles polaires et les tropiques et caractérisées par un climat particulier. **Loc** *De seconde zone :* médiocre.
zoner *vt* Effectuer le zonage ou la zonation de qqch. ■ *vi* pop Vivre au jour le jour.
zoo *nm* Parc, jardin zoologique.
zoogéographie *nf* Étude de la répartition zonale des animaux.
zoolâtrie *nf* Adoration d'animaux divinisés.
zoologie *nf* Étude des animaux.
zoologique *a* De la zoologie. **Loc** *Parc, jardin zoologique :* où sont montrés des animaux.
zoologiste *n* Spécialiste de zoologie. **Var** zoologue
zoom [zum] *nm* Objectif à distance focale variable d'un appareil de prise de vue ; effet ainsi obtenu.
zoomer *vi* Filmer avec un zoom.

zoomorphe *a* En forme d'animal.
zoophile *n, a* Qui aime les animaux.
zoophilie *nf* Amour des animaux.
zoophobie *nf* Phobie des animaux.
zooplancton *nm* Plancton animal.
zootechnicien, enne *n* Spécialiste de zootechnie.
zootechnie *nf* Étude des conditions d'élevage des animaux domestiques, du cheptel.
zootechnique *a* De la zootechnie.
zoothèque *nf* Collection d'animaux naturalisés.
zorille *nf* Mammifère africain, proche de la moufette.
zouave *nm* HIST Soldat d'infanterie coloniale. **Loc** fam *Faire le zouave :* faire l'idiot.
zozo *nm* fam Niais, naïf.
zozotement *nm* fam Zézaiement.
zozoter *vi* fam Zézayer.
zut ! *interj* fam Marque le mécontentement.
zydeco *nm* Musique populaire de Louisiane.
zygomatique *nm, a* Muscle de la pommette.
zygote *nm* BIOL Cellule directement issue de la fécondation.
zyzomys *nm* Rat d'Australie à queue blanche.

NOMS PROPRES

Pour faciliter la consultation, les entrées sont classées dans l'ordre alphabétique strict. Dans le cas d'homonymie entre un lieu et un personnage, le lieu précède le personnage : les îles COOK sont classées avant James COOK. Dans le cas d'homonymie entre personnages, ceux-ci sont classés selon l'ordre chronologique : Fenimore COOPER (1789-1851) précède Gary COOPER (1901-1961). Dans le cas de dynasties, le numéro d'ordre du souverain prime : on trouvera tous les Charles Ier (par ordre chronologique), puis les Charles II, etc.

NOMS PROPRES

Aalto Alvar (1898-1976), architecte finlandais.
Aar, riv. de Suisse (295 km).
Aarau, v. de Suisse (Argovie) ; 16 400 h.
Aaron, frère de Moïse (*Bible*).
Abadan, port d'Iran (Khuzistan) ; 300 000 h.
Abbas Farhat (1899-1985), homme politique algérien, pionnier de l'indépendance.
Abbas Mahmoud (né en 1935), président de l'Autorité palestinienne depuis 2005.
Abbas Ier le Grand (1571-1629), chah de Perse en 1587.
Abbassides, dynastie arabe (750-1517), qui régna à Bagdad jusqu'en 1258.
Abbeville, ch.-l. d'arr. de la Somme ; 24 588 h.
Abdallah (v. 545-v. 570), père de Mahomet.
Abdallah II (né en 1962), roi de Jordanie en 1999.
Abd al-Rahman III (891-961), calife omeyyade de Cordoue en 912.
Abd el-Kader (v. 1808-1883), émir d'Algérie. Il s'opposa à la conquête française (1832-1847).
Abd el-Krim (1882-1963), nationaliste marocain. Il dirigea la révolte du Rif.
Abdulhamid II (1842-1918), dernier sultan ottoman (1876-1909).
Abdul Rahman (né en 1903), homme politique malais, promoteur de l'indépendance.
Abe Kobo (1924-1993), romancier japonais.
Abel, fils d'Adam et frère de Caïn (*Bible*).
Abel Niels (1802-1829), mathématicien norvégien. Le *prix Abel*, créé en 2002, récompense un mathématicien confirmé.
Abélard Pierre (1079-1142), théologien français, célèbre pour sa liaison avec Héloïse.
Aberdeen, port d'Écosse ; 212 970 h.
Abidjan, anc. cap. et v. princ. de la Côte-d'Ivoire ; 1 000 000 h. (aggl. 1 662 000 h).
Abitibi, lac du Canada (915 km²).
Abkhazie, rép. auton. de la Géorgie.
Abomey, v. du Bénin ; 50 150 h. Anc. cap. du *royaume d'Abomey* (XVIIe-XIXe s.).
Aboukir, village d'Égypte. La flotte française y fut anéantie par Nelson (1798).
About Edmond (1828-1855), écrivain français.
Abraham, patriarche biblique et « père des croyants » juifs, chrétiens et musulmans.
Abruzzes, massif calcaire (2 914 m) et rég. admin. de l'Italie centrale (cap. L'Aquila).
Absalon, fils révolté de David (*Bible*).

Abu al-Abbas Abd Allah, premier calife abbasside (750-754).
Abu Bakr (573-634), beau-père et successeur de Mahomet.
Abu Dhabi, le plus important des Émirats arabes unis (670 000 h) ; cap. **Abu Dhabi,** qui est aussi la cap. fédérale (300 000 h).
Abuja, cap. fédérale du Nigeria.
Abu Nawwas (v. 762-v. 813), poète arabe.
Abu Simbel, site archéologique d'Égypte.
Abydos, site archéologique d'Égypte.
Abymes (Les), com. de la Guadeloupe ; 62 809 h.
Abyssinie, anc. nom de l'Éthiopie.
Académie française, société de 40 membres fondée par Richelieu en 1635.
Acadie, anc. prov. du Canada français.
Acapulco de Juárez, port et stat. balnéaire du Mexique, sur le Pacifique ; 301 900 h.
Accra, cap. et port du Ghana ; 859 640 h.
Achaïe, anc. rég. de Grèce (N. du Péloponnèse).
Achantis, peuple du Ghana.
Achard Marcel (1899-1974), auteur français de comédies légères.
Achebe Chinua (né en 1930), romancier nigérian de langue anglaise.
Achéens, peuple indo-européen qui envahit la Grèce v. 1600 av. J.-C.
Achéménides, dynastie perse fondée par Cyrus (550-330 av. J.-C.).
Achéron, fleuve des enfers (*Myth. gr.*).
Achille, principal personnage de l'*Iliade*.
Achkhabad, cap. du Turkménistan ; 390 000 h.
Açoka ou **Asoka** (v. 273-v. 237 av. J.-C.), empereur maurya qui réalisa l'unité de l'Inde.
Aconcagua, point culminant des Andes, en Argentine (6 959 m).
Açores (les), archipel portugais de l'Atlantique N. ; 2 314 km² ; 253 500 h.
Acre, port d'Israël ; 36 400 h.
Acropole, anc. forteresse d'Athènes où s'élève le Parthénon.
Action catholique, organisations laïques soutenant l'action de l'Église catholique (XXe s.).
Action française (l'), mouvement monarchiste, créé par Ch. Maurras (1899).
Action painting, mouvement d'art abstrait apparu à New York v. 1945.
Actium, victoire navale d'Octavien sur Antoine et Cléopâtre (31 av. J.-C.).

Actors' Studio, école d'art dramatique fondée à New York en 1947.

Adalbéron (v. 920-989), archevêque de Reims, qui sacra Hugues Capet.

Adam, premier homme (*Bible*).

Adam Robert (1728-1792), architecte écossais.

Adamaoua, plateau d'Afrique occidentale.

Adam de la Halle (Adam le Bossu, dit) (v. 1240-v. 1285), trouvère français.

Adamov Arthur (1908-1970), auteur dramatique français.

Adams Samuel (1722-1803), artisan de l'indépendance des États-Unis.

Adams John (1735-1826), deuxième président des États-Unis (1797-1801).

Adams John Quincy (1767-1848), fils du préc., président des États-Unis (1825-1829).

Adams John (1819-1892), astronome anglais.

Adana, v. du S. de la Turquie ; 777 550 h.

Addis-Abeba, cap. de l'Éthiopie ; 1 464 900 h.

Addison Joseph (1672-1719), écrivain et homme politique anglais.

Adélaïde, v. d'Australie, cap. de l'Australie-Méridionale ; 987 100 h.

Adélie (terre), rég. française de l'Antarctique.

Aden, port du S. du Yémen, sur le *golfe d'Aden* ; 300 000 h.

Adenauer Konrad (1876-1967), chancelier (chrétien-démocrate) de la RFA (1949-1963).

Ader Clément (1841-1925), ingénieur français, précurseur de l'aviation (1897).

Adige, fl. de l'Italie du N. (410 km).

Adjarie, rép. auton. de Géorgie ; cap. Batoum.

Adler Victor (1852-1918), homme politique autrichien (social-démocrate).

Adler Alfred (1870-1937), psychanalyste autrichien.

Adonaï, un des noms de Dieu (*Bible*).

Adonis, chasseur aimé d'Aphrodite (*Myth. gr.*).

Adorno Theodor (1903-1969), philosophe et musicologue allemand.

Adoua, v. de l'Éthiopie ; victoire de Ménélik II sur les Italiens (1896).

Adour, fl. des Pyrénées occidentales (335 km).

Adriatique (mer), mer séparant les péninsules italienne et balkanique.

Ady Endre (1877-1919), poète hongrois : *Sang et or.*

Aetius (v. 390-454), général romain, vainqueur d'Attila aux champs Catalauniques (451).

Afars. V. *Danakil.*

Afghanistan, État d'Asie centrale ; 647 500 km² ; env. 30 000 000 h ; cap. Kaboul.

Afrikakorps, troupes allemandes d'Afrique commandées par Rommel (1941-1943).

Afrique, troisième continent par la superficie ; 30 500 000 km² ; 800 000 000 h.

Afrique du Sud (république d'), État fédéral d'Afrique ; 1 221 037 km² ; 46 900 000 h ; cap. Pretoria et Le Cap.

Agadir, port du S. du Maroc ; 110 480 h.

Agamemnon, roi d'Argos et de Mycènes, chef des Grecs devant Troie (*Iliade*).

Agar, esclave concubine d'Abraham, mère d'Ismaël (*Bible*).

Agde, ch.-l. de cant. de l'Hérault ; 17 784 h.

Agen, ch.-l. du Lot-et-Garonne ; 32 223 h.

Agha Khān IV (né en 1936), chef spirituel d'une partie des musulmans ismaéliens.

Aghlabides (800-909), dynastie musulmane qui régna sur la Tunisie.

Agnelli Giovanni (1866-1945), industriel italien de l'automobile.

Agnon Samuel (1888-1970), romancier israélien : *Contes de Jérusalem.*

Agra, v. du N. de l'Inde (Uttar Pradesh) ; 694 190 h. Cap. moghole. Tadj Mahall.

Agrigente, v. d'Italie (Sicile) ; 55 350 h.

Agrippa Marcus Vipsanius (63-12 av. J.-C.), général romain, ministre d'Auguste.

Agrippine (16-59), impératrice romaine, mère de Néron qui la fit assassiner.

Aguascalientes, v. du Mexique ; 293 150 h.

Ahasvérus, personnage légendaire également appelé le Juif errant.

Ahmadinejad Mahmoud (né en 1956), président de la République d'Iran depuis 2005.

Ahmedabad, v. de l'Inde (anc. cap. du Gujerat) ; 2 059 730 h.

Ahwaz, v. d'Iran (Khuzistan) ; 471 000 h.

Aicha (v. 614-v. 678), fille d'Abu Bakr et femme préférée de Mahomet.

Aigoual, massif des Cévennes (1 567 m).

Aigues-Mortes, ch.-l. de cant. du Gard ; 5 033 h. Enceinte fortifiée.

Ain, affl. du Rhône (205 km).

Ain, dép. français (01) (Rhône-Alpes) 5 756 km² ; 480 877 h ; ch.-l. Bourg-en-Bresse.

Aïnous, ethnie de Hokkaido (Japon).

Aïr, massif montagneux du Sahara (Niger).

Airbus, consortium européen de constructeur aéronautiques, dont le siège est à Toulouse.

Air France, compagnie nationale française de transport aérien.

Aisne, affl. de l'Oise (270 km).

Aisne, dép. français (02) (Picardie) ; 7 378 km² 553 918 h ; ch.-l. Laon.

Aix (île d'), île de Charente-Maritime.

Aix-en-Provence, ch.-l. d'arr. des Bouches-du-Rhône ; 126 854 h.

Aix-la-Chapelle, v. d'Allemagne ; 239 170 h Lieu de couronnement des empereurs.

Aix-les-Bains, ch.-l. de cant. et stat. thermale d la Savoie, sur le lac du Bourget ; 24 826 h.

Ajaccio, ch.-l. de la Corse-du-Sud et de la Rég Corse ; 59 318 h.

Ajanta, site bouddhique de l'Inde (Dekkan).

Ajar Émile. V. *Gary.*

Ajax, héros grec de l'*Iliade.*

Ajjer (tassili des), vaste plateau du Sahara, da le Hoggar. Gravures rupestres néolithiques.

Ajmer, v. de l'Inde (Rajasthan) ; 375 590 h.

Akaba ou **Aqaba,** port de Jordanie, sur le go d'Akaba, au N. sur la mer Rouge.

Akademgorodok, v. de Russie (Sibérie). Cen de recherche scientifique ; 60 000 h.

Akbar Mohammed (1542-1605), empere moghol de l'Inde.

Akhenaton. V. *Aménophis.*

Akhmatova Anna (1889-1966), poétesse russ

Akihito (né en 1933), empereur du Japon dep 1989.

Akinari Ueda (1734-1809), écrivain japona Contes de pluie et de lune.

Akkad (pays d'), rég. de Mésopotamie ; royau au IIIe millénaire av. J.-C.

Akron, v. des États-Unis (Ohio) ; 226 900 h.

Akutagawa Ryunosuke (1892-1927), écriv japonais : *Rashomon.*

Alabama, État du S.-E. des États-Unis.

Alaca Höyük, site hittite d'Anatolie.

Aladin, héros des *Mille et Une Nuits.*

Alain (Émile Chartier, dit) (1868-1951), philosophe français : *Propos.*

Alain-Fournier (1886-1914), romancier français : *le Grand Meaulnes.*

Alamans, anciens peuples germaniques vaincus par Clovis à Tolbiac (496).

Alamein (Al-) (Égypte), victoire de Montgomery sur Rommel (1942).

Alaouites, dynastie qui règne sur le Maroc depuis 1660.

Alaric Ier (v. 370-410), roi des Wisigoths. Il prit Rome en 410.

Alaska, État des États-Unis situé au N.-O. de l'Amérique ; 1 518 775 km².

Alava, prov. basque d'Espagne.

Albacete, v. d'Espagne (Castille-la-Manche) ; 124 550 h.

Albanie, État de l'O. de la péninsule balkanique ; 28 748 km² ; 3 200 000 h ; cap. Tirana.

Albany, v. des États-Unis ; cap. de l'État de New York ; 99 500 h.

Albe, anc. v. du Latium, rivale de Rome.

Albe duc d' (1508-1582), général espagnol. Il réprima la révolte des Pays-Bas.

Albee Edward (né en 1928), dramaturge américain : *Qui a peur de Virginia Woolf ?*

Albéniz Isaac (1860-1909), compositeur espagnol : *Iberia.*

Albert (lac), lac d'Afrique équatoriale ; 4 500 km².

Albert Ier (1848-1922), prince de Monaco.

Albert Ier (1875-1934), roi des Belges en 1909.

Albert II (né en 1934), roi des Belges en 1993.

Albert II (né en 1958), prince de Monaco depuis 2005.

Albert de Brandebourg (1490-1568), premier duc de Prusse (1525-1568).

Albert le Grand saint (v. 1193-1280), théologien, maître de saint Thomas d'Aquin.

Alberta, prov. du Canada occidental.

Alberti Leon Battista (1404-1472), peintre, sculpteur et architecte italien de la Renaissance.

Alberti Rafael (1902-1999), poète et peintre espagnol : *Pleine Mer.*

Albertville, ch.-l. d'arr. de la Savoie ; 18 121 h.

Albi, ch.-l. du Tarn ; 48 707 h. Cathédrale.

Albigeois (croisade des), guerre menée de 1209 à 1229 contre les cathares.

Albinoni Tomaso (1671-1750), compositeur italien : *Adagio.*

Albion, surnom donné à l'Angleterre.

Albion (plateau d'), base de missiles de la force nucléaire française (Préalpes du S.).

Alborg, port du Danemark ; 154 400 h.

Albret, pays de Gascogne qui appartenait à la *maille d'Albret,* dont descendit Henri IV.

Albuquerque, v. des États-Unis (Nouveau-Mexique) ; 366 750 h.

Albuquerque Alfonso de (1453-1515), navigateur portugais ; vice-roi des Indes.

Alcibiade (v. 450-v. 404 av. J.-C.), général et homme politique athénien.

Alcméonides, famille de l'Athènes antique (Clisthène, Périclès et Alcibiade).

Alcobaça, v. du Portugal. Tombeaux royaux.

Alcuin (v. 735-804), religieux anglo-saxon, maître des écoles de Charlemagne.

Aldébaran, étoile géante du ciel boréal.

Aldrich Robert (1918-1983), cinéaste américain.

Alechinsky Pierre (né en 1927), peintre belge.

Aleijadinho (v. 1738-1814), sculpteur et architecte baroque brésilien.

Alembert Jean Le Rond d' (1717-1783), philosophe et mathématicien français, collaborateur de l'*Encyclopédie.*

Alençon, ch.-l. de l'Orne ; 31 139 h.

Alentejo, rég. du Portugal, au S. du Tage.

Aléoutiennes (îles), archipel de la mer de Béring appartenant aux États-Unis.

Alep, v. du N. de la Syrie ; 1 191 150 h.

Alès, ch.-l. d'arr. du Gard ; 42 296 h.

Alésia, citadelle gauloise. César y vainquit Vercingétorix (52 av. J.-C.).

Aletsch, glacier des Alpes suisses.

Alexandre Ier Jagellon (1461-1506), roi de Pologne en 1501.

Alexandre Ier (1777-1825), empereur de Russie en 1801. Il s'opposa à Napoléon Ier.

Alexandre Ier Karadjordjević (1888-1934), roi de Yougoslavie en 1921 ; assassiné.

Alexandre II (1818-1881), empereur de Russie en 1855. Il abolit le servage et mourut assassiné.

Alexandre III (1845-1894), empereur de Russie en 1881. Il s'allia à la France.

Alexandre VI Borgia (1431-1503), pape en 1492, père de César et Lucrèce Borgia.

Alexandre le Grand (356-323 av. J.-C.), roi de Macédoine, fils de Philippe II. Il conquit un immense empire.

Alexandre Nevski (1220-1263), grand-duc de Novgorod, vainqueur des chevaliers Teutoniques.

Alexandrie, port d'Égypte ; 2 917 330 h.

Alexis Mikhaïlovitch (1629-1676), empereur de Russie en 1645, père de Pierre le Grand.

Alfieri Vittorio (1749-1803), poète et dramaturge italien, chantre de la liberté.

Alfonsin Raúl (né en 1926), président de la République d'Argentine (1983-1989).

Alfortville, v. du Val-de-Marne ; 36 240 h.

Alfred le Grand saint (v. 849-899), roi des Anglo-Saxons en 878.

Alfvén Hannes (1908-1995), physicien suédois, spécialiste des plasmas.

Algarve, prov. du S. du Portugal.

Algazel. V. Ghazali.

Alger (El-Djezaïr), cap. de l'Algérie ; 1 690 190 h.

Algérie, État d'Afrique du Nord ; 2 381 741 km² ; 32 800 000 h ; cap. Alger. La *guerre d'Algérie* (1954-1962) aboutit à l'indépendance du pays.

Algésiras, port d'Espagne (Andalousie) ; 96 880 h.

Algonkins, Indiens d'Amérique du Nord.

Alhambra, palais des rois maures à Grenade.

Ali (v. 600-661), calife musulman, époux de Fatima, premier imam des chiites.

Ali Muhammad (anc. Cassius Clay) (né en 1942), boxeur américain.

Ali Baba, personnage des *Mille et Une Nuits.*

Alicante, port d'Espagne ; 256 420 h.

Aliénor d'Aquitaine (1122-1204), héritière du duché d'Aquitaine. Elle épousa Louis VII, roi de France qui la répudia, puis Henri II, roi d'Angleterre.

Allah, nom de Dieu dans l'islam.
Allahabad, v. sainte de l'Inde (Uttar Pradesh) ; 616 050 h.
Allais Alphonse (1855-1905), écrivain humoriste français.
Allais Maurice (né en 1911), économiste français.
Alleghany (monts), partie des Appalaches.
Allemagne, État fédéral d'Europe centrale ; 356 758 km² ; 82 500 000 h ; cap. Berlin.
Allen Woody (né en 1935), cinéaste américain.
Allenby sir Edmund (1861-1936), maréchal britannique.
Allende Salvador (1908-1973), président de la République du Chili (1970-1973). Socialiste, il fut renversé par un putsch.
Alliance (Sainte-), pacte conclu entre la Russie, la Prusse et l'Autriche pour endiguer le libéralisme et le nationalisme (1815).
Alliance (Triple-) ou **Triplice,** traité défensif entre l'Autriche, l'Allemagne et l'Italie (1882).
Allier, affl. de la Loire (410 km).
Allier, dép. français (03) (Auvergne) ; 7 381 km² ; 366 819 h ; ch.-l. Moulins.
Allobroges, peuple celte de la Gaule.
Alma, riv. de la Crimée. Victoire franco-anglaise sur les Russes (1854).
Almaty (anc. *Alma-Ata*), v. du Kazakhstan ; 1 134 000 h.
Almagro Diego de (1475-1538), conquistador espagnol, compagnon de Pizarro.
Almeida Garrett João de (1799-1854), poète et dramaturge romantique portugais.
Almería, port du S. de l'Espagne (Andalousie) ; 151 470 h.
Almohades, dynastie musulmane berbère qui régna sur l'Afrique du Nord (1147-1269).
Almoravides, dynastie musulmane berbère qui régna sur l'Afrique du Nord et l'Andalousie (1055-1147).
Almquist Carl (1793-1866), écrivain suédois.
Alost, v. de Belgique (Flandre) ; 78 940 h.
Alpe-d'Huez (L'), stat. hivernale de l'Isère.
Alpes, chaîne de montagnes d'Europe ; point culminant : Mont-Blanc (4 807 m).
Alpes (Hautes-), dép. français (05) (Provence-Alpes-Côte d'Azur) ; 5 520 km² ; 118 065 h ; ch.-l. Gap.
Alpes-de-Haute-Provence, dép. français (04) (Provence-Alpes-Côte d'Azur) ; 6 944 km² ; 134 914 h ; ch.-l. Digne.
Alpes-Maritimes, dép. français (06) (Provence-Alpes-Côte d'Azur) ; 4 294 km² ; 980 703 h ; ch.-l. Nice.
Alphonse VIII le Noble (1155-1214), roi de Castille en 1158. Il battit les Maures à Las Navas de Tolosa (1212).
Alphonse X le Sage (1221-1284), roi de Castille en 1252. Il fit dresser des tables astronomiques (tables alphonsines).
Alphonse XIII (1886-1941), roi d'Espagne (1886-1931). Il dut s'exiler.
Alpilles, chaînon des Alpes de Provence.
Alsace, Rég. admin. de la France, comprenant les dép. du Bas-Rhin et du Haut-Rhin ; 8 310 km² ; 1 794 000 h ; ch.-l. Strasbourg.
Alsace-Lorraine, territoire français annexé par l'Allemagne (1871-1918).
Al-Saoud Abdallah ben Abdel Aziz (né en 1923), roi de l'Arabie Saoudite depuis 2005.

Altaï, chaîne de montagnes de l'Asie.
Altaïr, étoile bleue du ciel boréal.
Altamira, grottes préhistoriques du N. de l'Espagne. Peintures rupestres.
Altdorf, v. de Suisse (Uri) ; 8 200 h.
Altdorfer Albrecht (v. 1480-1538), peintre et graveur allemand.
Althusser Louis (1918-1990), philosophe marxiste français.
Altiplano, haut plateau des Andes de Bolivie.
Altkirch, ch.-l. d'arr. du Haut-Rhin ; 5 869 h.
Altman Robert (né en 1925), cinéaste américain.
Amado Jorge (1912-2001), romancier brésilien d'inspiration populiste : *Terre violente.*
Amalfi, v. d'Italie (Campanie) ; 6 050 h.
Amaravati, v. du S.-E. de l'Inde ; 261 400 h.
Amarnah (Tell al-), site archéologique égyptien ; anc. cap. d'Aménophis IV.
Amazonas, État du N.-O. du Brésil ; cap. Manaus.
Amazone, fl. d'Amérique du Sud (6 280 km), le premier au monde pour son débit.
Amazones, femmes guerrières (*Myth. gr.*).
Amazonie, plaine de l'Amérique du Sud, drainée par l'Amazone ; 4 500 000 km².
Ambert, ch.-l. d'arr. du Puy-de-Dôme ; 7 779 h.
Amboine, ch.-l. des Moluques (Indonésie) ; 209 000 h.
Amboise, ch.-l. de cant. d'Indre-et-Loire ; 11 541 h. Château gothique et Renaissance.
Ambroise saint (339-397), évêque de Milan, Père de l'Église.
Aménophis IV Akhenaton (v. 1372-1354 av. J.-C.), époux de Néfertiti. Il tenta d'imposer le monothéisme.
Améric Vespuce. V. *Vespucci.*
Amérique, deuxième continent par sa superficie ; 42 000 000 km² ; 800 000 000 h.
Amiens, ch.-l. du dép. de la Somme et de la Rég. Picardie ; 136 234 h.
Amin Dada Idi (né en 1925), dictateur ougandais, au pouvoir de 1971 à 1979.
Amirauté (îles de l'), archipel dépendant de la Papouasie-Nouvelle-Guinée.
Amman, cap. de la Jordanie ; 972 000 h.
Ammon ou **Amon,** dieu égyptien de Thèbes.
Amnesty International, association fondée en 1961 pour lutter contre la répression politique dans le monde.
Amou-Daria, fl. d'Asie centrale (2 600 km).
Amour ou **Heilongjiang,** fl. d'Extrême-Orient (4 354 km), entre la Russie et la Chine.
Amoy. V. *Xiamen.*
Ampère André (1775-1836), physicien français, créateur de l'électrodynamique.
Amphitrite, épouse de Poséidon (*Myth. gr.*).
Amr (v. 580-v. 663-664), compagnon de Mahomet, conquérant de l'Égypte.
Amritsar, v. du N. de l'Inde (Pendjab) ; 594 840 h ; ville sainte des sikhs.
Amsterdam, cap. des Pays-Bas ; 691 740 h. Canaux, musées (Rijksmuseum).
Amundsen Roald (1872-1928), explorateur norvégien, le premier à avoir atteint le pôle Sud (1911).
Amyot Jacques (1513-1593), humaniste français, traducteur de Plutarque.
Anacréon (VIe s. av. J.-C.), poète lyrique grec.
Anadyr, fl. de Sibérie (1 145 km).

Anatolie, autre nom de la Turquie d'Asie (dans l'Antiquité, Asie Mineure).

Anaxagore (v. 500-v. 428 av. J.-C.), philosophe et mathématicien grec.

Ancenis, ch.-l. d'arr. de la Loire-Atlantique ; 7 061 h. Le *traité d'Ancenis* (1468) unit la Bretagne à la France.

Ancien Régime, gouvernement monarchique de la France, qui précéda la Révolution.

Anchise, père d'Énée (*Myth. gr.*).

Anchorage, v. princ. de l'Alaska ; 226 700 h.

Ancône, port d'Italie sur l'Adriatique ; cap. des Marches ; 105 580 h.

Ancus Martius (v. 640-v. 616 av. J.-C.), quatrième roi légendaire de Rome.

Andalousie, communauté autonome du S. de l'Espagne ; cap. Séville.

Andaman, îles qui forment avec **Nicobar** un territoire de l'Inde.

Andelys (Les), ch.-l. d'arr. de l'Eure, sur la Seine ; 8 580 h. Ruines de Château-Gaillard.

Anderlecht, v. de Belgique (Brabant) ; 94 760 h.

Andersen Hans Christian (1805-1875), écrivain danois : *Contes.*

Anderson Sherwood (1876-1941), romancier américain : *Winesburg-en-Ohio.*

Andes (cordillère des), chaîne de montagnes d'Amérique du Sud (6 959 m à l'Aconcagua).

Andhra Pradesh, État du S.-E. de l'Inde ; cap. Hyderabad.

Andorre, principauté située sur le versant S. des Pyrénées orientales ; 465 km² ; 44 000 h ; cap. Andorre-la-Vieille (17 000 h).

André saint, un des douze apôtres.

Andrea del Sarto (1486-1530), peintre florentin de la Renaissance.

Andreotti Giulio (né en 1919), homme politique italien (démocrate-chrétien).

Andrić Ivo (1892-1975), romancier yougoslave : *le Pont sur la Drina.*

Andrinople (auj. *Edirne*), traité russo-turc reconnaissant l'indépendance grecque (1829).

Andromaque, princesse troyenne, épouse d'Hector (*Myth. gr.*).

Andromède, galaxie proche de la nôtre.

Andropov Iouri (1914-1984), homme politique soviétique, chef de l'État (1983-1984).

Androuet du Cerceau, famille d'architectes français (XVIe-XVIIe s.).

Anet, ch.-l. de cant. d'Eure-et-Loir. Château.

Aneto (pic d'), point culminant (3 404 m) des Pyrénées, en Espagne.

Angara, riv. de Sibérie (1 826 km), affl. de l'Ienisseï, émissaire du lac Baïkal.

Angelico Fra (v. 1400-1455), peintre italien (couvent San Marco à Florence).

Angers, ch.-l. du Maine-et-Loire ; 146 163 h. Château du roi René (XIIIe-XVe s.).

Angkor, site archéologique du Cambodge ; anc. cap. de l'Empire khmer.

Angles, peuple germanique qui envahit la Grande-Bretagne au VIe s.

Anglesey, île de Grande-Bretagne, dans la mer d'Irlande ; 60 000 h.

Anglet, ch.-l. de cant. des Pyrénées-Atlantiques ; 3 956 h.

Angleterre, partie méridionale de la Grande-Bretagne ; cap. Londres.

Anglo-Normandes (îles), archipel britannique de la Manche, constitué de Jersey, Guernesey et Aurigny ; 135 700 h.

Anglo-Saxons, peuples germaniques qui envahirent les îles britanniques aux Ve et VIe s.

Angola, État du S.-O. de l'Afrique ; 1 246 700 km² ; 15 400 000 h ; cap. Luanda.

Angoulême, ch.-l. de la Charente ; 46 194 h.

Ångström Anders (1814-1874), physicien suédois.

Anguilla, île des Petites Antilles.

Anhui, prov. de l'E. de la Chine ; ch.-l. Hefei.

Anjou, anc. prov. de l'O. de la France.

Ankara, cap. de la Turquie ; 2 235 040 h.

Annaba (anc. *Bône*), port d'Algérie ; 228 390 h.

Anna Ivanovna (1693-1740), impératrice de Russie en 1730.

Annam, rég. centrale du Viêt-nam.

Annan Kofi (né en 1938), diplomate ghanéen, secrétaire général de l'ONU dep. 1997.

Annapurna, sommet de l'Himalaya (8 078 m).

Anne sainte, mère de la Vierge Marie.

Anne d'Autriche (1601-1666), reine de France, femme de Louis XIII, mère de Louis XIV, régente de 1643 à 1661.

Anne Boleyn (1507-1536), reine d'Angleterre, deuxième épouse d'Henri VIII ; exécutée.

Anne de Bretagne (1477-1514), reine de France. Elle épousa Charles VIII (1491) puis Louis XII (1499).

Anne de France ou **de Beaujeu** (1460-1522), fille aînée de Louis XI, régente pendant la minorité de Charles VIII.

Anne Stuart (1665-1714), reine d'Angleterre (1702-1714). Elle réunit l'Angleterre et l'Écosse.

Annecy, ch.-l. de la Haute-Savoie, sur le *lac d'Annecy ;* 51 143 h.

Annemasse, v. de la Haute-Savoie ; 27 927 h.

Annonay, v. de l'Ardèche ; 19 155 h.

Anouilh Jean (1910-1987), dramaturge français : *Antigone, le Bal des voleurs.*

ANPE, sigle de Agence nationale pour l'emploi.

Anquetil Jacques (1934-1987), coureur cycliste français.

Anschluss, intégration de l'Autriche au IIIe Reich allemand (1938).

Anselme saint (1033-1109), théologien. Il fut archevêque de Canterbury.

Anshan, v. de Chine (Liaoning) ; 1 195 580 h (aggl. 2 517 080 h).

Antalya, port de Turquie ; 261 110 h.

Antananarivo (anc. *Tananarive*), cap. de Madagascar ; 1 050 000 h.

Antarctique, un des continents situé à l'intérieur du cercle polaire austral et entouré par l'*océan Antarctique ;* env. 14 000 000 de km².

Anti-Atlas, massif du S.-O. du Maroc.

Antibes, ch.-l. de cant. des Alpes-Maritimes ; 70 688 h.

Antifer, cap au S.-O. d'Étretat.

Antigone, fille d'Œdipe (*Myth. gr.*).

Antigua, État des Petites Antilles ; 80 000 h ; cap. Saint John's.

Anti-Liban, chaîne de montagnes de Syrie.

Antilles, archipel séparé de l'Amérique centrale par la *mer des Antilles* ou *mer des Caraïbes.* Il comprend les *Grandes Antilles* (Cuba, Haïti, Porto Rico, la Jamaïque) et les *Petites Antilles* (dont font partie la Guadeloupe et la Martinique) ; 236 500 km² ; env. 26 000 000 h.

Antioche, v. de Turquie ; 91 550 h. Anc. cap. des Séleucides.

Antipatros ou **Antipater** (v. 397-319 av. J.-C.), général macédonien.

Antisthène (v. 444-365 av. J.-C.), philosophe grec, fondateur de l'école cynique.

Antofagasta, port du Chili ; 204 580 h.

Antoine Marc (v. 83-30 av. J.-C.), général romain. Lieutenant de César, amant de Cléopâtre, il fut vaincu par Octave à Actium.

Antoine saint (251-356), anachorète de la Thébaïde, fondateur de la vie monastique en Orient.

Antoine de Padoue saint (1195-1231), franciscain portugais.

Antonello da Messina (v. 1430-1479), peintre italien.

Antonescu Ion (1882-1946), dictateur roumain (1940-1944). Il fut exécuté.

Antonin le Pieux (86-161), empereur romain de 138 à 161.

Antonins (les), nom donné aux sept empereurs romains qui se succédèrent de 96 à 192.

Antonioni Michelangelo (né en 1912), cinéaste italien : *l'Avventura.*

Antony, ch.-l. d'arr. des Hauts-de-Seine ; 57 916 h.

Antsiranana (anc. *Diégo-Suarez),* port de Madagascar ; 100 000 h.

Anubis, dieu égyptien des Morts.

Anvers, port de Belgique, ch.-l. de la *province d'Anvers ;* 185 900 h (aggl. 486 580 h).

Aoste, v. d'Italie, ch.-l. de la rég. auton. du *Val d'Aoste ;* 37 680 h.

août 1789 (nuit du 4), séance de l'Assemblée constituante qui abolit les privilèges féodaux.

août 1792 (journée du 10), insurrection parisienne qui entraîna la chute de la royauté.

Aozou (bande d'), rég. du Tchad, disputée par la Libye.

Apaches, Indiens de l'Amérique du Nord.

Apelle (IVᵉ s. av. J.-C.), peintre grec.

Apennin (l') ou **Apennins (les),** chaîne de montagnes de l'Italie péninsulaire, culminant au Gran Sasso (2 914 m).

Aphrodite, déesse de l'Amour (*Myth. gr.*).

Apia, cap. des Samoa occidentales ; 34 000 h.

Apis, dieu funéraire égyptien adoré sous la forme d'un taureau.

Apocalypse, livre du Nouveau Testament, attribué à saint Jean, décrivant la fin du monde.

Apollinaire Guillaume (1880-1918), poète français : *Alcools, Calligrammes.*

Apollo (programme), programme spatial américain (premier homme sur la Lune).

Apollon ou **Phébus**, dieu grec du Soleil, de la Lumière, des Arts et des Lettres.

Appalaches, massif de l'E. des États-Unis.

Appenzell, v. de Suisse ; 4 900 h ; ch.-l. du demi-canton de Rhodes-Intérieures.

Appert Nicolas (1749-1841), industriel français, inventeur de la conserve de conserves.

Appienne (voie), route romaine qui reliait Rome à Brindisi.

Apt, ch.-l. d'arr. du Vaucluse ; 11 702 h.

Apulée (v. 125-v. 180), écrivain latin.

Apulie, rég. de l'Italie ancienne.

Aquila (L'), v. d'Italie, ch.-l. des Abruzzes ; 63 470 h.

Aquino Corazon (née en 1933), présidente des Philippines de 1986 à 1992.

Aquitaine, anc. province française et Région admin. comprenant les dép. de la Gironde, de la Dordogne, du Lot-et-Garonne, des Landes et des Pyrénées-Atlantiques ; 41 407 km² ; 3 045 000 h ; ch.-l. Bordeaux.

arabe (Ligue), organisme créé en 1945, par certains États arabes.

Arabie, péninsule à l'extrémité S.-O. de l'Asie ; 3 000 000 km² ; env. 23 000 000 h. Deux villes saintes de l'islam : La Mecque et Médine.

Arabie Saoudite, État d'Asie recouvrant les 2/3 de la péninsule d'Arabie ; env. 2 150 000 km² ; 24 600 000 h ; cap. Riyad.

Arabique (golfe). *V. Persique.*

Arad, v. de l'O. de la Roumanie ; 182 980 h.

Arafat Yasser (1929-2004), homme politique palestinien, chef de l'OLP et président de l'Autorité palestinienne.

Arago François (1786-1853), physicien et astronome français.

Aragon, anc. royaume et commun. auton. du N.-E. de l'Espagne ; cap. Saragosse.

Aragon Louis (1897-1982), écrivain français : *les Cloches de Bâle, le Crève-cœur.*

Aral, mer intérieure d'Asie centrale.

Araméens, tribus sémitiques nomades de la Mésopotamie (XIIᵉ-VIᵉ s av. J.-C.).

Aran, vallée espagnole des Pyrénées centrales.

Aranjuez, v. d'Espagne ; 35 620 h.

Arany János (1817-1882), poète hongrois.

Ararat (mont), massif d'Arménie, le plus haut sommet de la Turquie (5 165 m).

Araucans, Indiens d'Amérique du Sud.

Aravis, massif des Alpes du N. (2 752 m).

Arawaks, Indiens d'Amérique du Sud.

Araxe, riv. d'Asie (994 km), frontière entre l'Arménie et la Turquie, puis entre l'Azerbaïdjan et l'Iran.

Arbèles, v. d'Assyrie ; victoire d'Alexandre sur les Perses (331 av. J.-C.).

Arc (l'), affl. de l'Isère (150 km).

Arcachon, stat. balnéaire de la Gironde, sur le *bassin d'Arcachon ;* 12 164 h.

Arcadie, rég. de la Grèce antique.

Arc-et-Senans, com. du Doubs. Salines de Cl. N. Ledoux.

Archimède (287-212 av. J.-C.), physicien et mathématicien hellénistique ; fondateur de l'hydrostatique.

Archipenko Alexander (1887-1964), sculpteur américain.

Arcimboldo Giuseppe (v. 1527-1593), peintre italien, auteur de portraits fantastiques.

Arcoat, la Bretagne intérieure.

Arcole, bourg d'Italie où Bonaparte vainquit les Autrichiens (1796).

Arctique, ensemble formé par l'*océan Arctique* qui entoure le pôle Nord, et les terres du N. d l'Amérique, de l'Europe et de l'Asie.

Arcturus, étoile géante du ciel boréal.

Arcueil, ch.-l. de cant. du Val-de-Marne 20 420 h.

Ardèche, affl. du Rhône (120 km).

Ardèche, dép. français (07) (Rhône-Alpes) 5 523 km² ; 283 945 h ; ch.-l. Privas.

Ardenne (l') ou **Ardennes (les),** massif mor tagneux du N. de la France, de la Belgique et d Luxembourg.

Ardennes, dép. français (08) (Champagne-Ardennes) ; 5 229 km² ; 302 918 h ; ch.-l. Charleville-Mézières.

Arequipa, v. du Pérou ; 545 170 h.

Arès, dieu de la Guerre (*Myth. gr.*).

Arétin (Pietro Aretino, dit l') (1492-1556), écrivain satirique italien.

Arezzo, v. d'Italie (Toscane) ; 91 540 h. Église avec fresques de Piero della Francesca.

Argelès-Gazost, ch.-l. d'arr. des Hautes-Pyrénées ; 3 419 h.

Argentan, ch.-l. d'arr. de l'Orne ; 17 157 h.

Argenteuil, ch.-l. d'arr. du Val-d'Oise ; 96 162 h.

Argentine, État fédéral d'Amérique du Sud ; 2 766 889 km² ; env. 38 600 000 h ; cap. Buenos Aires.

Argolide, rég. de Grèce (Péloponnèse).

Argonautes, héros grecs partis à la conquête de la Toison d'or sous la conduite de Jason.

Argonne, rég. boisée entre la Champagne et la Lorraine.

Argos, v. de Grèce (Péloponnèse) ; 20 700 h.

Argovie, cant. du N. de la Suisse ; ch.-l. Aarau.

Århus, port du Danemark (Jutland), sur la *baie d'Århus ;* 245 000 h.

Ariane, fille de Minos ; elle aida Thésée à sortir du Labyrinthe (*Myth. gr.*).

Ariane, fusée de l'Agence spatiale européenne.

Ariège, affl. de la Garonne (170 km).

Ariège, dép. français (09) (Midi-Pyrénées) ; 4 890 km² ; 140 798 h ; ch.-l. Foix.

Arioste (1474-1533), poète italien : *Roland furieux.*

Arioviste, chef germain battu par César en 58 av. J.-C.

Aristarque de Samos (310-230 av. J.-C.), astronome grec. Il émit l'hypothèse de la rotation de la Terre sur elle-même.

Aristide dit *le Juste* (v. 540-467 av. J.-C.), général et homme politique athénien.

Aristophane (v. 445-v. 380 av. J.-C.), poète comique grec : *la Paix, les Grenouilles.*

Aristote (384-322 av. J.-C.), savant et philosophe grec : *Logique, Politique, Rhétorique.*

Arius (v. 256-336), prêtre hérésiarque, fondateur de l'arianisme.

Arizona, État du S.-O. des États-Unis.

Arkansas, État du S. des États-Unis.

Arkhangelsk, port de Russie ; 408 000 h.

Arlberg, col des Alpes autrichiennes (1 802 m).

Arles, ch.-l. d'arr. des Bouches-du-Rhône ; 52 593 h. Monuments romains et romans.

Arletty (1898-1992), comédienne française.

Arlon, v. de Belgique ; 22 280 h ; ch.-l. de la prov. de Luxembourg.

Armada (l'Invincible), flotte lancée par Philippe II d'Espagne contre l'Angleterre en 1588, détruite par la tempête.

Armagnac, rég. du Gers.

Armagnacs, faction qui s'opposa, durant la guerre de Cent Ans, aux Bourguignons.

Armand (aven), gouffre des Causses (Lozère), haut lieu de la spéléologie.

Armée du Salut, association protestante pour la prédication et les dons aux pauvres.

Arménie, rég. montagneuse d'Asie occidentale.

Arménie, État d'Asie, anc. rép. fédérée de l'URSS ; 29 800 km² ; 3 000 000 h ; cap. Erevan.

Armentières, ch.-l. de cant. du Nord ; 26 240 h.

Arminius, chef germain, vainqueur des Romains en 9.

Armor ou **Arvor,** la Bretagne côtière.

armoricain (Massif), région de l'O. de la France.

Armorique, anc. nom de la Bretagne.

Armstrong Louis (1900-1971), trompettiste et chanteur américain de jazz.

Armstrong Neil (né en 1930), cosmonaute américain, le premier homme sur la Lune.

Armstrong Lance (né en 1971), coureur cycliste américain.

Arnaud de Brescia (v. 1090-1155), moine italien réformateur ; exécuté pour hérésie.

Arnauld, famille janséniste du XVIIe s.

Arnhem, v. des Pays-Bas ; 128 110 h ; ch.-l. de la prov. de Gueldre.

Arnim Achim von (1781-1831), poète et romancier romantique allemand.

Arno, fl. d'Italie (241 km), qui arrose Florence et Pise.

Aron Raymond (1905-1983), sociologue français : *Introduction à la philosophie de l'histoire.*

Arp Jean ou Hans (1886-1966), sculpteur, peintre et poète français.

Arras, ch.-l. du Pas-de-Calais ; 42 715 h.

Arrée (monts d'), collines de Bretagne.

Arrhenius Svante (1859-1927), chimiste et physicien suédois.

Arromanches-les-Bains, com. du Calvados où les Alliés débarquèrent le 6 juin 1944.

Ars (curé d'). *V.* Jean-Marie Vianney.

Arsace, fondateur de l'Empire parthe des **Arsacides** (255 av. J.-C.-224 apr. J.-C.).

Artagnan Charles de Montesquiou, comte d' (v. 1611-1673), gentilhomme gascon, héros des *Trois Mousquetaires* d'A. Dumas.

Artaud Antonin (1896-1948), écrivain et homme de théâtre français.

Artémis, déesse de la Chasse (*Myth. gr.*).

Arthur ou **Artus,** roi légendaire gallois, héros des romans courtois de la Table ronde.

art nouveau ou **modern style,** mouvement européen d'architecture et d'art décoratif (v. 1860-v. 1910).

Artois, anc. prov. de France ; cap. Arras.

Aruba, île néerlandaise des Petites Antilles.

Arunachal Pradesh, État du N.-E. de l'Inde.

Arve, affl. du Rhône (100 km).

Arvernes, peuple de la Gaule (Auvergne).

Aryens, peuples indo-européens de l'Iran et de l'Inde (XVIIIe s. av. J.-C.).

Arzew ou **Arziw,** port d'Algérie ; 41 020 h.

Asad. *V.* Assad.

Ascension, île britannique de l'Atlantique.

Asclépiade (124-40 av. J.-C.), médecin grec.

Asclépios, dieu grec de la Médecine.

Ases, divinités germaniques et scandinaves.

Asie, le plus vaste des continents ; 44 000 000 de km² ; env. 3,6 milliards d'h.

Asie Mineure, dans l'Antiquité, nom de l'extrémité occidentale de l'Asie (Turquie).

Asimov Isaac (1920-1992), écrivain américain de science-fiction.

Asmara, cap. de l'Érythrée ; 390 000 h.

Asmonéens, dynastie sacerdotale et royale de Judée (134-37 av. J.-C.).

Asnières-sur-Seine, ch.-l. de cant. des Hauts-de-Seine ; 72 250 h.
Asoka. V. Açoka.
Aspromonte, massif d'Italie (Calabre).
Asquith Herbert (1852-1928), Premier ministre britannique de 1908 à 1916 (libéral).
Assad ou **Asad** Hafiz al- (1928-2000), prés. de la Syrie de 1971 à 2000.
Assad ou **Asad** Bachar al- (né en 1968), fils du préc., prés. de la Syrie depuis 2000.
Assam, État du N.-E. de l'Inde.
Assas Louis, chevalier d' (1733-1760), officier français, mort héroïquement.
Assassins ou **Haschischins** (« fumeurs de haschisch »), secte de musulmans chiites d'Asie occidentale (XIe-XIIe s.).
ASSEDIC, Acronyme pour *Association pour l'emploi dans l'industrie et le commerce,* organisme d'aide aux chômeurs.
Assemblée nationale, la Chambre des députés dans les Constitutions de 1946 et 1958.
Assiout, v. d'Égypte centrale ; 257 000 h.
Assise, v. d'Italie (Ombrie) ; 24 440 h. Église St-François ; fresques de Cimabue et de Giotto.
Assouan, v. d'Égypte ; 181 000 h. Grand barrage sur le Nil (lac Nasser).
Assuérus, nom biblique de Xerxès Ier.
Assur ou **Assour,** cap. primitive de l'Assyrie (IIIe millénaire av. J.-C.).
Assurbanipal, roi d'Assyrie (669-631 av. J.-C.).
Assy, église de Haute-Savoie décorée par Léger, Lurçat, Chagall, Bonnard, Matisse.
Assyrie, empire mésopotamien (XVIIIe-VIIe s. av. J.-C.).
Astaire Fred (1899-1987), acteur et danseur américain.
Astana cap. du Kazakhstan ; 281 000 hab.
Astarté. V. Ishtar.
Astérix, héros gaulois de bande dessinée.
Asti, v. d'Italie (Piémont) ; 76 950 h.
Aston Francis William (1877-1945), physicien britannique.
Astrakhan, v. de Russie ; 519 000 h.
Astrid Bernadotte (1905-1935), reine des Belges, épouse de Léopold III.
Asturias Miguel (1899-1974), poète et romancier guatémaltèque : *le Pape vert.*
Asturies, communauté autonome du N.-O. de l'Espagne ; cap. Oviedo.
Astyanax, fils d'Hector et d'Andromaque (*Myth. gr.*).
Asunción, cap. du Paraguay ; 477 100 h.
Atacama, rég. désertique du N. du Chili.
Atahualpa (1500-1533), dernier empereur inca en 1525 ; mis à mort par Pizarro.
Atatürk. V. Kemal.
Atget Eugène (1857-1927), photographe français.
Athabasca, riv. du Canada (1 200 km).
Athalie, reine de Juda de 841 à 835 av. J.-C.
Athanase saint (295-373), docteur de l'Église, adversaire de l'arianisme.
Athéna, déesse de la Sagesse (*Myth. gr.*).
Athênagoras (1886-1972), patriarche de Constantinople (1948-1972).
Athènes, cap. de la Grèce ; 885 740 h (aggl. 3 027 330 h). Acropole. Foyer de la civilisation grecque classique (Ve s. av. J.-C.).
Athis-Mons, ch.-l. de cant. de l'Essonne ; 29 695 h.

Athos (mont), montagne de la Grèce du N. Centre religieux orthodoxe.
Atlanta, v. des États-Unis, cap. de la Georgie ; 426 100 h (aggl. 2 380 000 h).
Atlantic City, stat. balnéaire des États-Unis (New Jersey) ; 36 800 h (aggl. 290 400 h).
Atlantide, île fabuleuse que les Grecs situaient à l'O. de Gibraltar.
Atlantique, océan entre l'Europe et l'Afrique à l'E., et les Amériques à l'O.
Atlas, système montagneux de l'Afrique du Nord (4 165 m au djebel Toubkal).
Atlas, géant de la mythologie grecque.
Atrides, famille à laquelle appartenaient Agamemnon et Ménélas (*Myth. gr.*).
Attila (v. 395-453), chef des Huns (445), vaincu aux champs Catalauniques (451).
Attique, péninsule de la Grèce, où se trouve Athènes.
Attis ou **Atys,** divinité phrygienne.
Attlee Clément (1883-1967), Premier ministre britannique de 1945 à 1954 (travailliste).
Atwood George (1746-1807), physicien anglais.
Aubagne, ch.-l. de cant. des Bouches-du-Rhône ; 41 187 h.
Aube, affl. de la Seine (248 km).
Aube, dép. français (10) (Champagne-Ardennes) ; 6 002 km² ; 296 890 h ; ch.-l. Troyes.
Auber Esprit (1782-1871), compositeur français d'opéras.
Aubervilliers, ch.-l. de cant. de la Seine-Saint-Denis ; 67 836 h.
Aubigné Agrippa d' (1552-1630), écrivain français : *les Tragiques.*
Aubisque, col des Pyrénées-Atlantiques (1 704 m).
Aubrac, plateau du S. du Massif central.
Aubusson, ch.-l. d'arr. de la Creuse ; 5 546 h.
Auch, ch.-l. du Gers ; 24 728 h.
Auckland, port et v. princ. de la Nouvelle-Zélande ; 820 750 h.
Aude, fl. côtier du S. de la France (223 km).
Aude, dép. français (11) (Languedoc-Roussillon) ; 6 232 km² ; 305 447 h ; ch.-l. Carcassonne.
Auden Wystan Hugh (1907-1973), écrivain américain d'origine anglaise : *la Danse de mort.*
Audiberti Jacques (1899-1965), écrivain français : *l'Effet Glapion.*
Audierne (baie d'), baie du S. du Finistère.
Auer Karl (1858-1929), chimiste autrichien.
Auerstaedt, bourg de Saxe où Davout battit les Prussiens (1806).
Aufklärung, nom allemand du Siècle des Lumières.
Auge (pays d'), rég. du bocage normand.
Augereau Pierre (1757-1816), général français.
Augias, roi d'Élide dont Héraclès nettoya les écuries (*Myth. gr.*).
Augsbourg, v. d'Allemagne (Bavière) ; 245 960 h. La *Ligue d'Augsbourg,* formée de 1686 à 1697, réunit de nombreux pays d'Europe contre Louis XIV. La *Confession d'Augsbourg* est la profession de foi luthérienne (1530).
Auguste (63 av. J.-C.-14 apr. J.-C.), premier empereur romain, appelé d'abord Octave.
Augustin saint (354-430), docteur et Père de l'Église : *Confessions, la Cité de Dieu.*
Aulnay-sous-Bois, ch.-l. de cant. de la Seine-Saint-Denis ; 82 537 h.

Aulne, fl. côtier de Bretagne (140 km).

Aumale Henri d'Orléans, duc d' (1822-1897), général français, fils de Louis-Philippe. Il enleva la smala d'Abd el-Kader (1843).

Aung San Suu Kyi (née en 1945), femme politique birmane.

Aunis, anc. prov. française ; cap. La Rochelle.

Aurangabad, v. de l'Inde (Maharashtra) ; 284 610 h. Grottes bouddhiques.

Aurangzeb (1610-1707), dernier empereur moghol de l'Inde (1658-1707).

Auray, ch.-l. de cant. du Morbihan ; 10 589 h.

Aurélien (v. 212-275), empereur romain en 270, restaurateur de l'Empire.

Aurès (les), massif montagneux de l'Atlas saharien (2 328 m au djebel Chelia).

Auric Georges (1899-1983), compositeur français, auteur de musiques de ballets et de films.

Aurigny, une des îles Anglo-Normandes.

Aurillac, ch.-l. du Cantal ; 32 654 h.

Auriol Vincent (1884-1966), premier président de la IVe République (1947-1954).

Aurobindo Sri (1872-1950), philosophe indien : *la Vie divine.*

Auschwitz, le plus grand des camps d'extermination nazis (Auschwitz-Birkenau) en Pologne.

Ausone (v. 310-v. 394), poète latin.

Austen Jane (1775-1817), romancière anglaise : *Orgueil et Préjugé.*

Austerlitz, bourg de Moravie où Napoléon Ier battit les Autrichiens et les Russes (1805).

Austin, v. des États-Unis ; cap. du Texas ; 397 000 h.

Austin John (1911-1960), philosophe et logicien anglais, théoricien de la communication.

Australes et Antarctiques françaises (terres), territoire français comprenant les îles Crozet, les îles Kerguelen, la terre Adélie.

Australie, État fédéral d'Océanie ; 7 682 300 km² ; 20 400 000 h ; cap. Canberra. L'**Australie-Méridionale** (cap. Adélaïde) et l'**Australie-Occidentale** (cap. Perth) sont deux des États de la fédération.

Austrasie, royaume oriental de la Gaule mérovingienne ; cap. Metz.

Auteuil, quartier de l'O. de Paris.

Autriche, État fédéral d'Europe centrale ; 83 853 km² ; 8 200 000 h ; cap. Vienne. La **Basse-Autriche** (cap. Sankt Pölten) et la **Haute-Autriche** (cap. Linz) sont deux des Länder de la fédération.

Autriche-Hongrie, nom donné de 1867 à 1918 à l'État monarchique réunissant l'empire d'Autriche et le royaume de Hongrie.

Autun, ch.-l. d'arr. de la Saône-et-Loire ; 19 422 h. Cathédrale romane.

Auvergne, anc. prov. française et Rég. admin. comprenant l'Allier, le Cantal, la Haute-Loire, le Puy-de-Dôme ; 25 988 km² ; 1 326 000 h ; ch.-l. Clermont-Ferrand.

Auvers-sur-Oise, village du Val-d'Oise, où séjournèrent Corot, Pissarro et Van Gogh, qui s'y donna la mort.

Auxerre, ch.-l. de l'Yonne ; 40 597 h.

Avallon, ch.-l. d'arr. de l'Yonne ; 8 948 h.

Avaloirs (signal des), point culminant du Massif armoricain (417 m), dans la Mayenne.

Avars, peuple qui envahit l'Europe (VIIIe s.) et qui fut arrêté par Charlemagne.

Avedon Richard (1923-2004), photographe américain.

Aventin, une des sept collines de Rome.

Averroès (1126-1198), philosophe et médecin arabe, commentateur d'Aristote.

Avery Tex (1908-1980), réalisateur américain de dessins animés.

Avesnes-sur-Helpe, ch.-l. d'arr. du Nord ; 5 612 h.

Avesta, livres sacrés des mazdéens, attribués à Zarathoustra.

Aveyron, affl. du Tarn (250 km).

Aveyron, dép. français (12) (Midi-Pyrénées) ; 8 735 km² ; 279 253 h ; ch.-l. Rodez.

Avicébron (Salomon Ibn Gabirol, dit) (v. 1020-v. 1058), philosophe et poète mystique juif.

Avicenne (Ibn Sina, dit) (980-1037), philosophe et médecin arabe. Il commenta Aristote.

Avignon, ch.-l. du Vaucluse ; 89 440 h. Siège de la papauté de 1309 à 1378. Pont St-Bénézet, palais des Papes (XIVe s.).

Ávila, v. d'Espagne (Castille et León) ; 40 170 h. Patrie de sainte Thérèse.

Avogadro (1776-1856), chimiste italien. Loi de la constitution moléculaire des gaz.

Avoriaz, stat. hivernale de Haute-Savoie.

Avranches, ch.-l. d'arr. de la Manche ; 9 523 h.

Axe (l'), alliance formée en 1936 par l'Allemagne et l'Italie.

Ax-les-Thermes, stat. thermale de l'Ariège.

Axoum, v. de l'Éthiopie. Cap. de l'anc. *royaume d'Axoum* (Ier-Xe s.).

Ayacucho, v. du Pérou ; 68 540 h. Victoire de Sucre sur les Espagnols, qui assura l'indépendance de l'Amérique du Sud (1824).

Ayer Alfred (1910-1989), philosophe britannique.

Ayers Rock ou **Uluru,** rocher sacré des aborigènes d'Australie, au centre du pays.

Aymaras, Indiens du Pérou et de Bolivie.

Aymé Marcel (1902-1967), écrivain français : *la Jument verte.*

Aymon les Quatre Fils, personnages d'une chanson de geste du XIIe s.

Ayoub Khan Muhammad (1907-1974), président du Pakistan (1958-1969).

Ayuthia, v. de Thaïlande ; 60 510 h. Ancienne cap. du Siam.

Ayyubides, dynastie musulmane fondée par Saladin qui régna sur l'Égypte (XIIe-XIIIe s.).

Azay-le-Rideau, ch.-l. de cant. de l'Indre-et-Loire. Château de la Renaissance.

Azerbaïdjan, État d'Asie, anc. rép. de l'URSS ; 86 600 km² ; 8 400 000 h ; cap. Bakou.

Azéris, peuple musulman de l'Azerbaïdjan.

Azhar (Al-), mosquée et université islamique du Caire.

Azincourt, victoire, près d'Arras, d'Henri V d'Angleterre sur les Français (1415).

Aznar José Maria (né en 1953), Premier ministre de l'Espagne de 1996 à 2004.

Azov (mer d'), golfe fermé par la mer Noire.

Aztèques, peuple indien du Mexique, qui domina l'Amérique centrale. L'*empire aztèque* fut détruit par Cortés (1521).

Baal, divinité païenne des peuples sémitiques étrangers aux Hébreux.

Baalbek, v. du Liban ; 18 000 h. Temples.

Baas, parti politique nationaliste panarabe, au pouvoir en Syrie et en Irak.

Bab (Ali Muhammad, dit le) (1819-1850), réformateur musulman persan ; exécuté.

Bab al-Mandab, détroit qui unit la mer Rouge au golfe d'Aden.

Babbage Charles (1792-1871), mathématicien anglais, précurseur de l'informatique.

Babel, nom hébreu de Babylone. *La Tour de Babel* est un édifice que les descendants de Noé prétendaient élever pour atteindre le ciel.

Bâber ou **Bâbur** (1483-1530), fondateur de l'Empire moghol.

Babeuf Gracchus (1760-1797), révolutionnaire français ; auteur d'un système communiste.

Babinski Joseph (1857-1932), neurologue français d'origine polonaise.

Babylone, v. princ. de la Mésopotamie antique, sur l'Euphrate, au S.-E. de Bagdad.

Baccarat, ch.-l. de cant. de Meurthe-et-Moselle ; 5 049 h. Cristallerie.

Bacchus, dieu du Vin (*Myth. rom.*).

Bach Jean-Sébastien (1685-1750), compositeur allemand : *Messe en « si », Passion selon saint Matthieu,* 160 cantates, œuvres pour orgue, clavecin, flûte et violoncelle, etc. Quatre de ses fils **Wilhelm Friedemann** (1710-1784), **Carl Philipp Emmanuel** (1714-1788), **Johann Christoph Friedrich** (1732-1782) et **Johann Christian** (1735-1760) furent également musiciens.

Bachelard Gaston (1884-1962), philosophe français : *le Nouvel Esprit scientifique.*

Bachelet Michelle (née en 1951), présidente de la République du Chili depuis 2006.

Bachkirie, rép. auton. de Russie ; cap. Oufa.

Bacon Roger (1214-1294), théologien anglais, précurseur de la science expérimentale.

Bacon Francis (1561-1626), homme politique, avant et philosophe anglais ; chancelier de Jacques Ier : *Novum Organum.*

Bacon Francis (1909-1992), peintre britannique.

Bactriane, anc. contrée de l'Asie centrale.

Badajoz, v. d'Espagne (Estrémadure) ; 119 970 h.

Badalona, v. d'Espagne (Catalogne) ; 227 740 h.

Baden-Baden, stat. thermale d'Allemagne (Bade-Wurtemberg) ; 49 260 h.

Baden-Powell Robert (1857-1941), général anglais, fondateur du scoutisme.

Bade-Wurtemberg, Land d'Allemagne ; cap. Stuttgart.

Badinter Robert (né en 1928), homme politique français (socialiste). Il fit voter l'abolition de la peine de mort.

Baffin (terre de), île canadienne, séparée du Groenland par la *mer de Baffin.*

Baffin William (1584-1622), navigateur anglais.

Bagdad, cap. de l'Irak, sur le Tigre ; 4 648 610 h.

Bagnères-de-Bigorre, ch.-l. d'arr. et stat. thermale des Hautes-Pyrénées ; 9 093 h.

Bagneux, ch.-l. de cant. des Hauts-de-Seine ; 39 453 h.

Bagnolet, ch.-l. de cant. de la Seine-Saint-Denis ; 32 739 h.

Bahamas, État de l'Atlantique, au S.-E. de la Floride, formé de 700 îles ou îlots ; 13 864 km² ; 300 000 h ; cap. Nassau.

Bahia, État du N.-E. du Brésil ; cap. Salvador (appelée aussi *Bahia*).

Bahía Blanca, port d'Argentine ; 214 370 h.

Bahreïn, État (émirat) du golfe Persique ; 678 km² ; 700 000 h ; cap. Manama.

Baïkal, lac de Sibérie orientale, le plus profond du monde (1 620 m) ; 31 500 km².

Baïkonour, base spatiale du Kazakhstan.

Baïf Jean Antoine de (1532-1589), poète français, membre de la Pléiade.

Bailly Jean Sylvain (1736-1793), astronome et révolutionnaire français, maire de Paris en 1789.

Baïse (la), affl. de la Garonne (190 km).

Bajazet Ier (1347-1403), sultan ottoman de 1389 à 1402.

Ba Jin ou **Pa Kin** (né en 1905), romancier chinois : *Famille.*

Baker Joséphine (1906-1975), artiste de music-hall américaine, naturalisée française.

Bakhtaran. V. Kermanchah.

Baki (1526-1600), poète turc : *Diwan.*

Bakou, cap. de l'Azerbaïdjan et port sur la mer Caspienne ; 1 116 000 h.

Bakounine Mikhaïl (1814-1876), révolutionnaire anarchiste russe. Il s'opposa à Karl Marx.

Balakirev Mili (1837-1910), compositeur russe.

Balance (la), constellation australe et signe du zodiaque (24 septembre-23 octobre).

Balanchine George (1904-1983), danseur et chorégraphe russe, naturalisé américain.

Balaton, lac de l'O. de la Hongrie (596 km²).

Balbo Italo (1896-1940), maréchal italien, un des fondateurs du fascisme.

Balboa Vasco Núñez de (1475-1517), navigateur espagnol. Il découvrit l'océan Pacifique.

Baldung Grien Hans (v. 1484-1545), peintre et graveur allemand.

Baldwin James (1924-1987), écrivain noir américain : *les Élus du Seigneur*.

Bâle, v. de Suisse, sur le Rhin, ch.-l. du *canton de Bâle-Ville* ; 175 420 h.

Baléares, archipel méditerranéen (Majorque, Minorque, Ibiza, Formentera) et commun. auton. de l'Espagne ; cap. Palma de Majorque.

Balfour Arthur (1848-1930), homme politique britannique (conservateur). La *déclaration Balfour* (1917) contient la promesse d'un foyer national juif en Palestine.

Bali, île d'Indonésie (E. de Java) ; 2 649 000 h.

Balint Michael (1896-1970), psychanalyste britannique d'origine hongroise.

Balkans, rég. montagneuse du S.-E. de l'Europe, englobant la Croatie, la Serbie, la Bosnie, la Macédoine, l'Albanie, la Bulgarie, la Grèce et la Turquie d'Europe.

Balkhach, lac du Kazakhstan (17 000 km²).

Balladur Édouard (né en 1929), homme politique français (gaulliste) ; Premier ministre de 1993 à 1995.

Balmat Jacques (1762-1834), guide français, le premier à gravir le mont Blanc.

Balmer Johann (1825-1898), physicien suisse.

Baloubas, peuple bantou du S. du Zaïre.

Baloutchistan. V. *Béloutchistan*.

Baltard Victor (1805-1874), architecte français. Anciennes Halles de Paris.

baltes (pays), l'Estonie, la Lettonie et la Lituanie, indépendants depuis 1990.

Balthazar, un des Rois mages (*Évangiles*).

Balthazar, régent de Babylone, tué par Cyrus en 539 av. J.-C.

Balthus (1908-2001), peintre français.

Baltimore, port des États-Unis (Maryland), 763 600 h (aggl. 2 244 700 h).

Baltique, mer intérieure de l'Europe du Nord.

Balzac Jean-Louis Guez de (v. 1595-1654), essayiste français, initiateur du classicisme.

Balzac Honoré de (1799-1850), écrivain français, maître du réalisme, auteur de romans rassemblés dans *la Comédie humaine*.

Bamako, cap. du Mali ; 419 240 h.

Bambaras, peuple d'Afrique occidentale.

Bamberg, v. d'Allemagne (Bavière) ; 69 590 h. Cathédrale.

Bamilékés, peuple du S.-O. du Cameroun.

Bamiyan, v. du N. de l'Afghanistan ; 40 000 h. Statues rupestres du Bouddha.

Bandar Seri Begawan, cap. du Brunei ; 55 070 h.

Bandol, stat. balnéaire du Var.

Bandung ou **Bandoeng**, v. d'Indonésie ; 1 462 640 h. La *Conférence afro-asiatique de Bandung* condamna le colonialisme (1955).

Bangalore, v. de l'Inde, cap. du Karnataka ; 2 628 590 h.

Bangkok, cap. de la Thaïlande ; 7 000 000 h.

Bangladesh, État d'Asie, au N.-E. du subcontinent indien ; 143 948 km² ; 144 200 000 h ; cap. Dhaka. C'est l'ancien Pakistan oriental.

Bangui, cap. du Centrafrique ; 473 820 h.

Banja Luka, v. de Bosnie-Herzégovine ; 123 940 h.

Banjul, cap. de la Gambie ; 49 180 h.

Banna Hasan al (1906-1949), fondateur égyptien du mouvement des Frères musulmans.

Banting sir Frederick Grant (1891-1941), médecin canadien. Il découvrit l'insuline.

Bantous, populations du S. de l'Afrique sud-équatoriale, parlant des langues de la même famille.

Banville Théodore de (1823-1891), poète parnassien français.

Bao-Daï (1913-1997), empereur d'Annam (1925-1956).

Baotou, v. de Chine (Mongolie) ; 1 075 920 h.

Baoulés, peuple de la Côte-d'Ivoire.

Bara Joseph (1779-1793), jeune soldat français, mort en héros.

Barabbas, agitateur condamné à mort, gracié par Pilate, à la place de Jésus.

Barabudur, monument bouddhique de Java.

Barak Ehoud (né en 1942), Premier ministre d'Israël de 1999 à 2000.

Barbade (la), État des Petites Antilles ; 431 km² ; 300 000 h ; cap. Bridgetown.

Barbares, peuples (Goths, Vandales, Burgondes) qui envahirent l'Europe (IIIe-VIe s.).

Barbarie, anc. nom de l'Afrique du Nord.

Barberousse. V. *Frédéric Ier Barberousse*.

Barberousse, nom de deux pirates turcs qui régnèrent sur Alger au XVIe s.

Barbès Armand (1809-1870), révolutionnaire français.

Barbey d'Aurevilly Jules (1808-1889), écrivain français : *les Diaboliques*.

Barbizon, com. de Seine-et-Marne, séjour de peintres paysagistes (Th. Rousseau, Corot, Millet) précurseurs de l'impressionnisme.

Barbusse Henri (1873-1935), écrivain français : *le Feu*.

Barcelone, port d'Espagne sur la Méditerranée ; 1 756 910 h ; cap. de la Catalogne.

Barcelonnette, ch.-l. d'arr. des Alpes-de-Haute-Provence ; 3 631 h.

Bardo (Le), v. de Tunisie ; 65 660 h. Le *traité du Bardo* (1881) établit le protectorat français.

Bardot Brigitte (née en 1934), actrice française.

Barents, mer de l'océan Arctique.

Barère de Vieuzac Bertrand (1755-1841), conventionnel français, partisan de la Terreur.

Bari, port d'Italie, sur l'Adriatique ; 368 900 h ; ch.-l. des Pouilles.

Bar-Kokheba, héros national juif, chef de la révolte contre Hadrien (132-135).

Bar-le-Duc, ch.-l. de la Meuse ; 18 577 h.

Barnabé saint (Ier s.), disciple de saint Paul.

Barnaoul, v. de Russie, en Sibérie ; 606 000 h.

Barnard Christian (1922-2001), chirurgien sud africain. Première greffe du cœur (1967).

Barnave Antoine (1761-1793), homme politique français de la Constituante ; guillotiné.

Barnum Phineas Taylor (1810-1891), entrepreneur de spectacles américain.

Baroja Pio (1872-1956), romancier réaliste espagnol : *Mémoires d'un homme d'action*.

Barranquilla, port de Colombie ; 896 650 h.

Barras Paul (1755-1829), homme politique français. Il œuvra à la chute de Robespierre.

Barrault Jean-Louis (1910-1994), acteur et directeur (avec M. Renaud) de théâtre français.

Barre Raymond (né en 1924), économiste et homme politique français, Premier ministre (1976-1981).

Barrès Maurice (1862-1923), écrivain français, chantre du nationalisme.

Barrière (Grande), chaîne corallienne bordant le N.-E. de l'Australie.

Barry Jeanne Bécu, comtesse du (1743-1793), favorite de Louis XV.

Bar-sur-Aube, ch.-l. d'arr. de l'Aube ; 6 967 h.

Bart Jean (1650-1702), corsaire français.

Barth Karl (1886-1968), théologien protestant suisse : *Dogmatique.*

Barthélemy saint, un des douze apôtres.

Barthes Roland (1915-1980), critique français : *le Degré zéro de l'écriture.*

Bartholdi Frédéric (1834-1904), sculpteur français : *la Liberté éclairant le monde* (New York).

Bartók Béla (1881-1945), compositeur hongrois : *le Mandarin merveilleux.*

Bartolomeo Fra (1472-1517), peintre florentin ; disciple de Savonarole.

Barye Antoine (1795-1875), sculpteur animalier français.

Barzani Mustafa al- (1903-1979), chef kurde.

Bas-Empire, dernière période de l'Empire romain, à partir du IIIᵉ s.

Basho (1644-1694), poète japonais.

Basie Count (1904-1984), pianiste, compositeur et chef d'orchestre américain de jazz.

Basile le Grand saint (329-379), Père de l'Église grecque. Il combattit l'arianisme.

Basile II le Bulgaroctone (957-1025), empereur byzantin en 963.

Basilicate, rég. admin. d'Italie méridionale.

basque (Pays), rég. des Pyrénées occidentales à cheval sur la France et l'Espagne (commun. auton., ch.-l. Vitoria).

Bassano Jacopo (v. 1510-1592), peintre maniériste italien.

Basse-Terre, ch.-l. de la Guadeloupe, sur l'*île de Basse-Terre* ; 14 107 h.

Bassorah, port d'Irak ; env. 600 000 h.

Bastia, ch.-l. de la Haute-Corse ; 38 728 h.

Bastiat Frédéric (1801-1850), économiste libéral français.

Bastille (la), forteresse construite à Paris au XIVᵉ s., devenue prison d'État, prise par les Parisiens le 14 juillet 1789.

Basutoland. V. Lesotho.

Bata Tomás (1876-1932), industriel tchèque.

Bataille Georges (1897-1962), écrivain français : *Histoire de l'œil.*

Batalha, v. du Portugal (Estrémadure). Monastère (XIVᵉ-XVIᵉ s.).

Bataves, anc. peuple germanique établi à l'embouchure du Rhin.

Batavia. V. Djakarta.

Bateau-Lavoir (le), immeuble de Montmartre où vécurent Picasso, Juan Gris, Max Jacob.

Bateson Gregory (1904-1980), anthropologue américain.

Bath, v. d'Angleterre. Festival de musique.

Batista Fulgencio (1901-1973), homme politique cubain ; renversé par Fidel Castro (1959).

Batna, v. d'Algérie ; 184 830 h.

Baton Rouge, v. des États-Unis (Louisiane) ; 238 900 h (aggl. 538 000 h).

Batoumi ou **Batoum,** v. de Géorgie, cap. de l'Adjarie ; 132 000 h.

Battambang, v. du Cambodge ; 38 800 h.

Baty Gaston (1885-1952), metteur en scène de théâtre français.

Baudelaire Charles (1821-1867), poète français : *les Fleurs du mal.*

Baudot Émile (1845-1903), ingénieur français. Premier appareil télégraphique imprimant.

Baudouin Iᵉʳ (1171-v. 1206), empereur latin d'Orient, un des chefs de la IVᵉ croisade.

Baudouin Iᵉʳ (1930-1993), roi des Belges en 1951.

Baudouin IV (1160-1185), roi de Jérusalem de 1174 à 1185. Il vainquit par deux fois Saladin.

Baudouin de Courtenay Jan (1845-1929), linguiste polonais, fondateur de la phonologie.

Bauhaus, école d'architecture fondée en 1919 à Weimar par W. Gropius.

Baule-Escoublac (La), stat. balnéaire de la Loire-Atlantique ; 15 018 h.

Bausch Pina (née en 1940), chorégraphe allemande.

Baux-de-Provence (Les), com. des Bouches-du-Rhône. Ruines médiévales.

Bavière, Land d'Allemagne ; cap. Munich.

Bayard Pierre (1476-1524), gentilhomme français, *le Chevalier sans peur et sans reproche.*

Bayazid. V. Bajazet.

Bayeux, ch.-l. d'arr. du Calvados ; 15 106 h. *Tapisserie de Bayeux*, ou de *la reine Mathilde* (XIᵉ s.). Cathédrale.

Bayle Pierre (1647-1706), philosophe français : *Dictionnaire historique et critique.*

Bayonne, ch.-l. d'arr. des Pyrénées-Atlantiques ; 41 846 h.

Bayreuth, v. d'Allemagne (Bavière) ; 72 330 h. Festival annuel des œuvres de Wagner.

Bazaine Achille (1811-1888), maréchal de France. Il capitula à Metz devant les Prussiens.

Bazaine Jean (1904-2001), peintre français.

Bazin Hervé (1911-1996), romancier français : *Vipère au poing.*

Béarn, anc. prov. française ; cap. Pau.

Beatles (les), groupe anglais de musique pop (1962-1970).

Béatrice Portinari (v. 1265-1290), héroïne de la *Divine Comédie* de Dante.

Beatrix Iʳᵉ (née en 1938), reine des Pays-Bas depuis 1980.

Beaucaire, ch.-l. de cant. du Gard ; 13 600 h.

Beauce, plaine du Bassin parisien.

Beauce, rég. du S. du Québec.

Beau de Rochas Alphonse (1815-1893), inventeur français du cycle à quatre temps.

Beauharnais Eugène de (1781-1824), fils de l'impératrice Joséphine, vice-roi d'Italie. *(V. aussi Hortense de Beauharnais.)*

Beaujolais, rég. viticole de la bordure orientale du Massif central.

Beaumarchais Pierre Augustin Caron de (1732-1799), auteur dramatique français : *le Barbier de Séville,* *le Mariage de Figaro.*

Beaune, ch.-l. d'arr. de la Côte-d'Or ; 22 171 h.

Beauvais, ch.-l. de l'Oise ; 56 278 h. Cathédrale gothique.

Beauvoir Simone de (1908-1986), essayiste et romancière française : *le Deuxième sexe*.
Bebel August (1840-1913), homme politique allemand, fondateur du parti social-démocrate.
Beccaria (1738-1794), juriste italien.
Béchar (anc. *Colomb-Béchar*), v. d'Algérie, au N.-O. du Sahara ; 108 380 h.
Bec-Hellouin (Le), abbaye bénédictine du XIᵉs. (Eure).
Bechet Sydney (1897-1959), clarinettiste, saxophoniste et chef d'orchestre américain de jazz.
Becker Jacques (1906-1960), cinéaste français : *Casque d'Or*.
Becket Thomas. *V. Thomas Becket.*
Beckett Samuel (1906-1989), écrivain irlandais d'expression française et anglaise : *En attendant Godot, L'Innommable*.
Becquerel Henri (1852-1908), physicien français. Il découvrit la radioactivité.
Bède saint (dit *le Vénérable*) (673-735), historien anglo-saxon.
Bedford duc de (1389-1435), frère d'Henri V d'Angleterre, régent de France pour Henri VI.
Bédouins, Arabes nomades vivant du Moyen-Orient au Maghreb.
Beecham sir Thomas (1879-1961), chef d'orchestre anglais.
Beecher-Stowe Mrs (1811-1896), romancière américaine : *la Case de l'oncle Tom*.
Beersheba, v. du S. d'Israël ; 115 000 h.
Beethoven Ludwig van (1770-1827), compositeur allemand, auteur de 9 symphonies, de 32 sonates pour piano, de 17 quatuors, etc.
Begin Menahem (1913-1992), Premier ministre d'Israël. Il conclut la paix avec l'Égypte.
Bègles, ch.-l. de cant. de la Gironde ; 22 735 h.
Behan Brendan (1923-1964), dramaturge irlandais, ardent nationaliste.
Béhanzin (1844-1906), dernier roi du Dahomey (1889-1894).
Behring Emil von (1854-1917), médecin allemand, premier prix Nobel de médecine.
Behring. *V. Béring.*
Beijing. *V. Pékin.*
Beira, port du Mozambique ; 113 800 h.
Bejaia (anc. *Bougie*), v. d'Algérie ; 120 100 h.
Béjart, famille de comédiens de la troupe de Molière, dont **Armande**, sa femme (1642-1700).
Béjart Maurice (né en 1927), danseur et chorégraphe français.
Bekaa, plaine de l'E. du Liban.
Belém (anc. *Pará*), port du Brésil, cap. de l'État de Pará ; 1 120 780 h.
Belfast, cap. de l'Irlande du Nord ; 318 600 h.
Belfort (Territoire de), dép. français (90) (Franche-Comté) ; 610 km² ; 137 710 h ; ch.-l. **Belfort** (51 913 h).
Belgique, État fédéral de l'Europe occidentale ; 30 515 km² ; 10 500 000 h ; cap. Bruxelles.
Belgrade, cap. de la Serbie ; 1 500 000 h.
Bélier (le), constellation boréale et signe du zodiaque (21 mars-20 avril).
Bélisaire (v. 500-565), général byzantin, au service de Justinien.
Belize, État de l'Amérique centrale, sur l'Atlantique ; 22 965 km² ; 300 000 h ; cap. Belmopan.
Bell Graham (1847-1922), ingénieur américain, il fit breveter un système de communication téléphonique dont la paternité a été reconnue en 2002 à Antonio Meucci.

Bellac, ch.-l. d'arr. de la Haute-Vienne ; 5 281 h.
Bellay Joachim du (1522-1560), poète français, membre de la Pléiade : *les Regrets*.
Belleau Rémy (1528-1577), poète français, membre de la Pléiade.
Belledonne, massif des Alpes du Nord.
Belle-Île-en-Mer, île du Morbihan.
Belleville, quartier de l'E. de Paris.
Belley, ch.-l. d'arr. de l'Ain ; 8 169 h.
Bellini Giovanni (v. 1430-1516), peintre vénitien de la Renaissance, maître de Giorgione.
Bellini Vincenzo (1801-1835), compositeur italien d'opéras : *la Norma*.
Bellinzona, v. de Suisse, ch.-l. du Tessin ; 17 600 h.
Bellonte Maurice (1896-1984), aviateur français. Il réussit avec D. Costes, le premier vol Paris-New York sans escale.
Bellow Saul (1915-2005), romancier américain : *le Don de Humboldt*.
Belmondo Jean-Paul (né en 1933), acteur français.
Belmopan, cap. du Belize ; 2 910 h.
Belo Horizonte, v. du Brésil ; 2 122 070 h.
Béloutchistan ou **Baloutchistan**, rég. montagneuse d'Iran et du Pakistan.
Belt (Grand- et **Petit-)** détroits du Danemark entre la mer du Nord et la Baltique.
Belzébuth, nom biblique du dieu Baal.
Ben Ali Zein al-Abidin (né en 1936), président de la République de Tunisie depuis 1989.
Bénarès ou **Vārānasī**, v. sainte de l'Inde, sur le Gange ; 708 650 h.
Ben Bella Ahmed (né en 1916), président de la République d'Algérie (1963-1965).
Benda Julien (1867-1956), écrivain français.
Benelux, union douanière entre la Belgique, les Pays-Bas et le Luxembourg (1944).
Beneš Edvard (1884-1948), président de la République tchécoslovaque (1935-1938 et 1945-1948).
Bénévent, v. d'Italie (Campanie) ; 61 440 h.
Bengale, rég. du subcontinent indien, sur le *golfe du Bengale*, partagée en 1947 entre l'Inde (État du **Bengale-Occidental** ; cap. Calcutta) et le Pakistan (Pakistan oriental indépendant sous le nom de Bangladesh en 1971).
Benghazi, port de Libye ; 450 000 h.
Ben Gourion David (1886-1973), premier chef de gouvernement (travailliste) d'Israël.
Bénin, anc. royaume d'Afrique occidentale, dont l'apogée se situe au XVIIᵉ s.
Bénin (*Dahomey* av. 1975), État d'Afrique occidentale ; 112 622 km² ; 8 400 000 h ; cap. Porto-Novo.
Benjamin, douzième fils de Jacob (*Bible*).
Benjamin Walter (1892-1940), philosophe allemand.
Ben Jelloun Tahar (né en 1944), écrivain marocain de langue française.
Ben Nevis, point culminant (1 340 m) de la Grande-Bretagne (Écosse).
Bénodet, stat. balnéaire du S. du Finistère.
Benoît XV (1854-1922), pape en 1914.
Benoit XVI (né en 1927), pape en 2005.
Benoît de Nursie saint (480-547), fondateur de l'ordre bénédictin.
Bénoué, affl. du Niger (1 400 km).

Bentham Jeremy (1748-1832), philosophe anglais, auteur d'une morale utilitariste.

Benveniste Émile (1902-1976), linguiste français : *Problèmes de linguistique générale*.

Benxi, v. de Chine (Liaoning) ; 773 730 h (aggl. 1 412 120 h).

Ben Yehuda Eliezer (1858-1922), écrivain hébreu, créateur de l'hébreu moderne.

Benz Carl (1844-1929), pionnier allemand de l'automobile.

Béotie, rég. de la Grèce, au N. de l'Attique, qui avait Thèbes pour capitale.

Béranger Pierre Jean de (1780-1857), chansonnier français, très populaire.

Berbères, peuple de l'Afrique du Nord.

Berchtesgaden, v. d'Allemagne (Bavière). Hitler y fit édifier sa résidence favorite.

Berck, stat. climatique et médicale du Pas-de-Calais, sur la Manche ; 14 730 h.

Bercy, quartier du S. de Paris.

Berdiaev Nicolas (1874-1948), philosophe russe (existentialiste chrétien).

Bérégovoy Pierre (1925-1993), homme politique français (socialiste), Premier ministre (1992-1993).

Bérenger Ier (mort en 924), roi d'Italie de 888 à 924, empereur d'Occident en 915.

Bérénice (v. 28-79), princesse juive. Titus renonça à l'épouser.

Berezina (la), fl. de Biélorussie. Retraite désastreuse de l'armée française (1812).

Berg Alban (1885-1935), compositeur autrichien : *Wozzeck*.

Bergame, v. d'Italie (Lombardie) ; 120 510 h.

Bergen, port de Norvège ; 207 370 h.

Bergen-Belsen, camp d'extermination nazi (Hanovre).

Bergerac, ch.-l. d'arr. de la Dordogne ; 27 886 h.

Bergman Ingrid (1915-1982), comédienne suédoise.

Bergman Ingmar (né en 1918), cinéaste suédois : *le Septième Sceau*.

Bergson Henri (1859-1941), philosophe spiritualiste français : *l'Évolution créatrice*.

Beria Lavrenti (1899-1953), homme politique soviétique ; exécuté après la mort de Staline.

Béring ou **Behring** (détroit de), passage reliant l'océan Arctique au Pacifique (*mer de Béring*) entre l'Asie et l'Amérique.

Berio Luciano (né en 1925), compositeur italien de musique électronique.

Berkeley, v. des États-Unis (Californie) ; 103 800 h. Université.

Berkeley George (1685-1753), théologien et philosophe idéaliste irlandais.

Berlin, cap. de l'Allemagne ; 3 400 000 h.

Berlioz Hector (1803-1869), compositeur français : *la Symphonie fantastique*.

Bermudes, archipel britannique de l'Atlantique au N.-E. des Antilles ; 58 000 h.

Bernadette Soubirous sainte (1844-1879), paysanne française qui eut plusieurs visions de la Vierge, à Lourdes.

Bernadotte Charles Jean-Baptiste (1763-1844), maréchal de France, roi de Suède en 1818 (Charles XIV ou Charles-Jean).

Bernanos Georges (1888-1948), écrivain catholique français : *Sous le soleil de Satan*.

Bernard Claude (1813-1878), médecin français, théoricien de la médecine expérimentale.

Bernard Tristan (1866-1947), écrivain humoriste français.

Bernard Jean (né en 1907), médecin français.

Bernard de Clairvaux saint (1090-1153), fondateur de Clairvaux, docteur de l'Église.

Bernard de Ventadour (XIIe s.), troubadour limousin.

Bernardin de Saint-Pierre Jacques (1737-1814), écrivain français : *Paul et Virginie*.

Bernay, ch.-l. d'arr. de l'Eure ; 10 048 h.

Berne, cap. de la Suisse et ch.-l. du *canton de Berne ;*139 590 h.

Bernhard Thomas (1931-1989), écrivain autrichien, poète, romancier et dramaturge.

Bernhardt Sarah (1844-1923), actrice française.

Bernin (le) (1598-1680), peintre, sculpteur et architecte baroque italien.

Bernina (la), massif des Alpes suisses (Grisons) (4 052 m).

Bernoulli, famille de mathématiciens de Bâle (XVIe-XVIIIe s.).

Bernstein Eduard (1850-1932), théoricien socialiste allemand.

Bernstein Leonard (1918-1990), compositeur et chef d'orchestre américain : *West side story*.

Béroul, trouvère anglo-normand du XIIe s.

Berre-l'Étang, ch.-l. de cant. des Bouches-du-Rhône, près de l' *étang de Berre ;* 12 723 h.

Berruguete Alonso (v. 1490-1561), peintre et sculpteur baroque espagnol.

Berry, anc. prov. du S. du Bassin parisien.

Berry Jean, duc de (1340-1416), fils du roi Jean le Bon. Il fit exécuter les *Très Riches Heures du duc de Berry*, manuscrit enluminé.

Berry Charles Ferdinand, duc de (1778-1820), fils de Charles X ; assassiné. Sa femme, Marie-Caroline de Bourbon-Sicile, **duchesse de Berry** (1798-1870), tenta de soulever la Vendée contre Louis-Philippe.

Bert Paul (1833-1886), physiologiste et homme politique français.

Berthe, dite *Berthe au grand pied* (morte en 783), reine de France épouse de Pépin le Bref, mère de Charlemagne.

Berthelot Marcellin (1827-1907), chimiste et homme politique français.

Berthier Louis (1753-1815), maréchal français.

Berthollet comte Claude (1748-1822), chimiste français.

Bertin Jean (1917-1975), ingénieur français, inventeur de l'aérotrain.

Bertran de Born (v. 1140-v. 1215), troubadour périgourdin.

Bertrand Aloysius (1807-1841), poète romantique français : *Gaspard de la nuit*.

Bérulle Pierre de (1575-1629), cardinal français, fondateur de l'Oratoire.

Berzelius Jöns (1779-1848), chimiste suédois. Il a inventé la notation chimique moderne.

Besançon, ch.-l. de la Rég. Franche-Comté et du dép. du Doubs ; 119 194 h.

Bessarabie, rég. d'Ukraine et Moldavie.

Bessarion Jean (v. 1400-1472), humaniste et théologien byzantin.

Bessemer sir Henry (1813-1898), ingénieur anglais, inventeur d'un convertisseur qui transforme la fonte en acier.

Bessin (le), rég. de Bayeux (Calvados).

Betancourt Rómulo (1904-1981), président de la République du Venezuela de 1959 à 1964.

Bételgeuse, étoile géante du ciel boréal.

Béthanie, v. de Palestine, où habitaient Marthe, Marie-Madeleine et Lazare.

Bethe Hans Albrecht (1906-2005), physicien et astronome américain d'origine allemande.

Bethléem, v. de Cisjordanie ; 27 000 h. Lieu où naquit le Christ.

Bethsabée, épouse de David et mère de Salomon (*Bible*).

Béthune, ch.-l. d'arr. du Pas-de-Calais ; 25 261 h.

Bettelheim Bruno (1903-1990), psychanalyste américain d'origine autrichienne.

Beuys Josef (1921-1986), artiste allemand.

Bevan Aneurin (1897-1960), homme politique britannique (travailliste).

Beveridge lord William (1879-1963), économiste britannique.

Beyle Henri. *V. Stendhal.*

Beyrouth, cap. du Liban ; env. 1 000 000 h.

Bèze Théodore de (1519-1605), écrivain et théologien protestant ; successeur de Calvin.

Béziers, ch.-l. d'arr. de l'Hérault ; 72 362 h.

Bezons, ch.-l. de cant. du Val-d'Oise ; 25 792 h.

Bhagavad-Gita, poème sanskrit écrit entre le IIIe s. av. J.-C. et le IIIe s. apr. J.-C.

Bhopal, v. de l'Inde, cap. du Madhya Pradesh ; 671 020 h.

Bhoutan, État (royaume) d'Asie, dans l'Himalaya ; 47 000 km^2 ; 1 000 000 h ; cap. Thimphu.

Bhubaneswar, v. de l'Inde, cap. de l'Orissa ; 219 210 h. Temples.

Bhutto Zulfikar Ali (1928-1979), homme politique pakistanais. Il fut renversé et exécuté.

Biafra, nom pris par la partie S.-E. du Nigeria, en sécession de 1967 à 1970.

Bialystok, v. de Pologne orientale ; 247 550 h.

Biarritz, ch.-l. de cant. et stat. balnéaire des Pyrénées-Atlantiques ; 28 887 h.

Bible (la), recueil de textes sacrés des juifs et des chrétiens, écrits en deux langues principales, l'hébreu (Ancien Testament) et le grec (Nouveau Testament).

Bibliothèque nationale, bibliothèque d'étude située à Paris, fondée sous Charles V.

Bibracte, v. de Gaule, cap. des Éduens.

Bichat Xavier (1771-1802), médecin français, fondateur de l'anatomie générale.

Bichkek (anc. Frounzé), cap. du Kirghizistan ; 646 000 h.

Bidassoa (la), fl. des Pyrénées-Atlantiques (61 km) ; frontière entre la France et l'Espagne.

Bidault Georges (1899-1983), homme politique français ; un des chefs de la Résistance.

Biedermeier, style d'ameublement allemand (1814-1848).

Biélorussie (*Russie Blanche*), État d'Europe de l'E., anc. rép. fédérée de l'URSS ; 207 600 km^2 ; 9 800 000 h ; cap. Minsk.

Bienne, v. de Suisse ; 62 700 h.

Bienvenüe Fulgence (1852-1936), ingénieur français, créateur du métro parisien.

Bigorre (la), rég. de France ; cap. Tarbes.

Bihar, État du N.-E. de l'Inde ; cap. Patna.

Bikini, atoll du Pacifique, théâtre d'expériences nucléaires américaines entre 1946 et 1958.

Bilbao, port d'Espagne (Biscaye) ; 420 540 h.

Billaud-Varenne Jean Nicolas (1756-1819), conventionnel français, partisan de la Terreur.

Binche, v. de Belgique ; 34 200 h. Carnaval.

Binchois Gilles (v. 1400-1460), compositeur franco-flamand.

Bir Hakeim, localité de Libye où les Français résistèrent aux Allemands (1942).

Birmanie (en birman *Myanmar*), État de l'Asie du S.-E. ; 678 033 km^2 ; 50 500 000 h ; cap. Rangoon.

Birmingham, v. de Grande-Bretagne, ch.-l. des Midlands ; 920 390 h.

Birmingham, v. des États-Unis (Alabama) ; 279 800 h.

Birobidjan, v. de Russie en Extrême-Orient ; 80 000 h ; ch.-l. de la rép. auton. des Juifs.

Biruni Al- (973-1048), savant arabe, d'origine iranienne.

Biscarrosse, stat. balnéaire des Landes.

Biscaye, prov. basque d'Espagne ; ch.-l. Bilbao.

Biskra, v. du S. de l'Algérie ; 128 920 h.

Bismarck, archipel de Mélanésie rattaché à la Papouasie-Nouvelle-Guinée.

Bismarck Otto von (1815-1898), homme politique prussien, artisan de l'unité allemande.

Bissau, cap. de la Guinée-Bissau ; 110 000 h.

Bithynie, anc. royaume d'Asie Mineure.

Bitola (anc. *Monastir*), v. de Macédoine ; 81 000 h.

Bizerte, port de Tunisie ; 94 510 h.

Bizet Georges (1838-1875), compositeur français : *Carmen.*

Björnson Björnstjerne (1832-1910), écrivain norvégien : *Au-delà des forces humaines.*

Blackpool, stat. balnéaire de Grande-Bretagne sur la mer d'Irlande ; 148 000 h.

Blair Tony (né en 1953), Premier ministre (travailliste) de Grande-Bretagne depuis 1997.

Blake William (1757-1827), poète, peintre et graveur anglais ; préromantique et visionnaire.

Blanc (mont), point culminant de l'Europe (4 807 m), dans les Alpes françaises.

Blanc (Le), ch.-l. d'arr. de l'Indre ; 7 802 h.

Blanc Louis (1811-1882), journaliste et révolutionnaire socialiste français.

Blanche (mer), mer de l'océan Arctique.

Blanche de Castille (1188-1252), reine de France, épouse de Louis VIII, mère de Saint Louis.

Blanchot Maurice (1907-2003), écrivain français : *Thomas l'obscur.*

Blanc-Mesnil (Le), ch.-l. de cant. de la Seine-Saint-Denis ; 47 093 h.

Blanc-Nez (cap), cap du Pas-de-Calais.

Blanqui Louis (1805-1881), homme politique et théoricien socialiste français.

Blasco Ibáñez Vicente (1867-1928), romancier espagnol : *Arènes sanglantes.*

Blavet (le), fl. côtier de Bretagne (140 km).

Blaye, ch.-l. d'arr. de la Gironde ; 4 413 h.

Blériot Louis (1872-1936), aviateur français. Première traversée de la Manche (1909).

Bleu (fleuve). *V. Yangzijiang.*

Blida (auj. *El-Boulaïda*), v. d'Algérie ; 132 270 h.

Blier Bertrand (né en 1939), cinéaste français.

Blixen Karen (1885-1962), romancière danoise : *Ma ferme africaine.*

Bloch Ernst (1885-1977), philosophe marxiste allemand.

Bloch Marc (1886-1944), historien français, fondateur de la revue *Annales*.

Blocus continental, mesures prises par Napoléon Ier en 1806 et 1807 pour ruiner économiquement la Grande-Bretagne.

Bloemfontein, v. d'Afrique du Sud, cap. de l'État libre d'Orange ; 232 980 h.

Blois, ch.-l. du Loir-et-Cher ; 51 549 h.

Blok Alexandre (1880-1921), poète russe.

Blondel Maurice (1861-1949), philosophe catholique français : *l'Action*.

Bloomfield Leonard (1887-1949), linguiste américain.

Bloy Léon (1846-1917), romancier et polémiste catholique français.

Blücher Gebhard, prince (1742-1819), maréchal prussien, un des vainqueurs à Waterloo.

Blum Léon (1872-1950), homme politique français. Socialiste, il présida au Front populaire.

Boabdil (mort apr. 1492), dernier roi maure de Grenade, vaincu par Ferdinand et Isabelle.

Boas Franz (1858-1942), ethnologue américain d'origine allemande.

Bobet Louison (1925-1983), coureur cycliste français.

Bobigny, ch.-l. de la Seine-Saint-Denis ; 44 881 h.

Bobo-Dioulasso, v. du Burkina Faso ; 231 160 h.

Boccace (1313-1375), écrivain italien : *le Décaméron*.

Boccherini Luigi (1743-1805), compositeur et violoncelliste italien.

Bochimans, peuple nomade du désert du Kalahari.

Bochum, v. d'Allemagne (Rhénanie-du-Nord-Westphalie) ; 381 220 h.

Böcklin Arnold (1827-1901), peintre symboliste suisse.

Bodh-Gaya, localité de l'Inde (Bihar). Haut lieu du bouddhisme.

Bodin Jean (1530-1596), philosophe et économiste français : *la République*.

Bodoni Giambattista (1740-1813), imprimeur italien.

Boèce (v. 480-v. 524), philosophe et homme politique romain.

Boers, colons néerlandais qui s'installèrent apr. 1652 dans la région du Cap. Leur refus de l'hégémonie britannique provoqua la *guerre des Boers* (1899-1902).

Bofill Ricardo (né en 1939), architecte espagnol.

Bogart Humphrey (1899-1957), acteur de cinéma américain.

Boğazkale ou **Boğazköy,** site archéologique de Turquie, anc. cap. de l'empire hittite.

Bogomoletz Alexandre (1881-1946), biologiste russe.

Bogotá, cap. de la Colombie ; 3 974 810 h.

Bohême, partie occidentale de la République tchèque, où se trouve la capitale Prague.

Bohémond Ier (v. 1050-1111), un des chefs de la première croisade.

Böhm Karl (1894-1981), chef d'orchestre autrichien.

Böhme Jakob (1575-1624), philosophe mystique allemand.

Bohr Niels (1885-1962), physicien danois ; théorie quantique de l'atome.

Boieldieu François Adrien (1775-1834), compositeur français, créateur de l'opéra-comique.

Boileau Nicolas (1636-1711), écrivain classique français : *Satires, Épîtres, Art poétique*.

Bois-Colombes, ch.-l. de cant. des Hauts-de-Seine ; 24 500 h.

Boisguilbert Pierre de (1646-1714), économiste français, précurseur du libéralisme.

Bois-le-Duc, v. des Pays-Bas ; 89 600 h.

Boissy d'Anglas François (1756-1826), homme politique français.

Bokassa Jean Bedel (1921-1996), dictateur centrafricain, au pouvoir de 1966 à 1979.

Bolívar Simón (1783-1830), général et homme politique sud-américain. Principal protagoniste des guerres d'Indépendance des colonies espagnoles d'Amérique du Sud.

Bolivie, État continental d'Amérique du Sud ; 1 098 581 km² ; 8 900 000 h ; cap. La Paz et Sucre.

Böll Heinrich (1917-1985), romancier allemand : *Portrait de groupe avec dame*.

Bollywood, studios du cinéma hindi, situés à Bombay : films populaires.

Bologne, v. d'Italie ; ch.-l. de l'Émilie-Romagne ; 445 140 h ;

Bologne Jean de. V. *Giambologna*.

Boltanski Christian (né en 1944), artiste français.

Bolton, v. de Grande-Bretagne ; 147 000 h.

Boltzmann Ludwig (1844-1906), physicien autrichien, pionnier de la thermodynamique.

Bolzano, v. d'Italie (Haut-Adige) ; 102 830 h.

Bolzano Bernhard (1781-1848), logicien et mathématicien tchèque.

Bombard Alain (1924-2005), médecin et homme politique français.

Bombay (auj. *Mumbai*), deuxième v. et port de l'Inde ; cap. du Maharashtra ; 8 243 410 h.

Bon, cap au N.-E. de la Tunisie.

Bonald Louis, vicomte de (1754-1840), philosophe français (monarchiste et catholique).

Bonaparte, famille corse d'origine italienne. Du mariage de **Charles Marie** (1746-1785) et de **Maria Letizia Ramolino** (1750-1836) sont issus **Joseph** (1768-1844), roi de Naples (1806), puis roi d'Espagne (1808-1813) ; **Napoléon** (V. Napoléon Ier) ; **Lucien** (1775-1840), président du Conseil des Cinq-Cents ; **Maria-Anna,** dite **Élisa** (1777-1820) ; **Louis** (1778-1846), roi de Hollande (1806-1810), père de Napoléon III ; **Marie-Paulette,** dite Pauline (1780-1825) ; **Marie-Annonciade,** dite Caroline (1782-1839), épouse de Murat ; **Jérôme** (1784-1860), roi de Westphalie (1807-1813).

Bonaventure saint (1217-1274), théologien franciscain italien.

Bondy, v. de la Seine-Saint-Denis ; 46 880 h.

Bône. V. *Annaba*.

Bonhoeffer Dietrich (1906-1945), pasteur et théologien allemand ; exécuté par les nazis.

Boniface VIII (1235-1303), pape en 1294. Il excommunia Philippe le Bel.

Bonifacio, ch.-l. de cant. de la Corse-du-Sud ; 2 701 h. Ville médiévale.

Bonn, cap. de l'anc. RFA ; 288 000 h.

Bonnard Pierre (1867-1947), peintre français.

Bonne-Espérance (cap de), pointe méridionale de l'Afrique.

Bonnefoy Yves (né en 1923), poète français.

Bonneville, ch.-l. d'arr. de la Haute-Savoie ; 10 351 h.

Bonnot Jules (1876-1912), anarchiste français.

Boole George (1815-1864), mathématicien et logicien anglais.

Booth William (1829-1912), réformateur anglais, fondateur de l'Armée du Salut.

Bopp Franz (1791-1867), linguiste allemand.

Bora Bora, île de la Polynésie française.

Bordeaux, ch.-l. de la Gironde et de la Rég. Aquitaine, sur la Garonne ; 213 274 h (aggl. 754 000 h).

Bordelais, rég. viticole du Bassin aquitain.

Bordet Jules (1870-1961), médecin belge.

Borel Pétrus (1809-1859), écrivain romantique français : *Madame Putiphar.*

Borel Émile (1871-1956), mathématicien français. Calcul des probabilités.

Borges Jorge Luis (1899-1986), écrivain argentin : *Fictions, Labyrinthes.*

Borgia, famille romaine dont est issu le pape **Alexandre VI** et ses enfants **César** (1475-1507), cardinal, modèle de Machiavel dans *le Prince* et **Lucrèce** (1480-1519), protectrice des arts.

Borinage (le), rég. de Belgique (Hainaut).

Boris Godounov (v. 1551-1605), tsar de Russie en 1598.

Born Max (1882-1970), physicien allemand naturalisé anglais. Mécanique quantique.

Bornéo, la plus grande île de l'Insulinde (750 000 km²), partagée entre l'Indonésie (Kalimantan), la Malaisie (Sarawak et Sabah) et le sultanat de Brunei.

Bornou, empire noir de la région du lac Tchad (XIVᵉ s.-XIXᵉ s.).

Borodine Alexandre (1833-1887), compositeur russe : *le Prince Igor.*

Borodino, village proche de Moscou où fut livrée la bataille de la Moskova (1812).

Borotra Jean (1898-1994), joueur de tennis français.

Borromée. *V. Charles Borromée.*

Borromées, îles du lac Majeur.

Borromini Francesco (1599-1667), architecte baroque italien.

Bosch Jérôme (v. 1450-1516), peintre hollandais, maître du fantastique.

Bosco Henri (1888-1976), écrivain français : *l'Âne culotte.*

Bose Satyendranath (1894-1974), physicien indien, pionnier de la mécanique statistique.

Bosnie-Herzégovine, État des Balkans ; 51 129 km² ; 3 800 000 h ; cap. Sarajevo.

Bosphore, détroit qui relie la mer de Marmara à la mer Noire, entre l'Europe et l'Asie.

Bosse Abraham (1602-1676), graveur français.

Bossuet Jacques (1627-1704), prélat et écrivain classique français : *Oraisons funèbres.*

Boston, port des États-Unis, cap. du Massachusetts ; 507 700 h (aggl. 4 026 000 h).

Botev Hristo (1848-1876), écrivain et patriote bulgare ; héros national.

Botha Louis (1862-1919), général sud-africain, chef de l'armée des Boers.

Botha Pieter (né en 1916), président de la République d'Afrique du Sud de 1984 à 1989.

Botnie (golfe de), partie N. de la Baltique.

Botrange (signal de), point culminant de la Belgique (694 m), dans l'Ardenne.

Botswana, État d'Afrique australe ; 600 370 km² ; 1 600 000 h ; cap. Gaborone.

Botticelli Sandro (1445-1510), peintre italien de la Renaissance : *le Printemps.*

Botzaris Márkos (1788-1823), patriote grec.

Boubat Édouard (1923-1999), photographe français.

Bouchard Lucien (né en 1938), homme politique canadien, Premier ministre du Québec de 1996 à 2001.

Bouchardon Edme (1698-1762), sculpteur néoclassique français.

Boucher François (1703-1770), peintre, graveur et décorateur français.

Boucher Hélène (1908-1934), aviatrice française.

Boucher de Perthes Jacques (1788-1868), préhistorien français.

Bouches-du-Rhône, dép. français (13) (Provence-Alpes-Côte d'Azur) ; 5 112 km² ; 1 777 025 h ; ch.-l. Marseille.

Boucicaut Aristide (1810-1877), commerçant et philanthrope français.

Boucourechliev André (1925-1997), compositeur français (musique aléatoire).

Bouddha ou **Çakyamuni** (v. 560-480 av. J.-C.), fondateur du bouddhisme.

Boudin Eugène (1824-1898), peintre français.

Bougainville, île de l'archipel Salomon.

Bougainville Louis Antoine de (1729-1811), navigateur français.

Bougie. *V. Bejaia.*

Bougival, com. des Yvelines, séjour de nombreux peintres (Corot, Turner, Renoir).

Bouguereau Adolphe William (1825-1905), peintre français, modèle du pompiérisme.

Boukhara, v. d'Ouzbékistan ; 209 000 h.

Boukharine Nikolaï (1888-1938), économiste et homme politique soviétique ; exécuté.

Boulanger Georges (1837-1891), général français. Il hésita à renverser la République et se suicida.

Boulanger Nadia (1887-1979), compositrice et pédagogue française.

Boulay-Moselle, ch.-l. d'arr. de la Moselle ; 4 453 h.

Boulez Pierre (né en 1925), compositeur et chef d'orchestre français : *Répons.*

Boulgakov Mikhaïl (1891-1940), écrivain russe : *le Maître et Marguerite.*

Boulle André Charles (1642-1732), ébéniste français.

Boullée Louis (1728-1799), architecte français.

Boulogne-Billancourt, ch.-l. d'arr. des Hauts-de-Seine ; 101 971 h.

Boulogne-sur-Mer, ch.-l. d'arr. et port de pêche du Pas-de-Calais ; 44 244 h.

Boumediene Houari (1932-1978), homme politique algérien ; au pouvoir apr. 1965.

Bounine Ivan (1870-1953), romancier russe.

Bourassa Robert (1933-1996), homme politique canadien (libéral).

Bourbaki Nicolas, pseudonyme d'un groupe de mathématiciens français.

Bourbon (île), anc. nom de la Réunion.

Bourbon (maison de), maison souveraine française dont sont issus les rois de France, de Henri IV à Charles X et les rois d'Espagne depuis Philippe V.

Bourbon Charles, duc de (1490-1527), connétable de France, passé au service de Charles Quint.
Bourbon (palais), siège de l'Assemblée nationale.
Bourbonnais, anc. prov. de France (Allier).
Bourboule (La), stat. thermale du Puy-de-Dôme.
Bourdaloue Louis (1632-1704), prédicateur jésuite français.
Bourdelle Antoine (1861-1929), sculpteur français : *Héraclès archer.*
Bourdieu Pierre (1930-2002), sociologue français de la culture et de l'éducation.
Bourgas, port de Bulgarie ; 182 550 h.
Bourg-en-Bresse, ch.-l. de l'Ain ; 42 955 h.
Bourgeois Louise (née en 1911), sculpteur américain d'origine française.
Bourges, ch.-l. du Cher ; 78 773 h.
Bourget, lac de Savoie (44 km²).
Bourget (Le), ch.-l. de cant. de la Seine-Saint-Denis ; 11 728 h. Aéroport.
Bourg-la-Reine, ch.-l. de cant. des Hauts-de-Seine ; 18 635 h.
Bourgogne, anc. prov. française et Rég. admin. comprenant la Côte-d'Or, la Nièvre, la Saône-et-Loire et l'Yonne ; 31 592 km² ; 1 623 000 h ; ch.-l. Dijon.
Bourgoin-Jallieu, v. de l'Isère ; 22 749 h.
Bourguiba Habib (1903-2000), président de la République de Tunisie (1957-1987).
Bourguignons, parti opposé aux Armagnacs durant la guerre de Cent Ans.
Bouriatie, rép. auton. de Russie, en Sibérie ; cap. Oulan-Oude.
Bournemouth, station balnéaire de Grande-Bretagne, sur la Manche ; 145 000 h.
Bourvil (1917-1970), acteur comique français.
Bouscat (Le), v. de la Gironde ; 21 574 h.
Boussada, v. d'Algérie ; 55 000 h.
Bouteflika Abdelaziz (né en 1937), président de la République algérienne en 1999.
Bouts Dierick (v. 1415-1475), peintre flamand.
Bouvines, victoire (près de Lille) de Philippe Auguste sur les Anglais, les Allemands et les Flamands coalisés (1214).
Boxers, nationalistes chinois animateurs d'une révolte xénophobe à Pékin (1900).
Boyle sir Robert (1627-1691), physicien et chimiste irlandais.
Brabançonne (la), hymne national belge.
Brabant, anc. duché divisé aujourd'hui entre les Pays-Bas (**Brabant-Septentrional,** ch.-l. Bois-le-Duc) et la Belgique (ch.-l. Bruxelles).
Bradbury Ray (né en 1920), écrivain américain de science-fiction : *Chronique martiennes.*
Bradford, v. de Grande-Bretagne ; 281 000 h.
Bradley James (1693-1762), astronome anglais.
Braga, v. du N. du Portugal ; 63 030 h.
Braga Teófilo (1843-1924), homme politique et écrivain portugais.
Bragance, famille qui a régné au Portugal de 1640 à 1910, et au Brésil de 1822 à 1889.
Bragg sir William Henry (1862-1942), et son fils **William Lawrence** (1890-1971), physiciens anglais. Structure des cristaux.
Brahe Tycho (1546-1601), astronome danois.
Brahma, divinité hindoue.
Brahmapoutre (le), fl. d'Asie (env. 2 900 km).

Brahms Johannes (1833-1897), compositeur romantique allemand.
Braila, v. de Roumanie ; 228 040 h.
Braille Louis (1809-1852), inventeur français d'un alphabet en relief pour les aveugles.
Bramante (1444-1514), peintre et architecte italien de la Renaissance.
Brancusi Constantin (1876-1957), sculpteur français d'origine roumaine.
Brandebourg, anc. prov. et Land d'Allemagne ; cap. Potsdam. La *porte de Brandebourg* est un arc de triomphe à Berlin.
Brandebourg, v. d'Allemagne ; 95 000 h.
Brando Marlon (1924-2004), acteur de cinéma américain.
Brandt Willy (1913-1992), chancelier (social-démocrate) de la RFA, de 1969 à 1974.
Branly Édouard (1844-1940), physicien français. Il est à l'origine de la télégraphie sans fil.
Branting Hjalmar (1860-1925), homme politique suédois (social-démocrate).
Brantôme Pierre de Bourdeille, seigneur de (v. 1540-1614), écrivain français.
Braque Georges (1882-1963), peintre français. Il inventa le cubisme avec Picasso.
Brasília, cap. du Brésil ; 1 800 000 h.
Brasillach Robert (1909-1945), écrivain et journaliste français ; fusillé pour collaboration.
Brasov, v. de Roumanie ; 334 990 h.
Brassaï (1899-1984), photographe français d'origine hongroise.
Brassens Georges (1921-1981), auteur-compositeur et chanteur français.
Brasseur Pierre (1905-1972), acteur français.
Bratislava (anc. *Presbourg*), cap. de la Slovaquie ; 413 000 h.
Bratsk, v. de Russie, en Sibérie ; 240 000 h.
Braudel Fernand (1902-1985), historien français.
Braun Wernher von (1912-1977), ingénieur allemand naturalisé américain ; père du V2.
Brauner Victor (1903-1966), peintre surréaliste français d'origine roumaine.
Bravo (río). *V. Grande.*
Bray (pays de), petite rég. de Normandie.
Brazza Pierre Savorgnan de (1852-1905), explorateur français d'origine italienne.
Brazzaville, cap. du Congo ; 600 000 h.
Brecht Bertolt (1898-1956), poète et dramaturge allemand : *l'Opéra de quat'sous.*
Breda, v. des Pays-Bas ; 120 210 h.
Bregenz, v. d'Autriche (Vorarlberg) ; 24 600 h.
Breguet Louis (1880-1955), ingénieur français, pionnier de l'aéronautique.
Bréhat, île des Côtes-d'Armor.
Brejnev Leonid (1906-1982), homme politique soviétique, au pouvoir apr. 1964.
Brel Jacques (1929-1978), auteur-compositeur et chanteur belge.
Brême, port d'Allemagne sur la Weser ; 521 980 h. Cap. du *Land de Brême.*
Brenn ou **Brennus,** chef gaulois qui prit Rome vers 390 av. J.-C.
Brenner, col des Alpes orientales (1 370 m).
Brentano Clemens (1778-1842), écrivain romantique allemand : *Romances du rosaire.*
Brescia, v. d'Italie (Lombardie) ; 203 190 h.
Brésil, État fédéral d'Amérique du Sud ; 8 511 965 km² ; 184 200 000 h ; cap. Brasília.
Breslau. *V. Wroclaw.*

Bresse (la), rég. de l'E. de la France.

Bresson Robert (1901-1999), cinéaste français : *Un condamné à mort s'est échappé.*

Bressuire, ch.-l. d'arr. des Deux-Sèvres ; 18 994 h.

Brest, ch.-l. d'arr. du Finistère, port militaire au fond de la *rade de Brest ;* 153 099 h.

Brest (anc. *Brest-Litovsk),* v. de Biélorussie ; 222 000 h. Le *traité de Brest-Litovsk* conclut la paix entre l'Allemagne et les Soviets (1918).

Bretagne, anc. prov. française et Rég. admin. comprenant les dép. des Côtes-d'Armor, du Finistère, de l'Ille-et-Vilaine et du Morbihan ; 27 184 km² ; 3 021 000 h ; ch.-l. Rennes.

Brétigny-sur-Orge, ch.-l. de cant. de l'Essonne ; 20 069 h.

Breton André (1896-1966), écrivain français, théoricien du surréalisme : *Nadja.*

Breuer Marcel (1902-1981), architecte et designer américain d'origine hongroise.

Breughel. V. Bruegel.

Breuil abbé Henri (1877-1961), préhistorien français.

Briançon ch.-l. d'arr. des Hautes-Alpes ; 12 141 h.

Briand Aristide (1862-1932), homme politique français, apôtre du pacifisme.

Briansk, v. de Russie ; 430 000 h.

Bridgetown, cap. de la Barbade ; 7 470 h.

Brie (la), rég. du Bassin parisien, entre la Marne et la Seine ; v. princ. Melun, Meaux.

Brière, rég. marécageuse de Loire-Atlantique.

Briey, ch.-l. d'arr. de Meurthe-et-Moselle ; 4 823 h.

Brigades internationales, volontaires qui combattirent aux côtés des républicains espagnols (1936-1938).

Bright Richard (1789-1858), médecin anglais.

Brighton, stat. balnéaire de Grande-Bretagne, sur la Manche ; 146 130 h.

Brignoles, ch.-l. d'arr. du Var ; 11 814 h.

Brillat-Savarin Anthelme (1755-1826), gastronome français : *la Physiologie du goût.*

Brindisi, v. d'Italie (Pouilles) ; 88 950 h.

Brioude, ch.-l. d'arr. de la Haute-Loire ; 7 722 h.

Brisbane, port d'Australie, cap. du Queensland ; 1 157 200 h.

Brissot de Warville Jacques (1754-1793), homme politique français. Chef des Girondins, il fut guillotiné.

Bristol, port de Grande-Bretagne sur le *canal de Bristol,* bras de mer entre le pays de Galles et la Cornouailles ; 388 000 h.

Britannicus (v. 41-55 apr. J.-C.), fils de Claude et de Messaline ; assassiné.

Britanniques (îles), archipel comprenant la Grande-Bretagne et l'Irlande.

British Museum, musée et bibliothèque de Londres, créés en 1753.

Britten Benjamin (1913-1976), compositeur anglais : *Peter Grimes.*

Brive-la-Gaillarde, ch.-l. d'arr. de la Corrèze ; 52 677 h.

Brno, v. de la République tchèque (Moravie) ; 384 550 h.

Broadway, grande artère de New York (Manhattan) ; quartier des spectacles.

Broca Paul (1824-1880), chirurgien français. Étude du cerveau et du langage.

Brocéliande, forêt légendaire de Bretagne.

Broch Hermann (1886-1951), écrivain autrichien : *la Mort de Virgile.*

Brodski Iossif (1940-1996), poète américain d'origine russe.

Broglie Louis, duc de (1892-1987), physicien français, créateur de la mécanique ondulatoire.

Bron, ch.-l. de cant. du Rhône ; 40 514 h.

Brongniart Alexandre Théodore (1739-1813), architecte français. Bourse de Paris.

Brontë (les sœurs), romancières anglaises. **Charlotte** (1816-1855) est l'auteur de *Jane Eyre.* **Emily** (1818-1848) a écrit *les Hauts de Hurlevent.* **Anne** (1820-1849) est l'auteur d'*Agnes Grey.*

Bronx, quartier de New York.

Brook Peter (né en 1925), metteur en scène de théâtre et de cinéma anglais.

Brooklyn, quartier de New York.

Brosse Salomon de (v. 1570-1626), architecte français. Palais du Luxembourg.

Brossolette Pierre (1903-1944), résistant français.

Brouckère Charles de (1796-1860), homme politique belge.

Brousse, v. de Turquie ; 476 000 h. Cap. ottomane au XIVe s.

Brousse Paul (1844-1912), homme politique français (socialiste réformiste).

Brown Robert (1773-1858), botaniste écossais. Il a découvert le mouvement brownien.

Browning Elizabeth (1806-1861), poétesse anglaise : *Sonnets de la Portugaise.*

Browning Robert (1812-1889), mari de la préc., poète et dramaturge anglais.

Bruant Libéral (1635-1697), architecte français. Hôtel des Invalides.

Bruant Aristide (1851-1925), chansonnier populaire français.

Bruay-en-Artois, ch.-l. de cant. du Pas-de-Calais ; 23 200 h.

Brücke (die) (*le Pont*), groupe expressionniste qui réunit, à Dresde, Kirchner, Nolde, etc. (1905).

Bruckner Anton (1824-1896), compositeur romantique autrichien.

Bruegel ou **Brueghel** ou **Breughel** Pieter, dit *le Vieux* (v. 1525-1569), peintre flamand : *la Parabole des aveugles.* Ses fils **Pieter,** dit *Bruegel le Jeune* ou d'*Enfer* (1564-1638) et **Jan,** dit *Bruegel de Velours* (1568-1625) furent également peintres.

Bruges, v. de Belgique, ch.-l. de la Flandre-Occidentale ; 118 000 h. Monuments médiévaux, canaux.

Brumaire (18) (9 novembre 1799), coup d'État de Bonaparte contre le Directoire.

Brummell George (1778-1840), dandy anglais.

Brune Guillaume (1763-1815), maréchal de France ; assassiné.

Brunehaut (v. 534-613), reine d'Austrasie, rivale de Frédégonde.

Brunei, État (sultanat) sur la côte N. de Bornéo ; 5 765 km² ; env. 400 000 h ; cap. Bandar Seri Begawan.

Brunelleschi Filippo (1377-1446), sculpteur et architecte florentin de la Renaissance.

Bruno saint (v. 1030-1101), mystique allemand, fondateur de l'ordre des Chartreux.

Bruno Giordano (1548-1600), philosophe italien ; brûlé vif par l'Inquisition.

Brunoy, ch.-l. de cant. de l'Essonne ; 24 594 h.
Brunschvicg Léon (1869-1944), philosophe français ; positiviste.
Brunswick, v. d'Allemagne (Basse-Saxe) ; 248 000 h.
Brunswick duc de (1735-1806), général au service de la Prusse ; vaincu à Valmy. Le *manifeste de Brunswick* menaçait de détruire Paris.
Brutus, consul romain légendaire qui aurait fondé la république (509 av. J.-C.).
Brutus (v. 85-42 av. J.-C.), homme politique romain, l'un des assassins de César.
Bruxelles, cap. de la Belgique et ch.-l. du Brabant ; 139 680 h (aggl. 997 290 h).
Buber Martin (1878-1965), philosophe et théologien israélien : *le Je et le Tu.*
Bucaramanga, v. de Colombie ; 341 510 h.
Bucarest, cap. de la Roumanie ; 1 989 820 h.
Bucéphale, cheval d'Alexandre le Grand.
Bucer Martin (1491-1551), théologien alsacien, disciple de Luther.
Buchanan James (1791-1868), président (démocrate) des États-Unis (1857-1861).
Buchenwald, camp de concentration nazi (à Thuringe, en Allemagne).
Buchez Philippe (1796-1865), philosophe et homme politique français (socialiste chrétien).
Büchner Georg (1813-1837), écrivain romantique allemand : *Mort de Danton, Woyzeck.*
Buck Pearl (1892-1973), romancière américaine : *la Terre chinoise.*
Buckingham George Villiers, duc de (1592-1628), homme politique britannique ; assassiné.
Buckingham Palace, résidence de la famille royale anglaise, à Londres.
Bucovine, rég. des Carpates, partagée entre l'Ukraine et la Roumanie.
Budapest, cap. de la Hongrie, sur le Danube ; 2 073 740 h.
Budé Guillaume (1467-1540), humaniste et philologue français.
Buenos Aires, cap. de l'Argentine, sur le rio de la Plata ; 2 922 830 h (aggl. 10 728 000 h).
Buffalo, v. des États-Unis (New York) ; 339 000 h (aggl. 1 204 800 h).
Buffalo Bill (1846-1917), pionnier américain.
Buffet Bernard (1928-1999), peintre français.
Buffon Georges de (1707-1788), naturaliste français : *Histoire naturelle universelle.*
Bug (le), affl. de la Vistule (856 km).
Bugatti Ettore (1882-1947), industriel français d'origine italienne. Pionnier de l'automobile.
Bugeaud Thomas (1784-1849), maréchal de France. Il assura la conquête de l'Algérie.
Bugey (le), rég. de France, dans le Jura.
Buisson Ferdinand (1841-1932), homme politique et pédagogue français.
Bujumbura, cap. du Burundi ; 272 600 h.
Bulawayo, v. du Zimbabwe ; 429 000 h.
Bulgarie, État des Balkans ; 110 912 km² ; 7 700 000 h ; cap. Sofia.

Bull John, sobriquet donné au peuple anglais.
Bülow Bernhard von (1849-1929), chancelier allemand, successeur de Bismarck.
Bultmann Rudolf (1884-1976), théologien protestant allemand.
Bundesrat, Conseil fédéral de l'Allemagne, représentant les Länder.
Bundestag, Assemblée législative de l'Allemagne, élue au suffrage universel.
Bundeswehr, armée de l'Allemagne.
Bunsen Robert (1811-1899), chimiste et physicien allemand, inventeur du *bec Bunsen.*
Buñuel Luis (1900-1983), cinéaste espagnol : *l'Âge d'or, Viridiana.*
Buonarroti Philippe (1761-1837), révolutionnaire français, disciple de Babeuf.
Burgenland, Land de l'E. de l'Autriche.
Burgess Anthony (1917-1993), romancier anglais : *Orange mécanique.*
Burgondes, peuple germanique venu s'établir sur le Rhin au début du Vᵉ s.
Burgos, v. d'Espagne ; 160 120 h. Cathédrale.
Buridan Jean (v. 1300-apr. 1358), philosophe scolastique français.
Burke Edmund (1729-1797), écrivain et homme politique britannique (conservateur).
Burkina Faso (anc. *Haute-Volta*), État d'Afrique occidentale ; 274 200 km² ; env. 13 900 000 h ; cap. Ouagadougou.
Burne-Jones (1833-1898), peintre anglais de l'école préraphaélite.
Burns Robert (1759-1796), poète écossais.
Burroughs William (1914-1997), écrivain américain : *le Festin nu.*
Burundi, État d'Afrique centrale ; 27 834 km² ; env. 7 800 000 h ; cap. Bujumbura.
Bush George (né en 1924), 41ᵉ président (républicain) des États-Unis de 1988 à 1992.
Bush George W. (né en 1946), 43ᵉ président (républicain) des États-Unis, depuis 2001.
Bussy-Rabutin (1618-1693), écrivain français : *Histoire amoureuse des Gaules.*
Butor Michel (né en 1926), écrivain français : *la Modification.*
Buttes-Chaumont (les), hauteurs de Paris.
Buxtehude Dietrich (1637-1707), compositeur et organiste danois.
Buzzati Dino (1906-1972), écrivain italien : *le Désert des Tartares.*
Byblos, anc. cité phénicienne.
Bydgoszcz, v. de Pologne ; 363 350 h.
Byrd William (1543-1623), compositeur anglais.
Byrd Richard (1888-1957), aviateur et explorateur américain des pôles.
Byron George, dit Lord (1788-1824), poète romantique anglais : *Don Juan.*
Byzance, anc. nom de Constantinople.
byzantin (Empire), État issu du partage de l'Empire romain à la mort de Théodose (395) et qui disparut en 1453 (prise de Constantinople par les Turcs).

Cabet Étienne (1788-1856), socialiste utopiste français.

Cabochiens (les), faction parisienne décimée par les Armagnacs (1413).

Cabot Jean (v. 1450-v. 1498), navigateur vénitien au service de l'Angleterre.

Cabourg, stat. balnéaire du Calvados.

Cabral Pedro (v. 1467-1526), navigateur portugais. Il découvrit le Brésil.

Cachan, ch.-l. de cant. du Val-de-Marne ; 25 370 h.

Cachemire, anc. État du N.-O. de l'Inde, partagé en 1949 entre l'Union indienne et le Pakistan ; cap. Srinagar.

Cadarache, centre d'études nucléaires (Bouches-du-Rhône).

Cadix, port d'Espagne (Andalousie), sur le *golfe de Cadix* ; 167 010 h.

Cadou René Guy (1920-1951), poète français.

Cadoudal Georges (1771-1804), chef chouan, exécuté pour complot.

Caelius, une des sept collines de Rome.

Caen, ch.-l. de la Rég. Basse-Normandie et du dép. du Calvados ; 115 624 h.

Cafres, nom donné autrefois aux Bantous.

Cage John (1912-1992), compositeur américain, pionnier de la musique aléatoire.

Cagliari, port d'Italie (Sardaigne) ; 224 500 h.

Cagliostro Alexandre (1743-1795), aventurier italien.

Cagnes-sur-Mer, ch.-l. de cant. des Alpes-Maritimes ; 41 303 h.

Cahors, ch.-l. du Lot ; 20 787 h.

Caillaux Joseph (1863-1944), homme politique français (radical).

Caillebotte Gustave (1848-1894), peintre impressionniste français.

Caillié René (1799-1838), voyageur français.

Caillois Roger (1913-1978), écrivain français : *l'Homme et le Sacré.*

Caïmans (îles), archipel britannique de la mer des Antilles.

Caïn, fils aîné d'Adam et d'Ève. Il tua son frère Abel (*Bible*).

Caire (Le), cap. de l'Égypte, sur le Nil ; 6 052 840 h (aggl. 9 000 000 h).

Çakyamuni. *V. Bouddha.*

Calabre, rég. admin. de l'Italie du S. ; ch.-l. Catanzaro.

Calais, ch.-l. d'arr. du Pas-de-Calais ; 75 836 h.

Calais (pas de), détroit entre la France et la Grande-Bretagne.

Calas Jean (1698-1762), calviniste toulousain, défendu par Voltaire.

Calchas, devin grec (*Iliade*).

Calcutta (auj. *Kolkata*), port de l'Inde, cap. du Bengale-Occidental ; 3 305 010 h (aggl. 9 194 020 h).

Calder Alexander (1898-1976), sculpteur américain. Mobiles.

Calderón de la Barca Pedro (1600-1681), dramaturge espagnol :*la Vie est un songe.*

Caldwell Erskine (1903-1987), romancier américain : *la Route au tabac.*

Calédonie, nom latin de l'Écosse.

Calédonie. *V. Nouvelle-Calédonie.*

Calgary, v. du Canada (Alberta) ; 636 100 h.

Cali, v. de Colombie ; 1 323 940 h.

Calicut. *V. Kozhikode.*

Californie, État de l'O. des États-Unis ; 411 012 km² ; 29 000 000 h ; cap. Sacramento ; v. princ. Los Angeles, San Francisco.

Californie (Basse-), péninsule du Mexique entre l'océan Pacifique et le *golfe de Californie.*

Caligula (12-41), empereur romain en 37.

Callao, port du Pérou ; 512 200 h.

Callas Maria (1923-1977), cantatrice grecque.

Callimaque (v. 315-v. 240 av. J.-C.), poète grec d'Alexandrie.

Calliope, muse de l'Épopée (*Myth. gr.*).

Callot Jacques (1592-1635), dessinateur français : *les Misères de la guerre.*

Calmette Albert (1863-1933), bactériologiste français, créateur du BCG.

Calonne Charles de (1734-1802), homme politique français, ministre de Louis XVI.

Caluire-et-Cuire, v. du Rhône ; 42 155 h.

Calvados, dép. français (14) (Basse-Normandie) ; 5 536 km² ; 628 271 h ; ch.-l. Caen.

Calvi, ch.-l. d'arr. de la Haute-Corse ; 4 920 h.

Calvin Jean (1509-1564), réformateur français, fixé à Genève en 1541, fondateur du protestantisme : *l'Institution de la religion chrétienne.*

Calvino Italo (1923-1985), romancier italien.

Calypso, nymphe amoureuse d'Ulysse, qu'elle retint dans son île (*Odyssée*).

Câmara. *V. Pessôa Câmara.*

Camargue (la), rég. de Provence. Parc naturel.

Cambacérès Jean-Jacques (1753-1824), homme politique français du Consulat et de l'Empire, rédacteur du Code civil.
Cambodge, État d'Asie du S.-E. ; 181 035 km² ; 13 300 000 h ; cap. Phnom Penh.
Cambon Joseph (1756-1820), conventionnel français.
Cambrai, ch.-l. d'arr. du Nord ; 34 210 h.
Cambridge, v. du S.-E. de la Grande-Bretagne ; 95 320 h. Université.
Cambridge, v. des États-Unis (Massachusetts) ; 107 000 h. Universités.
Cambronne Pierre (1770-1842), général français, célèbre pour sa conduite à Waterloo.
Camerone, combat de la guerre du Mexique où s'illustra la Légion étrangère (1863).
Cameroun, État de l'Afrique occidentale ; 475 442 km² ; 16 400 000 h ; cap. Yaoundé.
Camille, général romain qui chassa les Gaulois de Rome (390 av. J.-C.).
Camoëns ou **Camões** Luís de (v. 1524-1580), poète portugais : *Lusiades*.
Campanella Tommaso (1568-1639), philosophe italien : *la Cité du Soleil*.
Campanie, rég. d'Italie du S. ; ch.-l. Naples.
Camp David (accords de), traité de paix conclu entre l'Égypte et Israël (1978).
Camp du Drap d'or, rencontre entre François Ier et Henri VIII d'Angleterre (1520).
Campin Robert (v. 1378-1444), peintre flamand. *V. Flémalle*.
Campinas, v. du Brésil ; 845 060 h.
Campine, plaine du N. de la Belgique.
Campoformio (Vénétie), traité entre Bonaparte et l'Autriche (1797).
Campo Grande, v. du Brésil (Mato Grosso) ; 384 398 h.
Campra André (1660-1744), compositeur français : *Requiem*.
Camus Albert (1913-1960), écrivain français : *l'Étranger*, *la Peste*.
Cana, bourg de Galilée. Jésus y accomplit son premier miracle (*Évangiles*).
Canaan (pays de), Terre promise des Hébreux (Palestine et Phénicie).
Canada, État fédéral de l'Amérique du Nord ; 9 976 139 km² ; 32 200 000 h ; cap. Ottawa.
Canaletto Giovanni (1697-1768), peintre italien ; paysagiste.
Canaques ou **Kanaks**, autochtones mélanésiens de la Nouvelle-Calédonie.
Canaries, archipel de l'Atlantique et commun. auton. de l'Espagne ; cap. Las Palmas.
Canaris Wilhelm (1887-1945), amiral allemand ; exécuté sur ordre de Hitler.
Canaveral (cap). *V. Kennedy*.
Canberra, cap. fédérale de l'Australie ; 273 600 h.
Cancale, stat. balnéaire d'Ille-et-Vilaine.
Cancer (le), constellation boréale et signe du zodiaque (22 juin-22 juillet).
Cancún, stat. balnéaire du Mexique ; 50 000 h.
Candie. *V. Crète et Héraklion*.
Candolle Augustin Pyrame de (1778-1841), botaniste suisse.
Canebière (la), avenue de Marseille.
Canée (La), port de Grèce (Crète) ; 47 340 h.
Canetti Elias (1905-1994), écrivain britannique d'expression allemande : *Autodafé*.

Canguilhem Georges (1904-1995), philosophe français.
Canigou (le), massif des Pyrénées-Orientales (2 786 m).
Canisius. *V. Pierre Canisius*.
Cannes, victoire d'Hannibal sur les Romains (216 av. J.-C.).
Cannes, stat. balnéaire des Alpes-Maritimes ; 69 363 h. Festival de cinéma.
Cannet (Le), ch.-l. de cant. des Alpes-Maritimes ; 42 005 h.
Canossa, village d'Italie où l'empereur Henri IV vint s'humilier devant le pape Grégoire VII (1077).
Canova Antonio (1757-1822), sculpteur néo-classique italien.
Cantabrie, commun. auton. du N. de l'Espagne ; cap. Santander.
Cantabriques (monts), prolongement des Pyrénées, en Espagne.
Cantal (monts du), massif de l'Auvergne, culminant au *plomb du Cantal* (1 858 m).
Cantal, dép. français (15) (Auvergne) ; 5 741 km² ; 164 321 h ; ch.-l. Aurillac.
Canterbury, v. de Grande-Bretagne (Kent) ; 34 400 h. Cathédrale.
Canton ou **Guangzhou**, port de Chine, cap. du Guangdong ; 3 181 510 h (aggl. 5 669 640 h).
Cantor Georg (1845-1918), mathématicien allemand. Théorie des ensembles.
Cap (Le), port et cap. de l'Afrique du Sud et de *la province de Cap-Ouest* ; 854 500 h (aggl. 1 209 420 h).
Capa Robert (1913-1958), photographe américain d'orig. hongroise.
Cap-Breton, île du Canada, à l'entrée du golfe du Saint-Laurent.
Capek Karel (1890-1938), écrivain tchèque.
Capet, surnom d'Hugues Ier, fondateur de la dynastie capétienne.
Cap-Haïtien, port d'Haïti ; 64 400 h.
Capital (le) Œuvre de Karl Marx (1867) et de Friedrich Engels (1885, 1894) à partir des brouillons de Marx.
Capitole, une des sept collines de Rome.
Capo d'Istria Jean (1776-1831), homme politique grec, pionnier de l'indépendance.
Capone Al (1899-1947), gangster américain.
Caporetto, village de Yougoslavie ; défaite des Italiens devant les Austro-Allemands (1917).
Capote Truman (1924-1984), romancier américain : *De sang-froid*.
Capoue, v. d'Italie (Campanie) ; 18 050 h.
Cappadoce, anc. pays d'Asie Mineure.
Capra Frank (1897-1991), cinéaste américain.
Capri, île touristique d'Italie (Campanie).
Capricorne (le), constellation australe et signe du zodiaque (22 décembre-20 janvier).
Cap-Vert (îles du), État d'Afrique ; 4 033 km² ; 500 000 h ; cap. Praia.
Caracalla (188-217), empereur romain en 211.
Caracas, cap. du Venezuela ; 1 232 250 h (aggl. 3 400 000 h).
Caraïbes, groupe ethnique des Antilles.
Caraïbes (mer des). *V. Antilles*.
Caramanlis Constantin (1907-1998), homme politique grec (conservateur), président de la République (1980-1985 et depuis 1990).
Caran d'Ache (1859-1909), dessinateur humoristique français.

Caravage (le) (v. 1573-1610), peintre italien.

Carcassonne, ch.-l. de l'Aude ; 44 991 h. Enceinte fortifiée médiévale.

Carco Francis (1886-1958), romancier français : *Jésus la Caille.*

Cardan Jérôme (1501-1576), mathématicien, médecin et astrologue italien.

Cárdenas Lázaro (1895-1970), président de la République du Mexique de 1934 à 1940.

Cardiff, port de Grande-Bretagne ; cap. du pays de Galles ; 273 860 h.

Cardin Pierre (né en 1922), couturier français.

Carélie, rép. auton. du N. de la Russie.

Carême Marie Antoine (1784-1833), cuisinier français.

Carinthie, Land d'Autriche ; cap. Klagenfurt.

Carissimi Giacomo (1605-1674), compositeur italien : *Jephté.*

Carlos don (1788-1855), infant prétendant au trône d'Espagne contre Isabelle II.

Carlsbad. *V. Karlovy Vary.*

Carlyle Thomas (1795-1881), historien et philosophe écossais : *les Héros.*

Carmagnole (la), chanson en vogue pendant la Révolution française.

Carmaux, ch.-l. de cant. du Tarn ; 11 070 h.

Carmel, ordre religieux catholique né sur le *mont Carmel* (Palestine).

Carmona António (1869-1951), président de la République du Portugal de 1928 à 1951. Il fit appel à Salazar.

Carnac, com. du Morbihan. Monuments mégalithiques.

Carnap Rudolf (1891-1970), philosophe et logicien américain d'origine allemande.

Carnavalet (hôtel), musée de la Ville de Paris.

Carné Marcel (1906-1996), cinéaste français : *les Enfants du paradis.*

Carnéade (v. 215-v. 129 av. J.-C.), philosophe grec.

Carnegie Andrew (1835-1919), industriel et philanthrope américain.

Carniole, anc. nom de la Slovénie.

Carnot Lazare (1753-1823), conventionnel et mathématicien français. Il créa les armées de la République.

Carnot Sadi (1796-1832), fils du préc., physicien français, fondateur de la thermodynamique.

Carnot Sadi (1837-1894), neveu du préc., homme politique français, président de la République en 1887, assassiné par Caserio.

Carnutes, peuple de la Gaule.

Caroline du Nord et **Caroline du Sud**, États du S.-E. des États-Unis.

Carolines (îles), archipel de l'Océanie.

Carolingiens, dynastie franque, fondée par Pépin le Bref en 751.

Carpaccio Vittore (v. 1455-1525 ou 1526), peintre vénitien : *Légende de sainte Ursule.*

Carpates, chaîne de montagnes d'Europe centrale, culminant à 2 663 m dans les Tatras.

Carpeaux Jean-Baptiste (1827-1875), sculpteur français : *la Danse.*

Carpentier Georges (1894-1975), boxeur français.

Carpentier Alejo (1904-1980), écrivain cubain : *le Partage des eaux.*

Carpentras, ch.-l. d'arr. du Vaucluse ; 25 477 h.

Carrache Annibale (1560-1609), peintre italien ; décoration du palais Farnèse, à Rome.

Carrare, v. d'Italie (Toscane) ; 68 460 h. Carrières de marbre.

Carrier Jean-Baptiste (1756-1794), conventionnel français. Il appliqua la Terreur à Nantes ; guillotiné.

Carroll Lewis (Charles Dodgson, dit) (1832-1898), écrivain anglais : *Alice au pays des merveilles.*

Cartagena, port de Colombie, sur la mer des Antilles ; 491 370 h.

Cartan Élie (1869-1951), mathématicien français. Théorie des groupes.

Cartan Henri (né en 1904), fils du préc., mathématicien français, fondateur du groupe Bourbaki.

Carter Jimmy (né en 1924), 39e président (démocrate) des États-Unis (1977-1981).

Carthage, v. de Tunisie. Fondée par les Phéniciens, elle fut détruite par les Romains à la fin de la 3e guerre punique (146 av. J.-C.).

Carthagène, port d'Espagne ; 172 750 h.

Cartier Jacques (1491-1557), navigateur français, découvreur du Canada.

Cartier sir Georges Étienne (1814-1873), homme politique canadien, un des fondateurs de la Confédération.

Cartier-Bresson Henri (1908-2004), photographe français.

Cartouche Louis (1693-1721), célèbre brigand français.

Cartwright Edmund (1743-1823), ingénieur anglais.

Caruso Enrico (1873-1921), ténor italien.

Casablanca, princ. port du Maroc, sur l'Atlantique ; 923 630 h (aggl. 2 408 600 h).

Casamance (la), fl. du Sénégal (300 km).

Casanova Giovanni Giacomo (1725-1798), aventurier et écrivain italien : *Mémoires.*

Cascades (chaîne des), montagnes de l'O. des États-Unis et du Canada.

Caserio Santo (1873-1894), anarchiste italien, assassin de Sadi Carnot.

Caserte, v. d'Italie (Campanie) ; 66 750 h.

Casimir saint (1458-1484), prince polonais, patron de la Pologne.

Casimir III le Grand (1310-1370), roi de Pologne en 1333.

Caspienne, mer intérieure aux confins de l'Europe et de l'Asie (env. 424 000 km²).

Cassandre, princesse troyenne, prophétesse de catastrophes, qui n'était jamais crue (*Iliade*).

Cassavetes John (1929-1989), acteur et cinéaste américain.

Cassin (mont), colline d'Italie du S. où saint Benoît fonda en 529 un monastère.

Cassin René (1887-1976), juriste français, initiateur de la Déclaration universelle des droits de l'homme.

Cassini, famille d'astronomes et de cartographes français (XVIIe-XVIIIe s.).

Cassiodore (v. 480-v. 575), écrivain latin.

Cassiopée, constellation du ciel boréal.

Cassis, stat. balnéaire des Bouches-du-Rhône.

Castel Gandolfo, commune d'Italie (Latium) ; résidence des papes.

Castellane, ch.-l. d'arr. des Alpes-de-Haute-Provence ; 1 359 h.

Castelo Branco Camilo (1825-1890), romancier portugais : *les Nouvelles du Minho.*

Castelsarrasin, ch.-l. d'arr. du Tarn-et-Garonne ; 12 148 h.

Castiglione Baldassarre (1478-1529), écrivain italien : *le Courtisan*.

Castille, anc. royaume du centre de l'Espagne, rég. autour de Madrid, divisée en deux commun. auton. : **Castille et León** (cap. Valladolid) et **Castille-la Manche** (cap. Tolède).

Castillon-la-Bataille, ch.-l. de cant. de la Gironde. En 1453, les Français y battirent les Anglais, mettant fin à la guerre de Cent Ans.

Castor et Pollux, dits *les Dioscures,* fils jumeaux de Léda et de Zeus (*Myth. gr.*).

Castres, ch.-l. d'arr. du Tarn ; 49 292 h.

Castries, cap. de Sainte-Lucie ; 50 000 h.

Castro Fidel (né en 1927), homme politique cubain. Vainqueur de Batista en 1959, il instaura un régime socialiste.

Catalauniques (champs), plaine de Champagne où Attila fut défait par Aetius en 451.

Çatal Hüyük, site néolithique de Turquie.

Catalogne, commun. auton. du N.-E. de l'Espagne ; cap. Barcelone.

Catane, port d'Italie (Sicile) ; 379 040 h.

Catanzaro, v. d'Italie (Calabre) ; 101 960 h.

Cateau-Cambrésis, traités de paix mettant fin aux guerres d'Italie (1559).

Cathelineau Jacques (1759-1793), chef vendéen.

Catherine Ire (1684-1727), impératrice de Russie en 1725.

Catherine II la Grande (1729-1796), impératrice de Russie en 1762.

Catherine d'Alexandrie sainte (morte v. 307), patronne des jeunes filles.

Catherine d'Aragon (1485-1536), première femme d'Henri VIII d'Angleterre.

Catherine Labouré sainte (1806-1876), religieuse française. La Vierge lui apparut.

Catherine de Médicis (1519-1589), reine de France, mère des trois derniers rois Valois : François II, Charles IX et Henri III.

Catherine de Sienne sainte (1347-1380), religieuse mystique italienne.

Catilina (v. 108-62 av. J.-C.), patricien romain, chef d'une conspiration déjouée par Cicéron.

Caton l'Ancien ou **le Censeur** (234-149 av. J.-C.), homme politique romain.

Caton d'Utique (95-46 av. J.-C.), homme politique romain ; adversaire de César.

Catulle (v. 87-v. 54 av. J.-C.), poète latin.

Caucase, chaîne de montagnes séparant l'Europe et l'Asie, entre la mer Noire et la mer Caspienne (5 663 m au mont Elbrouz).

Cauchon Pierre (v. 1371-1442), prélat français. Il présida le procès de Jeanne d'Arc.

Cauchy Augustin (1789-1857), mathématicien français.

Caudines (fourches), défaite humiliante des Romains devant les Samnites (321 av. J.-C.).

Caulaincourt Armand (1772-1827), général et diplomate français.

Causses (les), plateaux calcaires du S. du Massif central.

Cauterets, stat. thermale des Hautes-Pyrénées.

Caux (pays de), rég. de Haute-Normandie.

Cavaco Silva Anibal (né en 1939), président de la République du Portugal depuis 2006.

Cavaignac Louis-Eugène (1802-1857), général français.

Cavaillès Jean (1903-1944), philosophe et logicien français.

Cavaillon, ch.-l. de cant. du Vaucluse ; 23 470 h.

Cavalier Jean (1680-1740), chef camisard.

Cavalli Francesco (1602-1676), compositeur italien, auteur d'opéras.

Cavendish Henry (1731-1810), physicien et chimiste anglais.

Cavour Camillo Benso, comte de (1810-1861), homme politique italien, principal artisan de l'unité italienne.

Cayenne, ch.-l. de la Guyane française ; 41 659 h. Anc. lieu de déportation.

Cayley Arthur (1821-1895), mathématicien anglais.

Cayrol Jean (né en 1911), écrivain français.

Cazotte Jacques (1719-1792), écrivain français : *le Diable amoureux.* Il fut guillotiné.

Ceará, État du N.-E. du Brésil ; cap. Fortaleza.

Ceausescu Nicolae (1918-1989), dictateur roumain, au pouvoir apr. 1965 ; exécuté.

Cebu, île et prov. des Philippines ; ch.-l. Cebu (552 160 h).

CECA, sigle de *Communauté européenne du charbon et de l'acier,* association créée en 1951 entre la RFA, la France, l'Italie et le Benelux.

Cecil William (1520-1598), homme politique anglais, conseiller d'Élizabeth Ire.

Cécile sainte (morte en 232), vierge et martyre romaine, patronne des musiciens.

CEE, sigle de *Communauté économique européenne* ou *Marché commun,* association créée en 1957 par le traité de Rome entre les pays de la CECA, auxquels se sont adjoints le Danemark, l'Irlande et la Grande-Bretagne (1973), la Grèce (1981), l'Espagne et le Portugal (1986). Elle cède la place en 1993 à l'Union européenne.

CEI, sigle de *Communauté des États indépendants,* fédération constituée en 1991 par les républiques de l'ex-URSS, à l'exception de la Géorgie et des États baltes.

Cela Camilo José (né en 1916), romancier espagnol : *Office des ténèbres.*

Célèbes ou **Sulawesi,** île d'Indonésie ; v. princ. Ujungpandang.

Céline Louis-Ferdinand (1894-1961), écrivain français : *Voyage au bout de la nuit.*

Celle-Saint-Cloud (La), ch.-l. de cant. des Yvelines ; 22 844 h.

Cellini Benvenuto (1500-1571), orfèvre et sculpteur italien : *Persée.*

Celsius Anders (1701-1744), astronome suédois. Graduation centésimale du thermomètre.

Celtes, Indo-Européens qui envahirent l'Europe de l'O. du XIIIe au IVe s. av. J.-C.

Celtibères, anc. peuple du N. de l'Espagne.

Cendrars Blaise (1887-1961), écrivain français : *Moravagine.*

Cendrillon, héroïne d'un conte de Perrault.

Cenis (Mont-), massif des Alpes occidentales (3 320 m).

Cenon, ch.-l. de cant. de la Gironde ; 21 726 h.

Cent Ans (guerre de), conflit qui opposa la France et l'Angleterre de 1337 à 1453.

Cent-Jours (les), période comprise entre le 20 mars (retour de Napoléon Ier de l'île d'Elbe) et son abdication, le 22 juin 1815.

centrafricaine (Rép.) ou **Centrafrique,** État d'Afrique équatoriale ; 622 984 km² 4 200 000 h ; cap. Bangui.

Centre, Rég. admin. comprenant les dép. du Cher, d'Eure-et-Loir, de l'Indre, d'Indre-et-Loire, du Loir-et-Cher et du Loiret ; 39 150 km² ; 2 482 000 h ; ch.-l. Orléans.

Céphalonie, la plus grande des îles Ioniennes.

Cerbère, chien, gardien des Enfers (*Myth. gr.*).

Cerdagne (la), rég. des Pyrénées orientales.

Cerdan Marcel (1916-1949), boxeur français.

Cérès, déesse latine des Moissons.

Céret, ch.-l. d'arr. des Pyrénées-Orientales ; 7 451 h.

Cergy, ch.-l. de cant. du Val-d'Oise ; 48 524 h ; noyau de la v. nouvelle de *Cergy-Pontoise*.

Cérulaire Michel (v. 1000-1059), patriarche de Constantinople en 1043.

Cervantès Miguel (1547-1616), écrivain espagnol : *Don Quichotte de la Manche*.

Cerveteri, v. d'Italie ; nécropole étrusque.

Cervin (en allemand *Matterhorn*), aiguille des Alpes du Valais (4 478 m), en Suisse.

Césaire Aimé (né en 1913), écrivain et homme politique français ; anticolonialiste.

César Jules (101-44 av. J.-C.), homme politique romain. Il conquit la Gaule et entra en lutte contre Pompée et le Sénat ; devenu dictateur, il fut assassiné. Il est l'auteur de Commentaires sur *la Guerre des Gaules* et sur *la Guerre civile*.

César (1921-1998), sculpteur français.

Ceuta, v. espagnole, sur la côte méditerranéenne du Maroc ; 65 260 h.

Cévennes (les), rég. du Massif central (1 699 m au mont Lozère).

Ceylan, anc. nom de Sri Lanka.

Cézanne Paul (1839-1906), peintre français. Impressionniste, il annonce le cubisme.

Cèze (la), affl. du Rhône (100 km).

CFDT, sigle de *Confédération française démocratique du travail,* syndicat français.

CFTC, sigle de *Confédération française des travailleurs chrétiens,* syndicat français.

CGC, sigle de *Confédération générale des cadres,* syndicat français.

CGT, sigle de *Confédération générale du travail,* syndicat français.

CGT-FO, sigle de *Confédération générale du travail-Force ouvrière,* syndicat français.

Chaban-Delmas Jacques (1915-2000), homme politique français (gaulliste). Premier ministre (1969-1972).

Chabrier Emmanuel (1841-1894), compositeur français : *le Roi malgré lui.*

Chaco ou **Gran Chaco,** plaine d'Amérique du Sud (Argentine et Paraguay).

Chadli (né en 1929), président de la République algérienne (1979-1991).

Chadwick sir James (1891-1974), physicien britannique. Il découvrit le neutron.

Chagall Marc (1887-1985), peintre français d'origine russe.

Chaissac Gaston (1910-1964), artiste français.

Chalcédoine, anc. v. d'Asie Mineure, sur le Bosphore.

Chalcidique (la), péninsule du N. de la Grèce.

Chalcis, port de Grèce, cap. de l'Eubée ; 44 870 h.

Chaldée, la basse Mésopotamie.

Chaliapine Fedor (1873-1938), chanteur russe d'opéra.

Chalon-sur-Saône, ch.-l. d'arr. de Saône-et-Loire ; 56 259 h.

Châlons-en-Champagne, ch.-l. de la Marne ; 51 533 h.

Cham, second fils de Noé (*Bible*).

Chamberlain Joseph (1836-1914), homme politique britannique, champion de l'impérialisme et du protectionnisme.

Chamberlain Arthur Neville (1869-1940), fils du préc., homme politique britannique. Il signa les accords de Munich.

Chambéry, ch.-l. de la Savoie ; 55 603 h.

Chambord, com. du Loir-et-Cher. Château de la Renaissance.

Chambord Henri de Bourbon, comte de (1820-1883), prince français, prétendant légitimiste au trône en 1871.

Chambre des communes, assemblée britannique, élue au suffrage universel.

Chambre des députés, anc. nom de l'Assemblée nationale.

Chambre des lords, assemblée parlementaire britannique.

Chamfort Nicolas de (1740-1794), écrivain français.

Chamisso Adelbert von (1781-1838), écrivain romantique allemand.

Chamonix-Mont-Blanc, stat. d'alpinisme et de ski de Haute-Savoie.

Champa ou **Tchampa,** anc. royaume (IIᵉ-IXᵉ s.), situé au Viêt-nam.

Champagne, anc. prov. française ; cap. Troyes.

Champagne-Ardenne, Rég. admin. comprenant les dép. des Ardennes, de l'Aube, de la Marne et de la Haute-Marne ; 25 604 km² ; 1 336 000 h ; ch.-l. Châlons-en-Champagne.

Champaigne Philippe de (1602-1674), peintre français, maître du portrait.

Champigny-sur-Marne, ch.-l. de cant. du Val-de-Marne ; 79 778 h.

Champlain Samuel de (v. 1567-1635), explorateur et colonisateur français du Canada.

Champollion Jean-François (1790-1832), égyptologue français. Il déchiffra les hiéroglyphes égyptiens.

champs Élysées, séjour des âmes vertueuses (*Myth. gr.*).

Champs-Élysées, avenue de Paris.

Chamrousse, stat. de sports d'hiver de l'Isère.

Chancelade, site préhistorique de Dordogne.

Chandernagor, v. de l'Inde (Bengale-Occid.). Comptoir français de 1686 à 1951.

Chandigarh, v. de l'Inde construite par Le Corbusier ; cap. du Pendjab ; 379 660 h.

Chandler Raymond (1888-1959), maître du roman policier américain.

Chandragupta, nom du fondateur de la dynastie Maurya (v. 300 av. J.-C.) et de celui de la dynastie Gupta (v. 320).

Chanel Coco (1883-1971), couturière française.

Changchun, v. de la Chine du N.-E., ch.-l. du Jilin ; 1 747 410 h (aggl. 5 705 230 h).

Chang-hai. *V. Shanghai.*

Changsha, v. de la Chine centrale, ch.-l. du Hunan ; 1 066 030 h (aggl. 2 459 920 h).

Chans. *V. Shans.*

Chantilly, ch.-l. de cant. de l'Oise, au N.-O. de la *forêt de Chantilly* ; 11 125 h. Château.

Chantoung. *V. Shandong.*

Chanzy Alfred (1823-1883), général français.

Chao Phraya. *V. Ménam.*

Chaplin Charlie (1889-1977), cinéaste anglais. Il créa le personnage de Charlot : *le Dictateur, les Temps modernes.*

Chappe Claude (1763-1805), physicien français, créateur du télégraphe aérien.

Chaptal Jean (1756-1832), chimiste français.

Char René (1907-1988), poète français.

Charbonnerie, société secrète formée en France sous la Restauration.

Charcot Jean Martin (1825-1893), neurologue français.

Charcot Jean (1867-1936), fils du préc., océanographe et explorateur français.

Chardin Jean-Baptiste (1699-1779), peintre français, maître de la nature morte.

Charente (la), fl. de France (360 km).

Charente, dép. français (16) (Poitou-Charentes) ; 5 953 km² ; 352 695 h ; ch.-l. Angoulême.

Charente-Maritime, dép. français (17) (Poitou-Charentes) ; 6 848 km² ; 541 811 h ; ch.-l. La Rochelle.

Charenton-le-Pont, ch.-l. de cant. du Val-de-Marne ; 20 689 h.

Charest Jean (né en 1958), Premier ministre du Québec depuis 2003.

Charette François de (1763-1796), chef vendéen.

Chari (le), fl. d'Afrique équatoriale (1 200 km).

Charlemagne (742-814), fils de Pépin le Bref, roi des Francs (768), empereur d'Occident (800).

Charleroi, v. de Belgique (Hainaut) ; 222 240 h. Défaite française en 1914.

Charles Ier (1600-1649), roi d'Angleterre en 1625. Livré à Cromwell, il fut décapité.

Charles Ier (1887-1922), empereur d'Autriche et roi de Hongrie (1916-1918). Il abdiqua.

Charles II le Chauve (823-877), roi de France en 840, empereur d'Occident en 875, fils de Louis le Pieux.

Charles II (1630-1685), roi d'Angleterre en 1660. Il restaura la monarchie.

Charles II (1661-1700), roi d'Espagne en 1665, dernier Habsbourg d'Espagne.

Charles III le Gros (839-888), empereur d'Occident (881-887). Il fut déposé.

Charles III le Simple (879-929), roi de France de 898 à 923. Il fut détrôné.

Charles IV le Bel (1294-1328), roi de France et de Navarre en 1322 ; dernier capétien direct.

Charles IV de Luxembourg (1316-1378), empereur germanique en 1355.

Charles V le Sage (1338-1380), roi de France en 1364. Il restaura l'État.

Charles VI le Bien-Aimé (1368-1422), roi de France en 1380. Il devint fou.

Charles VI (1685-1740), empereur germanique en 1711, père de Marie-Thérèse.

Charles VII (1403-1461), roi de France en 1422. Il bénéficia de l'action de Jeanne d'Arc.

Charles VIII (1470-1498), roi de France en 1483. Il engagea les guerres d'Italie.

Charles IX (1550-1574), roi de France en 1560. Il ordonna la Saint-Barthélemy.

Charles X (1757-1836), roi de France en 1824 ; frère de Louis XVI et de Louis XVIII, renversé en 1830.

Charles XII (1682-1718), roi de Suède en 1697. Il échoua contre les Russes.

Charles XIV ou **Charles-Jean.** V. *Bernadotte.*

Charles Borromée saint (1538-1584), pionnier de la Réforme catholique.

Charles Martel (v. 685-741), maire du palais d'Austrasie et de Neustrie, vainqueur des Sarrasins à Poitiers (732).

Charles d'Orléans. V. *Orléans.*

Charles Quint (1500-1558), roi d'Espagne, prince des Pays-Bas, roi de Sicile, empereur germanique (1519-1556). Il abdiqua.

Charles le Téméraire (1433-1477), duc de Bourgogne (1467), adversaire de Louis XI.

Charles Ray (Charles Robinson, dit) (1932-2004), chanteur, pianiste et compositeur américain de jazz.

Charles-Albert (1798-1849), roi de Sardaigne en 1831.

Charleston, port des États-Unis (Caroline du Sud) ; 67 100 h (aggl. 472 500 h).

Charleville-Mézières, ch.-l. des Ardennes ; 59 439 h.

Charlot. V. *Chaplin.*

Charlotte, v. des États-Unis (Caroline du Nord) ; 352 070 h (aggl. 1 031 400 h).

Charlotte-Élizabeth de Bavière (1652-1722), princesse Palatine, belle-sœur de Louis XIV et mère du Régent.

Charolais, rég. du Massif central.

Charolles, v. de Saône-et-Loire ; 3 418 h.

Charon, batelier des Enfers (*Myth. gr.*).

Charonton. V. *Quarton.*

Charpak Georges (né en 1924), physicien français.

Charpentier Marc Antoine (1636-1704), compositeur français : *Te Deum.*

Charron Pierre (1541-1603), moraliste français : *De la sagesse.*

Chartier Alain (v. 1385-v. 1433), écrivain français : *le Quadrilogue invectif.*

Chartres, ch.-l. de l'Eure-et-Loir ; 41 850 h. Cathédrale gothique.

Chartreuse (La Grande-), monastère fondé par saint Bruno en 1084.

Charybde, tourbillon du détroit de Messine, voisin du rocher de **Scylla** (*Odyssée*).

Chasles Michel (1793-1880), mathématicien français.

Chassériau Théodore (1819-1856), peintre français.

Chateaubriand François René, vicomte de (1768-1848), écrivain français : *le Génie du christianisme, Mémoires d'outre-tombe.*

Châteaubriant, ch.-l. d'arr. de la Loire-Atlantique ; 13 378 h.

Château-Chinon, ch.-l. d'arr. de la Nièvre ; 2 952 h.

Châteaudun, ch.-l. d'arr. de l'Eure-et-Loir ; 15 328 h.

Château-Gaillard. V. *Andelys (Les).*

Château-Gontier, ch.-l. d'arr. de la Mayenne ; 11 476 h.

Châteauguay, affl. du Saint-Laurent. Victoire des Canadiens sur les Américains (1813).

Châteaulin, ch.-l. d'arr. du Finistère ; 5 614 h.

Châteauroux, ch.-l. de l'Indre ; 52 949 h.

Château-Salins, ch.-l. d'arr. de la Moselle ; 2 719 h.

Château-Thierry, ch.-l. d'arr. de l'Aisne ; 15 830 h.

Châtelet, anc. forteresse du centre de Paris.

Châtellerault, ch.-l. d'arr. de la Vienne ; 35 691 h.

Châtenay-Malabry, ch.-l. de cant. des Hauts-de-Seine ; 29 359 h.

Chatou, ch.-l. de cant. des Yvelines ; 28 077 h.

Châtre (La), ch.-l. d'arr. de l'Indre ; 4 838 h.

Chatt al-Arab, fl. d'Irak (200 km), formé par la réunion du Tigre et de l'Euphrate.

Chattanooga, v. des États-Unis (Tennessee). Victoire de Grant sur les sudistes (1863).

Chaucer Geoffrey (v. 1340-1400), poète anglais : *Contes de Cantorbéry.*

Chaumont, ch.-l. de la Haute-Marne ; 28 900 h.

Chausey (îles), archipel français de la Manche.

Chaussée des Géants, site d'Irlande du Nord constitué par une coulée basaltique.

Chausson Ernest (1855-1899), compositeur français : *le Roi Arthus.*

Chauvet, grotte de l'Ardèche, ornée de peintures préhistoriques (v. 30 000 av. J.-C.).

Chaux-de-Fonds (La), v. de Suisse ; 36 900 h.

Chaval (1915-1968), dessinateur humoristique français.

Chavez Frias Hugo (né en 1954), président de la République du Venezuela depuis 1999.

Chavín de Huantar, site archéologique du Pérou (IXe-IIIe s. av. J.-C.).

Chélif (le), fl. d'Algérie (700 km).

Cheliff (Ech-) (anc. *Orléansville* puis *El-Asnam*), v. d'Algérie ; 104 810 h.

Chelles, v. de Seine-et-Marne ; 45 495 h.

Chemin des Dames, route du dép. de l'Aisne, enjeu de combats meurtriers en 1917.

Chemnitz (*Karl-Marx-Stadt* de 1953 à 1990), v. d'Allemagne (Saxe) ; 319 000 h.

Chengdu, v. de Chine, ch.-l. du Sichuan ; 2 499 000 h (aggl. 4 025 180 h).

Chénier André (1762-1794), poète français, guillotiné sous la Terreur : *Iambes.*

Chennai. *V. Madras.*

Chenonceaux, com. d'Indre-et-Loire. Château de la Renaissance.

Chéops ou **Khéops**, pharaon égyptien (v. 2600 av. J.-C.). Pyramide à Gizeh.

Chéphren ou **Khéphren**, pharaon égyptien (v. 2600 av. J.-C.). Pyramide à Gizeh.

Cher (le), affl. de la Loire (320 km).

Cher, dép. français (18) (Centre) ; 7 228 km² ; 329 371 h ; ch.-l. Bourges.

Cherbourg, ch.-l. d'arr. et port militaire de la Manche ; 28 773 h.

Cherchell, port d'Algérie ; 33 270 h.

Cherokees, Indiens d'Amérique du Nord.

Chéronée (Béotie), victoire de Philippe II sur les Athéniens et les Thébains (338 av. J.-C.).

Cherubini Luigi (1760-1842), compositeur italien, auteur de messes et d'opéras.

Chesapeake, baie de l'E. des États-Unis.

Cheval Ferdinand, dit *le Facteur Cheval,* (1836-1924), artiste naïf français.

Chevalier Maurice (1888-1972), chanteur fantaisiste français.

Cheverny, com. du Loir-et-Cher. Château.

Chevreul Eugène (1786-1889), chimiste français.

Chevtchenko Tarass (1814-1861), poète lyrique et héros national ukrainien.

Cheyennes, Indiens d'Amérique du Nord.

Chiangmai, v. de Thaïlande ; 158 000 h.

Chiba, port du Japon (Honshu) ; 788 930 h.

Chicago, port des États-Unis sur le lac Michigan ; 2 992 500 h (aggl. 8 035 000 h).

L'*école architecturale de Chicago* (fin du XIXe s.) a révolutionné les modes traditionnels de construction. L'*école économique de Chicago* (M. Friedman) prône un libéralisme intégral.

Chichén Itzá, site archéologique maya du Mexique (Yucatán).

Chicoutimi, v. du Canada (Québec) ; 56 350 h.

Chihuahua, v. du Mexique ; 534 000 h.

Chikamatsu Monzaemon (1653-1724), dramaturge japonais.

Childebert Ier (v. 495-558), roi mérovingien en 511, fils de Clovis.

Childéric Ier (v. 440-481), roi des Francs Saliens en 457, père de Clovis.

Childéric III (v. 711-754), dernier roi mérovingien, déposé en 751 par Pépin le Bref.

Chili, État d'Amérique du Sud ; 756 945 km² ; 16 100 000 h ; cap. Santiago.

Chilpéric Ier (539-584), roi de Neustrie en 561, époux de Frédégonde.

Chimborazo, volcan de l'Équateur (6 272 m).

Chine, État d'Asie, le premier du globe par la population ; 9 596 961 km² ; 1,3 milliard d'h ; cap. Pékin.

Chine (mer de), partie du Pacifique, longeant la Chine et l'Indochine.

Chinon, ch.-l. d'arr. d'Indre-et-Loire ; 8 961 h.

Chio, île grecque de la mer Égée.

Chippendale Thomas (v. 1718-1779), ébéniste anglais.

Chirac Jacques (né en 1932), homme politique français (gaulliste), président de la République depuis 1995.

Chiraz, v. d'Iran ; 800 000 h.

Chirico. *V. De Chirico.*

Chisinau (anc. *Kichinev*), cap. de la Moldavie ; 684 000 h.

Chittagong, port du Bangladesh ; 944 640 h.

Chleuhs, population berbère marocaine.

Choiseul Étienne-François, duc de (1719-1785), ministre de Louis XV.

Choisy-le-Roi, v. du Val-de-Marne ; 34 230 h.

Cholet, ch.-l. d'arr. du Maine-et-Loire ; 56 528 h.

Cholokhov Mikhaïl (1905-1984), écrivain soviétique : *le Don paisible.*

Cho Lon, banlieue de Hô Chi Minh-Ville.

Choltitz Dietrich von (1894-1966), général allemand. Il refusa de détruire Paris.

Chomsky Noam (né en 1928), linguiste américain.

Chongju, v. de Corée du Sud ; 426 500 h.

Chongqing, v. de Chine, sur le Yangzijiang (Sichuan) ; 2 673 170 h (aggl. 6 511 130 h).

Chopin Frédéric (1810-1849), pianiste et compositeur romantique polonais.

Chostakovitch Dimitri Dimitrievitch (1906-1975), compositeur soviétique.

Chou En-lai. *V. Zhou Enlai.*

Chouf (plaine du), rég. du Liban.

Chrétien Jean (né en 1934), Premier ministre du Canada depuis 1993.

Chrétien de Troyes (v. 1135-v. 1183), poète français, auteur de romans courtois.

Christian X (1870-1947), roi du Danemark en 1912.

Christiania. *V. Oslo.*

Christie Agatha (1891-1976), écrivain anglais, auteur de romans policiers.

Christine de Pisan (v. 1363-v. 1430), poétesse française.

Christine de Suède (1626-1689), reine de Suède (1632-1654) ; elle abdiqua.

Christo (né en 1935), artiste américain.

Christophe Henri (1767-1820), roi de Haïti en 1811.

Christophe (Georges Colomb, dit) (1856-1945), écrivain et dessinateur français : *la Famille Fenouillard*.

Chrysostome. V. *Jean Chrysostome.*

Churchill sir Winston (1874-1965), Premier ministre de Grande-Bretagne (1940-1945 et 1951-1955).

Churchill River. V. *Hamilton.*

Churriguera, famille d'architectes espagnols dont le style, dit *churrigueresque,* marqua l'apogée du baroque (XVIIᵉ-XVIIIᵉ s.).

Chypre, État insulaire de la Méditerranée orientale ; 9 251 km² ; 1 000 000 h ; cap. Nicosie.

CIA, sigle de *Central Intelligence Agency,* organisation de renseignements des USA.

Ciano Galeazzo (1903-1944), homme politique italien, gendre de Mussolini.

Cicéron (106-43 av. J.-C.), écrivain, homme politique et orateur romain.

Cid Campeador (Rodrigo Díaz de Vivar, dit le) (1043-1099), héros espagnol.

Cienfuegos, port de Cuba ; 120 600 h.

Cilicie, anc. nom du S.-E. de l'Anatolie.

Cimabue (v. 1240-v. 1302), peintre italien.

Cimarosa Domenico (1749-1801), compositeur italien : *le Mariage secret.*

Cimbres, peuple germanique écrasé à Verceil par Marius (101 av. J.-C.).

Cimon (v. 510-v. 449 av. J.-C.), général athénien, fils de Miltiade.

Cincinnati, v. des États-Unis (Ohio) ; 370 500 h (aggl. 1 673 500 h).

Cinecittà, cité du cinéma italien, près de Rome.

Cinna Lucius Cornelius (mort en 84 av. J.-C.), général romain, au pouvoir de 87 à 84.

Cinq (groupe des), musiciens russes du XIXᵉ s. (Balakirev, Cui, Moussorgski, Borodine, Rimski-Korsakov).

Cinq-Cents (Conseil des), une des deux assemblées législatives du Directoire.

Cinq-Mars Henri de (1620-1642), favori de Louis XIII ; exécuté.

Cinto, point culminant de la Corse (2 707 m).

Cioran Émile (1911-1995), essayiste français d'orig. roumaine : *la Tentation d'exister.*

Ciotat (La), ch.-l. de cant. des Bouches-du-Rhône ; 30 748 h.

Circassiens. V. *Tcherkesses.*

Circé, magicienne de l' *Odyssée.*

Cirta, anc. cap. de la Numidie. V. *Constantine.*

Cisalpine (République), État créé par Bonaparte en Italie du Nord (1797).

Cisjordanie, rég. de Palestine, à l'O. du Jourdain, occupée par Israël depuis 1967.

Cisneros Francisco (1436-1517), prélat et homme politique espagnol.

Cité (la), île de la Seine, à Paris.

Cité interdite, palais impérial à Pékin.

Cîteaux, abbaye bénédictine fondée en 1098 en Bourgogne, berceau de l'ordre cistercien.

Citroën André (1878-1935), ingénieur et industriel français de l'automobile.

City (la), quartier financier de Londres.

Ciudad Juárez, v. du Mexique ; 709 000 h.

Ciudad Trujillo. V. *Saint-Domingue.*

Çiva, Shiva ou **Siva,** troisième personne de la trinité hindoue (Trimurti).

Civitavecchia, port d'Italie ; 45 840 h.

Ci Xi ou **Ts'eu Hi** (1835-1908), impératrice de Chine en 1875.

Claesz Pieter (v. 1597-1661), peintre hollandais de natures mortes.

Clair René (1898-1981), cinéaste français.

Clairaut Alexis (1713-1765), mathématicien et astronome français.

Claire sainte (v. 1194-1253), fondatrice avec saint François d'Assise de l'ordre des Clarisses.

Clairvaux, abbaye de l'Aube fondée en 1115, centre de la réforme cistercienne.

Clamart, ch.-l. de cant. des Hauts-de-Seine ; 47 755 h.

Clamecy, ch.-l. d'arr. de la Nièvre ; 5 573 h.

Clapeyron Émile (1799-1864), physicien français. Thermodynamique.

Claude Iᵉʳ (10 av. J.-C.-54 apr. J.-C.), empereur romain en 41 ; assassiné par Agrippine.

Claude de France (1499-1524), reine de France, fille de Louis XII et d'Anne de Bretagne, épouse de François Iᵉʳ.

Claudel Paul (1868-1955), poète et dramaturge français : *Tête d'or, le Soulier de satin.*

Claudel Camille (1864-1943), sculpteur français, sœur du précédent.

Clausewitz Carl von (1780-1831), général et théoricien militaire prussien : *De la guerre.*

Clausius Rudolf (1822-1888), physicien allemand. Thermodynamique.

Clay Cassius. V. *Ali Muhammad.*

Clemenceau Georges (1841-1929), homme politique français, président du Conseil (radical) en 1906-1909 et 1917-1919. Surnommé « le Tigre ».

Clément V, pape de 1305 à 1314. Il s'installa à Avignon.

Clément VII (1342-1394), antipape d'Avignon en 1378. Il est à l'origine du Grand Schisme.

Clément VII (1478-1534), pape en 1523. Il excommunia Henri VIII.

Clément XI (1649-1721), pape en 1700. Il publia la bulle Unigenitus.

Clément d'Alexandrie (v. 150-v. 215), philosophe grec chrétien.

Clément Jacques (1567-1589), dominicain français, assassin d'Henri III.

Clément Jean-Baptiste (1836-1903), chansonnier socialiste français : *le Temps des cerises.*

Clément René (1913-1996), cinéaste français.

Cléopâtre VII (69-30 av. J.-C.), reine d'Égypte aimée de César puis d'Antoine.

Clermont, ch.-l. d'arr. de l'Oise ; 9 046 h.

Clermont-Ferrand, ch.-l. du Puy-de-Dôme et de la Rég. Auvergne ; 140 167 h.

Cleveland, v. des États-Unis (Ohio) ; 546 500 h (aggl. 2 788 400 h).

Cleveland Stephen Grover (1837-1908), président (démocrate) des États-Unis en 1885-1889 et 1893-1897.

Clichy, ch.-l. de cant. des Hauts-de-Seine ; 48 204 h.

Clinton Bill (né en 1946), 42ᵉ président (démocrate) des États-Unis de 1993 à 2000.

Clio, muse de l'Histoire et de la Poésie épique.

Clisthène (VIᵉ s. av. J.-C.), homme politique athénien. Il établit la démocratie.

Clotaire Ier (v. 497-561), roi des Francs en 558, fils de Clovis.

Clotilde sainte (v. 475-545), épouse de Clovis.

Clouet, famille de peintres français de la Renaissance ; portraitistes.

Clovis Ier (465-511), roi des Francs en 481. Il se convertit au christianisme.

Cluj-Napoca, v. de Roumanie ; 299 790 h.

Cluny, ch.-l. de cant. de Saône-et-Loire. Ancienne abbaye bénédictine fondée en 910.

Clusaz (La), stat. hivernale de Haute-Savoie.

Cluses, v. de Haute-Savoie ; 16 732 h.

Clyde (la), fl. d'Écosse (170 km).

Clytemnestre, femme d'Agamemnon qu'elle assassina ; mère d'Oreste, d'Électre et d'Iphigénie (*Myth. gr.*).

Cnossos, site archéologique de Crète.

CNRS, sigle de *Centre national de la recherche scientifique.*

Coblence, v. d'Allemagne (Rhénanie-Palatinat) ; 110 280 h. Lieu de ralliement des émigrés français en 1792.

Cobourg, v. d'Allemagne (Bavière) ; 44 410 h.

Cobra, acronyme pour *COpenhague, BRuxelles, Amsterdam,* mouvement artistique expressionniste (1948).

Cochabamba, v. de Bolivie ; 317 250 h.

Cochin, port de l'Inde (Kerala) ; 513 250 h.

Cochinchine, rég. du S. du Viêt-nam.

Cochise (1812-1876), chef indien apache.

Cockcroft sir John (1897-1967), physicien anglais. Premier accélérateur de particules.

Cocteau Jean (1889-1963), écrivain, artiste et cinéaste français.

Code civil ou **Code Napoléon,** recueil de droit français promulgué en 1804.

Coëtquidan, camp militaire du Morbihan.

Coetzee John (né en 1940), romancier sud-africain : *En attendant les barbares.*

Cœur Jacques (v. 1395-1456), négociant français, argentier de Charles VII.

Cognac, ch.-l. d'arr. de la Charente ; 19 932 h.

Cohen Albert (1895-1981), écrivain suisse d'expression française : *Belle du Seigneur.*

Cohen-Tannoudji Claude (né en 1933), physicien français.

Coimbatore, v. de l'Inde (Tamil Nadu) ; 704 500 h.

Coïmbre, v. du Portugal ; 74 620 h. Université.

Coire, v. de Suisse (Grisons) ; 31 000 h.

Colbert Jean-Baptiste (1619-1683), homme d'État français, ministre de Louis XIV.

Coleman Ornette (né en 1930), saxophoniste américain de jazz, un des créateurs du free-jazz.

Coleridge Samuel (1772-1834), philosophe et poète romantique anglais : *Ballades lyriques.*

Colette Sidonie Gabrielle (1873-1954), romancière française : *Sido, Gigi.*

Coli François (1881-1927), aviateur français, mort en vol avec Nungesser dans l'Atlantique.

Coligny Gaspard (1519-1572), chef protestant français, assassiné à la Saint-Barthélemy.

Colisée, amphithéâtre de Rome (Ier s.).

Collège de France, établissement d'enseignement fondé à Paris par François Ier (1530).

Collier de la reine (affaire du), scandale qui marqua la fin de l'Ancien Régime (1785).

Collodi Carlo (1826-1890), romancier italien : *'es Aventures de Pinocchio.*

Collot d'Herbois Jean-Marie (1750-1796), conventionnel français, partisan de la Terreur.

Colmar, ch.-l. du Haut-Rhin ; 64 889 h.

Cologne (*Köln*), v. d'Allemagne, sur le Rhin ; 914 340 h. Cathédrale.

Colomb Christophe (1450 ou 1451-1506), navigateur italien, au service de l'Espagne. Il découvrit l'Amérique (1492).

Colomb-Béchar. V. *Béchar.*

Colombes, ch.-l. de cant. des Hauts-de-Seine ; 79 058 h.

Colombey-les-deux-Églises, com. de la Haute-Marne, où résida le général de Gaulle.

Colombie, État d'Amérique du Sud ; 1 138 914 km² ; 46 000 000 h. ; cap. Bogotá.

Colombie britannique, prov. de l'O. du Canada ; cap. Victoria ; v. princ. Vancouver.

Colombo ou **Kolamba,** cap. et port du Sri Lanka ; 664 000 h.

Colomiers, com. de Haute-Garonne ; 27 253 h.

Colonnes d'Hercule, nom du détroit de Gibraltar, dans l'Antiquité.

Colorado (rio), fl. de l'O. des États-Unis (2 250 km), tributaire du golfe de Californie. Grand canyon dans le *plateau du Colorado.*

Colorado (rio), fl. du S. des États-Unis (Texas) (1 560 km), tributaire du golfe du Mexique.

Colorado (río), fl. d'Argentine (1 300 km).

Colorado, État de l'O. des États-Unis ; cap. Denver.

Colorado Springs, v. des États-Unis (Colorado) ; 247 700 h.

Coltrane John (1926-1967), saxophoniste américain de jazz : *My Favourite Things.*

Columbia, fl. d'Amérique du Nord (1 953 km).

Columbia, district fédéral des États-Unis, où se trouve Washington.

Columbus, v. des États-Unis, cap. de l'Ohio ; 566 100 h (aggl. 1 279 000 h).

Comanches, Indiens d'Amérique du Nord.

Combes Émile (1835-1921), homme politique français (radical et anticlérical).

Combourg, ch.-l. de cant. d'Ille-et-Vilaine. Château.

Côme, v. d'Italie (Lombardie) sur le *lac de Côme* ; 95 180 h.

Comecon, organisme de coopération économique entre pays socialiste, créé à Moscou en 1949, dissous en 1991.

Comédie-Française (la), troupe constituée officiellement en 1680.

Comenius (Jan Amos Komensky, dit) (1592-1670), humaniste et pédagogue tchèque.

Comité de salut public, organisme créé par la Convention, qui exerça le pouvoir effectif et mena la Terreur en 1793 et 1794.

Commercy, ch.-l. d'arr. de la Meuse ; 7 673 h.

Commode (161-192), fils de Marc Aurèle, empereur romain en 180 ; assassiné.

Commonwealth of Nations, ensemble des pays de l'anc. Empire britannique, qui demeurent unis à la couronne britannique.

Communauté économique européenne. V. *CÉE.*

Communauté des États indépendants. V. *CÉI.*

Commune (la), gouvernement révolutionnaire institué à Paris de mars à mai 1871.

Commynes Philippe de (v. 1447-1511), chroniqueur français : *Chronique de Louis XI.*

Comnène, famille de Byzance qui donna, de 1057 à 1185, six empereurs.
Comores, État insulaire de l'océan Indien ; 1 797 km² ; env. 700 000 h ; cap. Moroni.
Compiègne, ch.-l. d'arr. de l'Oise ; 44 703 h. Château, forêt (144 km²).
Compton Arthur (1892-1962), physicien atomiste américain.
Comtat (le) ou **Comtat Venaissin,** anc. pays de France autour d'Avignon, domaine pontifical de 1274 à 1791.
Comte Auguste (1798-1857), philosophe français, fondateur du positivisme.
Conakry, cap. de la Guinée ; 705 280 h.
Concarneau, ch.-l. de cant. et port de pêche du Finistère ; 18 989 h.
Concepción, port du Chili central ; 294 380 h.
Conciergerie (la), anc. prison de Paris.
Concini Concino, dit le *maréchal d'Ancre* (v. 1575-1617), ministre de Marie de Médicis.
Condé Louis II, dit le *Grand Condé* (1621-1686), général français, vainqueur à Rocroi.
Condé Louis Joseph (1736-1818), organisateur de l'armée des émigrés (1792).
Condé Louis de, duc d'Enghien (1772-1804), prince français exécuté sur ordre de Bonaparte.
Condillac Étienne Bonnot de (1715-1780), philosophe français :*Traité des sensations.*
Condom, ch.-l. d'arr. du Gers ; 7 953 h.
Condorcet Antoine de (1743-1794), mathématicien, économiste, philosophe et homme politique français. Il se suicida sous la Terreur.
Confédération germanique, union des États allemands placée sous la présidence de l'empereur d'Autriche (1815-1866).
Confédération helvétique. *V. Suisse.*
Conflans-Sainte-Honorine, ch.-l. de cant. des Yvelines ; 31 857 h.
Confolens, ch.-l. d'arr. de la Charente ; 3 158 h.
Confucius ou **Kongzi** (VIᵉ-Vᵉ s. av. J.-C.), philosophe chinois.
Congo ou **Zaïre** (fl. d'Afrique (4 640 km).
Congo Rép. du, État d'Afrique équatoriale ; 342 000 km² ; 4 000 000 h ; cap. Brazzaville.
Congo Rép. démocratique du (anc. Congo belge, Zaïre de 1971 à 1997), État de l'Afrique équatoriale ; 2 344 885 km2 ; 60 800 000 h ; cap. Kinshasa.
Connecticut, État du N.-E. des États-Unis.
Conques, ch.-l. de cant. de l'Aveyron. Église Sainte-Foy du XIᵉ s.
Conrad III de Hohenstaufen, empereur germanique en 1138.
Conrad V ou **Conradin** (1252-1268), empereur germanique, dernier des Hohenstaufen.
Conrad Joseph (1857-1924), écrivain anglais d'origine polonaise : *Typhon, Lord Jim.*
Considérant Victor (1808-1893), socialiste français, disciple de Fourier.
Constable John (1776-1837), peintre romantique anglais.
Constance, v. d'Allemagne (Bade-Wurtemberg) sur le *lac de Constance ;* 70 540 h.
Constance Iᵉʳ Chlore (v. 225-306), empereur romain, père de Constantin Iᵉʳ.
Constance II (317-361), empereur romain en 337, fils de Constantin Iᵉʳ.
Constant Benjamin (1767-1830), homme politique et écrivain français : *Adolphe.*
Constanta, port de Roumanie ; 318 800 h.

Constantin Iᵉʳ le Grand (mort en 337), empereur romain. Fondateur de l'Empire chrétien, il transféra la capitale à Constantinople.
Constantin XI Paléologue (1403-1453), dernier empereur byzantin, tué lors de la prise de Constantinople.
Constantine (anc. *Cirta,* auj. *Qacentina*), v. d'Algérie ; 450 740 h.
Constantinople (anc. *Byzance,* auj. *Istanbul*), cap. de l'Empire byzantin, de 330 à 1453.
Constituante (la), première Assemblée nationale de la Révolution française (1789-1791).
Consulat (le), régime politique issu du coup d'État du 18 Brumaire (1799-1804).
Contre-Réforme (la), Réforme catholique qui suivit, au XVIᵉ s., la Réforme protestante.
Contrexéville, stat. thermale des Vosges.
Convention nationale, assemblée constituante française qui gouverna de 1792 à 1795 et proclama la République.
Cook (îles), archipel d'Océanie, en Polynésie, dépendant de la Nouvelle-Zélande.
Cook (mont), point culminant de la Nouvelle-Zélande (3 764 m).
Cook James (1728-1779), navigateur anglais, explorateur de l'océan Pacifique.
Coolidge Calvin (1872-1933), président (républicain) des États-Unis de 1923 à 1929.
Cooper James Fenimore (1789-1851), écrivain américain : *le Dernier des Mohicans.*
Cooper Gary (1901-1961), acteur américain.
Copacabana, stat. balnéaire de Rio de Janeiro.
Copán, site archéologique maya du Honduras.
Copeau Jacques (1879-1949), acteur et directeur de théâtre français.
Copenhague, cap. et port du Danemark ; 478 620 h (aggl. 1 358 540 h).
Copernic Nicolas (1473-1543), astronome polonais. Il démontra que la Terre tourne sur elle-même et autour du Soleil.
Coppée François (1842-1908), poète français.
Corail (mer de), mer du Pacifique, entre la Nouvelle-Guinée et l'Australie.
Coran (le), livre sacré des musulmans, message d'Allah transmis à Mahomet.
Corbeil-Essonnes, ch.-l. de cant. de l'Essonne ; 40 768 h.
Corbière Tristan (1845-1875), poète français.
Corbières (les), bordure N. des Pyrénées orientales françaises. Vignobles.
Corcyre. *V. Corfou.*
Corday Charlotte (1768-1793), jeune femme qui poignarda Marat.
Cordeliers, club révolutionnaire fondé par Marat et Danton (1790-1794).
Córdoba, v. d'Argentine ; 970 570 h.
Cordoue, v. d'Espagne (Andalousie) ; 298 620 h. Cap. de l'*émirat de Cordoue* (756-1236). Grande mosquée.
Corée, péninsule d'Asie orientale au S. de la Mandchourie, divisée depuis la fin de la *guerre de Corée* (1950-1953) entre deux États, la **Corée du Nord** (120 598 km² ; 22 900 000 h ; cap. Pyongyang) et la **Corée du Sud** (98 477 km² ; env. 48 300 000 h ; cap. Séoul).
Corelli Arcangelo (1653-1713), compositeur et violoniste italien.
Corfou (anc. *Corcyre*), île grecque de la mer Ionienne ; ch.-l. Corfou (33 560 h).

Corinthe, port de Grèce, très prospère dans l'Antiquité, sur l' *isthme de Corinthe ;* 22 660 h.

Coriolan (Vᵉ s. av. J.-C.), général romain.

Coriolis Gaspard (1792-1843), mathématicien français.

Cork, port de l'Eire ; 133 270 h.

Corneille Pierre (1606-1684), poète dramatique français : *le Cid, Horace, Polyeucte.*

Cornelius Nepos (v. 99-v. 24 av. J.-C.), historien latin.

Cornouaille, rég. du S. du Finistère.

Cornouailles, comté du S.-O. de l'Angleterre.

Corogne (La), port d'Espagne (Galice) ; 238 760 h.

Coromandel, côte S.-E. de l'Inde.

Corot Jean-Baptiste (1796-1875), peintre paysagiste français.

Corpus Christi, port des États-Unis (Texas) ; 258 100 h.

Corrège (le) (v. 1489-1534), peintre italien.

Corrèze, dép. français (19) (Limousin) ; 5 860 km² ; 248 080 h. ; ch.-l. Tulle.

Corse, île française de la Méditerranée, formant une Rég. admin. qui comprend deux départements : la **Haute-Corse** (2B) (4 668 km² ; 134 108 h ; ch.-l. Bastia) et la **Corse-du-Sud** (2A) (4 014 km² ; 119 884 h ; ch.-l. Ajaccio).

Corse (cap), presqu'île formant l'extrémité N. de la Corse.

Cortázar Julio (1914-1984), écrivain argentin, naturalisé français : *Marelle.*

Corte, ch.-l. d'arr. de la Haute-Corse ; 6 065 h.

Cortés Hernán (1485-1547), conquistador espagnol. Il détruisit l'Empire aztèque.

Cortina d'Ampezzo, stat. hivernale d'Italie (Vénétie).

Corvin. V. **Mathias Iᵉʳ Corvin.**

Cos, île grecque de la mer Égée.

Cosaques, populations guerrières originaires d'Asie centrale, installées au S. de la Russie.

Cosne-Cours-sur-Loire, ch.-l. d'arr. de la Nièvre ; 12 429 h.

Cosquer, grotte proche de Marseille, ornée de peintures préhistoriques (v. 28 000 av. J.-C.).

Costa Brava, côte de la Catalogne.

Costa del Sol, côte méridionale de l'Espagne.

Costa Rica, État d'Amérique centrale ; 50 900 km² ; 4 300 000 h ; cap. San José.

Costes Dieudonné (1892-1973), aviateur français. V. **Bellonte.**

Côte d'Azur, côte méditerranéenne française entre Cassis et Menton.

Côte-d'Ivoire, État d'Afrique occidentale ; 322 463 km² ; 18 200 000 h ; cap. Yamoussoukro ; v. princ. Abidjan.

Côte-d'Or, dép. français (21) (Bourgogne) ; 8 765 km² ; 506 933 h ; ch.-l. Dijon.

Cotentin, presqu'île de Normandie (Manche).

Côtes-d'Armor (anc. *Côtes-du-Nord*), dép. français (22) (Bretagne) ; 6 878 km² ; 555 208 h ; ch.-l. Saint-Brieuc.

Cotonou, port du Bénin ; 478 000 h.

Cotopaxi, volcan de l'Équateur (5 897 m).

Cotte Robert de (1656-1735), architecte classique français.

Cottereau Jean, dit *Jean Chouan* (1757-1794), contre-révolutionnaire français.

Coty René (1882-1962), dernier président de la IVᵉ République (1953-1959).

Coubertin Pierre de (1863-1937), créateur français des jeux Olympiques modernes.

Coué Émile (1857-1926), inventeur français d'une méthode d'autosuggestion.

Couesnon, fl. de France (90 km), se jette dans la baie du Mont-Saint-Michel.

Coulomb Charles de (1736-1806), physicien français. Électricité et magnétisme.

Couperin François, dit *le Grand* (1668-1733), claveciniste, organiste et compositeur français.

Coupole du Rocher, mosquée de Jérusalem, construite en 691.

Courbet Gustave (1819-1877), peintre réaliste français. Il fut membre de la Commune.

Courbevoie, ch.-l. de cant. des Hauts-de-Seine ; 65 649 h.

Courchevel, stat. de sports d'hiver de Savoie.

Courier Paul-Louis (1772-1825), écrivain français, auteur de pamphlets.

Courlande (la), rég. de Lettonie annexée par la Russie en 1795.

Courneuve (La), ch.-l. de cant. de la Seine-Saint-Denis ; 34 351 h.

Cournot Antoine Augustin (1801-1877), mathématicien et philosophe français.

Cour pénale internationale, juridiction internationale basée à La Haye, chargée de juger les personnes poursuivies pour crimes de guerre, crimes contre l'humanité ou génocide.

Courrières, ch.-l. de cant. du Pas-de-Calais ; 12 616 h. En 1906, 1 200 mineurs y furent tués par un coup de grisou.

Courteline Georges (1858-1929), écrivain français, auteur de comédies satiriques.

Courtrai, v. de Belgique ; 75 920 h. Victoire des Flamands sur les Français (1302).

Cousin Victor (1792-1867), philosophe éclectique et homme politique français.

Cousteau Jacques-Yves (1910-1997), océanographe français.

Coustou Guillaume (1677-1746), sculpteur français : *Chevaux de Marly.*

Coutances, ch.-l. d'arr. de la Manche ; 13 439 h. Cathédrale.

Couthon Georges (1755-1794), conventionnel français, guillotiné avec Robespierre.

Covent Garden, opéra de Londres.

Coventry, v. de Grande-Bretagne, dans les Midlands ; 315 000 h.

Coypel Antoine (1661-1722), peintre français.

Coysevox Antoine (1640-1720), sculpteur classique français.

CPI, sigle de *Cour pénale internationale.*

Cracovie, v. du S. de la Pologne ; 743 360 h. Capitale de la Pologne du XIVᵉ s. au XVIᵉ s.

Craiova, v. du S.-O. de la Roumanie ; 267 470 h.

Cranach Lucas, dit *Cranach l'Ancien* (1472-1553), peintre et graveur allemand de la Renaissance. Son fils **Lucas,** dit *Cranach le Jeune* (1515-1586) continua son œuvre.

Crane Stephen (1871-1900), journaliste et romancier américain.

Crane Hart (1899-1932), poète symboliste américain.

Cranmer Thomas (1489-1556), prélat anglais, promoteur de l'anglicanisme ; exécuté.

Crassus (v. 114-53 av. J.-C.), homme politique romain, membre du premier triumvirat.

Crau (la), plaine des Bouches-du-Rhône.

Crébillon Prosper, dit *Crébillon père* (1674-1762), auteur dramatique français.

Crébillon Claude, dit *Crébillon fils* (1707-1777), auteur de romans libertins.

Crécy-en-Ponthieu, défaite française devant les Anglais (1346).

Creil, ch.-l. de cant. de l'Oise ; 32 501 h.

Crémieux Adolphe (1796-1880), homme politique français.

Crémone, v. d'Italie (Lombardie) ; 80 760 h.

Créon, roi de Thèbes après Œdipe (*Myth. gr.*).

Cresson Édith (née en 1934), femme politique française (socialiste), Premier ministre (1991-1992).

Crésus, dernier roi de Lydie (561-546 av. J.-C.), vaincu par Cyrus.

Crète (anc. *Candie*), île grecque de la Méditerranée orientale ; 8 336 km² ; 514 500 h ; cap. La Canée ; v. princ. Héraklion.

Créteil, ch.-l. du Val-de-Marne ; 71 705 h.

Creuse (la), affl. de la Vienne (255 km).

Creuse, dép. français (23) (Limousin) ; 5 559 km² ; 137 154 h ; ch.-l. Guéret.

Creusot (Le), v. de Saône-et-Loire ; 29 320 h.

Crevel René (1900-1935), écrivain surréaliste français : *les Pieds dans le plat.*

Creys-Malville, site d'un surrégénérateur à grande puissance (Isère).

Crick Francis (1916-2004), biologiste britannique. V. *Watson.*

Crimée, presqu'île de l'Ukraine, dans la mer Noire. La *guerre de Crimée* (1854-1855) opposa la Russie (qui fut vaincue) à la Turquie alliée à la Grande-Bretagne, à la France et au Piémont.

Cris, Indiens algonkins du Canada.

Crispi Francesco (1818-1901), homme politique italien.

Croatie, État des Balkans ; 56 538 km² ; 4 400 000 h ; cap. Zagreb.

Croce Benedetto (1866-1952), critique littéraire, historien et philosophe italien.

Crockett Davy (1786-1836), pionnier américain.

Croisades, expéditions parties d'Occident pour délivrer les lieux saints de Palestine de la domination musulmane. Il y eut 8 croisades entre 1096 et 1270.

Croisic (Le), stat. balnéaire et port de la Loire-Atlantique ; 4 448 h.

Croissant fertile, plaines alluviales du Moyen-Orient, où naquit l'agriculture au néolithique.

Croissant-Rouge (le), organisation musulmane correspondant à la Croix-Rouge.

Croix, com. du Nord ; 20 308 h.

Croix-de-Feu (les), association d'anciens combattants fondée en 1927, dissoute en 1936.

Croix du Sud (la), constellation australe.

Croix-Rouge (la), organisation internationale fondée à l'instigation d'Henri Dunant, en 1863, pour protéger les victimes des guerres.

Cro-Magnon, site préhistorique de Dordogne (30 000 av. J.-C.).

Crommelynck Fernand (1886-1970), dramaturge belge d'expression française.

Cromwell Oliver (1599-1658), homme politique anglais. Il fit exécuter Charles I⁰ʳ et instaura la république.

Cronos, père de Zeus (*Myth. gr.*).

Cronstadt ou **Kronstadt** base navale de Russie, dans le golfe de Finlande.

Cros Charles (1842-1888), poète et savant français, inventeur du phonographe.

Crotone, port d'Italie (Calabre) ; 58 280 h. Cité grecque antique.

Crozet (îles), archipel français de l'océan Indien.

Crozon, ch.-l. de cant. du Finistère au S. de la *presqu'île de Crozon* ; 8 060 h.

Cuauhtémoc (v. 1497-1525), dernier empereur aztèque ; vaincu par Cortés.

Cuba, État insulaire des Antilles ; 114 524 km² ; 11 300 000 h ; cap. La Havane.

Cuenca, v. de l'Équateur ; 176 870 h.

Cuernavaca, v. du Mexique ; 192 770 h.

Cugnot Nicolas (1725-1804), ingénieur français. Première automobile à vapeur.

Cui César (1835-1918), compositeur russe.

Cujas Jacques (1520-1590), juriste français.

Cukor George (1899-1983), cinéaste américain.

Cumes, v. anc. d'Italie du S. (Campanie).

Cunningham Merce (né en 1919), danseur et chorégraphe américain.

Cupidon, dieu de l'Amour (*Myth. rom.*).

Curaçao, île des Antilles néerlandaises.

Curiaces. V. *Horaces.*

Curie Pierre (1859-1906), et sa femme **Marie** (1867-1934), physiciens français. Ils ont découvert le radium.

Curitiba, v. du Brésil (Paraná) ; 1 285 030 h.

Curnonsky (1872-1965), gastronome français.

Cushing Harvey (1869-1939), chirurgien américain, fondateur de la neurochirurgie.

Custine Adam de (1740-1793), général français ; guillotiné.

Custine Astolphe, marquis de (1790-1857), voyageur et écrivain français.

Cuvier Georges (1769-1832), zoologiste français, père de la paléontologie et de l'anatomie comparée.

Cuzco, v. du Pérou, dans les Andes ; 235 860 h. Anc. cap. de l'Empire inca.

Cybèle, déesse de la Fécondité (*Myth. gr.*).

Cyclades, archipel grec de la mer Égée.

Cyclopes, géants qui n'avaient qu'un œil, au milieu du front (*Myth. gr.*).

Cynoscéphales (Thessalie), victoire des Romains sur Philippe V (197 av. J.-C.).

Cyrano de Bergerac Savinien de (1619-1655), écrivain français.

Cyrénaïque, rég. de l'E. de la Libye.

Cyrille saint (v. 827-869), prêtre grec, évangélisateur des Slaves et créateur, avec **Méthode,** de l'alphabet cyrillique.

Cyrus II le Grand (mort v. 528 av. J.-C.), fondateur de l'Empire perse des Achéménides.

Cythère, île grecque, au S. du Péloponnèse.

Częstochowa, v. de Pologne ; 247 790 h. Pèlerinage à la Vierge noire.

Dabrowski ou **Dombrowski** Jan Henryk (1755-1818), général polonais, au service de la France (1797-1813).

Dacca. *V. Dhaka.*

Dachau, v. d'Allemagne (Bavière) ; 32 870 h. Camp de concentration nazi.

Dacie, prov. romaine (Roumanie actuelle).

Daghestan, rép. auton. de Russie (Caucase).

Dagobert (v. 604-639), roi des Francs en 629.

Daguerre Louis (1787-1851), inventeur français. Il perfectionna la photographie.

Dahomey. *V. Bénin.*

Daimler Gottlieb (1834-1900), ingénieur allemand, pionnier de l'automobile.

Dairen. *V. Dalian.*

Dakar, cap. du Sénégal ; 1 210 800 h.

Dakota du Nord et **Dakota du Sud,** États du centre-nord des États-Unis.

Daladier Édouard (1884-1970), homme politique français (radical).

Da Lat, v. du Viêt-nam central ; 105 000 h.

Dalí Salvador (1904-1989), peintre surréaliste espagnol.

Dalian (anc. *Dairen*), port de la Chine du N.-E. ; 1 480 240 h (aggl. 4 619 060 h).

Dalila, femme qui livra Samson aux Philistins, après lui avoir coupé les cheveux (*Bible*).

Dallas, v. des États-Unis (Texas) ; 974 200 h (aggl. 3 348 000 h).

Dalloz Victor (1795-1869), juriste français.

Dalmatie, rég. du N. de la Croatie.

Dalton John (1766-1844), chimiste anglais.

Damas, cap. de la Syrie ; 1 292 000 h. Grande mosquée du VIIIᵉ s.

Damiette, port d'Égypte ; 102 000 h.

Dammam, port d'Arabie Saoudite ; 127 840 h.

Damoclès (IVᵉ s. av. J.-C.), courtisan de Denys l'Ancien qui l'invita à s'asseoir sous une épée suspendue à un fil.

Damodar (la), affl. de l'Hooghly (Inde) ; 545 km).

Danaïdes, meurtrières condamnées à remplir un tonneau sans fond (*Myth. gr.*).

Danakils ou **Afars,** peuple d'Éthiopie.

Da Nang, port du Viêt-nam ; 492 200 h.

Danemark, État (royaume) de l'Europe du Nord ; 43 074 km² ; 5 400 000 h ; cap. Copenhague.

Daniel, prophète de la Bible.

D'Annunzio Gabriele (1863-1938), écrivain italien, chantre de l'héroïsme et du nationalisme.

Dante Alighieri (1265-1321), poète italien : *la Divine Comédie.*

Danton Georges (1759-1794), homme politique français ; guillotiné.

Dantzig, nom allemand de *Gdańsk.*

Danube (le), fl. d'Europe, tributaire de la mer Noire (2 850 km).

Dapsang. *V. K2.*

Daqing, v. de Chine (Heilongjiang) ; 758 430 h.

Dardanelles, détroit de Turquie reliant la mer Égée à la mer de Marmara.

Dar es-Salaam, anc. cap. et port de Tanzanie ; 1 096 000 h.

Darfour, rég. montagneuse du Soudan.

Darien Georges (1862-1921), écrivain français.

Darío Rubén (1867-1916), poète nicaraguayen.

Darius ou **Darios Iᵉʳ** (mort en 486 av. J.-C.), roi de Perse en 522 ; vaincu à Marathon.

Darjiling, v. de l'Inde (Bengale-Occidental) ; 50 000 h.

Darlan François (1881-1942), amiral français.

Darmstadt, v. d'Allemagne ; 133 570 h.

Darwin, port du N. de l'Australie ; 56 480 h.

Darwin Charles (1809-1882), naturaliste anglais, père de l'évolutionnisme.

Dassault Marcel (1892-1986), industriel français de l'aviation.

Datong, v. de la Chine du N. ; 981 000 h.

Daudet Alphonse (1840-1897), écrivain français : *Tartarin de Tarascon.*

Daumier Honoré (1808-1879), dessinateur, lithographe, peintre et sculpteur français.

Dauphiné, prov. de France ; cap. Grenoble.

David, roi d'Israël (v. 1015-975 av. J.-C.), vainqueur de Goliath, fondateur de Jérusalem.

David Gérard (1460-1523), peintre flamand de Bruges.

David Louis (1748-1825), peintre néoclassique français : *le Sacre.*

David d'Angers Pierre-Jean (1788-1856), sculpteur et dessinateur français.

Davis Miles (1926-1991), trompettiste américain de jazz.

Davis (coupe), compétition internationale de tennis créée en 1900.

Davos, stat. hivernale de Suisse (Grisons).

Davout Louis (1770-1823), maréchal de France.

Davy sir Humphry (1778-1829), chimiste et physicien anglais.

Dawes Charles (1865-1951), financier et homme politique américain.

Dawhah (Al-) ou **Doha (Al)**, cap. du Qatar ; 217 290 h.

Dax, ch.-l. d' arr. et stat. thermale des Landes ; 20 119 h.

Dayaks, peuple de Bornéo.

Dayan Moshé (1915-1981), général et homme politique israélien.

Dean James (1931-1955), acteur américain.

Deauville, stat. balnéaire du Calvados.

Debré Michel (1912-1996), homme politique français (gaulliste), Premier ministre (1959-1962).

Debrecen, v. de Hongrie ; 210 360 h.

Debussy Claude (1862-1918), compositeur français : *Pelléas et Mélisande, la Mer.*

Debye Petrus (1884-1966), physicien américain d'origine néerlandaise.

Decazes Élie, duc (1780-1860), homme politique et industriel français, Premier ministre sous Louis XVIII.

Decazeville, v. de l'Aveyron ; 8 182 h.

Deccan. *V. Dekkan.*

De Chirico Giorgio (1888-1978), peintre italien, précurseur du surréalisme.

Décines-Charpieu, com. du Rhône ; 24 608 h.

Déclaration des droits de l'homme et du citoyen, acte voté par l'Assemblée constituante le 26 août 1789.

De Coster Charles (1827-1879), écrivain belge d'expression française, créateur d'*Ulenspiegel.*

Decroly Ovide (1871-1932), médecin et pédagogue belge.

Dédale, architecte grec. Il construisit le Labyrinthe en Crète (*Myth. gr.*).

Dedekind Richard (1831-1916), mathématicien allemand. Théorie des idéaux.

Défense (la), quartier d'affaires et ensemble résidentiel de l'O. de la banlieue parisienne.

Défense nationale (gouvernement de la), gouvernement qui succéda au Second Empire (septembre 1870-février 1871).

Deffand Marie, marquise du (1697-1780), femme de lettres française.

Defoe Daniel (1660-1731), écrivain anglais : *Robinson Crusoé.*

Degas Edgar (1834-1917), peintre et sculpteur français.

De Gasperi Alcide (1881-1954), homme politique italien (démocrate-chrétien).

De Graaf Reinier (1641-1673), anatomiste et physiologiste néerlandais.

Dekkan ou **Deccan**, péninsule du S. de l'Inde.

De Klerk Frederik (né en 1936), président de la République d'Afrique du Sud (1989-1994), il a aboli l'apartheid.

De Kooning Willem (1904-1997), peintre expressionniste américain.

Delacroix Eugène (1798-1863), peintre romantique français : *la Barque de Dante.*

Delalande Michel (1657-1726), compositeur français, musicien officiel de la Cour.

Delamare-Deboutteville Édouard (1856-1901), inventeur français, pionnier de l'automobile.

Delambre (1749-1822), astronome français.

Delaunay Robert (1885-1941), et sa femme **Sonia** (1885-1979), peintres abstraits français.

Delaware, État de l'E. des États-Unis.

Delcassé Théophile (1852-1923), homme politique et diplomate français.

Deleuze Gilles (1925-1995), philosophe français.

Delft, v. des Pays-Bas ; 88 070 h. Faïenceries.

Delhi, v. de l'Inde du N. dont un quartier *New Delhi* est la cap. fédérale de l'Inde ; 5 714 000 h.

Della Francesca. *V. Piero Della Francesca.*

Della Robbia Luca (v. 1400-1482), sculpteur et céramiste florentin.

Delluc Louis (1890-1924), cinéaste français.

Delon Alain (né en 1935), acteur français.

Delorme Philibert (v. 1510 ou 1515-1570), architecte français.

Delors Jacques (né en 1925), homme politique français, président de la Commission des Communautés européennes de 1985 à 1995.

Délos, la plus petite des Cyclades. Elle fut le siège de la Ligue maritime fondée par Athènes (Ve s. av. J.-C.). Nombreux vestiges antiques.

Delphes, v. de l'anc. Grèce, centre du culte d'Apollon qui y rendait des oracles. Nombreux vestiges antiques.

Delvaux Paul (1897-1994), peintre surréaliste belge.

Déméter, déesse des Cultures (*Myth. gr.*).

Démocrite, (v. 460-v. 370 av J.-C.), philosophe matérialiste grec.

Démosthène (384-322 av. J.-C.), homme politique et orateur athénien.

Denain, ch.-l. de cant. du Nord ; 19 685 h.

Denfert-Rochereau Pierre (1823-1878), colonel français qui défendit Belfort en 1870-1871.

Deng Xiaoping (1904-1997), homme politique chinois, au pouvoir de 1977 à 1997.

Denis saint, premier évêque de Paris (v. 250).

Denis Maurice (1870-1943), peintre et critique d'art français, théoricien du symbolisme.

Denver, v. des États-Unis, cap. du Colorado ; 504 000 h (aggl. 1 791 400 h).

Denys l'Ancien (v. 430-367 av. J.-C.), tyran de Syracuse en 405.

Depardieu Gérard (né en 1948), comédien français.

De Quincey Thomas (1785-1859), écrivain anglais : *Confessions d'un mangeur d'opium.*

Derain André (1880-1954), peintre français.

Derby, v. de Grande-Bretagne ; 215 740 h.

Derrida Jacques (1930-2004), philosophe français.

Desbordes-Valmore Marceline (1786-1859), poétesse romantique française.

Descartes René (1596-1650), philosophe et savant français : *Discours de la méthode.*

Deschanel Paul (1855-1922), président de la République française (1920).

De Sica Vittorio (1901-1974), acteur et cinéaste italien : *le Voleur de bicyclette.*

Désirade (la), île des Antilles françaises.

Desmoulins Camille (1760-1794), journaliste et homme politique français ; guillotiné.

Desnos Robert (1900-1945), poète surréaliste français : *Domaine public.*

Des Périers Bonaventure (v. 1510-v. 1544), poète et conteur français.

Des Prés Josquin (v. 1440-1521), compositeur français.

Dessalines Jean-Jacques (av. 1758-1806), empereur d'Haïti en 1804 (Jacques Ier).

Destour, parti nationaliste tunisien, ancêtre du *Néo-Destour* qui fit accéder le pays à l'indépendance (1956).

Destutt de Tracy Antoine (1754-1836), philosophe français.

Detroit, v. des États-Unis (Michigan) ; 1 089 100 h (aggl. 4 577 100 h).

Deutéronome, cinquième livre du Pentateuque (*Bible*).

Deux-Roses (guerre des), guerre civile anglaise entre les York et les Lancastre (1450-1485).

Deux-Sèvres, dép. français (79) (Poitou-Charentes) ; 6 036 km² ; 353 870 h ; ch.-l. Niort.

Deux-Siciles, anc. royaume comprenant l'Italie du Sud et la Sicile (1442-1458 et 1816-1861).

De Valera Eamon (1882-1975), fondateur de la république d'Irlande et président de la République (1959-1973).

Dévolution (guerre de), guerre entreprise par Louis XIV contre l'Espagne pour la conquête des Pays-Bas (1667-1668).

Dévoluy, massif des Alpes (2 793 m).

Devon, comté du S. de l'Angleterre.

De Vries Hugo (1848-1935), botaniste néerlandais. Il découvrit les mutations.

Dhaka (anc. *Dacca*), cap. du Bangladesh ; 1 679 570 h (aggl. 3 458 600 h).

Diablerets (les), massif des Alpes suisses.

Diaghilev (1872-1929), créateur des Ballets russes.

Diane, déesse de la Chasse (*Myth. rom.*).

Diane de Poitiers (1499-1566), favorite d'Henri II.

Dias Bartolomeu (v. 1450-1500), navigateur portugais, premier à dépasser le S. de l'Afrique.

Díaz Porfirio (1828-1915), général mexicain, président de la République (1876-1880 et 1884-911).

Dickens Charles (1812-1870), romancier anglais : *David Copperfield*.

Dickinson Emily (1830-1886), poétesse romantique américaine.

Diderot Denis (1713-1784), écrivain et philosophe rationaliste français. Il dirigea l'*Encyclopédie*.

Didon ou **Élissa,** reine légendaire de Tyr, fondatrice de Carthage, héroïne de l'*Énéide*.

Didot, famille d'imprimeurs français de la fin du VIII° s. et du XIX° s.

Die, ch.-l. d'arr. de la Drôme ; 4 361 h.

Diégo-Suarez. *V. Antsiranana.*

Diên Biên Phu, victoire du Viêt-minh sur les français dans le N. du Viêt-nam (1954).

Dieppe, ch.-l. d'arr. et port de la Seine-Maritime ; 36 600 h.

Diesel Rudolf (1858-1913), ingénieur allemand, inventeur d'un moteur.

Dietrich Marlène (1901-1992), comédienne et chanteuse américaine d'origine allemande.

Digne-les-Bains, ch.-l. des Alpes-de-Haute-Provence ; 17 425 h.

Dijon, ch.-l. de la Côte-d'Or et de la Rég. Bourgogne ; 151 936 h.

Dili, cap. du Timor-Oriental ; env. 100 000 hab.

Dilthey Wilhelm (1833-1911), philosophe allemand, théoricien des sciences humaines.

Dimitrov Georgi (1882-1949), homme politique bulgare (communiste).

Dinan, ch.-l. d'arr. des Côtes-d'Armor ; 12 873 h.

Dinant, com. de Belgique (Namur) ; 12 110 h.

Dinard, stat. balnéaire d'Ille-et-Vilaine.

Dinariques (Alpes), chaînes montagneuses des Balkans (2 527 m).

Dioclétien (245-313), empereur romain en 284. Il abdiqua en 305.

Diodore de Sicile (v. 90-20 av. J.-C.), historien grec.

Diogène le Cynique (v. 413-327 av. J.-C.), philosophe grec.

Diois, massif des Préalpes du S.

Dionysos, dieu de la Végétation, de la Vigne et du Vin (*Myth. gr.*).

Diophante (325-410), mathématicien grec.

Dior Christian (1905-1957), couturier français.

Dioscures. *V. Castor et Pollux.*

Diouf Abdou (né en 1935), président de la République du Sénégal de 1981 à 2000.

Dirac Paul (1902-1984), physicien anglais, pionnier de la mécanique quantique.

Directoire (le), régime politique de la France de 1795 à 1799.

Disney Walt (1901-1966), réalisateur américain de dessins animés.

Disraeli Benjamin (1804-1881), homme politique anglais (conservateur).

Divonne-les-Bains, stat. thermale de l'Ain.

Diwan, mouvement de défense de la langue bretonne grâce à une scolarisation dans cette langue.

Dix Otto (1891-1969), peintre et graveur expressionniste allemand.

Diyarbakir, v. de Turquie ; 305 940 h.

Djahiz Al- (v. 776-v. 868), écrivain arabe.

Djakarta ou **Jakarta,** cap. de l'Indonésie, au N.-O. de Java ; env. 10 000 000 h.

Djalal ad-Din ar-Rumi (v. 1207-1273), poète persan, fondateur des derviches tourneurs.

Djamal ad-Din al-Afghani (1838-1897), philosophe et homme politique afghan, artisan du réveil musulman au XIX° s.

Djebar Asia (Fatima-Zohra Imalayène, dite) (née en 1936), écrivaine algérienne d'expression française. Acad. fr. (2005).

Djedda, port d'Arabie Saoudite ; 561 000 h.

Djerba, île du S. de la Tunisie. Tourisme.

Djérid (chott el-), dépression du S. de la Tunisie.

Djézireh, rég. comprise entre le Tigre et l'Euphrate.

Djibouti, État d'Afrique orientale, sur la mer Rouge ; 23 000 km² ; env. 800 000 h ; cap. **Djibouti** (365 000 h).

Djurdjura, chaîne de montagnes d'Algérie.

Dniepr (le), fl. de Russie et d'Ukraine (2 201 km).

Dniestr (le), fl. d'Ukraine (1 411 km).

Dnipropetrovsk (anc. *Ekaterinoslav*), v. d'Ukraine ; 1 200 000 h.

Döblin Alfred (1878-1957), écrivain allemand : *Berlin Alexanderplatz*.

Dobroudja, rég. de Roumanie et de Bulgarie, entre le Danube et la mer Noire.

Dodécanèse, archipel de la mer Égée.

Dodoma, cap. de la Tanzanie ; 85 000 h.

Dodone, anc. v. de Grèce. Temple de Zeus.

Doges (palais des), palais de Venise.

Dogger Bank, haut-fond de la mer du Nord.

Dogons, peuple de l'Afrique noire (Mali).

Doha (Al-). V. *Dawhah (Al-).*
Doisneau Robert (1912-1994), photographe français.
Dole, ch.-l. d'arr. du Jura ; 27 860 h.
Dolet Étienne (1509-1546), humaniste français. Accusé d'hérésie, il fut brûlé.
Dollfuss Engelbert (1892-1934), homme politique autrichien, assassiné par les nazis.
Döllinger Johann von (1799-1890), théologien allemand. Schisme des « vieux-catholiques ».
Dolomieu Dieudonné de (1750-1801), géologue français.
Dolomites, massif calcaire italien des Alpes orientales (3 360 m à la Marmolada).
Dolto Françoise (1908-1988), psychanalyste française.
Dombasle Mathieu de (1777-1843), agronome français.
Dombes (la), rég. de France, au N. de Lyon.
Dombrowski. V. *Dabrowski.*
Dôme (monts). V. *Puys (chaîne des).*
dominicaine (République), État d'Amérique centrale (E. de l'île d'Haïti) ; 48 442 km² ; env. 8 900 000 h ; cap. Saint-Domingue.
Dominique (la), État des Petites Antilles ; 751 km² ; env. 90 000 h ; cap. Roseau.
Dominique de Guzmán saint (v. 1170-1221), fondateur espagnol des Dominicains.
Domitien (51-96 apr. J.-C.), empereur romain en 81 ; assassiné.
Domodossola, v. d'Italie, au débouché du Simplon ; 20 070 h.
Domrémy-la-Pucelle, village des Vosges, où naquit Jeanne d'Arc.
Don (le), fl. de Russie (1 870 km).
Donatello (1386-1466), sculpteur florentin de la Renaissance.
Donbass, bassin houiller d'Ukraine.
Donets (le), affl. du Don (1 016 km).
Donetsk, v. d'Ukraine ; 1 099 000 h.
Dönitz Karl (1891-1980), amiral allemand.
Donizetti Gaetano (1797-1848), compositeur italien d'opéras.
Don Juan, personnage légendaire d'origine espagnole, type du séducteur libertin.
Don Quichotte, héros de Cervantès.
Donzère, com. de la Drôme ; barrage hydroélectrique sur le Rhône.
Doppler Christian (1803-1853), mathématicien et physicien autrichien.
Dorat Jean (1508-1588), humaniste français, membre de la Pléiade.
Dordogne (la), affl. de la Garonne (490 km).
Dordogne, dép. français (24) (Aquitaine) ; 9 184 km² ; 396 268 h ; ch.-l. Périgueux.
Dordrecht, v. des Pays-Bas ; 107 870 h.
Doré Gustave (1832-1883), dessinateur et graveur français.
Dorgelès Roland (1885-1973), romancier français : *les Croix de bois.*
Doriens, peuple de la Grèce ancienne.
Doriot Jacques (1898-1945), homme politique français. Il prôna la collaboration.
Dortmund, v. d'Allemagne (Rhénanie-du-Nord-Westphalie) ; 568 160 h.
Dos Passos John (1896-1970), romancier américain : *Manhattan Transfer.*
Dostoïevski Fiodor (1821-1881), romancier russe : *Crime et Châtiment.*
Douai, ch.-l. d'arr. du Nord ; 44 195 h.

Douala, port du Cameroun ; 1 029 730 h.
Douarnenez, port du Finistère ; 16 701 h.
Douaumont, com. de la Meuse. Combats entre Allemands et Français (1916). Ossuaire.
Doubs (le), affl. de la Saône (430 km).
Doubs, dép. français (25) (Franche-Comté) ; 5 228 km² ; 497 993 h ; ch.-l. Besançon.
Douchanbe, cap. du Tadjikistan ; 596 000 h.
Douillet David (né en 1969), judoka français.
Doukas, dynastie byzantine (XIe s.).
Doumer Paul (1857-1932), président de la République française (1931) ; assassiné.
Doumergue Gaston (1863-1937), président de la République française (1924-1931).
Douro (le), fl. d'Espagne et du Portugal, qui arrose Porto (850 km).
Douvres, port et station balnéaire de Grande-Bretagne, sur le pas de Calais ; 32 840 h.
Dovjenko Alexandre (1894-1956), cinéaste soviétique.
Dowland John (1563-1626), compositeur et luthiste anglais.
Downing Street, rue de Londres où se trouve la résidence du Premier ministre britannique.
Doyle sir Arthur Conan (1859-1930), écrivain anglais ; créateur du détective Sherlock Holmes.
Drac (le), affl. de l'Isère (150 km).
Dracon, (fin VIIe s. av. J.-C.), archonte législateur d'Athènes ; auteur d'un code pénal.
Dracula Vlad (mort en 1476), souverain de Valachie dont les cruautés furent à l'origine d'un personnage de vampire.
Draguignan, ch.-l. d'arr. du Var ; 32 851 h.
Drake sir Francis (v. 1540-1596), marin et corsaire anglais.
Drakensberg, chaîne montagneuse d'Afrique du Sud (3 650 m).
Drancy, ch.-l. de cant. de la Seine-Saint-Denis ; 60 928 h. Camp d'internement sous l'occupation nazie.
Drave (la), affl. du Danube (707 km).
Draveil, ch.-l. de cant. de l'Essonne ; 26 801 h.
Dravidiens, ensemble des peuples du Dekkan.
Dreiser Theodore (1871-1945), romancier naturaliste américain.
Drenthe, prov. du N.-O. des Pays-Bas.
Dresde, v. d'Allemagne (Saxe) ; 521 000 h.
Dreux, ch.-l. d'arr. d'Eure-et-Loir ; 35 866 h.
Dreyer Carl (1889-1968), cinéaste danois.
Dreyfus Alfred (1859-1935), capitaine français Juif, il fut condamné pour espionnage (1894), ce qui divisa la France en *dreyfusards* et *antidreyfusards ;* il fut réhabilité en 1906.
Drieu La Rochelle Pierre (1893-1945), écrivain français. Il se suicida.
Drôme (la), affl. du Rhône (110 km).
Drôme, dép. français (26) (Rhône-Alpes) ; 6 576 km² ; 422 957 h ; ch.-l. Valence.
Druzes, secte ismaélienne habitant en Syrie, en Jordanie, au Liban et en Israël.
Dryden John (1631-1700), poète et dramaturge classique anglais : *Aureng-Zeb.*
DST, sigle de *Direction de la surveillance du territoire,* service français de contre-espionnage.
Dubaï ou **Dubayy,** ville (265 700 h) et émirat du golfe Persique ; 3 750 km² ; 420 000 h.
Dubcek Alexander (1921-1992), homme politique tchécoslovaque. Il tenta de libéraliser le régime communiste (1968).

Dublin, cap. de la rép. d'Irlande (Eire) ; 502 750 h (aggl. 920 960 h).

Dubois Guillaume (1656-1723), cardinal français, ministre pendant la Régence (1722).

Du Bois William (1869-1963), écrivain noir américain, naturalisé ghanéen (1960).

Dubrovnik (anc. *Raguse*), port de Croatie ; 31 000 h. Monuments médiévaux.

Dubuffet Jean (1901-1985), peintre français, théoricien de l'art brut.

Duby Georges (1919-1996), historien français.

Ducasse Isidore. *V.* Lautréamont.

Duccio di Buoninsegna (v. 1260-1319), peintre italien de l'école siennoise.

Duchamp Marcel (1887-1968), peintre surréaliste français.

Duchamp-Villon Raymond (1876-1918), sculpteur cubiste français, frère du préc.

Ducharme Réjean (né en 1941), romancier canadien d'expression française.

Duclos Jacques (1896-1975), homme politique français (communiste).

Dudley, v. de Grande-Bretagne ; 187 230 h.

Dufay Guillaume (v. 1400-1474), compositeur franco-flamand.

Du Fu ou **Tou Fou** (712-770), poète chinois.

Dufy Raoul (1877-1953), peintre français.

Duguay-Trouin René (1673-1736), corsaire français.

Du Guesclin Bertrand (1315 ou 1320-1380), connétable de France, héros de la lutte contre les Anglais.

Duhamel Georges (1884-1966), écrivain français : *Chronique des Pasquier.*

Duisburg, port d'Allemagne, au confluent de la Ruhr et du Rhin ; 514 630 h.

Dukas Paul (1865-1935), compositeur français.

Dulles John Foster (1888-1959), homme politique et diplomate américain.

Dullin Charles (1885-1949), acteur et metteur en scène de théâtre français.

Duluth, v. des États-Unis (Minnesota) ; 85 600 h (aggl. 253 800 h).

Dumas Jean-Baptiste (1800-1884), chimiste français, pionnier de la chimie organique.

Dumas Alexandre (1802-1870), écrivain français : *les Trois Mousquetaires.*

Dumas Alexandre (dit *Dumas fils*), (1824-1895), écrivain français, fils du préc. : *la Dame aux camélias.*

Dumézil Georges (1898-1986), historien français des religions.

Dumont d'Urville Jules (1790-1842), explorateur français du Pacifique et de l'Antarctique.

Dumouriez Charles (1739-1823), général français, vainqueur des Prussiens à Valmy (1792).

Dunant Henri (1828-1910), philanthrope suisse, fondateur de la Croix-Rouge.

Duncan, roi d'Écosse, assassiné par Macbeth (1040).

Duncan Isadora (1878-1927), danseuse américaine.

Dundee, port d'Écosse ; 183 340 h.

Dunedin, port de Nouvelle-Zélande ; 106 860 h.

Dunhuang, site de Chine, célèbre pour ses grottes des « Mille bouddhas ».

Dunkerque, ch.-l. d'arr. et port du Nord ; 71 071 h.

Dunlop John (1840-1921), vétérinaire écossais, inventeur du pneumatique (1888).

Dunois (1403-1468), prince français, compagnon de Jeanne d'Arc.

Dunoyer de Segonzac André (1884-1974), peintre français.

Duns Scot John (1266-1308), théologien et philosophe écossais.

Du Parc (1633-1668), comédienne française, aimée de Racine.

Duparc Henri (1848-1933), compositeur français, auteur de mélodies.

Dupleix Joseph (1697-1763), administrateur français. Il échoua dans la conquête de l'Inde.

Duplessis Maurice (1890-1959), Premier ministre du Québec de 1936 à 1939 et de 1944 à 1959.

Dupont de l'Eure Jacques (1767-1855), homme politique français.

Dupont de Nemours Pierre (1739-1817), économiste français. Il émigra aux États-Unis.

Dupuytren Guillaume (1777-1835), chirurgien français, fondateur de l'anatomie pathologique.

Duquesne Abraham (1610-1688), marin français.

Durance (la), affl. du Rhône (280 km).

Durandal, nom de l'épée de Roland.

Durango, v. du Mexique ; 391 000 h.

Durão Barroso José Manuel (né en 1956), homme politique portugais, président de la Commission europénne depuis 2004.

Duras Marguerite (1914-1996), écrivain et cinéaste française : *Moderato Cantabile.*

Durban, port d'Afrique du Sud (Natal) ; env. 1 000 000 h.

Dürer Albrecht (1471-1528), peintre et graveur allemand, maître de la Renaissance.

Durham, v. du N.-E. de l'Angleterre ; 26 420 h. Cathédrale gothique.

Durkheim Émile (1858-1917), sociologue français, fondateur de la sociologie.

Duroc (1772-1813), général français de l'Empire.

Durrell Lawrence (1912-1990), romancier anglais : *le Quatuor d'Alexandrie.*

Dürrenmatt Friedrich (1921-1990), écrivain suisse de langue allemande.

Durrës, port d'Albanie ; 75 300 h.

Duruy Victor (1811-1894), historien français, ministre de l'Instruction publique (1863-1869).

Düsseldorf, v. d'Allemagne, sur le Rhin, cap. de la Rhénanie-du-Nord-Wesphalie ; 560 570 h.

Duvalier François (1907-1971), homme politique haïtien, au pouvoir de 1957 à sa mort.

Du Vergier de Hauranne Jean, abbé de Saint-Cyran (1581-1643), théologien janséniste français.

Dvina occidentale (la), fl. de Russie, de Biélorussie et de Lettonie (1 024 km).

Dvorak Antón (1841-1904), compositeur tchèque : *Symphonie du Nouveau Monde.*

Dylan Bob (né en 1941), chanteur et auteur-compositeur américain.

Dzoungarie, rég. de Chine (Xinjiang).

Eanes Ramalho (né en 1935), président de la République du Portugal (1976-1986).

Eastman George (1854-1932), industriel américain, inventeur du film photographique.

Ebert Friedrich (1871-1925), président (social-démocrate) de la République allemande (1919-1925).

Eberth Karl (1835-1926), médecin allemand. Il découvrit l'agent de la fièvre typhoïde.

Ebla, site archéologique de Syrie.

Eboué Félix (1884-1944), administrateur colonial français.

Èbre (l'), fl. d'Espagne (930 km).

Ecbatane (auj. *Hamadhan*), anc. cap. des Mèdes.

Ecclésiaste (l'), livre de l'Ancien Testament.

Échirolles, ch.-l. de cant. de l'Isère ; 34 646 h.

Eckart ou **Eckhart** Johann (dit *Maître*) (v. 1260-1327), dominicain et philosophe mystique allemand.

Eckmühl, village de Bavière, où Napoléon vainquit les Autrichiens (1809).

Eco Umberto (né en 1932), écrivain italien : *le Nom de la rose.*

Écosse, anc. royaume et partie septentrionale de Grande-Bretagne ; cap. Édimbourg.

Écosse (Nouvelle-). V. *Nouvelle-Écosse.*

Écouen, ch.-l. de cant. du Val-d'Oise ; 4 922 h. Château Renaissance.

Écrins (barre des), point culminant du Pelvoux (4 103 m).

Edda (les), ouvrages de l'anc. littérature islandaise (VIIᵉ-XIIIᵉ s.).

Eddington sir Arthur (1882-1944), astronome et physicien anglais, auteur de la théorie de l'expansion de l'Univers.

Eden Anthony (1897-1977), homme politique britannique (conservateur).

Édesse (auj. *Urfa,* en Turquie), v. caravanière Mésopotamie ; cap. du *comté d'Édesse* (1098-1144).

EDF-GDF, sigle d'*Électricité de France-Gaz de France,* établissement public.

Édfou ou **Idfu,** v. d'Égypte. Temple d'Horus.

Édimbourg, cap. de l'Écosse ; 444 740 h.

Édirne (anc. *Andrinople*), v. de Turquie d'Europe ; 86 910 h. Mosquée de Sinan.

Edison Thomas (1847-1931), inventeur américain. Il mit au point la lampe à incandescence et le phonographe.

Edmonton, v. du Canada, cap. de l'Alberta ; 573 980 h.

Edo. V. *Tokyo.*

Édouard (lac), lac d'Afrique entre l'Ouganda et le Zaïre (2 150 km²).

Édouard (dit *le Prince noir*) (1330-1376), prince de Galles, vainqueur de Jean II le Bon à Poitiers (1356).

Édouard Iᵉʳ (1239-1307), roi d'Angleterre en 1272. Il soumit les Gallois.

Édouard II (1284-1327), roi d'Angleterre en 1307. Il fut déposé par Mortimer.

Édouard III (1312-1377), roi d'Angleterre en 1327. Il conquit l'Écosse et déclencha la guerre de Cent Ans.

Édouard VII (1841-1910), fils de la reine Victoria, roi d'Angleterre en 1901.

Édouard VIII (1894-1972), roi d'Angleterre en 1936, il abdiqua la même année.

Édouard le Confesseur saint (v. 1000-1066), dernier souverain anglo-saxon (1042-1066).

Éduens, peuple de la Gaule celtique.

Effel Jean (1908-1982), dessinateur français.

Égée (mer), mer située entre la Grèce et la Turquie.

Égine, île grecque, en face du Pirée.

Éginhard (770-840), historien franc de la cour de Charlemagne.

Égisthe, roi de Mycènes, meurtrier d'Agamemnon (*Myth. gr.*).

Egmont Lamoral, comte d' (1522-1568), seigneur des Pays-Bas, exécuté sous Philippe II.

Égypte, État d'Afrique du N.-E. ; 1 001 449 km² ; 74 000 000 h ; cap. Le Caire.

Ehrenbourg Ilia (1891-1967), écrivain soviétique : *la Tempête.*

Ehrlich Paul (1854-1915), médecin allemand.

Eichendorff Joseph, von (1788-1857), écrivain romantique allemand.

Eichmann Adolf (1906-1962), fonctionnaire nazi, organisateur du génocide des Juifs.

Eiffel Gustave (1832-1923), ingénieur français. Tour Eiffel, viaduc de Garabit.

Eiger, sommet des Alpes bernoises (3 970 m).

Eindhoven, v. du S. des Pays-Bas ; 191 000 h.

Einstein Albert (1879-1955), physicien et mathématicien allemand, naturalisé suisse, puis américain. Théorie de la relativité.

Eire, nom gaélique de l'Irlande.

Eisenhower Dwight (1890-1969), général commandant des armées alliées, puis président (républicain) des États-Unis (1953-1961).

Eisenstein Sergheï (1898-1948), cinéaste soviétique : *le Cuirassé Potemkine*.

Ekaterinbourg (*Sverdlovsk* de 1924 à 1991), v. de Russie, dans l'Oural ; 1 351 000 h.

Ekaterinoslav. V. *Dnipropetrovsk*.

Ekofisk, gisement sous-marin d'hydrocarbures de la mer du Nord.

Élagabal ou **Héliogabale** (204-222), empereur romain en 218.

Élam, royaume antique du S. de l'Iran, remontant au IVe millénaire ; cap. Suse.

El-Asnam. V. *Chleff* (*Ech-*).

Elath ou **Eilat**, port israélien, sur le golfe d'Akaba ; 18 900 h.

Elbe, fl. d'Europe centrale (1 112 km).

Elbe (île d'), île italienne. Napoléon Ier y régna après sa première abdication (1814-1815).

Elbeuf, v. de la Seine-Maritime ; 16 750 h.

El-Boulaïda. V. *Blida*.

Elbourz, chaîne de montagnes du N. de l'Iran (5 671 m).

Elbrouz, point culminant du Caucase (5 633 m).

Elche, v. d'Espagne ; 175 650 h.

El-Djezaïr. V. *Alger*.

Eldorado, pays imaginaire d'Amérique du Sud, recherché par les conquistadores.

Électre, fille d'Agamemnon et de Clytemnestre (*Myth. gr.*).

Elephanta, île de la baie de Bombay. Sanctuaires ornés de sculptures.

Éleusis, v. de Grèce (Attique), où dans l'Antiquité étaient célébrés les *mystères d'Éleusis*, liés au culte de Déméter.

Éliade Mircea (1907-1986), historien roumain.

Élide, rég. de l'anc. Grèce (Péloponnèse).

Élie, prophète hébreu (IXe s. av. J.-C.).

Eliot George (1819-1880), romancière anglaise : *le Moulin sur la Floss*.

Eliot Thomas (1888-1965), écrivain anglais d'origine américaine, poète et dramaturge : *Meurtre dans la cathédrale*.

Élisabeth sainte, mère de saint Jean-Baptiste.

Élisabeth Ire (1533-1603), reine d'Angleterre et d'Irlande en 1558, fille d'Henri VIII.

Élisabeth II (née en 1926), reine de Grande-Bretagne depuis 1952.

Élisabeth Petrovna (1709-1762), fille de Pierre le Grand, impératrice de Russie en 1741.

Élisabeth de Wittelsbach (dite *Sissi*) (1837-1898), impératrice d'Autriche, épouse de François-Joseph Ier.

Élisabethville. V. *Lubumbashi*.

Élisée (IXe s. av. J.-C.), prophète hébreu.

Elissa. V. *Didon*.

Ellice. V. *Tuvalu* (*îles*).

Ellington Duke (1899-1974), pianiste américain de jazz.

Ellora, site archéologique de l'Inde (Andhra Pradesh) (VIe-VIIIe s.).

Élohim, un des noms de Dieu dans la Bible.

Éloi saint (v. 586-660), trésorier de Dagobert.

El Paso, v. des États-Unis (Texas) ; 491 800 h.

Elseneur, port du Danemark ; 57 000 h.

Eltsine Boris (né en 1931), homme politique russe, président de la Russie de 1990 à 1999.

Éluard Paul (1895-1952), poète français : *Capitale de la douleur*.

Élysée (palais de l'), résidence du président de la République française.

Élysées. V. *champs Élysées*.

Elytis Odysseus (1911-1996), poète grec.

Elzévir ou **Elsevier**, famille de libraires et d'imprimeurs hollandais (XVIe-XVIIe s.).

Embabèh. V. *Imbaba*.

Emerson Ralph Waldo (1803-1882), philosophe idéaliste américain.

Émèse. V. *Homs*.

Émilie-Romagne, Rég. admin. de l'Italie du N.-E. ; ch.-l. Bologne.

Eminescu Mihaïl (1850-1889), poète romantique roumain.

Émirats arabes unis (Fédération des), État du golfe Persique ; 83 600 km² ; 4 600 000 h ; cap. Abu Dhabi.

Emmaüs, bourg de Judée, où Jésus se manifesta après sa résurrection.

Empédocle (v. 490-v. 435 av. J.-C.), philosophe grec.

Empire (l') ou **Premier Empire**, régime politique de la France sous Napoléon Ier (1804-1814) rétabli lors des Cent-Jours (1815).

Empire (Second), régime politique de la France sous Napoléon III (1852-1870).

Ems (dépêche d'), télégramme envoyé à Bismarck et tronqué par lui, qui fut à l'origine de la guerre de 1870.

ENA, sigle de *École nationale d'administration*.

Encyclopédie, ouvrage dirigé par D. Diderot et d'Alembert, destiné à faire connaître les progrès des Lumières (1751-1772).

Énée, prince troyen légendaire, héros de l'*Énéide* de Virgile.

Enesco Georges (1881-1955), violoniste et compositeur roumain.

Enfantin Barthélemy Prosper (1796-1864), économiste socialiste français.

Engadine, vallée de l'Inn, en Suisse.

Engels Friedrich (1820-1895), théoricien socialiste allemand, ami de K. Marx.

Enghien (duc d').V. *Condé Louis de*.

Enghien-les-Bains, stat. thermale du Val d'Oise ; 10 103 h.

Ennius Quintus (239-169 av. J.-C.), poète latin.

Énoch, père de Mathusalem (*Bible*).

Enragés (les), en 1793, groupe de révolutionnaires partisans de mesures sévères.

Ensor James (1860-1949), peintre et graveur belge ; expressionniste et fantastique.

Entente cordiale, rapprochement diplomatique entre la France et la Grande-Bretagne à partir du règne de Louis-Philippe.

Entente (triple-), alliance de la France, l'Angleterre et de la Russie contre l'Allemagne.

Entre-deux-Mers, rég. viticole du Bordelais.

Enver pacha (1881-1922), général et homme politique turc, chef des Jeunes-Turcs.

Éole, dieu des Vents (*Myth. gr.*).

Éoliennes ou **Lipari** (îles), archipel italien de mer Tyrrhénienne.

Éoliens, peuples de la Grèce ancienne (Asie Mineure).

Éon chevalier d' (1728-1810), diplomate français, souvent habillé en femme.

Éoués. V. *Éwés*.

Épaminondas (v. 418-362 av. J.-C.), général et homme politique béotien.

Épée l'abbé de l' (1712-1789), pionnier français de l'éducation des sourds-muets.

Épernay, ch.-l. d'arr. de la Marne ; 27 738 h.

Éphèse, anc. v. d'Asie Mineure, célèbre par son temple d'Artémis.

Éphraïm, second fils de Joseph (*Bible*).

Épictète (v. 50-v. 130), philosophe stoïcien latin : *Entretiens*.

Épicure (341-270 av. J.-C.), philosophe grec.

Épidaure, anc. v. de Grèce.

Épinal, ch.-l. des Vosges ; 39 480 h.

Épinay-sur-Seine, ch.-l. de cant. de la Seine-Saint-Denis ; 48 551 h.

Épire, rég. montagneuse du N. de la Grèce.

Epsom and Ewell, stat. thermale d'Angleterre. Courses de chevaux (*derby d'Epsom*).

Epstein Jean (1897-1953), cinéaste français.

Epte, affl. de la Seine (100 km).

Équateur, État d'Amérique du Sud, sur le Pacifique ; 283 561 km² ; 13 000 000 h ; cap. Quito.

Érard Sébastien (1752-1831), facteur d'instruments de musique (piano).

Érasme Didier (1469-1536), humaniste hollandais : *l'Éloge de la folie*.

Érato, muse de la Poésie lyrique (*Myth. gr.*).

Ératosthène (v. 284-v. 192 av. J.-C.), mathématicien, géographe et astronome grec.

Erckmann-Chatrian, nom collectif de deux romanciers français. **Émile Erckmann** (1822-1899) et **Alexandre Chatrian** (1826-1890) : *l'Ami Fritz.*

Erdogan Recep Tayyip (né en 1956), président de la République de Turquie depuis 2003.

Erebus, volcan actif de l'Antarctique (4 023 m).

Érechthéion, temple situé sur l'acropole d'Athènes.

Erevan, cap. de l'Arménie ; 1 186 000 h.

Erfurt, v. d'Allemagne (Thuringe) ; 212 010 h.

Erhard Ludwig (1897-1977), chancelier (démocrate-chrétien) de la RFA (1963-1966).

Érié, un des Grands Lacs (25 800 km²).

Erik le Rouge (v. 940-v. 1010), explorateur norvégien. Il découvrit le Groenland.

Érin, nom poétique de l'Irlande.

Érinyes, déesses de la Vengeance (*Myth. gr.*).

Ermenonville, com. de l'Oise. Château (XVIIIᵉ s.) où mourut J.-J. Rousseau.

Ermitage (l'), palais de Catherine II à Saint-Pétersbourg, abritant auj. un riche musée.

Ernst Max (1891-1976), peintre surréaliste français d'origine allemande.

Éros, dieu de l'Amour chez les Grecs.

Érythrée, État d'Afrique du Nord-Est ; 117 600 km² ; 4 700 000 h ; cap. Asmara.

Erzeroum, v. de Turquie ; 246 050 h.

Ésaïe. V. Isaïe.

Ésaü, fils d'Isaac et de Rébecca (*Bible*).

Escaut, fl. de France, de Belgique et des Pays-Bas (430 km).

Eschine (v. 390-v. 314 av. J.-C.), orateur athénien, rival de Démosthène.

Esch-sur-Alzette, v. du Luxembourg ; 25 140 h.

Eschyle (v. 525-456 av. J.-C.), poète tragique grec : *les Perses.*

Esclangon Ernest (1876-1954), astronome français, créateur de l'horloge parlante.

Esclaves (Grand Lac des), lac du N. du Canada (28 438 km²).

Escorial (el), palais au N.-O. de Madrid, construit par Philippe II.

Esculape, dieu de la Médecine (*Myth. rom.*).

Esdras (livre d'), livre de la Bible.

Eskimos. V. Inuits.

Esnault-Pelterie Robert (1881-1957), ingénieur français, pionnier de l'astronautique.

Ésope (VIIᵉ-VIᵉ s. av. J.-C.), fabuliste grec.

Espagne, État (royaume) de la péninsule Ibérique ; 504 750 km² ; 43 500 000 h ; cap. Madrid.

Esquilin, une des sept collines de Rome.

Esquimaux. V. Inuits.

Esquirol Jean (1772-1840), médecin français, un des fondateurs de la psychiatrie.

Essen, v. d'Allemagne, sur la Ruhr (Rhénanie-du-Nord-Westphalie) ; 615 420 h.

Essénine Sergheï (1895-1925), poète lyrique russe ; il se suicida.

Essex, comté de l'E. de l'Angleterre.

Essling, village d'Autriche où Napoléon vainquit les Autrichiens (1809).

Essonne, dép. français (91) (Île-de-France) ; 1 804 km² ; 1 096 196 h ; ch.-l. Évry.

Este, famille italienne qui régna sur Ferrare et Modène (XIIIᵉ-XVIIIᵉ s.).

Esterel ou **Estérel** (monts de l'), chaîne du S. de la France (Provence).

Esther, jeune fille juive qui épousa le roi de Perse Assuérus et sauva les Juifs (*Bible*).

Estienne (les), famille d'imprimeurs français de la Renaissance : **Robert** (1503-1559) et son fils **Henri** (1531-1598).

Estonie, État d'Europe du N.-E., sur la Baltique, anc. rép. fédérée de l'URSS ; 45 100 km² ; 1 300 000 h ; cap. Tallin.

Estrées Gabrielle d' (1573-1599), maîtresse d'Henri IV.

Estrémadure, rég. historique et commun. auton. du S.-O. de l'Espagne ; cap. Mérida.

Estrémadure, rég. côtière du Portugal, au N. de Lisbonne.

ETA, sigle de *Euzkadi Ta Askatasuna,* mouvement nationaliste basque.

Étampes, ch.-l. d'arr. de l'Essonne ; 21 547 h.

État français, gouvernement du maréchal Pétain sous l'occupation allemande (1940-1944).

États de l'Église ou **États pontificaux,** partie de l'Italie administrée directement par les papes jusqu'en 1870.

États-Unis d'Amérique (*United States of America* ou *USA*), État fédéral d'Amérique du Nord ; 9 363 124 km² ; 296 500 000 h ; cap. Washington.

Etchmiadzine, v. sainte d'Arménie ; pèlerinage.

Éthiopie, État de l'E. de l'Afrique ; 1 221 900 km² ; 77 400 000 h ; cap. Addis-Abeba.

Étienne saint, premier martyr chrétien, lapidé à Jérusalem v. 35.

Étienne Iᵉʳ saint (v. 969-1038), roi de Hongrie en 1000, propagateur du christianisme.

Étienne Iᵉʳ Báthory (1533-1586), roi de Pologne en 1576.

Étienne III le Grand (1433-1504), prince de Moldavie. Il lutta contre les Turcs.

Étienne IX Dusan (1308-1355), roi puis tsar des Serbes et des Grecs.

Étienne de Blois (1097-1154), roi d'Angleterre en 1135.

Etna, volcan de la Sicile (3 295 m).

Étolie, rég. montagneuse de la Grèce.

Eton, v. d'Angleterre ; collège fondé en 1440.

Étretat, port de pêche et stat. balnéaire de Seine-Maritime.

Étrurie, anc. pays des Étrusques (actuelle Toscane).

Étrusques, peuple de l'Italie, apparu au VIIIᵉ s. av. J.-C. et soumis par les Romains au IIIᵉ s.

Eubée, île grecque, au N. de l'Attique.

Euclide (IVᵉ-IIIᵉ s. av. J.-C.), mathématicien grec, fondateur de la géométrie.

Eudes (v. 860-898), comte de Paris, puis roi de France en 888.

Eudoxe de Cnide (v. 405-v. 355 av. J.-C.), mathématicien et astronome grec.

Eugène de Savoie-Carignan, dit *le Prince* (1663-1736), général des armées autrichiennes contre Louis XIV et contre les Turcs.

Eugénie de Montijo (1826-1920), impératrice des Français, épouse de Napoléon III.

Eulalie (*Séquence* ou *Cantilène* de sainte), le plus ancien texte en langue d'oïl.

Euler Leonhard (1707-1783), mathématicien suisse.

Eupen, v. de Belgique (Liège) ; 17 850 h.

Euphrate, fl. du Proche-Orient (2 760 km).

Eurasie, ensemble formé par l'Europe et l'Asie.

Euratom, Communauté européenne de l'énergie atomique.

Eure, affl. de la Seine (225 km).

Eure, dép. français (27) (Haute-Normandie) ; 6 037 km² ; 524 690 h. ch.-l. Évreux.

Eure-et-Loir, dép. français (28) (Centre) ; 5 939 km² ; 404 631 h ; ch.-l. Chartres.

Euripide (480-406 av. J.-C.), poète tragique grec : les *Suppliantes, Iphigénie à Aulis.*

Euroland ou **Eurolande,** ensemble des pays ayant l'euro pour monnaie.

Europe, un des cinq continents ; 10 519 793 km² ; 750 000 000 h.

Europe, jeune fille aimée de Zeus, mère de Minos (*Myth. gr.*).

Europe, satellite de Jupiter, découvert par Galilée en 1610.

Europoort, avant-port de Rotterdam.

Eurotunnel, tunnel sous la Manche.

Eurydice, épouse d'Orphée (*Myth. gr.*).

Euterpe, muse de la Musique (*Myth. gr.*).

Évangiles (les), textes du Nouveau Testament attribués à Matthieu, Marc, Luc et Jean, relatant la vie et le message du Christ.

Evans sir Arthur (1851-1941), archéologue anglais. Il fouilla le site de Cnossos.

Evans Walker (1903-1975), photographe américain.

Evans-Pritchard Edward (1902-1973), ethnologue britannique.

Ève, la première femme, selon la Genèse.

Everest (mont), point culminant du globe (8 848 m ou 8 880 m), dans l'Himalaya.

Evert Chris (née en 1954), joueuse de tennis américaine.

Évian-les-Bains, stat. thermale de Haute-Savoie, sur le lac Léman. Les *accords d'Évian* (1962) mirent fin à la guerre d'Algérie.

Évora, v. du Portugal (Alentejo) ; 34 000 h. Monuments médiévaux.

Évreux, ch.-l. de l'Eure ; 51 452 h. Cathédrale.

Évry, v. nouvelle, ch.-l. de l'Essonne ; 45 854 h.

Evtouchenko Ievgueni (né en 1933), poète soviétique : les *Héritiers de Staline.*

Éwés ou **Éoués,** peuple du Togo, du Ghana et du Bénin.

Exeter, port du S. de l'Angleterre (Devon) 96 000 h. Cathédrale.

Exode (l'), deuxième livre du Pentateuque.

Extrême-Orient, ensemble des pays d'Asie situés à l'E. du détroit de Malacca.

Eylau (Prusse-Orientale), bataille incertaine entre Napoléon et les Russes et les Prussiens (1807).

Eyskens Gaston (1905-1988), homme politique belge (social-chrétien).

Eyzies-de-Tayac-Sireuil (Les), com. de Dordogne, site de Cro-Magnon. Musée nat. de Préhistoire.

Ézéchiel (v. 627-v. 570 av. J.-C.), l'un des quatre grands prophètes de la Bible.

Fabian Society, mouvement socialiste anglais fondé en 1883.

Fabien le colonel (1919-1944), résistant français (communiste).

Fabiola de Mora y Aragón (née en 1928), reine des Belges, épouse de Baudouin Ier.

Fabius Laurent (né en 1946), homme politique français (socialiste), Premier ministre (1984-1986).

Fabius Maximus, dit *Cunctator* « le Temporisateur » (v. 275-203 av. J.-C.), consul romain, vainqueur d'Hannibal.

Fabre Jean Henri (1823-1915), entomologiste français : *Souvenirs entomologiques.*

Fabre Henri (1882-1984), ingénieur français. Il mit au point le premier hydravion.

Fabre d'Églantine Philippe (1750-1794), écrivain et homme politique français, auteur du calendrier révolutionnaire.

Fachoda, localité du Soudan. Occupée en 1898 par la mission française de Marchand, elle est remise aux Anglais de Kitchener.

Faenza, v. d'Italie, en Émilie ; 55 200 h.

Fagnes (Hautes), plateau de l'Ardenne belge.

Fahd Ibn Abd al-Aziz (né en 1923), roi d'Arabie Saoudite depuis 1982.

Fahrenheit Gabriel Daniel (1686-1736), physicien allemand, inventeur d'une échelle de température.

Faidherbe Louis (1818-1889), général français, gouverneur du Sénégal.

Fairbanks Douglas (1883-1939), acteur de cinéma américain.

Faisalabad (anc. *Lyallpur),* v. du Pakistan ; 092 000 h.

Falashas ou **Falachas,** peuple noir originaire d'Éthiopie, de religion juive.

Falconet Étienne (1716-1791), sculpteur français.

Falkenhayn Erich von (1861-1922), général allemand.

Falkland (en français *Malouines,* en espagnol *Malvinas),* archipel britannique de l'Atlantique ud, revendiqué par l'Argentine.

Falla Manuel de (1876-1946), compositeur spagnol : *l'Amour sorcier.*

Fallières Armand (1841-1931), président de la épublique française (1906-1913).

Fallope Gabriel (1523-1562), médecin et anatiste italien.

Falloux Frédéric (1811-1886), homme politique français, auteur d'une loi autorisant l'enseignement libre.

Falstaff sir John (v. 1379-1459), capitaine anglais, régent de Normandie, mis en scène par Shakespeare.

Famagouste, port de Chypre ; 44 200 h.

Fangs ou **Pahouins,** peuple du Gabon, de la Guinée équatoriale et du Cameroun.

Fangio Juan (1911-1995), pilote de course argentin.

Fantin-Latour Henri (1836-1904), peintre réaliste français.

FAO Organisation des Nations unies pour l'alimentation et l'agriculture, créée en 1945.

Farabi Abu Nasr Al- (872-950), philosophe arabe, commentateur de Platon et d'Aristote.

Faraday Michael (1791-1867), physicien anglais. Induction électromagnétique.

Farman Henri (1874-1958) et son frère **Maurice** (1877-1964), aviateurs et constructeurs d'avions français.

Farnèse (palais), palais construit à Rome par Sangallo le Jeune et Michel-Ange.

Farnèse, maison princière qui régna à Parme de 1545 à 1731.

Farnèse Alexandre (1545-1592), gouverneur des Pays-Bas pour Philippe II d'Espagne.

Farouk Ier (1920-1965), roi d'Égypte en 1936, renversé en 1952.

Fars, prov. d'Iran ; cap. Chiraz.

Far West, étendues situées aux États-Unis, à l'O. du Mississippi.

Fassbinder Rainer Werner (1946-1982), cinéaste allemand.

Fatah (El-) ou **Fath (El-),** mouvement de libération palestinien, composante de l'OLP.

Fatehpur Sikri, anc. v. de l'Inde, près d'Agra, construite par Akbar.

Fátima, v. du Portugal. Pèlerinage à la Vierge.

Fatima (v. 606- 632 ou 633), fille de Mahomet, épouse d'Ali, mère de Hassan et de Husayn.

Fatimides, dynastie chiite ismaélienne qui régna sur le Maghreb et l'Égypte de 909 à 1171.

Faucille (col de la), col du Jura (1 323 m).

Faulkner William (1897-1962), romancier américain : *le Bruit et la Fureur.*

Faure Félix (1841-1899), président de la République française (1895-1899).

Fauré Gabriel (1845-1924), compositeur français : *Pelléas et Mélisande, Requiem.*

Faust, personnage légendaire qui avait vendu son âme au diable en échange du savoir et de la jeunesse.

Fautrier Jean (1898-1964), peintre français.

Favre Jules (1809-1880), homme politique français ; opposant à l'Empire.

Fayolle Émile (1852-1928), maréchal de France.

Fayoum (le), oasis d'Égypte au S.-O. du Caire.

Faysal Ier (1883-1933), roi d'Irak en 1921.

Faysal ibn Abd al-Aziz (1906-1975), roi d'Arabie Saoudite en 1964 ; assassiné.

FBI, sigle de *Federal Bureau of Investigation,* police fédérale des États-Unis.

Febvre Lucien (1878-1956), historien français.

Fécamp, ch.-l. de cant. et port de pêche de Seine-Maritime ; 21 143 h.

Fédor Ier (1557-1598), tsar de Russie en 1584. Il laissa le pouvoir à Boris Godounov.

Fellini Federico (1920-1993), cinéaste italien : *La Dolce Vita, Roma.*

FEN, sigle de *Fédération de l'Éducation nationale,* organisation syndicale.

Fénelon François de Salignac de la Mothe-(1651-1715), prélat et écrivain français : *les Aventures de Télémaque.*

Ferdinand Ier le Grand (1017-1065), roi de Castille en 1035.

Ferdinand Ier de Habsbourg (1503-1564), empereur du Saint Empire en 1556, successeur de son frère Charles Quint.

Ferdinand Ier d'Autriche (1793-1875), empereur d'Autriche en 1835. Il abdiqua en 1848.

Ferdinand II le Catholique (1452-1516), roi d'Aragon et de Sicile, roi de Naples, époux d'Isabelle la Catholique.

Ferdinand II de Habsbourg (1578-1637), roi de Bohême et de Hongrie, empereur du Saint Empire en 1619.

Ferdinand III de Habsbourg (1608-1657), roi de Hongrie et de Bohême, empereur du Saint Empire en 1637.

Ferdinand VII (1784-1833), roi d'Espagne en 1808, détrôné par Napoléon et rétabli en 1814.

Ferdousi ou **Firdousi** (v. 930-1020), poète épique persan : *le Livre des rois.*

Fergana ou **Ferghana,** rég. de l'Ouzbékistan.

Fermat Pierre de (1601-1665), mathématicien français ; calcul infinitésimal.

Fermi Enrico (1901-1954), physicien italien ; première pile atomique.

Fernandel (1903-1971), acteur français.

Ferney-Voltaire, ch.-l. de cant. de l'Ain ; 6 437 h. Voltaire y passa la fin de sa vie.

Féroé, archipel danois au N. de l'Écosse.

Ferrare, v. d'Italie (Émilie-Romagne) ; 146 740 h. Château d'Este.

Ferrari Enzo (1898-1988), constructeur automobile italien.

Ferrat (cap), cap à l'E. de Nice.

Ferré Léo (1916-1993), auteur-compositeur et chanteur français.

Ferrol (El), v. d'Espagne (Galice) ; 87 700 h.

Ferry Jules (1832-1893), homme politique français, à l'origine de l'enseignement primaire public et de l'expansion coloniale.

Fès, v. du Maroc ; env. 450 000 h. Métropole religieuse et intellectuelle.

Fessenheim, com. du Haut-Rhin. Usine hydro-électrique et centrale nucléaire.

Feuerbach Ludwig (1804-1872), philosophe allemand : *l'Essence du christianisme.*

Feuillade Louis (1874-1925), cinéaste français : *Fantomas.*

Feuillants, club politique parisien regroupant modérés et monarchistes constitutionnels (1791-1792).

Féval Paul (1817-1887), auteur français de romans populaires : *le Bossu.*

Feydeau Georges (1862-1921), auteur français de vaudevilles.

Feynman Richard (1918-1988), physicien américain.

Feyzin, com. du Rhône ; 8 567 h. Raffinerie de pétrole.

Fezzan, plateau au S.-O. de la Libye.

FFI, sigle de *Forces françaises de l'intérieur,* forces combattantes de la Résistance (1944).

Fianarantsoa, v. de Madagascar ; 130 000 h.

Fichte Johann (1762-1814), philosophe idéaliste allemand.

Ficin Marsile (1433-1499), philosophe platonicien italien de la Renaissance.

Fidji (îles), État du Pacifique Sud, archipel composé de 326 îles ; 18 272 km² ; 800 000 h ; cap. Suva.

Fielding Henry (1707-1754), écrivain anglais : *Tom Jones.*

Fields (médaille), prix décerné tous les quatre ans à un ou plusieurs mathématiciens.

Fiesole, com. d'Italie (Toscane) ; 14 500 h. Vestiges étrusques.

Figeac, ch.-l. d'arr. du Lot ; 10 380 h.

Finistère, dép. français (29) (Bretagne) ; 6 785 km² ; 862 543 h ; ch.-l. Quimper.

Finisterre (cap), promontoire de la côte espagnole, au N.-O. de l'Espagne.

Finlande, État d'Europe septentrionale, sur la Baltique ; 337 032 km² ; 5 200 000 h ; cap. Helsinki. Le *golfe de Finlande* sépare la Finlande et l'Estonie.

Finnmark, rég. septentrionale de Norvège.

Fionie, île danoise ; ch.-l. Odense.

Firdousi. V. Ferdousi.

Firminy, ch.-l. de cant. de la Loire ; 23 367 h.

Fischer von Erlach Johann Bernhard (1656-1723), architecte baroque autrichien.

Fischer Johann (1692-1766), architecte baroque bavarois.

Fisher Irving (1867-1947), mathématicien et économiste américain.

Fitzgerald Francis Scott (1896-1940), romancier américain : *Gatsby le Magnifique.*

Fitzgerald Ella (1917-1996), chanteuse de jazz américaine.

Fiume. V. Rijeka.

Fizeau Hippolyte (1819-1896), physicien français.

Flaherty Robert (1884-1951), cinéaste américain : *Louisiana Story.*

Flammarion Camille (1842-1925), astronome français : *Astronomie populaire.*

Flandre, plaine maritime de l'Europe du N.-O. qui s'étend de l'Artois à l'estuaire de l'Escaut. Elle constitue deux provinces de Belgique : la **Flandre-Occidentale** (ch.-l. Bruges) et la **Flandre-Orientale** (ch.-l. Gand).

Flaubert Gustave (1821-1880), écrivain réaliste français : *Madame Bovary, l'Éducation sentimentale.*

Flaviens (les), dynastie qui gouverna l'Empire romain de 69 à 96 (Vespasien, Titus et Domitien).

Flavius Josèphe (37-v. 100), historien juif romanisé : *Antiquités judaïques.*

Flèche (La), ch.-l. d'arr. de la Sarthe ; 16 581 h. Prytanée militaire.

Flémalle le Maître de, peintre flamand du début du XVe s., identifié à Robert Campin.

Fleming sir John Ambrose (1849-1945), physicien anglais. Il réalisa la première diode.

Fleming sir Alexander (1881-1955), microbiologiste anglais. Il découvrit la pénicilline.

Flers, ch.-l. de cant. de l'Orne ; 18 467 h.

Fleurus, com. de Belgique (Hainaut) ; 23 000 h. Victoires françaises en 1690 et 1794.

Fleury André, cardinal de (1653-1743), prélat français, ministre de Louis XV apr. 1726.

Fleury-les-Aubrais, ch.-l. de cant. du Loiret ; 20 730 h.

Fleury-Mérogis, com. de l'Essonne. Centre pénitentiaire.

Flevoland, prov. des Pays-Bas, gagnée sur le Zuyderzee.

FLN, sigle de *Front de libération nationale*, mouvement nationaliste algérien, créé en 1954, devenu parti politique en 1962.

FLNC, sigle de *Front de libération nationale corse*, mouvement indépendantiste.

FLNKS, sigle de *Front de libération nationale kanak socialiste*, mouvement indépendantiste de la Nouvelle-Calédonie.

Florac, ch.-l. d'arr. de la Lozère ; 2 104 h.

Flore, déesse romaine de la Végétation.

Florence, v. d'Italie (Toscane) ; 438 300 h. Monuments du Moyen Âge et de la Renaissance.

Flores, île d'Indonésie, à l'E. de Java. La *mer de Flores* sépare Flores des Célèbes.

Florian Jean-Pierre de (1755-1794), écrivain français : *Fables.*

Floride, État du S.-E. des États-Unis ; v. princ. Miami.

Flourens Pierre (1794-1867), physiologiste français.

Flushing Meadow, parc de New York, siège des Internationaux de tennis des États-Unis.

Flynn Errol (1909-1959), acteur américain.

FMI, sigle de *Fonds monétaire international.*

Fo Dario (né en 1926), auteur dramatique et metteur en scène italien.

Foch Ferdinand (1851-1929), maréchal de France, commandant en chef en 1918.

Foix, ch.-l. de l'Ariège ; 10 446 h.

Fokine Michel (1880-1942), danseur et chorégraphe russe.

Fokker Anthony (1890-1939), aviateur et constructeur d'avions néerlandais.

Folkestone, port du S. de l'Angleterre ; 3 740 h.

Fons, groupe ethnique du S. du Bénin.

Fonseca Manuel da (1827-1892), premier président du Brésil en 1891.

Fontaine Pierre (1762-1853), architecte français. Il fut, avec Percier, l'architecte le plus important du Premier Empire.

Fontainebleau, ch.-l. de cant. de Seine-et-Marne ; 18 037 h. Château de la Renaissance.

Fontane Theodor (1819-1898), écrivain réaliste allemand : *Effi Briest.*

Fontenay, abbaye cistercienne de la Côte-d'Or, fondée par saint Bernard en 1119.

Fontenay-aux-Roses, com. des Hauts-de-Seine ; 23 534 h.

Fontenay-le-Comte, ch.-l. d'arr. de la Vendée ; 16 043 h.

Fontenay-sous-Bois, ch.-l. de cant. du Val-de-Marne ; 52 105 h.

Fontenelle Bernard de (1657-1757), écrivain français : *Entretiens sur la pluralité des mondes.*

Fontenoy (Belgique), victoire du maréchal de Saxe, sur les Anglo-Hollandais (1745).

Fontevrault, abbaye bénédictine du Maine-et-Loire, fondée à la fin du XIe s.

Font-Romeu-Odeillo-Via, stat. climatique des Pyrénées-Orientales. Four solaire.

Forbach, ch.-l. d'arr. de la Moselle ; 27 357 h.

Forcalquier, ch.-l. d'arr. des Alpes-de-Haute-Provence ; 4 039 h.

Force ouvrière, organisation syndicale française.

Ford John (1586-v. 1639), dramaturge anglais, maître du théâtre élizabéthain.

Ford Henry (1863-1947), industriel américain, pionnier de l'automobile.

Ford John (1895-1973), cinéaste américain : *la Chevauchée fantastique.*

Ford Gerald (né en 1913), président (républicain) des États-Unis (1974-1976).

Foreign Office, ministère des Affaires étrangères de Grande-Bretagne.

Forêt-Noire, massif du S. de l'Allemagne, symétrique des Vosges par rapport au Rhin.

Forez (le), rég. du Massif central.

Forli, v. d'Italie (Émilie-Romagne) ; 110 880 h.

Forman Milos (né en 1932), cinéaste tchécoslovaque naturalisé américain : *Amadeus.*

Formentera, la plus petite des îles Baléares.

Formose, anc. nom de Taiwan.

Fortaleza, port du N.-E. du Brésil (Ceará) ; 1 588 710 h.

Fort-Archambault. V. *Sarh.*

Fort-de-France, ch.-l. de la Martinique ; 101 540 h.

Fort-Lamy. V. *N'Djamena.*

Foscolo Ugo (1778-1827), poète italien.

Fos-sur-Mer, com. des Bouches-du-Rhône (12 204 h.), près du *golfe de Fos.*

Foucauld Charles de (1858-1916), officier, explorateur puis religieux français.

Foucault Léon (1819-1868), physicien français.

Foucault Michel (1926-1984), philosophe français : *les Mots et les Choses.*

Fouché Joseph (1759-1820), homme politique français, ministre de la Police.

Fougères, ch.-l. d'arr. d'Ille-et-Vilaine ; 23 138 h.

Foujita Léonard (1886-1968), peintre français d'origine japonaise.

Foulbés. V. *Peuls.*

Fouquet Jean (v. 1420-v. 1477), peintre et miniaturiste français.

Fouquet ou **Foucquet** Nicolas (1615-1680), surintendant des Finances de Louis XIV, emprisonné en 1661.

Fouquier-Tinville Antoine (1746-1795), accusateur public du Tribunal révolutionnaire ; guillotiné.

Fourier Joseph (1768-1830), mathématicien français. Travaux sur les séries.

Fourier Charles (1772-1837), philosophe utopiste français.

Fourmies, com. du Nord ; 14 852 h.

Fourons (les), rég. de la Belgique, point chaud de l'opposition entre Flamands et Wallons.

Fourvière, colline dominant Lyon. Basilique.

Fouta-Djalon, massif montagneux de Guinée.

Fox George (1624-1691), prédicateur anglais, fondateur de la secte des quakers.

Fox Vicente (né en 1942), homme politique mexicain, président de la République depuis 2000.

Fra Angelico. V. *Angelico.*

Fragonard Jean Honoré (1732-1806), peintre et graveur français.

France, État d'Europe occidentale ; 543 965 km² ; 60 340 000 h (62 130 000 h avec les DOM-TOM) ; cap. Paris.

France (île de), anc. nom de l'île Maurice.

France Anatole (1844-1924), écrivain français.

Francesca. V. *Piero Della Francesca.*

Francfort-sur-le-Main, v. d'Allemagne (Hesse) ; 592 410 h. Le *traité de Francfort* mit fin à la guerre franco-allemande de 1870 et céda à l'Allemagne l'Alsace et une partie de la Lorraine (1871).

Francfort-sur-l'Oder, v. de l'E. de l'Allemagne (Brandebourg) ; 81 000 h.

Franche-Comté, anc. prov. et Rég. admin. comprenant les dép. du Doubs, du Jura, de la Haute-Saône et le Territoire de Belfort ; 16 232 km² ; 1 139 000 h ; ch.-l. Besançon.

Franchet d'Esperey Louis (1856-1942), maréchal de France.

Franck César (1822-1890), compositeur et organiste français d'origine belge.

franco-allemande (guerre), guerre qui opposa la France et la Prusse (1870-1871) ; perdue par la France, elle scella l'unité allemande (IIe Reich).

Franco Bahamonde Francisco (1892-1975), général espagnol, chef unique (caudillo) de l'Espagne de 1939 à 1975.

François Ier (1494-1547), roi de France en 1515. Adversaire de Charles Quint, unificateur du royaume, il favorisa la Renaissance.

François Ier de Habsbourg (1708-1765), empereur du Saint Empire en 1745.

François II (1544-1560), roi de France en 1559, fils d'Henri II.

François II (1768-1835), dernier empereur germanique (1792-1806) et premier empereur d'Autriche en 1804 (François Ier).

François d'Assise saint (v. 1182-1226), religieux italien, fondateur des Franciscains.

François de Sales saint (1567-1622), docteur de l'Église : *Introduction à la vie dévote.*

François Xavier saint (1506-1552), jésuite espagnol, missionnaire aux Indes et au Japon.

François-Ferdinand de Habsbourg (1863-1914), archiduc d'Autriche, assassiné à Sarajevo, ce qui déclencha la Première Guerre mondiale.

François-Joseph Ier (1830-1916), empereur d'Autriche en 1848 et roi de Hongrie en 1867.

Franconie, rég. d'Allemagne (Bavière).

Franconville, ch.-l. de cant. du Val-d'Oise ; 33 874 h.

Francs, peuple germanique qui envahit la Gaule aux IIIe et IVe s.

Frank Anne (1929-1945), adolescente juive allemande dont le *Journal* a été publié après sa mort au camp de Bergen-Belsen.

Frankenstein, héros d'un roman de Mary Shelley, créateur d'un monstre.

Franklin Benjamin (1706-1790), physicien et homme politique américain. Inventeur du paratonnerre et père de l'indépendance américaine.

Fraser (le), fl. du Canada (1 200 km).

Frauenfeld, v. de Suisse ; 18 800 h.

Frazer sir James George (1854-1941), ethnologue écossais : *le Rameau d'or.*

Fréchette Louis (1839-1908), écrivain canadien d'expression française.

Frédégonde (545-597), femme de Chilpéric Ier, roi de Neustrie, rivale de Brunehaut.

Frédéric Ier Barberousse (1122-1190), empereur du Saint Empire en 1152.

Frédéric Ier (1657-1713), premier roi de Prusse, en 1701, fils de Frédéric-Guillaume.

Frédéric II (1194-1250), roi de Sicile en 1197, empereur du Saint Empire en 1220.

Frédéric II le Grand (1712-1786), roi de Prusse (1740-1786). Ami des philosophes, il modernisa la Prusse.

Frédéric-Guillaume (dit le *Grand Électeur*) (1620-1688), Électeur de Brandebourg, créateur de l'État prussien.

Frédéric-Guillaume Ier (dit le *Roi-Sergent*) (1688-1740), roi de Prusse en 1713.

Frédéric-Guillaume II (1744-1797), roi de Prusse en 1786. Il lutta contre la Révolution française.

Frédéric-Guillaume III (1770-1840), roi de Prusse en 1797, vaincu par Napoléon.

Frédéric-Guillaume IV (1795-1861), roi de Prusse en 1840.

Fredericton, v. du Canada, cap. du Nouveau-Brunswick ; 44 350 h.

Freetown, cap. de la Sierra Leone ; 469 780 h.

Frege Gottlob (1848-1925), mathématicien et logicien allemand.

Freinet Célestin (1896-1966), pédagogue français.

Fréjus, ch.-l. de cant. du Var ; 42 613 h.

Fréjus, col reliant la Maurienne au Piémont.

French John (1852-1925), maréchal anglais.

Frères musulmans (les), mouvement islamiste sunnite panarabe, créé en 1928.

Frescobaldi Girolamo (1583-1643), compositeur et organiste italien.

Fresnel Augustin (1788-1827), physicien français. Travaux sur la lumière.

Fresnes, ch.-l. de cant. du Val-de-Marne 27 032 h. Prison.

Freud Sigmund (1856-1939), psychiatre autrichien, fondateur de la psychanalyse : *l'Interprétation des rêves, Totem et Tabou.*

Freud Lucian (né en 1922), peintre britannique.

Fribourg, v. de Suisse ; 37 400 h ; ch.-l. du *canton de Fribourg.*

Fribourg-en-Brisgau, v. d'Allemagne (Bade-Wurtemberg) ; 186 100 h. Cathédrale.

Friedland (Prusse-Orientale), victoire de Napoléon sur les Russes (1807).

Friedman Milton (né en 1912), économiste américain de l'école de Chicago.

Friedrich Caspar David (1774-1840), peintre romantique allemand.

Frioul, rég. historique d'Italie ; ch.-l. Trieste.

Frisch Karl von (1886-1982), entomologiste autrichien. Il a décodé la danse des abeilles.

Frisch Max (1911-1991), écrivain suisse d'expression allemande : *Biedermann et les incendiaires.*

Frise, plaine côtière partagée entre l'Allemagne et les Pays-Bas (*province de Frise*).

Froberger Johann Jakob (1616-1667), organiste et compositeur allemand.

Frobisher sir Martin (v. 1535-1594), explorateur anglais des régions arctiques.

Frœschwiller, com. du Bas-Rhin. Victoire des Prussiens sur Mac-Mahon (1870).

Froissart Jean (1333 ou 1337-apr. 1400), écrivain français : *Chroniques.*

Froment Nicolas (v. 1435-1484), peintre français : triptyque du *Buisson ardent.*

Fromentin Eugène (1820-1876), peintre et écrivain français : *Dominique.*

Fronde (la), troubles politiques durant la régence d'Anne d'Autriche et le gouvernement de Mazarin (1648-1653).

Front national, parti politique français d'extrême droite.

Front populaire, gouvernement de gauche qui dirigea la France en 1936-1938 et mena une politique sociale.

Frontenac Louis de (1620-1698), gouverneur de la Nouvelle-France (Canada).

Frontignan, ch.-l. de cant. de l'Hérault ; 16 315 h.

Frounzé. V. *Pichpek.*

FTPF ou **FTP,** sigle de *Francs-Tireurs et Partisans français,* organisation militaire de la Résistance (1940-1944).

Fuentes Carlos (né en 1928), écrivain mexicain : *la Mort d'Artemio Cruz.*

Fugger, famille de banquiers d'Augsbourg qui soutinrent Charles Quint.

Fujian, prov. du S.-E. de la Chine ; ch.-l. Fuzhou.

Fuji-Yama ou **Fuji-San,** volcan éteint et point culminant du Japon (3 778 m).

Fukuoka, port du Japon (Kyushu) ; 1 160 000 h.

Fulda, v. d'Allemagne (Hesse). Anc. abbaye.

Fuller Samuel (1912-1997), cinéaste américain : *Shock Corridor.*

Fulton Robert (1765-1815), ingénieur américain, constructeur du premier sous-marin.

Funchal, port de Madère ; 44 110 h.

Furetière Antoine (1619-1688), écrivain français : *Dictionnaire universel.*

Fushun, v. de Chine (Liaoning) ; 1 184 940 h (aggl. 2 045 150 h).

Füssli Johann Heinrich (1741-1825), peintre suisse d'inspiration fantastique.

Fustel de Coulanges Numa Denis (1830-1889), historien français : *la Cité antique.*

Futuroscope, parc d'attractions dédié aux techniques audiovisuelles de pointe, près de Poitiers.

Fuzhou, port de la Chine du S.-E. ; 1 111 550 h ; ch.-l. du Fujian.

Fuzuli (v. 1490-1556), poète turc, d'origine kurde.

Gabès, port du S. de la Tunisie ; 92 260 h.

Gabin Jean (1904-1976), acteur français.

Gable Clark (1901-1960), acteur américain.

Gabo Naum (1890-1977), sculpteur américain d'origine russe ; il est le frère de Pevsner.

Gabon Rép. du, État d'Afrique équatoriale ; 267 667 km² ; 1 400 000 h ; cap. Libreville.

Gabor Dennis (1900-1979), physicien britannique, inventeur de l'holographie.

Gaborone, cap. du Botswana ; 94 710 h.

Gabriel, archange de l'Annonciation.

Gabriel Jacques Ange (1698-1782), architecte français. Place de la Concorde.

Gadda Carlo (1893-1973), romancier italien : *la Connaissance de la douleur.*

Gafsa, v. du S.-O. de la Tunisie ; 60 970 h.

Gagarine Youri (1934-1968), cosmonaute soviétique ; premier vol spatial (1961).

Gagny, v. de la Seine-Saint-Denis ; 36 151 h.

Gaia ou **Gê,** divinité qui a enfanté les premiers êtres divins (*Myth. gr.*).

Gainsborough Thomas (1727-1788), peintre et dessinateur anglais ; portraitiste.

Gainsbourg Serge (1928-1991), auteur-compositeur et chanteur français.

Galápagos (îles), archipel du Pacifique, prov. de l'Équateur.

Galati, v. de Roumanie ; 286 110 h.

Galatie, anc. rég. de l'Asie Mineure.

Galbraith John Kenneth (né en 1908), économiste américain : *le Nouvel État industriel.*

Galibier, col des Hautes-Alpes (2 645 m).

Galibis, Indiens de la Guyane.

Galice, commun. auton. du N.-O. de l'Espagne ; cap. Saint-Jacques-de-Compostelle.

Galicie, rég. d'Europe orientale, partagée en 1945 entre la Pologne et l'Ukraine.

Galien Claude (v. 131-v 201), médecin grec.

Galilée, rég. du N. de la Palestine.

Galilée (1564-1642), physicien, mathématicien et astronome italien. Ayant affirmé que la Terre tourne autour du Soleil, il dut se rétracter devant le Saint-Office.

Gall Franz (1758-1828), médecin allemand, fondateur de la phrénologie.

Gallé Émile (1846-1904), verrier et ébéniste français, fondateur de l'école de Nancy.

Galles (pays de), rég. de l'O. de la Grande-Bretagne ; cap. Cardiff. Le fils aîné du roi d'Angleterre porte le titre de *prince de Galles.*

Gallien (v. 218-268), empereur romain en 260.

Gallieni Joseph (1849-1916), maréchal de France.

Gallimard Gaston (1881-1976), éditeur français.

Gallup George (1901-1984), statisticien américain, promoteur des sondages d'opinion.

Galois Évariste (1811-1832), mathématicien français ; tué en duel.

Galsworthy John (1867-1933), écrivain anglais : *la Saga des Forsyte.*

Galvani Luigi (1737-1798), médecin italien.

Gama Vasco de (v. 1469-1524), navigateur portugais, le premier à atteindre les Indes en doublant le cap de Bonne-Espérance (1498).

Gambetta Léon (1838-1882), homme politique français, un des fondateurs de la IIIᵉ République.

Gambie (la), fl. d'Afrique de l'O. (1 130 km).

Gambie, État d'Afrique occidentale ; 11 295 km² ; 1 600 000 h ; cap. Banjul.

Gambier, archipel de la Polynésie française.

Gamow George (1904-1968), physicien américain d'origine russe.

Gance Abel (1889-1981), cinéaste français : *Napoléon.*

Gand, port de Belgique, sur l'Escaut, ch.-l. de la Flandre-Orientale ; 239 260 h.

Gandhara, prov. de l'Inde ancienne, auj. au Pakistan.

Gandhi (dit *le Mahatma*) (1869-1948), philosophe et homme politique indien, principal artisan de l'indépendance de l'Inde ; assassiné.

Gandhi Indira (1917-1984), fille de Nehru. Premier ministre de l'Inde de 1966 à 1977 et de 1980 à 1984 ; assassinée.

Gandhi Rajiv (1944-1991), homme politique indien, fils d'Indira Gandhi ; assassiné.

Gange (le), fl. sacré de l'Inde (2 700 km).

Gangtok, v. de l'Inde, cap. du Sikkim.

Gansu, prov. de la Chine du N.-O ; ch.-l. Lanzhou.

Ganymède, le plus gros satellite de Jupiter.

Gao, v. du Mali ; 43 000 h. Cap. de l'Empire songhaï (XIᵉ-XVIᵉ s.).

Gao Xingjian (né en 1940), écrivain et peintre français d'orig. chinoise.

Gaoxiong ou **Kaosiung,** port de Taiwan ; 828 190 h.

Gap, ch.-l. des Hautes-Alpes ; 35 647 h.

Garabit (viaduc de), pont en fer dans le Cantal, construit par Eiffel.

Garbo Greta (1905-1990), actrice de cinéma suédoise, naturalisée américaine.

Garches, ch.-l. de cant. des Hauts-de-Seine ; 18 091 h. Centre hospitalier.

García Lorca Federico (1899-1936), poète et auteur dramatique espagnol : *Noces de sang.*

García Marquez Gabriel (né en 1928), romancier colombien : *Cent ans de solitude.*

Gard (le), affl. du Rhône (133 km), franchi par un aqueduc romain, *le pont du Gard.*

Gard, dép. français (30) (Languedoc-Roussillon) ; 5 848 km² ; 595 872 h. ; ch.-l. Nîmes.

Garde (lac de), lac du N. de l'Italie (370 km²).

Gardes rouges, mouvement politique chinois de la révolution culturelle.

Gargano, massif du S.-E. de l'Italie (1 056 m).

Gargantua, géant des romans de Rabelais.

Garges-lès-Gonesse, ch.-l. de cant. du Val-d'Oise ; 42 236 h.

Garibaldi Giuseppe (1807-1882), révolutionnaire italien, artisan de l'unité italienne.

Garmisch-Partenkirchen, stat. hivernale d'Allemagne (Bavière).

Garnier Robert (1544-1590), poète dramatique français : *Sédécie ou les Juives.*

Garnier Charles (1825-1898), architecte français. Opéra de Paris.

Garonne (la), fl. français né en Espagne (647 km), confluant avec la Dordogne pour former la Gironde.

Garonne (Haute-), dép. français (31) (Midi-Pyrénées) ; 6 309 km² ; 940 394 h. ; ch.-l. Toulouse.

Garros Roland (1888-1918), aviateur français.

Gary Romain (1914-1980), romancier français : *les Racines du ciel.* Sous le pseudonyme d'Émile Ajar, il publia trois romans.

Gascogne, anc. rég. du S.-O. de la France.

Gascogne (golfe de), golfe de l'Atlantique, entre la France et l'Espagne.

Gaspard, un des Rois mages (*Évangiles*).

Gaspésie, péninsule du Canada (Québec).

Gassendi Pierre (1592-1655), philosophe, astronome et mathématicien français.

Gaston de Foix (1331-1391), comte de Foix, protecteur des arts.

Gâtinais, rég. du Bassin parisien.

GATT, accord international sur les tarifs douaniers et le commerce (1947).

Gaudí Antonio (1852-1926), architecte espagnol. Sagrada Familia, à Barcelone.

Gauguin Paul (1848-1903), peintre français. Son art visionnaire est aux sources de l'esthétique moderne.

Gaule, nom que les Romains donnèrent à des territoires peuplés par les Celtes : *Gaule transalpine* (France et Belgique actuelles) et *Gaule cisalpine* (Italie du Nord).

Gaulle Charles de (1890-1970), général et homme politique français. Organisateur de la Résistance française, premier président de la Vᵉ République (1959-1969).

Gaumont Léon (1864-1946), inventeur et industriel français, pionnier du cinéma.

Gauss Carl Friedrich (1777-1855), mathématicien, physicien et astronome allemand.

Gauteng, province d'Afrique du Sud (1994), située dans l'anc. prov. de Transvaal.

Gautier Théophile (1811-1872), écrivain français : *le Capitaine Fracasse.*

Gavarnie (cirque de), site touristique des Hautes-Pyrénées.

Gay-Lussac Louis (1778-1850), physicien et chimiste français.

Gaza, territoire de Palestine sous contrôle israélien depuis 1967 (630 000 h) ; ch.-l. **Gaza.**

Gaziantep, v. de Turquie orientale ; 478 640 h.

Gbagbo Laurent (né en 1945), homme politique ivoirien, président de la République en 2000.

Gdańsk (anc. *Dantzig*), port de Pologne ; 468 000 h.

Gdynia, port de Pologne ; 245 400 h.

Geber, alchimiste et philosophe arabe de la fin du VIIIᵉ s.

Gédéon, cinquième juge d'Israël (*Bible*).

Geiséric ou **Genséric** (mort en 477), premier souverain vandale d'Afrique (428-477).

Gela, port d'Italie (Sicile) ; 74 800 h.

Gelée ou **Gellée** Claude. V. *Lorrain (le).*

Gell-Mann Murray (né en 1929), physicien américain.

Gelsenkirchen, v. d'Allemagne (Rhénanie-du-Nord) ; 283 560 h.

Gémeaux (les), constellation du ciel boréal et signe du zodiaque (22 mai-21 juin).

Gênes, port d'Italie, ch.-l. de la Ligurie, sur le *golfe de Gênes ;* 742 440 h.

Genèse (la), premier livre de la Bible.

Genet Jean (1910-1986), écrivain français.

Genève, v. de Suisse, sur le lac Léman, ch.-l. du *canton de Genève ;* 164 400 h (aggl. 384 510 h).

Geneviève sainte (v. 422-v. 502), patronne de Paris qu'elle aurait sauvé d'Attila.

Genevoix Maurice (1890-1980), romancier français : *Raboliot.*

Gengis Khan (v. 1162-1227), fondateur du premier Empire mongol.

Génissiat, barrage sur le Rhône (Ain).

Genk, v. de Belgique (Limbourg) ; 61 500 h.

Gennes Pierre-Gilles de (né en 1932), physicien français.

Gennevilliers, ch.-l. de cant. des Hauts-de-Seine ; 45 052 h.

Genseric. V. *Geiséric.*

Geoffrin Mᵐᵉ (1699-1777), bourgeoise qui tint un salon et subventionna l'*Encyclopédie.*

Geoffroy Saint-Hilaire Étienne (1772-1844), naturaliste français.

George Iᵉʳ (1660-1727), Électeur de Hanovre, puis roi de Grande-Bretagne en 1714.

George II (1683-1760), fils du préc., roi de Grande-Bretagne en 1727.

George III (1738-1820), roi de Grande-Bretagne en 1760 ; il devint fou.

George IV (1762-1830), fils du préc. ; régent en 1811, roi de Grande-Bretagne en 1820.

George V (1865-1936), roi de Grande-Bretagne en 1910.

George VI (1895-1952), fils du préc., roi de Grande-Bretagne en 1936.

George Stefan (1868-1933), poète allemand.

Georges saint, martyr au IVᵉ s. Patron de l'Angleterre.

Georges Iᵉʳ (1845-1913), roi de Grèce en 1863. Il fut assassiné.

Georges II (1890-1947), roi de Grèce de 1922 à 1923 et de 1935 à 1947.

Georgetown, cap. de la Guyana ; 188 000 h.

George Town. V. *Penang.*

Géorgie, État du S.-E. des États-Unis ; cap. Atlanta.

Géorgie, État d'Asie, anc. rép. de l'URSS ; 69 700 km² ; 4 500 000 h ; cap. Tbilissi.

Gérardmer, stat. climatique des Vosges.

Gerbert d'Aurillac (v. 938-1003), moine, théologien et pape en 999 sous le nom de Sylvestre II.

Gerbier-de-Jonc (mont), sommet du Vivarais où la Loire prend sa source.

Gergovie, anc. cap. des Arvernes. Victoire de Vercingétorix sur César (52 av. J.-C.).

Géricault Théodore (1791-1824), peintre français : *le Radeau de la Méduse*.

Germains, peuples indo-européens installés à l'E. du Rhin et au N. du Danube, qui envahirent l'Empire romain apr. le IIIᵉ s.

Germanicus (15 av. J.-C.-19 apr. J.-C.), général romain, vainqueur des Germains.

Germanie, anc. rég. de l'Europe du Nord.

germano-soviétique (pacte), pacte de non-agression entre Hitler et Staline (1939).

Gérone, v. d'Espagne (Catalogne) ; 66 160 h.

Geronimo (1829-1908), chef indien apache.

Gers (le), affl. de la Garonne (178 km).

Gers, dép. français (32) (Midi-Pyrénées) ; 6 291 km² ; 180 312 h ; ch.-l. Auch.

Gershwin George (1898-1937), compositeur américain : *Porgy and Bess*.

Gestapo (la), police politique du IIIᵉ Reich.

Gesualdo Carlo (v. 1560-1614), compositeur et luthiste italien : *Madrigaux*.

Gethsémani, jardin de Jérusalem, au pied du mont des Oliviers. Jésus y fut arrêté.

Gettysburg, v. des États-Unis. Victoire des nordistes sur les sudistes (1863).

Gévaudan, plateau du Massif central.

Gex, ch.-l. d'arr. de l'Ain ; 6 678 h.

Ghana, État d'Afrique occidentale ; 238 538 km² ; 22 000 000 h ; cap. Accra.

Ghana, anc. empire d'Afrique (IIIᵉ-XIᵉ s.).

Ghardaïa, oasis d'Algérie ; 62 250 h.

Ghats, chaînes côtières de l'Inde (Dekkan).

Ghazali (Al-) ou **Algazel**, (1058-1111), philosophe, juriste et théologien de l'islam.

Ghelderode Michel de (1898-1962), dramaturge belge d'expression française : *Barabbas*.

Ghiberti Lorenzo (1378-1455), orfèvre, sculpteur et architecte italien de la Renaissance.

Ghirlandaio Domenico (1449-1494), peintre florentin de la Renaissance.

Giacometti Alberto (1901-1966), sculpteur et peintre suisse.

Giambologna (en français *Jean de Bologne*) (1529-1608), sculpteur d'origine flamande.

Giap Vô Nguyên (né en 1912), général et homme politique vietnamien.

Gibbs James (1682-1754), architecte anglais.

Gibbs Willard (1839-1903), physicien américain, père de la thermodynamique.

Gibraltar, territoire britannique, à l'extrémité méridionale de l'Espagne, sur le *détroit de Gibraltar* ; 29 000 h.

Gide André (1869-1951), écrivain français : *les Faux-Monnayeurs*.

Gien, ch.-l. de cant. du Loiret ; 17 166 h.

Giens, presqu'île du Var.

Gif-sur-Yvette, ch.-l. de cant. de l'Essonne ; 19 818 h.

Gijón, port d'Espagne (Asturies) ; 256 000 h.

Gilbert (îles). *V. Kiribati*.

Gilgamesh, roi sumérien du IIIᵉ millénaire.

Gillespie Dizzy (1917-1993), trompettiste américain de jazz.

Ginsberg Allen (1926-1997), poète américain de la « beat generation ».

Giolitti Giovanni (1842-1928), homme politique italien.

Giono Jean (1895-1970), romancier français : *le Hussard sur le toit*.

Giordano Luca (1634-1705), peintre et décorateur baroque italien.

Giorgione (v. 1477-1510), peintre vénitien de la Renaissance : *la Tempête*.

Giotto (v. 1266-1337), peintre florentin : fresques de la *Vie de saint François*, à Assise.

Giovanni Pisano (v. 1245-apr. 1314), sculpteur et architecte italien, fils de Nicola Pisano.

Girardin Émile de (1806-1881), journaliste français, créateur de la presse moderne.

Girardon François (1628-1715), sculpteur classique français.

Giraud Henri (1879-1949), général français, coprésident du Comité français de libération nationale (1943).

Giraud Jean (né en 1938), dessinateur et scénariste français de BD.

Giraudoux Jean (1882-1944), écrivain français : *la Folle de Chaillot*.

Gironde (la), estuaire formé par la Garonne et la Dordogne (75 km).

Gironde, dép. français (33) (Aquitaine) ; 10 000 km² ; 1 234 426 h ; ch.-l. Bordeaux.

Girondins, groupe de députés républicains modérés, sous la Révolution française ; éliminés par les Montagnards lors de la Terreur.

Giscard d'Estaing Valéry (né en 1926), président de la République française (1974-1981).

Gisors, ch.-l. de cant. de l'Eure ; 9 673 h.

Givors, ch.-l. de cant. du Rhône ; 19 833 h.

Gizeh, v. d'Égypte, banlieue du Caire ; 1 870 510 h. Grandes pyramides et sphinx.

Glace (mer de), glacier du Mont-Blanc.

Gladstone William (1809-1898), homme politique (libéral) britannique.

Glamorgan, anc. comté du pays de Galles.

Glanum, anc. v. gallo-romaine, près de Saint-Rémy-de-Provence.

Glaris, com. de Suisse ; 5 800 h ; ch.-l. du *canton de Glaris*.

Glasgow, port d'Écosse ; 762 000 h.

Glénan (îles), îlots au S.-O. du Finistère.

Glières (plateau des), plateau de Haute-Savoie, haut lieu de la Résistance (1944).

Glinka Mikhaïl (1804-1857), compositeur russe, fondateur de l'opéra national russe.

Glorieuses (les Trois), journées révolutionnaires des 27, 28 et 29 juillet 1830.

Gloucester, port de Grande-Bretagne ; 92 130 h. Cathédrale.

Gluck Christoph von (1714-1787), compositeur allemand : *Orphée*.

Goa, État de l'Inde, anc. colonie portugaise.

Gobelins (les), manufacture de tapisseries, fondée à Paris par Colbert.

Gobi, désert d'Asie centrale.

Gobineau Joseph, comte de (1816-1882), écrivain français :*les Pléiades*.

Godard Jean-Luc (né en 1930), cinéaste français : *À bout de souffle*.

Godavari (la), fl. sacré de l'Inde (1 500 km).

Godefroi de Bouillon (v. 1061-1100), duc de Basse-Lorraine, chef de la première croisade, élu roi de Jérusalem (1099).

Gödel Kurt (1906-1978), mathématicien et logicien américain d'origine autrichienne.

Godoy Álvarez de Faria Manuel (1767-1851), homme d'État espagnol.

Goebbels Joseph (1897-1945), homme politique allemand ; ministre de la Propagande.

Goering ou **Göring** Hermann (1893-1946), maréchal et homme politique allemand.

Goethe Johann (1749-1832), écrivain allemand : *les Souffrances du jeune Werther, Faust.*

Gogol Nikolaï (1809-1852), écrivain russe : *les Âmes mortes.*

Goiânia, v. du Brésil (Goiás) ; 928 050 h.

Goiás, État du centre du Brésil ; cap. Goiânia.

Golan (plateau du), rég. de Syrie, occupée par Israël en 1974, puis annexée en 1981.

Golconde, v. du Dekkan (Inde), détruite au XVIIᵉ s. par Aurangzeb.

Goldoni Carlo (1707-1793), auteur dramatique italien : *la Locandiera.*

Goldsmith Oliver (1728-1774), écrivain anglais : *le Vicaire de Wakefield.*

Golfe (guerre du), conflit qui a suivi l'annexion du Koweït par l'Irak (1990).

Golgotha, colline où Jésus fut crucifié.

Goliath, géant philistin tué d'un coup de fronde par David (*Bible*).

Golo (le), princ. fl. de Corse (75 km).

Gomar François (1563-1641), théologien néerlandais, adversaire d'Arminius.

Gombrowicz Witold (1904-1969), écrivain polonais : *Ferdydurke.*

Gomel, v. de Biélorussie ; 465 000 h.

Gomorrhe, anc. v. de Palestine, détruite par Dieu en même temps que Sodome (*Bible*).

Gomulka Wladyslaw (1905-1982), homme politique polonais.

Goncourt Edmond (1822-1896) et son frère **Jules** (1830-1870), écrivains français. Par testament, Edmond créa l'*Académie Goncourt.*

Gondar, v. d'Éthiopie ; 80 890 h. Anc. capitale (XVIᵉ-XIXᵉ s.).

Gondwana (le), continent qui regroupait, à l'ère primaire, l'Amérique du Sud, l'Afrique, l'Inde, l'Australie et l'Antarctique.

Góngora y Argote Luis de (1561-1627), poète espagnol au style raffiné.

González Felipe (né en 1942), Premier ministre (socialiste) de l'Espagne de 1982 à 1996.

Goodyear Charles (1800-1860), inventeur américain de la vulcanisation du caoutchouc.

Gorbatchev Mikhaïl (né en 1931), homme politique soviétique, initiateur de profondes réformes (1985-1991).

Gordimer Nadine (née en 1923), romancière sud-africaine d'expression anglaise.

Gorée, îlot du Sénégal, à 4 km de Dakar, base de la traite des esclaves.

Gorgias (v. 487-v. 380 av. J.-C.), sophiste grec.

Gorgones, monstres de la mythologie grecque.

Göring. *V. Goering.*

Gorki. *V. Nijni-Novgorod.*

Gorki Maxime (1868-1936), écrivain russe : *la Mère.*

Goscinny René (1926-1978), auteur français de bandes dessinées : *Astérix, Lucky Luke.*

Gosier (Le), ch.-l. de cant. de la Guadeloupe ; 20 708 h.

Gossaert Jan (dit *Mabuse*) (v. 1478-v. 1535), peintre flamand.

Göteborg, port de Suède ; 425 500 h.

Gotha, v. d'Allemagne (Thuringe) ; 57 570 h.

Goths, peuple germanique qui envahit l'Empire romain au IVᵉ s. et se divisa entre les Ostrogoths et les Wisigoths.

Gotland, île suédoise de la Baltique.

Göttingen, v. d'Allemagne ; 130 800 h.

Gottwald Klement (1896-1953), homme politique tchécoslovaque (communiste).

Gouda, v. des Pays-Bas ; 62 320 h.

Goujon Jean (v. 1510-v. 1564 ou 1569), sculpteur et architecte français.

Goulette (La), port de Tunisie ; 61 610 h.

Gounod Charles (1818-1893), compositeur français : *Faust.*

Gouraud Henri (1867-1946), général français.

Gourdon, ch.-l. d'arr. du Lot ; 5 073 h.

Gouvion-Saint-Cyr Laurent (1764-1830), maréchal de France.

Goya Francisco de (1746-1828), peintre et graveur espagnol, précurseur de l'art moderne.

Graal ou **Saint-Graal** (le), vase sacré qui aurait contenu le sang du Christ.

Gracchus Tiberius (162-133 av. J.-C.) et **Caius** (154-121 av. J.-C.) (les Gracques), hommes politiques romains qui tentèrent une réforme agraire et furent assassinés.

Grâces (les trois), déesses romaines de la Beauté : Aglaé, Euphrosyne, Thalie.

Gracq Julien (né en 1910), écrivain français.

Gradignan, v. de la Gironde ; 22 115 h.

Graham Martha (1893-1991), danseuse et chorégraphe américaine.

Gramme Zénobe (1826-1901), électricien belge. Il inventa la dynamo.

Grampians (monts), massif d'Écosse.

Gramsci Antonio (1891-1937), philosophe et homme politique italien (communiste).

Granados Enrique (1867-1916), compositeur espagnol.

Gran Chaco. *V. Chaco.*

Grand Canyon, gorges du Colorado, dans l'Arizona (États-Unis).

Grande ou **Grande del Norte** ou **Bravo** (río), fl. d'Amérique du Nord, frontière entre le Mexique et les États-Unis (2 900 km).

Grande-Bretagne et Irlande du Nord (Royaume-Uni de), État d'Europe occidentale ; 244 023 km² ; 60 100 000 h ; cap. Londres.

Grande-Grèce, colonies grecques d'Italie du Sud et de Sicile (VIIIᵉ s. av. J.-C.).

Grande-Motte (La), stat. balnéaire de l'Hérault.

Grande-Synthe, v. du Nord ; 24 489 h.

Grand Lac Salé, nappe d'eau salée (4 690 km²) des États-Unis.

Grand-Quevilly (Le), ch.-l. de cant. de la Seine-Maritime ; 27 909 h.

Grands Lacs (les), ensemble de cinq lacs d'Amérique du Nord (Supérieur, Huron, Michigan, Érié, Ontario), reliés entre eux et à l'Atlantique par le Saint-Laurent.

Grandville (1803-1847), dessinateur français.

Granique (le), victoire d'Alexandre le Grand sur Darius III (334 av. J.-C.).

Gran Sasso d'Italia, point culminant de l'Apennin (2 914 m).

Grant Ulysses (1822-1885), général américain, vainqueur des sudistes, président (républicain) de 1869 à 1877.

Grant Cary (1904-1986), acteur américain.

Granville, ch.-l. de cant. et stat. balnéaire de la Manche ; 13 340 h.

Grass Günter (né en 1927), écrivain allemand : *le Tambour.*

Grasse, ch.-l. d'arr. des Alpes-Maritimes ; 42 077 h.

Gravelines, ch.-l. de cant. du Nord ; 12 650 h.

Graz, v. d'Autriche (Styrie) ; 243 500 h.

Grèce, État du S. de l'Europe ; 131 990 km² ; env. 11 100 000 h ; cap. Athènes.

Greco (le) (1541-1614), peintre espagnol d'origine crétoise.

Green Julien (1900-1998), écrivain américain d'expression française : *Mont-Cinère.*

Greene Graham (1904-1991), écrivain anglais : *la Puissance et la Gloire.*

Greenpeace, mouvement écologiste international, créé en 1971.

Greenwich, faubourg de Londres dont le méridien a été adopté comme méridien zéro.

Greenwich Village, quartier de New York (Manhattan).

Grégoire Henri (dit *l'Abbé*) (1750-1831), homme politique français, défenseur des droits de l'homme, chef de l'Église constitutionnelle.

Grégoire Iᵉʳ le Grand saint (v. 540-604), pape en 590. Il fit de Rome le centre de la chrétienté et réforma le chant liturgique.

Grégoire VII saint (v. 1020-1085), pape en 1073. Il s'opposa à l'empereur Henri IV, dont il obtint la soumission à Canossa.

Grégoire XIII (1502-1585), pape en 1572. Il réforma le calendrier.

Grégoire de Nazianze saint (v. 330-v. 390), docteur de l'Église.

Grégoire de Nysse saint (v. 335-v. 395), docteur de l'Église d'Orient.

Grégoire de Tours saint (v. 538-v. 594), historien français : *Histoire des Francs.*

Grémillon Jean (1902-1959), cinéaste français.

Grenade, v. d'Espagne (Andalousie) ; 259 780 h. Palais de l'Alhambra, jardins. Le *royaume arabe de Grenade,* fondé au XIᵉ s., fut conquis en 1492 par les Espagnols.

Grenade, État des Petites Antilles ; 344 km² ; 115 000 h ; cap. Saint-George's.

Grenadines, îlots des Petites Antilles.

Grenoble, ch.-l. de l'Isère ; 153 973 h.

Gresham sir Thomas (1519-1579), financier anglais.

Grésivaudan, vallée de l'Isère, au N. de Grenoble.

Greuze Jean-Baptiste (1725-1805), peintre français.

Grève (place de), anc. nom de la place de l'Hôtel-de-Ville de Paris.

Grévin (musée), galerie de figures de cire, située à Paris.

Grévy Jules (1807-1891), président de la République française (1879-1887). Il démissionna.

Gribeauval Jean-Baptiste (1715-1789), ingénieur et général français.

Grieg Edvard (1843-1907), compositeur norvégien : *Peer Gynt.*

Griffith David (1875-1948), cinéaste américain : *Naissance d'une nation.*

Grigny, com. de l'Essonne ; 24 969 h.

Grigny Nicolas de (1672-1703), organiste et compositeur français.

Grimaldi, famille génoise dont descendent les princes de Monaco.

Grimbergen, v. de Belgique (Brabant) ; 32 040 h.

Grimm Jacob (1785-1863), philologue et écrivain allemand. Avec son frère **Wilhelm** (1786-1859), il publia un recueil de *Contes.*

Grimmelshausen Hans (v. 1620-1676), écrivain allemand : *Simplicius Simplicissimus.*

Grimsby, port de Grande-Bretagne ; 92 150 h.

Gris Juan (1887-1927), peintre cubiste espagnol.

Gris-Nez (cap), cap du Pas-de-Calais.

Grisons (les), cant. de Suisse ; ch.-l. Coire.

Grock (1880-1959), clown suisse.

Groddeck Georg (1866-1934), psychanalyste allemand, précurseur de la médecine psychosomatique.

Groenland, territoire autonome dépendant du Danemark ; 2 175 600 km² ; 49 630 h ; cap. Nuuk.

Groix (île de), île du Morbihan.

Gromaire Marcel (1892-1971), peintre français.

Gromyko Andreï (1909-1989), homme politique soviétique.

Groningue, v. du N.-E. des Pays-Bas, ch.-l. de la *province de Groningue ;* 168 000 h.

Gropius Walter (1883-1969), architecte allemand, fondateur du Bauhaus.

Gros Antoine (1771-1835), peintre français.

Grossglockner, point culminant des Alpes autrichiennes (3 796 m).

Grosz Georg (1893-1959), peintre et caricaturiste américain d'origine allemande.

Grotius (1583-1645), juriste néerlandais.

Grouchy Emmanuel de (1766-1847), maréchal français.

Groznyï, v. de Russie, cap. de la Tchétchénie ; 393 000 h.

Grünewald Matthias (1470-1528), peintre allemand : retable d'Issenheim.

Gstaad, stat. de sports d'hiver de Suisse.

Guadalajara, v. du Mexique ; 1 626 150 h.

Guadalcanal, une des îles Salomon, disputée entre les Japonais et les Américains (1942-1943).

Guadalquivir (le), fl. du S.-O. de l'Espagne (680 km), qui se jette dans l'Atlantique.

Guadarrama (sierra de), chaîne montagneuse du centre de l'Espagne (2 405 m).

Guadeloupe, île des Antilles formant un dép. français d'outre-mer (971) ; 1 704 km² ; 448 000 h ; ch.-l. Basse-Terre.

Guadiana (le), fl. d'Espagne et du Portugal (801 km), qui se jette dans l'Atlantique.

Guam, île principale des Mariannes, base militaire américaine.

Guangdong, prov. de la Chine du S.-E. ; cap. Canton.

Guangxi, prov. de la Chine du Sud ; cap. Nanning.

Guangzhou. V. *Canton.*

Guantánamo, v. de Cuba ; 199 990 h. Base navale et centre pénitencier américains.

Guaranis, Indiens du Paraguay.

Guardi Francesco (1712-1793), peintre italien.

Guatemala, État d'Amérique centrale ; 108 889 km² ; env. 12 700 000 h ; cap. Guatemala (754 240 h).

Guayaquil, port de l'Équateur ; 1 387 820 h.

Guderian Heinz (1888-1954), général allemand.

Gudule sainte (morte en 712), patronne de Bruxelles.

Guebwiller (ballon de) ou **Grand Ballon,** point culminant des Vosges (1 424 m).

Guebwiller, ch.-l. d'arr. du Haut-Rhin ; 11 280 h.

Gueldre, prov. des Pays-Bas ; ch.-l. Arnhem.

Guépéou (la), police politique soviétique de 1922 à 1934.

Guérande, ch.-l. de cant. de la Loire-Atlantique ; 12 001 h.

Guerchin (le), (1591-1666), peintre italien.

Guéret, ch.-l. de la Creuse ; 15 718 h.

Guérin Camille (1872-1961), biologiste français. V. Calmette.

Guernesey, une des îles Anglo-Normandes.

Guernica y Luno, v. d'Espagne (Biscaye), détruite par l'aviation allemande au service des franquistes (1937).

Guerre mondiale (Première), conflit qui opposa de 1914 à 1918 la France, la Belgique, l'Angleterre, la Russie et leurs alliés à l'Allemagne, l'Autriche-Hongrie et leurs alliés, qui furent vaincus.

Guerre mondiale (Seconde), conflit qui opposa de 1939 à 1945 les forces de l'Axe (Allemagne, Italie, Japon) aux Alliés (France, Angleterre, États-Unis, URSS) qui furent vainqueurs.

Guesclin (Du). V. Du Guesclin.

Guesde Jules (1845-1922), homme politique français (socialiste).

Guevara Ernesto (dit Che) (1928-1967), révolutionnaire latino-américain de nationalité argentine.

Guez de Balzac. V. Balzac.

Guggenheim (musée), musée d'art contemporain à New York, construit par F. L. Wright.

Gui d'Arezzo (v. 990-v. 1050), bénédictin italien, créateur de la notation musicale.

Guillaume Iᵉʳ le Conquérant (v. 1027-1087), duc de Normandie en 1035, roi d'Angleterre apr. la victoire d'Hastings (1066).

Guillaume Iᵉʳ de Nassau (dit le Taciturne), (1533-1584), stathouder de Hollande en 1572.

Guillaume Iᵉʳ (1797-1888), roi de Prusse en 1861, empereur d'Allemagne en 1871.

Guillaume II de Nassau (1626-1650), stathouder de Hollande en 1647.

Guillaume II (1859-1941), empereur d'Allemagne (1888-1918). Il abdiqua.

Guillaume III (1650-1702), stathouder des Provinces-Unies (1672), roi d'Angleterre en 1689 après la 2ᵉ Révolution d'Angleterre.

Guillaume de Lorris (v. 1200-v. 1238), poète français : Roman de la Rose.

Guillaume de Machaut (v. 1300-1377), musicien et poète français.

Guillaume d'Occam (fin XIIIᵉ s.-v. 1349), théologien et philosophe scolastique anglais.

Guillaume Tell, héros légendaire de l'indépendance suisse (XIVᵉ s.).

Guimard Hector (1867-1942), architecte et décorateur français de l'art nouveau.

Guimet (musée), musée des arts de l'Extrême-Orient, à Paris.

Guinée, autref., rég. côtière de l'Afrique, entre la Casamance et le Gabon (golfe de Guinée).

Guinée, État d'Afrique occidentale ; 245 857 km² ; 9 500 000 h ; cap. Conakry.

Guinée-Bissau, État d'Afrique occidentale ; 36 125 km² ; 1 600 000 h ; cap. Bissau.

Guinée équatoriale, État d'Afrique ; 28 051 km² ; 500 000 h ; cap. Malabo.

Guinée (Nouvelle-). V. Nouvelle-Guinée.

Guingamp, ch.-l. d'arr. des Côtes-d'Armor ; 8 774 h.

Guinness Alec (1914-2000), acteur anglais.

Guipúzcoa, prov. basque d'Espagne ; ch.-l. Saint-Sébastien.

Guise (maison de), famille ducale de Lorraine. **François** (1519-1563) et son fils **Henri** (1550-1588) furent les chefs du parti catholique pendant les guerres de Religion et furent assassinés.

Guitry Sacha (1885-1957), acteur, cinéaste et auteur dramatique français.

Guiyang, v. de Chine ; cap. du Guizhou ; 1 350 190 h.

Guizhou, prov. de la Chine du S.-O. ; cap. Guiyang.

Guizot François (1787-1874), historien français. Chef du gouvernement de 1840 à 1848.

Gujerat, État du N.-O. de l'Inde.

Gulf Stream, courant chaud de l'Atlantique Nord.

Gulliver, héros d'un roman de Swift.

Guomindang ou **Kouo-min-tang,** parti nationaliste chinois fondé par Sun Yat-sen en 1900.

Guo Moruo ou **Kouo Mo-jo** (1892-1978), écrivain et homme politique chinois.

Gupta, dynastie indienne (IIIᵉ-VIᵉ s.).

Gurkha, caste militaire du Népal.

Gustave Iᵉʳ Vasa (1496-1560), roi de Suède en 1523. Il rompit l'Union de Kalmar.

Gustave II Adolphe (1594-1632), roi de Suède en 1611.

Gutenberg Johannes (v. 1399-1468), créateur allemand de l'imprimerie.

Guyana, État du N.-E. de l'Amérique du Sud ; 214 970 km² ; 800 000 h ; cap. Georgetown.

Guyane, dép. français d'outre-mer (973) ; 90 000 km² ; 184 000 h ; cap. Cayenne.

Guyenne, possessions des rois d'Angleterre en Aquitaine, de 1258 à 1453.

Guynemer Georges (1894-1917), aviateur français.

Guyon Jeanne-Marie, Mᵐᵉ (1648-1717), mystique française qui professa le quiétisme.

Gwalior, v. de l'Inde (Madhya Pradesh) ; 593 020 h.

Gygès (v. 687-v. 652 av. J.-C.), berger devenu roi de Lydie grâce à un anneau le rendant invisible (Myth. gr.).

Győr, v. de Hongrie ; 102 350 h.

Haarlem, v. des Pays-Bas ; 148 740 h.

Habsbourg, dynastie qui régna sur l'Autriche de 1278 à 1918.

Hachémites, famille arabe issue d'un aïeul de Mahomet et dont les descendants furent, jusqu'en 1924, les gardiens des lieux saints de l'islam et régnèrent sur l'Irak (1920-1958) et sur la Jordanie depuis 1921.

Hachette Jeanne (née v. 1456), héroïne française qui défendit Beauvais en 1472.

Hachette Louis (1800-1864), éditeur français.

Hadès, dieu des Enfers (*Myth. gr.*).

Hadramaout, rég. montagneuse de l'Arabie.

Hadrien ou **Adrien** (76-138), empereur romain en 117. Il consolida l'Empire.

Haendel ou **Händel** Georg Friedrich (1685-1759), compositeur allemand, naturalisé anglais : *le Messie.*

Hafiz (1320-1389), poète lyrique persan.

Hafsides, dynastie berbère qui gouverna l'Afrique du Nord de 1228 à 1574.

Hague (la), cap au N.-O. du Cotentin.

Haguenau, ch.-l. d'arr. du Bas-Rhin ; 30 384 h.

Hahn Reynaldo (1875-1947), compositeur français : *Ciboulette.*

Hahnemann Christian (1755-1843), médecin allemand, fondateur de l'homéopathie.

Haïfa, princ. port d'Israël ; 224 600 h.

Haig Douglas (1861-1928), maréchal britannique.

Hailé Sélassié Ier (1892-1975), empereur d'Éthiopie de 1930 à 1974.

Hainan, île chinoise du golfe du Tonkin.

Hainaut, prov. de Belgique ; ch.-l. Mons.

Haiphong, port du Viêt-nam ; 1 279 000 h.

Haïti (anc. *Hispaniola* ou *Saint-Domingue*), île es Grandes Antilles partagée entre la République dominicaine et la **République d'Haïti** 27 750 km² ; 8 300 000 h ; cap. Port-au-Prince).

Hakim Tawfiq Al- (1898-1987), écrivain égyptien : *Journal d'un substitut de campagne.*

Hakodate, port du Japon (Hokkaido), 319 190 h.

Hal, v. de Belgique (Brabant) ; 32 300 h.

Halicarnasse, anc. v. d'Asie Mineure.

Halifax, port du Canada, cap. de la Nouvelle-Écosse ; 113 580 h.

Hall Edwin (1855-1938), physicien américain.

Halladj Al- (858-922), poète mystique persan.

Halle, v. d'Allemagne (Saxe-Anhalt) ; 32 620 h.

Halles (les), quartier du centre de Paris, autrefois marché d'approvisionnement.

Halley Edmund (1656-1742), astronome anglais. Il découvrit la périodicité des comètes.

Halliday Johnny (Jean-Philippe Smet, dit) (né en 1943), chanteur et acteur de cinéma français.

Hallstatt, bourg de Haute-Autriche, stat. proto-historique (début de l'âge du fer).

Hals Frans (v. 1580-1666), peintre hollandais.

Hamadhan (anc. *Ecbatane*), v. d'Iran ; 234 000 h.

Hamas, mouvement politique et religieux palestinien.

Hambourg, port d'Allemagne, sur l'Elbe, ch.-l. du *Land de Hambourg ;* 1 592 800 h.

Hamhung-Hungnam, conurbation de Corée du Nord ; 775 000 h.

Hamilcar Barca (v. 290-229 av. J.-C.), général carthaginois, père d'Hannibal.

Hamilton ou **Churchill River,** fl. du Canada (1 000 km).

Hamilton, v. du Canada (Ontario) ; 318 490 h (aggl. 564 000 h).

Hamilton Alexander (1755-1804), homme politique américain.

Hamilton William Rowan (1805-1865), mathématicien et astronome irlandais.

Hammamet, stat. balnéaire de Tunisie.

Hammett Dashiell (1894-1961), romancier américain, maître du roman policier.

Hammourabi (XVIIIe s. av. J.-C.), fondateur de l'Empire babylonien, auteur d'un code.

Hampshire, comté du S. de l'Angleterre, ch.-l. Winchester, v. princ. Southampton.

Hampton Lionel (1913-2002), vibraphoniste américain de jazz.

Hamsun Knut (1859-1952), romancier norvégien : *la Faim.*

Han, dynastie impériale chinoise (206 av. J.-C.-220 apr. J.-C.).

Händel. V. *Haendel.*

Handke Peter (né en 1942), écrivain autrichien : *le Malheur indifférent.*

Hangzhou, port de Chine, cap. du Zhejiang ; 1 171 450 h (aggl. 5 234 150 h).

Hannibal (v. 247-183 av. J.-C.), général carthaginois. Il vainquit les Romains à Cannes (216) et fut battu par eux à Zama (202).

Hannon (VIe ou Ve s. av. J.-C.), navigateur carthaginois.

Hanoi, cap. et port du Viêt-nam, sur le delta du fleuve Rouge ; env. 2 878 000 h.

Hanovre, anc. État d'Allemagne du Nord inclus en 1945 dans le Land de Basse-Saxe.

Hanovre, v. d'Allemagne, cap. de la Basse-Saxe ; 505 720 h.

Hanse (la), association de villes marchandes de l'Allemagne du Nord (XIIIᵉ-XVIIᵉ s.).

Hansen Gerhard (1841-1912), médecin norvégien. Il isola le bacille de la lèpre.

Hantaï Simon (né en 1922), peintre français d'origine hongroise.

Haoussas, peuple du Nigeria.

Harare (anc. *Salisbury*), cap. du Zimbabwe ; 681 000 h.

Harbin, v. de la Chine du N.-E. ; ch.-l. du Heilongjiang ; 2 519 120 h.

Hardouin-Mansart. V. *Mansart.*

Hardy Thomas (1840-1928), écrivain anglais : *Jude l'Obscur.*

Hardy Oliver. V. *Laurel.*

Harlem, quartier de Manhattan (New York).

Harold (v. 1022-1066), roi d'Angleterre (1066), vaincu par Guillaume le Conquérant.

Haroun al-Rachid (766-809), cinquième calife abbasside en 786. Son règne marque l'apogée du califat de Bagdad.

Harper Stephen (né en 1959), Premier ministre du Canada depuis 2006.

Harris Zellig (né en 1909), linguiste américain.

Harry Potter, héros d'une série de romans pour la jeunesse, créé par J. K. Rowling.

Hartford, v. des États-Unis, cap. du Connecticut ; 136 000 h (aggl. 1 030 400 h).

Hartung Hans (1904-1989), peintre français d'origine allemande.

Harvard, université américaine située à Cambridge (Massachusetts).

Harvey William (1578-1657), médecin anglais. Il découvrit la circulation sanguine.

Haryana, État du N.-O. de l'Inde ; cap. Chandigarh.

Harz, massif d'Allemagne centrale (1 142 m).

Haschinschins. V. *Assassins.*

Hasdrubal (v. 245-207 av. J.-C.), général carthaginois, frère d'Hannibal ; battu par les Romains (207).

Hasek Jaroslav (1883-1923), écrivain tchèque : *les Aventures du brave soldat Svejk.*

Haskil Clara (1895-1960), pianiste suisse d'origine roumaine.

Hassan (v. 624-669), fils d'Ali et de Fatima, second imam des chiites.

Hassan II (1929-1999), roi du Maroc (1961-1999).

Hasselt, v. de Belgique (Limbourg) ; 65 100 h.

Hassi-Messaoud, centre pétrolier du Sahara algérien.

Hastings, port du S. de l'Angleterre ; 74 800 h. Victoire de Guillaume le Conquérant sur Harold (1066).

Hathor, déesse égyptienne de l'Amour.

Hatshepsout (morte en 1483 av. J.-C.), reine égyptienne, épouse de Thoutmès II.

Hatti, royaume d'Anatolie centrale, soumis au IIᵉ millénaire av. J.-C. par les Hittites.

Hauptmann Gerhart (1862-1946), écrivain naturaliste allemand : *les Tisserands.*

Haussmann Georges, baron (1809-1891), administrateur français. Il modernisa Paris sous le Second Empire.

Haute-Volta. V. *Burkina Faso.*

Hauts-de-Seine, dép. français (92) (Île-de-France) ; 175 km² ; 1 402 493 h ; ch.-l. Nanterre.

Haüy abbé René (1743-1822), minéralogiste français, créateur de la cristallographie.

Haüy Valentin (1745-1822), frère du préc., fondateur de l'Institution des jeunes aveugles.

Havane (La), cap. de Cuba ; 2 014 810 h.

Havel (la), affl. de l'Elbe (341 km).

Havel Václav (né en 1936), écrivain tchèque, président de la République de 1989 à 2003.

Havre (Le), ch.-l. d'arr. et port de la Seine-Maritime ; 197 219 h.

Hawaii îles (anc. *Sandwich*), archipel du Pacifique, État des États-Unis ; cap. Honolulu.

Hawks Howard (1896-1977), cinéaste américain : *Scarface.*

Hawthorne Nathaniel (1804-1864), romancier américain : *la Lettre écarlate.*

Hayange, v. de Moselle ; 15 795 h.

Haydn Joseph (1732-1809), compositeur autrichien : symphonies, quatuors, oratorios.

Haye (La), cap. admin. des Pays-Bas ; 444 310 h.

Hayek Friedrich von (1899-1992), économiste britannique d'origine autrichienne (libéral).

Haykal Muhammad Hussein (1888-1956), écrivain égyptien : *Zaynab.*

Haÿ-les-Roses (L'), ch.-l. d'arr. du Val-de-Marne ; 29 841 h.

Hazebrouck, v. du Nord ; 21 115 h.

Hazin (Al-) (965-1039), mathématicien et astronome arabe.

Heaney Seamus (né en 1939), poète irlandais.

Hearst William Randolph (1863-1951), homme d'affaires américain (journaux).

Heath Edward (né en 1916), homme politique britannique (conservateur).

Heathrow, aéroport de Londres.

Hebei, prov. de Chine du N., englobant Pékin ; ch.-l. Shijiazhuang.

Hébert Jacques (1757-1794), journaliste et homme politique français ; guillotiné.

Hébert Anne (1916-2000), écrivain québécois : *Kamouraska.*

Hébreux, peuple sémite de l'Orient ancien, dont l'histoire est racontée par la Bible.

Hébrides (îles), archipel de Grande-Bretagne, au N.-O. de l'Écosse.

Hébron, v. de Jordanie ; env. 42 000 h.

HEC, sigle de *École des hautes études commerciales.*

Hector, héros de l' *Iliade,* tué par Achille.

Hécube, femme de Priam (*Iliade*).

Hedjaz, prov. occidentale d'Arabie Saoudite ; ch.-l. La Mecque ; v. princ. Médine, Djedda.

Hefei, v. de Chine, ch.-l. du Anhui ; 795 420 h.

Hegel Friedrich (1770-1831), philosophe allemand : *Phénoménologie de l'esprit.*

Heidegger Martin (1889-1976), philosophe allemand : *l'Être et le Temps.*

Heidelberg, v. d'Allemagne (Bade-Wurtemberg) ; 136 230 h. Université.

Heifetz Jascha (1901-1987), violoniste américain d'origine russe.

Heilongjiang, prov. de la Chine du N.-E. ; ch.-l. Harbin.

Heilongjiang. *V. Amour.*

Heine Heinrich (1797-1856), poète lyrique allemand : *le Livre des chants.*

Heinsius Anthonie (1641-1720), grand pensionnaire de Hollande (1689-1720).

Heisenberg Werner (1901-1976), physicien allemand. Mécanique quantique.

Hélène, épouse de Ménélas, son enlèvement par Pâris provoqua la guerre de Troie (*Iliade*).

Helgoland, îlot allemand, au large de l'estuaire de l'Elbe. Anc. base militaire.

Héliogabale. *V. Élagabal.*

Héliopolis, v. de l'Égypte ancienne consacrée au culte du soleil.

Hélios, dieu du Soleil (*Myth. gr.*).

Hellade, autre nom de la Grèce antique.

Hellespont, anc. nom des Dardanelles.

Helmholtz Hermann von (1821-1894), physiologiste et physicien allemand.

Héloïse (1101-1164), épouse d'Abélard.

Helsinki, cap. de la Finlande ; 485 030 h. Les *accords d'Helsinki* (1975) portent sur le libre circulation des hommes et des idées en Europe.

Helvétie, prov. de l'ancienne Gaule, correspondant à la Suisse.

Helvétius Claude (1715-1771), philosophe matérialiste français : *De l'esprit.*

Hemingway Ernest (1899-1961), romancier américain : *l'Adieu aux armes.*

Hémon Louis (1880-1913), romancier français : *Maria Chapdelaine.*

Henan, prov. de Chine ; ch.-l. Zhengzhou.

Hendaye, station balnéaire des Pyrénées-Atlantiques ; 11 744 h.

Hénin-Beaumont, ch.-l. de cant. du Pas-de-Calais ; 26 494 h.

Henri Ier l'Oiseleur (v. 876-936), roi de Germanie en 919.

Henri Ier (1008-1060), roi de France en 1031.

Henri Ier Beauclerc (1068-1135), roi d'Angleterre et duc de Normandie en 1100.

Henri II (1133-1189), roi d'Angleterre en 1154, duc d'Aquitaine par son mariage avec Aliénor. Il fit assassiner Thomas Becket.

Henri II (1519-1559), roi de France en 1547, fils de François Ier. Il lutta contre Charles Quint et contre les calvinistes.

Henri III (1017-1056), empereur germanique en 1039.

Henri III (1207-1272), roi d'Angleterre en 1216, fils de Jean sans Terre.

Henri III (1551-1589), roi de France en 1574. Il fut assassiné par un moine fanatique.

Henri IV (v. 1050-1106), empereur germanique en 1056. Excommunié par Grégoire VII, il dut s'humilier à Canossa.

Henri IV (1367-1413), roi d'Angleterre en 1399, fondateur de la dynastie des Lancastre.

Henri IV (1553-1610), roi de France en 1589 et roi de Navarre. Il fut assassiné par Ravaillac.

Henri V (1081-1125), empereur germanique en 1106. Il mit fin à la querelle des Investitures.

Henri V (1387-1422), roi d'Angleterre en 1413. Il battit les Français à Azincourt.

Henri VI (1165-1197), empereur germanique en 1190, fils de Frédéric Barberousse.

Henri VI (1421-1471), roi d'Angleterre de 1422 à 1461. Il perdit les possessions françaises et vit le début de la guerre des Deux-Roses.

Henri VII (1457-1509), roi d'Angleterre en 1485. Fondateur de la dynastie des Tudors, il mit fin à la guerre des Deux-Roses.

Henri VIII (1491-1547), roi d'Angleterre en 1509. Il fut marié six fois et il provoqua un schisme d'où naîtra l'Église anglicane.

Henri le Navigateur (1394-1460), infant du Portugal. Il favorisa l'exploration des côtes d'Afrique.

Henriette-Anne d'Angleterre (1644-1670), fille de Charles Ier d'Angleterre, épouse de Philippe d'Orléans, frère de Louis XIV.

Henriette-Marie de France (1609-1669), fille d'Henri IV ; épouse de Charles Ier d'Angleterre.

Héphaïstos, dieu du Feu (*Myth. gr.*).

Héra, femme de Zeus ; déesse du Mariage et de la Maternité (*Myth. gr.*).

Héraclès, héros de la mythologie grecque que les Latins ont nommé *Hercule.* Il dut accomplir douze exploits.

Héraclite (v. 540-v. 480 av. J.-C.), philosophe présocratique grec.

Héraklion (anc. *Candie*), port de Crète (Grèce) ; 101 630 h.

Herat, v. de l'O. de l'Afghanistan ; 155 890 h.

Hérault (l'), fl. côtier du S. de la France (160 km).

Hérault, dép. français (34) (Languedoc-Roussillon) ; 6 224 km^2 ; 803 114 h ; ch.-l. Montpellier.

Herculanum, v. de Campanie, ensevelie en 79 lors d'une éruption du Vésuve.

Hercule. *V. Héraclès.*

Hercule (Colonnes d'), pour les Anciens, entrée du détroit de Gibraltar.

Herder Johann (1744-1803), écrivain allemand.

Heredia José Maria de (1842-1905), poète parnassien français : *les Trophées.*

Hergé (Georges Rémi, dit) (1907-1983), dessinateur belge, créateur de Tintin.

Herisau, v. de Suisse (Appenzell) ; 14 500 h.

Hermès, messager des dieux, protecteur des commerçants et des voleurs (*Myth. gr.*).

Hermès Trismégiste, nom donné par les Grecs au dieu égyptien Thot.

Hermite Charles (1822-1901), mathématicien français. Espaces vectoriels.

Hermosillo, v. du Mexique ; 297 180 h.

Hernández José (1834-1886), poète argentin.

Hérode Ier le Grand (73-4 av. J.-C.), roi des Juifs en 37 av. J.-C. Il ordonna le « massacre des Innocents » (*Évangiles*).

Hérode Antipas (v. 20 av. J.-C.- v. 39 apr. J.-C.). Il fit mettre à mort Jean-Baptiste et jugea Jésus (*Évangiles*).

Hérodiade ou **Hérodias** (v. 7 av. J.-C.- v. 39 apr. J.-C.), princesse juive. Elle obtint la mort de Jean-Baptiste (*Évangiles*).

Hérodote (v. 484-v. 420 av. J.-C.), historien grec : *Histoires.*

Héron l'Ancien ou **d'Alexandrie** (Ier s. apr. J.-C.), mathématicien grec.

Herrera Francisco (dit *le Vieux*) (v. 1576-1657), peintre baroque espagnol.

Herriot Édouard (1872-1957), homme politique français (radical).

Herschel William (1738-1822), astronome anglais. Il découvrit Uranus.

Herstal, v. de Belgique (Liège) ; 38 590 h.

Hertz Heinrich (1857-1894), physicien allemand. Ondes électromagnétiques.

Herzen Alexandre (1812-1870), écrivain et homme politique russe (socialiste).

Herzl Theodor (1860-1904), écrivain hongrois d'expression allemande, fondateur du sionisme.

Herzog Maurice (né en 1919), alpiniste et homme politique français.

Hésiode (VIIIᵉ s. av. J.-C.), poète grec : *les Travaux et les Jours*.

Hespérides, filles d'Atlas, gardiennes d'un jardin où poussaient des fruits d'or (*Myth. gr.*).

Hess Rudolf (1894-1987), homme politique allemand, adjoint de Hitler.

Hesse, Land d'Allemagne ; cap. Wiesbaden ; v. princ. Francfort.

Hesse Hermann (1877-1962), romancier allemand naturalisé suisse : *le Loup des steppes*.

Hezbollah (le), organisation chiite créée en 1982, au Liban.

Hicks John (né en 1904), économiste britannique.

Hideyoshi Toyotomi (1536-1598), shogun japonais en 1581. Il unifia le pays.

Highlands, partie septentrionale et montagneuse de l'Écosse.

Highsmith Patricia (1921-1995), romancière américaine : *l'Inconnu du Nord-Express*.

Hikmet Nazim (1902-1963), écrivain turc : *C'est un dur métier que l'exil*.

Hilbert David (1862-1943), mathématicien allemand, fondateur de l'axiomatique.

Hildebrandt Johann von (1668-1745), architecte baroque autrichien.

Hildesheim, v. d'Allemagne (Basse-Saxe) ; 100 560 h. Monuments médiévaux.

Hillary Edmund (né en 1919), alpiniste néo-zélandais, vainqueur de l'Everest.

Himachal Pradesh, État du N. de l'Inde.

Himalaya, chaîne montagneuse d'Asie, au N. de l'Inde (8 880 m à l'Everest).

Himeji, v. du Japon (Honshu) ; 453 000 h. Château du Héron blanc.

Himmler Heinrich (1900-1945), homme politique allemand, organisateur de l'Holocauste.

Hinault Bernard (né en 1954), coureur cycliste français.

Hindemith Paul (1895-1963), compositeur allemand, naturalisé américain.

Hindenburg Paul von (1847-1934), maréchal et homme politique allemand. Il prit Hitler comme chancelier.

Hindou Kouch, chaîne montagneuse au N. de l'Afghanistan (7 680 m).

Hindoustan, la plaine indo-gangétique.

Hipparque de Nicée (IIᵉ s. av. J.-C.), astronome et mathématicien grec.

Hippocrate (460-377 av. J.-C.), médecin grec.

Hippodamos de Milet (Vᵉ s. av. J.-C.), architecte grec.

Hirohito (1901-1989), empereur du Japon en 1926. (Son nom posthume est *Showa tenno*.)

Hiroshige (1797-1858), peintre japonais, maître de l'ukiyo-e.

Hiroshima, port du Japon (Honshu) ; 1 052 500 h. Le 6 août 1945, l'aviation américaine y lança la première bombe atomique.

Hispaniola. V. *Haïti*.

Hitchcock Alfred (1899-1980), cinéaste anglais naturalisé américain, maître du suspense.

Hitler Adolf (1889-1945), homme politique allemand. Chef du parti national-socialiste, il devint chancelier en 1933 et instaura un régime totalitaire et raciste. Il provoqua la Seconde Guerre mondiale.

Hittites, peuple qui domina l'Asie Mineure du XVIᵉ au XIIIᵉ s. av. J.-C.

Hobart, port d'Australie (Tasmanie) ; 178 100 h.

Hobbes Thomas (1588-1679), philosophe anglais : *le Léviathan*.

Hoche Lazare (1768-1797), général français.

Hô Chi Minh (1890-1969), fondateur du Viêt-minh et premier président du Viêt-nam.

Hô Chi Minh-Ville (*Saigon* jusqu'en 1975), v. princ. du Viêt-nam ; env. 3 500 000 h.

Hockney David (né en 1937), peintre britannique.

Hodeïda, port du Yémen ; 155 110 h.

Hodja ou **Hoxha** Enver (1908-1985), homme politique albanais, au pouvoir de 1945 à sa mort.

Hoffmann Ernst Theodor Amadeus (1776-1822), écrivain et compositeur romantique allemand, maître du fantastique.

Hofmannsthal Hugo von (1874-1929), écrivain autrichien : *le Chevalier à la rose*.

Hogarth William (1697-1764), peintre et graveur anglais, maître de la satire.

Hoggar, massif du Sahara central.

Hohenstaufen, famille allemande qui donna cinq empereurs (1138-1254).

Hohenzollern, famille allemande dont une branche acquit la Prusse au XVIᵉ s. et fonda l'Empire allemand (1871-1918).

Hohhot, v. de Chine, cap. de la Mongolie-Intérieure ; 754 120 h (aggl. 1 206 290 h).

Hohneck, sommet des Vosges (1 361 m).

Hokkaido, île du N. du Japon ; ch.-l. Sapporo.

Hokusai (1760-1849), peintre et dessinateur japonais, maître de l'ukiyo-e.

Holbach, baron d' (1723-1789), philosophe matérialiste français.

Holbein Hans (dit *le Vieux*) (v. 1465-1524), peintre allemand.

Holbein Hans (dit *le Jeune*) (1497-1543), fils du préc. ; peintre et graveur allemand.

Hölderlin Friedrich (1770-1843), poète romantique allemand : *Hyperion*.

Hollande, rég. des Pays-Bas, sur la mer du Nord, divisée en deux provinces : **Hollande Méridionale** (ch.-l. La Haye) et **Hollande Septentrionale** (ch.-l. Haarlem).

Hollywood, faubourg de Los Angeles, centre de l'industrie cinématographique.

Holopherne, général assyrien, décapité par Judith (*Bible*).

Holstein, anc. État d'Allemagne du Nord.

Homère, poète grec du IXᵉ s. av. J.-C, auteur de *l'Iliade* et de *l'Odyssée*.

Home Rule, régime d'autonomie revendiqué par l'Irlande de 1870 à 1912.

Homs (anc. *Émèse*), v. de Syrie ; 427 500 h.

Hondo. V. *Honshu*.

Honduras, État d'Amérique centrale. 112 088 km² ; 7 200 000 h ; cap. Tegucigalpa.

Honduras Britannique. V. *Belize*.

Honegger Arthur (1892-1955), compositeur suisse : *Pacific 231*.

Honfleur, ch.-l. de cant. du Calvados ; 8 346 h

Hong Kong, colonie britannique (jusqu'en 1997) située en Chine méridionale ; 1 045 km² ; env. 5 700 000 h ; cap. Victoria.

Hongrie, État d'Europe centrale ; 93 032 km² ; 10 100 000 h ; cap. Budapest.

Honiara, cap. des îles Salomon ; 30 500 h.

Honolulu, cap. de Hawaii (États-Unis) ; 373 200 h (aggl. 805 200 h).

Honorius Flavius (384-423), premier empereur d'Occident en 395.

Honshu (anc. *Hondo*), la plus grande des îles du Japon, où se trouve Tokyo.

Hooghe Pieter de (1629-v. 1684), peintre hollandais de scènes d'intérieur.

Hooghly, bras occidental du delta du Gange qui arrose Calcutta.

Hooke Robert (1635-1703), physicien et astronome anglais.

Hoover Herbert (1874-1964), président (républicain) des États-Unis de 1929 à 1933.

Hope Thomas (1766-1844), chimiste écossais.

Hopis, groupe d'Indiens Pueblos.

Hopkins Gerard (1844-1889), poète symboliste anglais.

Hopper Edward (1882-1967), peintre américain, précurseur du pop' art.

Horace (65-8 av. J.-C.), poète latin.

Horaces (les trois), frères romains légendaires, qui triomphèrent des Curiaces.

Horde d'Or, État mongol qui s'étendait de la Sibérie à la Crimée (XIIIe-XVe s.).

Horeb, autre nom du Sinaï (*Bible*).

Horn (cap), pointe la plus australe de l'Amérique du Sud (Terre de Feu).

Horowitz Vladimir (1904-1989), pianiste américain d'origine russe.

Horta Victor (1861-1947), architecte belge, représentant de l'art nouveau.

Hortense de Beauharnais (1783-1837), fille de l'impératrice Joséphine, reine de Hollande (1806-1810) ; mère de Napoléon III.

Horthy Miklós (1868-1957), amiral hongrois, au pouvoir de 1920 à 1944.

Horus, divinité solaire de l'anc. Égypte.

Hôtel-Dieu, le plus anc. hôpital de Paris.

Hottentots, peuple d'Afrique méridionale.

Hou Che. V. *Hu Shi.*

Houdon Jean-Antoine (1741-1828), sculpteur français.

Houilles, ch.-l. de cant. des Yvelines ; 30 027 h.

Houphouët-Boigny Félix (1905-1993), président de la Côte-d'Ivoire (1960-1993).

Hourrites, peuple établi en haute Mésopotamie dès le IIIe millénaire.

Houston, port des États-Unis (Texas) ; 1 705 700 h (aggl. 3 565 700 h).

Howard John (né en 1939), Premier ministre de l'Australie depuis 1996.

Hoxha. V. *Hodja.*

Huainan, v. de Chine (Anhui) ; 1 029 220 h.

Huanghe ou **fleuve Jaune,** fl. du N. de la Chine (5 200 km).

Huaxtèques, peuple du Mexique précolombien.

Hubble Edwin (1889-1953), astronome américain.

Hubei, prov. de Chine centrale ; ch.-l. Wuhan.

Hubert saint (mort v. 727), évêque belge patron des chasseurs.

Hudson, fl. des États-Unis (500 km), qui relie New York aux Grands Lacs.

Hudson (baie d'), vaste mer intérieure du N. du Canada.

Huê, v. du Viêt-nam central, anc. cap. de l'Annam ; env. 210 000 h.

Huelva, v. d'Espagne (Andalousie) ; 139 190 h.

Hugo Victor (1802-1885), écrivain français. Il fut poète (*les Contemplations*), romancier (*les Misérables*), dramaturge (*Hernani*).

Hugues Capet (v. 941-996), roi de France en 987, fondateur de la dynastie capétienne.

Hu Jintao (né en 1942), homme politique chinois, chef de l'État depuis 2002.

Hulagu (1217-1265), premier prince mongol d'Iran. Il renversa les Abbassides.

Hull. V. *Kingston-upon-Hull.*

Humbert Ier (1844-1900), roi d'Italie en 1878.

Humboldt (courant de), courant froid du Pacifique Sud.

Humboldt Wilhelm von (1767-1835), linguiste et diplomate allemand. Il fonda l'université de Berlin (1809).

Humboldt Alexander von (1769-1859), explorateur et géographe allemand, frère du préc.

Hume David (1711-1776), philosophe empiriste et historien écossais.

Hunan, prov. du S.-E. de la Chine ; ch.-l. Changsha.

Huns, peuplade mongole nomade qui, sous la conduite d'Attila, envahit l'Europe au Ve s.

Huppert Isabelle (née en 1953), comédienne française.

Huron, un des Grands Lacs américains (61 797 km²).

Hurons, Indiens d'Amérique du Nord, alliés des Français au XVIIe s.

Hus Jan (1369-1415), réformateur religieux tchèque, brûlé pour hérésie.

Husayn (626-680), fils d'Ali et de Fatima, troisième imam des chiites.

Hu Shi ou **Hou Che** (1891-1962), philosophe et romancier chinois.

Hussein Ier (1935-1999), roi de Jordanie de 1952 à sa mort.

Hussein Saddam (né en 1937), homme politique irakien, au pouvoir de 1979 à 2003.

Husserl Edmund (1859-1938), philosophe allemand, fondateur de la phénoménologie.

Huston John (1906-1987), cinéaste américain.

Hutus, ethnie du Burundi et du Rwanda.

Huxley Aldous (1894-1963), écrivain anglais : *le Meilleur des mondes.*

Huygens Christiaan (1629-1695), physicien, géomètre et astronome néerlandais.

Huysmans Joris-Karl (1848-1907), écrivain français : *À rebours.*

Hyderabad, v. de l'Inde, cap. de l'Andhra Pradesh ; 2 093 490 h.

Hyderabad, v. du Pakistan ; 795 000 h.

Hyères, ch.-l. de cant. du Var dont dépendent les *îles d'Hyères* (Porquerolles, Port-Cros, île du Levant) ; 50 122 h.

Hyksos, peuple qui envahit l'Égypte au XVIIIe s. av. J.-C.

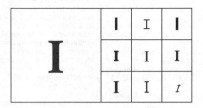

Iahvé. *V. Yahvé.*

Iakoutie. *V. Sakha.*

Iakoutsk, v. de Russie (Sibérie) ; 184 000 h.

Iaroslavl, v. de Russie, sur la Volga ; 639 000 h.

Iasi, v. de Roumanie (Moldavie) ; 310 000 h.

Ibadan, v. du Nigeria ; 847 000 h.

Ibarruri Dolores (dite *la Pasionaria*) (1895-1989), femme politique espagnole (communiste).

Ibères, anc. peuple d'Aquitaine et d'Espagne, soumis par les Romains.

Ibérique (péninsule), ensemble comprenant l'Espagne et le Portugal.

Ibiza, une des îles des Baléares.

Ibn al-Arabi (1165-1241), écrivain mystique arabe (soufisme).

Ibn Battuta (1304-v. 1377), géographe arabe.

Ibn Gabirol. *V. Avicébron.*

Ibn Khaldun (1332-1406), philosophe arabe.

Ibn Séoud ou **Sa'ud.** *V. Séoud.*

Ibos, ethnie de l'E. du Nigeria.

Ibsen Henrik (1828-1906), dramaturge norvégien : *Peer Gynt, Maison de poupée.*

Icare, fils de Dédale avec qui il s'enfuit, en volant, du Labyrinthe, mais il perdit ses ailes et se noya (*Myth. gr.*).

Ida (mont), mont de Crète (2 456 m).

Idaho, État de l'O. des États-Unis.

Idfou. *V. Edfou.*

Idris Ier (1890-1983), roi de Libye (1951-1969) renversé par le colonel Kadhafi.

Idrisides, dynastie marocaine (789-974).

Iekaterinbourg. *V. Ekaterinbourg.*

Iekaterinodar. *V. Krasnodar.*

Iekaterinoslav. *V. Ekaterinoslav.*

Iéna, v. d'Allemagne ; 104 950 h. Victoire de Napoléon sur les Prussiens (1806).

Ienisseï, fl. de Sibérie (3 800 km).

Ieyasu. *V. Tokugawa.*

If, îlot méditerranéen, à 2 km de Marseille.

Ife, v. de l'O. du Nigeria ; 215 000 h. Anc. royaume, florissant aux XIIIe et XIVe s.

IGN, sigle de *Institut géographique national.*

Ignace de Loyola saint (1491-1556), fondateur de la Compagnie de Jésus.

Igorot, peuple de l'île de Luçon.

Iguaçu, affl. du Paraná (1 320 km), frontière entre le Brésil et l'Argentine.

Ijevsk, v. de Russie, cap. de la rép. auton. des Oudmourtes ; 643 000 h.

Île-de France, anc. prov. française et Rég. admin. comprenant les dép. de Paris, de l'Essonne, des Hauts-de-Seine, de la Seine-et-Marne, de la Seine-Saint-Denis, du Val-de-Marne, du Val-d'Oise et des Yvelines ; 12 001 km² ; 11 291 000 h ; ch.-l. Paris.

Île-d'Yeu (L'), ch.-l. de cant. de la Vendée, qui correspond à l'île d'Yeu ; 4 951 h.

Île-Rousse (L'), stat. balnéaire de la Haute-Corse ; 2 350 h.

Ili, fl. d'Asie (1 400 km) qui se jette dans le lac Balkhach.

Iliade (l'), premier des deux poèmes attribués à Homère, racontant la guerre de Troie.

Iliouchine Sergheï (1894-1977), ingénieur soviétique, constructeur d'avions.

Ill, affl. du Rhin (Alsace) (200 km).

Ill, riv. d'Autriche (75 km), affl. du Rhin.

Ille-et-Vilaine, dép. français (35) (Bretagne) ; 6 758 km² ; 816 486 h ; ch.-l. Rennes.

Illich Ivan (né en 1926), essayiste américain d'origine autrichienne.

Illinois, État du centre des États-Unis ; v. princ. Chicago.

Illyés Gyula (1902-1983), écrivain hongrois.

Illyrie, anc. nom de la partie N. des Balkans.

Imamura Shohei (né en 1926), cinéaste japonais : *l'Anguille.*

Imbaba ou **Embabèh,** v. d'Égypte ; 341 000 h.

Imhotep (v. 2800 av. J.-C.), médecin, architecte et lettré égyptien identifié à Asclépios.

Imola, v. d'Italie (Émilie) ; 60 010 h. Circuit automobile.

Incas, anc. peuple du Pérou, qui fonda, au XIIIe s., à Cuzco, un puissant empire qui fut anéanti en 1533 par les Espagnols.

Inchon, port de Corée du Sud ; 1 387 490 h.

Inde, État fédéral d'Asie méridionale ; 3 287 782 km² ; env. 1,1 milliard d'h ; cap. New Delhi.

Indépendance américaine (guerre de l'), guerre qui, de 1775 à 1782, opposa les treize colonies anglaises d'Amérique du Nord à leur métropole et aboutit à la constitution des États-Unis.

Indes occidentales, nom donné par Ch. Colomb aux îles américaines qu'il découvrit.

Index, catalogue des livres qui étaient prohibés par l'Église catholique.

Indiana, État du centre des États-Unis.

Indianapolis, v. des États-Unis, cap. de l'Indiana ; 710 300 h.

Indien (océan), océan situé entre l'Afrique, l'Asie et l'Australie.

Indochine, grande péninsule du S.-E. du continent asiatique (Birmanie, Thaïlande, Malaisie, Laos, Viêt-nam, Cambodge).

Indonésie, État d'Asie du S.-E. constitué par un archipel de plus de 300 îles, dont : Sumatra, Java, Bornéo, les Célèbes (ou Sulawesi), les Moluques, l'Irian Jaya ; 1 919 270 km² ; 221 900 000 d'h ; cap. Djakarta.

Indore, v. de l'Inde (Madhya Pradesh) ; 829 000 h.

Indra, dieu védique de la Foudre.

Indre, affl. de la Loire (265 km).

Indre, dép. français (36) (Centre) ; 6 824 km² ; 245 872 h ; ch.-l. Châteauroux.

Indre-et-Loire, dép. français (37) (Centre) ; 6 126 km² ; 539 753 h ; ch.-l. Tours.

Indurain Miguel (né en 1964), coureur cycliste espagnol.

Indus, fl. d'Asie (Inde et Pakistan) (3 180 km). La *civilisation de l'Indus* s'épanouit de 2500 à 1500 av. J.-C.

Indy Vincent d' (1851-1931), compositeur français, auteur d'opéras, de quatuors.

Inès de Castro (v. 1320-1355), épouse secrète de l'infant Pierre de Portugal ; assassinée.

Ingouchie, république autonome de Russie (Caucase) ; cap. Nazran.

Ingres Dominique (1780-1867), peintre néoclassique français.

Inn, riv. de Suisse et d'Autriche (525 km), affl. du Danube.

Innocent III (1160-1216), pape en 1198. Il provoqua la quatrième croisade et la croisade des albigeois.

Innocent X (1574-1655), pape en 1644. Il condamna le jansénisme.

Innocent XI (1611-1689), pape en 1676. Il s'opposa à Louis XIV.

Innsbruck, v. d'Autriche, cap. du Tyrol ; 117 300 h.

Inönü Ismet (1884-1973), homme politique turc.

Inquisition (l'), tribunal ecclésiastique chargé de poursuivre les hérétiques (XIIIe-XVIe s.).

INRA, sigle de *Institut national de la recherche agronomique.*

INSEE, sigle de *Institut national de la statistique et des études économiques.*

INSERM, sigle de *Institut national de la santé et de la recherche médicale.*

Institut de France, réunion des cinq Académies : française, des sciences, des sciences morales et politiques, des inscriptions et belles-lettres, des beaux-arts.

Insulinde, nom donné autrefois aux îles qui forment l'Indonésie et les Philippines.

Intelligence Service, service de contre-espionnage britannique.

Internationale (l'), groupement de divers partis ouvriers du monde, dont l'objectif est l'avènement mondial du socialisme. Il y eut quatre Internationales.

Internationale (l'), hymne révolutionnaire d'E. Pottier (1871).

Internet, réseau télématique international permettant l'échange d'informations sur ordinateur.

Interpol, abrév. de *Organisation INTERnationale de POLice criminelle* (1923).

Inuits, peuple, autref. appelé Esquimaux, habitant le Groenland, le Canada et l'Alaska.

Invalides (hôtel des), monument de Paris construit par J. Hardouin-Mansart (1679-1706).

Investitures (querelle des), conflit entre le Saint Empire et la papauté (1073-1122).

Io, prêtresse d'Héra, aimée de Zeus qui la changea en génisse (*Myth. gr.*).

Ionesco Eugène (1909-1994), auteur dramatique français d'origine roumaine : *la Cantatrice chauve.*

Ionie, rég. côtière du centre de l'Asie Mineure antique ; v. princ. Éphèse, Milet.

Ionienne (mer), partie de la Méditerranée centrale, entre la Sicile et la Grèce, où se trouvent les *îles Ioniennes,* archipel grec (Corfou, Cythère, Leucade, etc.).

Iowa, État du centre des États-Unis.

Iphigénie, fille d'Agamemnon, sacrifiée par son père à Artémis (*Myth. gr.*).

Ipoh, v. de Malaisie ; 293 850 h.

Ipousteguy Jean Robert (né en 1920), sculpteur français.

IRA, sigle de *Irish Republican Army,* armée nationaliste irlandaise, fondée en 1919.

Irak ou **Iraq,** État du Proche-Orient ; 435 000 km² ; 28 800 000 h ; cap. Bagdad.

Iran, État d'Asie occidentale ; 1 648 000 km² ; 69 500 000 h ; cap. Téhéran.

Irène (v. 752-803), impératrice d'Orient (797-802).

Irénée saint (v. 130-v. 208), docteur de l'Église.

Irgoun, organisation militaire sioniste, fondée en Palestine (1931-1948).

Irian Jaya ou **Irian Barat,** partie occidentale de la Nouvelle-Guinée, formant une prov. de l'Indonésie.

Iris, messagère des dieux (*Myth. gr.*).

Irkoutsk, v. de Russie (Sibérie) ; 618 000 h.

Irlande, la plus occidentale des îles britanniques, séparée de la Grande-Bretagne par la *mer d'Irlande* et divisée depuis 1921 entre l' **Irlande du Nord** ou **Ulster** (ch.-l. Belfast) qui fait partie du Royaume-Uni et la **République d'Irlande** ou **Eire** : 68 895 km² ; 4 100 000 h ; cap. Dublin.

Iroise (mer d'), partie de l'Atlantique s'étendant au large de la Bretagne occidentale.

Iroquois, Indiens de la vallée du Saint-Laurent et des Grands Lacs (XVIIe-XVIIIe s.).

Irrawaddy, fl. de Birmanie (2 250 km).

Irtych, affl. de l'Ob (3 000 km).

Irún, v. d'Espagne, à la frontière française ; 53 500 h.

Irving Washington (1783-1859), romancier et historien américain : *le Livre des esquisses.*

Isaac, patriarche hébreu, fils d'Abraham qui faillit le sacrifier, père de Jacob (*Bible*).

Isabelle Ire (dite *la Catholique*) (1451-1504), reine de Castille en 1474, épouse de Ferdinand d'Aragon.

Isabelle II (1830-1904), reine d'Espagne en 1833, elle dut abdiquer en 1868.

Isabeau de Bavière (1371-1435), reine de France, épouse de Charles VI, régente pendant la folie de celui-ci.

Isaïe ou **Ésaïe** (VIIIe s. av. J.-C.), le premier des quatre grands prophètes bibliques.

Isar, riv. de Bavière, affl. du Danube (352 km).

Ischia, île italienne du golfe de Naples.
Ise, v. du Japon (Honshu) ; 105 460 h. Sanctuaires shintoïstes.
Iseran, col de Savoie (2 770 m).
Isère, affl. du Rhône (290 km).
Isère, dép. français (38) (Rhône-Alpes) ; 7 467 km² ; 1 033 220 h ; ch.-l. Grenoble.
Ishtar, déesse sémitique de la Fécondité, appelée **Astarté** par les Grecs.
Isidore de Séville saint (v. 560-636), évêque espagnol, docteur de l'Église, auteur d'une somme encyclopédique.
Isis, divinité de l'anc. Égypte, épouse d'Osiris.
Islamabad, cap. du Pakistan ; 201 000 h.
Islande, État insulaire de l'Atlantique Nord ; 102 829 km² ; 300 000 h ; cap. Reykjavik.
Ismaël, fils d'Abraham et d'Agar, considéré comme l'ancêtre des Arabes (*Bible*).
Isma'il Ier (1487-1524), chah de Perse, fondateur de la dynastie des Séfévides.
Ismaïlia, v. d'Égypte, sur le canal de Suez ; 214 000 h.
Ispahan, v. d'Iran ; 927 000 h. Grande mosquée. Anc. cap. des Seldjoukides et des Séfévides.
Israël, surnom donné à Jacob ainsi qu'aux tribus issues de ses douze fils et au peuple juif.
Israël, État du Proche-Orient ; env. 21 000 km² ; 7 100 000 h ; cap. Jérusalem.
Issas, peuple de Djibouti, de Somalie et d'Éthiopie.
Issoire, ch.-l. d'arr. du Puy-de-Dôme ; 15 026 h.

Issoudun, ch.-l. d'arr. de l'Indre ; 14 432 h.
Issy-les-Moulineaux, ch.-l. de cant. des Hauts-de-Seine ; 46 734 h.
Istanbul (anc. *Byzance,* puis *Constantinople*), princ. v. et port de Turquie ; 5 475 980 h.
Istiqlal, parti nationaliste marocain fondé en 1937.
Istres, ch.-l. d'arr. des Bouches-du-Rhône ; 36 516 h.
Istrie, presqu'île de Croatie.
Italie, État d'Europe méridionale ; 301 262 km² ; 58 700 000 h ; cap. Rome.
Ithaque, île ionienne, patrie d'Ulysse.
Ivan III le Grand (1440-1505), grand-prince de Moscou.
Ivan IV (dit *le Terrible*) (1530-1584), premier tsar de Russie, fondateur de la Russie moderne.
Ivanovo, v. de Russie ; 474 000 h.
Ivens Joris (1898-1989), cinéaste néerlandais, auteur de documentaires.
Ives Charles (1874-1954), compositeur américain.
Ivry-sur-Seine, ch.-l. de cant. du Val-de-Marne ; 54 106 h.
Ixelles, v. de Belgique ; 76 000 h.
Izmir (anc. *Smyrne*), port de Turquie, sur la mer Égée ; 946 290 h.
Izmit (anc. *Nicomédie*), port de Turquie, sur la mer de Marmara ; 233 340 h.
Iznik. *V. Nicée.*
Izoard, col des Hautes-Alpes (2 360 m).

	J	J	J
J	**J**	**J**	**J**
	J	**J**	*J*

Jabaipur, v. de l'Inde centrale ; 614 160 h.
Jackson Andrew (1767-1845), président (démocrate) des États-Unis de 1829 à 1837.
Jackson John (1834-1911), neurologue anglais, fondateur de la neurologie.
Jackson Mahalia (1911-1972), chanteuse américaine de negro spiritual.
Jacksonville, port des États-Unis (Floride) ; 610 030 h.
Jacob, patriarche hébreu, second fils d'Isaac, père de douze fils, qui fondèrent les douze tribus d'Israël (*Bible*).
Jacob Max (1876-1944), poète français.
Jacob François (né en 1920), biologiste français : *la Logique du vivant.*
Jacobins, club révolutionnaire créé en 1789, qui soutint l'action de Robespierre et des Montagnards.
Jacquard Joseph-Marie (1752-1834), mécanicien français. Il mit au point un métier à tisser.
Jacques saint (dit *le Majeur*) (mort en 44), un des douze apôtres.
Jacques saint (dit *le Juste* ou *le Mineur*) (mort en 62), un des douze apôtres.
Jacques Ier (1566-1625), roi d'Écosse (1567), d'Angleterre (1603), fils de Marie Stuart.
Jacques II (1633-1701), roi d'Écosse, d'Angleterre et d'Irlande (1685-1688), détrôné par Guillaume de Nassau.
Jaén, v. d'Espagne (Andalousie) ; 102 740 h.
Jaffa, anc. v. de Palestine, auj. faubourg de Tel-Aviv.
Jagellon, dynastie lituanienne qui régna en Pologne, en Bohême et en Hongrie.
Jaipur, v. de l'Inde, cap. du Rajasthan ; 977 160 h.
Jakarta. V. Djakarta.
Jakobson Roman (1896-1982), linguiste américain d'origine russe.
Jalapa, v. du Mexique central ; 204 590 h.
Jamaïque, État insulaire des Grandes Antilles ; 11 425 km² ; 2 700 000 h ; cap. Kingston.
James William (1842-1910), philosophe américain, fondateur du pragmatisme.
James Henry (1843-1916), frère du préc., romancier américain naturalisé anglais.
Jammes Francis (1868-1938), poète français.
Jammu, v. de l'Inde (Cachemire) ; 206 000 h.
Jamna. V. Yamuna.
Jamshedpur, v. de l'Inde (Bihar) ; 438 390 h.

Janacek Leos (1854-1928), compositeur tchèque.
Janequin Clément (v. 1485-1558), compositeur français, maître de la polyphonie.
Janet Pierre (1859-1947), neurologue français.
Janicule (mont), colline de Rome.
Jankélévitch Vladimir (1903-1985), philosophe français.
Jansénius (1585-1638), théologien hollandais. Son *Augustinus* est à l'origine du jansénisme.
Janssen Jules (1824-1907), physicien et astronome français. Il découvrit l'hélium.
Janus, divinité à deux visages, gardien des portes (*Myth. rom.*).
Japhet, troisième fils de Noé (*Bible*).
Japon, État d'Extrême-Orient, formé d'îles (Hokkaido, Honshu, Shikoku et Kyushu) ; 377 765 km² ; 127 700 000 h ; cap. Tokyo.
Japon (mer du), partie du Pacifique séparant le Japon de la côte asiatique.
Jarretière, ordre de chevalerie anglais.
Jarry Alfred (1873-1907), écrivain français : *Ubu roi.*
Jaruzelski Wojciech (né en 1923), homme politique polonais, au pouvoir de 1981 à 1990.
Jason, chef des Argonautes (*Myth. gr.*).
Jaspers Karl (1883-1969), philosophe allemand : *Philosophie de l'existence.*
Jaune (fleuve). V. Huanghe.
Jaune (mer), partie du Pacifique, entre la Chine et la Corée.
Jaurès Jean (1859-1914), homme politique français (socialiste). Assassiné par un nationaliste.
Java, île la plus peuplée d'Indonésie ; 96 900 000 h. La *mer de Java* est comprise entre Java, Sumatra et Bornéo.
Jdanov. V. Marioupol.
Jdanov Andreï (1896-1948), homme politique soviétique, théoricien du réalisme socialiste.
Jean ou **Jean-Baptiste** saint (mort v. 28), il donna le baptême à Jésus et le reconnut comme le Messie. Il fut décapité.
Jean ou **Jean l'Évangéliste** saint (mort v. 100), un des douze apôtres. On lui attribue le quatrième Évangile et l'Apocalypse.
Jean Ier (1316), roi de France qui ne vécut que quelques jours.
Jean Ier le Grand (1357-1433), roi de Portugal en 1385. Père d'Henri le Navigateur, il fit du Portugal une grande puissance.

Jean II le Bon (1319-1364), roi de France en 1350. Vaincu à Poitiers par les Anglais, il mourut en captivité.

Jean III Sobieski (1624-1696), roi de Pologne en 1674, vainqueur des Turcs.

Jean VI le Clément (1767-1826), roi de Portugal (1816-1826).

Jean XXIII (1881-1963), pape en 1958. Il convoqua le second concile du Vatican.

Jean Bosco saint (1815-1888), prêtre italien qui fonda la congrégation des Salésiens.

Jean Chrysostome saint (v. 344-407), patriarche de Constantinople.

Jean de la Croix saint (1542-1591), mystique espagnol.

Jean Damascène saint (mort v. 749), docteur de l'Église.

Jean de Meung (v. 1240-v. 1305), écrivain français. Il continua le *Roman de la Rose*.

Jean sans Peur (1371-1419), duc de Bourgogne en 1404 ; il fut assassiné.

Jean sans Terre (1167-1216), roi d'Angleterre en 1199, successeur de son frère Richard Cœur de Lion.

Jean-Marie Vianney saint (1786-1859), prêtre français, appelé le *curé d'Ars*.

Jeanne III d'Albret (1528-1572), reine de Navarre, épouse d'Henri IV.

Jeanne d'Arc sainte (dite *la Pucelle d'Orléans*) (1412-1431), héroïne française née à Domrémy. Elle contraignit les Anglais à lever le siège d'Orléans (1429) et fit sacrer Charles VII à Reims. Livrée aux Anglais, elle fut brûlée à Rouen.

Jeanne la Folle (1479-1555), reine de Castille en 1504, mère de Charles Quint.

Jeanne de France ou **de Valois** sainte (1464-1505), reine de France en 1498, épouse de Louis XII, qui la répudia.

Jeanne-Françoise Frémyot de Chantal sainte (1572-1641), religieuse française.

Jeanne Seymour (1509-1537), reine d'Angleterre, une des épouses d'Henri VIII.

Jean-Paul II (1920-2005), pape de 1978 à 2005.

Jean-Paul (Johann Paul Richter, dit) (1763-1825), écrivain romantique allemand.

Jefferson Thomas (1743-1826), un des auteurs de la Déclaration d'indépendance de 1776, président des États-Unis de 1801 à 1809.

Jéhovah, autre nom de Yahvé.

Jéhovah (Témoins de), mouvement religieux fondé en 1874 aux États-Unis.

Jemappes (Hainaut), victoire de Dumouriez sur les Autrichiens (1792).

Jenner Edward (1749-1823), médecin anglais. Il pratiqua la première vaccination.

Jérémie (v. 645-v. 580 av. J.-C.), prophète juif.

Jerez de la Frontera, v. d'Espagne (Andalousie) ; 185 000 h.

Jéricho, v. de Cisjordanie ; 65 000 h. La Bible raconte la prise de la ville par les Hébreux qui commandait Josué.

Jéroboam Iᵉʳ (mort en 910 av. J.-C.), premier roi d'Israël de 930 à 910.

Jérôme saint (v. 347-v. 420), Père et docteur de l'Église, auteur de la Vulgate.

Jerome K. Jerome (1859-1927), écrivain anglais : *Trois Hommes dans un bateau*.

Jersey, la plus grande des îles Anglo-Normandes ; ch.-l. Saint-Hélier.

Jérusalem, cap. de l'État d'Israël depuis 1980 ; 457 500 h. Ville sainte pour les juifs, les chrétiens et les musulmans.

Jésus ou **Jésus-Christ**, fils de Dieu selon la religion chrétienne, fondateur du christianisme. Né à Bethléem, mort crucifié à Jérusalem v. 30.

Jésus (Compagnie de), ordre de clercs réguliers (jésuites), fondé en 1540 par Ignace de Loyola.

Jeu de paume (serment du), serment prêté le 20 juin 1789 par les députés du tiers état de donner une Constitution à la France.

Jeunes-Turcs, groupe d'officiers réformateurs de l'Empire ottoman (début du XXᵉ s.).

Jézabel (IXᵉ s. av. J.-C.), femme d'Achab, roi d'Israël, et mère d'Athalie (*Bible*).

Jiang Jieshi. *V. Tchang Kaï-chek*.

Jiangsu, prov. de la Chine orientale ; cap. Nankin ; v. princ. Shanghai.

Jiangxi, prov. du S.-E. de la Chine ; cap. Nanchang.

Jiang Zemin (né en 1926), homme politique chinois, chef de l'État de 1993 à 2003.

Jilin ou **Kirin**, v. de la Chine du N.-E., dans la *province de Jilin* ; 1 088 420 h (aggl. 3 974 260 h).

Jiménez Juan Ramón (1881-1958), poète espagnol : *Éternités*.

Jinan, v. de Chine, cap. du Shandong ; 1 359 130 h (aggl. 3 375 830 h).

Jinnah Mohammed Ali (1876-1948), homme politique pakistanais, créateur du Pakistan.

Jivaros, Indiens d'Amazonie. Ils réduisaient la tête de leurs ennemis tués.

Joab (Xᵉ s. av. J.-C.), neveu de David (*Bible*).

Joachim saint, époux de sainte Anne, père de la Vierge Marie.

Joachim de Flore (v. 1130-1202), mystique italien.

Joad (IXᵉ s. av. J.-C.), grand prêtre de Jérusalem, qui fit périr Athalie (*Bible*).

João Pessoa, port du N.-E. du Brésil (Paraíba) ; 397 720 h.

Job, personnage de la Bible qui finit par accepter les malheurs que Dieu lui envoyait.

JOC, sigle de *Jeunesse ouvrière chrétienne*.

Jocaste, mère d'Œdipe (*Myth. gr.*).

Jodhpur, v. de l'Inde (Rajasthan) ; 506 000 h.

Joffre Joseph (1852-1931), maréchal de France, généralissime en 1915.

Jogjakarta, v. d'Indonésie (Java) ; 400 000 h.

Johannesburg, v. d'Afrique du Sud (province de Gauteng) ; 1 360 870 h.

Johns Jasper (né en 1930), peintre et sculpteur américain, créateur du pop' art.

Johnson Samuel (1709-1784), écrivain et lexicographe anglais.

Johnson Andrew (1808-1875), président (républicain) des États-Unis (1865-1869).

Johnson Lyndon (1908-1973), président (démocrate) des États-Unis (1963-1969).

Joinville Jean, sire de (v. 1224-1317), chroniqueur français du règne de Saint Louis.

Joliot-Curie Frédéric (1900-1958) et sa femme **Irène** (1897-1956), physiciens français. Ils découvrirent la radioactivité artificielle.

Jolivet André (1905-1974), compositeur français.

Jonas (VIIIᵉ s. av. J.-C.), un des petits prophètes juifs, à ne pas confondre avec le personnage du *Livre de Jonas* qui passa trois jours dans le ventre d'un poisson.

Jongkind Johan (1819-1891), peintre hollandais, précurseur de l'impressionnisme.
Jonson Ben (1572-1637), écrivain anglais, maître du théâtre élisabéthain : *Volpone.*
Jonzac, ch.-l. d'arr. de la Charente-Maritime ; 4 873 h.
Jorasses (Grandes-), sommets du massif du Mont-Blanc (4 206 m).
Jordaens Jacob (1593-1678), peintre flamand, maître du style baroque.
Jordanie, État du Proche-Orient ; 97 740 km² ; 5 800 000 h ; cap. Amman.
Jorn Asger (1914-1973), peintre danois.
Josaphat (vallée de), vallée près de Jérusalem, lieu du Jugement dernier (*Bible*).
Joseph, patriarche hébreu, fils de Jacob et de Rachel, vendu par ses frères (*Bible*).
Joseph saint, charpentier de Nazareth, époux de la Vierge Marie.
Joseph le Père (1577-1638), conseiller de Richelieu, surnommé l'Éminence grise.
Joseph II (1741-1790), empereur germanique en 1765, fils de Marie-Thérèse.
Joseph d'Arimathie saint, Juif qui obtint de Pilate le corps du Christ pour l'ensevelir.
Joséphine (1763-1814), impératrice des Français, épouse du vicomte de Beauharnais puis de Bonaparte (1796) ; répudiée en 1809.
Jospin Lionel (né en 1937), homme politique français (socialiste), Premier ministre de 1997 à 2002.
Josquin Des Prés. *V. Des Prés.*
Josué (fin du XIIIᵉ s. av. J.-C.), successeur de Moïse (*Bible*).
Joué-lès-Tours, ch.-l. de cant. d'Indre-et-Loire ; 37 114 h.
Jouffroy d'Abbans Claude François (1751-1832), ingénieur français, constructeur du premier bateau à vapeur.
Jouhandeau Marcel (1888-1979), écrivain français : *Chaminadour.*
Jouhaux Léon (1879-1954), syndicaliste français (CGT).
Joukov Gheorghi (1896-1974), maréchal soviétique.
Joukovski Vassili (1783-1852), poète lyrique russe, préromantique.
Joule James Prescott (1818-1889), physicien anglais. Il détermina l'équivalence entre la chaleur et le travail.
Jourdain, fl. du Proche-Orient (360 km), qui sépare la Jordanie de la Cisjordanie.
Jourdan Jean-Baptiste (1762-1833), maréchal de France, victorieux à Fleurus (1794).
Jouve Pierre Jean (1887-1976), écrivain français : *Noces, Paulina 1880.*
Jouvet Louis (1887-1951), acteur et metteur en scène de théâtre français.
Jouy-en-Josas, v. des Yvelines ; 7 701 h. Les *toiles de Jouy* étaient produites par la manufacture créée par Oberkampf en 1759.
Joyce James (1882-1941), écrivain irlandais : *Ulysse.*

József Attila (1905-1937), poète hongrois.
Juan Carlos Iᵉʳ (né en 1938), roi d'Espagne à la mort du général Franco (1975).
Juan-les-Pins, station balnéaire des Alpes-Maritimes.
Juárez García Benito (1806-1872), président du Mexique (1861), vainqueur de Maximilien d'Autriche.
Juda, quatrième fils de Jacob (*Bible*).
Juda, royaume (cap. Jérusalem) constitué par les tribus de Juda et de Benjamin v. 931 av. J.-C.
Judas iscariote, apôtre qui trahit Jésus.
Jude ou **Thaddée** saint, un des douze apôtres.
Judée, prov. méridionale de la Palestine.
Judith, héroïne juive qui tua Holopherne, général de Nabuchodonosor (*Bible*).
Juges, chefs que les Hébreux élurent après la mort de Josué (*Bible*).
Juglar Clément (1819-1905), économiste français, théoricien des crises économiques.
Jugurtha (v. 160-v. 104 av. J.-C.), roi de Numidie, vaincu par les Romains.
Juillet (14), fête nationale française commémorant la prise de la Bastille le 14 juillet 1789.
Juillet (monarchie de), gouvernement de la France sous le règne de Louis-Philippe.
Juin Alphonse (1888-1967), maréchal de France.
Jules II (1443-1513), pape en 1503. Il s'opposa à Venise et à Louis XII (guerres d'Italie).
Julia, famille romaine à laquelle appartenait Jules César.
Juliana Iʳᵉ (1909-2004), reine des Pays-Bas (1948-1980).
Julien (dit *l'Apostat*), (331-363), empereur romain en 361, neveu de Constantin Iᵉʳ.
Jung Carl Gustav (1875-1961), psychiatre suisse, disciple de Freud, il s'en sépara.
Jünger Ernst (1895-1998), écrivain allemand.
Jungfrau, sommet des Alpes suisses (4 166 m).
Junon, déesse romaine, épouse de Jupiter.
Junot Andoche, duc d'Abrantès (1771-1813), général français.
Jupiter, dieu romain, assimilé au Zeus grec, maître du panthéon.
Jupiter, cinquième planète du système solaire.
Juppé Alain (né en 1945), homme politique français (gaulliste), Premier ministre de 1995 à 1997.
Jura, système montagneux de France et de Suisse (1 723 m), qui se prolonge en Allemagne (*Jura Souabe* et *Jura franconien*).
Jura, cant. de Suisse ; ch.-l. Delémont.
Jura, dép. français (39) (Franche-Comté) ; 5 053 km² ; 256 609 h ; ch.-l. Lons-le-Saunier.
Jussieu Antoine Laurent de (1748-1836), botaniste français.
Justinien Iᵉʳ (482-565), empereur d'Orient en 527. Grand législateur, il tenta de reconstituer l'ancien Empire romain.
Juvénal (v. 60-v. 130), poète latin : *Satires.*
Jylland ou **Jutland,** partie péninsulaire du Danemark.

K2 ou **Dapsang,** deuxième sommet de l'Himalaya (Karakoram) ; 8 620 m.

Kaaba (la), édifice cubique dans la mosquée de La Mecque.

Kabardino-Balkarie, rép. auton. de Russie, dans le Caucase.

Kabila Joseph (né en 1971), président de la République démocratique du Congo en 2001.

Kaboul, cap. de l'Afghanistan ; 1 000 000 h.

Kabuto-Cho, la Bourse de Tokyo.

Kabyles, peuple berbère d'Algérie.

Kabylie, rég. montagneuse du N.-E. de l'Algérie.

Kachins, peuple de Birmanie, de Chine (Yunnan) et de l'Inde (Assam).

Kaczynsky Lech (né en 1949), président de la République de Pologne depuis 2005.

Kádár János (1912-1989), homme politique hongrois, au pouvoir de 1956 à 1988.

Kadaré Ismaïl (né en 1936), romancier albanais : *le Général de l'armée morte.*

Kadhafi al-Mu'ammar (né en 1942), homme politique libyen, au pouvoir depuis 1969.

Kafka Franz (1883-1924), écrivain tchèque de langue allemande : *le Procès, le Château.*

Kagel Mauricio (né en 1931), compositeur et chef d'orchestre argentin.

Kagoshima, port du Japon (Kyushu) ; 530 500 h.

Kahnweiler Daniel-Henry (1884-1979), marchand de tableaux et écrivain d'art français.

Kaifeng, v. de Chine (Henan) ; 602 230 h.

Kairouan, v. de Tunisie ; 72 250 h. Centre religieux, mosquées.

Kaiserslautern, v. d'Allemagne (Rhénanie-Palatinat) ; 96 770 h.

Kalahari, désert d'Afrique australe.

Kalevala, épopée populaire finnoise.

Kalgan. V. *Zhangjiakou.*

Kali, divinité hindoue de la Mort et de la Destruction, épouse de Civa.

Kalimantan, partie indonésienne de Bornéo.

Kalinine. V. *Tver.*

Kalinine Mikhaïl (1875-1946), homme politique soviétique.

Kaliningrad (anc. *Königsberg*), port de Russie, sur la Baltique ; 385 000 h.

Kalmar, port de Suède ; 54 250 h. L'*Union de Kalmar* a réuni la Suède, la Norvège et le Danemark en un seul royaume.

Kalmouks, peuple mongol de Sibérie (rép. auton. des Kalmouks), de Mongolie et de Chine.

Kamakura, v. du Japon (Honshu) ; 175 500 h. Statue du Bouddha. Anc. capitale (XIIe-XIVe s.).

Kama-sutra, ouvrage sanskrit sur l'amour, écrit entre le IVe et le VIIe s.

Kamenev Lev (1883-1936), homme politique soviétique ; exécuté.

Kamerlingh Onnes Heike (1853-1926), physicien néerlandais. Il découvrit la supraconductivité.

Kampala, cap. de l'Ouganda ; 458 000 h.

Kampuchéa, nom du Cambodge de 1979 à 1989.

Kamtchatka, presqu'île de la Sibérie.

Kanaks. V. *Canaques.*

Kanáris Constantin (1790-1877), amiral grec ; héros de l'indépendance.

Kanchipuram, v. de l'Inde (Tamil Nadu) ; 130 930 h. Temples.

Kandahar, v. du S. de l'Afghanistan ; 150 000 h.

Kandinsky Wassili (1866-1944), peintre russe, naturalisé allemand puis français, pionnier de l'art abstrait.

Kandy, v. de Sri Lanka ; 120 000 h ; anc. capitale de Ceylan (XVIe-XIXe s.).

Kangxi (1654-1722), empereur de Chine en 1662.

Kano, v. du Nigeria ; 399 000 h. Anc. cap. haoussa.

Kano, école de peinture du Japon (XVe s.).

Kanpur, v. de l'Inde (Uttar Pradesh) ; 1 481 790 h.

Kansas, État du centre des États-Unis.

Kansas City, v. des États-Unis, à cheval sur le Kansas et le Missouri ; 1 476 700 h dans l'agglomération.

Kant Emmanuel (1724-1804), philosophe allemand : *Critique de la raison pure.*

Kantor Tadeusz (1915-1990), metteur en scène de théâtre polonais.

Kaolack, v. du Sénégal ; 140 000 h.

Kaosiung. V. *Gaoxiong.*

Kapitsa Piotr (1894-1984), physicien soviétique.

Karabakh (Haut-) ou **Nagorno-Karabakh,** prov. d'Azerbaïdjan revendiquée par l'Arménie.

Karachi, port du Pakistan ; 5 103 000 h.

Karaganda, v. du Kazakhstan ; 641 000 h.

Karageorges (1752-1817), fondateur de la dynastie serbe des *Karadjordjević* qui régna sur la Yougoslavie jusqu'en 1941.

Karajan Herbert von (1908-1989), chef d'orchestre autrichien.

Karakalpakie, rép. auton. d'Ouzbékistan.

Karakoram, partie O. de l'Himalaya (8 620 m au K2).

Karbala, v. d'Irak ; 115 000 h. Ville sainte des chiites.

Karens, peuple de Birmanie et de Thaïlande.

Karikal, port de l'Inde ; 60 500 h. Anc. comptoir français.

Karl-Marx-Stadt. *V. Chemnitz.*

Karlovy Vary (anc. *Carlsbad*), stat. thermale de la République tchèque (Bohême).

Karlsruhe, v. d'Allemagne (Bade-Wurtemberg) ; 268 310 h.

Karnak, village de la Haute-Égypte, sur le site de Thèbes. Temple d'Amon.

Karnataka (anc. *Mysore*), État du S. de l'Inde ; cap. Bangalore.

Karzaï Hamid (né en 1957), président de la République d'Afghanistan depuis 2004.

Kasaï, nom de deux prov. du Zaïre.

Kassel, v. d'Allemagne (Hesse) ; 185 370 h.

Kassem Abd al-Karim (1914-1963), homme politique irakien, renversé par le Baas et exécuté.

Kassites, peuple asiatique, maître de Babylone de 1530 à 1160 av. J.-C.

Kastler Alfred (1902-1984), physicien français.

Katanga. *V. Shaba.*

Kateb Yacine (1929-1989), écrivain algérien : *le Polygone étoilé.*

Katmandou, cap. du Népal ; 393 490 h.

Katowice, v. de Pologne (Silésie) ; 362 860 h.

Kattégat, large détroit entre la Suède et le Danemark.

Katyn, village de Russie où furent découverts les cadavres de 4 500 officiers polonais massacrés par les Soviétiques en 1940-1941.

Kaunas, v. de Lituanie ; 405 000 h.

Kaunda Kenneth (né en 1924), président de la République de Zambie (1964-1991).

Kautsky Karl (1854-1938), homme politique allemand (social-démocrate).

Kawabata Yasunari (1899-1972), écrivain japonais : *Pays de neige.*

Kawasaki, port du Japon (Honshu) ; 1 104 270 h.

Kayseri, v. de Turquie ; 375 940 h.

Kazakhstan, État d'Asie centrale, anc. rép. fédérée de l'URSS ; 2 715 100 km² ; 15 100 000 h ; cap. Astana.

Kazan, v. de Russie, sur la Volga ; 1 084 000 h.

Kazan Elia (né en 1909), cinéaste américain : *Sur les quais.*

Kazantzákis Nikos (1885-1957), écrivain grec : *le Christ recrucifié.*

Keaton Buster (1896-1966), acteur et cinéaste américain : *le Mécano de la « General ».*

Keats John (1795-1821), poète romantique anglais : *Odes.*

Keitel Wilhelm (1882-1946), feld-maréchal allemand. Il signa la capitulation du IIIe Reich.

Kekkonen Urho (1900-1986), homme politique finlandais.

Keller Gottfried (1819-1890), écrivain suisse d'expression allemande : *Henri le Vert.*

Kellermann François (1735-1820), maréchal de France, vainqueur à Valmy (1792).

Kellogg Frank (1856-1937), diplomate américain, apôtre du pacifisme.

Kelly Gene (1912-1996), acteur, metteur en scène et danseur américain.

Kelvin lord. *V. Thomson.*

Kemal Mustafa (dit *Kemal Atatürk*) (1880-1938), fondateur de la Turquie moderne, président de la République (1923-1938).

Kemal Yasar. *V. Yasar Kemal.*

Kenitra, port du Maroc ; 188 190 h (aggl. 449 700 h).

Kennedy, aéroport de New York.

Kennedy, centre spatial américain situé près du Cap Canaveral (Floride).

Kennedy John (1917-1963), 35e président (démocrate) des États-Unis en 1961 ; assassiné.

Kent, comté du S.-E. de l'Angleterre.

Kentucky, État du centre-est des États-Unis.

Kenya (mont), un des plus hauts sommets de l'Afrique (5 194 m).

Kenya, État d'Afrique orientale ; 582 646 km² ; 33 800 000 h ; cap. Nairobi.

Kenyatta Jomo (v. 1893-1978), premier président du Kenya indépendant (1964-1978).

Kepler Johannes (1571-1630), astronome allemand, disciple de Copernic.

Kerala, État du S.-O. de l'Inde ; cap. Trivandrum.

Kerenski Alexandre (1881-1970), homme politique russe, renversé par les bolchéviques en novembre 1917.

Kerguelen (îles), archipel français de l'Antarctique.

Kermanchah (*Bakhtaran* de 1981 à 1992), v. de l'Iran (Kurdistan) ; 531 000 h.

Kerouac Jack (1922-1969), écrivain américain : *les Clochards célestes.*

Kertész Imre (né en 1929), écrivain hongrois.

Kessel Joseph (1898-1979), écrivain français d'origine russe : *l'Équipage.*

Keynes John (1883-1946), économiste britannique : *Théorie générale de l'emploi, de l'intérêt et de la monnaie.*

KGB (« Comité de sécurité de l'État »), police politique soviétique, chargée de l'espionnage et de la répression (1954-1991).

Khabarovsk, v. de Russie (Sibérie) ; 600 000 h.

Khadidjah (morte en 619), première épouse de Mahomet, mère de Fatima.

Khajuraho, site de l'Inde centrale où s'élèvent de nombreux temples (Xe-XIIIe s.).

Kharezm, anc. royaume d'Asie centrale.

Kharg, île iranienne, dans le golfe Persique.

Kharkiv, v. de l'Ukraine ; 1 604 000 h.

Khartoum, cap. du Soudan ; 557 350 h.

Khatami Syed Mohammad (né en 1944), prés. de la rép. d'Iran de 1997 à 2005.

Khatchatourian Aram (1903-1978), compositeur arménien : *Gayaneh.*

Khayber, défilé qui fait communiquer le Pakistan et l'Afghanistan.

Khayyam Omar (v. 1050-v. 1123), poète persan.

Khazars, peuple turc qui fonda au VIIe s. un royaume sur les rives de la Caspienne.

Khéops. *V. Chéops.*

Khéphren. *V. Chéphren.*

Kherson, port d'Ukraine ; 352 000 h.

Khlebnikov Vélimir (1885-1922), poète futuriste russe.

Khmers, peuple d'Indochine méridionale dont les actuels Cambodgiens sont les descendants.

Khmers rouges, guérilleros communistes cambodgiens qui exercèrent une dictature sanguinaire de 1975 à 1979.

Khomeyni Ruhollah (1902-1989), chef religieux chiite et homme politique iranien, au pouvoir apr. la révolution islamique de 1979.

Khorasan, prov. du N.-E. de l'Iran ; ch.-l. Mechhed.

Khorramchahr, v. d'Iran (Khuzistan) ; 146 000 h.

Khrouchtchev Nikita (1894-1971), homme politique soviétique, artisan de la déstalinisation, au pouvoir de 1958 à 1964.

Khursabad, site archéologique d'Irak, anc. cap. du roi assyrien Sargon II.

Khuzistan, prov. d'Iran, sur le golfe Persique ; ch.-l. Ahwaz, v. princ. Abadan.

Khwarizmi Muhammad al- (mort v. 850), fondateur de l'algèbre.

Kiarostami Abbas (né en 1940), cinéaste iranien : *le Goût de la cerise.*

Kichinev. *V. Chisinau.*

Kiel, port d'Allemagne, cap. du Schleswig-Holstein ; 243 630 h.

Kielce, v. de Pologne ; 202 280 h.

Kierkegaard Søren (1813-1855), philosophe danois, fondateur de l'existentialisme.

Kieslowski Krzysztof (1941-1996), cinéaste polonais : *le Décalogue.*

Kiev, cap. de l'Ukraine ; 2 577 000 h. Cathédrale Sainte-Sophie.

Kigali, cap. du Ruanda ; 116 230 h.

Kikuyus, peuple bantou du Kenya.

Kilby Jack St Clair (1923-2005), ingénieur américain, inventeur du circuit intégré.

Kilimandjaro (auj. *pic Uhuru*), volcan de Tanzanie, point culminant de l'Afrique (5 895 m).

Killy Jean-Claude (né en 1943), skieur français.

Kimberley, v. d'Afrique du Sud ; 149 670 h.

Kim Dae-jung (né en 1925), prés. de la rép. de Corée du Sud de 1997 à 2002.

Kim Il-sung (1912-1994), chef de la République de Corée du Nord de 1945 à sa mort.

Kim Jong-il (né en 1942), chef de l'État de Corée du Nord depuis 1998.

King Martin Luther (1929-1968), pasteur noir américain, leader de l'intégration et de la promotion des peuples de couleur ; assassiné.

King Riley Ben dit B.B. (né en 1925), guitariste et chanteur de blues américain.

Kingston, cap. de la Jamaïque ; 524 640 h.

Kingston-upon-Hull ou **Hull,** port du N. de l'Angleterre ; 268 300 h.

Kingstown, cap. de Saint-Vincent ; 33 000 h.

Kinsey Alfred (1894-1956), sociologue américain, auteur d'enquêtes sur la sexualité.

Kinshasa (anc. *Léopoldville*), cap. de la R.D. du Congo ; plus de 3 000 000 h.

Kipling Rudyard (1865-1936), écrivain anglais : *Livres de la jungle.*

Kirchhoff Gustav (1824-1887), physicien, fondateur de l'analyse spectrale.

Kirchner Ernst (1880-1938), peintre expressionniste allemand, membre de die Brücke.

Kirchner Nestor (né en 1950), homme politique argentin, président de la République depuis 2003.

Kirghizistan ou **Kirghizie,** État d'Asie centrale, anc. rép. fédérée de l'URSS ; 198 500 km² ; 5 200 000 h ; cap. Bichkek.

Kiribati, État de Micronésie (archipel des Gilbert) ; 728 km² ; 64 000 h ; cap. Bairiki.

Kirin. *V. Jilin.*

Kirkuk, v. du N. de l'Irak ; 225 000 h.

Kisangani (anc. *Stanleyville*), v. du N. de la R.D. du Congo, sur le Congo ; 282 650 h.

Kissinger Henry (né en 1923), diplomate américain.

Kistna (la) (anc. *Krichna*), fl. de l'Inde (1 300 km).

Kita-Kyushu, v. du Japon ; 1 053 290 h.

Kitano Takeshi (né en 1948), cinéaste et acteur japonais : *Sonatine.*

Kitchener lord Herbert (1850-1916), maréchal britannique, vainqueur des Boers.

Kitzbühel, stat. hivernale d'Autriche (Tyrol).

Kivu, lac d'Afrique, entre le Congo et le Rwanda.

Klagenfurt, v. d'Autriche ; 87 300 h ; cap. de la Carinthie.

Klaïpeda (anc. *Memel*), port de Lituanie ; 195 000 h.

Kléber Jean-Baptiste (1753-1800), général français. Vainqueur à Fleurus (1794).

Klee Paul (1879-1940), peintre suisse.

Klein Melanie (1882-1960), psychanalyste britannique d'origine autrichienne.

Kleist Heinrich von (1777-1811), écrivain romantique allemand : *le Prince de Hombourg.*

Klimt Gustav (1862-1918), peintre autrichien.

Klondike, riv. du Canada, cadre de la ruée vers l'or (1896).

Klopstock Friedrich (1724-1803), poète allemand : *Odes.*

Knesset (la), Parlement de l'État d'Israël.

Knox John (v. 1505-1572), réformateur religieux écossais ; presbytérien.

Knud le Grand (955-1035), roi d'Angleterre en 1016, de Danemark en 1018 et de Norvège en 1028.

Kobe, port du Japon (Honshu) ; 1 419 860 h.

Koch Robert (1843-1910), médecin allemand. Il découvrit le bacille de la tuberculose.

Kodály Zoltán (1882-1967), compositeur hongrois : *Psalmus hungaricus.*

Kœnig Marie Pierre (1898-1970), maréchal de France, chef des FFI en 1944.

Koestler Arthur (1905-1983), romancier anglais d'origine hongroise : *le Zéro et l'Infini.*

Kohl Helmut (né en 1930), chancelier (chrétien-démocrate) de l'Allemagne de 1982 à 1998.

Koizumi Junichiro (né en 1942), homme politique japonais, Premier ministre depuis 2001.

Kokoschka Oskar (1886-1980), peintre expressionniste autrichien, naturalisé anglais.

Kola (péninsule de), presqu'île du N. de la Russie.

Kolamba. *V. Colombo.*

Kolkata. *V. Calcutta.*

Koltchak Alexandre (1874-1920), amiral russe, chef des contre-révolutionnaires.

Kolwezi, v. de la R.D. du Congo ; 383 970 h.

Kolyma, fl. de Sibérie (2 600 km).

Komintern, autre nom de la IIIᵉ Internationale (1919-1943).

Komis. *V. Zyrianes.*

Komsomolsk, v. de Russie, en Sibérie orientale ; 300 000 h.

Kongzi. V. *Confucius.*

Königsberg, anc. cap. de la Prusse-Orientale. V. Kaliningrad.

Konya, v. de Turquie ; 439 180 h. Anc. cap. seldjoukide.

Kopa Raymond (né en 1931), footballeur français.

Kornilov Lavr (1870-1918), général russe ; contre-révolutionnaire.

Kosciusko (mont), point culminant de l'Australie (2 228 m).

Kosciuzko Tadeusz (1746-1817), général et héros national polonais.

Kosice, v. de Slovaquie ; 220 210 h.

Kosovo, prov. du S.-O. de la Serbie, surtout peuplée d'Albanais ; cap. Pristina.

Kossuth Lajos (1802-1894), homme politique hongrois, héros de la révolution de 1848.

Kostunica Vojislav (né en 1945), président de la République de Serbie en 2000.

Koubilaï khan ou **Kubilay khan** (1214-1294), empereur mongol, petit-fils de Gengis khan.

Kouïbychev. V. *Samara.*

Kouo-min-tang. V. *Guomindang.*

Kouo Mo-jo. V. *Guo Moruo.*

Koura (la), fl. de Transcaucasie (1 515 km).

Kouriles (îles), archipel russe du Pacifique, revendiqué par les Japonais.

Kourou, ch.-l. de cant. de la Guyane française. Centre de lancement de la fusée Ariane.

Koutaïssi, v. de Géorgie ; 214 000 h. Monuments médiévaux.

Koutouzov Mikhaïl (1745-1813), maréchal russe, vainqueur de Napoléon en 1812.

Kouzbass, rég. industrielle de Russie, en Sibérie occidentale.

Koweït, État (émirat) d'Arabie, au N.-O. du golfe Persique ; 17 818 km² ; 2 600 000 h ; cap. Koweït (360 000 h).

Koyré Alexandre (1882-1964), philosophe français d'origine russe.

Kozhikode (anc. *Calicut*), port de l'Inde (Kerala) ; 394 450 h.

Krakatoa ou **Krakatau,** île volcanique entre Java et Sumatra dont l'éruption fit 40 000 victimes (1883).

Krasnodar (anc. *Iekaterinodar*), v. de Russie, dans le Caucase ; 632 000 h.

Krasnoïarsk, v. de Russie (Sibérie) ; 912 000 h.

Krebs sir Hans Adolf (1900-1981), biochimiste allemand naturalisé anglais.

Kreisky Bruno (1911-1990), chancelier (social-démocrate) de l'Autriche de 1970 à 1983.

Kremlin (le), anc. palais impérial et citadelle de Moscou, siège du gouvernement russe.

Krichna. V. *Kistna.*

Krishna, divinité indienne très populaire.

Krivoï-Rog, v. d'Ukraine ; 684 000 h.

Kronstadt. V. *Cronstadt.*

Kropotkine Piotr, prince (1842-1921), révolutionnaire anarchiste russe.

Kruger Paul (1825-1904), homme politique du Transvaal, âme de la résistance des Boers contre l'Angleterre.

Krupp, industriels allemands de la Ruhr.

Krylov Ivan (1769-1844), fabuliste russe.

Kuala Lumpur, cap. de la Malaisie ; 919 610 h.

Kubrick Stanley (né en 1928), cinéaste américain : *Orange mécanique.*

Ku Klux Klan, société secrète américaine fondée v. 1865 pour lutter contre l'intégration des Noirs.

Kulturkampf, lutte engagée par Bismarck contre l'Église catholique.

Kumamoto, v. du Japon (Kyushu) ; 555 700 h.

Kun Béla (1886-1938), homme politique hongrois, fondateur du parti communiste.

Kundera Milan (né en 1929), romancier tchèque, naturalisé français : *la Plaisanterie.*

Kunduz, v. d'Afghanistan ; 80 000 h.

Kunming, v. de Chine, cap. du Yunnan ; 1 418 640 h.

Kupka Frank (1871-1957), peintre abstrait tchèque.

Kurashiki, v. du Japon (Honshu) ; 414 630 h.

Kurdistan, rég. d'Asie habitée par les Kurdes (env. 25 000 000 h), partagée entre la Turquie, l'Irak, l'Iran et la Syrie.

Kurosawa Akira (1910-1998), cinéaste japonais : *les Sept Samouraïs, Ran.*

Kuro-shio, puissant courant chaud du Pacifique occidental.

Kuznets Simon (1901-1985), économiste américain d'origine russe.

Kwakiutls, Indiens du Canada (Vancouver).

Kwangju, v. de Corée du Sud ; 906 130 h.

Kyoto, v. du Japon (Honshu) ; 1 481 130 h. Cap. impériale du VIIIe s. à 1868. Temples. Le *protocole de Kyoto* prévoit, pour les pays industrialisés signataires, une diminution notable de gaz à effet de serre d'ici 2012.

Kyushu, île du S. du Japon.

Laâyoune, v. du Maroc, ch.-l. du Sahara occidental ; 100 000 h.

Laban Rudolf von (1879-1958), chorégraphe et théoricien de la danse autrichien.

Labé Louise (v. 1524-1566), poétesse française.

Labiche Eugène (1815-1888), auteur dramatique français, créateur du vaudeville.

La Boétie Étienne de (1530-1563), écrivain français ; ami de Montaigne.

La Bourdonnais Bertrand de (1699-1753), marin et administrateur français.

Labour Party, parti travailliste britannique.

Labrador, presqu'île de l'O. du Canada.

La Bruyère Jean de (1645-1696), écrivain français : *les Caractères.*

Labyrinthe, édifice de Crète, à l'agencement complexe, construit par Dédale et où vivait le Minotaure (*Myth. gr.*).

Lacan Jacques (1901-1981), psychanalyste français

Lacanau, étang du golfe de Gascogne.

Lacédémone. V. Sparte.

Lacépède Étienne de (1756-1825), naturaliste français, continuateur de Buffon.

Laclos Choderlos de (1741-1803), officier et écrivain français : *les Liaisons dangereuses.*

La Condamine Charles de (1701-1774), voyageur et astronome français.

Laconie, rég. de Grèce, autour de Sparte.

Lacordaire Henri (1802-1861), religieux français.

Lacoste René (1904-1996), joueur de tennis et industriel français.

Lacq, gisement de gaz naturel des Pyrénées-Atlantiques.

Lacretelle Jacques de (1888-1985), romancier français : *Silbermann.*

Ladakh, rég. montagneuse du Cachemire.

Ladislas Iᵉʳ Arpad saint (v. 1040-1095), roi de Hongrie en 1077.

Ladoga (lac), lac de Russie (18 400 km²).

Ladoumègue Jules (1906-1973), athlète français.

Laennec René (1781-1826), médecin français. Il inventa le stéthoscope.

Lafargue Paul (1842-1911), homme politique français (socialiste).

La Fayette ou **Lafayette** Madame de (1634-1693), romancière française : *la Princesse de Clèves.*

La Fayette Marie-Joseph, marquis de (1757-1834), homme politique français, acteur de la guerre d'Indépendance américaine, de la Révolution de 1789 et de la Révolution de 1830.

Laffitte Jacques (1767-1844), banquier et homme politique français.

La Fontaine Jean de (1621-1695), poète français : *Fables, Contes.*

Laforgue Jules (1860-1887), poète symboliste français : *les Complaintes.*

Lagash, anc. cité-État de la basse Mésopotamie (IIIᵉ millénaire av. J.-C.).

Lagerkvist Pär (1891-1974), écrivain suédois : *Barabbas.*

Lagerlöf Selma (1858-1940), romancière suédoise : *le Merveilleux Voyage de Nils Holgersson.*

Lagides, dynastie qui régna sur l'Égypte de 306 à 30 av. J.-C.

Lagos, anc. cap. et port du Nigeria ; 1 097 000 h (aggl. env. 6 000 000 h).

Lagrange Joseph Louis de (1736-1813), mathématicien et astronome français.

Lagrange Léo (1900-1940), homme politique français (socialiste), promoteur du tourisme populaire.

Lahore, v. du Pakistan, ch.-l. du Pendjab ; 2 922 000 h.

Laïos, roi de Thèbes, père d'Œdipe (*Myth. gr.*).

Lakanal Joseph (1762-1845), conventionnel français, organisateur de l'instruction publique.

Lalique René (1860-1945), sculpteur et verrier d'art français, maître de l'art nouveau.

Lally Thomas de (1702-1766), officier français. Il se battit aux Indes.

Lalo Édouard (1823-1892), compositeur français : *Symphonie espagnole.*

Lamarck Jean-Baptiste de (1744-1829), naturaliste français.

Lamartine Alphonse de (1790-1869), poète romantique et homme politique français : *Méditations poétiques.*

Lambaréné, v. du Gabon ; 24 000 h. Centre médical fondé par le docteur Schweitzer.

Lambert Jean Henri (1728-1777), mathématicien, physicien et philosophe français.

La Mennais puis **Lamennais** Félicité de (1782-1854), prêtre et écrivain français : *les Paroles d'un croyant.*

Lamentin (Le), v. de la Martinique ; 30 596 h.

La Mettrie Julien Offroy de (1709-1751), médecin et philosophe matérialiste français.

Lancashire, comté d'Angleterre ; ch.-l. Preston ; v. princ. Manchester et Liverpool.

Lancastre, famille anglaise, victorieuse de la maison d'York dans la guerre des Deux-Roses.

Lancelot du Lac, héros du *cycle de Lancelot,* chevalier de la Table ronde.

Land Art, mouvement artistique, apparu vers 1967-1970 aux États-Unis.

Landerneau, v. du Finistère ; 15 035 h.

Landes, dép. français (40) (Aquitaine) ; 9 236 km² ; 321 612 h ; ch.-l. Mont-de-Marsan.

Landru Henri Désiré (1869-1922), criminel français.

Landry Bernard (né en 1937), homme politique canadien, Premier ministre du Québec de 2001 à 2003.

Landsteiner Karl (1868-1943), médecin américain d'origine autrichienne. Il découvrit l'existence des groupes sanguins.

Lang Fritz (1890-1976), cinéaste autrichien naturalisé américain : *Metropolis.*

Langevin Paul (1872-1946), physicien français.

Langmuir Irving (1881-1957), physicien et chimiste américain.

Langon, ch.-l. d'arr. de la Gironde ; 6 322 h.

Langres, ch.-l. d'arr. de la Haute-Marne ; 11 026 h.

Languedoc, anc. prov. du S. de la France.

Languedoc-Roussillon, Rég. admin. regroupant les dép. de l'Aude, du Gard, de l'Hérault, de la Lozère et des Pyrénées-Orientales ; 27 559 km² ; 2 462 000 h ; ch.-l. Montpellier.

Lannemezan, plateau situé au pied des Pyrénées centrales.

Lannes Jean (1769-1809), maréchal de France.

Lannion, ch.-l. d'arr. des Côtes-d'Armor ; 17 738 h.

Lanzarote, île volcanique des Canaries.

Lanzhou, v. de Chine, ch.-l. du Gansu ; 1 364 480 h (aggl. 2 339 750 h).

Laocoon, prêtre d'Apollon à Troie, étouffé par des serpents (*Myth. gr.*).

Laon, ch.-l. de l'Aisne ; 28 670 h.

Laos, État du S.-E. asiatique ; 236 800 km² ; 5 900 000 h ; cap. Vientiane.

Lao-tseu ou **Laozi,** philosophe chinois du VIe s. av. J.-C., fondateur du taoïsme.

La Palice ou **La Palisse** (v. 1470-1525), maréchal de France, tué à Pavie.

La Pérouse Jean François de (1741-1788), navigateur français.

Laplace Pierre Simon de (1749-1827), mathématicien, physicien et astronome français.

Laponie, rég. la plus septentrionale d'Europe, peuplée par les Lapons.

Larbaud Valery (1881-1957), écrivain français : *A.O. Barnabooth.*

Largentière, ch.-l. d'arr. de l'Ardèche ; 2 117 h.

Largillière Nicolas de (1656-1746), peintre français ; portraitiste.

Larionov Michel (1881-1964), peintre russe naturalisé français.

Lárissa, v. de Grèce (Thessalie) ; 102 050 h.

Larnaca, port de Chypre ; 20 000 h.

La Rochefoucauld François de (1613-1680), écrivain français : *Maximes.*

La Rochejaquelein Henri de (1772-1794), chef vendéen.

La Rocque François de (1885-1946), colonel et homme politique français.

Larousse Pierre (1817-1875), lexicographe et éditeur français.

Lartigue Jacques Henri (1896-1986), photographe français.

Larzac, causse du S. du Massif central.

La Salle Robert Cavelier de (1643-1687), explorateur français de la Louisiane.

Las Casas Bartolomé de (1474-1566), dominicain espagnol, défenseur des Indiens.

Las Cases Emmanuel de (1766-1842), écrivain français : *Mémorial de Sainte-Hélène.*

Lascaux grotte de Dordogne, ornée de peintures préhistoriques (v. 13 000 av. J.-C.).

Lassalle Ferdinand (1825-1864), homme politique allemand (socialiste).

Lassus Roland de (v. 1531-1594), compositeur wallon de la Renaissance.

Las Vegas, v. des États-Unis (Nevada) ; 183 200 h. Cap. du jeu.

Latécoère Pierre (1883-1943), industriel français, pionnier de l'aviation.

Latium, rég. d'Italie centrale ; ch.-l. Rome.

La Tour Georges de (v. 1593-1652), peintre classique français.

La Tour Maurice Quentin de (1704-1788), pastelliste et peintre français ; portraitiste.

La Tour du Pin René de (1834-1924), penseur chrétien français.

Latran (le), résidence des papes à Rome avant leur départ pour Avignon. Les *accords du Latran* consacrèrent la reconnaissance par le Saint-Siège de l'État italien avec Rome pour capitale (1929).

Lattaquié, port de Syrie ; 239 530 h.

Lattre de Tassigny Jean-Marie de (1889-1952), maréchal de France.

Laue Max von (1879-1960), physicien allemand.

Laurel Stan (1890-1965) et **Hardy** Oliver (1892-1957), tandem d'acteurs comiques américains.

Laurencin Marie (1883-1956), peintre français.

Laurentides (les), rég. du Canada oriental.

Laurier sir Wilfrid (1841-1919), homme politique canadien (libéral).

Lausanne, v. de Suisse, ch.-l. du cant. de Vaud ; 125 610 h.

Lautaret, col des Alpes (2 058 m).

Lautréamont (Isidore Ducasse, dit) (1846-1870) poète français : *les Chants de Maldoror.*

Laval, ch.-l. de la Mayenne ; 53 479 h.

Laval, v. du Canada (Québec) ; 284 160 h.

Laval Pierre (1883-1945), homme politique français. Il préconisa la collaboration avec l'Allemagne ; fusillé à la Libération.

La Vallière Louise, duchesse de (1644-1710) favorite de Louis XIV.

Lavigerie Charles (1825-1892), prélat français.

Lavisse Ernest (1842-1922), historien français.

Lavoisier Antoine de (1743-1794), chimiste français, créateur de la chimie moderne ; guillotiné.

Law John (1671-1729), financier écossais fondateur d'une banque à Paris qui fit une faillite retentissante.

Lawrence Thomas (1769-1830), peintre anglais portraitiste.

Lawrence David (1885-1930), romancier anglais *l'Amant de lady Chatterley.*

Lawrence Thomas (dit *Lawrence d'Arabie* (1888-1935), officier et écrivain anglais : *les Sept piliers de la sagesse.*

Lawrence Ernest (1901-1958), physicien américain, inventeur du cyclotron.

Laxness Halldór Kiljan (1902-1998), romancier islandais : *Salka Valka.*

Lazare saint, frère de Marthe et de Marie-Madeleine, ressuscité par Jésus (*Évangiles*).

Leakey Louis (1903-1972), paléontologiste anglais.

Léautaud Paul (1872-1956), écrivain français : *Journal littéraire.*

Leblanc Maurice (1864-1941), romancier français : *Arsène Lupin.*

Le Bon Gustave (1841-1931), sociologue français, créateur de la psychologie des foules.

Lebowa, bantoustan d'Afrique du Sud.

Le Brun Charles (1619-1690), peintre classique français.

Lebrun Charles François (1739-1824), homme politique français, troisième consul en 1799.

Lebrun Albert (1871-1950), dernier président de la IIIᵉ République (1932-1940).

Le Carré John (né en 1931), romancier anglais : *L'espion qui venait du froid.*

Lecce, v. d'Italie (Pouilles) ; 91 300 h.

Le Chapelier Isaac (1754-1794), homme politique français, rapporteur de la loi qui interdisait les associations de métier.

Leclair Jean-Marie (1697-1764), compositeur et violoniste français.

Leclerc (Philippe de Hauteclocque, dit) (1902-1947), maréchal de France. Il libéra Paris et Strasbourg (1944).

Leclerc Félix (1914-1988), auteur-compositeur et chanteur canadien.

Le Clézio Jean-Marie (né en 1940), romancier français : *le Procès-Verbal.*

Leconte de Lisle Charles (1818-1894), poète français ; parnassien.

Le Corbusier Édouard (1887-1965), architecte et urbaniste français d'origine suisse.

Léda, femme aimée de Zeus, qui la séduisit sous la forme d'un cygne (*Myth. gr.*).

Ledoux Claude Nicolas (1736-1806), architecte et urbaniste français.

Ledru-Rollin Alexandre Auguste (1807-1874), homme politique français (républicain).

Lê Duc Tho (1911-1990), homme politique vietnamien.

Lee Robert Edward (1807-1870), général américain ; sudiste.

Leeds, v. d'Angleterre (Yorkshire) ; 450 000 h.

Leeuwarden, v. des Pays-Bas, ch.-l. de la Frise ; 85 170 h.

Lefebvre François (1755-1820), maréchal de France.

Lefèvre d'Étaples Jacques (v. 1450-1536), humaniste français, traducteur de la Bible.

Léger Fernand (1881-1955), peintre français.

Légion d'honneur, ordre national français, institué en 1802 par Bonaparte.

Légion étrangère, formation militaire française.

Législative (la), seconde Assemblée nationale de la Révolution française (1791-1792).

Lehár Franz (1870-1948), compositeur autrichien : *la Veuve joyeuse.*

Lehn Jean-Marie (né en 1939), chimiste français.

Leibniz Gottfried Wilhelm (1646-1716), philosophe et mathématicien allemand : *Essais de théodicée, Monadologie.*

Leicester, v. d'Angleterre ; 280 000 h.

Leipzig, v. d'Allemagne (Saxe) ; 607 660 h.

Leiris Michel (1901-1990), écrivain et ethnologue français.

Léman (lac), lac franco-suisse (582 km²).

Lemercier Jacques (v. 1585-1654), architecte français, précurseur du classicisme.

Lena (la), fl. de Sibérie (4 270 km).

Le Nain, nom de trois frères, peintres réalistes français du XVIIᵉ s. : **Antoine, Louis** et **Mathieu.**

Lenclos Ninon de (1616-1706), dame française qui tint un salon littéraire.

Lénine (Vladimir Ilitch Oulianov, dit) (1870-1924), révolutionnaire russe, fondateur de l'État soviétique.

Leningrad. *V. Saint-Pétersbourg.*

Le Nôtre André (1613-1700), architecte et paysagiste français (jardin à la française).

Lens, ch.-l. d'arr. du Pas-de-Calais ; 35 278 h.

León, v. du N.-O. de l'Espagne ; 133 540 h ; ch.-l. de la *province du León.* Le *royaume de León,* fondé en 914, fut réuni à la Castille en 1230.

León, v. du Mexique central ; 593 000 h.

Léon (pays de), rég. côtière du N. du Finistère.

Léon Iᵉʳ le Grand, pape de 440 à 461. Il arrêta l'invasion d'Attila.

Léon X (1475-1521), pape en 1513. Il condamna Luther.

Léon XIII (1810-1903), pape en 1878. Il impulsa le christianisme social.

Léonard de Vinci (1452-1519), peintre, architecte, sculpteur, ingénieur et savant italien de la Renaissance : *la Joconde.*

Léonidas (490 à 480 av. J.-C.), roi de Sparte. Il mourut aux Thermopyles.

Leontief Wassily (1906-1980), économiste américain d'origine russe.

Leopardi Giacomo (1798-1837), écrivain romantique italien.

Léopold Iᵉʳ (1640-1705), empereur du Saint Empire en 1658. Il combattit les Turcs.

Léopold Iᵉʳ (1790-1865), premier roi des Belges, élu en 1831.

Léopold II (1835-1909), roi des Belges en 1865, propriétaire de l'État libre du Congo, qu'il céda à la Belgique.

Léopold III (1901-1983), roi des Belges de 1934 à 1951. Il abdiqua.

Léopoldville. *V. Kinshasa.*

Lépante victoire navale de don Juan d'Autriche sur les Turcs (1571).

Lépide (mort en 13 av. J.-C.), homme politique romain, membre du second triumvirat.

Lépine Louis (1846-1933), administrateur français, fondateur du *concours Lépine* réservé aux inventeurs indépendants.

Lépine Pierre (1901-1989), médecin français, inventeur d'un vaccin contre la poliomyélite.

Lérida, v. d'Espagne (Catalogne) ; 112 120 h.

Lérins (îles de), archipel français des Alpes-Maritimes.

Lermontov Mikhaïl (1814-1841), écrivain romantique russe : *Un héros de notre temps.*

Leroi-Gourhan André (1911-1986), préhistorien français.

Leroux Pierre (1797-1871), philosophe socialiste français.

Leroux Gaston (1868-1927), écrivain français de romans policiers.
Le Roy Ladurie Emmanuel (né en 1929), historien français.
Lesage René (1668-1747), écrivain français : *Gil Blas de Santillane*.
Lesbos ou **Mytilène**, île grecque de la mer Égée.
Lescot Pierre (1515-1578), architecte français de la Renaissance.
Lesotho, État enclavé dans l'Afrique du Sud ; 30 355 km² ; 1 800 000 h ; cap. Maseru.
Lesseps Ferdinand de (1805-1894), diplomate français. Il fit percer le canal de Suez.
Lessing Gotthold Ephraim (1729-1781), auteur dramatique allemand : *Nathan le Sage*.
Lessing Doris (née en 1919), écrivain anglais d'origine sud-africaine : *le Carnet d'or*.
Le Sueur Eustache (1616-1655), peintre classique français.
Lesueur ou **Le Sueur** Jean-François (1760-1837), compositeur français.
Le Tellier Michel (1603-1685), homme politique français, ministre de Louis XIV.
Léthé, un des cinq fl. des Enfers (*Myth. gr.*).
Lettonie, État d'Europe, sur la Baltique, anc. rép. fédérée de l'URSS ; 63 700 km² ; 2 300 000 h ; cap. Riga.
Levallois-Perret, ch.-l. de cant. des Hauts-de-Seine ; 47 788 h.
Levant (le), la côte E. de la Méditerranée.
Levant (île du), une des îles d'Hyères.
Levassor Émile (1843-1897), industriel français, pionnier de l'automobile.
Le Vau Louis (1612-1670), architecte classique français.
Le Verrier Urbain (1811-1877), astronome français. Il découvrit Neptune.
Lévesque René (1922-1987), Premier ministre du Québec de 1976 à 1984.
Levi Carlo (1902-1975), écrivain italien : *Le Christ s'est arrêté à Eboli*.
Levi Primo (1919-1987), écrivain italien : *Si c'est un homme*.
Lévi, troisième fils de Jacob (*Bible*).
Léviathan, serpent monstrueux, symbole des forces du mal (*Bible*).
Lévinas Emmanuel (1905-1995), philosophe français.
Lévi-Strauss Claude (né en 1908), anthropologue français : *la Pensée sauvage*.
Lévitique (le), troisième livre du Pentateuque.
Lévy-Bruhl Lucien (1857-1939), sociologue français : *la Mentalité primitive*.
Lewin Kurt (1890-1947), psychologue américain, fondateur de la dynamique de groupe.
Lewis Gilbert (1875-1946), physicien et chimiste américain.
Lewis Sinclair (1885-1951), romancier américain : *Babbitt*.
Leyde, v. des Pays-Bas ; 107 890 h.
Lhassa, cap. et v. sainte du Tibet (Chine) ; 343 240 h. Anc. palais du dalaï-lama (Potala).
L'Herbier Marcel (1890-1979), cinéaste français, maître du cinéma impressionniste.
L'Hospital Michel de (1505-1573), homme politique français, apôtre de la tolérance.
L'Hospital Guillaume de (1661-1704), mathématicien français. Calcul infinitésimal.

Lhote André (1885-1962), peintre et critique d'art français, théoricien du cubisme.
Liaoning, prov. de la Chine du N.-E. ; ch.-l. Shenyang.
Liban, État d'Asie occidentale ; 10 450 km² ; 3 800 000 h ; cap. Beyrouth.
Libby Willard (1908-1980), chimiste américain ; datation au moyen du carbone 14.
Libération, période finale de la Seconde Guerre mondiale (1943-1945).
Liberia, État d'Afrique ; 111 369 km² ; 3 300 000 h ; cap. Monrovia.
Li Bo ou **Li Po** (v. 701-762), poète chinois.
Libourne, ch.-l. d'arr. de la Gironde ; 21 931 h.
Libreville, cap. du Gabon ; 350 000 h.
Libye, État d'Afrique du Nord ; 1 759 540 km² ; 5 800 000 h ; cap. Tripoli.
Lichtenstein Roy (1923-1997), peintre américain du pop' art.
LICRA, sigle de *Ligue internationale contre le racisme et l'antisémitisme*, fondée en 1927.
Lidice, village martyr de Tchécoslovaquie, détruit par les Allemands en 1942.
Lido, flèche de sable qui isole de la mer la lagune de Venise.
Lie Sophus (1842-1899), mathématicien norvégien. Théorie des groupes.
Liebig Justus von (1803-1873), chimiste allemand, fondateur de la chimie agricole.
Liebknecht Wilhelm (1826-1900), homme politique allemand (social-démocrate).
Liebknecht Karl (1871-1919), homme politique allemand, fils du préc. Il fonda avec R. Luxemburg le parti communiste allemand ; assassiné.
Liechtenstein, principauté de l'Europe centrale ; 160 km² ; 27 710 h ; cap. Vaduz.
Liège, v. de Belgique, ch.-l. de la *prov. de Liège* ; 196 000 h (aggl. 600 000 h).
Lieux saints (les), les sites de Palestine où vécut le Christ.
Liévin, v. du Pas-de-Calais ; 34 012 h.
Lifar Serge (1905-1986), danseur et chorégraphe français.
Ligeti György (né en 1923), compositeur autrichien d'origine hongroise : *le Grand Macabre*.
Ligne Charles, prince de (1735-1814), maréchal autrichien et écrivain d'expression française.
Ligue (Sainte) ou **la Ligue,** organisation catholique française fondée par Henri de Guise (1576) contre les protestants et Henri III.
Ligures, anc. peuple installé au S.-E. de la Gaule et sur le golfe de Gênes.
Ligurie, rég. du N. de l'Italie ; ch.-l. Gênes.
Lilienthal Otto (1848-1896), ingénieur allemand, pionnier de l'aviation.
Lille, ch.-l. du Nord et de la Rég. Nord-Pas-de-Calais ; 178 301 h (aggl. 959 200 h).
Lilliput, pays imaginaire, décrit par Swift dans les *Voyages de Gulliver*.
Lilongwe, cap. du Malawi ; 106 000 h.
Lima, cap. du Pérou ; 5 008 400 h.
Limagnes (les), plaines du Massif central drainées par l'Allier.
Limassol, port de Chypre ; 107 200 h.
Limbourg, anc. duché, divisé auj. entre la Belgique (ch.-l. Hasselt) et les Pays-Bas (ch.-l. Maastricht).

Limbourg (les frères Pol, Hennequin et Hermann de), miniaturistes français du XVᵉ s. : *les Très Riches Heures du duc de Berry.*

Limerick, port de la rép. d'Irlande ; 56 280 h.

Limoges, ch.-l. de la Haute-Vienne et de la Rég. Limousin ; 136 407 h.

Limousin, anc. prov. française et Rég. admin. comprenant les dép. de la Corrèze, de la Creuse et de la Haute-Vienne ; 16 932 km² ; 722 000 h ; ch.-l. Limoges.

Limoux, ch.-l. d'arr. de l'Aude ; 10 217 h.

Limpopo, fl. d'Afrique australe (1 600 km).

Limpopo, province d'Afrique du Sud (1994), située dans l'anc. prov. de Transvaal.

Lin Biao ou **Lin Piao** (1908-1971), maréchal et homme politique chinois.

Lincoln, v. d'Angleterre ; 77 200 h. Cathédrale.

Lincoln Abraham (1809-1865), président (républicain) des États-Unis en 1861. Il mena la guerre de Sécession, fit abolir l'esclavage et mourut assassiné.

Lindbergh Charles (1902-1974), aviateur américain. Première traversée de l'Atlantique (1927).

Linder Max (1883-1925), cinéaste comique français.

Linköping, v. de Suède ; 116 840 h.

Linné Carl von (1707-1778), naturaliste suédois, auteur de la nomenclature systématique des êtres vivants.

Linz, v. d'Autriche, cap. de la Haute-Autriche ; 199 910 h.

Lion (le), constellation boréale et signe du zodiaque (23 juillet-23 août).

Lion (golfe du), golfe de la Méditerranée.

Liouville Joseph (1809-1882), mathématicien français.

Lipari. V. *Éoliennes.*

Lipchitz Jacques (1891-1973), sculpteur cubiste français d'origine polonaise.

Lipetsk, v. de Russie ; 447 000 h.

Li Po. V. *Li Bo.*

Lippi Fra Filippo (v. 1406-1469), peintre italien.

Lisbonne, cap. du Portugal, sur l'estuaire du Tage ; 827 800 h.

Lisieux, ch.-l. d'arr. du Calvados ; 24 506 h.

Lister Joseph (1827-1912), chirurgien anglais.

Liszt Franz (1811-1886), compositeur et pianiste romantique hongrois.

Little Rock, v. des États-Unis, cap. de l'Arkansas ; 170 100 h.

Littré Émile (1801-1881), lexicographe français : *Dictionnaire de la langue française.*

Lituanie, État d'Europe, sur la Baltique, anc. rép. fédérée de l'URSS ; 65 200 km² ; 3 400 000 h ; cap. Vilnius.

Liu Shaoqi (1898-1969), homme politique chinois, renversé lors de la Révolution culturelle.

Liverpool, port d'Angleterre (Lancashire) ; 510 310 h.

Livie (v. 55 av. J.-C.-29 apr. J.-C.), impératrice romaine, épouse d'Auguste.

Livingstone David (1813-1873), missionnaire et explorateur britannique.

Livonie, anc. prov. balte de la Russie.

Livourne, port d'Italie (Toscane) ; 176 050 h.

Ivry-Gargan, ch.-l. de cant. de la Seine-Saint-Denis ; 35 471 h.

Ljubljana, cap. de la Slovénie ; 303 470 h.

Lloyd George David (1863-1945), homme politique britannique (libéral).

Lloyd's, association d'assurances britannique.

Lobatchevski Nikolaï (1792-1856), mathématicien russe. Géométrie non euclidienne.

Lob Nor, lac de Chine (Xinjiang) (2 000 km²).

Locarno, stat. climatique de Suisse.

Loches, ch.-l. d'arr. d'Indre-et-Loire ; 7 133 h. Château médiéval.

Locke John (1632-1704), philosophe empiriste anglais.

Lockyer sir Norman (1836-1920), astrophysicien anglais.

Locride, contrée de la Grèce anc.

Locuste, femme romaine qui empoisonna Claude et Britannicus.

Lodève, ch.-l. d'arr. de l'Hérault ; 7 777 h.

Lodi, v. d'Italie ; 42 870 h. Victoire de Bonaparte (1796).

Lodz, v. du centre de la Pologne ; 849 260 h.

Loewy Raymond (1893-1986), designer américain d'origine française.

Lofoten (îles), archipel côtier de la Norvège ; 5 100 km² ; 25 000 h.

Logan (mont), point culminant du Canada (Yukon) (6 050 m).

Logroño, v. d'Espagne (Rioja) ; 115 660 h.

Loing (le), affl. de la Seine (166 km).

Loir (le), affl. de la Sarthe (312 km).

Loire (la), fl. de France (1 012 km).

Loire, dép. français (42) (Rhône-Alpes) ; 4 774 km² ; 756 254 h ; ch.-l. Saint-Étienne.

Loire (Pays de la), Rég. admin. comprenant la Loire-Atlantique, le Maine-et-Loire, la Mayenne, la Sarthe et la Vendée ; 32 126 km² ; 3 358 000 h ; ch.-l. Nantes.

Loire (Haute-), dép. français (43) (Auvergne) ; 4 965 km² ; 213 818 h ; ch.-l. Le Puy.

Loire-Atlantique, dép. français (44) (Pays de la Loire) ; 6 893 km² ; 1 069 471 h ; ch.-l. Nantes.

Loiret, dép. français (45) (Centre) ; 6 742 km² ; 594 440 h ; ch.-l. Orléans.

Loir-et-Cher, dép. français (41) (Centre) ; 6 314 km² ; 313 721 h ; ch.-l. Blois.

Lombardie, rég. du N. de l'Italie ; ch.-l. Milan.

Lombards, peuple germanique qui envahit l'Italie au VIᵉ s.

Lombok, île d'Indonésie, à l'E. de Bali.

Lombroso Cesare (1835-1909), médecin italien, fondateur de la criminologie.

Lomé, cap. du Togo ; 400 000 h.

Loménie de Brienne Étienne de (1727-1794), prélat français, ministre de Louis XVI.

Lomme, ch.-l. de cant. du Nord ; 26 807 h.

Lomonossov Mikhaïl (1711-1765), écrivain et physicien russe, créateur du russe moderne.

London, v. du Canada (Ontario) ; 269 140 h.

London Jack (1876-1916), romancier américain : *Croc-Blanc.*

Londonderry, port d'Irlande du Nord ; 88 000 h.

Londres (en anglais *London*), cap. de la Grande-Bretagne ; 2 700 000 h (env. 7 000 000 h pour le *Grand Londres*).

Londres Albert (1884-1932), journaliste français, grand reporter.

Long Beach, port de Los Angeles ; 396 280 h.

Longchamp, hippodrome de Paris.

Longfellow Henry (1807-1882), poète américain : *Evangeline.*

Long Island, île où sont bâtis deux quartiers de New York : Brooklyn et Queens.

Longue Marche (la) retraite (octobre 1934-octobre 1935) organisée par Mao Zedong pour échapper au Kouomintang.
Longueuil, v. du Canada (Québec) ; 125 440 h.
Longus (IIIᵉ ou IVᵉ s.), romancier grec : *Daphnis et Chloé.*
Longwy, ch.-l. de cant. de Meurthe-et-Moselle ; 15 647 h.
Lons-le-Saunier, ch.-l. du Jura ; 21 140 h.
Lope de Vega Carpio Felix (1562-1635), auteur dramatique espagnol de quelque 1 800 comédies.
Lorca. *V. García Lorca.*
Lorelei (la), falaise de la rive droite du Rhin.
Lorentz Hendrik Antoon (1853-1928), physicien néerlandais.
Lorenz Konrad (1903-1989), biologiste autrichien, fondateur de l'éthologie.
Lorenzetti Pietro et Ambrogio, peintres italiens du XIVᵉ s., actifs à Assise et à Sienne.
Lorette, v. d'Italie (Marches). Pèlerinage.
Lorient, ch.-l. d'arr. du Morbihan ; 61 630 h.
Lorrain (Claude Gelée, dit le) (1600-1682), peintre classique français.
Lorraine, anc. prov. française et Rég. admin. comprenant les dép. de Meurthe-et-Moselle, de la Meuse, de la Moselle et des Vosges ; 23 540 km² ; 2 331 000 h ; ch.-l. Metz.
Lorris. *V. Guillaume de Lorris.*
Los Alamos, v. des États-Unis (Nouveau-Mexique). Laboratoire de la première bombe atomique.
Los Angeles, v. des États-Unis, sur le Pacifique (Californie) ; 3 259 300 h (aggl. 7 818 000 h).
Losey Joseph (1909-1984), cinéaste américain.
Lot (le), affl. de la Garonne (481 km).
Lot, dép. français (46) (Midi-Pyrénées) ; 5 228 km² ; 160 530 h ; ch.-l. Cahors.
Lot-et-Garonne, dép. français (47) (Aquitaine) ; 5 358 km² ; 313 821 h ; ch.-l. Agen.
Loth ou **Lot,** neveu d'Abraham qui, averti par Yahvé, s'enfuit de Sodome ; sa femme fut changée en statue de sel (*Bible*).
Lothaire (941-986), roi de France en 954.
Lothaire Iᵉʳ (795-855), empereur d'Occident en 840. Fils aîné de Louis le Pieux, il dut partager l'Empire avec ses frères (traité de Verdun).
Loti Pierre (1850-1923), romancier français : *Pêcheur d'Islande.*
Lotto Lorenzo (1480-1556), peintre italien.
Loubet Émile (1838-1929), président de la République française (1899-1906).
Louhans, ch.-l. d'arr. de Saône-et-Loire ; 6 581 h.
Louis le Pieux (778-840), fils et successeur de Charlemagne, empereur d'Occident et roi des Francs en 814.
Louis II le Germanique (804-876), roi de Germanie après le partage de Verdun (843).
Louis II le Bègue (846-879), roi de France en 877, fils de Charles le Chauve.
Louis II de Wittelsbach (1845-1886), roi de Bavière en 1864.
Louis III (v. 863-882), roi de France en 879.
Louis V (967-987), roi de France en 986, dernier Carolingien.
Louis VI le Gros (v. 1081-1137), roi de France en 1108.
Louis VII (v. 1120-1180), roi de France en 1137. Il répudia Aliénor d'Aquitaine.

Louis VIII (1187-1226), roi de France en 1223, fils de Philippe Auguste.
Louis IX ou **Saint Louis** (1214-1270), roi de France en 1226. Il affermit le pouvoir royal et mena les deux dernières croisades.
Louis X le Hutin (1289-1316), roi de France en 1314, fils de Philippe le Bel.
Louis XI (1423-1483), roi de France en 1461. Il agrandit le royaume au détriment de Charles de Bourgogne.
Louis XII (1462-1515), roi de France en 1498. Il fit la guerre en Italie.
Louis XIII (1601-1643), roi de France en 1610. Avec Richelieu, il combattit la haute noblesse et les protestants.
Louis XIV (1638-1715), roi de France en 1643. Son règne est marqué par une volonté de prééminence européenne et par une politique de mécénat.
Louis XV (1710-1774), roi de France en 1715. Son règne est marqué par de nombreuses guerres (Succession d'Autriche, guerre de Sept Ans).
Louis XVI (1754-1793), roi de France en 1774. Il fut jugé par la Convention, condamné à mort et exécuté.
Louis XVII (1785-1795), fils de Louis XVI. Il mourut dans la prison du Temple.
Louis XVIII (1755-1824), roi de France en 1814 (première Restauration) puis en 1815 après les Cent-Jours (seconde Restauration).
Louise de Marillac sainte (1591-1660), collaboratrice de Vincent de Paul.
Louise de Savoie (1476-1531), régente de France, mère de François Iᵉʳ.
Louisiane, État du S. des États-Unis ; cap. Baton Rouge ; v. princ. La Nouvelle-Orléans.
Louis-Philippe Iᵉʳ (1773-1850), duc d'Orléans, roi des Français de 1830 à 1848.
Louisville, v. des États-Unis (Kentucky) ; 289 800 h.
Lourdes, ch.-l. de cant. des Hautes-Pyrénées ; 16 581 h. Grand pèlerinage catholique.
Lourenço Marques. *V. Maputo.*
Louvain, v. de Belgique (Brabant) ; 85 080 h. Université.
Louverture. *V. Toussaint Louverture.*
Louvière (La), v. de Belgique (Hainaut) ; 77 330 h.
Louviers, ch.-l. de cant. de l'Eure ; 19 047 h.
Louvois François Michel Le Tellier, marquis de (1641-1691), ministre de Louis XIV. Il réorganisa l'armée.
Louvre (palais du), anc. palais royal, à Paris auj. musée national.
Louxor ou **Louksor,** v. de Haute-Égypte, sur le site de Thèbes ; 40 000 h. Temple d'Amon.
Louÿs Pierre (1870-1925), écrivain français.
Lovecraft Howard (1890-1937), écrivain américain : récits fantastiques.
Lowlands, dépression du centre de l'Écosse, où se trouvent Glasgow et Édimbourg.
Lowry Malcolm (1909-1957), romancier anglais : *Au-dessous du volcan.*
Loyauté (îles), archipel français du Pacifique, dépendance de la Nouvelle-Calédonie.
Loyola. *V. Ignace de Loyola.*
Lozère (mont), massif des Cévennes.
Lozère, dép. français (48) (Languedoc-Roussillon) ; 5 179 km² ; 77 437 h ; ch.-l. Mende.
Luanda, cap. de l'Angola ; 700 000 h.

Luang Prabang, v. du Laos ; 44 000 h.

Lübeck, port d'Allemagne (Schleswig-Holstein) ; 209 160 h.

Luberon ou **Lubéron,** chaîne calcaire des Alpes du Sud.

Lubitsch Ernst (1892-1947), cinéaste américain d'origine allemande.

Lublin, v. de Pologne ; 325 940 h.

Lubumbashi (anc. *Élisabethville*), v. de la R.D. du Congo, ch.-l. du Shaba ; 543 270 h.

Luc saint (mort v. 70), disciple de saint Paul, auteur du troisième Évangile.

Lucain (39-65), poète latin : *la Pharsale.*

Lucanie, anc. contrée de l'Italie du Sud.

Lucas de Leyde (v. 1494-1533), peintre et graveur hollandais.

Lucerne, v. de Suisse centrale ; 63 280 h ; ch.-l. du *canton de Lucerne.*

Lucien de Samosate (v. 125-v. 192), écrivain satirique grec : *Dialogue des morts.*

Lucifer, le démon, Satan.

Lucknow, v. de l'Inde, cap. de l'Uttar Pradesh ; 895 720 h.

Luçon ou **Luzon** (île), la plus grande île des Philippines ; v. princ. Manille.

Lucques, v. d'Italie (Toscane) ; 90 100 h.

Lucrèce (v. 98-55 av. J.-C.), poète et philosophe latin : *De natura rerum.*

Lucullus (v. 106-v. 57 av. J.-C.), général romain, célèbre pour son raffinement.

Lucy, squelette d'hominien femelle, découvert en 1974 et vieux de 3 500 000 années.

Ludendorff Erich von (1865-1937), général allemand, collaborateur de Hindenburg.

Ludovic Sforza le More (1452-1508), duc de Milan de 1494 à 1500.

Ludwigshafen, v. d'Allemagne, sur le Rhin ; 152 160 h.

Luftwaffe (la), l'armée de l'air allemande.

Lugano, stat. climatique de Suisse, sur le *lac de Lugano* ; 27 800 h.

Lukács György (1885-1971), philosophe marxiste et homme politique hongrois.

Lukasiewicz Jan (1878-1956), logicien polonais.

Lula. *V. Silva.*

Lulle le bienheureux Raymond (v. 1235-1315), théologien, philosophe et poète catalan.

Lully ou **Lulli** Jean-Baptiste (1632-1687), compositeur français d'origine italienne, fondateur de l'opéra en France.

Lumière Louis (1864-1948), industriel français, inventeur du cinématographe avec son frère **Auguste** (1862-1954).

Lumières (les), nom donné au XVIIIᵉ siècle marqué par le rejet du fanatisme et de l'autorité, au nom du progrès et de la raison.

Lumumba Patrice (1925-1961), homme politique congolais. Premier ministre du Congo indépendant, il fut assassiné.

Lund, v. de Suède du Sud ; 81 920 h.

Lunéville, ch.-l. d'arr. de Meurthe-et-Moselle ; 22 393 h.

Luoyang, v. de Chine (Henan) ; 951 610 h.

Lurçat Jean (1892-1966), peintre français, maître de la tapisserie.

Lure, ch.-l. d'arr. de la Haute-Saône ; 10 049 h.

Luristan, rég. montagneuse de l'Iran occidental.

Lusace, rég. du S.-E. de l'Allemagne.

Lusaka, cap. de la Zambie ; 819 000 h.

Lüshun. *V. Port-Arthur.*

Lusignan, famille du Poitou, qui régna sur Chypre et sur Jérusalem (XIIᵉ s.).

Lusitanie, anc. prov. romaine (Portugal).

Lutèce, v. de Gaule, site primitif de Paris.

Luther Martin (1483-1546), théologien allemand, promoteur de la Réforme protestante.

Luthuli Albert John (1898-1967), leader politique noir d'Afrique du Sud.

Luxembourg (grand-duché de), État d'Europe occidentale ; 2 586 km² ; 500 000 h ; cap. Luxembourg (79 000 h).

Luxembourg, prov. du S.-E. de la Belgique ; ch.-l. Arlon.

Luxembourg François de (1628-1695), maréchal de France, vainqueur à Fleurus, à Steinkerque et à Neerwinden.

Luxembourg (palais du), siège du Sénat, à Paris.

Luxemburg Rosa (1870-1919), révolutionnaire allemande ; assassinée.

Luxeuil-les-Bains, stat. thermale de la Haute-Saône.

Lu Xun (1881-1936), écrivain chinois.

Luzon. *V. Luçon.*

Lvov, v. d'Ukraine ; 780 000 h.

Lwoff André (1902-1994), biologiste français.

Lyallpur. *V. Faisalabad.*

Lyautey Louis Hubert (1854-1934), maréchal de France, résident général au Maroc.

Lycabette (le), colline de l'Attique qui domine Athènes.

Lycée (le), école philosophique fondée par Aristote à Athènes (v. 335 av. J.-C.).

Lycurgue, législateur légendaire de Sparte (v. le Xᵉ s. av. J.-C.).

Lydie, anc. rég. d'Asie Mineure ; cap. Sardes.

Lynch David (né en 1946), cinéaste américain : *Elephant man.*

Lyon, ch.-l. du Rhône et de la Rég. Rhône-Alpes ; 422 444 h (aggl. 1 262 200 h).

Lyot Bernard (1897-1952), astronome et physicien français.

Lyotard Jean-François (1924-1998), philosophe français.

Lys (la), affl. de l'Escaut (214 km).

Lysandre (mort en 395 av. J.-C.), général spartiate, vainqueur des Athéniens.

Lysippe, sculpteur grec du IVᵉ s. av. J.-C.

Maastricht, v. des Pays-Bas, ch.-l. du Limbourg ; 115 780 h.

Mably Gabriel Bonnot de (1709-1785), philosophe français, précurseur du socialisme.

McAdam John (1756-1836), ingénieur écossais, inventeur du macadam.

Macao, enclave portugaise, sur la côte chinoise ; 16 km² ; env. 500 000 h.

MacArthur Douglas (1880-1964), général américain. Il reçut la capitulation du Japon.

Macbeth (mort en 1057), roi d'Écosse en 1040.

Maccabée, famille de patriotes juifs qui se révoltèrent contre les Séleucides (167 av. J.-C.).

McCarey Leo (1898-1969), cinéaste américain.

McCarthy Joseph (1909-1957), homme politique américain (anticommuniste).

McCarthy Mary (née en 1911), romancière américaine : *le Groupe.*

McCullers Carson (1917-1967), romancière américaine : *Reflets dans un œil d'or.*

Macdonald sir John Alexander (1815-1891), homme politique canadien ; un des fondateurs de la Confédération.

MacDonald James (1866-1937), homme politique britannique (travailliste).

Macédoine, rég. historique de la péninsule balkanique, auj. partagée entre la Bulgarie, la Grèce [v. princ. Thessalonique] et la **république de Macédoine** (25 713 km² ; 2 000 000 h ; cap. Skopje).

Maceló, port du Brésil ; 484 090 h.

Mach Ernst (1838-1916), physicien autrichien.

Machado Antonio (1875-1939), poète lyrique espagnol : *Solitudes.*

Machaut. *V. Guillaume de Machaut.*

Machiavel (1469-1527), homme politique et écrivain florentin : *le Prince.*

Machreq, ensemble des pays arabes d'Asie et du N.-E. de l'Afrique (Libye, Égypte).

Machu Picchu, site inca, au N. de Cuzco.

Mackenzie, fl. du Canada (4 600 km).

Mackenzie William (1795-1861), homme politique canadien.

Mackenzie King William (1874-1950), Premier ministre (libéral) du Canada (1921-1930 et 1935-1948).

McKinley (mont), point culminant de l'Amérique du Nord, en Alaska (6 187 m).

McKinley William (1843-1901), président (républicain) des États-Unis en 1897 ; assassiné.

McLuhan Marshall (1911-1980), sociologue canadien : *la Galaxie Gutenberg.*

Mac-Mahon Patrice de (1808-1893), maréchal de France, président de la République de 1873 à sa démission (1879).

Macmillan Harold (1894-1986), homme politique britannique (conservateur).

MacMillan Edwin (né en 1907), physicien américain.

Mâcon, ch.-l. de la Saône-et-Loire ; 39 866 h.

Mac Orlan Pierre (1882-1970), écrivain français : *le Quai des brumes.*

Macpherson James (1736-1796), écrivain écossais, auteur de poèmes qu'il attribua au barde Ossian.

Madagascar, grande île et État de l'océan Indien ; 587 041 km² ; 17,3 millions d'hab. ; cap. Antananarivo

Madeira (le), affl. de l'Amazone (3 240 km).

Madeleine (la), site préhistorique de Dordogne, éponyme du magdalénien.

Madeleine (la), église néo-classique de Paris.

Madère, archipel portugais de l'Atlantique ; ch.-l. Funchal.

Maderna Bruno (1920-1973), compositeur et chef d'orchestre italien.

Maderno Carlo (1556-1629), architecte italien, précurseur du baroque.

Madhya Pradesh, État de l'Inde centrale, au N. du Dekkan ; cap. Bhopal.

Madison James (1751-1836), président (républicain) des États-Unis (1809-1817).

Madras (auj. *Chennai*), port de l'Inde, cap. du Tamil Nadu ; 3 276 620 h.

Madre (Sierra), chaînes de montagnes qui encadrent le plateau mexicain.

Madrid, cap. de l'Espagne et de la *commun. auton. de Madrid* ; 3 053 100 h.

Madura, île d'Indonésie, au N.-O. de Java.

Madurai, v. de l'Inde (Tamil Nadu) ; 820 890 h. Temple.

Maeterlinck Maurice (1862-1949), écrivain symboliste belge d'expression française.

Magdalena (río), fl. de Colombie (1 700 km).

Magdeburg, v. d'Allemagne (Saxe) ; 287 360 h.

Magellan (détroit de), détroit séparant l'Amérique du Sud de la Terre de Feu.

Magellan Fernand de (1480-1521), navigateur portugais, au service de l'Espagne. Il entreprit le premier tour du monde.

Magenta, v. d'Italie (Lombardie). Victoire de Mac-Mahon sur les Autrichiens (1859).

Maghreb, ensemble des pays d'Afrique du Nord : Tunisie, Algérie, Maroc.

Maginot (ligne), système de fortifications du N.-E. de la France que les Allemands contournèrent par la Belgique en 1940.

Magnani Anna (1908-1973), actrice de cinéma italienne.

Magnitogorsk, v. de Russie, dans l'Oural ; 422 000 h.

Magritte René (1898-1967), peintre surréaliste belge.

Magyars, autre nom des Hongrois.

Mahabalipuram. *V. Mavalipuram.*

Mahabharata, épopée sanskrite.

Mahajanga (anc. *Majunga*), v. du N.-O. de Madagascar ; 85 000 h.

Mahanadi (la), fl. de l'Inde (820 km).

Maharashtra, État de l'Inde, sur la mer d'Oman ; cap. Bombay.

Mahdia, v. de Tunisie ; 36 830 h.

Mahé, anc. comptoir français de l'Inde.

Mahfouz Naguib (né en 1912), romancier égyptien : *le Passage des miracles.*

Mahler Gustav (1860-1911), compositeur romantique autrichien.

Mahomet (dit *le Prophète,* en arabe *Muhammad* ou *Mohammed*) (v. 570-632), prophète de l'islam, fondateur de la religion musulmane, né à La Mecque et mort à Médine.

mai 1968, mouvement de contestation généralisée qui se développa en France puis en Europe.

Maïakovski Vladimir (1894-1930), poète et auteur dramatique russe. Il se suicida.

Mailer Norman (né en 1923), romancier américain : *les Nus et les Morts.*

Maillet Antonine (née en 1929), romancière canadienne : *Pélagie la Charrette.*

Maillol Aristide (1861-1944), sculpteur et peintre français.

Maimonide Moïse (1135-1204), médecin, philosophe et théologien juif : *Guide des égarés.*

Main (le), affl. du Rhin (Allemagne) (524 km).

Maine (la), affl. de la Loire (10 km), formé par la Mayenne, le Loir et la Sarthe.

Maine (le), prov. de France ; cap. Le Mans.

Maine, État du N.-E. des États-Unis.

Maine de Biran Marie François (1766-1824), philosophe spiritualiste français.

Maine-et-Loire, dép. français (49) (Pays de Loire) ; 7 131 km² ; 722 675 h ; ch.-l. Angers.

Maintenon Françoise d'Aubigné, marquise de (1635-1719), maîtresse de Louis XIV qui l'épousa par un mariage secret.

Maison-Blanche (la), résidence du président des États-Unis, à Washington.

Maisonneuve Paul de Chomedey de (1612-1676), fondateur français de Montréal.

Maisons-Alfort, ch.-l. de cant. du Val-de-Marne ; 54 065 h.

Maisons-Laffitte, ch.-l. de cant. des Yvelines ; 22 533 h. Champ de courses.

Maistre Joseph de (1753-1821), écrivain français : *les Soirées de Saint-Pétersbourg.*

Majeur (lac), lac des Alpes (212 km²).

Major John (né en 1943), Premier ministre (conservateur) de Grande-Bretagne de 1990 à 1997.

Majorque, la plus grande des Baléares ; cap. Palma de Majorque.

Majunga. *V. Mahajanga.*

Makalu (le), sommet du Népal (8 515 m).

Makários III (1913-1977), archevêque, président de Chypre (1959-1977).

Makassar. *V. Ujungpandang.*

Makeïevka, v. d'Ukraine ; 451 000 h.

Makhatchkala, port de Russie, cap. du Daghestan ; 301 000 h.

Malabar (côte de), littoral du S.-O. de l'Inde.

Malabo, cap. de la Guinée équatoriale ; 34 980 h.

Malacca, v. de Malaisie ; 89 000 h. La *presqu'île de Malacca,* entre la mer de Chine et l'océan Indien, est séparée de Sumatra par le *détroit de Malacca.*

Maladetta (la), massif des Pyrénées.

Málaga, v. et port d'Espagne (Andalousie) ; 566 480 h.

Malaisie ou **Malaysia,** État fédéral du Sud-Est asiatique ; 329 747 km² ; 26 100 000 h ; cap. Kuala Lumpur.

Malakoff, v. des Hauts-de-Seine ; 31 135 h.

Malang, v. d'Indonésie ; 512 000 h.

Malaparte Curzio (1898-1957), écrivain italien *Kaputt.*

Mälar ou **Mälaren,** lac de Suède, près de Stockholm (1 140 km²).

Malatesta, famille de condottieri italiens, originaire de Rimini (XIIIe-XVe s.).

Malatya, v. de Turquie ; 243 140 h.

Malawi (anc. *Nyassaland*), État d'Afrique orientale ; 118 484 km² ; 12 300 000 h ; cap. Lilongwe.

Malaysia. *V. Malaisie.*

Maldives, État insulaire de l'océan Indien 298 km² ; 300 000 h ; cap. Malé.

Malebranche Nicolas de (1638-1715), philosophe français : *Traité de l'amour de Dieu.*

Malesherbes Chrétien Guillaume de Lamoignon de (1721-1794), magistrat français. Avocat du roi devant la Convention, il fut guillotiné.

Malevitch Kazimir (1878-1935), peintre abstrait russe : *Carré blanc sur fond blanc.*

Malherbe François de (1555-1628), poète français, précurseur du classicisme.

Mali (anc. *Soudan français*), État de l'Afrique occidentale ; 1 240 000 km² ; 13 500 000 h ; cap. Bamako. L'*Empire du Mali* connut son apogée aux XIIIe-XIVe s.

Malibran (la) (1808-1836), cantatrice française d'origine espagnole.

Malines, v. de Belgique (Anvers) ; 77 270 h.

Malinkés, ethnie d'Afrique occidentale.

Malinovski Rodion (1898-1967), maréchal soviétique.

Malinowski Bronislaw (1884-1942), anthropologue britannique d'origine polonaise.

Mallarmé Stéphane (1842-1898), poète symboliste français : *l'Après-midi d'un faune.*

Malmaison. *V. Rueil-Malmaison.*

Malmédy, com. de Belgique (Liège) ; 10 040 h.

Malmö, port de la Suède du Sud ; 230 000 h.

Malot Hector (1830-1907), romancier français *Sans famille.*

Malouines. *V. Falkland.*

Malpighi Marcello (1628-1694), médecin et anatomiste italien.

alraux André (1901-1976), écrivain et homme litique (gaulliste) français : *la Condition maine, l'Espoir.*

alte, État insulaire de la Méditerranée ; 6 km² ; 400 000 h ; cap. La Valette.

althus Thomas Robert (1766-1834), économiste anglais, partisan de la limitation des naissances.

alus Étienne Louis (1775-1812), physicien nçais. Loi de polarisation de la lumière.

amelouks, milice de soldats-esclaves qui gna sur l'Égypte de 1250 à 1517.

amers, ch.-l. d'arr. de la Sarthe ; 6 424 h.

an (île de), île anglaise de la mer d'Irlande.

anagua, cap. du Nicaragua ; 682 100 h.

anama, cap. de Bahreïn ; 121 990 h.

anaus, v. du Brésil (Amazonas) ; 834 540 h.

anche (la), rég. aride de Castille.

anche (la), mer bordière de l'Atlantique, entre France et l'Angleterre.

anche, dép. français (50) (Basse-Normandie) ; 947 km² ; 493 799 h ; ch.-l. Saint-Lô.

anchester, v. du N. de l'Angleterre, ch.-l. du mté du *Grand Manchester* ; 449 000 h.

anco Cápac, nom du fondateur mythique de l'Empire inca (XIe s.) et du dernier souverain inca (XVIe s.)

andalay, v. du N. de la Birmanie ; 532 900 h.

andchoukouo (le), nom de la Mandchourie rant la domination du Japon (1931-1945).

andchourie, anc. nom de la Chine du N.-E. (Heilongjiang, Jilin et Liaoning).

andchous, peuple qui conquit la Chine au VIIe s. (dynastie Qing).

andel Georges (1885-1944), homme politique nçais ; assassiné par la Milice.

andela Nelson (né en 1918), homme politique r sud-africain, emprisonné de 1962 à 1990, ésident de la Rép. de 1994 à 1999.

andelstam Ossip (1891-1938), poète russe.

andingues ou **Mandés,** groupe ethnique de l'Afrique occidentale.

andrin Louis (1724-1755), contrebandier français ; il fut roué vif.

anès ou **Mani** (v. 216-v. 273), fondateur du manichéisme.

anet Édouard (1832-1883), peintre français : *Déjeuner sur l'herbe.*

angalore, port de l'Inde (Karnataka) ; 2 250 h.

angin Charles (1866-1925), général français.

anhattan, île des États-Unis, berceau de la le de New York.

anille, cap. et port des Philippines, dans l'île de çon ; 1 728 440 h (aggl. 6 720 050 h).

anipur, État de l'E. de l'Inde.

anitoba, prov. du Canada central ; cap. nnipeg.

ankiewicz Joseph (1909-1993), cinéaste américain : *la Comtesse aux pieds nus.*

ann Heinrich (1871-1950), écrivain allemand : *ofesseur Unrat.*

ann Thomas (1875-1955), frère du préc., crivain allemand : *la Montagne magique.*

annerheim Carl Gustaf (1867-1951), maréchal et homme politique finlandais.

annheim, v. et port fluvial sur le Rhin d'Allemagne (Bade-Wurtemberg) ; 294 650 h.

anosque, ch.-l. de cant. des Alpes-de-Haute-Provence ; 19 123 h.

Man Ray. V. *Ray.*

Mans (Le), ch.-l. de la Sarthe ; 148 465 h.

Mansart François (1598-1666), architecte classique français.

Mansart (Jules **Hardouin-**) (1646-1708), petit-neveu du préc., architecte classique français. Dôme des Invalides, château de Versailles.

Mansfield Katherine (1888-1923), écrivain anglais : *la Garden-Party.*

Mansourah, v. d'Égypte, dans le delta du Nil ; 323 000 h.

Mantegna Andrea (1431-1506), peintre et graveur italien de la Renaissance.

Mantes-la-Jolie, ch.-l. d'arr. des Yvelines ; 45 254 h.

Mantoue, v. d'Italie (Lombardie) ; 61 000 h.

Manuel Ier le Grand (1469-1521), roi du Portugal en 1495. Il favorisa la colonisation.

Manuel II (1889-1932), dernier roi de Portugal (1908-1910).

Manzoni Alessandro (1785-1873), écrivain romantique italien : *les Fiancés.*

Mao Dun (1896-1981), écrivain chinois.

Maoris, population polynésienne de la Nouvelle-Zélande.

Mao Zedong ou **Mao Tsé-toung** (1893-1976), homme politique (communiste) chinois. Président de la République (1954-1959), il dirigea la Chine jusqu'à sa mort.

Maputo (anc. *Lourenço Marques*), cap. du Mozambique ; 1 007 000 h.

Maracaibo, v. du Venezuela ; 1 232 250 h.

Marais (le), quartier du centre de Paris.

Marais (le) ou **Plaine** (la), parti modéré de la Législative et de la Convention.

Marais Marin (1656-1728), compositeur et violiste français.

Maranhão, État du N.-E. du Brésil ; cap. São Luís.

Marañón, la principale des branches mères de l'Amazone (1 800 km).

Marat Jean-Paul (1743-1793), révolutionnaire français. Assassiné par Charlotte Corday.

Marathon (Attique), victoire des Athéniens sur les Perses (490 av. J.-C.).

Marbella, stat. balnéaire d'Espagne (Andalousie) ; 65 570 h.

Marc, évangéliste, patron de Venise.

Marc Aurèle (121-180), empereur romain en 161. Il est l'auteur de *Pensées.*

Marceau François Séverin (1769-1796), général français, vainqueur à Fleurus.

Marceau Marcel (né en 1923), mime français.

Marcel Étienne (v. 1316-1358), prévôt des marchands de Paris ; assassiné.

Marcel Gabriel (1889-1973), dramaturge et philosophe existentialiste français.

Marcello Benedetto (1686-1739), compositeur italien.

Marchand Jean-Baptiste (1863-1934), général et explorateur français.

Marche (la), anc. prov. française dans le N.-O. du Massif central.

Marché commun. V. *CÉE.*

Marches (les), rég. de l'Italie centrale, sur l'Adriatique ; ch.-l. Ancône.

Marconi Guglielmo (1874-1937), physicien italien. Première liaison radio.

Marcos Ferdinand (1917-1989), homme politique philippin, au pouvoir de 1965 à 1986.

Marcq-en-Barœul, v. du Nord ; 36 898 h.
Marcuse Herbert (1898-1979), philosophe américain : *Éros et civilisation.*
Mar del Plata, port d'Argentine ; 448 000 h.
Maremme, rég. de l'Italie centrale.
Marengo (Piémont), victoire de Bonaparte sur les Autrichiens (1800).
Marenzio Luca (v. 1553-1599), compositeur italien, maître du madrigal.
Marey Étienne (1830-1904), physiologiste français.
Marguerite d'Angoulême ou **de Navarre** (1492-1549), reine de Navarre, sœur de François Iᵉʳ. Auteur de contes : *l'Heptaméron.*
Marguerite Valdemarsdotter (1353-1412), reine de Danemark, de Norvège et de Suède.
Marguerite de Valois ou **de France** (1553-1615), reine de France, surnommée la *reine Margot* ; elle fut répudiée par Henri IV.
Mari, v. de Mésopotamie (v. 3000 av. J.-C.).
Marianne, la République française.
Mariannes, archipel du Pacifique Nord. Guam est territoire américain ; les **Mariannes du Nord** forment un État associé aux États-Unis (404 km² ; 19 600 h. ; cap. Saipan).
Maribor, v. de Slovénie ; 106 110 h.
Marica. V. *Maritza.*
Marie sainte (dite la *Vierge Marie* ou la *Sainte Vierge*), mère de Jésus-Christ.
Marie de Bourgogne (1457-1482), fille de Charles le Téméraire, épouse de l'empereur Maximilien Iᵉʳ.
Marie de France (1154-1189), poétesse française : *Lais.*
Marie de l'Incarnation bienheureuse (1565-1618), religieuse carmélite française.
Marie Leczinska (1703-1768), reine de France, épouse de Louis XV (1725).
Marie de Médicis (1573-1642), reine de France, épouse d'Henri IV, régente pendant la minorité de Louis XIII.
Marie Iʳᵉ Stuart (1542-1587), reine d'Écosse (1542-1567), reine de France (1559-1560), décapitée sur ordre d'Élisabeth Iʳᵉ.
Marie II Stuart (1662-1694), reine d'Angleterre en 1689 avec son époux Guillaume III.
Marie Tudor (1516-1558), reine d'Angleterre en 1553. Elle persécuta les protestants.
Marie-Antoinette (1755-1793), reine de France, épouse de Louis XVI ; guillotinée.
Marie-Christine de Habsbourg-Lorraine (1858-1929), régente d'Espagne (1885-1902).
Marie-Galante, dépendance de la Guadeloupe.
Marie-Louise de Habsbourg-Lorraine (1791-1847), épouse de Napoléon Iᵉʳ.
Marie-Madeleine sainte, nom sous lequel sont honorés trois personnages différents des *Évangiles.*
Marie-Thérèse (1717-1780), impératrice d'Autriche (1740), mère de Joseph II et de Marie-Antoinette.
Marie-Thérèse d'Autriche (1638-1683), reine de France, épouse de Louis XIV.
Mariette Auguste (1821-1881), égyptologue français.
Marignan (Lombardie), victoire de François Iᵉʳ sur les Suisses (1515).
Marignane, ch.-l. de cant. des Bouches-du-Rhône ; 32 542 h. Aéroport de Marseille.

Marin (Le), ch.-l. d'arr. de la Martinique ; 6 429 h.
Marinetti Filippo (1876-1944), poète italien ; fondateur du futurisme.
Marino ou **Marini** Giambattista, dit le *Cavalier Marin* (1569-1625), poète italien, initiateur de la préciosité.
Mariotte abbé Edme (v. 1620-1684), physicien français, fondateur de la physique expérimentale.
Marioupol (*Jdanov* de 1948 à 1989), port d'Ukraine ; 522 000 h.
Maris (rép. des), rép. auton. de Russie, sur la Volga.
Maritza ou **Marica** (la), fl. de Bulgarie et de Grèce (490 km).
Marius Caius (157-86 av. J.-C.), général et homme politique romain.
Marivaux Pierre de (1688-1763), écrivain français : *le Jeu de l'amour et du hasard.*
Marlborough John, duc de (1650-1722), général anglais qui inspira une chanson populaire.
Marlowe Christopher (1564-1593), poète dramatique anglais : *Faust.*
Marly-le-Roi, ch.-l. de cant. des Yvelines ; 16 775 h. Parc d'un anc. château royal.
Marmande, ch.-l. d'arr. du Lot-et-Garonne ; 18 326 h.
Marmara (mer de), mer entre la mer Égée et la mer Noire.
Marmont Auguste de (1774-1852), maréchal de France.
Marmontel Jean-François (1723-1799), écrivain français.
Marne (la), affl. de la Seine (525 km).
Marne, dép. français (51) (Champagne-Ardenne) ; 8 162 km² ; 575 788 h ; ch.-l. Châlons-en-Champagne.
Marne (Haute-), dép. français (52) (Champagne-Ardenne) ; 6 211 km² ; 212 806 h ; ch.-l. Chaumont.
Marne-la-Vallée, v. nouvelle de l'E. de Paris.
Maroc, État (royaume) d'Afrique du Nord 458 730 km² (650 000 km² avec l'ancien Sahara espagnol) ; 30 700 000 h ; cap. Rabat.
Maroni (le), fl. séparant la Guyane française du Surinam (680 km).
Marot Clément (1496-1544), poète français.
Marquet Albert (1875-1947), peintre français.
Marquises (îles), archipel volcanique de la Polynésie française.
Marrakech, v. du Maroc ; 439 730 h.
Mars, dieu de la Guerre (*Myth. rom.*).
Mars, planète du système solaire.
Marsala, port de Sicile ; 79 090 h.
Marseillaise (la), hymne national français, créé par Rouget de Lisle en 1792.
Marseille, ch.-l. des Bouches-du-Rhône et de Rég. Provence-Alpes-Côte d'Azur ; 807 726 (aggl. 1 350 000 h.).
Marshall (îles), archipel du Pacifique Nord, État associé aux États-Unis.
Marshall George (1880-1959), général américain, auteur d'un plan d'aide à l'Europe.
Martel Édouard (1859-1938), spéléologue français, fondateur de la spéléologie.
Martenot Maurice (1898-1980), inventeur français d'un instrument de musique électronique, l*ondes Martenot.*
Martens Wilfried (né en 1936), homme politiq belge (social-chrétien).

Marthe sainte, sœur de Lazare (*Évangiles*).
Marti José (1853-1895), patriote et écrivain cubain, héros de l'indépendance.
Martial (v. 40-104), poète latin : *Épigrammes*.
Martigues, ch.-l. de cant. des Bouches-du-Rhône ; 42 922 h.
Martin saint (316-397), évêque de Tours, il aurait partagé son manteau avec un pauvre.
Martin V (1368-1431), pape en 1417. Son élection mit fin au grand schisme.
Martin Paul (né en 1938), Premier ministre du Canada de 2003 à 2005.
Martin Pierre (1824-1915), ingénieur français, inventeur d'un procédé d'affinage de l'acier.
Martin du Gard Roger (1881-1958), écrivain français : *les Thibault*.
Martinique, île des Antilles formant un dép. français d'outre-mer (972) ; 1 102 km² ; 395 000 h ; ch.-l. Fort-de-France.
Marx Karl (1818-1883), philosophe et révolutionnaire allemand. Théoricien du socialisme : *Manifeste du parti communiste, le Capital.*
Marx Brothers (les), trio comique du cinéma américain (Chico, Harpo et Groucho).
Maryland, État de l'E. des États-Unis ; v. princ. Baltimore.
Masaccio Tommaso (1401-1428), peintre italien, précurseur de la Renaissance.
Masaryk Tomás (1850-1937), fondateur et premier président de la République tchécoslovaque (1918-1935).
Mascara (auj. *Mouaskar*), v. d'Algérie ; 70 450 h.
Mascareignes (îles), archipel de l'océan Indien (la Réunion, Maurice).
Mascate, cap. et port du sultanat d'Oman ; 25 000 h (aggl. 100 000 h).
Mas-d'Azil (le), site préhistorique de l'Ariège.
Maseru, cap. du Lesotho ; 109 400 h.
Masinissa (v. 238-v. 148 av. J.-C.), roi des Numides, allié des Romains.
Masolino da Panicale Tommaso (1383-v. 1447), peintre italien.
Masovie, rég. de Pologne.
Maspero Gaston (1846-1916), égyptologue français.
Masque de fer, prisonnier d'État, maintenu au secret absolu, mort en 1703 à la Bastille.
Massachusetts, État des États-Unis (Nouvelle-Angleterre) ; cap. Boston.
Massada ou **Masada**, forteresse de Palestine, dernier foyer de résistance juive face aux Romains (73).
Massaïs, peuple du Kenya et de Tanzanie.
Masséna André (1758-1817), maréchal de France.
Massenet Jules (1842-1912), compositeur français d'opéras : *Manon, Werther.*
Massif central, ensemble de hautes terres du centre et du S. de la France.
Masson André (1896-1987), peintre surréaliste français.
Mas-Soubeyran (le), haut-lieu, dans les Cévennes, de la résistance des camisards.
Massy, ch.-l. de cant. de l'Essonne ; 38 972 h.
Mastroianni Marcello (1924-1996), acteur italien.
Mata Hari (1876-1917), espionne néerlandaise au service de l'Allemagne ; fusillée.
Matamoros, v. du N. du Mexique ; 241 000 h.

Matanzas, port du N.-E. de Cuba ; 112 550 h.
Mathias Ier Corvin (1440-1490), roi de Hongrie en 1458, mécène actif.
Mathieu Georges (né en 1921), peintre français non figuratif.
Mathura, v. de l'Inde (Uttar Pradesh) ; 147 490 h. Pèlerinage.
Mathusalem, patriarche qui aurait vécu 969 ans (*Bible*).
Matignon (hôtel), siège des services du Premier ministre français. Les *accords Matignon* furent signés en juin 1936 entre le patronat français et la CGT (semaine de 40 heures, congés payés, droit syndical).
Matisse Henri (1869-1954), peintre français.
Mato Grosso, vaste plateau du Brésil central.
Matsuyama, port du Japon (Shikoku) ; 427 000 h.
Matsys ou **Metsys** Quentin (1465-1530), peintre flamand de la Renaissance.
Matteoti Giacomo (1885-1924), homme politique italien ; assassiné par les fascistes.
Matterhorn. V. *Cervin.*
Matthieu saint, un des douze apôtres et l'un des quatre évangélistes.
Maturin Charles (1782-1824), romancier irlandais : *Melmoth.*
Maubeuge, ch.-l. de cant. du Nord ; 35 225 h.
Maugham Somerset (1874-1965), écrivain anglais : *le Fil du rasoir.*
Mauna Kea, volcan éteint, point culminant d'Hawaii (4 208 m), proche du *Mauna Loa*, volcan actif (4 168 m).
Maupassant Guy de (1850-1893), écrivain français, maître de la nouvelle.
Maupeou René de (1714-1792), chancelier de France de 1768 à 1774.
Maupertuis Pierre de (1698-1759), géomètre et mathématicien français.
Maures (les), massif du littoral varois.
Maurétanie, anc. royaume berbère qui occupait l'O. du Maghreb, conquis par les Romains (Ier s.) puis par les Arabes (VIIe s.).
Mauriac, ch.-l. d'arr. du Cantal ; 4 776 h.
Mauriac François (1885-1970), écrivain français : *Thérèse Desqueyroux.*
Maurice (île), État de l'océan Indien ; 184 km² ; 1 200 000 h ; cap. Port-Louis.
Maurice de Nassau (1567-1625), stathouder des Provinces-Unies en 1584.
Maurienne, vallée de Savoie.
Mauritanie, État d'Afrique occidentale ; 1 030 700 km² ; 3 100 000 h ; cap. Nouakchott.
Maurois André (1885-1967), écrivain français.
Mauroy Pierre (né en 1928), homme politique français (socialiste), Premier ministre (1981-1984).
Maurras Charles (1868-1952), homme politique français (nationaliste et monarchiste).
Maurya, dynastie de l'Inde ancienne.
Mauss Marcel (1872-1950), sociologue français : *Essai sur le don.*
Mauthausen, camp de concentration nazi (Autriche).
Mavalipuram ou **Mahabalipuram**, site archéologique de l'Inde, près de Madras.
Maxence (280-312), empereur romain, vaincu par Constantin en 306.
Maximien (v. 250-310), empereur romain, associé à Dioclétien en 286.

Maximilien Ier (1459-1519), empereur germanique en 1493. Il s'opposa à Louis XI.

Maximilien d'Autriche (1832-1867), archiduc d'Autriche promu empereur du Mexique par Napoléon III ; fusillé.

Maxwell James Clerk (1831-1879), physicien anglais ; magnétisme et électricité.

Mayas, peuple d'Amérique centrale, fondateur d'une civilisaion évoluée (VIIᵉ-XVIᵉ s.).

Mayence, port fluvial d'Allemagne ; ch.-l. de la Rhénanie-Palatinat ; 189 010 h.

Mayenne (la), affl. de la Sarthe (200 km).

Mayenne, v. de la Mayenne ; 14 583 h.

Mayenne, dép. français (53) (Pays de la Loire) ; 5 171 km² ; 285 022 h ; ch.-l. Laval.

Mayer Julius Robert von (1814-1878), physicien et médecin allemand.

Mayerling, localité d'Autriche, cadre du suicide de l'archiduc Rodolphe et de sa maîtresse.

Mayflower, navire qui, en 1620, transporta les premiers colons de l'Amérique du Nord.

Mayotte, île française dans l'archipel des Comores ; 374 km² ; 68 000 h.

Mazamet, ch.-l. de cant. du Tarn ; 13 337 h.

Mazar-i Charif, v. d'Afghanistan ; 105 000 h.

Mazarin Jules (1602-1661), cardinal et homme d'État français. Successeur de Richelieu, il gouverna de 1643 à sa mort et mit fin à la Fronde et à la Guerre de Trente Ans.

Mazatlán, port du Mexique, sur le Pacifique ; 297 000 h.

Mazen. *V. Abbas.*

Mazeppa Ivan (v. 1644-1709), chef des Cosaques d'Ukraine.

Mazurie, rég. du N.-E. de la Pologne.

Mazzini Giuseppe (1805-1872), patriote et révolutionnaire italien.

Mbabane, cap. du Swaziland ; env. 40 000 h.

Mbeki Thabo (né en 1942), président de la République d'Afrique du Sud depuis 1999.

Mbuji-Mayi, v. du S. du Zaïre ; 423 360 h.

Mead Margaret (1901-1978), anthropologue américaine.

Méandre. *V. Menderes.*

Meaux, v. de Seine-et-Marne ; 49 409 h.

Mécène (v. 69-8 av. J.-C.), ministre d'Auguste. Il protégea les arts.

Méchain Pierre (1744-1804), astronome français.

Meched, v. d'Iran, ch.-l. du Khorasan ; 1 750 000 h. Sanctuaire chiite.

Mecklembourg, anc. rég. de l'Allemagne du Nord, sur la Baltique, auj. partie du *Land de Mecklembourg-Poméranie* (cap. Schwerin).

Mecque (La), v. d'Arabie Saoudite ; 370 000 h. Patrie de Mahomet, cap. religieuse de l'islam.

Medan, port d'Indonésie (Sumatra) ; 1 379 000 h.

Médée, magicienne, épouse de Jason ; abandonnée par lui, elle tua ses enfants (*Myth. gr.*).

Medef, sigle de *Mouvement des entreprises de France*, syndicat du patronat français.

Medellín, v. de Colombie ; 1 418 550 h.

Mèdes, peuple de l'Iran anc. vaincu par les Perses au VIᵉ s. av. J.-C.

Médicis, famille de marchands qui domina la vie politique de Florence du XVᵉ s. au XVIIIᵉ s.

Médicis Laurent (dit *le Magnifique*) (1449-1492), banquier florentin qui fit de Florence la capitale intellectuelle de l'humanisme.

Médine, v. d'Arabie Saoudite ; 198 000 h. Tombeau de Mahomet et de Fatima.

médiques (guerres), conflits qui opposèrent les Grecs et les Perses de 492 à 448 av. J.-C.

Méditerranée, mer intérieure (2 966 000 km²) entre l'Afrique, l'Asie et l'Europe.

Medjerda (la), fl. d'Afrique du Nord (365 km).

Médoc, rég. viticole au N. de Bordeaux.

Méduse, une des trois Gorgones, dont le regard pétrifiait les vivants (*Myth. gr.*).

Meerut, v. de l'Inde (Uttar Pradesh) ; 417 400 h.

Mégare, v. de Grèce (Attique), prospère dans l'Antiquité.

Megève, stat. hivernale de Haute-Savoie.

Meghalaya, État du N.-E. de l'Inde.

Méhémet-Ali (1769-1849), vice-roi d'Égypte en 1805, créateur de l'Égypte moderne.

Mehmet II (1432-1481), sultan ottoman en 1444. Il prit Constantinople et en fit sa capitale (Istanbul).

Méhul Étienne (1763-1817), compositeur français : *le Chant du départ.*

Meiji tenno (nom posthume de *Mutsuhito*) (1852-1912), empereur du Japon en 1867, créateur du Japon moderne (*ère Meiji*).

Meir Golda (1898-1978), femme politique (travailliste) israélienne.

Meknès, v. du Maroc ; 320 000 h.

Mékong (le), fl. d'Indochine (4 180 km).

Melanchthon Philipp (1497-1560), réformateur religieux allemand, disciple de Luther.

Mélanésie, partie de l'Océanie peuplée par les Mélanésiens : Papouasie-Nouvelle-Guinée, archipel Bismarck, les Salomon, Nouvelle-Calédonie, Vanuatu et les Fidji.

Melbourne, port d'Australie, cap. de l'État de Victoria ; 2 916 000 h.

Melchior, un des Rois mages (*Évangiles*).

Méliès Georges (1861-1938), inventeur et cinéaste français, pionnier du cinéma.

Melilla, enclave espagnole au Maroc ; 53 590 h.

Melk, abbaye bénédictine d'Autriche, reconstruite au XVIIIᵉ s. dans le style baroque.

Melpomène, muse de la Tragédie.

Melun, ch.-l. de Seine-et-Marne ; 36 489 h. Noyau de la v. nouvelle de **Melun-Sénart.**

Mélusine, fée des légendes médiévales.

Melville Herman (1819-1891), romancier américain : *Moby Dick.*

Memel. *V. Klaïpeda.*

Memling Hans (v. 1433-1494), peintre flamand de Bruges.

Memphis, anc. cap. de l'Égypte pharaonique, à S. du Caire.

Memphis, v. des États-Unis (Tennessee) ; 652 640 h.

Ménam ou **Chao Phraya**, fl. de Thaïlande qui arrose Bangkok (1 200 km).

Ménandre (v. 342-v. 292 av. J.-C.), auteur grec de comédies de mœurs.

Mencius, nom latinisé du philosophe confucéen chinois *Mengzi* (v. 372-289 av. J.-C.).

Mende, ch.-l. de la Lozère ; 12 113 h.

Mendel Gregor (1822-1884), religieux et botaniste autrichien. Lois de la génétique.

Mendeleïev Dimitri (1834-1907), chimiste russe. Classification périodique des éléments.

Mendelssohn Moses (1729-1786), philosophe allemand.

Mendelssohn-Bartholdy Felix (1809-1847), compositeur romantique allemand.

Menderes (anc. *Méandre*), fl. de Turquie (450 km).
Mendès France Pierre (1907-1982), homme politique français. Président du Conseil (1954-1955), il mit fin à la guerre d'Indochine.
Mendoza, v. d'Argentine, au pied des Andes ; 119 090 h (aggl. 668 000 h).
Ménélas, roi légendaire de Sparte (*Iliade*).
Ménélik II (1844-1913), négus d'Éthiopie (1889-1909), vainqueur des Italiens à Adoua.
Menem Carlos (né en 1935), président de la rép. d'Argentine de 1989 à 1999.
Mengzi. *V. Mencius.*
Ménilmontant, quartier de Paris.
Menton, stat. balnéaire des Alpes-Maritimes ; 29 474 h.
Mentor, ami d'Ulysse et précepteur de son fils Télémaque (*Odyssée*).
Menuhin Yehudi (1916-1999), violoniste américain.
Méos, peuple du Viêt-nam et du Laos.
Méphistophélès, le diable (légende de Faust).
Mercantour (le), massif des Alpes-Maritimes.
Mercator (1512-1594), géographe flamand.
Merckx Eddy (né en 1945), coureur cycliste belge.
Mercure, dieu romain, assimilé à Hermès.
Mercure, la planète la plus proche du Soleil.
Meredith George (1828-1909), écrivain anglais : *Égoïste.*
Mérida, v. d'Espagne, cap. de l'Estrémadure ; 51 030 h.
Mérida, v. du Mexique (Yucatán) ; 662 000 h.
Mérignac, ch.-l. de cant. de la Gironde ; 58 684 h. Aéroport de Bordeaux.
Mérimée Prosper (1803-1870), écrivain français : *Carmen.*
Mérinas, population de Madagascar.
Merkel Angela (née en 1954), femme politique allemande, élue chancelière en 2005.
Merleau-Ponty Maurice (1908-1961), philosophe français.
Merlin (dit *l'Enchanteur*), personnage légendaire des romans bretons.
Mermoz Jean (1901-1936), aviateur français.
Mérovée, roi légendaire des Francs (Vᵉ s.).
Mérovingiens, dynastie qui régna sur la Gaule de 481 à 751.
Mers el-Kébir (auj. *Al-Marsa Al-Kabir*), port d'Algérie ; 11 450 h. En 1940, une escadre française y fut détruite par les Britanniques.
Mersenne Marin (1588-1648), philosophe et savant français, ami de Descartes.
Mersey (la), fl. du N. de l'Angleterre (113 km).
Mersina, port de Turquie ; 314 360 h.
Meseta, plateau du centre de l'Espagne.
Mesmer Franz (1734-1815), médecin allemand. Théorie du magnétisme animal.
Mésopotamie, rég. d'Asie occidentale, entre le Tigre et l'Euphrate, grand foyer de civilisation dans l'Antiquité.
Messager Annette (née en 1943), artiste française : collages et installations.
Messali Hadj Ahmad (1898-1974), homme politique algérien.
Messaline (morte en 48), impératrice romaine, épouse de Claude.
Messénie, rég. du S.-O. du Péloponnèse.
Messerschmitt Willy (1898-1978), ingénieur et industriel allemand de l'aviation.

Messiaen Olivier (1908-1992), compositeur français : *Saint François d'Assise.*
Messine, port d'Italie (Sicile) sur le *détroit de Messine* ; 264 850 h.
Messner Reinhold (né en 1944), alpiniste italien.
Métaure (le), fl. d'Italie centrale (110 km).
Metaxás Ioánnis (1871-1941), général et homme politique grec.
Metchnikoff Élie (1845-1916), microbiologiste russe, collaborateur de Pasteur.
Méthode saint. *V. Cyrille.*
Metsys. *V. Matsys.*
Metternich-Winneburg Klemens von (1773-1859), homme politique autrichien. Conservateur, il fut renversé par la révolution de 1848.
Metz, ch.-l. de la Moselle et de la Rég. Lorraine ; 123 920 h.
Meucci Antonio (1808-1889), inventeur américain d'origine italienne ; avant Bell il découvrit le principe du téléphone mais ne put le faire breveter.
Meudon, ch.-l. de cant. des Hauts-de-Seine ; 46 173 h.
Meurthe (la), affl. de la Moselle (170 km).
Meurthe-et-Moselle, dép. français (54) (Lorraine) ; 5 235 km² ; 729 458 h ; ch.-l. Nancy.
Meuse (la), fl. de France, de Belgique et des Pays-Bas (950 km).
Meuse, dép. français (55) (Lorraine) ; 6 220 km² ; 205 386 h ; ch.-l. Bar-le-Duc.
Mexicali, v. du N. du Mexique ; 341 560 h.
Mexico, cap. du Mexique, à 2 260 m d'altitude ; 8 831 080 h (aggl. 14 750 180 h).
Mexique, État fédéral de l'Amérique septentrionale et centrale, sur le Pacifique et l'Atlantique ; 1 972 547 km² ; 107 000 000 h ; cap. Mexico. L'*expédition du Mexique* est une campagne entreprise par Napoléon III (1862-1867) pour imposer Maximilien d'Autriche comme empereur du Mexique ; elle tourna au désastre.
Mexique (golfe du), mer bordière de l'Atlantique, entre les États-Unis, le Mexique et Cuba.
Meyerbeer Giacomo (1791-1864), compositeur allemand, auteur d'opéras romantiques.
Meyerhold Vsevolod (1874-1940), metteur en scène de théâtre russe.
Meyzieu, ch.-l. de cant. du Rhône ; 28 212 h.
Mezzogiorno, l'Italie méridionale et insulaire, marquées par le sous-développement.
Miami, port des États-Unis (Floride) ; 372 600 h (aggl. 2 799 300 h).
Michaux Henri (1899-1984), poète et peintre français d'origine belge : *Plume.*
Michel saint, un des archanges (*Bible*).
Michel Iᵉʳ (né en 1921), roi de Roumanie (1927-1930 et 1940-1947).
Michel III (1596-1645), tsar de Russie en 1613, fondateur de la dynastie des Romanov.
Michel VIII Paléologue (1224-1282), empereur byzantin. Il reprit Constantinople aux Latins (1261).
Michel Louise (1830-1905), révolutionnaire française, figure de la Commune.
Michel-Ange (Michelangelo Buonarroti, dit) (1475-1564), sculpteur, peintre, architecte et poète italien : chapelle Sixtine, *Pietà, Moïse.*
Michelet Jules (1798-1874), écrivain français : *Histoire de la Révolution française.*

Michelin André (1853-1931), industriel français, inventeur avec son frère **Édouard** (1859-1940), du pneu démontable.

Michelson Albert (1852-1931), astronome et physicien américain.

Michigan, un des Grands Lacs (57 994 km²).

Michigan, État du centre-nord des États-Unis ; v. princ. Detroit.

Mickey Mouse, personnage de dessins animés, créé par W. Disney.

Mickiewicz Adam (1798-1855), poète romantique, dramaturge et patriote polonais.

Micronésie, ensemble d'îles du Pacifique (Mariannes, Carolines, Marshall, Gilbert).

Midas, roi légendaire de Phrygie, qui changeait en or tout ce qu'il touchait (*Myth. gr.*).

Middle West ou **Midwest**, centre des États-Unis, entre les Appalaches et les Rocheuses.

Midi (canal du), canal reliant l'Atlantique à la Méditerranée par la Garonne.

Midi-Pyrénées, Rég. admin. groupant les dép. de l'Ariège, de l'Aveyron, de la Haute-Garonne, du Gers, du Lot, des Hautes-Pyrénées, du Tarn et du Tarn-et-Garonne ; 45 427 km² ; 2 701 000 h ; ch.-l. Toulouse.

Midlands, rég. industrielle du centre de l'Angleterre ; v. princ. Birmingham.

Midway (îles), atolls du Pacifique, dépendant des États-Unis.

Mies van der Rohe Ludwig (1886-1969), architecte américain d'origine allemande.

Mieszko Ier (mort en 992), prince de Pologne v. 960. Il évangélisa le pays.

Mignard Pierre (1612-1695), peintre français.

Milan, v. d'Italie, cap. de la Lombardie ; 1 548 580 h.

Milan Obrenovic (1854-1901), prince, puis roi de Serbie. Il dut abdiquer.

Milet, v. grecque d'Asie Mineure antique.

Milhaud Darius (1892-1974), compositeur français : *le Bœuf sur le toit*.

Milice (la), organisation parapolicière créée en 1943 par le gouvernement de Vichy.

Milieu (Empire du), autre nom de la Chine.

Mill John Stuart (1806-1873), philosophe empiriste et économiste anglais.

Millau, ch.-l. d' arr. de l'Aveyron ; 22 458 h. Viaduc (2004), sur le Tarn.

Mille et Une Nuits (les), recueil de contes populaires arabes (X[e]-XIIe s. env.).

Miller Henry (1891-1980), écrivain américain : *Tropique du Cancer*.

Miller Arthur (1915-2005), auteur dramatique américain : *Mort d'un commis voyageur*.

Millerand Alexandre (1859-1943), président de la République française (1920-1924). Il dut démissionner.

Millet Jean-François (1814-1875), peintre français de l'école de Barbizon : *l'Angélus*.

Millevaches, plateau du Limousin.

Millikan Robert (1868-1953), physicien américain.

Milo, île des Cyclades. On y a trouvé, en 1820, la statue dite *Vénus de Milo*.

Milosevic Slobodan (1941-2006), homme politique serbe, au pouvoir de 1989 à 2000.

Milos Obrenovic (1780-1860), prince de Serbie (1817-1839 et 1858-1860).

Milosz (1877-1939), écrivain symboliste français d'origine lituanienne.

Milosz Czesław (1911-2004), écrivain polonais, émigré aux États-Unis.

Miltiade (540-v. 489 av. J.-C.), général athénien, vainqueur à Marathon.

Milton John (1608-1674), poète anglais : *le Paradis perdu*.

Milvius (pont), pont sur le Tibre, où Constantin battit Maxence (312 av. J.-C.).

Milwaukee, v. des États-Unis (Wisconsin) ; 620 800 h (aggl. 1 567 600 h).

Minas Gerais, État du S.-E. du Brésil ; cap. Belo Horizonte.

Mindanao, grande île du S. des Philippines.

Mindoro, île des Philippines.

Minerve, déesse de la Sagesse (*Myth. rom.*).

Ming, dynastie chinoise (1368-1644).

Mingus Charlie (1922-1979), contrebassiste, compositeur et chef d'orchestre américain de jazz.

Minho (le), fl. du N.-O. de la péninsule Ibérique (275 km), frontière nord du Portugal.

Minkowski Hermann (1864-1909), mathématicien lituanien.

Minneapolis, v. des États-Unis (Minnesota) 345 000 h (aggl. 2 300 000 h).

Minnelli Vincente (1913-1986), cinéaste américain.

Minnesota, État du centre-nord des États-Unis cap. Saint Paul.

Minorque, île des Baléares.

Minos, roi légendaire de Crète, devenu l'un de trois juges des Enfers (*Myth. gr.*).

Minotaure, monstre enfermé dans le Labyrinthe tué par Thésée (*Myth. gr.*).

Minsk, cap. de la Biélorussie ; 1 583 000 h.

Miquelon. V. Saint-Pierre-et-Miquelon.

Mirabeau Honoré Gabriel, comte de (1749-1791), homme politique français.

Miranda Francisco (1750-1816), patriote vénézuélien, héros de l'indépendance.

Mirande, ch.-l. d'arr. du Gers ; 3 940 h.

Mirbeau Octave (1848-1917), écrivain français : *Journal d'une femme de chambre*.

Miró Joan (1893-1983), peintre et sculpteur surréaliste espagnol.

Mishima Yukio (1925-1970), écrivain japonais Il se suicida en public.

Mishna (la), partie du Talmud.

Miskolc, v. de Hongrie ; 211 650 h.

Mississippi (le), princ. fl. d'Amérique du Nc (3 780 km ; 6 260 km avec le Missouri).

Mississippi, État du S. des États-Unis.

Missolonghi, v. de Grèce, haut lieu de la lu contre les Turcs (1822-1826).

Missouri (le), affl. du Mississippi (4 370 km).

Missouri, État du centre des États-Unis ; v. pri Saint Louis, Kansas City.

Mistinguett (Jeanne Bourgeois, dite) (18 1956), chanteuse française de music-hall.

Mistra, site byzantin de Grèce, près de Sparte.

Mistral Frédéric (1830-1914), écrivain franç d'expression provençale : *Mireille*.

Mistral Gabriela (1889-1957), poète chilienne : *Desolación*.

Misurata, port de Libye ; 285 000 h.

Mitanni, État antique de Méso tamie (IIe millénaire av. J.-C.).

Mitchell Margaret (1900-1949), romancière a ricaine : *Autant en emporte le vent*.

Mithra, divinité des Perses.

Mithridate VI Eupator (dit *le Grand*) (132-63 av. J.-C.), roi du Pont, vaincu par les Romains.

Mitidja (la), plaine d'Algérie, autour d'Alger.

Mitterrand François (1916-1996), président de la République française (socialiste) de 1981 à 1995.

Mixtèques, peuple du Mexique précolombien.

Mizoguchi Kenji (1898-1956), cinéaste japonais : *Contes de la lune vague après la pluie.*

Mizoram, État du N.-E. de l'Inde.

Mnémosyne, déesse de la Mémoire, mère des Muses (*Myth. gr.*).

Mnouchkine Ariane (née en 1939), metteur en scène de théâtre française.

Moabites, peuple de Palestine (*Bible*).

Mobile, port des États-Unis (Alabama) ; 04 900 h.

Möbius August (1790-1868), mathématicien et astronome allemand.

Mobutu Sese Seko (1930-1997), général zaïrois, au pouvoir de 1965 à 1997.

Moctezuma ou **Montezuma** (1466-1520), dernier empereur aztèque.

Modène, v. d'Italie (Émilie-Romagne) ; 178 660 h.

modern style. V. art nouveau.

Modigliani Amedeo (1884-1920), peintre italien de l'école de Paris ; portraitiste.

Moebius. V. Giraud.

Mogadiscio. V. Muqdisho.

Moghilev, v. de Biélorussie ; 343 000 h.

Moghols ou **Mogols,** dynastie turque, qui régna sur l'Inde du Nord du XVIe s. au XVIIIe s.

Mohács (bataille de), victoire de Soliman le Magnifique sur les Hongrois (1526).

Mohammed. V. Mahomet.

Mohammed V ben Youssef (1909-1961), sultan, puis roi du Maroc. Il obtint l'indépendance du pays (1956).

Mohammed VI (né en 1963), roi du Maroc depuis 1999.

Mohenjo-Daro, site archéologique du Pakistan (civilisation de l'Indus).

Mohicans, Indiens du groupe des Algonkins.

Mohorovicic Andrija (1857-1936), géologue croate.

Moïs, population du S. du Viêt-nam.

Moïse (XIIIe s. av. J.-C.), prophète et législateur d'Israël (*Bible*).

Moissac, ch.-l. de cant. de Tarn-et-Garonne ; 12 213 h. Église et cloître romans.

Mol, v. de Belgique (Anvers) ; 29 800 h.

Moldau. V. Vltava.

Moldavie, anc. principauté roumaine, partagée entre la Roumanie et la **république de Moldavie** (33 700 km² ; 4 200 000 h ; cap. Chisinau), anc. rép. fédérée de l'URSS.

Molière (Jean-Baptiste Poquelin, dit) (1622-1673), auteur dramatique et comédien français : *Tartuffe, Dom Juan, le Bourgeois gentilhomme, le Malade imaginaire.*

Molina Luis (1536-1600), théologien jésuite espagnol, adversaire du jansénisme.

Molina. V. Tirso de Molina.

Molinos Miguel de (1628-1696), théologien espagnol du quiétisme.

Molise, rég. admin. du S. de l'Italie.

Mollet Guy (1905-1975), homme politique (socialiste) français.

Moloch, divinité phénicienne (*Bible*).

Molotov (1890-1986), diplomate et homme politique soviétique.

Molsheim, ch.-l. d'arr. du Bas-Rhin ; 8 055 h.

Moltke Helmuth von (1800-1891), feld-maréchal prussien.

Moluques (archipel des), prov. d'Indonésie ; ch.-l. Amboine.

Mombasa, port du Kenya ; 442 370 h.

Mommsen Theodor (1817-1903), historien allemand de l'Antiquité.

Monaco, principauté enclavée dans le dép. des Alpes-Maritimes ; 27 063 h.

Monastir, port de Tunisie ; 35 550 h.

Monastir. V. Bitola.

Mondrian Piet (1872-1944), peintre abstrait hollandais.

Monet Claude (1840-1926), peintre français, princ. représentant de l'impressionnisme.

Monge Gaspard (1746-1818), mathématicien français, inventeur de la géométrie descriptive.

Mongolie, État d'Asie, entre la Russie et la Chine ; 1 565 000 km² ; 2 600 000 h ; cap. Oulan-Bator.

Mongolie-Intérieure, rég. auton. du N. de la Chine ; cap. Hohhot.

Mongols, nomades de l'Asie centrale.

Monk George (1608-1670), général anglais. Il restaura la royauté.

Monk Thelonious (1917-1982), pianiste et compositeur américain de jazz.

Monluc ou **Montluc** Blaise de (1502-1577), maréchal de France et chroniqueur.

Monnet Jean (1888-1979), économiste français, promoteur de l'unité européenne.

Monod Jacques (1910-1976), biologiste français, travaux sur l'ARN messager.

Monroe James (1758-1831), président (républicain) des États-Unis (1817-1825). Hostile à toute intervention de l'Europe sur le continent américain (*doctrine de Monroe*).

Monroe Marilyn (1926-1962), actrice américaine de cinéma.

Monrovia, cap. du Liberia ; 600 000 h.

Mons, v. de Belgique (Hainaut) ; 94 420 h.

Mons-en-Barœul, com. du Nord ; 26 626 h.

Montagnais, Indiens algonkins du Québec.

Montagne (la), groupe de députés révolutionnaires de la Législative et de la Convention, puis de la IIe République.

Montagne Blanche (bataille de la), défaite infligée aux Tchèques par les impériaux (1620).

Montagnier Luc (né en 1932), biologiste français. Il a découvert le virus du sida.

Montaigne Michel de (1533-1592), écrivain français : *Essais.*

Montale Eugenio (1896-1981), poète italien.

Montalembert Charles de (1810-1870), homme politique français (catholique libéral).

Montana, État du N.-O. des États-Unis.

Montand Yves (1921-1991), chanteur et comédien français.

Montargis, ch.-l. d'arr. du Loiret ; 16 570 h.

Montauban, ch.-l. du Tarn-et-Garonne ; 53 278 h.

Montbard, ch.-l. d'arr. de la Côte-d'Or ; 7 397 h.

Montbéliard, ch.-l. d'arr. du Doubs ; 30 639 h.

Montbrison, ch.-l. d'arr. de la Loire ; 14 591 h.

Montcalm de Saint-Véran Louis, marquis de (1712-1759), général français, tué en défendant Québec contre les Anglais.

Montceau-les-Mines, ch.-l. de cant. de Saône-et-Loire ; 23 308 h.

Mont-de-Marsan, ch.-l. des Landes ; 31 864 h.

Montdidier, ch.-l. d'arr. de la Somme ; 6 506 h.

Mont-Dore (massif du) ou **monts Dore,** chaîne volcanique du Massif central.

Monte Albán, site précolombien du Mexique.

Monte-Carlo, quartier de Monaco (casino).

Montélimar, v. de la Drôme ; 31 386 h.

Monténégro, rép. fédérée de l'État de Serbie-et-Monténégro ; 13 812 km² ; 620 000 h ; cap. Podgorica.

Montereau, v. de Seine-et-Marne ; 18 936 h.

Monterrey, v. du Mexique ; 1 084 700 h.

Montespan Françoise, marquise de (1640-1707), maîtresse de Louis XIV.

Montesquieu Charles de Secondat, baron de (1689-1755), écrivain français : *Lettres persanes, De l'esprit des lois.*

Montessori Maria (1870-1952), pédagogue italienne.

Monteverdi Claudio (1567-1643), compositeur italien, créateur de l'opéra.

Montevideo, cap. de l'Uruguay ; 1 247 920 h.

Montezuma. V. *Moctezuma.*

Montfaucon, anc. lieu-dit, à Paris, où s'élevait un gibet (XIIIᵉ-XVIIIᵉ s.).

Montfort Simon IV, comte de (1150-1218), chef de la croisade contre les albigeois.

Montgenèvre, col des Alpes françaises.

Montgolfier Joseph de (1740-1810) et son frère **Étienne** (1745-1799), industriels français. Ils inventèrent les montgolfières.

Montgomery of Alamein Bernard, vicomte (1887-1976), maréchal britannique, vainqueur de Rommel en Égypte.

Montherlant Henri de (1896-1972), écrivain français : *la Reine morte.*

Montlhéry, circuit automobile (Essonne).

Montluc. V. *Monluc.*

Montluçon, ch.-l. d'arr. de l'Allier ; 46 660 h.

Montmartre, quartier de Paris.

Montmorency, ch.-l. d'arr. du Val-d'Oise ; 21 003 h.

Montmorency Anne, duc de (1493-1567), conseiller de François Iᵉʳ et d'Henri II.

Montmorillon, ch.-l. d'arr. de la Vienne ; 7 276 h.

Montoire-sur-le-Loir, v. du Loir-et-Cher, où Pétain et Hitler se rencontrèrent (1940).

Montparnasse, quartier de Paris.

Montpellier, ch.-l. de l'Hérault et de la Rég. Languedoc-Roussillon ; 210 866 h.

Montpensier Anne Louise, duchesse de (dite *la Grande Mademoiselle*) (1627-1693). Elle prit part à la Fronde.

Montréal, v. du Canada (Québec), sur le Saint-Laurent ; 1 015 420 h (aggl. 2 921 360 h).

Montreuil ou **Montreuil-sous-Bois,** ch.-l. de cant. de la Seine-Saint-Denis ; 95 038 h.

Montreuil ou **Montreuil-sur-Mer,** ch.-l. d'arr. du Pas-de-Calais ; 2 676 h.

Montreux, v. de Suisse (Vaud) ; 20 000 h.

Montrouge, v. des Hauts-de-Seine ; 38 333 h.

Mont-Saint-Michel (Le), com. de la Manche, sur un îlot. Abbaye bénédictine (XIIᵉ-XVIᵉ s.).

Montségur, forteresse qui fut le dernier refuge des albigeois en 1244 (Ariège).

Montserrat, île britannique des Petites Antilles.

Monza, v. d'Italie (Lombardie) ; 122 450 h. Circuit automobile.

Moore Thomas (1779-1852), poète romantique irlandais : *Mélodies irlandaises.*

Moore Henry (1898-1986), sculpteur anglais.

Morand Paul (1888-1976), écrivain français.

Morandi Giorgio (1890-1964), peintre italien.

Morante Elsa (1912-1985), romancière italienne : *la Storia.*

Morat, com. de Suisse (Fribourg). Victoire des Suisses sur Charles le Téméraire (1476).

Moravia Alberto (1907-1990), romancier italien : *le Mépris.*

Moravie, rég. orientale de la République tchèque v. princ. Brno, Ostrava, Olomouc.

Morbihan, dép. français (56) (Bretagne) 6 763 km² ; 638 468 h ; ch.-l. Vannes.

Mordovie, rép. auton. de Russie, sur la Volga.

More. V. *Thomas More.*

Moréas Jean (1856-1910), poète symboliste français.

Moreau Jean Victor (1763-1813), général français. Rival de Napoléon, il s'exila.

Moreau Gustave (1826-1898), peintre symboliste français.

Morée, principauté créée par les croisés dans ¹ Péloponnèse (1205-1269).

Morelia, v. du Mexique central ; 297 540 h.

Moreno Jacob (1892-1974), psychosociologue américain, inventeur du psychodrame.

Morgan Lewis Henry (1818-1881), anthropologue américain.

Morgan Thomas Hunt (1866-1945), biologiste américain, fondateur de la génétique moderne.

Morgan John Pierpont (1867-1943), industriel philanthrope américain.

Morgane (la fée), personnage fabuleux de romans du cycle breton.

Morgarten, victoire décisive des Suisses sur les Autrichiens (1315).

Morgenstern Oskar (1902-1977), économiste américain d'origine autrichienne.

Morisot Berthe (1841-1895), peintre impressionniste français.

Morlaix, ch.-l. d'arr. du Finistère ; 17 607 h.

Morny Charles, duc de (1811-1865), homme politique français, demi-frère de Napoléon III.

Moro Aldo (1916-1978), homme politique italien (démocrate-chrétien). Il fut assassiné.

Moroni, cap. des Comores ; 17 270 h.

Morphée, dieu des Songes (*Myth. gr.*).

Morris William (1834-1896), écrivain et décorateur anglais, pionnier du modern style.

Morrison Toni (née en 1931), romancière américaine : *Jazz.*

Morse Samuel (1791-1872), physicien américain, inventeur d'un code télégraphique.

Mort (Vallée de la), fossé d'effondrement désertique des États-Unis (Californie).

Mortagne-au-Perche, ch.-l. d'arr. de l'Orne 4 943 h.

Morte (mer), lac de Palestine fortement salé (1 015 km²). Les *manuscrits de la mer Morte,* découverts à Qumran, sont les plus anciens textes connus de la Bible.

Mortimer Roger (1287-1330), homme de guerre gallois. Il fit assassiner Édouard II.

Morvan, rég. montagneuse du centre de la France (902 m).

Morzine, stat. hivernale de Haute-Savoie.

Moscou, cap. de la Russie, sur la Moskova ; 8 675 000 h.

Moscovie, l'État russe du XVe s. au XVIIe s.

Moselle (la), riv. de France, du Luxembourg et de l'Allemagne (550 km), affl. du Rhin.

Moselle, dép. français (57) (Lorraine) ; 6 214 km² ; 1 035 588 h ; ch.-l. Metz.

Moser Koloman (dit Kolo) (1868-1918), peintre et designer autrichien, l'un des fondateurs de la *Sécession de Vienne.*

Moskova (la), riv. de Russie, qui arrose Moscou (508 km).

Mossadegh Muhammad (1881-1967), homme politique iranien.

Mossi, peuple du Burkina Faso.

Mossoul, port d'Irak, sur le Tigre ; 600 000 h.

Mostaganem ou **Mustaghanim,** port de l'O. de l'Algérie ; 116 570 h.

Motherwell Robert (1915-1991), peintre abstrait américain.

Mouaskar. V. *Mascara.*

Moubarak Hosni (né en 1928), président de la République d'Égypte depuis 1981.

Moukden. V. *Shenyang.*

Moulin Jean (1899-1943), homme politique français ; un des chefs de la Résistance.

Moulins, ch.-l. de l'Allier ; 23 353 h.

Moulmein, port de Birmanie ; 219 990 h.

Mounier Emmanuel (1905-1950), philosophe français : *Qu'est-ce que le personnalisme ?*

Mountbatten of Burma Louis (1900-1979), amiral britannique, dernier vice-roi des Indes.

Mourmansk, port de Russie ; 419 000 h.

Mourmelon-le-Grand, com. de la Marne. Camp militaire.

Mouscron, v. de Belgique (Hainaut) ; 54 590 h.

Moussorgski Modest (1839-1881), compositeur russe : *Boris Godounov.*

Moyen Âge, période qui va de 476 (chute de l'Empire romain) à 1453 (prise de Constantinople) ou 1492 (découverte de l'Amérique).

Moyen-Orient. V. *Proche-Orient.*

Mozambique (canal de), partie de l'océan Indien, entre l'Afrique et Madagascar.

Mozambique, État d'Afrique de l'Est ; 784 692 km² ; 19 400 000 h ; cap. Maputo.

Mozart Wolfgang Amadeus (1756-1791), compositeur autrichien : *Don Giovanni, la Flûte enchantée, Requiem.*

Mpumalanga, province d'Afrique du Sud (1994), située dans l'anc. prov. de Transvaal.

Mu'awiyah (v. 603-680), fondateur de la dynastie des Omeyyades.

Mucha Alfons (1860-1939), peintre et dessinateur tchèque, maître de l'art nouveau.

Muhammad. V. *Mahomet.*

Muhammad V. V. *Mohammed V.*

Muhammad Riza. V. *Pahlavi.*

Mulhouse, ch.-l. d'arr. du Haut-Rhin ; 110 905 h.

Mulroney Brian (né en 1939), homme politique canadien, Premier ministre de 1984 à 1993.

Multan, v. du Pakistan (Pendjab) ; 730 000 h.

Mumbai. V. *Bombay.*

Mun Albert de (1841-1914), homme politique français (catholique social).

Munch Edvard (1863-1944), peintre expressionniste norvégien.

Münchhausen Karl, baron von (1720-1797), officier allemand, type du soldat hâbleur.

Munich, v. d'Allemagne, cap. de la Bavière ; 1 274 720 h. Les *accords de Munich,* signés de l'Allemagne ; 267 630 h. Münster, v. d'Allemagne (Rhénanie-du-Nord-Westphalie) ; 267 630 h.

Münzer ou **Müntzer** Thomas (1489-1525), réformateur religieux allemand ; anabaptiste.

Muqdisho (anc. *Mogadiscio*), cap. de la Somalie, sur l'océan Indien ; 500 000 h.

Muraille (Grande), fortification de 5 000 km entre la Chine et la Mongolie.

Murano, îlot de la lagune de Venise.

Murasaki Shikibu (v. 978-v. 1020), romancière japonaise : *Genji monogatari.*

Murat Joachim (1767-1815), maréchal de France, roi de Naples (1808-1815).

Murcie, v. d'Espagne, cap. de la *commun. auton. de Murcie* ; 1 006 900 h.

Mur des lamentations, mur du temple de Jérusalem devant lequel les juifs viennent prier.

Murdoch Iris (1919-1999), femme de lettres irlandaise : *l'Élève du philosophe.*

Mureaux (Les), com. des Yvelines ; 33 365 h.

Muret, ch.-l. d'arr. de la Haute-Garonne ; 18 604 h.

Murger Henri (1822-1861), écrivain français : *Scènes de la vie de bohème.*

Murillo Bartolomé (1618-1682), peintre espagnol : *le Jeune Mendiant.*

Murnau Friedrich (1888-1931), cinéaste allemand : *l'Aurore.*

Murray (le), fl. d'Australie (2 574 km).

Mururoa, atoll de la Polynésie française. Centre d'essais nucléaires français.

Muses, les 9 déesses des arts : Calliope, Clio, Érato, Euterpe, Melpomène, Polymnie, Terpsichore, Thalie, Uranie (*Myth. gr.*).

Muséum national d'histoire naturelle, établissement scientifique fondé à Paris en 1635.

Musharraf Pervez (né en 1943), président de la République du Pakistan depuis 2001.

Musil Robert von (1880-1942), écrivain autrichien : *l'Homme sans qualités.*

Musset Alfred de (1810-1857), écrivain romantique français : *Lorenzaccio.*

Mussolini Benito (1883-1945), homme politique italien. Fondateur du fascisme, il s'allia au IIIe Reich ; il fut exécuté.

Mustafa Kemal. V. *Kemal.*

Mustaghanim. V. *Mostaganem.*

Mutsuhito. V. *Meiji tenno.*

Myanmar. V. *Birmanie.*

Mycènes, anc. v. de Grèce (Argolide).

Mykérinos (V. 2500 av. J.-C.), pharaon égyptien. Pyramide à Gizeh.

Mykonos, île des Cyclades (Grèce).

Myrdal Karl (1898-1987), économiste suédois.

Myrmidons, peuple de Thessalie dont Achille fut le roi (*Myth. gr.*).

Myron, sculpteur grec du Ve s. av. J.-C. : *le Discobole.*

Mysore, v. de l'Inde (Karnataka) ; 441 750 h. Anc. cap. de l'*État de Mysore.*

Mytilène. V. *Lesbos.*

Mzab, rég. du Saharien algérien.

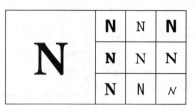

Nabatéens, anc. peuple de l'Arabie (Vᵉ s. av. J.-C.-IIᵉ s. apr. J.-C.).

Nabokov Vladimir (1899-1977), romancier américain d'origine russe : *Lolita.*

Nabuchodonosor II, roi de Babylone de 605 à 562 av. J.-C. Il déporta les Juifs à Babylone.

Nadar (Félix Tournachon, dit) (1820-1910), photographe français.

Nader Ralph (né en 1934), avocat américain, promoteur du consumérisme.

Nadir chah (1688-1747), roi de Perse en 1736 ; assassiné.

Nadjd, rég. d'Arabie Saoudite ; ch.-l. Riyad.

Nadjef, v. d'Irak ; 147 860 h.

Nagaland, État du N.-E. de l'Inde.

Nagasaki, port du Japon (Kyushu) ; 449 000 h. La seconde bombe atomique y fut lancée par les Américains le 9 août 1945.

Nagorno-Karabakh. V. *Karabakh (Haut-).*

Nagoya, port du Japon (Honshu) ; 2 127 580 h.

Nagpur, v. de l'Inde (Maharashtra) ; 1 219 460 h.

Nagy Imre (1896-1958), homme politique hongrois ; communiste réformateur, il fut exécuté.

Naha, v. du Japon, ch.-l. des îles Ryukyu, dans l'île d'Okinawa ; 303 670 h.

Naipaul Vidiadhar (né en 1932), écrivain britannique originaire de Trinité-et-Tobago.

Nairobi, cap. du Kenya ; 1 162 190 h.

Nakhitchevan, rép. auton. de l'Azerbaïdjan, enclavée dans l'Arménie.

Namibie (anc. *Sud-Ouest africain*), État d'Afrique australe ; 824 292 km² ; 2 000 000 h ; cap. Windhoek.

Namur, v. de Belgique, cap. de la Wallonie et ch.-l. de la *province de Namur ;* 102 320 h.

Nanak (1469-1538), mystique hindou, fondateur de la secte des sikhs.

Nanchang, v. de Chine, cap. du Jiangxi ; 975 710 h (aggl. 2 471 070 h).

Nancy, ch.-l. de la Meurthe-et-Moselle ; 102 410 h. Anc. cap. de la Lorraine. L'*école Nancy* est un groupe de décorateurs, formé à Nancy v. 1890 autour d'É. Gallé.

Nanga Parbat (le), sommet himalayen (8 120 m), au Cachemire.

Nankin ou **Nanjing,** v. de Chine, port sur le YangziJiang, cap. du Jiangsu ; 2 091 400 h (aggl. 2 332 270 h).

Nanning, port de la Chine du Sud, cap. du Guangxi ; 889 790 h.

Nansen Fridtjof (1861-1930), océanographe et homme politique norvégien.

Nanterre, ch.-l. des Hauts-de-Seine ; 86 627 h.

Nantes, ch.-l. de la Loire-Atlantique et de la Rég. Pays de la Loire ; 252 029 h (aggl. 496 000 h). L'*édit de Nantes,* rendu par Henri IV, donnait un statut légal aux protestants (1598) ; il fut révoqué par Louis XIV (1685).

Nantua, ch.-l. d'arr. de l'Ain ; 2 678 h.

Napier. V. *Neper.*

Naples, port d'Italie (Campanie), sur le *golfe de Naples ;* 1 207 750 h. Le *royaume de Naples* s'étendait sur le sud de l'Italie et la Sicile (XIᵉ s.-1861).

Naplouse, v. de Cisjordanie ; env. 50 000 h.

Napoléon Iᵉʳ (1769-1821), empereur des Français (1804-1815). Il accéda au pouvoir par le coup d'État du 18 Brumaire (1799). Vaincu par l'Europe coalisée, il dut abdiquer en 1814. De retour d'exil (les Cent-Jours), il fut battu à Waterloo et déporté à Sainte-Hélène (1815).

Napoléon II (1811-1832), fils de Napoléon Iᵉʳ et de Marie-Louise, roi de Rome, duc de Reichstadt. Il ne régna pas.

Napoléon III Charles Louis Napoléon Bonaparte (1808-1873), neveu de Napoléon Iᵉʳ, président de la IIᵉ République, puis empereur des Français après le coup d'État du 2 décembre 1851 ; déchu après la défaite contre la Prusse à Sedan (1870).

Nara, v. du Japon (Honshu) ; 327 700 h. Cap. du Japon au VIIIᵉ s. Temples.

Narbada (la), fl. sacré de l'Inde (1 230 km), frontière entre l'Hindoustan et le Dekkan.

Narbonne, ch.-l. d'arr. de l'Aude ; 47 086 h.

Narcisse, jeune homme d'une grande beauté, épris de ses propres traits (*Myth. gr.*).

Narvik, port du N. de la Norvège ; 19 000 h.

NASA, organisme américain de recherche et d'exploration aéronautique et spatiale.

Nash John (1752-1835), architecte anglais.

Nashville-Davidson, v. des États-Unis, cap. du Tennessee ; 462 500 h (aggl. 890 300 h).

Nassau, cap. des îles Bahamas.

Nasser (lac), retenue du Nil formée par le barrage d'Assouan.

Nasser Gamal Abdel (1918-1970), président de la République d'Égypte de 1956 à sa mort.

Natal, anc. prov. d'Afrique du Sud, sur l'océan Indien ; cap. Pietermaritzburg ; v. princ. Durban.
Natal, port du Brésil (Rio Grande do Norte) ; 512 240 h.
National Gallery, musée de peinture de Londres.
Nattier Jean-Marc (1685-1766), peintre français ; portraitiste.
Nauru, État de Polynésie ; 21 km² ; 8 000 h ; cap. Yaren.
Navahos ou **Navajos,** Indiens des États-Unis (Arizona, Nouveau-Mexique).
Navarin (auj. *Pylos*), port de Grèce, où la flotte turque fut anéantie par les Français, les Russes et les Anglais (1827).
Navarre, anc. royaume peuplé de Basques, et commun. auton. d'Espagne ; cap. Pampelune.
Navas de Tolosa (Las), victoire des rois d'Aragon, de Castille et de Navarre sur les Almohades (1212).
Navratilova Martina (née en 1956), joueuse de tennis américaine d'origine tchécoslovaque.
Naxos, île grecque des Cyclades.
Nazareth, v. d'Israël, en Galilée ; 44 780 h. Séjour de la Sainte Famille (*Évangiles*).
Nazca, site précolombien du S. du Pérou.
N'Djamena (anc. *Fort-Lamy*), cap. du Tchad ; 303 000 h.
Néandertal (homme de), squelette humain du pléistocène, découvert près de Düsseldorf.
Néarque (IVe s. av. J.-C.), amiral d'Alexandre le Grand.
Nébo, montagne à l'E. de la mer Morte, d'où Moïse contempla la Terre promise.
Nebraska, État du centre des États-Unis.
Neckar (le), riv. d'Allemagne, affl. du Rhin (367 km).
Necker Jacques (1732-1804), financier suisse. Directeur général des Finances de Louis XVI, il fit convoquer les états généraux.
Néel Louis (né en 1904), physicien français.
Néfertiti, reine d'Égypte au XIVe s. av. J.-C., femme d'Aménophis IV Akhenaton.
Négritos, peuple de petite taille (Philippines, Malaisie, îles Andaman).
Negro (río), riv. d'Amérique du Sud (2 200 km), affl. de l'Amazone.
Néguev, rég. désertique du S. d'Israël.
Nehru Cri Jawaharlal (1889-1964), Premier ministre de l'Inde de 1947 à 1964.
Neige (crêt de la), point culminant du Jura (1 723 m).
Neiges (piton des), point culminant de la Réunion (3 069 m).
Neisse de Lusace, affl. de l'Oder (256 km).
Nekrassov Nikolaï (1821-1877), journaliste et poète lyrique russe.
Nelson Horatio (1758-1805), amiral britannique, vainqueur à Aboukir et à Trafalgar où il fut tué.
Némée, vallée du Péloponnèse où Héraclès tua un lion redoutable (*Myth. gr.*).
Némésis, déesse de la Vengeance (*Myth. gr.*).
Nemours, ch.-l. de cant. de Seine-et-Marne ; 12 115 h.
Nemrod, petit-fils de Cham (*Bible*).
Nenni Pietro (1891-1980), homme politique italien (socialiste).
Néo-Destour. V. *Destour.*
NEP (nouvelle politique économique), retour partiel au libéralisme en URSS (1921-1929).

Népal, État (royaume) d'Asie centrale ; 140 797 km² ; 25 400 000 h ; cap. Katmandou.
Neper ou **Napier** John (1550-1617), mathématicien écossais, inventeur des logarithmes.
Neptune, dieu de la Mer (*Myth. rom.*).
Neptune, la plus lointaine des planètes du système solaire.
Nérac, ch.-l. d'arr. de Lot-et-Garonne ; 7 571 h.
Neri. V. *Philippe Neri.*
Néron (37-68), empereur romain en 54.
Neruda Pablo (1904-1973), poète chilien : *le Chant général.*
Nerva (26-98), empereur romain en 96.
Nerval Gérard de (1808-1855), écrivain français : *les Chimères.*
Ness (loch), lac d'Écosse, dont les eaux cacheraient un monstre légendaire.
Nessos, centaure tué par Héraclès (*Myth. gr.*).
Nestor, vieux roi grec, célèbre pour sa sagesse (*Iliade*).
Nestorius (v. 380-apr. 451), patriarche de Constantinople, condamné par le concile d'Éphèse pour sa doctrine hérétique (431).
Netanyahou Benyamin (né en 1949), Premier ministre d'Israël de 1996 à 1999.
Neuchâtel, v. de Suisse, sur le *lac de Neuchâtel* 34 430 h ; ch.-l. du *canton de Neuchâtel.*
Neufchâteau, ch.-l. d'arr. des Vosges 15 118 h.
Neuilly-sur-Marne, ch.-l. de cant. de la Seine Saint-Denis ; 31 603 h.
Neuilly-sur-Seine, ch.-l. de cant. des Hauts-de Seine ; 62 033 h.
Neumann Johann Balthasar (1687-1753), archi tecte baroque allemand.
Neumann Johannes von (1903-1957), mathéma ticien américain d'origine hongroise, auteur de théorie des jeux.
Neustrie, un des royaumes francs formés e 561 ; v. princ. Paris, Soissons.
Neutra Richard Joseph (1892-1970), architec américain d'origine autrichienne.
Neva (la), fl. de Russie (74 km), qui arrose Sain Pétersbourg.
Nevada (sierra), massif montagneux de l'E pagne du Sud (3 478 m).
Nevada (sierra), chaîne de l'O. des États-Un (4 418 m au mont Whitney).
Nevada, État de l'O. des États-Unis.
Nevers, ch.-l. de la Nièvre ; 43 889 h.
Nevski. V. *Alexandre Nevski.*
Newark, port des États-Unis (New Jersey 316 300 h (aggl. 1 882 000 h).
Newcastle, port d'Australie (Nouvelle-Galles Sud) ; 423 300 h.
Newcastle-upon-Tyne, v. d'Angleterre, che du Northumberland ; 192 500 h.
New Deal, mesures prises par Roosevelt pour ter contre la crise aux États-Unis (1933).
New Delhi. V. *Delhi.*
New Hampshire, État du N.-E. des États-Uni
New Haven, port des États-Unis (Connecticu 124 200 h. Université Yale.
Ne Win Bo (né en 1911), général birman, au p voir de 1962 à 1981.
New Jersey, État du N.-E. des États-Unis.
Newman John Henry (1801-1890), cardina théologien anglais.

New Orleans. V. *Nouvelle-Orléans (La).*
Newton sir Isaac (1642-1727), mathématicien, physicien et astronome anglais. Il établit les lois de la gravitation universelle.
New York, la plus grande ville des États-Unis, port sur l'Atlantique, à l'embouchure de l'Hudson ; 7 300 000 h. Siège de l'ONU.
New York, État du N.-E. des États-Unis ; cap. Albany ; v. princ. New York.
Ney Michel (1769-1815), maréchal de France ; fusillé à la Restauration.
Ngazidja (anc. *Grande-Comore),* île principale de l'archipel des Comores.
Niagara (le), fl. d'Amérique du Nord (54 km), coupé par les *chutes du Niagara.*
Niamey, cap. du Niger ; 540 000 h.
Nibelungen, nains possesseurs de richesses souterraines (*Myth. germanique*).
Nicaragua, État d'Amérique centrale ; 139 000 km² ; 5 800 000 h ; cap. Managua.
Nice, ch.-l. des Alpes-Maritimes ; 345 674 h.
Nicée, anc. v. d'Asie Mineure (auj. *Iznik*), où se tint en 325 le *concile de Nicée* qui condamna Arius et élabora le *symbole de Nicée.* Cap. de l' *empire grec de Nicée* (1204-1261).
Nicobar (îles), archipel indien dans le golfe du Bengale.
Nicolaïer Arthur (1862-1945), médecin allemand qui identifia le bacille du tétanos.
Nicola Pisano (1220-1287), sculpteur italien.
Nicolas saint, évêque en Asie Mineure au IVe s. Il est le Père Noël dans le N. de l'Europe.
Nicolas Ier (1796-1855), empereur de Russie en 1825, défenseur de l'autocratie.
Nicolas II (1868-1918), dernier empereur de Russie (1894-1917) ; exécuté.
Nicole Pierre (1625-1695), écrivain français, professeur à l'abbaye de Port-Royal.
Nicolle Charles (1866-1936), bactériologiste français.
Nicomédie (auj. *Izmit*), anc. cap. de la Bithynie et résidence de Dioclétien.
Nicosie, cap. de Chypre ; 180 000 h.
Nicot Jean (v. 1530-1600), diplomate français. Il rapporta le tabac du Portugal.
Nidwald. V. *Unterwald.*
Niémen (le), fl. de Biélorussie et de Lituanie (880 km).
Niemeyer Oscar (né en 1907), architecte et urbaniste brésilien.
Niepce Nicéphore (1765-1833), physicien français, inventeur de la photographie.
Nietzsche Friedrich (1844-1900), philosophe allemand : *Ainsi parlait Zarathoustra.*
Nièvre (la), affl. de la Loire (53 km).
Nièvre, dép. français (58) (Bourgogne) ; 837 km² ; 239 458 h ; ch.-l. Nevers.
Niger (le), fl. d'Afrique occidentale (4 200 km).
Niger, État d'Afrique occidentale ; 267 000 km² ; 14 000 000 h ; cap. Niamey.
Nigeria, État fédéral d'Afrique occidentale ; 923 768 km² ; 131 500 000 h ; cap. Abuja.
Niigata, port du Japon (Honshu) ; 475 630 h.
Nijinski Vaslav (1890-1950), danseur et chorégraphe russe d'origine polonaise.
Nijni-Novgorod (*Gorki* de 1932 à 1990), v. de Russie ; 1 438 000 h.
Nikolaïev, port d'Ukraine ; 509 000 h.
Nikon (1605-1681), prélat russe, réformateur de liturgie orthodoxe.

Nil (le), fl. d'Afrique, le plus long du monde, tributaire de la Méditerranée (6 671 km env.).
Nilotiques, populations noires du haut Nil.
Nimègue, v. des Pays-Bas ; 145 820 h.
Nîmes, ch.-l. du Gard ; 133 607 h. Monuments romains.
Nimier Roger (1925-1962), écrivain français.
Nimitz Chester (1885-1966), amiral américain de la flotte du Pacifique de 1941 à 1945.
Nin Anaïs (1903-1977), écrivain américain.
Ningxia, rég. auton. du N.-O. de la Chine.
Ninive, cap. de l'empire d'Assyrie, sur le Tigre, détruite en 612 av. J.-C.
Niño (el), reflux des eaux chaudes de l'océan Pacifique de l'Asie vers l'Amérique, bouleversant le climat.
Niort, ch.-l. des Deux-Sèvres ; 58 660 h.
Nipigon, lac du Canada (4 450 km²).
Niš, v. de Serbie ; 161 380 h.
Nivernais (le), prov. de France ; cap. Nevers.
Nixon Richard (1913-1994), président (républicain) des États-Unis (1968-1974). Il dut démissionner (scandale du Watergate).
Nizan Paul (1905-1940), écrivain français.
Nkrumah Kwame (1909-1972), premier président du Ghana indépendant (1960-1966).
Noailles Anna de (1876-1933), poétesse française : *le Cœur innombrable.*
Nobel Alfred (1833-1896), chimiste suédois. Il inventa la dynamite et fonda les *prix Nobel,* attribués chaque année depuis 1901.
Nobile Umberto (1885-1978), aviateur et explorateur italien des régions boréales.
Nodier Charles (1780-1844), écrivain romantique français : *Contes.*
Noé, patriarche hébreu. Son nom est lié au Déluge : il s'embarqua dans une arche avec sa famille et les animaux (*Bible*).
Nogaret Guillaume de (v. 1260-1313), légiste français, conseiller de Philippe le Bel.
Nogent-le-Rotrou, ch.-l. d'arr. d'Eure-et-Loir ; 12 556 h.
Nogent-sur-Marne, ch.-l. d'arr. du Val-de-Marne ; 25 386 h.
Nogent-sur-Seine, ch.-l. d'arr. de l'Aube ; 5 566 h.
Noir (le Prince). V. *Édouard.*
Noire (mer) (anc. *Pont-Euxin*), mer intérieure entre l'Europe et l'Asie (435 000 km²).
Noirmoutier, île de la Vendée.
Noisy-le-Grand, ch.-l. de cant. de la Seine-Saint-Denis ; 54 112 h.
Noisy-le-Sec, ch.-l. de cant. de la Seine-Saint-Denis ; 36 402 h.
Nok, localité du Nigeria, éponyme de la *culture de Nok* (Ve s. av. J.-C.-IIe s. apr. J.-C.).
Nolde Emil (1867-1956), peintre expressionniste allemand, membre de la Brücke.
Nono Luigi (1924-1990), compositeur italien.
Nontron, ch.-l. d'arr. de la Dordogne ; 3 954 h.
Nord (mer du), mer bordière de l'Atlantique (547 000 km²).
Nord (cap), point le plus septentrional d'Europe (Norvège).
Nord, dép. français (59) (Nord-Pas-de-Calais) ; 5 739 km² ; 2 560 421 h ; ch.-l. Lille.
Nordeste, partie du N.-E. du Brésil, couvrant neuf États, surpeuplée et sous-développée.
Nord-Ouest (Territoires du), division administrative du Canada ; 3 426 320 km².

Nord-Ouest, province d'Afrique du Sud (1994), située dans l'anc. prov. de Transvaal.

Nord-Pas-de-Calais, Rég. admin. groupant les dép. du Nord et du Pas-de-Calais ; 12 378 km² ; 4 028 000 h ; ch.-l. Lille.

Norfolk, comté de Grande-Bretagne, sur la mer du Nord ; ch.-l. Norwich.

Norfolk, port des États-Unis (Virginie) ; 279 000 h (aggl. 1 261 200 h).

Norge Géo (1898-1990), poète belge d'expression française : *l'Imposteur.*

Normandie, anc. prov. de France.

Normandie (Basse-), Rég. admin. groupant les dép. du Calvados, de la Manche et de l'Orne ; 17 583 km² ; 1 442 000 h ; ch.-l. Caen.

Normandie (Haute-), Rég. admin. groupant les dép. de l'Eure et de la Seine-Maritime ; 12 258 km² ; 1 802 000 h ; ch.-l. Rouen.

Normands, pillards scandinaves, également appelés *Vikings* ou *Varègues,* dont certains s'installèrent en Normandie (VIIIᵉ-IXᵉ s.).

Norodom Sihanouk (né en 1922), roi du Cambodge (1941-1955 et de 1993 à 2004).

Norodom Sihamoni (né en 1953), roi du Cambodge depuis 2004, successeur de son père Sihanouk.

Norrköping, port du S. de la Suède ; 118 570 h.

Northampton, v. du centre de l'Angleterre, ch.-l. du Northamptonshire ; 156 850 h.

Northumberland, comté du N. de la Grande-Bretagne ; ch.-l. Newcastle.

Norvège, État (royaume) d'Europe, en Scandinavie ; 323 886 km² ; 4 600 000 h ; cap. Oslo.

Norwich, v. de Grande-Bretagne, ch.-l. du Norfolk ; 122 270 h.

Nostradamus (Michel de Nostre-Dame, dit) (1503-1566), astrologue français.

Notre-Dame, la Vierge Marie.

Notre-Dame de Paris, cathédrale gothique de Paris, dans l'île de la Cité.

Nottingham, v. d'Angleterre, ch.-l. du Nottinghamshire ; 271 080 h.

Nouakchott, cap. de la Mauritanie ; 500 000 h.

Nouméa, port et ch.-l. de la Nouvelle-Calédonie ; 60 200 h.

Noureïev Rudolf (1938-1993), danseur et chorégraphe autrichien d'origine russe.

Nouveau-Brunswick, prov. de l'E. du Canada ; cap. Fredericton.

Nouveau-Mexique, État du S.-O. des États-Unis ; v. princ. Albuquerque.

Nouveau Roman, école littéraire française des années 1950, représentée par N. Sarraute, A. Robbe-Grillet, M. Butor, Cl. Simon.

Nouvelle-Amsterdam, île française du S. de l'océan Indien.

Nouvelle-Angleterre, rég. du N.-E. des États-Unis, sur l'Atlantique.

Nouvelle-Bretagne, île de l'archipel Bismarck.

Nouvelle-Calédonie, île du Pacifique Sud, territoire français d'outre-mer ; 19 058 km² ; 152 000 h ; ch.-l. Nouméa.

Nouvelle-Écosse, prov. du S.-E. du Canada ; cap. Halifax.

Nouvelle-France, nom des possessions françaises du Canada jusqu'en 1763.

Nouvelle-Galles du Sud, État du S.-E. de l'Australie ; cap. Sydney.

Nouvelle-Guinée, grande île (785 000 km²) au N. de l'Australie, divisée entre l'Irian Jaya, prov. d'Indonésie et l'État de Papouasie-Nouvelle-Guinée.

Nouvelle-Irlande, île de l'archipel Bismarck.

Nouvelle-Orléans (La) (en anglais *New Orleans*), port des États-Unis (Louisiane), sur le Mississippi ; 559 100 h (aggl. 1 318 800 h).

Nouvelles-Hébrides. V. *Vanuatu.*

Nouvelle-Zélande, État insulaire d'Océanie ; 268 675 km² ; 4 100 000 h ; cap. Wellington.

Nouvelle-Zemble, archipel arctique de Russie.

Nova Iguaçu, v. du Brésil ; 1 094 650 h.

Novalis (1772-1801), poète romantique allemand : *Hymnes à la nuit.*

Novare, v. d'Italie (Piémont) ; 102 430 h.

Novgorod, v. de Russie ; 220 000 h. Églises.

Novi Sad, v. de Serbie (Vojvodine) ; 170 020 h.

Novokouznetsk, v. de Russie (Sibérie) ; centre industriel. 577 000 h.

Novossibirsk, port de Russie sur la mer Noire ; 1 440 000 h.

Nowa Huta, v. de Pologne ; 200 000 h.

Noyon, ch.-l. de cant. de l'Oise ; 14 628 h.

Nubie, rég. désertique d'Égypte et du Soudan.

Nuers, population nilotique du Soudan.

Numance, anc. v. d'Espagne, détruite en 133 av. J.-C. par les Romains.

Numa Pompilius (715-672 av. J.-C.), deuxième roi légendaire de Rome.

Numidie, nom de l'Afrique du Nord antique.

Nunavut, territoire autonome du N. du Canada ; 1 900 000 km² ; 22 000 h, dont 80 % d'Inuits.

Nungesser Charles (1892-1927), aviateur français. V. *Coli.*

Nuremberg, v. d'Allemagne (Bavière) ; 467 400 h. Le *procès de Nuremberg* fut organisé par les Alliés, pour juger les principaux chefs nazis (1945-1946).

Nuristan, rég. de l'E. de l'Afghanistan.

Nuuk, cap. du Groenland ; 11 650 h.

Nyerere Julius (1922-1999), homme politique tanzanien, au pouvoir de 1962 à 1985.

Nyons, ch.-l. d'arr. de la Drôme ; 6 570 h.

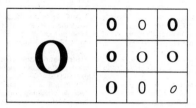

Oahu, l'une des îles Hawaii, où se trouvent Honolulu et Pearl Harbor.

Oakland, port des États-Unis (Californie) ; 356 960 h.

OAS, sigle de *Organisation de l'armée secrète,* mouvement terroriste hostile à l'indépendance de l'Algérie.

Oaxaca de Juárez, v. du S. du Mexique ; 154 220 h. Monuments baroques.

Ob, fl. de Russie (Sibérie) (4 012 km).

Obeïd (El-), site archéologique de Mésopotamie (4400 à 3500 av. J.-C.).

Oberkampf Christophe Philippe (1738-1815), industriel français, créateur à Jouy-en-Josas d'une manufacture de tissus imprimés.

Oberland bernois, rég. de Suisse.

Obernai, ch.-l. de cant. du Bas-Rhin ; 10 077 h.

Obrenovic, dynastie serbe qui a régné de 1815 à 1842 et de 1858 à 1903.

Observatoire de Paris, établissement scientifique fondé en 1667.

Obwald. V. *Unterwald.*

O'Casey Sean (1880-1964), auteur dramatique irlandais : *la Charrue et les étoiles.*

Occam. V. *Guillaume d'Occam.*

Occident (empire d'), État issu du démembrement de l'Empire romain (395-476). Il fut rétabli par Charlemagne en 800.

Occitanie, ensemble des pays de langue d'oc.

Occupation, période pendant laquelle la France fut occupée par les armées allemandes (1940-1944).

OCDE, sigle de *Organisation de coopération et de développement économique,* groupe constitué en 1961 par 19 États européens, les États-Unis, le Canada et le Japon.

Océanie, une des cinq parties du monde ; 8 935 124 km² ; 26 830 000 h.

Ockeghem Johannes (v. 1410-v. 1497), compositeur franco-flamand : *Messes, motets.*

O'Connel Daniel (1775-1847), homme politique irlandais, adepte de la non-violence.

Octave, nom de famille du futur empereur Auguste, qui prit le surnom d' *Octavien* quand César l'adopta.

Octavie (v. 70-11 av. J.-C.), sœur d'Auguste, épouse de Marc Antoine.

Octavie (v. 42-62), impératrice romaine, femme de Néron qui la répudia.

Octobre (révolution d'), insurrection bolchévique à Petrograd, qui renversa le gouvernement de Kerenski (1917).

Odense, port du Danemark ; 171 000 h.

Odéon, théâtre de Paris.

Oder, fl. de Pologne (848 km).

Oder-Neisse (ligne), frontière O. de la Pologne, issue des accords de Potsdam (1945).

Odessa, port d'Ukraine ; 1 148 000 h.

Odin, maître des dieux *(Myth. scandinave).*

Odoacre (v. 434-493), roi germanique qui prit Rome en 476 et mit fin à l'empire d'Occident.

Odyssée (l'), poème épique grec attribué à Homère, consacré au retour d'Ulysse.

Oe Kenzaburo (né en 1935), écrivain japonais.

Œdipe, fils de Laïos et de Jocaste. Enfant abandonné, il tua son père, épousa sa mère ; il se creva les yeux *(Myth. gr.).*

Œrsted ou **Ørsted** Hans Christian (1777-1851), physicien danois.

Œta, montagne de Grèce (Thessalie).

Offenbach Jacques (1819-1880), compositeur français, maître de l'opérette : *la Belle Hélène.*

Offices (les), palais de Florence occupé auj. par un riche musée.

Ogaden, rég. du S.-E. de l'Éthiopie.

Ogino Kyusaku (1882-1975), gynécologue japonais, auteur d'une méthode de contrôle des naissances.

Ogooué, fl. de l'Afrique équatoriale (970 km).

Ohana Maurice (né en 1914), compositeur français : *Autodafé.*

O'Higgins Bernardo (1776-1842), général chilien. Il proclama l'indépendance du pays.

Ohio, affl. du Mississippi (1 580 km).

Ohio, État du N.-E. des États-Unis ; cap. Columbus ; v. princ. Cleveland, Cincinnati.

Ohm Georg (1787-1854), physicien allemand. Travaux sur les courants électriques.

Ohrid, v. de Macédoine, sur le *lac d'Ohrid ;* 26 500 h. Églises byzantines.

Oisans, rég. des Alpes, au S.-E. de Grenoble.

Oise, affl. de la Seine (302 km).

Oise, dép. français (60) (Picardie) ; 5 857 km² ; 740 203 h. ; ch.-l. Beauvais.

Oïstrakh David (1908-1974), violoniste russe.

Oka, princ. affl. de la Volga (1 480 km).

Okayama, v. du Japon (Honshu) ; 572 500 h.

Okhotsk (mer d'), mer bordière du Pacifique à l'E. de la Sibérie.

Okinawa, princ. île de l'archipel japonais des Ryukyu ; cap. Naha.

Oklahoma, État du centre des États-Unis.

Oklahoma City, v. des États-Unis, cap. de l'Oklahoma ; 443 200 h (aggl. 962 600 h).

Oldenbarnevelt Johan Van (1547-1619), grand pensionnaire de Hollande, créateur des Provinces-Unies.

Oldenbourg, v. d'Allemagne (Basse-Saxe) ; 139 260 h. Capitale de l'ancien *grand-duché d'Oldenbourg.*

Oldenburg Claes (né en 1929), peintre américain (pop'art).

Olduvai, site préhistorique de Tanzanie.

Oléron, île de la Charente-Maritime.

Olier Jean-Jacques (1608-1657), prêtre français, fondateur du séminaire de Saint-Sulpice.

Olinda, v. du N.-E. du Brésil ; 335 890 h.

Olivares (1587-1645), homme d'État espagnol, au pouvoir de 1621 à 1643.

Olivier sir Laurence (1907-1989), acteur et metteur en scène anglais.

Oliviers (mont des), lieu près de Jérusalem, où Jésus alla prier la veille de sa mort.

Olmèques, peuple précolombien du Mexique.

Olmert Ehud (né en 1945), homme politique israélien, Premier ministre en 2006.

Olomouc, (en all. *Olmütz*), v. de la République tchèque (Moravie) ; 105 910 h.

Oloron (gave d'), affl. du gave de Pau (120 km).

Oloron-Sainte-Marie, ch.-l. d'arr. des Pyrénées-Atlantiques ; 11 770 h.

OLP, sigle de *Organisation de libération de la Palestine,* fondée en 1964 et présidée par Yasser Arafat depuis 1969.

Olympe, massif du N. de la Grèce (2 911 m). Séjour des dieux *(Myth. gr.).*

Olympias (v. 375-316 av. J.-C.), reine de Macédoine, mère d'Alexandre le Grand.

Olympie, sanctuaire du Péloponnèse, lieu des jeux Olympiques antiques.

Oman (sultanat d'), État de l'Arabie, sur la *mer* et le *golfe d'Oman ;* 212 457 km² ; 2 400 000 h ; cap Mascate.

Omar. V. *Umar.*

Ombrie, rég. d'Italie centrale ; ch.-l. Pérouse.

Omdurman. v. du Soudan ; 648 700 h.

Omeyyades, dynastie de califes qui gouverna de 660 à 750 le monde musulman.

OMS, sigle de *Organisation mondiale de la santé,* créée à Genève en 1948.

Omsk, v. de Russie, en Sibérie ; 1 150 000 h.

Onan, second fils de Juda. Contraint d'épouser la veuve de son frère, il eut avec elle des rapports incomplets *(Bible).*

Onega, lac de Russie (9 900 km²).

O'Neill Eugene (1888-1953), auteur dramatique américain : *le deuil sied à Électre.*

Ontario, un des Grands Lacs (18 800 km²).

Ontario, prov. la plus riche et la plus peuplée du Canada ; cap. Toronto.

ONU, sigle de *Organisation des Nations unies,* créée en 1945 à New York.

OPEP, sigle de *Organisation des pays exportateurs de pétrole,* créée en 1960.

Opéra, théâtre national construit par Ch. Garnier (1862-1874) et consacré aux spectacles chorégraphiques, à Paris.

Opéra-Bastille, théâtre lyrique national, à Paris, inauguré en 1989.

Ophuls Max (1902-1957), cinéaste français d'origine allemande : *Lola Montès.*

Opium (guerre de l'), conflit qui opposa la Grande-Bretagne à la Chine (1840-1842).

Oppenheimer Robert (1904-1967), physicien américain, père de la bombe atomique.

Opus Dei, institution catholique fondée en Espagne en 1928.

Oradour-sur-Glane, com. de la Haute-Vienne, dont les Allemands massacrèrent la population en juin 1944.

Oran (auj. *Wahran*), port d'Algérie ; 610 380 h.

Orange, fl. d'Afrique australe (1 860 km).

Orange, ch.-l. de cant. du Vaucluse ; 28 136 h. Théâtre antique.

Orange (État libre d'), anc. prov. d'Afrique du Sud ; ch.-l. Bloemfontein.

Oratoire (congrégation de l'), société de prêtres séculiers fondée à Rome par Philippe Neri (1564). L'*Oratoire de France* fut fondé en 1611 par Pierre de Bérulle.

Orb, fl. côtier du Languedoc (145 km).

Orcades (en anglais *Orkney*), archipel britannique, au N.-E. de l'Écosse.

Orcagna, peintre, sculpteur et architecte florentin du XIVᵉ s.

Oregon, État du N.-O. des États-Unis ; v. princ. Portland.

Orenbourg, v. de Russie ; 544 000 h.

Orénoque, fl. du Venezuela (2 160 km).

Oreste, fils d'Agamemnon et de Clytemnestre qu'il tua pour venger son père *(Myth. gr.).*

Øresund. V. *Sund.*

Orff Carl (1895-1982), compositeur allemand : *Carmina Burana.*

Orient (empire d'), l'Empire byzantin.

Origène (v 185-v. 254), théologien et Père de l'Église grecque.

Orion, constellation équatoriale.

Orissa, État du N.-E. de l'Inde ; cap. Bhubaneswar.

Orizaba, v. du Mexique (115 000 h), au pied du *volcan d'Orizaba,* point culminant du pays (5 700 m).

Orlando, v. des États-Unis (Floride) ; 137 100 h (aggl. 824 100 h).

Orléanais, anc. prov. de France.

Orléans, ch.-l. du Loiret et de la Rég. Centre, sur la Loire ; 107 965 h.

Orléans (maisons d'), nom de quatre familles princières issues des fils cadet du roi de France. La dernière, fondée par **Philippe** (1640-1701) dit « Monsieur », frère de Louis XIV, accéda au pouvoir avec Louis-Philippe Iᵉʳ et prétend au trône de France.

Orléans Charles d' (1391-1465), poète français, frère de Charles VI et père de Louis XII.

Orléans Gaston, duc d' (1608-1660), frère de Louis XIII, âme de divers complots contre Richelieu et Mazarin.

Orléans Philippe, duc d' (dit *le Régent*) (1674-1723), neveu de Louis XIV. Il gouverna pendant la minorité de Louis XV.

Orléans Louis Philippe, duc d' (dit *Philippe-Égalité*) (1747-1793), député aux états généraux et à la Convention, il vota la mort de Louis XVI guillotiné.

Orléansville. V. *Cheliff (Ech-).*

Orlov Grigori (1734-1783), officier russe, favori de Catherine II.

Orly, ch.-l. de cant. du Val-de-Marne ; 21 824 h. Aéroport de Paris.

Ormuz, détroit qui relie le golfe Persique à la mer d'Oman.

Orne, fl. côtier de Normandie (152 km).

Orne, affl. de la Moselle (86 km).

Orne, dép. français (61) (Basse-Normandie) ; 6 100 km² ; 300 804 h ; ch.-l. Alençon.

Oronte, fl. du Proche-Orient (570 km).

Orozco José Clemente (1883-1949), peintre muraliste mexicain.

Orphée, aède qui descendit aux Enfers chercher son épouse, Eurydice (*Myth. gr.*).

Orsay, v. de l'Essonne ; 14 931 h. Université.

Orsay (musée d'), musée du XIXᵉ s., à Paris.

Orsini Felice (1819-1858), patriote italien qui tenta d'assassiner Napoléon III (1858).

Ortega y Gasset José (1883-1955), philosophe espagnol.

Orthez, ch.-l. de cant. des Pyrénées-Atlantiques ; 10 760 h. Monuments anciens.

Orvieto, v. d'Italie (Ombrie) ; 22 510 h. Cathédrale décorée de fresques.

Orwell George (1903-1950), écrivain anglais : *1984, La ferme des animaux*.

Osaka, v. du Japon (Honshu) ; 2 642 270 h.

Osborne John (1929-1994), auteur dramatique anglais.

Osée (VIIIᵉ s. av. J.-C.), prophète d'Israël.

Oshima Nagisa (né en 1932), cinéaste japonais.

Osijek, v. de Croatie ; 104 780 h.

Osiris, divinité égyptienne du Bien et de la Vie ; frère et époux d'Isis et père d'Horus.

Oslo (anc. *Christiania*), cap. de la Norvège ; 447 300 h.

Osman Iᵉʳ Gazi (1258-1326), premier sultan ottoman en 1281.

Osnabrück, v. d'Allemagne (Basse-Saxe) ; 153 780 h.

Osques, anc. peuple du Latium.

Ossètes, peuple du Caucase habitant deux républiques autonomes : l'*Ossétie du Nord* (Russie) et l'*Ossétie du Sud* (Géorgie).

Ossian, barde écossais légendaire du IIIᵉ s.

Ostende, port de Belgique (Flandre-Occidentale) ; 69 000 h.

Ostie, port de l'anc. Rome.

Ostrava, v. de la République tchèque (Moravie) ; 326 810 h.

Ostrogoths, Goths orientaux qui conquirent l'Italie, sous la conduite de Théodoric.

OTAN, sigle de *Organisation du traité de l'Atlantique Nord*, unissant les États-Unis et de nombreux pays européens.

Othman. V. *Uthman*.

Othon (32-69), empereur romain en 69.

Otrante (canal d'), détroit qui joint l'Adriatique à la mer Ionienne.

Ottawa, cap. fédérale du Canada ; 300 760 h.

Otto Nikolaus (1832-1891), ingénieur allemand. Moteur à quatre temps.

Ottoman (Empire), État qui domina le Proche-Orient et l'Europe orientale (XIIIᵉ s.-1922) ; cap. Istanbul (apr. 1453).

Otton Iᵉʳ le Grand (912-973), roi de Germanie en 936 et d'Italie en 951, premier empereur du Saint Empire en 962.

OUA, sigle de *Organisation de l'unité africaine*, groupant les États d'Afrique.

Ouagadougou, cap. du Burkina Faso ; 442 220 h.

Ouargla, oasis du S.-E. de l'Algérie ; 75 270 h.

Ouarsenis, massif d'Algérie.

Oubangui, affl. du Zaïre (1 160 km).

Oudmourtes ou **Votiaks,** peuple établi dans la *République autonome des Oudmourtes* (cap. Ijevsk).

Oudry Jean-Baptiste (1686-1755), peintre nimalier français.

Ouessant, île du Finistère.

Oufa, v. de Russie, cap. de la Bachkirie ; 1 109 000 h.

Ouganda, État d'Afrique orientale ; 236 860 km² ; 26 900 000 h ; cap. Kampala.

Ougarit, anc. cité cananéenne de la côte syrienne.

Ouïgours, peuple turc d'Asie centrale.

Ouistreham, stat. balnéaire du Calvados.

Oujda, v. de l'E. du Maroc ; 260 080 h.

Oulan-Bator (anc. *Ourga*), cap. de la Mongolie ; 511 100 h.

Oulan-Oude, v. de Russie, cap. de la Bouriatie ; 335 000 h.

Oulianovsk. V. *Simbirsk*.

Oullins, ch.-l. de cant. du Rhône ; 26 400 h.

Oum Kalsoum. V. *Umm Kulthum*.

Ouolofs. V. *Wolofs*.

Our. V. *Ur*.

Oural, chaîne de montagnes peu élevées séparant l'Europe de l'Asie.

Oural, fl. de Russie (2 534 km).

Ouranos, personnification du Ciel (*Myth. gr.*).

Ourartou ou **Urartu,** royaume de l'Orient anc. (IXᵉ-VIIᵉ s. av. J.-C.).

Ourcq, affl. de la Marne (80 km), relié à la Seine par le *canal de l'Ourcq*.

Ourga. V. *Oulan-Bator*.

Ouro Prêto, v. du Brésil ; 61 500 h. Monuments baroques.

Ourouk ou **Uruk,** v. anc. de la basse Mésopotamie (IIIᵉ millénaire av. J.-C.).

Ouroumtsi. V. *Urumqi*.

Ourse (la Grande et la Petite), constellations boréales.

Oussouri, affl. de l'Amour (907 km).

Oustachis, nationalistes croates qui luttèrent aux côtés de l'Allemagne nazie (1941-1945).

Outback, région semi-aride de l'intérieur de l'Australie.

Ouzbékistan, État d'Asie centrale, ancienne république fédérée de l'URSS ; 449 600 km² ; 26 400 000 h ; cap. Tachkent.

Overijssel, prov. du N. des Pays-Bas.

Ovide (43 av. J.-C.-17 ou 18 apr. J.-C.), poète latin : *les Métamorphoses*.

Oviedo, v. du N.-O. de l'Espagne, cap. des Asturies ; 190 710 h.

Owen Robert (1771-1858), socialiste utopiste anglais.

Owens Jesse (1914-1980), athlète américain.

Oxford, v. d'Angleterre, ch.-l. de l'*Oxfordshire* ; 98 520 h. Université. Le *mouvement d'Oxford* (Pusey, Newman) tenta de réformer l'Église anglicane.

Oyapoc, fl. de Guyane (500 km).

Oya-shio, courant froid du Pacifique Nord.

Oyonnax, ch.-l. de cant. de l'Ain ; 23 992 h.

Ozanam Frédéric (1813-1853), écrivain catholique français.

Ozu Yasujiro (1903-1963), cinéaste japonais.

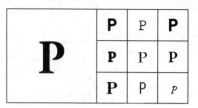

P

Pabst Georg (1885-1967), cinéaste expressionniste allemand : *Loulou*.
Pachelbel Johann (1653-1706), compositeur et organiste allemand.
Pachtouns, peuple d'Afghanistan.
Pacifique (océan), le plus vaste des océans (env. 180 000 000 km²), qui s'étend entre l'Asie, l'Amérique et l'Australie. La *guerre du Pacifique* opposa le Japon et les États-Unis (1941-1945).
Pactole (le), riv. de Lydie, célèbre par les paillettes d'or qu'elle roulait.
Padang, port d'Indonésie (Sumatra) ; 481 000 h.
Paderewski Ignacy (1860-1941), pianiste, compositeur et homme politique polonais.
Padirac, gouffre du Lot.
Padoue, v. d'Italie (Vénétie) ; 229 950 h.
Pæstum, anc. v. d'Italie, au S. de Naples. Temples grecs.
Pagan, anc. cap. de Birmanie (IXᵉ-XIIIᵉ s.).
Paganini Niccolo (1782-1840), compositeur et violoniste italien.
Pagnol Marcel (1895-1974), écrivain et cinéaste français : *Marius, Fanny, Topaze*.
Pahlavi Riza chah (1878-1944), schah de Perse en 1925. Il abdiqua en 1941.
Pahlavi Muhammad Riza (1919-1980), fils du préc., schah d'Iran en 1941, chassé du pouvoir par la révolution islamique en 1979.
Pahouins. V. Fangs.
Paimpol, ch.-l. de cant. et port de pêche des Côtes-d'Armor ; 8 521 h.
Paimpont (forêt de), forêt d'Ille-et-Vilaine.
Paine Thomas (1737-1809), homme politique américain d'origine anglaise. Il fut député à la Convention (1792).
Painlevé Paul (1863-1933), mathématicien et homme politique français (socialiste).
Pa Kin. V. Ba Jin.
Pakistan, État d'Asie du Sud ; 796 098 km² ; 52 400 000 h ; cap. Islamabad.
Palais-Bourbon. V. Bourbon (palais).
Palaiseau, ch.-l. d'arr. de l'Essonne ; 29 398 h.
Palais-Royal, ensemble de bâtiments de Paris, construit pour Richelieu.
Palamas Kostis (1859-1943), poète grec.
Palaos ou **Palau**, archipel de Micronésie.
Palaouan, île de l'O. des Philippines.
Palatin (mont), une des sept collines de Rome.
Palatinat, rég. d'Allemagne, au N. de l'Alsace.
Palatine (princesse). V. Charlotte-Élisabeth.

Palavas-les-Flots, stat. balnéaire de l'Hérault.
Palembang, port d'Indonésie (Sumatra) ; 788 000 h.
Palenque, anc. v. maya du Mexique.
Paléologue, famille byzantine qui régna de 1261 à 1453.
Palerme, v. d'Italie, cap. de la Sicile ; 714 250 h. Cathédrale.
Palestine, rég. du Proche-Orient. Berceau du judaïsme et du christianisme, c'est la Terre promise des Hébreux. Elle est partagée depuis 1947 entre Israël et la Cisjordanie.
Palestiniens, peuple arabe originaire de Palestine (env. 4 000 000 de personnes).
Palestrina Giovanni da (1525-1594), compositeur italien de musique religieuse.
Palissy Bernard (v. 1510-1589), céramiste et savant français.
Palladio Andrea (1508-1580), architecte italien, maître du classicisme à Venise et à Vicence.
Pallas, surnom d'Athéna (*Myth. gr.*).
Pallava, dynastie de l'Inde du Sud (IVᵉ-XIIᵉ s.).
Palma de Majorque, port d'Espagne, cap. de la commun. auton. des Baléares ; 313 980 h.
Palma le Vieux (v. 1480-1528), peintre italien.
Palma le Jeune (1544-1628), peintre maniériste italien.
Palmas (Las), port d'Espagne, cap. de la commun. auton. des Canaries ; 379 700 h.
Palm Beach, stat. balnéaire de Floride.
Palme Olof (1927-1986), homme politique suédois (social-démocrate). Il fut assassiné.
Palmerston Henry Temple, vicomte (1784-1865), homme politique britannique.
Palmyre, anc. v. de Syrie, ruinée en 273.
Palomar (mont), montagne de Californie où se trouve l'*observatoire du mont Palomar*.
Pamiers, ch.-l. d'arr. de l'Ariège ; 15 191 h.
Pamir, rég. montagneuse d'Asie centrale (Tadjikistan, Afghanistan).
Pampa (la), plaine d'Argentine centrale.
Pampelune, v. d'Espagne ; 184 460 h ; cap. de la Navarre.
Pamphylie, anc. contrée d'Asie Mineure.
Pan, dieu des Bergers (*Myth. gr.*).
Panamá, État d'Amérique centrale, sur l'*isthme de Panamá* entre le Pacifique et l'Atlantique, et coupé en deux par la zone du *canal de Panamá* ; 75 650 km² ; 3 200 000 h ; cap. **Panamá** (440 000 h).

Pandore, la première femme. Elle ouvrit une boîte où Zeus avait enfermé tous les maux de l'humanité (*Myth. gr.*).

Pangée (la), continent primitif qui se serait fragmenté, pendant le secondaire.

Panhard René (1841-1908), ingénieur français, pionnier de l'industrie automobile.

Panmunjom, conférence (1951-1953) qui mit fin à la guerre de Corée.

Pannonie, anc. contrée d'Europe centrale, entre le Danube et l'Illyrie.

Pantagruel, héros d'un roman de Rabelais.

Panthéon, temple de Rome construit par Agrippa.

Panthéon, monument de Paris construit par Soufflot, lieu de sépulture des grands hommes.

Pantin, ch.-l. de cant. de la Seine-Saint-Denis ; 47 444 h.

Panurge, personnage cynique et astucieux, compagnon de Pantagruel.

Paoli Pascal (1725-1807), patriote corse.

Papadopoulos Georges (né en 1919), colonel grec, au pouvoir de 1967 à 1973.

Papandréou Georges (1888-1968), homme politique grec (social-démocrate).

Papandréou André (1919-1996), fils du préc., Premier ministre (socialiste) de la Grèce de 1981 à 1989 et de 1993 à 1996.

Papeete, ch.-l. de la Polynésie française (Tahiti) ; 23 500 h.

Papin Denis (1647-1714), physicien français, inventeur de la machine à vapeur.

Papineau Louis Joseph (1786-1871), homme politique canadien.

Papouasie-Nouvelle-Guinée, État (monarchie) d'Océanie ; 461 691 km² ; 5 900 000 h ; cap. Port Moresby.

Papous, population mélanésienne.

Pâques, île chilienne du Pacifique oriental. Statues monumentales.

Pará, État du N. du Brésil ; cap. Belém.

Paracelse (v. 1493-1541), médecin suisse.

Paradis (Grand-), massif italien des Alpes occidentales (4 061 m).

Paraguay (le), affl. du Paraná (2 206 km).

Paraguay, État d'Amérique du Sud ; 406 752 km² ; 6 200 000 h ; cap. Asunción.

Paraíba, État du N.-E. du Brésil ; cap. João Pessoa.

Paramaribo, cap. du Surinam ; 160 000 h.

Paraná (le), fl. d'Amérique du Sud (3 300 km).

Paraná, État du S. du Brésil ; cap. Curitiba.

Paray-le-Monial, ch.-l. de cant. de Saône-et-Loire ; 11 312 h. Basilique romane.

Paré Ambroise (v. 1509-1590), chirurgien français, initiateur de la chirurgie moderne.

Pareto Vilfredo (1848-1923), économiste et sociologue italien.

Paris, cap. de la France, sur la Seine ; 2 175 200 h (aggl. 9 318 800 h). Paris forme un dép. (75) de la Rég. Île-de-France.

Pâris, prince troyen qui provoqua la guerre de Troie par le rapt d'Hélène (*Iliade*).

parisien (Bassin), vaste ensemble sédimentaire qui occupe le quart du territoire français.

Park Chung-hee (1917-1979), président de la Corée du Sud de 1961 à sa mort.

Parker Charlie (1920-1955), saxophoniste américain de jazz, créateur du be-bop.

Parme, v. d'Italie (Émilie-Romagne) ; 177 100 h.

Parménide (VIᵉ-Vᵉ s. av. J.-C.), philosophe grec présocratique.

Parmentier Antoine Augustin (1737-1813), agronome français. Il vulgarisa la pomme de terre.

Parmesan (le) (1503-1540), peintre italien.

Parnasse, montagne de Grèce, au N.-E. de Delphes, consacrée à Apollon et aux Muses.

Parnasse, mouvement littéraire français de la fin du XIXᵉ s., adepte de l'art pour l'art.

Parnell Charles (1846-1891), homme politique irlandais.

Paros, île des Cyclades. Carrières de marbre.

Parques, divinités romaines de la Destinée.

Parthenay, ch.-l. d'arr. des Deux-Sèvres ; 11 163 h.

Parthénon, temple d'Athènes, sur l'Acropole, dédié à Athéna (Vᵉ s. av. J.-C.).

Parthes, peuple guerrier qui constitua un empire en Asie occidentale (IIIᵉ s. av. J.-C.-IIIᵉ s. apr. J.-C.).

Pasadena, v. des États-Unis (Californie) ; 119 300 h. Centre de recherches spatiales.

Pascal Blaise (1623-1662), savant, philosophe et écrivain français. Auteur de travaux sur la pesanteur, le calcul infinitésimal, il défendit les jansénistes : *Provinciales, Pensées*.

Pas-de-Calais, dép. français (62) (Nord-Pas-de-Calais) ; 6 639 km² ; 1 451 531 h ; ch.-l. Arras.

Pasiphaé, épouse du roi Minos (*Myth. gr.*).

Pasolini Pier Paolo (1922-1975), écrivain et cinéaste italien : *Une vie violente*.

Passy, quartier de l'O. de Paris.

Pasternak Boris (1890-1960), écrivain russe : *le Docteur Jivago*.

Pasteur Louis (1822-1895), biologiste français ; créateur de la microbiologie, inventeur de la vaccination contre la rage.

Pasteur (Institut), institut privé de recherches biologiques et médicales, à Paris, fondé en 1888.

Patagonie, partie méridionale de l'Argentine.

Patan, anc. cap. du Népal ; 120 000 h.

Patay, village du Loiret où Jeanne d'Arc vainquit les Anglais (1429).

Pathé Charles (1863-1957) et son frère **Émile** (1860-1937), pionniers français de l'industrie phonographique et du cinéma.

Patinir ou **Patenier** Joachim (v. 1480-1524?), peintre flamand.

Patmos, île grecque (Dodécanèse).

Patna, v. de l'Inde, cap. du Bihar ; 916 100 h.

Patras, port de Grèce (Péloponnèse), sur le *golfe de Patras* ; 141 600 h.

Patrick saint (v. 385-v. 461), patron de l'Irlande qu'il évangélisa.

Patrocle, héros ami d'Achille (*Iliade*).

Patton George (1885-1945), général américain.

Pau (gave de), affl. de l'Adour (120 km).

Pau, ch.-l. des Pyrénées-Atlantiques ; 83 928 h. Anc. cap. du Béarn et des rois de Navarre.

Paul saint (dit l'*Apôtre des gentils*) (entre 5 et 15 v. 62 ou 67), auteur de 14 *Épîtres* qui font partie du Nouveau Testament.

Paul Iᵉʳ Petrovitch (1754-1801), empereur de Russie en 1796 ; assassiné.

Paul III (1468-1549), pape en 1534. Il rétablit l'Inquisition, réunit le concile de Trente (1545).

Paul VI (1897-1978), pape en 1963.

Pauli Wolfgang (1900-1958), physicien suisse d'origine autrichienne.

Pauling Linus (1901-1994), biochimiste américain.

Paulus Friedrich (1890-1957), maréchal allemand, vaincu à Stalingrad.

Pausanias, historien grec du IIe s.

Pavelić Ante (1889-1959), homme politique croate, chef des Oustachis.

Pavese Cesare (1908-1950), écrivain italien : *le Bel été.*

Pavie, v. d'Italie (Lombardie) ; 85 060 h. Défaite de François Ier devant les Espagnols (1525).

Pavlov Ivan (1849-1936), physiologiste russe. Il découvrit le réflexe conditionnel.

Pavlova Anna (1882-1931), danseuse russe.

Pays-Bas, royaume d'Europe, sur la mer du Nord ; 33 935 km^2 ; 16 300 000 h ; cap. Amsterdam et La Haye.

Paz (La), cap. de la Bolivie ; 992 590 h.

Paz Octavio (1914-1998), poète mexicain.

PCF, sigle de *parti communiste français,* né en 1920 au congrès de Tours.

Peano Giuseppe (1858-1932), mathématicien et logicien italien.

Pearl Harbor, base aéronavale des États-Unis, dans l'île d'Oahu (Hawaii). L'attaque surprise des Japonais (décembre 1941) provoqua l'entrée en guerre des États-Unis.

Pearson Lester Bowles (1897-1972), homme politique canadien.

Peary Robert (1856-1920), explorateur américain du pôle Nord (1909).

Peaux-Rouges, Indiens d'Amérique du Nord.

Pécs, v. de Hongrie ; 176 290 h.

Peel sir Robert (1788-1850), homme politique britannique (conservateur).

Pégase, cheval ailé symbolisant l'inspiration poétique (*Myth. gr.*).

Pegu, v. de Birmanie ; 254 000 h.

Péguy Charles (1873-1914), écrivain français.

Pei ou **Pei Ieoh Ming** (né en 1917), architecte et urbaniste américain d'origine chinoise.

Peirce Charles Sanders (1839-1914), philosophe et logicien américain.

Pékin ou **Beijing,** cap. de la Chine ; 5 531 460 h (aggl. 9 600 000 h). Cité interdite.

Pélage (v. 360-v. 422), moine hérésiarque.

Pélasges, premiers habitants de la Grèce.

Pelé (né en 1940), footballeur brésilien.

Pelée (montagne), volcan de la Martinique dont l'éruption détruisit Saint-Pierre (1902).

Pellico Silvio (1789-1854), écrivain italien : *Mes prisons.*

Pelloutier Fernand (1867-1901), syndicaliste anarchiste français.

Péloponnèse, presqu'île constituant le S. de la Grèce. La *guerre du Péloponnèse* opposa Sparte et Athènes qui fut vaincue (431-404 av. J.-C.).

Pelvoux, massif des Alpes du Dauphiné (4 103 m à la barre des Écrins).

Penang ou **George Town,** port de Malaisie, dans l'île de *Penang* ; 248 240 h.

Penderecki Krzysztof (né en 1933), compositeur polonais.

Pendjab, rég. du sous-continent indien partagée entre le Pakistan (cap. Lahore) et l'Inde (cap. Chandigarh).

Pénélope, femme d'Ulysse (*Odyssée*).

Penghu (îles). V. Pescadores.

Penmarch, com. du S. du Finistère, près de la *pointe de Penmarch* ; 6 315 h.

Penn William (1644-1718), quaker anglais, fondateur de la Pennsylvanie.

Penn Arthur (né en 1922), cinéaste américain.

Pennine (chaîne), monts du N. de l'Angleterre.

Pennsylvanie, État du N.-E. des États-Unis ; v. princ. Philadelphie, Pittsburgh.

Pentagone, siège de l'état-major des armées américaines, à Washington.

Pentateuque, cinq premiers livres de la Bible.

Penza, v. de Russie ; 547 000 h.

Pépin de Herstal (v. 640-714), maire du palais d'Austrasie en 680, père de Charles Martel.

Pépin le Bref (v. 715-768), maire du palais en 741, puis roi des Francs en 751, le premier des Carolingiens, père de Charlemagne.

Perche (le), rég. de l'Orne et de l'Eure-et-Loir.

Percier Charles (1764-1838), architecte français. V. Fontaine.

Perec Georges (1936-1982), écrivain français : *la Vie, mode d'emploi.*

Pereire Jacob Émile (1800-1875) et son frère **Isaac** (1806-1880), financiers français et hommes politiques du Second Empire.

Père-Lachaise, cimetière de l'E. de Paris.

Peres Shimon (né en 1923), Premier ministre d'Israël en 1977, 1984-86 et 1995-96.

Péret Benjamin (1899-1959), poète surréaliste français : *le Grand Jeu.*

Pérez de Cuéllar Javier (né en 1920), diplomate péruvien, secrétaire de l'ONU (1982-1991).

Pergame, cap. d'un royaume hellénistique d'Asie Mineure (IIIe-IIe s. av. J.-C.).

Pergaud Louis (1882-1915), écrivain français : *la Guerre des boutons.*

Pergolèse Jean-Baptiste (1710-1736), compositeur italien : *la Servante maîtresse, Stabat Mater.*

Péri Gabriel (1902-1941), journaliste français, résistant communiste fusillé par les Allemands.

Périclès (v. 495-429 av. J.-C.), homme d'État athénien, à la tête de l'État de 443 à 429.

Perier Casimir (1777-1832), banquier français, ministre de Louis-Philippe.

Pérignon dom Pierre (1638-1715), bénédictin français, inventeur de la champagnisation.

Périgord, rég. du S.-O. de la France ; v. princ. Périgueux.

Périgueux, ch.-l. de la Dordogne ; 32 848 h.

Perm, v. de Russie, dans l'Oural ; 1 087 000 h.

Permeke Constant (1886-1952), peintre et sculpteur expressionniste belge.

Pernambouc, État côtier du N.-E. du Brésil ; cap. Recife.

Perón Juan (1895-1974), président de la République d'Argentine (1946-1955 et 1973-1974). Son épouse **Eva** (1919-1952) fut très populaire. Sa troisième épouse **Isabel** (née en 1931) lui succéda et fut renversée par un coup d'État (1976).

Péronne, ch.-l. d'arr. de la Somme ; 9 159 h.

Pérotin, compositeur français du XIII^{e}s.

Pérou, État d'Amérique du Sud ; 1 285 215 km^2 ; 27 900 000 h ; cap. Lima.

Pérouse, v. d'Italie (Ombrie) ; 144 510 h.

Perpignan, ch.-l. des Pyrénées-Orientales ; 108 049 h.

Perrault Charles (1628-1703), écrivain français : *Contes de ma mère l'Oye.*

Perrault Claude (1613-1688), frère du préc., architecte français. Colonnade du Louvre.

Perret Auguste (1874-1954), architecte français. Il fut le premier à utiliser le béton.

Perret Jacques (1901-1992), écrivain français : *le Caporal épinglé*.

Perreux-sur-Marne (Le), ch.-l. de cant. du Val-de-Marne ; 28 540 h.

Perrin Jean (1870-1942), physicien français.

Perrin Francis (1901-1992), fils du préc., physicien nucléaire français.

Perros-Guirec, station balnéaire des Côtes-d'Armor.

Perroux François (1903-1987), économiste français.

Perse (la), anc. nom de l'Iran, territoire peuplé par les *Perses,* peuple indoeuropéen. L'*Empire perse,* fondé en 550 av. J.-C. par les Achéménides, fut détruit par Alexandre le Grand et restauré par les Sassanides.

Persée, héros qui tua Méduse (*Myth. gr.*).

Perséphone ou **Coré,** fille de Déméter et de Zeus, reine des Enfers (*Myth. gr.*).

Persépolis, une des cap. de l'Empire perse, incendiée par Alexandre le Grand.

Pershing John (1860-1948), général américain, commandant des forces américaines en France (1917-1918).

Persique ou **Arabique** (golfe), partie de l'océan Indien, entre l'Arabie et l'Iran.

Perth, v. d'Écosse ; 43 000 h. Anc. cap. de l'Écosse (XIIIᵉ-XVᵉ s.).

Perth, v. d'Australie, cap. de l'Australie-Occidentale ; 983 000 h.

Perthus (le), col des Pyrénées-Orientales.

Pérugin (le) (1445-1523), peintre italien, maître de Raphaël.

Pesaro, v. d'Italie (Marches) ; 90 150 h.

Pescadores ou **Penghu** (îles), archipel dépendant de Taiwan.

Pescara, v. d'Italie (Abruzzes) ; 132 000 h.

Peshawar, v. du N.-O. du Pakistan ; 550 000 h.

Pessac, ch.-l. de cant. de la Gironde ; 51 424 h.

Pessoa Fernando (1888-1935), poète portugais : *Poésies d'Álvaro de Campos.*

Pessôa Câmara Helder (né en 1909), prélat brésilien, apôtre du tiers-monde.

Pétain Philippe (1856-1951), maréchal de France. Vainqueur de Verdun (1916), chef de l'État français sous l'occupation allemande, il fut condamné à la Libération.

Petchora (la), fl. de Russie (1 800 km).

Peterborough, v. d'Angleterre ; 115 410 h.

Peterhof. V. *Petrodvorets.*

Pétion (1770-1818), fondateur et président de la République d'Haïti (1807-1818).

Pétion de Villeneuve Jérôme (1756-1794), conventionnel (girondin) français ; il se suicida.

Petipa Marius (1822-1910), danseur et chorégraphe français.

Petit-Quevilly (Le), ch.-l. de cant. de la Seine-Maritime ; 22 718 h.

Petöfi Sándor (1823-1849), poète romantique et héros national hongrois.

Pétra, site archéologique de l'anc. cap. des Nabatéens, en Jordanie.

Pétrarque (1304-1374), poète et humaniste italien : *Canzoniere.*

Petrodvorets (jusqu'en 1944 *Peterhof*), v. de Russie ; 43 000 h. Anc. palais des tsars.

Petrograd. V. *Saint-Pétersbourg.*

Pétrone (mort en 66), écrivain latin : *Satiricon.*

Petrópolis, v. du Brésil ; 275 080 h.

Petrozavodsk, v. de Russie (Carélie) ; 255 000 h.

Peugeot Eugène (1844-1907) et son cousin **Armand** (1849-1915), industriels français.

Peuls ou **Foulbés,** peuple de pasteurs de l'Afrique de l'O.

Peuples de la Mer, populations indo-européennes qui envahirent l'Asie Mineure, la Syrie et la Phénicie (XIIIᵉ-XIIᵉ s. av. J.-C.).

Peur (la Grande), troubles qui agitèrent les campagnes françaises en juillet et août 1789.

Pevsner Anton (1886-1962), sculpteur français d'origine russe, frère de N. Gabo.

Pézenas, ch.-l. de cant. de l'Hérault ; 7 921 h.

Phaéton, fils d'Hélios, foudroyé par Zeus sur le char de son père (*Myth. gr.*).

Phaïstos, site archéologique de la Crète.

Phalange, formation politique espagnole d'extrême droite fondée en 1933 par J. A. Primo de Rivera.

Pham Van Dong (né en 1906), homme politique vietnamien.

Pharos, île de l'anc. Égypte où fut élevé le phare d'Alexandrie.

Pharsale, victoire de César sur Pompée, en Thessalie (48 av. J.-C.).

Phébus. V. *Apollon.*

Phèdre, épouse de Thésée (*Myth. gr.*).

Phèdre (v. 15 av. J.-C.-v. 50 apr. J.-C.), fabuliste latin.

Phénicie, littoral syro-palestinien, habité depuis le IIIᵉ millénaire par *les Phéniciens,* peuple sémitique de navigateurs et de commerçants qui créèrent des colonies (Carthage) et inventèrent l'alphabet ; v. princ. Tyr, Sidon, Byblos.

Phidias (v. 490-431 av. J.-C.), architecte et sculpteur athénien, maître d'œuvre de l'Acropole.

Philadelphie, v. des États-Unis (Pennsylvanie) ; 1 646 700 h (aggl. 5 755 300 h).

Philae, île du Nil. Ruines d'un temple d'Isis.

Philidor (1726-1795), compositeur français d'opéras comiques et champion d'échecs.

Philipe Gérard (1922-1959), acteur français.

Philippe, saint, un des douze apôtres.

Philippe Iᵉʳ (v. 1052-1108), roi de France en 1060. Il consolida le domaine royal.

Philippe Iᵉʳ le Beau (1478-1506), prince des Pays-Bas en 1482, roi de Castille en 1504 ; père de Charles Quint.

Philippe II (v. 382-336 av. J.-C.), roi de Macédoine en 356. Il vainquit les Thébains et les Athéniens. Père d'Alexandre le Grand.

Philippe II Auguste (1165-1223), roi de France en 1180. Il agrandit considérablement le domaine royal, lutta contre Henri II, Richard Cœur de Lion, entreprit la troisième croisade et remporta la victoire de Bouvines.

Philippe II le Hardi (1342-1404), duc de Bourgogne en 1363, fils de Jean le Bon.

Philippe II (1527-1598), fils de Charles Quint, roi d'Espagne en 1556, de Naples, de Sicile, de Portugal en 1580. Il remporta la victoire de Lépante (1571) et lança contre l'Angleterre l'Invincible Armada (1588).

Philippe III le Hardi (1245-1285), roi de France en 1270, fils de Louis IX.

Philippe III le Bon (1396-1467), duc de Bourgogne en 1419, père de Charles le Téméraire, mécène éclairé.

Philippe IV le Bel (1268-1314), roi de France en 1285. Il supprima l'ordre des Templiers (1312) et renforça le pouvoir royal. En lutte avec le pape Boniface VIII, il installa son successeur Clément V à Avignon.
Philippe V (v. 237-179 av. J.-C.), roi de Macédoine en 221 ; vaincu à Cynoscéphales.
Philippe V le Long (v. 1293-1322), roi de France en 1316, deuxième fils de Philippe le Bel.
Philippe V (1683-1746), roi d'Espagne en 1700, petit-fils de Louis XIV, premier des Bourbons d'Espagne.
Philippe VI de Valois (1293-1350), roi de France en 1328. Neveu de Philippe le Bel, son règne inaugure la guerre de Cent Ans.
Philippe Égalité. V. Orléans.
Philippe Neri saint (1515-1595), fondateur de l'Oratoire.
Philippe d'Orléans. V. Orléans.
Philippes, victoire d'Octave et d'Antoine sur Brutus et Cassius en 42 av. J.-C.
Philippeville. V. Skikda.
Philippines, archipel et État d'Asie du Sud-Est ; 300 000 km² ; 84 800 000 h ; cap. Manille.
Philistins, peuple de Palestine qui fut vaincu par David au Xᵉ s. av. J.-C.
Philon d'Alexandrie (v. 20 av. J.-C.-v. 45 apr. J.-C.), philosophe grec d'origine juive.
Phnom Penh, cap. du Cambodge, sur le Mékong ; env. 800 000 h.
Phocée, anc. v. d'Asie Mineure (Ionie).
Phoenix, v. des États-Unis, cap. de l'Arizona ; 853 300 h (aggl. 1 714 800 h).
Photius ou **Photios** (v. 820-895), patriarche de Constantinople. Il lutta contre la papauté.
Phrygie, rég. du N.-O. de l'Asie Mineure.
Phryné (IVᵉ s. av. J.-C.), courtisane grecque, modèle de Praxitèle.
Phuket, île du S. de la Thaïlande.
Piaf Édith (1915-1963), chanteuse française.
Piaget Jean (1896-1980), psychologue et épistémologue suisse.
Piano Renzo (né en 1937), architecte italien.
Piave fl. de l'Italie du Nord (220 km).
Picabia Francis (1879-1953), peintre et écrivain dadaïste français.
Picardie, anc. prov. française et Rég. admin. comprenant l'Aisne, l'Oise et la Somme ; 19 443 km² ; 1 875 000 h ; ch.-l. Amiens.
Picasso Pablo (1881-1973), peintre, dessinateur, graveur, sculpteur et céramiste espagnol : les Demoiselles d'Avignon, Guernica.
Piccard Auguste (1884-1962), physicien suisse, inventeur du bathyscaphe.
Piccinni Niccolo (1728-1800), compositeur italien d'opéras, rival de Gluck.
Pic de la Mirandole Jean (1463-1494), humaniste italien, modèle de l'érudit universel.
Pichegru Charles (1761-1804), général français de la Révolution ; il se rallia aux royalistes.
Pickford Mary (1893-1979), actrice américaine du cinéma muet.
Pictes, anc. peuple celte d'Écosse.
Pie V saint (1504-1572), pape en 1566. Il continua la Contre-Réforme.
Pie VII (1742-1823), pape en 1800. Il fut retenu à Fontainebleau par Napoléon.
Pie IX (1792-1878), pape en 1846. Il promulga les dogmes de l'Immaculée Conception et de l'infaillibilité pontificale.

Pie X saint (1835-1914), pape en 1903. Il condamna le modernisme.
Pie XI (1857-1939), pape en 1922. Il signa les accords du Latran (1929).
Pie XII (1876-1958), pape en 1939.
Piémont, rég. de l'Italie du Nord ; ch.-l. Turin.
Piero della Francesca (v. 1410 ou 1420-1492), peintre italien de la Renaissance.
Piero di Cosimo (v. 1462-1521), peintre italien.
Pierre saint (mort v. 64), un des douze apôtres, fondateur de la papauté.
Pierre l'abbé (né en 1912), prêtre français, défenseur des sans-abri.
Pierre Iᵉʳ le Justicier (1320-1367), roi de Portugal en 1357, époux d'Inés de Castro.
Pierre Iᵉʳ (dit Pierre le Grand) (1672-1725), tsar de Russie en 1682, créateur de la Russie moderne.
Pierre Iᵉʳ (1798-1834), il proclama l'indépendance du Brésil et en devint empereur (1822-1831) puis roi de Portugal (Pierre IV).
Pierre Iᵉʳ Karadjordjevic (1844-1921), roi de Serbie en 1903, puis des Serbes, des Croates et des Slovènes en 1918.
Pierre II (1648-1706), roi de Portugal en 1683. Il s'émancipa de la tutelle espagnole.
Pierre II (1825-1891), fils de Pierre Iᵉʳ, empereur du Brésil en 1831 ; il dut abdiquer en 1889 après avoir aboli l'esclavage.
Pierre III (1728-1762), tsar de Russie en 1762. Il fut assassiné par son épouse Catherine II.
Pierre Canisius saint (1521-1597), jésuite hollandais, artisan de la Contre-Réforme.
Pierre de Cortone (1596-1669), peintre et architecte italien du début du baroque.
Pierre l'Ermite (v. 1050-1115), religieux français qui prêcha la première croisade.
Pierre de Montreuil (v. 1200-1267), maître d'œuvre français de la basilique de Saint-Denis et de Notre-Dame.
Pierre le Vénérable (v. 1092-1156), abbé de Cluny en 1122.
Pierrefonds, château féodal du XIᵉ s. dans l'Oise, reconstitué par Viollet-le-Duc.
Pierrelatte, ch.-l. de cant. de la Drôme ; 11 918 h. Usine de traitement de l'uranium.
Pierre-Saint-Martin, gouffre des Pyrénées-Atlantiques, profond de 1 332 m.
Pietermaritzburg, v. d'Afrique du Sud, cap. du Natal ; 192 420 h.
Pieyre de Mandiargues André (1909-1991), écrivain français : la Motocyclette.
Pigalle Jean-Baptiste (1714-1785), sculpteur français.
Pilate Ponce, procurateur romain de Judée (26-36), il livra Jésus (Évangiles).
Pilâtre de Rozier François (1756-1785), aéronaute français. Premier vol humain en ballon.
Pilcomayo (le), affl. du Paraguay (2 500 km) ; frontière entre l'Argentine et le Paraguay.
Pilon Germain (v. 1535-1590), sculpteur français de la Renaissance.
Pilsen. V. Plzen.
Pilsudski Józef (1867-1935), maréchal polonais, au pouvoir apr. 1919.
Pinay Antoine (1891-1994), homme politique français. Il institua le franc lourd (1959).
Pincevent, site préhistorique magdalénien de la vallée de la Seine, près de Montereau.

Pindare (518-438 av. J.-C.), poète lyrique grec.
Pinde (le), montagne de la Grèce centrale.
Pinel Philippe (1745-1826), médecin français, fondateur de la psychiatrie.
Pinochet Ugarte Augusto (né en 1915), général chilien, au pouvoir de 1973 à 1989.
Pinter Harold (né en 1930), auteur dramatique anglais : *le Gardien.*
Pirandello Luigi (1867-1936), auteur dramatique et romancier italien : *Chacun sa vérité, Henri IV, Feu Mathias Pascal.*
Piranèse (1720-1778), graveur italien.
Pirée (Le), port d'Athènes ; 196 390 h.
Pisan. V. *Christine de Pisan.*
Pisano. V. *Giovanni Pisano et Nicola Pisano.*
Piscator Erwin (1893-1966), metteur en scène de théâtre allemand.
Pise, v. d'Italie (Toscane) ; 104 050 h. Tour penchée, cathédrale, baptistère.
Pisistrate (v. 600-527 av. J.-C.), tyran d'Athènes.
Pissarro Camille (1830-1903), peintre impressionniste français.
Pistoia, v. d'Italie (Toscane) ; 93 520 h.
Pithiviers, ch.-l. d'arr. du Loiret ; 9 596 h.
Pitoëff Georges (1884-1939) et sa femme **Ludmilla** (1895-1951), acteurs français d'origine russe, interprètes du théâtre contemporain.
Pitt William (dit *le Premier Pitt*) (1708-1778), homme politique anglais, artisan de la victoire anglaise dans la guerre de Sept Ans.
Pitt William (dit *le Second Pitt*) (1759-1806), fils du préc., homme politique anglais, âme des coalitions antinapoléoniennes.
Pittsburgh, v. des États-Unis (Pennsylvanie) ; 402 600 h (aggl. 2 372 000 h).
Pizarro Francisco (v 1475-1541), conquistador espagnol (Pérou).
Plaine (la). V. *Marais.*
Plaisance, v. d'Italie (Émilie-Romagne) ; 107 310 h.
Planck Max (1858-1947), physicien allemand. Théorie des quanta.
Plantagenêt, dynastie angevine qui régna sur l'Angleterre de 1154 à 1485.
Plata (Río de la), estuaire des fl. Paraná et Uruguay, entre l'Argentine et l'Uruguay.
Plata (La), v. d'Argentine ; 459 050 h.
Platées (Béotie), victoire des Grecs sur les Perses (479 av. J.-C.).
Platini Michel (né en 1955), footballeur français.
Platon (v. 428-348 ou 347 av. J.-C.), philosophe grec : *le Banquet, la République.*
Plaute (v. 254-184 av. J.-C.), auteur latin de comédies : *Amphitryon.*
Pléiade (la), groupe de sept poètes français, autour de Ronsard et de du Bellay.
Plekhanov Gheorghi (1856-1918), théoricien socialiste (marxiste) russe.
Pleumeur-Bodou, centre de télécommunications spatiales (Côtes-d'Armor).
Pleyel Ignaz (1757-1831), compositeur autrichien et facteur de piano à Paris.
Pline l'Ancien (23-79), écrivain latin : *Histoire naturelle.*
Pline le Jeune (61 ou 62-v. 114), écrivain latin : *Lettres.*
Ploiesti, v. de Roumanie ; 232 460 h.
Plotin (v. 205-v. 270), philosophe alexandrin de langue grecque, maître du néoplatonisme.
Plovdiv, v. de Bulgarie ; 342 130 h.

Plutarque (v. 50-v. 125), historien et moraliste grec : *Vies parallèles.*
Pluton, dieu des Morts (*Myth. rom.*).
Pluton, la plus petite des planètes du système solaire.
Plymouth, port militaire du S. de l'Angleterre ; 243 900 h.
Plzen (en allemand *Pilsen*), v. de la République tchèque (Bohême de l'O.) ; 175 060 h.
Pô (le), fl. de l'Italie du Nord (652 km), qui draine la *plaine du Pô.*
Poblet, monastère cistercien de Catalogne.
Podgorica (*Titograd de 1948 à 1992*), cap. du Monténégro ; 96 000 h.
Poe Edgar Allan (1809-1849), écrivain américain : *Histoires extraordinaires.*
Poincaré Henri (1854-1912), mathématicien français. Théorie de la relativité.
Poincaré Raymond (1860-1934), cousin du préc., président de la République française (1913-1920), président du Conseil (1922-1924 et 1926-1929).
Pointe-à-Pitre, ch.-l. d'arr. de la Guadeloupe ; 26 083 h.
Pointe-Noire, port du Congo ; 298 010 h.
Poiret Paul (1879-1944), couturier français.
Poisson Denis (1781-1840), mathématicien français. Calcul des probabilités.
Poissons (les), constellation boréale et signe du zodiaque (19 février-20 mars).
Poissy, ch.-l. de canton des Yvelines ; 36 864 h.
Poitiers, ch.-l. de la Vienne et de la Rég. Poitou-Charentes ; 82 507 h. Charles Martel y arrêta les Arabes en 732.
Poitou, anc. prov. française.
Poitou-Charentes, Rég. admin. comprenant les dép. de la Charente, de la Charente-Maritime, des Deux-Sèvres et de la Vienne ; 25 822 km² ; 1 691 000 h ; ch.-l. Poitiers.
Polaire (la), étoile de la Petite Ourse qui indique le nord.
Polanski Roman (né en 1933), cinéaste français d'origine polonaise.
Poliakoff Serge (1906-1969), peintre abstrait français d'origine russe.
Polichinelle, personnage bossu du théâtre de marionnettes issu de la comédie italienne.
Polignac Jules, duc de (1780-1847), homme politique français, ministre de Charles X.
Polisario (Front), mouvement de libération du Sahara occidental.
Pollock Jackson (1912-1956), peintre américain, chef de file de l'Action painting.
Pollux. V. *Castor et Pollux.*
Polo Marco (1254-1324), voyageur vénitien à la cour de Pékin.
Pologne, État d'Europe orientale ; 312 677 km² ; 38 200 000 h ; cap. Varsovie.
Pol Pot (1928-1998), homme politique cambodgien, chef des Khmers rouges.
Poltava, v. d'Ukraine ; 302 000 h. Pierre le Grand y vainquit le roi de Suède Charles XII (1709).
Polybe (v. 200-entre 125 et 120 av. J.-C.), historien grec : *Histoires.*
Polyclète, sculpteur grec du Vᵉ s. av. J.-C.
Polymnie, muse de la Poésie (*Myth. gr.*).
Polynésie, partie orientale de l'Océanie, peuplée par les Polynésiens. La *Polynésie française,* territoire français d'outre-mer, comprend l'archipel de la Société (Tahiti), les Tuamotu

les Gambier, les Marquises ; 4 200 km² ; env. 189 000 h ; ch.-l. Papeete.

Polyphème, Cyclope qui retint Ulysse prisonnier, fils de Poséidon (*Odyssée*).

Pomaré, dynastie tahitienne du XIXᵉ s.

Pombal Sebastião, marquis de (1699-1782), homme d'État portugais, au pouvoir de 1755 à 1777.

Poméranie, rég. de Pologne, sur la Baltique.

Pompadour Antoinette Poisson, marquise de (1721-1764), maîtresse de Louis XV.

Pompée (106-48 av. J.-C.), général romain. Il participa au premier triumvirat et fut vaincu par César à Pharsale.

Pompéi, v. de Campanie, ensevelie sous les cendres du Vésuve (79).

Pompidou Georges (1911-1974), président de la République française de 1969 à sa mort.

Poncelet Jean Victor (1788-1867), mathématicien français.

Pondichéry, port de l'Inde ; 162 640 h. Anc. comptoir français.

Ponge Francis (1899-1988), poète français : *le Parti pris des choses.*

Poniatowski Joseph (1763-1813), général polonais et maréchal de France.

Ponson du Terrail Pierre Alexis (1829-1871), romancier français : *Rocambole.*

Pont, royaume de l'Asie Mineure antique.

Ponta Delgada, ch.-l. de la rég. auton. des Açores, sur l'île de São Miguel ; 21 200 h.

Pont-à-Mousson, ch.-l. de cant. de Meurthe-et-Moselle ; 15 294 h.

Pontarlier, ch.-l. d'arr. du Doubs ; 18 884 h.

Pont-Aven (école de), groupe de peintres qui s'est formé en 1888 autour de Gauguin.

Pont-Euxin (le), anc. nom de la mer Noire.

Pontiac (v. 1720-1769), chef d'une coalition de tribus indiennes, hostile aux Anglais.

Pontianak, port d'Indonésie (Bornéo) ; 304 780 h.

Pontigny, abbaye cistercienne de l'Yonne.

Pontine (plaine) (anc. *marais Pontins*), plaine d'Italie (Latium).

Pontivy, ch.-l. d'arr. du Morbihan ; 14 512 h.

Pont-Neuf (le), le plus ancien pont de Paris.

Pontoise, ch.-l. du Val-d'Oise, partie de la v. nouvelle de *Cergy-Pontoise* ; 28 463 h.

Pontoppidan Henrik (1857-1943), romancier naturaliste danois.

Pontormo (le) (1494-v. 1556), peintre maniériste italien.

Pontus de Tyard (1521-1605), poète français, membre de la Pléiade.

Poona, v. de l'Inde (Maharashtra) ; 1 203 350 h.

Pope Alexander (1688-1744), poète anglais.

Popocatepetl, volcan du Mexique (5 452 m).

Popov Alexandre (1859-1906), physicien russe, pionnier de la radioélectricité.

Poppée (morte en 65), favorite puis femme de Néron qui la tua.

Popper sir Karl (1902-1994), philosophe britannique d'origine autrichienne.

Pornic, stat. balnéaire de la Loire-Atlantique.

Porquerolles (île de), stat. balnéaire du Var.

Port (Le), port de la Réunion ; 34 806 h.

Port-Arthur (auj. *Lüshun*), port de Chine (Mandchourie) ; 150 000 h.

Port-au-Prince, cap. d'Haïti ; 494 000 h.

Port Elizabeth, port d'Afrique du Sud (prov. du Cap) ; 522 880 h.

Portes de Fer (les), défilé du Danube entre les Carpates et les Balkans.

Port-Gentil, port du Gabon ; 85 000 h.

Port Harcourt, port du Nigeria ; 242 000 h.

Portland, port des États-Unis (Oregon) ; 420 000 h (aggl. 1 340 900 h).

Port-Louis, cap. de l'île Maurice ; 136 320 h.

Port Moresby, cap. de la Papouasie-Nouvelle-Guinée ; 118 420 h.

Porto, port et deuxième v. du Portugal, à l'embouchure du Douro ; 327 370 h.

Pôrto Alegre, port du Brésil (Rio Grande do Sul) ; 1 275 480 h.

Port of Spain, cap. de l'État de Trinité-et-Tobago ; 59 650 h.

Porto-Novo, cap. du Bénin ; 144 000 h.

Porto Rico, la plus orientale des Grandes Antilles, État associé aux États-Unis ; 8 897 km² ; env. 3 400 000 h ; cap. San Juan.

Porto-Vecchio, stat. balnéaire de Corse.

Port-Royal, abbaye de femmes, qui fut au XVIIᵉ s. le centre de diffusion du jansénisme ; détruite en 1710 sur ordre de Louis XIV.

Port-Saïd, port d'Égypte, à l'entrée N. du canal de Suez ; 364 000 h.

Portsmouth, port militaire du S. de l'Angleterre (Hampshire) ; 179 420 h.

Port-Soudan, port du Soudan ; 227 970 h.

Portugal, État d'Europe, dans la péninsule Ibérique ; 91 985 km² ; 10 600 000 h ; cap. Lisbonne.

Port-Vendres, stat. balnéaire des Pyrénées-Orientales.

Port-Vila. V. *Vila.*

Portzamparc Christian de (né en 1944), architecte français.

Poséidon, dieu des Mers (*Myth. gr.*).

Potala (le), palais du dalaï-lama à Lhassa.

Potemkine Grigori (1739-1791), homme politique et maréchal russe, favori de Catherine II.

Potemkine, cuirassé de la flotte russe de la mer Noire dont l'équipage se mutina en 1905.

Potomac, fleuve des États-Unis qui arrose Washington (640 km).

Potosí, v. de Bolivie ; 113 380 h.

Potsdam, v. d'Allemagne, près de Berlin ; 132 540 h. Château de Sans-Souci. La *conférence de Potsdam* (1945) réunit Truman, Staline et Churchill en vue d'organiser la paix en Europe.

Pottier Eugène (1816-1887), chansonnier français, auteur des paroles de *l'Internationale.*

Pouchkine Alexandre (1799-1837), écrivain russe : *Eugène Onéguine.*

Poudovkine Vsevolod (1893-1953), cinéaste soviétique : *la Mère.*

Pougatchev Iemelian (v. 1742-1775), cosaque du Don, chef d'une révolte paysanne.

Pouilles (les) ou **Pouille** (la), rég. d'Italie du Sud ; ch.-l. Bari.

Poulenc Francis (1899-1963), compositeur français : *Dialogue des carmélites.*

Pound Ezra (1885-1972), poète et essayiste américain : *Cantos.*

Pourrat Henri (1887-1959), écrivain français : *Gaspard des montagnes.*

Pourtalet (le), col des Pyrénées-Atlantiques.

Poussin Nicolas (1594-1665), peintre français, maître du classicisme.

Poutine Vladimir (né en 1952), président de la République de Russie depuis 2000.
Pouzzoles, port d'Italie (Campanie) ; 70 350 h.
Poznan, v. de Pologne ; 576 480 h.
Prades, ch.-l. d'arr. des Pyrénées-Orientales ; 6 445 h.
Prado, musée national espagnol à Madrid.
Prague, cap. de la République tchèque ; 1 190 580 h. Monuments gothiques et baroques.
Praia, cap. de la rép. du Cap-Vert ; 57 750 h.
Prairie (la), rég. centrale des États-Unis.
Prato, v. d'Italie (Toscane) ; 162 140 h.
Praxitèle (v. 390-v. 330 av. J.-C.), sculpteur grec : *Aphrodite de Cnide*.
Préalpes, massifs sédimentaires des Alpes.
Preminger Otto (1906-1986), cinéaste américain d'origine autrichienne.
Presbourg. *V. Bratislava.*
Presley Elvis (1935-1977), chanteur américain de rock and roll.
Preston, v. d'Angleterre (Lancashire) ; 143 700 h.
Pretoria, cap. admin. de l'Afrique du Sud et cap. de l'anc. région du Transvaal ; 545 660 h.
Prévert Jacques (1900-1977), poète et scénariste français : *Paroles*.
Prévost l'abbé (1697-1763), écrivain français : *Manon Lescaut*.
Priam, dernier roi de Troie (*Myth. gr.*).
Priape, dieu de la Fécondité (*Myth. gr.*).
Priestley Joseph (1733-1804), chimiste anglais. Il isola l'oxygène.
Prigogine Ilya (né en 1917), chimiste belge d'origine russe.
Primatice (le) (1504-1570), peintre, sculpteur et architecte maniériste italien.
Primo de Rivera Miguel (1870-1930), général espagnol, au pouvoir de 1923 à 1930.
Primo de Rivera José Antonio (1903-1936), fils du préc., homme politique espagnol. Fondateur de la Phalange, il fut fusillé.
Prince-Édouard (île du), prov. du Canada.
Prince Noir (le). *V. Édouard.*
Princeton, université des États-Unis (New Jersey).
Priscillien, hérésiarque exécuté en 385.
Pristina, v. de Serbie, cap. du Kosovo ; 108 080 h.
Privas, ch.-l. de l'Ardèche ; 10 490 h.
Proche-Orient ou **Moyen-Orient**, ensemble des pays que bordent la Méditerranée orientale, la mer Rouge et le golfe Persique.
Procuste, brigand tué par Thésée (*Myth. gr.*).
Prodi Romano (né en 1939), homme politique italien ; président du conseil de 1996 à 1998 et depuis 2006 ; président de la Commission des Communautés européennes de 1999 à 2004.
Prokofiev Sergheï (1891-1953), compositeur russe : *Pierre et le Loup.*
Prométhée, Titan qui déroba le feu du Ciel pour l'apporter aux hommes (*Myth. gr.*).
Properce (v. 47-v. 15 av. J.-C.), poète latin.
Proserpine, déesse de l'Agriculture, reine des Enfers (*Myth. rom.*).
Protagoras (v. 485-v. 410 av. J.-C.), philosophe grec.
Protée, fils de Poséidon, capable de changer de forme (*Myth. gr.*).
Proudhon Pierre Joseph (1809-1865), théoricien socialiste français : *Qu'est-ce que la propriété ?*

Proust Joseph Louis (1754-1826), chimiste français, fondateur de l'analyse chimique.
Proust Marcel (1871-1922), romancier français : *À la recherche du temps perdu.*
Prout (le), affl. du Danube (950 km), frontière entre la Roumanie et la Moldavie.
Provence, anc. prov. du S.-E. de la France.
Provence-Alpes-Côte d'Azur, Rég. admin. comprenant les Alpes-de-Haute-Provence, les Hautes-Alpes, les Alpes-Maritimes, les Bouches-du-Rhône, le Var et le Vaucluse ; 31 395 km² ; 4 703 000 h ; ch.-l. Marseille.
Providence, port des États-Unis, cap. du Rhode Island ; 154 100 h (aggl. 1 095 000 h).
Provinces-Unies, anc. nom des Pays-Bas.
Provins, v. de Seine-et-Marne ; 12 682 h.
Proxima Centauri, étoile la plus proche de la Terre.
Prud'hon Pierre Paul (1758-1823), peintre néoclassique français.
Prusiner Stanley (né en 1942), biologiste américain. Il a découvert le prion.
Prusse, anc. État de l'Allemagne du Nord (XVIe-XIXe s.) qui réalisa autour de lui l'unité allemande. Cap. Berlin.
Prusse-Orientale, anc. prov. allemande partagée en 1945 entre la Russie et la Pologne ; cap. Königsberg.
Przemysl, v. de Pologne ; 66 000 h.
PS, sigle de *parti socialiste*, qui succéda en 1971 à la SFIO.
Psyché, princesse aimée d'Éros, à qui fut conférée l'immortalité (*Myth. gr.*).
Ptah, dieu de l'anc. Égypte.
Ptolémée Ier Sôter (v. 360-283), lieutenant d'Alexandre, fondateur de la dynastie des Lagides qui régna sur l'Égypte de 323 à 30 av. J.-C.
Ptolémée Claude (v. 90-v. 168), astronome grec d'Alexandrie. Il imposa le géocentrisme.
Puccini Giacomo (1858-1924), compositeur d'opéras italien : *la Bohème.*
Pucelle Jean (?-1334), miniaturiste français.
Puebla, v. du Mexique central ; 1 885 000 h.
Pueblos, Indiens du S.-O. des États-Unis (Zuñis, Hopis).
Pufendorf Samuel von (1632-1694), juriste allemand.
Puget Pierre (1620-1694), sculpteur baroque français : *Milon de Crotone.*
Puget Sound, fjord de la côte O. des États-Unis (Seattle).
Puisaye, rég. du S. du Bassin parisien.
Pulitzer Joseph (1847-1911), journaliste américain fondateur des *prix Pulitzer* qui récompensent journalistes et écrivains.
puniques (guerres), les trois guerres entre Carthage et Rome (264-146 av. J.-C.).
Punta Arenas, port du S. du Chili ; 111 720 h.
Purcell Henry (1659-1695), compositeur anglais : *Didon et Énée.*
Purus, affl. de l'Amazone (3 380 km).
Pusan, port de la Corée du Sud ; 3 516 810 h.
Pusey Edward Bouverie (1800-1882), théologien anglais, promoteur du mouvement d'Oxford.
Puteaux, ch.-l. de cant. des Hauts-de-Seine 42 917 h.
Puvis de Chavannes Pierre (1824-1898) peintre symboliste français.
Puy-de-Dôme, dép. français (63) (Auvergne) 7 965 km² ; 613 651 h ; ch.-l. Clermont-Ferrand

Puy-en-Velay (Le), ch.-l. de la Haute-Loire ; 23 434 h.

Puyi (1906-1967), dernier empereur de Chine (1908-1912).

Puymorens, col des Pyrénées-Orientales.

Puys (chaîne des) ou **monts Dôme,** groupe de volcans éteints de l'Auvergne.

Pygmalion, roi de Chypre, auteur d'une statue dont il devint amoureux (*Myth. gr.*).

Pygmées, peuple de petite taille de la forêt équatoriale africaine.

Pylos. *V.* Navarin.

Pyongyang, cap. de la Corée du Nord ; 1 500 000 h.

Pyrénées, chaîne de montagnes séparant la France de l'Espagne (3 404 m au pic d'Aneto).

Pyrénées (paix des), traité conclu entre la France et l'Espagne en 1659.

Pyrénées-Atlantiques, dép. français (64) (Aquitaine) ; 7 629 km² ; 577 644 h ; ch.-l. Pau.

Pyrénées (Hautes-), dép. français (65) (Midi-Pyrénées) ; 4 507 km² ; 231 993 h ; ch.-l. Tarbes.

Pyrénées-Orientales, dép. français (66) (Languedoc-Roussillon) ; 4 087 km² ; 369 476 h ; ch.-l. Perpignan.

Pyrrhon (v. 365-275 av. J.-C.), philosophe grec, fondateur du scepticisme.

Pyrrhus ou **Néoptolème,** fils d'Achille et maître d'Andromaque. Il tua Priam (*Myth. gr.*).

Pyrrhus ou **Pyrrhos** (v. 318-272 av. J.-C.), roi d'Épire en 295, vaincu par les Romains.

Pythagore (VIe s. av. J.-C.), philosophe et mathématicien grec.

Pythéas (IVe s. av. J.-C.), navigateur grec.

Python, serpent monstrueux tué par Apollon à Delphes (*Myth. gr.*).

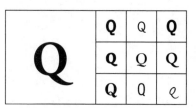

Qacentina. V. Constantine.
Qadjars, dynastie perse (1786-1925).
Qatar, État de la péninsule arabique ; 11 440 km² ; 800 000 h ; cap. Al-Dawhah.
Qing ou **Ts'ing,** dernière dynastie impériale chinoise (1644-1912).
Qingdao, port de Chine (Shandong) ; 1 172 370 h (aggl. 4 204 840 h).
Qinghai, prov. du N. de la Chine.
Qin Shi Huangdi (259-210 av. J.-C.), empereur chinois. Il acheva la Grande Muraille.
Qiqihar, v. de Chine (Heilongjiang) ; 1 209 180 h.
Qom. V. Qum.
Quantz Johann (1697-1773), compositeur allemand.
Quartier latin (le), quartier de Paris situé sur la rive gauche de la Seine.
Quarton ou **Charonton** Enguerrand (v. 1410-apr. 1462), peintre français de l'école d'Avignon.
Quasimodo Salvatore (1901-1968), poète italien : *la Terre incomparable.*
Quatre-Cantons (lac des), lac de Suisse centrale (114 km²).
Québec (le), la plus vaste des prov. canadiennes (dite la *Belle Province*) ; 1 540 681 km² ; 6 627 000 h (dont 80 % de francophones) ; cap. Québec ; v. princ. Montréal.
Québec, v. du Canada, cap. du Québec ; 164 580 h (aggl. 603 270 h).
Quechuas ou **Quichuas,** peuple indien de l'Amérique du Sud (Bolivie, Pérou).
Queens, district de New York.
Queensland, État du N.-E. de l'Australie ; cap. Brisbane.
Queneau Raymond (1903-1976), écrivain français : *Zazie dans le métro.*
Quercy, rég. du S.-O. de la France.

Querétaro, v. du Mexique central ; 215 980 h.
Quesnay François (1694-1774), économiste français ; physiocrate.
Quételet Adolphe (1796-1874), astronome et mathématicien belge.
Quetzalcóatl, divinité du Mexique précolombien, représentée sous la forme d'un serpent à plumes.
Queuille Henri (1884-1970), homme politique français (radical-socialiste).
Queyras, rég. montagneuse des Hautes-Alpes.
Quezón City, v. et anc. cap. des Philippines, près de Manille ; 1 326 030 h.
Quiberon, stat. balnéaire du Morbihan, au S. de la *presqu'île de Quiberon.*
Quichés, Indiens mayas du Guatemala.
Quichuas. V. Quechuas.
Quimper, ch.-l. du Finistère ; 62 541 h.
Quinault Philippe (1635-1688), poète français, auteur des livrets des opéras de Lully.
Quincey (De). V. De Quincey.
Quine Willard (1908-2000), logicien américain.
Quinet Edgar (1803-1875), historien français.
Quintilien (30-v. 100), rhéteur latin.
Quirinal, une des sept collines de Rome. Le *palais du Quirinal* est la demeure officielle du président de la République italienne.
Quisling Vidkun (1887-1945), homme politique norvégien. Il collabora avec l'occupant allemand et fut exécuté à la Libération.
Quito, cap. de l'Équateur ; 1 003 880 h.
Qum ou **Qom,** v. d'Iran, au S. de Téhéran ; 424 000 h. Pèlerinage chiite.
Qumran, site archéologique de Cisjordanie où furent découverts entre 1946 et 1956 les manuscrits de la mer Morte.
Qurayshites, membres de la tribu arabe dont est issu Mahomet.

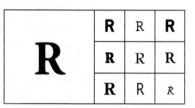

Râ. *V. Rê.*
Raban Maur bienheureux (v. 780-856), théologien allemand.
Rabat, cap. du Maroc et port sur l'Atlantique ; 556 000 h (aggl. 1 000 000 h).
Rabelais François (v. 1494-1553), écrivain français : *Pantagruel, Gargantua.*
Rabin Yitzhak (1922-1995), Premier ministre d'Israël en 1974-77 et 1992-95 ; assassiné.
Racan (1589-1670), poète français.
Rachel, épouse de Jacob (*Bible*).
Rachi ou **Rashi** (1040-1105), rabbin de Troyes commentateur du Talmud.
Rachmaninov Serghéï (1873-1943), compositeur et pianiste russe.
Racine Jean (1639-1699), poète dramatique français, principal représentant du classicisme : *Andromaque, Phèdre.*
Radcliffe Ann (1764-1823), romancière, initiatrice du roman noir.
Radcliffe-Brown Alfred (1881-1955), anthropologue britannique.
Radiguet Raymond (1903-1923), écrivain français : *le Diable au corps.*
Raffarin Jean-Pierre (né en 1948), Premier ministre français de 2002 à 2005.
RAF, sigle de *Royal Air Force,* armée de l'air britannique.
Rafsandjani Ali Akbar Hachemi (né en 1934), prés. de la Rép. islamique d'Iran de 1989 à 1997.
Raguse. *V. Dubrovnik.*
Rahman cheikh Mujibur (1920-1975), premier président du Bangladesh en 1971 ; assassiné.
Raimond VI (1156-1222), comte de Toulouse en 1194, protecteur des albigeois.
Raimu (1883-1946), acteur français.
Raincy (Le), ch.-l. d'arr. de la Seine-Saint-Denis ; 13 672 h.
Rainier III (1923-2005), prince de Monaco de 1949 à 2005.
Rais ou **Retz** Gilles de (1404-1440), maréchal de France, compagnon de Jeanne d'Arc. Auteur de meurtres d'enfants, il fut exécuté.
Rajasthan, État du N.-O. de l'Inde ; cap. Jaipur.
Rajputs, peuple de l'Inde du Nord.
Rákosi Mátyás (1892-1971), homme politique hongrois (communiste).
Raleigh sir Walter (v. 1552-1618), courtisan et navigateur anglais, favori d'Élizabeth Iʳᵉ.
Rama, divinité hindoue.

Ramakrishna (1836-1886), mystique hindou.
Raman sir Chandrasekhara Venkata (1888-1970), physicien indien.
Ramayana, épopée racontant la légende de Rama (IVᵉ s. av. J.-C.).
Rambouillet, ch.-l. d'arr. des Yvelines, près de la *forêt de Rambouillet* ; 25 293 h.
Rameau Jean-Philippe (1683-1764), compositeur français : *les Indes galantes.*
Ramsay sir William (1852-1916), chimiste anglais. Il découvrit les gaz rares.
Ramsès II (dit *Ramsès le Grand*), roi d'Égypte de 1301 à 1235 av. J.-C.
Ramsgate, stat. balnéaire d'Angleterre (Kent).
Ramus (Pierre de La Ramée, dit) (1515-1572), humaniste français ; tué lors de la nuit de la Saint-Barthélemy.
Ramuz Charles Ferdinand (1878-1947), écrivain suisse d'expression française.
Ranavalona III (1862-1917), dernière reine de Madagascar (1883-1897).
Rance (la), fl. côtier de France (100 km).
Rancé Armand de (1626-1700), religieux français, réformateur de la Trappe.
Rangoun ou **Rangoon,** cap. de la Birmanie, à l'embouchure de l'Irrawaddy ; 2 459 000 h.
Raoul ou **Rodolphe** (mort en 936), duc de Bourgogne et roi de France en 923.
Rapallo, stat. balnéaire d'Italie (Ligurie).
Raphaël, ange de la *Bible.*
Raphaël (Raffaello Sanzio, dit) (1483-1520), peintre italien : *les chambres* du Vatican.
Rashi. *V. Rachi.*
Rask Rasmus (1787-1832), linguiste danois.
Rasmussen Knud (1879-1933), explorateur danois des régions arctiques.
Raspail François (1794-1878), chimiste et homme politique français (républicain).
Raspoutine (1872-1916), aventurier russe. Il fut assassiné.
Rastrelli Bartolomeo Francesco (v. 1700-1771), architecte baroque italien : palais d'Hiver à Saint-Pétersbourg.
Ratisbonne, v. d'Allemagne (Bavière) ; 123 820 h.
Rauschenberg Robert (né en 1925), peintre américain, initiateur du pop'art.
Ravachol (1859-1892), anarchiste français ; exécuté.

Ravaillac François (1578-1610), assassin d'Henri IV.

Ravalomanana Marc (né en 1949), président de la République de Madagascar depuis 2002.

Ravel Maurice (1875-1937), compositeur français : *l'Enfant et les sortilèges, le Boléro*.

Ravenne, v. d'Italie (Émilie-Romagne) ; 137 010 h. Cap. de l'Empire romain au Ve s. Monuments byzantins.

Ravensbrück, camp de concentration nazi, près de Potsdam.

Rawalpindi, v. du Pakistan (Pendjab) ; 806 000 h.

Ray Man (1890-1976), photographe et peintre surréaliste américain.

Ray Nicholas (1911-1979), cinéaste américain : *la Fureur de vivre*.

Ray Satyajit (1921-1992), cinéaste indien : *le Monde d'Apu*.

Raz (pointe du), cap situé à l'O. du Finistère.

Razine Stenka (v. 1630-1671), chef cosaque d'une révolte paysanne.

RDA, sigle de *République démocratique allemande,* anc. État d'Europe centrale (1949-1990) ; cap. Berlin-Est.

Ré, île de Charente-Maritime.

Rê ou **Râ,** dieu du Soleil (*Myth. égyptienne*).

Reading, v. d'Angleterre ; 132 040 h.

Reagan Ronald (1911-2004), 40e président (républicain) des États-Unis de 1980 à 1988.

Réaumur René de (1683-1757), physicien français, inventeur de l'échelle thermométrique.

Rébecca, femme d'Isaac (*Bible*).

Récamier Julie (1777-1849), dame française qui tint salon sous l'Empire.

Recife (anc. *Pernambouc*), port du Brésil, cap. du Pernambouc ; 1 289 630 h.

Reclus Élisée (1830-1905), géographe français. Anarchiste, il fut membre de l'Internationale socialiste et de la Commune.

Reconquista, guerres des chrétiens contre les Arabes en Espagne (VIIIe-XVe s.).

Redon, ch.-l. d'arr. d'Ille-et-Vilaine ; 10 452 h.

Redon Odilon (1840-1916), peintre symboliste français.

Red River, fl. des États-Unis (2 000 km).

Réforme (la), mouvement religieux du XVIe s. qui, sous l'impulsion de Luther et de Calvin, a donné naissance aux Églises protestantes.

Régence (la) (1715-1723), gouvernement de Philippe d'Orléans (minorité de Louis XV).

Reggan, localité du Sahara algérien, où explosa la première bombe atomique française.

Reggiani Serge (1922-2004), acteur et chanteur français.

Reggio di Calabria, port d'Italie (Calabre) ; 176 440 h.

Reggio nell'Emilia, v. d'Italie (Émilie-Romagne) ; 130 750 h.

Regina, v. du Canada (Saskatchewan) ; 175 060 h.

Regiomontanus (Johann Müller, dit) (1436-1476), astronome allemand.

Regnard Jean-François (1655-1709), poète comique français.

Régnier Mathurin (1573-1613), poète français : *Satires*.

Reich, l'Empire allemand. Le Ier Reich est le Saint Empire romain germanique ; le IIe Reich est

l'Empire fondé par Bismarck (1871-1918) ; le IIIe Reich est le régime nazi (1933-1945).

Reich Wilhelm (1897-1957), psychanalyste américain d'origine autrichienne.

Reichstag, chambre législative de l'Allemagne de 1867 à 1945.

Reims, ch.-l. d'arr. de la Marne ; 185 164 h. Cathédrale où étaient sacrés les rois de France.

Reinhardt Django (1910-1953), guitariste de jazz, français d'origine tzigane.

Religion (guerres de), guerres civiles entre catholiques et protestants (1562-1598).

Remarque Erich Maria (1898-1970), romancier américain d'origine allemande : *À l'Ouest, rien de nouveau*.

Rembrandt (1606-1669), peintre et graveur hollandais, maître du clair-obscur : *la Ronde de nuit, les Pèlerins d'Emmaüs*.

Remi saint (437-533), évêque de Reims. Il convertit Clovis et le baptisa (496).

Remington Philo (1816-1889), industriel américain, fabricant de machines à écrire.

Remus, frère jumeau de Romulus (*Myth. rom.*).

Renaissance (la), période de renouvellement socioculturel de l'Europe (XVe-XVIe s.).

Renan Ernest (1823-1892), écrivain rationaliste français : *Vie de Jésus*.

Renard Jules (1864-1910), écrivain français : *Poil de Carotte*.

Renaud Madeleine (1900-1994), actrice française, compagne de J.-L. Barrault.

Renaudot Théophraste (1586-1653), médecin français, précurseur du journalisme.

Renault Louis (1877-1944), industriel français de l'automobile.

René Ier d'Anjou (dit le *bon roi René*) (1409-1480), duc d'Anjou, comte de Provence, roi de Naples et de Sicile.

Rennes, ch.-l. de l'Ille-et-Vilaine et de la Rég. Bretagne ; 203 533 h.

Renoir Auguste (1841-1919), peintre impressionniste français : *les Grandes Baigneuses*.

Renoir Jean (1894-1979), fils du préc., cinéaste français : *la Règle du jeu*.

République française, régime proclamé cinq fois en France : la Ire République de 1792 à 1804 ; la IIe République de 1848 à 1852 ; la IIIe République de 1870 à 1940 ; la IVe République de 1944 à 1958 ; la Ve République depuis.

Résistance (la), action clandestine menée pour lutter contre l'occupation allemande durant la Seconde Guerre mondiale.

Resnais Alain (né en 1922), cinéaste français : *Hiroshima mon amour*.

Restauration, régime qui succéda au Premier Empire et fut renversé en 1830.

Restif de La Bretonne Nicolas (1734-1806), écrivain français : *Monsieur Nicolas*.

Rethel, ch.-l. d'arr. des Ardennes ; 8 639 h.

Rethondes, com. de l'Oise où ont été signés, avec l'Allemagne, les armistices du 11 novembre 1918 et du 22 juin 1940.

Retz. V. *Rais*.

Retz (Paul de Gondi, cardinal de) (1613-1679), homme politique et écrivain français.

Réunion (la) (anc. île *Bourbon*), île de l'océan Indien, formant un dép. français d'outre-mer (974) et une Rég. admin. ; 2 510 km² ; 763 000 h ; ch.-l. Saint-Denis.

Reuter Julius (1816-1899), homme d'affaires anglais, créateur d'une agence de presse.
Revel. V. *Tallin*.
Reverdy Pierre (1889-1960), poète français, proche des surréalistes.
révolution culturelle, lutte déclenchée en Chine par Mao Zedong pour se maintenir au pouvoir (1966-1970).
révolutions d'Angleterre, guerres civiles du XVIIᵉ s. : la première (1642-1649) fut marquée par l'exécution du roi Charles Iᵉʳ et l'instauration du Commonwealth dominé par Cromwell ; la seconde (1688-1689) provoqua le départ de Jacques II et l'avènement de Guillaume III (monarchie constitutionnelle).
Révolution française, période, entre 1789 et 1799, qui vit la fin de l'Ancien Régime. On distingue la Constituante (1789-1791), la Législative (1791-1792), la Convention (1792-1795) qui proclama la république, le Directoire, renversé par le coup d'État du 18 brumaire qui instaura le Consulat.
révolution française de 1830, mouvement qui renversa Charles X et donna naissance à la monarchie de Juillet.
révolution française de 1848, mouvement qui débuta à Paris par les journées de février et se prolongea jusqu'au 26 juin 1848 (émeutes ouvrières durement réprimées).
révolution russe de 1905, manifestations qui suivirent la guerre russo-japonaise.
révolution russe de 1917. V. *Octobre*.
Reykjavík, cap. de l'Islande ; 87 310 h.
Reynaud Émile (1844-1918), inventeur français, pionnier du dessin animé.
Reynaud Paul (1878-1966), homme politique français, président du Conseil en 1940 ; il dut céder la place au maréchal Pétain.
Reynolds sir Joshua (1723-1792), peintre anglais, auteur de portraits.
Rezé, ch.-l. de cant. de la Loire-Atlantique ; 33 703 h.
RFA, sigle de *République fédérale d'Allemagne*, anc. État d'Europe (1949-1990) ; cap. Bonn.
Rhadamanthe, juge des Enfers (*Myth. gr.*).
Rhaznévides. V. *Ghaznévides*.
Rhéa, épouse de Cronos et mère de Zeus (*Myth. gr.*).
Rhea Silvia, mère de Romulus et Remus (*Myth. rom.*).
Rhee Syngman (1875-1965), président de la République de Corée du Sud de 1948 à 1960.
rhénan (Massif schisteux), rég. d'Allemagne prolongeant l'Ardenne.
Rhénanie, rég. d'Allemagne, traversée par le Rhin, dont le N. forme le Land de **Rhénanie-du-Nord-Westphalie** (cap. Düsseldorf ; v. princ. Essen, Cologne, Dortmund, Aix-la-Chapelle) et le S. le Land de **Rhénanie-Palatinat** (cap. Mayence ; v. princ. Coblence).
Rhin, fl. de l'Europe du Nord-Ouest qui se jette dans la mer du Nord (1 298 km).
Rhin (Bas-), dép. français (67) (Alsace) ; 787 km² ; 968 006 h. ; ch.-l. Strasbourg.
Rhin (Haut-), dép. français (68) (Alsace) ; 523 km² ; 680 843 h. ; ch.-l. Colmar.
Rhode Island, État du N.-E. des États-Unis.
Rhodes, île grecque de la mer Égée (Dodécanèse) ; ch.-l. Rhodes (42 000 h). Le *colosse de Rhodes* était une gigantesque statue d'Hélios, en bronze, une des Sept Merveilles du monde.
Rhodes Cecil (1853-1902), homme d'affaires et administrateur colonial anglais.
Rhodes-Extérieures, Rhodes-Intérieures, subdivisions du cant. suisse d'Appenzell.
Rhodésie, rég. de l'Afrique australe, auj. divisée en trois États : la Zambie, le Malawi et le Zimbabwe.
Rhône, fl. de Suisse et de France, qui se jette dans la Méditerranée (812 km).
Rhône, dép. français (69) (Rhône-Alpes) ; 3 215 km² ; 1 531 713 h ; ch.-l. Lyon.
Rhône-Alpes, Rég. admin. comprenant l'Ain, l'Ardèche, la Drôme, l'Isère, la Loire, le Rhône, la Savoie et la Haute-Savoie ; 43 738 km² ; 5 896 000 h ; ch.-l. Lyon.
Rialto, principal pont de Venise.
Riazan, v. de Russie ; 515 000 h.
Ribbentrop Joachim von (1893-1946), homme politique et diplomate allemand ; condamné à mort à Nuremberg.
Ribeauvillé, v. du Haut-Rhin ; 4 882 h.
Ribera José de (v. 1588-1652), peintre espagnol : *le Pied-Bot*.
Ribera Pedro de (1683-1742), architecte baroque espagnol.
Riboud Marc (né en 1923), photographe français.
Ricardo David (1772-1823), économiste anglais.
Richard Iᵉʳ (dit *Cœur de Lion*) (1157-1199), roi d'Angleterre en 1189. Il participa à la troisième croisade et lutta contre Philippe Auguste et son frère Jean sans Terre.
Richard II (1367-1400), roi d'Angleterre en 1377. Fils du Prince Noir, il fut détrôné en 1399 par Henri de Lancastre.
Richard III (1452-1485), roi d'Angleterre en 1483. Meurtrier de ses neveux, il fut tué par Henri Tudor.
Richardson Samuel (1689-1761), écrivain anglais : *Clarisse Harlowe*.
Richelet César (1626-1698), auteur du premier dictionnaire français (1680).
Richelieu Armand Jean du Plessis, cardinal de (1585-1642), homme d'État français. Premier ministre de Louis XIII, il travailla à renforcer le pouvoir royal et lutta contre les Habsbourg. Il fonda l'Académie française.
Richelieu Armand Emmanuel du Plessis, duc de (1766-1822), Premier ministre sous la Restauration.
Richepin Jean (1849-1926), écrivain français : *la Chanson des gueux*.
Richier Ligier (v. 1500-1567), sculpteur français d'inspiration gothique.
Richier Germaine (1904-1959), sculpteur expressionniste français.
Richmond, v. des États-Unis, cap. de la Virginie ; 219 100 h (aggl. 796 100 h). Cap. des sudistes pendant la guerre de Sécession.
Richter Jeremias Benjamin (1762-1807), chimiste allemand.
Richter Johann-Paul. V. *Jean-Paul*.
Richter Charles Francis (1900-1985), géophysicien américain. Il a mis au point l'*échelle de Richter*, qui mesure la magnitude des séismes.
Richter Sviatoslav (1915-1997), pianiste russe.
Richter Gerhard (né en 1932), peintre allemand.
Ricœur Paul (1913-2005), philosophe français.

Riefenstahl Leni (1902-2003), cinéaste allemande. Réalisatrice officielle du IIIᵉ Reich.

Riel Louis (1844-1885), métis canadien qui dirigea deux rébellions contre l'occupation anglaise. Il fut pendu.

Riemann Bernhard (1826-1866), mathématicien allemand, créateur d'une géométrie non euclidienne.

Rif, chaîne côtière du N. du Maroc. La *guerre du Rif* opposa les Français et les Espagnols à Abd el-Krim (1921-1926).

Rift Valley, suite de dépressions (plaines et lacs) de l'Afrique de l'Est.

Riga, cap. et port de la Lettonie, sur la Baltique ; 913 000 h.

Rigaud Hyacinthe (1659-1743), peintre français, auteur de portraits.

Rigveda, le plus anc. des quatre livres sacrés hindous (entre 1500 et 800 av. J.-C.).

Rijeka (*Fiume* de 1919 à 1947), port de Croatie, sur l'Adriatique ; 159 430 h.

Rilke Rainer Maria (1875-1926), écrivain autrichien : *Élégies de Duino.*

Rimbaud Arthur (1854-1891), poète français : *le Bateau ivre, Une saison en enfer.*

Rimini, stat. balnéaire d'Italie, sur l'Adriatique (Émilie) ; 129 860 h.

Rimski-Korsakov Nikolaï (1844-1908), compositeur russe : *Shéhérazade.*

Rio de Janeiro, port et anc. cap. du Brésil, cap. de l'*État de Rio de Janeiro ;* 5 615 150 h (aggl. 10 217 270 h).

Rio Grande. V. **Grande.**

Rio Grande do Norte, État du N.-E. du Brésil ; cap. Natal.

Rio Grande do Sul, État du S. du Brésil ; cap. Pôrto Alegre.

Rioja (La), commun. auton. du N. de l'Espagne ; ch.-l. Logroño.

Riom, ch.-l. d'arr. du Puy-de-Dôme ; 19 302 h.

Riopelle Jean-Paul (né en 1923), peintre abstrait canadien.

Risle, ch.-l. affl. de la Seine (140 km).

Ris-Orangis, ch.-l. de cant. de l'Essonne ; 24 788 h.

Risorgimento, mouvement nationaliste du XIXᵉ s. qui aboutit à l'unité italienne

Ritsos Yannis (1909-1990), poète grec.

Rivarol Antoine, comte de (1753-1801), écrivain royaliste français.

Rivera Diego (1886-1957), peintre mexicain.

Riviera (la), littoral méditerranéen, de Nice à La Spezia.

Rivoli, bourg d'Italie du N., où Bonaparte vainquit les Autrichiens (1797).

Riyad, cap. de l'Arabie Saoudite ; 667 000 h.

Roanne, ch.-l. d'arr. de la Loire ; 42 848 h.

Robbe-Grillet Alain (né en 1922), écrivain et cinéaste français, initiateur du Nouveau Roman.

Robbia. V. **Della Robbia.**

Robert Hubert (1733-1808), peintre et graveur préromantique français.

Robert Paul (1910-1980), lexicographe et éditeur français.

Robert Iᵉʳ (v. 865-923), roi de France en 922, ancêtre des Capétiens.

Robert II le Pieux (v. 970-1031), roi de France en 996, fils d'Hugues Capet.

Robert Bellarmin saint (1542-1621), théologien et cardinal italien de la Contre-Réforme.

Robert Courteheuse (v. 1054-1134), duc de Normandie, fils aîné de Guillaume le Conquérant.

Robert Guiscard (v. 1015-1085), aventurier normand qui conquit l'Italie du Sud et la Sicile.

Robert de Molesmes saint (v. 1028-1111), bénédictin français, fondateur de l'abbaye de Cîteaux (1098).

Robert-Houdin Jean Eugène (1805-1871), prestidigitateur français.

Roberval Gilles de (1602-1675), mathématicien et physicien français, inventeur d'une balance.

Robespierre Maximilien de (1758-1794), homme politique français. Député de la Convention, chef des Montagnards, membre du Comité de salut public, il instaura la Terreur ; renversé le 9 thermidor, il fut guillotiné.

Robin des Bois, héros légendaire anglais du Moyen Âge, défenseur des pauvres.

Robinson Ray Sugar (1920-1989), boxeur américain.

Robinson Crusoé, marin naufragé sur une île déserte, héros d'un roman de D. Defoe.

Rob Roy (1671-1734), brigand écossais, devenu figure de légende.

Rocamadour, com. du Lot. Pèlerinage à une Vierge noire.

Rocard Michel (né en 1930), homme politique français (socialiste), Premier ministre (1988-1991).

Rochambeau Jean-Baptiste de (1725-1807), maréchal de France, chef du corps expéditionnaire français lors de la guerre d'Indépendance américaine.

Rochechouart, ch.-l. d'arr. de la Haute-Vienne ; 4 053 h.

Rochefort, ch.-l. d'arr. de la Charente-Maritime ; 26 949 h.

Rochefort Henri (1831-1913), journaliste français, auteur de pamphlets contre Napoléon III.

Rochelle (La), ch.-l. et port de la Charente-Maritime ; 73 744 h.

Rochester, v. des États-Unis (New York) ; 242 600 h (aggl. 989 000 h).

Roche-sur-Yon (La), ch.-l. de la Vendée ; 48 518 h.

Rocheuses (montagnes), chaîne de l'O. de l'Amérique du Nord.

Rockefeller John Davison (1839-1937), industriel et philanthrope américain.

Rocroi (Ardennes), victoire du Grand Condé sur les Espagnols (1643).

Rodez, ch.-l. de l'Aveyron ; 26 794 h.

Rodin Auguste (1840-1917), sculpteur français : *les Bourgeois de Calais.*

Rodolphe. V. **Raoul.**

Rodolphe (lac). V. **Turkana.**

Rodolphe Iᵉʳ de Habsbourg (1218-1291), empereur germanique en 1273, fondateur de l puissance des Habsbourg.

Rodolphe de Habsbourg (1858-1889), arch duc d'Autriche, trouvé mort à Mayerling.

Rodtchenko Alexandre (1891-1956), peintre e sculpteur soviétique.

Rohan Édouard, prince de (1734-1803), cardin français, compromis dans l'affaire du Collier d la reine.

Rois (livre des), livres de l'Ancien Testamen retraçant l'histoire des Hébreux, de la mort d David à la destruction du Temple.

Rois (Vallée des), site archéologique d'Égypte, près de Louxor, nécropole des pharaons.

Roissy-en-France, com. du Val-d'Oise. Aéroport de Paris-Charles-de-Gaulle.

Roland, compagnon légendaire de Charlemagne ; héros de la *Chanson de Roland*, chanson de geste du XIIe s.

Rolland Romain (1866-1944), écrivain français : *Jean-Christophe*.

Rolling Stones (les), groupe britannique de musique pop.

Rollon (mort v. 927), chef de pirates normands, premier duc de Normandie.

Rolls-Royce, société britannique fabriquant des voitures de luxe et des moteurs d'avion.

Romagne, anc. prov. d'Italie.

Romain Jules (1492 ou 1499-1546), architecte et peintre maniériste italien.

Romains Jules (1885-1972), écrivain français : *les Hommes de bonne volonté*.

Romainville, ch.-l. de cant. de la Seine-Saint-Denis ; 23 615 h.

Romanov, dynastie russe qui régna de 1613 à 1917.

Romans-sur-Isère, ch.-l. de cant. de la Drôme ; 33 546 h.

Rome, cap. de l'Italie, sur le Tibre ; 2 828 690 h. Fondée, selon la tradition, en 753 av. J.-C., Rome fut la capitale de l'Empire romain, qui disparaît en 476. Résidence des papes, elle fut la capitale de la chrétienté occidentale, puis du catholicisme. Immense richesse monumentale. Le *traité de Rome* est l'acte fondateur de la CÉE (1957).

Romé de l'Isle Jean-Baptiste (1736-1790), fondateur français de la cristallographie.

Rommel Erwin (1891-1944), maréchal allemand, commandant de l'Afrikakorps.

Romorantin-Lanthenay, ch.-l. d'arr. du Loir-et-Cher ; 18 472 h.

Roms, nom que se donnent les Tsiganes.

Romulus, fondateur légendaire et premier roi de Rome (*Myth. rom.*).

Roncevaux, col des Pyrénées, où Roland fut tué.

Ronsard Pierre de (1524-1585), poète français, fondateur de la Pléiade : *Amours, Hymnes*.

Röntgen Wilhelm Conrad (1845-1923), physicien allemand. Il découvrit les rayons X.

Roosevelt Theodore (1858-1919), président (républicain) des États-Unis (1901-1908).

Roosevelt Franklin Delano (1882-1945), président (démocrate) des États-Unis de 1933 à sa mort, initiateur du New Deal.

Rorschach Hermann (1884-1922), neuropsychiatre suisse, auteur d'un test fondé sur l'interprétation de taches d'encre.

Rosario, v. d'Argentine, sur le Paraná ; 794 130 h.

Roscoff, stat. balnéaire du N. du Finistère.

Rose (mont), massif des Alpes (4 633 m).

Rose-Croix, confrérie mystique qui se constitua en Allemagne au XVIIe s.

Rosenberg (affaire), campagne internationale d'opinion déclenchée par l'exécution pour espionnage des époux Rosenberg, citoyens américains juifs et communistes (1953).

Rosette (pierre de), stèle trilingue découverte à Rosette (Égypte), qui permit à Champollion de déchiffrer les hiéroglyphes.

Rosi Francesco (né en 1922), cinéaste italien.

Roskilde, v. du Danemark ; 49 000 h. Cap. du royaume jusqu'au XVe s.

Rosny Joseph Henri (dit *Rosny aîné*) (1856-1940) et son frère **Séraphin Justin** (dit *Rosny jeune*) (1859-1948), écrivains français : *la Guerre du feu*.

Rosny-sous-Bois, ch.-l. de cant. de la Seine-Saint-Denis ; 37 779 h.

Ross sir John (1777-1856) et son neveu **sir James Clarke** (1800-1862), explorateurs anglais des rég. arctiques et antarctiques.

Rossellini Roberto (1906-1977), cinéaste néoréaliste italien : *Rome ville ouverte*.

Rossetti Dante Gabriel (1828-1882), peintre et poète anglais, préraphaélite.

Rossi Tino (1907-1983), chanteur français de variétés.

Rossini Gioacchino (1792-1868), compositeur italien d'opéras : *Guillaume Tell*.

Rosso (le) (1494-1540), peintre et décorateur italien de la Renaissance.

Rostand Edmond (1868-1918), auteur dramatique français : *Cyrano de Bergerac*.

Rostand Jean (1894-1977), fils du préc., biologiste français.

Rostock, port d'Allemagne (Mecklembourg-Poméranie) ; 236 010 h.

Rostopchine Fedor, comte (1763-1826), général russe, gouverneur de Moscou en 1812. Père de la comtesse de Ségur.

Rostov-sur-le-Don, v. de Russie ; 1 015 000 h.

Rostropovitch Mstislav (né en 1927), violoncelliste et chef d'orchestre russe.

Roth Joseph (1894-1939), romancier autrichien : *la Marche de Radetzky*.

Roth Philip (né en 1933), romancier américain : *Portnoy et son complexe*.

Rothko Mark (1903-1970), peintre abstrait américain d'origine russe.

Rothschild, famille de financiers israélites d'origine allemande (Francfort) qui se sont également établis à Paris et à Londres.

Rotrou Jean de (1609-1650), auteur dramatique français, préclassique.

Rotterdam, v. des Pays-Bas et premier port du monde ; 574 300 h (aggl. 1 025 500 h).

Rouault Georges (1871-1958), peintre français.

Roubaix, ch.-l. de cant. du Nord ; 98 179 h.

Roublev Andreï (v. 1360-v. 1430), moine russe, peintre d'icônes.

Rouch Jean (né en 1917), cinéaste français : *Moi un Noir*.

Rouen, ch.-l. de la Seine-Maritime et de la Rég. Haute-Normandie ; 105 470 h (aggl. 380 200 h).

Rouergue, rég. du S. de la France ; cap. Rodez.

Rouge (fleuve), fl. du Viêt-nam (1 200 km).

Rouge (mer), mer qui sépare l'Afrique et l'Arabie.

Rouge (place), centre historique de Moscou, entre le Kremlin et la vieille ville.

Rouget de Lisle Claude (1760-1836), officier français, auteur de *la Marseillaise*.

Rouher Eugène (1814-1884), homme politique français du Second Empire.

Roulers, v. de Belgique ; 51 980 h.

Roumanie, État du S.-E. de l'Europe ; 237 500 km² ; 21 600 000 h ; cap. Bucarest.

Roumanille Joseph (1818-1891), écrivain français d'expression provençale.

Rousseau Jean-Jacques (1712-1778), écrivain et philosophe genevois : l'*Émile, les Confessions, Du contrat social.*

Rousseau Théodore (1812-1867), peintre français de l'école de Barbizon.

Rousseau Henri (dit *le Douanier*) (1844-1910), peintre naïf français.

Roussel Albert (1869-1937), compositeur français : *le Festin de l'araignée.*

Roussel Raymond (1877-1933), écrivain français : *Locus Solus.*

Roussillon, anc. prov. française ; cap. Perpignan.

Roux Émile (1853-1933), médecin français, collaborateur de Pasteur.

Roxane (morte v. 310 av. J.-C.), épouse d'Alexandre le Grand.

Royan, stat. balnéaire de la Charente-Maritime ; 17 500 h.

Royaume-Uni. *V. Grande-Bretagne.*

Royaumont, centre culturel situé dans une abbaye du XIIIᵉ s. (Val-d'Oise).

RPF, sigle de *Rassemblement du peuple français,* parti politique fondé par Ch. de Gaulle (1947-1953).

RPR, sigle de *Rassemblement pour la République,* parti fondé par J. Chirac (1976-2002).

Ruanda. *V. Rwanda.*

Rubens Pierre Paul (1577-1640), peintre baroque flamand.

Rubicon (le), riv. qui séparait la Gaule Cisalpine de l'Italie, que César franchit en 50 av. J.-C., se mettant ainsi dans l'illégalité.

Rubinstein Anton (1829-1894), compositeur et pianiste russe.

Rubinstein Arthur (1887-1982), pianiste américain d'origine polonaise.

Rudaki (mort en 940), poète lyrique persan.

Rude François (1784-1855), sculpteur romantique français : *la Marseillaise.*

Rueil-Malmaison, ch.-l. de cant. des Hauts-de-Seine ; 67 323 h. Château qui fut habité par Bonaparte et Joséphine.

Rugby, v. universitaire d'Angleterre ; 59 560 h.

Ruhr (la), riv. d'Allemagne (235 km), affl. du Rhin, qui a donné son nom à un foyer industriel

d'importance mondiale ; v. princ. Essen, Dortmund, Duisburg, Düsseldorf.

Ruisdael. *V. Ruysdael.*

Rumford Benjamin Thompson, comte (1753-1814), physicien américain.

Rungis, com. du Val-de-Marne ; marché qui a remplacé les Halles de Paris (1969).

Rushdie Salman (né en 1947), écrivain britannique d'orig. indienne : *les Enfants de minuit.*

Ruskin John (1819-1900), critique d'art et sociologue anglais.

Russell Bertrand (1872-1970), mathématicien, logicien et philosophe britannique : *Principia mathematica.*

Russell Henry Norris (1877-1957), mathématicien et astronome américain.

Russie, État d'Europe orientale et d'Asie (Sibérie), anc. rép. fédérée de l'URSS ; 17 075 400 km² ; 143 000 000 h ; cap. Moscou. La *campagne de Russie* fut entreprise en 1812 par Napoléon Iᵉʳ jusqu'à Moscou, où il dut faire retraite dans des conditions désastreuses ; la Grande Armée fut décimée.

Russie Blanche. *V. Biélorussie.*

russo-japonaise (guerre), conflit qui opposa le Japon à la Russie, qui, vaincue, dut évacuer la Mandchourie (1904-1905).

Rutebeuf, poète parisien du XIIIᵉ s.

Ruthénie, rég. d'Europe orientale, auj. en Ukraine.

Rutherford of Nelson Ernest, lord (1871-1937), physicien anglais, initiateur de la physique nucléaire.

Ruysbroek. *V. Van Ruysbroek.*

Ruysdael ou **Ruisdael** Jacob Van (v. 1628-1682), peintre hollandais, paysagiste.

Ruyter Michiel de (1607-1676), amiral néerlandais.

Rwanda ou **Ruanda,** État d'Afrique centrale ; 26 338 km² ; 8 700 000 h ; cap. Kigali.

Ryad. *V. Riyad.*

Ryswick, v. des Pays-Bas ; 48 660 h. Les *traités de Ryswick* mirent fin à la guerre de la ligue d'Augsbourg (1697).

Ryukyu, archipel japonais dont fait partie l'île d'Okinawa.

Saadi Mucharrif al-Dîn (v. 1213-v. 1290), poète persan : *le Gulistan*.

Saarinen Eero (1910-1961), architecte et designer américain d'origine finlandaise.

Saba, anc. royaume de l'Arabie, dont la reine rendit visite au roi Salomon (*Bible*).

Sabadell, v. d'Espagne (Catalogne) ; 184 940 h.

Sabah (anc. *Bornéo-Septentrional*), État fédéré de Malaisie (Kalimantan).

Sabins, anc. peuple de l'Italie centrale.

Sables-d'Olonne (Les), ch.-l. d'arr. et stat. balnéaire de la Vendée ; 16 245 h.

Sacco et Vanzetti (affaire), campagne internationale d'opinion déclenchée par la condamnation à mort aux États-Unis de Nicola Sacco et Bartolomeo Vanzetti, immigrés italiens et militants anarchistes (1921-1927).

Sacher-Masoch Leopold von (1836-1895), écrivain autrichien : *la Vénus à la fourrure*.

Sachs Hans (1494-1576), poète-musicien allemand, immortalisé par Wagner.

Sachs Nelly (1891-1970), écrivain suédois d'origine allemande et d'expression allemandes.

Saclay, centre de recherches nucléaires (Essonne).

Sacramento, v. des États-Unis, cap. de la Californie ; 304 100 h (aggl. 1 219 600 h).

Sacré-Cœur (basilique du), église de Paris, sur la butte Montmartre.

Sadate Anouar el- (1918-1981), homme politique égyptien, successeur de Nasser en 1970. Il signa la paix avec Israël ; il mourut assassiné.

Sade Donatien, marquis de (1740-1814), écrivain français : *la Philosophie dans le boudoir*.

Sadowa (Bohême), victoire de l'armée prussienne sur les Autrichiens (1866).

Safi, port du Maroc ; 197 310 h.

Sagan Françoise (1935-2004), écrivain français : *Bonjour tristesse*.

Sagittaire (le), constellation australe et signe du zodiaque (23 novembre-21 décembre).

Saguenay, v. du Canada (Québec) ; 148 000 h.

Sahara, désert du N. de l'Afrique, le plus grand du monde (env. 10 000 000 km²).

Sahara occidental, anc. *Sahara espagnol*, annexé par le Maroc ; v. princ. Laâyoune.

Sahel, rég. sèche du bordure S. du Sahara.

Saigon. V. Hô Chi Minh-Ville.

Saint-Amand-Montrond, ch.-l. d'arr. du Cher ; 12 377 h.

Saint-Amant Marc Antoine de (1594-1661), poète français.

Saint-André, ch.-l. de cant. de la Réunion ; 35 375 h.

Saint-Ange (château), anc. mausolée d'Hadrien à Rome, transformé en citadelle.

Saint-Barthélemy, île française des Antilles, dépendant de la Guadeloupe.

Saint-Barthélemy (la), massacre des protestants perpétré à Paris dans la nuit du 24 août 1572 sur l'ordre de Charles IX.

Saint-Benoît, ch.-l. d'arr. de la Réunion ; 26 457 h.

Saint-Benoît-sur-Loire, com. du Loiret. Abbaye bénédictine fondée v. 651.

Saint-Bernard (Grand-), col des Alpes, entre la Suisse et l'Italie (2 473 m).

Saint-Bernard (Petit-), col des Alpes, entre la France et l'Italie (2 188 m).

Saint-Bertrand-de-Comminges, com. de la Haute-Garonne. Cathédrale et cloître roman.

Saint-Brieuc, ch.-l. des Côtes-d'Armor ; 47 370 h.

Saint Catharines, v. du Canada (Ontario) ; 123 460 h.

Saint-Chamond, ch.-l. de cant. de la Loire ; 39 262 h.

Saint-Christophe et Niévès (en anglais *Saint Kitts and Nevis*), État des Petites Antilles ; 261 km² ; 45 000 h ; cap. Basseterre.

Saint-Clair-sur-Epte, traité qui laissait la future Normandie à Rollon (911).

Saint-Claude, ch.-l. d'arr. du Jura ; 13 265 h.

Saint-Cloud, ch.-l. de cant. des Hauts-de-Seine ; 28 673 h.

Saint-Cyran, *V. Du Vergier.*

Saint-Cyr-l'École, ch.-l. de cant. des Yvelines ; 15 838 h. Anc. siège d'une école d'officiers.

Saint-Denis, ch.-l. de cant. de la Seine-Saint-Denis ; 90 806 h. Basilique gothique abritant les tombeaux des rois de France.

Saint-Denis, ch.-l. de la Réunion ; 122 875 h.

Saint-Dié-des-Vosges, ch.-l. d'arr. des Vosges ; 23 670 h.

Saint-Dizier, ch.-l. d'arr. de la Haute-Marne ; 35 558 h.

Saint-Domingue. *V. Haïti.*

Saint-Domingue, cap. de la rép. Dominicaine ; 1 318 200 h.

Sainte-... *V. après Saint-Vincent.*

Saint Empire romain germanique, empire fondé en 962 par Otton Ier et dissous en 1806.

Saint-Étienne, ch.-l. de la Loire ; 201 569 h.

Saint-Étienne-du-Rouvray, ch.-l. de cant. de la Seine-Maritime ; 31 012 h.

Saint-Évremond Charles de (v. 1614-1703), écrivain libertin français.

Saint-Exupéry Antoine de (1900-1944), aviateur et écrivain français : *Vol de nuit, le Petit Prince.*

Saint-Flour, ch.-l. d'arr. du Cantal ; 8 347 h.

Saint-Gall, v. du N.-E. de la Suisse ; 75 850 h ; ch.-l. du *canton de Saint-Gall.*

Saint-Gaudens, ch.-l. d'arr. de la Haute-Garonne ; 11 888 h.

Saint George (canal), détroit entre la Grande-Bretagne et l'Irlande.

Saint George's, cap. de l'État de Grenade ; 31 000 h.

Saint-Germain-des-Prés, abbaye parisienne fondée par Childebert Ier v. 558.

Saint-Germain-en-Laye, ch.-l. d'arr. des Yvelines ; 41 710 h.

Saint-Germain-l'Auxerrois, église gothique de Paris, en face du Louvre.

Saint-Girons, ch.-l. d'arr. de l'Ariège ; 7 065 h.

Saint-Gothard, massif des Alpes suisses, où le Rhône et le Rhin prennent leur source.

Saint-Hélier, ch.-l. de Jersey ; 28 000 h.

Saint-Herblain, ch.-l. de cant. de la Loire-Atlantique ; 43 439 h.

Saint-Jacques-de-Compostelle, v. d'Espagne, cap. de la Galice ; 82 400 h. Cathédrale romane (XIIe s.), pèlerinage.

Saint-Jean-Cap-Ferrat, stat. balnéaire des Alpes-Maritimes.

Saint-Jean-d'Angély, ch.-l. d'arr. de la Charente-Maritime ; 8 687 h.

Saint-Jean-de-Luz, ch.-l. de cant. et stat. balnéaire des Pyrénées-Atlantiques ; 13 181 h.

Saint-Jean-de-Maurienne, ch.-l. d'arr. de la Savoie ; 9 830 h.

Saint-John Perse (Alexis Léger, dit) (1887-1975), poète français : *Anabase, Amers.*

Saint John's, cap. d'Antigua ; env. 30 000 h.

Saint John's ou **Saint-Jean,** v. du Canada, ch.-l. de Terre-Neuve-et-Labrador ; 96 220 h.

Saint-Julien-en-Genevois, ch.-l. d'arr. de la Haute-Savoie ; 8 048 h.

Saint-Just Louis (1767-1794), homme politique français. Membre du Comité de salut public, il fut exécuté avec Robespierre.

Saint Kitts and Nevis. V. *Saint-Christophe.*

Saint-Laurent, fl. d'Amérique du Nord (3 700 km), reliant les Grands Lacs à l'Atlantique (*golfe du Saint-Laurent*).

Saint-Laurent Louis Stephen (1882-1973), homme politique canadien (libéral).

Saint-Laurent Yves (né en 1936), couturier français.

Saint-Laurent-du-Maroni, ch.-l. d'arr. de la Guyane ; 13 894 h.

Saint-Lô, ch.-l. de la Manche ; 22 819 h.

Saint-Louis, ch.-l. de cant. de la Réunion ; 37 798 h.

Saint-Louis (île), île de la Seine, à Paris.

Saint Louis, v. des États-Unis (Missouri) ; 429 300 h (aggl. 2 398 400 h).

Saint-Louis, port du Sénégal ; 118 200 h.

Saint Louis. V. *Louis IX.*

Saint-Malo, ch.-l. d'arr. et port d'Ille-et-Vilaine ; 49 274 h. Remparts.

Saint-Marin, petite rép. enclavée en territoire italien ; 61,2 km² ; 24 300 h.

Saint-Martin, île des Petites Antilles, partagée entre la France et les Pays-Bas.

Saint-Martin-d'Hères, ch.-l. de cant. de l'Isère ; 34 501 h.

Saint-Maur-des-Fossés, ch.-l. de cant. du Val-de-Marne ; 77 492 h.

Saint-Michel-de-Provence, observatoire d'astrophysique (Alpes-de-Haute-Provence).

Saint-Moritz, stat. hivernale de Suisse (Grisons).

Saint-Nazaire, ch.-l. d'arr. de la Loire-Atlantique ; 66 087 h.

Saint-Nicolas, v. de Belgique (Flandre-Orientale) ; 68 200 h.

Saint-Office, congrégation pontificale fondée en 1542 afin de combattre la Réforme, devenue Congrégation pour la doctrine de la foi en 1965.

Saint-Omer, ch.-l. d'arr. du Pas-de-Calais ; 15 304 h.

Saint-Ouen, ch.-l. de cant. de la Seine-Saint-Denis ; 42 611 h.

Saint-Paul ou **Saint-Paul-de-Vence,** com. des Alpes-Maritimes. Centre artistique.

Saint-Paul, ch.-l. d'arr. de la Réunion ; 71 952 h.

Saint Paul, v. des États-Unis, cap. du Minnesota ; 265 900 h ; conurbation avec Minneapolis.

Saint-Pétersbourg (*Petrograd* de 1914 à 1924, *Leningrad* de 1924 à 1991), v. de Russie ; 4 995 000 h.

Saint Petersburg, port des États-Unis (Floride) ; 241 300 h.

Saint-Phalle Niki de (1930-2002), peintre et sculpteur français.

Saint-Pierre, ch.-l. de cant. de la Martinique ; 5 045 h. Détruite en 1902 par l'éruption de la montagne Pelée (28 000 victimes).

Saint-Pierre, ch.-l. d'arr. de la Réunion ; 59 645 h.

Saint-Pierre de Rome, basilique du Vatican, la plus vaste de la chrétienté (XVIe-XVIIe s.).

Saint-Pierre-et-Miquelon, archipel au S. de Terre-Neuve et dép. français d'outre-mer ; 242 km² ; 6 392 h ; ch.-l. Saint-Pierre (5 415 h).

Saint-Pierre-Port, cap. de Guernesey ; 17 000 h.

Saint-Pol-Roux (Paul Roux, dit) (1861-1940), poète symboliste français.

Saint-Priest, ch.-l. de cant. du Rhône ; 42 131 h.

Saint-Quentin, ch.-l. d'arr. de l'Aisne, sur le *canal de Saint-Quentin* (entre l'Escaut et l'Oise) ; 62 085 h.

Saint-Quentin-en-Yvelines, v. nouvelle créée en 1972 ; 153 998 h.

Saint-Raphaël, stat. balnéaire du Var ; 24 310 h.

Saint-Rémy-de-Provence, ch.-l. de cant. des Bouches-du-Rhône ; 8 439 h. Ruines de Glanum.

Saint-Saëns Camille (1835-1921), compositeur français : *Samson et Dalila, Carnaval des animaux.*

Saint-Sébastien, port d'Espagne ; 175 510 h ch.-l. de la prov. basque de Guipúzcoa.

Saint-Sépulcre (le), constructions érigées à Jérusalem sur le tombeau du Christ.

Saint-Siège (le), gouvernement de l'Églis catholique, à Rome.

Saint-Simon Louis, duc de (1675-1755), écrivain français : *Mémoires*.

Saint-Simon Claude Henri, comte de (1760-1825), philosophe français, théoricien du socialisme : *le Catéchisme des industriels*.

Saint-Sulpice, société de prêtres (sulpiciens), se destinant à la formation des séminaristes.

Saint-Tropez, stat. balnéaire du Var.

Saint-Vincent, cap au S.-O. du Portugal.

Saint-Vincent et Grenadines, État des Petites Antilles ; 389 km² ; 123 000 h ; cap. Kingstown.

Sainte-Baume (la), massif de Provence.

Sainte-Beuve Charles Augustin (1804-1869), écrivain français : *Causeries du lundi*.

Sainte-Chapelle, chapelle gothique située dans l'enceinte du Palais de Justice de Paris.

Sainte-Claire-Deville Henri (1818-1881), chimiste français.

Sainte-Geneviève-des-Bois, ch.-l. de cant. de l'Essonne ; 31 372 h.

Sainte-Hélène, île britannique de l'Atlantique Sud. Napoléon y fut déporté de 1815 à sa mort.

Sainte-Lucie, État des Petites Antilles ; 616 km² ; 136 000 h ; cap. Castries.

Sainte-Menehould, ch.-l. d'arr. de la Marne ; 5 410 h.

Sainte-Mère-Église, ch.-l. de cant. de la Manche, où une division américaine fut parachutée le 6 juin 1944.

Sainte-Sophie, anc. basilique de Constantinople (VIᵉ s.), devenue mosquée, puis musée.

Saintes, ch.-l. d'arr. de la Charente-Maritime ; 27 546 h.

Saintes (les), archipel des Antilles, dépendant de la Guadeloupe.

Saintes-Maries-de-la-Mer, ch.-l. de cant. des Bouches-du-Rhône. Pèlerinage gitan.

Saintonge, prov. de France ; cap. Saintes.

Saïs, v. de l'Égypte ancienne, dans le Delta.

Sakai, v. du Japon (Honshu) ; 818 270 h.

Sakalaves, peuple de Madagascar.

Sakha (anc. *Iakoutie*), rép. auton. de Russie (Sibérie centrale) ; cap. Iakoutsk.

Sakhaline, île de Russie, au N. du Japon.

Sakharov Andreï (1921-1989), physicien nucléaire soviétique, défenseur des droits de l'homme en URSS.

Sakkarah. V. *Saqqarah*.

Salacrou Armand (1899-1989), auteur dramatique français : *Boulevard Durand*.

Saladin Iᵉʳ (1138-1193), premier sultan ayyubide en 1171. Il reprit Jérusalem aux chrétiens.

Salamanque, v. d'Espagne (Castille et León) ; 152 770 h. Monuments anciens.

Salamine, île de Grèce, au large du Pirée. Victoire navale de Thémistocle sur les Perses (480 av. J.-C.).

Salan Raoul (1899-1984), général français, chef de l'OAS.

Salazar Antonio (1889-1970), homme politique portugais, au pouvoir de 1932 à 1968.

Salé, v. du Maroc ; 289 390 h.

Salengro Roger (1890-1936), homme politique français (socialiste). Il se suicida.

Salerne, v. d'Italie (Campanie) ; 156 600 h.

Salgado Sebastião (né en 1944), photographe brésilien.

Salieri Antonio (1750-1825), compositeur italien, rival de Mozart.

Salinger Jerome David (né en 1919), romancier américain : *l'Attrape-cœur*.

Salisbury, v. d'Angleterre ; 35 360 h. Cathédrale.

Salisbury. V. *Harare*.

Salisbury Robert, marquis de (1830-1903), homme politique britannique (conservateur).

Salluste (86-v. 35 av. J.-C.), historien latin.

Salo, v. d'Italie du Nord, siège de la *République sociale italienne* (septembre 1943-avril 1945), fondée par Mussolini.

Salomé (morte v. 72), princesse juive, fille d'Hérodiade, elle obtint la tête de saint Jean-Baptiste.

Salomon (îles), État du Pacifique ; 28 446 km² ; 305 500 h ; cap. Honiara.

Salomon, roi d'Israël de 970 à 931 av. J.-C., fils de David et de Bethsabée.

Salomon Ernst von (1902-1972), écrivain allemand : *les Réprouvés*.

Salon-de-Provence, ch.-l. de cant. des Bouches-du-Rhône ; 35 041 h.

Salonique. V. *Thessalonique*.

Salouen (le ou la), fl. d'Asie du Sud-Est (Chine, Birmanie) (2 500 km).

Salpêtrière (la), hôpital de Paris.

Saltillo, v. du N.-E. du Mexique ; 284 940 h.

Salt Lake City, v. des États-Unis (Utah) ; 164 800 h (aggl. 1 025 300 h). Temple mormon.

Saltykov-Chtchedrine (1826-1889), romancier russe satirique.

Salut (Armée du), V. *Armée du Salut*.

Salvador, État d'Amérique centrale, sur le Pacifique ; 21 041 km² ; 6 900 000 h ; cap. San Salvador.

Salvador (anc. *Bahia*), port du Brésil, cap. de l'État de Bahia ; 1 811 370 h.

Salzbourg, v. d'Autriche, cap. du *Land de Salzbourg* ; 139 430 h (aggl. 267 280 h). Festival Mozart.

Sam (Oncle), personnification du peuple des États-Unis.

Samara (*Kouïbychev* de 1935 à 1990), v. de Russie, sur la Volga ; 1 292 000 h.

Samarie, rég. de la Palestine centrale et anc. v. qui fut la cap. d'Israël de 880 à 720 av. J.-C.

Samarkand, v. de l'Ouzbékistan ; 371 000 h. Cap. de l'empire de Tamerlan (XVᵉ s.).

Sambre (la), affl. de la Meuse (190 km).

Sammartini Giovanni Battista (v. 1700-1775), compositeur italien.

Samnites, anc. peuple d'Italie centrale.

Samoa, archipel de Polynésie, formé des *Samoa orientales* ou *américaines* et de l'*État des Samoa* (2 842 km² ; 163 000 h ; cap. Apia).

Samory Touré (v. 1837-1900), souverain mandingue qui s'opposa à l'expansion française.

Samos, île grecque de la mer Égée (Sporades).

Samothrace, île grecque de la mer Égée, où fut trouvée une statue de Victoire (Louvre).

Samoyèdes, peuple de Sibérie.

Sampaio Jorge (né en 1939), président de la République du Portugal de 1996 à 2006.

Samson, juge d'Israël, doué d'une force surhumaine (*Bible*).

Samuel, prophète et juge d'Israël (*Bible*).

Samuelson Paul Anthony (né en 1915), économiste américain.

Sanaa, cap. du Yémen ; env. 500 000 h.

Sanaga (la), fl. du Cameroun (520 km).

San Andreas, faille qui fissure la Californie.

San Antonio, v. des États-Unis (Texas) ; 914 350 h.

Sanchi, site archéologique de l'Inde centrale.

Sancho Pança, personnage de Cervantès, écuyer de Don Quichotte.

San Cristóbal, v. du Venezuela ; 230 950 h.

Sancy (puy de), point culminant du Massif central (1 886 m).

Sand (Aurore Dupin, dite George) (1804-1876), écrivain français : *la Mare au diable.*

San Diego, port des États-Unis (Californie) ; 960 150 h (aggl. 2 063 900 h).

Sandino César (1895-1934), patriote nicaraguayen en lutte contre les États-Unis ; assassiné.

Sandwich (îles). V. *Hawaii.*

San Francisco, port des États-Unis (Californie), sur la *baie de San Francisco* ; 749 000 h (aggl. 4 264 000 h). La *première conférence de San Francisco* (1945) établit la charte des Nations unies ; la *seconde conférence* (1951), le traité de paix avec le Japon.

Sangallo Giuliano da (v. 1445-1516), architecte florentin de la Renaissance.

Sangallo Antonio (dit *le Jeune*) (1483-1546), architecte italien. Palais Farnèse, à Rome.

San Gimignano, cité médiévale de Toscane.

Sangnier Marc (1873-1950), homme politique français, promoteur du christianisme social.

Sanguinaires (les), îles de la Corse, en face d'Ajaccio.

San Jose, v. des États-Unis (Californie) ; 712 080 h (aggl. 1 360 000 h).

San José, cap. du Costa Rica ; 274 830 h.

San Juan, cap. de Porto Rico ; 435 000 h (aggl. env. 1 050 000 h).

Sankt Pölten, v. d'Autriche, cap. de la Basse-Autriche ; 51 000 h. Monuments baroques.

San Luis Potosi, v. du Mexique ; 362 370 h.

San Martin José de (1778-1850), général argentin ; héros de l'Indépendance latino-américaine.

San Miguel de Tucumán, v. du N.-O. de l'Argentine ; 394 120 h.

San Pedro Sula, v. du Honduras ; 397 200 h.

San Remo ou **Sanremo,** stat. balnéaire d'Italie (Ligurie) ; 60 790 h.

San Salvador, cap. du Salvador ; 1 057 000 h.

Sans-Souci (château de), château de Prusse, près de Potsdam, bâti pour Frédéric II.

Santa Anna Antonio López de (1791-1876), homme politique mexicain. Il céda le N. du pays (Texas, Californie) aux États-Unis.

Santa Cruz de la Sierra, v. de Bolivie ; 441 730 h.

Santa Cruz de Tenerife, port des Canaries ; 212 520 h.

Santander, port du N. de l'Espagne, cap. de la Cantabrie ; 188 180 h.

Santiago, cap. du Chili ; 4 913 060 h.

Santiago de Cuba, port de Cuba ; 402 050 h.

Santorin ou **Thêra,** île grecque du S. des Cyclades.

Santos, port du Brésil (São Paulo) ; 461 100 h.

Santos-Dumont Alberto (1873-1932), aéronaute brésilien, pionnier de l'aviation.

Sao Francisco (le), fl. du Brésil (3 161 km).

São Luís do Maranhão, port du Brésil (Nordeste) ; 564 430 h.

São Miguel, principale île des Açores ; ch.-l. Ponta Delgada.

Saône (la), affl. du Rhône (480 km).

Saône (Haute-), dép. français (70) (Franche-Comté) ; 5 343 km² ; 237 929 h ; ch.-l. Vesoul.

Saône-et-Loire, dép. français (71) (Bourgogne) ; 8 565 km² ; 572 402 h ; ch.-l. Mâcon.

São Paulo, première v. du Brésil, cap. de l'*État de São Paulo* ; 10 099 090 h.

São Tomé et Príncipe, archipel et État du golfe de Guinée ; 964 km² ; 200 000 h ; cap. São Tomé (25 000 h).

Sapir Edward (1884-1939), linguiste américain.

Sappho ou **Sapho** (v. 620-v. 580 av. J.-C.), poétesse lyrique grecque.

Sapporo, v. du Japon (Hokkaido) ; 1 562 370 h.

Saqqarah ou **Sakkarah,** site archéologique d'Égypte, au S.-O. du Caire.

Sara ou **Sarah,** épouse d'Abraham, mère d'Isaac (*Bible*).

Saragosse, v. d'Espagne ; 592 670 h ; cap. de l'Aragon. Cathédrale.

Sarajevo, cap. de la Bosnie-Herzégovine ; 319 020 h. Le 28 juin 1914, l'assassinat de l'archiduc François-Ferdinand déclencha la Première Guerre mondiale.

Sarakollés ou **Soninkés,** peuple mandingue de l'Afrique occidentale.

Saramago José (né en 1922), écrivain portugais.

Saratoga Springs (bataille de), capitulation des Anglais devant les Américains (1777).

Saratov, v. de Russie, sur la Volga ; 926 000 h.

Sarawak, État de Malaisie (N.-O. de Bornéo).

Sarcelles, v. du Val-d'Oise ; 57 121 h.

Sardaigne, île et rég. admin. de l'Italie, au S. de la Corse ; ch.-l. Cagliari.

Sardanapale, dernier souverain d'Assyrie, dans la légende grecque.

Sardes, anc. cap. de la Lydie.

Sargasses (mer des), zone de l'Atlantique Nord, à l'E. des Bahamas.

Sargon II (mort en 705 av. J.-C.), roi d'Assyrie en 722.

Sarh (anc. *Fort-Archambault*), v. du S. du Tchad ; 37 000 h.

Sarlat-la-Canéda, ch.-l. d'arr. de la Dordogne ; 10 648 h.

Sarmates, peuple nomade originaire d'Asie centrale (IIIe-Ier s. av. J.-C.).

Sarnath, lieu, au N. de Bénarès, où le Bouddha prêcha pour la première fois.

Sarrasins, les musulmans au Moyen Âge.

Sarraute Nathalie (1900-1999), écrivain français : *l'Ère du soupçon.*

Sarre (la), affl. de la Moselle (240 km).

Sarre, Land d'Allemagne ; cap. Sarrebruck.

Sarrebourg, ch.-l. d'arr. de la Moselle ; 15 139 h.

Sarrebruck, v. d'Allemagne, cap. de la Sarre ; 184 350 h.

Sarreguemines, ch.-l. d'arr. de la Moselle ; 23 684 h.

Sartène, ch.-l. d'arr. de la Corse-du-Sud ; 3 649 h.

Sarthe (la), affl. de la Maine (285 km).

Sarthe, dép. français (72) (Pays de la Loire) ; 6 210 km² ; 525 554 h ; ch.-l. Le Mans.

Sartre Jean-Paul (1905-1980), philosophe existentialiste et écrivain français : *l'Être et le Néant, la Nausée.*

Sartrouville, ch.-l. de cant. des Yvelines ; 50 440 h.

Saskatchewan (la), prov. du centre du Canada ; cap. Regina.

Sassanides, dynastie perse (226-651), qui succomba à la conquête arabe.

Sassari, v. d'Italie (Sardaigne) ; 119 840 h.

Satan, chef des anges rebelles devenu l'esprit du mal (*Bible*).

Satie Erik (1866-1925), compositeur français.

Satory, camp militaire près de Versailles.

Saturne, divinité italique identifiée au Cronos des Grecs (*Myth. rom.*).

Saturne, planète du système solaire entourée d'un système d'anneaux.

Saül (mort v. 1015 av. J.-C.), premier roi des Hébreux.

Sault-Sainte-Marie, v. du Canada (Ontario) ; 80 910 h.

Saumur, ch.-l. d'arr. de Maine-et-Loire ; 31 894 h.

Saussure Horace Bénédict de (1740-1799), physicien suisse. Il organisa la première ascension du mont Blanc (1786).

Saussure Ferdinand (1857-1913), linguiste suisse, fondateur de la linguistique moderne.

Sauvy Alfred (1898-1990), démographe et économiste français.

Save (la), affl. du Danube (940 km).

Saverne, ch.-l. d'arr. du Bas-Rhin, au pied du *col de Saverne* qui relie l'Alsace et la Lorraine ; 10 448 h.

Savigny-sur-Orge, ch.-l. de cant. de l'Essonne ; 33 651 h.

Savoie, anc. prov. du royaume de Piémont, rattachée à la France en 1860. La *maison de Savoie* a régné sur l'Italie jusqu'en 1946.

Savoie, dép. français (73) (Rhône-Alpes) ; 6 036 km² ; 357 679 h ; ch.-l. Chambéry.

Savoie (Haute-), dép. français (74) (Rhône-Alpes) ; 4 391 km² ; 579 359 h ; ch.-l. Annecy.

Savonarole Jérôme (1452-1498), prédicateur florentin ; excommunié et brûlé.

Savone, port d'Italie (Ligurie) ; 75 070 h.

Saxe, Land d'Allemagne ; cap. Dresde.

Saxe (Basse-), Land d'Allemagne ; cap. Hanovre.

Saxe Maurice, comte de (dit le *Maréchal de Saxe*) (1696-1750), maréchal de France, victorieux à Fontenoy (1745).

Saxe-Anhalt, Land d'Allemagne ; cap. Magdeburg.

Saxons, peuple germanique qui s'implanta en Angleterre au Ve s.

Say Jean-Baptiste (1767-1832), économiste français, partisan du libre-échange.

Scala (la), opéra de Milan.

Scanderbeg ou **Skanderbeg** (v. 1403-1468), prince albanais qui lutta contre les Turcs.

Scandinavie, la Norvège, la Suède, le Danemark et la Finlande.

Scanie, rég. du S. de la Suède ; cap. Malmö.

Scarlatti Alessandro (1660-1725), compositeur italien. Il a fixé la forme de l'opéra.

Scarlatti Domenico (1685-1757), fils du préc., compositeur italien : *Sonates pour clavecin*.

Scarpe, (la), affl. de l'Escaut (100 km).

Scarron Paul (1610-1660), écrivain français : *Roman comique*.

Sceaux, ch.-l. de cant. des Hauts-de-Seine ; 19 202 h. Parc de Le Nôtre.

Scève Maurice (v. 1501-v. 1560), poète français de la Renaissance lyonnaise.

Schaeffer Pierre (1910-1995), compositeur français (musique concrète).

Schaffhouse, com. de Suisse ; 34 250 h ; ch.-l. du *canton de Schaffhouse.*

Schatzman Evry (né en 1920), astrophysicien français.

Schéhadé Georges (1907-1989), écrivain libanais d'expression française.

Schelling Friedrich von (1775-1854), philosophe idéaliste allemand.

Schiele Egon (1890-1918), peintre et graveur expressionniste autrichien.

Schiller Friedrich von (1759-1805), écrivain allemand : *Hymne à la joie, Don Carlos.*

Schiltigheim, v. du Bas-Rhin ; 29 330 h.

Schirmeck, ch.-l. de cant. du Bas-Rhin. Camp de concentration nazi.

schisme d'Occident (grand), conflit qui divisa l'Église romaine de 1378 à 1417.

schisme d'Orient, rupture entre l'Église orientale (orthodoxe) et l'Église romaine (1054).

Schlegel August von (1767-1845), écrivain allemand, théoricien du romantisme.

Schleswig-Holstein, Land du N. de l'Allemagne ; cap. Kiel.

Schliemann Heinrich (1822-1890), archéologue allemand. Il découvrit le site de Troie.

Schlucht (la), col des Vosges (1 139 m).

Schmidt Helmut (né en 1918), chancelier (social-démocrate) de la RFA (1974-1982).

Schmitt Florent (1870-1958), compositeur français : *la Tragédie de Salomé.*

Schneider, famille d'industriels français du Creusot.

Schnitzler Arthur (1862-1931), écrivain autrichien : *la Ronde.*

Schœlcher Victor (1804-1893), homme politique français. Il fit abolir l'esclavage (1848).

Schöffer Nicolas (1912-1992), sculpteur français d'origine hongroise. Mobiles.

Schönberg Arnold (1874-1951), compositeur autrichien, théoricien du dodécaphonisme : *Pierrot lunaire.*

Schönbrunn, château impérial, dans la banlieue de Vienne (XVIIIe s.).

Schongauer Martin (v. 1450-1491), peintre et graveur alsacien.

Schopenhauer Arthur (1788-1860), philosophe allemand : *le Monde comme volonté et comme représentation.*

Schröder Gerhard (né en 1944), chancelier (social-démocrate) de l'Allemagne de 1998 à 2005.

Schrödinger Erwin (1887-1961), physicien autrichien. Mécanique ondulatoire.

Schubert Franz (1797-1828), compositeur romantique autrichien.

Schuman Robert (1886-1963), homme politique français. Démocrate-chrétien, il fut l'un des promoteurs de l'idée européenne.

Schumann Robert (1810-1856), compositeur romantique allemand.

Schumpeter Joseph (1883-1950), économiste autrichien.

Schuschnigg Kurt von (1897-1977), chancelier (chrétien-social) de l'Autriche (1934-1938). Il tenta de s'opposer à l'Anschluss.

Schütz Heinrich (1585-1672), compositeur allemand.

Schwann Theodor (1810-1882), physiologiste allemand. Il a défini la cellule.

Schwartz Laurent (né en 1915), mathématicien français.

Schweitzer Albert (1875-1965), pasteur, médecin et musicologue français. Il fonda un hôpital à Lambaréné.

Schwerin, v. d'Allemagne, cap. du Land de Mecklembourg-Poméranie ; 122 260 h.

Schwitters Kurt (1887-1948), peintre, sculpteur et écrivain allemand, auteur de collages.

Schwyz, v. de Suisse, ch.-l. du *canton de Schwyz ;* 12 000 h ;

Sciascia Leonardo (1921-1989), écrivain italien : *Todo modo.*

Scilly (îles), archipel anglais.

Scipion l'Africain (235-183 av. J.-C.), général romain vainqueur d'Hannibal à Zama (202).

Scipion Émilien (v. 185-129 av. J.-C.), général romain. Il détruisit Carthage (146).

Scorpion (le), constellation australe et signe du zodiaque (24 octobre-22 novembre).

Scorsese Martin (né en 1942), cinéaste américain : *Taxi Driver, Raging bull.*

Scot. V. *Duns Scot.*

Scot Érigène (v. 810-v. 877), théologien irlandais.

Scotland Yard, (auj. *New Scotland Yard*), services centraux de la police britannique, situés à Londres.

Scots, pirates irlandais qui envahirent l'Écosse (VIe s.).

Scott sir Walter (1771-1832), romancier écossais : *Quentin Durward.*

Scott Robert (1868-1912), explorateur anglais de l'Antarctique.

Scriabine ou **Skriabine** Alexandre (1872-1915), compositeur et pianiste russe.

Scribe Eugène (1791-1861), auteur dramatique français : *Adrienne Lecouvreur.*

Scudéry Madeleine de (1607-1701), romancière française, représentative de la préciosité.

Scylla. V. *Charybde.*

Scythes, peuple indo-européen établi dans l'Antiquité au N. de la mer Noire.

SDN, sigle de *Société des Nations*, organisation internationale créée en 1919 à Genève et remplacée par l'ONU.

Seattle, port des États-Unis (Washington) ; 486 200 h (aggl. 1 677 000 h).

Sebastiano del Piombo (v. 1485-1547), peintre italien de la Renaissance.

Sébastien saint, officier romain chrétien martyrisé au IIIe s.

Sébastopol, port d'Ukraine (Crimée) ; 341 000 h. Siège en 1854-1855 par les Anglais et les Français.

Sécession (guerre de), guerre civile (1861-1865) entre les États du N. des États-Unis, et ceux du S., à propos de l'esclavage.

Sedan, ch.-l. d'arr. des Ardennes ; 22 407 h. Capitulation de Napoléon III devant les Prussiens (2 septembre 1870).

Séféris Georges (1900-1971), poète grec.

Séfévides, dynastie persane (1502-1736).

Segalen Victor (1878-1919), écrivain français : *René Leys.*

Ségeste, site archéologique de Sicile.

Ségou, v. du Mali ; 99 000 h ; anc. cap. du *royaume de Ségou* (XVIIe-XIXe s.).

Ségovie, v. d'Espagne (Castille et León) ; 50 760 h. Monuments médiévaux.

Segré, ch.-l. d'arr. de Maine-et-Loire ; 7 078 h.

Séguier Pierre (1588-1672), magistrat français, garde des Sceaux sous Louis XIII et Louis XIV.

Seguin Marc (1786-1875), ingénieur français, pionnier des chemins de fer.

Ségur (Sophie Rostopchine, comtesse de) (1799-1874), écrivain français d'origine russe, auteur de romans pour la jeunesse.

Seifert Jaroslav (1901-1985), poète tchèque.

Sein, île du Finistère.

Seine (la), fl. de France (776 km).

Seine-et-Marne, dép. français (77) (Île-de-France) ; 5 917 km[2] ; 1 093 656 h ; ch.-l. Melun.

Seine-et-Oise, anc. dép. du Bassin parisien.

Seine-Maritime, dép. français (76) (Haute-Normandie) ; 6 254 km[2] ; 1 238 925 h ; ch.-l. Rouen.

Seine-Saint-Denis, dép. français (93) (Île-de-France) ; 236 km[2] ; 1 387 841 h ; ch.-l. Bobigny.

Sei Shonagon, poétesse japonaise de la fin du Xe s. : *Notes de chevet.*

SEITA, sigle de *Société nationale d'exploitation industrielle des tabacs et allumettes.*

Seldjoukides, dynastie turkmène sunnite qui domina l'Orient du XIe au XIIIe s.

Sélestat, ch.-l. d'arr. du Bas-Rhin ; 15 896 h.

Séleucides, dynastie hellénistique qui régna sur le Moyen-Orient de 305 à 64 av. J.-C.

Séleucos Ier Nikator (v. 355-280 av. J.-C.), général d'Alexandre, proclamé roi en 305.

Selim Ier le Cruel (1467-1520), sultan ottoman en 1512, grand conquérant.

Sélinonte, site archéologique grec de Sicile.

Sem, fils aîné de Noé, frère de Cham et de Japhet (*Bible*).

Semarang, port d'Indonésie (N. de Java) ; 1 026 000 h.

Sémiramis, reine légendaire de Babylone.

Sen Amartya (né en 1933), économiste indien.

Senancour Étienne Pivert de (1770-1846), romancier français : *Oberman.*

Sénanque, abbaye cistercienne du Vaucluse.

Sénat (le), une des deux assemblées législatives en France, aux États-Unis, en Italie.

Sendai, v. du Japon (Honshu) ; 788 930 h.

Sénégal (le), fl. d'Afrique (1 700 km).

Sénégal, État d'Afrique occidentale ; 196 722 km[2] ; 11 700 000 h ; cap. Dakar.

Sénèque (v. 4 av. J.-C.-65 apr. J.-C.), philosophe stoïcien, écrivain et homme politique romain. Précepteur de Néron, il dut se suicider.

Senghor Léopold Sédar (1906-2001), président de la République du Sénégal (1960-1980), poète de la négritude.

Senlis, ch.-l. d'arr. de l'Oise ; 15 226 h.

Sennett Mack (1880-1960), cinéaste burlesque américain.

Sénoufos, peuple d'Afrique occidentale.

Sens, ch.-l. d'arr. de l'Yonne ; 27 755 h.

Séoud Abd al-Aziz ibn (1881-1953), roi d'Arabie Saoudite en 1932.

Séoul, cap. de la Corée du Sud ; 10 000 000 h.

Sept Ans (guerre des), conflit qui opposa France et l'Autriche à l'Angleterre et à la Prusse (1756-1763). La France dut céder le Canada et ses possessions aux Indes.

Septembre (massacres de), tueries exécutées par les membres des sections révolutionnaires dans les prisons parisiennes (1792).
Septembre 2001 (11), attentats islamistes meurtriers à New York et à Washington.
Septime Sévère (146-211), empereur romain en 193.
Seraing, v. de Belgique (Liège) ; 64 540 h.
Sérapis, dieu guérisseur gréco-égyptien.
Serbie, rép. fédérée de l'État de Serbie-et-Monténégro ; 88 361 km² ; 10 700 000 h ; cap. Belgrade.
Serge de Radonège saint (v. 1321-1391), moine russe, patron de la Russie.
Serguiev Possad (anc. *Zagorsk*), v. de Russie ; 110 000 h. Monastère du XIVᵉ s.
Serre-Ponçon, barrage sur la Durance (Hautes-Alpes).
Serres Olivier de (1539-1619), agronome français : *Théâtre d'agriculture*.
Sertorius (v. 123-72 av. J.-C.), général romain assassiné.
Sérusier Paul (1864-1927), peintre français, fondateur du groupe des nabis.
Servet Michel (1511-1553), médecin et théologien espagnol. Condamné par Calvin, il fut brûlé vif.
Servius Tullius (578-535 av. J.-C.), sixième roi de Rome.
Sestrières, stat. hivernale d'Italie (Piémont).
Setchouan. V. Sichuan.
Sète, ch.-l. de cant. de l'Hérault ; 41 916 h.
Seth, dieu égyptien du Mal et des Ténèbres.
Seth, troisième fils d'Adam et d'Ève (*Bible*).
Séthi ou **Séti Iᵉʳ,** pharaon d'Égypte de 1312 à 1298 av. J.-C., père de Ramsès II.
Sétif (auj. *Stif*), v. de l'Algérie orientale ; 186 640 h.
Setúbal, port du S. du Portugal ; 77 890 h.
Seurat Georges (1859-1891), peintre et dessinateur français, théoricien du pointillisme.
Sevan, lac d'Arménie (1 400 km²).
Sévères (les), dynastie d'empereurs romains 193-235).
Severini Gino (1883-1966), peintre italien.
Severn (la), fl. de Grande-Bretagne (338 km).
Seveso, v. d'Italie (Lombardie), site d'un mportant accident écologique (1976).
Sévigné (Marie de Rabutin-Chantal, marquise e) (1626-1696), épistolière française.
Séville, v. d'Espagne, sur le Guadalquivir, cap. e l'Andalousie ; 673 570 h.
Sevran, v. de la Seine-Saint-Denis ; 48 564 h.
Sèvres, ch.-l. de cant. des Hauts-de-Seine ; 2 057 h.
Sèvres (Deux-). V. Deux-Sèvres.
Seychelles (les), archipel et État de l'océan dien ; 408 km² ; 100 000 h ; cap. Victoria.
Seyne-sur-Mer (La), v. du Var ; 60 567 h.
Sfax, port de Tunisie ; 231 910 h.
SFIO, sigle de *section française de l'Internationale ouvrière,* nom du parti socialiste français : 1905 à 1971.
Sforza, famille italienne qui régna sur le duché Milan (1450-1535).
haba (*Katanga* jusqu'en 1972), rég. du S.-E. du aïre ; ch.-l. Lubumbashi.
hakespeare William (1564-1616), écrivain glais, auteur de tragédies (*Roméo et Juliette,* amlet, Othello, le Roi Lear), de drames (*Richard

III, Henri V), de comédies (*Comme il vous plaira, la Nuit des rois*) et de poésies.
Shamir Itzhak (né en 1915), Premier ministre d'Israël (1983-1984 et 1986-1992).
Shans ou **Chans,** peuple de la Birmanie.
Shandong, ou **Chantoung,** prov. de la Chine du Nord-Est ; cap. Jinan.
Shang, dynastie chinoise (v. 1800-v. 1100 av. J.-C.).
Shanghai, ou **Chang-hai,** première v. de Chine et port sur l'estuaire du Yangzijiang ; 6 292 960 h (aggl. 12 500 000 h).
Shannon (le), fl. d'Irlande (370 km).
Shanxi, prov. de la Chine du N. ; cap. Taiyuan.
Sharon Ariel (né en 1928), Premier ministre d'Israël de 2000 à 2006.
Shaw George Bernard (1856-1950), écrivain irlandais : *Pygmalion*.
Sheffield, v. d'Angleterre (Yorkshire) ; 477 140 h (aggl. 800 000 h).
Shéhérazade, sultane des *Mille et Une Nuits* qui raconte chaque nuit une nouvelle histoire.
Shelley Percy Bysshe (1792-1822), poète romantique anglais : *Prométhée délivré.*
Shelley Mary (1797-1851), femme du préc., romancière anglaise : *Frankenstein.*
Shenxi, prov. de la Chine du Nord-Est ; cap. Xi'an.
Shenyang (anc. *Moukden*), v. de Chine, ch.-l. du Liaoning ; 3 944 240 h (aggl. 5 054 600 h).
Shenzhen, v. de Chine, près de Hong Kong, zone franche industrielle ; 1 500 000 h.
Sheridan Richard (1751-1816), auteur dramatique anglais : *l'École de la médisance.*
Sherman William (1820-1891), général américain (nordiste) de la guerre de Sécession.
Sherpas, peuple du Népal.
Sherrington Charles Scott (1857-1952), physiologiste anglais, fondateur de la neurologie.
Shetland (îles), archipel britannique, au N. de l'Écosse.
Shetland du Sud, archipel au S. de la Terre de Feu, appartenant à la Grande-Bretagne.
Shijiazhuang, v. de Chine, ch.-l. du Hebei ; 1 068 720 h.
Shikoku, la plus petite des quatre îles du Japon ; v. princ. Matsuyama.
Shimonoseki, port du Japon (Honshu), sur le *détroit de Shimonoseki ;* 269 170 h.
Shiva. V. Çiva.
Shkodra, v. du N. de l'Albanie ; 71 000 h.
Shlonsky Abraham (1900-1973), écrivain israélien : *Pierres brûlées.*
Shoah (la), extermination des Juifs par les nazis.
Showa tenno, nom posthume de Hirohito.
Siam. V. Thaïlande.
Sian. V. Xi'an.
Sibelius Jean (1865-1957), compositeur finlandais : *Finlandia.*
Sibérie, vaste rég. de Russie, entre l'Oural et le Pacifique ; 12 765 000 km².
Sibiu, v. de Roumanie (Transylvanie) ; 173 120 h.
Sicambres, peuple germanique, soumis par les Romains, puis intégré aux Francs.
Sichuan ou **Setchouan,** prov. de la Chine centrale ; 101 880 000 h ; cap. Chengdu.
Sicile, île et rég. d'Italie ; cap. Palerme.
Sidi-bel-Abbès, v. d'Algérie ; 156 140 h.

Sidon, anc. cité de Phénicie.

Siegfried, héros de la mythologie germanique, personnage d'un opéra de R. Wagner.

Siemens Werner von (1816-1892), ingénieur et industriel allemand.

Sienkiewicz Henryk (1846-1916), écrivain polonais : *Quo vadis ?*

Sienne, v. d'Italie (Toscane) ; 61 890 h. Monuments médiévaux.

Sierra Leone, État de l'Afrique occidentale ; 71 740 km² ; 5 500 000 h ; cap. Freetown.

Sieyès Emmanuel (1748-1836), homme politique français, auteur d'un pamphlet : *Qu'est-ce que le tiers état ?* Il soutint Bonaparte.

Sigebert Ier (535-575), roi d'Austrasie en 561 ; assassiné.

Sigismond de Luxembourg (1368-1437), empereur germanique en 1433.

Signac Paul (1863-1935), peintre français, théoricien du divisionnisme.

Signorelli Luca (v. 1445-1523), peintre italien de la Renaissance.

Signoret Simone (1921-1985), actrice de cinéma française.

Sihamoni. V. *Norodom Sihamoni.*

Sihanouk. V. *Norodom Sihanouk.*

Sikkim, État de l'Inde, dans l'Himalaya.

Silène, père nourricier de Dionysos (*Myth. gr.*).

Silésie, rég. de l'Europe centrale (Pologne et République tchèque), drainée par l'Oder.

Silicon Valley, zone industrielle de Californie, entre San José et San Francisco.

Sillon alpin, couloir des Alpes françaises.

Silva Luis de, dit Lula (né en 1945), élu président de la République du Brésil en 2002.

Silvacane, abbaye cistercienne des Bouches-du-Rhône.

Simbirsk (*Oulianovsk* de 1924 à 1990), v. de Russie, sur la Volga ; 613 000 h.

Simenon Georges (1903-1989), écrivain belge d'expression française, créateur du commissaire Maigret.

Simon saint, un des douze apôtres.

Simon le Magicien, magicien qui voulut acheter à l'apôtre Pierre le pouvoir d'évoquer le Saint-Esprit (*Évangiles*).

Simon Michel (1895-1975), comédien français d'origine suisse.

Simon Claude (1913-2005), écrivain français : *la Route des Flandres.*

Simplon (le), col des Alpes (2 009 m), entre le Valais et le Piémont.

Sinaï, presqu'île égyptienne, au N. de la mer Rouge, où se trouve le *mont Sinaï* où Moïse reçut le décalogue (*Bible*).

Sinan Mi'mar (1489-1588), architecte turc.

Sinatra Frank (1915-1998), chanteur de charme et acteur de cinéma américain.

Sinclair Upton (1878-1968), romancier américain : *la Fin d'un monde.*

Sind (le), prov. du Pakistan ; ch.-l. Karachi.

Singapour, État insulaire de l'Asie du Sud-Est ; 581 km² ; 4 300 000 h ; cap. Singapour.

Singer Isaac Bashevis (1904-1991), écrivain américain d'origine polonaise, d'expression yiddish : *le Magicien de Lublin.*

Singh Manmohan (né en 1932), homme politique indien, Premier ministre depuis 2004.

Sin-Kiang. V. *Xinjiang.*

Sinn Fein, mouvement nationaliste irlandais fondé en 1902.

Sion, colline de Jérusalem.

Sion, v. de Suisse, ch.-l. du Valais ; 23 400 h.

Sioule (la), affl. de l'Allier (150 km).

Sioux, peuple indien d'Amérique du Nord.

Siqueiros David Alfaro (1896-1974), peintre et homme politique mexicain.

Sirius, étoile la plus brillante du ciel.

Sisley Alfred (1839-1899), peintre anglais de l'école impressionniste française.

Sismondi Jean Charles (1773-1842), économiste suisse d'origine italienne.

Sisyphe, roi de Corinthe, condamné à rouler, jusqu'au sommet d'une montagne, un rocher qui retombait aussitôt (*Myth. gr.*).

Sitting Bull (v. 1834-1890), chef des Sioux.

Siva. V. *Çiva.*

Six (groupe des), groupe de compositeurs français constitué en 1918 (Auric, Durey, Honegger, Milhaud, Poulenc, Tailleferre).

Six Jours (guerre des), 3e guerre israélo-arabe, remportée par Israël (5-10 juin 1967).

Sixte IV (1414-1484), pape en 1471. Il fit construire la chapelle Sixtine.

Sixte V (dit *Sixte Quint*) (1520-1590), pape en 1585. Il impulsa la Contre-Réforme.

Sixtine, chapelle du Vatican décorée de fresques (Michel-Ange, Signorelli, Botticelli).

Sjælland, la plus grande des îles danoises.

Sjöström Victor (1879-1960), cinéaste suédois : *les Proscrits* (1917), *le Vent* (1928).

Skanderbeg. V. *Scanderbeg.*

Skikda (anc. *Philippeville*), port de l'E. de l'Algérie ; 130 880 h.

Skopje, cap. de la Macédoine ; 408 140 h.

Skriabine. V. *Scriabine.*

Skýros, île grecque de la mer Égée.

Slaves, peuples de l'Europe centrale et orientale (Russes, Ukrainiens, Biélorusses, Polonais, Tchèques, Slovaques, Serbes, Croates, Bulgares, Slovènes, Macédoniens).

Slavonie, rég. de la Croatie.

Slovaquie, État d'Europe centrale ; 49 032 km² ; 5 400 000 h ; cap. Bratislava.

Slovénie, État d'Europe balkanique ; 20 251 km² ; 2 000 000 h ; cap. Ljubljana.

Sluter Claus (v. 1340 ou 1350-1406), sculpteur hollandais de la cour des ducs de Bourgogne.

Smetana Bedrich (1824-1884), compositeur romantique tchèque : *la Fiancée vendue.*

Smith Adam (1723-1790), économiste écossais, apôtre du capitalisme libéral.

Smith Joseph (1805-1844), fondateur de la secte des mormons.

Smolensk, v. de Russie ; 331 000 h.

Smuts Jan Christiaan (1870-1950), général et homme politique sud-africain.

Smyrne. V. *Izmir.*

Snorri Sturluson (v. 1179-1241), poète islandais : *l'Edda.*

Snyders Frans (1579-1657), peintre flamand.

Soares Mario (né en 1924), président de la République du Portugal de 1986 à 1996.

Sochaux, ch.-l. de cant. du Doubs ; 4 443 h. Usines Peugeot.

social-démocrate de Russie (parti ouvrier), parti révolutionnaire russe fondé en 1898. Il scinda en 1903 en bolchéviques et menchéviques.

Société (îles de la), archipel de la Polynésie française ; ch.-l. Papeete.

Socrate (v. 470-399 av. J.-C.), philosophe grec qui nous est connu par Aristophane, Xénophon et Platon. Il fut condamné à boire la ciguë.

Sócrates José (Sócrates Carvalho Pinto de Sousa, dit) (né en 1957), homme politique portugais, Premier ministre en 2005.

Sodoma (1477-1549), peintre maniériste italien.

Sodome, v. de Palestine, dont les habitants débauchés furent anéantis par Dieu (*Bible*).

Soekarno. *V. Sukarno.*

Sofia, cap. de la Bulgarie ; 1 204 270 h.

Sogdiane (la), anc. pays d'Asie centrale.

Soho, quartier du centre de Londres.

soie (route de la), anc. voie commerciale terrestre entre la Chine et l'Occident.

Soissons, ch.-l. d'arr. de l'Aisne ; 32 144 h.

Solesmes, abbaye bénédictine dans la Sarthe.

Soleure, v. de Suisse ; 15 700 h ; ch.-l. du *canton de Soleure.*

Solferino, bourg de Lombardie, victoire de Napoléon III sur les Autrichiens (1859).

Solidarnosc, union de syndicats polonais, constituée en 1980, interdite de 1982 à 1989.

Soliman le Magnifique (1494-1566), sultan ottoman en 1520. Grand conquérant, législateur et protecteur des arts, allié de François Ier contre Charles Quint.

Solingen, v. d'Allemagne (Rhénanie-du-Nord-Westphalie) ; 158 400 h.

Soljenitsyne Alexandre (né en 1918), écrivain russe, dénonciateur du stalinisme et du goulag ; expulsé de son pays.

Sologne, rég. du S. du Bassin parisien.

Solon (v. 640-v. 558 av. J.-C.), législateur et poète athénien, fondateur de la démocratie.

Somalie, État de l'Afrique orientale ; 637 657 km² ; 8 600 000 h ; cap. Muqdisho.

Somme (la), fl. de Picardie (245 km).

Somme, dép. français (80) (Picardie) ; 6 176 km² ; 559 429 h ; ch.-l. Amiens.

Sommerfeld Arnold (1868-1951), mathématicien et physicien allemand.

Somport, col des Pyrénées-Atlantiques (1 632 m).

Sonde (archipel de la), chaîne d'îles, correspondant à l'Indonésie.

Song, dynastie chinoise (960-1279).

Songhaïs, peuple du Mali et du Niger.

Soninkés. *V. Sarakollés.*

Sophia-Antipolis, technopole française des Alpes-Maritimes.

Sophocle (v. 496-406 av J.-C.), poète tragique grec : *Œdipe roi, Antigone, Électre.*

Sorbonne (la), établissement public d'enseignement supérieur, à Paris.

Soseki Natsume (1867-1916), romancier japonais : *Clair obscur.*

Sosnowiec, v. de Pologne ; 257 710 h.

Sotatsu, peintre japonais du début du XVIIe s.

Sotchi, stat. balnéaire de Russie, sur la mer Noire ; 313 000 h.

Sothos, peuple bantou d'Afrique australe.

Sotteville-lès-Rouen, ch.-l. de cant. de la Seine-Maritime ; 29 957 h.

Souabe, anc. rég. d'Allemagne ; ch.-l. Augsbourg.

Souahélis. *V. Swahilis.*

Soudan, rég. semi-désertique située au S. du Sahara. Le *Soudan français* était le nom de l'actuelle république du Mali.

Soudan, État de l'E. de l'Afrique ; 2 505 813 km² ; 40 200 000 h ; cap. Khartoum.

Soufflot Germain (1713-1780), architecte néoclassique français. Le Panthéon à Paris.

Soufrière, nom de trois volcans actifs des Petites Antilles (Guadeloupe, Saint-Vincent, Montserrat).

Soukhoumi, v. de Géorgie ; 126 000 h.

Soulages Pierre (né en 1919), peintre abstrait français.

Soult Nicolas Jean de Dieu (1769-1851), maréchal de France, ministre de Louis-Philippe.

Soumgaït, v. d'Azerbaïdjan ; 228 000 h.

Soupault Philippe (1897-1990), écrivain surréaliste français.

Souphanouvong prince (1912-1995), homme politique laotien (procommuniste).

Sous-le-Vent (îles), les Petites Antilles situées au N. du Venezuela.

Sousse, port de Tunisie ; 83 510 h.

Southampton, port d'Angleterre (Hampshire), sur la Manche ; 204 410 h.

Soutine Chaïm (1893-1943), peintre expressionniste français d'origine lituanienne.

Souvanna Phouma prince (1901-1984), homme politique laotien (neutraliste).

Souvorov Alexandre (1729-1800), maréchal russe.

Soweto, v. d'Afrique du Sud, banlieue noire de Johannesburg ; env. 2 000 000 h.

Soyinka Wole (né en 1934), écrivain nigérian d'expression anglaise.

Soyouz (« Union »), famille de lanceurs soviétiques, utilisés pour les vols spatiaux habités.

Spa, stat. thermale de Belgique (Liège).

Spaak Paul Henri (1899-1972), homme politique belge (socialiste).

Spartacus (mort en 71 av. J.-C.), esclave thrace, chef d'une grande révolte d'esclaves.

Sparte ou **Lacédémone**, cité de la Grèce antique, dans le Péloponnèse, rivale d'Athènes au Ve s. av. J.-C.

Spencer Herbert (1820-1903), philosophe évolutionniste anglais.

Spenser Edmund (1552-1599), poète lyrique anglais : *la Reine des fées.*

Spezia (La), port d'Italie (Ligurie) ; 111 980 h.

Spielberg Steven (né en 1947), cinéaste et producteur américain : *ET, la Liste de Schindler.*

Spínola António de (1910-1996), général portugais, chef du coup d'État de 1974.

Spinoza Baruch de (1632-1677), philosophe hollandais : *l'Éthique ;* rationaliste et panthéiste.

Spire, v. d'Allemagne (Rhénanie-Palatinat) ; 42 870 h. Cathédrale romane.

Spitzberg (le), île de l'archipel du Svalbard.

Split, port de Croatie ; 169 320 h. Palais de Dioclétien.

Splügen (le), col des Alpes (2 117 m), entre la Suisse et l'Italie.

Spolète, v. d'Italie (Ombrie) ; 38 840 h.

Sporades, îles grecques de la mer Égée.

Spoutnik, satellites soviétiques (1957-1961).

Sprée (la), riv. d'Allemagne (403 km) qui arrose Berlin.

Sri Lanka (*Ceylan* jusqu'en 1972), État insulaire de l'Asie, au S. de l'Inde ; 65 610 km² ; 19 700 000 h ; cap. Colombo.

Srinagar, v. de l'Inde, cap. du Cachemire ; 594 780 h.

SS, police militarisée du parti nazi, créée en 1925.

Staël (Germaine Necker, dite Mme de) (1766-1817), écrivain préromantique français.

Staël Nicolas de (1914-1955), peintre abstrait français d'origine russe.

Stains, ch.-l. de cant. de la Seine-Saint-Denis ; 35 068 h.

Staline (Joseph Djougatchvili, dit) (1879-1953), homme politique soviétique, d'origine géorgienne. Successeur de Lénine (1924), il instaura une dictature sanglante.

Stalingrad (auj. *Volgograd*), victoire décisive des Soviétiques contre l'armée allemande (septembre 1942-février 1943).

Stanislas saint (1030-1079), évêque de Cracovie ; assassiné. Patron de la Pologne.

Stanislas Ier Leczinsky (1677-1766), roi de Pologne (1704-1709 et 1733-1736). Il abdiqua et se réfugia à Nancy.

Stanislas II Auguste Poniatowski (1732-1798), dernier roi de Pologne (1764-1795).

Stanislavski Constantin (1863-1938), metteur en scène et théoricien russe du théâtre.

Stanley sir Henry Morton (1841-1904), explorateur anglais de l'Afrique.

Stanley Wendell Meredith (1904-1971), biochimiste américain.

Stanleyville. V. *Kisangani.*

Stauffenberg Claus von (1907-1944), officier allemand, auteur de l'attentat manqué contre Hitler, le 20 juillet 1944.

Stavisky (affaire), scandale financier exploité par la droite contre la IIIe République (émeutes de février 1934).

Stavropol, v. de Russie, au N. du Caucase ; 293 000 h.

Stavropol. V. *Toliatti.*

Stefan Josef (1835-1893), physicien autrichien.

Stein Gertrude (1874-1946), romancière et essayiste américaine.

Steinbeck John (1902-1968), romancier américain : *les Raisins de la colère.*

Steiner Rudolf (1861-1925), philosophe et pédagogue autrichien.

Steinitz Ernst (1871-1928), mathématicien allemand, fondateur de l'algèbre moderne.

Steinway Henry (1797-1871), facteur de pianos allemand.

Stendhal (Henri Beyle, dit) (1783-1842), écrivain français : *le Rouge et le Noir, la Chartreuse de Parme.*

Stephenson George (1781-1848), ingénieur anglais. Première locomotive à vapeur.

Stern Isaac (1920-2001), violoniste américain d'origine russe.

Sternberg Josef von (1894-1969), cinéaste américain d'origine autrichienne : *l'Ange bleu.*

Sterne Laurence (1713-1768), écrivain anglais : *Tristram Shandy.*

Stevenson Robert (1850-1894), écrivain écossais : *l'Île au trésor.*

Stieglitz Alfred (1864-1946), photographe américain, défenseur du réalisme documentaire.

Stif. V. *Sétif.*

Stirner Max (1806-1856), philosophe allemand : *l'Unique et sa propriété.*

Stockhausen Karlheinz (né en 1928), compositeur allemand. Musique aléatoire.

Stockholm, cap. de la Suède ; 666 810 h (aggl. 1 461 620 h).

Stofflet Jean Nicolas (1751-1796), chef vendéen ; exécuté.

Stoke-on-Trent, v. d'Angleterre ; 252 350 h.

Stoker Bram (1847-1912), écrivain irlandais : *Dracula.*

Stolypine Piotr (1862-1911), homme politique russe, ministre de Nicolas II ; assassiné.

Stonehenge, site préhistorique du S. de l'Angleterre.

Stoss. V. *Stwosz.*

Strabon (v. 58 av. J.-C.-v. 25), géographe grec.

Stradivarius (v. 1644-1737), luthier italien de Crémone.

Strasbourg, ch.-l. du Bas-Rhin et de la Rég. Alsace ; 255 937 h. Cathédrale. Les *serments de Strasbourg,* pacte conclu entre Louis le Germanique et Charles le Chauve contre Lothaire (842), sont les premiers documents en langues romane et allemande.

Stratford-upon-Avon, v. d'Angleterre ; 20 860 h. Patrie de Shakespeare.

Strauss Johann (1804-1849), compositeur autrichien, auteur de valses.

Strauss Johann (1825-1899), fils du préc. ; compositeur autrichien : *le Beau Danube bleu.*

Strauss Richard (1864-1949), compositeur allemand : *le Chevalier à la rose.*

Stravinski Igor (1882-1971), compositeur russe, naturalisé français puis américain : *le Sacre du printemps.*

Stresemann Gustav (1878-1929), homme politique et diplomate allemand.

Strindberg August (1849-1912), écrivain suédois : *Mademoiselle Julie.*

Stroheim Eric von (1885-1957), cinéaste et acteur américain d'origine autrichienne : *les Rapaces.*

Stromboli, volcan actif des îles Éoliennes.

Struthof, camp d'extermination nazi (1941-1944), dans le Bas-Rhin.

Stuart, famille qui a régné sur l'Écosse de 1371 à 1724 et sur l'Angleterre de 1603 à 1688.

Stuart Mill. V. *Mill John Stuart.*

Sturm und Drang, mouvement littéraire préromantique allemand (1770-1790).

Stuttgart, v. d'Allemagne, cap. du Bade-Wurtemberg ; 565 490 h.

Stwosz Wit ou **Stoss** Veit (v. 1440-1533), sculpteur gothique, actif à Cracovie.

Styrie, land d'Autriche ; cap. Graz.

Styron William (né en 1925), écrivain américain : *le Choix de Sophie.*

Styx (le), un des fleuves des Enfers (*Myth. gr.*).

Subotica, v. de Serbie (Vojvodine) ; 100 520 h.

Succession d'Autriche (guerre de la) (1740-1748), conflit qui opposa une coalition européenne à l'Autriche alliée à l'Angleterre.

Succession d'Espagne (guerre de la) (1701-1714), conflit qui opposa la France et l'Espagne à une coalition européenne à cause de l'accession au trône d'Espagne de Philippe V, petit-fils de Louis XIV.

Sucre, cap. constitutionnelle de la Bolivie ; 86 610 h.

Sucre Antonio José de (1795-1830), patriote sud-américain, lieutenant de Bolívar.

Sudètes, rebord N.-E. de la Bohême, habité, avant la Seconde Guerre mondiale, par les **Sudètes,** population de langue allemande.

Sud-Ouest africain. V. Namibie.

Sue Eugène (1804-1857), auteur français de romans populaires : les Mystères de Paris.

Suède, État (royaume) de Scandinavie ; 449 964 km² ; 9 000 000 h ; cap. Stockholm.

Suétone (v. 69-v. 126), historien latin : Vie des douze Césars.

Suez, port d'Égypte ; 274 000 h. Le canal de Suez (195 km) relie Suez (sur la mer Rouge) à Port-Saïd (sur la Méditerranée).

Suffolk, comté du S.-E. de l'Angleterre.

Suffren Pierre André (dit le bailli de) (1729-1788), vice-amiral français. Il combattit en Amérique et aux Indes.

Suger (v. 1081-1151), abbé de Saint-Denis en 1122, conseiller de Louis VI et de Louis VII.

Suharto (né en 1921), président de la République d'Indonésie de 1968 à 1998.

Suisse ou **Confédération helvétique,** État confédéral (23 cantons) de l'Europe centrale ; 41 293 km² ; 7 400 000 h ; cap. Berne.

Sukarno ou **Soekarno** Achmed (1901-1970), artisan de l'indépendance de l'Indonésie (1945), il en fut le premier président.

Sukhothai, v. du N. de la Thaïlande ; 23 140 h. Anc. cap. du Siam.

Sulawesi. V. Célèbes.

Süleyman. V. Soliman.

Sulla. V. Sylla.

Sullivan Louis (1856-1924), architecte américain de l'école de Chicago.

Sully Maximilien, duc de (1560-1641), homme d'État français. Ministre d'Henri IV, il redressa les finances, développa l'agriculture et le commerce.

Sully Prudhomme Armand (1839-1907), poète parnassien français.

Sulu, archipel des Philippines.

Sumatra, grande île d'Indonésie ; 473 606 km².

Sumbawa, île d'Indonésie.

Sumer, anc. rég. de basse Mésopotamie, berceau de la civilisation (IVᵉ millénaire).

Sund ou **Øresund,** détroit qui sépare l'île de Sjælland de la côte suédoise.

Sunderland, port du N. de l'Angleterre, sur la mer du Nord ; 196 150 h.

Sun Yat-sen (1866-1925), homme politique chinois, fondateur du Guomindang, président de la République (1921).

Suomi, nom finnois de la Finlande.

Supérieur (lac), le plus vaste des Grands Lacs 84 131 km²).

Supervielle Jules (1884-1960), écrivain français : Gravitations.

Surabaya, port d'Indonésie (Java) ; 2 027 910 h.

Surakarta, v. d'Indonésie (Java) ; 469 890 h.

Surat, port de l'Inde (Gujerat) ; 913 000 h.

Surcouf Robert (1773-1827), corsaire français.

Suresnes, ch.-l. de cant. des Hauts-de-Seine ; 36 950 h.

Surinam (anc. Guyane néerlandaise), État de l'Amérique du Sud ; 163 265 km² ; env. 400 000 h ; cap. Paramaribo.

Surrey, comté du S. de l'Angleterre.

Suse, anc. cap. d'Élam. Darius en fit la cap. de l'Empire perse.

Su Shi (1036-1101), poète chinois.

Sussex, rég. du S.-E. de l'Angleterre.

Suva, cap. des Fidji ; 96 900 h.

Suwon, v. de Corée du Sud ; 430 830 h.

Suzhou, v. de Chine (Jiangsu) ; 695 400 h.

Svalbard, archipel norvégien de l'Arctique.

Sverdlovsk. V. Ekaterinbourg.

Svevo Italo (1861-1928), romancier italien : la Conscience de Zeno.

Swahilis ou **Souahélis,** peuple bantou d'Afrique orientale (Kenya, Tanzanie).

Swansea, port du pays de Galles ; 167 800 h.

Swaziland, État (monarchie) d'Afrique australe ; 17 363 km² ; 1 100 000 h ; cap. Mbabane.

Swedenborg Emanuel (1688-1772), savant et théosophe suédois.

Swift Jonathan (1667-1745), écrivain irlandais : les Voyages de Gulliver.

Swinburne Algernon Charles (1837-1909), poète lyrique anglais.

Sybaris, anc. v. grecque d'Italie du Sud, célèbre pour son luxe.

Sydenham Thomas (1624-1689), médecin et chimiste anglais.

Sydney, v. princ. et port d'Australie, cap. de la Nouvelle-Galles du Sud ; 3 391 600 h.

Sylla ou **Sulla** (138-78 av. J.-C.), général et homme politique romain. Rival de Marius, vainqueur de Mithridate, il s'empara du pouvoir suprême en 83 et abdiqua en 79.

Sylvestre II. V. Gerbert d'Aurillac.

Synge John (1871-1909), auteur dramatique irlandais : le Baladin du monde occidental.

Syracuse, port d'Italie (Sicile) ; 118 970 h. Monuments grecs et romains.

Syr-Daria (le), fl. d'Asie (2 860 km), tributaire de la mer d'Aral.

Syrie, État du Proche-Orient ; 185 180 km² ; 18 400 000 h ; cap. Damas.

Syros ou **Syra,** île des Cyclades (Grèce).

Szczecin, port de Pologne ; 391 410 h.

Szeged, v. de Hongrie ; 180 360 h.

Szent-Györgyi Albert (1893-1986), biochimiste hongrois. Il découvrit la vitamine C.

Szymborska Wislawa (née en 1923), poétesse polonaise.

T

abarly Éric (1931-1998), navigateur français.
able ronde (cycle de la), ensemble de romans
ettant en scène des chevaliers du Moyen Âge.
abor (mont). V. Thabor.
ábor, v. de Bohême fondée au XVᵉ s. par des
ussites.
abriz, v. d'Iran (Azerbaïdjan) ; 852 000 h.
achkent, cap. de l'Ouzbékistan ; 2 210 000 h.
acite (v. 55-v. 120), historien latin : Annales,
istoires.
adjikistan, État d'Asie centrale, anc. rép.
dérée de l'URSS ; 143 100 km² ; 6 800 000 h ;
p. Douchanbe.
adj Mahall ou **Taj Mahal**, mausolée de marbre
anc, à Agra (XVIIᵉ s.).
aegu, v. de la Corée du Sud, 2 030 670 h.
aejon, v. de la Corée du Sud ; 866 700 h.
afilalet, rég. du Sahara marocain.
ft William Howard (1857-1930), président
publicain) des États-Unis de 1908 à 1912.
gals, peuple des Philippines (Luçon).
ge (le), fl. de la péninsule Ibérique qui se jette
as l'Atlantique à Lisbonne (1 006 km).
gore Rabindranath (1861-1941), écrivain
ien d'expression bengali et anglaise.
hiti, la plus importante des îles de la Société ;
rinc. Papeete.
bei ou **Tai-pei**, cap. de Taiwan, dans le N. de
: ; 2 637 000 h.
f, v. d'Arabie Saoudite (Hedjaz) ; 204 860 h.
lleferre Germaine (1892-1983), compositeur
çais.
nan, port du S.-O. de Taiwan ; 474 840 h.
ne Hippolyte (1828-1893), critique, philo-
he et historien français.
ping (révolte des), mouvement populaire qui
a la Chine de 1851 à 1864.
wan (anc. Formose), État insulaire d'Asie
ntale, séparé de la Chine par le détroit de
an ; 36 177 km² ; 22 700 000 h ; cap.
ei.
ruan, ville de Chine, capitale du Shanxi ;
5 820 h.
é, communauté chrétienne œcuménique de
e-et-Loire.
hong, v. de Taiwan ; 715 000 h.
n (El-), site archéologique du Mexique (Toto-
es).
ahuano, port du Chili ; 231 360 h.
nce, ch.-l. de cant. de la Gironde ; 36 172 h.

Tallemant des Réaux Gédéon (1619-1690),
écrivain français : Historiettes.
Talleyrand-Périgord Charles Maurice de
(1754-1838), homme politique français. Anc.
évêque d'Autun, ministre des Affaires étrangères
sous le Directoire et sous l'Empire ; il représenta
Louis XVIII au congrès de Vienne.
Tallien Jean-Lambert (1767-1820), homme politique français. Conventionnel montagnard, il fut
un des instigateurs du 9 Thermidor.
Tallin (anc. Revel)), cap. de l'Estonie ;
484 000 h.
Talma François Joseph (1763-1826), tragédien
français.
Talmud, transcription de la tradition orale juive
servant de code du droit judaïque.
Tamanrasset (auj. Tamenghest), oasis du Sahara
algérien, dans le Hoggar ; 38 280 h.
Tamatave. V. Toamasina.
Tamayo Rufino (1899-1991), peintre muraliste
mexicain.
Tamerlan ou **Timur Lang** (1336-1405), conqué-
rant tatar de l'Asie centrale.
Tamil Nadu, État de l'Inde du Sud-Est ; cap.
Madras.
Tamise (la), fl. de Grande-Bretagne (336 km) qui
arrose Londres.
Tamouls, peuple dravidien du Tamil Nadu et du
Sri Lanka.
Tampa, v. des États-Unis (Floride) ; 275 500 h
(aggl. 1 810 900 h).
Tampere, v. de Finlande ; 168 590 h.
Tampico, port du Mexique ; 271 600 h.
Tampon (Le), ch.-l. de cant. de la Réunion ;
48 436 h.
Tanagra, village de Grèce (Béotie), où étaient
fabriquées les statuettes, dites tanagras.
Tananarive. V. Antananarivo.
Tancarville, pont routier sur l'estuaire de la
Seine (1 420 m).
Tancrède de Hauteville (mort en 1112), héros
de la première croisade.
Tang, dynastie chinoise qui régna de 618 à 907.
Tanganyika, lac de l'Afrique orientale
(31 900 km²).
Tanger, port du Maroc ; 266 350 h.
Tangshan, v. de Chine (Hebei) ; 1 407 840 h.
Tanguy Yves (1900-1955), peintre surréaliste
français naturalisé américain.

Tanis, v. de l'anc. Égypte, dans le delta du Nil, prospère sous Ramsès II.

Tanizaki Junichiro (1886-1965), romancier japonais : *la Confession impudique*.

Tanjore ou **Thanjavur,** v. de l'Inde (Tamil Nadu) ; 184 020 h. Temple de Çiva.

Tannenberg, victoire de Hindenburg sur les Russes, en Prusse-Orientale (août 1914).

Tannhäuser (v. 1205-v. 1268), poète allemand, héros d'un opéra de Wagner.

Tanta, v. d'Égypte, dans le delta ; 344 000 h.

Tantale, roi de Lydie condamné à subir une faim et une soif perpétuelles (*Myth. gr.*).

Tanzanie, État de l'Afrique orientale ; 939 828 km² ; 36 500 000 h ; cap. Dodoma ; v. princ. Dar es-Salaam.

Tao Qian (365-427), poète chinois.

Taormina, v. de Sicile, au pied de l'Etna. Monuments antiques.

Tapajós (le), affl. de l'Amazone (1 980 km).

Tàpies Antoni (né en 1923), peintre espagnol.

Tarascon, ch.-l. de cant. des Bouches-du-Rhône ; 11 158 h. Château du roi René.

Tarbes, ch.-l. des Hautes-Pyrénées ; 50 228 h.

Tarentaise (la), vallée supérieure de l'Isère (Savoie).

Tarente, port d'Italie (Pouilles) ; 243 780 h.

Tarim (le), fl. de Chine (2 179 km), dans le Xinjiang.

Tarkovski Andreï (1932-1986), cinéaste russe : *Andreï Roublev.*

Tarn (le), affl. de la Garonne (375 km).

Tarn, dép. français (81) (Midi-Pyrénées) ; 5 751 km² ; 350 751 h ; ch.-l. Albi.

Tarn-et-Garonne, dép. français (82) (Midi-Pyrénées) ; 3 716 km² ; 205 924 h ; ch.-l. Montauban.

Tarpéienne (roche), rocher de Rome, d'où on précipitait les criminels.

Tarquin l'Ancien, cinquième roi de Rome, de 616 à 579 av. J.-C.

Tarquin le Superbe, septième et dernier roi de Rome, de 534 à 509 av. J.-C.

Tarquinia, v. d'Italie (Latium) ; 13 100 h. Tombes étrusques.

Tarragone, port d'Espagne (Catalogne) ; 116 790 h.

Tarrasa, v. d'Espagne (Catalogne) ; 155 360 h.

Tarski Alfred (1902-1983), logicien américain d'origine polonaise.

Tartaglia (Niccolo Fontana, dit) (v. 1500-1557), mathématicien italien.

Tartare (le), le fond des Enfers (*Myth. gr.*).

Tartarin de Tarascon, héros d'A. Daudet.

Tartou ou **Tartu,** v. d'Estonie ; 111 000 h.

Tarzan, homme sauvage, héros de romans et de films d'aventures.

Tasman Abel Janszoon (1603-1659), navigateur hollandais, explorateur du Pacifique Sud.

Tasmanie, État insulaire du S.-E. de l'Australie ; cap. Hobart.

Tasse (Torquato Tasso, dit le) (1544-1595), poète italien : *Jérusalem délivrée.*

Tata Jamshedji (1839-1904), industriel indien.

Tatars, peuple de nomades turco-mongols.

Tatars (république) ou **Tatarstan,** rép. auton. de Russie, sur la Volga ; cap. Kazan.

Tate Gallery, musée de Londres.

Tati Jacques (1907-1982), cinéaste et acteur français : *les Vacances de M. Hulot.*

Tatline Vladimir (1885-1953), peintre et sculpteur soviétique.

Tatras (les), massif des Carpates (2 663 m).

Tatum Art (1910-1956), pianiste de jazz américain.

Taunus, rég. du Massif schisteux rhénan.

Taureau (le), constellation boréale et signe du zodiaque (21 avril-21 mai).

Tauride, anc. nom de la Crimée.

Taurus, chaîne de montagnes de la Turquie.

Tautavel, site préhistorique des Pyrénées-Orientales.

Taverny, ch.-l. de cant. du Val-d'Oise ; 25 191 h. Base aérienne.

Taylor Frederick Winslow (1856-1915), ingénieur américain, promoteur du taylorisme.

Tazieff Haroun (1914-1998), volcanologue e homme politique français.

Tbessa. V. *Tébessa.*

Tbilissi (anc. *Tiflis*), cap. de la Géorgie 1 211 000 h.

Tchad (lac), lac de l'Afrique centrale (10 000 25 000 km²).

Tchad, État de l'Afrique centrale 1 284 000 km² ; 7 000 000 h ; cap. N'Djamena

Tchaïkovski Piotr (1840-1893), compositeur russe : *Eugène Onéguine, le Lac des cygnes.*

Tchang Kaï-chek ou **Jiang Jieshi** (1887-1975 général et homme politique chinois. Il combat les communistes, mais, vaincu par Mao Zedon il se replia à Taiwan (1949).

Tcheboksary, v. de Russie (rép. des Tcho vaches) ; 389 000 h.

Tchebychev Pafnouti (1821-1894), mathém ticien russe.

Tchécoslovaquie, anc. État fédéral de l'Euro centrale (1918-1992).

Tcheka, police politique créée en 1917 par bolcheviks.

Tchekhov Anton (1860-1904), écrivain russ *Oncle Vania.*

Tcheliabinsk, v. de Russie, dans l'Oura 1 134 000 h.

Tcheou. V. *Zhou.*

tchèque (République), État d'Europe centra 78 800 km² ; 10 200 000 h ; cap. Prague.

Tcherenkov Pavel (né en 1904), physicien ru des particules.

Tcherkesses ou **Circassiens,** peuple mus man du N. du Caucase.

Tchernobyl, v. d'Ukraine, théâtre d'une po tion nucléaire importante (1986).

Tchernychevski Nikolaï (1828-1889), ph sophe, savant et critique russe : *Que faire ?*

Tchétchénie, rép. auton. de Russie (Caucas cap. Groznyï.

Tchouktches, peuple du N.-E. de la Sibérie.

Tchouvaches (rép. des), rép. auton. de Ru sur la Volga ; cap. Tcheboksary.

Tébessa (auj. *Tbessa*), v. de l'Algérie orient 112 010 h.

Tegucigalpa, cap. du Honduras ; 597 510 h

Téhéran, cap. de l'Iran ; 5 734 000 h.

Teilhard de Chardin Pierre (1881-1955), jés philosophe et paléontologue français.

Tel-Aviv-Jaffa, v. princ. d'Israël, sur la N terranée ; 327 270 h (aggl. 1 607 800 h).

Telemann Georg Philipp (1681-1767), co siteur allemand.

Télémaque, fils d'Ulysse (*Odyssée*).

Tell al-Amarnah. *V. Amarnah.*

Templiers, ordre religieux et militaire (1119-1312).

Tende, col des Alpes-Maritimes (1 870 m).

Tène (La), site protohistorique de Suisse.

Ténéré (le), rég. du Sahara (Niger).

Tenerife, la plus grande des îles Canaries.

Teniers David (1610-1690), peintre flamand.

Tennessee (le), affl. de l'Ohio (1 600 km).

Tennessee, État du S.-E. des États-Unis ; cap. Nashville ; v. princ. Memphis.

Tennyson Alfred, lord (1809-1892), poète anglais : *les Idylles du roi.*

Tenochtitlán, anc. cap. des Aztèques, sur l'emplacement de Mexico.

Tenzin Gyatso (né en 1935), quatorzième dalaï-lama.

Teotihuacán, v. précolombienne du Mexique. Pyramides de la Lune et du Soleil.

Terborch Gerard (1617-1681), peintre hollandais de scènes de genre.

Térence (v. 190-159 av. J.-C.), auteur latin de comédies.

Teresa (Mère) (1910-1997), religieuse indienne d'origine macédonienne.

Teresina, v. du Brésil ; 476 100 h.

Terni, v. d'Italie (Ombrie) ; 111 110 h.

Terpsichore, muse du Chant, de la Poésie lyrique et de la Danse (*Myth. gr.*).

Terre de Feu, archipel à la pointe S. de l'Amérique du Sud.

Terre-Neuve-et-Labrador, prov. du Canada, comprenant l'*île de Terre-Neuve* (112 300 km²) et le Labrador ; cap. Saint-John's (Saint-Jean).

Terreur (la), période de la Révolution française, allant de septembre 1793 à juillet 1794.

Tertullien (v. 155-v. 220), apologiste chrétien.

Tessin (le), affl. du Pô (248 km).

Tessin, cant. de Suisse ; ch.-l. Bellinzona.

Testament (Ancien et Nouveau). *V. Bible.*

Têt (le), fête du nouvel an au Viêt-nam.

Téthys, déesse de la Mer (*Myth. gr.*).

Téthys (la), océan qui s'est ouvert au secondaire et a séparé en deux la Pangée.

Tétouan, v. du N. du Maroc ; 199 620 h.

Teutatès, dieu de la Tribu chez les Celtes.

Teutonique (ordre), ordre hospitalier et militaire, créé en 1198 par des croisés allemands.

Teutons, anc. peuple germanique, vaincu par Marius près d'Aix (102 av. J.-C.).

Texas, le plus vaste État des États-Unis ; 691 402 km² ; 16 682 000 h ; cap. Austin ; v. princ. Houston, Dallas.

Thabor ou **Tabor,** montagne de Galilée.

Thackeray William (1811-1863), écrivain et dessinateur anglais : *la Foire aux vanités.*

Thaddée. *V. Jude.*

Thaïlande, État (royaume) du S.-E. asiatique ; 514 000 km² ; 63 800 000 h ; cap. Bangkok.

Thaïs, groupe ethnique de l'Asie du Sud-Est.

Thalès, mathématicien et philosophe grec du VIe s. av. J.-C.

Thalie, muse de la Comédie (*Myth. gr.*).

Thanatos, dieu de la Mort (*Myth. gr.*).

Thanjavur. *V. Tanjore.*

Thann, ch.-l. d'arr. du Haut-Rhin ; 7 783 h.

Thar (le), désert du Pakistan et de l'Inde.

Thatcher Margaret (née en 1925), Premier ministre (conservateur) de la Grande-Bretagne de 1979 à 1990.

Thau (étang de), lagune du dép. de l'Hérault.

Thébaïde, partie méridionale de l'Égypte anc., refuge des premiers ermites chrétiens.

Thèbes, v. de l'anc. Égypte, cap. du Nouvel Empire. Temples à Karnak et à Louxor.

Thèbes, v. de Grèce (Béotie), rivale d'Athènes et de Sparte, détruite par Alexandre le Grand.

Theiler Max (1899-1972), médecin sud-africain. Il isola le virus de la fièvre jaune.

Thélème (abbaye de), communauté de laïcs imaginée par Rabelais.

Thémis, déesse de la Justice (*Myth. gr.*).

Thémistocle (v. 524-v. 459 av. J.-C.), général athénien, vainqueur à Salamine.

Théocrite (v. 315-v. 250 av. J.-C.), poète bucolique grec.

Théodora (v. 500-548), impératrice d'Orient, épouse de Justinien.

Theodorakis Mikis (né en 1925), compositeur grec.

Théodoric Ier (mort en 451), roi des Wisigoths en 418, tué aux champs Catalauniques.

Théodoric le Grand (v. 454-526), roi des Ostrogoths en 493. Il constitua un empire éphémère (Italie, Dalmatie, Pannonie).

Théodose Ier le Grand (v. 347-395), empereur romain en 379. Il fit du christianisme la religion officielle.

Théophraste (v. 372-v. 287 av. J.-C.), philosophe grec : *les Caractères.*

Théra. *V. Santorin.*

Thérèse d'Ávila sainte (1515-1582), religieuse mystique espagnole, réformatrice des carmélites : *le Château intérieur.*

Thérèse de l'Enfant-Jésus sainte (1873-1897), religieuse française.

Thermidor an II (9 et 10) (27 et 28 juillet 1794), chute de Robespierre et fin de la Terreur.

Thermopyles (les), défilé de la Grèce où Léonidas Ier résista aux Perses (480 av. J.-C.).

Thésée, roi d'Athènes qui tua le Minotaure et épousa Phèdre (*Myth. gr.*).

Thespis (VIe s. av. J.-C.), poète grec, créateur de la tragédie.

Thessalie, rég. de la Grèce centrale.

Thessalonique ou **Salonique,** port de la Grèce du Nord ; 406 410 h. (aggl. 706 180 h).

Thétis, mère d'Achille (*Myth. gr.*).

Thiais, ch.-l. de cant. du Val-de-Marne ; 27 933 h.

Thibaut IV (dit *le Chansonnier*) (1201-1253), comte de Champagne, roi de Navarre en 1234 et trouvère.

Thiérache, rég. d'élevage du dép. de l'Aisne.

Thierry IV (mort en 737), roi des Francs en 721, le dernier des Mérovingiens.

Thierry Augustin (1795-1856), historien français : *Récits des temps mérovingiens.*

Thiers, ch.-l. d'arr. du Puy-de-Dôme ; 15 407 h.

Thiers Adolphe (1797-1877), homme politique et historien français, premier président de la IIIe République (1871-1873).

Thiès, v. du Sénégal ; 150 000 h.

Thimphu, cap. du Bhoutan ; 20 000 h.

Thionville, ch.-l. d'arr. de la Moselle ; 40 835 h.

Thiry Marcel (1897-1977), écrivain belge d'expression française.

Thom René (né en 1923), mathématicien français. Théorie des catastrophes.

Thomas saint, un des douze apôtres.

Thomas d'Aquin saint (1225-1274), théologien et philosophe italien, docteur de l'Église : *Somme théologique.*

Thomas Becket saint (1118-1170), prélat anglais, assassiné sur l'ordre d'Henri III.

Thomas More ou **Morus** saint (1478-1535), homme d'État et humaniste anglais : *Utopie.* Il fut décapité sur l'ordre d'Henri VIII.

Thomas Dylan (1914-1953), poète gallois.

Thomson sir William, lord Kelvin (1824-1907), mathématicien et physicien anglais, auteur d'une échelle de températures.

Thomson sir Joseph John (1856-1940), physicien britannique.

Thonon-les-Bains, ch.-l. d'arr. de la Haute-Savoie ; 30 667 h.

Thor, dieu du Tonnerre (*Myth. scandinave*).

Thoreau Henry (1817-1862), écrivain américain : *Walden ou la Vie dans les bois.*

Thorez Maurice (1900-1964), homme politique français (communiste).

Thoronet (le), abbaye cistercienne du Var.

Thot, dieu égyptien du Savoir.

Thoune, v. de Suisse (Berne) ; 36 900 h.

Thoutmès III (1504-1450 av. J.-C.), pharaon égyptien, grand conquérant.

Thrace, rég. du N.-E. de la Grèce.

Thrasybule (v. 445-388 av. J.-C.), général athénien. Il renversa les Trente Tyrans.

Thucydide (v. 465-apr. 395 av. J.-C.), historien grec : *Histoire de la guerre du Péloponnèse.*

Thulé, nom donné par les Anciens à la limite nord du monde connu.

Thunder Bay, v. du Canada (Ontario) ; 112 500 h.

Thurgovie, cant. de Suisse, sur le lac de Constance ; ch.-l. Frauenfeld.

Thuringe, Land d'Allemagne ; cap. Erfurt.

Thyssen August (1842-1926), industriel allemand.

Tianjin ou **T'ien-tsin**, v. de la Chine du Nord ; 152 180 h (aggl. 7 790 160 h).

Tianshan, chaîne de l'Asie centrale (7 439 m).

Tibère (v. 42 av. J.-C.-37 apr. J.-C.), empereur romain en 14, successeur d'Auguste.

Tibériade, v. d'Israël, sur le *lac de Tibériade ;* 28 240 h.

Tibesti, massif du Sahara (Tchad) (3 415 m).

Tibet, rég. auton. de la Chine ; 1 221 600 km² ; env. 2 000 000 hab ; ch.-l. Lhassa.

Tibre (le), fl. d'Italie, qui traverse Rome (396 km).

Tibulle (v. 50-v. 19 av. J.-C.), poète latin.

Tibur. *V. Tivoli.*

Tieck Ludwig (1773-1853), écrivain romantique allemand : *le Chat botté.*

Tiepolo Giambattista (1696-1770), peintre et graveur baroque italien.

Tiflis. *V. Tbilissi.*

Tignes, stat. hivernale de Savoie.

Tigrane le Grand (v. 121-v. 54 av. J.-C.), roi d'Arménie en 95, vaincu par Pompée.

Tigre (le), fl. de Mésopotamie (1 950 km).

Tigré, prov. du N. de l'Éthiopie.

Tijuana, v. du N.-O. du Mexique ; 641 000 h.

Tikal, site archéologique maya du Guatemala.

Tilburg, v. des Pays-Bas ; 154 430 h.

Tilimsen. *V. Tlemcen.*

Till Eulenspiegel, personnage légendaire d'origine allemande, type du bouffon.

Tilsit (traité de), alliance entre Napoléon I er et le tsar Alexandre I er (1807).

Timgad, site archéologique romain d'Algérie.

Timisoara, v. de l'O. de la Roumanie ; 309 260 h.

Timmermans Félix (1886-1947), écrivain belge d'expression flamande.

Timor, île de l'E. de l'Indonésie, sur la *mer de Timor* qui la sépare de l'Australie.

Timor-Oriental, État de la partie orient. de Timor ; 14 900 km² ; 900 000 hab. ; cap. Dili.

Timourides, dynastie de descendants de Tamerlan, qui régna jusqu'en 1507 en Perse.

Timur Lang. *V. Tamerlan.*

Tinbergen Nikolaas (1907-1988), zoologiste néerlandais.

Tindemans Léo (né en 1922), homme politique belge (socio-chrétien flamand).

Tinguely Jean (1925-1991), sculpteur suisse.

Tintin, héros de BD créé par Hergé.

Tintoret (Iacopo Robusti, dit le) (1518-1594) peintre vénitien.

Tipasa, v. d'Algérie ; 15 800 h. Ruines romaine

Tirana, cap. de l'Albanie ; 215 860 h.

Tirésias, devin de Thèbes (*Myth. gr.*).

Tirpitz Alfred von (1849-1930), amiral allemand

Tirso de Molina (v. 1583-1648), dramaturg espagnol, auteur de près de 400 pièces.

Tiruchirapalli (anc. *Trichinopoly*), v. de l'In (Tamil Nadu) ; 362 050 h (aggl. 609 550 h).

Tirynthe, site archéologique mycénien.

Tisza (la), affl. du Danube (1 300 km).

Titanic, transatlantique britannique qui cou après avoir heurté un iceberg (1912).

Titans, fils et filles d'Ouranos et de Gaia vainc par Zeus (*Myth. gr.*).

Tite-Live (64 ou 59 av. J.-C. -17 apr. J.-C.), his rien romain : *Histoire de Rome.*

Titicaca, lac (8 300 km²) des Andes, à 3 812 entre le Pérou et la Bolivie.

Titien (Tiziano Vecellio, dit) (v. 1490-157 peintre vénitien.

Tito (Josip Broz, dit) (1892-1980), maréc yougoslave, au pouvoir de 1945 à sa mort.

Titograd. *V. Podgorica.*

Titus (39-81), empereur romain en 79.

Tivoli (anc. *Tibur*), v. d'Italie (Latium 50 970 h. Villa d'Este.

Tizi-Ouzou, v. d'Algérie (Kabylie) ; 92 410 h

Tjibaou Jean-Marie (1936-1989), dirigeant FLNKS ; assassiné.

Tlaloc, dieu aztèque de la Pluie.

Tlemcen (auj. *Tilimsen*), v. de l'O. de l'Algé 111 590 h.

TNP, sigle de *Théâtre national populaire,* sit Paris, puis à Villeurbanne (1972).

Toamasina (anc. *Tamatave*), port de Ma gascar ; 100 000 h.

Tobago. *V. Trinité-et-Tobago.*

Tobin James (né en 1918), économiste a ricain.

Tobrouk, port de Libye ; env. 60 000 h.

Tocantins (rio), fl. du Brésil (2 640 km).

Tocqueville Alexis de (1805-1859), écriva homme politique français : *De la démocrati Amérique.*

Toepffer Rodolphe (1799-1846), dessinateur et écrivain suisse d'expression française.

Togliatti Palmiro (1893-1964), homme politique italien (communiste).

Togo, État d'Afrique occidentale ; 56 785 km² ; 6 100 000 h ; cap. Lomé.

Togo Heihachiro (1847-1934), amiral japonais, vainqueur des Russes (1905).

Tojo Hideki (1884-1948), général japonais. Il déclencha l'attaque de Pearl Harbor.

Tokugawa, dernière dynastie de shoguns japonais (1603-1867), fondée par **Tokugawa Ieyasu** (1542-1616), successeur de Hideyoshi.

Tokyo (*Edo* jusqu'en 1868), cap. du Japon (Honshu) ; 8 386 030 h (aggl. 11 904 370 h).

Tolbiac, victoire de Clovis sur les Alamans (v. 496).

Tolède, v. d'Espagne, sur le Tage, cap. de la commun. auton. de Castille-la Manche ; 54 340 h. Monuments anciens.

Toledo, v. des États-Unis (Ohio) ; 343 900 h.

Toliatti (anc. *Stavropol*), v. de Russie, sur la Volga ; 594 000 h.

Tolkien John Ronald Reuel (1892-1973), écrivain britannique : *le Seigneur des anneaux*.

Tolstoï Léon (1828-1910), écrivain russe : *Guerre et Paix, Anna Karénine*.

Tolstoï Alexis (1883-1945), écrivain soviétique : *le Chemin des tourments*.

Toltèques, Indiens du Mexique précolombien.

Toluca de Lerdo, v. du Mexique, près de Mexico ; 308 000 h.

Tombouctou, v. du Mali ; 19 160 h.

Tomsk, v. de Russie, en Sibérie ; 475 000 h.

Tonga, archipel et État d'Océanie ; 700 km² ; env. 100 000 h ; cap. Nukualofa.

Tonkin, rég. du N. du Viêt-nam ; v. princ. Hanoi.

Tonlé Sap, lac du centre du Cambodge.

Tora ou **Torah**, ensemble de la loi juive (la loi écrite consignée dans le Pentateuque et la loi orale consignée dans le Talmud).

Torcello, île de la lagune de Venise.

Tordesillas, traité entre l'Espagne et le Portugal, épousant à l'O. la ligne séparant les colonies espagnoles et portugaises, et attribuant ainsi le Brésil au Portugal (1493).

Torelli Giuseppe (1658-1709), compositeur et violoniste italien.

Toronto, v. du Canada, cap. de l'Ontario ; 612 290 h (aggl. 3 274 200 h).

Torquemada Tomás de (1420-1498), dominicain espagnol. Inquisiteur, il obtint l'expulsion des juifs d'Espagne (1492).

Torreón, v. du Mexique central ; 257 000 h.

Torres, détroit entre la Nouvelle-Guinée et l'Australie, faisant communiquer l'océan Indien et le Pacifique.

Torricelli Evangelista (1608-1647), mathématicien et physicien italien. Il découvrit la pression atmosphérique.

Tortue (la), île située au N. d'Haïti, anc. base de pirates.

Torun, v. de Pologne ; 188 030 h.

Toscane, rég. d'Italie centrale ; ch.-l. Florence.

Toscanini Arturo (1867-1957), chef d'orchestre italien.

Totonaques, peuple du Mexique précolombien (Ve-XVe s.).

Touaregs, populations berbères nomades du S. saharien.

Toubkal (djebel), point culminant de l'Afrique du Nord (Atlas) (4 165 m).

Toubous, peuple nomade noir du S. du Sahara.

Toucouleurs, peuple musulman du Sénégal et de Mauritanie.

Tou Fou. *V. Du Fu*.

Touggourt, oasis d'Algérie ; 23 980 h.

Toukhatchevski Mikhaïl (1893-1937), maréchal soviétique ; exécuté.

Toul, ch.-l. d'arr. de Meurthe-et-Moselle ; 17 752 h.

Toula, v. de Russie, au S. de Moscou ; 541 000 h.

Toulon, port militaire et ch.-l. du Var ; 170 607 h (aggl. 520 000 h).

Toulouse, ch.-l. de la Haute-Garonne, et de la Rég. Midi-Pyrénées, sur la Garonne ; 365 933 h (aggl. 761 000 h).

Toulouse-Lautrec Henri de (1864-1901), peintre, lithographe et affichiste français.

Toumaï, fossile d'hominidé découvert en 2001 et vieux de 7 millions d'années.

Toungouses ou **Toungouzes**, groupes ethniques de Sibérie orientale.

Touquet-Paris-Plage (Le), stat. balnéaire du Pas-de-Calais.

Tour de France, épreuve cycliste annuelle, depuis 1903.

Touraine, anc. prov. de France, arrosée par la Loire ; cap. Tours.

Tourcoing, ch.-l. de cant. du Nord ; 94 425 h.

Tour-du-Pin (La), ch.-l. d'arr. de l'Isère ; 6 926 h.

Touré Sékou (1922-1984), président de la République de Guinée de 1958 à sa mort.

Tourgueniev Ivan (1818-1883), écrivain russe : *Récits d'un chasseur*.

Tourmalet, col des Pyrénées (2 115 m).

Tournai, v. de Belgique (Hainaut) ; 67 910 h.

Tournon-sur-Rhône, ch.-l. d'arr. de l'Ardèche ; 10 165 h.

Tournus, ch.-l. de cant. de Saône-et-Loire ; 7 036 h. Abbatiale romane.

Tours, ch.-l. de l'Indre-et-Loire ; 133 403 h (aggl. 282 150 h). Le *congrès de Tours* (1920) vit la scission de la SFIO entre socialistes et communistes.

Tourville Anne de (1642-1701), vice-amiral de France. Il lutta contre les Anglo-Hollandais.

Toussaint Louverture (1743-1803), homme politique haïtien, héros de l'indépendance et de l'émancipation des esclaves.

Toutankhamon, pharaon égyptien du XIVe s. av. J.-C., dont on a retrouvé le tombeau intact.

Touva, rép. auton. de Russie (Sibérie).

Toynbee Arnold (1889-1975), historien britannique des civilisations.

Toyota, v. du Japon (Honshu) ; 308 110 h.

Trafalgar, cap de l'Espagne, près duquel Nelson anéantit la flotte franco-espagnole (1805).

Trajan (53-117), empereur romain en 98. Son règne marque l'apogée de l'Empire.

Trakl Georg (1887-1914), poète autrichien.

Transamazonienne (la), route (4 920 km) du Brésil à travers la forêt amazonienne.

Transcaucasie, rég. au S. du Caucase (Géorgie, Arménie, Azerbaïdjan).

Transoxiane, rég. de l'Asie centrale ancienne.

Transsibérien, voie ferrée (9 000 km) qui relie Moscou à Vladivostok.

Transvaal, anc. prov. du N.-E. de l'Afrique du Sud ; cap. Pretoria.

Transylvanie, rég. du centre de la Roumanie ; v. princ. Cluj-Napoca, Brasov.

Trappe (la), ordre religieux cistercien fondé en 1140, réformé en 1664 par Rancé.

Trappes, ch.-l. de cant. des Yvelines ; 30 938 h.

Trasimène, lac d'Italie (Ombrie), où Hannibal écrasa l'armée romaine (217 av. J.-C.).

Trébizonde, port de Turquie, sur la mer Noire ; 142 010 h. Cap. de l' *empire grec de Trébizonde* (1204-1461).

Treblinka, camp d'extermination nazi, près de Varsovie.

Trégorrois, rég. du N. de la Bretagne.

Tréguier, ch.-l. de cant. des Côtes-d'Armor ; 2 961 h. Cathédrale.

Trélazé, com. de Maine-et-Loire ; 11 067 h.

Tremblay Michel (né en 1942), écrivain canadien.

Tremblay-en-France, ch.-l. de cant. de la Seine-Saint-Denis ; 31 432 h.

Trenet Charles (1913-2001), chanteur et auteur-compositeur français.

Trent (la), riv. de Grande-Bretagne (270 km).

Trente, v. d'Italie, ch.-l. du Trentin-Haut-Adige ; 98 830 h. Le *concile de Trente* (1545-1563) fonda la Contre-Réforme.

Trente ou **Trente Tyrans** (les), magistrats que les Spartiates imposèrent aux Athéniens en 404 av. J.-C. Ils furent chassés par Thrasybule.

Trente Ans (guerre de), conflit entre catholiques et protestants qui ravagea le Saint Empire de 1618 à 1648 (paix de Westphalie).

Trentin-Haut-Adige, rég. auton. de l'Italie du Nord ; ch.-l. Trente.

Tréport (Le), stat. balnéaire de Seine-Maritime.

Trèves, v. d'Allemagne (Rhénanie-Palatinat) ; 93 080 h. Ruines romaines.

Trévise, v. d'Italie (Vénétie) ; 87 070 h.

Trévoux (Journal de), périodique jésuite qui combattit les encyclopédistes (1745-1762).

Triangle d'or, rég. productrice d'opium entre le Laos, la Thaïlande et la Birmanie.

Trianon, nom de deux châteaux édifiés dans le parc de Versailles, le *Grand Trianon* (1687) et le *Petit Trianon* (1762-1768).

Tribunal révolutionnaire, tribunal d'exception qui fonctionna à Paris de mars 1793 à mai 1795, principal agent de la Terreur.

Tribunat, assemblée législative du Consulat, supprimée en 1807.

Tricastin, usine d'enrichissement de l'uranium (Drôme).

Trichinopoly. V. *Tiruchirapalli.*

Trieste, port d'Italie, ch.-l. du Frioul-Vénétie Julienne ; 244 980 h.

Trimurti (la), trinité hindoue du panthéon brahmanique : Brahma, Vishnu et Çiva.

Trinité (La), ch.-l. d'arr. de la Martinique ; 11 392 h.

Trinité-et-Tobago (*Trinidad and Tobago*), archipel et État des Petites Antilles ; 5 128 km² ; 1 300 000 h. ; cap. Port of Spain.

Trinité-sur-Mer (La), stat. balnéaire et port de plaisance du Morbihan.

Triolet Elsa (1896-1970), écrivain français d'origine russe, épouse de L. Aragon.

Triplice. V. *Alliance (Triple-).*

Tripoli, port du N. du Liban ; 175 000 h.

Tripoli, cap. et port de la Libye ; 980 000 h.

Tripolitaine, rég. du N.-O. de la Libye.

Tripura, État de l'E. de l'Inde.

Tristan Flora (1803-1844), écrivain français, pionnière du féminisme.

Tristan da Cunha, archipel britannique de l'Atlantique Sud.

Tristan et Iseut, légende médiévale d'origine celtique, sur le thème de l'amour contrarié.

Tristan l'Hermite (François, dit) (v. 1601-1655), écrivain français : *le Page disgracié.*

Trivandrum, port de l'Inde, cap. du Kerala ; 483 090 h.

Trnka Jiri (1912-1969), cinéaste d'animation tchèque.

Trocadero, site fortifié d'Espagne (Andalousie), pris d'assaut par les Français (1823).

Trochu Louis (1815-1896), général français, chef du gouvernement de la Défense nationale.

Troie ou **Ilion,** cité d'Asie Mineure, enjeu d'une guerre relatée dans *l'Iliade* d'Homère.

Trois-Évêchés (les), les trois villes épiscopales, Metz, Toul et Verdun, qui eurent un statut particulier de 1552 à 1648.

Trois-Rivières, port du Canada (Québec) ; 50 120 h (aggl. 114 300 h).

Tronchet François Denis (1726-1806), juriste français. Il fut l'un des avocats de Louis XVI.

Trondheim, port de Norvège ; 134 020 h.

Trotski Léon (1879-1940), révolutionnaire russe. Adversaire de Staline, il fonda la IVᵉ Internationale. Il fut assassiné.

Troubetskoï Nikolaï (1890-1938), linguiste russe, fondateur de la phonologie.

Trouville-sur-Mer, stat. balnéaire du Calvados.

Troyat Henri (né en 1911), écrivain français d'origine russe.

Troyes, ch.-l. de l'Aube ; 60 755 h.

Trudeau Pierre Elliott (1919-2000), homme politique canadien (libéral).

Truffaut François (1932-1984), cinéaste français : *Jules et Jim.*

Trujillo, port du Pérou ; 438 700 h.

Trujillo y Molina Rafael (1891-1961), homme politique dominicain, au pouvoir de 1930 à sa mort ; assassiné.

Truman Harry (1884-1972), président (démocrate) des États-Unis de 1945 à 1952.

Tsahal, nom de l'armée israélienne.

Tsaritsyne. V. *Volgograd.*

Tsarskoïe Selo, résidence d'été des tsars, près de Saint-Pétersbourg.

Ts'eu Hi. V. *Ci Xi.*

Tsiganes ou **Tziganes,** peuple nomade originaire de l'Inde, disséminé en Europe.

Tsing. V. *Qing.*

Tsiolkovski Konstantine (1857-1935), savant russe, précurseur de l'astronautique.

Tsiranana Philibert (1912-1978), premier président de la République malgache (1959-1972).

Tsubouchi Shoyo (1859-1935), écrivain japonais : *la Quintessence du roman.*

Tsugaru (détroit de), bras de mer entre Hokkaidō et Honshu.

Tsushima, archipel japonais, entre la Corée et le Japon.

Tuamotu, archipel de la Polynésie française.

Tucson, v. des États-Unis (Arizona) ; 365 400 h (aggl. 594 800 h).

Tudor, famille qui régna sur l'Angleterre de 1485 à 1603.

Tu Duc (1830-1883), empereur d'Annam en 1848. Il dut céder devant les Français.

Tuileries (palais des), anc. résidence royale, à Paris, incendiée en 1871.

Tula, site archéologique toltèque du Mexique.

Tulle, ch.-l. de la Corrèze ; 18 685 h.

Tullus Hostilius, troisième roi de Rome (v. 672-641 av. J.-C.).

Tulsa, v. des États-Unis (Oklahoma) ; 374 500 h.

Tunis, cap. de la Tunisie ; 596 650 h (aggl. 1 500 000 h).

Tunisie, État de l'Afrique du Nord ; 154 530 km² ; 10 000 000 h ; cap. Tunis.

Tupis, peuple amérindien du Paraguay et du Brésil.

Tupolev Andreï (1888-1972), ingénieur soviétique, constructeur d'avions.

Turbigo (Lombardie), victoires des Français sur les Autrichiens en 1800 et en 1859.

Turcs, ensemble de populations qui se répartissent aujourd'hui entre la Turquie, l'Azerbaïdjan, le Turkménistan, l'Ouzbékistan, le Kirghizistan et le Xinjiang.

Turenne Henri de (1611-1675), maréchal de France.

Turgot Anne Robert Jacques (1727-1781), économiste français, ministre de Louis XVI.

Turin, v. d'Italie, sur le Pô, ch.-l. du Piémont ; 1 059 510 h.

Turing Alan (1912-1954), mathématicien anglais, ancêtre de l'informatique.

Turkana (anc. *lac Rodolphe*), lac du Kenya (8 600 km²).

Turkestan, rég. d'Asie centrale.

Turkmènes ou **Turcomans,** peuple turc d'Asie centrale.

Turkménistan, État d'Asie centrale, anc. rép. fédérée de l'URSS ; 488 100 km² ; 5 200 000 h ; cap. Achkhabad.

Turks et Caicos, archipel britannique des Antilles.

Turku, port de Finlande ; 161 840 h.

Turner William (1775-1851), peintre anglais, précurseur de l'impressionnisme.

Turnhout, v. de Belgique (Anvers) ; 37 450 h.

Turquie, État de l'Asie occidentale ; 779 452 km² ; 72 900 000 h ; cap. Ankara.

Tutsis, peuple du Burundi et du Ruanda.

Tutu Desmond (né en 1931), prélat anglican sud-africain, il mena une lutte pacifique contre l'apartheid.

Tuvalu (anc. *Ellice*), archipel et État du Pacifique central ; 24,6 km² ; 8 230 h ; cap. Funafuti.

Tver (*Kalinine* de 1931 à 1991), v. de Russie, sur la Volga ; 438 000 h.

Twain Mark (1835-1910), écrivain américain : *les Aventures de Tom Sawyer.*

Tweed (la), fl. de Grande-Bretagne (165 km).

Tycho Brahe. *V. Brahe.*

Tyr, anc. cité phénicienne (XIIᵉ s.-573 av. J.-C.).

Tyrol, Land d'Autriche, dans les Alpes orient. ; ch.-l. Innsbruck.

Tyrrhénienne (mer), partie de la Méditerranée entre la Corse, la Sardaigne, la Sicile et l'Italie.

Tzara Tristan (1896-1963), écrivain français d'origine roumaine, fondateur du mouvement dada : *l'Homme approximatif.*

Tziganes. *V. Tsiganes.*

UA, sigle de *Union africaine.*

Ucayali (río), riv. du Pérou (1 600 km), une des branches mères de l'Amazone.

Uccello Paolo (1397-1475), peintre florentin de la Renaissance. Scènes de bataille.

Udaipur, v. de l'Inde (Rajasthan) ; 232 590 h.

UDF, sigle de *Union pour la démocratie française,* formation centriste créée en 1978.

Udine, v. d'Italie (Frioul) ; 101 070 h.

UE, sigle de *Union européenne.*

Ugine, ch.-l. de cant. de la Savoie ; 7 490 h.

Uhuru (pic). *V. Kilimandjaro.*

Ujjain, v. de l'Inde (Madhya Pradesh) ; 278 450 h. Pèlerinage.

Ujungpandang (anc. *Makassar*), port d'Indonésie (Célèbes) ; 709 040 h.

Ukraine, État d'Europe orientale, sur la mer Noire, anc. rép. fédérée de l'URSS ; 603 700 km² ; 47 100 000 h ; cap. Kiev.

Ulfila (v. 311-383), évêque arien des Goths.

Ulm, v. d'Allemagne (Bade-Wurtemberg) ; 100 750 h.

Ulsan, port de la Corée du Sud ; 551 320 h.

Ulster, rég. du nord de l'Irlande divisée entre l'Eire et le Royaume-Uni (cap. Belfast).

Uluru. *V. Ayers Rock.*

Ulysse, roi mythique d'Ithaque, dont les aventures sont racontées dans l'*Odyssée.*

Umar ou **Omar** (v. 583-644), deuxième calife de l'islam en 634.

Umm Kulthum ou **Oum Kalsoum** (1898-1975), chanteuse égyptienne.

UMP, sigle de *Union pour un mouvement populaire,* formation politique qui réunit les élus du RPR et une partie de ceux de l'UDF.

Unamuno Miguel de (1864-1936), écrivain espagnol : *le Sentiment tragique de la vie.*

Undset Sigrid (1882-1949), romancière norvégienne : *Kristin Lavransdatter.*

Unesco, institution spécialisée de l'ONU pour l'éducation, la science et la culture.

Ungaretti Giuseppe (1888-1970), écrivain italien : *Sentiment du temps.*

Unicef, organisme de l'ONU pour l'enfance.

Unigenitus, bulle par laquelle Clément XI condamna le jansénisme (1713).

Union africaine (anc. *Organisation de l'unité africaine*), organisation regroupant tous les États indépendants d'Afrique.

Union européenne, association d'États européens prévue par le traité de Maastricht et qui a succédé en 1993 à la CÉE. Elle comprend 25 États depuis 2004.

Union française, ensemble formé par la France et ses colonies (1946-1958).

Union Jack, drapeau du Royaume-Uni.

Unterwald, cant. de Suisse, divisé en deux demi-cantons : Nidwald et Obwald.

Upanishad, texte sanskrit, partie des Veda.

Uppsala, v. de Suède ; 154 710 h. Université.

Ur ou **Our,** anc. v. de la Mésopotamie, prospère au IIIe millénaire av. J.-C.

Uranie, muse de l'Astronomie (*Myth. gr.*).

Uranus, septième planète du système solaire.

Urartu. *V. Ourartou.*

Urbain II bienheureux (v. 1042-1099), pape en 1088. Il fit décider la première croisade.

Urbain VIII (1568-1644), pape en 1623. Il condamna Galilée et le jansénisme.

Urbino, v. d'Italie (Marches) ; 15 920 h. Important centre faïencier aux XVIe et XVIIe s.

Urey Harold (1893-1981), chimiste américain. Il découvrit l'eau lourde.

Urfa (anc. *Édesse*), v. de Turquie ; 147 500 h.

Urfé Honoré d' (1567-1625), écrivain français : *l'Astrée.*

Uri, cant. de Suisse ; ch.-l. Altdorf.

URSS, sigle de *Union des républiques socialistes soviétiques,* anc. État d'Europe et d'Asie (1922-1991).

Uruguay, fl. d'Amérique du Sud (1 580 km).

Uruguay, État d'Amérique du Sud ; 177 508 km² ; 3 400 000 h ; cap. Montevideo.

Uruk. *V. Ourouk.*

Urumqi ou **Ouroumtsi,** v. de Chine du Nord-Ouest, cap. du Xinjiang ; 961 240 h.

USA. *V. États-Unis.*

Ushuaia, v. d'Argentine, en Terre de Feu.

Ussel, ch.-l. d'arr. de la Corrèze ; 11 988 h.

Utah, État du centre-ouest des États-Unis ; cap. Salt Lake City.

Utamaro Kitagawa (1753-1806), peintre et graveur japonais, maître de l'estampe (école de l'ukiyo-e).

Uthman ou **Othman** (mort en 656), troisième calife de l'islam en 644.

Utique, anc. v. d'Afrique (Tunisie).

Utrecht, v. des Pays-Bas ; 230 370 h. L'*Union d'Utrecht* réunit les sept provinces protestantes

des Pays-Bas (1579). Les *Traités d'Utrecht* (1713-1715) mirent fin à la guerre de Succession d'Espagne.
Utrillo Maurice (1883-1955), peintre français.

Uttar Pradesh, État du N. de l'Inde ; cap. Lucknow.
Uvéa ou **Ouvéa,** la principale des îles Wallis.
Uzès, ch.-l. de cant. du Gard ; 7 955 h.

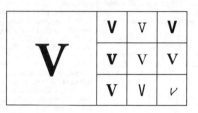

Vaal, affl. de l'Orange (1 200 km).

Vaccarès, étang (6 000 ha) de Camargue.

Vaduz, cap. du Liechtenstein ; 4 900 h.

Vailland Roger (1907-1965), écrivain français : *la Loi*.

Vaillant Édouard (1840-1915), homme politique français (socialiste).

Vaison-la-Romaine, ch.-l. de cant. du Vaucluse ; 5 701 h. Monuments anciens.

Valachie, rég. du centre de la Roumanie.

Valadon Suzanne (1865-1938), peintre français, mère de M. Utrillo.

Valais, cant. de Suisse ; ch.-l. Sion.

Val d'Aoste, rég. auton. d'Italie ; ch.-l. Aoste.

Val-de-Grâce (le), hôpital militaire de Paris.

Val-de-Marne, dép. français (94) (Île-de-France) ; 244 km² ; 1 224 140 h ; ch.-l. Créteil.

Val-d'Isère, stat. de sports d'hiver de Savoie.

Valdo ou **Valdès** Pierre (v. 1140-1217), fondateur français de la secte des vaudois.

Val-d'Oise, dép. français (95) (Île-de-France) ; 1 249 km² ; 1 058 055 h ; ch.-l. Pontoise.

Valence, ch.-l. de la Drôme ; 68 157 h.

Valence, port d'Espagne, sur la Méditerranée, cap. de la commun. auton. de *Valence* ; 728 620 h.

Valencia, v. du Venezuela ; 824 010 h.

Valenciennes, ch.-l. d'arr. du Nord ; 39 276 h (aggl. 338 400 h).

Valentin (le) (1591-1632), peintre français.

Valentino Rudolph (1895-1926), acteur de cinéma américain d'origine italienne.

Valera. *V. De Valera.*

Valérien (mont), colline de la banlieue O. de Paris. Mémorial de la Résistance.

Valérien (mort en 259), empereur romain en 253.

Valéry Paul (1871-1945), écrivain français : *la Jeune Parque, Monsieur Teste*.

Valette (La), cap. de Malte ; 9 240 h.

Valladolid, v. d'Espagne, cap. de la commun. auton. de Castille et León ; 335 370 h.

Vallauris, ch.-l. de cant. des Alpes-Maritimes ; 21 406 h.

Valle-Inclán Ramón del (1866-1936), écrivain espagnol : *Comédies barbares*.

Vallès Jules (1832-1885), journaliste et écrivain français, membre de la Commune.

Vallotton Félix (1865-1925), peintre et graveur français d'origine suisse.

Valmy (Marne), victoire des Français sur les Prussiens (20 septembre 1792).

Valois, dynastie qui régna sur la France de Philippe VI (1328) à Henri III (1589).

Valparaíso, port du Chili ; 278 760 h (aggl. 620 000 h).

Van, lac de l'E. de la Turquie (3 700 km²).

Van Allen James Alfred (né en 1914), physicien et astronome américain.

Vancouver, port du Canada (Colombie britannique), en face de l'*île de Vancouver ;* 431 150 h (aggl. 1 368 100 h).

Vandales, Germains qui envahirent la Gaule, l'Espagne et l'Afrique du Nord (Ve s.).

Van der Goes Hugo (v. 1440-1482), peintre flamand : l'*Adoration des bergers*.

Van der Weyden (Rogier de La Pasture, dit) (début du XVe s.-1464), peintre flamand.

Van de Velde Henry (1863-1957), peintre et architecte belge, promoteur de l'art nouveau.

Vandœuvre-lès-Nancy, ch.-l. de cant. de Meurthe-et-Moselle ; 34 420 h.

Van Dongen Kees (1877-1968), peintre français d'origine néerlandaise.

Van Dyck Anton (1599-1641), peintre flamand ; portraitiste.

Van Eyck Jan (v. 1390-1441), peintre flamand : l'*Agneau mystique*.

Van Gogh Vincent (1853-1890), peintre néerlandais qui se fixa à Arles, puis à Auvers-sur-Oise. Il se suicida.

Van Helmont Jan Baptist (1577-1644), chimiste flamand. Il isola le gaz carbonique.

Van Laar Pieter (dit *Bamboccio*) (v. 1592-1642), peintre et graveur hollandais.

Van Loo, famille de peintres français du XVIIIe s.

Vannes, ch.-l. du Morbihan ; 48 454 h.

Vanoise, massif des Alpes de Savoie (3 852 m).

Van Ruysbroek Jan (1293-1381), théologien mystique du Brabant.

Van't Hoff Jacobus Henricus (1852-1911), chimiste néerlandais.

Vanuatu (anc. *Nouvelles-Hébrides*), archipel et État du Pacifique ; 14 763 km² ; 149 000 h ; cap. Vila.

Van Velde Bram (1895-1981), peintre abstrait néerlandais.

Vanzetti. *V. Sacco.*

Var (le), fl. côtier du S.-E. de la France (120 km).

Var, dép. français (83) (Provence-Alpes-Côte d'Azur) ; 5 999 km² ; 832 291 h ; ch.-l. Toulon.

Varanasi. V. Bénarès.

Varègues, Vikings qui s'installèrent en Russie au IXᵉ s.

Varennes-en-Argonne, village de la Meuse, où Louis XVI fut arrêté lors de sa fuite (1791).

Varèse Edgard (1885-1965), compositeur français naturalisé américain.

Vargas Getúlio (1883-1954), président de la République du Brésil de 1934 à 1945 et de 1950 à 1954. Il se suicida.

Varna, port de Bulgarie ; 295 000 h.

Varron (116-27 av. J.-C.), écrivain latin.

Varsovie, cap. de la Pologne, sur la Vistule ; 1 650 220 h. Le *grand-duché de Varsovie,* État créé par Napoléon Iᵉʳ, disparut en 1815. Le *pacte de Varsovie* fut une alliance militaire entre l'URSS et certains pays d'Europe de l'Est (1955-1991).

Vasa. V. Gustave Iᵉʳ Vasa.

Vasarely Victor (1908-1997), peintre abstrait français d'origine hongroise.

Vasari Giorgio (1511-1574), peintre maniériste, architecte et écrivain italien.

Västeras, v. de Suède ; 117 740 h.

Vatican, résidence des papes, État situé à Rome (44 ha) fondé par les accords du Latran (1929). Basilique Saint-Pierre, chapelle Sixtine, Bibliothèque vaticane, musées. Deux conciles s'y réunirent : *Vatican I* (1869-1870) définit le dogme de l'infaillibilité pontificale, *Vatican II* (1962-1965) décida l'adaptation de l'Église au monde contemporain.

Vauban Sébastien Le Prestre de (1633-1707), maréchal de France, responsable des fortifications sous Louis XIV.

Vaucanson Jacques de (1709-1782), ingénieur français. Il créa des automates.

Vaucluse, dép. français (84) (Provence-Alpes-Côte d'Azur) ; 3 566 km² ; 475 819 h ; ch.-l. Avignon.

Vaud, cant. de Suisse ; ch.-l. Lausanne.

Vaugelas Claude Favre de (1585-1650), grammairien français, gardien du bon usage.

Vaughan Sarah (1924-1990), chanteuse américaine de jazz.

Vaughan Williams Ralph (1872-1958), compositeur anglais.

Vaulx-en-Velin, ch.-l. de cant. du Rhône ; 44 535 h.

Vauquelin Nicolas Louis (1763-1829), pharmacien et chimiste français.

Vauvenargues Luc de (1715-1747), écrivain et moraliste français.

Vaux-le-Vicomte, château, près de Melun, construit par Le Vau pour Fouquet.

Veda (les), textes sacrés de l'hindouisme.

Véies, anc. v. étrusque, conquise par Rome v. 400 av. J.-C.

Vélasquez Diego (1599-1660), peintre espagnol : *les Ménines.*

Velay, rég. volcanique du Massif central.

Veliko Tarnovo, v. de Bulgarie ; 65 000 h. Anc. cap. du pays (XIᵉ-XIVᵉ s.).

Vélizy-Villacoublay, ch.-l. de cant. des Yvelines ; 23 034 h. Aérodrome militaire.

Venaissin (comtat). V. Comtat.

Vence, ch.-l. de cant. des Alpes-Maritimes ; 15 364 h.

Venceslas saint (907-929), évangélisateur et patron de la Bohême.

Venceslas IV (1361-1419), roi de Bohême en 1363 et empereur germanique en 1378.

Vendée, dép. français (85) (Pays de la Loire) ; 6 721 km² ; 522 620 h ; ch.-l. La Roche-sur-Yon. La *guerre de Vendée* fut une insurrection contre-révolutionnaire, catholique et royaliste (1793-1796).

Vendôme, ch.-l. d'arr. de Loir-et-Cher ; 18 359 h.

Vénètes, Indo-Européens qui s'établirent les uns en Vénétie, les autres en Armorique.

Vénétie, rég. de l'Italie du N.-E. ; ch.-l. Venise.

Venezuela, État du N.-O. de l'Amérique du Sud ; 912 050 km² ; 26 700 000 h ; cap. Caracas.

Venise, v. d'Italie, sur la *lagune de Venise* ; 80 000 h. Venise est construite sur 118 îlots, que séparent 177 canaux, 400 ponts. Basilique Saint-Marc, palais des Doges.

Vénissieux, v. du Rhône ; 60 744 h.

Venizélos Eleuthérios (1864-1936), homme politique grec, artisan de la Grèce moderne.

Vent (îles du), îles orientales des Antilles (Porto Rico, Trinité, Guadeloupe, Martinique).

Ventoux, mont des Préalpes du Sud (1 912 m).

Vénus, déesse de l'Amour (*Myth. rom.*).

Vénus, deuxième planète du système solaire.

Vêpres siciliennes, massacre de soldats français par les habitants de Palerme (1282).

Veracruz, port du Mexique, sur le golfe du Mexique ; 284 820 h.

Verceil, v. d'Italie (Piémont) ; 51 980 h.

Vercingétorix (v. 72-46 av. J.-C.), chef gaulois, vaincu par César à Alésia.

Vercors (le), massif des Préalpes (2 341 m). Haut lieu de la Résistance (1944).

Verdi Giuseppe (1813-1901), compositeur italien d'opéras : *la Traviata, Aïda.*

Verdon (le), affl. de la Durance (175 km).

Verdun, ch.-l. d'arr. de la Meuse ; 23 427 h. Le *traité de Verdun* (843) partagea l'Empire carolingien entre les trois fils de Louis le Pieux. La *bataille de Verdun* (1916) vit la résistance des Français à l'offensive allemande.

Vergennes Charles Gravier de (1719-1787), diplomate français, ministre de Louis XVI.

Vergniaud Pierre (1753-1793), homme politique français. Girondin, il fut guillotiné.

Verhaeren Émile (1855-1916), poète symboliste belge d'expression française.

Verkhoïansk, localité de Sibérie, un des points les plus froids du globe.

Verlaine Paul (1844-1896), poète symboliste français : *Poèmes saturniens, Sagesse.*

Vermeer Johannes (dit *Vermeer de Delft*) (1632-1675), peintre hollandais : *la Dentellière.*

Vermont, État du N.-E. des États-Unis.

Verne Jules (1828-1905), écrivain français, auteur de romans d'aventures.

Vernon, ch.-l. de cant. de l'Eure ; 24 943 h.

Vérone, v. d'Italie (Vénétie) ; 261 270 h.

Véronèse Paolo (1528-1588), peintre vénitien : *les Noces de Cana.*

Véronique sainte, femme qui aurait essuyé face du Christ pendant sa montée au Calvaire.

Verrazano Giovanni da (1485-1528), navigateur italien au service du roi François Iᵉʳ.

Verrocchio Andrea del (1435-1488), sculpteur peintre florentin de la Renaissance.

Versailles, ch.-l. des Yvelines ; 91 029 h. Le *château de Versailles,* construit pour Louis XIV à partir de 1661, est le modèle de l'art classique. Le *traité de Versailles* entre les Alliés et l'Allemagne (1919) mit fin à la Première Guerre mondiale.

Verseau (le), constellation australe et signe du zodiaque (21 janvier-18 février).

Vert (cap), point le plus occidental d'Afrique, au N.-O. de Dakar (Sénégal).

Vertov Dziga (1896-1954), cinéaste soviétique.

Verviers, v. de Belgique (Liège) ; 55 370 h.

Vervins, ch.-l. d'arr. de l'Aisne ; 2 923 h.

Vésale André (v. 1515-1564), médecin flamand. Premières dissections du corps humain.

Vesoul, ch.-l. de la Haute-Saône ; 19 404 h.

Vespasien (9-79), empereur romain en 69.

Vespucci Amerigo (dit *Améric Vespuce*) (1454-1512), navigateur italien dont le prénom servit à baptiser l'Amérique.

Vesta, déesse du Foyer (*Myth. rom.*).

Vésuve (le), volcan actif d'Italie, au S.-E. de Naples (1 270 m).

Vevey, v. de Suisse (cant. de Vaud) ; 18 000 h.

Vexin, rég. partagée par l'Epte entre la Normandie et l'Île-de-France.

Vézelay, ch.-l. de cant. de l'Yonne. Basilique de la Madeleine (XIIe s.).

Vézère (la), affl. de la Dordogne (192 km).

Viala Joseph (1780-1793), jeune patriote français tué par les royalistes.

Vialatte Alexandre (1901-1971), écrivain français, auteur de chroniques.

Vian Boris (1920-1959), écrivain français : *l'Écume des jours.*

Vianney. V. *Jean-Marie Vianney.*

Viardot Pauline (1821-1910), cantatrice française, sœur de la Malibran.

Viau Théophile de (1590-1626), poète français.

Vicence, v. d'Italie (Vénétie) ; 112 250 h.

Vicente Gil (v. 1470-v. 1537), poète dramatique portugais : *la Trilogie des barques.*

Vichnou. V. *Vishnu.*

Vichy, ch.-l. d'arr. et stat. thermale de l'Allier ; 28 048 h. Siège du gouvernement de l'État français dirigé par le maréchal Pétain (1940-1944).

Vico Giambattista (1668-1744), historien, philosophe et philologue italien.

Victor Paul-Émile (1907-1995), explorateur français des régions polaires.

Victor-Emmanuel II (1820-1878), roi de Sardaigne en 1849, puis d'Italie en 1861. Il œuvra, avec Cavour, à l'unité du pays.

Victor-Emmanuel III (1869-1947), dernier roi d'Italie (1900-1946). Il dut abdiquer.

Victoria, État du S.-E. de l'Australie ; cap. Melbourne.

Victoria, cap. de Hong Kong ; 690 000 h.

Victoria, port du Canada, cap. de la Colombie britannique ; 66 300 h (aggl. 246 900 h).

Victoria, cap. des Seychelles ; 23 000 h.

Victoria (lac), lac d'Afrique équatoriale, qui alimente le Nil (68 100 km²).

Victoria Iʳᵉ (1819-1901), reine de Grande-Bretagne en 1837, impératrice des Indes en 1876.

Victoria Tomás Luis de (v 1548-v. 1611), compositeur espagnol de musique sacrée.

Vidal de la Blache Paul (1845-1918), géographe français.

Vidocq François (1775-1857), aventurier français, devenu un temps chef de la police.

Vidor King (1894-1982), cinéaste américain.

Vienne (la), affl. de la Loire (372 km).

Vienne, dép. français (86) (Poitou-Charentes) ; 6 985 km² ; 389 249 h ; ch.-l. Poitiers.

Vienne (Haute-), dép. français (87) (Limousin) ; 5 513 km² ; 361 004 h ; ch.-l. Limoges.

Vienne, ch.-l. d'arr. de l'Isère ; 30 386 h.

Vienne, cap. de l'Autriche, sur le Danube ; 1 531 350 h. Le *congrès de Vienne* (novembre 1814-juin 1815) entreprit la réorganisation de l'Europe après la défaite de Napoléon.

Vientiane, cap. du Laos, sur le Mékong ; 377 400 h.

Vierge (la), Marie, mère de Jésus.

Vierge (la), constellation boréale et signe du zodiaque (24 août-23 septembre).

Vierges (îles), archipel des Petites Antilles.

Vierzon, ch.-l. d'arr. du Cher ; 32 900 h.

Viêt-cong, Front national de libération du Viêt-nam du Sud (communiste), pendant la guerre du Viêt-nam (1960-1975).

Viète François (1540-1603), mathématicien français, créateur du calcul algébrique moderne.

Viêt-minh, parti nationaliste et communiste fondé par Hô Chi Minh (1941) pour lutter contre les Japonais puis les Français.

Viêt-nam, État de l'Asie du Sud-Est ; 329 566 km² ; 83 300 000 h ; cap. Hanoi. La *guerre du Viêt-nam* opposa le Viêt-nam du Nord au Viêt-nam du Sud, soutenu par les États-Unis (1954-1975).

Vigan (Le), ch.-l, d'arr. du Gard ; 4 637 h.

Vigée-Lebrun Élisabeth (1755-1842), peintre française ; portraitiste.

Vigneault (né en 1928), auteur-compositeur et chanteur québécois.

Vignemale (le), point culminant (3 298 m) des Pyrénées françaises.

Vignola (il), (1507-1573), architecte italien.

Vigny Alfred de (1797-1863), écrivain romantique français : *les Destinées.*

Vigo, port d'Espagne (Galice) ; 258 720 h.

Vigo Jean (1905-1934), cinéaste français.

Vijayavada, v. de l'Inde (Andhra Pradesh) ; 454 580 h. Pèlerinages.

Vikings, navigateurs scandinaves qui entreprirent des expéditions, de la Russie à l'Atlantique (VIIIe-XIe s.).

Vila ou **Port-Vila,** cap. de Vanuatu ; 15 100 h.

Vilaine (la), fl. côtier de Bretagne (225 km).

Vilar Jean (1912-1971), acteur et metteur en scène français de théâtre.

Villa Pancho (1878-1923), révolutionnaire mexicain ; assassiné.

Villa-Lobos Heitor (1887-1959), compositeur brésilien.

Villars Claude, duc de (1653-1734), maréchal de France.

Villefranche, station balnéaire des Alpes-Maritimes.

Villefranche-de-Rouergue, ch.-l. d'arr. de l'Aveyron ; 13 301 h.

Villefranche-sur-Saône, ch.-l. d'arr. du Rhône ; 29 889 h.

Villehardouin Geoffroi de (v. 1150-v. 1213), chroniqueur français de la quatrième croisade.

Villejuif, ch.-l. de cant. du Val-de-Marne ; 48 761 h.

Villèle Jean-Baptiste de (1773-1854), ministre (ultraroyaliste) de Louis XVIII (1822-1828).

Villemomble, ch.-l. de cant. de la Seine-Saint-Denis ; 27 000 h.

Villeneuve-d'Ascq, ch.-l. de cant. et v. nouvelle du Nord ; 65 695 h.

Villeneuve-lès-Avignon, ch.-l. de cant. du Gard, en face d'Avignon ; 10 785 h.

Villeneuve-Saint-Georges, ch.-l. de cant. du Val-de-Marne ; 27 476 h.

Villeneuve-sur-Lot, ch.-l. d'arr. du Lot-et-Garonne ; 23 760 h.

Villepin Dominique (Galouzeau de) (né en 1953), homme politique français, Premier ministre depuis 2005.

Villers-Cotterêts, ch.-l. de cant. de l'Aisne ; 8 402 h. L'*ordonnance de Villers-Cotterêts* (1539), promulguée par François Iᵉʳ, imposa le français, au lieu du latin, dans les actes judiciaires et notariés.

Villette (la), anc. abattoirs parisiens remplacés auj. par le *parc de la Villette* (Cité des sciences et de l'industrie, Cité de la musique).

Villeurbanne, ch.-l. de cant. du Rhône ; 119 848 h.

Villiers de L'Isle-Adam Auguste, comte de (1838-1889), écrivain français : *Contes cruels.*

Villon François (1431-apr. 1463), poète français : *Ballade des pendus.*

Villon Jacques (Gaston Duchamp, dit) (1875-1963), peintre et graveur français.

Vilnious ou **Vilnius,** cap. de la Lituanie ; 579 000 h.

Viña del Mar, port du Chili ; 297 290 h.

Vincennes, ch.-l. de cant. du Val-de-Marne ; 42 651 h.

Vincent de Paul saint (1581-1660), prêtre français, aumônier des galères. Il fonda de nombreuses œuvres de charité.

Vinci. V. *Léonard de Vinci.*

Vinogradov Ivan (1891-1983), mathématicien soviétique.

Vinson (mont), point culminant de l'Antarctique (5 140 m).

Vintimille, v. d'Italie (Ligurie) ; 26 300 h.

Viollet-le-Duc Eugène (1814-1879), architecte français, restaurateur du patrimoine médiéval.

Vire (la), fl. côtier de Normandie (120 km).

Vire, ch.-l. d'arr. du Calvados ; 13 869 h.

Virgile (v. 70-19 av. J.-C.), poète latin : *l'Énéide,* les *Géorgiques.*

Virginie et **Virginie-Occidentale,** États de l'E. des États-Unis.

Viry-Châtillon, com. de l'Essonne ; 30 738 h.

Visconti, famille de Lombardie, qui régna sur Milan de 1277 à 1447.

Visconti Louis Tullius Joachim (1791-1853), architecte français. Mausolée de Napoléon.

Visconti Luchino (1906-1976), cinéaste italien.

Vishakhapatnam, port de l'Inde (Andhra Pradesh) ; 565 320 h.

Vishnu ou **Vichnou,** divinité hindouiste qui fait partie de la Trimurti.

Visigoths. V. *Wisigoths.*

Viso, sommet des Alpes (3 841 m).

Vistule (la), fl. de Pologne (1 047 km).

Vitebsk, v. de Biélorussie ; 335 000 h.

Vitellius (15-69), empereur romain en 69.

Vitez Antoine (1930-1990), metteur en scène et directeur de théâtre français.

Vitoria, v. d'Espagne, cap. du Pays basque ; 198 830 h.

Vitrac Roger (1899-1952), écrivain surréaliste français : *Victor ou les Enfants au pouvoir.*

Vitruve (Iᵉʳ s. av. J.-C.), architecte romain.

Vitry-le-François, ch.-l. d'arr. de la Marne ; 17 843 h.

Vitry-sur-Seine, ch.-l. de cant. du Val-de-Marne ; 82 820 h.

Vittel, stat. thermale des Vosges.

Vittorini Elio (1908-1966), écrivain italien : *les Femmes de Messine.*

Vittorio Veneto, victoire décisive des Italiens sur les Austro-Hongrois, en Vénétie (1918).

Vivaldi Antonio (1678-1741), compositeur italien : *les Quatre Saisons.*

Vivarais, massif de l'E. du Massif central.

Viviani René (1863-1925), homme politique français (socialiste).

Vix, site archéologique de la Côte-d'Or, où fut découverte une tombe du Vᵉ s. av. J.-C.

Vizille, ch.-l. de cant. de l'Isère ; 7 268 h.

Vladimir, v. de Russie ; 331 000 h. Nombreux monuments médiévaux.

Vladimir Iᵉʳ le Grand (v. 956-1015), prince de Novgorod, grand-prince de Kiev, devenu le saint patron de la Russie.

Vladivostok, port de Russie, sur la mer du Japon ; 627 000 h.

Vlaminck Maurice de (1876-1958), peintre français, créateur du fauvisme.

Vltava (la) (en all. *Moldau*), affl. de l'Elbe, qui arrose Prague (430 km).

Voiture Vincent (1597-1648), écrivain français.

Vojvodine, prov. du N. de la Serbie.

Volga (la), fl. de Russie, le plus long d'Europe (3 700 km) ; il se jette dans la Caspienne.

Volgograd (anc. *Tsaritsyne, Stalingrad* de 192? à 1961), v. de Russie ; 981 000 h.

Vollard Ambroise (1868-1939), marchand d[e] tableaux et éditeur d'art français.

Volta, fl. du Ghana (1 600 km), qui alimente l[e] *lac Volta,* retenue de 8 500 km².

Volta Alessandro (1745-1827), physicien italien, inventeur de la pile électrique.

Voltaire (François Marie Arouet, dit) (1694-1778), écrivain français, représentant le plus connu du siècle des Lumières.

Volterra, v. d'Italie (Toscane) ; 14 080 [h.] Vestiges étrusques.

Volubilis, anc. cité romaine du Maroc.

Vorarlberg, prov. de l'O. de l'Autriche.

Voronej, v. de Russie ; 886 000 h.

Vosges, massif montagneux de l'E. de la Franc[e] (1 424 m au ballon de Guebwiller).

Vosges, dép. français (88) (Lorraine) ; 5 871 km² ; 397 934 h ; ch.-l. Épinal.

Votiaks. V. *Oudmourtes.*

Vouet Simon (1590-1649), peintre français.

Vouziers, ch.-l. d'arr. des Ardennes ; 5 081 h.

Vries (Hugo De). V. *De Vries.*

Vuillard Édouard (1868-1940), peintre frança[is] du groupe des nabis.

Vulcain, dieu du Feu (*Myth. rom.*).

Vulgate (la), traduction latine de la Bible due [à] saint Jérôme.

Wade Abdoulaye (né en 1926), président de la République du Sénégal dep. 2000.

Wagner Richard (1813-1883), compositeur allemand, auteur d'opéras inspirés de la mythologie germanique.

Wagner Otto (1841-1918), architecte autrichien, chef de file de l'art nouveau.

Wagram, victoire de Napoléon sur les Autrichiens (1809).

Wahhabites, musulmans qui, au XVIIIᵉ s., sous l'impulsion de **Muhammad ibn Abd al-Wahhab** (v. 1696-1792) prêchèrent un retour à l'interprétation littérale du Coran

Wajda Andrzej (né en 1926), cinéaste polonais : *Cendres et diamant.*

Waksman Selman (1888-1973), microbiologiste américain d'origine russe.

Walcott Derek (né en 1930), poète antillais.

Waldeck-Rousseau Pierre (1846-1904), homme politique français.

Waldheim Kurt (né en 1918), président de la République d'Autriche (1986-1992).

Walesa Lech (né en 1943), syndicaliste polonais, président de la République (1990-1995).

Walewska Marie (1789-1817), dame polonaise. Elle eut un fils de Napoléon Iᵉʳ.

Valhalla, domaine d'Odin, séjour des héros morts au combat (*Myth. scandinave*).

Wallace Richard (1818-1890), philanthrope anglais qui fit installer des fontaines à Paris.

Wallace Alfred Russel (1823-1913), naturaliste anglais, fondateur de la biogéographie.

Wallenstein ou **Waldstein** Albrecht von (1583-1634), général tchèque au service du Saint Empire pendant la guerre de Trente Ans.

Wallis-et-Futuna (îles), archipel de l'océan Pacifique, territoire français d'outre-mer.

Wallon Henri (1879-1962), psychologue français de l'enfant.

Wallonie, partie méridionale, francophone, de la Belgique ; cap. Namur ; v. princ. Liège.

Wall Street, la Bourse de New York.

Walpole Robert (1676-1745), homme politique anglais. Chef des whigs, il établit les bases du régime parlementaire.

Walpole Horace (1717-1797), fils du préc., écrivain anglais, créateur du roman noir.

Walpurgis sainte (710-779), bénédictine anglaise, dont la fête (le 1ᵉʳ mai) est associée à des pratiques de sorcellerie.

Walras Léon (1834-1910), économiste français.

Warburg Otto (1883-1970), biochimiste allemand, fondateur de l'enzymologie.

Warhol Andy (1931-1987), peintre et cinéaste américain, maître du pop'art.

Washington, cap. fédérale des États-Unis, constituant le district fédéral de Columbia ; 622 800 h (aggl. 3 369 600 h).

Washington, État du N.-O. des États-Unis ; v. princ. Seattle.

Washington George (1732-1799), général et premier président des États-Unis d'Amérique.

Watergate, scandale politique qui aboutit à la démission du président Nixon (1974).

Waterloo, défaite de Napoléon devant les Anglais de Wellington et les Prussiens de Blücher, le 18 juin 1815, au S. de Bruxelles.

Watson John (1878-1958), psychologue américain, fondateur du behaviourisme.

Watson James Dewey (né en 1928), biologiste américain. Il découvrit, avec Crick et Wilkins, la structure de l'ADN.

Watt James (1736-1819), ingénieur écossais. Il perfectionna la machine à vapeur.

Watteau Antoine (1684-1721), peintre français : *l'Embarquement pour Cythère.*

Wattignies-la-Victoire (Nord), victoire de Jourdan et Carnot sur les Autrichiens (1793).

Wattrelos, com. du Nord ; 43 784 h.

Waugh Evelyn (1903-1966), romancier anglais.

Wayne John (1907-1979), acteur américain.

Web (le), ensemble des serveurs du réseau Internet.

Weber Carl Maria von (1786-1826), compositeur romantique allemand d'opéras.

Weber Max (1864-1920), sociologue allemand.

Webern Anton von (1883-1945), compositeur autrichien, représentant du dodécaphonisme.

Wedekind Frank (1864-1918), dramaturge expressionniste allemand : *Lulu.*

Wedgwood Josiah (1730-1795), céramiste et industriel anglais.

Wegener Alfred (1880-1930), géophysicien allemand. Théorie de la dérive des continents.

Wehrmacht (la), ensemble des armées allemandes de 1935 à 1945.

Weierstrass Karl (1815-1897), mathématicien allemand, rénovateur de l'analyse.

Weil Simone (1909-1943), philosophe française : *la Pesanteur et la Grâce.*

Weill Kurt (1900-1950), compositeur allemand.

Weimar, v. d'Allemagne (Thuringe) ; 66 730 h. La *république de Weimar* (1919-1933) succéda au IIe Reich et fut renversée par Hitler.

Weismann August (1834-1914), biologiste allemand, continuateur de Darwin.

Weizmann Chaïm (1874-1952), premier président de la République d'Israël (1949-1952).

Welles Orson (1915-1985), cinéaste et acteur américain : *Citizen Kane.*

Wellington, cap. de la Nouvelle-Zélande ; 136 910 h (aggl. 325 700 h).

Wellington Arthur, duc de (1769-1852), général britannique, vainqueur à Waterloo.

Wells Herbert George (1866-1946), écrivain anglais de science-fiction.

Wendel (de), famille d'industriels français établis en Lorraine depuis le XVIIIe s.

Wenzhou, port de l'E. de la Chine (Zhejiang) ; 515 650 h (aggl. 5 948 130 h).

Weser (la), fl. d'Allemagne (480 km).

Wesley John (1703-1791), théologien anglais, fondateur du méthodisme.

Westminster, quartier de Londres où se trouvent le Parlement et l'*abbaye de Westminster,* le Panthéon britannique.

Westphalie, anc. prov. d'Allemagne. Les *traités de Westphalie* (1648) mirent fin à la guerre de Trente Ans.

West Point, école militaire des États-Unis.

Weygand Maxime (1867-1965), général français, commandant en chef en 1940.

Whistler James (1834-1903), peintre et graveur américain, proche des impressionnistes.

Whitman Walt (1819-1892), poète américain.

Whitney (mont), point culminant des États-Unis, dans la Sierra Nevada (4 418 m).

Whittle sir Frank (1907-1996), ingénieur anglais, inventeur du turboréacteur.

Wiechert Ernst (1887-1950), écrivain néo-romantique allemand : *la Forêt des morts.*

Wieland Christoph Martin (1733-1813), écrivain allemand : *Oberon.*

Wiener Norbert (1894-1964), mathématicien américain, fondateur de la cybernétique.

Wiesbaden, v. d'Allemagne, cap. de la Hesse ; 266 540 h.

Wiesel Élie (né en 1928), écrivain juif américain d'expression française : *la Nuit.*

Wight (île de), île britannique de la Manche.

Wilde Oscar (1854-1900), écrivain britannique : *le Portrait de Dorian Gray.*

Wilder Billy (1906-2002), cinéaste américain.

Wilhelmine (1880-1962), reine des Pays-Bas (1890-1948).

Wilkins Maurice Hugh Frederick (1916-2004), biologiste britannique. V. Watson.

Wilkinson John (1728-1808), industriel anglais, pionnier de la sidérurgie.

Williams Tennessee (1911-1983), auteur dramatique américain : *Un tramway nommé Désir.*

Wilson Thomas Woodrow (1856-1924), président (démocrate) des États-Unis (1912-1920), père de la SDN.

Wilson sir Harold (1916-1995), homme politique (travailliste) britannique.

Wimbledon, stade de la banlieue de Londres, où a lieu un tournoi annuel de tennis.

Winchester, v. d'Angleterre, ch.-l. du Hampshire ; 30 640 h. Cathédrale.

Windhoek, cap. de la Namibie ; 110 000 h.

Windsor, v. d'Angleterre ; 28 330 h. Château royal. La famille royale britannique a pris le nom de *Windsor.*

Windsor, v. du Canada (Ontario) ; 193 110 h.

Winnicott Donald (1896-1971), pédiatre et psychanalyste anglais.

Winnipeg, v. du Canada, sur le *lac Winnipeg ;* cap. du Manitoba ; 594 550 h.

Winterthur, v. de Suisse (Zurich) ; 86 760 h.

Wisconsin, État du centre des États-Unis.

Wisigoths ou **Visigoths,** Goths qui envahirent l'Italie, la Gaule et l'Espagne au Ve s.

Wissembourg, ch.-l. d'arr. du Bas-Rhin ; 7 533 h.

Witkiewicz Stanislaw (1885-1939), romancier dramaturge et peintre polonais.

Witt Jean de (1625-1672), homme d'État hollandais, assassiné avec son frère **Cornelis** lors d'une émeute populaire.

Wittelsbach, famille princière qui régna sur la Bavière de 1180 à 1918.

Wittgenstein Ludwig (1889-1951), philosophe et logicien britannique d'origine autrichienne.

Witz Konrad (v. 1400-v. 1445), peintre souabe.

Woëvre (la), plaine de Lorraine.

Wollo (le), prov. du N.-E. de l'Éthiopie.

Wolofs ou **Ouolofs,** peuple du Sénégal.

Wolsey Thomas (v. 1473-1530), prélat anglais, ministre d'Henri VIII.

Wolverhampton, v. d'Angleterre ; 252 450 h.

Woolf Virginia (1882-1941), romancière anglaise : *Mrs Dalloway.*

Worcester, v. d'Angleterre ; 74 790 h.

Wordsworth William (1770-1850), poète romantique anglais : *Ballades lyriques.*

Worms, v. d'Allemagne (Rhénanie-Palatinat) ; 74 000 h. Le *concordat de Worms* (1122) mit fin à la querelle des Investitures.

Wotan. V. *Odin.*

Wrangel Piotr de (1878-1928), général russe (contre-révolutionnaire).

Wren sir Christopher (1632-1723), architecte anglais. Cathédrale Saint-Paul à Londres.

Wright Frank Lloyd (1867-1959), architecte américain.

Wright Wilbur (1867-1912), et son frère **Orville** (1871-1948), pionniers américains de l'aviation.

Wright Richard (1908-1960), romancier noir américain : *les Enfants de l'oncle Tom.*

Wroclaw (anc. *Breslau*), v. de Pologne ; 637 630 h.

Wuhan, v. de Chine centrale ; ch.-l. du Hubei ; 3 287 720 h (aggl. 4 273 080 h).

Wundt Wilhelm (1832-1920), fondateur allemand de la psychologie expérimentale.

Wuppertal, v. d'Allemagne (Rhénanie-du-Nord-Westphalie) ; 374 220 h.

Wurtemberg, anc. État d'Allemagne, partie a. du Land de Bade-Wurtemberg.

Würzburg, v. d'Allemagne (Bavière) ; 127 050 h. Monuments médiévaux et baroques.

Wyclif ou **Wycliffe** John (v. 1330-1384), théologien anglais, précurseur de la Réforme.

Wyoming, État de l'O. des États-Unis.

Wyspianski Stanislaw (1869-1907), peintre dramaturge polonais.

Xenakis Iannis (1922-2001), compositeur français d'origine grecque.

Xénophon (v. 430-355 av. J.-C.), général et écrivain athénien : *les Mémorables, l'Anabase, l'Apologie de Socrate*.

Xerxès Ier (v. 519-465 av. J.-C.), roi achéménide de Perse en 486 av. J.-C., fils de Darius Ier, vaincu à Salamine par les Grecs.

Xhosas, peuple bantou d'Afrique du Sud.

Xiamen ou **Amoy,** port de Chine (Fujian) ; 507 390 h (aggl. 961 650 h).

Xi'an ou **Sian,** v. de Chine, ch.-l. du Shanxi ; 2 185 040 h (aggl. 2 911 580 h). Anc. cap. des Han et des Tang.

Xijiang, fl. de la Chine du Sud (2 100 km).

Xingu, affl. de l'Amazone (1 980 km).

Xining, v. de Chine, ch.-l. du Qinghai ; 566 650 h (aggl. 927 290 h).

Xinjiang ou **Sin-Kiang** (anc. *Turkestan chinois*), rég. auton. de la Chine du Nord-Ouest ; cap. Urumqi.

Xuzhou, v. de Chine (Jiangsu) ; 776 770 h.

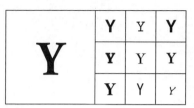

Yahvé, nom de Dieu dans la Bible.

Yale, université américaine, située à New Haven, fondée en 1701.

Yalta, v. d'Ukraine où Roosevelt, Churchill et Staline effectuèrent un « partage du monde » en février 1945.

Yalujiang (le), fl. de l'Asie orientale (790 km), frontière entre la Chine et la Corée.

Yamamoto Isoroku (1884-1943), amiral japonais qui dirigea l'attaque de Pearl Harbor.

Yamoussoukro, cap. de la Côte-d'Ivoire, au centre du pays ; 120 000 h.

Yamuna ou **Jamna,** riv. sacrée de l'Inde (1 375 km), affl. du Gange.

Yanaon, anc. comptoir français de l'Inde.

Yangzhou, v. de Chine (Jiangsu) ; 302 090 h. Pavillons des dynasties Song et Ming.

Yangzijiang, Yang-tseu-kiang ou **fleuve Bleu,** fl. de Chine (5 800 km).

Yanomamis, Amérindiens d'Amazonie.

Yaoundé, cap. du Cameroun ; 653 670 h.

Yasar Kemal (né en 1922), romancier turc : *Mémed le Mince.*

Yeats William Butler (1865-1939), écrivain irlandais : *Deirdre.*

Yellowstone, parc national des États-Unis (Wyoming), traversé par la rivière **Yellowstone** (1 600 km), affl. du Missouri.

Yémen, État de la péninsule arabique ; 482 700 km² ; 20 700 000 h ; cap. Sanaa.

Yersin Alexandre (1863-1943), médecin français. Il découvrit le bacille de la peste.

Yeu, île française de la Vendée.

Yezd ou **Yazd,** v. d'Iran ; 193 000 h. Centre religieux des mazdéens.

Yokohama, port du Japon (Honshu) ; 3 037 000 h.

Yonne, affl. de la Seine (295 km).

Yonne, dép. français (89) (Bourgogne) ; 7 425 km² ; 330 724 h ; ch.-l. Auxerre.

York, v. du N. de l'Angleterre ; 99 790 h. Cathédrale gothique.

York, famille anglaise, branche des Plantagenêts, qui disputa le trône à la maison de Lancastre.

Richard, duc d'York (1411-1460), déclencha la guerre des Deux-Roses.

Yorkshire, rég. du N.-E. de l'Angleterre.

Yorktown (Virginie), victoire décisive de Washington sur les Anglais (1781).

Yoroubas, peuple d'Afrique (Nigeria, Bénin).

Yougoslavie, ancien État d'Europe balkanique (Serbie-et-Monténégro) ; 101 780 km² ; 10,6 millions d'h ; cap. Belgrade.

Young Edward (1683-1765), poète romantique anglais : *Nuits.*

Young Arthur (1741-1820), agronome anglais.

Young Brigham (1801-1877), chef des mormons, fondateur de Salt Lake City.

Young Neil (né en 1945), guitariste et chanteur de rock canadien.

Yourcenar Marguerite (1903-1987), écrivain français : *Mémoires d'Hadrien.*

Ypres, v. de Belgique (Flandre-Occidentale) ; 34 430 h. Monuments médiévaux.

Ys, v. bretonne légendaire qui aurait été engloutie au IVe s. ou Ve s.

Yser, fl. côtier de Belgique (78 km).

Yssingeaux, ch.-l. d'arr. de la Haute-Loire ; 6 689 h.

Yuan, dynastie mongole qui régna sur la Chine de 1271 à 1368.

Yuan Che-k'aï (1859-1916), général chinois, président de la République (1912-1916).

Yucatán (le), péninsule du Mexique, fermant le golfe du Mexique. Vestiges mayas.

Yudhoyono Susilo Bambang (né en 1949), président de la République d'Indonésie depuis 2004.

Yukawa Hideki (1907-1981), physicien japonais.

Yukon (le), fl. du Canada et de l'Alaska (2 554 km).

Yukon, territoire du N.-O. du Canada.

Yunnan, prov. montagneuse de la Chine du Sud-Ouest ; cap. Kunming.

Yvelines, dép. français (78) (Île-de-France) ; 2 271 km² ; 1 323 280 h ; ch.-l. Versailles.

Yverdon-les-Bains, stat. thermale de Suisse (Vaud) ; 20 800 h.

Yves saint (1253-1303), patron des gens de loi.

Zadar, port de Croatie ; 116 000 h.
Zadkine Ossip (1890-1967), sculpteur français.
Zagreb, cap. de la Croatie ; 763 300 h.
Zagros (le), chaîne du S.-O. de l'Iran (4 270 m).
Zahlé, v. du Liban, dans la Bekaa ; 100 000 h.
Zaïre. *V. Congo (fleuve) et Congo (Rép. démocratique).*
Zama, victoire de Scipion l'Africain sur Hannibal en Tunisie (202 av. J.-C.).
Zambèze (le), fl. d'Afrique (2 660 km).
Zambie (ancienne *Rhodésie du Nord*), État de l'Afrique australe ; 752 614 km² ; 11 200 000 h ; cap. Lusaka.
Zamenhof Lejzer Ludwik (1859-1917), linguiste polonais, créateur de l'espéranto.
Zamiatine Eugène (1884-1937), écrivain russe : *Nous autres.*
Zanzibar, île de Tanzanie ; 1 658 km² ; 479 000 h ; cap. Zanzibar (125 000 h).
Zao Wou-ki (né en 1921), peintre français d'origine chinoise.
Zapata Emiliano (v. 1879-1919), révolutionnaire mexicain ; assassiné.
Zapatero Jose Luis Rodriguez (né en 1960), Premier ministre de l'Espagne depuis 2004.
Zaporogues, Cosaques du Dniepr.
Zaporojie, v. d'Ukraine ; 887 000 h.
Zapotèques, peuple du Mexique précolombien. Vestiges à Monte Albán.
Zarathoustra. *V. Zoroastre.*
Zaria, v. du Nigeria ; 274 000 h.
Zarqa, v. de Jordanie ; 265 700 h.
Zeami Motokiyo (1363-1443), acteur, auteur et metteur en scène de nô japonais.
Zeebrugge, port de Belgique, relié à Bruges.
Zeeman Pieter (1865-1943), physicien néerlandais.
Zélande, prov. du S.-O. des Pays-Bas.
Zénobie, reine de Palmyre de 266 à 272.
Zénon d'Élée, philosophe grec du Vᵉ s. av. J.-C.
Zénon de Cittium (v. 335-v. 264 av. J.-C.), philosophe grec. Il fonda l'école des stoïciens.
Zeppelin Ferdinand von (1838-1917), industriel allemand, constructeur de dirigeables.
Zermatt, stat. hivernale de Suisse (Valais).
Zermelo Ernst (1871-1953), mathématicien allemand. Théorie des ensembles.
Zeroual Liamine (né en 1941), président de la République algérienne de 1994 à 1999.
Zeus, dieu suprême de la Grèce antique.

Zhangjiakou (anc. *Kalgan*), v. de Chine (Hebei) ; 617 120 h.
Zhang Yimou (né en 1951), cinéaste chinois.
Zhejiang, prov. de Chine ; ch.-l. Hangzhou.
Zhengzhou, v. de Chine ; 1 404 050 h (aggl. 1 942 970 h) ; ch.-l. du Henan.
Zhou ou **Tcheou,** dynastie chinoise qui régna du XIᵉ s. à 221 av. J.-C.
Zhou Enlai ou **Chou En-lai** (1898-1976), Premier ministre de la Chine de 1949 à sa mort, il soutint fermement Mao Zedong.
Zhu De (1886-1976), maréchal chinois.
Zia ul-Haq Mohammad (1924-1988), président du Pakistan de 1978 à 1988.
Zibo, v. de Chine (Shandong) ; 2 280 000 h.
Zidane Zinedine (né en 1972), footballeur français.
Ziguinchor, port du Sénégal ; 105 250 h.
Zimbabwe (anc. *Rhodésie*), État continental de l'Afrique australe ; 390 308 km² ; 13 000 000 h ; cap. Harare.
Zimmermann Bernd Alois (1918-1970), compositeur allemand : *Die Soldaten.*
Zinoviev (1883-1936), homme politique soviétique ; exécuté.
Zizka Jan (v. 1360 ou 1370-1424), patriote tchèque, chef des hussites.
Zlín, v. de Tchécoslovaquie ; 84 300 h.
Zola Émile (1840-1902), romancier naturaliste français : *les Rougon-Macquart.* Il prit la défense de Dreyfus : *J'accuse.*
Zoroastre ou **Zarathoustra** (VIIIᵉ ou VIIᵉ s. av. J.-C.), réformateur de la religion iranienne.
Zoug, v. de Suisse, ch.-l. du *canton de Zoug* ; 21 400 h.
Zoulous, peuple bantou d'Afrique australe.
Zuñis, groupe d'Indiens Pueblos.
Zurbarán Francisco de (1598-v. 1664), peintre espagnol.
Zurich, v. de Suisse, ch.-l. du *canton de Zurich* ; 351 100 h (aggl. 840 310 h).
Zuyderzee ou **Zuiderzee,** anc. golfe de la mer du Nord, aux Pays-Bas, endigué en 1932.
Zweig Stefan (1881-1942), écrivain autrichien : *la Confusion des sentiments.*
Zwingli Ulrich (1484-1531), propagateur de la Réforme en Suisse.
Zwolle, v. des Pays-Bas (Overijssel) ; 90 570 h.
Zyrianes ou **Komis,** populations du N. de la Russie, peuplant la *rép. auton. des Komis.*

ANNEXES
ET PAGES PRATIQUES

CONJUGAISON DES VERBES

Le renvoi au modèle de conjugaison est indiqué après l'entrée verbale pour tous les verbes qui présentent une ou plusieurs irrégularités dans leur flexion : **abattre** *vt* [77] se conjugue comme *battre* (p. 791). Le renvoi n'est pas indiqué pour les modèles réguliers que sont *aimer* (groupe 1) et *finir* (groupe 2).

INDICATIF							SUBJONCTIF			

présent

j'	aim	e		j'	ai	aimé	(que)	j'	aim	e
tu	aim	es		tu	as	aimé	(que)	tu	aim	es
il	aim	e		elle	a	aimé	(qu')	il	aim	e
ns	aim	ons		ns	avons	aimé	(que)	ns	aim	ions
vs	aim	ez		vs	avez	aimé	(que)	vs	aim	iez
elles	aim	ent		ils	ont	aimé	(qu')	elles	aim	ent

présent (passé composé) / *présent* (subjonctif)

imparfait — *plus-que-parfait* — *imparfait*

j'	aim	ais		j'	avais	aimé	(que)	j'	aim	asse
tu	aim	ais		tu	avais	aimé	(que)	tu	aim	asses
elle	aim	ait		il	avait	aimé	(qu')	elle	aim	ât
ns	aim	ions		ns	avions	aimé	(que)	ns	aim	assions
vs	aim	iez		vs	aviez	aimé	(que)	vs	aim	assiez
ils	aim	aient		elles	avaient	aimé	(qu')	ils	aim	assent

passé simple — *passé antérieur* — *passé*

j'	aim	ai		j'	eus	aimé	(que)	j'	aie	aimé
tu	aim	as		tu	eus	aimé	(que)	tu	aies	aimé
il	aim	a		elle	eut	aimé	(qu')	elle	ait	aimé
ns	aim	âmes		ns	eûmes	aimé	(que)	ns	ayons	aimé
vs	aim	âtes		vs	eûtes	aimé	(que)	vs	ayez	aimé
elles	aim	èrent		ils	eurent	aimé	(qu')	elles	aient	aimé

futur simple — *futur antérieur* — *plus-que-parfait*

j'	aim	erai		j'	aurai	aimé	(que)	j'	eusse	aimé
tu	aim	eras		tu	auras	aimé	(que)	tu	eusses	aimé
elle	aim	era		il	aura	aimé	(qu')	elle	eût	aimé
ns	aim	erons		ns	aurons	aimé	(que)	ns	eussions	aimé
vs	aim	erez		vs	aurez	aimé	(que)	vs	eussiez	aimé
ils	aim	eront		elles	auront	aimé	(qu')	ils	eussent	aimé

conditionnel présent — *conditionnel passé*

j'	aim	erais		j'	aurais	aimé
tu	aim	erais		tu	aurais	aimé
elle	aim	erait		il	aurait	aimé
ns	aim	erions		ns	aurions	aimé
vs	aim	eriez		vs	auriez	aimé
ils	aim	eraient		elles	auraient	aimé

INDICATIF	PARTICIPE	IMPÉRATIF

présent / *présent* (participe) / *présent* (impératif)

aim	er	aim	ant	aim	e
				aim	ons
				aim	ez

passé / *passé* / *passé*

avoir aimé	aimé, ée	aie	aimé
	ayant aimé	ayons	aimé
		ayez	aimé

INDICATIF						SUBJONCTIF		
présent			*passé composé*			*présent*		
je	fin	is	j'	ai	fini	(que)	je	fin isse
tu	fin	is	tu	as	fini	(que)	tu	fin isses
elle	fin	it	il	a	fini	(qu')	il	fin isse
ns	fin	issons	ns	avons	fini	(que)	ns	fin issions
vs	fin	issez	vs	avez	fini	(que)	vs	fin issiez
ils	fin	issent	ils	ont	fini	(qu')	ils	fin issent
imparfait			*plus-que-parfait*			*imparfait*		
je	fin	issais	j'	avais	fini	(que)	je	fin isse
tu	fin	issais	tu	avais	fini	(que)	tu	fin isses
il	fin	issait	elle	avait	fini	(qu')	elle	fin ît
ns	fin	issions	ns	avions	fini	(que)	ns	fin issions
vs	fin	issiez	vs	aviez	fini	(que)	vs	fin issiez
elles	fin	issaient	ils	avaient	fini	(qu')	elles	fin issent
passé simple			*passé antérieur*			*passé*		
je	fin	is	j'	eus	fini	(que)	j'	aie fini
tu	fin	is	tu	eus	fini	(que)	tu	aies fini
elle	fin	it	il	eut	fini	(qu')	elle	ait fini
ns	fin	îmes	ns	eûmes	fini	(que)	ns	ayons fini
vs	fin	îtes	vs	eûtes	fini	(que)	vs	ayez fini
ils	fin	irent	elles	eurent	fini	(qu')	ils	aient fini
futur simple			*futur antérieur*			*plus-que-parfait*		
je	fin	irai	j'	aurai	fini	(que)	j'	eusse fini
tu	fin	iras	tu	auras	fini	(que)	tu	eusses fini
elle	fin	ira	il	aura	fini	(qu')	elle	eût fini
ns	fin	irons	ns	aurons	fini	(que)	ns	eussions fini
vs	fin	irez	vs	aurez	fini	(que)	vs	eussiez fini
ils	fin	iront	elles	auront	fini	(qu')	ils	eussent fini
conditionnel présent			*conditionnel passé*					
je	fin	irais	j'	aurais	fini			
tu	fin	irais	tu	aurais	fini			
elle	fin	irait	il	aurait	fini			
ns	fin	irions	ns	aurions	fini			
vs	fin	iriez	vs	auriez	fini			
ils	fin	iraient	elles	auraient	fini			

INDICATIF	PARTICIPE	IMPÉRATIF
présent	*présent*	*présent*
fin ir	fin issant	fin is
		fin issons
passé	*passé*	fin issez
avoir fini	fini, ie	*passé*
	ayant fini	aie fini
		ayons fini
		ayez fini

INDICATIF						**SUBJONCTIF**			

présent

j'	offr	e				(que)	j'	offr	e
tu	offr	es				(que)	tu	offr	es
il	offr	e				(qu')	il	offr	e
ns	offr	ons				(que)	ns	offr	ions
vs	offr	ez				(que)	vs	offr	iez
elles	offr	ent				(qu')	elles	offr	ent

passé composé (center column, under INDICATIF)

j'	ai	offert
tu	as	offert
elle	a	offert
ns	avons	offert
vs	avez	offert
ils	ont	offert

imparfait

j'	offr	ais
tu	offr	ais
elle	offr	ait
ns	offr	ions
vs	offr	iez
ils	offr	aient

plus-que-parfait

j'	avais	offert
tu	avais	offert
il	avait	offert
ns	avions	offert
vs	aviez	offert
elles	avaient	offert

imparfait (SUBJONCTIF)

(que)	j'	offr	isse
(que)	tu	offr	isses
(qu')	elle	offr	ît
(que)	ns	offr	issions
(que)	vs	offr	issiez
(qu')	ils	offr	issent

passé simple

j'	offr	is
tu	offr	is
il	offr	it
ns	offr	îmes
vs	offr	îtes
elles	offr	îrent

passé antérieur

j'	eus	offert
tu	eus	offert
elle	eut	offert
ns	eûmes	offert
vs	eûtes	offert
ils	eurent	offert

passé (SUBJONCTIF)

(que)	j'	aie	offert
(que)	tu	aies	offert
(qu')	elle	ait	offert
(que)	ns	ayons	offert
(que)	vs	ayez	offert
(qu')	elles	aient	offert

futur simple

j'	offr	irai
tu	offr	iras
elle	offr	ira
ns	offr	irons
vs	offr	irez
ils	offr	iront

futur antérieur

j'	aurai	offert
tu	auras	offert
il	aura	offert
ns	aurons	offert
vs	aurez	offert
elles	auront	offert

plus-que-parfait (SUBJONCTIF)

(que)	j'	eusse	offert
(que)	tu	eusses	offert
(qu')	elle	eût	offert
(que)	ns	eussions	offert
(que)	vs	eussiez	offert
(qu')	ils	eussent	offert

conditionnel présent

j'	offr	irais
tu	offr	irais
elle	offr	irait
ns	offr	irions
vs	offr	iriez
ils	offr	iraient

conditionnel passé

j'	aurais	offert
tu	aurais	offert
il	aurait	offert
ns	aurions	offert
vs	auriez	offert
elles	auraient	offert

INDICATIF	**PARTICIPE**	**IMPÉRATIF**

présent

offr	ir

passé

avoir offert

---

présent (PARTICIPE)

offr	ant

passé

offert, te
ayant offert

---

présent (IMPÉRATIF)

offr	e
offr	ons
offr	ez

passé

aie offert
ayons offert
ayez offert

INDICATIF							SUBJONCTIF			

présent			*passé composé*			*présent*		
je	reç	ois	j'	ai	reçu	(que)	je	reç	oive
tu	reç	ois	tu	as	reçu	(que)	tu	reç	oives
elle	reç	oit	il	a	reçu	(qu')	il	reç	oive
ns	rec	evons	ns	avons	reçu	(que)	ns	rec	evions
vs	reç	evez	vs	avez	reçu	(que)	vs	rec	eviez
ils	reç	oivent	elles	ont	reçu	(qu')	ils	reç	oivent

imparfait			*plus-que-parfait*			*imparfait*		
je	rec	evais	j'	avais	reçu	(que)	je	reç	usse
tu	rec	evais	tu	avais	reçu	(que)	tu	reç	usses
il	rec	evait	elle	avait	reçu	(qu')	elle	reç	ût
ns	rec	evions	ns	avions	reçu	(que)	ns	reç	ussions
vs	rec	eviez	vs	aviez	reçu	(que)	vs	reç	ussiez
elles	rec	evaient	ils	avaient	reçu	(qu')	elles	reç	ussent

passé simple			*passé antérieur*			*passé*		
je	reç	us	j'	eus	reçu	(que)	j'	aie	reçu
tu	reç	us	tu	eus	reçu	(que)	tu	aies	reçu
elle	reç	ut	il	eut	reçu	(qu')	elle	ait	reçu
ns	reç	ûmes	ns	eûmes	reçu	(que)	ns	ayons	reçu
vs	reç	ûtes	vs	eûtes	reçu	(que)	vs	ayez	reçu
ils	reç	urent	elles	eurent	reçu	(qu')	ils	aient	reçu

futur simple			*futur antérieur*			*plus-que-parfait*		
je	rec	evrai	j'	aurai	reçu	(que)	j'	eusse	reçu
tu	rec	evras	tu	auras	reçu	(que)	tu	eusses	reçu
il	rec	evra	elle	aura	reçu	(qu')	elle	eût	reçu
ns	rec	evrons	ns	aurons	reçu	(que)	ns	eussions	reçu
vs	rec	evrez	vs	aurez	reçu	(que)	vs	eussiez	reçu
elles	rec	evront	ils	auront	reçu	(qu')	elles	eussent	reçu

conditionnel présent			*conditionnel passé*		
je	rec	evrais	j'	aurais	reçu
tu	rec	evrais	tu	aurais	reçu
elle	rec	evrait	il	aurait	reçu
ns	rec	evrions	ns	aurions	reçu
vs	rec	evriez	vs	auriez	reçu
ils	rec	evraient	elles	auraient	reçu

INDICATIF		PARTICIPE		IMPÉRATIF	

présent		*présent*		*présent*	
rec	evoir	rec	evant	reç	ois
				rec	evons
				rec	evez

passé		*passé*		*passé*	
avoir	reçu	reçu, e		aie	reçu
		ayant reçu		ayons	reçu
				ayez	reçu

INDICATIF							SUBJONCTIF			

présent			*passé composé*			*présent*			
je	rend	s	j'	ai	rendu	(que)	je	rend	e
tu	rend	s	tu	as	rendu	(que)	tu	rend	es
elle	rend		elle	a	rendu	(qu')	il	rend	e
ns	rend	ons	ns	avons	rendu	(que)	ns	rend	ions
vs	rend	ez	vs	avez	rendu	(que)	vs	rend	iez
elles	rend	ent	ils	ont	rendu	(qu')	ils	rend	ent

imparfait			*plus-que-parfait*			*imparfait*			
je	rend	ais	j'	avais	rendu	(que)	je	rend	isse
tu	rend	ais	tu	avais	rendu	(que)	tu	rend	isses
il	rend	ait	il	avait	rendu	(qu')	elle	rend	ît
ns	rend	ions	ns	avions	rendu	(que)	ns	rend	issions
vs	rend	iez	vs	aviez	rendu	(que)	vs	rend	issiez
elles	rend	aient	elles	avaient	rendu	(qu')	elles	rend	issent

passé simple			*passé antérieur*			*passé*			
je	rend	is	j'	eus	rendu	(que)	j'	aie	rendu
tu	rend	is	tu	eus	rendu	(que)	tu	aies	rendu
elle	rend	it	elle	eut	rendu	(qu')	elle	ait	rendu
ns	rend	îmes	ns	eûmes	rendu	(que)	ns	ayons	rendu
vs	rend	îtes	vs	eûtes	rendu	(que)	vs	ayez	rendu
ils	rend	irent	ils	eurent	rendu	(qu')	ils	aient	rendu

futur simple			*futur antérieur*			*plus-que-parfait*			
je	rend	rai	j'	aurai	rendu	(que)	j'	eusse	rendu
tu	rend	ras	tu	auras	rendu	(que)	tu	eusses	rendu
elle	rend	ra	il	aura	rendu	(qu')	elle	eût	rendu
ns	rend	rons	ns	aurons	rendu	(que)	ns	eussions	rendu
vs	rend	rez	vs	aurez	rendu	(que)	vs	eussiez	rendu
ils	rend	ront	elles	auront	rendu	(qu')	ils	eussent	rendu

conditionnel présent			*conditionnel passé*						
je	rend	rais	j'	aurais	rendu				
tu	rend	rais	tu	aurais	rendu				
elle	rend	rait	elle	aurait	rendu				
ns	rend	rions	ns	aurions	rendu				
vs	rend	riez	vs	auriez	rendu				
ils	rend	raient	ils	auraient	rendu				

INDICATIF	PARTICIPE	IMPÉRATIF

présent	*présent*	*présent*
rend re	rend ant	rend s
		rend ons
		rend ez
passé	*passé*	
avoir rendu	rendu, ue	*passé*
	ayant rendu	aie rendu
		ayons rendu
		ayez rendu

INDICATIF						SUBJONCTIF		

présent		*passé composé*			*présent*		
je	suis	j'	ai	été	(que)	je	sois
tu	es	tu	as	été	(que)	tu	sois
elle	est	elle	a	été	(qu')	il	soit
ns	sommes	ns	avons	été	(que)	ns	soyons
vs	êtes	vs	avez	été	(que)	vs	soyez
ils	sont	ils	ont	été	(qu')	elles	soient

imparfait		*plus-que-parfait*			*imparfait*		
j'	étais	j'	avais	été	(que)	je	fusse
tu	étais	tu	avais	été	(que)	tu	fusses
il	était	il	avait	été	(qu')	il	fût
ns	étions	ns	avions	été	(que)	ns	fussions
vs	étiez	vs	aviez	été	(que)	vs	fussiez
elles	étaient	elles	avaient	été	(qu')	elles	fussent

passé simple		*passé antérieur*			*passé*			
je	fus	j'	eus	été	(que)	j'	aie	été
tu	fus	tu	eus	été	(que)	tu	aies	été
elle	fut	elle	eut	été	(qu')	elle	ait	été
ns	fûmes	ns	eûmes	été	(que)	ns	ayons	été
vs	fûtes	vs	eûtes	été	(que)	vs	ayez	été
ils	furent	ils	eurent	été	(qu')	elles	aient	été

futur simple		*futur antérieur*			*plus-que-parfait*			
je	serai	j'	aurai	été	(que)	j'	eusse	été
tu	seras	tu	auras	été	(que)	tu	eusses	été
elle	sera	il	aura	été	(qu')	il	eût	été
ns	serons	ns	aurons	été	(que)	ns	eussions	été
vs	serez	vs	aurez	été	(que)	vs	eussiez	été
ils	seront	elles	auront	été	(qu')	elles	eussent	été

conditionnel présent		*conditionnel passé*		
je	serais	j'	aurais	été
tu	serais	tu	aurais	été
il	serait	il	aurait	été
ns	serions	ns	aurions	été
vs	seriez	vs	auriez	été
elles	seraient	elles	auraient	été

INDICATIF	PARTICIPE	IMPÉRATIF

présent	*présent*	*présent*
être	étant	sois
		soyons
passé	*passé*	soyez
avoir été	été (invariable)	*passé*
	ayant été	aie été
		ayons été
		ayez été

INDICATIF						SUBJONCTIF		

présent			*passé composé*			*présent*		
j'	ai		j'	ai	eu	(que)	j'	aie
tu	as		tu	as	eu	(que)	tu	aies
il	a		elle	a	eu	(qu')	il	ait
ns	avons		ns	avons	eu	(que)	ns	ayons
vs	avez		vs	avez	eu	(que)	vs	ayez
elles	ont		ils	ont	eu	(qu')	elles	aient

imparfait			*plus-que-parfait*			*imparfait*		
j'	avais		j'	avais	eu	(que)	j'	eusse
tu	avais		tu	avais	eu	(que)	tu	eusses
elle	avait		il	avait	eu	(qu')	elle	eût
ns	avions		ns	avions	eu	(que)	ns	eussions
vs	aviez		vs	aviez	eu	(que)	vs	eussiez
ils	avaient		elles	avaient	eu	(qu')	ils	eussent

passé simple			*passé antérieur*			*passé*		
j'	eus		j'	eus	eu	(que)	j'	aie	eu
tu	eus		tu	eus	eu	(que)	tu	aies	eu
il	eut		elle	eut	eu	(qu')	elle	ait	eu
ns	eûmes		ns	eûmes	eu	(que)	ns	ayons	eu
vs	eûtes		vs	eûtes	eu	(que)	vs	ayez	eu
elles	eurent		ils	eurent	eu	(qu')	elles	aient	eu

futur simple			*futur antérieur*			*plus-que-parfait*		
j'	aurai		j'	aurai	eu	(que)	j'	eusse	eu
tu	auras		tu	auras	eu	(que)	tu	eusses	eu
elle	aura		il	aura	eu	(qu')	elle	eût	eu
ns	aurons		ns	aurons	eu	(que)	ns	eussions	eu
vs	aurez		vs	aurez	eu	(que)	vs	eussiez	eu
ils	auront		elles	auront	eu	(qu')	ils	eussent	eu

conditionnel présent			*conditionnel passé*		
j'	aurais		j'	aurais	eu
tu	aurais		tu	aurais	eu
elle	aurait		il	aurait	eu
ns	aurions		ns	aurions	eu
vs	auriez		vs	auriez	eu
ils	auraient		elles	auraient	eu

INDICATIF	PARTICIPE	IMPÉRATIF

présent	*présent*	*présent*
avoir	ayant	aie
		ayons
passé		ayez
avoir eu	*passé*	*passé*
	eu, eue	aie eu
	ayant eu	ayons eu
		ayez eu

INDICATIF		SUBJONCTIF

présent

je	vais		je	suis	allé(e)	(que)	j'	aille

présent / *passé composé* / *présent*

je	vais		je	suis	allé(e)	(que)	j'	aille
tu	vas		tu	es	allé(e)	(que)	tu	ailles
elle	va		il (elle)	est	allé(e)	(qu')	il	aille
ns	allons		ns	sommes	allé(e)s	(que)	ns	allions
vs	allez		vs	êtes	allé(e)s	(que)	vs	alliez
ils	vont		ils (elles)	sont	allé(e)s	(qu')	elles	aillent

imparfait / *plus-que-parfait* / *imparfait*

j'	allais		j'	étais	allé(e)	(que)	j'	allass	e
tu	allais		tu	étais	allé(e)	(que)	tu	allass	es
il	allait		il (elle)	était	allé(e)	(qu')	il	all	ât
ns	allions		ns	étions	allé(e)s	(que)	ns	allass	ions
vs	alliez		vs	étiez	allé(e)s	(que)	vs	allass	iez
elles	allaient		ils (elles)	étaient	allé(e)s	(qu')	elles	allass	ent

passé simple / *passé antérieur* / *passé*

j'	allai		je	fus	allé(e)	(que)	je	sois	allé(e)
tu	allas		tu	fus	allé(e)	(que)	tu	sois	allé(e)
elle	alla		il (elle)	fut	allé(e)	(qu')	elle	soit	allé(e)
ns	allâmes		ns	fûmes	allé(e)s	(que)	ns	soyons	allé(e)s
vs	allâtes		vs	fûtes	allé(e)s	(que)	vs	soyez	allé(e)s
ils	allèrent		ils (elles)	furent	allé(e)s	(qu')	elles	soient	allé(e)s

futur simple / *futur antérieur* / *plus-que-parfait*

j'	irai		je	serai	allé(e)	(que)	je	fusse	allé(e)
tu	iras		tu	seras	allé(e)	(que)	tu	fusses	allé(e)
elle	ira		il (elle)	sera	allé(e)	(qu')	il(elle)	fût	allé(e)
ns	irons		ns	serons	allé(e)s	(que)	ns	fussions	allé(e)s
vs	irez		vs	serez	allé(e)s	(que)	vs	fussiez	allé(e)s
ils	iront		ils (elles)	seront	allé(e)s	(qu')	ils (elles)	fussent	allé(e)s

conditionnel présent / *conditionnel passé*

j'	irais		je	serais	allé(e)
tu	irais		tu	serais	allé(e)
il	irait		il (elle)	serait	allé(e)
ns	irions		ns	serions	allé(e)s
vs	iriez		vs	seriez	allé(e)s
elles	iraient		ils (elles)	seraient	allé(e)s

INDICATIF	PARTICIPE	IMPÉRATIF

présent / *présent* / *présent*

all	er		all	ant		va

all er

all ant

va
allons
allez

passé / *passé* / *passé*

être allé(e)

allé(e)
étant allé(e)

sois allé(e)
soyons allé(e)s
soyez allé(e)s

INDICATIF		SUBJONCTIF

présent		*passé composé*			*présent*		
je	fais	j'	ai	fait	(que)	je	fasse
tu	fais	tu	as	fait	(que)	tu	fasses
il	fait	elle	a	fait	(qu')	il	fasse
ns	faisons	ns	avons	fait	(que)	ns	fassions
vs	faites	vs	avez	fait	(que)	vs	fassiez
elles	font	ils	ont	fait	(qu')	elles	fassent

imparfait		*plus-que-parfait*			*imparfait*		
je	faisais	j'	avais	fait	(que)	je	fisse
tu	faisais	tu	avais	fait	(que)	tu	fisses
elle	faisait	il	avait	fait	(qu')	il	fît
ns	faisions	ns	avions	fait	(que)	ns	fissions
vs	faisiez	vs	aviez	fait	(que)	vs	fissiez
ils	faisaient	elles	avaient	fait	(qu')	ils	fissent

passé simple		*passé antérieur*			*passé*			
je	fis	j'	eus	fait	(que)	j'	aie	fait
tu	fis	tu	eus	fait	(que)	tu	aies	fait
il	fit	il	eut	fait	(qu')	elle	ait	fait
ns	fîmes	ns	eûmes	fait	(que)	ns	ayons	fait
vs	fîtes	vs	eûtes	fait	(que)	vs	ayez	fait
elles	firent	elles	eurent	fait	(qu')	elles	aient	fait

futur simple		*futur antérieur*			*plus-que-parfait*			
je	ferai	j'	aurai	fait	(que)	j'	eusse	fait
tu	feras	tu	auras	fait	(que)	tu	eusses	fait
il	fera	il	aura	fait	(qu')	elle	eût	fait
ns	ferons	ns	aurons	fait	(que)	ns	eussions	fait
vs	ferez	vs	aurez	fait	(que)	vs	eussiez	fait
elles	feront	elles	auront	fait	(qu')	elles	eussent	fait

conditionnel présent		*conditionnel passé*		
je	ferai	j'	aurais	fait
tu	ferais	tu	aurais	fait
il	ferait	elle	aurait	fait
ns	ferions	ns	aurions	fait
vs	feriez	vs	auriez	fait
elles	feraient	ils	auraient	fait

INDICATIF	PARTICIPE	IMPÉRATIF

présent	*présent*	*présent*
faire	fais ant	fais
		faisons
passé	*passé*	faites
avoir fait	fait, te	*passé*
	ayant fait	aie fait
		ayons fait
		ayez fait

1 indicatif présent
2 indicatif imparfait
3 indicatif passé simple
4 indicatif futur
5 conditionnel présent
6 subjonctif présent
7 subjonctif imparfait
8 impératif
9 participes présent et passé

10 placer

1 je place, es, e, ez, ent,
ns plaçons
2 je plaçais, ais, ait, aient,
ns placions, iez
3 je plaçai, as, a, âmes, âtes
ils placèrent
4 je placerai…
5 je placerais…
6 q. je place…
7 q. je plaçasse…
8 place, plaçons, placez
9 plaçant, placé

11 manger

1 je mange, es, e, ez, ent,
ns mangeons
2 je mangeais, s, t, ent,
ns mangions, iez
3 je mangeai, as, a, âmes,
âtes
ils mangèrent
4 je mangerai…
5 je mangerais…
6 q. je mange…
7 q. je mangeasse…
8 mange, mangeons,
mangez
9 mangeant, mangé

12 céder

1 je cède, es, e, ent,
ns cédons
2 je cédais…
3 je cédai…
4 je céderai ou cèderai…
5 je céderais ou cèderais…

6 q. je cède, es, e, ent
q. ns cédions, iez
7 q. je cédasse…
8 cède, cédons, cédez
9 cédant, cédé

13 siéger

1 je siège, es, e, ent,
ns siégeons, ez
2 je siégeais, eais, eait,
eaient
ns siégions, iez
3 je siégeai…
4 je siégerai ou siègerai…
5 je siégerais ou siègerais…
6 q. je siège…
7 q. je siégeasse…
8 siège, siégeons,
siégez
9 siégeant, siégé

14 répéter

1 je répète, es, e, ent,
ns répétons, ez
2 je répétais…
3 je répétai…
4 je répéterai ou répèterai
5 je répéterais ou répèterais
6 q. je répète, es, e, ent
q ns. répétions, iez
7 q. je répétasse…
8 répète, répétons, ez
9 répétant, répété

15 lever

1 je lève, es, e, ent,
ns levons, ez
2 je levais…
3 je levai…
4 je lèverai…
5 je lèverais…
6 q. je lève, es, e, ent
q. ns levions, iez
7 q. je levasse…
8 lève, levons, ez
9 levant, levé

16 geler

1 je gèle, es, e, ent,
ns gelons, ez
2 je gelais…
3 je gelai…

4 je gèlerai…
5 je gèlerais…
6 q. je gèle, es, e, ent
q. ns gelions, iez
7 q. je gelasse…
8 gèle, gelons, gelez
9 gelant, gelé

17 acheter

1 j'achète, es, e, ent,
ns achetons, ez
2 j'achetais…
3 j'achetai…
4 j'achèterai…
5 j'achèterais
6 q. j'achète, es, e, ent
q. ns achetions, iez
7 q. j'achetasse…
8 achète, achetons, ez
9 achetant, acheté

18 appeler

1 j'appelle, es, e, ent,
ns appelons, ez
2 j'appelais…
3 j'appelai…
4 j'appellerai…
5 j'appellerais…
6 q. j'appelle, es, e, ent
q. ns appellions, iez
7 q. j'appelasse…
8 appelle, appelons, ez
9 appelant, appelé

19 jeter

1 je jette, es, e, ent,
ns jetons, ez
2 je jetais…
3 je jetai…
4 je jetterai…
5 je jetterais…
6 q. je jette, es, e, ent
q. ns jetions, iez
7 q. je jetasse…
8 jette, jetons, jetez
9 jetant, jeté

20 payer

1 je paie, es, e, ent
ou je paye, es, e, ent,
ns payons, ez
2 je payais…
3 je payai…

4 je paierai ou je payerai...
5 je paierais ou je payerais...
6 q. je paie, es, e, ent ou
   q. je paye, es, e, ent,
   q. ns payions, iez
7 q. je payasse...
8 paie ou paye, payons,
   payez
9 payant, payé

21 essuyer

1 j'essuie, es, e, ent,
   ns essuyons, ez
2 j'essuyais...
3 j'essuyai...
4 j'essuierai...
5 j'essuierais...
6 q. j'essuie, es, e, ent
   q. ns essuyions, iez
7 q. j'essuyasse...
8 essuie, essuyons, ez
9 essuyant, essuyé

22 employer

1 j'emploie, es, e, ent,
   ns employons, ez
2 j'employais...
3 j'employai...
4 j'emploierai...
5 j'emploierais...
6 q. j'emploie, es, e, ent
   q. ns employions, iez
7 q. j'employasse...
8 emploie, employons, ez
9 employant, employé

23 envoyer

1 j'envoie, es, e, ent,
   ns envoyons, ez
2 j'envoyais...
3 j'envoyai...
4 j'enverrai...
5 j'enverrais...
6 q. j'envoie, es, e, ent
   q. ns envoyions, iez
7 q. j'envoyasse...
8 envoie, envoyons, ez
9 envoyant, envoyé

24 haïr

1 je hais, s, t,
   ns haïssons, ez, ent
2 je haïssais...

3 je hais, s, t
   ns haïmes, haïtes, haïrent
4 je haïrai...
5 je haïrais...
6 q. je haïsse, es, e...
7 q. je haïsse, es, t...
8 hais, haïssons, haïssez
9 haïssant, haï

25 courir

1 je cours...
2 je courais...
3 je courus...
4 je courrai...
5 je courrais...
6 q. je coure...
7 q. je courusse...
8 cours, courons, courez
9 courant, couru

26 cueillir

1 je cueille, es, e,
   ns cueillons, ez, ent
2 je cueillais...
3 je cueillis...
4 je cueillerai...
5 je cueillerais...
6 q. je cueille...
7 q. je cueillisse...
8 cueille, cueillons,
   cueillez
9 cueillant, cueilli

27 assaillir

1 j'assaille, es, e,
   ns assaillons, ez, ent
2 j'assaillais...
3 j'assaillis...
4 j'assaillirai...
5 j'assaillirais...
6 q. j'assaille...
7 q. j'assaillisse...
8 assaille, ons, ez
9 assaillant, assailli

28 fuir

1 je fuis, s, t, ent,
   ns fuyons, ez
2 je fuyais...
3 je fuis...
4 je fuirai...
5 je fuirais...
6 q. je fuie, es, e, ent
   q. ns fuyions, iez

7 q. je fuisse...
8 fuis, fuyons, fuyez
9 fuyant, fui

29 partir

1 je pars, tu pars, il part,
   ns partons, tez, tent
2 je partais...
3 je partis...
4 je partirai
5 je partirais...
6 q. je parte...
7 q. je partisse...
8 pars, partons, partez
9 partant, parti

30 bouillir

1 je bous, s, t,
   ns bouillons, ez, ent
2 je bouillais...
3 je bouillis...
4 je bouillirai...
5 je bouillirais...
6 q. je bouille...
7 q. je bouillisse...
8 bous, bouillons, bouillez
9 bouillant, bouilli

31 couvrir

1 je couvre, es, e,
   ns couvrons, ez, ent
2 je couvrais...
3 je couvris...
4 je couvrirai...
5 je couvrirais...
6 q. je couvre, es, e, ent
   q. ns couvrions, iez
7 q. je couvrisse...
8 couvre, ons, ez
9 couvrant, couvert

32 vêtir

1 je vêts, tu vêts, il vêt,
   ns vêtons, ez, ent
2 je vêtais
3 je vêtis...
4 je vêtirai...
5 je vêtirais...
6 q. je vête...
7 q. je vêtisse...
8 vêts, vêtons, vêtez
9 vêtant, vêtu

1	indicatif présent
2	indicatif imparfait
3	indicatif passé simple
4	indicatif futur
5	conditionnel présent
6	subjonctif présent
7	subjonctif imparfait
8	impératif
9	participes présent et passé

33 mourir

1 je meurs, s, t, ent,
   ns mourons, ez
2 je mourais…
3 je mourus…
4 je mourrai…
5 je mourrais…
6 q. je meure…
7 q. je mourusse…
8 meurs, mourons, mourez
9 mourant, mort

34 acquérir

1 j'acquiers, s, t, ent,
   ns acquérons, ez
2 j'acquérais…
3 j'acquis…
4 j'acquerrai…
5 j'acquerrais…
6 q. j'acquière, es, e, ent
   q. ns acquérions, iez
7 q. j'acquisse…
8 acquiers, acquérons, ez
9 acquérant, acquis

35 venir

1 je viens, s, t, nent,
   nous venons, ez
2 je venais…
3 je vins…
4 je viendrai…
5 je viendrais…
6 q. je vienne, es, e, ent
   q. ns venions, iez
7 q. je vinsse…
8 viens, venons, venez
9 venant, venu

36 gésir

• **verbe défectif**
1 je gis, tu gis, il gît *ou* git,
   ns gisons, ez, ent
2 je gisais…
9 gisant

37 ouïr

1 j'ois, s, t,
   ns oyons, ez, ent
2 j'oyais…
3 j'ouïs…
4 j'ouïrai…
5 j'ouïrais…
6 q. j'oie, es, ent
   q. ns oyions, iez
7 q. j'ouïsse…
8 ois, oyons, oyez
9 oyant, ouï

38 pleuvoir

1 il pleut
   ils pleuvent
2 il pleuvait
   ils pleuvaient
3 il plut
   ils plurent
4 il pleuvra
   ils pleuvront
5 il pleuvrait
   ils pleuvraient
6 qu'il pleuve
   qu'ils pleuvent
7 qu'il plût
   qu'ils plussent
8 (inusité)
9 pleuvant, plu

39 pourvoir

1 je pourvois, s, t, ent,
   ns pourvoyons, ez
2 je pourvoyais…
3 je pourvus…
4 je pourvoirai…
5 je pourvoirais…
6 q. je pourvoie, es, e, ent
   q. ns pourvoyions, iez
7 q. je pourvusse…
8 pourvois, pourvoyons, ez
9 pourvoyant, pourvu

40 asseoir *ou* assoir

1 j'assieds, ds, d,
   ns asseyons, ez, ent
ou j'assois, s, t, ent,
   ns assoyons, ez
2 j'asseyais
   ou j'assoyais…
3 j'assis…
4 j'assiérai…
   ou j'assoirai…
5 j'assierais…
   ou j'assoirais…
6 q. j'asseye, es, e, ent
   ou q. j'assoie, es, e, ent,
   q. ns assoyions, iez
7 q. j'assisse…
8 assieds, asseyons, ez
   ou assois, assoyons, ez
9 asseyant *ou* assoyant, assis

41 prévoir

1 je prévois, s, t, ent,
   ns prévoyons, ez
2 je prévoyais…
3 je prévis…
4 je prévoirai…
5 je prévoirais…
6 q. je prévoie, es, e, ent
   q. ns prévoyions, iez
7 q. je prévisse…
8 prévois, prévoyons, ez
9 prévoyant, prévu

42 mouvoir

1 je meus, s, t, vent,
   ns mouvons, ez
2 je mouvais…
3 je mus, s, t, rent
   ns mûmes, tes
4 je mouvrai…
5 je mouvrais…
6 q. je meuve, es, e, ent
   q. ns mouvions, iez
7 q. je musse…
8 meus, mouvons, ez
9 mouvant, mû

43 recevoir

1 je reçois, s, t, vent,
   ns recevons, ez
2 je recevais…
3 je reçus…
4 je recevrai…
5 je recevrais…
6 q. je reçoive, es, e, ent
   q. ns recevions, iez
7 q. je reçusse…
8 reçois, recevons, ez
9 recevant, reçu

44 valoir/prévaloir

1 je vaux, x, t
  vs valons, ez, ent
2 je valais...
3 je valus...
4 je vaudrai...
5 je vaudrais...
6 q. je vaille, es, e, ent
  q. ns valions, iez
  (q. je prévale, es, e,
  ions, iez, ent)
7 q. je valusse...
8 vaux, valons, valez
9 valant, valu

45 voir

1 je vois, s, t, ent,
  ns voyons, ez
2 je voyais...
3 je vis...
4 je verrai...
5 je verrais...
6 q. je voie, es, e, ent
  q. ns voyions, iez
7 q. je visse...
8 vois, voyons, voyez
9 voyant, vu

46 savoir

1 je sais, s, t,
  ns savons, ez, ent
2 je savais...
3 je sus...
4 je saurai...
5 je saurais...
6 q. je sache...
7 q. je susse...
8 sache, sachons, sachez
9 sachant, su

47 vouloir

1 je veux, x, t, veulent,
  ns voulons, ez
2 je voulais...
3 je voulus...
4 je voudrai...
5 je voudrais...
6 q. je veuille, es, e, ent
  q. ns voulions, iez
7 q. je voulusse...
8 veux (veuille), voulions,
  voulez (veuillez)
9 voulant, voulu

48 pouvoir

1 je peux, x, t, peuvent,
  ns pouvons, ez
2 je pouvais...
3 je pus...
4 je pourrai...
5 je pourrais...
6 q. je puisse...
7 q. je pusse
8 **(Inusité)**
9 pouvant, pu

49 falloir

1 il faut
2 il fallait
3 il fallut
4 il faudra
5 il faudrait
6 qu'il faille
7 qu'il fallût
8 **(Inusité)**
9 **le p. présent n'existe pas**
  fallu

50 déchoir

1 je déchois, s, t, ent,
  ns déchoyons, ez
2 je déchoyais...
3 je déchus...
4 je décherrai...
5 je décherrais...
6 q. je déchoie, es, e, ent
  q. ns déchoyions, iez
7 q. je déchusse...
8 déchois, déchoyons, ez
9 **le p. présent de déchoir n'existe pas**
  (mais : échéant) déchu

51 résoudre

1 je résous, s, t,
  ns résolvons, ez, ent
2 je résolvais...
3 je résolus...
  (absoudre **et** dissoudre
  n'ont pas de passé simple)
4 je résoudrai...
5 je résoudrais...
6 q. je résolve...
7 q. je résolusse
8 résous, résolvons, ez
9 résolvant, résolu
  (**mais :** absous *ou*
  absout/oute, dissous
  ou dissout/oute)

52 boire

1 je bois, s, t, vent,
  ns buvons, ez
2 je buvais...
3 je bus...
4 je boirai...
5 je boirais...
6 q. je boive, es, e, ent
  q. ns buvions, iez
7 q. je busse...
8 bois, buvons, buvez
9 buvant, bu

53 clore

1 je clos, os, ôt,
  ns closons, ez, ent
2 **(Inusité)**
3 **(Inusité)**
4 je clorai...
5 je clorais...
6 q. je close...
7 **(Inusité)**
8 clos
9 closant, clos

54 conclure

1 je conclus, s, t,
  ns concluons, ez, ent
2 je concluais...
3 je conclus...
4 je conclurai...
5 je conclurais...
6 q. je conclue...
7 q. je conclusse...
8 conclus, concluons, ez
9 concluant,
  conclu (**mais :** inclus)

55 paraître *ou* paraitre

1 je parais, s,
  ssons, ssez, ssent,
  il paraît *ou* parait
2 je paraissais...
3 je parus...
4 je paraîtrai *ou* paraitrai...
5 je paraîtrais *ou* paraitrais...
6 q. je paraisse...
7 q. je parusse...
8 parais, ssons, ssez
9 paraissant, paru

56 coudre

1 je couds, s, d,
ns cousons, ez, ent
2 je cousais…
3 je cousis…
4 je coudrai…
5 je coudrais…
6 q. je couse…
7 q. je cousisse…
8 couds, cousons, cousez
9 cousant, cousu

57 craindre

1 je crains, s, t
ns craignons, ez, ent
2 je craignais…
3 je craignis…
4 je craindrai…
5 je craindrais…
6 q. je craigne…
7 q. je craignisse…
8 crains, craignons, ez
9 craignant, craint

58 croire

1 je crois, s, t, ent
ns croyons, ez
2 je croyais…
3 je crus…
4 je croirai…
5 je croirais…
6 q. je croie…
7 q. je crusse…
8 crois, croyons, croyez
9 croyant, cru

59 croître *ou* croitre

1 je croîs, s, t,
ns croissons, ez, ent
2 je croissais…
3 je crûs…
4 je croîtrai *ou* croitrai…
5 je croîtrais *ou* croitrais…
6 q. je croisse…
7 q. je crûsse…
8 croîs, croissons, ez
9

60 médire

1 je médis, s, t, ent,
ns médisons, ez
(**mais** : vous dites,
vous redites)
2 je médisais…
3 je médis…
4 je médirai…
5 je médirais…
6 q. je médise, es, e, ent
q. ns médisions, iez
7 q. je médisse…
8 médis, médisons, ez
(**mais** : dites, redites)
9 médisant, médit

61 écrire

1 j'écris, s, t,
ns écrivons, ez, ent
2 j'écrivais…
3 j'écrivis…
4 j'écrirai…
5 j'écrirais…
6 q. j'écrive…
7 q. j'écrivisse…
8 écris, écrivons, ez
9 écrivant, écrit

62 joindre

1 je joins, s, t,
ns joignons, ez, ent
2 je joignais…
3 je joignis…
4 je joindrai…
5 je joindrais…
6 q. je joigne…
7 q. je joignisse…
8 joins, joignons, ez
9 joignant, joint

63 lire

1 je lis, s, t,
ns lisons, ez, ent
2 je lisais…
3 je lus…
4 je lirai…
5 je lirais…
6 q. je lise…
7 q. je lusse…
8 lis, lisons, lisez
9 lisant, lu

64 mettre

1 je mets, ts, t,
ns mettons, ez, ent
2 je mettais…
3 je mis…
4 je mettrai…
5 je mettrais…
6 q. je mette…
7 q. je misse…
8 mets, mettons, mettez
9 mettant, mis

65 moudre

1 je mouds, ds, d,
nous moulons, ez, ent
2 je moulais…
3 je moulus…
4 je moudrai…
5 je moudrais…
6 q. je moule…
7 q. je moulusse…
8 mouds, moulons, moulez
9 moulant, moulu

66 naître *ou* naitre

1 je nais, nais, naît *ou* nait,
ns naissons, ez, ent
2 je naissais…
3 je naquis…
4 je naîtrai *ou* naitrai…
5 je naîtrais *ou* naitrais…
6 q. je naisse…
7 q. je naquisse…
8 nais, naissons, ez
9 naissant, né

67 conduire

1 je conduis…
2 je conduisais…
3 je conduisis…
4 je conduirai…

5 je conduirais…
6 q. je conduise…
7 q. je conduisisse…
8 conduis, sons, sez
9 conduisant,
   conduit (mais : lui, nui)

68 plaire

1 je plais, s, il plaît *ou* plait,
   (mais : il tait)
   ns plaisons, ez, ent
2 je plaisais…
3 je plus…
4 je plairai…
5 je plairais…
6 q. je plaise…
7 q. je plusse…
8 plais, plaisons, plaisez
9 plaisant, plu

69 peindre

1 je peins, s, t,
   ns peignons, ez, ent
2 je peignais…
3 je peignis…
4 je peindrai…
5 je peindrais…
6 q. je peigne…
7 q. je peignisse…
8 peins, peignons, ez
9 peignant, peint

70 prendre

1 je prends, ds, d,
   ns prenons, ez, ils prennent
2 je prenais…
3 je pris…
4 je prendrai…
5 je prendrais…
6 q. je prenne…
7 q. je prisse
8 prends, prenons, ez
9 prenant, pris

71 attendre

1 j'attends, ds, d,
   ns attendons, ez, ent
2 j'attendais…
3 j'attendis…
4 j'attendrai…
5 j'attendrais…
6 q. j'attende…
7 q. j'attendisse…
8 attends, ons, ez
9 attendant, attendu

72 rire

1 je ris, s, t,
   ns rions, ez, ent
2 je riais, ais, ait, aient,
   ns riions, riiez
3 je ris, s, t,
   ns rîmes, rîtes, rirent
4 je rirai…
5 je rirais…
6 q. je rie, es, e, ent,
   q. ns riions, riiez
7 q. je risse, isses, ît,
   q. ns rissions, ssiez, ssent
8 ris, rions, riez
9 riant, ri

73 suivre

1 je suis, suis, suit,
   ns suivons, ez, ent
2 je suivais…
3 je suivis…
4 je suivrai…
5 je suivrais…
6 q. je suive…
7 q. je suivisse…
8 suis, suivons, ez
9 suivant, suivi

74 traire

1 je trais, s, t, ent,
   ns trayons, ez
2 je trayais…
3 (Inusité)
4 je trairai…
5 je trairais…
6 q. je traie, es, e, ent
   q. ns trayons, iez
7 (Inusité)
8 trais, trayons, ez
9 trayant, trait

75 vaincre

1 je vaincs, cs, c,
   ns vainquons, ez, ent
2 je vainquais…
3 je vainquis…
4 je vaincrai…
5 je vaincrais…
6 q. je vainque…
7 q. je vainquisse…
8 vaincs, vainquons, ez
9 vainquant, vaincu

76 vivre

1 je vis, s, t,
   ns vivons, ez, ent
2 je vivais…
3 je vécus…
4 je vivrai…
5 je vivrais…
6 q. je vive…
7 q. je vécusse…
8 vis, vivons, ez
9 vivant, vécu

77 battre

1 je bats, ts, t,
   ns battons, tez, tent
2 je battais…
3 je battis…
4 je battrai…
5 je battrais…
6 q. je batte…
7 q. je battisse…
8 bats, battons, battez
9 battant, battu

78 rompre

1 je romps, ps, pt,
   ns rompons, ez, ent
2 je rompais…
3 je rompis…
4 je romprai…
5 je romprais…
6 q. je rompe…
7 q. je rompisse…
8 romps, rompons, ez
9 rompant, rompu

79 suffire

1 je suffis, s, t,
   ns suffisons, ez, ent
2 je suffisais…
3 je suffis…
4 je suffirai…
5 je suffirais…
6 q. je suffise…
7 q. je suffise…
8 suffis, suffisons, ez
9 suffisant,
   suffi (mais : confit,
   déconfit, frit, circoncis)

	Accord avec le sujet du verbe	Accord avec le complément d'objet direct (COD) placé avant le verbe	Participe passé invariable
Participe passé conjugué avec l'auxiliaire **ÊTRE**.	La renarde a été apprivoisée. Des renardeaux sont nés. Ils sont allés les voir.		
Participe passé conjugué avec l'auxiliaire **AVOIR**.		La renarde qu'ils ont apprivoisée… L'avez-vous vue, cette renarde ? Quels noms as-tu choisis ?	■ **COD après le verbe** : ils ont **vu** les renardeaux. ■ **Pas de COD** : Elles ont beaucoup **marché**. Elles en ont **bénéficié** (de cette faveur). ■ **COD = pronom neutre LE (L')** : Nous le leur avons **annoncé**. ■ **Verbes impersonnels** : Quelles démarches il a **fallu** ! ■ **Semi-auxiliaires** : La robe que j'ai **fait faire**… ■ **Participe passé suivi d'un verbe à l'infinitif** : La maison que j'ai **vu** construire (construire une maison). **Mais** : Les renardeaux que j'ai **vus** téter (j'ai vu les renardeaux téter).
Participe passé des verbes pronominaux ■ Verbes essentiellement pronominaux ■ Verbes pronominaux de sens passif ■ Verbes pronominaux de sens réfléchi ou réciproque : • si se est **COD** • si se n'est pas **COD**	■ Elle s'est plainte du prix. ■ Elles se sont enfuies. ■ La cuve s'est vidée lentement.	■ Ils se sont cachés. Elles se sont embrassées. ■ La maison qu'il s'est trouvée… La balle, ils se la sont passée.	■ **COD après le verbe** : Ils se sont caché les yeux. ■ **Pas de COD** : Elles se sont souri. Nous nous sommes répondu.

PRÉFIXES ET SUFFIXES

acéto- du lat. « vinaigre ».
acro- du gr. « élevé, extrême ».
actino- du gr. « rayon ».
adéno- du gr. « glande ».
1. aéro- du gr. « air ».
2. aéro- de *aéroplane*.
afro- de *Afrique*.
-agogie, -agogue du gr. « qui conduit ».
agro- du gr. « champ ».
algo-, algie du gr. « douleur ».
allo- du gr. « autre ».
ambi- du lat. « les deux, des deux côtés ».
ambly- du gr. « émoussé, obtus ».
amphi- du gr. « autour de, des deux côtés ».
amylo- du lat. « amidon ».
ana- du gr. « de bas en haut ».
andro- du gr. « homme, mâle ».
anémo- du gr. « vent ».
anglo- du gr. « capsule, vaisseau ».
anglo- de *anglais*.
aniso- du gr. « inégal ».
anté- du lat. « avant ».
antho-, -anthe du gr. « fleur ».
anthropo-, -anthrope, -anthropique du gr.
« homme ».
anti- du gr. « contre ».
api- du lat. « abeille ».
apo- du gr. « au loin, à l'écart ».
aqua-, aqui- du lat. « eau ».
archéo- du gr. « ancien ».
archi- du gr., marque la supériorité.
-archie, -arque du gr. « commander ».
artério- du lat. « artère ».
arthro-, -arthrie du gr. « articulation ».
astro- du gr. « astre ».
audio- du lat. « entendre ».
1. auto- du gr. « soi-même ».
2. auto- de *automobile*.
baro- du gr. « pesanteur ».
bary- du gr. « lourd ».
bathy- du gr. « profond ».
bi-, bis- du lat. « deux fois, double ».
biblio- du gr. « livre ».
bio- du gr. « vie ».
blasto-, -blaste du gr. « germe ».
brachy- du gr. « court, bref ».
brady- du gr. « lent ».
broncho- du gr. « bronches ».
bryo- du gr. « mousse ».
caco- du gr. « mauvais ».
calci- calco- du lat. « chaud ».
calli- du gr. « beauté ».
calori- du lat. « chaleur ».
carbo- du lat. « charbon ».
carcino- du gr. « cancer ».
cardio-, -carde, -cardie du gr. « cœur ».
carpo-, carpe du gr. « jointure » ou « fruit ».
caryo- du gr. « noyau, noix ».

cata- du gr. « en dessous, en arrière ».
-cèle du gr. « tumeur ».
-cène du gr. « récent ».
centi- du lat. « centième ».
centro- du lat. « centre ».
céphalo-, -céphale du gr. « tête ».
chalco- du gr. « cuivre ».
chimio- de *chimie*.
chiro- du gr. « main ».
chloro- du gr. « vert ».
cholé- du gr. « bile ».
chondro- du gr. « cartilage ».
chromo-, chromato-, -chrome, -chromie
du gr. « couleur ».
chrono-, -chrone du gr. « temps ».
chryso- du gr. « or ».
-cide du lat. « meurtre ».
1. ciné-, cinémo- du gr. « mouvement ».
2. ciné- de *cinéma*.
circum-, circon- du lat. « autour ».
-claste, -clase du gr. « brisé ».
cis- du lat. « en deçà ».
clino- du gr. « être couché, penché »
cœno ou **céno-** du gr. « commun ».
-cole du lat. « cultiver, habiter ».
colpo- du gr. « vagin ».
contra- du lat. « contre, en sens contraire ».
copro- du gr. « excrément ».
-coque, -coccie du gr. « grain ».
cortico- du lat. « écorce ».
cosmo-, cosme du gr. « ordre, univers ».
cranio- du gr. « crâne ».
-crate, -cratie du gr. « force ».
cristallo- du gr. « cristal ».
cryo- du gr. « froid ».
crypto du gr. « caché ».
-culteur du lat. « qui cultive ».
-culture du lat. « culture ».
cupri-, cupro- du lat. « cuivre ».
curvi- du lat. « courbe ».
cyano- du gr. « bleu sombre ».
1. cyclo- du gr. « cercle ».
2. cyclo- de *cycle*.
cyno- du gr. « chien ».
cysto-, -cyste du gr. « vessie ».
cyto-, -cyte du gr. « cavité, cellule ».
déca- du gr. « dix ».
déci- du gr. « dixième ».
démo-, -démie du gr. « peuple ».
dactylo-, dactyle du gr. « doigt ».
dendro-, -dendron du gr. « arbre ».
dermato-, dermo-, -derme du gr. « peau ».
deuto-, deutéro du gr. « deuxième ».
dextro-, dextre du lat. « qui est à droite ».
di- du lat. « deux fois ».
diplo- du gr. « double ».
dodéca- du gr. « douze ».
dolicho- du gr. « long ».

doxo-, -doxie du gr. « opinion ».
dromo-, -drome, -dromie du gr. « course ».
dynamo-, -dynamie du gr. « force ».
-dyne, dyno- du gr. « force ».
dys- du gr. « difficulté, mauvais état ».
échino- du gr. « hérisson ».
1. éco-, -ècle du gr. « maison ».
2. éco- de écologie.
-ectasie du gr. « dilatation ».
ecto- du gr. « au-dehors »
-ectomie du gr. « ablation ».
-èdre, -édrie du gr. « face ».
électro- de électricité.
embryo- du gr. « embryon ».
-émie du gr. « sang ».
endo- du gr. « au-dedans ».
entéro-, -entère du gr. « intestin ».
entomo du gr. « insecte ».
éo- du gr. « aurore ».
épi- du gr. « sur, dessus, à la surface de ».
équi- du lat. « égal ».
ergo-, -ergie du gr. « action, travail ».
érythro- du gr. « rouge ».
esthési-, -esthésie du gr. « sensibilité ».
ethno- du gr. « race ».
eu- du gr. « bien ».
euro- de Europe.
exo- du gr. « hors de ».
-fère du lat. « porter ».
fibro- de fibre.
-forme du lat. « forme ».
franco- de français.
-fuge du lat. « fuir » ou « faire fuir ».
gala-, galacto- du gr. « lait ».
galli-, gallo- du lat. « coq ».
gamo-, -game, -gamie du gr. « union ».
gastéro-, gastro-, -gastre du gr. « ventre ».
-genèse, -génésie du gr. « formation ».
géno-, -gène, -génie du gr. « origine ».
géo-, -gée du gr. « terre ».
germano- de germanique.
géronto- du gr. « vieillard ».
giga-, gigan- du gr. « géant ».
glosso-, glotto-, -glosse, -glotte du gr.
« langue ».
gluco-, glyco- du gr. « doux ».
glypto du gr. « gravé ».
gnatho-, -gnathe du gr. « mâchoire ».
-gnose, -gnosie du gr. « connaissance ».
gonio-, -gone du gr. « angle ».
-grade du lat. « marcher ».
-gramme du gr. « lettre, écriture ».
grapho-, -graphe, -graphie du gr. « écrire ».
gréco- de grec.
gymno- du gr. « nu ».
gynéco-, gyné-, -gyne du gr. « femme ».
gyro-, -gyre du gr. « cercle ».
halo- du gr. « sel ».
haplo- du gr. « simple ».
hecto- du gr. « cent ».
hélio-, -hélie du gr. « soleil ».
héma-, hémato-, hémo- du gr. « sang ».

hémi- du gr. « à moitié ».
hendéca- du gr. « onze ».
hépato- du gr. « foie ».
hepta- du gr. « sept ».
hétéro- du gr. « autre ».
hexa- du gr. « six ».
hidro- du gr. « sueur ».
hiéro- du gr. « sacré, saint ».
hippo- du gr. « cheval ».
hispano- de hispanique.
histio-, histo- du gr. « tissu ».
holo- du gr. « entier ».
homéo-, homo- du gr. « semblable ».
horo- du gr. « heure ».
hydro-, -hydre du gr. « eau ».
hygro- du gr. « humide ».
hyper- du gr. « au-dessus, au-delà ».
hypno- du gr. « sommeil ».
hypo- du gr. « au-dessous, en deçà ».
hystéro- du gr. « utérus ».
iatro-, -iatre, -iatrie du gr. « médecin ».
ichtyo- du gr. « poisson ».
icono- du gr. « image ».
-ide, -idé du gr. « apparence ».
idéo- du gr. « idée ».
idio- du gr. « qui appartient en propre à ».
igni- du lat. « feu ».
immuno- du lat. « exempt de, libre de ».
indo- de Inde.
infra- du lat. « au-dessous, plus bas ».
inter- du lat. « entre ».
intra-, intro- du lat. « à l'intérieur de ».
iso- du gr. « égal ».
judéo- du lat. « juif ».
juxta- du lat. « près de ».
kérato- du gr. « corne, cornée ».
kilo- du gr. « mille ».
kinési-, -kinésie du gr. « mouvement ».
lacti-, lacto- du latin « lait ».
lalo-, -lâtrie du gr. « adorer ».
laryngo- du gr. « gorge, gosier ».
latéro-, -latère du lat. « côté ».
-lâtre, -lâtrie du gr. « adorer ».
lépido- du gr. « écaille ».
lepto- du gr. « mince ».
leuco- du gr. « blanc ».
limno- du gr. « lac ».
lipo- du gr. « graisse ».
litho-, -lithe, -lite du gr. « pierre ».
loco- du lat. « lieu ».
-logie, -logiste, -logue du gr. « théorie ».
logo- du gr. « parole, discours ».
longi- du lat. « long ».
-loque du lat. « parler ».
lyco- du gr. « loup ».
lyo- du gr. « dissoudre »
lyso-, -lyse du gr. « dissolution, dissociation ».
-lyte, -lytique du gr. « qui peut être dissous ».
-machie du gr. « combat ».
macro- du gr. « long, grand ».
magnéto- du gr. « aimant »

malaco- du gr. « mou ».
-mancie du gr. « divination ».
1. -mane du lat. « main ».
2. -mane, -manie du gr. « folie ».
mécano- du gr. « machine ».
médico- du lat. « médecin ».
médio- du lat. « moyen ».
méga-, mégalo-, -mégalie du gr. « grand ».
méla-, mélano- du gr. « noir ».
mélo- du gr. « chant ».
méro-, -mère, -mérie du gr. « partie ».
méso- du gr. « au milieu, médian ».
méta- du gr. « changement ».
métallo- du gr. « mine ».
métro-, -mètre, -métrie du gr. « mesure ».
micro- du gr. « petit ».
milli- du lat. « mille ».
mini- du lat. « moins ».
miso- du gr. « haïr ».
mnémo-, -mnésie du gr. « mémoire ».
mono- du gr. « seul ».
morpho-, -morphe, -morphisme du gr.
« forme ».
moto- de *moteur* ou de *motocyclette*.
multi- du lat. « nombreux ».
myco-, -myce du gr. « champignon ».
myélo-, -myélite du gr. « moelle ».
myo- du gr. « muscle ».
myria-, myrio- du gr. « dizaine de mille ».
mytho-, mythie du gr. « fable ».
mytilo- du lat. « moule ».
nano- du gr. « petit ».
narco- du gr. « engourdissement ».
-naute du gr. « navigateur ».
-nautique du gr. « relatif à la navigation ».
nécro- du gr. « mort ».
némato- du gr. « fil ».
néo- du gr. « nouveau ».
néphro- du gr. « rein ».
neuro-, névro- du gr. « nerf ».
nitro- du lat. « nitre ».
nivo- du lat. « neige ».
nomo-, -nome, -nomie du gr. « loi ».
noso-, -nose du gr. « maladie ».
nucléo- du lat. « noyau ».
nycto- du gr. « nuit ».
octa-, octi-, octo- du lat. « huit ».
-odie du gr. « chant ».
odo-, -ode du gr. « route ».
odonto- du gr. « dent ».
œno- du gr. « vin ».
-oïde, -oïdal du gr. « forme ».
oléi-, oléo- du lat. « huile ».
oligo- du gr. « peu nomreux ».
omni- du lat. « tout ».
oniro- du gr. « rêve ».
onto- du gr. « l'étant, l'être, ce qui est ».
oo- du gr. « œuf ».
-ope, -opie du gr. « vue ».
ophio- du gr. « serpent ».
ophtalmo-, -ophtalmie du gr. « œil ».
opo- du gr. « suc ».

-opsie du gr. « vue, vision ».
orchi-, orchido- du gr. « testicule ».
ornitho- du gr. « oiseau ».
oro- du gr. « montagne ».
ortho- du gr. « droit » ou « correct ».
ostéo-, -oste du gr. « os ».
ostréi- du lat. « huître ».
oti-, oto- du gr. « oreille ».
-oure du gr. « queue ».
ovo-, ovi- du lat. « œuf ».
paléo- du gr. « ancien ».
palin- du gr. « de nouveau ».
pan-, panto- du gr. « tout ».
1. para du gr. « à côté de ».
2. para-, pare- du lat. « protéger ».
-pare du lat. « engendrer ».
patho-, -pathie, -pathe du gr. « maladie ».
pédi-, -pède, -pédie du lat. « pied ».
1. pédo-, -pédie du gr. « enfant » ou « instruire ».
2. pédo- du gr. « sol ».
-pénie du gr. « manque ».
penta- du gr. « cinq ».
pepto-, -pepsie du gr. « digestion ».
péri- du gr. « autour ».
1. pétro- du gr. « pierre, roche ».
2. pétro- de *pétrole*.
-pexie du gr. « fixation ».
phago-, -phage, -phagie du gr. « manger ».
phallo- du gr. « phallus ».
philo-, -phile, -philie du gr. « aimer ».
phlébo- du gr. « veine ».
-phobe, -phobie du gr. « crainte ».
phono-, -phone, -phonie du gr. « voix,
son ».
-phore du gr. « porter ».
1. photo- du gr. « lumière ».
2. photo- de *photographie*.
phyco-, -phycée du gr. « algue ».
phyllo-, -phylle du gr. « feuille ».
-physe du gr. « formation, production ».
physio- du gr. « nature ».
phyto-, -phyte du gr. « plante ».
picro- du gr. « amer ».
piézo- du gr. « presser ».
pisci- du lat. « poissons ».
pithéco-, -pithèque du gr. « singe ».
plasmo-, -plasme, -plasie, -plaste, -plastie
du gr. « modeler ».
platy- du gr. « large ».
-plégie du gr. « frapper ».
pleuro- du gr. « côté ».
pluri- du lat. « plusieurs ».
pluvio- du lat. « pluie ».
pneumo- du gr. « poumon ».
pneumato- du gr. « souffle ».
podo-, -pode du gr. « pied ».
1. -pole du gr. « ville ».
2. -pole du gr. « vendre ».
poly- du gr. « nombreux ».
post- du lat. « après ».
potamo- du gr. « fleuve ».
pré- du lat. « en avant, devant ».

pro- du lat. « pour ».
procto- du gr. « anus ».
proto-, protéro- du gr. « premier ».
pseudo- du gr. « menteur ».
psycho-, -psychie du gr. « esprit ».
ptéro-, -ptère du gr. « aile ».
-pyge, -pygie du gr. « fesse ».
pyo- du gr. « pus ».
pyro- du gr. « feu ».
quinqua- du lat. « cinq ».
quint- du lat. « cinquième ».
1. radio- du lat. « rayon ».
2. radio- de *radiodiffusion* et de
radiographie.
recti- du lat. « droit ».
rétro- du lat. « en arrière ».
rhéo- du gr. « couler »
rhino- du gr. « nez ».
rhizo-, -rhize du gr. « racine ».
rhodo- du gr. « rose ».
rhombo- du gr. « toupie, losange ».
rhyncho-, -rhynque du gr. « groin, bec ».
-rostre du lat. « éperon, bec ».
-rragie du gr. « jaillir ».
-rrhée du gr. « couler ».
acchari-, sacchari-, saccharo- du gr. « sucre ».
salpingo- du gr. « trompe ».
sapon- du lat. « savon ».
sapro- du gr. « pourri, putride ».
sarco- du gr. « chair ».
-saure, -saurien du gr. « lézard ».
saxi- du lat. « rocher, pierre ».
scato- du gr. « excrément ».
schizo- du gr. « fendre ».
scléro- du gr. « dur ».
-scope, -scopie du gr. « regarder,
observer ».
séléno- du gr. « lune ».
sémio- ou **sémélo-** du gr. « signe ».
sérici- du lat. « soie ».
servo- du lat. « esclave ».
1. sidéro- du lat. « astre ».
2. sidéro- du gr. « fer ».
simili- du lat. « semblable ».
sino- du lat. « Chine ».
sismo- ou **séismo-** du gr. « secousse ».
somato-, -some du gr. « corps ».
sono- du lat. « son ».
spectro- du lat. « image ».
spéléo- du gr. « caverne ».
spermato-, spermo-, -sperme du gr.
« semence, graine ».
spléno- du gr. « rate ».
spondylo- du lat. « vertèbre ».
stéaro-, stéato- du gr. « graisse ».
stégo- du gr. « toit ».
sténo- du gr. « étroit ».
stéréo- du gr. « solide, cubique ».
stomato- du gr. « bouche ».
strati-, strato- du lat. « couche ».
strobo- du gr. « rotation ».
sulfo- du lat. « soufre ».

supra- du lat. « au-dessus ».
sylvi- du lat. « forêt ».
syn-, syl-, sym- du gr. « avec ».
syringo- du gr. « canal, tuyau ».
tachy- du gr. « rapide ».
tauto- du gr. « le même ».
taxi-, taxo-, -taxie du gr. « arrangement ».
techno-, -technie du gr. « art, métier ».
1. télé- du gr. « au loin ».
2. télé- de *télévision.*
téléo-, télo-, -télie du gr. « fin, but ».
térato- du gr. « monstre ».
tétra- du gr. « quatre ».
thalasso- du gr. « mer ».
thanato- du gr. « mort ».
théo- du gr. « dieu ».
-thèque du gr. « loge, boîte ».
-thérapie du gr. « soin, cure ».
thermo-, -therme, -thermie du gr.
« chaud ».
thio- du gr. « soufre ».
thrombo- du gr. « caillot ».
-thymie du gr. « cœur, affectivité ».
tomo-, -tome, -tomie du gr. « couper ».
-tonie du gr. « tension ».
topo-, -tope du gr. « lieu ».
toxo-, toxi-, toxico- du lat. « poison ».
tri- du lat. et du gr. « trois ».
tribo- du gr. « frotter ».
tricho- du gr. « poil, cheveu ».
tropo-, -trope, -tropie, -tropisme du gr.
« tour, manège, direction ».
tropho-, -trophie du gr. « nourriture ».
tubi- du lat. « tube ».
turbo- du lat. « tourbillon, toupie ».
typho- du gr. « torpeur ».
typo-, -type, -typie du gr. « empreinte ».
tyro- du gr. « fromage ».
ultra- du lat. « au-delà de ».
unci- du lat. « crochet ».
ungui- du lat. « ongle ».
uni- du lat. « un ».
urano- du gr. « ciel ».
-urge, -urgie du gr. « travail ».
1. uro-, -urèse, -urie du gr. « urine ».
2. uro-, -oure, -ure du gr. « queue ».
-valent du lat. « valoir ».
vaso- du lat. « récipient » ou « canal ».
vermi- du lat. « ver ».
vibro- de *vibrer.*
vidéo- du lat. « je vois ».
vini- du lat. « vin ».
viti- du lat. « vigne ».
-vore du lat. « manger, avaler ».
xantho- du gr. « jaune ».
xéno-, -xène du gr. « étranger » et
« étrange ».
xylo- du gr. « bois ».
zoo-, -zoaire, -zoïque du gr. « animal ».
zygo- du gr. « joug ».
zymo-, -zyme du gr. « levain, ferment ».

LISTE DES ÉLÉMENTS CHIMIQUES

NOM	SYM-BOLE	N° ATO-MIQUE	NOM	SYM-BOLE	N° ATO-MIQUE
Actinium	Ac	89	Manganèse	Mn	25
Aluminium	Al	13	*Mendélévium*	Md	101
Américium	Am	95	Mercure	Hg	80
Antimoine	Sb	51	Molybdène	Mo	42
Argent	Ag	47	Néodyme	Nd	60
Argon	Ar	18	Néon	Ne	10
Arsenic	As	33	*Neptunium*	Np	93
Astate	At	85	Nickel	Ni	28
Azote	N	7	Niobium	Nb	41
Baryum	Ba	56	*Nobélium*	No	102
Berkélium	Bk	97	Or	Au	79
Béryllium	Be	4	Osmium	Os	76
Bismuth	Bi	83	Oxygène	O	8
Bore	B	5	Palladium	Pd	46
Brome	Br	35	Phosphore	P	15
Cadmium	Cd	48	Platine	Pt	78
Calcium	Ca	20	Plomb	Pb	82
Californium	Cf	98	*Plutonium*	Pu	94
Carbone	C	6	Polonium	Po	84
Cérium	Ce	58	Potassium	K	19
Césium	Cs	55	Praséodyme	Pr	59
Chlore	Cl	17	*Prométhium*	Pm	61
Chrome	Cr	24	Protactinium	Pa	91
Cobalt	Co	27	Radium	Ra	88
Cuivre	Cu	29	Radon	Rn	86
Curium	Cm	96	Rhénium	Re	75
Dysprosium	Dy	66	Rhodium	Rh	45
Einsteinium	Es	99	Rubidium	Rb	37
Erbium	Er	68	Ruthénium	Ru	44
Étain	Sn	50	Samarium	Sm	62
Europium	Eu	63	Scandium	Sc	21
Fer	Fe	26	Sélénium	Se	34
Fermium	Fm	100	Silicium	Si	14
Fluor	F	9	Sodium	Na	11
Francium	Fr	87	Soufre	S	16
Gadolinium	Gd	64	Strontium	Sr	38
Gallium	Ga	31	Tantale	Ta	73
Gemanium	Ge	32	*Technétium*	Tc	43
Hafnium	Hf	72	Tellure	Te	52
Hahnium	Ha	105	Terbium	Tb	65
Hélium	He	2	Thallium	Tl	81
Holmium	Ho	67	Thorium	Th	90
Hydrogène	H	1	Thulium	Tm	69
Indium	In	49	Titane	Ti	22
Iode	I	53	Tungstène	W	74
Iridium	Ir	77	Uranium	U	92
Kourchatovium	Ku	104	Vanadium	V	23
Krypton	Kr	36	Xénon	Xe	54
Lanthane	La	57	Ytterbium	Yb	70
Lawrencium	Lr	103	Yttrium	Y	39
Lithium	Li	3	Zinc	Zn	30
Lutécium	Lu	71	Zirconium	Zr	40
Magnésium	Mg	12			

Les éléments artificiels sont en *italique*.

TABLEAU PÉRIODIQUE DES ÉLÉMENTS

• La nomenclature internationale préfère désigner les éléments dont le nombre atomique Z est supérieur à 100 par un nom numérique. Ainsi, le mendelevium (Z = 101) peut être nommé Unnilunium (1 donnant un : 0, nil, 1, unium).

UNITÉS PHYSIQUES

PRÉFIXES UTILISÉS POUR LES MULTIPLES ET LES SOUS-MULTIPLES :

exa	E	10^{18}	déci	d	10^{-1}
peta	P	10^{15}	centi	c	10^{-2}
téra	T	10^{12}	milli	m	10^{-3}
giga	G	10^{9}	micro	μ	10^{-6}
méga	M	10^{6}	nano	n	10^{-9}
kilo	k	10^{3}	pico	p	10^{-12}
hecto	h	10^{2}	femto	f	10^{-15}
déca	da	10	atto	a	10^{-18}

UNITÉS SI DE BASE

Longueur	mètre	m
Masse	kilogramme	kg
Temps	seconde	s
Intensité du courant électrique	ampère	A
Température	kelvin	K
Intensité lumineuse	candela	cd
Quantité de matière	mole	mol

UNITÉS SI DÉRIVÉES

• Géométriques, mécaniques, thermodynamiques

Superficie	mètre carré	m^2
Volume	mètre cube	m^3
Vitesse	mètre par seconde	$m.s^{-1}$
Accélération	mètre par seconde carrée	$m.s^{-2}$
Masse volumique	kilogramme par mètre cube	$kg/m.s^{-3}$
Volume massique	mètre cube par kilogramme	$m^3.kg^{-1}$
Fréquence	hertz	Hz
Nombre d'ondes	1 par mètre	m^{-1}
Masse linéique	kilogramme par mètre	$kg.m^{-1}$
Masse surfacique	kilogramme par mètre carré	$kg.m^{-2}$
Concentration	kilogramme par mètre cube	$kg.m^{-3}$
Force	newton	N
Pression	pascal	Pa
Énergie, travail, chaleur	joule	J
Puissance, flux énergétique	watt	W
Moment de force	newton-mètre	N.m
Tension capillaire	newton par mètre	$N.m^{-1}$
Viscosité dynamique	pascal-seconde	Pa.s
Éclairement énergétique	watt par mètre carré	$W.m^{-2}$
Chaleur massique, entropie massique	joule par kilogramme-kelvin	$J.kg^{-1}.K^{-1}$
Température	degré Celsius	°C

• Électriques, optiques

Force magnétomotrice	ampère-tour	A.tr
Tension, potentiel, f.é.m.	volt	V
Quantité d'électricité	coulomb	C
Résistance	ohm	Ω
Conductance	siemens	S
Capacité	farad	F
Champ magnétique	tesla	T
Flux magnétique	weber	Wb
Inductance	henry	H
Intensité de courant	ampère par mètre carré	$A.m^{-2}$

Intensité de champ électrique	volt par mètre	V.m^{-1}
Intensité de champ magnétique	ampère par mètre	A.m^{-1}
Permitivité	farad par mètre	F.m^{-1}
Perméabilité	henry par mètre	H.m^{-1}
Flux lumineux	lumen	lm
Éclairement	lux	lx
Luminance	nit	nt
Vergence des systèmes optiques	1 par mètre ou dioprie	m^{-1} ou δ

UNITÉS SI SUPPLÉMENTAIRES

Angle plan	radian	rad
Angle solide	stéradian	sr
Vitesse angulaire	radian par seconde	rad.s^{-1}
Accélération angulaire	radian par seconde carrée	rad.s^{-2}
Intensité énergétique	watt par stéradian	W.sr^{-1}
Luminance énergétique	watt par m^2 stéradian	W.m^{-2} sr^{-1}

UNITÉS HORS SYSTÈME (unité déconseillée = u. déc.)

minute	min	1 min	= 60 s
heure	h	1 h	= 3 600 s
jour	d	1 d	= 86 400 s
degré	°	1 °	= (π/180)rad
minute (d'angle)	'	1'	= (1/60)°
seconde (d'angle)	"	1"	= (1/60°)
litre	L	1 L	= 10^{-3} m^3
tonne	t	1 t	= 10^3 kg
électronvolt	eV	1 eV	= 1,602.10^{-19} J
unité astronomique	UA	1UA	= 1,496.10^{11} m
parsec	pc	1 pc	= 3,080.10^{18} m
année de lumière	a.l	1 a.l	= 9,461.10^{15} m
angström	Å	1 Å	= 10^{-10} m
are	a	1 a	= 10^2 m^2
barn	b	1 b	= 10^{-28} m^2
bar	bar	1 bar	= 10^5 Pa
atmosphère normale	atm	1 atm	=1.013.25 10^5 Pa
erg (u.C.G.S.)	erg	1 erg	= 10^{-7} J
dyne	dyn	1 dyn	= 10^{-5} N
poise (u.C.G.S.)	P	1 P	= 0,1 Pa.s
stokes	St	1 St	= 10^{-4} m^2.s^{-1}
gauss (u.C.G.S.)	G	1 G	= 10^{-4} T
œrsted (u.C.G.S.)	Œ	1 Œ	= 1 000/4 π A.m^{-1}
maxwell (u.C.G.S.)	Mx	1 Mx	= 10^{-8} Wb
phot (u.C.G.S.)	ph	1 ph	= 10^4 lx
stilb (u.C.G.S.)	sb	1 sb	= 10^4 nt
torr (u. déc.)	torr	1 torr	= 1 mm de mercure
kilogramme force (u. déc.)	kgf	1 kgf	= 9,806 65 N
calorie (u. déc.)	cal	1 cal	= 4,184 J
micron (u. déc.)	μ	1 μ	= 1μm = 10^{-6} m
stère (u. déc.)	st	1 st	= 1 m^3
fermi (u. déc.)	fm	1 fm	= 10^{-15} m
gamma (u. déc.)	γ	1 γ	= 10^{-9} kg

SYMBOLES MATHÉMATIQUES

1. OPÉRATIONS ARITHMÉTIQUES

+	plus	/ ou : ou –	divisé par
−	moins		
× ou •	multiplié par		
		±	plus ou moins

2. ÉGALITÉS, IDENTITÉS, INÉGALITÉS

=	égale	<	strictement inférieur à
≡	identique à	⩾	supérieur à
≠	différent de	>	strictement supérieur à
≃	peu différent de	|	divise
⩽	inférieur à		

3. AUTRES SYMBOLES ALGÉBRIQUES

n en exposant	puissance	( )	parenthèses
		‖	valeur absolue
√	racine	!	factorielle

4. SYMBOLES LOGIQUES ET DE LA THÉORIE DES ENSEMBLES

⌐	non	⊂	inclus dans
⇒	implique	⋂	non inclus dans
⇔	logiquement équivalent à	∈	appartient
∪	réunion	∉	n'appartient pas
∩	intersection	{}	accolades
C	complémentarité	T ou ⊥	té ou anti-té
∅	Ensemble vide	o	rond
∀	quel que soit	⋆	star ou étoile
∃	il existe		

5. SYMBOLES DE FONCTIONS TRIGONOMÉTRIQUES

sin	sinus	arc sin	arc sinus
cos	cosinus	arc cos	arc cosinus
tan	tangente	arc tan	arc tangente

PAYS, LANGUES, MONNAIES

pays	code	langue(s) officielle(s)	monnaie
Afghanistan	AFG	dari, pachtou	afghani
Afrique du Sud	ZA	afrikaans, anglais	rand
Albanie	AL	albanais	lek
Algérie	DZ	arabe	dinar
Allemagne	D	allemand	euro
Angola		portugais	kwanza
Arabie Saoudite		arabe	riyal
Argentine	RA	espagnol	peso
Arménie		arménien	tram
Australie	AUS	anglais	dollar
Autriche	A	allemand	euro
Azerbaïdjan		azéri	manat
Bahrein	BRN	arabe	dinar
Bangladesh	BD	bengali	taka
Belgique	B	français, néerlandais, allemand	euro
Bélize	BH	anglais	dollar
Bénin	DY	français	franc CFA
Biélorussie		biélorusse	rouble
Birmanie	BUR	birman	kyat
Bolivie		espagnol	boliviano
Botswana	RB	anglais, tswana	pula
Brésil	BR	portugais	real
Brunei		malais	dollar
Bulgarie	BG	bulgare	lev
Burkina Faso		français	franc CFA
Burundi	WAG	français, kirundi	franc
Cambodge		khmer	riel
Cameroun		anglais, français	franc CFA
Canada	CND	anglais, français	dollar
Cap-Vert	GR	portugais	escudo
Centrafricaine (Rép.)	RCA	français	franc CFA
Chili	RCH	espagnol	peso
Chine		chinois	yuan
Chypre	CY	grec, turc	livre
Colombie	CO	espagnol	peso
Congo	RCB	français	franc CFA
Congo (Rép. dém.)	RDC	français	franc
Corée	ROK	coréen	won
Costa Rica	CR	espagnol	colón
Côte-d'Ivoire	CI	français	franc CFA
Croatie		serbo-croate	kuna
Cuba	C	espagnol	peso
Danemark	DK	danois	couronne
Dominicaine (Rép.)	DOM	espagnol	peso
Égypte	ET	arabe	livre
Émirats arabes unis	UAE	arabe	dirham
Équateur	EC	espagnol	sucre
Érythrée		tigrinya, arabe	nakfa
Espagne	E	espagnol	euro
Estonie		estonien	couronne
États-Unis	USA	anglais	dollar
Éthiopie		amharique	birr
Fidji	FJI	anglais	dollar
Finlande	SF	finnois, suédois	euro
France	F	français	euro
Gabon	G	français	franc CFA
Gambie	WAG	anglais	dalasi
Géorgie		géorgien	lari
Ghana	GH	anglais	cedi
Grèce	GR	grec	euro
Guatemala	GCA	espagnol	quetzal
Guinée		français	franc
Guinée équatoriale		espagnol	franc CFA
Guinée-Bissau		portugais	peso
Guyana	GUY	anglais	dollar
Haïti	RH	français, créole	gourde
Honduras		espagnol	lempira
Hongrie	H	hongrois	forint
Inde	IND	hindi, anglais	roupie
Indonésie	RI	indonésien	rupiah
Irak	IRK	arabe	dinar
Iran	IR	persan	rial
Irlande	IRL	anglais, irlandais	euro
Islande	IS	islandais	couronne
Israël	IL	hébreu	shekel
Italie	I	italien	euro
Jamaïque	JA	anglais	dollar
Japon	J	japonais	yen
Jordanie	HKJ	arabe	dinar

pays	code	langue(s) officielle(s)	monnaie
Kazakhstan		kazakh, russe	tengue
Kenya	EAK	anglais, swahili	shilling
Kirghizstan		kirghiz, russe	som
Koweït	KWT	arabe	dinar
Laos	LAO	lao	kip
Lesotho	LS	anglais, sotho	loti
Lettonie		letton	lats
Liban	RL	arabe	livre
Liberia	LB	anglais	dollar
Libye	LAR	arabe	dinar
Lituanie		lituanien	litas
Luxembourg	L	français	euro
Macédoine		macédonien	dinar
Madagascar	RM	malgache, français	franc
Malaisie	MAL	malais	ringgit
Malawi	MW	anglais	kwacha
Mali	RMM	français	franc
Malte	M	anglais, maltais	livre
Maroc	MA	arabe	dirham
Maurice	MS	anglais	roupie
Mauritanie	RIM	arabe, français	ouguiya
Mexique	MEX	espagnol	peso
Mongolie		khalkha	tugrik
Mozambique		portugais	metical
Namibie	NAM	afrikaans, anglais	dollar
Népal		népalais	roupie
Nicaragua	NIC	espagnol	córdoba
Niger	RN	français	franc CFA
Nigeria	WAN	anglais	naira
Norvège	N	norvégien	couronne
Nouvelle-Zélande	NZ	anglais	dollar
Oman		arabe	rial
Ouganda	EAU	anglais, swahili	shilling
Ouzbékistan		ouzbek, russe	som
Pakistan	PAK	urdu, anglais	roupie
Panamá	PA	espagnol	balboa
Papouasie-Nouvelle-Guinée	PNG	anglais, néo-mélanésien	kina
Paraguay	PY	espagnol	guarani
Pays-Bas	NL	néerlandais	euro
Pérou	PE	espagnol, quechua	sol
Philippine	RP	tagalog	peso
Pologne	PL	polonais	zloty
Portugal	P	portugais	euro
Qatar	Q	arabe	riyal
Roumanie	R	roumain	leu
Royaume-Uni	GB	anglais	livre sterling
Russie		russe	rouble
Rwanda	RWA	français, kinyarwanda	franc
Salvador	ES	espagnol	colón
Sénégal	SN	français	franc CFA
Sierra Leone	WAL	anglais	leone
Singapour	SGP	anglais, chinois, malais, tamoul	dollar
Slovaquie		slovaque	couronne
Slovénie	CO	slovène	tolar
Somalie	SO	somali	shilling
Soudan		arabe	dinar
Sri Lanka	CL	cinghalais	roupie
Suède	S	suédois	couronne
Suisse	CH	allemand, français, italien, romanche	franc
Surinam	SME	néerlandais	florin
Swaziland	SD	anglais, swazi	lilangeni
Syrie	SYR	arabe	livre
Tadjikistan		russe, tadjik	rouble
Taïwan	RC	chinois	dollar
Tanzanie		anglais, swahili	shilling
Tchad		français	franc CFA
Tchèque (République)		tchèque	couronne
Thaïlande	T	thaï	baht
Togo	TG	français	franc CFA
Trinité et Tobago		anglais	dollar
Tunisie	TN	arabe	dinar
Turkménistan		turkmène, russe	manat
Turquie	TR	turc	livre
Ukraine		ukrainien	grivna
Uruguay	U	espagnol	peso
Venezuela	YV	espagnol	bolivar
Viêt-nam	VN	vietnamien	dong
Yémen		arabe	rial
Zambie	ZA	anglais	kwacha
Zimbabwe	ZW	anglais	dollar

DÉPARTEMENTS FRANÇAIS

DÉPARTEMENT	CODE	CHEF-LIEU	DÉPARTEMENT	CODE	CHEF-LIEU
AIN	01	Bourg	LOZÈRE	48	Mende
AISNE	02	laon	MAINE-ET-LOIRE	49	Angers
ALLIER	03	Moulins	MANCHE	50	Saint-Lô
ALPES-DE-HAUTE-			MARNE	51	Châlons-en-
PROVENCE	04	Digne			champagne
HAUTES-ALPES	05	Gap	HAUTE-MARNE	52	Chaumont
ALPES-MARITIMES	06	Nice	MARTINIQUE	972	Fort-de-France
ARDÈCHE	07	Privas	MAYENNE	53	Laval
ARDENNES	08	Charleville-	MEURTHE-ET-MOSELLE	54	Nancy
		Mézières	MEUSE	55	Bar-le-Duc
ARIÈGE	09	Foix	MORBIHAN	56	Vannes
AUBE	10	Troyes	MOSELLE	57	Metz
AUDE	11	Carcassonne	NIÈVRE	58	Nevers
AVEYRON	12	Rodez	NORD	59	Lille
BOUCHES-DU-RHÔNE	13	Marseille	OISE	60	Beauvais
CALVADOS	14	Caen	ORNE	61	Alençon
CANTAL	15	Aurillac	PARIS	75	Paris
CHARENTE	16	Angoulême	PAS-DE-CALAIS	62	Arras
CHARENTE-MARITIME	17	La Rochelle	PUY-DE-DÔME	63	Clermont-Ferrand
CHER	18	Bourges	PYRÉNÉES-		
CORRÈZE	19	Tulle	ATLANTIQUES	64	Pau
CORSE-DU-SUD	2A	Ajaccio	HAUTES-PYRÉNÉES	65	Tarbes
HAUTE-CORSE	2B	Bastia	PYRÉNÉES-		
CÔTE-D'OR	21	Dijon	ORIENTALES	66	Perpignan
CÔTES-D'ARMOR	22	Saint-Brieuc	RÉUNION	974	Saint-Denis
CREUSE	23	Guéret	BAS-RHIN	67	Strasbourg
DORDOGNE	24	Périgueux	HAUT-RHIN	68	Colmar
DOUBS	25	Besançon	RHÔNE	69	Lyon
DRÔME	26	Valence	SAINT-PIERRE-ET-		
ESSONNE	91	Évry	MIQUELON	975	Saint-Pierre
EURE	27	Évreux	HAUTE-SAÔNE	70	Vesoul
EURE-ET-LOIR	28	Chartres	SAÔNE-ET-LOIRE	71	Mâcon
FINISTÈRE	29	Quimper	SARTHE	72	Le Mans
GARD	30	Nîmes	SAVOIE	73	Chambéry
HAUTE-GARONNE	31	Toulouse	HAUTE-SAVOIE	74	Annecy
GERS	32	Auch	SEINE-MARITIME	76	Rouen
GIRONDE	33	Bordeaux	SEINE-ET-MARNE	77	Melun
GUADELOUPE	971	Basse-Terre	SEINE-SAINT-DENIS	93	Bobigny
GUYANE	973	Cayenne	DEUX-SÈVRES	79	Niort
HAUTS-DE-SEINE	92	Nanterre	SOMME	80	Amiens
HÉRAULT	34	Montpellier	TARN	81	Albi
ILLE-ET-VILAINE	35	Rennes	TARN-ET-GARONNE	82	Montauban
INDRE	36	Châteauroux	TERRITOIRE		
INDRE-ET-LOIRE	37	Tours	DE BELFORT	90	Belfort
ISÈRE	38	Grenoble	VAL-DE-MARNE	94	Créteil
JURA	39	Lons-le-Saunier	VAL-D'OISE	95	Pontoise
LANDES	40	Mont-de-Marsan	VAR	83	Toulon
LOIR-ET-CHER	41	Blois	VAUCLUSE	84	Avignon
LOIRE	42	Saint-Étienne	VENDÉE	85	La Roche-sur-Yon
HAUTE-LOIRE	43	Le Puy	VIENNE	86	Poitiers
LOIRE-ATLANTIQUE	44	Nantes	HAUTE-VIENNE	87	Limoges
LOIRET	45	Orléans	VOSGES	88	Épinal
LOT	46	Cahors	YONNE	89	Auxerre
LOT-ET-GARONNE	47	Agen	YVELINES	78	Versailles

ALPHABETS

CYRILLIQUE			GREC			
Majuscule	Minuscule	Transcription	Majuscule	Minuscule	Nom de la lettre	Transcription
А	а	a	А	α	alpha	a
Б	б	b	В	б	bêta	b
В	в	v		β	bêta initial	b
Г	г	gu	Γ	γ	gamma	g
Д	д	d	Δ	δ	delta	d
Е	е	é/ié	Ε	ε	epsilon	e, é
Ё	ё	io	Ζ	ζ	zêta	z
Ж	ж	j	Η	η	êta	ê, é
З	з	z	Θ	θ	thêta	th
И	и	i	Ι	ι	iota	i
Й	й	ï	Κ	ϰ	kappa	k
К	к	k	Λ	λ	lambda	l
Л	л	l	Μ	μ	mu	m
М	м	m	Ν	ν	nu	n
Н	н	n	Ξ	ξ	ksi	x
О	о	o	Ο	ο	omicron	o
П	п	p	Π	π	pi	p
Р	р	r	Ρ	ρ	rhô	r
С	с	s	Σ	σ	sigma	s
Т	т	t		ς	sigma final	s
У	у	ou	Τ	τ	tau	t
Ф	ф	f	Υ	υ	upsilon	u *ou* y
Х	х	kh	Φ	φ	phi	ph *ou* f
Ц	ц	ts	Χ	χ	khi	kh *ou* ch
Ч	ч	tch	Ψ	ψ	psi	ps
Ш	ш	ch	Ω	ω	oméga	o
Щ	щ	chtch				
Ъ	ъ	*(signe dur)*				
Ы	ы	y				
Ь	ь	*(mouillure)*				
Э	э	é/è				
Ю	ю	iou				
Я	я	ia				

Imprimé en Espagne par LIBERDÚPLEX
Dépôt légal nº 70528 - 06/2006
Collection 59 - Édition 01
88/0583/6